部首	變形	面
疒		八四四
癶		八五〇
白		八五三
皮		八五九
皿		八六〇
目	罒	八六四
矛		八七二
矢		八七三
石		八七六
示	礻	八八三
禸		八九二
禾		八九三
穴		九〇八
立		九一四
歺	歹	九一六
罒	网	九一六
衤	衣	一〇六四
六畫		
竹		九二三
米		九三六
糸		九四三
缶		九六五
网	罒 冈 㓁	九六六
羊		九七〇
羽		九七四
老	耂	九七七
而		九八〇
耒		九八一
耳		九八二
聿		九八七
肉	月	九八八
臣		一〇〇五
自		一〇〇七
至		一〇一〇
臼	臼	一〇一一
舌		一〇一四
舛		一〇一五
舟		一〇一六
艮		一〇一九
色		一〇二〇
艸	艹	一〇二一
虍		一〇五〇
虫		一〇五四
血		一〇五九
行		一〇六〇
衣	衤	一〇六四
襾		一〇七二
七畫		
見		一〇七五
角		一〇七九
言		一〇八二
谷		一一一二
豆		一一一二
豕		一一一三
豸		一一一五
貝		一一一六
赤		一一三三
走		一一三三
足		一一三六
身		一一四一
車		一一四二
辛		一一五一
辰		一一五四
辵	辶	一一五六
邑	阝(右)	一一八二
酉		一一八八
釆		一一九四
里		一一九六
臼	臼	一〇一二
镸	長	一二一七
八畫		
金		一一九九
長	镸	一二一七
門		一二一八
阜	阝(左)	一二二七
隶		一二四一
隹		一二四二
雨		一二四九
靑		一二五六
非		一二五七
九畫		
面		一二五九
革		一二五九
韋		一二六〇
韭		一二六一
音		一二六二
頁		一二六三
風		一二七三
飛		一二七五
食		一二七六
首		一二八三
香		一二八四
十畫		
馬		一二八五
骨		一二九一
高		一二九三
髟		一二九五
鬥		一二九六
鬯		一二九六
鬲		一二九七
鬼		一二九七
十一畫		
魚		一三〇〇
鳥		
鹵		
鹿		
麥		
麻		
十二畫		
黃		
黍		
黑		
黹		一三一六
十三畫		
黽		一三一六
鼎		一三一六
鼓		一三一七
鼠		一三一七
十四畫		
		一三一八
		一三一八
		一三二〇
		一三二〇
		一三二二
		一三二二

部首名稱

一 한일
丨 뚫을곤
丶 점
丿 삐침
乙 새을변
亅 갈고리궐변
二 두이변
亠 돼지해밑
人 亻 사람인변
儿 어진사람인받침
入 들입
八 여덟팔
冂 멀경몸
冖 민갓머리
冫 이수변
几 안석궤
凵 위튼입구
刀 刂 칼도방
力 힘력변
勹 쌀포몸
匕 비수비변
匚 터진입구몸
匸 터진에운담
十 열십
卜 점복
卩 㔾 병부절변
厂 민엄호밑

厶 마늘모
又 또우
口 입구변
囗 에운담몸 큰입구몸
土 흙토변
士 선비사변
夂 뒤져올치방
夊 천천히걸을쇠받침
夕 저녁석변
大 큰대
女 계집녀변
子 아들자변
宀 갓머리
寸 마디촌
小 작을소
尢 兀 尣 절름발이왕방
尸 주검시밑
屮 풀철
山 메산변
巛 개미허리
工 장인공
己 몸기
巾 수건건변
干 방패간변
幺 작을요변
广 엄호밑
廴 민책받침

廾 밑스물입
弋 주살익
弓 활궁변
彐 ⺕ 彑 터진가로왈
彡 터럭삼·삐친석삼
彳 두인변·중인변
忄 (心) 심방변
扌 (手) 재방변
氵 (水) 삼수변
犭 (犬) 개사슴록변
阝 (邑) 우부방
阝 (阜) 좌부방
心 忄 마음심
戈 창과
戶 지게호
手 扌 손수
支 지탱할지
攴 攵 등글월문방
文 글월문방
斗 말두
斤 날근변
方 모방변
无 이미기방
日 날일변
曰 가로왈
月 달월변
木 나무목변
欠 하품흠방
止 그칠지변

歹 歺 죽을사변
殳 갖은등글월문
毋 말무
比 견줄비
毛 터럭모
氏 각시씨
气 기운기밑
水 물수
氺 아래물수
火 灬 불화변
爪 爫 손톱조밑
父 아비부밑
爻 점괘효
爿 장수장변
片 조각편변
牙 어금니아변
牛 牜 소우변
犬 犭 개견
王 (玉) 임금왕변 구슬옥변
耂 (老) 늙을로엄
月 (肉) 육달월변
艹 (艸) 초두밑
辶 (辵) 책받침 (갖은책받침)
玄 검을현
玉 王 구슬옥변
瓜 오이과
瓦 기와와
甘 달감
生 날생

用 쓸용
田 밭전
疋 필필변
疒 병질밑
癶 필발밑
白 흰백변
皮 가죽피변
皿 그릇명받침
目 罒 눈목변
矛 창모변
矢 화살시변
石 돌석변
示 礻 보일시변
禸 짐승발자국유
禾 벼화변
穴 구멍혈밑
立 설립변
罒 (网) 넉사밑
衤 (衣) 옷의변
竹 대죽변·대죽머리
米 쌀미변
糸 실사변
缶 장군부변
网 冈 罒 四 그물망
羊 양양변
羽 깃우변
老 耂 늙을로엄
而 말이을이변
耒 쟁기뢰변

耳 귀이변
聿 오직율
肉 月 고기육
臣 신하신
自 스스로자
至 이를지
臼 𦥑 절구구
舌 혀설변
舛 어길천밑
舟 배주변
艮 그칠간
色 빛색몸
艸 艹 초두밑
虍 범호밑
虫 벌레충변
血 피혈변
行 다닐행안
衣 衤 옷의변
襾 덮을아밑
見 볼견변
角 뿔각변
言 말씀언변
谷 골곡변
豆 콩두변
豕 돼지시변
豸 갖은돼지시변
貝 조개패변
赤 붉을적변
走 달아날주변

足 발족변
身 몸신변
車 수레거변
辛 매울신
辰 별진
辵 辶 갖은책받침 책받침
邑 阝 고을읍·우부방
酉 닭유변
釆 분별할채변
里 마을리변
金 쇠금변
長 镸 긴장변
門 문문
阜 阝 언덕부변 좌부방
隶 미칠이변
隹 새추
雨 비우
靑 푸를청
非 아닐비
面 낯면변
革 가죽혁변
韋 가죽위변
韭 부추구
音 소리음
頁 머리혈
風 바람풍변
飛 날비몸
食 밥식변
首 머리수

香 향기향
馬 말마변
骨 뼈골변
高 높을고
髟 터럭발밑
鬥 싸울투
鬯 술창
鬲 솥력
鬼 귀신귀변
魚 고기어변
鳥 새조변
鹵 소금밭로변
鹿 사슴록
麥 보리맥변
麻 삼마
黃 누를황
黍 기장서변
黑 검을흑변
黹 바느질할치변
黽 맹꽁이맹
鼎 솥정
鼓 북고
鼠 쥐서변
鼻 코비
齊 가지런할제
齒 이치
龍 용룡
龜 거북귀
龠 피리약변

말

한자(漢字)의 올바른 읽기·쓰 … 익히는 것은 국어(國語)의 학습(學習)에 불가결(不可缺)한 요건(要件)이다。이번에 문교부(文敎部)에서 천 팔백자(八百字)의 중학교(中學校) 및 고등학교(高等學校) 교육용 기초 한자(敎育用基礎漢字)를 제정(制定)한 것을 계기(契機)로 우리 나라의 어문 교육(語文敎育)이 늦게나마 제자리에 정립(定立)된 것은 여간 다행스러운 일이 아니다。

그 동안 생소했던 한자 및 한문에 대하여 …생들이 친근감(親近感)을 가지게 하고 국어 문화(國語文化)의 보다 높은 이해(理解)를 돕게 하고자 우리는 가장 새로운 문자학(文字學)의 연구 결과를 도입(導入)하여、초보자(初步者)의 한자·한문 학습에 가장 알맞은 사전을 이에 펴내는 바이다。

이 교육 한자 사전은

一、중고교(中高校) 교육 한자 천 팔백자를 중심으로 학술과 일상 생활에 필요한 약 사천자의 표제자(標題字)를 엄선 수록하고 그 표제자를 첫머리로 하여 이루어진 숙어(熟語) 이만 오천어(語)를 담았다。

二、전체 표제자의 올바른 뜻의 이해를 돕도록 흥미롭고 알기 쉽게 자원(字源)을 해설하고、많은 옛 글자를 그림으로 나타내어 보임으로써 합리적인 이해로 이끌었다。

三、참고(參考)와 주의(注意) 난을 두어 표제자의 다각적(多角的)인 검토(檢討)를 시도하였다。

이상과 같은 특색을 가져 우리가 자신있게 내놓는 이 한자 사전이 애용자(愛用者) 여러분의 지성(知性)을 높이고 교양(敎養)을 깊이하는 데 기본적 바탕이 되기를 간절히 바란다。

편 자 씀

교육용 기초한…

엣센스…
實用 漢字辭…

민중서림 편집국 편

일러두기

이 사전은 중학교(中學校) 학생과 고등학교(高等學校) 학생의 한자(漢字) 및 한문(漢文) 공부를 위해서 엮어진 책이다. 그리하여 문교부(文敎部)에서 제정(制定) 공포(公布)한 중학교·고등학교 교육용(敎育用) 기초 한자(基礎漢字)를 중심으로 해서 일상 사회 생활(社會生活)에 필요한 한자(漢字)와 그 숙어(熟語)를 알기 쉽고 자세하게 풀이하여 놓았다.

이 사전의 구성(構成)

이 책은 본문(本文)과 부록(附錄) 및 색인(索引=찾아보기)의 세 부문(部門)으로 이루어져

㊀ **본문**(本文)은 표제자(標題字) 해설(解說)과 숙어(熟語)의 두 부분(部分)으로 나눈다.

① **수록 표제자**(收錄標題字)**의 수**……중고교생(中高校生)의 한자·한문 공 사회 생활에 필요한 한자를 망라(網羅)하였다.

㉠ 교육용 기 一八〇〇자

㉡ 부수(部 二二一四자

㉢ 그 밖에 필요한 한자 약 二〇〇〇자

이상과 같이 약 **사천**(四千)자를 엄선하였는데, 이 밖에 일상 생활에 흔히 쓰이는 약자(略字)나 속자(俗字) 및 우리 나라에서만 쓰이는 특별한 한자(漢字)들도 모두 뽑아 실었으므로, 학습(學習)에는 물론 일반인(一般人)의 사용(使用)에도 능(能)히 충족(充足)될 수 있다고 본다.

② **수록 숙어**(收錄熟語)**의 수**……국어(國語)·한문(漢文) 교과서에 나오는 일반 한자말과 고사(故事)·성어(成語)를 비롯하여, 한문 공부에 필요한 중국과 우리 나라의 인명(人名)·지명(地名)·책명(冊名)·관직명(官職名)·동식물(動植物) 등 약 **이만 오천어**(二萬五千語)를 추려서 실었다.

㊁ **부록**(附錄)으로 다음과 같은 것을 실었다.

- **한자**(漢字)**의 지식**(知識)
- **부수**(部首) **이야기**
- **한자의 필순**(筆順)
- **부수**(部首)**의 필순**
- **틀리기 쉬운 획수**(畫數) **세기**
- **숙어**(熟語)**의 지식**
- **부수 명칭**(部首名稱)(앞면지(面紙) 제삼면(第三面)에)
- **운자표**(韻字表)(뒷면지(面紙) 제일면(第一面)에)

㊂ **색인**(索引)……한자 사전에 특히 중요한 것은 색인

즉 찾아보기이다。 이 책에서는 권말(卷末)에 **총획 색인**(總畫索引)·**자음 색인**(字音索引)을 붙였으며, 본문(本文)을 찾아보는 데 편리하도록 각 면(面)마다 **난외 표제**(欄外標題)와 **각획**(各畫)**의 부수순**(部首順) **찾아보기**를 달았다。 또 앞뒤의 면지(面紙)에는 **부수 색인**(部首索引)을 붙였다。

표제자(標題字)의 해설(解說)

낱낱의 한자(漢字)에 대해서 뜻이나 쓰임 또는 그 글자가 생긴 유래(由來) 같은 것을 알고 싶을 때에는 본문(本文)의 표제자(標題字)의 해설(解說)을 보아야 한다。

一 음(音)**을 아는 표제자**(標題字)**를 알아볼 때**

책 끝에 있는 자음 색인(字音索引)을 찾아 알고 싶은 글자가 몇 면(面)에 있는지 알아본다。

二 음을 모르는 표제자를 알아볼 때

우선 그 글자의 획수(畫數)를 헤아려 본 다음 이 사전 끝에 있는 총획 색인(總畫索引)의 해당 획수에서 그 글자를 찾아 몇 면에 실려 있는가를 알아본다。

사전 찾기에 아주 익숙해지면, 앞뒤 면지(面紙)에 실린 부수 색인을 써서 그 글자가 속하는 부수(部首)의 해당 면수(面數)를 알아낸 다음, 본문에서 난외 표제(欄外標題)를 들추어 가며 원하는 글자를 찾을 수도 있다。

또, 본문의 각 면(面)의 난외(欄外)에 표시되어 있는 부수순 찾아보기를 이용(利用)해서 찾는 수도 있다。

三 표제자의 배열

강희 자전(康熙字典)에 따라 부수순(部首順)·획수순(畫數順)으로 하였으며 같은 획수일 경우에는 자형상(字形上) 그 소속 부수가 놓인 차례 관·변·방·각(冠偏旁脚) 곧 상·좌·우·하(上左右下)의 순(順)으로 배열하였다。

四 표제자의 해설

표제자의 해설에는 다음과 같은 사항(事項)이 설명되어 있다。

① **표제자**…표제자는 큰 활자(活字)로 싣되, 【 】로 묶었다。

② **총획 및 부수**…표제자 위에 그 글자의 **총획**(總畫)을 표시하였다。 총획은 필순(筆順)과 함께 한자를 바르게 쓰기 위한 길잡이 구실을 한다。 또 **총획 색인**을 사용해서 표제자가 실려 있는 면수(面數)를 알아 낼 때에도 획수 세기는 중요하다。

보기 5【世】4 一

획수 세기는 사람에 따라 다른 수도 있으나, 이 사전에서는 가장 표준적(標準的)인 획수 세기에 따랐다。 획수 세기에 대해서는 부록의 「**틀리기 쉬운 획수 세기**」를 참조(參照)할 것。

또 표제자 아래에는 그 글자가 속(屬)하는 **부수**(部首)와 그 **부수 안에서의 획수**를 보였다。

③ **중고교용 교육 한자 구별**…교육용 기초 한자 一八○○자에는、중학교용 九○○자와 고등학교용 九○○자의 구분에 따라 일일이 중학교·고등학교 표시를 하였다。
따라서 이 구분 표시가 없는 한자는 교육 한자 이외(以外)의 한자임을 알 수 있다。

보기 【世】5 一 4 중학 【枕】8 木 4 고교 【獅】13 犬 10

④ **자음**(字音)…중고교용 구분 아래에 표제자의 **음**(音)을 고딕체 활자로 달아 놓았다。
㉠ 한 글자에 음이 두 개 이상 있을 때에는 ㊀㊁㊂…으로 구분하여 다 실었다。

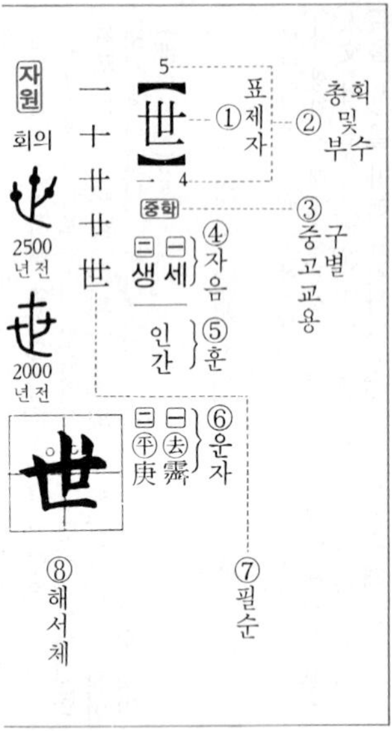

【世】5 一 4 중학 ㊀세 ㊁생 인간 ㊀㊇去霽 ㊁㊇平庚
一 十 卄 廿 世
자원 회의 2500년전 2000년전
① 표제자 ② 총획수 및 부수 ③ 중고교용 구별 ④ 자음 ⑤ 훈 ⑥ 운자 ⑦ 필순 ⑧ 해서체

「世」는 「十십」〈열〉을 셋 붙여 쓴 모양→삼십년(三十年)。옛날에는 어른이 일을 할 수 있는 기간을 대략 삼십년으로 보았음。삼십을 나타내는 글자로는 따로 「卅삽」이 있으므로、「世」는 이 글자와 구별하기 위해、모양을 조금 바꾼 것。 ⑨자원

뜻 ㊀①**인간세**「世界세계」「世上세상」 ②**시세세** 때。시대。 ③**세대세** 삼십년。 ④**대세** ㉠한 왕조(王朝)의 계속하는 동안。㉡부자(父子)의 상속(相續)。 ⑤**해세** 한해。 ⑥**평생세** 일생。 ⑦**대대로세** 여러대를。누대(屢代)。「世襲세습」 ⑧**대이을세** 대대로 계속함。 ㊁**날생** 生(部首)과 같은 글자。 ⑩뜻풀이

주의 ①「世」와 「卅」은 옛날에는 같은 글자였지만、나중에 「卅」은 흔히 삼십의 뜻의 수사(數詞)로 쓰임。 ②「卋」는 「世」의 속자(俗字)。 ⑪주의

참고 「世」를 음으로 하는 글자=「貰세」〈세내다〉·「泄설」〈새다〉·「紲설」〈고삐〉·「媟첩」〈친압하다〉·「渫설」〈치다〉 ⑫참고

ㄴ 우리 나라에서만 쓰이는 한자 및 우리 나라에 특유한 음을 가지는 한자에는 그 음 밑에 (韓)을 질러 놓았다。

보기 5【世】4 一 중학 ㊀세 ㊁생

5【禾】 부수 고교 ㊀화 ㊁수(韓)

⑤ **훈**(訓)…음 밑에 그 표제자가 가지는 가장 주요(主要)한 **훈**(訓) 하나만을 명시(明示)해 놓았다。

보기 5【世】4 一 중학 ㊀세 ㊁생 | 인간 |

⑥ **운자**(韻字)…훈 바로 밑에 가로 줄을 치고 그 표제자가 속하는 **운목**(韻目)을 표시하였다。 그리고 그 **사성**(四聲)의 구별은 (平)(上)(去)(入)으로 각각 나타내었음。

ㄱ 평성(平聲)…억양(抑揚)이 없는 평평한 발음(發音)(→)

ㄴ 상성(上聲)…어미(語尾)가 세고 끝이 올라가는 음(音)(↗)

ㄷ 거성(去聲)…어두(語頭)가 세고 소리를 길게 빼며 끝이 올라가는 음(↘)

ㄹ 입성(入聲)…짧고 빨리 거두어

보기 5【世】4 一 중학 ㊀세 ㊁생 | 인간 | ㊀(去)霽 ㊁(平)庚

또 운이 다름에 따라 뜻이 달라질 경우에는, 운과 뜻풀이를 일치(一致)시키기 위하여, ㊀㊁㊂ 등으로 구별하여 그 관계를 나타내었음。

⑦ **필순**(筆順)…옳은 필순을 아는 것은 글씨를 빨리 쓰기 위하여서나 또는 정확한 획수(畫數)를 알기에도 필요하기 때문에 교육 한자에는 그 **필순**을 일일이 보여 주었다。 일반적으로 쓰는 차례는 한 글자에 대하여 두·세 가지 있는 글자도 있으나 이 책에서는 중·고등 학교에서 처음 배우는 경우를 위하여 한 가지씩만 보였다。 필순에 관해서는 부록(附錄)의 「한자의 필순」·「부수(部首)의 필순」을 잘 읽어, 그 대강의 원칙(原則)을 익히도록 한다。

보기 一 十 卄 廿 世

⑧ **해서체**(楷書體)…붓글씨로 쓸 때의 본보기를 나타낸 것이 **해서체의 글자**이다。 붉은 선은 글씨를 균형있게 잘 쓰기 위한 운필(運筆)상의 보조선(補助線)이다。 펜글씨나 연필로 쓰는 경우에도 이것을 참고(參考)로 하면 된다。

⑨ **자원**(字源)…한자의 기원, 글자 모양의 구성(構成) 및 변천(變遷) 등의 풀이를 **자원**(字源)이라 이른다。 한자를 올바르게 이해하고 또 익숙해지게 하기 위하여 되도록 최근(最近)의 학설(學說)에 의거(依據)하여 해설하되, 우선 육서(六書)—형성(形聲)·회의(會意)·상형(象形)·지사(指事)·전주(轉注)·가차(假借)。

자원 회의 宀+女→安 (宀부) 3000년전 2500년전

「女녀」는 사람이 무릎을 꿇고 공수(拱手)하여 신(神)을 섬기는 모습。「宀갓머리」는 건물의 지붕→신을 모시는 곳。「安」은 사람이 사당에서 신을 섬기는 일。나중에 「女」를 여자로 생각하여、「安」은 집안에 여자가 고요히 앉아 있는 모양→평안하다의 뜻으로 설명하게 되었음。

이 책에서는 전주는 쓰지 않았음ㅡ에 의하여, 표제자의 구성을 보여주고 다시 그 구성을 도식(圖式)으로 분해(分解)한(상형에 해당되는 글자에는 옛 글자 모양만 보여 줌) 다음 기본적(基本的)인 뜻을 밝히고 그 전개(展開)를 간결(簡潔)하게 설명하였다。

자형(字形)의 설명을 하는데 옛 글자 모양을 보여 주지 않아도 알 만한 것은 번거로움을 피하여 생략(省略)하였다。그러므로 이 사전에 옛 자형이 없는 글자라도 옛 자형이 없다는 뜻이 아님을 명심해야 한다。또 옛 자형은 한 글자에 여럿 있는 경우도 있으나 이 책에서는 될 수 있는대로 대표적(代表的)인 것만을 골라서 실었다。그리고 이 사전에서는 편의상 옛 자형은 다음과 같은 네 가지로 나누었다。

3000년전…은(殷)나라 때 글자 ⇩갑골문(甲骨文)
2500년전…주(周)나라 때 글자 ⇩금문(金文)
2000년전…진(秦)나라 때와 그 전후(前後)쯤의 글자
1800년전…한(漢)나라 때 글자 ⇩예서(隸書)

자원의 설명은 부록(附錄)으로 실어 놓은 「한자의 지식(知識)」을 먼저 읽어 놓으면, 이해가 빠를 것이다。

⑩ **표제자의 뜻풀이**

여기서는 그 표제자의 아래 또는 위에、다른 글자가 붙어서 하나의 숙어(熟語)를 이룰 때의 그 표제자의 본디 뜻을 설명해 놓았다。

㉠ **뜻** 바로 밑에 음(音)과 훈(訓)을 고딕체 활자로 표시하고 다시 그 밑에 뜻을 쉬운 말로 표시하였다。

㉡ 음이 다름에 따라 훈이 다른 때에는 ㊀㊁㊂…으로써 구별하였다。

㉢ 훈이 둘 이상 있을 때에는 ①②③…으로 구분하고 또 훈이 같되 뜻이 여러 갈래로 갈릴 때에는 ㉠㉡㉢…으로 세분(細分)하였다。

㉣ 우리 나라에서만 쓰이는 한자 및 우리 나라에 특유한 음 또는 훈을 가지는 한자에는 《韓》을 붙여 표시하였다。

㉤ 자해 다음에는 그 글자를 응용한 숙어의 용례를

한둘 보였다。

⑩ 옛 글자·약자(略字)·속자(俗字) 등에 대하여는 본자(本字)의 항에 뜻풀이를 실음을 원칙으로 하였다。그리고 같은 글자·옛 글자·속자·약자·와자(譌字) 등도 일일이 표제자로 올려 싣되, 자세한 표제자의 해설없이 그냥 본자로 인도해 놓았다。

그러므로 다음 보기와 같은 글자는 그 아래 지시(指示)한 글자를 다시 찾아서 보아야 한다。

[보기] 9【彥】立 4 彥(彡部六畫)과 같은 글자。

6【礼】示 1 禮(示部十三畫)의 옛 글자。

9【浅】水 6 淺(水部八畫)의 속자(俗字)。

6【来】未 0 來(人部六畫)의 약자(略字)。

9【没】水 4 沒(水部四畫)의 와자(譌字)。

⑪ **주의**(注意)…[주의]에서는 표제자에 대한 정자(正字)·약자(略字)·옛 글자·같은 글자·속자(俗字)·비슷하게 생긴 글자·딴 글자·오자(誤字)와 그 밖에 한자 공부에 필요한 주의해야 할 사항을 설명하였다。

⑫ **참고**(參考)…[참고]에서는 형성자(形聲字) 중에서 음부(音符=그 글자의 음을 나타내는 부분)가 같은 한자를 실었다。

⑬ **검색용 표제자**(檢索用標題字)

표제자 가운데 부수(部首)를 가려내기가 모호한 것 또는 획수(畫數)를 그릇 세기 쉬운 것은 특히 찾아보기에 편하도록 그 표제자의 본래의 자리 이외의 몇 군데에 싣고 옳은 부수 및 획수를 지시(指示)하여 놓았다。이 때 검색용 표제자는 여느 표제자 보다는 작은 활자(活字)로 나타내었다。그러므로 설사 부수를 잘못 찾았더라도 이내 그 바른 소재(所在)를 알아 낼 수 있다。

이 검색용 표제자는 편의상 같은 획수의 같은 자형 분류(分類)의 표제자 중 맨 끝에 실었음。

[보기] 日部八畫 자리에 【量】⇩里部五畫…里部五畫이 바른 부수(部首)·획수임을 표시한다。

숙어(熟語)와 그 풀이

㊀ 숙어의 배열

① 자수(字數)의 다소에 관계없이 음의 가나다순에 따라 배열하였다。

② 음이 같을 때에는 둘째 글자의 획수의 적고 많은 순서에 따랐다。

㊁ 숙어의 음

① 숙어 밑에 한글 맞춤법 통일안 표기에 따라 음을 보여 주었다。

보기 【東家食西家宿 동가식서가숙】

② 불교(佛教) 관계 용어에는 그 본음과 달리 관용음으로 쓰이는 것이 많은데, 이것 역시 원음에 구애됨이 없이 실지로 쓰이는 음의 차례에 실었다。

三 숙어의 풀이

뜻이 둘 이상 있을 경우에는 ①②③…으로 구별하고 또 우리 나라에 특유한 뜻을 가진 것에는 《韓》 표시를 하였다。

보기 【承旨* 승지】 ①분부를 받자옴。 ②《韓》 고려·이조 때의 관직(官職)。 왕명(王命)의 출납을 맡았음。

四 교육 한자를 첫 글자로 하는 숙어 가운데 *표가 붙어 있는 것은 그 숙어의 아랫글자가 교육 한자(教育漢字) 이외의 한자임을 나타낸다。 그리고, 교육 한자 이외의 한자의 숙어에서는 *표는 일체 생략하였다。

보기 【手腕* 수완】「腕」이 교육 한자 이외의 한자임을 나타낸다。

五 참고 숙어(參考熟語)

표제자를 말끝에 가지는 숙어를 그 표제자 항목의 맨 끝에 가나다순으로 배열하여 놓음으로써 이 사전의 활용도(活用度)를 더욱 높였다。

보기 ◉公休공휴 歸休귀휴 萬事休만사휴 無休무휴

색인(索引)의 이용법(利用法)

책끝에 총획 색인(總畫索引)·자음 색인(字音索引)을 첨부하였다。

一 총획(總畫) 색인

① 이 책에 수록된 모든 표제자를 부수에 의하지 않고 획수만으로도 찾아볼 수 있도록 총획수에 따라 대별하고 다시 부수순으로 배열하여 그 밑에 본문의 면수(面數)를 적어 놓았다。 이 찾아보기는 음도 모르고 부수(部首)도 모를 때 사용한다。

② 획수를 잘못 계산하기 쉬운 글자는 특히 옳은 획수의 앞뒤에도 중복하여 실었다。

二 자음(字音) 색인

① 이 책에 수록된 모든 표제자를 가나다순으로 배열하고 같은 음의 글자는 부수·획수순으로 늘어 놓아 그 밑에 본문(本文)의 면수(面數)를 밝혀 놓았다。 표제자의 음을 알 때에 이용하는 찾아보기이다。

② 한 글자가 몇 개의 음을 가질 때에는 각 음마다 올려 실었음。 예를 들면,

【說】은 「설·세·열·탈」의 네 군데에

【樂】은 「악·락·요」의 세 군데에 실었다。

또 본음·속음을 가지는 글자도 각각 그 음자리마다 올렸다。

一 部

1 【一】 수부 중학 **일** | 한 | 入質

자원 지사 「一」은 하나의 가로줄로 수량의 하나를 나타낸 것。「一」·「二이」·「三삼」을 「弌일」·「弍이」·「弎삼」으로도 썼으나 「弋일」은 안표인 막대기이며 한자루、두자루라 세는 것이었음。

뜻 ①**한일、하나일** ㉠수의 처음。「一人일인」 ㉡단독。단지 하나。「一手일수」 ㉢처음。근본。㉣순전(純全)。순수。「純一순일」 ㉤같음。동일(同一)。「一樣일양」「一色일색」 ㉥전일(專一)。「一心일심」「一意일의」 ②**하나로할일** ㉠합침。㉡동일하게 함。㉢고르게함。㉣통일함。③**첫째일** 제일。「一等일등」「天下第一천하제일」 ④**온통일** 전부。전체。「一國일국」「一軍일군」 ⑤**날날일** 하나 하나。「逐一축일」 ⑥**한번일** 일회。「一見일견」 ⑦**만일일** 만약。「一旦일단」 ⑧**오로지일** 외곬으로。전혀。⑨**모두일** 다 빠짐없이。「一切일체」 ⑩**어느일** 어떤。「一日일일」「一說일설」「一夕일석」 ⑪**어조사일** 어세(語勢)를 강하게 하는 조사(助辭)。

주의 「弌」은 「一」의 옛 글자。「壹일」은 음이 통하여 빌어 씀。「壱」은 「壹」의 속자(俗字)。금전증서(金錢證書) 따위에서 다른 글자로 고쳐 쓰는 것을 방지하고자 할 때는 「壹」 또는 「壱」을 씀。

【一家 일가】 ①한 가옥。한 집。②한 가족。한 집안。③한 가지 학문이나 기예에 대한 성가(成家)。④한 학파(學派)。한 유파(流派)。

【一家團欒* 일가단란】 한 집안 식구가 무릎을 모아 둘러앉는다는 뜻으로、한 집안 식구가 화목(和睦)하게 지냄을 이름。

【一家之言 일가지언】 자가독특의 학설. 자신의 설。또 그 저작。

【一角 일각】 ①한 뿔。뿔 하나。②한 모퉁이。일우(一隅)。

【一刻 일각】 ①한 시(時)의 사분지 일。곧 십오분。②매우 짧은 시간。

【一刻千金 일각천금】 일각(一刻)의 짧은 시간도 아깝기가 천금과 같음。또 썩 즐거운 경우를 이름。

【一喝* 일갈】 한 번 큰소리로 꾸짖음。

【一介 일개】 ①한 사람。②약간。근소。

【一箇* 일개】 하나。

【一槪 일개】 ①한데 아우름。②같음。

【一介書生 일개서생】 보잘 것 없는 한 사람의 서생。

【一擧 일거】 ①한 번 날아 오름。②한번 행함。또 한 번의 일。③한 번 희생을 죽여 제기(祭器)에 담음。

【一去無消息 일거무소식】 한 번 간뒤에 아주 소식이 없음。

【一擧手一投足 일거수일투족】 손 한 번 들고 발 한 번 내디딘다는 뜻으로、사소한 노력을 이름。

【一擧兩得 일거양득】 한 가지 일을 하

여 두 가지 이익을 봄。 일석이조(一
石二鳥)。
【一擧一動 일거일동】 사소한 동작。
【一劍 일검】 칼 한 자루。
【一擊 일격】 한 번 침。
【一見 일견】 ①한 번 봄。 또 언뜻 봄。
잠깐 봄。 ②한 번 만남。 ③처음으
로 만남。 초대면함。 「如舊」。
【一見如舊 일견여구】 일면여구(一面
【一決 일결】 단번에 결단함。
【一系 일계】 한 계통。 같은 계통。
【一計 일계】 한 가지 꾀。 한 꾀。
【一階半級 일계반급】 하찮은 벼슬。 낮
【一考 일고】 한 번 생각함。 「은 벼슬。
【一顧 일고】 ①한 번 뒤돌아다 봄。
②조금 돌봄。
【一過 일과】 ①한 번 지나감。 ②한번
읽음。 ③한 가지 과실。
【一貫 일관】 ①한 이치(理致)로 만사
를 꿰뚫음。 ②종시 변하지 아니함。
뜻을 굽히지 아니함。 ③같음。
【一括* 일괄】 한데 묶음。 또 그 것。
한묶음。 일속(一束)。
【一口 일구】 ①한 입。 한 사람의 입。
전(轉)하여 같은 말。 같은 소리。②
한 사람。 ③한 입。 음식 같은 것을
먹을 때에 한 번 놀리는 입。 ④한
말。 말 한 마디。 일언(一言)。 ⑤칼
한 자루。 ⑥한 마리。 한 개。 새·짐
승·기구 등의 입이 있는 것을 세는
데 쓰는 말。
【一句 일구】 문장의 한 구。
【一具 일구】 한 벌。 의복·기구 등을
세는 데 쓰는 말。
【一區 일구】 한 구획의 땅。
【一口難說 일구난설】 한 말로는 다 설
명할 수 없음。
【一口二言 일구이언】 한 입으로 두 가
지의 말을 함。 곧 약속을 어김。
【一局 일국】 바둑 한 판。 「(全國)。
【一國 일국】 한 나라。 온 나라。 전국
【一軍 일군】 ①주대(周代)의 제도에
서 군대 일만 이천 오백 명의 일컬
음。 ②온 군대。 전군(全軍)。
【一軌* 일궤】 ①통일함。 통일하여 다
스림。 일통(一統)。 ②같은 길。 같
은 경로。 같은 법칙。 일철(一轍)。
③같음。 동일함。
【一揆* 일규】 같은 길。 같은 경로。 같
은 법칙。 일철(一轍)。 「의 재주。
【一技 일기】 한 가지의 기예。 한 가지
【一氣 일기】 ①천지(天地)의 원기(元
氣)。 음양으로 나누이지 않은 기
(氣)。 ②한숨。 단숨。
【一基 일기】 한 자리。 하나。 무덤·비
석 같은 것을 세는 데 쓰는 말。
【一期 일기】 ①일기(一朞)。 ②어떤
시기(時期)를 몇에 나눈 그 하나。
또 그 최초의 시기。 ③《佛敎》 평생。
【一騎 일기】 한 사람의 말탄 군사。
【一騎當千 일기당천】 일인당천(一人
當千)。 「람 만을 위하는 욕심。
【一己之欲 일기지욕】 오직 자기 한 사
【一諾千金 일낙천금】 한 번 승낙한 것
은 값이 천금이라는 뜻으로、 약속
은 굳게 지켜야 함을 비유한 말。
【一年 일년】 ①한 해。 십 이개월。 ②
세기(世紀)·연호(年號)의 첫해。 ③
어느 해。 「년 내내。 일년중。
【一年三百六十日 일년삼백육십일】 일
【一年之計在于春 일년지계재우춘】 모
든 일은 만일에 대비하기 위하여 미

리 계획하여야 하므로 한 해의 방침은 첫봄에 세워야 함。

【一年草 일년초】해마다 씨에서 새싹이 돋아 나는 풀。당년초(當年草)。

【一念 일념】①한결 같은 마음。일심(一心)。②한 마음。하나의 마음。③짧은 시간。

【一念通天 일념통천】마음만 한결 같이 먹으면 어떠한 어려운 일이라도 이룰 수 있음。

【一旦 일단】①어느 날 아침。하루아침。또 어느 날。②한 번。만일。일조(一朝)。③잠시。잠간。

【一段 일단】한층。한층 더。

【一團 일단】한 덩어리。한 떼。

【一旦有急 일단유급】일조유사시(一朝有事時)에는。

【一黨 일당】목적과 행동을 같이하는 「무리。같은 당파。

【一當百 일당백】하나가 백을 당함。

【一代 일대】①일평생。일생(一生)。②그 시대。당대(當代)。③군주가 왕위에 있는 동안。④호주가 가계(家系)를 계승하고 있는 동안。

【一帶 일대】①한 줄기。②부근 전체。어느 지역의 전부。

【一對 일대】한 쌍。일쌍(一雙)。

【一大事 일대사】한 큰 일。용이하지 아니한 일。중대한 일。

【一刀 일도】칼 한 자루。

【一刀兩斷 일도양단】①칼로 베어 단번에 둘로 냄。전(轉)하여。②과단성 있게 일을 처리함。

【一讀 일독】한 번 읽음。죽 읽음。

【一同 일동】①모든 사람。전체(全體)。②백리 사방(四方)。

【一動一靜 일동일정】때로는 움직이고 때로는 정지함。활동하기도 하고 정지하기도 함。

【一得一失 일득일실】①한 가지 이익이 있으면 한 가지 손해가 따름。이해가 상반함。일리일해(一利一害)。②한 쪽은 좋고 딴 쪽은 서투름。

【一等 일등】①첫째의 등급。②같음。

【一等國 일등국】국력이 강대하여 국제상(國際上) 가장 우세한 나라。

【一樂 일락】①삼락(三樂) 중의 첫째가는 즐거움。곧 부모가 구존(俱存)하고 형제가 무고한 일。②한 가지 즐거움。

【一覽 일람】한 번 봄。죽 봄。

【一覽表 일람표】여러 가지 사항을 죽 보아 바로 그 내용을 알 수 있도록 꾸민 표。

【一輛* 일량】수레 한 대。

【一聯 일련】①시문(詩文) 중의 한 대구(對句)。한 연구(聯句)。②하나의 연속。

【一蓮托生 일련탁생】죽은 후에 같이 극락정토(極樂淨土)의 연꽃 위에서 남。전하여 남과 운명을 같이 함。

【一列 일렬】①한 줄。②첫째 줄。

【一例 일례】①한결 같음。②한 가지 예(例)。하나의 예증(例證)。

【一路平安 일로평안】여행하는 사람을 전송할 때 인사하는 말로、무사히 여행하기를 바란다는 뜻。

【一縷* 일루】①한 오리의 실。②간신히 유지하는 연속。

【一流 일류】①일등의 지위。②한 유파(流派)。③한 학파。

【一輪明月 일륜명월】하나의 둥글고 「맑은 달。

【一律 일률】①같은 음률(音律)。같

은 음악의 가락。 ②같은 방법。 같은 내용。

【一里 일리】 이정(里程)의 단위。 삼백육십보(三百六十步)。 우리 나라에서는 한 마장。 「지 이익。

【一利 일리】 한 가지 이로움。 한 가

【一理 일리】 한 가지 이치。

【一利一害 일리일해】 ①한 가지 이와 한 가지 해。 ②이가 있는 대신 해도 있음。 이해가 서로 상반(相半)함。

【一抹* 일말】 ①한 번 칠함。 ②한 번 길게 칠한 것 같은 연기 등의 모양을 이름。

【一望無際 일망무제】 아득하게 끝없이 멀어 눈을 가리는 것이 없음。

【一網打盡 일망타진】 한 그물에 물고기를 모두 잡 듯이 한꺼번에 모조리 잡아서 처치함。 「한 장(張)。

【一枚 일매】 ①한 개。 일개。 ②《韓》

【一脈 일맥】 한 맥락(脈絡)。 한 줄。

【一盲引衆盲 일맹인중맹】 《佛敎》 한 소경이 여러 소경을 인도한다는 뜻으로、 한 어리석은 자가 여러 어리석은 자를 그릇된 곳으로 인도함을 이름。

【一面 일면】 ①한 방면。 한 지방。 ②온 면(面)。 전면(全面)。 ③한 번의 면회。 한 번의 대면。 ④한 편에서는。 「본 사이。

【一面識 일면식】 한 번 서로 대하여

【一面如舊 일면여구】 서로 처음으로 만나보고 옛벗과 같이 친밀함。

【一名 일명】 ①한 사람。 ②따로 부르는 이름。 별명。 별칭(別稱)。 ③과거(科擧)에서 첫째의 급제。 장원 급제(壯元及第)。 또 장원 급제한 사람。

【一毛 일모】 ①한 가닥의 털。 ②지극히 가벼운 것의 비유。

【一目 일목】 ①한 눈。 눈 하나。 ②애꾸눈。 척안(隻眼)。 ③한 번 보는 일。 일견(一見)。 ④바둑돌 한 개。

【一目瞭然* 일목요연】 한 번 언뜻 보아 환히 알 수 있음。

【一門 일문】 ①한 집안。 일가。 동족(同族)。 ②같은 종류。 동류。 일류(一類)。 ③대포 하나。

【一問一答 일문일답】 한 가지의 물음과 한 가지의 대답。 한 번의 문의와 한 번의 해답。

【一物 일물】 ①한 물건。 ②한 건(件)。

【一味 일미】 ①음식의 맛이 같음。 ②한 가지 음식。 ③《韓》 썩 좋은 맛。

【一般 일반】 ①같음。 동일함。 ②보통。 통상(通常)。 특별(特別)의 대(對)。 ③온통。 모두。 일체(一切)。

【一班 일반】 ①한줄。 일렬(一列)。 ②한 지위。 한 계급。

【一斑* 일반】 여러 아롱진 무늬 중의 한 점。 전(轉)하여 일부분。 일단(一端)。 「의 식사(食事)。

【一飯 일반】 ①한 입의 밥。 ②한 번

【一飯之德 일반지덕】 한 끼니의 밥을 얻어 먹은 은덕(恩德)。

【一飯之報 일반지보】 한 끼니의 밥을 얻어 먹은 데 대한 보은(報恩)。 아주 작은 은혜에 대한 보은。

【一飯千金 일반천금】 한신(韓信)이 표모(漂母)한테 한 끼니의 밥을 얻어 먹고 후에 천금을 주어 그 은혜를 갚은 일。 「쏨。

【一發 일발】 활 또는 총포를 한 번

【一髮 일발】 ①한 가닥의 머리털。 한

머리카락。②한 가닥의 머리털을 놓은 것처럼 먼 데 있는 산이 희미하게 보이는 것을 형용하는 말。

【一方 일방】①한 편。한 쪽。②저쪽。

【一方之任 일방지임】한 지방을 통치하는 직임(職任)。

【一杯 일배】①한 잔에 채울만한 분량。곧 소량(少量)。② 한 잔의 술。전(轉)하여 술。

【一變 일변】아주 달라짐。또 아주 변경시킴。

【一別 일별】한 번 이별함。한 번 작별함。또 한 번의 이별。

【一瞥* 일별】한 번 흘긋 봄。

【一報 일보】한 번의 보고。통지。

【一夫 일부】①한 사람。일인(一人)。②한 남편。③한 사내。④폭군(暴君)을 이름。

【一部 일부】①한 부분。②책 한 벌。

【一夫多妻 일부다처】한 남편이 둘 이상의 아내를 거느림。

【一夫一婦 일부일부】한 남편에 한 아내。

【一夫從事 일부종사】한 남편을 섬김。

【一夫終身 일부종신】남편이 죽은 뒤에 후살이가지 않고 일생을 마침。

【一悲一喜 일비일희】슬퍼하기도 하고 기뻐하기도 함。

【一死 일사】①한 번 죽음。②죽음。사(死)。

【一事無成 일사무성】한 가지 일도 이룬 것이 없음。

【一絲不亂 일사불란】질서(秩序)가 정연(整然)하여 조금도 어지러운 데가 없음。

【一瀉千里* 일사천리】①강물의 수세가 빨라서 한 번 흘러 천리 밖에 다다름。전(轉)하여 일을 빨리 하는 모양。②문장·언론 등이 힘차고 거침이 없는 모양。

【一殺多生 일살다생】《佛敎》많은 사람을 살리기 위하여 한 사람을 죽이는 일。여러 사람을 위하여 한 사람을 희생시키는 일。

【一色 일색】①똑 같은 한 빛。②《韓》뛰어난 미인。

【一生 일생】①살아 있는 동안。평생。②한 유생(儒生)。한 서생。

【一生一死 일생일사】한 번 나고 한 번 죽는 일。

【一書 일서】①한 책。②어떤 책。딴 책。이본(異本)。③한 통의 서면。

【一夕 일석】①하룻저녁。하룻밤。②어느 저녁。어느 밤。③밤새도록。

【一石 일석】①백 이십 근(斤)。사균(四鈞)。②열 말。③돌 한 개。

【一昔 일석】하룻밤。일석(一夕)。일야(一夜)。

【一石二鳥 일석이조】일거양득(一擧兩得)。

【一說 일설】①한 설(說)。한 가지의 설。②딴 설。이설(異說)。

【一閃* 일섬】한 번 번쩍함。

【一盛一衰 일성일쇠】성하는 때도 있고 쇠하는 때도 있음。한 번 성하면 한번 쇠함。일영일락(一榮一落)。

【一世 일세】①삼십년。②평생。일평생。일생(一生)。③그 시대。당세(當世)。④군주가 왕위에 있는 동안。⑤호주가 가계(家系)를 계승하고 있는 동안。

【一歲 일세】①일년(一年)。②어느 해。

【一歲九遷 일세구천】한 해 동안에 아홉 번이나 승진한다는 뜻으로、제왕의 총애를 받음을 이름。

【一世紀 일세기】서력(西曆) 연대의

한구획으로서、 백년(百年)의 일컬음。 「뛰어난 인물。
【一世之雄 일세지웅】 그 시대에 가장
【一笑 일소】①한 번 웃음。 단지 웃는 뜻으로 쓰임。②비웃음。③웃음거리。 「없애버림。
【一掃 일소】 죄다 쓸어버림。 모조리
【一粟 일속】 한 알의 좁쌀。 지극히 작은 것의 비유로 쓰임。
【一水 일수】①한 하천(河川)。②물한 방울。 일적(一滴)。
【一旬 일순】 열흘。 십일。 십일간。
【一瞬 일순】①눈 한번 깜짝하는 일。 전하여 눈 한 번 깜짝하는 사이。 일순간(一瞬間)。②한 번 보는 일。
【一襲 일습】 옷 한 벌。 「일견(一見)。
【一時 일시】①한 때。 잠시。②같은 때。 동시(同時)。③그 때。 당시(當時)。④한 시대。 일시대(一時代)。⑤춘·하·추·동의 각각 삼개월간。
【一視同仁 일시동인】 피아(彼我)의 차별이 없이 똑 같이 사랑함。
【一是一非 일시일비】 한 사람은 옳다고 하고 한 사람은 그르다고 한다는 뜻으로、 시비(是非)의 단정(斷定)이 아직 내려지지 않음을 이름。
【一息 일식】①잠시 쉼。②한 숨。 숨。 한 호흡。 「간。 잠시(暫時)。
【一食頃 일식경】 한 번 식사하는 시
【一身 일신】①자기 한 몸。 자신。②온 몸。 전신(全身)。③몸。
【一新 일신】 아주 새롭게 함。 또 아주 새로와짐。
【一室 일실】①한 방。 하나의 방。②어떤 방。③같은 방。
【一心 일심】①한 마음。 같은 마음。 동심(同心)。②한결 같은 마음。 전일(專一)한 마음。 전심(專心)。 일념(一念)。③마음。
【一心不亂 일심불란】《佛教》 오직 한 가지 일에만 마음을 씀。
【一雙 일쌍】 한 쌍。
【一握* 일악】①한 줌。②조금。 약간。
【一眼 일안】①한 눈。 한쪽 눈。②애꾸눈。 척안(隻眼)。
【一躍* 일약】 한 번 뜀。
【一魚濁水 일어탁수】 한 마리의 고기가 물을 흐린다는 뜻으로、 한 사람의 잘못으로 여러 사람이 그 피해를 받게 되는 것을 비유하는 말。
【一言半句 일언반구】 아주 짧은 말、 또는 글귀。
【一言半辭 일언반사】 아주 짧은 말。
【一言而蔽之 일언이폐지】 한말로 전체의 뜻을 총괄하여 말함。
【一言一句 일언일구】①하나하나의 말、 또는 글귀。②일언 반구。
【一言一行 일언일행】 사소한 언행。
【一言千金 일언천금】 한 마디의 말이 천금(千金)의 가치가 있음。
【一然 일연】《韓》 고려(高麗) 때의 중。 삼국유사(三國遺事)를 지술함。
【一葉 일엽】①오동나무의 한 잎。②한 잎。 잎 하나。③한 거룻배。④한 장(張)。
【一葉知秋 일엽지추】 오동나무 잎이 하나 떨어지는 것을 보고 가을이 다가오는 것을 안다는 뜻으로、 사소한 일을 보고 장차 올 큰 일을 미리 짐작한다는 말。 「一衰)。
【一榮一落 일영일락】 일성일쇠(一盛
【一藝 일예】①육예(六藝)의 하나。②

한 가지 기예(技藝) 또는 재능。
【一往一來 일왕일래】 왔다갔다 함。
【一宇 일우】 한 건물。 사묘(寺廟)·전
당(殿堂) 등을 이름。
【一隅* 일우】 한 모퉁이。 한 구석。
【一元 일원】 ①만물(萬物)이 아직 나
누이기 전의 처음。 ②원년(元年)。
③역법(曆法)에서 사천 오백 육십
세(歲)의 일컬음。 ④중화민국(中華
民國) 화폐(貨幣)의 이름。 우리나
라의 원(圓)에 해당함。 「사람。
【一員 일원】 어떤 단체를 구성한 한
【一位 일위】 ①첫째。 제일번。 수위(首
位)。 ②한 사람。 한 분。
【一意 일의】 일심(一心)。
【一衣帶水 일의대수】 한 줄기의 띠와
같은 좁은 냇물。
【一人 일인】 ①한 사람。 ②어떤 사람。
③천자(天子)。 군주。
【一因 일인】 한 원인。 원인 중의 하나。
【一人當千 일인당천】 한 사람이 천 사
람의 적을 당한다는 뜻으로、 위인
(爲人)이 대단히 용감함을 이름。
【一一 일일】 ①낱낱이。 죄다。 일일이。
②한 사람 한 사람。 각자(各自)。 모
두。
【一日 일일】 ①하루。 종일(終日)。 ②
어느 날。 모일(某日)。 ③요사이。 작
금(昨今)。 ④달의 첫째날。 초하루。
【一日難再晨 일일난재신】 하루에 새
벽이 두 번 오지 않는다는 뜻으로、
이미 지난 시간은 다시 오지 않음
을 이름。
【一日三秋 일일삼추】 하루만 만나지
않아도 아홉 달이나 만나지 않은 것
같이 생각된다는 뜻으로、 사람을 사
모하는 마음이 대단히 간절함을 이
름。 일일천추(一日千秋)。 「(路程)。
【一日程 일일정】 하루 걸리는 노정
【一日之雅 일일지아】 하루의 교제。 전
(轉)하여 조금 사귄 교제。 깊지 않
은 교유(交遊)。 아(雅)는 평소의 사
귐이라는 뜻。
【一日之長 일일지장】 ①하루 먼저 태
어남。 조금 나이가 많음。 전(轉)하
여 ②조금 나음。
【一日千里 일일천리】 ①말의 걸음이
빠름。 ②물의 흐름이 빠름。 ③진보
(進步)가 빠름。
【一日片時 일일편시】 잠시(暫時)。
【一日暴之十日寒之 일일폭지십일한
지】 하룻 동안 따뜻하게 하고 열흘
동안 식힌다는 뜻으로、 학업 같은
것을 닦는 데 힘쓸 때는 적고 게을
리 할 때가 많음을 비유한 말。
【一任 일임】 전적(全的)으로 맡김。
【一字 일자】 한 글자。
【一資半級 일자반급】 낮은 벼슬。 일
계반급(一階半級)。 「모름。
【一字不識 일자불식】 글자를 한 자도
【一字砲手* 일자포수】 한 방으로 바
로 맞히는 명포수(名砲手)。
【一字行 일자행】 똑 바로 감。 일직선
으로 감。 직행(直行)함。
【一張 일장】 ①짐승의 가죽 한 장。 ②
현악기(絃樂器)를 세는 말。 ③현악
기의 줄을 걺。 「때뿐。 잠시。
【一場 일장】 ①한 번。 한 바탕。 ②그
【一將功成萬骨枯 일장공성만골고】 다
수의 병졸이 죽고 공은 오직 대장
한 사람이 차지하는 것을 개탄한 말。
【一場說話 일장설화】 한바탕의 이야

기。

【一長一短 일장일단】 장점도 있고 단점도 있음。

【一場春夢 일장춘몽】 꾼 그 때뿐이고 꾼 후에는 아무 흔적도 남기지 않는 봄 밤의 꿈이라는 뜻으로、인생의 영고성쇠(榮枯盛衰)가 덧없음을 비유한 말。 일취지몽(一炊之夢)。 남가일몽(南柯一夢)。

【一場風波 일장풍파】 한바탕의 소란。

【一再 일재】 한두 번。 일이 회。

【一戰 일전】 한 싸움。

【一轉 일전】 아주 변함。 완전히 달라짐。 일변(一變)。

【一節 일절】 ①일의 한 부분。 ②문장(文章) 한 편(篇)을 여러 장(章)으로 나누고 다시 이 장을 소분(小分)한 것의 하나。 ③끝까지 변하지 않는 절개。

【一點 일점】 ①한 점。 ②오직 하나。 하나。 ③조금。 근소(僅少)。

【一點淚 일점루】 눈물 한 방울。

【一點紅 일점홍】 ①여럿 중에서 오직 하나만이 특별히 뛰어난 것。 ②여러 남자 중에 섞이어 있는 오직 한 사람의 여자。 ③기녀(妓女)의 별칭(別稱)。 ④석류(柘榴)의 별칭。

【一定 일정】 하나로 정함。 또 하나로 정하여짐。 ②정하여져 변하지 않음。 확정됨。 또 그렇게 함。

【一丁字 일정자】 글자 한 자(字)。

【一齊 일제】 ①같은 때。 동시(同時)。 ②같음。 서로 다른 것이 없음。

【一條 일조】 ①한 일。 일건(一件)。 ②한 줄기。 한 조목(條目)。

【一朝 일조】 ①하루 아침。 어떤 날 아침。 ②잠시간。 일시(一時)。 ③한 번。 만일。 일단(一旦)。 ④한 조정(朝廷)。 온 조정。 조정 전체의 사람。

【一朝富貴 일조부귀】 빈천한 사람이 갑자기 부귀를 누리게 되는 일。

【一朝一夕 일조일석】 ①단시일(短時日)。 ②요사이。 작금(昨今)。 「家)。

【一族 일족】 같은 겨레붙이。 일가(一

【一存一亡 일존일망】 존재하기도 하고 멸망하기도 함。

【一宗 일종】 일족(一族)。

【一終 일종】 삽이년(十二年)。

【一種 일종】 ①한 종류。 동일한 종류。 동종(同種)。 ②딴 종류。 별종(別種)。

「람。

【一坐 일좌】 한 자리에 앉은 모든 사

【一周 일주】 한 바퀴 돎。

【一周忌 일주기】 소상(小祥) 날。

【一晝一夜 일주일야】 일주야(一晝夜)。

【一枝 일지】 한 가지。

【一知半解 일지반해】 하나쯤 알고 반쯤 이해함。 곧 수박 겉 핥기로 앎。

【一枝春 일지춘】 이미 봄의 정취(情趣)가 나타나는 한 가지의 매화(梅花)。 전(轉)하여 매화。

【一陣 일진】 ①일회의 싸움。 ②한 바탕。 ③선봉。 선진(先陣)。 ④한 군대。 또 그 전부의 군사。

【一塵* 일진】 티끌 하나。 전(轉)하여 극히 작은 분량、 또는 사물。

【一陣狂風* 일진광풍】 한 바탕 부는 사나운 바람。

【一進一退 일진일퇴】 앞으로 나갔다 뒤로 물러났다 함。

【一陣淸風 일진청풍】 한 바탕 부는 시원한 바람。

【一次 일차】 ①처음。 최초(最初)。 첫째。 ②한 번。 한 차례。

【一策 일책】한 계책。일계(一計)。

【一妻多夫 일처다부】한 아내에 둘 이상의 남편이 있는 일。

【一擲* 일척】①생명을 내던짐。생명을 아낌 없이 버림。②돈을 내던짐。금전을 아낌 없이 씀。

【一擲賭乾坤* 일척도건곤】천하(天下)를 내던져 놀음을 건다는 뜻으로、천하를 차지하느냐 못하느냐의 운명을 건 판가름 싸움을 함을 이름。

【一隻眼* 일척안】①눈 하나。한 눈。②비범한 식견(識見)。

【一擲千金* 일척천금】막대한 돈을 물 쓰듯이 씀。호유(豪遊)함。

【一天萬乘 일천만승】천자(天子)。천자의 자리。주대(周代)에 천자는 병거(兵車) 만승(萬乘)을 소유하고 있었으므로 이름。「세상。온 세계。

【一天四海 일천사해】천하(天下)。온

【一轍* 일철】같은 수레의 수레바퀴 자국이라는 뜻으로、같은 길·같은 이치·같은 법칙 등의 뜻으로 쓰임。

【一切 일체】①모두。다。남김 없이。②모든 것。

【一體 일체】①한 몸。동체(同體)。②같은 관계。동류(同類)。

【一切藏經 일체장경】《佛敎》불전(佛典)의 전부。경(經)·율(律)·논(論)의 삼장(三藏)의 총칭。모두 칠천여 권임。약(略)하여 일체경(一切經)이라고도 함。

【一切衆生 일체중생】《佛敎》①지옥(地獄)·아귀(餓鬼)·축생(畜生)·수라(修羅)·인간(人間)·천상(天上)의 육도(六道)에 있는 모든 생물。②이 세상에 살고 있는 인류·동물 등의 모든 생물。

【一寸 일촌】①일척(一尺)의 십분지 일。②지극히 가까운 거리。③지극히 짧은 시간。④지극히 작음。

【一寸光陰不可輕 일촌광음불가경】아주 짧은 시간도 헛되이 보내지 말라는 뜻。

【一層 일층】①한결 더。②겹。

【一致 일치】①같은 취지(趣旨)。②서로 맞음。부합(符合)함。③협력하여 일을 함。협동(協同)함。

【一針 일침】한 바늘。일침(一鍼)。

【一彈 일탄】한 탄알。

【一彈指 일탄지】《佛敎》손가락을 한 번 튀기는 시간。아주 짧은 시간。

【一通 일통】한 문서。한 편지。

【一統 일통】하나로 합침。또 하나로 합쳐짐。

【一派 일파】①본류(本流)로 흐르는 한 물줄기。한 지류(支流)。②종교(宗敎)·학설(學說)등의 한 파(派)。

【一敗塗地* 일패도지】싸움에 한 번 패하여 간(肝)과 뇌(腦)가 땅바닥에 으깨어진다는 뜻으로、여지 없이 패하여 재기불능(再起不能)하게 됨。

【一片 일편】①한 조각。②한 편。한 쪽。

【一篇 일편】①시(詩) 한 수(首)。또는 문장 하나。②책의 일부(一部)。

【一片丹心 일편단심】한 조각의 정성된 마음。마음 속에서 우러나오는 성의(誠意)。「음。

【一片氷心 일편빙심】지극히 맑은 마

【一片月 일편월】한 조각의 달。

【一幅 일폭】①포백(布帛) 같은 것의 한 폭(幅)。②서화(書畫) 같은 것의

한 폭。일축(一軸)。

【一品 일품】①하나의 물품。②특히 뛰어난 물품。절품(絶品)。③벼슬의 품계(品階)의 첫째。

【一筆 일필】①붓 한 자루。②한 번의 운필(運筆)。③짧은 한 편(篇)의 문장。④같은 필적。⑤전답·터의 한필지。

【一筆難記 일필난기】한 붓으로는 이루 적을 수 없음。

【一筆書 일필서】한 번의 운필(運筆)로 죽 내리쓴 글씨。

【一筆畫 일필화】한 번의 운필(運筆)로 단숨에 그린 간단한 그림。

【一筆揮之 일필휘지】한숨에 죽 내리씀。

【一何 일하】어찌。일(一)은 어세(語勢)를 강하게 하는 조사(助辭)。

【一行 일행】①동행(同行)하는 사람 전체。②한 행위(行爲)。③한 줄。④한 번 감。

【一向 일향】한결 같이。꾸준히。오로지。

【一向專念 일향전념】《佛敎》정신을 집중하여 염불(念佛)을 함。

【一絃琴 일현금】줄이 하나인 거문고。

【一毫 일호】한 가닥의 터럭。전(轉)하여 조금。근소。

【一攫千金* 일확천금】단번에 많은 재물을 얻음。

【一會 일회】한 번 모임。

【一喜一憂 일희일우】기뻐하기도 하고 근심하기도 함。

◉歸一귀일 均一균일 單一단일 大一대일 同一동일 萬一만일 不一불일 三一삼일 純一순일 唯一유일 理氣合一이기합일 專一전일 終始如一종시여일 知行合一지행합일 逐一축일 統一통일

一畫

2 【丁】 一 1 중학 **정** — 네째천간 — ㊀青

一丁

자원 상형 口 3000년전 2500년전

「丁」의 옛 모양은 무언가 한덩이의 물건인 듯。과일의 모양으로서 속이 찬 (⇩充實충실)일이라든가、「釘정」〈못〉의 모양이며 바로→바로 서다→다른 것보다 나와 있다 따위의 뜻을 나타낸다고도 생각됨。

뜻 ①**네째천간정** 십간(十干)의 제사위(第四位)。오행(五行)으로는 화(火)에 속하고 방위로는 남방에 배당함。②**성할정**、**셀정** 왕성함。강성함。③**장정정** ㉠성년(成年)의 남자。「丁男정남」㉡부역(賦役)에 징집(徵集)되는 남자。「丁役정역」④**일꾼정** 하인。노동자。「庖丁포정」「馬丁마정」⑤**당할정** 일을 만남。조우(遭遇)함。⑥**벌목소리정** 나무를 찍는 소리。⑦**말뚝박는소리정** ⑧**바둑두는소리정** ⑨**거문고타는소리정** 거문고·비파(琵琶) 같은 현악기를 타는 소리。⑩**물방울소리정** 물방울이 떨어지는 소리。⑪**문두드리는소리정** ⑫**옥소리정** 옥(玉)이 울리는 소리。⑬**성정** 성(姓)의 하나。※통속적으로 「고무래정」으로 훈(訓)함은 잘못。

참고 「丁」을 음으로 하는 글자=「釘정」〈못〉·「停정」〈머무르다〉·「亭정」〈주막집〉·「矴정」〈닻〉·「灯등」〈열화〉·「汀정」〈물가〉·「叮정」〈정성스럽다〉·「酊정」〈술취하다〉·「訂정」〈바로잡

다〉·「町정」〈밭두둑〉·「頂정」〈꼭대기〉

【丁男 정남】 장정。 청년。

【丁女 정녀】 정년(丁年) 이상의 여자。

【丁年 정년】 ①남자의 만 이십 세。 ②태세(太歲)의 천간(天干)이 정(丁)으로 된 해。

【丁抹* 정말】 구라파의 서북부에 있는 나라。 덴마아크。

【丁方 정방】 이십사방위(二十四方位)의 하나。 정남(正南)에서 서쪽으로 십오도(十五度)째 되는 방위。

【丁夫 정부】 장정。 젊은이。

【丁若鏞* 정약용】《韓》 조선(朝鮮) 정조(正祖) 때의 학자(學者)。 호(號)는 다산(茶山)。 문장(文章)과 경학(經學)에 뛰어남。 목민심서(牧民心書) 등(等)의 저서(著書)가 있음。

【丁酉再亂 정유재란】《韓》 조선(朝鮮) 선조(宣祖) 삼십년에 일본(日本)의 토요토미히데요시(豊臣秀吉)가 조선에 다시 침입한 난리。

【丁祭 정제】 공자(孔子)에게 지내는 제사。 석전(釋奠)。

◉白丁백정 兵丁병정 園丁원정 壯丁장정

2 【七】 一 1 중학 칠 | 일곱 | 入質

一 七

자원 지사 十 3000년전

「七」의 옛 모양은 지금의 「十십」과 같이 씀。 「七」이란 모양은 나중에 변한 것。 아주 옛날 숫자(數字)는 하나에서 넷까지는 선(線)을 그 수만큼 한 줄로 늘어놓고 다섯 이상은 다른 기호(記號)를 썼음。 그중 「五오」와 「七」과 「九구」는 닮음꼴。 「六륙」과 「八팔」과도 닮음꼴로 되어 있음。 일설(說)에서는 「七」은 「베다」란 뜻의 글자를 빈 것이며 후세의 「切절」이란 글자의 기원이라 함。

뜻 ①**일곱칠** 여섯에 하나를 보탠 수。 「七旬칠순」 「七書칠서」 ②**일곱번칠** 칠회。 「七擒七縱칠금칠종」 ③**문제이름칠** 한문의 한 체(體)。 곧 문대(問對)。 초사(楚辭)의 「七諫칠간」에서 시작되어、 매승(枚乘)의 「七發칠발」、 조식(曹植)의 「七啓칠계」 등이 있음。

주의 금전증서(金錢證書) 등에서는、 「七」 대신 같은 음의 「柒칠」(漆칠의 속자) 또는 「漆칠」이 쓰이는 일이 있음。

참고 「七」을 음으로 하는 글자=「叱질」〈꾸짖다〉·「柒칠」(漆의 속자)〈옻나무〉·「切절」〈베다〉

【七去 칠거】 유교(儒敎)에서 아내를 내쫓아야 할 일곱 가지 조건。 곧 불순구고(不順舅姑)·무자(無子)·음행(淫行)·질투(嫉妬)·악질(惡疾)·구설(口舌)·도절(盜竊)。

【七經 칠경】 일곱 가지 경서。 시경(詩經)·서경(書經)·예기(禮記)·악기(樂記)·주역(周易)·춘추(春秋)·논어(論語)。 또는 주역·서경·시경·의례(儀禮)·주례(周禮)·예기·춘추。 또는 서경·시경·춘추·의례·주례·예기·논어。 또는 서경·시경·의례·주례·예기·공양전(公羊傳)·논어。

【七國 칠국】 ①칠웅(七雄)。 ②오초칠국(吳楚七國)과 같음。

【七難八苦 칠난팔고】 갖은 고난。

【七寶 칠보】《佛敎》 일곱 가지 보배。아미타경(阿彌陀經)에는 금(金)·은(銀)·유리(瑠璃)·파려(玻瓈)·거거(硨磲)·산호(珊瑚)·마노(瑪瑙)。반야경(般若經)에는 금·은·유리·거거·마노·호박(琥珀)·산호。항수경(恒水經)에는 금·은·유리·진주(眞珠)·거거·명월주(明月珠)·마니주(摩尼珠)。법화경(法華經)에는 금·은·마노·유리·거거·진주·매괴(玫瑰)。

【七步才 칠보재】 일곱 걸음 걷는 사이에 시 한 수를 짓는 재능이라는 뜻으로, 걸작의 시문을 빨리 짓는 재주를 이름。

【七色 칠색】 일곱 가지 빛。곧 적(赤)·청(靑)·황(黃)·녹(綠)·자(紫)·감(紺)·화(樺)。

【七生 칠생】《佛敎》 일곱 번 다시 태어남。몇 번이고 다시 태어남。이 세상에 다시 태어날 수 있는 한 영원히 언제까지나의 뜻。

【七書 칠서】 ①삼경(三經)과 사서(四書)。곧 주역(周易)·서경(書經)·시경(詩經)·논어(論語)·맹자(孟子)·중용(中庸)·대학(大學)。②일곱 가지 병서(兵書)。곧 손자(孫子)·오자(吳子)·사마법(司馬法)·울요자(尉繚子)·삼략(三略)·육도(六韜)·이위공문대(李衞公問對)。무경칠서(武經七書)。

【七夕 칠석】 명절의 하나。음력 칠월 초이렛날。

【七星 칠성】 북두칠성(北斗七星)。

【七十二弟子 칠십이제자】 공자(孔子)의 제자 중에서 육예(六藝)에 통한 일흔 두 사람의 일컬음。

【七十二候 칠십이후】 일년의 기후(氣候)를 일흔 둘로 나눈 것의 일컬음。오일(五日)을 일후(一候)、삼후(三候)를 일기(一氣)、육후(六候)를 일개월로 함。

【七言 칠언】 한 구(句)가 일곱 자로 된 한시(漢詩)。

【七言古詩 칠언고시】 칠언(七言)으로 된 고시(古詩)。구(句)의 수가 일정하지 아니함。

【七言排律 칠언배율】 칠언율시(七言律詩)의 연구(聯句) 여섯 구 이상으로 된 한시(漢詩)。

【七言律詩 칠언율시】 칠언(七言) 여덟 구로 되고 제삼·제사의 구와 제오·제육의 구가 대구(對句)를 이룬 한시(漢詩)。칠률(七律)。

【七言絶句 칠언절구】 칠언(七言) 네 구로 된 한시(漢詩)。칠절(七絶)。

【七曜* 칠요】 ①해·달과、화(火)·수(水)·목(木)·금(金)·토(土)의 다섯 별。칠정(七政)。②일주일。이레에 칠요(七曜)를 할당한 일컬음。

【七雄 칠웅】 전국시대(戰國時代)의 일곱 강국(強國)。곧 진(秦)·초(楚)·연(燕)·제(齊)·조(趙)·위(魏)·한(韓)。칠국(七國)。

【七齋* 칠재】《韓》 고려(高麗) 예종(睿宗) 때 국학(國學) 안에 설치(設置)했던 일곱 개(個)의 전문강좌(專門講座)。

【七才子 칠재자】 ①명(明)나라의 재치 있는 시인(詩人) 일곱 사람。곧 이몽양(李夢陽)·하경명(何景明)·서정경(徐禎卿)·변공(邊貢)·강해(康海)·왕구사(王九思)·왕정상(王廷相)。②명나라의 재사(才士) 일

곱 사람。 곧 왕세정(王世貞)·이반룡(李攀龍)·사진(謝榛)·종신(宗臣)·양유예(梁有譽)·서중행(徐中行)·오국륜(吳國倫)。

【七顚八倒* 칠전팔도】 ①일어났다가는 넘어지고 또 일어났다가는 넘어져 마침내 일어나지 못함。②고통을 참지 못하여 몸부림을 침。③분란(紛亂)이 심함。 대단히 어지러움。

【七情 칠정】 일곱 가지 감정(感情)。 유학(儒學)에서는 희(喜)·노(怒)·애(哀)·구(懼)·애(愛)·오(惡)·욕(欲)。 또는 희·노·애·낙(樂)·애·오·욕。 불가(佛家)에서는 희(喜)·노(怒)·우(憂)·구(懼)·애(愛)·증(憎)·욕(欲)。

【七族 칠족】 증조·조부·부친·자기·아들·손자·증손。

【七宗 칠종】 《佛敎》 율(律)·법상(法相)·삼론(三論)·화엄(華嚴)·천태(天台)·진언(眞言)·선(禪)의 일곱 종파(宗派)。

【七衆 칠중】 《佛敎》 불제자(佛弟子)의 일곱 종류의 사람。 곧 비구(比丘)·비구니(比丘尼)·사미(沙彌)·사미니(沙彌尼)·식사미니(式沙彌尼)·우바새(優婆塞)·우바이(優婆夷)。

【七尺去不踏師影 칠척거부답사영】 제자(弟子)된 자는 항상 스승을 존경하여 수행(隨行)할 때에도 스승의 그림자를 밟지 않도록 조심하라는 훈계。

【七賢 칠현】 ①춘추시대(春秋時代)의 일곱 현인(賢人)。 곧 백이(伯夷)·숙제(叔齊)·우중(虞仲)·우일(虞逸)·주장(朱張)·소련(少連)·유하혜(柳下惠)。 ②죽림칠현(竹林七賢)과 같음。

【七絃琴 칠현금】 일곱 줄로 된 거문고。

二畫

3【三】一 2 중학 **삼** — 석 — ㉾覃 ㉮勘

一 二 三

자원 지사 三 3000년전

「三」의 옛 모양은 같은 길이의 선을 셋 썼지만 나중에 모양을 갖추어서 각각의 길이나 뻗은 모양으로 바꾸었음。 셋의 뜻과 더불어 몇갠가의 모임→많음이란 뜻도 가짐。

뜻 ①**석삼** 셋。「三冬삼동」 ②**세번삼** 삼회。「三拜삼배」「三思삼사」 ③**자주삼** 여러 번。

주의 ①「叁삼」은 「參삼」의 약자(略字)。 ②「參」은 같은 음에 의한 가차자(假借字)。 ③금전증서(金錢證書) 등에서는、「三」 대신 「參」 또는 「叁」을 쓰는 일이 많음。

【三角 삼각】 세 모。

【三鑑 삼감】 동경(銅鏡)을 보면 의관(衣冠)을 단정히 할 수 있고、고대(古代)를 거울삼으면 흥체(興替)를 알 수 있으며、사람을 거울삼으면 득실(得失)을 알 수 있으므로 이 셋을 세 거울이라고 이른 말。

【三綱 삼강】 유교(儒敎)의 도덕(道德)에 있어서 기본되는 세 가지 강(綱)으로서 임금과 신하、어버이와 자식、남편과 아내 사이에 마땅히 지켜야 할 도리。 곧 군위신강(君爲臣

綱)·부위자강(父爲子綱)·부위부강(夫爲婦綱)。

【三綱五倫 삼강오륜】 삼강과 오륜。오륜은 군신유의(君臣有義)·부자유친(父子有親)·부부유별(夫婦有別)·장유유서(長幼有序)·붕우유신(朋友有信)。

【三綱五常 삼강오상】 삼강과 오상。강상(綱常)。오상은 인(仁)·의(義)·예(禮)·지(智)·신(信)。

【三傑 삼걸】 세 사람의 뛰어난 인물。곧 한(漢)나라의 소하(蕭何)·장양(張良)·한신(韓信)。

【三更 삼경】 하룻밤을 다섯으로 나눈 세째의 경(更)。곧 자정(子正) 전후。

【三京 삼경】《韓》 고려 때의 세 곳의 서울。㉠중경(中京) 곧 개성(開城)과、서경(西京) 곧 평양(平壤) 및 동경(東京) 곧 경주(慶州)의 일컬음。㉡중경(中京)·서경(西京) 및 남경(南京) 곧 지금의 서울의 총칭(總稱)。㉢서경(西京)·동경(東京)·남경(南京)의 일컬음。

【三庚 삼경】 삼복(三伏)。

【三卿 삼경】 주대(周代)의 세 벼슬。곧 사도(司徒)·사마(司馬)·사공(司空)。

【三經 삼경】 세 경서(經書)。①주역(周易)·시경(詩經)·춘추(春秋)。②서경(書經)·시경(詩經)·주례(周禮)。③시경(詩經)·서경(書經)·주역(周易)。④논어(論語)·맹자(孟子)·대학(大學) 및 중용(中庸)。

【三戒 삼계】 일생에 지켜야 할 세 가지 계(戒)。곧 소년 시대에는 여색(女色)을、장년(壯年) 시대에는 투쟁을、노년 시대에는 이욕(利慾)을 경계하라는 공자(孔子)의 교훈。

【三計 삼계】 일년·십년·종신(終身)을 목표로 한 계획。곧 수곡(樹穀)·수목(樹木)·수인(樹人)。

【三界 삼계】《佛敎》 ①중생(衆生)이 생사(生死)·윤회(輪廻)하는 삼종(三種)의 세계(世界)。곧 욕계(慾界)·색계(色界)·무색계(無色界)。②불계(佛界)·중생계(衆生界)·기계(己界)。③과거·현재·미래의 삼세계(三世界)。삼세(三世)。

【三顧 삼고】 촉한(蜀漢)의 임금 유비(劉備)가 제갈공명(諸葛孔明)의 집을 세 번 찾은 고사(故事)。전(轉)하여 군주나 장상(長上)에게 특별한 신임이나 우대를 받는 일。

【三骨 삼골】《韓》 신라(新羅) 시대의 왕족(王族)과 귀족의 세 가지 혈통。곧 성골(聖骨)·진골(眞骨)·제이골(第二骨)。

【三公 삼공】 ①가장 높은 세 가지 벼슬。곧 주(周)나라의 태사(太師)·태부(太傅)·태보(太保)、전한(前漢)의 승상(丞相)·태위(太尉)·어사대부(御史大夫)、후(後)에 대사도(大司徒)·대사마(大司馬)·대사공(大司空)으로 개칭、후한(後漢)의 태위(太尉)·사도(司徒)·사공(司空)。②《韓》 조선(朝鮮) 때의 가장 높은 세 가지 벼슬。곧 영의정(領議政)·좌의정(左議政)·우의정(右議政)의 삼정승(三政丞)。

【三公六卿 삼공육경】《韓》 조선(朝鮮) 때의 영의정(領議政)·좌의정(左議政)·우의정(右議政)과 육조(六曹)

의 각 판서(判書)。

【三光 삼광】 일(日)·월(月)·성(星)의 세 빛。 삼정(三精)。

【三敎 삼교】 유교(儒敎)·불교(佛敎)·도교(道敎)의 세 교(敎)。

【三國 삼국】 ① 후한말(後漢末)에 일어난 촉(蜀)·위(魏)·오(吳)의 세 나라。 ②신라(新羅)·고구려(高句麗)·백제(百濟)의 세 나라。

【三國史記 삼국사기】《韓》 고려(高麗) 인종(仁宗)의 명(命)을 받아 김부식(金富軾)등이 편찬(編纂)한 사서(史書)。 신라(新羅)·고구려(高句麗)·백제(百濟)의 역사(歷史)를 기전체(紀傳體)로 기록(記錄)하였음。

【三國遺事 삼국유사】《韓》 고려(高麗)의 중 일연(一然)이 지은 책。 단군(檀君)·부여(扶餘) 등의 사적(事蹟)을 간단(簡單)히 적고、 신라(新羅)·고구려(高句麗)·백제(百濟) 세 나라의 사적을 기록하였음。

【三國志 삼국지】 진(晉)나라 진수(陳壽)가 편찬한 삼국시대(三國時代)의 역사책。 위지(魏志)는 삼십권、 촉지(蜀志)는 십오권、 오지(吳志)는 이십권으로 모두 육십 오권(六十五卷)임。

【三軍 삼군】 ①주대(周代)에 대제후(大諸侯)가 소유한 상군(上軍)·중군(中軍)·하군(下軍)의 일컬음。 ②육·해·공군의 총칭。 ③전군(全軍)。

【三權 삼권】 국가 통치(統治)의 세 가지 권력。 곧 입법권(立法權)·행정권(行政權)·사법권(司法權)。

【三南 삼남】《韓》 충청도(忠淸道)·전라도(全羅道)·경상도(慶尙道)의 세 도의 총칭。

【三年之喪 삼년지상】 삼년 동안의 거상(居喪)。 곧 부모의 거상。

【三多 삼다】 문장(文章)에 숙달(熟達)하는 세 가지 조건。 곧 간다(看多)(많이 읽는 일)·주다(做多)(많이 짓는 일)·상량다(商量多)(많이 구상하는 일)。

【三段論法 삼단논법】 대전제(大前提)·소전제(小前提)·단안(斷案)의 삼단으로 배열하여 추리하는 논리(論理)의 방식。

【三達德 삼달덕】 세 가지 높은 덕(德)。 곧 지(智)·인(仁)·용(勇)。

【三達尊 삼달존】 세 가지 존귀한 것。 곧 조정(朝廷)에서는 작위(爵位)、 향리(鄕里)에서는 연령、 사회에서는 덕(德)。

【三代 삼대】 ①조부와 아비와 아들、 또는 아비와 아들과 손자의 세 대。 ②하(夏)·은(殷)·주(周)의 세 왕조(王朝)。

【三代目 삼대목】《韓》 신라(新羅) 진성여왕(眞聖女王) 때 위홍(魏弘)이 중 대구(大矩)와 함께 수집(蒐集)한 향가집(鄕歌集)。 후세(後世)에 전(傳)하지 않음。

【三到 삼도】 독서하는 데 주의하여야 할 세 가지。 곧 구도(口到)·안도(眼到)·심도(心到)。

【三島 삼도】 삼신산(三神山)。

【三途 삼도】《佛敎》 화도(火途) 곧 지옥도(地獄道)、 도도(刀途) 곧 아귀도(餓鬼道)、 혈도(血途) 곧 축생도(畜生道)의 일컬음。

【三塗* 삼도】 삼도(三途)。

【三塗川* 삼도천】《佛敎》지극히 악하지도 않고 지극히 착하지도 않은 사람이 죽은 후 저승으로 가는 도중에 건너는 내。삼도내。

【三冬 삼동】겨울의 석달。곧 음력 시월의 맹동(孟冬)、동짓달의 중동(仲冬)、섣달의 계동(季冬)。

【三樂 삼락】군자의 세 가지 낙(樂)。곧 부모가 모두 생존하고 형제가 무고함과、하늘과 사람에게 부끄러워할 것이 없는 것과、천하(天下)의 영재(英才)를 얻어 교육하는 일。

【三略 삼략】한(漢)나라 사람 장양(張良)이 황석공(黃石公)에게서 받았다는 병서(兵書)。육도(六韜)와 병칭(倂稱)됨。

【三禮 삼례】고례(古禮)를 기록한 세 가지 책。곧 의례(儀禮)·주례(周禮)·예기(禮記)。

【三利 삼리】세 가지 이익。곧 곡식을 심는 일년의 이익과 나무를 심는 십년의 이익과 덕(德)을 심는 백년의 이익。

【三忘 삼망】장사(將士)가 출전(出戰)할 때 잊어야 할 세 가지 일。곧 망가(忘家)·망친(忘親)·망신(忘身)。

【三昧* 삼매】《佛敎》범어(梵語) samadhi 의 음역(音譯)。오직 한 가지 일에만 마음을 집중시키는 경지(境地)。

【三民主義 삼민주의】손문(孫文)이 제창한 민족주의(民族主義)·민권주의(民權主義)·민생주의(民生主義)의 총칭。중국 국민당(國民黨)의 지도 정신임。

【三拜 삼배】세 번 절함。

【三別抄 삼별초】《韓》고려(高麗) 고종(高宗) 때에 최우(崔瑀)가 설치(設置)한 야별초(夜別抄)의 좌우부대(左右部隊)와 신의군(神義軍)을 통틀어 부르는 이름。

【三兵 삼병】①세 가지 병기(兵器)。곧 활·칼·창。②세 종류의 전투병。곧 보병·포병·기병。

【三寶 삼보】①도가(道家)에서 이르는 귀·입·눈。②토지(土地)·인민(人民)·정치(政治)。③《佛敎》불보(佛寶)·법보(法寶)·승보(僧寶)。불법승(佛法僧)。④부처의 별칭(別稱)。불타(佛陀)。

【三伏 삼복】하지(夏至) 후의 세째 경일(庚日)인 초복(初伏)과 네째 경일인 중복(中伏)과 입추(立秋) 후의 첫째 경일인 말복(末伏)。

【三府 삼부】한대(漢代)의 삼공(三公)의 관부(官府)。삼도(三都)。

【三賦 삼부】세 가지 조세(租稅)。곧 조(租)·용(庸)·조(調)。

【三分五裂 삼분오열】여러 갈래로 갈라짐。

【三分鼎立* 삼분정립】천하(天下)를 삼분(三分)하여 서로 대립함。

【三不去 삼불거】아내를 내쫓을 수 없는 세 가지 경우。곧 아내가 나가서 의지할 곳이 없거나、부모의 거상(居喪)을 같이 치렀거나、장가들 때 가난하다가 후에 부귀(富貴)하게 된 경우。

【三不幸 삼불행】세 가지 불행한 일。곧 소년(少年)에 대과(大科)에 급제하는 일。부형의 덕으로 미관(美官)을 얻는 일。고재(高才)가 있어 문장을 잘 짓는 일。

【三不惑 삼불혹】혹(惑)하지 말아야

할 세 가지。곧 음주(飮酒)·여색(女色)·재물(財物)의 삼욕(三欲)。

【三不孝 삼불효】①맹자(孟子)의 오불효(五不孝) 중의 세째。곧 재화(財貨)를 좋아하고 아내만을 사랑하며 부모의 은혜를 잊는 일。②세 가지 불효。곧 부모를 불의(不義)에 빠지게 하는 일과 부모가 늙고 집이 가난하여도 벼슬하지 아니하는 일과 자식이 없어 세사(世祀)를 끊게 하는 일。

【三不朽* 삼불후】 영구히 썩지 않는 세 가지。곧 입덕(立德)·입공(立功)·입언(立言)。

【三史 삼사】①세 가지 사서(史書)。곧 사기(史記)·한서(漢書)·동관기(東觀記)。동관기가 산일(散逸)된 후에는 후한서(後漢書)를 넣음。

【三司 삼사】①삼공(三公)。②송(宋)나라의 이재(理財)의 벼슬。곧 염철(鹽鐵)·호부(戶部)·탁지(度支)。③《韓》 조선(朝鮮) 때의 사헌부(司憲府)·사간원(司諫院)·홍문관(弘文館)。

【三思 삼사】①세 번 생각함。여러 번 생각함。숙고(熟考)함。②너무 지나치게 생각함。

【三事戒 삼사계】《佛敎》 몸음 삼가고、말을 조심하며 마음을 깨끗이 하는 일。

【三三五五 삼삼오오】 삼사언 혹은 사오인씩 떼지어 여기저기 흩어져 있는 모양。

【三上 삼상】 시문(詩文)을 구상하기 좋은 세 곳。곧 마상(馬上)·침상(枕上)·측상(廁上)。

【三生 삼생】《佛敎》 사람이 태어나는 과거·현재·미래의 세상。곧 전생(前生)·현생(現生)·후생(後生)。

【三生緣分 삼생연분】 삼생에 걸쳐 끊어질 수 없는 가장 깊은 인연。곧 부부간(夫婦間)의 인연。

【三聖 삼성】①복희씨(伏犧氏)·문왕(文王)·공자(孔子)。②요(堯)·순(舜)·우왕(禹王)。③우왕(禹王)·주공(周公)·공자(孔子)。④문왕(文王)·무왕(武王)·주공(周公)。⑤노자(老子)·공자(孔子)·안자(顏子)。⑥노자(老子)·공자(孔子)·석가(釋迦)。⑦석가(釋迦)·공자(孔子)·기독(基督)。⑧《韓》 환인(桓因)·환웅(桓雄)·환검(桓儉)。

【三聖祠* 상성사】《韓》 ①황해도(黃海道) 구월산(九月山)에 있었던 환인(桓因)·환웅(桓雄)·환검(桓儉)을 모신 사당(祠堂)。②제주도(濟州島) 제주읍에 있는 탐라(耽羅)를 개국(開國)한 고(高)·부(夫)·양(良) 삼을나(三乙那)를 제사 지내는 신사(神祠)。

【三世 삼세】①삼대(三代)❶。②《佛敎》 과거·현재·미래、또는 전세(前世)·현세(現世)·내세(來世)。

【三蘇 삼소】 북송(北宋)의 삼대 문장가(三大文章家)인 소순(蘇洵)과 그의 아들 소식(蘇軾)·소철(蘇轍) 형제。순(洵)을 노소(老蘇)、식(軾)을 대소(大蘇)、철(轍)을 소소(小蘇)라고도 하여 구별함。

【三損友 삼손우】 사귀어서 해로운 세 가지 벗。곧 편벽(便辟)한 벗、선유(善柔)한 벗、편녕(便佞)한 벗。

【三獸渡河 삼수도하】《佛敎》 같이 부처의 설법(說法)을 들어도 깨닫는 정도에 심천(深淺)이 있음을 코끼리·말·토끼의 세 짐승이 강을 건너는 데 비유한 말. 곧 코끼리의 발이 물의 밑바닥까지 닿는 것은 보살(菩薩)에, 말의 발이 물 속에 있는 것은 연각(緣覺)에, 토끼의 발이 물 위에 떠 있는 것은 성문(聲聞)에 비유함.

【三旬 삼순】 ①상순(上旬)·중순(中旬)·하순(下旬). ②삼십일간(三十日間).

【三始 삼시】 세시(歲始)이고 월시(月始)이며 일시(日始)라는 뜻으로, 정월 초하루의 아침을 이름. 널리 정월 초하루의 뜻으로 쓰임.

【三時 삼시】 ①농사 짓는 데 중요한 세 철. 곧 봄·여름·가을. ②아침과 낮과 밤.

【三辰 삼신】 해·달·별. 일(日)·월(月)·성(星). 삼광(三光).

【三神 삼신】 ①천(天)·지(地)·인(人)의 세 신(神). ②《韓》 상고 시대에 조선(朝鮮)의 국토를 열었다는 세 신. 곧 환인(桓因)·환웅(桓雄)·환검(桓儉).

【三神山 삼신산】 신선(神仙)이 산다는 세 산. 곧 봉래(蓬萊)·방장(方丈)·영주(瀛洲).

【三十三天 삼십삼천】《佛敎》 수미산(須彌山) 꼭대기의 네 봉우리에 각각 있는 팔천(八天)과, 중앙에서 이것을 통치하는 제석천(帝釋天).

【三十六計 삼십육계】 서른 여섯 가지 꾀. 많은 계책(計策).

【三十六策走爲上計 삼십육책주위상계】 삼십육계 줄행랑이 제일이란 말과 같은 뜻. 곧 딴 계책을 강구하는 것보다는 우선 도망하여 화를 피한 연후에 방책을 서서히 세우는 것이 제일 상책이라는 말. 전(轉)하여 비겁한 자를 조소하는 뜻으로 쓰임.

【三惡道 삼악도】 자기가 한 악업(惡業) 때문에 죽은 후에 가는 곳. 곧 지옥도(地獄道)·아귀도(餓鬼道)·축생도(畜生道). 삼도(三途).

【三惡聲 삼악성】 세 가지 듣기 싫고 흉한 소리. 곧 초혼(招魂)하는 소리, 불이 나서 불이야 하고 외치는 소리, 도둑을 튀기는 소리.

【三養 삼양】 복(福)·기(氣)·재(財) 세 가지를 길러 늘리는 일. 곧 분수(分數)에 만족하고, 위(胃)를 너그럽게 하고 마음을 크게 가지며, 씀씀이를 절약하는 일.

【三餘 삼여】 겨울(해의 나머지)과 밤(날의 나머지)과 음우(陰雨)(때의 나머지)로서 학문을 하는 데 가장 좋은 세 가지 여가(餘暇).

【三五七言詩 삼오칠언시】 한 구(句) 중에 삼언구(三言句) 둘과 오언구(五言句) 둘과 칠언구(七言句) 둘을 갖춘 시(詩).

【三畏 삼외】 군자(君子)가 두려워하여 삼가야 할 세 가지 일. 곧 천명(天命)·대인(大人)·성인지언(聖人之言).

【三欲 삼욕】《佛敎》 세 가지 욕심. 곧 음식욕(飮食欲)·수면욕(睡眠欲)·음욕(淫欲).

【三友 삼우】 ①유익한 세 종류의 벗.

삼익우(三益友)를 보라。 또 해로운 세 종류의 벗。 삼손우(三損友)를 보라。 ②거문고·술·시。 금(琴)·주(酒)·시(詩)。 ③소나무·대나무·매화나무。 송(松)·죽(竹)·매(梅)。 세한삼우(歲寒三友)。 ④산수(山水)·난죽(蘭竹)·금주(琴酒)。

【三虞* 삼우】 장사(葬事) 지낸 후 세 번째 지내는 제사(祭祀)。

【三元 삼원】 ①천(天)·지(地)·인(人) 삼재(三才)。 ②정월 초하루。 삼시(三始)。 ③정월 보름인 상원(上元)과 칠월 보름인 중원(中元)과 시월 보름인 하원(下元)。 ④진사(進士)(중국의 대과(大科))에 삼등 안으로 급제한 세 사람。 또 향시(鄕試)·회시(會試)·정시(廷試)에 수석을 차지한 사람。 곧 해원(解元)·회원(會元)·장원(狀元)。

【三怨 삼원】 사람에게 원망을 당하는 세 가지。 곧 작위(爵位)가 높으면 사람에게 원망을 당하고, 관직(官職)이 크면 임금에게 원망을 당하며 녹(祿)이 후하여도 원망을 당함。

【三位一體 삼위일체】 ①《佛敎》 부처는 법신(法身)·응신(應身)·보신(報身)의 삼위(三位)로 구분되나 본래는 일체라는 뜻。 ②기독교(基督敎)에서 성부(聖父)·성자(聖子)·성신(聖神)의 삼위(三位)를 한 몸으로 보는 교의(敎義)。

【三易 삼이】 문장을 쉽게 짓는 세 가지 방법。 곧 보기 쉽게 쓰고, 쉬운 자를 쓰며, 읽기 쉽게 씀。

【三益友 삼익우】 ①사귀어서 자기에게 도움이 되는 세 가지 벗。 곧 곧은 벗, 믿음직한 벗, 문견이 많은 벗。 ②화제(畫題)에서 쓰는 말로 매화(梅花)나무·대나무·돌의 일컬음。

【三人成市虎 삼인성시호】 한두 사람이 거리에 범이 있다고 말하면 곧이듣지 않으나 세 사람까지 그렇게 말하면 곧이듣는다는 뜻으로, 무근(無根)한 일도 이야기하는 사람이 많으면 자연히 믿게 됨을 비유한 말。

【三日三夜 삼일삼야】 삼주야(三晝夜)。

【三日雨 삼일우】 사흘 동안 계속하여 내리는 비。

【三日葬 삼일장】 죽은 지 사흘 만에 「지내는 장사。

【三日天下 삼일천하】 짧은 동안 정권을 잡았다가 곧 축출당함을 이름。

【三子 삼자】 ①노자(老子)·장자(莊子)·열자(列子)。 ②맹자(孟子)·순자(荀子)·양자(楊子)。

【三長 삼장】 사가(史家)가 되는 데 필요한 세 가지 장점。 곧 재지(才智)·학문(學問)·식견(識見)。

【三章 삼장】 한고조(漢高祖)가 제정한 세 조목의 법률。

【三才 삼재】 ①하늘과 땅과 사람。 천(天)·지(地)·인(人)。 ②천지간(天地間)의 만물(萬物)。 ③세 사람의 재사(才士)。

【三傳 삼전】 공자(孔子)가 저술한 춘추(春秋)의 세 가지 해설서(解說書)。 곧 좌씨전(左氏傳)·공양전(公羊傳)·곡량전(穀梁傳)。

【三絶 삼절】 ①세 번 끊어짐。 ②세 가지의 뛰어난 일, 또는 재주。

【三正 삼정】 ①천(天)·지(地)·인(人) 삼재(三才)의 정도(正道)。 ②군신

(君臣)·부자(父子)·부부(夫婦)의 도(道)인 삼강(三綱)이 바름。

【三政 삼정】《韓》나라의 정사(政事) 중에 가장 중요(重要)한 전부(田賦)·군정(軍政)·환곡(還穀)의 세 가지。

【三諦* 삼제】《佛敎》천태종(天台宗)에서 말하는 세 가지 진리。곧 제법(諸法)을 모두 공(空)이라고 보는 공제(空諦)와 제법을 모두 유(有)라고 보는 가제(假諦)와 공도 아니고 유도 아니라고 보는 중제(中諦)。제(諦)는 진리(眞理)。

【三族 삼족】①부모·형제·처자。②부친·아들·손자。부(父)·자(子)·손(孫)。③부친의 곤제(昆弟)、자기의 곤제、아들의 곤제。④부족(父族)·모족(母族)·처족(妻族)。

【三尊 삼존】①존앙(尊仰)하여야 할 세 사람。곧 군주·부친·스승。군(君)·부(父)·사(師)。②《佛敎》미타(彌陀)·관음(觀音)·세지(勢至)。미타삼존(彌陀三尊)。③《佛敎》석가(釋迦)·문주(文珠)·보현(普賢)。석가삼존(釋迦三尊)。④《佛敎》약사여래(藥師如來)·일광천(日光天)·월광천(月光天)。약사삼존(藥師三尊)。

【三宗 삼종】《佛敎》세 종파(宗派)。곧 화엄종(華嚴宗)·삼론종(三論宗)·법상종(法相宗)。또는 천태종(天台宗)·진언종(眞言宗)·법상종(法相宗)。

【三從 삼종】①여자가 지켜야 할 세 가지 도덕。곧 어렸을 때에는 어버이를、시집가서는 남편을、남편을 여읜 뒤에는 아들을 좇는 일。②삼종형제(三從兄弟)。

【三從兄弟 삼종형제】고조(高祖)가 같고 증조(曾祖)가 다른 형제。팔촌。

【三知 삼지】천분(天分)의 고하(高下)로 인한 도(道)를 깨닫는 힘의 세 층등。곧 태어나면서부터 아는 생지(生知)와 배워서 아는 학지(學知)와 애써서 아는 곤지(困知)。

【三枝之禮 삼지지례】비둘기는 예의를 지켜 어미새가 앉은 가지에서 세 가지 아래되는 데 앉는다는 말。

【三枝槍* 삼지창】끝이 세 갈래진 창。

【三叉* 삼차】세 갈래。

【三尺 삼척】①삼척법(三尺法)。②칼。검(劍)。길이가 석 자이므로 이름。

【三尺童子 삼척동자】대여섯 살의 어린 아이。

【三尺秋水 삼척추수】서슬이 시퍼런 칼。삼척(三尺)은 칼의 길이、추수(秋水)는 칼의 빛을 형용한 말。

【三千大天世界 삼천대천세계】《佛敎》①소천세계(小天世界)·중천세계(中天世界)·대천세계(大千世界)의 총칭(總稱)。수미산(須彌山)을 중심으로 하여 해와 달과 사천하(四天下)를 한 세계라 이르고、이것을 천 배한 것을 소천세계(小千世界)、소천세계를 천 배한 것을 중천세계(中千世界)、중천세계를 천 배한 것을 대천세계(大千世界)라 함。삼천세계(三千世界)。②전세계。

【三遷之教 삼천지교】맹자(孟子)의 어머니가 맹자를 가르치기 위하여 집을 세 번 옮긴 일。좋은 환경을 택하기 위하여 처음에 묘지(墓地)옆에서 살다가 저자 거리로、저자 거

리에서 또 학교 옆으로 옮겼음。

【三體 삼체】 ①세 가지 체형(體形)。②진(眞)·행(行)·초(草)의 세 서체(書體)。③고체(固體)·액체(液體)·기체(氣體)。

【三焦* 삼초】 한방(漢方)에서 이르는 육부(六腑)의 하나로서 상초(上焦)·중초(中焦)·하초(下焦)의 총칭(總稱)。상초는 심장 아래에、중초는 위(胃) 속에、하초는 방광(膀胱) 위에 있어서 수분(水分)의 배설(排泄)을 맡았다고 함。

【三寸舌 삼촌설】 ①혀。삼촌(三寸)은 혀의 길이。②언어(言語)·변설(辯舌)을 이름。

【三秋 삼추】 ①가을의 삼개월。곧 음력 칠월의 초추(初秋)、음력 팔월의 중추(仲秋)、음력 구월의 만추(晩秋)。②구개월。 춘·하·추·동은 각각 삼개월씩이므로 이름。삼계(三季)。③삼개년。 삼개년 동안에 가을이 세 번 돌아오므로 이름。

【三秋之思 삼추지사】 하루만 만나지 않아도 삼 년 동안이나 만나지 않은 것같이 생각된다는 뜻으로、사람을 사모하는 마음이 대단히 간절함을 이름。일일삼추(一日三秋)。

【三春 삼춘】 ①봄의 삼개월。곧 음력 정월의 맹춘(孟春)、음력 이월의 중춘(仲春)、음력 삼월의 계춘(季春)。②삼개년。 삼개년 동안에 봄이 세 번 돌아오므로 이름。삼추(三秋)。

【三親 삼친】 ①부자(父子)·부부(夫婦)·형제(兄弟)。②부족(父族)·모족(母族)·처족(妻族)。

【三七日 삼칠일】 해산(解産)한 지 스무 하루 되는 날。

【三嘆* 삼탄】 여러 번 찬탄(讚嘆)함。

【三浦 삼포】 《韓》 조선(朝鮮) 세종(世宗) 때 쓰시마도주(對馬島主)의 간청(懇請)에 의하여 개항(開港)한 제포(薺浦—昌原郡熊川)·부산포(富山浦—東萊)·염포(鹽浦—蔚山)。

【三品 삼품】 그림의 세 가지 품위。곧 신품(神品)·묘품(妙品)·능품(能品)。

【三河 삼하】 ①황하(黃河)·회하(淮河)·낙하(洛河)。②한대(漢代)의 하내(河內)·하남(河南)·하동(河東)의 세 군(郡)을 이름。

【三夏 삼하】 ①여름의 삼개월。곧 음력 사월의 맹하(孟夏)、음력 오월의 중하(仲夏)、음력 유월의 계하(季夏)。구하(九夏)。②삼개년。삼개년 동안에 여름이 세 번 돌아오므로 이름。

【三韓 삼한】 《韓》 전한(前漢)초 우리나라 부족국가 시대에 남부에 일어난 세 나라。곧 마한(馬韓)·진한(辰韓)·변한(弁韓)。

【三寒四溫 삼한사온】 겨울철에 한국·만주 등지에서 사흘 가량 추운 날씨가 계속하다가 그 다음에 나흘 가량 따스한 날씨가 계속하는 주기적(週期的)인 기후 현상。

【三行 삼행】 ①자식으로서 어버이에게 행하여야 할 세 가지 행위。곧 양친(養親)·치상(治喪)·봉제사(奉祭祀)。②사람이 중히 여겨야 할 세 가지 행위。곧 부모를 섬기는 효행(孝行)、군자(君子)를 존경하는 우행(友行)、사장(師長)을 섬기는 순

행(順行)。

【三絃琴 삼현금】 줄 셋을 맨 거문고。

【三皇 삼황】 중국 고대의 천자(天子)。곧 복희씨(伏犧氏)·신농씨(神農氏)·황제(黃帝)、또는 수인씨(燧人氏)。일설(一說)에는 포희씨(包犧氏)·여왜씨(女媧氏)·신농씨(神農氏)。또 일설에는 천황씨(天皇氏)·지황씨(地皇氏)·인황씨(人皇氏)。

【三皇五帝 삼황오제】 삼황(三皇)과 오제(五帝)。오제는 소호(少昊)·전욱(顓頊)·제곡(帝嚳)·요(堯)·순(舜)。사기(史記)에는 소호(少昊) 대신 황제(黃帝)로 되어 있음。

◉再三재삼 朝四暮三조사모삼

3 【下】 一 2 중학 하 | 아래 | ㊤馬 ㊍禡

一 丅 下

자원 지사 (A) (B) 3000년전 (C) (D) 2500년전

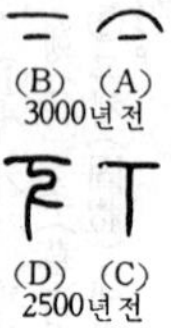

「下」는 밑의 것이 위의 것에 덮여 있는 모양이며、「上상」에 대한 아래、아래쪽、낮은 쪽。나중에 글자 모양을 꾸며 지금 글자체가 됨。

뜻 ①아래하 ㉠위의 대(對)。「上下상하」「下層하층」㉡낮은 곳。㉢밑바닥。「地下지하」㉣물건의 머리와 반대되는 쪽 끝。㉤뒤。후세。㉥열등。「下劣하열」㉦두 사물(事物) 중의 경(輕)한 쪽。㉧낮은 지위。낮은 사람。「下嫁하가」㉨부하。「手下수하」「強將之下無弱兵강장지하무약병」㉩백성。서민 ㉪곁。가。㉫산 기슭。㉬땅。㉭어의(語意)를 강하게 하기 위하여 조사(助辭)와 같이 씀。㉮자기의 사물에 관한 겸칭(謙稱)。「下懷하회」②내릴하 ㉠낮은 데로 옮음。내려감。「下車하차」「下山하산」㉡또 낮은 데로 옮김。「糟糠之妻不下堂조강지처불하당」㉢비가 옴。또 비가 오게 함。㉣명령이 나옴。또 명령을 냄。「下命하명」㉤착수함。손을 댐。「下手하수」③떨어질하 ㉠낙하함。㉡함락함。항복함。④떨어뜨릴하 함락시킴。항복받음。⑤낮을하 아래임。미치지 못함。「下位하위」「下等하등」⑥낮출하 ㉠겸손함。「卑下비하」㉡감함。적게 함。

주의 「卞변」〈법〉과는 딴 글자。

【下嫁* 하가】 군주(君主)의 딸이 신하(臣下)에게 시집감。하강(下降)。

【下瞰* 하감】 내려다봄。부감(俯瞰)。

【下降 하강】 ①아래로 내려옴。②하가(下嫁)。

【下界 하계】《佛教》 사람이 사는 이 세상。천상계(天上界)의 대(對)。

【下棺* 하관】 관을 광중(壙中)에 내려 놓음。

【下卦* 하괘】 팔괘(八卦) 중의 두 괘(卦)가 겹친 괘、곧 육효(六爻)로 된 괘중의 아래 괘。상괘(上卦)의 대(對)。

【下交 하교】 자기보다 신분이 낮은 사람과의 사귐。

【下教 하교】 ①윗사람이 아랫사람에게 가르쳐 줌。②《韓》 왕의 명령。전교(傳教)。

【下卷 하권】 두 권 또는 세 권으로 된 책의 맨 끝권。

【下剋上* 하극상】 아래가 위를 능범(凌犯)한다는 뜻으로、신하(臣下)

가 군주보다 권력이 셈을 이름。

【下級 하급】아래의 계급、또는 등급。

【下念 하념】웃사람이 아랫사람에 대하여 염려함。

【下端 하단】아래쪽의 끝。

【下壇 하단】단에서 내려옴。

【下丹田 하단전】도가(道家)에서 이르는 삼단전(三丹田)의 하나。배꼽 아래 한 치쯤 되는 곳。

【下達 하달】웃사람의 뜻이 아랫사람에게 미치어 이름。

【下待 하대】낮게 대우함。

【下等 하등】①나쁜 물품。②낮은 등급、또는 계급。

【下落 하락】①내림。떨어짐。②값이 떨어짐。③등급이 떨어짐。

【下略 하략】이하(以下)를 생략한다는 뜻으로、문장의 아랫 부분을 빼고 쓰지 않는 일。

【下諒 하량】웃사람이 아랫사람의 사정을 살피어 알아줌。

【下慮 하려】하념(下念)。

【下僚* 하료】지위가 낮은 벼슬아치。말료(末僚)。하관(下官)。

【下流 하류】①하등의 계급。낮은 지위(地位)。하위(下位)。②하천(河川)의 아래 편。하유(下游)。

【下臨 하림】①하감(下瞰)。②고귀한 사람이 비천한 사람을 방문함。③신(神)이 하늘에서 내려옴。

【下馬 하마】말에서 내림。

【下馬碑 하마비】누구든지 그 앞을 지날 때에는 말에서 내리라는 뜻을 새긴 푯돌。

【下門 하문】보지。음문(陰門)。

【下問 하문】①아랫사람에게 물음。②남의 물음을 존경하여 이르는 말。

【下民 하민】①백성。인민。세상 사람。②아래에 있는 사람。

【下膊* 하박】팔의 팔꿈치에서 손목까지의 부분。전박(前膊)。

【下半 하반】둘로 나눈 아래쪽。상반(上半)의 대(對)。

【下方 하방】①아래쪽。②낮은 곳。③인간계(人間界)。

【下僕* 하복】①하인。종。②자기의 겸칭(謙稱)。하노(下奴)。

【下付 하부】관아(官衙) 또는 귀인(貴人)이 아랫사람에게 내려줌。또 그것。하부(下附)。

【下士 하사】①지위가 낮은 무관。②(韓) 군의 계급의 하나。

【下賜 하사】고귀(高貴)한 사람이 내리어 줌。

【下山 하산】①산에서 내려옴。②절에서 수업(修業)을 끝내고 돌아감。

【下書 하서】웃어른이 보낸 글월。

【下船 하선】배에서 내림。

【下手 하수】손을 댐。착수(着手)함。

【下垂* 하수】아래로 처짐。늘어짐。

【下壽 하수】사람의 수명을 상·중·하의 셋으로 나눈 중의 최하의 수명。장자(莊子)에는 예순 살、좌전(左傳)에는 여든 살。

【下旬 하순】그 달의 스무 하루부터 그믐날까지의 동안。하한(下澣)。

【下顎骨* 하악골】아래 턱의 뼈。

【下野 하야】관직에서 물러나 민간으로 돌아감。정계(政界)에서 은퇴함。

【下午 하오】오후(午後)。상오(上午)의 대(對)。

【下獄 하옥】옥에 갇힘。또 옥에 가둠。

【下浣* 하완】하순(下旬)。

【下愚 하우】 대단히 미련함。또 그 사람。천치。지우(至愚)。대우(大愚)。
【下院 하원】 양원제(兩院制) 의회 제도에서 국민의 직접 선거에 의하여 선출된 의원(議員)으로 구성되는 입법 기관。
【下位 하위】 ①낮은 지위。낮은 벼슬。②아래쪽。하방(下方)。
【下儒 하유】 ①쓸모 없는 학자。②학자의 겸칭(謙稱)。
【下意 하의】 아랫사람의 마음。백성의 의사。민의(民意)。상의(上意)의 대(對)。
【下人 하인】 ①지위가 낮은 사람。②마음이 비열한 이。③종。노복(奴僕)。
【下情 하정】 ①백성의 마음。백성의 사정。민심(民心)。민정(民情)。②자기의 심사의 겸칭(謙稱)。
【下情上達 하정상달】 백성의 뜻이 위에 미침。
【下劑* 하제】 설사(泄瀉)를 시키는 약。
【下肢* 하지】 발。다리。
【下車 하차】 차에서 내림。
【下泉 하천】 ①폭포(瀑布)。비천(飛泉)。②저승。황천(黃泉)。
【下賤 하천】 ①천(賤)한 사람。하천인(下賤人)。비천(卑賤)。②손아랫사람에게 겸양(謙讓)함。
【下體 하체】 ①몸의 아랫 부분。아랫도리。②식물의 뿌리와 줄기。
【下焦* 하초】 삼초(三焦)를 보라。
【下層 하층】 ①아래층(層)。②아래의 계급(階級)。
【下腿* 하퇴】 종아리。
【下篇 하편】 두 편 또는 세 편으로 된 책의 맨 마지막 편。
【下平 하평】 한자의 운(韻) 사성(四聲) 중의 평성(平聲) 서른 운을 상하로 양분한 그 아래의 반(半)。곧 선(先)·소(蕭)·효(肴)·호(豪)·가(歌)·마(麻)·양(陽)·경(庚)·청(靑)·증(蒸)·우(尤)·침(侵)·담(覃)·염(鹽)·함(咸)의 열 다섯 운。상평(上平)의 대(對)。
【下品 하품】 ①나쁜 물품。②낮은 지위。낮은 계급。③《佛敎》 구품정토(九品淨土) 중의 최하의 삼품(三品)。
【下學 하학】 ①비근(卑近)한 데서부터 배움。인사(人事)를 배움。②정도가 낮은 학문。③공부를 끝내고 학교에서 집으로 돌아감。
【下鄕 하향】 시골로 내려감。
【下弦 하현】 음력 이십 이삼일경의 반원(半圓)의 달。상현(上弦)의 대(對)。
【下血 하혈】 항문(肛門) 또는 하문(下門)에서 피가 나옴。
【下戶 하호】 ①주량(酒量)이 적은 사람。②가난한 사람。빈민(貧民)。
◉ 却下각하 脚下각하 閣下각하 降下강하 貴下귀하 廊下낭하 帶下대하 目下목하 門下문하 部下부하 卑下비하 上下상하 手下수하 膝下슬하 臣下신하 月下월하 以下이하 殿下전하 足下족하 地下지하 直下직하 天下천하 形而下형이하 麾下휘하

3 【万】 一 2 ㊀만 ㊁묵 | 일만 | ㊀[去]願 ㊁[入]職

[자원] 상형 「万」은 본디 「万」이라 쓰어져 부평초(浮萍草)의 모양。음을 빌어 수사

(數詞)의 「萬만」의 속자로 쓰어졌음。

뜻 ㊀일만만 萬(艸部九畫)의 속자(俗字)。㊁성묵 「萬俟묵사」는 오랑캐의 복성(複姓)。

참고 일설(一說)에 서역지방(西域地方)에서 사용(使用)되고 있던 수사(數詞) 「卍만」이 중국에 들어와서 「万」자가 되었다 함。

3【丈】一 2 고교 장 — 장 — ㊤養

一 ナ 丈

자원 회의 十 又 — 攴 — 丈(一부)

본디 글자는 攴이라고 쓰여지고, 十과 又〈손〉으로 이루어짐。又은 한뼘을 뜻하고, 이것이 옛날 한 자〈一尺〉。그러므로 攴은 열 자。

뜻 ①장장 길이의 단위의 하나。열 자。십척(十尺)。②길이장 긴 정도。③어른장 장자(長者)의 존칭(尊稱)。④지팡이장 杖(木部三畫)과 통용。「丈人장인」

참고 「丈장」을 음으로 하는 글자 ‖「仗장」〈병장기〉·「杖장」〈지팡이〉

【丈母 장모】 아내의 친어머니。빙모(聘母)。

【丈夫 장부】 ①장성한 남자。②남편。

【丈人 장인】 ①장로(長老)。②노인(老人)。③아내의 친아버지。악부(岳父)。④주인(主人)。⑤죽은 할아버지。조고(祖考)。

【丈人峯 장인봉】 태산(泰山)의 꼭대기에 있는 봉우리의 이름。

◉老丈노장 方丈방장 百丈백장 嶽丈악장

【扌】⇩手部

【廾】⇩部首

3【上】一 2 중학 상 — 웃 — ①-⑤ (去)漾 ⑥-⑧ ㊤養

丨 卜 上

자원 지사

(A) (B) 3000년전 (C) (D) 2500년전

「上」은 긴 「一」 위에 짧은 「一」을 쓰기도 하고, 또는 긴 「一」 위에 「·」을 쓰기도 하여 어떤 위치(位置)〈긴 一〉보다도 높은 곳〈짧은 一〉을 나타낸다고 일컬어져 왔음。그러나 본디는 무엇엔가 얹은 물건의 모양을 나타내며 「下하」에 대한 상(上)→위에 얹다→위쪽을 뜻하는 것으로 생각됨。

뜻 ①웃상 ㉠높은 데。「天上천상」㉡존귀한 데。높은 계급。㉢꼭대기。「頂上정상」「山上산상」㉣하늘。「上下상하」㉤거죽。표면。「地上지상」㉥손윗사람。존장。「長上장상」㉦천자(天子)。군주。「上意상의」「主上주상」㉧조정(朝廷)。또 조정에 있는 사람。㉨처음。앞。「上卷상권」㉩예。이전。「上古상고」㉪다른 것보다 나은 쪽。「上等상등」「上策상책」㉫둘 있는 사물 중의 중요한 쪽。②가상 곁。변두리。「江上강상」③바랄상 尙(小部五畫)과 통용。④숭상할상 尙(小部五畫)과 통용。⑤가할상 尙(小部五畫)과 통용。⑥오를상 ㉠아래에서 위로 감。「上天상천」㉡탈것을 탐。「上船상선」 ㉢그 장소에 감。「上途상도」 ⑦올릴상 ㉠높게 함。㉡드림。진헌(進獻)함。「上訴상소」「上書상서」 ㉢기재(記載)함。 ⑧상성상 사성(四聲)의 하나。

【上監 상감】《韓》임금의 존칭(尊稱)。

【上客 상객】상등의 손님。중요한 손님。상빈(上賓)。존객(尊客)。

【上京 상경】①천자(天子)의 수도(首都)。서울。②서울로 올라감。

【上界 상계】《佛教》부처가 있는 곳。천상계(天上界)。「古」。

【上古 상고】아주 오랜 옛날。태고(太

【上告 상고】①웃사람에게 고함。②제이심(第二審)의 판결에 불복하여 판결의 파기(破棄) 또는 변경을 상급법원에 신청하는 행위。

【上公 상공】①오등작(五等爵)의 첫째인 공작(公爵)의 존칭(尊稱)。②한(漢)나라의 제도에서、태보(太保)·태부(太傅)의 일컬음。지위가 삼공(三公)의 위이므로 이름。

【上官 상관】윗자리의 벼슬아치。상급(上級)의 관리。상사(上司)。

【上卦* 상괘】팔괘(八卦) 중의 두 괘(卦)가 겹친 괘、곧 육효(六爻)로 된 괘의 웃괘。

【上國 상국】①춘추시대(春秋時代)에 중원(中原)、곧 황하 유역(黃河流域)의 땅을 이름。②속국(屬國)이 종주국(宗主國)을 일컫는 말。

【上卷 상권】두 권 또는 세 권으로 된 책의 첫째 권。

【上級 상급】윗 등급。높은 등급。

【上納 상납】조세(租稅) 등을 바침。

【上端 상단】위의 끝。

【上丹田 상단전】도가(道家)에서 이르는 삼단전(三丹田)의 하나로서 뇌(腦)를 이름。

【上達 상달】진보함。숙달(熟達)。

【上答 상답】웃어른에게 대답함。

【上代 상대】상고(上古)。

【上德 상덕】①최상의 덕。더할 나위 없이 훌륭한 덕。②군주(君主)의 행

【上都 상도】서울。경사(京師)。「위。

【上冬 상동】겨울의 처음 달。곧 음력 시월。맹동(孟冬)。

【上棟* 상동】마룻대를 올림。

【上等 상등】①가장 뛰어남。뛰어나게 좋음。②위의 등급。③높은 등

【上騰* 상등】올라감。떠오름。「급。

【上洛 상락】서울로 올라감。상경(上京)。「覽」。

【上覽 상람】임금이 보심。천람(天

【上略 상략】①글이나 말의 윗부분을 생략함。전략(前略)。②훌륭한 계책。썩 좋은 계책。상책(上策)。

【上漏下濕 상루하습】지붕에서는 비가 새고 밑에서는 습기가 올라온다는 뜻으로、허술한 집、빈한한 가정의 형용。

【上流 상류】①하천(河川)의 수원(水源)에 가까운 부분。②높은 자리。좋은 지위(地位)。③높은 신분(身

【上陸 상륙】육지로 오름。「分)。

【上面 상면】위쪽의 겉면。윗면。

【上命 상명】군주(君主)의 명령。군명(君命)。

【上聞 상문】임금의 귀에 들어감。임금이 들음。또 임금이 들어 알게 함。임금에게 알림。상청(上聽)。

【上文右武 상문우무】문무(文武)를 모

두 숭상함.

【上米 상미】 품질이 좋은 쌀.

【上膊* 상박】 팔의 어깨부터 팔꿈치까지의 부분. 하박(下膊)의 대(對).

【上半 상반】 절반으로 나눈 위쪽.

【上奉下率 상봉하솔】 부모를 봉양하고 처자를 거느림.

【上士 상사】 ①덕(德)이 뛰어난 사람. ②주대(周代)에 사(士)를 상·중·하의 세 등급으로 나눈 중의 상위(上位)의 계급. ③《佛敎》 보살(菩薩).

【上司 상사】 ①한대(漢代)에 삼공(三公)을 이름. 전(轉)하여 ②상급 관청. 또 상관(上官).

【上書 상서】 ①자기의 의견을 써서 천자(天子) 또는 귀인(貴人)에게 올림. 또 그 글. 상표(上表). 상소(上疏). ②《韓》 조신(朝臣)이 동궁(東宮)에게 글을 올림. 또 그 글.

【上船 상선】 배를 탐. 승선(乘船).

【上善 상선】 최상의 선(善).

【上聲 상성】 사성(四聲)의 하나. 발음이 높고 맹렬한 소리. 동(董)·종(腫)·강(講)·지(紙)·미(尾)·어(語)·우(麌)·제(薺)·해(蟹)·회(賄)·진(軫)·문(吻)·원(阮)·한(旱)·산(潸)·선(銑)·조(篠)·교(巧)·호(皓)·가(哿)·마(馬)·양(養)·경(梗)·형(迥)·유(有)·침(寢)·감(感)·담(琰)·함(豏)의 스물아홉 운(韻)이 이에 속함.

【上世 상세】 상고(上古).

【上訴 상소】 ①군주(君主) 또는 관부(官府)에 하소연함. 또 그 하소연. ②판결에 불복(不服)하여 그 취소 또는 변경을 상급 법원에 요구하는 행위.

【上疏* 상소】 상서(上書)❶.

【上手 상수】 ①교묘한 솜씨. ②착수(着手)함. 또 그 솜씨를 가진 사람.

【上壽 상수】 ①사람의 수명을 상·중·하 셋으로 나눈 중의 최상의 수명. 장자(莊子)에는 백세, 좌전(左傳)에는 백 이십세. ②장수(長壽)를 비는 뜻으로 술잔을 올림. 헌수(獻壽).

【上旬 상순】 초하루부터 열흘까지의 동안. 상한(上澣).

【上述 상술】 위에 진술함. 앞에 말함.

【上昇 상승】 위로 올라감. 떠오름.

【上食 상식】 상가(喪家)에서 조석으로 궤연(几筵)에 올리는 음식.

【上申 상신】 의견이나 사정을 여쭘.

【上元 상원】 명절의 하나. 정월 보름날. 대보름날.

【上援下推 상원하추】 위에 있는 사람이 끌어 올리고 밑에 있는 사람이 밀어 주어 벼슬에 취임함. 일설(一說)에는 위에 있는 사람은 아랫사람을 끌어 올리고 아래에 있는 사람은 윗사람을 추대(推戴)함.

【上位 상위】 높은 자리. 높은 지위.

【上衣 상의】 ①겉에 입는 옷. ②《韓》 저고리.

【上意 상의】 임금의 마음. 천자(天子)의 뜻.

【上將 상장】 ①상위(上位)의 장군. 상장군(上將軍). ②별 이름.

【上將軍 상장군】 상장(上將)❶.

【上才 상재】 뛰어난 재능(才能). 또 뛰어난 인물.

【上梓* 상재】 문서를 출판함. 옛날에 가래나무(梓)를 판목(版木)으로 썼으므로 이름.

【上田 상전】 상등의 전지(田地).

【上程 상정】①여정(旅程)에 오름。②의안(議案)을 회의에 내어 놓음。

【上帝 상제】①하늘。또 하느님。천제(天帝)。②조물주(造物主)。조화(造化)。③천자(天子)。④상고(上古)의 제왕(帝王)。 「림。

【上簇* 상족】누에를 발이나 섶에 올

【上佐 상좌】《佛敎》①속인(俗人)으로서 절에 들어가 불도(佛道)를 연구하는 사람。행자(行者)。②사승(師僧)의 대를 이을 여러 사람 중에서 가장 높은 사람。

【上奏* 상주】천자(天子)에게 의견 또는 사실을 아룀。상소(上疏)。

【上旨* 상지】천자(天子)의 뜻。상의(上意)。

【上知 상지】가장 뛰어난 슬기。선천적(先天的)으로 탁월한 지혜。또 그 슬기가 있는 사람。

【上肢* 상지】손。팔。

【上智 상지】상지(上知)。

【上知與下愚不移 상지여하우불이】보통 사람의 성질은 경우와 교육 여하에 따라 변하지만、선천적으로 슬기가 아주 뛰어난 사람과 아주 미련한 사람은 절대로 변하지 않음。

【上策 상책】뛰어난 계책(計策)。

【上天 상천】①하늘。하토(下土)의 대(對)。②하느님。천제(天帝)。조물주(造物主)。③사천(四天)의 하나。겨울의 하늘。④하늘로 올라감。승천(升天)。 「지(天地)。

【上天下地 상천하지】하늘과 땅。천

【上體 상체】몸의 윗 부분。웃도리。

【上焦* 상초】삼초(三焦)를 보라。

【上秋 상추】초가을。음력 칠월。초추(初秋)。 「(初春)。

【上春 상춘】초봄。음력 정월。초춘

【上層 상층】①위층(層)。②윗 계급(階級)。

【上濁下不淨 상탁하부정】웃물이 흐리면 아랫물도 자연히 깨끗치 못함。

【上通天文下達地理 상통천문하달지리】천문과 지리에 모두 통달함。천지 만물의 이치를 모두 환히 앎。

【上篇 상편】두 권 또는 세 권으로 된 책의 첫째 권。

【上平 상평】한자의 운(韻)。사성(四聲)중의 평성(平聲) 서른 운을 상하로 양분한 그 위의 반(半)。곧 동(東)·동(冬)·강(江)·지(支)·미(微)·어(魚)·우(虞)·제(齊)·가(佳)·회(灰)·진(眞)·문(文)·원(元)·한(寒)·산(刪)의 열 다섯 운。하평(下平)의 대(對)。

【上品 상품】상류의 계급。상류 사회。

【上下 상하】①위와 아래。②높음과 낮음。높은 데와 낮은 데。③하늘과 땅。천지(天地)。④임금과 신하。또 치자(治者)와 피치자(被治者)。조야(朝野)。⑤웃사람과 아랫사람。높은 사람과 낮은 사람。귀한 사람과 천한 사람。⑥올라갔다 내려갔다 함。

【上下一致 상하일치】웃사람과 아랫사람이 마음을 합침。상하가 협력함。 「사람의 분별。

【上下之分 상하지분】웃사람과 아랫

【上學 상학】학교에 감。

【上玄 상현】하늘。또 하느님。

【上弦 상현】음력 칠팔일경의 반원(半圓)의 달。반월(半月)。현월(弦月)。

하현(下弦)의 대(對)。

【上皇 상황】①양위(讓位)한 천자(天子)의 존칭(尊稱)。태상황(太上皇)。②상고(上古)의 제왕(帝王)。③천제(天帝)。상제(上帝)。

◉極上극상 謹上근상 今上금상 無上무상 史上사상 世上세상 身上신상 零上영상 以上이상 頂上정상 尊上존상 主上주상 至上지상 地上지상 紙上지상 直上직상

三畫

4 【不】 一 3 중학

㊀불 ㊁부 ㊂비 | 아니 | ㊀入月 入物 ㊁上有 平尤 ㊂平支

一 ア 不 不

자원 상형 3000년전

「不」은 꽃의 씨방의 모양。씨방이란 암술 밑의 불룩한 곳으로、과실(果實)이 되는 부분。나중에 「…하지 않다」「…은 아니다」란 말을 나타내게 되었음。그 때문에 새가 날아 올라가서 내려오지 않음을 본뜬 글자라고 설명하게 되었음。

뜻 ㊀①아니불 아님。「不可불가」「不利불리」「不遠불원」②아니할불「不動부동」㊁아닌가부 의문(疑問)의 미정사(未定辭)。㊂클비 丕(一部四畫)와 통용(通用)。

참고 「不」을 음으로 하는 글자=「胚배」〈임신하다〉·「杯배」〈술잔〉·「盃배」〈술잔〉·「丕비」〈크다〉·「否부」〈아니다〉·「痞비」〈더부룩하다〉

【不斷 부단】결단력이 없음。

【不當 부당】이치(理致)에 맞지 아니함。적당하지 아니함。

【不當利得 부당이득】정당하지 못한 방법에 의하여 남에게 손해를 끼치면서 얻는 이익。

【不大不少 부대불소】크지도 작지도 않고 알맞음。

【不德 부덕】①도덕에 어그러짐。②덕(德)이 없음。

【不倒翁 부도옹】장난감의 한가지。오뚝이。

【不導體 부도체】열(熱)·전기(電氣)를 전하지 못하는 물체(物體)。

【不同 부동】같지 아니함。

【不動 부동】①물건이 움직이지 아니함。②마음이 외계(外界)의 사물(事物)로 인하여 움직이지 아니함。③《佛教》부동존(不動尊)의 약칭。

【不動産 부동산】움직여서 옮길 수 없는 재산。곧 토지·가옥 등。

【不同意 부동의】동의하지 아니함。찬성하지 아니함。불찬성(不贊成)。

【不同日論 부동일론】둘의 차이(差異)가 심해 함께 논할 수 없음。

【不動尊 부동존】《佛教》오대명왕(五大明王)의 하나。밀교(密教)에서 이르기를 대일여래(大日如來)가 일체의 악마를 항복시키기 위하여 이 세상에 변신(變身)하여 나타난 것이라 함。부동명왕(不動明王)。

【不凍港 부동항】겨울에도 얼지 아니하는 항구(港口)。

【不得其位 부득기위】실력은 충분하나 그 실력을 펴볼 적당한 자리를 얻지 못함。

【不得不 부득불】불가불(不可不)。

【不得要領 부득요령】요령을 잡을 수 없음。

【不得已 부득이】마지 못하여。하는 수 없이。

【不得志 부득지】 품은 뜻을 펼 기회를 얻지 못함。

【不等 부등】 같지 아니함。 부동(不同)。

【不自然 부자연】 자연스럽지 못함。

【不自由 부자유】 구속(拘束)을 받아 자유롭지 못함。

【不在 부재】 있지 아니함。

【不適當 부적당】 적당하지 아니함。

【不絶 부절】 끊이지 아니함。

【不定 부정】 ①일정하지 아니함。 ②《佛敎》 믿기 어려움。 덧없음。

【不貞 부정】 여자가 정조(貞操)를 지키지 아니함。

【不淨 부정】 깨끗하지 못함。

【不精 부정】 조촐하거나 깨끗하지 못하고 거칠거나 지저분함。

【不正當 부정당】 정당하지 아니함。

【不正確 부정확】 정확하지 아니함。

【不弟 부제】 형에게 공손하지 아니함。

【不齊 부제】 가지런하지 아니함。

【不調和 부조화】 서로 잘 조화되지 아니함。 어울리지 않음。

【不足 부족】 ①모자람。 ②넉넉하지 못함。

【不足論 부족론】 논할 거리가 못됨。

【不足數 부족수】 하찮아서 셈속에 넣을 것이 못됨。 하찮아서 들어 말할 것이 못됨。

【不從 부종】 따르지 아니함。

【不即不離 부즉불리】 붙지도 아니하고 떨어지지도 아니함。 찬성도 하지 아니하고 그렇다고 반대도 하지 아니함。 따르지도 아니하고 배반도 하지 아니함。

【不知 부지】 알지 못함。

【不知甘苦 부지감고】 닮과 쓺을 분별(分別) 못한다는 뜻으로, 극히 알기 쉬운 이치도 알지 못함의 비유。

【不知去處 부지거처】 간 곳을 모름。

【不知其數 부지기수】 많아서 그 수효를 알 수가 없음。

【不知寢食 부지침식】 생활에 제일 중한 침식(寢食)을 잊음의 뜻。 어떤 일에 열중함을 이름。

【不知何歲月 부지하세월】 언제나 될 지 그 기한을 알지 못함。

【不振 부진】 떨치지 못함。

【不進 부진】 앞으로 나아가지 아니함。

【不盡 부진】 다하지 아니함。

【不可 불가】 ①옳지 아니함。 나쁨。 ②안됨。 못함。

【不可缺 불가결】 없어서는 안 됨。

【不可近 불가근】 가까이할 것이 못됨。

【不可能 불가능】 ①할 수 없음。 ②힘이 미치지 못함。

【不可當 불가당】 당하여 낼 수 없음。

【不可無 불가무】 없어서는 안 됨。

【不可分 불가분】 나누려야 나눌 수가 없음。

【不可不 불가불】 아니하여서는 안 되겠으므로 마땅히。

【不可不念 불가불념】 꼭 염두(念頭)에 두어야 함。

【不可思議 불가사의】 사람의 생각으로는 미루어 생각할 수 없이 이상야릇함。 불가해(不可解)。

【不可勝數 불가승수】 하도 많아서 이루 셀 수가 없음。

【不可信 불가신】 믿을 수 없음。

【不可入性 불가입성】 두 물체가 동시에 같은 공간(空間)을 점유(占有)할 수 없는 일。

【不可知 불가지】 알 수가 없음。

【不可侵 불가침】 침범하여서는 안 됨。

【不可廢 불가폐】 폐(廢)하여 버릴 수가 없음。

【不可避 불가피】 피하려야 피할 도리「가 없음。

【不可抗力 불가항력】 천재지변(天災地變)과 같이 사람의 힘으로 어찌할 수가 없는 힘。

【不可解 불가해】 이해할 수 없음。

【不可形言 불가형언】 형용(形容)하여 말할 수 없음。

【不敢 불감】 감히 하지 못함。

【不敢當 불감당】 감히 그 일을 감당하여 해내지 못함。

【不敢生心 불감생심】 불감생의(不敢「生意)。

【不敢生意 불감생의】 힘에 겨워서 감히 할 생각도 내지 못함。

【不潔 불결】 ①깨끗하지 못함。 더러움。 또 더러운 것。 오물(汚物)。 ②더러움。 마음이 더러움。

【不敬 불경】 공손하지 못함。 공경하지 아니함。 존엄한 자리에 무례함。

【不計 불계】 ①시비(是非)나 이해를 생각하지 아니함。 ②수효의 차가 심하여 셀 필요가 없음。

【不顧 불고】 돌아보지 아니함。

【不顧家事 불고가사】 집안 일을 돌아보지 아니함。

【不顧廉恥 불고염치】 염치를 돌아보「지 아니함。

【不顧利害 불고이해】 이해를 가려 따지지 아니함。

【不顧體面 불고체면】 체면(體面)을 돌아보지 아니함。

【不恭 불공】 공손하지 아니함。

【不共戴天* 불공대천】 한 하늘 아래에서 같이 살지 못함。 곧 살려 둘 수 없다는 뜻。

【不攻自破 불공자파】 치지 아니하여도 스스로 깨어짐。

【不公正 불공정】 공정하지 아니함。

【不公平 불공평】 공평하지 아니함。

【不過 불과】 지나지 아니함。 넘지 아「니함。

【不關 불관】 관계하지 아니함。

【不關之事 불관지사】 상관 없는 일。

【不久 불구】 오래지 아니함。

【不拘 불구】 거리끼지 아니함。

【不具 불구】 ①갖추어지지 아니함。 모자람。 부족함。 ②몸의 어느 부분에 결함이 있음。 ③편지 끝에 써서 충분히 쓰지 못하여「는 뜻을 나타내는 말。 불비(不備)。

【不俱戴天* 불구대천】 불공대천(不共「戴天)。

【不具者 불구자】 몸의 어느 부분에 고장이 있는 사람。 병신。

【不屈 불굴】 뻗대고 굽히지 아니함。

【不軌* 불궤】 ①법을 지키지 아니함。 ②모반(謀反)을 꾀함。

【不軌之心* 불궤지심】 모반(謀反)을 꾀하는 마음。

【不歸 불귀】 돌아오지 아니함。

【不歸客 불귀객】 죽은 사람。

【不規則 불규칙】 규칙이 서지 아니함。

【不勤 불근】 부지런하지 못함。

【不近人情 불근인정】 인정에 벗어남。

【不禁 불금】 금하지 아니함。

【不禁而自禁 불금이자금】 금하지 아니하여도 스스로 그만둠。

【不及 불급】 미치지 못함。

【不急 불급】 급하지 아니함。

【不肯 불긍】 즐겨 하고자 하지 아니「함。

【不起 불기】 병으로 드러누워 영영 일어나지 못함。

【不期而會 불기이회】 우연히 만남。

【不緊 불긴】 긴하지 아니함。 긴요(緊

要)하지 아니함。
【不緊之事 불긴지사】 긴하지 않은 일。
【不吉 불길】 길(吉)하지 아니함。 상서롭지 못함。 불상(不祥)。
【不吉之兆 불길지조】 불길한 일이 일어날 징조。 불상지조(不祥之兆)。
【不能 불능】 ①재능이 없음。 무능(無能)。 ②힘에 겨움。 할 수 없음。
【不能分馬鹿 불능분마록】 말과 사슴의 구별(區別)을 하지 못함。 지극히 어리석음을 이름。
【不良 불량】 착하지 못함。 또 그 사람。
【不慮 불려】 ①생각하지 아니함。 ②뜻밖。
【不例 불례】 평상시와 다름。
【不老不死 불로불사】 늙지도 죽지도 아니함。
【不老長生 불로장생】 늙지 않고 오래 삶。
【不老草 불로초】 사람이 먹으면 늙지 않는다는 풀。 선경(仙境)에 있다 함。
【不倫 불륜】 ①인륜(人倫)에 어긋남。 ②인도에 어그러짐。
【不利 불리】 ①이롭지 못함。 해로움。 ②전쟁에 짐。
【不立文字 불립문자】 《佛教》 문자에 의하여 교(教)를 세우지 않는다는 뜻으로, 진여(眞如)는 마음에서 마음으로 전하는 것이라는 선종(禪宗)의 교의(教義)임。
【不忘 불망】 잊지 아니함。
【不忘記 불망기】 잊지 않기 위하여 적어 두는 글발。
【不忘之恩 불망지은】 잊지 못할 은혜。
【不昧* 불매】 ①어둡지 아니함。 환함。 ②물욕(物欲)에 마음이 흐려지지 아니함。
【不眠 불면】 자지 아니함。 잠이 오지 아니함。
【不眠不休 불면불휴】 자지도 아니하고 쉬지도 아니함。 곧 조금도 쉬지 않고 힘써 함。
【不滅 불멸】 멸망하지 아니함。
【不明 불명】 ①밝지 아니함。 ②분명하지 아니함。 확실하지 아니함。 불명량(不明亮)。 ③마음이 흐림。 어리석음。
【不名譽 불명예】 명예스럽지 못함。
【不毛 불모】 토지가 메말라 초목이 나지 아니함。 또 그 토지。 불모지지(不毛之地)。
【不文 불문】 ①문사(文事)에 어두움。 학문이 없음。 글자를 모름。 ②글로 쓰지 아니함。 불성문(不成文)。·성문(成文)의 대(對)。
【不問 불문】 ①묻지 아니함。 ②묻지 않고 덮어 둠。 추궁하지 않고 내버려 둠。
【不問可知 불문가지】 묻지 않아도 알 수가 있음。
【不問曲直 불문곡직】 옳고 그른 것을 묻지 아니함。
【不文法 불문법】 불문율(不文律)。
【不文律 불문율】 문서(文書)로 공포(公布)되지 아니하였으나 관례상(慣例上) 인정된 법률。 불문법(不文法)。
【不美 불미】 아름답지 못함。
【不敏 불민】 둔하여 민첩(敏捷)하지 못함。 노둔(魯鈍)함。 어리석음。
【不發 불발】 ①폭발(爆發)하지 아니함。 ②계발(啓發)되지 아니함。 ③떠나지 아니함。
【不法 불법】 법에 어그러짐。 비법(非法)。
【不辨 불변】 분변(分辨)하지 못함。

【不變 불변】 변하지 아니함。 고쳐지지 아니함。 불역(不易)。

【不變色 불변색】 오래도록 변하지 아니하는 빛깔。

【不服 불복】 ①복종하지 아니함。 ②복죄(服罪)하지 아니함。

【不分東西 불분동서】 동서를 분별 못한다는 뜻으로、 어리석어 사리를 분간(分揀) 못함을 이름。

【不分明 불분명】 분명하지 아니함。

【不分晝夜 불분주야】 밤낮을 가리지 않고 힘씀。

【不備 불비】 다 갖추지 못하였다는 뜻으로、 편지 끝에 써서 충분히 쓰지 못한 것을 나타내는 말。

【不費之惠 불비지혜】 자기에게 손해 없이 남에게 베풀어 주는 은혜。

【不死 불사】 죽지 아니함。 무량수(無量壽)。

【不死之藥 불사지약】 사람이 먹으면 죽지 않는다고 하는 약。 선경(仙境)에 있다 함。

【不死永生 불사영생】 죽지 않고 영원히 삶。

【不死鳥 불사조】 이집트 신화(神話)에 나오는 신조(神鳥)。 스스로 소사(燒死)하고 그 잿속에서 새끼새가 되어 다시 재생(再生)한다 함。 불사영생(不死永生)의 뜻으로 쓰임。

【不祥 불상】 불길(不吉)함。 상서롭지 못함。

【不詳 불상】 ①자세(仔細)하지 아니함。 상세히 알지 못함。 잘 모름。 ②불상(不祥)。

【不相見 불상견】 의사가 맞지 아니하여 서로 만나지 아니함。

【不相能 불상능】 사이가 좋지 못함。

【不祥事 불상사】 상서롭지 못한 일。

【不相容 불상용】 서로 용납하지 않음。

【不祥之兆 불상지조】 상서롭지 못한 징조。 불길지조(不吉之兆)。

【不生不滅 불생불멸】 나지도 죽지도 아니함。 곧 상주불변(常住不變)한 열반(涅槃)의 경계(境界)。

【不惜 불석】 아끼지 아니함。

【不釋卷 불석권】 항상 책을 손에서 떼지 않음。 항시 독서(讀書)를 함。 불폐권(不廢卷)。

【不惜身命 불석신명】 《佛敎》 신명(身命)을 아끼지 않고 불도(佛道)에 힘을 씀。

【不宣 불선】 다 말하지 못하였다는 뜻으로、 편지 끝에 쓰는 말。

【不善 불선】 착하지 아니함。 좋지 아니함。 또 그 일。

【不鮮明 불선명】 또렷하지 않음。

【不成 불성】 이루어지지 아니함。

【不成文 불성문】 문서로 되어 있지 아니함。

【不誠實 불성실】 성실하지 못함。

【不省人事 불성인사】 정신이 혼미(昏迷)하여 인사(人事)를 차리지 못함。

【不世之才 불세지재】 세상에 썩 드물게 뛰어난 재주。 또 그 사람。

【不世出 불세출】 세상에 여간하여 나오지 아니함。 곧 극히 드묾。

【不少 불소】 적지 아니함。

【不遜* 불손】 겸손(謙遜)하지 아니함。 거만함。 건방짐。

【不隨意 불수의】 뜻대로 잘 되지 아니함。 불여의(不如意)。

【不純 불순】 순수하지 못함。

【不順 불순】 ①순종하지 아니함。 ②순조(順調)롭지 못함。

【不拾遺 불습유】①나라가 잘 다스려
져 결백하여서 길바닥에 떨어진 물
건을 주워 갖지 아니함。②법률이
엄하여 백성이 두려워하여서 길바닥
에 떨어진 물건을 주워 갖지 못함。

【不勝數 불승수】너무 많아서 이루 다
셀 수 없음。

【不時 불시】①뜻하지 아니함。뜻밖
임。②때가 되지 아니함。제 때가
아님。③기후가 일정하지 아니함。

【不時着陸 불시착륙】비행기가 사고·
기후 관계 등으로 인하여 불시에 착
륙하는 일。

【不食 불식】먹지 아니함。

【不息 불식】쉬지 아니함。

【不識不知 불식부지】깨닫지 못하는
사이에。어느틈에。부지불식간(不
知不識間)에。

【不臣 불신】신하 노릇을 못함。신하
의 도리에 어그러짐。

【不信 불신】①신의가 없음。허위가
많음。②믿지 아니함。

【不信任 불신임】신임하지 아니함。
믿고 맡기지 아니함。

【不悉* 불실】할말을 충분히 쓰지 못
하였다는 뜻으로, 편지 끝에 쓰는
말。 「지 아니함。

【不失本色 불실본색】본색을 지켜 잃

【不安 불안】마음이 편안(便安)하지
아니함。마음에 걸림。걱정이 됨。

【不夜城 불야성】①동래군(東萊郡) 불
야현(不夜縣)에 있었던 성(城)。그
곳에 밤에 해가 나타난 일이 있어
이름지었다고 함。②밤에도 낮과 같
이 환한 곳。③환하게 비치는 등불
같은 것의 형용。

【不言可知 불언가지】말을 아니하여
도 알 수 있음。 「함。

【不言不語 불언불어】말을 하지 아니

【不言實行 불언실행】아무 말 없이 착
한 일을 함。말을 내세우지 않고 실
지로 행함。

【不言之教 불언지교】무위(無爲)로써
자연에 동화(同化)시키는 교(教)라
는 뜻으로, 노자(老子)·장자(莊子)
의 교를 이름。

【不言之化 불언지화】무언중에 미치게
하는 감화。곧 덕(德)에 의한 감화。

【不如歸 불여귀】두견(杜鵑)의 별칭
(別稱)。소쩍새。 「함。

【不如意 불여의】뜻과 같이 되지 아니

【不易 불역】①변하지 아니함。변경
할 수 없음。불변(不變)。②평온하
지 아니함。소란함。불온(不穩)。

【不易之典 불역지전】변경할 수 없는
법(法)。

【不然 불연】①명령을 좇지 아니함。
또 그 사람。②그렇지 아니함。

【不豫 불예】①기뻐하지 아니함。불쾌
하게 여김。②임금의 병환(病患)。

【不穩* 불온】평온하지 아니함。험악
(險惡)함。

【不用 불용】①쓰지 아니함。②소용
이 없음。 「물론(勿論)。

【不用說 불용설】말할 필요도 없음。

【不用意 불용의】궁리하여 인공(人工)
을 가하지 아니함。자연(自然)。

【不遇 불우】때를 만나지 못함。불운
(不運)하여 재능을 갖고도 세상에
쓰이지 아니함

【不虞* 불우】①미처 생각지도 못함。
예기(豫期)하지 아니함。②뜻밖의

재난。

【不遇時 불우시】 제때를 만나지 못함。

【不運 불운】 운수가 나쁨。 불행함。

【不遠 불원】 ①멀지 아니함。 ②오래지 아니함。

【不遠千里 불원천리】 천리(千里)를 멀다 아니함。

【不怨天不尤人 불원천불우인】 어떠한 역경(逆境)에 처하여도 팔자가 기박(奇薄)하다고 하늘을 원망하거나、세상 사람들이 자기를 몰라 준다고 탓하지 않고 태연히 도(道)를 닦음。

【不遺餘力 불유여력】 있는 힘을 남기지 않고 다 씀。

【不允* 불윤】 임금이 용허하지 아니함。

【不應 불응】 응하지 아니함。

【不意 불의】 ①뜻밖。 의외(意外)。 ②마음에 두지 않음。 유의하지 않음。

【不義 불의】 의리(義理)에 어그러짐。 인도(人道)에 어긋남。

【不意之變 불의지변】 뜻밖의 변고(變故)。

【不義之富貴 불의지부귀】 부정한 수단으로 얻은 부귀。

【不義之財 불의지재】 부정한 수단으로 얻은 재물(財物)。

【不二 불이】 ①둘도 없음。 ②둘이 아님。 단지 하나임。 ③같음。 ④둘로 하지 아니함。 달리 하지 아니함。

【不仁 불인】 어질지 아니함。 잔인함。

【不忍 불인】 차마 하지 못함。

【不忍見 불인견】 차마 볼 수 없음。

【不忍正視 불인정시】 차마 바로 볼 수가 없음。

【不忍之心 불인지심】 차마 할 수 없는 마음。

【不忍之政 불인지정】 대단히 가혹한 정치。

【不一 불일】 ①한결같이 아니함。 고르지 아니함。 ②불을(不乙)。

【不日 불일】 ①날자를 정하지 아니함。 기한을 두지 아니함。 ②일광이 보이지 아니함。 ③며칠 걸리지 아니함。 ④며칠 안으로。 불일내(不日內)로。

【不一致 불일치】 일치하지 아니함。

【不入虎穴不得虎子 불입호혈부득호자】 범의 굴에 들어가지 아니하면 범의 새끼를 잡지 못한다는 뜻으로、위험을 무릅쓰지 않고서는 큰 이익을 얻을 수 없다는 말。

【不次 불차】 ①순서·순번에 의하지 아니함。 ②불선(不宣)。

【不贊成 불찬성】 찬성하지 아니함。

【不察 불찰】 자세(仔細)히 살펴 보지 못하여 저지른 잘못。

【不遷怒 불천노】 갑(甲)에게 대한 분노를 을(乙)에게 풀지 아니함。 엉뚱한 사람에게 화풀이하지 아니함。

【不撤晝夜* 불철주야】 밤낮을 가리지 아니하고 일에 힘씀。

【不聽 불청】 듣지 아니함。

【不請客 불청객】 청하지 아니한 손。

【不肖 불초】 ①아버지를 닮지 않아 미련함。 ②미련함。 ③자기의 겸칭(謙稱)。

【不肖孤 불초고】 부모가 죽은 뒤 졸곡(卒哭) 때까지 상제가 자기를 일컫는 말。

【不肖子 불초자】 아들이 부모에게 대하여 자기를 일컫는 말。 불초남(不肖男)。

【不觸 불촉】 손으로 건드리지 아니함。

【不出戶知天下 불출호지천하】 집속에 있어 천하의 일을 앎。 들어앉아서 세상 일을 앎。 심오한 도리(道理)

를 깨친 사람의 경지(境地)를 이름。

【不忠 불충】 ①충성을 다하지 아니함。신하(臣下)의 도리를 다하지 아니함。임금을 배반함。②남을 위하여 정성을 다하지 아니함。

【不取 불취】 취하지 아니함。

【不就 불취】 어떠한 일에 대하여 나서지 아니함。

【不測 불측】 미루어 생각하기 어려움。알기 어려움。알 수 없음。

【不測之變 불측지변】 뜻밖에 일어나는 사변(事變)。

【不測之淵* 불측지연】 깊이를 알지 못하는 못이라는 뜻으로、위험한 곳、불안한 것의 비유(譬喩)로 쓰임。

【不治 불치】 병이 낫지 아니함。

【不治病 불치병】 고칠 수 없는 병。고질(痼疾)。

【不恥下問 불치하문】 자기보다 학식(學識)이 낮은 사람에게 모르는 것을 묻는 것을 부끄럽게 여기지 아니함。

【不親切 불친절】 친절하지 아니함。

【不快 불쾌】 ①마음이 상쾌하지 아니함。기분이 좋지 아니함。②병(病)。

【不通 불통】 ①통하지 아니함。②연락이 끊어짐。③글 또는 말을 알지 못함。

【不退轉 불퇴전】 ①《佛敎》 일심(一心)으로 부처를 믿어、이미 얻은 공덕(功德)을 잃지 않음。전(轉)하여 ②일심불란(一心不亂)함。꾸준히 힘씀。

【不偏不黨* 불편부당】 어느 쪽에도 치우치지 아니함。

【不平 불평】 ①공평하지 아니함。②마음에 불만스럽게 생각함。

【不平等 불평등】 평등하지 못함。

【不避風雨 불피풍우】 비바람을 무릅쓰고 일함。

【不必要 불필요】 필요하지 아니함。

【不必再言 불필재언】 다시 말할 필요가 없음。

【不必他求 불필타구】 다른 데에 구할 필요가 없음。

【不下 불하】 ①못하지 아니함。어떤 수 이하에 내려가지 아니함。②항복하지 아니함。

【不學 불학】 배우지 아니함。학문이 없음。

【不學無識 불학무식】 배운 것이 없어 아는 것이 없음。

【不閑 불한】 《佛敎》 불도(佛道)를 열심히 닦느라고 조금도 겨를이 없음。

【不汗黨 불한당】 떼를 지어 돌아다니는 강도。

【不寒不熱 불한불열】 기후(氣候)가 춥지도 않고 덥지도 아니함。

【不合格 불합격】 ①입격(入格)하지 못함。②격식(格式)에 맞지 아니함。

【不合理 불합리】 이치에 맞지 아니함。

【不合意 불합의】 ①뜻에 어그러짐。②의사가 맞지 아니함。

【不解衣帶 불해의대】 옷을 벗지 아니함。

【不幸 불행】 ①운수가 나빠서 언짢은 일을 당함。②사람이 죽음。사망함。

【不許 불허】 허락하지 아니함。

【不惑 불혹】 ①미혹(迷惑)하지 아니함。②사십 세(四十歲)의 일컬음。불혹지년(不惑之年)。공자(孔子)가 사십 세 때부터 세상 일에 미혹하지 않게 되었다는 데서 나온 말。

【不和 불화】 사이가 서로 화합(和合)하지 못함。

【不確定 불확정】 확정되지 아니함。

【不孝 불효】①자식(子息)이 부모를 잘 섬기지 아니함。②아들이 상중(喪中)에 있을 때의 자칭(自稱)。청조(淸朝)의 초기부터 쓰이었음。

【不孝子 불효자】부모를 잘 섬기지 아니하는 자식。

【不朽* 불후】썩어서 없어지지 아니「함。영구히 전함。

4 【丑】一 3 [중학] 축(②추 [本]) | 둘째지지 | [上]有

ㄱ 丌 丑 丑

[자원] 상형 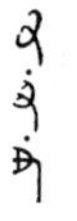

「丑」은 사람이 손을 뻗쳐 손가락 끝을 굽혀서 물건을 잡는 모양을 나타냄。지지(地支)의 둘째 번 글자로 빌어 씀。

[뜻] ①**둘째지지축** 십이지(十二支) 중의 제이위(第二位)。시간으로는 오전 한 시부터 세 시까지의 사이。방위로는 자(子)와 인(寅) 사이。곧 북동(北東)。때로는 소。「丑時축시」 ②**수갑축** 고랑。※본음(本音) **추**

[참고] 「丑」을 음으로 하는 글자=「紐뉴」〈끈〉·「羞수」〈부끄러워하다〉

[四 畫]

5 【丙】一 4 [중학] 병 | 세째천간 | [上]梗

一 ㄏ 丙 丙 丙

[자원] 상형 

제사에 희생물을 얹는 큰 제상(祭床)을 본 뜸。음을 빌어 천간(天干)의 세째 글자로 씀。

[뜻] ①**세째천간병**、**남녘병** 십간(十干) 중의 제삼위(第三位)。방위로는 남쪽、오행(五行)으로는 불에 배당함。「丙丁병정」 ②**세째병** 세번째。③**불병** 「付丙부병」은 불에 던져 태운다는 뜻。

[참고] 「丙」을 음으로 하는 글자=「昺병」〈빛나다〉·「炳병」〈빛나다〉·「柄병」〈자루〉·「病병」〈앓다〉

【丙部 병부】자류(子類)의 서적。자서(子書)。제자류(諸子類)。당대(唐代)에 경(經)·사(史)·자(子)·집(集)의 사부(四部)의 서적을 각각 갑·을·병·정으로 구분하였으므로 이름。

【丙寅洋擾* 병인양요】《韓》 대원군(大院君)의 천주교 학살(虐殺)과 탄압(彈壓)으로 고종(高宗) 삼년(三年) 병인년(年)에 프랑스의 함대(艦隊)가 강화도(江華島)를 침범(侵犯)한 사건(事件)。

【丙子胡亂 병자호란】《韓》 조선(朝鮮) 인조(仁朝) 십사년(十四年) 청태종(淸太宗)이 십만(十萬) 대군(大軍)으로 침입(侵入)한 난리。삼전도(三田渡)에서 청(淸)에게 항복(降伏)함。

5 【世】一 4 [중학] ㊀세 ㊁생 | 인간 | ㊀[去]霽 ㊁[平]庚

一 十 廾 廿 世

[자원] 회의  2500 년전

「世」는 「十십」을 셋 이어 쓴 모양→삼십년。옛날 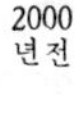 2000 년전

엔 어른이 일을 하는 것은 대략 삼십 년이라 생각되었음。 삼십을 나타내는 모양에는 따로 「卅삽」자가 있으므로 「世」는 이 글자와 구별하기 위하여 모양을 조금 바꾼 것。

뜻 ㊀ ①인간세 「世界세계」「世上세상」 ②시세세 때。 시대。 ③세대세 삼십년。 ④대세 ㉠한 왕조(王朝)의 계속하는 동안。 ㉡부자(父子)의 상속(相續)。 ⑤해세 한 해。 ⑥평생세 일생。 ⑦대대로세 여러 대를。 누대(屢代)。 「世襲세습」 ⑧대이을세 대대로 계속함。 ㊁날생 生(部首)과 같은 글자。

주의 ①「世」「卅삽」은 옛날에는 같은 글자였으나 나중에 「世」는 흔히 삼십의 뜻의 수사(數詞)로 쓰임。 ②「丗」는 「世」의 속자(俗字)。

참고 「世」를 음으로 하는 글자=「貰세」〈외상〉·「泄설」〈새다〉·「紲설」〈고삐〉·「媟설」〈친압하다〉·「渫설」〈치다〉·「枻예」〈노〉·「葉엽」〈잎〉·「喋첩」〈재재거리다〉

【世家 세가】 대대로 국록(國祿)을 타먹는 집안。 작록(爵祿)을 세습(世襲)하는 집안。 곧 제후(諸侯)·왕 등의 집안。

【世間 세간】 ①이 세상。 인간(人間)。 인세(人世)。 ②《佛敎》 중생(衆生)이 서로 의지하며 살아가는 세상。 출세간(出世間)의 대(對)。

【世界 세계】 ①이 세상。 세간(世間)。 ②이 세상 사람。 세인(世人)。 ③지구상의 모든 나라。 만국(萬國)。 ④천지(天地)。 우주(宇宙)。 ⑤지구(地球)。 사해(四海)。 ⑥나라。 토지。 ⑦같은 종류의 것의 모임。 사회(社會)。 ⑧구역。 범위。 ⑨《佛敎》 과거·현재·미래의 삼세(三世)를 세(世)라 하고 동서·남북·상하를 계(界)라 함。 곧 시간과 공간의 전체。 객관적 현상(現象)의 온 범위。

【世故 세고】 세상 일。 세속(世俗)의 일。 「세습(世襲)의 벼슬。

【世官 세관】 대대로 하는 같은 벼슬。

【世交 세교】 대대로 사귀어 온 교분。

【世敎 세교】 사회의 풍교(風敎)。

【世紀 세기】 ①백년。 백년간。 ②서력(西曆)으로 기원 원년부터 세어 백년씩 나눈 기간의 칭호。 ③시대。 연대(年代)。

【世代 세대】 ①시대。 세상(世上)。 ②대(代)。 연대(年代)의 층(層)。

【世道 세도】 세상 사람이 지켜야 할 도덕。 세상의 도의。 사회도덕。

【世道人心 세도인심】 세상의 도의(道義)와 사람의 마음。 풍교(風敎)。

【世亂識忠臣 세란식충신】 세상이 어지러운 연후에 비로소 누가 충신인지 알 수 있음。

【世祿 세록】 대대로 타는 녹봉。 세습(世襲)의 국록。 또 그 녹을 탐。

【世祿之臣 세록지신】 대대로 국록(國祿)을 타는 신하。 세신(世臣)。

【世論 세론】 ①세상의 의론。 여론(輿論)。 물론(物論)。 물의(物議)。 ②불교신자가 유교(儒敎)를 가리켜 이르는 말。 「지내는 제사。

【世祀 세사】 대대로 전하여 내려오며

【世事 세사】 ①세상 일。 세속(世俗) 일。 세고(世故)。 ②당세에 할 일。 세무(世務)。

【世嗣*세사】 제후(諸侯)의 사자(嗣子)。세자(世子)。

【世上 세상】 사람이 살고 있는 땅 위。세간(世間)。

【世相 세상】 세태(世態)。

【世說 세설】 세상의 풍설(風說)。

【世世 세세】 대대로。대대(代代)。

【世世相傳 세세상전】 대대로 전하여 내려옴。

【世俗 세속】 ①세상의 풍속。②세상(世上)。③세상의 속인(俗人)。세상 사람。보통 사람。

【世俗五戒 세속오계】《韓》불가(佛家) 오계(五戒)에 대하여 신라(新羅)때 원광(圓光)이 지은 화랑(花郞)의 다섯가지 계율(戒律)。곧 사군이충(事君以忠)·사친이효(事親以孝)·교우이신(交友以信)·임전무퇴(臨戰無退)·살생유택(殺生有擇)。

【世孫 세손】 세자(世子)의 사자(嗣子)。

【世守 세수】 대대로 지켜 내려옴。

【世數 세수】 대(代)의 수。

【世讐*세수】 대대로 내려오는 원수。

【世襲 세습】 작위·재산 등을 대대로 이어 받음。세급(世及)。

【世臣 세신】 대대로 섬기는 신하。세록지신(世祿之臣)。

【世業 세업】 대대로 내려오는 가업(家業)。

【世染 세염】 세상의 너저분한 일。속세(俗世)의 일。

【世運 세운】 세상의 운수。시세(時世)의 변천。

【世人 세인】 세상 사람。

【世子 세자】 천자(天子)의 후사(後嗣)。후세(後世)에는 오로지 제후(諸侯)나 왕(王)의 후사의 뜻으로 쓰이고 천자의 후사인 태자(太子)와 구별하게 되었음。세사(世嗣)。

【世子嬪*세자빈】 세자의 아내。

【世才 세재】 처세(處世)하는 재능。

【世傳 세전】 대대로 전함。세세상전(世世相傳)。

【世傳之物 세전지물】 대대로 전하여 내려오는 물건。

【世情 세정】 ①세상의 물정(物情)。세태인정(世態人情)。②세속(世俗) 일에 대하여 쓰는 마음。

【世尊 세존】《佛敎》석가모니(釋迦牟尼)의 존칭(尊稱)。석가모니는 세간(世間)·출세간(出世間)의 사람이 모두 존경한다는 뜻임。

【世塵*세진】 세상의 귀찮고 너저분한 일。세속(世俗)의 일。

【世稱 세칭】 세상에서의 일컬음。

【世態 세태】 세상의 형편。세정(世情)。

【世態炎涼 세태염량】 세정(世情)의 성쇠(盛衰)。

【世態人情 세태인정】 세상의 형편과 인심의 동태。

【世波 세파】 세상의 풍파。험난한 세상。

【世評 세평】 세상의 평판。

◉擧世거세 隔世격세 經世경세 曲學阿世곡학아세 過世과세 救世구세 近世근세 今世금세 亂世난세 來世내세 當世당세 萬世만세 末世말세 拔山蓋世발산개세 百世백세 浮世부세 不世불세 三世삼세 先世선세 盛世성세 聖世성세 世世세세 俗世속세 時世시세 身世신세 阿世아세 歷世역세 厭世염세 永世영세 往世왕세 人世인세 一世일세 前世전세 絶世절세 中世중세 處世처세 淸世청세 出世출세 治世치세 平世평세 現世현세

5【丗】4 一 世(앞 글자)와 같은 글자。

5 **【且】** 一 4 중학 ㊀**차** ㊁**저** ㊂**조** | 또 | ㊀㊤馬 ㊁㊤語 ㊂㊥魚

丨 冂 冃 月 且

자원 상형 〔俎〕 3000년전

고기를 수북히 담아 신에게 바친 찬합 같은 그릇 모양을 본뜸。「俎조」(＝고기를 받치는 받침)의 본디 글자。 주로 그 음을 빌어 어조사인 「또」「가령」의 뜻으로 쓰임。

뜻 ㊀①**또차** ㉠그 위에 또한。 ㉡까지도 또한。 ㉢하면서。 ㉣그러함에도 불구하고 또한。 ㉤우선。 잠시。 ㉥가설(假設)의 말。 비록。 ②**만일차** 만약。「且如차여」로 연용(連用)하기도 함。 ③**장차차** 장차。…하려 함。 ④**이차** 此(止部二畫)와 뜻이 같음。 ⑤**구차스러울차** 고식적(姑息的)임。 ㊁①**머뭇거릴저** 망설임。 趄(走部五畫)와 같은 글자。 ②**많을저** 많은 모양。 ③**어조사저** 어세(語勢)를 강하게 하는 조사(助辭)。 ④**공경스러울저** 공근(恭謹)한 모양。 ㊂**도마조、 적대조** 俎(人部七畫)와 같은 글자。

주의 「旦단」〈아침〉과는 딴 글자。

참고 「且」를 음으로 하는 글자＝「咀저」〈씹다〉·「俎조」〈도마〉·「沮저」〈그치다〉·「砠저」〈돌산〉·「岨저」〈돌산〉·「疽저」〈종기〉·「組조」〈끈〉·「蛆저」〈구더기〉·「助조」〈돕다〉·「鉏저」〈호미〉·「阻조」〈험하다〉·「粗조」〈거칠다〉·「祖조」〈할아비〉·「姐저」〈누이〉·「徂조」〈가다〉·「殂조」〈죽다〉

◉苟且구차

5 **【丘】** 一 4 고교 **구** | 언덕 | ㊥尤

丿 厂 F 斤 丘

자원 상형

「丘」는 불분명(不分明)한 자형(字形)임。 아마 구부러진 두 개의 작은 산의 높은 모양으로、 속의 공간(空間)은 시내나 늪의 흐름을 나타낸 것으로 생각됨。

뜻 ①**언덕구** 구릉(丘陵)。「丘山구산」 ②**뫼구、 산구** 산악(山嶽)。 ③**마을구** 방일리(方一里)의 십육배 되는 촌락。 사읍(四邑)。 백 이십 팔 가(百二十八家)가 삶。 ④**무덤구** 분묘。「丘壟구롱」 ⑤**클구** ⑥**빌구** 공허함。「丘墟구허」

주의 「丘」는 또 공자(孔子)의 이름。 나중에 이것을 피(避)하여 「邱구」를 만듦。

참고 「丘」를 음으로 하는 글자＝「邱구」〈언덕〉·「岳악」〈큰산〉·「蚯구」〈지렁이〉·「駈구」〈몰다〉·「虛허」〈비다〉

【丘陵 구릉】 언덕。

【丘墳 구분】 ①무덤。 분묘(墳墓)。 ②언덕。 구릉(丘陵)。

【丘山 구산】 ①언덕과 산。 ②많은 물건의 비유。

【丘墟* 구허】 ①큰 언덕。 ②성터。 성지(城址)。 ③빈터。 또 공허(空虛)。

◉陵丘능구 東家丘동가구 方丘방구 比丘비구 山丘산구 圓丘원구

【未】 ⇩木部一畫

【末】 ⇩木部一畫

【本】⇩木部一畫

五畫

6【两】一 5 两(入部六畫)의 속자(俗字)。

【再】⇩冂部四畫

【西】⇩襾部

【而】⇩部首

【百】⇩部首

【吏】⇩口部三畫

6【丞】一 5 ㊀승 ㊁증 | 도울 | ㊀(平)蒸 ㊁(上)迥

자원 회의 3000년전 2000년전

구덩이에 빠진 사람을 두 손으로 떠받들어 올리다의 뜻。「승」이란 음(音)은「上상」〈올리다〉에 유래함。전(轉)하여 돕다→받들다→나아가다의 뜻。

뜻 ㊀①**도울승** 보좌함。또 돕는 사람。장관(長官)을 보좌하는 사람。②**받들승** 承(手部四畫)의 옛 글자。③**벼슬이름승** 장관의 뜻을 받들어 사부를 처리하는 벼슬。㊁①**나아갈증** 향상(向上)하는 모양。蒸(艸部十畫)·烝(火部六畫)의 옛 글자。②**구할증、도울증** 구원함。원조함。拯(手部六畫)과 통용。

참고 「丞」을 음으로 하는 글자=「拯증」〈건지다〉·「烝증」〈김이 오르다〉·「承승」〈받다〉

【丞相 승상】천자(天子)를 보좌하는 대신。정승(政丞)。재상(宰相)。

6【卋】一 5 世(一部四畫)의 속자(俗字)。

六畫

【更】⇩曰部三畫

七畫

【事】⇩亅部七畫

8【並】一 7 고교 ㊀병 ㊁방 | 나란히설 | ㊀(上)迥 ㊁(去)漾

丶 丷 䒑 丫 丬 並 並

자원 상형

「並」은 두 사람이 가로 늘어선 모양。나란히 하다의 뜻。전(轉)하여 아울러의 뜻。

뜻 ㊀①**나란히설병、나란히할병** 가지런히 섬。가지런히 함。「並列병렬」「並肩병견」「並行병행」②**나란할병** 가지런함。같음。③**나란히병** 가지런히。모두。함께。「並育병육」「並驅병구」④**아우를병** 병합함。「並呑병탄」㊁**연할방** 연접(連接)함。

주의 ①「竝」은 정자(正字)。②「並」은 같은 글자。

【並列 병렬】나란히 늘어섬。또 나란히 늘어서게 함。

【並立 병립】①나란히 섬。②함께 성취(成就)함。

【並發 병발】한꺼번에 일어남。동시에 발생함。

【並用 병용】아울러 씀。같이 씀。

【並進 병진】함께 나란히 나아감。

【並唱 병창】함께 부름。같이 부름。

합창(合唱)함。

【並稱 병칭】한데 아울러서 일컬음。

【並行 병행】①나란히 감。②둘이 다 같이 행하여짐。

八畫

9 【並】一 8 並(앞 글자)과 같은 글자。

丨部

1 【丨】부수 곤 | 위아래로통할 | ㊤阮

자원 지사 「丨」은 위아래로 서로 통하고 있는 것을 나타냄。

뜻 **위아래로통할곤** 상하(上下)를 통함。

三畫

4 【中】丨 3 중학 중 | 가운데 | ①-⑪ ㊥東 ⑫-⑮ ㊦送

丨 口 口 中

자원 지사 (A) 中 (B) 3000년전

옛 모양 (A)는 기드림→군대의 중심→중앙의 뜻으로 쓰임。(B)는 형제(兄弟)를 위로부터 차례로 「伯백」「仲중」「叔숙」「季계」라고 일컬을 때의 仲으로서 쓰인 것。

뜻 ①**가운데중** ㉠속。내부。㉡한가운데。중앙。또 한가운데에 있음。「中心중심」 ㉢상하·대소·전후 등의 사이。중간。「中旬중순」「上中下상중하」 ㉣동아리。반려(伴侶)。②**안중** 내측(內側)。「中外중외」 ③**중중** ㉠과불급(過不及)이 없는 도(道)。중용의 도。「中庸중용」 ㉡치우치지 않은 순정(純正)의 덕(德)。㉢천지(天地)의 정기(正氣)。④**마음중** 심정。충심(衷心)。⑤**몸중** 신체。⑥**대궐안중** 금중(禁中)。또 정부。⑦**반중** 절반。반분(半分)「中途중도」 ⑧**곧을중**、**바를중** ⑨**찰중** 분량에 참。⑩**고를중** 균등함。⑪**뚫을중** 꿰뚫음。⑫**맞을중** ㉠과녁에 맞음。「百發百中백발백중」 ㉡예언·점 같은 것이 맞음。㉢계책이 맞음。㉣뜻에 맞음。㉤적당함。㉥일치함。㉦응(應)함。㉧몸의 독이 됨。몸이 상함。「中風중풍」「中毒중독」 ㉨합격함。⑬**맞힐중** 윗 뜻의 타동사。⑭**격할중** 사이에 둠。「中年중년」 ⑮**버금중** 仲(人部四畫)과 통용。「仲兄중형」

주의 「伯仲叔季백중숙계」(형제의 순서)는 「仲」을 씀。

참고 「中」을 음으로 하는 글자=「仲중」〈버금가다〉·「沖충」〈비다〉·「盅충」〈비다〉·「忡충」〈근심하다〉·「忠충」〈충성하다〉·「衷충」〈속옷〉·「狆충」〈오랑캐 이름〉

【中間 중간】①가운데。사이。②소개。

【中堅 중견】①정예(精銳)한 군사가 모인 중군(中軍)。②장군(將軍)의 칭호。

【中京 중경】①중하(中夏)❶。②남조(南朝)에서 당대(唐代)까지의 낙양(洛陽)의 일컬음。③당(唐)나라의 발해현덕부(渤海顯德府)、요(遼)나

라의 대정부(大定府)、금(金)나라의 금창부(金昌府)의 일컬음。④고려(高麗)의 서울 개성의 일컬음。

【中計 중계】 중책(中策)。

【中古 중고】 ①상고(上古)와 근세(近世)와의 사이。중세(中世)。②약간 헒。또 그 물건。

【中空 중공】 ①중천。②속이 빔。

【中官 중관】 ①환관(宦官)。중인(中人)。②지방관(地方官)에 대하여 조정(朝廷)에서 근무하는 벼슬아치。조관(朝官)。

【中國 중국】 ①세계의 중앙에 있는 나라라는 뜻。중국 사람이 자기 나라를 일컫는 말。중주(中州)。②나라의 중앙。

【中軍 중군】 상·중·하 삼군(三軍)의 중앙의 군대。주장(主將)이 거느리는 정예한 군대임。중권(中權)。

【中宮 중궁】 ①황후(皇后)의 일컬음。②북극성(北極星)。③《韓》 중궁전(中宮殿)。

【中年 중년】 ①청년과 노년과의 사이의 연령。곧 사십세 전후의 원기가 왕성한 나이。②중세(中世)。③풍년도 흉년도 아닌 수확이 보통인 해。평년(平年)。④한 해를 격함。

【中農 중농】 대지주와 소작인의 중간층의 농민。머슴을 두고 자작(自作)하는 농민。

【中斷 중단】 중간이 끊어짐。또 중간을 끊음。중절(中絕)。

【中唐 중당】 시학상(詩學上) 시체(詩體)의 변천에 따라서 당대(唐代)를 초당(初唐)·성당(盛唐)·중당(中唐)·만당(晚唐)의 네 기간으로 구분한 것 중의 세째。서기 칠백 육십 육년부터 서기 팔백 이십년까지의 칠십여년간으로서、백거이(白居易)·한유(韓愈)·유종원(柳宗元) 등이 배출(輩出)하였음。

【中隊 중대】 육군과 해병대의 셋내지 네 소대(小隊)로 구성된 부대。

【中途 중도】 ①가는 길의 중간。②하는 일의 중간。반도(半途)。③길의 한 가운데。길의 복판。중도(中道)。

【中道 중도】 ①과불급(過不及)이 없는 중용(中庸)의 도(道)。중정(中正)의 도。②길의 한 가운데。길의 복판。③일의 중간。중도(中途)。

【中道而廢 중도이폐】 일을 하다가 중간에서 그만둠。

【中毒 중독】 음식물이나 약 같은 것의 독성(毒性)에 치어서 기능(機能)의 장애(障礙)를 일으키는 일。

【中等 중등】 상등과 하등、또는 고등과 초등의 사이。

【中郎將 중랑장】 진대(秦代)부터 당대(唐代) 이전까지 전문(殿門)과 숙위(宿衛)의 일을 맡은 마을의 장관(長官)。약칭 중랑。

【中略 중략】 중간의 글귀를 생략함。또 그것을 표시하는 말。

【中老 중로】 초로(初老)는 넘었으나、아주 늙지 않은 사람을 이름。중늙은이。

【中路 중로】 ①길의 한 가운데。길의 복판。②다니는 길의 중간。중도。

【中流 중류】 ①하천(河川)의 중앙。②중등。중위(中位)。

【中立 중립】 ①양자의 어느쪽에도 치우치지 아니함。중정독립(中正獨

立)。②곧아 한쪽으로 기울지 아니함。③교전국(交戰國)의 어느쪽에도 편들지 아니함。

【中門 중문】대궐(大闕)의 가운데 문。

【中民 중민】중산 계급의 백성。

【中伏 중복】삼복(三伏)의 하나。하지(夏至) 뒤의 네째 경일(庚日)。

【中腹 중복】산의 중턱。산복(山腹)。

【中分 중분】가운데에서 나눔。둘로 똑 같게 가름。절반함。

【中士 중사】사(士)를 상·중·하의 세 계급으로 나눈 것의 둘째。

【中產階級 중산계급】유산자와 무산자의 중간에 있는 사회층(社會層)。곧 중소 상공업자·소지주·봉급 생활자의 계급。

【中商 중상】되넘기 장사도 하고 남의 거간(居間)도 하는 장수。

【中傷 중상】사실무근(事實無根)의 말을 하여 남의 명예를 손상시킴。

【中書 중서】①궁중(宮中)에서 천자(天子)의 조명(詔命) 등을 맡은 벼슬。후세(後世)에는 대정(大政)을 총리(總理)하는 내각(內閣)이 되었음。②궁중의 비부(祕府)의 서적。천자(天子)가 비장(祕藏)하는 서적。

【中暑 중서】더위먹는 일。더위로 인하여 생기는 병。

【中書令 중서령】중서성(中書省)의 장관(長官)。

【中書門下 중서문하】당(唐)나라 개원십일년(開元十一年)에 정사당(政事堂)을 고친 이름。구제(舊制)에 재상(宰相)이 항상 문하성(門下省)에서 정사(政事)를 의논하는데 이를 정사당이라 하였음。

【中書省 중서성】기무(機務)·조명(詔命)·비기(祕記) 등을 관장(管掌)하는 관서(官署)。

【中性 중성】①이것도 저것도 아닌 중간의 성질。②남성(男性)도 여성(女性)도 아닌 성(性)。③산성(酸性)도 염기성(鹽基性)도 아닌 성。

【中城 중성】주장(主將)이 있는 내성(內城)。아성(牙城)。

【中聲 중성】높지도 낮지도 않은 소리。

【中世 중세】①고대와 현대、또는 상대(上代)와 근세(近世)의 사이의 시대。②역사상의 시대 구분의 하나。중고(中古)。중국에서는 진(秦)나라의 통일부터 당(唐)나라의 멸망까지、우리나라에서는 고려 건국초부터 그 멸망까지의 시대。

【中壽 중수】중위(中位)의 수명(壽命)。팔십세。일설에는 백세。

【中旬 중순】한 달의 십일일부터 이십일까지의 열흘 동안。

【中始祖 중시조】《韓》쇠퇴한 집안을 중흥(中興)시킨 조상。

【中食 중식】①점심。주식(晝食)。②식중독에 걸림。

【中心 중심】①마음 속。심중(心中)。중정(中情)。②한 가운데。복판。중앙(中央)。전(轉)하여 ③중요한 데。중추(中樞)。④사물이 모이는 곳。⑤직선의 양단、또 원주(圓周)·구면(球面) 등의 모든 점에서 같은 거리(距離)에 있는 점。중심(重心)·원심(圓心)·구심(球心) 따위。

【中丞相 *중승상】환관(宦官)으로서 승상(丞相)의 지위에 있는 자의 일컬음。

【中央 중앙】①한 가운데。 복판。 ②중요한 위치。 중추(中樞)。

【中葉 중엽】①중세(中世)❶。 엽(葉)은 세(世)。 ②어느 시대의 중간쯤 되는 시대。

【中外 중외】①안과 밖。 내외(內外)。 ②국내와 국외。 ③조정(朝廷)과 민간。 조야(朝野)。

【中庸 중용】①과불급(過不及)이 없는 중정(中正)의 도(道)。 ②보통의 재능。 범상(凡常)。 ③책 이름。 사서(四書)의 하나。 공자(孔子)의 손자 자사(子思)의 저(著)。 일권。 중용불편(中庸不偏)의 덕을 설명하였음。 원은 예기(禮記) 사십구편 중의 제삼십일편임。

【中庸之道 중용지도】 중용(中庸)❶。

【中原 중원】①들。 원야(原野)。 ②한족(漢族)의 발상지(發祥地)인 황하유역(黃河流域)을 이름。 ③천하(天下)의 중앙의 땅。 변방(邊方)이나 만국(蠻國)에 대하여 이름。

【中原之鹿 중원지록】 여러 사냥군이 한마리의 사슴을 잡으려고 중원(中原)을 치구(馳驅)하는 모양을、 군웅(群雄)이 제왕의 자리를 얻으려고 다투는 데 비유한 데서 나온 말로、 천자(天子)의 자리 또는 경쟁의 목적물을 이름。

【中尉 중위】①경사(京師)를 경호(警護)하는 벼슬。 한무제(漢武帝) 때 집금오(執金吾)라고 고쳤음。 ②《韓》 육·해·공군의 위관(尉官)의 제이위의 계급。

【中耳 중이】 귀청의 속。 청기(聽器)의 일부로서 고실(鼓室)과 이관(耳管)으로 이루어짐。

【中人 중인】①지식·재주 등이 보통인 사람。 범상한 사람。 상인(常人)。 ②중류 생활을 하는 사람。 ③체력이 보통인 사람。 ④환관(宦官)。 ⑤귀(貴)하고 권세가 있는 사람。 ⑥중개(仲介)하는 사람。 중인(仲人)。 ⑦《韓》 양반(兩班)과 상인(常人)의 중간의 계급에 있는 사람。 과거하여 벼슬할 자격은 없으나 내의원(內醫院)·사역원(司譯院) 등의 잡직(雜職)을 할 수 있음。

【中子 중자】 아들 셋 중의 둘째 아들。 차자(次子)。

【中將 중장】 육·해·공군 장관(將官)의 제이위。

【中殿* 중전】《韓》 중궁전(中宮殿)。

【中絶 중절】 중단(中斷)。

【中正 중정】①치우치지 않고 바름。 ②한가운데。 복판。 중앙(中央)。 ③三國(삼국)의 위(魏)나라 때 지방의 인재(人材)를 가려내어 추거(推擧)하는 벼슬。

【中庭 중정】 한 집의 바깥채와 안채의 사이에 있는 뜰。 정중(庭中)。

【中止 중지】 중도에서 그만둠。

【中指 중지】 가운뎃손가락。

【中智 중지】 상지(上智)와 하지(下智)의 중간인 보통의 슬기。

【中策 중책】 중등의 계책。 보통의 꾀。

【中天 중천】 하늘의 한복판。

【中焦* 중초】 삼초(三焦)를 보라。

【中秋 중추】 음력 팔월。 중추(仲秋)。 또 음력 팔월 보름。 추석(秋夕)。

【中樞* 중추】 사물(事物)의 중심이 되는 중요한 부분이나 자리。

【中軸* 중축】①복판에 있는 축(軸)。

②중앙。중심。「바늘。

【中針 중침】굵지도 가늘지도 않은

【中篇 중편】상·중·하 세편으로 나눈 책의 가운데 편。

【中風 중풍】반신·전신 또는 팔·다리 등이 마비되는 병。

【中夏 중하】①여름의 한창 때。곧 음력 오월。중하(仲夏)。②세계의 중앙에 있는 대국(大國)이라는 뜻으로、중국 사람이 자기 나라를 일컫는 말。중화(中華)。

【中學 중학】①보통의 배우는 방법。②중학교(中學校)。

【中寒 중한】추위로 팔다리가 뻣뻣하여지거나 심장에 동통(疼痛)을 느끼거나 인사불성에 빠지는 병。중한。

【中和 중화】①치우치지 않고 과불급(過不及)이 없는 바른 성정(性情)。②알맞음。③이성(異性)의 물질、특히 산(酸)과 알칼리의 용액(溶液)을 혼합하였을 때 그 각각의 특성(特性)을 잃는 일。

【中華 중화】세계의 중앙에 있는 문명국이라는 뜻으로、중국 사람이 자기 나라를 일컫는 말。

【中華民國 중화민국】청(淸) 나라의 선통 삼년(宣統三年) 시월에 신해 혁명(辛亥革命)이 일어나 동년 십이월에 혁명군이 남경(南京)에 임시중앙정부를 세우고 그 이듬해의 일월 일일에 공포(公布)한 중국의 국호(國號)。

【中興 중흥】쇠퇴한 국가나 집안 등이 다시 흥함。

◉空中공중 口中구중 宮中궁중 貴中귀중 閨中규중 禁中금중 給事中급사중 其中기중 忌中기중 大中대중 途中도중 道中도중 命中명중 夢中몽중 門中문중 房中방중 百發百中백발백중 百中백중 病中병중 伏中복중 府中부중 喪中상중 暑中서중 市中시중 侍中시중 心中심중 熱中열중 五里霧中오리무중 渦中와중 人中인중 場中장중 掌中장중 在中재중 的中적중 正中정중 宗中종중 座中좌중 地中지중 集中집중 車中차중 村中촌중 就中취중 醉中취중 胎中태중 胸中흉중

【弔】⇩弓部一畫

丶 部

1 【丶】부수 주 | 점 | ㊤麌

자원 지사 「丶」●가 옛모양。사물(事物)을 나타내는 글자의 어떤 개소(個所)를 특히 지시(指示)하기 위한 자모(字母)。또 문절(文節)의 구두점(句讀点)의 부호(符號)로도 쓰임。

뜻 ①**심지주**、**등불주** 炷(火部五畫)의 옛 글자。②**점주**、**점찍을주** 구두점。또 구두점을 찍음。

二畫

3 【丸】2 丶 고교 환 | 알 | ㊥寒

丿 九 丸

자원 지사 2000년전

「丸」은 기울어지다의 뜻을 가진 「仄측」을 거꾸로 쓴 글자로서 기울어져 구르다, 굴러가다, 둥근 것。

뜻 ①알환 ㉠장난감의 하나。 모양이 둥글고 잘 구름。 ㉡모양이 작고 둥근 것。「丸藥환약」 ㉢새의 알。 조란(鳥卵)。 ②탄알환 ㉠튀기는 활의 알。 ㉡총알。「彈丸탄환」 ③자루환 먹을 세는 수사(數詞)。 ④둥글게할환 둥글게 만듦。「丸藥환약」 ⑤곧을환 나무가 꼿꼿한 모양。

주의 「丸」은 본래 속자(俗字)로 「丸」(凡법과는 딴 글자)이 본디 글자。

【丸都 환도】 고구려(高句麗)의 구도(舊都)。

【丸藥 환약】 알약。

◉睾丸고환 彈丸탄환

三畫

4【丹】丶3 중학 **단** | 붉을 | (平)寒

丿 冂 冃 丹

자원 회의 冃 冃는 「井정」이며, 땅속의 돌을 파내는 우물。 「丶」는 그 돌을 나타냄。 돌에 오색(五色)이 있었는데 적색(赤色)이 가장 귀하다 하여 붉다의 뜻이 됨。 전(轉)하여, 변치 않는 마음의 뜻。

뜻 ①주사단 ㉠파촉지방(巴蜀地方)에서 주로 나는 일종의 광물로서 수은(水銀)과 유황(硫黃)이 화합(化合)한 것。 진사(辰砂)·단사(丹砂)라고도 함。 ㉡도가(道家)가 이것을 원료로 하여 장생불사(長生不死)의 약을 만들려고 하였으므로 전(轉)하여 정련(精煉)한 장생불사의 영약(靈藥)의 뜻으로 쓰임。「仙丹선단」 또 ㉢양신(養神)하는 도가(道家)의 법(法)의 뜻으로 쓰임。 ②붉을단, 붉은빛단 ㉠적색。 ㉡성실(誠實)함의 비유。 ③붉게할단 붉은 채색을 칠함。 ④성심단 단심(丹心)。

주의 ①「円원」〈둥글다〉은 딴 글자。 ②「冄염」〈늘어지다〉은 딴 글자。

참고 「丹」을 음으로 하는 글자=「彤동」〈붉은 칠〉

【丹毒 단독】 헌 데나 상처로 균(菌)이 들어가서 생기는 급성 전염병。 전신에 높은 열이 나고 피부가 붉어지며 붓고 차차 퍼져서 종창(腫瘡)·동통(疼痛)을 일으킴。

【丹碧 단벽】 붉은 빛과 푸른 빛。 단청(丹靑)。

【丹砂* 단사】 수은(水銀)과 유황(硫黃)의 화합물。 적색 채료(彩料)의 원료로 쓰임。 진사(辰砂)。 주사(朱砂)。

【丹誠 단성】 속에서 우러나는 정성。 적성(赤誠)。

【丹脣 단순】 ①붉은 입술。 미인(美人)의 입술。 ②소년의 입술。 전(轉)하여 소년。

【丹脣皓齒* 단순호치】 붉은 입술과 흰 이。 미인(美人)의 용모의 형용。

【丹心 단심】 속에서 우러나는 참된 마음。 지성(至誠)이어서 거짓이 없는 마음。 성심(誠心)。 적심(赤心)。

【丹田 단전】 배꼽 아래로 한치쯤 되는 곳。 아랫배。 여기에 힘을 주어 항상 심신(心身)의 정기(精氣)를 모아두면 몸이 건강해져서 장수(長壽)한다 함。

【丹頂鶴 단정학】 백두루미。

【丹朱 단주】①붉은 빛。적색。또 적색의 채료(彩料)。②요(堯) 임금의 아들의 이름。

【丹柱 단주】붉은 칠을 한 기둥。

【丹采* 단채】붉은 빛。적색。

【丹靑 단청】①빨간 빛과 푸른 빛。②채료(彩料)。③채색하여 그린 그림。

【丹忠 단충】단심(丹心)에서 우러나는 충성。

【丹楓 단풍】①단풍든 단풍나무。홍풍(紅楓)。②《韓》가을에 붉게 변한 나뭇잎。

【丹血 단혈】빨간 피。성혈(腥血)。

◉契丹글안 金丹금단 丹모란 仙丹선단 神丹신단 鉛丹연단

【之】⇩丿部三畫

四畫

5【主】、4 중학 주 ─ 등불 ─ ㊤麌

丶 亠 十 丰 主

재원 상형 〔丶〕 〔主〕2000년전

「丶주」는 등불이 타는 모양。「王」은 촛대의 모양이며 임금이란「王왕」과는 관계가 없음。「主」는 처음에 「丶」로만 쓴 것을 더욱 자세하게 쓴 자형(字形)。나중에 그 뜻으로는 「炷주」를 쓰고 「主」는 등불의 중심(中心)→주인·군주(君主)의 뜻。

뜻 ①**등불주** 등잔의 불。②**임금주** 군왕(君王)。「君主군주」③**주인주** ㉠가장(家長)。「主人주인」㉡빈객(賓客)을 대하는 사람。내방을 받는 사람。㉢자기가 섬기는 사람「主公주공」㉣임자。소유자。「地主지주」④**주장주** ㉠주동자。중심 인물。「謀主모주」「爲主위주」㉡두목。지배자。「盟主맹주」⑤**공주주** 천자(天子) 또는 제후(諸侯)의 딸。또 부인(婦人)의 경칭(敬稱)으로 쓰임。⑥**신주주** 위패(位牌)。⑦**주주** ㉠근본。주장。기요(機要)。「主眼주안」㉡신(神)。신기(神祇)。㉢기독교에서 하나님、또는 그리스도。「天主천주」「救主구주」⑧**주로할주** 숭상함。존중함。「主知說주지설」⑨**주장할주** 맡음。관장(管掌)함。「主宰주재」⑩**앉을주** ⑪**주로주** 주장삼아서。

참고「主」를 음으로 하는 글자=「住주」〈머무르다〉·「駐주」〈머무르다〉·「拄주」〈버티다〉·「柱주」〈기둥〉·「注주」〈흐르다〉·「註주」〈주내다〉

【主幹 주간】주장(主掌)하여 처리함。또 그 사람。

【主客 주객】①주인과 손。전(轉)하여 ②중요한 일과 경미(輕微)한 일。③빈객의 접대를 맡은 벼슬。

【主客顚倒* 주객전도】①주인과 손의 자리가 바뀜。전(轉)하여 ②사물(事物)의 경중·선후 등이 뒤바뀜。

【主格 주격】문장(文章)의 주어(主語)를 나타내는 격(格)。

【主見 주견】주장되는 의견。

【主公 주공】①섬기는 사람。주인(主人)。②임금。주군(主君)。

【主管 주관】주장(主掌)하여 관리함。

【主觀 주관】①대상(對象)을 인식(認識)·사고(思考)하는 주체(主體)。②물건 그 자체。

【主君 주군】①임금。군주(君主)。②

자기가 섬기는 주인을 부르는 경칭。

【主權 주권】 국가를 통치하는 최고·독립·절대적인 권력。 군주국에서는 군주、 공화국에서는 인민 또는 의회(議會)의 권력을 이름。

【主動 주동】 어떤 일에 주장이 되어 행동함。

【主力 주력】 주장되는 힘。 중심이 되는 세력。

【主流 주류】 ①흐르는 큰 물의 주장되는 줄기。 ②사조(思潮)의 근본되는 줄기。

【主謀 주모】 주장하여 계교를 부림。

【主犯 주범】 범죄 행위를 실행한 자。 정범(正犯)。

【主峯 주봉】 주산(主山)의 봉우리。

【主婦 주부】 ①한 집안의 주인의 아내。 ②한 집안의 제사(祭祀)를 받드는 사람의 아내。

【主簿 주부】 문서·장부를 맡은 한대(漢代) 이후의 벼슬。

【主賓 주빈】 ①주장되는 손님。 ②주인과 손님。 주객(主客)。

【主事 주사】 일을 주장(主掌)함。 또 그 사람。

【主山 주산】 ①북쪽의 높은 산。 안산(按山)。 ②한 산맥 중에서 중심이 되는 가장 큰 산。 ③산수화(山水畫)에서 중심이 되는 가장 큰 산。

【主產物 주산물】 어떤 지방에서 가장 많이 생산되는 물건。

【主上 주상】 임금。 천자(天子)。

【主書 주서】 문서를 맡은 벼슬。

【主席 주석】 ①연회의 좌석을 맡은 사람。 ②주인의 자리。

【主成分 주성분】 어떤 물질을 구성하는 주요한 성분。

【主帥 주수】 주장(主將)。

【主審 주심】 경기의 심판원의 우두머리。

【主眼 주안】 주가 되는 점。 중요한 점。

【主語 주어】 한 문장에서 주격(主格)이 되는 말。

【主役 주역】 ①주요한 역할。 ②영화·연극의 주요 인물。 또 주요한 역(役)을 맡아 하는 배우。

【主演 주연】 연극·영화에서 주인공으로 분장하여 연기(演技)를 함。

【主媼* 주온】 늙은 주부(主婦)。

【主翁 주옹】 주인옹(主人翁)。

【主要 주요】 주(主)되고 중요(重要)로움。

【主恩 주은】 ①군주(君主)의 은혜。 군은(君恩)。 ②주인의 은혜。 ③천주(天主)의 은혜。

【主義 주의】 ①의(義)를 주장 삼음。 ②굳게 지키어 변하지 않는 일정한 주장이나 방침。 주지(主旨)로 삼아 주장하는 표준。

【主因 주인】 주되는 원인。

【主人公 주인공】 ①주인(主人)의 경칭(敬稱)。 ②사건 또는 소설·희곡 중의 중요 인물。

【主人翁 주인옹】 주인공(主人公)❶。

【主任 주임】 어떤 임무를 주장하여 담당함。 또 그 사람。

【主張 주장】 ①굳게 내세우는 의견。 지설(持說)。 ②주재(主宰)。

【主將 주장】 ①여러 장군을 지휘 통솔하는 으뜸이 되는 장수。 ②운동 경기에 있어서 티임을 통솔하는 사람。

【主掌 주장】 목대잡아 맡음。

【主宰* 주재】 주장(主掌)하여 처리함。 또 그 사람。

【主題 주제】 ①주되는 제목。 ②작품의 중심이 되는 사상 내용。 테에마。

【主從 주종】①주인(主人)과 종자(從者)。②주체(主體)와 종속(從屬)。

【主旨* 주지】중요한 뜻。주의(主意)。

【主唱 주창】앞장서서 창도(唱道)함。

【主體 주체】①군주(君主)의 몸。②사물(事物)의 주장이 되는 부분。

【主治 주치】병을 주장(主掌)하여 다스림。「취급함。또 그 사람。

【主辦* 주판】어떤 사무를 주장하여

【主筆 주필】신문사나 잡지사(雜誌社) 등에서 기자(記者)의 수위(首位)에 앉아、주요 기사·사설 등을 집필하는 이。「함。

【主婚 주혼】혼사(婚事)를 주관(主管)

◉家主가주 公主공주 救主구주 舊主구주 國主국주 萬乘主만승주 盟主맹주 謀主모주 無主무주 城主성주 聖主성주 宿主숙주 神主신주 暗主암주 弱主약주 女主여주 英主영주 領主영주 翁主옹주 庸主용주 自主자주 祭主제주 宗主종주 地主지주 賢主현주 戶主호주

【氷】⇩水部一畫

【以】⇩人部三畫

丿部

1【丿】부수 별 — 삐침 — ⓐ屑

자원 지사 「丿」은 오른쪽 위에서 왼쪽 아래로 그은 자모(字母)。「乀삐칠불」과 함께 자획(字畫)의 교차(交叉)함을 나타냄。

뜻 삐칠별 오른편에서 왼편으로 삐친 형상。

一畫

2【乃】丿1 중학 내 — 이에 — ⓤ賄

丿乃

자원 지사

「乃」는 말이 입에서 술술 나오지 않고 막히는 상태를 나타냄。빌어 위의 글을 받아 밑의 글을 일으키는 조사(助詞)로 씀。

뜻 ①**이에내** 이리하여。②**어조사내** 두가지 사물을 들어 말할 때 어세(語勢)를 고르게 하기 위하여 쓰는 말。③**너내** 汝(水部三畫)와 뜻이 같음。④**그내** ㉠其(八部六畫)와 뜻이 같음。㉡그 사람。⑤**아무내** 아무개。모(某)。⑥**접때내** 이전에。「乃昔내석」으로 연용(連用)하기도 함。⑦**다스릴내** 治(水部五畫)와 뜻이 같음。⑧**뱃노래내**「欸乃애내」는 배를 저어가며 부르는 노래。뱃노래。

주의 「廼내」는「乃」와 서로 빌어쓰는 글자。

참고 「乃」를 음으로 하는 글자=「仍잉」〈인하다〉·「孕잉」〈잉태하다〉·「鼐내」〈큰솥〉

【乃父 내부】①너의 아버지。그대의 아버지。전(轉)하여 널리 아버지의 뜻으로 쓰임。②아버지가 아들에게 대하여 쓰는 자칭(自稱)。내옹(乃翁)。

【乃昔 내석】접。이전에。

【乃至 내지】①무엇부터 무엇무엇에 이르기까지라는 뜻으로, 중간을 생략할 때 쓰는 말。②혹은。또는。

【九】⇩乙部一畫

二畫

【久】3 丿2 중학 구 —오랠— ㊤有

丿ク久

자원 회의 2500년전

「久」는 사람의 뒤 또는 엉덩이에 표적을 붙인 모양이며, 사람을 만류하다→거기에 머물게 하여두다→길다→오래되다。오래되다의 뜻인 「舊구」와 말의 뜻이 연관성이 깊음。

뜻 ①**오랠구** ㉠시간을 경과하여도 변하지 아니함。오래 감。㉡시간을 많이 경과함。「久遠구원」 ②**오래기다릴구** ③**오래머무를구** ④**막을구**、**가릴구**

주의 「夂치」「夊쇠」는 딴 글자。

참고 「久」를 음으로 하는 글자=「灸구」〈뜸〉·「疚구」〈오래 앓다〉·「柩구」〈널〉·「羑유」〈권하다〉

【久例 구례】옛날부터 내려오는 전례(前例)。

【久習 구습】①오래 익힘。②오래된 「관습(慣習)」。

【久遠 구원】①아득하게 멀고 오램。시세(時世)가 멀리 떨어짐。②널리 퍼져 큼。③《佛教》시간이 무궁(無窮)함。

【久逸 구일】오랫동안 편안히 지냄。오랫동안 안일(安逸)한 생활을 함。

【久長 구장】오래고 긺。지극히 오램。구원(久遠)。

【久滯* 구체】①오랫동안 일이 정체(停滯)함。②구류(久留)。③《韓》오래된 체증。또 만성 위장병。

【久旱逢甘雨 구한봉감우】오랜 가물 끝에 비가 온다는 뜻으로、인생의 가장 기쁜 일을 이름。

【久闊* 구활】오래 만나지 못함。

【久懷 구회】오래 전부터 품은 생각。

◉良久양구 永久영구 悠久유구 長久장구、天長地久천장지구

【千】⇩十部一畫

三畫

【之】4 丿3 중학 지 —갈— ㊥支

丶亠ㄅ之

자원 상형

「之」는 초목의 새싹이 땅속으로부터 자라나온 모양。전(轉)하여 간다는 뜻。음을 빌어 대명사(代名詞)·어조사(語助辭)로 씀。

뜻 ①**갈지** ㉠도달함。㉡향함。향방(向方)을 정함。㉢부임(赴任)함。㉣변(變)하여 감。주역(周易)의 서법(筮法)에서 괘(卦)가 변함을 이름。②**이를지** 다른 데에 미침。③**이지** 是(日部五畫)와 뜻이 같음。④**어조사지** ㉠사물을 지시(指示)하는 뜻을 나타내는 조사(助辭)。㉡도치법(倒置法)에서 목적어(目的語)가 동사 위에 올 때 목적어와 동사 사이에 끼우는 조사。 ㉢어세(語勢)를 고르게 하는 조사。 ㉣성과 이름 사이에 끼우는 무의미한 조사。 ㉤무의미한 조사。「久之구지」「頃之경지」 ⑤의지 소유·소재 등을 나타내는 접속사。 ⑥및지 …과。 與(臼部七畫)와 뜻이 같음。 ⑦끼칠지 후세에 남김。 ⑧쓸지 사용함。

주의 「之지」가 한자구성(漢字構成)의 일부(一部)가 될 때 「士사」로 쓰여지는 일이 많음。⇩「志지」

참고 「之지」를 음으로 하는 글자=「芝지」〈영지버섯〉·「志지」〈뜻〉

◉由是觀之유시관지 言以蔽之언이폐지

【夭】 ⇩大部一畫

【壬】 ⇩士部一畫

【午】 ⇩十部二畫

四畫

5 **【乎】** 丿4 중학 **호** | 그런가 | (平)虞

一 ⺁ 丷 乊 乎

자원 지사 丿兮 丅 乎 (丿부) 2500년전

「丿삐침」〈목소리의 올라가는 것을 뜻함〉과 「兮혜」를 합쳐 이루어 짐。목소리를 길게 뽑아 뜻을 다하는 말의 뜻을 나타냄。

뜻 ①그런가호 ㉠의문사(疑問辭)。 ㉡의문의 반어(反語)。 ②오홉다할호 감탄사。 ③어조사호 于(二部一畫)·於(方部四畫)와 뜻이 같음。

주의 ①옛날에는 「虖호」를 썼음。 ②「平평」은 딴 글자。

참고 「乎」를 음으로 하는 글자=「呼호」〈부르다〉·「虖호」〈탄식하는 말〉·「嘑호」〈부르짖다〉·「謼호」〈부르다〉

5 **【乏】** 丿4 **핍** | 떨어질 | (入)洽

자원 지사

「乏」은 「正정」의 반대자형(反對字形)。「正정」과 「足족」은 본래 같은 글자로서 「足족」이 충분하다·만족하다의 뜻으로 쓰이므로、충분치 못하다→부족하다는 뜻의 글자로서 「正정」의 반대인 乏을 만들었음。

뜻 ①떨어질핍 물자가 다 없어짐。「窮乏궁핍」「乏盡핍진」 ②빌핍 인원이 차지 못함。또 벼슬의 빈 자리。 ③모자랄핍 힘이 부족함。 ④폐할핍 폐기(廢棄)함。 ⑤살가림핍 화살을 쏠 때 그 적중 여부를 알리는 사람이 살을 막는 가죽으로 만든 물건。

참고 「乏」을 음으로 하는 글자=「砭폄」〈돌침〉·「窆폄」〈하관하다〉·「貶폄」〈덜하다〉·「泛범」〈뜨다〉

【乏迫 핍박】 가난하여 고생함。핍곤。

◉缺乏결핍 困乏곤핍 窮乏궁핍 耐乏내핍

【失】 ⇩大部二畫

七畫

【垂】 ⇩土部五畫

八畫

9 **【乘】** 丿8 乘(다음 글자)의 속자(俗字)。

九畫

10 【乘】 丿9 중학 승 | 탈 | ①-⑦ ㊥蒸 ⑧-⑬ ㊤徑

자원 회의 丄+桀→乘(丿부)

(A) 3000년전 (B) 2500년전

「丄두」는 「入입」과 같으며 위로부터 밑으로란 뜻을 나타냄. 「桀걸」은 십자가에 못박기. 「乘승」은 나무 위에 사람을 올려놓고 못박아 죽이는 것으로 생각되어 왔음. 그러나 옛 모양 Ⓐ는 나무 위에 「大대」〈사람〉가 올려 있는 모양. Ⓑ는 나무 위에서 다리를 벌리고 완강히 버티고 있는 모양으로, 둘 다 적의 정세를 보고 있음을 나타냄. 이에서 십자가에 못박기에도 이 글자를 쓰고 나중에는 말·배 따위에 타는 데 씀.

뜻 ①**탈승** ㉠거마(車馬) 등을 탐. 「乘馬승마」 ㉡기회를 탐. 「乘機승기」「乘虛승허」 ②**태울승** 타게 함. 「乘風승풍」 ③**오를승** ㉠올라감. ㉡올라가 손질함. ④**이길승** 지게 함. 승리함. ⑤**업신여길승** 능모(淩侮)함. ⑥**꾀할승** 계획함. ⑦**곱할승, 곱셈승** 배함. 또 그 셈. 「乘法승법」「加減乘除가감승제」「三乘삼승」 ⑧**탈것승** 거마(車馬) 따위. 「駑蹇之乘노건지승」(노둔한 승용의 말). 또 병거(兵車)에 탄 전사(戰士). ⑨**대승** 차량을 세는 수사(數詞). ⑩**한쌍승** 쌍대(雙對). ⑪**넷승** 원은 사마(駟馬)가 끄는 수레 한 대의 일컬음. 전(轉)하여 같은 물건 넷으로 한 벌을 이룬 것의 일컬음. ⑫**사기승** 역사 책. 「家乘가승」 ⑬《佛敎》 **법승** 중생(衆生)을 싣고 생사(生死)의 고해(苦海)를 떠나 열반(涅槃)의 피안(彼岸)에 이르게 하는 교법(敎法). 「小乘소승」「大乘대승」.

주의 ①「乖괴」〈어그러지다〉는 딴 글자. ②「乗」은 속자(俗字).

참고 「乘」을 음으로 하는 글자 =「剩잉」〈남다〉

【乘客 승객】 배나 수레를 탄 손님.

【乘機 승기】 기회를 탐.

【乘龍 승룡】 ①용을 타고 하늘로 올라감. 때를 만나 귀(貴)하게 됨을 이름. ②동한(東漢) 때 황헌(黃憲)과 이응(李膺)을 사위로 삼은 환숙원(桓叔元)의 두 딸을 당시 사람들이 평(評)하기를 용을 탔다고 한 고사(故事)에서 나온 말로, 훌륭한 사위를 얻음을 이름. 또 전(轉)하여 사위를 이름. 「승용 말.

【乘馬 승마】 말을 탐. 또 타는 말.

【乘法 승법】 곱하여 계산하는 방법.

【乘算 승산】 승법(乘法).

【乘船 승선】 배를 탐.

【乘勢 승세】 유리한 형세를 이용함.

【乘乘 승승】 움직이는 것 같으면서도 움직이지 않는 모양.

【乘時 승시】 때를 탐. 기회를 이용함.

【乘夜 승야】 밤을 탐. 밤중을 이용함.

【乘運 승운】 좋은 운수를 이용함.

【乘積 승적】 둘 이상의 수나 식을 곱하여 얻은 수나 식.

【乘除 승제】 ①곱하기와 나누기. ②계

산。 ③혹은 더하고 혹은 덜함。 좋아졌다 나빠졌다 함。 서로 득실이 있음。 ④적당히 조절함。 가감함。

【乘車 승차】 수레를 탐。

【乘號 승호】 곱셈의 부호。 곧 ×。

◉家乘가승 大乘대승 萬乘만승 史乘사승 相乘상승 小乘소승 野乘야승 自乘자승

乙部

1 【乙】 부수 중학 을 — 둘째천간 — (入)質

자원 상형 ~·乚·乙

「乙」은 한가운데가 쥐는 곳이며 양쪽이 굽고 뾰족한 작은 칼의 모양。 일설(說)에 봄에 초목의 싹이 꼬불꼬불 나오는 모양을 본뜬 글자라 함。 음을 빌어, 지지(地支)의 두번째로 씀。

뜻 ①**둘째천간을** 십간(十干)의 제이위(第二位)。 방위로는 남방에, 오행(五行)으로는 목(木)에 배당함。 「甲乙갑을」의 다음。 「乙種을종」 ②**둘째을** 제이위。 갑(甲)의 다음。 ③**표할을** ㉠문장의 구절이 끊어지는 곳에 표를 함。 구둣점(句讀點) 같은 것을 찍음。 ㉡탈자(脫字)를 방기(旁記)하고 그 들어갈 자리에 갈고리 모양의 표시를 함。 ㉢글자의 선후가 전도(顚倒)된 것을 갈고리 모양의 표시를 하여 바로잡음。 ④**굽을을** 굽곡함。 초목의 싹이 구부러져 나오는 모양。 ⑤**생선창자을** 물고기의 장(腸)。 일설(一說)에는 물고기의 아가미의 뼈。 모두 만곡(彎曲)하여 을자형(乙字形)임。 ⑥**아무을** 아무개。 ⑦**을골을** 범의 가슴 양쪽의 피하(皮下)에 있는 을자형(乙字形)의 뼈。 이것을 차면 벼슬하는 사람은 위엄(威嚴)이 있고, 벼슬하지 않는 사람은 남에게 미움을 받지 않는다 함。 위골(威骨)。

주의 통속적으로 「새을」로 훈(訓)함은 잘못。

【乙科 을과】 ①과거(科擧)의 시험에서 둘째로 어려운 과목。 최고의 어려운 과목은 갑과(甲科)라 함。 ②시험 성적의 제이위(第二位)。 갑과(甲科)의 다음。 ③과거의 사험 중의 향시(鄕試)에 합격한 사람。 곧 거인(擧人)。 전시(殿試)에 급제한 진사(進士)를 갑과(甲科)라 함의 대(對)。 을방(乙榜)。

【乙部 을부】 서적을 갑(경(經))·을(사(史))·병(자(子))·정(집(集))의 네 종류로 구분한 사부(四部)의 둘째。 곧 역사류(歷史類)의 서적을 이름。 사부(史部)。

【乙夜 을야】 하룻밤을 오야(五夜)로 나눈 것 중의 둘째。 오후 열시경。

【乙種 을종】 둘째 종류。 갑종 다음。

【乙支文德 을지문덕】 《韓》 고구려(高句麗) 영양왕(嬰陽王) 때의 명장(名將)。 수양제(隋煬帝)의 삼십만(三十萬) 대군(大軍)을 살수(薩水—清川江)에서 반격(反擊)하여 섬멸(殲滅)시킴。

◉甲乙갑을 太乙태을

一畫

【九】 2 乙 1 중학 ㊀구 ㊁규 ― 아홉 ― ㊀㊤有 ㊁㊥尤

丿九

자원 상형 3000년전 2500년전 九

「九구」는 손의 뜻인 「又우」의 변형으로 팔꿈치를 굽히는 모양이며、후세의 「厷굉」으로 된 글자로 생각되고 있음。이것을 수에 맞추면 한 자리수의 끝이고、구불구불 구부러진 끝에 막다른 곳에 다다른다는 뜻인 「究구」「窮궁」과 결부하여 생각하기도 하고 모인다는 뜻인 「鳩구」「糾규」와 결부하여 생각되기도 함。

뜻 ㊀①**아홉구** 여덟에 하나를 보탠 수。 전(轉)하여 많은 수의 뜻으로 쓰임。「九牛一毛구우일모」 ②**아홉번구** 구회。「九死一生구사일생」 ㊁**모을규** 糾(糸部二畫)와 통용。

참고 ①「九」를 음으로 하는 글자=「仇구」〈짝〉·「究구」〈궁구하다〉·「鳩구」〈비둘기〉 ②문서(文書) 등에서 「玖구」를 「九」의 대신 쓰는 일이 있음。

【九江 구강】 동정호(洞庭湖)의 구명(舊名)。

【九卿 구경】《韓》 의정부 좌우참찬(議政府左右參贊)과 육조판서(六曹判書) 및 한성판윤(漢城判尹)。

【九經 구경】 아홉 가지 경서(經書)。곧 주례(周禮)·의례(儀禮)·예기(禮記)·좌전(左傳)·공양전(公羊傳)·곡량전(穀梁傳)·역경(易經)·서경(書經)·시경(詩經)。 또는 역경·시경·서경·예기·효경(孝經)·춘추(春秋)·논어(論語)·맹자(孟子)·주례(周禮)。

【九穀 구곡】 아홉 가지 곡식。곧 메기장(黍)·찰기장(稷)·차조(秫)·벼(稻)·깨(麻)·콩(大豆)·팥(小豆)·보리(大麥)·밀(小麥)。

【九曲肝臟 구곡간장】 깊은 마음 속。

【九官 구관】 ①순(舜)임금 때의 아홉 대관(大官)。 ②찌르레기과에 속하는 새。 구관조(九官鳥)。

【九九 구구】 ①하나로부터 아홉까지의 수 중의 두 수를 곱하는 산법(算法)。이 외에도 나누기·개평(開平)·개립(開立)에 각각 구구가 있음。구구법(九九法)。 ②아홉에 아홉을 곱한 수。곧 여든 하나。

【九國 구국】 ①전국시대(戰國時代)의 아홉 나라。곧 제(齊)·초(楚)·연(燕)·조(趙)·한(韓)·위(魏)·송(宋)·위(衞)·중산(中山)。 ②중국 전토(全土)。구주(九州)。

【九軍 구군】 ①천자(天子)의 육군(六軍)과 제후(諸侯)의 삼군(三軍)。 ②천자의 군대。

【九禁 구금】 아홉 겹으로 세운 금문(禁門)이라는 뜻으로、금중(禁中)、곧 대궐(大闕)을 이름。

【九畿 구기】 주대(周代)에 왕기(王畿)를 천리 사방(千里四方)으로 하고、그 주위를 좌우 각각 오백리마다 일기(一畿)로 구획하여、후기(侯畿)·전기(甸畿)·남기(男畿)·채기(采畿)·위기(衞畿)·만기(蠻畿)·이기(夷畿)·진기(鎭畿)·번기(蕃畿)로 한 일컬음。구복(九服)。

【九冬 구동】 겨울의 구십일간。

【九禮 구례】관(冠)·혼(婚)·조(朝)·빙(聘)·상(喪)·제(祭)·빈주(賓主)·향음주(鄕飮酒)·군려(軍旅)의 아홉 가지 예。

【九流 구류】한대(漢代)의 아홉 학파。곧 유가(儒家)·도가(道家)·음양가(陰陽家)·법가(法家)·명가(名家)·묵가(墨家)·종횡가(縱橫家)·잡가(雜家)·농가(農家)。

【九萬里 구만리】거리가 대단히 먼 것을 이름。

【九牧 구목】①구주(九州)의 장관。②구주(九州)。

【九尾狐* 구미호】①청구국(靑丘國)에 있다고 하는 꼬리가 아홉 달린 여우。사람을 잘 속인다 함。전(轉)하여 ②간사하고 아첨 잘하는 사람의 비유。

【九民 구민】여러 계급의 백성。각종의 직업에 종사하는 백성。

【九嬪* 구빈】주대(周代)의 제도에서、천자(天子)가 둘 수 있는 아홉 사람의 빈(嬪)빈。(嬪)은 궁중(宮中)의 여관(女官)의 한 계급。

【九思 구사】군자(君子)가 항상 유의(留意)하고 반성하여야 할 아홉 가지 생각。곧 시사명(視思明)·청사총(聽思聰)·색사온(色思溫)·모사공(貌思恭)·언사충(言思忠)·사사경(事思敬)·의사문(疑思問)·분사난(忿思難)·견득사의(見得思義)。

【九死一生 구사일생】①거의 죽을 뻔하다가 겨우 살아남。②대단히 위태로움。거의 살 가망이 없음。

【九十春光 구십춘광】구십일간의 화창한 봄 경치。

【九野 구야】①구주(九州)의 들。구주(九州)。②하늘의 아홉 분야(分野)。구천(九天)。

【九牛一毛 구우일모】여러 마리의 소의 털 중에서 한 가닥의 털。곧 대단히 많은 것 중의 대단히 적은 부분。없어져도 아무 표가 나지 않는 극소 부분。대해의 일적(一滴)。

【九雲夢 구운몽】《韓》조선(朝鮮) 숙종(肅宗) 때 김만중(金萬重)이 지은 국문(國文) 소설(小說)。

【九原 구원】①전국시대의 진(晉)나라 경대부(卿大夫)의 묘지(墓地)。전(轉)하여 ②묘지。황천(黃泉)。

【九月九日 구월구일】명절(名節)의 하나。중양(重陽)。중양절(重陽節)。

【九日 구일】구월구일(九月九日)。

【九腸 구장】온 창자。창자 전부。

【九折 구절】①꼬불꼬불한 비탈길。②꼬불꼬불함

【九鼎* 구정】우왕(禹王) 때 주조(鑄造)한 솥。하은주(夏殷周) 삼대(三代) 상전(相傳)의 보배임。

【九鼎大呂* 구정대려】구정(九鼎)과 대려(大呂)。모두 극히 소중한 주묘(周廟)의 보기(寶器)이며 또 썩 무거우므로、전(轉)하여 중한 지위의 비유로 쓰임。생략하여 정려(鼎呂)라고도 함。

【九族 구족】고조(高祖)·증조(曾祖)·조부(祖父)·부모(父母)·자기·아들·손자·증손·현손。일설(一說)에는 부족(父族) 넷、곧 고모의 자녀·자매의 자녀·딸의 자녀 및 자기의 동족과 모족(母族) 셋、곧 외할아버지·외할머니·이모의 자녀와 처족

(妻族) 둘、곧 장인·장모。

【九州 구주】중국 전토(全土)를 아홉으로 구분한 일컬음。전(轉)하여 중국 전토。

【九重 구중】①아홉 겹。②하늘。구천(九天)。③궁중(宮中)。궁궐。

【九重天 구중천】①하늘의 가장 높은 곳。천상(天上)。구천(九天)。전(轉)하여 ②궁정(宮廷)。

【九秩 구질】아흔 살。구십세。

【九川 구천】구주(九州)의 중요한 강 아홉。곧 양자강(揚子江)·황하(黃河)·한수(漢水)·제수(濟水)·회수(淮水)·위수(渭水)·낙수(洛水)·약수(弱水)·흑수(黑水)。

【九泉 구천】①구지(九地)의 밑에 있는 샘。전(轉)하여 황천(黃泉)。저승。②땅。대지(大地)。

【九天直下 구천직하】하늘에서 땅을 향하여 일직선으로 떨어진다는 뜻。일사천리의 형세를 이름。

【九秋 구추】가을의 구십일간。

【九春 구춘】봄의 구십일간。

【九伯 구패】구주(九州)의 장(長)。패(伯)는 지방 장관。구백(九伯)。

【九夏 구하】여름의 삼개월 구십일간。

【九行 구행】①아홉 가지 훌륭한 행위。인(仁)·행(行)·양(讓)·신(信)·고(固)·치(治)·의(義)·의(意)·용(勇)。또는 효(孝)·자(慈)·문(文)·신(信)·언(言)·충(忠)·공(恭)·용(勇)·의(義)。②아홉 순배(巡杯) 돎。

【九廻腸 구회장】①창자가 아홉 번 비틀릴 정도로 몸부림치며 괴로와 함。②꼬불꼬불한 것의 형용。

◉十中八九 십중팔구 重九 중구

二畫

3 【乞】 乙 2 ㊀걸 — 빌 — ㊀[入]物 ㊁기 — — ㊁[去]未

[자원] 가차 气-乞(乙부) 상형(象形) 문자인 「气기」를 본디 뜻인 구름의 기운 외에、음을 빌어 「빌다·청하다」의 뜻으로 쓰게 되었는데、구별하기 위하여 한 획을 줄여 「乞걸」로 써서 「빌다·청하다」의 뜻으로 전용하게 되었음。

[뜻] ㊀①빌걸 구걸함。「乞人걸인」 ②청할걸、구할걸 청구함。요구함。③청컨대걸 바라건대。④거지걸 걸식하는 사람。⑤청걸 요청。소청。

㊁줄기 내줌。

[참고] 「乞걸」을 음으로 하는 글자=「吃흘」〈더듬다〉·「屹흘」〈쭈뼛하다〉·「訖글」〈마치다〉

【乞假 걸가】①휴가를 얻어 쉼。가(假)는 가(暇)의 고자(古字)。②금전 같은 것을 대여(貸與)함。

【乞巧 걸교】칠석날 밤에 부녀자가 견우(牽牛)·직녀(織女) 두 별에게 길쌈과 바느질 솜씨가 늘기를 비는 제사。

【乞求 걸구】청함。구함。

【乞憐 걸련】곤궁할 때 동정을 받으려고 생각함。

【乞盟 걸맹】①적(敵)에게 강화(講和)하기를 청함。②맹세할 때 천지신명(天地神明)에게 고함。

【乞命 걸명】목숨을 살려달라고 빎。

【乞食 걸식】밥을 구걸함。빌어먹음。또 그 사람。거지。걸인(乞人)。

【乞人 걸인】 거지。비렁뱅이。
◉求乞구걸

3【也】乙2 중학 야 | 어조사 | ①②㊤馬 ③㊦禡

㇆ 乜 也

자원 상형

뱀의 모양을 본뜸。본 뜻은 뱀。그 음을 빌어 오로지 어조사(語助辭)로 쓰여지고 있음。

뜻 ①어조사야 ㉠구말(句末)에 써서 결정의 뜻을 나타내는 조사。㉡어간(語間)에 넣어 병설(並說)하는 조사。㉢이름을 부를 때 이름 아래에 쓰는 조사。㉣의문에 쓰이는 조사。㉤반어(反語)에 쓰이는 조사。㉥감탄의 뜻을 나타내는 조사。㉦어세(語勢)를 강하게 하는 조사。㉧형용의 의미를 강하게 하는 조사。㉨무의미한 조사。㉩탄식의 뜻을 나타내는 조사。…도다。…구나。哉(口部六畫)와 뜻이 같음。②이를야 …라 이르는。③또야 ㉠시(詩) 또는 속어(俗語)에서 亦(亠部四畫)과 같은 뜻으로 쓰임。㉡발어(發語)하는 말로 쓰임。

참고 「也」를 음으로 하는 글자‖「地지」〈땅〉·「池지」〈못〉·「施시」〈베풀다〉·「他타」〈남〉

二畫

【孔】⇩子部一畫

六畫

7【乱】乙6 亂(乙部十二畫)의 속자(俗字)。

七畫

8【乳】乙7 고교 유 | 젖 | ㊤麌

자원 회의 孚+乚→乳(乙부) 2500년전

낳다、또는 알을 까다의 뜻을 갖는「孚부」와、제비를 뜻하는「乚은」(乙의 변형)으로 이루어짐、고대(古代)에는 제비가 오는 날 아기를 낳게 해 주는 신에게 빌었으므로「乚」을 보탰음。낳다의 뜻에서 전하여、키우다、다시 전하여、키우는 젖의 뜻이 됨。

뜻 ①젖유 ㉠젖통이。유방(乳房)。「乳汁유즙」㉡젖통이에서 분비하는 액체。「牛乳우유」㉢젖통이 또는 젖꼭지같이 생긴 물건。또 젖통이처럼 늘어진 것。「鍾乳石종유석」㉣젖과 같이 희고 흐린 액체。「石灰乳석회유」②젖먹일유 젖을 먹임。「乳養유양」③기를유 양육함。또 사랑함。④낳을유 분만함。⑤어머니유、어버이유 모친 또는 양친。

【乳糖 유당】젖 속에 포함된 당분。
【乳頭 유두】젖꼭지。
【乳酪* 유락】우유의 지방분을 굳힌 것。버터。
【乳名 유명】아명(兒名)。
【乳母 유모】젖어머니。
【乳鉢* 유발】약을 이기거나 또는 갈아서 가루로 만드는 데 쓰는 그릇。
【乳房 유방】젖。젖통이。

【乳兒 유아】 젖먹이。
【乳癌* 유암】 부인(婦人)의 젖에 생기는 암종(癌腫)。
【乳牛 유우】 젖소。
【乳腫* 유종】 젖이 곪는 종기。
【乳汁* 유즙】 젖。
【乳臭 유취】 젖내。 젖내가 남。 전(轉)하여 아직 나이가 어려서 경험이 적은 사람을 낮잡아 이름。
【乳齒 유치】 젖니。 배냇니。
【乳香 유향】 감람과(橄欖科)에 속하는 열대 식물인 유향수(乳香樹)의 분비액을 말려 만든 수지(樹脂)。 종기·복통 등의 약재로 씀。
◉母乳모유 粉乳분유 產乳산유 授乳수유 羊乳양유 煉乳연유 牛乳우유

十畫

11 【乾】 乙10 중학 건⑤ ⑦간㊍ | 하늘 | ①-④ ㊥先 ⑤-⑦ ㊥寒

一 十 古 直 卓 卓 乾

자원 형성 乙＋倝-𠦝(음)→乾(乙부) 초목이 자라나는 모양인 「乙을」과 음을 나타내는 「倝(𠦝)간」으로 이루어짐。 음을 빌어 마르다의 뜻으로 씀。

뜻 ①**하늘건** 상천(上天)。「乾坤건곤」「乾命건명」 ②**건괘건** ㉠팔괘(八卦)의 하나。 곧 ☰。 순양(純陽)의 괘(卦)。 곤괘(坤卦)의 대(對)로서 하늘·위 등 양성(陽性)·남성(男性)의 것을 뜻하며、방위로는 서북간에 배당함。 ㉡육십사괘(六十四卦)의 하나。 곧 ䷀(건하(乾下)、 건상(乾上)。 강건불식(剛健不息)의 상(象)。 ③**임금건** 군주。 제왕。 또 제위(帝位)。 ④**굳셀건**、 **부지런할건** 강함。 또 쉬지 않고 부지런히 힘쓰는 모양。 ⑤**마를건** ㉠습기가 없음。「乾燥건조」 ㉡물이 마름。 ㉢목이 마름。 ㉣결핍함。 생기가 없어짐。 ⑥**말릴건** ㉠마르게 함。 또 말린 것。 말린 음식。 ㉡물을 말리듯이 죄다 거두어들임。 마구 몰수함。 ⑦**건성건**、 **건성으로할건** 겉으로만 그러함。 겉으로만 함。 ※⑤이하 본음(本音) **간**

【乾枯 건고】 ①마름。 또 말림。 ②나무가 말라 죽음。 고사(枯死)함。
【乾穀 건곡】 말린 곡식。
【乾坤 건곤】 ①하늘과 땅。 천지(天地)。 우주(宇宙)。 ②건괘(乾卦)와 곤괘(坤卦)。 ③양(陽)과 음(陰)。 음양(陰陽)。 ④건방(乾方)과 곤방(坤方)。 서북방과 서남방。
【乾坤一擲* 건곤일척】 흥하느냐 망하느냐、 성공하느냐 파멸하느냐를 운에 맡기고 단번에 일을 결정함。
【乾基 건기】 제왕의 기업(基業)。 제업(帝業)의 터전。 제기(帝基)。
【乾酪* 건락】 우유를 정제(精製)하여 말려 굳힌 식료품。 치이즈。
【乾糧 건량】 ①식료(食料)。 ②말린 밥。 건반(乾飯)。
【乾木 건목】 마른 나무。 마른 재목。
【乾蔘* 건삼】 말린 인삼。
【乾濕 건습】 건조함과 습함。
【乾元 건원】 하늘。 상천(上天)。 하늘의 이치。 천리(天理)。
【乾肉 건육】 말린 고기。 포(脯)。
【乾材 건재】 약재(藥材)。

【乾燥 건조】①마름。 또 말림。 ②재미가 없음。

【乾草 건초】베어서 말린 풀。 또 말라 죽은 풀。

【乾統 건통】제왕(帝王)의 계통(系統)。천자(天子)의 혈통(血統)。

【乾脯* 건포】건육(乾肉)。

◉風乾풍건 旱乾한건

十二畫

13 【亂】乙12 고교 란 —어지러울— 去翰

一 ⺈ ⺈ ⺈ 𤔔 𤔔 𤔔 𤔔 亂

자원 형성 乚 + 𤔔(음) → 亂(乙부)

음을 나타내는 「𤔔란」 (A)는 실로 맨 것이 얽혀 있는 것을 아래위로 손을 대고 있는 모양→일이 어지러움。「乚」은 보통 「乙을」〈바로잡다〉로 생각되고 있지만 옛 모양 (B)에 의하면 「永영」〈물이 흐르다〉이 변한 것인듯 함。

(A) (B) 2500년전

「𤔔란」은 얽힌 것을 바로잡는 일。 나중에 「𤔔」과 같이 얽힌다는 뜻으로 씀。 약자(略字)는 「乱」。

뜻 ①어지러울란 ㉠흩어짐。산란함。이산(離散)함。「散亂산란」 ㉡뒤섞임。혼잡함。「亂雜난잡」 ㉢다스려지지 아니함。질서가 문란함。「亂國난국」 ㉣시끄러움。난리·폭동 같은 것으로 세상이 시끄러움。「騷亂소란」 ㉤마음이 어수선함。「一心不亂일심불란」 ㉥행실이 난잡함。「亂暴난폭」 ㉦일이 아직 정하여지지 아니함。 ②어지럽힐란 어지럽게 함。 ③다스릴란 어지러운 것을 바로잡음。「亂民난민」 ④간음할란 사통(私通)함。 ⑤건널란 강을 건넘。「亂流난류」 ⑥난리란 전쟁·폭동·반란 등。「兵亂병란」 ⑦음행란 음란한 행위。 ⑧풍류끝가락란 음악의 종장(終章)。

【亂家 난가】화목하지 못하여 소란한 집。

【亂擊 난격】서로 뒤섞이어 침。

【亂軍 난군】①서로 뒤섞이어 하는 싸움。혼전(混戰)。난전(亂戰)。 ②혼란한 군대。

【亂黨 난당】난리·소란을 일으키는 무리。

【亂刀 난도】함부로 쓰는 칼。

【亂讀 난독】순서도 체계(體系)도 없이 함부로 읽음。

【亂動 난동】문란한 행동。

【亂倫 난륜】인륜을 어지럽게 함。주로 남녀의 관계에 관하여 이름。

【亂離 난리】①나라가 어지러워서 백성이 뿔뿔이 흩어짐。 ②전쟁。

【亂立 난립】질서 없이 뒤섞이어 섬。

【亂麻 난마】이리저리 얽힌 여러 가닥의 삼실。혼란한 세상、또는 혼란한 사물의 비유。

【亂脈 난맥】어지러워 조리가 서지 아니함。난잡함。

【亂舞 난무】아무 질서 없이 뒤섞이어 춤을 춤。

【亂民 난민】①사회의 질서를 어지럽히는 백성。국법을 어지럽히는 백성。 ②백성을 다스림。

【亂發 난발】①함부로 발행함。 ②함부로 씀。함부로 발사함。

【亂髮 난발】흩어진 머리。

【亂罰 난벌】함부로 처벌함。

【亂法 난법】법을 문란하게 함。법을 어김。

【亂飛 난비】 질서 없이 뒤섞이어 낢。
【亂射 난사】 함부로 쏨。 탄환 같은 것을 겨냥도 하지 않고 함부로 발사함。
【亂世 난세】 어지러운 세상。 혼란한 세상。
【亂世之英雄 난세지영웅】 재략(才略)이 뛰어나고 권모술수(權謀術數)에 능하여 어지러운 세상에 큰 공을 세우는 영웅。
【亂時 난시】 어지러운 때。 소란한 시대。
【亂視 난시】 굴절이상(屈折異常)으로 광선이 망막(網膜) 위의 한 점에 모이지 아니하여 물체가 바로 보이지 아니함。 또 그 눈。 난시안(亂視眼)。
【亂臣 난신】 ①나라를 어지럽게 하는 신하。 ②나라를 잘 다스리는 신하。
【亂臣賊子 난신적자】 나라를 어지럽게 하고 군부(君父)를 죽이는 악인(惡人)。 무부무군(無父無君)한 악인。
【亂心 난심】 착란한 마음。
【亂逆 난역】 모반(謀叛)。 반역(反逆)。
【亂獄 난옥】 부정한 옥사(獄事)。 불공평한 재판。
【亂入 난입】 난폭하게 뛰어 들어감。
【亂刺 난자】 아무데나 함부로 찌름。
【亂雜 난잡】 뒤섞이어 질서가 없음。
【亂賊 난적】 세상을 어지럽게 하는 악인。 역적(逆賊)。
【亂戰 난전】 서로 뒤섞이어 싸움。 혼전함。
【亂政 난정】 문란한 정치。 난폭한 정치。
【亂鐘 난종】 계속 치는 종소리。
【亂中 난중】 난리가 벌어져 있는 동안。
【亂招 난초】 죄인(罪人)이 신문에 대하여 함부로 하는 공초(供招)。
【亂醉 난취】 정신을 차릴 수 없도록 대단히 취함。 대취(大醉)함。
【亂打 난타】 함부로 침。 마구 때림。
【亂鬪 난투】 서로 뒤섞이어 싸움。
【亂暴 난폭】 무법(無法)하게 거칠고 사나움。 또 그 행위。
【亂筆 난필】 함부로 쓴 글씨。
【亂花 난화】 어지러이 핀 꽃。
【亂後 난후】 난리가 끝난 뒤。 전란(戰亂)의 뒤。
◉居治不忘亂거치불망란 霍亂곽란 壞亂괴란 攪亂교란 內亂내란 動亂동란 叛亂반란 變亂변란 紛亂분란 散亂산란 撓亂요란 繚亂요란 淫亂음란 一心不亂일심불란 戰亂전란 酒亂주란 錯亂착란 醉亂취란 治亂치란 胡亂호란 惑亂혹란 昏亂혼란 混亂혼란 禍亂화란

亅部

1 【亅】 부수 궐 | 갈고리 | ㊀月

자원 상형 「亅」은、 밑끝이 굽은 갈고리의 모양을 본뜸。

뜻 갈고리궐 갈고랑이。

一畫

2 【了】 亅 1 고교 료 | 깨달을 | ㊤篠

了

자원 상형 「子자」의 양손이 없는 모양。「瞭

료」〈분명함·끝나다〉의 뜻으로 차용(借用)함。

뜻 ①**깨달을료** 명확히 앎。이해함。「了解요해」②**똑똑할료** ㉠혜민(慧敏)함。㉡분명함。③**끝날료** 다 이루어짐。「未了미료」④**마침료** 끝냄。「完了완료」⑤**마침내료** 마지막에。결국。속어(俗語)에 쓰임。⑥**어조사료** 결정 또는 과거·완료 등의 뜻을 나타내기 위하여 어미(語尾)에 첨가(添加)하는 조사(助辭)。속어에 쓰임。「讀了독료」

주의 「丁정」〈네째천간〉과는 딴 글자。

【了解 요해】 환히 깨달음。분명히 이해함。

◉校了교료 未了미료 修了수료 完了완료 終了종료

二畫

【于】 ⇩二部一畫

三畫

4 【予】 亅3 고교 여 | 줄 | (平)魚

フ マ 子 予

자원 상형 3000년전

직조기(織造機)의 횡사(橫糸)를 통하게 하는 북을 오른편으로(↑) 왼편으로(▽) 보내는 것을 나타냄。좌우(左右)로 건네므로, 주다의 뜻이 됨。음을 빌어, 나의 뜻(⇩余여)으로 쓰고, 또 「豫예」의 약자(略字)로 쓰임。

뜻 ①**줄여** 與(臼部七畫)와 같은 글자。「予奪여탈」②**나여** 余(人部五畫)와 같은 글자。

주의 현재 豫(豕部九畫)의 약자(略字)로 쓰임。

참고 「予여」를 음으로 하는 글자＝「豫예」〈미리〉·「預예」〈맡기다〉·「野야」〈들〉·「墅서」〈농막〉·「抒서」〈떠내다〉·「舒서」〈펴다〉·「紓서」〈늘어지다〉·「杼서」〈북〉

五畫

6 【争】 亅5 争(爪部四畫)의 속자(俗字)

七畫

8 【事】 亅7 중학 사 | 일 | (去)寘

一 一 亓 亖 亖 亖 事

자원 회의 中又 → 叓 → 事(亅부) 3000년전 2500년전

「又우」는 손。「中중」은 가지가 뻗은 나무에 작은 것 발을 달아 놓은 모양。옛날에는 깃발을 세워 관청의 일 또는 장사하는 일을 나타내었음。「事」는 관리로서 일에 종사하다→일。

뜻 ①**일사** ㉠사건。「萬事만사」「事物사물」「事有始사유시」㉡행위。생업(生業)。「事業사업」㉢임무。「事務사무」㉣사고。변고。「無事무사」「事變사변」㉤반역。모반。「擧事거사」②**섬길사** ㉠받들어 모심。㉡벼슬을 함。③**부릴사** 사역함。④**일삼을사** 종사함。경영함。힘씀。⑤**찌를사**、**꽂을사**

【事件 사건】 ①일。일거리。②뜻밖에

일어난 일。③새나 짐승의 내장。

【事故 사고】①뜻밖의 변고(變故)。②까닭。사정(事情)。

【事功 사공】공로(功勞)。

【事君 사군】임금을 섬김。

【事貴神速 사귀신속】일은 신속히 하는 것이 좋음。

【事端 사단】일의 단서。일의 실마리。

【事大 사대】약자(弱者)가 강자(強者)를、또는 소국이 대국을 섬김。

【事大黨 사대당】세력이 강대한 나라를 붙좇는 당파。

【事例 사례】일의 전례(前例)。전례의 사실。실례(實例)。

【事理 사리】일의 이치。

【事務 사무】맡아보는 일。직무(職務)。

【事物 사물】①일과 물건。②무형(無形)과 유형(有形)。③세속(世俗)의 일。속사(俗事)。세사(世事)。

【事半功倍 사반공배】들인 힘은 적고 성과(成果)는 많음。

【事煩 사번】일이 번거로움。

【事變 사변】①천재지이(天災地異)와 같은 큰 변고(變故)。②폭동·소동과 같은、나라의 중대한 변사(變事)。변란(變亂)。③선전포고(宣戰布告) 없는 전쟁。

【事不如意 사불여의】일이 뜻대로 되지 아니함。

【事事 사사】①할 일을 함。일에 힘씀。②모든 일。매사(每事)。

【事事無成 사사무성】한 가지 일도 이루지 못함。모든 일에 실패함。

【事事物物 사사물물】①모든 사물。②무슨 일이나 무슨 물건이나。

【事事如意 사사여의】매사(每事)가 뜻대로 됨。

【事勢 사세】일의 형세。일의 추세(趨勢)。

【事實 사실】실제로 있는 일。거짓이 아닌 일。일의 진상。

【事業 사업】일。하는 일。

【事緣 사연】사정과 연유(緣由)。

【事由 사유】일의 까닭。사정(事情)。

【事宜 사의】일이 마땅함。일이 잘됨。

【事已至此 사이지차】일이 이미 이렇게 됨。

【事因 사인】일이 일어난 원인。

【事跡 사적】사적(事蹟)。

【事蹟 사적】일의 자취。사적(事跡)。사적(事迹)。

【事前 사전】일이 벌어지기 전。

【事情 사정】①일의 정상(情狀)。일의 형편。②사유(事由)。

【事態 사태】일의 상태。

【事必歸正 사필귀정】만사(萬事)는 반드시 정리(正理)로 돌아감。

【事項 사항】일의 조항。

【事後 사후】일이 지난 뒤。

【事後承諾 사후승낙】급한 경우에 우선 일을 처리하고 뒤에 관계자에게 승낙을 받는 일。

◉家事가사 幹事간사 檢事검사 慶事경사
古事고사 故事고사 工事공사 公事공사
國事국사 軍事군사 今事금사 紀事기사
記事기사 吉事길사 內事내사 錄事녹사
農事농사 能事능사 多事다사 大事대사
萬事만사 武事무사 無事무사 文事문사
民事민사 百事백사 法事법사 兵事병사
服事복사 私事사사 師事사사 三事삼사
常事상사 敍事서사 盛事성사 世事세사
細事세사 歲事세사 小事소사 俗事속사
時事시사 臣事신사 神事신사 心事심사
餘事여사 年中行事연중행사 五事오사

2획

有事유사 遺事유사 議事의사 理事이사 人事인사 逸事일사 前事전사 政事정사 情事정사 從事종사 主事주사 知事지사 指事지사 職事직사 珍事진사 執事집사 判事판사 學事학사 海事해사 行事행사 刑事형사 好事호사 後事후사 凶事흉사

二 部

【二】 2 부수 [중학] 이 — 두 — [去]寘

一 二

[자원] 지사 二 3000년선

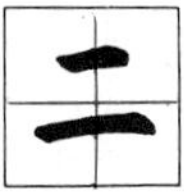

「二」는 수의 둘을 나타내는데 옛 글자 모양은 아래 위가 거의 같은 길이로 썼음。 위를 조금 짧게 쓰면 「上상」〈위〉이란 글자의 옛 모양이 됨。

[뜻] ①두이 ㉠둘。 하나에 하나를 보태수。 「二三이삼」 ㉡두 가지。 「二色이색」 ㉢짝。 대등。 ②다음이 둘째。 ③버금이 차석(次席)。 부이(副貳)。 ④두가지마음이 이심(異心)。 ⑤두번이 재차。 ⑥두가지로할이 ㉠다르게 함。 ㉡의심하게 함。 또 의심함。

[주의] ①「弍이」는 「二」의 옛글자。 문서에서는 틀림을 피(避)하기 위해、「弍이」 「貳이」가 흔히 쓰임。 ②「上상」의 옛 글자 「二」와는 딴 글자。

[참고] 「二」를 음으로 하는 글자=「次차」〈버금〉

【二更 이경】 하룻밤을 오경(五更)으로 나눈 둘째의 경(更)。 곧 오후(午後) 아홉시부터 열한시까지。 을야(乙夜)。

【二京 이경】 동경(東京)〈낙양(洛陽)〉과 서경(西京)。

【二極 이극】 남극과 북극。

【二氣 이기】 음(陰)과 양(陽)의 두 기운。

【二毛 이모】 반백(斑白)의 머리。 또 반백이 되는 연기(年紀)의 노인。

【二毛之年 이모지년】 센 털이 나기 시작하는 나이。

【二分 이분】 ①둘로 나눔。 또 둘로 나누임。 ②춘분(春分)과 추분(秋分)。

【二聖 이성】 ①문왕(文王)과 무왕(武王)。 ②주공(周公)과 공자(孔子)。 ③대우(大禹)와 공자(孔子)。

【二姓之合 이성지합】 성(姓)이 다른 남자와 여자가 혼인(婚姻)하는 일。

【二世 이세】 《佛教》 현세(現世)와 내세(來世)。

【二心 이심】 두 가지 마음。 배반(背叛)하고자 하는 마음。

【二十四孝 이십사효】 대순(大舜)·한문제(漢文帝)·증삼(曾參)·민손(閔損)·중유(仲由)·동영(董永)·염자(剡子)·강혁(江革)·육적(陸績)·당부인(唐夫人)·오맹(吳猛)·왕상(王祥)·곽거(郭巨)·양향(楊香)·주수창(朱壽昌)·유검루(庾黔婁)·노래자(老萊子)·채순(蔡順)·황향(黃香)·강시(姜詩)·왕포(王褒)·정난(丁蘭)·맹종(猛宗)·황정견(黃庭堅) 등 이십사인(二十四人)의 효자。 또 그들의 행적을 적은 책。 원(元)나라 곽거업(郭居業)의 찬(撰)。

【二十二史 이십이사】 중국 상대(上代)

〔二畫部首順〕 二亠人儿入八冂冖冫几凵刀力勹匕匚匸十卜卩厂厶又

부터 명(明)나라까지의 이십이종(二十二種)의 사서(史書)。
〈二十二史〉

책 명	편 찬 자
사 기(史 記)	사마천(司馬遷)
한 서(漢 書)	반 고(班固)
후한서(後漢書)	범 엽(范曄)
이상 삼사(三史)	
삼국지(三國志)	진 수(陳壽)
진 서(晉 書)	방현령(房玄齡)
송 서(宋 書)	심 약(沈約)
남제서(南齊書)	소자현(蕭子顯)
양 서(梁 書)	요사렴(姚思廉)
진 서(陳 書)	요사렴(姚思廉)
후위서(後魏書)	위 수(魏收)
북제서(北齊書)	이백약(李百藥)
주 서(周 書)	영호덕분(令狐德棻)
수 서(隋 書)	위 징(魏徵)
남 사(南 史)	이연수(李延壽)
북 사(北 史)	이연수(李延壽)
당 서(唐 書)	구양수(歐陽修)
오대사(五代史)	구양수(歐陽修)
이상 십칠사(十七史)	
요 사(遼 史)	탁극탁(托克托)
금 사(金 史)	탁극탁(托克托)
송 사(宋 史)	탁극탁(托克托)
원 사(元 史)	송 염(宋濂)
이상 이십일사(二十一史)	
명 사(明 史)	장정옥(張廷玉)
이상 이십이사(二十二史)	

【二五 이오】 음양(陰陽)과 오행(五行)。

【二王 이왕】 ①두 임금。 ②진(晉)나라의 서성(書聖) 왕희지(王羲之)와 그의 아들 왕헌지(王獻之)。 ③진(晉)나라의 청담(清談)의 선비로서 유명한 왕융(王戎)과 왕연(王衍)。 ④《佛敎》 불법(佛法) 수호(守護)의 신(神)으로서 절문의 좌우에 세우는 금강역사(金剛力士)의 상(像)。 인왕(仁王)。

【二律背反 이율배반】 논리(論理)에서 타당(妥當)하다고 보는 두 개의 명제(命題)가 서로 모순되는 일。

【二程 이정】 송대(宋代)의 대유(大儒)인 정호(程顥)와 정이(程頤) 형제。

【二帝三王 이제삼왕】 이제(二帝) 당요(唐堯)·우순(虞舜)과 삼왕(三王) 하(夏)나라의 우왕(禹王)·은(殷)나라의 탕왕(湯王) 및 주(周)나라의 문왕(文王)·무왕(武王)。

【二尊 이존】 ①양친(兩親)。 어버이。 ②《佛敎》 석가(釋迦)와 미타(彌陀)。

【二周 이주】 중국 주대(周代)의 동주(東周)와 서주(西周)。 「至」。

【二至 이지】 동지(冬至)와 하지(夏至)。

【二千石 이천석】 ①태수(太守)의 이칭(異稱)。 한대(漢代)에 그 녹(祿)이 이천석이었으므로 이름。 전(轉)하여 ②지방장관(地方長官)。

【二八靑春 이팔청춘】 열 여섯 살 전후(前後)의 젊은이。 「실」。 이겹실。

【二合絲 이합사】.두 올을 겹으로 꼰
◉無二무이 凡聖不二범성불이 不二불이

一畫

3【于】二 1 중학 우 — 어조사 — ①-⑤㊉虞 ⑥㊉魚

一 二 于

자원 상형

막대기의 양쪽 끝을 고정(固定)시켜 중간을 굽히는 모양(十)이 기원. 굽다(⇩紆우)에서 「우」라 하였음. 음을 빌어 어조사(語助辭)로 씀.

뜻 ①**어조사우** ㉠목적과 동작, 또는 장소와 동작의 관계를 나타냄. ㉡발어사(發語辭). ㉢비교를 나타냄. ②**할우** 동작을 함. ③**갈우** 향하여 감. ④**클우** 광대한 모양. ⑤**굽힐우** 迂(辶部三畫)와 통용. ⑥**탄식할우** 吁(口部三畫)와 통용.

주의 ①「亐」·「丂」는 둘다 「于」와 같은 글자. ②「干간」〈방패〉과는 딴 글자.

참고 「于」를 음으로 하는 글자=「紆우」〈꼬부라지다〉·「迂우」〈구불다〉·「宇우」〈집〉·「盂우」〈사발〉·「芋우」〈토란〉·「吁우」〈탄식하다〉·「汚오」〈물이 괴다〉·「旴우」〈크다〉·「盱우」〈부릅뜨다〉·「訏우」〈크다〉·「**袴고**」〈바지〉·「跨과」〈넘다〉·「誇과」〈자랑하다〉

【于歸 우귀】 시집감.

【于今 우금】 지금까지.

【于山國 우산국】《韓》 울릉도(鬱陵島)의 옛 이름.

【于勒 우륵】《韓》 신라(新羅) 때의 악사(樂士). 본디 가야국(伽倻國) 사람. 가야금(伽倻琴)을 만들었음.

【于役 우역】 ①부역(賦役), 나감. ②임금의 명령을 받들어 다른 나라에 사신으로 감.

【于越 우월】 월(越)나라. 우(于)는 발어사(發語辭)임.

二畫

4【云】二 2 중학 운 | 이를 | ㊥文

一 二 云 云

자원 상형 (2000년전)

구름이 뭉게뭉게 피어 오르는 모양을 거꾸로 한 글자. 「雲운」〈구름〉의 본디글자. 음을 빌어, 말하다의 뜻으로 씀.

뜻 ①**이를운** 말함. 남의 말을 간접적으로 말할 때 많이 쓰임. ②**운행할운** 회전(回轉)함. 運(辶部九畫)의 옛글자. ③**돌아갈운** 귀부(歸附)함. ④**어조사운** 어조(語調)를 맞추는 말. ⑤**운운운** 다른 글이나 말을 인용할 때 끝을 생략하여 「이러이러하다」는 뜻으로 쓰는 말. ⑥**성(盛)할운** 芸(艸部四畫)과 통용.

주의 「云」은 「雲운」〈구름〉의 옛 글자.

참고 「云」을 음으로 하는 글자=「雲」〈구름〉·「芸운」〈향초〉·「耘운」〈풀베다〉·「紜운」〈어지럽다〉

【云云 운운】 ①여러 가지 말. 소문. 또 여러 가지 이야기를 함. 소문을 서로 전함. ②언어·문장을 생략할 때 쓰는 말. 여차여차함. 뜻풀이 ❺를 보라. ③물건이 많은 모양. ④말이 많은 모양. ⑤빙 돌려 퍼지는 모양. ⑥성(盛)한 모양. 뜻풀이 ❻을 보라.

【云爲 운위】 ①말과 행동. 언행(言行). ②세태(世態)와 인정(人情).

【云爾* 운이】 문장의 끝에 써 위에 말한 바와 같다는 뜻을 나타내는 말.

【云何 운하】 여하(如何)와 같음.

◉紛云분운

4【互】二 2 고교 호 | 어긋매낄 | ㉤遇

一 丅 万 互

자원 상형

새끼를 감는 도구(道具)의 모양。한가운데는 쥐는 곳。좌우(左右)로 교대(交代)로 감는 것에서 전하여、교호(交互)、서로의 뜻이 됨。

뜻 ①**어긋매낄호** 교차함。「互生호생」 ②**번갈아들호** 교대함。③**서로호** 함께 다 같이。「互選호선」「互讓호양」 ④**고기시렁호** 고기를 얹는 시렁。⑤**울짱호** 목책(木柵)。

주의 「亙긍」〈뻗치다〉과는 딴 글자。

【互相 호상】 서로。상호(相互)。

【互生 호생】 ①식물의 잎이 줄기나 가지의 각 마디에 한 개씩 어긋매껴 남。②바둑을 둘 때 서로 삶。

【互選 호선】 피선거권(被選擧權)이 있는 사람들이 모여 그들끼리 서로 투표하여 선출하는 방법。

【互市 호시】 ①무역(貿易)。②소인(小人)들이 서로 결탁하여 이익(利益)을 도모하는 일。

【互讓 호양】 서로 사양함。

【互惠條約 호혜조약】 대등(對等)의 지위(地位)에 있는 나라와 나라가 서로 수입품(輸入品)에 최저 관세율을 물리어 상호간의 이익(利益)을 꾀하고자 하여 맺는 조약。

◉交互교호 相互상호 連互연호

4【五】二 2 중학 오 | 다섯 | ㉤麌

一 丅 万 五

자원 상형 3000년전 2500년전

숫자(數字)는 하나에서 넷까지 선을 하나씩 늘려 썼으나 다섯으로 한 단위(單位)가 되고 너무 선이 많게 되므로 모양을 바꿔 ×꼴로 썼음。「五」는 나중에 모양을 갖춘 자형(字形)。

뜻 ①**다섯오** 넷에 하나를 보탠 수。「五音오음」 ②**다섯번오** 오회。「五勝오승」 ③**다섯번할오** 오회 함。

참고 ①「五」를 음으로 하는 글자‖「伍오」〈다섯사람〉·「吾오」〈나〉 ②문서(文書) 등에서는 「五」 대신 「伍」를 쓰는 일이 있음。

【五角 오각】 다섯 모진 형상。

【五感 오감】 오관(五官)의 감각。곧 시각(視覺)·청각(聽覺)·후각(嗅覺)·미각(味覺)·촉각(觸覺)。

【五車之書 오거지서】 수레 다섯에 가득 실을 만큼 많은 장서(藏書)。

【五更 오경】 ①경험을 많이 쌓은 장로(長老)。②오야(五夜)。③오야(五夜)의 최종。곧 오전 세시부터 다섯시까지의 사이。날샐녘。

【五經 오경】 다섯가지 경서(經書)。곧 역경(易經)·서경(書經)·시경(詩經)·춘추(春秋)·예기(禮記)。

【五經博士 오경박사】 ①오경의 문의(文義)에 통한 박사。②한(漢)나라 무제(武帝)가 둔 오경의 각 전문 박사。

【五戒 오계】 불교(佛敎)에서 지키는 다섯 가지 계율(誡律)。곧 불살생(不殺生)·불투도(不偸盜)·불사음

(不邪淫)·불망어(不妄語)·불음주(不飮酒)。이 오계(五戒)를 범(犯)함을 오악(五惡)이라 함。

【五古 오고】한 구(句)가 오언(五言)으로 된 고시(古詩)。

【五苦 오고】《佛敎》 인생의 다섯 가지 괴로움。곧 생고(生苦)·노고(老苦)·병고(病苦)·사고(死苦)·애별리고(愛別離苦)。

【五穀 오곡】다섯가지 곡식。그 명목에 여러 설(說)이 있는데 주로 벼·보리·콩·조·기장을 말하며、전(轉)하여 곡식의 총칭으로도 쓰임。

【五果 오과】다섯 종류의 과실。곧 오얏·살구·대추·복숭아·밤。

【五官 오관】①사람의 다섯가지 감각기관(器官)。곧 시각(視)의 눈、청각(聽覺)의 귀、미각(味覺)의 입、후각(嗅覺)의 코、촉각(觸覺)의 피부。②오감(五感)의 작용(作用)。

【五金 오금】금(金)·은(銀)·동(銅)·철(鐵)·석(錫)。

【五氣 오기】①오방(五方)의 기운。동·서·남·북·중앙의 기운。②비오고、볕나고、덥고、춥고、바람 부는 다섯 가지 일기。③한(寒)·열(熱)·풍(風)·조(燥)·습(濕)의 병증(病症)의 다섯 가지 기운。④희(喜)·노(怒)·욕(欲)·구(懼)·우(憂)의 오정(五情)。⑤오장(五臟)의 기운。

【五達 오달】길이 다섯 군데로 통함。

【五代 오대】①당(唐)·우(虞)·하(夏)·상(商)·주(周)。②황제(黃帝)·요(堯)·순(舜)·우(禹)·탕(湯)。③송(宋)·제(齊)·양(梁)·진(陳)·수(隨)(전오대)。④후량(後梁)·후당(後唐)·후진(後晉)·후한(後漢)·후주(後周)(후오대)。오계(五季)。

【五代史 오대사】책이름。신구(新舊 양종(兩種)이 있음。구(舊) 오대사는 송태종(宋太宗) 때 설거정(薛居正)의 찬(撰)。백오십권(百五十卷)。인종(仁宗) 때 구양수(歐陽修 가 수정(修正)을 가하여、칠십오권(七十五卷)으로 함。이것을 신(新) 오대사라 함。

【五代十二國 오대십이국】후오대(後五代) 때 중국 본토에서 할거(割據)하여 흥망한 열두 나라。곧 전촉(前蜀)·기(岐)·오(吳)·연(燕)·남한(南漢)·남평(南平)·오월(吳越)·초(楚)·민(閩)·남당(南唐)·후촉(後蜀)·북한(北漢)。

【五大洋 오대양】다섯 대양(大洋)。곧 태평양(太平洋)·대서양(大西洋)·인도양(印度洋)·남빙양(南氷洋)·북빙양(北氷洋)。

【五大洲 오대주】전세계의 육지(陸地)를 다섯으로 구분한 이름。곧 아시아주·유럽주·아프리카주·대양주·아메리카주。

【五等 오등】①다섯 등급의 작(爵)。곧 공(公)·후(侯)·백(伯)·자(子)·남(男)。②남편(男便)이 있는 부인(婦人)의 다섯 가지 등급。곧 후(后)·부인(夫人)·유인(孺人)·부인(婦人)·처(妻)。③사망(死亡)을 일컫는 다섯 등급의 말。곧 붕(崩)·훙(薨)·졸(卒)·불록(不祿)·사(死)。

【五等爵 오등작】오작(五爵)。

【五靈 오령】다섯 가지 영물(靈物)。

곤 기린(麒麟)·봉황(鳳凰)·거북(龜)·용(龍)·백호(白虎)。

【五禮 오례】①다섯가지 예(禮)。곧 길례(吉禮)(제사(祭祀))·흉례(凶禮)(상제(喪祭))·빈례(賓禮)(빈객(賓客))·군례(軍禮)(군려(軍旅))·가례(嘉禮)(관혼(冠婚))。②공(公)·후(侯)·백(伯)·자(子)·남(男) 오등제후(五等諸侯)의 예(禮)。

【五倫 오륜】다섯가지의 인륜(人倫)。곧 부자(父子)의 친애(親愛)、군신(君臣)의 의리(義理)、부부(夫婦)의 분별(分別)、장유(長幼)의 차서(次序)、붕우(朋友)의 신의(信義)。친(親)·의(義)·별(別)·서(序)·신(信)。

【五里霧中 오리무중】널리 낀 짙은 안개 속에서 길을 찾아 헤맨다는 뜻。무슨 일에 관하여 알 길이 없거나 마음을 잡지 못하여 허둥지둥함을 이름。

【五味 오미】다섯가지 맛。곧 매운맛·신맛·짠맛·쓴맛·단맛。신(辛)·산(酸)·함(鹹)·고(苦)·감(甘)。

【五美 오미】다섯가지의 미덕(美德)。곧 혜이불비(惠而不費)·노이불원(勞而不怨)·욕이불탐(欲而不貪)·태이불교(泰而不驕)·위이불맹(威而不猛)。

【五民 오민】사(士)·농(農)·공(工)·상(商)·고(賈)。일설(一說)에는 오방(五方)의 백성。

【五方 오방】①동·서·남·북·중앙(中央)。②중국과 사방(四方)에 있는 이적(夷狄)의 나라。

【五百羅漢 오백나한】《佛敎》 오백명의 아라한(阿羅漢)。곧 석가(釋迦)의 사후(死後) 그의 유경(遺經)을 모으기 위하여 모였던 제자들。

【五兵 오병】다섯가지의 무기。과(戈)·수(殳)·극(戟)·추모(酋矛)·이모(夷矛)。또는 궁(弓)·수(殳)·모(矛)·과(戈)·극(戟)。또는 도(刀)·검(劍)·모(矛)·극(戟)·시(矢)。오융(五戎)。

【五福 오복】다섯가지 복(福)。곧 수(壽)·부(富)·강녕(康寧)·유호덕(攸好德)·고종명(考終命)。또는 수(壽)·부(富)·귀(貴)·강녕(康寧)·자손중다(子孫衆多)。

【五父 오부】아버지로서 공경(恭敬)하여야 할 다섯 사람。곧 실부(實父)·양부(養父)·계부(繼父)·의부(義父)·사부(師父)。

【五府 오부】후한(後漢)의 태부(太傅)·태위(太尉)·사도(司徒)·사공(司空)·대장군(大將軍)。

【五部 오부】조선(朝鮮) 때에 서울 안을 나눈 다섯 구획(區劃)。곧 중부(中部)·동부(東部)·서부(西部)·남부(南部)·북부(北部)。

【五不取 오불취】아내로 삼을 수 없는 다섯가지 조건。곧 역가자(逆家子)(반역자를 낸 집 딸)·난가자(亂家子)(가정이 어지러운 집 딸)·세유형인(世有刑人)(대대로 형벌을 받은 집 딸)·세유악질(世有惡疾)(대대로 악질이 있는 집 딸)·상부장녀(喪夫長女)(과부의 맏딸。곧 아비가 없어 멋대로 자란 여자)。

【五士 오사】옛날 민간에서 준재(俊才)를 선발하여 가르치고 업(業)을

마친 뒤에 임관시키는 다섯가지의 사(士). 곧 수사(秀士)·선사(選士)·준사(俊士)·조사(造士)·진사(進士).

【五史 오사】 다섯 사관(史官). 곧 태사(太史)·소사(小史)·내사(內史)·외사(外史)·어사(御史).

【五事 오사】 ①홍범구주(洪範九疇)의 하나. 예절상(禮節上) 다섯가지의 중요한 일. 곧 모(貌)·언(言)·시(視)·청(聽)·사(思). ②세(歲)·월(月)·일(日)·성신(星辰)·역수(曆數). ③병법(兵法)에서 중요한 근본 조건. 곧 도(道)·천(天)·지(地)·장(將)·법(法). ④오기(五紀). ⑤오시(五始). ⑥《佛敎》 일상 생활에 항상 조심하여야 할 다섯가지 일. 곧 심(心)·신(身)·식(息)·면(眠)·식(食).

【五山 오산】 ①다섯의 명산(名山). 곧 화산(華山)·수산(首山)·태실(太室)·대산(岱山)·동래(東萊). ②발해(渤海)의 동쪽에 있는 신선이 산다는 다섯의 산. 곧 대여(代輿)·원교(員嶠)·방호(方壺)·영주(瀛洲)·봉래(蓬萊). ③다섯의 절. 인도에서는 기원정사(祇園精舍)·대림정사(大林精舍)·죽림정사(竹林精舍)·다림정사(誓多林精舍)·나란타사(那蘭陀寺). 중국에서는 경산사(經山寺)·육왕사(育王寺)·천룡사(天龍寺)·영은사(靈隱寺)·정자사(淨慈寺).

【五常 오상】 ①사람으로서 항상 지켜야 할 다섯 가지 도리(道理). 곧 인(仁)·의(義)·예(禮)·지(智)·신(信). 또 부의(父義)·모자(母慈)·형우(兄友)·제공(弟恭)·자효(子孝). ②오륜(五倫). ③《佛敎》 오계(五戒).

【五色玲瓏 오색영롱】 오색이 영롱함. 여러 가지 빛이 한데 섞이어 찬란(燦爛)하게 비침.

【五性 오성】 사람의 다섯 가지 성정(性情). 곧 희(喜)·노(怒)·욕(欲)·구(懼)·우(憂).

【五聖 오성】 ①다섯 성인(聖人). 곧 황제(黃帝)·요(堯)·순(舜)·우(禹)·탕(湯). ②문묘(文廟)에 합사(合祀)하는 공자(孔子)·안자(顔子)·증자(曾子)·자사(子思)·맹자(孟子).

【五細 오세】 다섯 가지 천한 행실이 있는 자. 곧 천(賤)한 자가 귀(貴)한 이를 방해하며, 어린 사람이 어른을 업신여기며, 소원(疏遠)한 사람으로 친한 사이를 갈라 놓으며, 신참(新參)으로서 오래된 사람을 제쳐 놓으며, 작으면서 큰 것을 범하는 자.

【五十步笑百步 오십보소백보】 오십보를 달아난 사람이 백보를 달아난 사람을 보고 웃었는데 실상 도망간 것은 마찬가지라는 뜻으로, 피차(彼此)의 차이(差異)가 그다지 심하지 아니함을 이르는 말. 대동소이(大同小異).

【五十而知四十九年非 오십이지사십구년비】 오늘에야 비로소 전일(前日)의 잘못을 깨달았다는 말.

【五惡 오악】 《佛敎》 오계(五戒)를 지키지 않는 일. 곧 살생(殺生)·투도(偸盜)·사음(邪淫)·망어(妄語)·음

〔二畫部首順〕 二亠人儿入八冂冖冫几凵刀力勹匕匚匸十卜卩厂厶又

주(飮酒)。

【五嶽 오악】 다섯 높은 산(山)。곧 태산(泰山)(동악(東嶽)、산동성(山東省))·화산(華山)(서악(西嶽)、섬서성(陝西省))·형산(衡山)(남악(南嶽)、호남성(湖南省))·항산(恆山)(북악(北嶽)、산서성(山西省))·숭산(嵩山)(중악(中嶽)、직례성(直隷省))。오악(五岳)。

【五眼 오안】《佛敎》 다섯 가지의 눈。곧 육안(肉眼)·천안(天眼)·법안(法眼)·혜안(慧眼)·불안(佛眼)。

【五夜 오야】 밤을 갑(甲)·을(乙)·병(丙)·정(丁)·무(戊)의 다섯으로 구분한 칭호。오경(五更)。

【五言 오언】 ①인(仁)·의(義)·예(禮)·지(智)·신(信)의 오덕(五德)의 말。②한시(漢詩)의 한 체(體)。한 구가 다섯자(字)씩으로 된 것。

【五葉松 오엽송】 잣나무。

【五欲 오욕】 ①이(耳)·목(目)·구(口)·비(鼻)의 욕과 마음의 애정(愛情)의 욕。②《佛敎》 색(色)·성(聲)·향(香)·미(味)·촉(觸)의 다섯 가지의 정욕(情慾)。오진(五塵)。③《佛敎》 재욕(財欲)·색욕(色欲)·음욕(飮欲)·명욕(名欲)·수면욕(睡眠欲)。

【五友 오우】 벗으로 삼을 만한 다섯 가지。①다섯가지 절조(節操) 있는 식물。곧 죽(竹)·매(梅)·난(蘭)·국(菊)·연(蓮)。②다섯 가지 뛰어난 벗。곧 도우(道友)(명월 청풍(明月淸風))·의우(義友)(고금전문(古今典文))·자래우(自來友)(고운야학(孤雲野鶴))·오락우(娛樂友)(괴석유수(怪石流水))·상보우(相保友)(산과상률(山果橡栗))。

【五月爐* 오월로】 필요(必要)는 없어도 없애면 마음에 서운한 물건을 이르는 말。

【五音 오음】 음율(音律)의 기본(基本)이 되는 궁(宮)·상(商)·각(角)·치(徵)·우(羽)의 다섯 음계(音階)。

【五義 오의】 다섯 가지의 중요한 도의(道義)。곧 부의(父義)·모자(母慈)·형우(兄友)·제공(弟恭)·자효(子孝)。

【五日京兆 오일경조】 한(漢)나라 장창(張敞)이 경조윤(京兆尹)에 임명되었다가 며칠 후에 면직된 고사(故事)에서 나온 말로、오래 계속(繼續)하지 못하는 것의 비유로 쓰임。

【五子 오자】 도학(道學)의 정종(正宗)이라고 일컬어지는 다섯 사람의 송유(宋儒)。곧 주돈이(周敦頤)·정호(程顥)·정이(程頤)·장재(張載)·주희(朱熹)。

【五爵 오작】 다섯 등급의 작위(爵位)。곧 공(公)·후(侯)·백(伯)·자(子)·남(男)。오등작(五等爵)。

【五葬 오장】 다섯가지 장사(葬事)。곧 토장(土葬)·수장(水葬)·화장(火葬)·야장(野葬)·임장(林葬)。

【五臟 오장】 폐장(肺臟)(백(魄)을 장(藏)함)·심장(心臟)(정신(精神)을 장(藏)함)·비장(脾臟)(의(意)를 장(藏)함)·간장(肝臟)(혼(魂)을 장(藏)함)·신장(腎臟)(지(志)를 장(藏)함)。오내(五內)。오중(五中)。

【五材 오재】 다섯가지 재료。곧 금(金)·목(木)·수(水)·화(火)·토

(土)。 또는 금(金)·목(木)·피(皮)·옥(玉)·토(土)。

【五絶 오절】 한 구(句)가 다섯자 씩의 절구(絶句)。

【五情 오정】 다섯 가지 감정(感情)。 희(喜)·노(怒)·애(哀)·오(惡)·욕(欲)。 또는 희(喜)·노(怒)·애(哀)·낙(樂)·욕(欲)。

【五帝 오제】 ①삼황(三皇)의 다음으로 대를 이은 다섯 사람의 성천자(聖天子)。 곧 소호(少昊)·전욱(顓頊)·제곡(帝嚳)·요(堯)·순(舜)。 또는 황제(黃帝)·전욱(顓頊)·제곡(帝嚳)·요(堯)·순(舜)。 ②천상(天上)에 있어서 동·서·남·북·중앙의 오방(五方)을 주재(主宰)하는 신(神)。 곧 창제(蒼帝)·적제(赤帝)·황제(黃帝)·백제(白帝)·흑제(黑帝)。

【五宗 오종】 ①고조(高祖)·증조부(曾祖父)·조부(祖父)·자(子)·손(孫)。 ②《佛敎》 대승(大乘)의 다섯 종파(宗派)。곧 천태(天台)·화엄(華嚴)·법상(法相)·삼륜(三輪)·율(律)。

【五采* 오채】 다섯 가지의 채색(彩色)。 곧 청(靑)·황(黃)·적(赤)·백(白)·흑(黑)。 오채(五彩)。

【五體 오체】 ①머리와 수족(手足)。 전(轉)하여 사람의 온 몸。 전신(全身)。 ②근(筋)·맥(脈)·육(肉)·골(骨)·모피(毛皮)의 일컬음。 ③전(篆)·예(隸)·진(眞)·행(行)·초(草)의 다섯 가지 글씨체(體)。

【五畜 오축】 ①다섯 가지 가축(家畜)。 곧 소·양·돼지·닭·개。 ②말·소·양·돼지·개。

【五濁 오탁】 《佛敎》 이 세상의 다섯가지 더러운 것。 곧 겁(劫)·견(見)·명(命)·번뇌(煩惱)·중생(衆生)의 오탁(汚濁)。

【五霸* 오패】 춘추시대(春秋時代)의 제후(諸侯)의 맹주(盟主) 다섯 사람。 곧 제환공(齊桓公)·진문공(晉文公)·진목공(秦穆公)·송양공(宋襄公)·초장왕(楚莊王)。

【五品 오품】 인륜상(人倫上)의 다섯 가지 차별。 곧 부(父)·모(母)·형(兄)·제(弟)·자(子)。

【五風十雨 오풍십우】 닷새만큼 바람이 불고 열흘만큼 비가 온다는 뜻으로、 기후가 아주 고름을 이름。

【五害 오해】 흉년(凶年)의 다섯가지 해(害)。 수해(水害)·한해(旱害)·풍무해(風霧害)·박상해(雹霜害)·여해(厲害)。

【五行 오행】 ①우주간(宇宙間)에 쉬지 않고 운행(運行)하는 다섯 원소(元素)。 곧 금(金)·목(木)·수(水)·화(火)·토(土)。 이 오행의 상생상극(相生相剋)에 의하여 만물이 소장(消長)·생존한다 함。 ②오상(五常)。

【五行相剋* 오행상극】 오행(五行)이 서로 이기는 이치。 곧 목극토(木剋土)·토극수(土剋水)·수극화(水剋火)·화극금(火剋金)·금극목(金剋木)。

【五行相生 오행상생】 오행(五行)이 서로 순환하여 생(生)하여 주는 이치。 곧 목생화(木生火)·화생토(火生土)·토생금(土生金)·금생수(金生水)·수생목(水生木)。

【五胡 오호】 한(漢)·진(晉) 무렵 서

북방에서 중국 본토에 이주한 다섯 민족。 곧 몽고의 흉노(匈奴)·갈(羯)、몽고계와 퉁구스계의 혼혈(混血)인 선비(鮮卑)、 티베트계의 저(氐)·강(羌)。

【五胡十六國 오호십육국】 진(晉)나라 말엽부터 남북조(南北朝) 시대에 이르기까지 오호(五胡)가 세운 열세 나라와 한족(漢族)이 세운 세 나라。 곧 오호(五胡)는 흉노(匈奴)·갈(羯)·선비(鮮卑)·저(氐)·강(羌)、십육국(十六國)은 전조(前趙)·성한(成漢)·후조(後趙)·전량(前涼)·전연(前燕)·전진(前秦)·후연(後燕)·후진(後秦)·서진(西秦)·후량(後涼)·남연(南燕)·서량(西涼)·남량(南涼)·북량(北涼)·대하(大夏)·북연(北燕)。

【五虎將軍 오호장군】 중국 삼국 시대에 촉(蜀)나라 유비(劉備) 막하의 호랑이같이 무서운 다섯 장군(將軍)。 곧 관우(關羽)·장비(張飛)·조운(趙雲)·마초(馬超)·황충(黃忠)。

◉ 端五 단오 三五 삼오 三三五五 삼삼오오

4 **【井】** 2 二 중학 **정** | 우물 | ㊤梗

一 二 キ 井

자원 상형 2500년전

「井」은 우물의 난간을 본뜸。 옛 글자의 가운데 점은 두레박。

뜻 **①우물정** 물을 긷는 설비。「井底蛙정저와」 **②우물난간정** 우물을 둘러 막은 난간(欄干)。 또는 그 형상。 **③정전정** 중국의 고대에 일리(一里) 사방(四方)、 곧 구백묘(九百畝)의 전지(田地)를 정자형(井字形)으로 구등분(九等分)한 것의 일컬음。 **④별이름정** 이십팔수(二十八宿)의 하나。 **⑤정괘정** 육십사괘(六十四卦)의 하나。 곧 ☵☴(손하(巽下)、 감상(坎上))。 통용(通用)하여 변하지 않는 상(象)。 **⑥간반듯할정** 구획이 반듯하여 정제(整齊)한 모양。 질서 정연한 모양。「井然정연」

주의 「丼담」〈우물에 돌이 떨어지는 소리〉과는 딴 글자。

참고 「井」을 음으로 하는 글자=「穽정」〈함정〉·「阱정」〈함정〉

【井間 정간】 바둑판 따위와 같이 종횡으로 여러 줄을 그어 「井」자 모양으로 된 각각의 간살。 사란(絲欄)。

【井臼之役* 정구지역】 물을 긷고 절구질을 하는 일。 전(轉)하여 살림살이의 수고로움을 이름。

【井底蛙* 정저와】 우물 안의 개구리라는 뜻으로、 견문이 좁아 세상 형편을 모르는 사람의 비유로 쓰임。

【井田 정전】 전지(田地) 사방(四方) 일리(一里)의 일컬음。 은(殷)·주(周) 이대(二代)의 전제(田制)로서 구백묘(九百畝)의 전지(田地)를 정자형(井字形)으로 구등분(九等分)해 주위를 여덟 집에 나누어 경작하고 중앙을 공전(公田)으로 하여 여덟 집이 공동으로 경작하여 그 수확을 국가(國家)에 바치었음。

【井井 정정】 ①구획(區劃)이 바른 모양。 또 질서 정연한 모양。 정연(井然)。 ②왕래가 끊이지 않는 모양。 낙역부절(絡繹不絕)한 모양。

◉枯井고정 市井시정 天井천정

【亓】⇩儿部二畫

三畫

【亖】⇩部首

五畫

7
【亜】二5 亞(二部六畫)의 속자(俗字)。

7
【些】二5 **사** ｜적을｜①㊥麻 ②㊤箇

자원 형성 二+此음→些(二부)

「二이」〈둘〉와、음을 나타내는「此차」(사는 변음)로 이루어짐。적다의 뜻。

뜻 ①**적을사** 많지 않음。잔닮。「些少사소」「些事사사」 ②**어조사사** 어세(語勢)를 강하게 하는 조사(助辭)。

【些些 사사】근소함。또 하찮음。

【些事 사사】조그마한 일。하찮은 일。

【些細 사세】약간。근소。또 하찮음。

【些少 사소】약간。근소(僅少)。

六畫

8
【亞】二6 고교 ㊀아 ㊁압 ｜버금｜㊀㊤禡 ㊁㊇洽

一 丁 丆 丙 丙 亞 亞

자원 상형 (古字) 2500년전

「亞」는 고대(古代)의 혈거주택(穴居住宅)의 모양 ✠에서 亞→亞로 된 글자로、본래는 굴곡(屈曲)되다의 뜻이었지만、지금은「아」의 음을 옮기는 데 쓰임。

뜻 ㊀①**버금아** 다음 되는 자리。②**동서아** 동서(同壻) 끼리 서로 부르는 말。婭(女部八畫)와 통용。③**무리아** 동아리。「亞流아류」④**곱사등이아** 타배(駝背)。㊁**누를압** 壓(土部十四畫)과 같은 글자。

참고 「亞」를 음으로 하는 글자 =「啞아」〈벙어리〉·「惡악」〈나쁘다〉·「堊악」〈백토〉

【亞卿 아경】경(卿)의 다음가는 벼슬。

【亞歐* 아구】아세아(亞細亞)와 구라파(歐羅巴)。

【亞流 아류】①동아리。같은 무리。②둘째 가는 사람。③어떤 학설이나 주의(主義)의 뒤를 따르는 사람。

【亞麻 아마】아마과에 속하는 일년초。껍질의 섬유는 피륙을 짜고 씨는 아마인(亞麻仁)이라 하여 기름을 짜며 약재(藥材)로도 쓰임。

【亞麻油 아마유】아마의 씨로 짠 기름。

【亞父 아부】아버지 다음으로 존경하고 친애하는 사람이라는 뜻으로、군주(君主)가 보좌하는 공신(功臣)을 부르는 존칭。특히 초(楚)나라의 항우(項羽)가 그의 신하 범증(范增)을 부르는 말。「칭(異稱)。

【亞相 아상】어사대부(御史大夫)의 이칭(異稱)。

【亞聖 아성】성인(聖人)인 공자(孔子)에 버금 가는 대현인(大賢人)。곧 안연(顏淵) 또는 맹자(孟子)를 일컬음。

【亞細亞 아세아】아시아(Asia)의 음역(音譯)。

【亞子 아자】둘째 아들。차자(次子)。

【亞字欄 아자란】「亞」자 모양으로 짠

〔二畫部首順〕二亠人儿入八冂冖冫几凵刀力勹匕匚匸十卜卩厂厶又

난간。

【亞獻 아헌】 제사(祭祀) 때 초헌(初獻)에 이어 잔을 올리는 일。

◉歐亞구아 東亞동아 流亞유아 姻亞인아

亠部

2 【亠】 수부 두 — 돼지해밑 — ㊥尤

자원 2500년전

「亠」〈돼지해밑〉는 자서(字書)의 편집상(編輯上) 부수(部首)로 되어 있으나, 자획(字畫)을 분류(分類)하는데 편리할 뿐 자모(字母)는 아님。

뜻 두 자의 미상(字義未詳)。

一畫

3 【亡】 1 亠 중학 ㊀망 ㊁무 — 잃을 — ㊀㊥陽 ㊁㊥虞

' 亠 亡

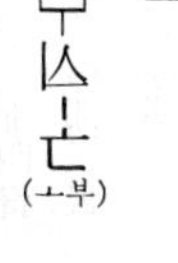

자원 회의 (亠부)

3000년전

「ㄴ」은 그늘을 나타냄。「亡」은 사람이 그늘에 숨다→없어지다→달아나다→잃다의 뜻。

뜻 ㊀①**잃을망** 없어짐。분실(紛失)함。「亡失망실」「亡逸망일」 ②**멸할망** 멸망함。멸망시킴。「亡國망국」 ③**달아날망** 도망함。「亡命망명」 ④**죽을망** 「亡父망부」「亡友망우」 ⑤**죽일망** 살해함。 ⑥**업신여길망** 경멸(輕蔑)함。 ⑦**없을망** ㉠존재하지 아니함。㉡부재(不在)함。 ⑧**잊을망** 忘(心部三畫)과 통용。 ⑨**빠질망** 탐닉(耽溺)함。 ㊁**없을무** 無(火部八畫)와 같은 글자。

참고 「亡」을 음으로 하는 글자＝「忙망」〈바쁘다〉·「忘망」〈잊다〉·「茫망」〈아득하다〉·「望망」〈바라다〉·「芒망」〈까끄라기〉·「鋩망」〈서슬〉·「虻망」〈등에〉·「妄망」〈망녕되다〉·「盲맹」〈장님〉

【亡家 망가】 ①집안을 결딴 냄。집안을 망침。②결딴 난 집。망한 집。

【亡國之民 망국지민】 망하여 없어진 나라의 백성。

【亡國之音 망국지음】 망(亡)한 나라의 음악(音樂)이란 뜻。음란(淫亂)한 음악 또는 애상적(哀傷的)인 음악을 이름。

【亡年交 망년교】 재덕(才德)으로써 사귀어、나이의 장유(長幼)를 가리지 않는 교우(交友)。망년우(亡年友)。

【亡靈 망령】 죽은 사람의 영혼。

【亡虜* 망로】 달아난 포로(捕虜)。

【亡滅 망멸】 망함。멸망(滅亡)。

【亡命 망명】 ①명적(名籍)을 이탈(離脫)하고 달아남。②혁명 또는 그 밖의 이유로 자기 나라에 살지 못하고 타국으로 몸을 피함。

【亡命逃走 망명도주】 망명하여 달아남。

【亡散 망산】 달아나 흩어짐。또 그 사람。

【亡身 망신】 자기의 지위와 명망(名望)을 망침。

【亡失 망실】 잃어버림。

【亡室 망실】죽은 아내。망처(亡妻)。

【亡羊得牛 망양득우】작은 것을 잃고 큰 것을 얻음。작은 손해(損害)를 보고 큰 이익(利益)을 얻음。손해를 본 것이 도리어 이익이 됨。

【亡羊之歎 망양지탄】도망한 양을 쫓는데 갈림길이 많아서 마침내 잃어버리고 탄식하였다는 뜻으로、학문의 길이 다방면이어서 진리를 깨닫기가 어려움을 한탄하는 것을 비유한 말。

【亡運 망운】망(亡)할 운수(運數)。

【亡義 망의】불의(不義)와 같음。

【亡人 망인】①도망한 사람。망명(亡命)한 사람。②죽은 사람。

【亡日 망일】죽은 날。

【亡逸 망일】①망일(亡軼)。산일(散逸)。②달아남。도주함。

【亡者 망자】①죽은 사람。②《佛敎》죽은 사람으로서 아직 성불(成佛)하지 못하고 명도(冥途)에 있는 자。

【亡兆 망조】망(亡)할 징조(徵兆)。

【亡種 망종】아주 몹쓸 놈의 종자。

【亡八 망팔】인(仁)·의(義)·예(禮)·지(智)·효(孝)·제(悌)·충(忠)·신(信)의 여덟 도덕(道德)을 잃었다는 뜻으로、오입장이。또 전(轉)하여 갈봇집을 이름。망팔(忘八)。

【亡魂 망혼】①죽은 사람의 영혼(靈魂)。②혼비백산(魂飛魄散)함。

【亡後 망후】사람이 죽은 뒤。사후(死後)。몰후(歿後)。

◉缺亡 결망 逃亡 도망 滅亡 멸망 散亡 산망 孱亡 순망 往亡 왕망 遺亡 유망 存亡 존망 敗亡 패망 興亡 흥망

二畫

【六】⇨八部二畫

【卞】⇨卜部二畫

【文】⇨部首

三畫

【主】⇨丶部四畫

【市】⇨巾部二畫

【玄】⇨部首

【立】⇨部首

四畫

6 【交】 亠 4 중학 교 — 사귈 — ㊥肴

丶 亠 六 六 亣 交

자원 상형 2500년전

「交」는 발을 교차(交叉)한 자세↓교차하는 일。이 글자에서 「咬교」〈씹다〉·「絞교」〈묶다〉·「鉸교」〈가위〉·「校교」〈학교〉따위의 글자가 됨。

뜻 ①사귈교 교유(交游)함。「交際교제」「交款교관」②합할교 합동함。또 합하는 곳。③섞일교 ㉠섞여짐。「交流교류」㉡참가함。④엇걸릴교 교차함。「交錯교착」⑤엇걸교 교차시킴。⑥오고갈교 왕래함。⑦주고받을교 수수(授受)함。⑧서로교「交互교호」⑨벗교 붕우(朋友)。⑩흘레할교「交尾교미」⑪어름교 달이나 계절이 바뀔 때。⑫옷깃교

참고 「交」를 음으로 하는 글자=「咬교」〈음란한 소리〉·「絞교」〈목매다〉·「効효」〈본받다〉·「校교」〈학교〉·「較교」〈견주다〉·「挍」(校와 같은 글자)·「郊교」〈성밖〉·「狡교」〈간교하다〉·「蛟교」〈교룡〉·「餃교」〈경단〉

【交感 교감】 서로 접촉되어 감응(感應)함。

【交契 교계】 교분(交分)。

【交代 교대】 갈마듦。 교체(交替)。

【交流 교류】 ①근원을 달리한 물이 서로 만나서 흐름。 ②강도(強度)와 방향이 일정한 시간을 주기(周期)로 하여 반대로 변하는 전류(電流)。

【交鄰 교린】 이웃 나라와의 교제。

【交尾 교미】 흘레。

【交配 교배】 종류가 다른 자웅(雌雄)의 배합(配合)。

【交番 교번】 번을 갈아듦。 체번(遞番)。 윤번(輪番)。

【交付 교부】 내어 줌。 내리어 줌。

【交分 교분】 친구(親舊) 사이의 정의(情誼)。 교계(交契)。 교의(交誼)。

【交涉 교섭】 ①서로 의논하여 일을 처결함。 절충함。 ②관계함。

【交易 교역】 ①물건을 서로 팔고 사고 하여 바꿈。 거래(去來)를 함。 교무(交貿)。 ②왕래(往來)。

【交友 교우】 ①벗。 친구(親舊)。 ②벗을 사귐。 친구와 교제(交際)함。

【交遊 교유】 ①사귀어 놂。 교제(交際)하여 왕래(往來)함。 ②교우(交友)。

【交引 교인】 송대(宋代)에 쓰이던 어음의 한가지。

【交戰 교전】 서로 싸움。 교병(交兵)。 교봉(交鋒)。 교화(交火)。

【交絶不出惡聲 교절불출악성】 절교는 하여도 상대방을 욕하지 아니함。

【交點 교점】 교차점(交叉點)。

【交接 교접】 ①서로 접촉함。 사귐。 교유(交遊)。 ②성교(性交)。

【交情 교정】 사귄 정(情)。 우정(友情)。

【交際 교제】 ①예물(禮物)을 증답(贈答)하고 사귐。 ②교유(交遊)。

【交織 교직】 명주실로 날을 삼고 무명실로 씨를 삼아 짠 피륙。 또는 두 가지 이상의 실을 섞어서 짠 피륙。

【交叉* 교차】 종횡(縱橫)으로 엇걸림。

【交錯 교착】 서로 뒤섞이어 엇걸림。 또 뒤섞이어 혼잡함。

【交窓 교창】 창살을 「井정」자 모양으로 짜지 않고 「爻효」자 모양으로 짠 창。

【交替 교체】 갈마듦。 교질(交迭)。

【交通 교통】 ①서로 오고 가는 일。 내왕(來往)。 ②섞어 통하게 함。 ③사람의 왕복、 화물의 운반、 의사(意思)의 전달 등의 총칭。

【交合 교합】 성교(性交)。

【交響樂 교향악】 교향악·교향시 등 관현악(管絃樂)을 위하여 만든 음악의 총칭。 보통 네 악장(樂章)으로 되었음。 심포니。

【交互 교호】 ①서로 어긋매낌。 ②번갈아듦。 교대함。 교대(交代)。

【交換 교환】 ①서로 바꿈。 ②서로 주고받음。 증답(贈答)함。

【交歡 교환】 서로 사이 좋게 사귀며 즐김。 교환(交驩)。

◉管鮑之交관포지교 舊交구교 國交국교 金蘭之交금란지교 金石之交금석지교 斷金之交단금지교 莫逆之交막역지교 亡年之交망년지교 面交면교 貧賤之交빈천지교 一面之交일면지교 絶交절교

교 青雲之交청운지교 親交친교 布衣之交포의지교

6 【亥】亠4 중학 해 — 열두째지지 — ㊤賄

丶 亠 亡 亥 亥 亥

자원 상형 [古字形]

돼지의 모양을 본뜸. 본디 「豕시」와 같음. 나중에 구별하여 씀.

뜻 **열두째지지해** 십이지(十二支)의 끝. 시간(時間)으로는 오후 아홉 시부터 열한 시까지의 사이. 방위(方位)로는 술(戌)과 자(子) 사이, 곧 서북(西北)과 북(北)과의 사이. 달로는 음력 시월의 일컬음. 때로는 돼지.

참고 「亥」를 음으로 하는 글자=「咳해」〈기침〉·「欬해」〈기침〉·「骸해」〈뼈〉·「劾핵」〈캐묻다〉·「該해」〈갖추다〉·「駭해」〈놀라다〉·「核핵」〈씨〉

6 【亦】亠4 중학 ㊀ **역** ㊁ **혁**(역㊍) — 또한 — ㊀㊁ ㊇陌

丶 亠 亣 亣 亦 亦

자원 회의 大 八 亦(亠부)

「大대」는 사람 모양. 「八팔」은 겨드랑이 밑을 나타냄. 「腋액」의 본디 글자. 음을 빌어 「…도 또한」이란 뜻의 어조사(語助辭)로 씀.

뜻 ㊀ ①**또한역** ㉠이것도 저것도 마찬가지로. ㉡又(部首)와 뜻이 비슷하나 별뜻 없이 가볍게 첨가하여 쓰는 말. ②**모두역** 總(糸部十一畫)과 뜻이 같음. ㊁**클혁** 奕(大部六畫)의 옛글자. ※본음(本音) **역**.

참고 「亦」을 음으로 하는 글자=「奕혁」〈크다〉·「迹적」〈자취〉·「跡적」〈자취〉

【亦是 역시】 또한. 마찬가지로.

【衣】 ⇩部首

五畫

7 【亨】亠5 고교 ㊀ **형** ㊁ **향** ㊂ **팽** — 형통할 — ㊀㊥庚 ㊁㊤養 ㊂㊥陽

丶 亠 亡 古 亨 亨

자원 상형 [古字形]

정자(正字)는 「亯」. 거리를 둘러싼 성벽(城壁) 위의 높은 건물(建物)을 나타냄. 「亯」이 나중에 「亨」 「享향」으로 쓰임. 형통하다의 뜻에 빌어 쓰임.

뜻 ㊀**형통할형** 뜻과 같이 잘 됨. 아무 지장 없이 잘 되어 나감. ㊁**드릴향** 享(亠部六畫)과 통용. ㊂**삶을팽** 烹(火部七畫)과 같은 글자.

주의 ①「亨」은 속자(俗字). ②「亨」과 「享」은 본래 같은 글자. 지금은 딴 글자로 침.

참고 「亨」을 음으로 하는 글자=「烹팽」〈삶다〉

【亨通 형통】 모든 일이 뜻과 같이 됨.

【辛】 ⇩部首

六畫

8 【享】亠6 고교 **향** — 드릴 — ㊤養

亠 亠 亡 古 亨 亨 享

자원 상형 「享」은 성벽(城壁) 위에 서 있는 높은 집을 나타낸 부터, →→→→享으로 변한 글자. 지금은 음을 빌어 쓰여지고 있을 뿐.

뜻 ①드릴향 진헌(進獻)함. ②제사지낼향 제사를 드림. 「享祀향사」 ③잔치할향 잔치를 베풂. ④흠향할향 제사를 받음. ⑤누릴향 차지함. 「享有향유」 ⑥잔치향 연향(宴饗).

주의 본래 「亨형」과 같은 글자.

참고 「享」에는 세 가지가 있음. 「郭곽」〈발재〉·「椁곽」〈덧널〉 등의 「享」은 「𩫏곽」〈측량하다〉, 「淳순」〈순박하다〉·「惇도」〈두텁다〉·「諄순」〈돕다〉·「鶉순」〈메추라기〉 등의 「享」은 「𦎧순」〈흠씬 삶다〉, 또 「享」〈누리다〉의 「享」은 「亨형」〈형통하다〉의 한 체(體)로서 「亯」임.

【享年 향년】 ①이 세상에 존속(存續)함. 이 세상에 생존(生存)함. ②한평생에 누린 나이. 행년(行年).

【享樂 향락】 즐거움을 누림.

【享福 향복】 복(福)을 누림.

【享祀 향사】 제사(祭祀). 향제(享祭).

【享受 향수】 받아 누림.

【享壽 향수】 오래 사는 복(福)을 누림. 장수(長壽)함. 「지님.

【享有 향유】 누리어 가짐. 몸에 받아

◉ 來享내향 大享대향 配享배향

8 【京】 6 亠 중학 ㊀경 ㊁원 서울 ㊀①-⑤㊥庚 ⑥⑦㊥陽 ㊁㊥元

丶 亠 亠 亡 古 亨 京

京

자원 상형 3000년전 「京」은 흙을 쌓아서 궁전(宮殿)을 세운 모양. 옛날에는 높은 곳에 신을 모시고 그 둘레에 사람들이 살았음. 나중에 서울의 뜻으로 씀.

뜻 ㊀①서울경 수도(首都). 「京師경사」 ②언덕경 높은 언덕. ③클경 「京觀경관」 ④천만경 조(兆)의 십배. 또 조(兆)의 만배. ⑤고래경 鯨(魚部八畫)과 같은 글자. ⑥가지런할경 ⑦근심할경 걱정함. ㊁언덕원 原(厂部八畫)과 통용.

주의 「京」은 속자(俗字).

참고 「京」을 음으로 하는 글자=「景경」〈경치〉·「鯨경」〈고래〉·「黥경」〈자자〉 「涼량」〈서늘하다〉·「諒량」〈진실〉·「掠략」〈노략질하다〉

【京官 경관】 서울에서 근무하는 관원.

【京郊 경교】 서울의 교외(郊外).

【京劇 경극】 북경(北京)의 극(劇)이란 뜻으로, 청(淸)나라 때에 시작된 중국의 구극(舊劇). 경희(京戲).

【京畿 경기】 서울을 중심으로 한 가까운 지역(地域). 전(轉)하여 경사(京師). 서울.

【京洛 경락】 경사(京師).

【京師 경사】 경(京)은 대(大), 사(師)는 중(衆), 곧 대중(大衆)이 사는 곳이라는 뜻. 임금의 궁성(宮城)이 있는 곳.

【京城 경성】 ①궁성(宮城). 대궐. 전(轉)하여 경사(京師). ②(韓) 우리나라의 수도(首都) 서울의 옛 이름.

【京樣 경양】 서울의 풍속。또 서울티。
【京兆尹＊경조윤】 경사(京師)의 태수(太守)。수도(首都)의 장관(長官)。
【京鄉 경향】 서울과 시골。
◉九京구경 舊京구경 三京삼경 上京상경 離京이경 出京출경 皇京황경

【夜】 ⇩夕部五畫

七畫

9 **【亭】** 亠 7 고교 **정** ―주막집― ㊥青

丶 亠 亠 亠 古 古 亯 亯 亭

자원 형성 丁음 高-亭 丁亭(亠부) 2500년전

「高고」의 생략형 「高」(㐭은 건물의 모양)와、음과 함께 멈추다의 뜻(⇩停정)을 나타내기 위한 「丁정」으로 이루어짐。머물러 쉬는 건물의 뜻。

뜻 ①**주막집정** 여인숙。여관(旅館)。②**역말정** 역참(驛站)。또 역참이 있는 곳。「驛亭역정」「郵亭우정」 ③**정자정** 경치가 좋은 곳에 놀려고 지은 집。「園亭원정」 ④**기를정** 화육(化育)함。⑤**평평하게할정** ㉠평탄하게 함。㉡공평하게 처리함。⑥**고를정** 조화(調和)됨。⑦**곧을정** 바름。⑧**이를정** 어느 시간에 이름。⑨**머무를정** 停(人部九畫)과 같은 글자。⑩**우뚝솟을정** 「亭亭長松정정장송」

주의 「亭정」은 속자(俗字)。

참고 「亭」을 음으로 하는 글자=「停정」〈머무르다〉·「渟정」〈괴다〉

【亭然 정연】 우뚝 솟은 모양。
【亭子 정자】 산수(山水)가 좋은 곳에 놀기 위하여 지은 집。정각(亭閣)。
◉客亭객정 官亭관정 旗亭기정 旅亭여정 郵亭우정

9 **【亮】** 亠 7 **량** ―밝을― ㊤漾

자원 회의 高-亭 丁亮(亠부) 儿

「儿어진사람인 받침」과 「高고」의 생략형 「高」로 이루어짐。「儿」은 사람。사람이 높은 곳에 있으면 뚜렷이 보이므로 밝다는 뜻。또 고명(高明)한 인사는 남을 보좌할 수 있으므로、전하여 돕다의 뜻。

뜻 ①**밝을량** 「亮月양월」「亮察양찰」 ②**도울량** 익찬(翊贊)함。③**미쁠량** 신의(信義)가 있음。④**참으로량** 진실로。

주의 ①「高고」〈높다〉는 딴 글자。②「亮」「亮」은 속자(俗字)。

【亮達 양달】 총명(聰明)하여 사리(事理)에 통달(通達)함。명달(明達)。
【亮節 양절】 깨끗한 절개(節介)。
【亮察 양찰】 남의 사정을 잘 살펴 줌。동정(同情)함。명감(明鑒)。
◉高亮고량 明亮명량 翼亮익량 直亮직량 清亮청량 忠亮충량

9 **【京】** 亠 7 京(亠部六畫)의 속자(俗字)。

【哀】 ⇩口部六畫

八畫

【高】 ⇩部首

【畝】 ⇩田部五畫

十二畫

【齊】 ⇩部首

人(亻)部

2 **【人】** 부수 중학 **인** | 사람 | ㊥眞

(A) (B) (C) (D) 3000년 전

자원 상형

「人」은 사람이 옆을 본 모양。 옛날에는 사람을 나타내는 글자를 여러 가지 모양으로 썼으나 뜻의 구별은 없었음。 나중에 왼쪽을 본 Ⓐ는 「人」、 오른쪽을 본 Ⓑ는 「匕비」、 그것의 거꾸로 된 모양은 「七화」、 앞을 보는 Ⓒ는 「大대」、 무릎꿇는 모양 Ⓓ는 「卩절」로 나누어졌음。 이 밖에 「立립」 「從종」 「比비」 「衆중」 따위 사람의 모양에서 생긴 글자가 많음。

뜻 ①**사람인** ㉠인간。 「人生인생」 ㉡백성。 신민(臣民)。 「人民인민」 ㉢어떤 사람。 ㉣제 구실을 하는 사람。 ㉤뛰어난 사람。 현인(賢人)。 「無人무인」 ㉥인품。 성질。 「爲人위인」 ㉦사람의 모양으로 만든 상(像)。 「金人금인」 ㉧사람을 세는 수사(數詞)。 「五人오인」 「三人삼인」 ㉨사람이 하는 일。 하늘이 하는 일인 자연에 대하여 부자연을 이름。 ②**사람마다인** 매인(每人)。 매인이。 「家給人足가급인족」 ③**남인** 타인(他人)。

【人家 인가】 사람이 사는 집。

【人各有能有不能 인각유능유불능】 사람은 각기 재능이 달라 능한 일과 능치 못한 일이 있음。

【人間 인간】 ①사람。 ②세상(世上)。 속세(俗世)。

【人間萬事塞翁馬 인간만사새옹마】 인생(人生)의 화복(禍福)이 전변무상(轉變無常)함을 이름。

【人間行路難 인간행로난】 사람의 세상 살아나가기가 어려움을 이름。

【人皆有一癖* 인개유일벽】 사람은 누구든지 한 가지 버릇은 가지고 있음。

【人傑 인걸】 걸출(傑出)한 인재(人材)。 「걸물(傑物)。

【人格 인격】 ①사람의 품격(品格)。 ②도덕적 행위의 주체(主體)로서의 개인。

【人絹 인견】 인조견(人造絹)。

【人境 인경】 사람이 사는 곳。 곧 이 「세상。

【人界 이계】 이 세상。 인간계(人間界)。

【人工 인공】 사람이 하는 일。 사람이 자연(自然)에 가공(加工)하는 일。 인위(人爲)。

【人口 인구】 ①어떠한 지역(地域) 안에 사는 사람의 수효。 ②여러 사람의 입길。 세평(世評)。

【人權 인권】 사람이 사람으로서 당연히 가지는 기본적인 권리。 곧 사람의 자유와 평등의 권리。

【人乃天 인내천】 천도교(天道敎)의 사람이 한울을 믿어 종내(終乃)는 하나가 되는 지경(地境)에 이른다는 교리(敎理)。

【人德 인덕】 남의 도움을 많이 받는 복(福)。

【人道 인도】 ①사람이 행하여야 할 도덕。인륜(人倫)。②세상 사람의 인정(人情)。세정(世情)。③인류 생존(人類生存)의 길。④부부간(夫婦間)의 성교(性交)。⑤사람이 다니는 길。

【人力車 인력거】 사람을 태우고 사람이 끄는 두 바퀴 달린 수레。

【人類 인류】 사람을 다른 생물과 구별하여 일컫는 말。

【人倫 인륜】 ①사람과 사람과의 관계에 있어서의 도의적인 일정한 질서。②사람。인류(人類)。③인물(人物)을 비평(批評)하는 일。인물평。

【人里 인리】 사람이 많이 사는 동네。

【人莫知其子惡 인막지기자악】 사람은 애정(愛情)에 눈이 빠지어 아들이 악하여도 악한 줄 모름。

【人萬物之靈 인만물지령】 사람은 만물의 영장(靈長)임。

【人望 인망】 ①사람들이 모두 바라는 것。②세상 사람이 존경하고 신뢰하는 덕망(德望)。

【人面獸心 인면수심】 얼굴은 사람이나 마음은 짐승과 다름이 없음。곧 남의 은혜(恩惠)를 모르는 사람 또는 행동이 흉악(凶惡)한 사람을 욕하는 말。

【人命在天 인명재천】 사람의 수명(壽命)은 하늘에 달려 있음。

【人文 인문】 ①인류 사회(人類社會)의 문화(文化)。②인물(人物)과 문물(文物)。

【人物 인물】 ①사람。②사람의 됨됨이。인격(人格)。인품(人品)。③뛰어난 사람。인재(人材)。④사람과 물건。⑤사람의 허울。모습。

【人民 인민】 백성。창생(蒼生)。

【人糞* 인분】 사람의 똥。

【人非木石 인비목석】 사람은 목석(木石)과 달라서 인정(人情)이 있음。

【人士 인사】 교양(敎養) 또는 지위가 있는 사람。신분이 좋은 사람。

【人事 인사】 ①사람의 하는 일。②세상일。세태(世態)。③남에게 보내는 예물(禮物)。④개인의 신분(身分)과 능력(能力)에 관계되는 일。⑤알지 못하던 사람끼리 서로 성명을 통함。⑥안부(安否)를 묻고 동작(動作)으로 예(禮)를 표함。⑦사람 사이에 지켜야 할 언행。

【人事蓋棺定* 인사개관정】 사람의 행한 일의 시비선악(是非善惡)은、그 사람이 죽은 뒤에야 비로소 그 진가(眞價)가 가려진다는 뜻。

【人事不省 인사불성】 ①중병(重病)이나 중상(重傷) 등에 의하여 의식(意識)을 잃고 인사(人事)를 모름。②사람으로서 지킬 예절(禮節)을 차릴 줄 모름。

【人山人海 인산인해】 사람으로 이룬 산과 바다란 뜻으로、사람이 몹시 많이 모여 있음을 이르는 말。

【人蔘* 인삼】 오갈피나무과(科)에 속하는 숙근초(宿根草)。뿌리는 황백색의 인형(人形)으로 생겼는데、강장제(强壯劑)로 유명함。

【人相 인상】 사람의 얼굴 모양。용모。

【人生 인생】 ①사람。②사람의 목숨。
사람의 생존。③사람이 세상에서

〔二畫部首順〕 二亠人儿入八冂冖冫几凵刀力勹匕匚匸十卜卩厂厶又

사는 동안。
【人生感意氣 인생감의기】 사람은 남과 의기가 상투(相投)하면 감격하여 생명까지도 희생(犧牲)하기를 아끼지 아니함。
【人生觀 인생관】 인생의 목적(目的)·가치(價値) 등에 관하여 가지는 견해。
【人生如朝露 인생여조로】 인생의 무상(無常)함은 아침 이슬이 사라지는 것 같음。
【人生如風燈 인생여풍등】 사람의 목숨은 풍전등화(風前燈火)와 같아서 내일을 기약(期約)할 수 없다는 뜻。
【人生七十古來稀 인생칠십고래희】 인생은 짧은 것으로 칠십까지 사는 자는 옛날부터 드물다는 말。 당(唐)나라 시인(詩人) 두보(杜甫)의 곡강시(曲江詩)의 한 글귀。
【人選 인선】 사람을 가리어 뽑음。
【人性 인성】 사람의 성품。
【人世 인세】 세상(世上)。
【人臣 인신】 신하(臣下)。
【人身 인신】 ①사람의 몸。 ②남의 신분(身分)。
【人身賣買 인신매매】 사람을 짐승과 같이 팔고 사는 일。
【人心 인심】 ①사람의 마음。 ②백성의 마음。 ③사람의 물욕(物欲)에서 나오는 마음。 사심(私心)。
【人心難測 인심난측】 사람의 마음은 헤아리기 어려움。
【人心世態 인심세태】 인심(人心)과 세상의 형편。
【人言 인언】 ①사람의 말。 사람이 하는 말。 인어(人語)。 ②남의 말。 남의 평판。
【人烟* 인연】 사람의 집에서 불땔 때 나는 연기(烟氣)。 전(轉)하여 인가(人家)。
【人煙 인연】 인연(人烟)。
【人影 인영】 사람의 그림자。
【人員 인원】 ①사람의 수효。 ②단체(團體)를 이룬 여러 사람。
【人爲 인위】 사람이 하는 일。 사람의 행위。
【人子 인자】 사람의 아들。
【人才 인재】 재능(才能)이 있는 사람。
【人材 인재】 인재(人才)。
【人跡 인적】 사람의 발자취。 사람의 왕래。
【人迹不到處* 인적부도처】 인적(人跡)이 이르지 아니한 곳。
【人定 인정】 사람이 자는 시각(時刻)。 곧 오후(午後) 열 시경。
【人情 인정】 ①사람의 정욕(情慾)。 ②세상 사람의 마음。 민심(民心)。 ③선물(膳物)。 ④남을 동정(同情)하는 따뜻한 마음。
【人造 인조】 사람의 힘으로 만듦。
【人造絹 인조견】 인조(人造) 섬유소(纖維素)로 천연 비단처럼 짠 피륙。
【人種 인종】 ①사람의 씨。 ②인류(人類)의 종별(種別)。
【人中 인중】 코와 윗입술 사이에 우묵하게 들어간 곳。
【人智 인지】 사람의 슬기。 사람의 지능(智能)。
【人之常情 인지상정】 사람의 보편적(普遍的)인 인정(人情)。
【人體 인체】 사람의 신체。 몸。
【人總 인총】 인구(人口)❶。
【人畜 인축】 사람과 가축(家畜)。
【人波 인파】 많이 모인 사람의 동작이 물결처럼 보이는 상태(狀態)。
【人品 인품】 ①사람의 품격(品格)。 ②용모(容貌)。 외모。
【人形 인형】 ①사람의 형상(形像)。

②사람의 형상(形像)과 같이 만든 물건。

【人和 인화】 인심(人心)이 화합(和合)함。마음이 서로 맞음。

◉佳人가인 歌人가인 個人개인 巨人거인 故人고인 公人공인 寡人과인 軍人군인 宮人궁인 奇人기인 南人남인 達人달인 大人대인 道人도인 同人동인 東人동인 萬人만인 亡人망인 盲人맹인 武人무인 文人문인 未亡人미망인 美人미인 傍若無人방약무인 凡人범인 病人병인 卜人복인 本人본인 夫人부인 婦人부인 中人중인 私人사인 山人산인 散人산인 殺人살인 商人상인 常人상인 西人서인 仙人선인 先人선인 善人선인 成人성인 聖人성인 世人세인 小人소인 俗人속인 囚人수인 時人시인 詩人시인 惡人악인 樂人악인 愛人애인 野人야인 女人여인 旅人여인 麗人여인 藝人예인 吾人오인 外人외인 要人요인 友人우인 偉人위인 義人의인 二人이인 異人이인 逸人일인 丈人장인 才人재인 全人전인 罪人죄인 主人주인 竹夫人죽부인 中人중인 衆人중인 證人증인 知人지인 哲人철인 他人타인 廢人폐인 風流人풍류인 下人하인 行人행인 賢人현인

2 **【亻】** 人 0 人(앞글자)자가 변으로 올 때의 자체(字體)。

二畫

4 **【今】** 人 2 중학 **금** 이제 ㊥侵

丿 人 亼 今

자원 상형 [字形] 3000년전 [字形](A) [字形](B) 2500년전

「今」의 옛 자형(字形)은 「亼집」〈모으다〉을 조금 변경시킨 것인데 「一일」을 더하여 한곳에 모으다, 또는 덮다, 포함하다 따위의 뜻을 나타냄。또 옛 음은 「及급」「急급」과 관계가 깊기 때문에 쫓아 가서 앞서 가는 사람을 따라붙다→닿다→…이 되다→지금의 뜻으로 쓰게 되었음。

뜻 ①**이제금** ㉠지금。현재。「去來今거래금」 ㉡발어(發語)의 조사(助辭)。「今夫금부」 ㉢지금 세상。현대。㉣오늘。금일。「今夕금석」 ②현 **곧금** 바로。「今時금시」「方今방금」

주의 「今」은 속자(俗字)。

참고 「今」을 음으로 하는 글자=「衾금」〈이불〉·「禽금」〈짐승〉·「琴금」〈거문고〉·「金금」〈쇠〉·「擒금」〈사로잡다〉·「矜긍」〈창자루〉·「吟음」〈읊다〉·「岑잠」〈봉우리〉·「含함」〈머금다〉·「頷함」〈턱〉·「念념」〈생각〉·「貪탐」〈탐하다〉·「黔검」〈검다〉·「陰음」〈음기〉

【今古 금고】 지금과 예。금석(今昔)。

【今代 금대】 지금의 시대(時代)。현대。

【今冬 금동】 올 겨울。

【今明間 금명간】 오늘 내일 사이。

【今文 금문】 현대의 문자(文字)。

【今方 금방】 이제 곧。바로 이제。

【今上 금상】 현재의 천자(天子)。

【今生 금생】 ①지금 세상。②살고 있는 동안。생존 중(生存中)。

【今昔之感 금석지감】 이제와 예가 너무도 틀림을 보고 받는 깊은 느낌。

【今夕何夕 금석하석】 오늘 밤은 얼마나 좋은 밤인가。

【今世 금세】 지금 세상。당세(當世)。현세(現世)。현대(現代)。

【今歲 금세】금년(今年)。

【今時 금시】 지금。

【今時發福 금시발복】 당장에 부귀를 누리게 됨。

【今時初聞 금시초문】 이제야 처음으로 들음。

【今也 금야】 지금。 오늘。

【今夜 금야】 오늘 밤。 금석(今夕)。

【今如古 금여고】 예나 이제나 같음。

【今月 금월】 이 달。 당월(當月)。

【今人 금인】 지금 세상의 사람。 지금 생존하고 있는 사람。

【今日 금일】 ①오늘。 ②지금。

【今日之顔子 금일지안자】 지금 세상의 안회(顔回)라는 뜻으로、 어진 사람을 칭찬하는 말。

【今者 금자】 지금。 요즈음。 근자。

【今朝 금조】 오늘 아침。

【今週 금주】 이 주일(週日)。

【今體 금체】 현대의 체재。 현대의 양식。

【今秋 금추】 올 가을。

【今春 금춘】 올 봄。

【今夏 금하】 올 여름。

【今回 금회】 이 번。

【今後 금후】 이 뒤。

◉古今고금 當今당금 方今방금 如今여금 自今자금 昨今작금 即今즉금 現今현금

4 【介】 人 2 고교 개 | 낄 | ㊀卦

ノ 人 介 介

자원 회의 八 人 介(人부) 「人인」과 물건을 나누다의 뜻인「八팔」로 이루어짐。 사람이 물건을 양쪽으로 나누다。 또는 나누어진 것。

뜻 ①**낄개** 사이에 낌。 「介在개재」「介入개입」 ②**격할개** 격리(隔離)함。 ③**도울개** 「介佐개좌」「介輔개보」 ④**클개** 큼。 또 크게 함。 「介福개복」 ⑤**작을개** ⑥**인**(因)**할개** 의뢰함。 의지함。 ⑦**소개할개** 「介紹개소」「紹介소개」「媒介매개」 또 소개하는 사람 중간에 든 사람。 ⑧**버금개** ㉠다음가는 차례。 「介卿개경」「介貳개이」 ㉡또 그 사람。 ⑨**모실개** ⑩**홀로개** 고독(孤獨)。 「介特개특」「介獨개독」 ⑪**굳을개** 견고함。 「介石개석」 ⑫**묵을개** 유숙함。 ⑬**절개개** 절조(節操)。 지조(志操)。 「狷介견개」 ⑭**갑옷개** 싸움을 싸울 때 입는 옷。 「介胄개주」「介士개사」 ⑮**갑옷입을개** ⑯**딱지개** 갑각(甲殼)。 또 갑각류의 동물。 「介蟲개충」「介鱗개린」。 ⑰**가개** 변두리。 ⑱**상고대개** 나무나 풀에 내려 눈같이 된 서리。 수빙(樹氷)。 ⑲**쓰레기개** 진개(塵介)。 芥(艸部四畫)와 통용。

참고 「介」를 음으로 하는 글자=「芥개」〈겨자〉·「疥개」〈옴〉·「界계」〈지경〉·「堺계」〈界의 속자〉

【介殼* 개각】 패각(貝殼)。 갑각(甲殼)。

【介甲 개갑】 ①갑옷。 ②게나 거북의 딱딱한 껍데기。

【介潔 개결】 성질이 단단하고 깨끗함。

【介立 개립】 ①홀로 섬。 고립무원(孤立無援)。 독립(獨立)。 ②굳게 절개를 지킴。

【介意 개의】 마음에 둠。 걱정이 됨。

【介入 개입】 끼어 들어감。

【介之推 개지추】 춘추시대(春秋時代)의 사람。 개자추(介子推)라고도 함。 진문공(晉文公)을 따라 망명(亡命)하기 십구년(十九年)。

【介在 개재】 끼어 있음。

◉剛介강개 媒介매개 纖介섬개 紹介소개 魚介어개 鱗介인개 一介일개 節介절개

【仁】 4 人 2 중학 **인** | 어질 | (平)眞

ノ 亻 仁 仁

자원 형성 二(음) 人―亻┬仁 (人부)

음을 나타내는 「二이」〈인은 변음〉는 수의 둘。「仁」은 두 사람→사람과 사람이 친밀히 하는 일。 나중에 공자(孔子)가 특히 「仁」을 도덕의 중심으로 삼은 후로는 자기에게는 엄하게 하지만 남에게는 어질게 하는 정신을 「仁」이라고 설명함。

(A) 3000년전　(B)　(C) 2000년전

옛 모양(A)는 두 사람。(B)는 「尸시」와 「二」。「尸」는 「人인」과 같음。(C)는 「千천」과 「心심」。

뜻 ①**어질인, 어짊인** ㉠애정。 동정。 친애(親愛)。「仁愛인애」 ㉡특히 유교(儒敎)에서는 인도(人道)의 극치(極致) 또는 도덕의 지선(至善)을 이름。「仁義인의」 또 ㉢어진 풍속。 인정이 두터운 풍속。 ②**어진이인** 유덕(有德)한 사람。 ③**자네인** 친애하는 사람의 호칭(呼稱)。 ④**사람인** 人(部首)과 같은 글자。 ⑤**씨인** 핵과(核果)의 씨。「桃仁도인」 ⑥**사랑할인** 친애(親愛)함。 ⑦**불쌍히여길인** 가련하게 여겨 동정함。

【仁德 인덕】 어진 덕(德)。 인자하여 동정심이 많은 덕。

【仁善 인선】 어질고 착함。 인휘(仁徽)。

【仁聖 인성】 재덕(才德)이 아주 뛰어난 사람。

【仁壽 인수】 인덕이 있고 수명이 긺。

【仁順 인순】 어질고 순(順)함。

【仁術 인술】 ①인덕(仁德)을 베푸는 방법。 ②의술(醫術)。

【仁心 인심】 인자(仁慈)한 마음。 어진 마음。

【仁愛 인애】 자애(慈愛)。

【仁勇 인용】 인자하고 용감함。

【仁育 인육】 사랑하여 기름。

【仁義 인의】 인(仁)과 의(義)。 박애(博愛)와 정의(正義)。

【仁義禮智信 인의예지신】 사람의 마음에 선천적으로 갖춘 인(仁)과 의(義)와 예(禮)와 지(智)와 신(信)의 오상(五常)。

【仁者 인자】 ①어진 사람。 ②사람으로서의 도(道)를 완전히 갖춘 사람。 인인(仁人)。

【仁慈 인자】 인후(仁厚)하고 자애(慈愛)로움。

【仁者無敵 인자무적】 어진 사람은 모든 사람이 그를 따르므로 천하에 적이 없음。

【仁者不憂 인자불우】 어진 사람은 안빈낙도(安貧樂道)하므로 마음에 걱정이 없음。

【仁者樂山 인자요산】 어진 사람은 모든 일을 도의(道義)에 따라서 하여、 행동이 신중하기가 태산(泰山) 같으므로 산을 좋아함。

【仁政 인정】 어진 정사(政事)。

【仁智 인지】 ①인자스럽고 슬기가 있음。 또 인자한 마음과 슬기。 ②산과 물、 곧 산수(山水)를 이름。

【仁賢 인현】 ①인자(仁慈)하고 현명함。 ②인자(仁者)와 현자(賢者)。

【仁俠* 인협】 인정이 많고 협기(俠

氣)가 있음。

【仁兄 인형】 친구(親舊)의 존칭。

【仁厚 인후】 어질고 후덕(厚德)함。

◉寬仁관인 能仁능인 輔仁보인 不仁불인 殺身成仁살신성인 宋襄之仁송양지인 以友輔仁이우보인 一視同仁일시동인

4 【仏】人 2 佛(人部五畫)의 옛 글자

【化】⇩匕部二畫

三畫

5 【令】人 3 중학 **령** ─하여금─ ①-④㊥庚 ⑤-⑩㊟敬

ノ 𠆢 亼 今 令

자원 회의 亼+卩→令 (人부) 3000년전

「亼집」은 集집과 같아 모으다→모임。「卩병부절」은 여기에서는 무릎 꿇고 있는 사람의 모양→복종하는 일。「令령」은 신이나 높은 사람이、모인 사람들에게 분부하여 복종시키는 일。분부는 입으로 하므로 나중에 「命명」이라 쓰고 합하여 명령이라는 말이 생겼음。「令령」은 또 명령하는 사람→장관(長官)이라는 뜻이나 「…시키다」의 뜻으로도 쓰고、더 나아가서 깨끗하다·훌륭함을 나타낼 때도 있음。

뜻 ①**하여금령** 시킴。…로 하여금…하게 함。「令人知之영인지지」 ②**부릴령** 사역(使役)함。또 그 사람。하인。③**가령령** 이를테면。가사(假使)。「假令가령」 ④**법령** 법률。「律令율령」 ⑤**영령** ㉠명령。㉡교훈。경계。㉢포고(布告)。㉣지휘。호령。⑥**영내릴령** 윗뜻의 동사。⑦**장관령** 관아(官衙)의 장(長)。「中書令중서령」「縣令현령」 ⑧**착할령**、**아름다울령** ㉠선량함。또 좋음。「令德영덕」 전(轉)하여 ㉡경칭(敬稱)으로 쓰임。「令郞영랑」「令兄영형」 ⑨**방울소리령** 개의 목에 단 방울의 소리。⑩**철령** 시절(時節)。「月令월령」

주의 「今금」〈이제〉과는 딴 글자。

참고 「令령」을 음으로 하는 글자=「伶령」〈악공〉·「冷랭」〈차다〉·「怜령」〈영리하다〉·「鈴령」〈방울〉·「齡령」〈나이〉·「零령」〈비가 오다〉·「澪령」〈강이름〉·「領령」〈목〉

【令監 영감】《韓》 정삼품(正三品)·종이품(從二品) 관원의 대칭대명사(對稱代名辭)。

【令閨 영규】 영부인(令夫人)。

【令郞 영랑】 남의 아들의 존칭。영윤(令胤)。영식(令息)。

【令妹 영매】 남의 누이 동생의 존칭。

【令名 영명】 좋은 명예(名譽)。좋은 명성(名聲)。영문(令聞)。

【令夫人 영부인】 남의 아내의 존칭。

【令色 영색】 남의 비위를 맞추려고 아첨하는 얼굴빛。

【令壻* 영서】 남의 사위의 존칭。

【令孫 영손】 남의 손자의 존칭。

【令息 영식】 남의 아들의 존칭。

【令室 영실】 영부인(令夫人)。

【令愛 영애】 남의 딸의 존칭。영양(令孃)。영원(令媛)。영랑(令娘)。

【令譽 영예】 좋은 명예(名譽)。

【令人 영인】 훌륭한 사람。좋은 사람。

【令日 영일】 길일(吉日)。가신(佳辰)。

【令子 영자】①훌륭한 아들。②남의 아들의 경칭。영식(令息)。영랑(令郞)。

【令姉 영자】남의 손위 누이의 경칭。

【令慈 영자】남의 어머니의 경칭。

【令狀 영장】관청(官廳)에서 내보내는 출두(出頭) 명령서(命令書)。

【令節 영절】좋은 시절(時節)。좋은 철。가절(佳節)。영신(令辰)。

【令弟 영제】훌륭한 아우。원래는 자기 아우의 경칭이었으나 후세에 남의 아우의 경칭으로 되었음。

【令旨* 영지】①황태후(皇太后)의 명령。②《韓》왕세자의 명령서。

【令姪 영질】남의 조카의 존칭(尊稱)。

◉假令가령 敎令교령 口令구령 軍令군령 命令명령 法令법령 司令사령 辭令사령 設令설령 守令수령 嚴令엄령 律令율령 政令정령 勅令칙령 憲令헌령 號令호령

5 【仝】人 3 同(口部三畫)의 속자(俗字)。

5 【以】人 3 중학 이 | 써 | ㊤紙

丨 𠄌 𠃊 𠄌丶 以

자원 형성. 人 + 㠯(음) → 以(人부)

「以」는 본디 사람이 물건을 가지고 있는 모양이며 이끌다·가지다의 뜻을 나타내었으나 나중에 「人인」〈사람〉과 음을 나타내며 동시에 나무 농구(農具)의 뜻인 「㠯이」로 이루어지는 형성(形聲) 글자로 변하여 지금의 자형(字形)이 되었음。사람이 연장을 사용하여 일을 하다의 뜻。

3000년전

뜻 ①써이 ㉠…으로써。…을 써서。㉡…에 의하여。…때문에。㉢…고。㉣…에도 불구하고。…이면서도。㉤위의 구(句)를 받는 말。㉥어조(語調)를 돕기 위하여 쓰는 말。②써할이 …으로써 함。사용함。③쓸이 사용함。임용함。④할이 행위를 함。⑤말이 그침。巳(已部)와 뜻이 같음。⑥거느릴이 인솔함。⑦닮을이 비슷함。⑧까닭이 원인。이유。⑨부터이 …로부터。⑩심히이 대단히。⑪이미이 벌써。

【以降 이강】이후(以後)。「서 남쪽。

【以南 이남】여기서 남(南)쪽。거기

【以內 이내】일정한 범위(範圍) 안。

【以毒制毒 이독제독】독을 없애는 데 다른 독을 씀。악인(惡人)을 물리치는데 다른 악인을 이용함의 비유。

【以東 이동】여기서 동(東)쪽。거기서 동(東)쪽。

【以卵投石 이란투석】극히 무른 물건을 극히 단단한 것에 던진다는 뜻으로、곧 부서짐을 이름。「후。

【以來 이래】어느 일정한 때부터 그

【以貌取人 이모취인】용모(容貌)로써 사람을 채용(採用)하고、재덕(才德)은 묻지 아니함。「서 북쪽。

【以北 이북】여기서 북(北)쪽。거기

【以上 이상】어느 일정한 한도의 위。

【以西 이서】여기서 서(西)쪽。거기서 서(西)쪽。

【以石投水 이석투수】①하기 쉬운 일의 비유。②간(諫)하는 말을 잘 받아들임을 이름。

【以心傳心 이심전심】마음에서 마음

으로 전(傳)함。

【以言取人 이언취인】 사람을 그의 언론(言論)만을 듣고 가려 씀。

【以往 이왕】 이제부터。이후。향후(向後)。

【以外 이외】 일정한 범위 밖。

【以爲 이위】 생각컨대。생각하기를。

【以夷制夷 이이제이】 적(敵)을 이용하여 적을 침。이이공이(以夷攻夷)。

【以人爲鑑 이인위감】 남의 선악(善惡)을 보고 스스로 본보기로 삼아 경계함。

【以一警百 이일경백】 한 가지 작은 일로써 큰 일의 본보기로 삼아 경계함。한 사람의 악(惡)을 징계하여 뭇사람을 경계함。

【以逸待勞 이일대로】 편안하게 있으면서 기운을 돋군 아군(我軍)을 거느리고 멀리서 오는 피로(疲勞)한 적(敵)을 대기함。

【以長補短 이장보단】 남의 장점(長點)을 거울삼아 나의 단점(短點)을 보충(補充)함。

【以前 이전】 ①어느 일정한 때부터 그 전。②그 전。왕시(往時)。

【以下 이하】 일정한 한도의 아래。

【以血洗血 이혈세혈】 피로써 피를 씻음。곧 악(惡)을 악(惡)으로써 갚거나 나쁜 일을 거듭 한다는 뜻。

【以後 이후】 어느 일정한 때부터 그 후。이제부터 후。

◉所以소이 是以시이 何以하이

5 【仔】 人 3 자 | 견딜 | ㊤紙 ㊥支

자원 형성 子음 人-亻-仔 (人부)

「亻사람인변」과、음을 나타내는 「子자」로 이루어짐。사람이 잘 견디다의 뜻。

뜻 ①견딜자 임무(任務)를 잘 견디어 해나감。②자세할자 「仔詳자상」 ③새끼자 어린 것。주로 벌레·물고기 등에 쓰임。「仔蟲자충」

【仔詳 자상】 자세(仔細)。

【仔細 자세】 상세함。

5 【仕】 人 3 중학 사 | 벼슬 | ㊤紙

丿 亻 亻 什 仕

仕

자원 형성 士음 人-亻-仕 (人부)

「士사」는 관리。「仕」는 벼슬하는 일。본디는 「士」와 「仕」는 하나의 말이었으나 나중에 「士」는 명사(名詞)、「仕」는 동사(動詞)로 나눈 것。

뜻 ①벼슬사 벼슬살이。「仕宦사환」 ②벼슬할사 벼슬살이를 함。③섬길사。㉠임금을 섬김。㉡주인을 섬김。④살필사 명찰(明察)함。⑤일삼을사 事(亅部七畫)와 통용(通用)。

주의 「任임」〈맡기다〉과는 딴 글자。

【仕歷 사력】 여러 벼슬을 역임(歷任)함。

【仕進 사진】 벼슬을 함。또 벼슬하여 입신(立身)함。

【仕退 사퇴】 관원(官員)이 직소(職所)에서 파(罷)하여 나옴。

【仕宦* 사환】 벼슬을 함。사관(仕官)。

◉祿仕녹사 奉仕봉사 進仕진사 出仕출사

5 【他】 人 3 중학 타 | 남 | ㊥歌

丿 亻 仃 仲 他

他

자원 형성 它음 人-亻-佗(人부)-他

음을 나타내는 「它타」의 옛날 자형은 사람의 발과 뱀으로 이루어졌음. 뱀이 무서운 짐승이므로 사고(事故)→별다른 일→다른 것의 뜻으로 됨. 「他」는 후일 다시 「亻사람인변」을 붙여 다른 사람, 다른 일의 뜻.

3000년전

뜻 ①**남타** ㉠자기 이외의 사람. ㉡골육(骨肉) 이외의 사람. ②**다를타** 같지 않음. 한 사물이 아님. 「他說타설」「他邦타방」 ③**딴일타** 다른 일. 타사. ④**딴곳타** 다른 곳. 타처. ⑤**딴마음타** 이심(異心). ⑥**간사할타** 마음이 사곡(邪曲)함. ⑦**그타** 그 사람.

【他界 타계】 ①다른 세계(世界). ②인간계(人間界)를 떠나 다른 세계로 감. 곧 서거(逝去)함. 주로 귀인(貴人)의 죽음을 이름.

【他國 타국】 다른 나라.

【他郡 타군】 다른 고을.

【他年 타년】 다른 해. 딴 해.

【他念 타념】 다른 생각.

【他道 타도】 다른 도(道).

【他力 타력】 남의 힘. 남의 도움.

【他聞 타문】 남이 들음. 남의 귀에 들어감. 외문(外聞).

【他方 타방】 다른 방면. 다른 쪽.

【他事 타사】 다른 일.

【他山之石 타산지석】 다른 산에서 나는 나쁜 돌도 자기의 아름다운 옥(玉)을 가는 데 소용이 된다는 뜻으로, 다른 사람의 하찮은 언행(言行)일지라도 자기의 지덕(智德)을 연마하는 데 도움이 된다는 말.

【他殺 타살】 남이 죽임.

【他說 타설】 딴 설(說). 이설(異說).

【他姓 타성】 다른 성(姓). 이성(異姓).

【他言 타언】 남의 말. 남이 하는 말.

【他律 타율】 자의(自意)가 아니고 남의 지배나 속박에 의하여 행동하는 일.

【他邑 타읍】 다른 읍. 딴 고을.

【他意 타의】 ①다른 생각. 딴 마음. ②남의 뜻.

【他人 타인】 다른 사람. 남.

【他日 타일】 ①이전. 전날. ②나중. 후일.

【他處 타처】 다른 곳. 딴 곳.

【他出 타출】 밖에 나감. 외출(外出).

【他鄕 타향】 고향(故鄕)이 아닌 곳.

◉排他배타 愛他애타 利他이타 自他자타

5 【仗】 人 3 **장** | 병장기 | (上)(去)漾

자원 형성 丈음 人-亻-仗(人부)

「亻사람인변」과, 음을 나타내는 「丈장」으로 이루어짐.

뜻 ①**병장기장** 검극(劍戟) 같은 무기. 「兵仗병장」 ②**호위장** 궁성 또는 임금의 호위(護衛). ③**기댈장** 의지함. ④**지팡이장** 杖(木部三畫)과 통용.

주의 「伏복」〈엎드리다〉과는 딴 글자.

◉兵仗병장 儀仗의장

5 【付】 人 3 고교 **부** | 줄 | (去)遇

ノ 亻 仁 付 付

자원 회의 人亻 又寸 → 付(人부)

「又우」도 「寸촌」도 손→손에 가짐을 나타냄。「付」 2500년전 는 남에게 물건을 넘겨주다→주다→부탁하다→붙이다、붙는 일。

뜻 ①줄부 남에게 넘기어 줌。「交付교부」「付與부여」 ②부탁할부 당부하여 맡김。「付託부탁」「付囑부촉」 ③붙을부 附(阜部五畫)와 통용。

참고 「付」를 음으로 하는 글자=「附부」〈달라붙다〉·「拊부」〈어루만지다〉·「符부」〈부신〉·「鮒부」〈붕어〉·「府부」〈곳집〉·「俯부」〈숙이다〉·「腐부」〈썩다〉·「腑부」〈창자·내장〉

【付送 부송】 물건을 부쳐서 보냄。

【付與 부여】 줌。

【付託* 부탁】 의뢰(依賴)함。 당부함。

◉交付교부 給付급부 寄付기부 分付분부 送付송부 委付위부 責付책부 還付환부

5 【仙】 人 3 중학 선 — 신선 — ㉲先

ノ 亻 亻丨 仙 仙

자원 형성 人亻 山음 → 仙(人부)

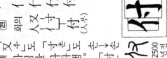

「亻사람인변」에、 산이라는 뜻과 함께 음을 나타내는 「山산」(선은 변음)으로 이루어짐。 산에 사는 사람、 신선의 뜻。

뜻 ①신선선 ㉠장생불사(長生不死)하는 사람。「仙人선인」「仙女선녀」 ㉡속세(俗世)를 초월한 사람。「飮中八仙음중팔선」 ②신선될선 죽은 사람을 애석히 여겨 신선이 되어 갔다는 뜻으로 씀。「仙化선화」「仙逝선서」 ③선교선 신선(神仙)이 되고자 하여 닦는 도(道)。 황제(黃帝)·노자(老子)를 조(祖)로 하며 불로장생(不老長生)의 술(術)을 배움。 후세에는 도교(道敎)와 혼합되어 그 별칭(別稱)이 됨。 ④날듯할선 몸이 가벼워 날 듯한 모양。 ⑤센트선 미국의 화폐 단위 센트의 약기(略記)。 일불(一弗)은 백선(百仙)。

【仙家 선가】 ①선교(仙敎)를 체득(體得)한 사람。 ②선교(仙敎)를 닦는 사람。 ③신선(神仙)이 사는 집。

【仙客 선객】 ①신선(神仙)。 ②학(鶴)의 이칭(異稱)。 선금(仙禽)。 ③두견(杜鵑)의 이칭(異稱)。

【仙境 선경】 ①신선(神仙)이 사는 곳。 ②속계(俗界)를 떠난 경치가 좋은 곳。

【仙界 선계】 선경(仙境)。

【仙敎 선교】 신선(神仙)이 되고자 하여 닦는 도(道)。 황제(黃帝)·노자(老子)를 조(祖)로 하며 불로장생(不老長生)의 술(術)을 배움。 후세에는 도교(道敎)와 혼합되어 그 별칭(別稱)이 됨。

【仙女 선녀】 여자 신선。 선경(仙境)에 있는 여자(女子)。

【仙丹 선단】 신선(神仙)이 만든 장생불사(長生不死)한다고 하는 환약(丸藥)。 금단(金丹)。

【仙桃 선도】 선경(仙境)에 있는 복숭아。

【仙佛 선불】 선교(仙敎)와 불교(佛敎)。

【仙山 선산】 신선이 사는 산。

【仙藥 선약】 항상 복용하면 신선이 된다는 영약(靈藥)。 불로불사(不老不

死)의 약。

【仙人 선인】 인간계(人間界)를 떠나 산중(山中)에 살며 장생불사(長生不死)·신변자재(神變自在)의 술법(術法)을 얻었다고 하는 사람。신선(神仙)。

【仙人掌 선인장】 선인장과(仙人掌科)에 속하는 다년초。사보텐。

【仙姿玉質 선자옥질】 신선 같은 모습과 옥 같은 바탕이라는 뜻으로、고상한 미인(美人)을 형용하는 말。

【仙風道骨 선풍도골】 신선(神仙)의 풍채(風采)와 도인(道人)의 골격(骨格)이라는 뜻으로、고상한 풍채를 형용하는 말。

【仙筆 선필】 청일(淸逸)한 시문(詩文)의 비유。

【仙鶴 선학】 학(鶴)。두루미。

【仙化 선화】 노인(老人)이 병(病)없이 죽음을 이름。

◉大仙대선 登仙등선 鳳仙봉선 飛仙비선 水仙수선 昇仙승선 詩仙시선 酒仙주선

5 【代】 人 3 중학 대 — 대신할 — ㊀去 隊

ノ 亻 仁 代 代

자원 형성 弋음 人+亻+弋→代 (人부)

代 (2000년전)

음을 나타내는 「弋의」(대는 변음)은 표적의 말뚝→명확하게 하는 일。「代」는 사람의 일생을 가르는 시간적(時間的)인 한동안→세상→세대(世代)。대대로 이어지는 데서 차례로 갈마들다→바꾸다의 뜻으로도 씀。

뜻 ①**대신할대** ㉠남이 할 일을 함。「代理대리」 ㉡남의 지위에 섬。②**바꿀대** 변경함。③**번갈아들대** 교체함。「迭代질대」 ④**번갈아대** 교체하여。⑤**대대** ㉠세상。시세(時世)。「古代고대」「現代현대」 ㉡한 왕조(王朝)의 계속하는 동안。「唐代당대」「明代명대」 ㉢한 사람이 생존하는 동안。「一代일대」「百代백대」 ⑥**대로대** 여러 대를 계속하여。⑦《韓》**값대** 대가(代價)。「代金대금」

주의 「伐벌」〈치다〉과는 딴 글자。

참고 「代」를 음으로 하는 글자=「袋대」〈자루〉·「岱대」〈큰 산〉·「貸대」〈빌리다〉·「黛대」〈눈썹먹〉

【代講 대강】 대신 강의함。또 그 강의。

【代哭 대곡】 대신하여 곡함。

【代金 대금】 물건 값。

【代代 대대】 거듭된 세대(世代)。여러 대。또 여러 대를 계속하여。

【代讀 대독】 축사(祝辭)·식사(式辭) 같은 것을 대신 읽음。

【代理 대리】 남을 대신(代身)하여 일을 처리함。또 그 사람。

【代辨 대변】 남을 대신하여 일을 처리함。대리(代理)。

【代謝 대사】 새 것이 와서 묵은 것을 대신함。변천함。

【代償 대상】 ①다른 물건으로 대신 물어 줌。②남을 대신하여 갚아 줌。

【代書 대서】 남을 대신하여 글씨를 씀。또 그 글씨。대필(代筆)。

【代署 대서】 남을 대신하여 서명함。

【代訴 대소】 남을 대신하여 송사(訟事)를 일으킴。

【代贖* 대속】 남의 죄(罪)를 대신하여 자기가 당함。

【代案 대안】어떤 안에 대신할 안。
【代用 대용】대신(代身)으로 씀。 또 「그것。
【代人 대인】남을 대신함。
【代印 대인】남을 대신(代身)하여 도장을 찍음。
【代作 대작】①번갈아 나옴。 ②대신하여 글을 지음。
【代錢 대전】①물건 대신으로 주는 돈。 ②대금(代金)。
【代替 대체】다른 것으로 바꿈。
【代充 대충】딴 것을 대신 채움。
【代土 대토】①땅을 팔고 대신 사는 땅。 ②소작권을 옮기고 대신 주는 땅。
【代播 대파】모를 내지 못한 논에 대신 다른 곡식의 씨를 뿌림。
【代表 대표】여러 사람을 대신하여 어떠한 사실(事實)에 책임을 지고 나서는 일。 또 그 사람。 대표자。
【代行 대행】대신하여 행함。
◉古代고대 交代교대 近代근대 當代당대 萬代만대 三代삼대 上代상대 先代선대 世代세대 時代시대 歷代역대 年代연대 前代전대 初代초대 後代후대

四畫

6 **【企】** 人 4 고교 **기** | 발돋움할 | ㊤紙 ㊋寘

ノ 人 个 仐 仚 企

자원 회의 人+止→企(人부)

「人인〈사람〉」과、「止지〈발〉」로 이루어짐。 발돋움하여 먼 곳을 보다의 뜻을 나타냄。 전(轉)하여、바라다、꾀하다의 뜻。

뜻 ①**발돋움할기** ㉠발돋움하고 섬。 ㉡발돋움하고 바라봄。 ②**도모할기** ㉠기도(企圖)함。「企及기급」「企畫기획」 또 ㉡도모하는 일。 계획。 ③**둘기** 마음 속에 넣고 잊지 아니함。

【企及 기급】기도(企圖)하여 미침。 할 수 있음。 「바라고 기다림。
【企待 기대】발돋움하여 기다림。 또
【企圖 기도】일을 꾸며내려고 꾀함。
【企望 기망】발돋움하고 바라봄。 또 계획하여 되기를 바람。
【企業 기업】①사업(事業)을 계획(計畫)함。 ②영리(營利)를 목적으로 하여 생산요소(生産要素)를 종합하여 계속적으로 경영하는 경제적 사업(經濟的事業)。
【企畫 기획】일을 계획함。

6 **【会】** 人 4 會(曰部九畫)의 속자(俗字)。

【合】 ⇩口部三畫

6 **【仰】** 人 4 중학 **앙** | 우러러볼 | ①-④㊤養 ⑤㊋漾

ノ 亻 亻 仰 仰 仰

자원 형성 卬음 人→亻+卬→仰(人부)

「亻사람인변」과、음을 나타내는 동시에 우러러보다의 뜻을 가진 「卬앙」으로 이루어짐。 「卬」의 나중에 생긴 글자。

뜻 ①**우러러볼앙** ㉠고개를 쳐들고 봄。「仰視앙시」 ㉡그리워함。 사모(思慕)함。「景仰경앙」「仰慕앙모」 ②**마실앙** 독약 같은 것을 마심。 ③**영**

앙 상관이 하관에게 내리는 명령。「仰議앙의」 ④**높을앙** 「低저」의 대(對)。「一仰一低일앙일저」 ⑤**의뢰할앙** 부탁함。

주의 「仰앙」의 「卬」은 「印인」이나 「卯묘」와는 딴 글자。

【仰見 앙견】 우러러봄。 쳐다봄。 앙관(仰觀)。 앙시(仰視)。

【仰告 앙고】 우러러보고 여쭘。

【仰毒 앙독】 독약을 들이켬。

【仰騰* 앙등】 물건 값이 뛰어 오름。 등귀(騰貴)。

【仰望 앙망】 ①우러러 바람。 ②우러러봄。 ③존경하여 따름。 ④앙모(仰慕)。

【仰望不及 앙망불급】 우러러 바라 보아도 미치지 못함。

【仰慕 앙모】 우러러보고 사모(思慕)함。 존경하고 따름。

【仰不愧於天 앙불괴어천】 자신에 잘못이 없다면 하늘에 대하여 조금도 부끄러울 것이 없음。

【仰訴 앙소】 웃사람에게 하소연함。

【仰願 앙원】 우러러 원함。

【仰止 앙지】 우러러봄。 지(止)는 조자(助字)。

【仰天 앙천】 하늘을 우러름。 위로 향함。

【仰天大笑 앙천대소】 하늘을 우러러 크게 웃음。

【仰請 앙청】 우러러 청함。

【仰歎 앙탄】 하늘을 우러러 탄식함。

◉渴仰갈앙 敬仰경앙 信仰신앙 俯仰부앙

6 **【仲】** 人 4 고교 **중** | 버금 | 去 送

ノ 亻 亻丨 亻冂 亻口 仲

자원 형성 中음 人-亻-仲(人부)

「亻사람인변」과、음을 나타내는「中중」으로 이루어지며、맏이와 막내의 사이에 태어난 아이의 뜻。

뜻 ①**버금중** 형제(兄弟) 중에서 둘째 사람。「伯仲叔季백중숙계」「仲兄중형」 ②**가운데중** 中(丨部三畫)과 통용。「仲介중개」「仲春之月중춘지월」

【仲介 중개】 제삼자(第三者)로서 두 당사자(當事者) 사이에서 어떤 일을 주선(周旋)하는 일。

【仲尼之徒* 중니지도】 공자(孔子)의 학문을 숭봉(崇奉)하는 사람들。 중니(仲尼)는 공자의 자(字)임。

【仲冬 중동】 음력 십일월。

【仲買 중매】 되넘기 장사。 중상(中商)。

【仲媒 중매】 양가 사이에 들어 혼인(婚姻)을 이루게 하는 일。

【仲父 중부】 아버지의 아우。 숙부(叔父)。

【仲氏 중씨】 형제 중의 둘째 사람。

【仲子 중자】 둘째 아들。 차남(次男)。

【仲裁 중재】 다툼질의 사이에 들어 화해(和解)시킴。

【仲秋 중추】 음력(陰曆) 팔월(八月)。 중상(仲商)。

【仲秋節 중추절】 추석(秋夕)을 명절로서 일컫는 말。

【仲春 중춘】 음력(陰曆) 이월(二月)。

【仲夏 중하】 음력(陰曆) 오월(五月)。

【仲兄 중형】 둘째 형(兄)。

◉伯仲백중

6 **【件】** 人 4 고교 **건** | 일 | 上 銑

ノ 亻 亻丿 𠂉 仁 件

자원 형성 牛음 人-亻-件(人부)

「亻사람인변」에、음과 동시에 끌다의 뜻을 나타내는 「牽견」의 생략체 「牛」로 이루어짐。사람이 소를 끌다↓나란히 계속되다↓일을 구별하다의 뜻으로 쓰임。

뜻 ①구분할건 구별함。②건건、일건 물건·사건·조건 등。「件名건명」③건건 벌。가지。「一件일건」

【件件 건건】이 일 저 일。모든 일。

【件數 건수】사물(事物)의 가짓수。

◉物件물건 事件사건 要件요건 用件용건 人件인건 條件조건

6 **【任】** 人 4 고교 임 — 맡길 — ①–⑥ 去 沁 ⑦–⑭ 平 侵

ノ 亻 仁 仁 仟 任

자원 형성 壬음 人-亻-任(人부) 3000년전 2500년전 2000년전

「亻사람인변」과、음을 나타내며 동시(同時)에 무거운 물건을 드는 뜻을 가진 「壬임」으로 이루어짐。잔등에 짐을 지는 것을 뜻함。

뜻 ①맡길임 ㉠일을 맡김。「委任위임」「任屬임속」㉡관직을 수여함。「任命임명」②마음대로할임 방종함。③임소임 임지(任地)。「赴任부임」④일임 임무。직책。⑤쓸임 사용함。⑥애밸임 姙(女部六畫)·妊(女部四畫)과 통용。⑦멜임 등에 멤。⑧보따리임 등에 메는 보따리。⑨미쁠임 벗에게 신의(信義)가 있음。⑩견딜임 감내(堪耐)함。⑪당할임 당해냄。저항함。⑫간녕할임 간사하고 아첨을 잘함。⑬보증할임 틀림없음을 책임짐。⑭보증임 보(保)。

참고 「任임」을 음으로 하는 글자‖「妊임」〈임신하다〉·「荏임」〈들깨〉·「賃임」〈품삯〉

【任官 임관】관직(官職)에 임명함。

【任期 임기】임무(任務)를 맡아 보고 있는 일정한 기한(期限)。

【任大責重 임대책중】임무(任務)가 크고 책임(責任)이 무거움。「官」。

【任免 임면】임관(任官)과 면관(免

【任命 임명】관직에 명함。직무(職務)를 맡김。

【任務 임무】맡은 일。맡은 사무 또는 업무。직무(職務)。

【任使 임사】일을 맡겨 부림。임용。

【任所 임소】지방 관원이 근무하는 직소(職所)。

【任用 임용】①직무를 맡겨 씀。②관리로 등용함。

【任員 임원】단체의 일을 맡아 처리하는 사람。

【任怨 임원】남의 원망을 자초함。

【任委 임위】맡김。위임함。

【任意 임의】마음대로 함。

【任人 임인】마음이 뒤틀린 사람。

【任重道遠 임중도원】임무가 무겁고 또 이를 수행하는 노정도 멂。

【任地 임지】관원(官員)으로서 임무를 행하는 곳。봉직(奉職)하는 곳。

【任置 임치】남에게 금전(金錢)·물품을 맡기어 둠。

◉兼任겸임 擔任담임 大任대임 放任방임 辭任사임 選任선임 所任소임 信任신임 委任위임 留任유임 離任이임 一任일임 適任적임 專任전임 轉任전임 重任중임 責任책임 退任퇴임 解任해임。

6【伊】人4 이 | 저 | (平)支

자원 형성 尹음 人-亻┬伊(人부)

「亻사람인변」과、음을 나타내는「尹윤」(이는 변음)으로 이루어짐。

뜻 ①저이 「이」의 대(對)。②이이 「저」의 대。③어조사이 ㉠발어(發語)의 조사(助辭)。㉡어조(語調)를 고르게 하는 조사。④물이름이 하남성(河南省) 노씨현(盧氏縣) 웅이산(熊耳山)에서 발원(發源)하여 동북(東北)으로 흘러 이양(伊陽)·낙양(洛陽)을 거쳐 낙수(洛水)로 흘러 드는 강。「伊水이수」

【伊伐湌* 이벌찬】《韓》신라(新羅) 십칠관등(十七官等)의 첫째 위계(位階)이름。각간(角干)。

【伊時 이시】그 때。기시(其時)。

【伊吾 이오】글 읽는 소리。또는 시(詩) 같은 것을 읊는 소리。

【伊人 이인】저 사람。

【伊川先生 이천선생】만년(晩年)에 용문(龍門) 이수(伊水)가에서 살았던 송(宋) 나라의 학자 정이(程頤)의 일컬음。

6【伍】人4 오 | 다섯사람 | ㊤麌

자원 형성 五음 人-亻┬伍(人부)

「亻사람인변」에、다섯의 뜻과 함께 음을 나타내는「五오」로 이루어짐。고대(古代) 중국의 군대(軍隊)는 다섯 사람을 최소단위(最小單位)로 하였으므로「항오」(行伍)를 뜻함。

뜻 ①다섯사람오 ②항오오 ㉠다섯 사람을 한 조(組)로 한 군대 편제상(軍隊編制上)의 단위。「軍伍군오」 ㉡대열。군대。③다섯집오 다섯 호(戶)를 한 반(班)으로 한 지방 행정상(地方行政上)의 단위。「伍長오장」 ④다섯오 五(二部二畫)와 통용。⑤섞일오、섞을오

◉軍伍군오 落伍낙오 隊伍대오 行伍항오

6【伏】人4 중학 ㊀복 ㊁부 | 엎드릴 | ㊀①-⑤(入)屋 ㊁⑥(入)職 ㊂(去)宥

ノ 亻 仁 什 伕 伏

자원 회의 犬 人-亻┬伏(人부)

개(犬)가 사람(人) 곁에 엎드리고 있는 모양으로、엎드리다、전(轉)하여、숨는 일을 뜻함。

뜻 ㊀①엎드릴복 부복(俯伏)함。「伏拜복배」「伏謝복사」 ②숨을복 몸을 감춤。「伏兵복병」「伏匿복닉」 ③숨길복 ㉠감춤。「伏匿복닉」 또 ㉡숨긴 죄(罪)。④굴복할복 자백함。복종함。「伏罪복죄」 ⑤시령(時令) 이름복 초복·중복·말복의 삼복(三伏)。초복은 하지(夏至) 후 제삼(第三)의 경(庚)의 날、중복은 하지 후 제사의 경의 날、말복은 입추(立秋) 후 제일의 경의 날。유월의 심한 더위에는 입추(立秋)의 금기(金氣)도 복장(伏藏)한다는 뜻임。「三伏之節삼복지절」 ⑥길복 匐(勹部九畫)과 통용。
㊁안을부 날짐승이 알을 품음。

【伏龍 복룡】숨어 있는 용。전(轉)하여 숨은 재사(才士)나 호걸。

【伏流 복류】 땅 속으로 스미어 흐르는 물。

【伏鱗* 복린】 깊이 숨어 있는 물고기。

【伏魔殿* 복마전】 ①악마(惡魔)가 숨어 있는 곳。악마(惡魔)의 소굴(巢窟)。②나쁜 일을 꾸미는 자(者)들이 모여 있는 곳。화(禍)의 근원지(根源地)。

【伏望 복망】 엎드려 바람。 웃어른의 처분을 바람。

【伏拜 복배】 엎드려 절함。

【伏白 복백】 엎드려 사룀。 공손히 사룀。

【伏兵 복병】 적병(敵兵)을 불시(不時)에 치기 위하여 요지(要地)에 군사를 숨기어 둠。또 그 군사。

【伏線 복선】 ①뒷일에 대비하여 미리 남모르게 베푸는 준비。②소설에서 뒤에 일어날 일을 미리 넌지시 암시(暗示)하여 두는 기교。

【伏炎 복염】 삼복(三伏) 동안의 더위。경염(庚炎)。

【伏願 복원】 엎드리어 바람。 웃어른에게 공손히 바람。

【伏惟 복유】 공손히 엎드려 생각하옵건대。

【伏罪 복죄】 죄에 대한 형벌을 복종하여 받음。복죄(服罪)。

【伏奏* 복주】 천자(天子)의 앞에서 엎드려 아룀。

【伏中 복중】 초복(初伏)에서 말복(末伏)까지의 사이。

【伏羲* 복희】 상고시대(上古時代)의 제왕(帝王)。삼황(三皇) 중의 한 사람으로서 백성에게 어렵(漁獵)·농경(農耕)·목축을 가르쳤으며 처음으로 팔괘(八卦)를 만들었다 함。

◉屈伏굴복 起伏기복 埋伏매복 拜伏배복 三伏삼복 潛伏잠복 降伏항복

6 **【伐】** 人 4 중학 **벌** 칠 ⊗入月

/ 亻 仁 代 伐 伐

자원 회의 人 戈 人-亻-伐(人부)

「戈과」〈창〉로 「人인」〈사람〉의 목을 잘라 죽이는 모양이며 죄인을 베다、전(轉)하여 치다의 뜻을 나타냄。

뜻 ①**칠벌** ㉠죄(罪) 있는 자를 침。「征伐정벌」 ㉡적(敵)을 침。「伐敵벌적」 ㉢물건을 두드림。㉣힐난함。②**벨벌** ㉠나무를 벰。「伐木벌목」「伐採벌채」 ㉡베어 죽임。참살함。③**공벌** 공적(功績)。「伐閱벌열」 ④**자랑할벌** 공적을 자랑함。⑤**방패벌** 적의 화살 따위를 피하는 무기。⑥**간흙벌** 갈아 일으킨 땅。

참고 「伐」을 음으로 하는 글자=「筏벌」〈뗏목〉·「閥벌」〈공로〉

【伐木 벌목】 선 나무를 베어냄。

【伐氷 벌빙】 얼음장을 떠냄。

【伐齊爲名 벌제위명】 연(燕)나라 장수 악의(樂毅)가 제(齊)나라를 쳤을 때、제(齊)나라의 장수 전단(田單)이 반간(反間)을 놓아 「악의가 벌제(伐齊)한 후 제왕(齊王)이 되려 한다」고 퍼뜨려 연왕(燕王)이 악의를 소환한 고사(故事)에서 나온 말로、어떤 일을 하는 체하고 속으로는 딴 짓을 함을 이름。

【伐挫 벌좌】 적을 쳐 그 기세를 꺾음。

【伐採 벌채】 나무를 베어냄。

【伐草 벌초】 산소(山所)의 잡초(雜草)를 베어서 깨끗이 함。

◉攻伐공벌 克伐극벌 濫伐남벌 盜伐도벌 殺伐살벌 征伐정벌 採伐채벌 討伐토벌

6【休】4 人 중학 ㊀휴 ㊁후 — 쉴 — ㊀㊥平尤 ㊁㊤去遇

2500년전

ノ 亻 亻 什 休 休

자원 형성 木음 人-亻 ┬ 休 (人부)

「亻사람인변」과 음을 나타내는 「木목」(휴는 변음)으로 이루어짐。 사람이 나무 그늘에 들어가서 쉬는 뜻。 아주 옛날에는 그런 뜻이 아니고、 왕으로부터의 하사품(下賜品)이라든가、 경사스러운 일에 「休」를 썼음。 옛 모양은 일설(一說)에 의하면、「人인」과 「禾화」를 합친 모양으로서、 군대(軍隊)가 휴식(休息)하는 일。 「禾」는 벼의 뜻이 아니고 군문(軍門)에 세운 나무라고 함。

뜻 ㊀①**쉴휴** ㉠휴식(休息)함。「休憩휴게」 ㉡일을 잠시 중단함。「休職휴직」 ㉢한가하게 지냄。 ㉣잠을 잠。 ㉤벼슬을 그만두고 한가히 지냄。 퇴직함。「退休퇴휴」 ㉥그만둠。 하지 않음。「休言휴언」 ②**그칠휴** 중지함。 ③**편안할휴** ④**기뻐할휴** 좋아함。 ⑤**좋을휴** 훌륭함。 선미(善美)함。「休命휴명」 ⑥**놓을휴** 용서함。 ⑦**검소할휴** 검약(儉約)함。 ⑧**휴가휴、말미휴** 휴일。 또 사가(賜暇)。「歸休귀휴」 ⑨**기쁨휴、경사휴** 길경(吉慶)。 ⑩**말휴** 금지하는 말。 ㊁**따스히할후** 김을 불어 따뜻하게 함。 咻(口部六畫)와 같은 글자。

【休暇 휴가】 학업(學業) 또는 근무를 일정한 기간 쉬는 일。 또 그 겨를。

【休刊 휴간】 신문·잡지 등의 정기 간행물의 발행을 한때 쉬는 일。

【休講 휴강】 강의(講義)를 쉼。

【休憩 휴게】 잠깐 쉼。 휴식(休息)。

【休校 휴교】 학교의 공부를 한동안 쉼。

【休名 휴명】 좋은 평판。 미명(美名)。

【休命 휴명】 선미(善美)한 명령。 천명(天命) 또는 군명(君命)을 이름。

【休沐 휴목】 관리의 휴가(休暇)。

【休息 휴식】 쉼。 또 쉬게 함。 휴게(休憩)。

【休養 휴양】 ①심신(心身)을 쉬며 몸을 보양(保養)함。 ②조세(租稅)를 경감(輕減)하여 백성의 재력(財力)을 넉넉하게 함。

【休業 휴업】 업을 한동안 쉼。

【休戰 휴전】 전쟁(戰爭)을 중지함。

【休廷 휴정】 재판 도중에 쉼。

【休靜 휴정】 《韓》 서산대사(西山大師)。

【休止 휴지】 ①쉼。 쉬게 함。 ②끝남。 끝나게 함。 그만둠。

【休職 휴직】 일정한 기간 동안 현직(現職)의 복무를 쉼。

【休診* 휴진】 병원에서 한동안 진찰을 하지 아니함。

【休學 휴학】 학업(學業)을 한동안 쉼。

【休火山 휴화산】 옛날에 분화(噴火)하였으나 지금은 쉬고있어 언제 분화할지 모르는 화산(火山)。

【休會 휴회】 ①회의 도중에 쉼。 ②회의체(會議體)가 자의(自意)로 일정 기간 그 활동을 쉼。

【休勳* 휴훈】 선미(善美)한 공훈。

◉公休공휴 歸休귀휴 無休무휴

6【仮】4 人 假(人部九畫)의 속자(俗字)。

五畫

7【余】人 5 중학 여 | 나 | ㊥平 魚

ノ 𠆢 亼 亼 仐 余 余

자원 상형 3000 년전

나무로 지붕을 받친 작은 집의 모양을 본뜸。그 음을 빌어 자칭대명사(自稱代名詞) 「나」로 쓰고、또 「餘여」〈나머지〉와 통하여 쓰임。

뜻 **①나여** 자기。**②나머지여** 餘(食部七畫)와 같은 글자。**③사월여** 음력 사월의 일컬음。「余月여월」

주의 「佘사」(사람의 성)는 딴 글자。

참고 「余」를 음으로 하는 글자=「徐서」〈느리다〉·「除제」〈없애버림〉·「叙서」〈차례〉·「斜사」〈기울다〉·「途도」〈길〉·「塗도」〈진흙〉

【坐】⇩土部四畫

【巫】⇩工部四畫

7【伯】人 5 고교 ㊀백 ㊁맥 ㊂패 | 맏 | ㊀㊁入 陌 ㊂去 禡

ノ 亻 亻′ 伯 伯 伯 伯

자원 형성 白음 人-亻(人부)

「亻사람인변」과、음을 나타내는 동시에 크다의 뜻을 나타내기 위한 「白백」으로 이루어짐、우두머리(⇩長장)를 뜻함。

뜻 ㊀**①맏백** 맏형。「伯仲叔季백중숙계」 「伯氏백씨」 **②큰아버지백** 아버지의 형。「伯父백부」 **③백작백** 오등작(五等爵)의 세째。**④남편백** **⑤우두머리백** 장(長)。수장(首長)。**⑥말의귀신백** 말(馬)의 귀신 또는 그 귀신의 제사(祭祀)。㊁**거리맥** 陌(阜部六畫)과 통용。㊂**두목패** 霸(雨部十三畫)와 같은 글자。또 고석(古昔)의 오관(五官)인 사도(司徒)·사마(司馬)·사공(司空)·사사(司士)·사구(司冦)의 장(長)。

주의 「佰백」〈백 사람의 우두머리〉은 딴 글자。

【伯樂 백락】 ①천마(天馬)를 맡은 별의 이름。②주(周)나라 때 사람。말(馬)의 감정(鑑定)을 잘하였으므로 널리 말에 관한 일에 밝은 사람의 뜻으로 쓰임。

【伯母 백모】 ①부모의 누이。고모 또는 이모。②백부의 아내。큰어머니。

【伯父 백부】 ①큰아버지。②천자(天子)가 동성(同姓)의 제후(諸侯)를 부르는 존칭。

【伯叔 백숙】 ①형과 아우。형제。②「백부와 숙부。

【伯氏 백씨】 맏형(兄)。

【伯夷叔齊 백이숙제】 형 백이(伯夷)와 아우 숙제(叔齊)。무왕(武王)이 은(殷)나라를 치자 이를 간(諫)하였으며、무왕이 천하를 손안에 넣으매、수양산(首陽山)으로 도망가서 채미(采薇)하고 살다가 마침내 굶어 죽었음。

【伯爵 백작】 오등작(五等爵)의 하나。후작(侯爵)의 다음、자작(子爵)의 위。

【伯仲 백중】 ①맏형(兄)과 그 지차。②서로 비슷하여 우열(優劣)이 없음。

【伯仲叔季 백중숙계】형제(兄弟)의 순서。장(長)을 백(伯)、그 다음을 중(仲)、그 다음을 숙(叔)、말제(末弟)를 계(季)라 함。

【伯仲之間 백중지간】 서로 어금지금하여 낫고 못함이 없음。

【伯兄 백형】 맏형(兄)。

◉道伯도백 方伯방백 詞伯사백 水伯수백 詩伯시백 州伯주백 風伯풍백 河伯하백 畫伯화백

7 【伴】人 5 반 | 짝 | ①-③ ㊤旱 ④(去)翰

자원 형성 半음 人-亻ㅜ伴(人부)

「亻사람인변」과 음을 나타내며 동시에 맨다는 뜻을 갖는「半반」으로 이루어짐。반려자、동반하다의 뜻。

뜻 ①짝반 상대。 동반자(同伴者)。「伴侶반려」 ②모실반 배종(陪從)함。「隨伴수반」 ③의지할반 의뢰함。 ④한가할반 틈이 있는 모양。

【伴倘 반당】《韓》①옛날 서울의 각 관청에서 부리던 사환(使喚)。②중국에 가는 사신이 자비(自費)로 데리고 가던 하인。

【伴侶 반려】짝이 되는 동무。

【伴送 반송】 다른 물건에 붙여서 함께 보냄。

【伴奏 반주】 기악(器樂)이나 성악의 주주부(主奏部)에 맞추어 다른 악기로 보조적으로 연주하는 일。

◉同伴동반 相伴상반 隨伴수반 詩伴시반 接伴접반 酒伴주반

7 【伸】人 5 고교 신 | 펼 | (平)眞

丿 亻 仆 们 伯 伸

자원 형성 申음 人-亻ㅜ伸(人부)

「亻사람인변」과 음을 나타내는 동시에 펴진다는 뜻을 갖는「申신」으로 이루어짐。「亻」변을 붙여 지지(地支)의「申」과 구별하여 편다는 뜻의 전용자(專用字)로 삼았음。

뜻 ①펼신 ㉠넓게 함。길게 함。곧게 함。「引伸인신」 ㉡마음을 놓음。「伸眉신미」 ㉢일이 펴짐。성공 발전함。㉣곧지 못한 것을 곧게 다스림。「伸寃신원」 ②펴질신 넓어짐。길어짐。③기지개켤신「欠伸흠신」

【伸寃雪恥* 신원설치】원한을 풀고 치욕을 씻어버림。

【伸長 신장】 길게 벋어남。

【伸縮 신축】 펴짐과 오그라짐。늘어남과 줄어듦。또 늘임과 줄임。

◉屈伸굴신

7 【似】人 5 고교 사 | 같을 | ㊤紙

丿 亻 仆 仏 佀 似 似

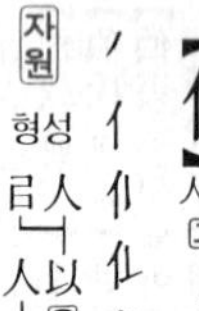

자원 형성 㠯 人-以음 人-亻ㅜ似(人부)

「㠯이」는 도구(道具)。「以이」는 사람이 도구를 써서 무언가 하는 일。나중에 쓰다 따위의 여러가지 뜻으로 쓰이므로「사람이 …하다」의 뜻인 때에는 다시「亻사람인변」을 붙여「似」라고 썼음。

또「似」는「嗣사」〈대를 이음〉·「姒사＝始시」〈먼저 난 여자→시작〉따위의 말과 결부되어 뒤를 잇다→닮다

〔二畫部首順〕二亠人儿入八冂冖冫几凵刀力勹匕匚匸十卜卩厂厶又

↓닮게 하다의 뜻으로 씀。

뜻 ①**같을사** ㉠상사(相似)함。「類似유사」「酷似혹사」 ㉡그럴 듯함。그럴 듯하게 보임。「壹似重有憂者일사중유우자」 ②**흉내낼사** 남의 언행을 그대로 옮겨서 함。「吳語我能似오어아능사」 ③**이을사** 상속(相續)함。「似續사속」「以似以續이사이속」 ④**보일사** 갖다 보임。

【似類 사류】 서로 비슷함。유사(類似)함。또 그것。

【似而非 사이비】 겉만은 같되 실속은 같지 않음。

◉近似근사 相似상사 類似유사

7 **【但】** 人 5 중학 ㊀**단** ―다만― ㊀㊤旱 ㊁**탄** ― ― ㊁㊇翰

丿 亻 亻 仴 伹 但 但

자원 형성 旦음 人-亻ㅜ但(人부)

「亻사람인변」과 음을 나타내는「旦단」으로 이루어짐。사람이 옷을 벗어 상반신을 드러내는 것을 뜻했으나 어조사(語助辭)인「다만」으로 차용됨。

뜻 ㊀**다만단** 단지。①그것만。②특히 그것만 일부러。③한갓。헛되이。④무의미의 조사(助辭)。㊁**거짓탄** 誕(言部七畫)과 통용。

주의 「但저」〈서투르다〉는 딴 글자。

【但書 단서】 본문 밖에 단(但)자를 붙여 어떤 조건이나 예외의 뜻을 나타내는 글。

【但只 단지】 다만。겨우。오직。한갓。

◉非但비단

7 **【位】** 人 5 중학 **위** ―자리― ㊇寘

丿 亻 亻 仁 位 位 位

位

자원 회의 一大ㅜ立 人-亻ㅜ位(人부)

「大대」는 훌륭한 사람。「一일」은 매우 넓은 땅의 모양。「立립」은 훌륭한 사람이 서 있는 모양↓서는 일。「位위」는 사람이 서다↓사람이 서는 곳。

고대(古代) 중국에서는 대궐의 좌우(左右)에 많은 신하가 줄지어 서 있는 것을「立립」으로 생각하였음。

뜻 ①**자리위** ㉠좌립(坐立)의 장소。「位置위치」 ㉡벼슬 자리。관직의 등급「官位관위」 ㉢임금의 자리。「帝位제위」「即位즉위」 ㉣고하(高下)。계급。「位次위차」「位序위서」 ㉤순서。차례。「順位순위」 ㉥방각(方角)。「方位방위」 ②**자리잡을위** 자리를 정함。③**분위** 인원(人員)의 경칭。「各位각위」「諸位제위」

【位階 위계】 벼슬의 등급(等級)。

【位極人臣 위극인신】 신하(臣下)로서 최고의 지위에 오름。

【位記 위기】 서위(敍位)하는 취지를 쓴 기록。

【位序 위서】 지위(地位)。

【位次 위차】 자리의 차례。

【位置 위치】 놓여 있는 자리。

【位牌* 위패】 죽은 사람의 계명(戒名)·속명(俗名)을 써서 불단(佛壇)에 안치(安置)한 나무 패。

◉各位각위 高位고위 官位관위 闕位궐위 大位대위 等位등위 寶位보위 復位복위 本位본위 上位상위 神位신위 兩位양위 讓位양위 爵位작위 在位재위 帝位제위

諸位제위 地位지위 職位직위 貪位탐위 退位퇴위 廢位폐위 品位품위 下位하위 顯位현위

7 【低】 人 5 중학 **저** — 낮을 — ㊥齊

ノ イ 亻 仁 仟 低 低

자원 형성 氏 — 氐 음 — 人-亻 ㅜ 低(人부)

〔氐〕 2500년전

「氏씨」는 언덕 또는 제방(堤防)。음을 나타내는 「氐저」는 언덕이나 제방의 제일 밑바닥。옛날엔 「氐」라고만 써서 「낮다」「뿌리 밑」 따위의 뜻을 나타내었음。나중에 나무의 뿌리 밑은 「柢저」、물건의 밑은 「底저」라 나누어 쓰고、「低」는 키가 작은 사람을 나타냈음。더 나중에는 사람에 한하지 않고 통틀어 낮다는 뜻을 「低」라고 쓰게 되었음。

뜻 ①**낮을저** 높지 아니함。「高低고저」「低地저지」 ②**숙일저** 수그림。「低頭저두」「低首저수」

【低空 저공】 땅 위에서 가까운 하늘。

【低級 저급】 낮은 등급(等級)。

【低能 저능】 지능(知能)이 보통 사람보다 낮음。

【低頭 저두】 ①머리를 숙임。②머리를 숙여 정함。

【低落 저락】 값이 떨어짐。

【低廉 저렴】 값이 쌈。

【低利 저리】 싼 이자(利子)。

【低迷 저미】 안개 같은 것이 낮게 떠돌아 다님。

【低俗 저속】 품격이 낮고 속됨。

【低濕 저습】 땅이 낮고 축축함。

【低熱 저열】 온도가 낮은 열。

【低溫 저온】 낮은 온도(溫度)。

【低率 저율】 낮은 비율(比率)。

【低音 저음】 낮게 내는 소리。

【低潮 저조】 가장 낮은 간조(干潮)。고조(高潮)의 대(對)。

◉高低고저 最低최저

7 【住】 人 5 중학 **주** — 머무를 — ㊋遇

ノ イ 亻 亻 什 住 住

자원 형성 主 음 人-亻 ㅜ 住(人부)

음을 나타내는 「主주」는 촛대가 서 있다→서는 것이므로 「住」는 서 있다→머물다→사는 것을 나타냄。

뜻 ①**머무를주** ㉠머물러 삶。「移住이주」 또 그 곳。거처。㉡정지함。②**그칠주** 중지함。

주의 「往왕」〈가다〉은 딴 글자。

【住居 주거】 주택(住宅)。

【住民 주민】 그 땅에 사는 백성。

【住所 주소】 살고 있는 곳。

【住持 주지】 《佛教》 한 절을 주관(主管)하는 중。

【住宅 주택】 사람이 들어 사는 집。

◉居住거주 屯住둔주 無住무주 常住상주 安住안주 永住영주 營住영주 留住유주 移住이주 轉住전주 定住정주

7 【佐】 人 5 고교 **좌** — 도울 — ㊋箇 ㊤哿

ノ イ 亻 仁 佐 佐 佐

자원 형성 左 음 人-亻 ㅜ 佐(人부)

「亻사람인변」과、본디 돕다의 뜻과 음을 나타내는 「左좌」로 이루어짐。돕

는 사람。또 돕다의 뜻。

뜻 ①**도울좌** 보좌함。보필함。「佐命좌명」「翼佐익좌」 ②**도움좌** 보필(輔弼)。또 보필하는 사람。 ③**속료좌** 속관(屬官)。「佐僚좌료」

◉輔佐보좌

7
【佑】人 5 우 ─ 도울 ─ ㊀宥

자원 형성 右음 人-亻┬佑(人부)

「亻사람인변」과、음을 나타내는 동시에 돕다의 뜻을 가진 「右우」로 이루어짐。「右우」로부터 특히 돕다의 뜻을 구별하기 위하여 만든 글자。

뜻 ①**도울우** 보좌함。「佑啓우계」「佑助우조」 ②**도움우** 「天佑천우」

◉保佑보우 神佑신우 天佑천우

7
【体】人 5 분 ─ 용렬할 ─ ㊤阮

자원 형성 本음 人-亻┬体(人부)

「亻사람인변」과 음을 나타내는 동시에 거칠다의 뜻(⇩笨분)을 갖는 「本본」(분은 변음)으로 이루어져 거칠다를 뜻함。뒤에 통속적으로 體(骨部十三畫)의 약자(略字)로 쓰임。그 까닭은 「體체」〈몸〉는 「軆」「躰」로도 쓰는데 「身」을 초서체로 쓰면 「亻사람인변」처럼 보이기 때문임。

뜻 ①**용렬할분** 못생김。「体漢분한」 ②**상여꾼분** 상여를 메는 사람。「体夫분부」 ③**거칠분** 笨(竹部五畫)과 같은 글자。

7
【何】人 5 중학 ㊀**하** ㊁**가** ─ 어찌 ─ ㊀①-⑤㊥歌 ⑥㊤哿 ㊁㊤哿

丿 亻 仁 仃 何 何 何

자원 형성 可음 人-亻┬何(人부)

짐을 메고 있는 사람의 모양。나 3000년전 2500년전 중에 모양이 변하여 「亻사람인변」과 음을 나타내는 「可가」(하는 변음)를 합한 글자로 됨。「何하」는 「荷하」의 본디 글자인데 「可」의 음은 의문을 나타내는 말과 비슷하였으므로 의문의 뜻에 「何」자를 쓰게 되었음。그러므로 「메다」「짐」의 뜻에는 「연잎」을 뜻하는 「荷」자를 빌어 쓰게 되었음。

뜻 ㊀①**어찌하** ㉠의문사(疑問辭)。㉡반어사(反語辭)。㉢감탄사(感嘆辭)。②**무엇하** ㉠알지 못하는 사물(事物)。㉡부정(不定)의 사물。또 부정의 사람。「何事非君、何使非民하사비군、하사비민」(누구를 섬긴들 임금이 아니며、누구를 부린들 백성이 아니랴)。③**어느하** ㉠어느 것。㉡어느 곳。㉢어느 누구。④**왜냐하면하** 설명하는 말。「何者하자」「何則하즉」으로 연용(連用)하기도 함。⑤**잠시하** 잠깐。⑥**멜하** 등에 짐。荷(艸部七畫)와 같은 글자。㊁**꾸짖을가** 질책함。訶(言部五畫)와 통용。

【何暇 하가】 어느 겨를。

【何景明 하경명】 명대(明代)의 시인(詩人)。자(字)는 중묵(仲默)。시(詩)·고문(古文)을 잘하여 이몽양(李夢陽)과 함께 복고(復古)의 학(學)을 제창하여 크게 유행했음。

【何故 하고】 무슨 까닭。
【何等 하등】 무엇이。아무。
【何時 하시】 어느 때。언제。
【何也 하야】 ①무엇 때문이냐。왜 그러냐。②무엇 때문이냐 하면。왜 그러냐 하면。
【何若 하약】 하여(何如)。
【何如 하여】 ①어떻게。어찌。②어떠하냐。어떤고。
【何以 하이】 ①무엇으로써。무슨 사물로。②어찌하여。왜。
【何者 하자】 왜냐 하면。그 이유는。
【何罪 하죄】 무슨 죄。
【何必 하필】 어찌 반드시。무슨 필요가 있어서。
◉幾何기하 奈何내하 誰何수하 若何약하 如何여하 云何운하

7 【佛】 人 5 중학 ㊀**불** ㊁**필** ㊂**발** — 부처 — ㊀入物 ㊁入質 ㊂入月

佛佛佛佛佛佛佛佛

자원 형성 弗음 人-亻-亻丁-佛(人부)

「弗불」은 떨어 버리다→본디대로가 아니게 됨。「佛」은 사람의 모습·모양이 명확하지 않다→희미하게 보이다→꼭 닮았음。나중에 인도말 불타를 생략한 「불」 또는 프랑스를 나타내는 취음자(取音字)로 씀。「仏」은 중들이 예로부터 쓰고 있는 약자(略字)。

뜻 ㊀①**부처불** ㉠범어(梵語) Buddha의 음역(音譯)。불교의 대도를 깨달은 성인(聖人)。특히 석가모니(釋迦牟尼)를 이름。「佛陀불타」 ㉡불상(佛像)。「佛師불사」 ㉢자비심이 두터운 사람。②**불교불** 세계 삼대 종교의 하나。③**어그러질불** 괴려(乖戾)함。拂(手部五畫)과 같은 글자。④**비틀불** 바싹 꼬며 틂。㊁**도울필** 弼(弓部九畫)과 같은 글자。㊂**성할발** 勃(力部七畫)·浡(水部七畫)과 통용。

【佛家 불가】 ①중。승려。②절。
【佛經 불경】 ①불교(佛敎)의 경전(經典)。불서(佛書)。②불상과 경전。
【佛戒 불계】 불도(佛道)의 계율(戒律)。
【佛供 불공】 부처 앞에 올리는 공양(供養)。향화(香花)·등명(燈明)·음식 따위。
【佛敎 불교】 서력 기원전 오세기경(五世紀頃) 인도의 석가모니(釋迦牟尼)가 세운 종교(宗敎)。불도(佛道)。불법(佛法)。석교(釋敎)。
【佛國 불국】 부처의 나라。극락정토(極樂淨土)。
【佛國寺 불국사】《韓》 경주시(慶州市) 남쪽 토함산(吐含山) 밑에 있는 절。신라(新羅) 경덕왕(景德王) 십년(十年)에 대상(大相) 김대성(金大城)이 세움。
【佛紀 불기】 백년을 일기(一紀)로 한 불가(佛家)에서 쓰는 연기(年紀)。
【佛器 불기】 불사(佛事)에 쓰는 그릇。
【佛壇 불단】 부처·위패(位牌) 등을 모신 단(壇)。
【佛堂 불당】 부처를 모신 대청。불전「(佛殿)。
【佛徒 불도】 불교를 믿는 신도(信徒)。
【佛道 불도】 불교(佛敎)。
【佛力 불력】 부처의 힘。부처의 공력。

【佛滅 불멸】 불타가 죽은 일。
【佛母 불모】 석가여래(釋迦如來)의 어머니。곧 마야부인(摩耶夫人)。정반왕(淨飯王)의 비(妃)。
【佛門 불문】 부처의 길。석문(釋門)。
【佛法 불법】 ①불교(佛敎)。②부처의 교법(敎法)。
【佛法僧 불법승】 여래(如來)와 교법(敎法)과 승려(僧侶)의 삼보(三寶)。
【佛菩薩* 불보살】 부처와 보살。
【佛寺 불사】 절。불우(佛宇)。
【佛事 불사】 불가(佛家)에서 행하는 모든 일。법사(法事)。
【佛師 불사】 불상(佛像) 또는 불구(佛具)를 만드는 사람。불공(佛工)。
【佛舍利 불사리】 《佛敎》 석가모니의 유골(遺骨)。
【佛像 불상】 부처의 상(像)。
【佛說 불설】 부처의 가르친 말。불교의 설(說)。
【佛書 불서】 불경(佛經)。
【佛性 불성】 《佛敎》 부처의 본성(本性)。진여(眞如)의 법성(法性)。
【佛式 불식】 ①불교의 의식(儀式)。②불교의 방식(方式)。
【佛身 불신】 《佛敎》 부처의 몸。불교의 이상(理想)을 나타낸 부처의 화신(化身)。
【佛心 불심】 부처의 자비(慈悲)한 마「음。
【佛緣 불연】 부처의 인연(因緣)。
【佛宇 불우】 불당(佛堂)。
【佛願 불원】 ①부처가 중생(衆生)을 건지고자 하는 소원。②중생이 부처에게 구원받고자 하는 기원(祈願)。
【佛恩 불은】 부처의 은혜。
【佛子 불자】 《佛敎》 ①불계(佛戒)를 받은 사람。불문(佛門)의 제자。②불성(佛性)을 갖춘 자。곧 일체 중생(一切衆生)。③불교를 믿는 사람。불교도(佛敎徒)。
【佛典 불전】 불경(佛經)。
【佛前 불전】 부처의 앞。불단(佛壇)「의 앞。
【佛弟子 불제자】 ①석가모니의 제자。②불교(佛敎)에 귀의(歸依)한 사람。
【佛祖 불조】 ①불교(佛敎)의 개조(開祖)。곧 석가모니。②불교 종파(宗派)의 시조(始祖)。조사(祖師)。
【佛鐘 불종】 절에 있는 종。
【佛座 불좌】 불당(佛堂) 안의 부처를 모신 자리。연대(蓮臺)。
【佛刹* 불찰】 절。불각(佛閣)。
【佛陀* 불타】 범어(梵語) Buddha 의 음역으로、각자(覺者)라 번역함。부처。석가(釋迦)。부도(浮屠)。
【佛塔 불탑】 ①절의 탑(塔)。②불당(佛堂)。
【佛土 불토】 부처가 사는 국토(國土)。정토(淨土)。
【佛學 불학】 불교에 관한 학문。
【佛畫 불화】 불교에 관한 것을 그린 그림。
◉見性成佛견성성불 金佛금불 南無阿彌陀佛나무아미타불 大佛대불 銅佛동불 木佛목불 生佛생불 石佛석불 成佛성불 神佛신불 念佛염불 禮佛예불

7 【作】 人 5 중학

㊀작 (⑩자㊍) 지을 ㊀①-⑨ ㊇藥 ⑩㊎箇
㊁주 ㊁㊎過

ノ 亻 亻 𠂉 作 作 作

자원 형성 作음 人-亻-作(人부)

음을 나타내는「乍작」은 「作작」의 옛 글자이며 발의 모양이란 설(說)도 있고 물건을 자르는 모습이란 설도 있지만「作」의 옛 모양(A)(B)를 보면「乍」에 손을 대고 있으므로「乍」은 무슨 도구(道具)로도 생각되고, 동작(動作)하는 것을 나타내기도 함。

(A) (B) 2500년전

「作」은 사람이 동작하다→일어서다→일이 일어나다→일으키다→만듦。

뜻 ㊀①**지을작** ㉠만듦。 제조함。「作成작성」「造作조작」 ㉡농사를 지음。「耕作경작」「作人작인」 ㉢세움。 건축함。 ㉣처음으로 만듦。 창정(創定)함。「作者작자」 ㉤시문을 지음。「作詩작시」「作歌작가」 ②**일으킬작** ㉠행함。 일을 일으킴。「作亂작란」 ㉡진흥(振興)함。「作興작흥」 ③**일어날작** ㉠잠에서 깸。 ㉡기립함。「坐作좌작」 ㉢흥기(興起)함。 ㉣생김。 ④**일할작** 일을 함。 ⑤**움직일작** ㉠감동함。 ㉡변함。 변동(變動)함。 ⑥**경작작** 농사。 ⑦**공사작** 건축。 토목공사。 ⑧**저작작** 저술。 ⑨**비로소작** 처음으로。 ⑩**작용작** 공용(功用)。 ※⑩은 본음(本音)자。 ㊁**만들주** ㊀과 뜻이 같음。

【作家 작가】 문예작품(文藝作品)의 저작자(著作者)。 사장(詞章)을 짓는 사람。 「래。
【作歌 작가】 노래를 지음。 또 그 노
【作奸* 작간】 간사(奸詐)한 짓을 함。
【作故 작고】 죽음。 「음。
【作曲 작곡】 노래 곡조(曲調)를 지
【作農 작농】 농사(農事)를 지음。
【作畓 작답】《韓》토지(土地)를 개간(開墾)하여 논을 만듦。
【作黨 작당】 떼를 지음。
【作圖 작도】 ①그림을 그림。 설계도 등을 그림。 ②기하학(幾何學)에서 일정한 기구와 방법으로써 어떤 조건에 알맞은 평면 도형을 그림。
【作例 작례】 시가(詩歌)·문장(文章) 따위를 짓는 본보기。
【作名 작명】 이름을 지음。
【作文 작문】 글을 지음。 또 지은 글。
【作物 작물】 농작물(農作物)。
【作米 작미】 벼를 찧어 쌀을 만듦。
【作法 작법】 ①글 같은 것을 짓는 법。 ②법칙을 만듦。
【作別 작별】 서로 헤어짐。
【作病 작병】 꾀병。
【作詞 작사】 가사(歌詞)를 지음。
【作舍道傍 작사도방】 길 가에 집을 짓는다는 뜻으로 의견(意見)이 많아서 결정(決定)을 짓지 못함을 이르
【作成 작성】 만듦。 지음。 「는 말。
【作詩 작시】 시(詩)를 지음。
【作心 작심】 마음을 단단히 먹음。
【作心三日 작심삼일】 한 번 결심(決心)한 것이 오래 가지 못함。
【作業 작업】 일。
【作用 작용】 ①동작되는 힘。 ②어떠한 물건이 다른 물건에 미치는 영
【作爲 작위】 지음。 만듦。 「향。
【作意 작의】 ①글 같은 것을 지은 뜻。 ②무엇을 꾸미려는 마음。
【作人 작인】 농사(農事)짓는 사람。
【作者 작자】 ①제도(制度)를 처음으로 제정(制定)하는 사람。 ②사장(詞章)을 짓는 사람。 저술을 하는

사람。③공예품을 만드는 사람。

【作錢 작전】물건을 팔아 돈을 장만함。

【作戰 작전】싸움을 하는 방법과 계략(計略)。

【作定 작정】일을 결정함。

【作罪 작죄】죄(罪)를 저지름。

【作破 작파】어떤 계획이나 하던 일을 그만 치워 버림。

【作弊 작폐】폐단(弊端)을 만듦。폐를 끼침。

【作品 작품】①제작한 물품。②시(詩)·소설(小說)·회화(繪畫)·조각(彫刻) 등의 창작품(創作品)。

【作戲 작희】남의 일을 방해함。

◉佳作가작 改作개작 傑作걸작 耕作경작 工作공작 近作근작 勞作노작 農作농작 大作대작 動作동작 名作명작 發作발작 小作소작 所作소작 新作신작 力作역작 輪作윤작 自作자작 著作저작 制作제작 製作제작 造作조작 操作조작 拙作졸작 振作진작 創作창작 處女作처녀작 豊作풍작 合作합작 凶作흉작

【坐】⇩土部四畫

【巫】⇩工部四畫

六畫

8 **【來】** 人 6 중학 래 | 올 | ①-⑧㊥灰 ⑨㊤隊

一 丆 双 來 來 來

자원 상형 3000년전

「來」〈부수는 人사람인〉는 보리의 모양을 나타낸 글자。아주 옛날 중국말로는 「오다」란 뜻의 말과 음이 같았기 때문에 「來」자를 빌어 썼음。나중에 보리란 뜻으로는 별도로 「麥맥」자를 만들었음。보리는 하늘로부터 전하여 온다고 믿었기 때문에 그래서 「오다」란 뜻으로 보리를 나타내는 글자를 쓰는 것이라고 옛날 사람은 설명하고 있음。

뜻 ①**올래** ㉠이리로 옴。「來往내왕」「來賓내빈」 ㉡장차 옴。「來者내자」「來日내일」 ②**돌아올래** 갔다 옴。「來歸내귀」 ③**부를래** 불러 옴。④**미래** ㉠전도。향후(向後)。㉡미래。후세。⑤**이래래** 그 이후。⑥**어조사래** 어세(語勢)를 강하게 하거나 권유의 뜻을 나타내기 위하여 어미에 붙이는 조사(助辭)。「歸去來귀거래」 ⑦**보리래** 맥류(麥類)。⑧**오대손래** 현손(玄孫)의 아들。⑨**위로할래** 오는 사람을 위로함。「勞來노래」

주의 「耒뢰」〈쟁기〉는 딴 글자。

참고 「來」를 음으로 하는 글자=「勑래」〈위로하다〉·「徠래」〈오다〉·「萊래」〈명아주〉·「睞래」〈곁눈질하다〉·「騋래」〈큰 말〉

【來客 내객】찾아 오는 손。손님。

【來去 내거】오고 감。오감。내왕。

【來貢 내공】외국(外國) 또는 속국(屬國)에서 와서 공물(貢物)을 바침。

【來觀 내관】와서 봄。보러 옴。

【來寇* 내구】외적이 쳐들어와 해침。

【來談 내담】와서 이야기함。또 그 이야기。

【來到 내도】와서 닿음。

【來同 내동】와 모임。내회(來會)。

【來歷 내력】①겪어온 자취。그 사람의 지금까지의 학업·직업 등。경력

〔二畫部首順〕 二亠人儿入八冂冖冫几凵刀力勹匕匚匸十卜卩厂厶又

(經歷)。 열력(閱歷)。 ②겪어온 경로(經路)。 유래(由來)。 내유(來由)。 ③전례(前例)。

【來明年 내명년】 담담해。 후년(後年)。 내내년(來來年)。

【來臨 내림】 찾아 오심。 내가(來駕)。

【來訪 내방】 찾아 옴。 내신(來訊)。

【來賓 내빈】 ①와서 머무름。 ②빈객(賓客)으로서 옴。 또 그 빈객。

【來生 내생】《佛敎》 삼생(三生)의 하나。 죽은 후에 다시 태어난 일생(一生)。 후생(後生)。 내세(來世)。

【來書 내서】 내신(來信)。

【來世 내세】 ①후세(後世)。 ②《佛敎》 내생(來生)。

【來歲 내세】 내년(來年)。

【來孫 내손】 현손(玄孫)의 아들。 곧 오대손(五代孫)。

【來襲 내습】 뜻밖에 와서 침。

【來往 내왕】 오고 감。 왕래(往來)。

【來遊 내유】 와서 놂。 놀러 옴。

【來意 내의】 온 뜻。

【來日 내일】 ①오늘의 다음 날。 명일(明日)。 ②뒤에 오는 날。 후일。

【來者不拒去者不追 내자불거거자불추】 오는 사람이나 가는 사람이나 제각기 자유에 맡겨 거절도 하지 아니하고 좇아가지도 아니함。

【來電 내전】 온 전보(電報)。

【來朝 내조】 ①제후(諸侯) 또는 속국(屬國)의 임금이나 사신(使臣)이 조정(朝廷)에 와서 천자(天子)를 뵘。 ②외국 사신이 찾아 옴。

【來秋 내추】 내년 가을。

【來春 내춘】 내년 봄。

【來侵 내침】 침범(侵犯)해 옴。

【來賀 내하】 와서 하례(賀禮)함。

【來後年 내후년】 내년(來年)의 다음 다음 해。 후년(後年)의 다음 해。

◉去來거래 捲土重來권토중래 到來도래 渡來도래 未來미래 舶來박래 本來본래 飛來비래 夜來야래 如來여래 往來왕래 外來외래 元來원래 遠來원래 由來유래 以來이래 將來장래 傳來전래 從來종래 招來초래 後來후래

8 **【併】** 人 6 **병** | 나란히할 | ①②[上]迥 ③④[去]敬

[자원] 형성 并[음] 人-亻-併(人부)

「亻사람인변」과 음을 나타내는 동시에 줄짓다의 뜻을 갖는 「并병」으로 이루어져 사람이 줄짓다。 전하여 합친다는 뜻。

[뜻] ①**나란히할병** 들쭉날쭉하지 않고 가지런히 줄을 지음。「併進병진」 ②**다툴병** 경쟁함。「併起병기」 ③**물리칠병** 屛(尸部六畫)과 같은 글자。 ④**아우를병** 합함。「併呑병탄」「合併합병」

【併發 병발】 동시에 일어남。 겹쳐 발생함。

【併用 병용】 같이 씀。 함께 씀。

【併進 병진】 같이 나아감。 나란히 나아감。

【併置 병치】 함께 둠。

【併呑 병탄】 아울러 삼킴。 남의 것을 모두 빼앗아 합쳐 자기 것으로 삼음。

【併合 병합】 둘 이상을 합하여 하나로 만듦。 합병(合併)함。

【併行 병행】 두 가지 일을 한꺼번에 치름。

◉兼併겸병 合併합병

8【佳】6 人 중학 **가** | 아름다울 | ㉸佳

ノ 亻 亻 仕 件 佳 佳 佳

자원 형성 圭음 人-亻 ⏌佳(人부)

「亻사람인변」과、음을 나타내는 「圭규」로 이루어져 아름다운 사람、전하여 아름다움을 뜻함。

뜻 ①**아름다울가** 「佳人가인」「佳景가경」 ②**좋을가** 「佳作가작」「佳節가절」 ③**좋아할가**

주의 「佳주」〈머무르다〉·「往왕」〈가다〉은 딴 글자。

【佳景 가경】 아름다운 경치。

【佳境 가경】 ①재미있는 곳。흥미 있는 부분。②맛이 있는 부분。③경치가 좋은 곳。「글귀。

【佳句 가구】 아름다운 글귀。훌륭한

【佳妓 가기】 아름다운 기생。

【佳期 가기】 ①좋은 시절(時節)。②미인 또는 애인과 만나는 때。③혼인날。「한 소년。

【佳郎 가랑】 ①얌전한 신랑。②얌전

【佳配 가배】 좋은 짝。좋은 배필。

【佳寶 가보】 특별히 가치 있는 보배。

【佳婦 가부】 재질이 뛰어나고 범절이 얌전한 신부(新婦)。

【佳樹 가수】 좋은 나무。가목(佳木)。

【佳辰 가신】 가일(佳日)。길일(吉日)。

【佳夜 가야】 좋은 달밤。양야(良夜)。

【佳約 가약】 가인(佳人)과 만날 언약。

【佳釀* 가양】 맛 좋은 술。

【佳言 가언】 좋은 말。가언(嘉言)。

【佳容 가용】 아름다운 용모(容貌)。화용(華容)。

【佳人 가인】 ①미인(美人)。미녀(美女)。②미남(美男)。③사모(思慕)하는 사람。④시부(詩賦) 등에서、신하가 군주를 가리켜서 이름。

【佳人薄命 가인박명】 미인(美人)은 팔자(八字)가 대개 기박(奇薄)함。

【佳日 가일】 좋은 날。길일(吉日)。

【佳作 가작】 잘된 작품(作品)。

【佳節 가절】 좋은 명절(名節)。좋은 때。가일(佳日)。

【佳酒 가주】 맛 좋은 술。가양(佳釀)。

【佳趣 가취】 재미있는 흥취(興趣)。

【佳篇 가편】 훌륭한 시문(詩文)。

【佳花 가화】 아름다운 꽃。

【佳話 가화】 재미있는 이야기。좋은 이야기。

【佳肴* 가효】 맛 좋은 안주。「이야기。

8【使】6 人 중학 **사** | 부릴 | ①②㊤紙 ③-⑦㊦寘

ノ 亻 仁 仁 伊 使 使

자원 형성 事음-吏 人-亻 ⏌使(人부)

「事사」는 신을 모시는 사자(使者)→관리로서 자기 일에 힘씀。나중에 사자→사람을 쓰다→물건을 쓰다란 뜻에는 「亻사람인변」을 붙였지만 자형(字形)을 바꾸어 「使」라고 쓰게 되었음。 (2000년전)

뜻 ①**부릴사** 일을 시킴。「使役사역」「使用사용」 ②**하여금사** ㉠…로 하여금…하게 함。명령의 말。㉡…로 하여금…하게 한다면。가설(假說)의 말。③**사신사** 임금의 명령을 받들어 나가서 일에 당하는 사람。④**심부름꾼사** 하인。「使令사령」 ⑤**사신갈사** 사신으로 나감。⑥**사신보낼**

사、 심부름보낼사 ⑦**벼슬이름사** 조정에서 파견되어 지방의 사무를 맡아 보는 벼슬。「節度使절도사」

【使徒 사도】 예수가 그 제자 중에서 복음(福音)을 전하게 하였던 열 두 사람。십 이 제자(十二弟子)。

【使令 사령】《韓》 각 관아(官衙)에서 심부름하는 사람。

【使命 사명】 ①사자(使者)가 받는 명령。 ②자기에게 부과된 직무。

【使無訟 사무송】 잘 다스리어 송사(訟事) 또는 시비가 없도록 함。

【使臣 사신】 임금의 명령(命令)을 받들어 외국(外國) 또는 외지(外地)로 가는 사자(使者)。사절(使節)。

【使役 사역】 부리어 일을 시킴。 또 남이 시키는 일을 함。

【使用 사용】 ①물건(物件)을 씀。 ②사람을 부림。

【使者 사자】 ①사명(使命)을 띤 사람。 ②심부름을 하는 사람。

【使節 사절】 ①사자(使者)가 가지고 다니는 부절(符節)。 전(轉)하여、사자(使者)。 ②임금 또는 정부의 대표가 되어 외국에 가서 있는 사람。

【使丁 사정】 심부름하는 남자。 사환。

【使嗾* 사주】 남을 부추기어 시킴。 사촉(唆囑)。

【使喚* 사환】 ①일을 시킴。 부림。 ②사인(私人)의 집에서 부리는 사람。

◉假使가사 公使공사 觀察使관찰사 驅使구사 國使국사 軍使군사 急使급사 大使대사 密使밀사 副使부사 小使소사 巡使순사 巡察使순찰사 信使신사 雁使안사 節度使절도사 正使정사 天使천사 勅使칙사 特使특사 行使행사

8【侈】人 6 **치** | 사치할 | ㊤紙

자원 형성 多음 人-亻┬侈(人부)

「亻사람인변」과 음을 나타내며 동시에 자랑하다의 뜻을 가진「多다」(치는 변음)로 이루어져 사람이 오만하다의 뜻。

뜻 ①**사치할치** 분에 넘치게 호사함。「侈奢치사」 ②**오만할치** 거만함。「侈傲치오」 ③**클치** 형체가 큼。 ④**많을치** 넉넉함。 ⑤**벌릴치** 펴서 엶。 ⑥**호사치** 사치。「奢侈사치」

8【例】人 6 중학 **례** | 법식 | ㊮霽

亻 亻 仮 仿 例 例

자원 형성 列음 人-亻┬例(人부)

음을 나타내는「列렬」은 한 줄로 늘어 놓는 일。「例」는 사람이 한 줄로 늘어 놓다→물건을 한 줄로 늘어 놓음。본디 한 줄로 늘어 놓는 일은「列」자가 나타내었으나 나중에「列」을 다른 글자의 부분으로도 쓰기 때문에 (⇩烈렬·裂렬) 본디의 뜻의 경우에는「亻사람인변」을 붙였음。그 후 또「列」과「例」를 따로 써서 음도 변한 것임。

뜻 ①**법식례** 규정(規定)。「例規예규」「法例법례」。 ②**전례례** 이전부터 있던 사례。「古例고례」「慣例관례」 ③**전고례** 고실(故實)。「例事예사」 ④**본보기례** 전거(典據)와 표준이 되기에 족한 것。「凡例범례」「用例용례」

⑤인증례 인용하는 증거。⑥비류(比類)례 같은 종류。비슷한 종류。「一例일례」 ⑦대개례 거의 다。

【例規 예규】 예법(例法)。

【例年 예년】 ①매년。②《韓》여느 해。

【例文 예문】 예로서 드는 글。

【例法 예법】 관례(慣例)의 방법。항상 일정한 방법。

【例事 예사】 세상에 보통 있는 일。

【例示 예시】 예(例)를 들어서 보임。

【例外 예외】 규정(規定)이나 정례(定例)에 어긋나는 일。

【例題 예제】 ①정례(定例)로 내리는 제사(題辭)。②연습(練習)을 위하여 보기로 내는 문제(問題)。

【例證 예증】 증거로 되는 전례(前例)。

【例解 예해】 예를 들어 풀이함。

【例話 예화】 예를 들어 하는 이야기。

◉家例가례 古例고례 慣例관례 舊例구례 吉例길례 凡例범례 法例법례 比例비례 事例사례 常例상례 先例선례 善例선례 實例실례 惡例악례 用例용례 類例유례 引例인례 一例일례 典例전례 前例전례 定例정례 條例조례 準例준례 通例통례 特例특례 判例판례

8【侍】人 6 [고교] 시 ― 모실 ― [去]寘

ノ 亻 仁 仕 仕 侍 侍

[자원] 형성 寺[음] 人-亻-侍(人부)

「亻사람인변」과 음을 나타내며 동시에 물건을 꼭 간직하고 있다는 뜻을 가진 「寺사·시」로 이루어지며 귀인(貴人)의 바로 옆에서 일하는 사람 또는 그 일을 뜻함。

[뜻] ①모실시 높은 사람의 옆에서 시중듦。또 그 사람。「侍坐시좌」「侍從시종」 ②기를시 양육함。③임(臨)할시 ④권할시 권면함。

[주의] 「侍대」〈기다리다〉는 딴 글자。

【侍講 시강】 임금 또는 동궁(東宮) 앞에서 경서(經書) 등의 강의(講義)를 하는 일。또 그 벼슬아치。

【侍女 시녀】 시비(侍婢)。

【侍郞 시랑】 ①진(秦)·한(漢) 때 궁중(宮中)의 수호를 맡은 벼슬。②당대(唐代)의 중서(中書)·문하(門下)의 두 성(省)의 장관(長官)。③후대(後代)의 육부(六部)의 차관。

【侍立 시립】 좌우에 모시고 섬。

【侍婢 시비】 옆에서 시중드는 계집。

【侍史 시사】 ①좌우(左右)에 시좌(侍坐)하는 서기(書記)。②좌우에 모시는 속료(屬僚)。비서관(秘書官)。③편지 겉봉에 공경하는 뜻으로 받는 이의 이름 아래에 쓰는 말。

【侍生 시생】 웃어른에게 대한 자기의 겸칭。

【侍臣 시신】 임금을 가까이 모시는 신하。

【侍御 시어】 천자(天子)를 모심。또 그 사람。시종(侍從)。

【侍御史 시어사】 관명(官名)。주(周)의 주하사(柱下史)를 진(秦)나라 때 고친 이름。비법(非法)을 검찰(檢察)하던 벼슬아치。

【侍衛 시위】 임금을 모시어 호위(護衛)함。또 그 무관(武官)。

【侍醫 시의】 궁중(宮中)에서 섬기는 의원。

【侍者 시자】 귀인(貴人)의 옆에서 시중드는 사람。

【侍從 시종】 임금을 가까이 모심。또

그 벼슬아치。

【侍中 시중】①진(秦)나라 때 궁중(宮中)의 주사(奏事)를 맡은 벼슬。②위(魏)·진(晉) 이후의 문하성(門下省)의 장관(長官)。

【侍下 시하】부모 또는 조부모가 생존한 사람。

◉近侍근시 內侍내시

8 【供】 人 6 고교 공 | 이바지할 | ㊥冬 ㊣宋

亻 仁 什 仕 供 供 供

자원 형성 共(음) 人-亻-供(人부)

음을 나타내는 「共공」은 물건을 두 손으로 바치는 모양。이 글자를 근본으로 하여 「恭공」〈신을 섬기는 마음가짐〉 따위의 글자가 되었기 때문에 양손으로 공손히 신에게 물건을 바치는 일에는 「亻사람인변」을 더하여 「供」이라고 씀。나중에 신에는 관계 없이 내밀다、주다、높은 분을 모시고 가다라는 뜻으로도 씀。

뜻 ①**이바지할공** ㉠줌。「供億공억」「供給공급」 ㉡올림。바침。드림。또 주거나 바친 물품。「供奉공봉」 ②**받들공** 받들어 모심。「供養공양」 ③**갖추어질공** 구비됨。④**베풀공** 설비함。⑤**공초**(供招)**할공** 죄인이 범죄 사실을 진술함。「供述공술」「口供구공」

【供給 공급】①물건을 바쳐 쓰도록 함。②수요(需要)에 응하여 물품을 제공(提供)함。

【供辭 공사】죄인(罪人)이 범죄(犯罪) 사실을 진술(陳述)하는 말。

【供述 공술】소송상(訴訟上)의 신문(訊問)에 대하여 진술(陳述)함。

【供養 공양】①부모를 봉양함。②웃어른에게 음식물을 드림。③(佛敎) 부처 또는 죽은 이의 영전(靈前)에 음식을 올림。

【供進 공진】천자(天子)께 식사(食事)를 올림。

【供招 공초】공사(供辭)。

【供出 공출】국가의 수요(需要)에 의하여 국민이 곡식이나 기물(器物)을 공정가격(公定價格)에 의하여 의무적으로 정부에 내어 놓는 일。

【供托 공탁】물건을 제공(提供)하고 그 보관(保管)을 위탁(委託)함。

◉口供구공 提供제공

8 【依】 人 6 중학 의 | 의지할 | ①-③㊥微 ④-⑥㊤尾

丿 亻 亻 仁 仕 依 依

자원 형성 衣(음) 人-亻-依(人부)

「亻사람인변」과、달라붙다의 뜻을 가지며 또 음을 나타내는 「衣의」로 이루어짐。사람이 의지 하다의 뜻。

뜻 ①**의지할의** ㉠물건에 기댐。㉡의뢰함。「依附의부」「依託의탁」 ㉢또 기댈 곳。의탁할 데。②**좇을의** 따름。「依準의준」 ③**우거질의** 수목이 무성한 모양。④**편안할의、편안히 할의** ⑤**비유**(比喩)**의** ⑥**머리병풍의** 扆(戶部六畫)와 같은 글자。

【依據 의거】①증거(證據)대로 함。②산이나 물에 근거(根據)로 삼음。의지하여 웅거(雄據)함。

【依舊 의구】옛날과 다름이 없음。

【依例 의례】전례(前例)에 의(依)함。

【依賴 의뢰】남에게 의지(依支)함。남에게 부탁(付託)함。

【依法 의법】법(法)에 의지(依支)함。

【依然 의연】전과 다름이 없는 모양。

【依願 의원】소원에 의함。

【依存 의존】의지(依支)하고 있음。

【依支 의지】①남을 의뢰(依賴)함。②몸을 기댐。

【依託 의탁】의뢰(依賴)함。부탁함。

◉歸依귀의 輔車相依보차상의 屬依속의

8 【価】人 6 價(人部十三畫)의 약자(略字)。

七畫

9 【侮】人 7 모 ─업신여길─ ㊤麌

자원 형성 每음 人-亻┬侮(人부)

「亻사람인변」과、음을 나타내는 동시에 사람을 무시하다의 뜻(⇩無무)을 나타내기 위한 「每매」(모는 변음)로 이루어짐。사람을 업신여기다의 뜻。

뜻 ①**업신여길모** 경멸(輕蔑)함。또 업신여기는 일。경멸(輕蔑)。「侮辱모욕」「陵侮능모」 ②**조롱할모** 업신여기어 희롱함。

【侮蔑 모멸】업신여기고 얕봄。

【侮辱 모욕】깔보고 욕보임。

◉輕侮경모 凌侮능모 陵侮능모 外侮외모

9 【侯】人 7 고교 후 ─후작─ ㊥尤

丿 亻 亻 伫 伊 伊 侫 侯 侯

자원 형성 矢┐𥎦음 厂人┘┬𥎦-侯(人부)

「𥎦후」가 옛 자형(字形)으로 화살을 쏘아 맞히는 과녁의 뜻의 회의자(會意字)。또 왕후(王侯)의 후(侯)의 뜻에 빌어 쓰여졌음。「𥎦」의 이체(異體)인 「矦후」는 뜻을 나타내는 「人인」〈사람〉과、음을 나타내는 「𥎦」로 이루어진 형성자(形聲字)임。「侯」는 「矦」의 변한 글자。

뜻 ①**후작후** 오등작(五等爵)의 둘째。공(公)의 아래이고 백(伯)의 위임。「公侯伯子男공후백자남」 ②**제후후** 천자(天子)에게 조공(朝貢)하는 작은 나라의 임금。후세에는 단지 경칭(敬稱)으로 쓰이는 수도 있음。③**아름다울후** ④**오직후** 발어사(發語辭)。惟(心部八畫)·維(糸部八畫)와 뜻이 같음。⑤**사포(射布)후** 활을 쏘는 표적(標的)으로서 거는 베。과녁。「侯鵠후곡」 ⑥**후복(侯服)후** 오복(五服)의 하나。왕성(王城) 주위로부터 오백리에서 천리(千里) 사이의 땅。⑦**어찌후** 의문사。何(人部五畫)와 뜻이 같음。⑧**어조사후** 무의미의 조사(助辭)。兮(八部二畫)와 통용。

주의 「候후」〈묻다〉는 딴 글자。

참고 「侯」를 음으로 하는 글자=「喉후」〈목구멍〉·「猴후」〈원숭이〉·「鍭후」〈화살〉·「餱후」〈말린 밥〉

【侯公 후공】제후(諸侯)。

【侯爵 후작】오등작(五等爵)의 둘째。공작(公爵)의 다음이고 백작(伯爵)의 위。

◉君侯군후 封侯봉후 王侯왕후 諸侯제후

9 【侵】人 7 고교 침 ─침노할─ ①-⑤㊥侵 ⑥㊤寑

丿 亻 仁 伊 伊 伊 侵 侵

자원 형성 侵음 人-亻-侵(人부)

「亻사람인변」과, 음을 나타내며 동시(同時)에 진입(進入)하는 뜻(⇩浸침·駸침)을 가지는 「㑴침」으로 이루어져, 사람이 남의 땅으로 진입하는 것을 뜻함。

뜻 ①**침노할침** 침략(侵略)함。「侵掠침략」 ②**엄습할침** 불의에 습격함。 ③**침범할침** ㉠능멸(陵蔑)함。「侵侮침모」 ㉡침해함。 ㉢법을 어김。 ④**차츰나갈침** 점진(漸進)함。 ⑤**흉년침** 풍년의 대(對)。 ⑥**모침(貌寢)할침** 키가 작고 못생김。寢(宀部十一畫)과 같은 글자。

참고 ①「㑴침」의 옛글자 모양은 「㑴」으로, 「帚」〈비〉를 들고(＝又) 깨끗이 하다의 뜻。 ②「㑴」을 음으로 하는 글자＝「寢침」〈자다〉·「綅침」〈붉은 실〉·「浸침」〈잠그다〉·「鋟침」〈새기다〉·「駸침」〈달리다〉

【侵攻 침공】 침입하여 공격함。 쳐서 빼앗음。

【侵略 침략】 침범하여 약탈함。

【侵掠 침략】 침략(侵略)。

【侵犯 침범】 남의 국토나 신체·재산·명예 등에 해를 끼침。「들어감。

【侵蝕* 침식】 조금씩 조금씩 개먹어

【侵入 침입】 침범하여 들어감。

【侵奪 침탈】 침범하여 빼앗음。

【侵害 침해】 침범하여 손해를 끼침。

◉來侵내침 大侵대침 不可侵불가침

9【侶】人 7 려 ― 짝 ― ㊤語

자원 형성 呂음 人-亻-侶(人부)

「亻사람인변」과 음을 나타내며 동시에 사람을 모으다의 뜻을 나타내기 위한 「呂려」로 이루어져, 동아리·한패를 뜻함。

뜻 ①**짝려**, **벗려** 동무。동류(同類)。「侶儔여주」「伴侶반려」 ②**벗할려** 벗으로 삼음。 ③**동반할려** 동무삼아 같이 감。

◉同侶동려 伴侶반려 僧侶승려

9【便】人 7 중학 ㊀ **편** ㊁ **변** 편할 ㊀①-⑦ ㊎霰 ⑧ ㊍先 ㊁ ㊎霰

亻 亻 仁 佢 佰 俥 便

자원 형성 更음 人-亻-便(人부)

「亻사람인변」과, 음을 나타내며 동시(同時)에 바로잡다, 바꾸다의 뜻을 가지는 「更경·갱」(편은 변음)으로 이루어져 사람에게 편리(便利)하게 바꾸는 것。 또 음이 닮은 「傳전」의 뜻을 받아 소식(消息)·방문(訪問) 등의 뜻으로도 쓰임。

뜻 ㊀①**편할편** ㉠편안함。「便書편서」 ㉡편리함。「便宜편의」 ②**편의편** ㉠유리한 방법。 ㉡유리한 기회。 ③**소식편** 음신。「信便신편」 ④**쉴편** 휴식함。「便殿편전」 ⑤**익힐편**, **익을편** 숙달함。「便習편습」 ⑥**말잘할편** ⑦**뚱뚱할편** 비대함。「便腹편복」 ⑧**아첨편** 아유。 ㊁①**곧변**, **문득변** 즉(卽)。「卽便즉변」으로 연용(連用)하기도 함。 ②**오줌변** 「小便소변」 ③**오**

줌눌변 소변을 봄。④똥변「大便대변」

[참고]「便」을 음으로 하는 글자 =「箯편」〈가마〉・「鞭편」〈채찍〉・「楩편」〈나무 이름〉。

【便器 변기】 대소변을 받아 내는 그릇。

【便祕 변비】 대변(大便)이 잘 나오지 않는 병。

【便所 변소】 뒷간。

【便覽 편람】 잠깐 보아서 얼른 알도록 만든 책。

【便利 편리】 ①편하고 쉬움。②재빠름。

【便法 편법】 간편한 방법。

【便服 편복】 평상시에 입는 옷。

【便船 편선】 편을 이용할 수 있는 배。

【便乘 편승】 ①남을 따라 한자리에 탐。②세태나 남의 세력을 이용하여 자신의 이익(利益)을 거둠。

【便安 편안】 ①무사(無事)하여 심신이 편함。②편히 쉼。

【便衣 편의】 편복(便服)。

【便宜 편의】 ①편리하고 마땅함。②형편(形便)。또 형편을 살핌。

【便易 편이】 편하고 쉬움。

【便益 편익】 편리하고 유익(有益)함。

【便殿* 편전】 임금이 휴식하는 궁전。임금이 평상시에 거처하는 대궐。

【便紙 편지】 소식을 알리거나 용건을 전하는 글。서간(書簡)。

◉簡便간편 輕便경편 大便대변 方便방편 不便불편 船便선편 小便소변 用便용변 郵便우편 利便이편 因利乘便인리승편 人便인편 車便차편 形便형편

9 【係】 人 7 [고교] 계 — 맬 — [去]霽

亻 仁 仫 伾 伾 係 係

[자원] 형성 系[음] 人-亻-係(人부)

본디는 음을 나타내는「系계」와 같은 글자。나중에「係」는 사람이 물건을 걸다→사람의 관계→사람을 속박하다→얽다의 뜻으로 되었음。

[뜻] ①맬계 ㉠잡아 맴。연결함。㉡묶음。결박(結縛)함。②매일계 계속(繫屬)함。③끌계 질질 끎。④계 계《韓》사무 분담의 구분에 있어 가장 아래의 단위(單位)。「係長계장」

【係累 계루】 ①얽어 맴。결박함。또 얽매임。②처자권속(妻子眷屬)。

【係員 계원】《韓》한 계(係)에 속하는 인원。

【係長 계장】《韓》관청이나 회사의 한「계(係)」의 책임자。

【係爭物 계쟁물】 당사자간(當事者間)에 분쟁(紛爭)이 된 목적물(目的物)。곧 소송(訴訟)의 목적물。

◉關係관계

9 【促】 人 7 [고교] [一]촉 [二]착 — 절박할 — [一][入]沃 [二][入]覺

丿 亻 亻 仆 仰 伻 伻 促

[자원] 형성 足[음] 人-亻-促(人부)

「亻사람인변」과, 음을 나타내며 동시(同時)에 빠르게 하다의 뜻(⇩速속)을 나타내기 위한「足족」(족은 변음)으로 이루어져 최촉(催促)하다의 뜻。

[뜻] [一]①절박할촉 시기나 기한이 가까이 닥침。②급할촉 빠름。③재촉할촉 빨리 하도록 재침。「催促최촉」「督促독촉」④좁을촉 협소함。⑤짧을촉 단소함。[二]악착스러울착 齪(齒部七畫)과 통용。

【促急 촉급】①가깝게 박두(迫頭)하여 몹시 급함。②재촉함。독촉함。
【促迫 촉박】촉급(促急)。
【促成 촉성】재촉하여 빨리 이루어지게 함。
【促進 촉진】재촉하여 빨리 나아가게 함。
◉急促급촉 督促독촉 催促최촉

9 **【俄】** 人 7 **아** | 잠시 | ㊥歌

자원 형성 我음 人-亻-俄(人부)

「亻사람인변」과、음을 나타내며 동시에 기울다의 뜻(⇩傾경)을 나타내기 위한 「我아」로 이루어지며、기울다를 뜻함。또 그 음을 빌어 갑자기의 뜻을 나타냄。

뜻 ①**잠시아** ㉠잠깐 동안。「俄頃아경」「俄刻아각」 ㉡잠시 후에。얼마 안 되어。②**갑자기아** 급작스럽게。「俄然아연」 ③**기울아** 峨(山部七畫)와 같은 글자。④**아라사아** 아라사(俄羅斯) 즉 노서아(露西亞)의 약칭。「俄館아관」

【俄館 아관】《韓》아라사(俄羅斯)의 공사관(公使館)。
【俄國 아국】아라사(俄羅斯)。
【俄然 아연】갑자기。급히。

9 **【俊】** 人 7 **준** | 뛰어날 | ㊀震

丿 亻 … 俊

자원 형성 夋음 人-亻-俊(人부)

「亻사람인변」과、음을 나타내는 「夋준」으로 이루어지며 뛰어난 것을 뜻함。

뜻 ①**뛰어날준**、**준걸준** 재주와 슬기가 뛰어남。걸출함。또 그 사람。「俊士준사」「俊材준재」 ②**높을준** 峻(山部七畫)과 통용。

【俊傑 준걸】재주와 슬기가 뛰어난 사람。
【俊骨 준골】준수(俊秀)하게 생긴 골격(骨格)。
【俊童 준동】뛰어나게 슬기로운 소년。
【俊敏 준민】재주와 슬기가 뛰어나서 밝음。수민(秀敏)。
【俊士 준사】①주대(周代)의 학제(學制)에서 서인(庶人)의 자제(子弟) 중 도덕이 뛰어난 사람으로서 대학(大學) 입학을 허가받은 사람。②준수(俊秀)한 사람。
【俊秀 준수】재주와 슬기가 뛰어남。또 그 사람。준매(俊邁)。
【俊彥* 준언】재주와 슬기가 뛰어난 사람。언(彥)은 남자의 미칭(美稱)。
【俊逸 준일】뛰어나게 훌륭함。또 그러한 사람。
【俊才 준재】뛰어난 재주。또 그 사람。영재(英才)。
【俊材 준재】뛰어난 재주를 가진 사람。준재(俊才)。
【俊哲 준철】준수하고 어짊。또 그 사람。
【俊豪 준호】준걸(俊傑)。
◉傑俊걸준 英俊영준 才俊재준 豪俊호준

9 **【俗】** 人 7 중학 **속** | 풍습 | ㉧沃

亻 … 俗

자원 형성 谷음 人-亻-俗(人부)

「谷곡」은 물이 잇달아 흘러 그치지 않는 시내。여기에서는 그와 같이 그치지 않는 사람의 욕심을 뜻함。

〔二畫部首順〕二亠人儿入八冂冖冫几凵刀力勹匕匚匸十卜卩厂厶又

「俗」은 사람이 보통으로 그렇게 하고 싶다고 생각하는 기분에서 지방(地方)마다 퍼져 있는 풍습→흔히 있는 일→범속함。

뜻 ①**풍습속** 풍속과 습관。「時俗시속」「世俗세속」 ②**시속속** 당세의 속된 풍습。또 속세(俗世)。③**범속할속** 평범하고 용속(庸俗)함。「俗人속인」 ④**속될속** 고상하지 못하고 천하게 보임。「雅아」의 대。「俗惡속악」「俗學속학」 ⑤**속인속** ㉠평범한 사람。㉡중이 아닌 보통 사람。「還俗환속」

【俗家 속가】①속인(俗人)의 집。불교를 믿지 아니하는 사람의 집。②중이 중 되기 전(前)에 태어난 집。

【俗歌 속가】속(俗)된 노래。유행가。

【俗間 속간】속(俗)된 세상。민간(民間)。세간(世間)。

【俗見 속견】세속(世俗)의 생각。속인(俗人)의 견식(見識)。

【俗界 속계】①속인(俗人)의 세계(世界)。종교계(宗敎界)의 대(對)。②무풍류(無風流)한 장소。

【俗曲 속곡】①일반에서 널리 부르는 가곡(歌曲)。②속가(俗歌)。

【俗氣 속기】세속의 기풍。속된 기풍。

【俗念 속념】세속에 얽매인 생각。속된 생각。속정(俗情)。

【俗談 속담】①세속(世俗) 이야기。②옛적부터 내려오는 민간(民間)의 격언(格言)。

【俗慮 속려】속정(俗情)。

【俗例 속례】세속의 관례(慣例)。

【俗禮 속례】풍속에서 일어난 예절。

【俗論 속론】①세속의 의론。속인의 의견。②하찮은 의견。

【俗流 속류】아담한 맛이 없는 평범한 무리。속배(俗輩)。

【俗吏 속리】절개나 식견이 없는 관리。사리에 통하지 않는 관리。속된 관리。

【俗名 속명】①중이 되기 전의 이름。법명(法名)의 대(對)。②민간에서 부르는 이름。통칭(通稱)。

【俗務 속무】세속의 잡무(雜務)。

【俗物 속물】식견이 없거나 풍류를 모르는 사람。속된 사람。

【俗輩 속배】속류(俗流)。

【俗士 속사】속된 선비。식견이나 안목이 낮은 사람。범용한 선비。

【俗事 속사】속세(俗世)의 일。

【俗師 속사】학식이 얕은 선생。

【俗書 속서】①불경(佛經)이 아닌 책。②속된 책。보잘 것 없는 책。

【俗說 속설】세속 사람의 논설。

【俗姓 속성】①세간에서 보통 불려지는 성。②중이 되기 전의 성(姓)。

【俗性 속성】속(俗)되고 천한 성질。

【俗世 속세】일반 사회。이 세상。

【俗所謂 속소위】속담(俗談)에 이른바。

【俗習 속습】세속의 풍습。

【俗僧 속승】속태(俗態)를 벗지 못한 중。불도(佛道)를 잘 모르는 중。

【俗惡 속악】속되고 나쁨。비속(卑俗)하고 열악(劣惡)함。

【俗樂 속악】속(俗)된 음악。일반에서 널리 부르는 노래。

【俗語 속어】①품격(品格)이 낮은 말。천한 말。②일상 쓰이는 말。아어(雅語)의 대(對)。

【俗緣 속연】(佛敎) 속세(俗世)의 인연(因緣)。이승의 인연(因緣)。

【俗謠 속요】유행가。민요(民謠)。

【俗音 속음】 세상에서 통속적으로 잘 못 쓰는 한자(漢字)의 음(音)。

【俗人 속인】 ①풍류를 이해(理解)하지 못하는 속(俗)된 사람。 ②일반 사람。 ③중이 중 아닌 사람을 가리키는 말。

【俗字 속자】 세상에서 통속적으로 쓰이는 자획(字畫)이 바르지 않은 한자。

【俗才 속재】 세상살이에 뛰어난 재주。

【俗傳 속전】 민중 사이에 전함。 세상에 널리 전함。

【俗諦* 속제】 《佛敎》 속세의 실상에 따라서 알기 쉽게 설명한 진리。 자타(自他)의 차별이 있는 현실의 세계에 기초를 둔 가르침。 진제(眞諦)의 대。

【俗塵* 속진】 속세(俗世)의 티끌。

【俗體 속체】 ①중이 아닌 속인의 태도。 ②고상(高尙)하지 아니한 속(俗)된 체제(體制)。

【俗趣 속취】 세속(世俗)의 취미。

【俗稱 속칭】 ①세속(世俗)에서 흔히 부르는 이름。 ②속명(俗名)。

【俗態 속태】 아담스럽지 못한 매골。 세속의 티。

【俗化 속화】 속(俗)되게 변(變)함。

【俗話 속화】 세속(世俗)의 이야기。

◉舊俗구속 國俗국속 同聲異俗동성이속 美俗미속 民俗민속 凡俗범속 卑俗비속 世俗세속 習俗습속 異俗이속 土俗토속 通俗통속 風俗풍속

9 **【保】** 人 7 중학 **보** | 보설 | ㊤皓

亻 亻口 亻口 亻旦 亻呆 保 保

자원 회의 呆 人-亻-保(人부) 3000년전

「呆보」는 갓난아기。 「保」는 아기를 돌보다→소중하게 기르는 일。 옛 모양은 「人인」〈사람〉과 「子자」〈아이〉로 쓰고 「好호」자의 얼개와 비슷하고 뜻도 관계가 깊음。

뜻 ①**보설보** 보증(保證)을 섬。 「保人보인」 ②**보전할보** 보호하여 안전하게 함。 「保安보안」「保護보호」。 ③**도울보** 보좌함。 ④**기를보** 보호하여 양육(養育)함。 ⑤**알보** 인식함。 판단함。 ⑥**지킬보** 의지하여 수비함。 ⑦**편안할보** 편함。 ⑧**믿을보** 의뢰함。 ⑨**머슴보** 고용인。 ⑩**반보** 옛날에 일정한 호수(戶數)로 조직되어 그 조직 안에서 공무(公務)에 관하여 연대 책임을 지던 조합(組合)。 ⑪**보증보** 보。 또 보 서는 사람。 ⑫**보루보** 堡(土部九畫)와 통용。 ⑬**포대기보** 褓(衣部九畫)와 통용。

참고 「保」를 음으로 하는 글자＝「堡보」〈작은 성〉·「葆보」〈더부룩이 나다〉·「褓보」〈포대기〉·「緥보」〈포대기〉

【保健 보건】 건강을 보전(保全)함。

【保管 보관】 물건을 보호하고 관리함。

【保菌 보균】 병균을 몸에 지니고 있음。

【保寧 보령】 편안하게 함。

【保留 보류】 결정을 뒤로 미루어서 머물러 둠。

【保姆* 보모】 어린아이를 돌보는 부인(婦人)。

【保線 보선】 철도의 선로 등을 보전함。

【保守 보수】 ①보전하여 지킴。 ②구습(舊習)을 지킴。

【保身 보신】 몸을 보전(保全)함。

【保身之策 보신지책】 몸을 보전하는 계책(計策)。
【保安 보안】 사회(社會)의 안녕 질서(安寧秩序)를 보전(保全)함。
【保眼 보안】 눈을 보호(保護)함。
【保養 보양】 몸을 건강하게 보전(保全)하여 기름。양생(養生)。
【保佑* 보우】 보호(保護)하고 도움。
【保衞 보위】 보호하여 지킴。
【保有 보유】 보전(保全)하여 가짐。가지고 있음。
【保育 보육】 어린아이를 보호하여 기름。
【保障 보장】 ①성채(城砦)。보루(堡壘)。②세금을 경감하여 백성을 보호하는 정치。③보호하여 위해가 없도록 함。
【保全 보전】 보호(保護)하여 안전(安全)하게 함。
【保定 보정】 편안하게 함。무사안태(無事安泰)하게 함。
【保存 보존】 잘 지니어 보전(保全)함。
【保佐 보좌】 도움。
【保重 보중】 몸을 아끼어 잘 보전(保全)함。
【保證 보증】 틀림이 없음을 책임짐。
【保持 보지】 보전(保全)하여 유지함。
【保眞 보진】 천성(天性) 그대로 보존함。천진난만함을 잃지 않음。
【保弼* 보필】 보좌(保佐)。
【保合 보합】 시세(市勢)에 변동(變動)이 없음。
【保衡* 보형】 은대(殷代)의 재상(宰相)의 일컬음。이 사람에 의하여 천하가 태평해진다는 뜻。아형(阿衡)。
【保護 보호】 돌보아 지킴。
◉擔保담보 留保유보 酒保주보 確保확보

9
【俠】
人 7 협 | 호협할 | ㉧葉

자원 형성 人 夾음 人-亻-俠(人부)

「亻사람인변」과, 음을 나타내며 동시(同時)에 자기의 힘을 믿는 뜻(⇩挾협)을 가지는 「夾협」으로 이루어지며 협기(俠氣)의 뜻。

뜻 ①**호협할협** 협기(俠氣)가 있음。의협심이 많음。「俠客협객」「義俠의협」 ②**낄협** 挾(手部七畫)과 통용。

【俠客 협객】 의협심(義俠心)이 있는 남자。협자(俠者)。
【俠骨 협골】 호협(豪俠)한 기상(氣像)。
【俠氣 협기】 호협(豪俠)한 기상(氣像)。의협심(義俠心)。
【俠刺 협자】 좌우에서 찔러 죽임。
◉大俠대협 勇俠용협 義俠의협 豪俠호협

9
【信】
人 7 중학 신 | 믿을 | ①-⑩㉮震 ⑪⑫㉺眞

亻 亻 亻 亻 信 信 信

자원 회의 人 言 人-亻-信(人부)

「言언」은 말 「信」은 사람이 말하는 말에 거짓이 없는 일→성실。옛날엔 「亻사람인변」에 「口구」라 썼으며 또 「言말씀언변」에 「心심」이라 쓴 글자체도 있음。공자(孔子)는 상대편에 진심(⇩忠충)으로 대하면 그쪽에서 돌아오는 것이 「信」〈신뢰〉이라고 설명하고 있음。

뜻 ①**미쁠신** 믿음성이 있음。신의(信義)가 있음。「信人신인」「信言신언」 ②**믿음신** 신의。「仁義禮智信인의예지신」「朋友有信붕우유신」 ③**믿을신** 의심하지 않음。신용(信用)함。

「信任신임」 ④인신, 신표신 도장。 부계(符契)。「印信인신」 ⑤이틀밤잘신 재숙(再宿)함。「信宿신숙」 ⑥음신(音信)신「信書신서」「信息신식」 ⑦행인(行人)신 사자(使者)。「臣信신신」 ⑧조수신 조석(潮汐)。 ⑨맡길신 하는 대로 내버려둠。 ⑩진실로신 참으로。 ⑪펼신 伸(人部五畫)과 통용。 ⑫몸신 身(部首)과 통용。

【信教 신교】 종교(宗教)를 믿음。

【信男 신남】 불교를 믿는 남자。

【信女 신녀】 불교를 믿는 여자。

【信念 신념】 ①굳게 믿는 마음。 ②신앙의 마음。

【信徒 신도】 종교(宗教)를 믿는 사람의 무리。

【信力 신력】《佛教》 신앙하여 움직이지 않는 힘。

【信賴 신뢰】 믿고 의뢰(依賴)함。

【信望 신망】 믿고 바람。 믿음과 덕망。

【信命者亡壽夭* 신명자망수요】 천명(天命)을 믿는 자는 생사를 안중에 두지 아니하므로 장수(長壽)하거나 요사(夭死)하거나 조금도 괘념치 아니함。

【信物 신물】 선물(膳物)。

【信服 신복】 믿고 복종(服從)함。

【信奉 신봉】 옳은 줄로 믿고 받듦。

【信憑* 신빙】 믿어서 의거함。

【信賞必罰 신상필벌】 공(功) 있는 사람은 반드시 상 주고 죄 있는 사람은 반드시 벌줌。 곧 상벌(賞罰)을 엄정하게 함。

【信書 신서】 편지(便紙)。

【信實 신실】 신의가 있고 진실함。

【信心 신심】 ①종교(宗教)를 믿는 마음。 ②《佛教》 신앙(信仰)하여 변치 않는 마음。

【信仰 신앙】 종교상의 교의(教義)를 신봉(信奉)하고 귀의(歸依)하는 일。

【信愛 신애】 믿고 사랑함。

【信言 신언】 믿음성이 있는 말。 진실(眞實)한 말。

【信用 신용】 ①믿고 씀。 믿고 의심(疑心)하지 아니함。 ②장래(將來)의 일에 대하여 약속(約束)을 지킬 것을 믿음。 ③인망(人望)이 있음。

【信義 신의】 믿음과 의리(義理)。

【信任 신임】 ①믿고 일을 맡김。 ②벗에게 신의를 지킴。

【信任狀 신임장】 국가의 원수(元首)가 특정인을 외교사절로 임명 파견하는 취지를 통고하는 공문서。

【信者 신자】 종교를 믿는 사람。

【信條 신조】 ①신앙(信仰)의 조목(條目)。 ②꼭 믿는 일。

【信之無疑 신지무의】 꼭 믿고 의심(疑心)하지 아니함。

【信聽 신청】 곧이 들음。

【信託* 신탁】 신용하여 의탁함。

【信標 신표】 뒷날에 보고 서로 표가 되게 하기 위하여 주고 받는 물건。

【信號 신호】 일정(一定)한 부호(符號)나 손짓으로 서로 떨어진 사람끼리 의사를 통하는 일。 또 그 부호。

◉家信가신 寡信과신 篤信독신 迷信미신 發信발신 背信배신 書信서신 受信수신 威信위신 音信음신 自信자신 電信전신 秋信추신 忠信충신 親信친신 通信통신 風信풍신 花信화신 確信확신

八畫

10 【倉】 人 8 고교 **창** 곳집 ①-④(平)陽 ⑤(去)漾

人 亼 今 侌 仺 倉 倉

자원 회의 人 + 启 + 口 → 倉(人부)

倉 2500년전

쌀 창고(倉庫)의 모양에서 변한 것。 쌀 창고에는 모양이 둥근 것과 사각(四角)의 것이 있고 「倉」은 사각쪽이라고 함。「倉」은 파랑색、서두르다의 뜻에도 쓰이므로 옛날 사람은 갓 거두어 들인 곡물(穀物)을 서둘러 치우는 곳이 「倉」이라고 설명하고 있음。

뜻 ①**곳집창** 곡식 같은 것을 저장하는 창고。「倉庫창고」 ②**옥사창** 죄인을 가두는 옥(獄)。「營倉영창」 ③**푸를창** 蒼(艸部十畫)과 통용。 ④**바다창** 滄(水部十畫)과 통용。 ⑤**슬퍼할창** 愴(心部十畫)과 통용。

참고 「倉」을 음으로 하는 글자=「傖창」〈천하다〉·「滄창」〈차다〉·「蒼창」〈푸르다〉·「愴창」〈슬퍼하다〉·「瘡창」〈부스럼〉·「槍창」〈창〉·「創창」〈다치다〉·「蹌창」〈달리는 모양〉·「鶬창」〈재두루미〉

【倉庫 창고】 곳집。

【倉卒 창졸】 ①허둥지둥함。 ②썩 급함。 창황(倉黃)。

【倉皇 창황】 매우 급(急)한 모양。

【倉黃 창황】 창황(倉皇)。

【倉頡* 창힐】 황제(黃帝)의 사신(史臣)으로서 한자(漢字)를 처음으로 만들었다는 사람。 창힐(蒼頡)。

◉ 穀倉곡창 官倉관창 禁倉금창 社倉사창 常平倉상평창 義倉의창 太倉태창

10 【修】 人 8 중학 수 — 닦을 — ㊥尤

亻 亻 亻 仆 仢 攸 攸 修 修 修

자원 형성 人-亻 水-丨 攴-攵 → 攸 음 + 彡 → 修(人부)

〔攸〕 2500년전

「水수→丨」는 시내。「攴=攵복」은 거동을 시키는 일。「攸유·수」는 사람이 내를 가다→시내의 흐름→길다의 뜻。「彡삼」은 장식하다→정돈하는 일。「修」는 사람의 몸이나 사물(事物)을 정돈하다→다스리는 일。

뜻 ①**닦을수** ㉠깨끗이 함。 ㉡배워서 몸을 닦음。「修學수학」「修養수양」 ②**다스릴수** ㉠사물을 잘 가다듬음。 고침。「修理수리」「修繕수선」 ㉡잘 처리함。 ㉢책을 편찬함。 ③**다스려질수** 정비(整備)됨。 ④**길수** 길이가 긺。「修短수단」「修廣수광」 ⑤**어진이수** 옛날의 현인(賢人)。 ⑥**키수** 신장(身長)。

주의 「脩수」〈말린 고기〉는 「修」와는 본디 딴 글자。

【修交 수교】 나라와 나라 사이에 교제(交際)를 맺음。

【修女 수녀】 천주교(天主敎)에서 독신(獨身)으로 수도(修道)하는 여자。

【修道 수도】 도(道)를 닦음。

【修得 수득】 닦아 몸에 지님。

【修羅場 수라장】 ①아수라(阿修羅)와 제석(帝釋)이 싸우는 전장(戰場)。 ②여러 사람이 모이어 떠드는 곳。 뒤범벅이 되어 야단이 난 곳。

【修練 수련】 학문이나 정신(精神)을 닦아서 단련(鍛鍊)함。

【修了 수료】 규정의 과업을 다 배움。

【修理 수리】허름한 데를 고침。
【修補 수보】고치고 기움。
【修復 수복】수리(修理)。
【修士 수사】①조행(操行)이 순결한 사람。②천주교(天主教)에서 독신(獨身)으로 수도(修道)하는 남자。
【修史 수사】역사를 편수(編修)함。
【修辭 수사】말을 다듬어서 뜻을 똑똑하고 아름답고 힘있게 함。
【修繕* 수선】낡은 물건을 고침。
【修飾 수식】치레를 함。정돈하여 꾸밈。장식함。
【修身 수신】자신의 몸을 닦아 성행(性行)을 바르게 가짐。
【修身齊家 수신제가】몸을 닦고 집안을 정제(整齊)함。
【修養 수양】품성(品性)과 지덕(智德)을 닦음。
【修業 수업】학업 또는 예술을 닦음。
【修人事 수인사】①일상(日常)의 예절(禮節)。②인사(人事)를 닦음。
【修粧 수장】집이나 기구들을 손질하고 단장함。
【修正 수정】①수양하여 바르게 함。②바르게 고침。
【修整 수정】고치어 정돈(整頓)함。
【修築 수축】방축 같은 것을 고쳐 쌓음。
【修學 수학】학업(學業)을 닦음。또 그 학업。
【修行 수행】①익혀 닦음。닦아 행함。②《佛教》불법(佛法)을 닦음。
【修好 수호】나라와 나라 사이에 우의를 돈독히 함。
◉監修 감수 改修 개수 補修 보수 編修 편수

10 【俱】 人 8 고교 구 | 함께 | (平)虞

亻 仆 们 们 但 但 俱 俱 俱

자원 형성 具음 人-亻┤俱(人부)
「具구」〈갖추어지다〉자의 뒤에 생긴 글자。「具」와 구별하여 특히 사람들 모두의 뜻을 나타냄。

뜻 ①다구、**함께구** 모두。「父母俱存부모구존」②**갖출구** 구비함。③**동반할구** 함께 감。

【俱存 구존】부모가 다 살아 계심。

10 【俳】 人 8 배 | 광대 | (平)佳

자원 형성 非음 人-亻┤俳(人부)
음을 나타내는「非비」(배는 변음)는 좌우로 펼친 새의 날개→양쪽으로 갈라지는 일。「俳」는 여럿이 나란히 서서 노래하거나 시늉을 하거나 하는 사람(‖俳優배우)。좌우로 헤매다→배회(徘徊)하는 일。

뜻 ①**광대배** 배우(俳優)。②**익살배** 골계(滑稽)。③**노닐배** 徘(彳部八畫)와 같은 글자。

【俳優 배우】연극(演劇)을 하는 사람。광대。
【俳佪 배회】목적 없이 이리저리 거닒。배회(徘徊)。

10 【俸】 人 8 봉 | 녹 | (去)宋

자원 형성 奉음 人-亻┤俸(人부)
「亻사람인변」과、음을 나타내는「奉봉」으로 이루어짐。

뜻 **녹봉** 관록(官祿)。봉급(俸給)。

【俸給 봉급】직무(職務)에 대한 보수

俳

(報酬)로서 주는 급료(給料)。

◉加俸가봉 減俸감봉 祿俸녹봉 薄俸박봉

10 **【個】** 人 8 중학 개 ─ 낱 ─ (去)箇

亻 仴 們 倜 個 個 個

자원 형성 固음 人─亻┬個(人부)

「亻사람인변」과、음을 나타내는「固고」(개는 변음)로 이루어짐。본디 사람이 죽어서 해골이 됨을 뜻하였으나、「個」와「箇개」가 음이 통하여 물건을 세는 말로 씀。

뜻 **낱개** 箇(竹部七畫)와 같은 글자。「個人개인」

주의 물건을 셀 때 붙이는 말은「箇개」〈낱〉가 정자(正字)、「個」는 속자(俗字)。

【個個 개개】 낱낱。하나 하나。

【個別 개별】 하나 하나。낱낱이 나눔。

【個性 개성】 개인(個人)이나 개체(個體)의 타고난 특성。

【個體 개체】 낱낱의 물체(物體)。

◉各個각개 每個매개 別個별개 一個일개

10 **【倍】** 人 8 고교 배 ─ 곱 ─ (去)隊 (上)賄 (平)灰

亻 亻 仁 仵 倅 倍 倍

자원 형성 咅음 人─亻┬倍(人부)

음을 나타내는「咅부」(배는 변음)는 굳게 거절하는 일。이 글자는「不불」─「否부」─「咅부」로 변하여 생긴 것。「倍」는 사람과 사람이 서로 등지는 일。나중에 물건이 나누어지다→둘로 되다→곱으로 느는 일。

2000년 전

뜻 ①**곱배** 갑절。「加一倍가일배」「三倍삼배」 ②**곱할배** 갑절함。「倍數배수」 ③**더할배** 증가시킴。 ④**배반할배** 배신하여 반역함。등지고 돌아섬。 ⑤**비속할배** 속되고 천함。 ⑥**욀배** 암송함。 ⑦**더욱배** 한층 더。

【倍加 배가】 갑절을 더함。

【倍數 배수】 갑절이 되는 수。

【倍增 배증】 갑절로 늚。

◉加一倍가일배 萬倍만배 百倍백배 事半功倍사반공배 數倍수배 十倍십배

10 **【倒】** 人 8 고교 도 ─ 넘어질 ─ ①(上)皓 ②③(去)號

亻 仁 仟 任 侄 倒 倒

자원 형성 到음 人─亻┬倒(人부)

「亻사람인변」과、음을 나타내며 동시에 넘어지다의 뜻을 가진「到도」로 이루어짐。넘어지다、거꾸로를 뜻함。

뜻 ①**넘어질도、넘어뜨릴도** 엎드러짐。엎드러지게 함。「倒死도사」「卒倒졸도」 ②**거꾸로될도、거꾸로할도** 상하 전후의 위치가 반대로 됨。「倒懸도현」「顚倒전도」 ③**거슬릴도** 마음에 거슬림。

【倒壞 도괴】 무너짐。또 무너뜨림。

【倒產 도산】 ①재산을 모두 써버림。②해산(解產)할 때에 아이의 발이 먼저 나오는 일。

【倒影 도영】 거꾸로 비친 그림자。

【倒錯 도착】 상하가 전도(顚倒)하여 뒤섞임。

【倒置 도치】 ①거꾸로 둠。②본말(本末)을 전도함。

【倒婚 도혼】 형제 자매(兄弟姉妹) 중

에서 나이 적은 자가 먼저 혼인(婚姻)을 함。 역혼(逆婚)。
◉傾倒경도 壓倒압도 顚倒전도 絶倒절도 卒倒졸도 七轉八倒칠전팔도 打倒타도

10
【候】 人 8 고교 **후** | 물을 | (去)宥

亻 亻 伫 伫 侯 候 候

자원 형성 候(음) 人-亻|候(人부)
음을 나타내는「候후」(医)와、「亻사람인변」으로 이루어짐。 사람을 둘러 보고 안부(安否)를 묻는 뜻。

뜻 ①**물을후** 방문하여 안부를 물음。「候問후문」 ②**기다릴후** 오는 것을 기다림。 영접(迎接)함。 ③**염탐할후**、**망볼후** 동정을 살핌。「伺候사후」 ④**염탐꾼후**、**망군후**「斥候척후」 ⑤**점칠후** 길흉을 점쳐 봄。「占候吉凶점후길흉」 ⑥**볼후** 살핌。 진찰함。 ⑦**모양후** 상태。 ⑧**철후** ㉠일년을 칠십이(七十二)로 나눈 시기(時期)의 이름。「節候절후」「五日一候오일일후」 ㉡시절(時節) 또는 날씨。「時候시후」「氣候기후」「節候절후」 ⑨**조짐후** 전조(前兆)。「兆候조후」「徵候징후」

주의 「侯」는 딴 글자。

【候補 후보】 어떠한 벼슬·직무(職務)·지위(地位)·운동선수 등에 결원(缺員)이 있을 때에 그 자리에 나아갈 만한 자격(資格)이 있는 사람。
【候人 후인】 빈객의 송영(送迎)을 맡은 벼슬아치。 후관(候官)。
【候鳥 후조】 계절에 따라서 오고가는 새。 제비·기러기 따위。 철새。
◉氣候기후 門候문후 病候병후 時候시후 臨候입후 節候절후 兆候조후 潮候조후 存候존후 徵候징후 天候천후 測候측후

10
【値】 人 8 고교 **치** | 만날 | (去)寘

亻 亻 仁 佶 佶 値 値

자원 형성 直(음) 人-亻|値(人부)
「亻사람인변」과、 음을 나타내며 동시(同時)에 상당(相當)하다의 뜻을 가진「直직」(치는 변음)으로 이루어짐。 사람이 물건에 상당하다고 평가(評價)한 값을 뜻함。

뜻 ①**만날치** 조우(遭遇)함。 ②**당할치** 일정한 시일을 당함。 ③**가질치** 쥐어 가짐。 ④**값치** 물가。 가치。
◉價値가치 數値수치

10
【倣】 人 8 고교 **방** | 본뜰 | (上)養

亻 亻 仿 仿 仿 倣 倣

자원 형성 放(음) 人-亻|倣(人부)
「放방」은 음을 나타내며、 한줄로 늘어놓다의 뜻。「人인〈사람〉」과 나란히 써서 흉내내는 일→본뜸。

뜻 **본뜰방** 모방(模倣)함。 仿(人部四畫)과 같은 글자。「倣效방효」
◉模倣모방

10
【借】 人 8 중학 **차** | 빌 | (去)禡 (入)陌

亻 亻 仁 件 借 借 借

자원 형성 昔(음) 人-亻|借(人부)
음을 나타내는「昔석」(차는 변음)은

날짜가 몇 날이나 겹치다↓옛날。여기에서는 겹쳐 깔다(⇩藉자)↓일시적으로 우선 무엇인가 하는 일이란 뜻을 나타냄。「借」는 사람이 임시로 무엇인가 하다↓남의 힘이나 돈을 비는 일。

뜻 ①빌차 남한테서 빌어옴。「借用차용」「借金차금」 ②빌릴차 빌려 줌。 ③가령차 가설(假設)의 말。 가사(假使)。

【借家 차가】 ①빌어 든 집。 ②집을 빌어 삶。 또 그 집。

【借款* 차관】 ①차금。 ②국제간(國際間)의 자금(資金)의 대차(貸借)。

【借金 차금】 돈을 꾸어 옴。 또 그 돈。

【借給 차급】 물건을 빌려 줌。

【借來 차래】 빌어 옴。 꾸어 옴。

【借用 차용】 물건을 빌거나 돈을 꾸어서 씀。

【借地 차지】 남의 땅을 빌어 가짐。 또 그 땅。

【借債 차채】 차금(借金)。

◉假借가차 貸借대차 前借전차

10【倦】人 8 권 게으를 ㊀霰

자원 형성 卷음 人—亻—倦(人부)

「亻사람인변」에, 말려 뭉치다의 뜻과 함께 음을 나타내는 「卷권」으로 이루어짐。 사람이 울적하여 싫증남을 뜻함。

뜻 ①게으를권 태만함。 싫증이 남。「倦怠권태」 ②고달플권 피로함 ③걸터앉을권 걸터앉음。

【倦怠 권태】 싫증이 나서 게을러짐。

10【倫】人 8 중학 륜 인륜 ㊁眞

亻 亻 仒 仒 伶 伶 倫 倫 倫

자원 형성 侖음 人—亻—倫(人부)

「亻사람인변」에, 차례를 정하다의 뜻과 함께 음을 나타내는 「侖륜」으로 이루어짐。 사람들의 관계。 전하여, 질서를 뜻함。

뜻 ①인륜륜 사람으로서 지켜야 할 떳떳한 도리。「倫理윤리」「五倫오륜」 ②무리륜 동류(同類)。「倫匹윤필」「倫輩윤배」 ③차례륜 순차。「倫序윤서」 ④결륜 살결·나뭇결 따위。 ⑤가릴륜 선택함。

참고 「侖륜」은, 「亼집」과, 기록(記錄)을 한 많은 패인 「册책」으로 이루어진 회의자(會意字)로서, 기록을 순서(順序)지우다, 질서(秩序), 전(轉)하여 생각하다를 뜻함。

【倫理 윤리】 ①윤기(倫紀)。 ②인륜(人倫)의 원리(原理)。 인간 사회에서 지켜야 할 도리。 도덕(道德)의 모범이 되는 원리。

【倫序 윤서】 차례。 순서。

【倫次 윤차】 신분(身分)의 차례。

◉冠倫관륜 大倫대륜 不倫불륜 比倫비륜 常倫상륜 五倫오륜 人倫인륜 絶倫절륜 天倫천륜 悖倫패륜 匹倫필륜

10【倭】人 8 왜 유순할 ①②㊁支 ③㊁歌

자원 형성 委음 人—亻—倭(人부)

「亻사람인변」에, 맡기다의 뜻과 함께 음을 나타내는 「委위」(왜는 변음)

로 이루어짐。

뜻 ①유순할왜 성질이 부드럽고 공순함。 ②삥돌왜 길이 꾸불꾸불해서 삥삥 도는 모양。 ③나라이름왜 일본(日本)。「倭寇왜구」

【倭館 왜관】 이조(李朝) 때 일본 사람이 우리 나라에 건너와서 통상(通商)하던 곳。 지금의 부산(釜山)에 두었음。

【倭寇 왜구】 옛날에 중국과 우리 나라에 항행(航行)하며 무역(貿易)을 핑계하고 약탈을 행하던 일본 사람들。

【倭國 왜국】 일본을 낮게 일컫는 말。

【倭橘 왜귤】 일본(日本)에서 나는 귤。

【倭女 왜녀】 일본 여자。

【倭將 왜장】 일본의 장수(將帥)。

【倭敵 왜적】 적국(敵國)인 일본。

【倭政 왜정】 《韓》 일본이 우리 나라를 침략(侵略)하여 다스리던 총독(總督) 정치。 서기 일천 구백 십년(純宗四年) 경술(庚戌) 팔월 이십 구일부터 일천 구백 사십 오년 을유(乙酉) 팔월 십사일까지의 삼십 육년 동안을 일컬음。

◉北虜南倭북로남왜

10 【併】 人 8 併(人部六畫)의 본디 글자。

10 【倹】 人 8 儉(人部十三畫)의 속자(俗字)。

九畫

11 【假】 人 9 중학

㊀ 가	㊁ 하	㊂ 격
빌		
㊀ ①-⑨ ㊤馬 ⑩ ㊮禡	㊁ ㊯麻	㊂ ㊀陌

亻 … 假

자원 형성 叚음 人亻+叚=假(人부) 〔叚〕 2500년전

음을 나타내는 「叚가」는 「厂한」〈언덕〉에 발판을 내어 손으로 잡고 한칸씩 오르는 모양。「叚」가 붙는 글자엔 오르다、타다、먼 곳에 가다 따위의 뜻이 있음。 또 손을 빌리는 데서 임시의、거짓의 뜻이 됨。 후에 「亻사람인변」을 붙여 「사람이 …하다」란 뜻을 나타내었으나、곧 「叚」의 뜻을 그대로 「假」가 나타냄。

뜻 ㊀①빌가 차용(借用)함。「假借가차」 ②빌릴가 빌려 줌。 꾸어 줌。「假貸가대」 ③용서할가 「容假용가」 ④잠시가 ㉠잠깐。 ㉡일시。 잠정(暫定)。 ⑤거짓가 허위。 허망(虛妄)。「假名가명」 ⑥가령가 이를테면。 가사(假使)。「假令가령」 ⑦클가 ⑧아름다울가 嘉(口部十一畫)와 통용。 ⑨복가 행복。 嘏(口部十一畫)와 통용。 ⑩틈가 겨를。 暇(日部九畫)와 통용。 ㊁멀하 遐(辵部九畫)와 통용。 ㊂이를격 格(木部六畫)과 같은 글자。

【假建物 가건물】 임시로 지은 건물。

【假橋 가교】 임시로 놓은 다리。

【假量 가량】 ①어림。 짐작。 ②쯤。

【假令 가령】 그렇다 치더라도。 설사(設使)。 설령(設令)。

【假面 가면】 나무·흙·종이 따위로 만든 얼굴 형상。 탈。

【假名 가명】 ①남의 이름을 모칭(冒稱)함。 이름을 꾸며댐。 또 꾸며댄 이름。 ②《佛敎》 실체(實體)가 없는 것에 붙인 명칭。

〔二畫部首順〕 二亠人儿入八冂冖冫几凵刀力勹匕匚匸十卜卩厂厶又

【假縫* 가봉】 시침바느질。

【假使 가사】 가령(假令)。

【假想 가상】 가정적(假定的)으로 생각함。

【假設 가설】 ①실제(實際)에 없는 것을 있는 것으로 침。②가령(假令)。

【假說 가설】 실험(實驗)에 의하여 확정된 사실(事實)을 설명하기 위하여 설정한 가정적(假定的)인 학설。

【假睡 가수】 거짓 졺。

【假飾 가식】 언어·행동을 거짓 꾸밈。

【假寓* 가우】 임시로 우거(寓居)함。또 그 곳。임시의 거소(居所)。

【假作 가작】 완전하지 아니한 임시적 제작(製作)。

【假裝 가장】 변장(變裝)함。

【假葬 가장】 임시로 장사지냄。

【假定 가정】 사실(事實)이 아님을, 또는 사실인지 사실이 아닌지 분명하지 아니한 것을 짐짓 사실인 것처럼 인정함。

【假借 가차】 ①남의 물건이나 힘 같은 것을 빎。②용서함。사정을 보아줌。③육서(六書)의 하나。어떤 뜻을 지닌 음을 적는 데 적당한 글자가 없을 때 뜻은 다르나 음이 같은 글자를 빌어 쓰는 법。예컨대 영(令)은 호령의 뜻인데 빌어서 현령(縣令)의 영(令)으로 쓰는 따위。

【假稱 가칭】 ①가정(假定)으로 일컬음。또 그 칭호。②거짓으로 일컬음。또 그 칭호。

【假託* 가탁】 핑계함。

【假花 가화】 사람이 만든 꽃。조화(造花)。

◉乞假걸가 古假고가 賜假사가 請假청가

11 【偉】 人 9 중학 위 | 클 | ㊤尾

亻 亻' 亻⺌ 伫 侓 偉 偉 偉 偉

자원 형성 韋음 人-亻+韋 偉(人부)

「亻사람인변」과, 음을 나타내는 동시에 예사로운 것이 아니라는 뜻(⇩畏외)을 가진 「韋위」로 이루어짐。보통 사람 이상으로 큰 사람。전하여, 뛰어난 인물(人物)을 뜻함。

뜻 ①클위 장대(壯大)함。「偉體위체」 ②뛰어날위 위대(偉大)함。「偉人위인」「偉業위업」 ③기이할위 이상함。「偉奇위기」「偉寶위보」 ④성할위 성대(盛大)함。「偉觀위관」

【偉擧 위거】 ①뛰어난 계획。②위대한 사업(事業)。

【偉功 위공】 위대한 공로(功勞)。

【偉觀 위관】 훌륭한 구경거리。장관(壯觀)。

【偉軀* 위구】 위체(偉體)。

【偉大 위대】 국량(局量)이 매우 큼。

【偉德 위덕】 뛰어나게 훌륭한 덕。훌륭한 인격(人格)。

【偉略 위략】 출중(出衆)한 꾀。

【偉業 위업】 위대한 사업。대업(大業)。

【偉人 위인】 위대한 사람。위사(偉士)。

【偉丈夫 위장부】 ①대장부。큰 인물。②신체가 장대(壯大)하고 훌륭한 사람。위남아(偉男兒)。

【偉勳* 위훈】 위대한 공훈(功勳)。

◉秀偉수위 英偉영위 雄偉웅위 卓偉탁위

11 【偏】 人 9 편 | 치우칠 | ㊥先

자원 형성 扁음 人-亻+扁 偏(人부)

「亻사람인변」과, 음을 나타내며, 동시(同時)에 한쪽 가의 뜻(⇩邊변)을 가진 「扁편」으로 이루어짐. 사람이 한쪽 가로 치우쳐 중정(中正)치 못한 것을 뜻함.

뜻 ①**치우칠편** ㉠한쪽으로 기욺. 「偏倚편의」 ㉡한쪽으로 몰림. 「偏在편재」 ㉢편벽됨. 불공평함. 「偏愛편애」 ②**곁편, 가편** 변측(邊側). 「偏國편국」 ③**반편** 반분(半分). ④**한쪽편** 일방(一方). ⑤**무리편** 당류(黨類). ⑥**남은겨레편** 유족(遺族). ⑦**보좌편** 도움. 또 돕는 사람. ⑧**쉰사람편** 오십인 한 조(組)의 일컬음. ⑨**스물다섯대편** 병거(兵車) 이십 오대의 일컬음. ⑩**변편** 한자(漢字)의 왼쪽획. 「旁」의 대(對). ⑪**외곬으로편** 오로지 그것만.

주의 「偏편」〈두루 미치다〉은 딴 글자.

【偏見 편견】 한 쪽으로 치우친 생각.

【偏黨 편당】 치우침. 한 쪽에 쏠림.

【偏頭痛 편두통】 한 쪽 머리가 아픈 병. 변두병(邊頭痛).

【偏母 편모】 아버지는 돌아가고 홀로 있는 어머니.

【偏旁 편방】 한자(漢字)의 오른쪽 변(邊)과 왼쪽 방(旁).

【偏僻 편벽】 ①한 쪽으로 치우침. ②마음이 한 쪽으로 치우쳐 바르지 아니함. ②도회에서 멀리 떨어져 있는 시골 두메.

【偏私 편사】 불공평. 편파(偏頗).

【偏色 편색】《韓》 사색(四色) 곧 노론(老論)·소론(少論)·남인(南人)·북인(北人)의 종류. 색목(色目).

【偏食 편식】 어떠한 음식만을 편벽되게 먹음.

【偏愛 편애】 편벽(偏僻)된 사랑. 치우친 사랑.

【偏額 편액】 문(門) 위에 가로 다는 「현판(懸板)」.

【偏言 편언】 치우친 말. 또 한 쪽만의 말.

【偏在 편재】 어느 한 곳에만 치우쳐 「있음」.

【偏重 편중】 ①한 쪽으로 치우치어 무거움. ②치우치게 소중(所重)히 여김.

【偏執 편집】 편견(偏見)을 고집하여 남의 말은 받아들이지 아니함. 편협(偏狹).

【偏頗 편파】 한 쪽으로 치우치어서 공정하지 못함.

◉不偏불편

【做】 11 人 9 **주** 지을 ㊀遇

뜻 **지을주** 作(人部五畫)과 뜻이 같음. 「看做간주」

【停】 11 人 9 중학 **정** 머무를 ㊁青

亻 亻 … 停

자원 형성 高-亭 丁(음) 亭(음) 人-亻 停(人부)

음을 나타내는 「亭정」의 나중 자형(字形)은 「高고」와 「丁정」을 합친 것이라고 일컬어지지만 옛 자형은 「京경」이나 「高」를 조금 변경하여 쓴 것인 듯. 「亭」은 옛날 사(四) 킬로미터마다 둔 관소(關所)와 같은 것이며 흙을 쌓아 망루(望樓)를 세워 그 위에

2500년 전

〔二畫部首順〕 二亠人儿入八冂冖冫几凵刀力勹匕匚匸十卜卩厂厶又

표적인 높은 기둥을 세웠음。「亭」은 또 여행자가 숙소로 삼는 곳이므로 머무른다는 뜻으로도 「亭」을 쓰게 되었음。

「停」은 사람이 머문다는 데서 「亻사람인변」을 붙인 속체(俗體)이며 한(漢)나라 때쯤에 생긴 글자임。 머무르다의 뜻을 「停」이라고 쓰게 되므로 「亭」을 간단한 건물(정자)이란 뜻으로 쓺。

[뜻] ①머무를정 ㉠정지함。「停留정류」 ㉡쉼。「停務정무」 ㉢지체함。 ②멈출정 머무르게 함。「停馬정마」

【停刊 정간】 신문(新聞)·잡지 등의 정기(定期) 간행물(刊行物)의 발행(發行)을 한때 정지함。

【停車 정거】 수레가 머무름。 수레를 머무르게 함。

【停車場 정거장】 기차(汽車)가 한때 머물렀다가 떠나는 곳。

【停年 정년】 연령 제한(年齡制限)에 따라 공직(公職)에서 당연히 물러나게 되는 나이。

【停頓* 정돈】 한때 그침。 침체(沈滯)하여 나아가지 않음。

【停留 정류】 가다가 머무름。 또 머무르게 함。

【停留場 정류장】 자동차·전차 따위가 정류(停留)하는 일정한 곳。

【停泊 정박】 ①머무름。 묵음。 숙박함。 ②배가 항구에서 머무름。 정박。

【停船 정선】 배를 정박(碇泊)시킴。

【停電 정전】 송전(送電)이 중지됨。

【停戰 정전】 전투 행위를 중지함。

【停止 정지】 ①하던 일을 중도(中途)에서 그침。 ②한때 금하여 막음。

【停職 정직】 관원(官員)에게 무슨 사고가 있을 때 일정한 기간 중 직무를 중지시킴。

【停滯* 정체】 ①사물이 머물러 쌓임。 ②일이 밀림。 ③음식물이 소화되지 않고 위(胃) 속에 몰려 뭉쳐 있음。

【停學 정학】 학교에서 학생에게 등교(登校)함을 정지시킴。 또 그 벌。

【停會 정회】 회의(會議)를 중지함。

◉調停조정

11 【健】 人 9 [고교] 건 | 굳셀 | [去]願

亻 仁 佳 律 律 健 健

健

[자원] 형성 建[음] 人-亻-健(人부)

음을 나타내는 「建」은 높이 서는 일。「人인」은 사람。「健」은 사람이 씩씩하고 힘참을 뜻함。

[뜻] ①굳셀건 ㉠건장(健壯)함。「健將건장」 ㉡꿋꿋함。「健戰건전」「健鬪건투」 ㉢꾸준함。 ②튼튼할건 건강함。 ③군사건 병졸。

【健脚 건각】 튼튼한 다리。 잘 걷는 다리。

【健剛 건강】 의지가 굳세어 굽히지 아니함。 강건(剛健)。

【健康 건강】 몸이 병이 없고 튼튼함。

【健忘 건망】 사물(事物)을 잘 잊어버림。 기억력이 박함。 선망(善忘)。

【健武 건무】 씩씩하고 굳셈。 의무(毅武)。

【健訟 건송】 승벽(勝癖)이 대단하여 남과 송사(訟事)하기를 즐김。

【健實 건실】 건전하고 착실함。

【健兒 건아】 혈기(血氣)가 왕성한 청년。 건장(健壯)한 남아。

【健胃 건위】 위(胃)를 튼튼하게 함。
【健壯 건장】 씩씩함。 굳셈。 또 몸이 크고 셈。
【健將 건장】 씩씩한 장수。 굳센 장수。
【健在 건재】 아무 탈이 없이 잘 있음。
【健全 건전】 ①몸이 튼튼하고 병이 없음。 ②사람이 건실하고 완전함。
【健鬪 건투】 잘 싸움。 씩씩하게 싸움。
◉剛健강건 康健강건 強健강건 保健보건 穩健온건 雄健웅건 壯健장건

11 【側】 人 9 고교 측 — 곁 — 入職

亻 仆 仴 伹 俱 側 側

자원 형성 則음 人-亻+側(人부)
「亻사람인변」과, 음을 나타내며 동시(同時)에 기울어지다의 뜻(⇩仄측)을 가진 「則측」(측은 변음)으로 이루어짐。 사람이 기울다、 전(轉)하여、 옆、 곁을 뜻함。
뜻 ①곁측 접근한 장소。 근방。 「側近측근」 ②옆측 한 쪽으로 치우친 곳。 「左側좌측」 ③기울측 ㉠한 쪽으로 쏠림。 ㉡해가 서산에 가까와짐。 「日側일측」 ㉢치우침。 중정(中正)을 잃음。 「無反無側무반무측」 ④기울일측 귀를 기울임。 「側聽측청」 ⑤엎드릴측 칩복(蟄伏)함。 ⑥배반할측 반역함。 ⑦낮을측 미천(微賤)함。 한미(寒微)함。 「側陋측루」 ⑧어렴풋할측 분명하지 않음。 유미(幽微)함。 「側聞측문」 ⑨슬퍼할측 惻(心部九畫)과 통용。
【側近 측근】 곁。 옆。 방근(旁近)。
【側女 측녀】 첩(妾)。
【側面 측면】 전면(前面)에 대한 좌우의 면(面)。
【側目 측목】 ①무서워하여 바로보지 못함。 ②곁눈질을 함。 ③미워하여 봄。 시새워 봄。 시기함。
【側聞 측문】 어렴풋이 들음。 풍문으로 들음。
【側柏* 측백】 편백과(扁柏科)에 속하는 상록침엽교목(常綠針葉喬木)。
【側視 측시】 모로 봄。 옆으로 봄。
【側室 측실】 ①곁에 있는 방。 건넌방。 ②서자(庶子)。 ③첩(妾)。
【側言 측언】 치우친 말。 편벽된 갈。
【側臥 측와】 모로 누움。
◉傾側경측 反側반측 兩側양측 偏側편측

11 【偵】 人 9 정 — 염탐할 — 平庚

자원 형성 貞음 人-亻+偵(人부)
「亻사람인변」과, 음을 나타내며 동시(同時)에 따져 묻다의 뜻을 가진 「貞정」으로 이루어짐。 숨겨진 일을 찾는 사람、 살피다의 뜻。
뜻 ①염탐할정 몰래 탐지함。 「偵探정탐」 「偵察정찰」 ②염탐꾼정 「偵候정후」 「偵諜정첩」
【偵察 정찰】 적정(敵情)을 몰래 살핌。
【偵探 정탐】 몰래 형편을 알아봄。
◉探偵탐정

11 【偶】 人 9 고교 우 — 짝수 — 上有

亻 仆 仴 伊 伊 偶 偶 偶

자원 형성 禺음 人-亻+偶(人부)
「亻사람인변」과, 음을 나타내며 동시(同時)에 만나게 하다、 맞도록 하다

의 뜻을 가진「禺우」로 이루어짐。사람이 줄을 짓다의 뜻。

뜻 ①**짝수우** 우수(偶數)。「奇偶기우」 ②**짝우** 배필。「配偶배우」 ③**무리우** 동류。제배(儕輩)。「曹偶조우」 ④**허수아비우** 인형(人形)。「偶人우인」「偶像우상」 ⑤**짝지을우、짝지울우** 짝을 지음。짝을 지어 줌。 ⑥**대할우** 마주 대함。「偶語우어」 ⑦**만날우** 遇(辵部九畫)와 같은 글자。 ⑧**마침우** 우연히。「偶成우성」

【偶發 우발】 우연히 발생함。또 우연히 발작함。

【偶像 우상】 목석(木石)이나 금속(金屬) 등으로 만든 신불(神佛) 또는 사람의 형상(形像)。또 숭배(崇拜)의 대상이 되는 인물(人物)。

【偶成 우성】 우연히 이루어짐。

【偶數 우수】 둘로 나누어지는 수(數)。짝수。

【偶然 우연】 ①뜻밖에 그러함。 ②기약(期約)하지 않고 뜻밖에。

【偶人 우인】 인형(人形)。허수아비。

【偶合 우합】 우연히 맞음。

◉奇偶기우 對偶대우 木偶목우 配偶배우 不偶불우 土偶토우 匹偶필우

11 【僞】 人 9 僞(人部十二畫)의 약자(略字)。

【條】 ⇩木部七畫

十畫

12 【傘】 人 10 **산** | 우산 | ㊤旱

자원 상형 傘 2500년전

뜻 **우산산、일산산** 繖(糸部十二畫)과 같은 글자。

「傘산」은 우산을 편 모양을 본뜬 것。

주의 「傘」은「傘」과 같은 글자。

【傘下 산하】 우산의 밑이라는 뜻으로 보호(保護)를 받는 그 세력의 밑。

◉陽傘양산 雨傘우산 日傘일산

12 【傀】 人 10 **괴** | 꼭두각시 | ①㊤賄 ②-④㊥灰

자원 형성 鬼음 人-亻-傀(人부)

「亻사람인변」과、음을 나타내며 동시에 괴이하기 짝이 없다는 뜻을 나타내는「鬼귀」로 이루어짐。아주 크다의 뜻。

뜻 ①**꼭두각시괴** 인형(人形)。「傀儡戲괴뢰희」 ②**클괴** 위대함。 ③**도깨비괴** 怪(心部五畫)와 통용。 ④**괴이할괴** 기괴함。

【傀儡 괴뢰】 ①꼭두각시。 ②망석중이。

12 【傍】 人 10 고교 **방** | 곁 | ①②㊥陽 ③④漾 ⑤㊤養 ⑥㊥庚

傍

자원 형성 旁음 人-亻-傍(人부)

「亻사람인변」과、음을 나타내며 동시에 곁·옆의 뜻을 갖는「旁방」으로 이루어짐。사람의 양편、곁을 뜻함。

뜻 ①**곁방** 접근한 장소。옆。「近傍근방」「兩傍양방」 ②**방방** 한자(漢字)의 오른쪽 획。우방(右旁)。「偏편」의 대(對)。 ③**의할방** 의거(依據)함。따름。 ④**곁할방** 가까이함。 ⑤**모실방** 좌우에서 시중듦。 ⑥**말수없을방**

부득이한 모양。

【傍系 방계】 직계(直系)에서 갈려서 나온 계통(系統)。 지계(支系)。

【傍觀 방관】 ①곁에서 봄。 옆에서 구경함。 ②관계하지 아니함。 내버려 둠。

【傍觀者審 방관자심】 제삼자(第三者)가 더 잘 봄。

【傍若無人 방약무인】 옆에 사람이 없는 것 같다는 뜻으로、 언행(言行)이 기탄(忌憚) 없음을 이름。

【傍證 방증】 간접적인 증거。

【傍聽 방청】 옆에서 들음。 전(轉)하여 회의(會議)·연설(演說)·재판(裁判) 등을 들음。

◉近傍근방 路傍노방 道傍도방 無傍무방 四傍사방 兩傍양방 作舍道傍작사도방

12 【傑】 人 10 고교 걸 | 준걸 | ㊅屑

亻 亻ク 亻夕 亻夕 亻舛 亻桀 傑 傑

자원 형성 桀음 人-亻→傑(人부)

「亻사람인변」과、 뛰어나다의 뜻과 함께 음을 나타내는 「桀걸」로 이루어짐。 훌륭한 인물을 뜻함。

뜻 ①준걸걸 재주와 슬기가 뛰어난 사람。 「人傑인걸」「豪傑호걸」 ②뛰어날걸 출중함。 「傑出걸출」「傑作걸작」

【傑立 걸립】 뛰어나게 우뚝 솟음。

【傑物 걸물】 ①걸출한 인물。 ②영물(英物)。 뛰어난 물건。 훌륭한 물건。

【傑人 걸인】 뛰어난 인물。

【傑作 걸작】 ①썩 잘 지은 글이나 작품(作品)。 ②썩 잘된 제작。

【傑出 걸출】 썩 뛰어남。

◉高傑고걸 名傑명걸 三傑삼걸 女傑여걸 雄傑웅걸 人傑인걸 快傑쾌걸 豪傑호걸

12 【備】 人 10 중학 비 | 갖출 | ㊄寘

備

亻 亻一 亻卄 亻卅 備 備 備

자원 葡음 人-亻→備(人부) 3000년전 2500년전

「葡비」는 화살을 넣는 도구(道具)인 「箙복」〈통개·전동〉→물건이 가지런하다→갖추어지는 일。 「備」는 사람이 물건을 갖추어 준비하는 일。

뜻 ①갖출비 ㉠골고루 가지고 있음。 구유(具有)함。 「備品비품」「才備文武재비문무」 ㉡미리 준비함。 ㉢미리 설치함。 ㉣부족한 것을 채움。 보족(補足)함。 ②갖추어질비 ㉠준비가 됨。 ㉡족함。 모자람이 없음。 ③채울비 수에 넣음。 가입시킴。 또 채워짐。 가입함。 ④예방할비 미리 방비함。 「守備수비」 ⑤비품비 일상 쓰는 물품·기구。 ⑥예비비 차림。 준비。 「有備無患유비무환」 ⑦예방비 군사상의 방어。 「軍備군비」 ⑧의장(儀仗)비 경호(警護)。 ⑨모두비 죄다。 ⑩발톱비。 ⑪긴병장기비 창(槍) 따위。

【備考 비고】 부기(附記)하여 본문의 설명을 보충하여 참고로 하게 하는 일。 또 그 기사。

【備忘錄 비망록】 잊어버리지 않게 적어 두는 기록(記錄)。

【備置 비치】 갖추어서 둠。

【備品 비품】 비치하여 두는 물품。

【備荒 비황】 흉년(凶年)·재난(災難) 등에 대한 준비。

◉兼備겸비 警備경비 具備구비 軍備군비

〔二畫部首順〕二亠人儿入八冂冖冫几凵刀力勹匕匚匸十卜卩厂厶又

對備대비 武備무비 文武兼備문무겸비 兵備병비 不備불비 常備상비 設備설비 守備수비 豫備예비 完備완비 裝備장비 戰備전비 整備정비 準備준비 後備후비

十一畫

13【催】人 11 고교 최 — 재촉할 — ㊥灰

亻 亻 亻山 亻𡵂 亻𡵂 亻𡵂 亻崔 催

자원 형성 崔음 人-亻┬催(人부)

「亻사람인변」과, 음을 나타내며 동시(同時)에 서두르다의 뜻(⇩進최)을 가지는 「崔최」로 이루어져 사람을 재촉하다, 징조(徵兆)가 보이다의 뜻.

뜻 ①재촉할최 죄어침。「催告최고」「催促최촉」 ②닥쳐올최 시일이 닥쳐옴。「催迫최박」 ③일어날최 생김。 ④《韓》베풀최 모임을 엶。「開催개최」「主催주최」

【催告 최고】 재촉하는 뜻의 통지。

【催淚彈 최루탄】 최루제(催淚劑)를 넣어 만든 탄환。

【催眠 최면】 잠이 오게 함。

【催促 최촉】 재촉함。

◉開催개최 主催주최

13【傭】人 11 ㊀용 ㊁총 — 품팔이할 — ㊥冬 ㊀㊁

자원 형성 庸음 人-亻┬傭(人부)

「亻사람인변」과, 음을 나타내며 동시에 일을 하다의 뜻을 나타내기 위한 「庸용」으로 이루어져, 일을 하기 위하여 고용된 사람. 또 사람을 고용하는 것을 뜻함.

뜻 ㊀①품팔이할용, 품살용 고용당함。 또 고용함。「傭工용공」「傭兵용병」 ②품팔잇군용。 ③품삯용。 ㊁①고를총 균등함。 공평(公平)함。 ②천할총 비루함。

【傭客 용객】 용인(傭人)。

【傭工 용공】 고용(雇傭)된 일군。

【傭女 용녀】 고용살이하는 계집。

【傭兵 용병】 고용한 군사(軍士)。

【傭役 용역】 고용하여 부림。 또 고용되어 일을 함。

【傭人 용인】 삯을 받고 남의 일을 하는 사람。 고용인(雇傭人)。

◉雇傭고용

13【傲】人 11 고교 오 — 거만할 — ㊤號

亻 亻 仁 仹 仹 佳 傌 傲

자원 형성 敖음 人-亻┬傲(人부)

「亻사람인변」과, 음을 나타내며 동시(同時)에 나돌아다니며 노는 것을 나타내는 「敖오」로 이루어져, 사람이 마음내키는 대로 즐기는 것을 뜻함。 전(轉)하여, 거만떨다의 뜻。

뜻 ①거만할오 교만함。「傲慢오만」「倨傲거오」 ②거만오 교만。 ③업신여길오 오만하여 남을 멸시함。「傲視오시」 ④놀오 즐거이 놂。

【傲慢 오만】 거드럭거림。 교만함。

【傲霜 오상】 모진 서리에도 굴(屈)하지 않는다는 뜻。

◉驕傲교오 放傲방오 奢傲사오

13 **【傳】** 11 人 중학 **전** — 전할 — ①-③ ㊥先 ④-⑨ ㊰霰

亻 仁 仃 佰 伸 伷 傅 傳

자원 형성 專음 人-亻-傳(人부)

음을 나타내는 「專전」은 「轉전」과 뜻이 통하여 차례로 전(傳)함을 나타냄。「傳」은 급한 일을 알리는 사자(使者)。 먼 곳에 사자를 보내거나 물건을 보낼 때에는 역참(驛站)에서 역참으로 전하여 갔음。 이것을 역전(驛傳)이라 함。 나중에 「傳」은 사람에 한하지 않고 사물(事物)을 전하다、 보내다、 넓히다 따위의 뜻으로 씀。 약자는 「伝」。

뜻 ①**전할전** ㉠옮기어 감。「傳乘而歸전승이귀」(옮겨 타고 돌아감)。 ㉡옮기어 줌。 수여함。「傳授전수」 ㉢물려 내려 줌。「世傳세전」 ㉣전달함。 발포(發布)함。「傳令전령」 ㉤보냄。 ㉥사람을 거쳐 보냄。「傳言전언」 ㉦남김。 ㉧진술함。 ㉨여러 사람의 입을 통하여 퍼뜨림。「宣傳선전」 ②**전하여질전** ㉠이어짐。 계속함。 ㉡받음。 수여(授與)됨。「傳受전수」 ㉢퍼짐。 두루 미침。 ㉣들림。 ㉤남음。 ㉥차례로 이름。 이어 바뀜。 ③**옮길전** 장소를 바꿈。 ④**역마을전** 역참(驛站)。 또 역참이 있는 마을。 또 역참에 비치한 거마(車馬)「傳馬전마」。 ⑤**주막전** 여인숙。 여사(旅舍)。 ⑥**통부(通符)전** 관(關)을 통과하는 부신(符信)。 ⑦**경서의주해전** 경서를 해석한 것。 시경(詩經)을 해석한 것은 시전(詩傳)이고 서경(書經)에 주해를 낸 것은 서전(書傳)임。「春秋左氏傳춘추좌씨전」 ⑧**전기전** 한 개인의 일평생의 사적(事跡)。「傳記전기」 ⑨**책전** 고대의 기록。

주의 「傅부」〈스승〉와는 딴 글자。

【傳家之寶 전가지보】 조상(祖上) 적부터 대대로 전해 내려오는 보물(寶物)。

【傳喝* 전갈】 사람을 시켜서 안부(安否)를 묻거나 말을 전(傳)하는 일。

【傳敎 전교】 ①가르쳐 전함。 ②교법(敎法)을 가르쳐 전함。 ③《韓》임금의 명령。

【傳國寶 전국보】 전국새(傳國璽)를 당대(唐代)부터 고쳐 부른 이름。

【傳國璽* 전국새】 대대로 전하는 천자(天子)의 어보(御寶)。 진시황(秦始皇) 때 옥(玉)으로 만든 것이라 함。

【傳奇 전기】 소설의 문체(文體)의 하나。 기이한 일을 취재한 소설이나 희곡(戲曲)。

【傳記 전기】 ①경서(經書)의 주해(註解)에 관한 기록。 ②개인의 일생의 사적(事績)을 적은 기록(記錄)。

【傳單 전단】 삐라。 선전(宣傳) 삐라。 광고(廣告) 삐라。

【傳達 전달】 전하여 이르게 함。

【傳道 전도】 ①도(道)를 전하여 가르침。 옛날 성현(聖賢)의 교훈(敎訓)을 설명(說明)하여 세상(世上)에 전함。 ②옛날부터 전하여 내려오는 도(道)。 ③종교 특히 기독교를 널리 전파(傳播)시킴。

【傳導 전도】 열(熱) 또는 전기가 물체의 한 부분으로부터 점차 다른 부분으로 옮아가는 현상。

〔二畫部首順〕 二亠人儿入八冂冖冫几凵刀力勹匕匚匸十卜卩厂厶又

【傳來 전래】 전하여 내려옴。

【傳來之物 전래지물】 예전부터 전하여 내려오는 물건。

【傳來之風 전래지풍】 예전부터 전하여 오는 풍속(風俗)。

【傳令 전령】 명령(命令)을 전함。 또 그 명령。

【傳馬 전마】 역참(驛站)에서 사용하「는 말。 역말。

【傳聞 전문】 전하는 말을 들음。 또 전하는 소문。

【傳聞不如親見 전문불여친견】 전해 들은 것은 실제로 본 것만 같지 못함。

【傳舍 전사】 여관(旅館)。

【傳說 전설】 옛날부터 전하여 내려오는 이야기。

【傳貰* 전세】 집주인(主人)에게 일정한 금액(金額)을 맡기고 그 집을 빌어 들었다가 내놓고 나갈 때에 그 돈을 이자(利子)없이 도로 찾는 가옥(家屋) 대차(貸借)의 계약(契約)。

【傳疏* 전소】 전(傳)과 소(疏)。 경서(經書) 등에 자세히 단 주석(注釋)。

【傳送 전송】 전(傳)하여 보냄。

【傳受 전수】 전(傳)하여 받음。

【傳授 전수】 전(傳)하여 줌。

【傳習 전습】 전수(傳受)하여 익힘。

【傳襲 전습】 전(傳)하여 물려 받음。 전하여 내려오는 대로 따라 함。

【傳習錄 전습록】 명(明)나라 왕양명(王陽明)의 어록(語錄)。 삼권(三卷)。 문인(門人) 서애(徐愛)가 수록(收錄)한 것을 설간(薛侃)이 증보(增補)하였음。

【傳承 전승】 계통을 이어 받음。

【傳言 전언】 ①말을 전함。 또 그 말。 ②호령을 전함。

【傳染 전염】 ①물들임。 또 물듦。 ②병독(病毒) 같은 것이 남에게 옮음。

【傳注 전주】 책의 주석(注釋)。

【傳奏 전주】 남의 말을 전하여 아룀。

【傳旨* 전지】 《韓》 상벌(賞罰)에 관한 왕지(王旨)를 받아 전달하는 일。

【傳統 전통】 ①계통(系統)을 이어 받아 전함。 또 전하여 내려오는 계통。 ②후세(後世) 사람들이 답습(踏襲)하여 존중하는 과거(過去)의 풍속·습관·도덕·양식(樣式) 등。

【傳播 전파】 전하여 널리 퍼뜨림。 또 전하여 널리 퍼짐。 유포(流布)。

【傳票 전표】 은행·회사 등에서 금전의 출입(出入)을 적는 작은 쪽지。

◉家傳가전 急傳급전 記傳기전 史傳사전 三傳삼전 相傳상전 書傳서전 宣傳선전 小傳소전 神傳신전 驛傳역전 列傳열전

13 【債】 人 11 고교 채 — 빚 — ㊀卦

亻 仁 仕 仹 佳 倩 倩 債 債

자원 형성 責음 人亻—債 (人부)

「亻사람인변」과、 억지로 취(取)하다의 뜻을 가지며、 음을 나타내는 「責책」(채는 변음)으로 이루어져、「責」〈꾸짖다〉과 구별(區別)하여、 주로 금전(金錢)의 대(貸) 차(借)의 뜻에 쓰임。

뜻 ①**빚채** ㉠꾸어 쓴 돈。「負債부채」 ㉡전(轉)하여 자기가 응당 하여야 할 것을 아직 하지 아니한 것。「詩債시채」 ②**빚돈채** 빚으로 준 돈。

주의 「倩청」〈사위〉은 딴 글자。

【債券 채권】 국가(國家)·공공단체(公

〔二畫部首順〕 二亠人儿入八冂冖冫几凵刀力勹匕匚匸十卜卩厂厶又

共國體) 또는 은행(銀行)·회사 등이 자기의 채무(債務)를 증명하여 발행하는 유가 증권(有價證券)。

【債權 채권】 빚을 준 자가 빚을 얻은 자에 대하여 가지는 권리。 채무의 청산(清算)을 요구하는 권리。

【債鬼 채귀】 너무 졸라대는 빚장이를 미워하여 일컫는 말。

【債務 채무】 남에게 빚을 얻어 쓴 사람의 의무。 곧 빚을 갚아야 할 의무。

◉公債공채 國債국채 起債기채 負債부채 私債사채 社債사채 宿債숙채 市債시채

13 【傷】 人 11 중학 상 ― 다칠 ― ㊥陽

亻 𠂉 作 佢 佢 傷 傷

자원 형성 昜(음)―𥏫-𥏻― 矢 ― 人-亻―傷(人부)

「昜양」은 여기에서는 「當당」과 같아 물건이 부딪침을 나타냄。「𥏫상」은 화살을 맞은 상처。 칼 따위에 벤 상처를 「創창」이라고 하는 데 대하여 「𥏫」은 화살 상처。「𥏫」을 약하여 「𥏻」이라 쓰고 사람의 몸에 상처가 나는 것을 「傷」、 마음에 상처 나는 것을 「慯상」이라 씀。

뜻 ①다칠상 몸을 상함。 또 다친 상처。「傷痍상이」「負傷부상」 ②해칠상 남을 해함。「中傷중상」 ③근심할상 ㉠걱정함。 ㉡애태움。「傷心상심」 ④불쌍히여길상 가련하게 여김。

【傷心 상심】 마음이 상함。 애태움。

【傷創 상창】 부상(負傷)。 창이(創痍)。

【傷處 상처】 다친 곳。 부상한 곳。

【傷寒 상한】 전염성의 열병(熱病)。 장질부사 따위。

【傷寒論 상한론】 한(漢)나라 장기(張機)가 지은 의서(醫書)。 모두 십권。

【傷害 상해】 남을 다쳐서 해롭게 함。

【傷魂 상혼】 마음을 상함。

【傷痕* 상흔】 다친 자리의 흔적(痕迹)。

◉感傷감상 輕傷경상 落傷낙상 凍傷동상 負傷부상 損傷손상 挫傷좌상 中傷중상 重傷중상 擦傷찰상 慘傷참상 創傷창상 銃傷총상 致命傷치명상 火傷화상

13 【傾】 人 11 고교 경 ― 기울 ― ㊥庚

亻 亻 化 化 佂 佰 傾 傾 傾

자원 형성 頃(음) 人-亻―傾(人부)

「亻사람인변」과 머리를 기울이다의 뜻과 함께 음을 나타내는 「頃경」〈즈음·기울어지다〉으로 이루어져、「頃」과 구별하여 특히 기울어지다의 뜻으로 씀。

뜻 ①기울경、기울어질경 ㉠한 쪽으로 기욺。「傾仄경측」 ㉡비스듬함。「傾斜경사」 ㉢바르지 아니함。「守節不傾수절불경」 ㉣위험하여짐。 위태로와짐。 편안하지 아니함。 ㉤다 없어짐。 ②기울일경 ㉠한 쪽으로 기울임。 기울여 엎음。「傾覆경복」「傾盆경분」「傾蓋경개」 ㉡마음을 기울임。 귀복(歸服)함。「傾注경주」「傾倒경도」「傾慕경모」 ㉢귀를 기울임。「傾聽경청」 ㉣형세가 기울어지게 함。「傾國경국」 ㉤잔을 기울여 술을 마심。 ㉥다함。 남기지 아니함。 ③다툴경 경쟁함。 ④다칠경 상처를 입음。 ⑤잠깐경 頃(頁部二畫)과 통용。

〔二畫部首順〕 二亠人儿入八冂冖冫几凵刀力勹匕匚匸十卜卩厂厶又

【傾家 경가】①가산(家産)을 온통 기울임。②집안 사람을 모두 모음。집안 사람이 모두 모임。

【傾國 경국】①나라의 형세(形勢)를 기울이어 위태(危殆)롭게 함。②경국지색(傾國之色)。

【傾國之色 경국지색】일국(一國)에서 첫째 가는 미인(美人)。임금이 가까이 하면 홀딱 반하여 나라를 뒤집어 엎을 만한 절세(絕世)의 미인이라는 뜻。

【傾度 경도】경사(傾斜)의 도수。

【傾倒 경도】①기울어져 넘어짐。또 기울이어 넘어뜨림。②안의 물건을 모두 꺼냄。③마음을 기울이어 그리워함。감복함。④술을 많이 마심。

【傾斜 경사】①기울어짐。②지층면(地層面)과 수평면과의 각도。

【傾危 경위】①기울이어 위태롭게 함。또 기울어져 위태로움。②바르지 못하여 안심할 수 없음。

【傾危之士 경위지사】국가를 위태롭게 하는 사람。궤변(詭辯)을 농(弄)하는 무리를 이름。

【傾注 경주】①기울여 부음。②강물이 쏜살같이 바다로 흘러 들어감。③비가 억수같이 옴。④마음을 한 곳으로 기울임。

【傾聽 경청】귀를 기울여 주의하여 들음。

【傾頹* 경퇴】기울어져 무너짐。

【傾敗 경패】형세가 기울어져 패함。또 기울어져 패하게 함。경퇴(傾頹)。

【傾向 경향】마음 또는 형세가 한 쪽으로 쏠림。추세(趨勢)。

◉右傾우경 左傾좌경

13 【僅】 人 11 고교 근 | 겨우 | 去震

亻 亻 仳 仳 伳 借 借 倢 僅

자원 형성 堇음 人-亻┬僅(人부)

「亻사람인변」과、음을 나타내는 동시에 부족하다는 뜻(⇩謹근·饉근)을 가진 「堇근」으로 이루어져 사람이 힘이 부족함。전하여、겨우、조금을 뜻함。

뜻 ①겨우근 근근히。②적을근 과소(寡小)。「僅少근소」③거의근

【僅僅 근근】겨우。

【僅僅得生 근근득생】간신히 살아감。

【僅少 근소】아주 적음。

十二畫

14 【像】 人 12 고교 상 | 꼴 | 上養

亻 亻 伶 伶 俜 俜 傍 僗 像

자원 형성 象음 人-亻┬像(人부)

음을 나타내는 「象상」은 코끼리의 뜻임。삼천년 전에 중국의 북부(北部)에도 코끼리가 있었음。코끼리를 나타내는 말은 옛 발음이 「似사」〈닮다·닮게하다〉와 무언가 관계가 있었던 모양으로 「象」이라고 써서 「닮다」「닮게하다」란 뜻으로 썼음。「像」은 사람이 닮는 일。나중에 사람에 한하지 않고 물건이 닮는 일↓물건의 모양이란 뜻으로도 씀。

뜻 ①꼴상 모양。모습。「形像형상」「肖像초상」②상상 부처·사람·짐승

〔二畫部首順〕 二亠人儿入八冂冖冫几凵刀力勹匕匚匸十卜卩厂厶又

같은 것의 형체를 만들거나 그린 것。「佛像불상」 ③법상 법식(法式)。 ④닮을상 비슷함。 ⑤모뜰상 본뜸。
◉銅像동상 木像목상 想像상상 石像석상 聖像성상 塑像소상 偶像우상 彫像조상

14 【像】 人 12 像(앞 글자)과 같은 글자。

14 【僑】 人 12 교 | 우거할 | ㊥蕭 ㊤篠

자원 형성 喬음 人-亻-僑(人부)
「亻사람인변」과, 높다의 뜻을 나타내며 동시에 음을 나타내는 「喬교」로 이루어짐。 본디, 키가 큰 사람의 뜻。 뒤에, 「喬교」〈나그네〉와 통(通)하여 타향에서 사는 뜨내기의 뜻으로 쓰이게 됨。

뜻 우거할교 우접(寓接)함。 남의 집에 붙어서 삶。 타향 혹은 타국에서 임시로 삶。「僑胞교포」

【僑胞 교포】 외국에 교거(僑居)하는 동포(同胞)。
◉韓僑한교 華僑화교

14 【僕】 人 12 복 | 종 | ㊀沃

자원 형성 菐음 人-亻-僕(人부)
「亻사람인변」과, 음을 나타내며 동시에 치다의 뜻(⇩撲복)을 나타내기 위한 「菐복」으로 이루어져, 말을 채찍질하여 부리는 사람을 뜻함。

뜻 ①종복 잡일이나 천역에 종사하는 하인。「僕隷복례」「家僕가복」 ②마부복 어자(御者)。 ③저복 자기의 겸칭(謙稱)。 ④무리복 당여(黨與)。 徒(彳部七畫)와 뜻이 같음。 ⑤붙을복 부착함。 ⑥숨길복 은닉함。

【僕奴 복노】 노복(奴僕)。「(奴婢)。
【僕婢 복비】 사내종과 계집종。 노비
【僕使 복사】 하인。 종。 노복(奴僕)。
【僕射 복야】 벼슬 이름。 진(秦)나라 때는 활 쏘는 것을 맡은 벼슬이고, 당(唐)나라 이후에는 상서성(尙書省)의 장관(長官)임。
◉家僕가복 奴僕노복 老僕노복 臣僕신복

14 【僚】 人 12 료 | 벼슬아치 | ①-③㊥蕭 ④㊤篠

자원 형성 尞음 人-亻-僚(人부)
「人사람인변」과, 음과 함께 관리가 사는 곳의 뜻(⇩寮료)을 나타내기 위한 「寮료」로 이루어져 「寮」에 살고 있는 관리들。 전하여, 동관을 뜻함。

뜻 ①벼슬아치료 관리。「僚吏요리」「官僚관료」 ②동관료 같은 관청에 있는 지위가 같은 관리。 지금은 널리 같은 자리에서 일을 하는 벗의 뜻으로 쓰임。「僚友요우」「同僚동료」 ③종료 천역(賤役)에 종사하는 사람。 ④예쁠료 미호(美好)함。

【僚黨 요당】 동료(同僚)。
【僚屬 요속】 요관(僚官)。 속관(屬官)。
【僚友 요우】 동료(同僚)。
◉官僚관료 群僚군료 同僚동료 幕僚막료 百僚백료 庶僚서료 屬僚속료

14 【僞】 人 12 고교 ㊀위 ㊁와 | 거짓 | ㊀㊍寘 ㊁㊥歌

亻 亻 … 僞 僞

자원 형성 爲음 人-亻-僞(人부)

〔二畫部首順〕二亠人儿入八冂冖冫几凵刀力勹匕匚匸十卜卩厂厶又

「亻사람인변」과, 음을 나타내며 동시(同時)에 일을 하다의 뜻을 가지는 「爲위」로 이루어져, 사람이 일부러 하다의 뜻. 전하여, 거짓말하다, 속이다의 뜻.

뜻 ㊀①거짓위 ㉠인위(人爲). 부자연. ㉡불성실. 허식(虛飾). 「僞善위선」 ㉢가짜. ㉣허위. 「僞言위언」 ②속일위 거짓말을 함. 「僞造위조」 「僞賣위매」 ㊁사투리와 訛(言部四畫)와 같은 글자.

【僞計 위계】 속임수의 계략. 궤계(詭計). 「위선자(僞善者).

【僞君子 위군자】 군자인 체하는 자.

【僞本 위본】 위조(僞造)한 책(冊).

【僞史 위사】 위조(僞朝)의 역사. 정통(正統)이 아닌 역사.

【僞書 위서】 ①거짓 편지. ②위조한 문서. 위본(僞本).

【僞善 위선】 겉으로만 착한 체함.

【僞善者 위선자】 위군자(僞君子).

【僞飾 위식】 거짓 꾸밈.

【僞造 위조】 진짜처럼 만들어서 사람의 눈을 속임. 거짓으로 만듦.

【僞證 위증】 ①거짓의 증거(證據). ②증인으로서 선서(宣誓)한 뒤에 허위의 진술을 하는 일.

【僞稱 위칭】 거짓 일컬음. 또 거짓 칭호.

【僞筆 위필】 위조한 필적(筆跡).

◉ 姦僞간위 大僞대위 詐僞사위 虛僞허위

14 【僧】 人 12 고교 승 | 중 | ㊥蒸

亻 亻 仒 伫 伶 伶 伶 伶 僧 僧 僧

자원 형성 曾음 人-亻-僧(人부)

「亻사람인변」과, 음을 나타내는 「曾증」(승은 변음)으로 이루어지며, 범어(梵語)인 「僧加邪승가사」(Sangha)의 음역자(音譯字).

뜻 중승 승려(僧侶). 「僧堂승당」 「僧刹승찰」

【僧官 승관】 중이 하는 벼슬.

【僧館 승관】 절. 사찰(寺刹).

【僧軍 승군】 중으로 조직한 군사.

【僧尼* 승니】 중과 여승. 비구(比丘)와 비구니(比丘尼).

【僧徒 승도】 중의 무리. 중들. 중.

【僧侶* 승려】 중들. 승도(僧徒).

【僧帽筋* 승모근】 견갑골(肩胛骨)을 척주(脊柱)에 연결(連結)하는 배근(背筋).

【僧舞 승무】 춤의 한 가지. 고깔 쓰고 장삼을 입고 풍류에 맞추어 추는 가운데 때때로 법고(法鼓)를 침. 중춤.

【僧門 승문】 불도(佛道)를 닦는 사람의 사회. 불문(佛門).

【僧房 승방】 절. 사찰(寺刹).

【僧寶 승보】 불도를 닦고 계율을 지켜 세상에 뛰어나서 뭇사람의 모범이 됨을 이름.

【僧服 승복】 승려의 옷.

【僧趺* 승부】 선문(禪門)에서 오른 발을 왼쪽 넓적다리 위에, 왼 발은 오른쪽 넓적다리 위에 놓고 앉는 방법.

【僧俗 승속】 승려와 속인(俗人). 중과 중 아닌 일반 사람.

【僧籍 승적】 중의 호적. 승려의 신분.

◉ 高僧고승 道僧도승 名僧명승 凡僧범승 佛法僧불법승 禪僧선승 小僧소승 雲水僧운수승 破戒僧파계승 行脚僧행각승

15 **【價】** 人 13 중학 **가** | 값 | ㊀禡

亻 仁 伒 俉 価 價 價 價 價 價

자원 형성 賈음 人-亻+價(人부) 〔賈〕2500년전

「價」는「賈가·고」의 속자。음을 나타내는「賈」는「襾아」〈덮다〉와「貝패」〈재산〉를 합친 글자로서、물건을 사 놓고 손님을 기다리는 일。행상이「商상」인 데 대하여 가게에서 파는 것이「賈」。장사→값→가치(價值)로 되었음。

뜻 **값가** ㉠금。물건 값。「價格가격」「物價물가」 ㉡사물이나 재화의 중요 정도。「價値가치」

【價格 가격】 값。

【價額 가액】 값。

【價値 가치】 ①값。가격。②자격(資格)。품위(品位)。③욕망(欲望)에 대한 재화(財貨)의 효용 정도。

◉減價감가 高價고가 洛陽紙價낙양지가 代價대가 買價매가 物價물가 聲價성가 市價시가 時價시가 實價실가 廉價염가 原價원가 定價정가 地價지가 特價특가 評價평가 呼價호가

15 **【僻】** 人 13 ㊀**벽** ㊁**비** | 후미질 | ㊀入陌 ㊁去寘

자원 형성 辟음 人-亻+僻(人부)

「亻사람인변」과 음을 나타내는 동시에 물러나다의 뜻(⇩避피)을 가진「辟벽」으로 이루어져、사람이 물러나며 치우치다、전하여 치우치다의 뜻。

뜻 ㊀①**후미질벽** 궁벽함。「僻地벽지」「僻村벽촌」 ②**치우칠벽** 편벽(偏僻)함。「僻論벽론」「僻性벽성」 ③**간사할벽** 간교(奸巧)함。「僻邪벽사」 ④**방사할벽** 방종함。「驕僻교벽」 ㊁**성가퀴비** 埤(土部八畫)와 같은 글자。

【僻論 벽론】 치우쳐 도리에 맞지 않는 언론。

【僻書 벽서】 흔하지 아니한 기이한 책。

【僻說 벽설】 괴벽한 설(說)。

【僻姓 벽성】 썩 드문 성(姓)。흔하지 않은 성。

【僻邑 벽읍】 궁벽한 읍(邑)。

【僻字 벽자】 괴벽(乖僻)한 글자。항용(恆用) 쓰이지 않는 글자。

【僻地 벽지】 ①치우쳐 있음。②궁벽한 땅。

【僻村 벽촌】 궁벽한 마을。

15 **【儀】** 人 13 고교 **의** | 거동 | ①-⑫ 平支 ⑬上紙

亻 亻 亻 佯 佯 佯 儀 儀 儀 儀

자원 형성 義음 人-亻+儀(人부)

「亻사람인변」과、품위있는 행동의 뜻을 나타내며 동시에 음을 나타내는「義의」로 이루어져、「義」〈올바른 법〉와 구별해서、특히 사람의 올바른 행동을 뜻함。

뜻 ①**거동의** 기거 동작。언행의 범절。「威儀위의」「禮儀예의」 ②**법의** 법도(法度)。법칙。「儀品의품」 ③**본보기의** 모범。④**예의** 예(禮)의 전례(典例)。예법。「儀禮의례」「儀式의식」 ⑤**선사의** 예의(禮意)를 표하

〔二畫部首順〕二亠人儿入八冂冖冫几凵刀力勹匕匚匸十卜卩厂厶又

는 선물。「賀儀하의」⑥**짝의** 배우자。배필。또 둘로 한쌍을 이룬 것。천지(天地)를「兩儀양의」라 함。⑦**천문기계의** 천체(天體)의 측도(測度)에 쓰이는 기계。「渾天儀혼천의」⑧**본뜰의** 본받음。모범으로 삼음。「儀表의표」⑨**짝지을의、짝지울의** 배필이 됨。배필로 삼음。⑩**헤아릴의** 촌탁(忖度)함。⑪**마땅할의** 좋음。⑫**마땅히의** 宜(宀部五畫)와 통용。⑬**비길의** 擬(手部十四畫)와 통용。

【儀軌*의궤】 본보기。모범。

【儀範 의범】 예의 범절의 본보기。

【儀式 의식】 예의(禮儀)의 법식。

【儀容 의용】 몸을 가지는 태도。

【儀仗*의장】 의식(儀式)에 쓰는 무기(武器)。또는 의식에 참가하는 호위(護衛)。

【儀仗兵*의장병】 병기(兵器)를 가지고 의식(儀式)에 참렬(參列)하는 군대。

【儀典 의전】 의식(儀式)。

◉公儀공의 國儀국의 軍儀군의 禮儀예의 容儀용의 威儀위의 葬儀장의 典儀전의 朝儀조의 地球儀지구의 祝儀축의

15 **【億】** 人 13 [중학] 억 | 억 | [入]職

億

亻 仁 伫 倍 偣 億 億

[자원] 啻[음] 心 ┐意[음] 人-亻 ┘億-億(人부)

「啻억」은「言언」과「中중」을 합한 글자이며 기분좋게 소리를 내어 흥겨워하는 일。「意억」은 마음이 가득차서 만족스러움。「億억」은 사람이 많이 있음。물건이 잔뜩 있음。나중에 잔뜩 있다→수가 많음을「啻」「意」「億」자로 나타내고 수의 자리로서 십만(十萬)의 자리로 삼거나 일만(一萬)의 만곱으로 삼거나 하였음。그러나「億」은「意의」의 옛발음과 뜻이 비슷하였으므로 자체(字體)도「億」이라 쓰게 되었음。

[뜻] ①**억억** 수(數)의 단위。만의 만배。또 만의 십배도 이름。전(轉)하여 많음을 이름。「億庶억서」「億兆一心억조일심」②**헤아릴억** 촌탁(忖度)함。「億測억측」「億度억탁」③**편안할억** 마음이 편안함。④**가슴억** 臆(肉部十三畫)과 통용。⑤**건돈억** 도박에 걸어 놓은 돈。

【億劫*억겁】 (佛敎) 무한(無限)히 긴 시간。

【億萬 억만】 아주 많은 수。

【億兆 억조】 ①아주 많은 수(數)。②많은 인민。백성。

【億兆蒼生 억조창생】 수많은 백성。

◉巨億거억 幾億기억 累億누억 萬億만억 兆億조억 千億천억

15 **【儉】** 人 13 [고교] 검 | 검소할 | [上]琰 [去]豔

亻 亻 仒 仒 佡 倫 儉 儉

[자원] 형성 僉[음] 人-亻 ┘儉(人부)

「亻사람인변」과、음과 함께 조사하다의 뜻(⇩譣험)을 나타내기 위한「僉첨」(검은 변음)으로 이루어져 사람에 대하여 엄하게 하다。전하여 낭비를 없이하다의 뜻。약자는「倹」。

[뜻] ①**검소할검** 검약(儉約)함。「儉朴검박」「勤儉근검」②**넉넉지못할검、**

적을검 ③흉년들검
【儉朴 검박】 검소(儉素)하고 질박함。
【儉素 검소】 검약(儉約)하고 질박(質朴)함。수수함。
【儉約 검약】 절약하여 낭비하지 아니함。
◉敬儉경검 恭儉공검 勤儉근검 朴儉박검 貧儉빈검 素儉소검 約儉약검 力儉역검

十四畫

16 【儒】 人14 고교 유 — 선비 — ㊥虞

亻 亻 仁 伻 伻 俨 俨 俨 儒 儒

자원 형성 需음 人亻+需 儒(人부)
「亻사람인변」과、음을 나타내며 동시(同時)에 은덕(恩德)을 베풀다의 뜻(⇩濡유)를 가지는 「需수」(유는 변음)로 이루어지며、덕(德)을 가지고 사람에게 은덕을 베푸는 사람、학자(學者) 특히 공자(孔子)의 가르침을 받는 사람을 뜻함。
뜻 ①선비유 ㉠유학(儒學)을 신봉하거나 배우는 사람。「儒林유림」 ㉡또 학문이 뛰어나 남을 가르치는 사람。학자。 ②유교유 공맹(孔孟)의 교학。「儒學유학」 ③약할유 나약함。연약함。 ④난장이유 왜인(矮人)。「侏儒주유」
【儒家 유가】 유학(儒學)을 닦는 사람。또 그 학파。
【儒教 유교】 공자(孔子)가 주창한 유학(儒學)을 받드는 교(教)。사서오경(四書五經)을 경전(經典)으로 함。
【儒道 유도】 유교(儒教)의 도(道)。
【儒林 유림】 유도(儒道)를 닦는 학자들。사림(士林)。
【儒佛仙 유불선】 유교(儒教)·불교(佛教)·선교(仙教)를 일컬음。
【儒生 유생】 유도(儒道)를 닦는 사람。선비。
【儒書 유서】 유가(儒家)에서 쓰는 책。
【儒學 유학】 유교(儒教)를 연구하는 학문。공자의 교(教)를 닦는 학문。
【儒賢 유현】 유교(儒教)에 정통하고 행적(行跡)이 바른 사람。
◉老儒노유 大儒대유 名儒명유 腐儒부유 焚書坑儒분서갱유 碩儒석유 俗儒속유

十五畫

17 【償】 人15 고교 상 — 갚을 — ㊥陽

亻 亻 亻 亻 亻 僧 償 償 償

자원 형성 賞음 人亻+賞 償(人부)
「亻사람인변」과、상의 뜻과 더불어 음을 나타내는 「賞상」으로 이루어지며 「賞」과 구별하여 특히 사람이 돌려 갚는다는 뜻을 나타냄。
뜻 ①갚을상 ㉠상환(償還)함。돌려줌。「償金상금」「賠償배상」 ㉡보답함。 ②배상상 대가(代價)。
【償還 상환】 갚아줌。물어줌。
◉代償대상 辨償변상 報償보상

17 【優】 人15 고교 우 — 넉넉할 — ㊥尤

亻 仁 佰 佰 僡 優

자원 형성 憂음 人亻+憂 優(人부)
「亻사람인변」과、음을 나타내며 동시

優

에 가면(假面)을 쓴 무인(舞人)의 뜻을 나타내기 위한 「憂우」로 이루어짐. 「憂」가 근심·걱정을 뜻하는 것과 구별(區別)하여 특히 가면을 쓴 무인, 배우(俳優), 연기자(演技者)를 뜻함. 또 「裕유」와 통하여 풍부(豐富)한 모양. 전(轉)하여 더 낫다의 뜻.

뜻 ①**넉넉할우** 부요(富饒)함. 충분함. 여유가 있음. 「優裕우유」 ②**도타울우** 후(厚)함. 「優厚우후」「優渥우악」 ③**뛰어날우, 나을우** 우수함. 「優劣우열」「優勢우세」 ④**부드러울우** 유화(柔和)함. ⑤**구차할우** 머뭇거리고 결단성이 적음. 「優柔不斷우유부단」 ⑥**희롱할우** 실없은 짓을 하며 놂. ⑦**희롱우, 장난우** ⑧**광대우** 「倡優창우」 ⑨**넉넉히우** 넉넉하게. 충분히.

【優待 우대】 특별히 잘 대우함.

【優等 우등】 ①높은 등급(等級). ②성적(成績)이 우수함.

【優美 우미】 우아하고 아름다움.

【優勢 우세】 남보다 나은 형세(形勢).

【優殊 우수】 특별히 뛰어남.

【優勝劣敗 우승열패】 나은 자는 이기고 못난 자는 짐. 생존경쟁·자연도태(自然淘汰)의 현상을 이름.

【優雅 우아】 점잖고 아담함.

【優劣 우열】 낫고 못함. 우수함과 저열함.

【優越 우월】 뛰어남.

【優柔 우유】 ①유순함. ②과단성이 없음. ③침착함. 여유가 있음.

【優柔不斷 우유부단】 어물어물하고 속히 결단(決斷)하지 아니함.

◉男優남우 俳優배우 女優여우

儿部

2 【儿】 부수 인 | 사람 | ㊥眞

자원 상형

「儿」은 사람이 무릎 꿇고 있는 모양. 사람의 상태(狀態)·동작(動作)을 나타내는 글자의 일부(一部)로 흔히 쓰임.

뜻 **사람인**

주의 「儿궤」〈책상〉·「兀올」〈우뚝하다〉은 딴 글자.

二畫

4 【允】 儿 2 윤 | 미쁨 | ㊤軫

자원 형성 儿 㠯(음)-厶 → 允(儿부)

사람의 뜻인 「儿어진사람인받침」과 음을 나타내는 「㠯이」(ㄹ은 그것의 옛자형. 윤은 변음)로 이루어짐. 본디 신을 섬기는 사람. 음을 빌어 성실하다의 뜻으로 씀.

뜻 ①**미쁨윤** 성실하고 신의가 있음. 성신(誠信). 「允誠윤성」 ②**진실로윤** 참으로. ③**승낙할윤** 승인함. 허락함. 「兪允유윤」「允許윤허」 ④**마땅할윤** 알맞음.

참고 「允」을 음으로 하는 글자=「沇연」〈강이름〉·「狁윤」〈오랑캐의 이름〉·「吮연」〈빨다〉

【允可 윤가】 임금이 허가(許可)함。
【允許 윤허】 윤가(允可)。

4 **【元】** 儿 2 중학 **원** | 으뜸 | ㊥元

一 二 テ 元

자원 회의 二+儿→元(儿부) 3000년전

「元」은 「人인」〈사람〉의 머리 부분을 크게 한 모양。「大대」자로부터 「天천」자가 생긴 것처럼 「人」자로부터 「兀올」·「元」이란 글자가 생긴 것으로 여겨짐。나중에 내려와서 「二」(「上상」의 옛 글자 모양) 「儿인」을 합한 모양이라고 생각하게 되었음。「元」은 머리→으뜸의 뜻으로 쓰지만, 한편 머리→둥글다의 뜻으로도 쓰임。

뜻 ①**으뜸원** ㉠첫째。시초(始初)。「元子원자」「元初원초」㉡일년의 첫날。「元日원일」㉢기년(紀年)·즉위(卽位)·건국(建國)의 첫해。②**근원원** ㉠근본。「元本원본」㉡만물의 원기(原氣)。③**덕원** 천지의 사덕(四德)의 하나。곧 만물 생육(生育)의 덕。사시(四時)로는 봄에、도덕으로는 인(仁)에 배당함。④**하늘원** 「霄元소원」。⑤**머리원** 두부(頭部)。두수(頭首)。⑥**임금원** 군주。⑦**백성원** 인민。창생(蒼生)。⑧**연호원** 다년호(大年號)。「建元건원」「改元개원」⑨**원나라원** 몽고(蒙古)의 대한(大汗) 홀필렬(忽必烈)이 송(宋)나라의 뒤를 이어 세운 왕조(王朝)。도읍은 연경(燕京)。명(明)나라에게 망함(一二七一~一三六八)。⑩**착할원** 선량함。⑪**클원** 「元戎원융」⑫**화폐단위원** ㉠중국의 화폐 단위의 하나。㉡구한국(舊韓國) 때의 화폐 단위의 하나。⑬**성원** 성(姓)의 하나。

주의 「亢항」〈목〉은 딴 글자

참고 「元」을 음으로 하는 글자=「刓완」〈깎다〉·「忨완」〈탐하다〉·「頑완」〈완고하다〉·「翫완」〈장난하다〉·「沅원」〈강이름〉·「完완」〈완전하다〉·「浣완」〈씻다〉·「院원」〈담장〉

【元功 원공】 원훈(元勳)。

【元金 원금】 밑천。본전(本錢)。

【元氣 원기】 ①천상(天上)의 운기(雲氣)。②심신(心身)의 정력(精力)。③만물의 정기(精氣)。

【元年 원년】 ①천자가 즉위한 첫 해。②연호(年號)를 개정한 첫 해。

【元旦 원단】 정월 초하루의 아침。설날。원삭(元朔)。원조(元朝)。

【元來 원래】 전부터。본디。

【元老 원로】 관위(官位)·덕망(德望)·공로(功勞)가 가장 높은 늙은 신하。

【元利 원리】 본전(本錢)과 이자(利子)。

【元輔* 원보】《韓》 영의정(領議政)의 별칭。

【元本 원본】 ①사물의 근본。②본전(本錢)。밑천。

【元妃 원비】 ①천자의 정실(正室)。황후(皇后)。②첫번 장가 간 아내。원배(元配)。

【元巳 원사】 음력(陰曆) 삼월 삼일(三月三日)을 이름。상사(上巳)。

【元朔 원삭】 원일(元日)。

【元世祖 원세조】 몽고(蒙古)의 재오대(第五代) 극한(可汗)。이름은 쿠빌라이(忽必烈)。송(宋)나라를 멸

〔二畫部首順〕 二亠人儿入八冂冖冫几凵刀力勹匕匚匸十卜卩厂厶又

(滅)하여 중국을 통일하고 연경(燕京)에 도읍(都邑)함。뒤에 멀리 일본(日本)·중앙 아시아·유럽에 쳐들어가 사상(史上) 공전(空前)의 대제국(大帝國)을 건설하였음。

【元素 원소】 두 가지 이상으로 분석할 수 없는 물질。곧 산소·수소·탄소·규소 따위。

【元帥 원수】 전군(全軍)의 총대장(總大將)。

【元首 원수】 ①천자(天子)。②한 나라의 주권자(主權者)。③첫。시초。

【元數 원수】 ①근본이 되는 수。②본디의 수。

【元始 원시】 ①처음。②문화가 피어나지 않고 자연 그대로임。

【元是 원시】 본디。원래。

【元臣 원신】 벼슬이 높은 신하。대신(大臣)。

【元元 원원】 ①근본(根本)。②인민。백성。창생(蒼生)。

【元月 원월】 정월의 별칭。

【元日 원일】 정월 초하룻날。

【元子 원자】 천자(天子)의 적자(嫡子)。

【元祖 원조】 ①시조(始祖)。②어떠한 사물을 처음으로 시작한 사람。

【元朝 원조】 정월 초하룻날 아침。원단(元旦)。

【元策 원책】 큰 계책(計策)。대계(大計)。대책(大策)。

【元體 원체】 근본의 형체(形體)。

【元初 원초】 처음。

【元太祖 원태조】 원(元)나라의 개조(開祖)。이름은 테무진(鐵木眞)。서기 천 이백 사년(一二〇四年)에 내외(內外) 몽고(蒙古)의 부족(部族)을 통일하고、천 이백 육년(一二〇六年) 제위(帝位)에 올라 징기스칸(成吉思汗)이라 칭했으며、이어 금(金)나라와 서료(西遼)·서하(西夏)를 차례로 멸(滅)하여 구아(歐亞)에 걸친 대제국(大帝國)을 이룩하였음。

【元亨利貞 원형이정】 천도(天道)의 네 가지 덕(德)。원(元)은 봄이니 만물의 시초로 인(仁)이 되고、형(亨)은 여름이니 만물이 자라 예(禮)가 되고、이(利)는 가을이니 만물이 이루어 의(義)가 되고、정(貞)은 겨울이니 만물을 거두어 지(智)가 됨。

【元和 원화】 ①대단히 화락함。②원화체(元和體)。

【元曉* 원효】 《韓》 신라(新羅) 문무왕(文武王) 때의 명승(名僧)。설총(薛聰)의 아버지。해동종(海東宗—法性宗)의 개조(開祖)。

【元勳* 원훈】 건국(建國) 또는 큰 사변(事變)에 으뜸가는 공로。또 그 사람。

【元兇* 원흉】 못된 사람의 두목(頭目)。흉한(兇漢)의 우두머리。

◉根元근원 紀元기원 二元이원 一元일원 壯元장원 中元중원

三畫

5 【兄】 儿 3 중학 ㊀형 ㊁황 만 ㊀㊥平 庚 ㊁㊦去 漾

丨 冂 口 ㅁ 兄

자원 회의 口+儿→兄(儿부) 2500년전

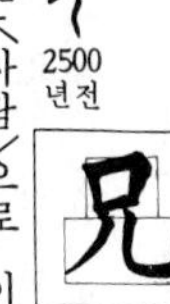

「口구」〈입〉와 「儿인」〈사람〉으로 이루어짐。입을 쓰는 사람의 뜻。형은 아우나 누이를 지도(指導)하는 데서 형의 뜻으로 삼음。

뜻 ㊀맏형、형형 ㉠동기간에 먼저 난 남자。「兄弟형제」㉡전(轉)하여 나은 것。우수한 것。또 친우 간의 경칭으로 쓰임。「大兄대형」「仁兄인형」 ㊁①두려워할황 ②하물며황 況(水部五畫)과 같은 글자。

참고 「兄」을 ㊁음으로 하는 글자=「況황」〈비유하다〉·「況황」〈비유하다〉·「怳황」〈어슴프레하다〉·「貺황」〈주다〉

【兄亡弟及 형망제급】형이 아들이 없이 죽었을 때 아우가 혈통(血統)을 잇는 일。

【兄嫂* 형수】①형과 형의 아내。형과 형수。②《韓》형의 아내。

【兄氏 형씨】형。형님。

【兄友弟恭 형우제공】형은 아우를 사랑하고 아우는 형을 공경함。

【兄弟爲手足 형제위수족】형제는 수족과 같아서 한 번 잃으면 두 번 얻을 수 없다는 말。

【兄弟姉妹 형제자매】①형제와 자매。②모든 동포(同胞)。

【兄弟之國 형제지국】①조상이 서로 형제가 되는 나라。②군주(君主)끼리 사돈이 되는 나라。 통혼(通婚)한 나라。

◉家兄가형 貴兄귀형 老兄노형 大兄대형 伯兄백형 舍兄사형 雅兄아형 仁兄인형 長兄장형 尊兄존형 從兄종형 學兄학형

5 【充】 儿 3 중학 충 | 찰 | ㊊東

一 亠 𠫓 𠫔 充

자원 회의 儿 育-𠫓-充 (儿부) 2500년전

「儿인」〈사람〉과 「育육」〈자라다〉의 생획(省畫)「𠫓」으로 이루어짐。본디 뜻은 사람이 성장(成長)하여 커지는 일。성장의 뜻에서 전(轉)하여 가득차서 아름답다는 뜻으로 씀。

뜻 ①찰충 가득함。「充滿충만」 ②채울충 ㉠가득 차게 함。㉡충당함。③막을충、막힐충 꽉 채워 막힘。꽉 채워져 막힘。「充塞충색」 ④둘충 놓음。⑤덮을충 가림。⑥살찔충 비대함。「充壯충장」 ⑦번거로울충 번잡함。

참고 「充」을 음으로 하는 글자=「銃총」〈총〉·「統통」〈거느리다〉

【充當 충당】모자라는 것을 채움。

【充滿 충만】가득하게 참。또 가득 채움。

【充腹 충복】고픈 배를 채움。

【充分 충분】모자람이 없음。넉넉함。

【充備 충비】넉넉히 갖추어 있음。완비함。

【充實 충실】가득 참。또 가득 채움。

【充額 충액】정한 액수(額數)를 채움。

【充慾 충욕】욕심을 채움。

【充用 충용】충당하여 씀。

【充位 충위】자리만 채울 뿐이고 책임을 다하지 못함。

【充溢* 충일】가득 차서 넘침。

【充積 충적】가득하게 쌓음。또 가득 쌓임。

【充塡* 충전】채움。

【充足 충족】넉넉하여 모자람이 없음。

【充血 충혈】피가 몸의 어느 한 부분에 몰리어 과도히 많아지는 상태。

◉補充보충 塡充전충 擴充확충

四畫

6 【兆】 儿 4 중학 조 | 조 | ㊤篠

丿 ⺌ 𠂢 兆 兆 兆

兆

[자원] 상형 2000년전

「兆」는 거북의 등 딱지를 그슬려 생긴 갈라진 금의 모양. 옛날 중국에서는 거북의 등딱지를 그슬려 그 갈라진 금의 모양을 보아 점을 쳤음. 점친다는 데서 조짐이란 뜻으로도 쓰고, 또 무척 많은 수를 나타낼 때 이 글자를 빌어 씀.

[뜻] ①**조조** 수(數)의 단위. 십억 또는 만억. 지금은 보통 만억으로 쓰임. 전(轉)하여 수가 많음을 이름. 「兆民조민」 ②**점조** 거북점에서 귀갑(龜甲)을 그슬러 나타나는 금. 점상(占象). 또 그 금을 보고 길흉을 판단하는 일. 「兆占조점」 ③**조짐조** 징조(徵兆). 「吉兆길조」 ④**조짐보일조** 징조가 나타남. ⑤**뫼조** 무덤. 「兆域조역」 ⑥**형상**(形象)**조**

[주의] 「北북·배」〈북쪽〉와는 딴 글자.

[참고] 「兆」를 음으로 하는 글자=「佻조」〈경박하다〉·「垗조」〈뫼자리〉·「恌조」〈경박하다〉·「挑도」〈도전하다〉·「晁황」〈밝다〉·「朓조」〈그믐달〉·「眺조」〈바라보다〉·「旐조」〈기〉·「窕조」〈으늑하다〉·「祧조」〈천묘〉·「誂조」〈꽤다〉·「跳도」〈뛰어 오르다〉·「銚요」〈남비〉·「逃도」〈달아나다〉·「桃도」〈복숭아〉·「姚요」〈아름답다〉

【兆民 조민】 많은 백성.

【兆朕* 조짐】 전조(前兆). 징후(徵候).

【兆候 조후】 조짐(兆朕).

◉京兆경조 夢兆몽조 祥兆상조 億兆억조 前兆전조 徵兆징조

6 【兇】 儿 4 **흉** | 흉악할 | ① ㊥ 冬 ② ㊤ 腫

[자원] 형성 儿 凶[음] ┬ 兇 (儿부)

사람의 뜻인 「儿어진사람인발침」과, 음을 나타내며 동시(同時)에 무섭다·나쁘다의 뜻을 나타내는 「凶흉」으로 이루어짐. 나쁜 사람, 나쁜 일을 뜻함.

[뜻] ①**흉악할흉** ㉠성질이 험상궂고 모짊. 凶(凵部二畫)과 같은 글자. 「兇行흉행」 「兇險흉험」 ㉡또 그러한 사람. 「元兇원흉」 ②**두려워할흉** 恟(心部六畫)과 같은 글자.

【兇器 흉기】 사람을 살상(殺傷)하는 데 쓰는 기구(器具). 흉구(兇具).

【兇黨 흉당】 흉도(兇徒).

【兇徒 흉도】 흉포한 무리. 흉당(兇黨).

【兇手 흉수】 흉악한 자의 손. 하수인(下手人).

【兇刃 흉인】 사람을 죽인 칼.

【兇暴 흉포】 흉악하고 포학(暴虐)함. 또 그 사람.

【兇漢 흉한】 흉악한 사나이. 흉도(兇徒).

【兇害 흉해】 흉악한 짓을 하여 사람을 죽임.

【兇行 흉행】 흉악한 행동. 살상(殺傷)하는 행위.

【兇兇 흉흉】 두려워하여 떠들어대는 소리.

◉姦兇간흉 群兇군흉 元兇원흉 殘兇잔흉

6 【先】 儿 4 [중학] ㊀**선** ㊁**세**(선㊄) | 먼저

㊀ ① ② ㊥ 先 ③ ㊈ 霰 ㊁ ㊤ 銑

〔二畫部首順〕 二亠人儿入八冂冖冫几凵刀力勹匕匚匸十卜卩厂厶又

先

丿 𠂉 ⺧ 生 𠂒 先

자원 회의 儿之 → 先(儿부) 3000년전

「之지」는 발자국의 모양→가는 일。「儿인」은 본디 「人인」과 같은 글자이지만 이 모양이 아래에 붙는 글자는 그 위에 쓰는 자형(字形)이 나타내는 말의 기능을 강조함。「先」은 앞으로 나아가다→먼저。

뜻 ㊀①**먼저선** ㉠최초로。 첫째로。「先發선발」「先唱선창」 ㉡앞서서。㉢우선。②**앞선** ㉠시간이나 장소에 관하여 뒤(後)의 대(對)。「先後선후」「先任선임」 ㉡시초。 ㉢수위。 첫째。㉣옛날。 고석(古昔)。 ㉤위。 ㉥안내。 향도(嚮導)。 ㉦앞장。「率先솔선」 ㉧제일 먼저 할 일。 급한 일。 ③**앞설선** ㉠시간적으로 먼저 있음。 ㉡공간적으로 앞에 있음。 ㉢먼저 함。 ㉣먼저 말함。 ㉤앞에 서서 인도함。
㊁**전구**(前驅)**세** 洗(水部六畫)와 같은 글자。 ※본음(本音) **선**

참고 「先」을 음으로 하는 글자=「洗세、선」〈씻다〉・「毨선」〈털을 갈다〉・「**筅**선」〈솔〉・「銑선」〈끌〉・「詵선」〈많다〉・「侁신」〈나아가다〉・「贊찬」〈돕다〉

【先覺 선각】 남보다 먼저 도(道)를 깨달음。 또 그 사람。 선각자(先覺者)。

【先見 선견】 장래를 미리 앎。 앞을 내다봄。 예지(豫知)。

【先見之明 선견지명】 앞을 내다보는 밝은 지혜。

【先決 선결】 먼저 결정함。 먼저 해결「(解決)함。

【先考 선고】 돌아간 자기 아버지。 고(考)는 망부(亡父)。 선친(先親)。

【先姑 선고】 돌아간 시어머니。

【先公 선공】 돌아간 아버지。 선고(先考)。 선인(先人)。

【先公後私 선공후사】 공사(公事)를 먼저 하고 사사(私事)를 나중에 함。

【先驅 선구】 행렬(行列)의 제일 앞에 섬。 앞에 서서 인도(引導)함。 전구(前驅)。

【先驅者 선구자】 ①행렬(行列)의 맨 앞에 나가는 사람。 앞잡이。 ②다른 사람보다 사상적으로 앞선 이。

【先金 선금】 값이나 삯에서 전부 또는 한 부분을 먼저 치르는 돈。「줌。

【先給 선급】 값이나 삯을 미리 치러줌。

【先納 선납】 기한이 되기 전에 돈을 바침。

【先年 선년】 지난 해。 왕년(往年)。 전「년(前年)。

【先農 선농】 처음으로 농사(農事)를 가르친 제왕。 신농씨(神農氏)。

【先達 선달】 ①선배(先輩)。 ②《佛敎》 고승(高僧)。 ③《韓》 문무과(文武科)에 급제(及第)하고 아직 벼슬하지 아니한 자의 칭호(稱號)。

【先代 선대】 ①이전의 시대。 ②조상(祖上)。 선조(先祖)。 ③돌아간 아버지。

【先導 선도】 앞에 서서 인도(引導)함。

【先童 선동】 쌍동이 중의 먼저 낳은 아이。

【先頭 선두】 첫머리。 맨 먼저。

【先例 선례】 앞서부터 있는 일。 전례(前例)。

【先務 선무】 제일 먼저 하여야 할 일。

【先民 선민】 ①옛 현인(賢人)。 ②선대의 사람。 옛날 사람。

【先發 선발】 ①먼저 출발함。 ②선창「(先唱)。

【先輩 선배】 학덕(學德)이나 관직(官

職)이 자기보다 높은 사람. 또는 나이가 자기보다 많은 사람.

【先鋒* 선봉】 맨 앞에 서는 군대.

【先夫 선부】 이전 남편. 전부(前夫).

【先父 선부】 돌아가신 아버지. 선친(先親).

【先府君 선부군】 선고(先考)의 존칭.

【先父兄 선부형】 돌아가신 부형.

【先墳 선분】 조상(祖上)의 무덤.

【先祀 선사】 조상(祖上)의 제사.

【先師 선사】 ①돌아간 선생. ②선생. ③선대(先代)의 현철(賢哲).

【先山 선산】 조상의 무덤이 있는 곳.

【先生 선생】 ①스승. ②자기보다 학식이 많은 사람. ③부형(父兄). ④연장자(年長者). ⑤존대하는 호칭(呼稱).

【先聖 선성】 옛 성인(聖人). 「聲」.

【先聲 선성】 전부터 알리어진 명성(名

【先聲後實 선성후실】 먼저 말로서 놀라게 하고 실력(實力)은 뒤에 가서 보여줌. 성세(聲勢)를 떨쳐 적(敵)을 놀라게 하고 나중에 교전(交戰)을 실행함.

【先手 선수】 ①남보다 먼저 행함. ②기선(機先)을 제(制)함.

【先約 선약】 먼저 맺은 약속. 「業」.

【先業 선업】 선대(先代)의 사업(事

【先烈 선열】 ①선대(先代)부터 내려온 공훈(功勳). 선대의 여광(餘光). ②절개를 굳게 지켜 국가를 위하여 싸우다가 돌아간 열사(烈士).

【先塋* 선영】 선산(先山).

【先王 선왕】 ①선대의 임금. ②예전의 성군(聖君).

【先月 선월】 지난 달. 전월(前月).

【先儒 선유】 ①선대(先代)의 유학자(儒學者). ②옛 선비.

【先人 선인】 ①조상. 선조(先祖). ②돌아간 아버지. 선고(先考).

【先日 선일】 지나간 날. 전일(前日).

【先任 선임】 먼저 그 임무(任務)를 맡음. 또 그 사람.

【先入觀念 선입관념】 먼저부터 마음속에 품고 있는 관념(觀念).

【先子 선자】 ①돌아간 아버지. ②조상. 선조.

【先慈 선자】 돌아간 어머니.

【先帝 선제】 돌아간 선대의 임금.

【先祖 선조】 ①시조(始祖). ②조상.

【先朝 선조】 ①선제(先帝) 때의 조정(朝廷). 전조(前朝). ②혁명(革命) 이전의 조정(朝廷).

【先主 선주】 먼저의 주인(主人) 또는 먼저의 군주(君主). 특히 촉한(蜀漢)의 유비(劉備)를 일컬음.

【先陣 선진】 앞서서 나가는 군대(軍隊). 선봉(先鋒).

【先進 선진】 ①앞서 나아감. ②선배(先輩). ③선각자(先覺者).

【先着 선착】 남보다 먼저 도착함.

【先唱 선창】 남에 앞서서 외침. 남보다 먼저 말함. 수창(首唱).

【先天 선천】 ①사람이 세상에 나기전. ②세상에 나올 때부터 이미 갖춤.

【先天事 선천사】 현실(現實)과는 관계 없는 옛날의 일.

【先哲 선철】 옛날의 현철(賢哲). 선현(先賢). 선정(先正).

【先取 선취】 남보다 먼저 가짐. 「父」.

【先親 선친】 돌아간 아버지. 선부(先

【先行 선행】 ①앞서 감. 앞섬. ②이

전의 행동(行動)。

【先鄕 선향】 시조(始祖)가 난 땅。관향(貫鄕)。

【先皇 선황】 선제(先帝)。

【先后* 선후】 ①선대(先代)의 군주(君主)。 선군(先君)。 ②선제(先帝)의 황후(皇后)。

【先後倒錯 선후도착】 먼저 할 것과 나중 할 것이 뒤바뀜。

【先後畫 선후획】 글씨를 쓸 때 왼쪽을 먼저 하고 오른쪽을 나중에 하며, 위를 먼저 하고 아래를 나중에 하는 법(法)。

◉機先기선 率先솔선 于先우선 優先우선 最先최선 行先행선

6 【光】 4 儿 중학 광 ― 빛 ― ㊥陽

丨 ⺌ ⺌ 业 光

자원 회의 火 人-儿 ⊤光(儿부) (A) 3000년전 (B) (C) 2500년전

「火화」〈불〉가 「儿인」〈사람〉 위에 있는 모양。 불이 사람 위에 있으면 멀리 빛나서 비침。 그러므로 빛나다、 반짝이다의 뜻。 또 전(轉)하여 번영하다로 되고 가차(假借)하여 광대(廣大)·광원(廣遠)의 뜻으로 됨。

뜻 ①빛광 ㉠시각(視覺)을 통하여 물상(物象)을 밝게 하는 현상。 곧 광선。 광휘(光輝) 따위。 「月光월광」 「光度광도」 「月出之光월출지광」 ㉡윤。 광채(光彩)。 「光潤광윤」 「光澤광택」 ㉢영예。 위세 따위。 「榮光영광」 「威光위광」 ㉣은택。 은총。 「榮光영광」 「光臨광림」 ㉤지능。 덕망。 ㉥문화·풍속·경치 따위。 「觀光관광」 「春光춘광」 ②빛날광 광휘를 발함。 ③빛낼광 빛나게 함。 ④클광 크게。 「光輔광보」

참고 「光」을 음으로 하는 글자=「恍황」〈어슴푸레하다〉·「洸광」〈굳세다〉·「晃황」〈밝다〉·「胱광」〈오줌통〉·「絖광」〈솜〉

【光景 광경】 ①빛。 광휘(光輝)。 ②경치。 상황(狀況)。

【光年 광년】 일초(一秒) 동안에 삼십만(三十萬) 킬로미터를 가는 빛이 일년 동안 걸리어 가는 거리(距離)。

【光度 광도】 발광체(發光體)의 강하고 약함을 표하는 양(量)。

【光來 광래】 광림(光臨)。

【光烈 광렬】 빛나는 공훈(功勳)。

【光臨 광림】 남의 내방(來訪)의 경칭(敬稱)。

【光名 광명】 빛나는 명예。 미명(美名)。

【光明 광명】 ①빛。 ②밝고 환함。 또 밝힘。 환하게 함。

【光明正大 광명정대】 언행(言行)이 떳떳하고 정당(正當)함。

【光復 광복】 구업(舊業)을 회복(恢復)함。 흥복(興復)。

【光復節 광복절】 우리 나라 국경일의 하나。 서기 천구백 사십 오년 팔월 십 오일에 왜정(倭政)으로부터 해방된 것을 기념하는 날임。

【光線 광선】 빛의 내쏘는 줄기。

【光榮 광영】 영광(榮光)。 영예(榮譽)。

【光潤 광윤】 윤。 광택(光澤)。

【光陰 광음】 세월(歲月)。 시간。

【光彩 광채】 찬란(燦爛)한 빛。

【光體 광체】 빛을 내는 물체(物體)。

【光燭 광촉】 환히 비침。

【光澤 광택】 번들번들하는 빛。윤。

【光波 광파】 광선의 파동(波動)。

【光風 광풍】 비온 뒤에 해가 뜨고 부는 바람。

【光學 광학】 빛에 관하여 연구하는 학문。

【光華 광화】 광휘(光輝)。

【光輝 광휘】 빛。

◉脚光각광 觀光관광 國光국광 發光발광 瑞光서광 夜光야광 陽光양광 餘光여광 榮光영광 圓光원광 月光월광 威光위광 日光일광 電光전광 朝光조광 晝光주광 彩光채광 燭光촉광 春光춘광 風光풍광 螢光형광 火光화광 後光후광 輝光휘광

【充】 ⇩儿部三畫

五畫

7 【克】 儿 5 [고교] 극 능할 [入]職

一 十 十 古 古 声 克

[자원] 상형 3000년전

「克」은 사람이 갑옷을 입은 모양을 본떠 갑옷의 무게에 견딘다는 뜻에서 전(轉)하여 잘하다、이기다의 뜻을 나타냄。

[뜻] ①**능할극** ㉠충분히 할 수 있음。㉡능하게。능히。②**이길극** ㉠사리사욕에 끌리는 자기를 이겨냄。㉡적을 이김。③**멜극** 어깨에 멤。④**승벽극** 지기 싫어하는 성질。⑤미터법의 무게의 단위。**그램**의 간칭(簡稱)。킬로그램(瓩)의 천분지일(千分之一)。

[참고] 「克」을 음으로 하는 글자＝「剋극」〈이기다〉·「尅극」〈이기다〉

【克己 극기】 자기의 사욕(私慾)을 이성(理性)으로 눌러 이김。

【克服 극복】 이기어 굴복(屈服)시킴。

【克復 극복】 원상(原狀)으로 복귀(復歸)함。또 원상대로 복귀시킴。

◉超克초극

7 【免】 儿 5 [중학] ㈠면 ㈡문 벗어날 ㈠[上]銑 ㈡[去]問

ク ク 各 各 争 免 免

[자원] 회의 人 穴 儿 → 免 (儿부)

「人인」〈사람〉과 「穴혈」〈구멍〉과 「儿어진사람인받침」으로 이루어짐。여자가 아이를 낳는 것을 나타내며、거기에서 벗어나다의 뜻이 되었음。

[뜻] ㈠①**벗어날면** ㉠피함。㉡떨어져 미치지 아니함。없게 됨。㉢재화 따위에서 헤어남。「免死면사」 ②**벗을면** 옷 따위를 벗음。③**놓을면** 놓아줌。방면함。「免赦면사」 ④**면할면** 면제함。「免訴면소」 ⑤**허락할면** 들어줌。「免許면허」 ⑥**내칠면** 면직함。「免官면관」「免黜면출」「任免임면」 ㈡①**해산할문** 아이를 낳음。「免身문신」 ②**관벗을문** 초상 때 관을 벗고 머리를 묶어 맴。「袒免단문」

[참고] 「免」을 음으로 하는 글자＝「悗문」〈잊어버리다〉·「挽만」〈잡아당기다〉·「輓만」〈끌다〉·「晩만」〈저물다〉·「俛부」〈숙이다〉·「勉면」〈힘쓰다〉·「娩만」〈해산하다〉

【免減 면감】 아주 면(免)하거나 가볍

게 해줌。

【免官 면관】관직(官職)을 해면(解免)함。

【免無識 면무식】무식(無識)을 면할 정도의 학식(學識)이 있음。

【免死 면사】죽음을 면(免)함。

【免稅 면세】조세(租稅)를 면제함。

【免訴 면소】형사(刑事) 피고인에 대하여 법원에서 공소권(公訴權)의 소멸(消滅) 또는 증거 불충분 등의 이유로 그 기소(起訴)를 소멸(消滅)시켜 방면(放免)하는 처분。

【免試 면시】시험(試驗)을 면제함。

【免役 면역】병역 또는 부역의 의무를 면제함。

【免疫 면역】체내(體內)에 병원균(病原菌)에 대한 저항력(抵抗力)을 배양(培養)하여 전염병(傳染病)에 걸리지 않게 함。

【免夭* 면요】오십세를 넘기고 죽음을 일컬음。

【免辱 면욕】치욕(恥辱)을 면(免)함。

【免除 면제】책임이나 의무를 면함。

【免租 면조】조세(租稅)를 면제함。

【免罪 면죄】죄(罪)를 면(免)함。

【免職 면직】직임을 해면(解免)함。

【免責 면책】책임(責任)을 면(免)함。

【免脫 면탈】죄(罪)를 벗어남。또 탈세(脫稅)함。

【免許 면허】관청에서 허가하는 행정처분(行政處分)。

【免凶 면흉】흉년(凶年)을 면함。

◉寬免관면 放免방면 任免임면 責免책면 罷免파면 解免해면

7 【児】儿 5 兒(儿部六畫)의 속자(俗字)。

7 【兔】儿 5 免(儿部六畫)의 속자(俗字)。

六畫

8 【兒】儿 6 중학 ㊀아 ㊁예 — 아이 — ㊀(平)支 ㊁(平)齊

丿 𠂆 F F7 F7 臼 臼 兒

자원 회의 臼+儿→兒(儿부) 3000년전 2500년전

「兒」는 이(⇩齒치)를 강조하여 그린 사람의 모습→간니가 다시 날 때쯤의 유아(幼兒)。옛날 사람은 「臼구」의 부분을 이가 아니고 젖먹이의 머리뼈가 아직 굳지 않은 모양으로 설명하고 있음。약자는 「児」。

뜻 ㊀ ①아이아 ㉠어린 아이。「兒童아동」「兒齒아치」 ㉡아들이 어버이에게 대하여 말하는 자칭(自稱)。 ㉢남을 경멸하여 이르는 말。사람의 천칭(賤稱)。 ②어조사아 동식물·기구 등의 이름의 끝에 붙이는 조사(助辭)。「車兒차아」 ㊁성예 성(姓)의 하나。「兒寬예관」은 전한(前漢)의 무제(武帝) 때 사람。

참고 「兒」를 음으로 하는 글자＝「倪예」〈어린 아이〉·「堄예」〈성가퀴〉·「猊예」〈사자〉·「棿예」〈위태하다〉·「睨예」〈곁눈질하다〉·「蜺예」〈애매미〉·「霓예」〈무지개〉·「輗예」〈끌채끝〉·「鯢예」〈암코래〉·「麑예」〈사자〉·「鬩혁」〈다투다〉

【兒女 아녀】사내 아이와 계집아이。또 아이。아이들。또 단지 계집아이의 뜻으로도 쓰임。

【兒女子 아녀자】아녀(兒女)。

【兒女態 아녀태】계집아이 같은 연약한 태도。

【兒童 아동】아이。
【兒名 아명】아이 때에 부르던 이름。
【兒孫 아손】자식과 손자。자손(子孫)。
【兒子 아자】자식。또 아이。
【兒齒 아치】노인(老人)의 이가 빠지고 다시 난 이。장수(長壽)의 징조(徵兆)라 함。
【兒孩* 아해】아이。
【兒患 아환】①어린 아이의 병。②자기 자식(子息)의 병。
【兒戲 아희】아이들의 장난。
◉家兒가아 健兒건아 孤兒고아 麒麟兒기린아 男兒남아 豚兒돈아 小兒소아 愛兒애아 女兒여아 嬰兒영아 幼兒유아 乳兒유아 寵兒총아 蕩兒탕아 風雲兒풍운아 幸運兒행운아

8 【兎】 儿 6 고교 토 — 토끼 — 去遇

ㄱ ㄲ 㔾 召 召 孕 兎 兎

자원 상형 3000년전

「兎」는 본래 긴 귀와 짧은 꼬리를 가진 토끼의 모양을 본떠 그것이 지금의 자형(字形)으로 변했음。

뜻 ①토끼토 토끼과(科)에 속하는 설치류(齧齒類)의 짐승。귀가 길고 뒷다리가 발달하였음。②달토 달 속에 토끼가 있다는 전설에서 달(月)의 별칭(別稱)이 됨。

주의 ①「兎」는「兔」의 속자(俗字)。②「兎」를 구획(九畫)으로 쓰는 것은 틀린 글자。③「免면」〈벗어나다〉은 딴 글자。

참고 「兎」를 음으로 하는 글자=「菟토」〈새삼〉

【兎糞* 토분】토끼의 똥。
【兎脣 토순】언청이。토결(兎缺)。
【兎影 토영】달빛。월영(月影)。
【兎烏 토오】달과 해。오토(烏兎)。
【兎月 토월】달(月)의 별칭。
【兎毫 토호】①토끼의 잔털。②붓의 이칭。토끼털로 만들므로 일컬음。
◉狡兎교토 玉兎옥토 月兎월토 脫兎탈토

八畫

10 【党】 儿 8 黨(黑部八畫)의 약자(略字)。

入部

2 【入】 부수 중학 입 — 들 — 入緝

ノ 入

자원 지사 (A) (B) 3000년전

「入」은 토담집 따위에 들어가는 것。나중에 대궐 같은 건물에 들어가는 것을「内내」라 일컫지만 본디「入」·「内」·「納납」은 음도 뜻도 관계가 깊은 말이었음。

뜻 ①들입、들어갈입 ㉠「出출」의 대(對)。「入國입국」「入城입성」㉡꿰뚫음。㉢조정(朝廷)에서 벼슬함。②들일입 ㉠들어오게 함。㉡납부(納付)함。㉢금품을 거두어 들임。「收入수입」㉣받아 들임。③담글입 몰입(沒入)함。④수입입 수납(收納)。소득。⑤입성입 사성(四聲)의 하

나。 짧고 빨리 거두어 들이는 소리。
[주의] 필기체에서는 「人인」은 왼쪽을 길게, 「入」은 오른쪽을 길게 씀。
【入閣 입각】 내각(內閣)의 일원(一員)이 됨。
【入格 입격】 시험(試驗)에 뽑힘。
【入庫 입고】 물건을 곳집에 넣음。
【入貢 입공】 조공(朝貢)을 바침。
【入棺* 입관】 시체(屍體)를 관(棺) 속에 넣음。 납관(納棺)。
【入校 입교】 입학(入學)。
【入寇* 입구】 적군(賊軍)이 쳐들어 「옴。
【入闕* 입궐】 대궐(大闕)로 들어감。
【入金 입금】 ①총액(總額) 중의 일부분의 금액(金額)을 납부함。 ②은행(銀行) 등에 예금(預金) 또는 부채(負債)를 반상하기 위하여 돈을 들여 놓음。
【入納 입납】 편지를 드린다는 뜻으로 봉투에 쓰는 말。
【入黨 입당】 정당(政黨)에 가입하여 당원(黨員)이 됨。 「가는 날。
【入梅 입매】 매우기(梅雨期)에 들어
【入墨 입묵】 살 속에 먹물을 넣어서 글자 또는 그림을 새김。
【入門 입문】 ①스승의 집에 들어간다는 뜻으로、 문하생(門下生)이 됨을 이름。 ②초학자(初學者)가 공부하기 편한 책。 입문서(入門書)。
【入費 입비】 일에 드는 비용。
【入仕 입사】 벼슬을 한 뒤에 처음으로 사진(仕進)함。
【入社 입사】 사원(社員)이 됨。
【入山 입산】 출가(出家)하여 중이 됨。
【入賞 입상】 상을 타게 됨。
【入選 입선】 당선(當選)함。
【入城 입성】 성중(城中)으로 들어감。
【入聲 입성】 한자(漢字)의 사성(四聲)의 하나로、 짧고 빨리 거두어 들이는 소리。 곧 옥(屋)·옥(沃)·각(覺)·질(質)·물(物)·월(月)·갈(曷)·할(黠)·설(屑)·약(藥)·맥(陌)·석(錫)·직(職)·즙(緝)·합(合)·엽(葉)·흡(洽)의 열일곱의 측운(仄韻)으로 「냄。
구분함。
【入送 입송】 밖에서 안으로 들여 보
【入手 입수】 수중에 들어옴。
【入侍 입시】 대궐(大闕) 안에 들어가 임금께 알현(謁見)함。 「어감。
【入神 입신】 영묘(靈妙)한 지경에 들
【入謁 입알】 들어가 알현(謁見)함。
【入御 입어】 천자가 궁중에 들어감。
【入營 입영】 군인(軍人)이 되어 영문(營門)에 들어감。
【入獄 입옥】 옥(獄)에 갇힘。
【入浴 입욕】 목욕(沐浴)을 함。
【入院 입원】 병을 고치기 위하여 병원에 들어가 있으면서 치료를 받음。
【入寂 입적】 중이 죽음。 입멸(入滅)。
【入籍 입적】 ①귀화(歸化)하여 그 국적(國籍)에 편입됨。 ②출생 또는 가취(嫁娶) 등으로 호적에 올림。
【入朝 입조】 속국(屬國) 또는 외국의 사신(使臣)들이 와서 군주(君主)에 알현(謁見)함。
【入津* 입진】 배가 나루에 들어옴。
【入札* 입찰】 청부(請負)나 경매(競賣) 따위의 경우에 여러 희망자로 하여금 각자의 예정 가격(豫定價格)을 기록하여 내게 하는 일。
【入齒 입치】 의치(義齒)。
【入港 입항】 배가 항구에 들어옴。

【入會 입회】 어떠한 회에 들어가 회원(會員)이 됨。
◉記入기입 亂入난입 單刀直入단도직입 突入돌입 沒入몰입 四捨五入사사오입 揷入삽입 歲入세입 收入수입 輸入수입 出入출입 侵入침입 編入편입

二畫

4 【內】 2 入 중학 ㊀내 안 ㊀(去)隊
㊁납 ㊁(入)合

丨冂冂內

3000년전

【자원】 형성 冂 + 入(음) → 內(入부)
음을 나타내는 「入입」(납은 변음)은 토담집 따위에 들어가는 일。「冂경」은 여기에서는 나중에 「宀갓머리」로 쓰는 것으로서 궁전(宮殿)이나 집을 나타냄。「內」는 궁전이나 집에 들어가는 일。

【뜻】 ㊀①안내 ㉠밖(「外외」)의 대(對)。「城內성내」 ㉡방(房)。 ㉢대궐안。「大內대내」 ㉣나라 안。 ㉤겨레。 친족(親族)。 ㉥집。 집안。 ㉦처첩(妻妾)。「畏內외내」(공처(恐妻))。 ㉧마음。 ㉨오장육부(五臟六腑)。「五內오내」(오장육부)。 ㉩조정(朝廷)。 정부。 ㉪집안 일。 가사(家事)。 ②몰래내 비밀히。「內應내응」 ③안으로할내 중히 여김。 가까이 함。 ④들일내 ㉠들어오게 함。 ㉡집에 데려옴。 집안에 둠。 ㊁들일납 納(糸部四畫)과 같은 글자。

【內人 나인】 내인(內人)❶。
【內閣 내각】 ①안방。 내실(內室)。 ②명대(明代) 및 청초(淸初)의 정무(政務)의 최고 기관。 ③정부의 각 장관(長官)으로써 조직된 합의체(合議體)의 관청。 「아낙」。
【內間 내간】 부녀자가 거처하는 곳。
【內艱* 내간】 어머니의 상사(喪事)。
【內簡 내간】 부녀(婦女)의 편지。
【內剛 내강】 속 마음은 굳고 단단함。
【內客 내객】 안 손님。
【內檢 내검】 내밀(內密)히 조사함。
【內界 내계】 ①마음 속의 범위(範圍)。 ②내부(內部)의 범위。
【內庫 내고】 궁중에 있는 천자가 쓰는 물품 창고。
【內顧 내고】 ①뒤돌아봄。 ②처자(妻子)를 돌봄。 ③생계(生計)를 돌봄。
【內攻 내공】 ①병(病)이 체내(體內)에 잠복함。 ②적(敵)을 내부에서 궤란(潰亂)하게 함。
【內科 내과】 내장(內臟)의 기관에 생기는 병을 다스리는 의술(醫術)。
【內科醫 내과의】 내과에 관한 치료(治療)를 전문으로 하는 의사(醫師)。
【內果皮 내과피】 열매 속에 있어서 직접 씨를 싸고 있는 껍질。
【內官 내관】 ①내시(內侍)。 환관(宦官)。 ②여관(女官)。
【內教 내교】 ①부인(婦人)의 가르침。 ②(佛教) 딴 교(教)에 대하여 불교의 일컬음。
【內寇* 내구】 「內」의 폭동(暴動)。 내부의 도둑。 국내(國
【內舅* 내구】 외숙(外叔)。
【內國 내국】 ①나라 안。 국내。 ②아국(我國)。 본국(本國)。
【內君 내군】 남의 아내에 대한 경칭 「(敬稱)。

【內規 내규】 한 기관 안에서만 시행(施行)하는 규칙(規則)。

【內勤 내근】 관청·회사·상점 등의 안에서 하는 근무(勤務)。

【內難 내난】 국내의 난사(難事)。

【內德 내덕】 ①심중(心中)의 덕(德)。 ②황후(皇后)의 덕。 곤덕(坤德)。

【內諾 내락】 내밀히 하는 승낙(承諾)。

【內亂 내란】 나라 안에서 생긴 난리。

【內陸 내륙】 바다에서 멀리 떨어져 있는 육지。

【內幕 내막】 겉으로 드러나지 아니한 사실。 속내평。 곗속。

【內面 내면】 안 쪽。 속 바닥。

【內明 내명】 속셈이 밝음。

【內命 내명】 비밀의 명령。 밀지(密旨)。

【內侮* 내모】 집안 불화(不和)。

【內務 내무】 나라 안의 정무(政務)。

【內密 내밀】 기밀(機密)。

【內變 내변】 나라 안에 일어난 변고。

【內病 내병】 속병。 내질(內疾)。

【內報 내보】 내밀히 알리는 보고。

【內服 내복】 약을 먹음。

【內府 내부】 ①불시(不時)의 국용(國用)을 맡은 벼슬。 ②국내의 곳집。

【內紛 내분】 내홍(內訌)。

【內分泌* 내분비】 체내(體內)에서 화성(化成)한 특수한 영양물질(營養物質)。 곧 호르몬을 내분비선(內分泌腺)에서 혈액중으로 보내는 작용。

【內賓 내빈】 안 손님。

【內査 내사】 비밀히 조사함。

【內賜 내사】 임금이 물건을 하사(下賜)함。

【內相 내상】 ①한림학사(翰林學士)의 미칭(美稱)。 ②아내가 살림을 잘함。 또 그 아내。 ③내무대신의 준말。

【內喪 내상】 부녀자의 초상。

【內傷 내상】 몸이 쇠약하여 몸안에 생긴 병。

【內城 내성】 외성(外城) 안에 있는 성。

【內省 내성】 자기 마음을 반성함。

【內疎外親 내소외친】 마음 속으로는 소원(疏遠)히 하나 겉으로는 친한 체함。

【內屬 내속】 내부(內附)。

【內示 내시】 내밀히 보임。

【內侍 내시】 ①궁중(宮中)에서 섬기는 환관(宦官)。 ②궁중에서 섬기는 여관(女官)。

【內視 내시】 스스로 봄。 반성함。

【內申 내신】 내밀히 상신함。

【內臣 내신】 ①국내(國內)의 신하(臣下)。 ②환관(宦官)。

【內室 내실】 ①안방(房)。 ②처。 아내。 또 남의 아내의 경칭(敬稱)。

【內實 내실】 ①안에 참。 또 그 것。 ②처자와 재물。 ③내막의 사실。

【內衙* 내아】 《韓》 지방관아(地方官衙)의 안채。

【內約 내약】 내밀히 하는 언약。

【內外 내외】 ①안팎。 ②내국(內國)과 외국(外國)。 국내와 국외。

【內外從 내외종】 내종(內從) 형제 자매(姊妹)와 외종(外從) 형제 자매。

【內外戚 내외척】 부계(父系)와 모계(母系)의 일가 친척。

【內憂 내우】 나라 안의 근심。 나라 안의 분쟁。 내란。

【內憂外患 내우외환】 나라 안의 근심과 나라 밖의 근심。 내란과 외구(外寇)。

【內柔外剛 내유외강】 내심은 유약하나 외모는 강강(剛強)하게 보임。

【內應 내응】 ①외적(外敵)과 통함。 ②

몰래 도움。

【內意 내의】①속 뜻。 마음 속의 의사。②비밀의 의향。

【內耳 내이】귀의 맨 속에 소리를 느끼는 기관이 있는 부분。속귀。

【內移 내이】《韓》관찰사(觀察使)·수령(守令) 등이 중앙 관직(官職)으로 전임(轉任)함。

【內人 내인】①궁녀(宮女)。 ②환관(宦官)。③처。아내。④집안 사람。

【內子 내자】경대부(卿大夫)의 아내。

【內藏 내장】①심중(心中)에 감춰둠。②내고(內庫)。③내장(內臟)。

【內臟 내장】고등 척추동물(脊椎動物)의 가슴 속과 뱃속에 있는 기관(器官)。호흡기·소화기·비뇨생식기(泌尿生殖器) 따위。

【內在 내재】어떤 사물이나 성질이 다른 것 속에 포함되어 있음。

【內殿* 내전】대궐 안 깊숙이 있는 궁전。

【內廷 내정】궁정(宮廷)의 내부。

【內政 내정】국내 정치(國內政治)。

【內庭 내정】안뜰。

【內情 내정】속의 형편。

【內題 내제】책 안겉장에 쓴 제목。

【內助 내조】아내가 남편을 도움。

【內從 내종】내종사촌(內從四寸)。

【內奏 내주】내밀히 상주(上奏)함。

【內地 내지】①본국(本國)。 나라 안。②바다에서 먼 내부의 땅。

【內疾 내질】속병。내증(內症)。

【內戚 내척】부계(父系)의 일가。 외척(外戚)의 대(對)。

【內淸外濁 내청외탁】속은 맑고 겉은 흐림。난세(亂世)에 명철보신(明哲保身)하는 방법의 하나。

【內出血 내출혈】혈액(血液)이 조직(組織) 속、또는 체강내(體腔內)에 나옴。뇌출혈(腦出血) 따위。

【內治 내치】나라 안의 정치(政治)。

【內勅* 내칙】내밀한 조칙(詔勅)。

【內親 내친】①아내의 친척。처족(妻族)。②심중(心中)에 친하게 여김。

【內探 내탐】내밀히 탐색함。

【內通 내통】내응(內應)。

【內包 내포】①식용하는 짐승의 내장。②논리학에서 개념이 포함하고 있는 성질。

【內皮 내피】속 껍질。

【內下 내하】《韓》임금이 물건을 하사(下賜)함。

【內海 내해】사방이 육지(陸地)로 둘러싸이고 한 쪽만 좁은 해협(海峽)에 따라 외양(外洋)과 통하는 바다。

【內虛 내허】속이 빔。

【內兄弟 내형제】①모계(母系)의 사촌。②처남(妻男)。

【內訌* 내홍】내부에서 저희들끼리 다투는 분쟁(紛爭)。내분(內紛)。

【內患 내환】국내의 환란(患亂)。

【內訓 내훈】부녀(婦女)의 교훈。

【內凶 내흉】마음이 검고 흉(凶)함。

◉家內가내 境內경내 管內관내 校內교내 區內구내 構內구내 國內국내 圈內권내 期限內기한내 對內대내 宅內댁내 道內도내 洞內동내 部內부내

四 畫

6 【全】 入 4 중학 전 ─온통─ ㊥先

ノ 入 亼 仝 仝 全

자원 회의 宀-入 玉-王 全(入부)

「入입」은 「完완」의 「宀갓머리」와 같아서 모든 것을 덮는 일。「王왕」은 「玉옥」의 옛 자형(字形)。「全」은 아무 데도 흠이 없는 훌륭한 구슬→모두 가지런한 일。나중에 자전(字典)의 분류(分類)에서 「入들입부」로 하였으나 「入」과는 글자의 기원상으로는 아무 관계도 없음。

뜻 ①**온통전** ㉠전체。전부。「全身전신」「全文전문」 ㉡일체。「全擔전담」 ②**온전할전** ㉠흠이 없음。㉡결점이 없음。모두 갖춤。㉢다치지 아니함。무사함。③**순전할전** 순수(純粹)함。순일함。잡것이 섞이지 않음。④**온전히할전** 온전하게 함。

참고 「全」을 음으로 하는 글자=「栓전」〈나무못〉·「牷전」〈희생〉·「痊전」〈병이 나아지다〉·「筌전」〈통발〉·「詮전」〈설명하다〉·「輇전」〈수레〉·「銓전」〈저울〉

【全家 전가】온 집안。한 집안의 전 「부。

【全景 전경】전체의 경치。

【全局 전국】전체의 판국(版局)。

【全國 전국】한 나라의 전체。

【全軍 전군】①한 군대의 전체。②전쟁에서 한 명의 군사도 잃지 않음。

【全卷 전권】①한 권 책의 모두。②여러 권으로 된 책의 모두。

【全權 전권】①모든 권리。②전권위원(全權委員)。

【全權大使 전권대사】국가·원수를 대표하여 외국에 주재하는 대사。

【全權委員 전권위원】전권(全權)을 가진 위원(委員)。

【全能 전능】결점 없는 재능。모든 일을 해낼 수 있는 능력(能力)。

【全擔 전담】온통 담당(擔當)함。

【全唐文 전당문】당(唐) 및 오대(五代)의 산문(散文)의 총집(總集)。청(清)나라 가경 십구년(嘉慶十九年) 칙찬(勅撰)。전부 일천권。

【全唐詩 전당시】당(唐) 및 오대(五代)의 시(詩)의 총집(總集)。청(清)나라 강희 사십육년(康熙四十六年)에 칙찬(勅撰)。모두 구백권(卷)。

【全唐詩話 전당시화】시화집(詩話集)。당(唐)나라 태종(太宗)·고종(高宗)으로부터 권용포(權龍褒)에 이르기까지 삼백 이십사가(三百二十四家)의 이름을 들고, 각조목(各條目) 밑에 그 시화(詩話)를 기술한 것。

【全隊 전대】한 대(隊)의 전체。

【全島 전도】섬 전체。온 섬。

【全道 전도】한 도(道)의 전체。

【全圖 전도】전체를 그린 그림이나 지도。

【全量 전량】전체의 분량。

【全力 전력】모든 힘。

【全面 전면】전체의 면(面)。

【全滅 전멸】죄다 없어짐。죄다 망하여 버림。

【全貌 전모】전체의 모양。온 모습。

【全無 전무】아주 없음。

【全文 전문】글의 전체。기록의 전부。

【全般 전반】여러 가지 것의 전부。통틀어 모두。

【全書 전서】①완전 무결한 책。②어떠한 사람의 저작(著作)이나 또는 어떠한 일에 관한 학설(學說)을 망라(網羅)한 책。

〔二畫部首順〕 二亠人儿入八冂冖冫几凵刀力勹匕匚匸十卜卩厂厶又

【全盛 전성】 한창 왕성함。
【全世界 전세계】 온 세계。
【全燒 전소】 죄다 타버림。
【全數 전수】 온통의 수효。 또 대체의 「수。
【全勝 전승】 한 번도 지지 아니하고 모조리 이김。
【全身 전신】 ①온 몸。 ②몸을 무사히 「보전함。
【全額 전액】 전부의 액수(額數)。
【全譯 전역】 원문(原文)을 전부 번역함。
【全然 전연】 도무지。 아주。 전혀。
【全院 전원】 한 원(院)의 전체。
【全人 전인】 ①지덕(智德)이 원만하여 결점이 없는 사람。 ②신체가 완전한 사람。 불구(不具)의 대(對)。
【全長 전장】 전체의 길이。
【全張 전장】 온 장。
【全載 전재】 소설·논문 등의 전부를 한꺼번에 다 실음。
【全紙 전지】 온장의 종이。
【全智全能 전지전능】 완전무결한 지혜(知慧)와 능력(能力)。 곧 모두 알고 모두 행할 수 있는 신불(神佛)의 지능。

【全帙* 전질】 한 질로 된 책의 전부。
【全集 전집】 한 사람의 저작(著作) 또는 부류(部類) 혹은 같은 시대에 속하는 저작을 모두 모아서 만든 책。
【全村 전촌】 온 마을。
【全治 전치】 병을 완전히 고침。
【全稱 전칭】 논리(論理)에서 주사(主辭)의 모든 범위에 걸치는 말。 「모든 사람은 죽는다」에서 「모든」 따위。
【全快 전쾌】 병이 완전히 나음。
【全敗 전패】 한 번도 이기지 못하고 모조리 패함。 「②책의 전체。
【全篇 전편】 ①시문(詩文)의 전부。
【全廢 전폐】 아주 없애 버림。
【全幅 전폭】 ①한 폭(幅)의 전부。 전(轉)하여 ②전부。
◉萬全만전 保全보전 純全순전 十全십전 雙全쌍전 安全안전 兩全양전 穩全온전 完全완전 忠孝兩全충효양전

六畫

8
【兩】 入 6 중학 량 두 ①-⑤上養 ⑥去漾

一 丆 冂 币 币 雨 雨 兩

자원 형성 一 + 㒳(음) → 兩(入부) 2500년전

음을 나타내는 「㒳량」은 저울추 두 개의 모양→한쌍이 된 것。 「一」은 여기서는 좌우 가지런하여지는 일。 「兩」은 무게의 단위이며 나중에 돈의 단위에도 쓰고 또 「㒳」 대신에 둘、 쌍의 뜻으로 씀。

뜻 ①**두량** ㉠둘。 하나의 갑절。 「兩人양인」 「兩分양분」 ㉡비견할 만한 것。 동등한 것。 ②**짝량** 쌍(雙)。 「兩眼양안」 ③**필(匹)량** 포백(布帛)의 길이。 필은 이단(二端)、 단(端)은 일장(一丈) 팔척(八尺)、 또는 이장(二丈)。 ④**양(兩)량** ㉠중량(重量)의 단위의 하나。 곧 이십사수(銖)。 「斤兩근량」 ㉡중국 및 구한국(舊韓國)의 화폐 단위의 하나。 곧 십전(十錢)。 ⑤**스물다섯사람량** 군대의 일편제상(編制上)에서 이십오인의 일컬음。 ⑥**수레량** 수레의 수효。 輛(車部八畫)과 같은 글자。

주의 「兩」은 틀린 글자。
참고 「兩」을 음으로 하는 글자=「倆량」〈재주〉·「裲량」〈배자〉·「蜽량」〈도깨비〉·「魎량」〈도깨비〉
【兩脚 양각】 두 다리。
【兩肩 양견】 두 어깨。 쌍견(雙肩)。
【兩京 양경】 한(漢)나라의 서경(西京)(장안(長安))과 동경(東京)(낙양(洛陽))。
【兩極 양극】 ①남극(南極)과 북극(北極)。 ②음극(陰極)과 양극(陽極)。
【兩難 양난】 이것도 저것도 하기 어려움。
【兩端 양단】 ①두 끝。 서로 상반하는 두 극단。 ②처음과 끝。 본말(本末)。 수미(首尾)。 ③두 가지 마음。 이심(異心)。 ④두 가지 일。 「끊음。
【兩斷 양단】 하나를 둘로 자름。 둘로
【兩堂 양당】 남의 부모(父母)의 존칭。
【兩頭 양두】 ①두 줄。 ②양쪽 끝。 ③두 머리。 머리 둘。
【兩頭蛇 양두사】 양쪽 끝에 머리가 하나씩 달린 뱀。
【兩得 양득】 한 가지 일을 하여 두 가지 이득을 봄。 일거양득(一擧兩得)。
【兩論 양론】 두 가지가 서로 대립되는 의론(議論)。
【兩輪 양륜】 수레의 두 바퀴。 전(轉)하여 서로 떨어져서는 구실을 못하는 것의 비유。 「이 존재함。
【兩立 양립】 둘이 함께 섬。 쌍방이 같
【兩面 양면】 ①앞면과 뒷면。 ②두 면。 ③두 가지 방면。
【兩眉間 양미간】 두 눈썹 사이。
【兩班 양반】 《韓》 동반(東班)과 서반(西班)。 전(轉)하여 상류(上流) 또는 문벌이 높은 사람。 또 그 계급。
【兩方 양방】 양편(兩便)。 양쪽。
【兩傍 양방】 두 곁。 좌(左)와 우(右)。
【兩分 양분】 둘로 나눔。 「行)。
【兩三行 양삼행】 두서너 줄。 수행(數
【兩色 양색】 두 가지의 빛깔。
【兩西 양서】 《韓》 황해도(黃海道)와 평안도(平安道)。
【兩舌 양설】 거짓말。 식언(食言)。
【兩性 양성】 ①남성(男性)과 여성(女性)。 ②양성(陽性)과 음성(陰性)。
【兩性花 양성화】 한 꽃 속에 자웅(雌雄)의 꽃술을 갖춘 꽃。 매화(梅花)·도화(桃花) 따위。 양전화(兩全花)。
【兩手 양수】 두 손。 쌍수(雙手)。
【兩手据地* 양수거지】 절을 한 뒤에 두 손을 마주 잡고 서 있음。
【兩失 양실】 두 가지 일을 다 잃거나 실패함。
【兩心 양심】 ①두 가지 마음。 이심(異心)。 ②순수하지 않은 마음。
【兩樣 양양】 두 가지 모양。
【兩曜* 양요】 해와 달。 「지 용도。
【兩用 양용】 쌍방을 다 씀。 또 두 가
【兩院 양원】 상원(上院)과 하원(下院)。 「부(夫婦)。
【兩位 양위】 《佛敎》 죽은 사람의 부
【兩翼 양익】 ①양쪽의 날개。 ②중군(中軍)의 좌우 양쪽에 있는 군대。
【兩人 양인】 두 사람。
【兩全 양전】 두 가지가 다 온전함。
【兩足 양족】 좌우(左右)의 발。 두 발。
【兩周 양주】 서주(西周)와 동주(東周)。 또 서주의 서울 호(鎬)와 동주의 서울 낙(洛)。 「晉)。
【兩晉* 양진】 서진(西晉)과 동진(東

【兩陣 양진】 서로 대하고 있는 진(陣)。

【兩次 양차】 두 번。

【兩處 양처】 두 곳。

【兩便 양편】 양쪽이 다 편함。

【兩河 양하】 하남(河南)과 하북(河北)。

【兩漢 양한】 전한(前漢)과 후한(後漢)。

【兩虎 양호】 두 마리의 범。 곧 두 사람의 영웅(英雄)을 이름。

七畫

9【兪】入7 유 | 그러할 | ①②㊥虞 ③㊤麌

자원 형성 兪음 舟-月 丅兪(入부)

본디「舟주」(「月」 月월은 그것의 잘못 전하여진 글자 모양)와 음을 나타내며 동시에 내빼다의 뜻(⇩抽추)을 나타내기 위한「兪유」로 이루어짐。 나무를 파내어 배를 만드는 것을 뜻하였음。 그 음을 빌어 응답이라는 말로 삼음。

뜻 ①**그러할유** 그렇다고 승낙(承諾)하는 말。「兪允유윤」 ②**응답할유** 대답하는 소리。 예。 ③**더욱유** 愈(心部九畫)와 같은 글자。 ④**성유** 성씨(姓氏)의 하나。

참고 「兪」를 음으로 하는 글자＝「喩유」〈깨우쳐주다〉·「諭유」〈깨우치다〉·「愉유」〈기뻐하다〉·「揄유」〈끌다〉·「渝투」〈변하다〉·「踰유」〈넘다〉·「愈유」〈남보다 우수하다〉·「楡유」〈느릅나무〉·「瑜유」〈옥〉·「逾유」〈넘다〉·「瘉유」〈병이 나아짐〉·「窬유、두」〈협문〉·「覦유」〈넘겨다보다〉·「偸수」〈훔치다〉·「媮유」〈박대하다〉·「鍮유」〈자연동〉

【兪應孚 유응부】《韓》 조선(朝鮮) 세조(世祖) 때의 장군(將軍)。 사육신(死六臣)의 한 사람。

八部

2【八】부수 중학 팔 | 여덟 | ㊇黠

丿 八

자원 지사)(3000년전

「八」은 물건이 둘로 나누어지는 모양。 등지다、 벌어지다、 헤어지다의 뜻。 수(數)의 8을 나타내는 것은 둘로 나누고、 다시 또 둘로 나눌 수 있는 수라는 데서 왔을 것임。

뜻 ①**여덟팔** 일곱에 하나를 보탠 수。「八音팔음」「八道팔도」 ②**여덟번팔** 팔회。「八戰八克팔전팔극」

주의 금전 증서(金錢證書) 등에서는「八」 대신(代身) 같은 음의「捌팔」을 쓰는 일도 있음。

참고 「八」을 음으로 하는 글자＝「叭팔」〈벌리다〉

【八家文 팔가문】 당송팔대가(唐宋八大家)의 문장。

【八角 팔각】 여덟 모。

【八景 팔경】 어느 지역에 있어서의 경치가 좋은 여덟 곳。

【八戒 팔계】《佛敎》 우바새(優婆塞)와 우바이(優婆夷)가 지켜야 할 여

덟 가지 계(戒)。곧 불살생계(不殺生戒)·불투도계(不偸盜戒)·불사음계(不邪婬戒)·불망어계(不妄語戒)·불음주계(不飮酒戒)(이상은 오계(五戒))·부좌고광대상계(不坐高廣大牀戒)·불착화만영락계(不著花鬘瓔珞戒)·불습가무희락계(不習歌舞戲樂戒)(이상은 삼계(三戒))。

【八苦 팔고】《佛敎》인생(人生)의 여덟 가지 괴로움。곧 생고(生苦)·노고(老苦)·병고(病苦)·사고(死苦)·애별리고(愛別離苦)·원증회고(怨憎會苦)·구부득고(求不得苦)·오음성고(五陰盛苦)。

【八穀 팔곡】여덟 가지 곡식。곧 벼·수수·보리·콩·조·피·기장·깨。또는 벼·보리·콩·조·밀·팥·기장·깨。

【八區 팔구】팔방(八方)의 구역。또 천하(天下)。

【八旗 팔기】청(淸)나라의 병제(兵制)의 일대 조직(一大組織)。

【八難 팔난】여덟 가지의 재난(災難)。곧 기(飢)·갈(渴)·한(寒)·서(暑)·수(水)·화(火)·도(刀)·병(兵)。

【八達 팔달】①팔방(八方)에 통함。②교통(交通)이 편리함。

【八代 팔대】①후한(後漢)·위(魏)·진(晉)·송(宋)·제(齊)·양(梁)·진(陳)·수(隋)의 여덟 나라。②삼황오제(三皇五帝)의 팔세(八世)。

【八大家 팔대가】명(明)나라의 모곤(茅坤)이 정한 당(唐)·송(宋) 이대(二代)의 여덟 문장가。곧 당나라의 한유(韓愈)·유종원(柳宗元)、송나라의 구양수(歐陽修)·소순(蘇洵)·소식(蘇軾)·소철(蘇轍)·증공(曾鞏)·왕안석(王安石)。당송팔대가(唐宋八大家)。

【八代史 팔대사】진서(晉書)·송서(宋書)·제서(齊書)·양서(梁書)·진서(陳書)·주서(周書)·수서(隋書)·당서(唐書)의 여덟 가지 사서(史書)。

【八德 팔덕】여덟 가지의 덕(德)。곧 인(仁)·의(義)·예(禮)·지(智)·충(忠)·신(信)·효(孝)·제(悌)。

【八道 팔도】《韓》구한국 시대의 여덟 도。곧 경기도(京畿道)·충청도(忠淸道)·경상도(慶尙道)·전라도(全羅道)·강원도(江原道)·황해도(黃海道)·평안도(平安道)·함경도(咸鏡道)。

【八萬大藏經 팔만대장경】《佛敎》대장경(大藏經)을 팔만 사천의 법문(法門)이 있으므로 일컫는 말。

【八方 팔방】사방(四方)과 사우(四隅)。곧 동·서·남·북·동북·동남·서북·서남。전(轉)하여 여러 방위。

【八方美人 팔방미인】①어느 모로 보아도 아름다운 미인(美人)。②누구에게나 두루 곱게 보이게 처세(處世)하는 사람。

【八法 팔법】주대(周代)의 관부(官府)를 다스리는 여덟 가지 법제。

【八朔童 팔삭동】《韓》①여덟 달 만에 낳은 아이。②사물(事物)의 이해력이 부족한 사람。곧 똑똑하지 못한 사람을 조롱하는 말。여덟 달。

【八象 팔상】팔괘(八卦)의 상(象)。곧 건(乾)은 천(天)에、곤(坤)은 지(地)에、감(坎)은 수(水)에、이(離)는 화(火)에、간(艮)은 산에、태(兌)는 택(澤)에、손(巽)은 풍

(風)에、진(震)은 뇌(雷)에 배당함。

【八儒 팔유】 공자(孔子)가 죽은 후 갈라진 여덟 학파(學派)。 곧 자장씨(子張氏)·자사씨(子思氏)·안씨(顏氏)·맹씨·(孟氏)·칠조씨(漆雕氏)·중량씨(仲良氏)·손씨(孫氏)·악정씨(樂正氏)。

【八音 팔음】 ①여덟 가지 악기(樂器)。 ②악기(樂器)。

【八字 팔자】 ①성명가(星命家)에서 사람이 난 연(年)·월(月)·일(日)·시(時)의 네 간지(干支)를 이름。 사주(四柱)。 ②《韓》 한평생의 운수。

【八字眉 팔자미】 여덟 팔자 같은 모양으로 난 눈썹。

【八字青山 팔자청산】 미인의 고운 눈썹을 이름。

【八節 팔절】 일년 중 기후가 변하는 여덟 절기。 곧 춘분(春分)·추분(秋分)·하지(夏至)·동지(冬至)·입춘(立春)·입하(立夏)·입추(立秋)·입동(立冬)。

【八條法禁 팔조법금】《韓》 고대 사회(古代社會)에서 시행(施行)된 여덟 가지 법금(法禁)。 살인(殺人)·상해(傷害)·투도(偸盜)·금간(禁姦) 등을 내용(內容)으로 함。

【八尺長身 팔척장신】 팔척의 큰 키。

【八體 팔체】 ①진(秦)나라 시대에 있었던 여덟 가지의 서체(書體)。 곧 대전(大篆)·소전(小篆)·각부(刻符)·충서(蟲書)·모인(摹印)·서서(署書)·수서(殳書)·예서(隸書)。 ②후세(後世)에 행하여진 여덟 가지의 서체。 곧 고문(古文)·대전(大篆)·소전(小篆)·예서(隸書)·비백(飛白)·팔분(八分)·행서(行書)·초서(草書)。

【八八 팔팔】 팔과 팔을 곱한 수(數)。 곧 육십사。

◉亡八망팔 望八망팔 三八삼팔 二八이팔

二畫

4 【公】 八 2 중학 **공** | 공변될 | ㊉東

丿 八 公 公

자원 회의 八+厶→公(八부) 3000년전

「公」의 옛 모양은 무엇인가 닫힌 것을 여는 모양인 듯。 나중에 「厶사」(=私사)자와 「八팔」〈어그러지다〉을 합한 모양으로 사적(私的)인 일에 대하여 공적(公的)인 것이라고 설명되어 왔음。 옛날의 쓰임새는 신을 모시고 일족(一族)의 사람이 모이는 광장을 나타내고 그후부터 거기에 모셔지는 사람→일족의 장(長)→높은 사람이란 뜻이 되었음。

뜻 ①**공변될공** 공평 무사함。「公正공정」「公明공명」 ②**한가지공** 공동(共同)。 ③**공공** 여러 사람에게 관계되는 일。 전(轉)하여 바른 일。「私사」의 대(對)。「公安공안」「公益공익」「以公滅私이공멸사」 ④**드러낼공** 숨기지 않고 발표함。「公開공개」「公表공표」 ⑤**공작공** ㉠오등작(五等爵)의 첫째。「公侯伯子男공후백자남」 ㉡천자(天子)의 보필。「公卿공경」 ⑥**관무공** 벼슬아치의 직무。「公職공직」 ⑦**마을공** 조정。 관청。 ⑧**임금공** 천자。 군주。 ⑨**제후공** 열후(列侯)。 ⑩**주인공** 자기가 섬기는 사람。 ⑪**어른공** 장자(長者)의 존칭(尊稱)。 ⑫**그대공** 동배(同輩)의 호칭(呼稱)。

⑬아버님공 부친의 존칭。 ⑭시아버님공 시아버지의 존칭。 ⑮공공 功(力部二畫)과 통용。

주의 옛날에는 「㕣」의 글자 모양이었으나 해서 이후(楷書以後)는 「㕣연」(「沿연」의 방(旁))과 명백(明白)히 구별(區別)함。

참고 「公」을 음으로 하는 글자=「松송」〈소나무〉·「訟송」〈송사하다〉·「頌송」〈칭송하다〉·「蚣공」〈지네〉·「翁옹」〈늙은이〉

【公家 공가】 ①조정(朝廷)。 또 왕실(王室)。 황족(皇族)。 ②《佛敎》 중이 절(寺)을 일컫는 말。

【公暇 공가】 공공(公共)의 휴가。

【公刊 공간】 책을 간행하여 널리 폄。

【公開 공개】 방청(傍聽)·관람(觀覽) 또는 집회 등을 일반에게 허용함。

【公開狀 공개장】 본인(本人)에게 직접 통지하지 아니하고 신문·잡지 등을 이용하여 일반 공중에게 알게 하는 글。

【公卿 공경】 삼공(三公)과 구경(九卿)。 전(轉)하여 고위 고관。

【公告 공고】 세상 사람에게 널리 알림。

【公共 공공】 ①사회의 여러 사람과 같이 함。 ②공중(公衆)。 일반 사회。

【公共團體 공공단체】 공법상의 의무를 담당하는 법인(法人) 단체。

【公共物 공공물】 여러 사람이 다 같이 사용할 수 있는 물건。

【公共事業 공공사업】 여러 사람을 위하여 하는 사업。

【公課 공과】 ①관청의 일。 공무(公務)。 ②관청에서 개인에게 과하는 세금 및 기타의 부담。

【公館 공관】 지방의 관사(官舍)。

【公權 공권】 공법상(公法上) 국민이 소유하는 권리。

【公金 공금】 정부(政府) 또는 공공단체(公共團體)의 소유로 있는 돈。

【公器 공기】 ①공공(公共)의 기관。 ②사회의 공유물(共有物)。

【公納 공납】 국고(國庫)로 수입되는 조세(租稅)。

【公德 공덕】 ①사(私)가 없는 덕(德)。 ②공중(公衆)에 대한 도덕。

【公道 공도】 ①공평한 도리(道理)。 당연한 이치(理致)。 바른 길。 ②공중이 통행하는 길。 공로(公路)。

【公路 공로】 여러 사람이 통행(通行)하는 길。

【公論 공론】 ①만인(萬人)이 정당하다고 하는 의견。 ②공평한 언론。

【公吏 공리】 ①벼슬아치。 관리。 ②공공단체의 일을 보는 사람。

【公賣 공매】 입찰(入札)。 경매(競賣)하여 팖。

【公明正大 공명정대】 공평하고 올발라 사사로움이 없음。

【公募 공모】 널리 공개하여 모집함。

【公文 공문】 ①관청(官廳)에서 내는 문서。 ②공사(公事)에 관한 서류。

【公物 공물】 국가 또는 공공 단체의 물건。

【公民 공민】 공민권이 있는 주민(住民)。

【公民權 공민권】 공민이 가진 권리。 국회 또는 지방의회의 선거권이 있어 정치에 참여하는 지위 혹은 자격。

【公法 공법】 ①공공(公共)의 규칙。 ②권력 관계(權力關係) 또는 통치

〔二畫部首順〕二亠人儿入八冂冖冫几凵刀力勹匕匚匸十卜卩厂厶又

관계(統治關係)를 규정하여 놓은 법률。

【公報 공보】 ①일반 인민에게 알리는 관청(官廳)의 보고。②관청(官廳)에서 딴 관청에 내는 통신 보고。

【公僕* 공복】 일반 국민에 대한 봉사자라는 뜻으로、공무원을 일컫는 말。

【公憤 공분】 ①정의를 위한 분노。②공중(公衆)의 분노。

【公費 공비】 국가 또는 공공 단체의 비용。

【公事 공사】 ①세상의 사건。②국가 또는 공공 단체의 사무。

【公使 공사】 ①공사(公事)에 씀。 공공(公共)의 사용。②본국 정부를 대표하여 조약(條約)을 맺은 나라에 주재(駐在)하는 제이등의 외교관。

【公使館 공사관】 공사(公使)가 주재국(駐在國)에서 사무를 보는 곳。

【公署 공서】 관서(官署)。관아(官衙)。

【公選 공선】 ①공평히 뽑음。 널리 뽑음。②뭇사람과 공동하여 뽑음。

【公設 공설】 국가 또는 공공 단체에서 설립함。

【公稅 공세】 국가에 바치는 세금。

【公訴 공소】 검사(檢事)가 특정(特定)의 범죄인(犯罪人)에 대해서 법원(法院)에 그 재판(裁判)을 요구(要求)하는 일。

【公示 공시】 널리 일반에게 보임。

【公愼 공신】 공평하고 신중함。

【公安 공안】 공중(公衆)의 안녕 질서。

【公約 공약】 ①공법상(公法上)의 계약。②사회에 대하여 이행(履行)하는 약속(約束)。

【公言 공언】 ①공개(公開)하여 말함。 숨김 없이 말함。명언(明言)。②일반에게 통용되는 말。

【公然 공연】 드러내 놓는 모양。 숨기지 않는 모양。

【公演 공연】 음악·극(劇)·무용(舞踊) 따위를 공개하여 연출(演出)함。

【公用 공용】 ①세상에서 널리 사용함。②공적(公的)으로 사용함。③관아(官衙)의 비용。

【公有 공유】 국가 또는 공공 단체(公共團體)의 소유。

【公義 공의】 공평한 바른 도의。

【公議 공의】 ①공평한 의론(議論)。②여론(輿論)。

【公益 공익】 사회와 공중의 이익。

【公益法人 공익법인】 사회 공공(社會公共)의 이익(利益)을 목적으로 하는 종교(宗敎)단체、또는 재단(財團)으로서 영리(營利)를 목적으로 하지 않는 법인(法人)。

【公人 공인】 공직(公職)의 사람。벼슬아치。

【公認 공인】 국가 또는 공공단체(公共團體)·정당 등에서 인허(認許)함。

【公爵 공작】 오등작(五等爵)(공(公)·후(侯)·백(伯)·자(子)·남(男))의 첫째。

【公賊 공적】 공금이나 공물을 훔친 도둑。공도(公盜)。

【公敵 공적】 국가(國家)·사회(社會) 전체의 적(敵)。

【公田 공전】 ①국유(國有)의 전답。②정전(井田)에서 사전(私田)에 둘러싸인 중앙에 있는 전답。공동으로 경작(耕作)하며、그 수확(收穫)은 조세(租稅)로 함。

【公錢 공전】 공금(公金)。

【公轉 공전】 유성(遊星)이 태양(太陽)

〔二畫部首順〕二亠人儿入八冂冖冫几凵刀力勹匕匚匸十卜卩厂厶又

을 중심으로 하고 도는 운동。

【公正 공정】①공평하고 바름。②공인(公認)을 받아 바름。

【公定 공정】관청(官廳)에서 정함。공론(公論)에 의하여 정함。

【公租 공조】정부(政府)에 바치는 조세。

【公主 공주】①천자(天子)의 딸。②《韓》왕후(王后)가 낳은 딸。

【公證 공증】①공적인 증거(證據)。②관공리(官公吏)가 직무상(職務上) 어떠한 사실을 증명하는 일。또 그 증거。

【公知 공지】널리 알려짐。주지(周知)。

【公職 공직】관청이나 공공단체의 직무(職務)。

【公債 공채】국가(國家)나 공공 단체가 지고 있는 빚。

【公薦 공천】①공정한 천거(薦擧)。②공중의 천거。

【公稱 공칭】①공식 명칭。공적(公的)인 이름。②공개하여 일컬음。

【公土 공토】국가 또는 공공 단체의 땅。

【公判 공판】공중(公衆)의 앞에서 죄(罪)의 유무(有無)・경중(輕重)을 따져 가리는 재판。

【公評 공평】공정한 비평(批評)。

【公平無私 공평무사】공평하게 사사로움이 없음。

【公布 공포】①일반에게 널리 알림。②법률(法律)・칙령(勅令)・명령(命令)・조약(條約)・예산(豫算) 등을 관보(官報)에 게재하여 온 국민(國民)에게 알림。

【公表 공표】세상에 널리 발표함。

【公翰* 공한】공적인 편지。

【公海 공해】어느 나라의 주권(主權)에도 속하지 않고 각국이 평등하게 자유로이 사용할 수 있는 바다。

【公憲 공헌】나라의 법。국법(國法)。

【公會堂 공회당】공중이 모이는 집。

【公侯伯子男 공후백자남】하(夏)・은(殷)・주(周) 시대의 제후(諸侯)의 다섯 계급의 이름。

◉犬公견공 郭公곽공 貴公귀공 乃公내공 奉公봉공 先公선공 牛公우공 尊公존공 主人公주인공 太公태공

4【兮】八 2 고교 혜 ─ 어조사 ─ ㊉齊

자원 상형 兮 2500년전

「八」은「小소」〈작다〉의 뜻。「丂」은 수초(水草)의 모양。음을 빌어 가사(歌詞)의 어조(語調)를 고르게 하기 위한 조자(助字)로 쓰임。

뜻 어조사 혜 어구(語句)의 사이에 끼우거나 어구의 끝에 붙여 어기(語氣)가 일단 그쳤다가 음조(音調)가 다시 올라가는 것을 나타내는 조사(助辭)。주로 시부(詩賦)에 쓰임。

【分】⇩刀部二畫

4【六】八 2 중학 륙 ─ 여섯 ─ ㊇屋

丶 亠 亣 六

자원 상형 3000년전

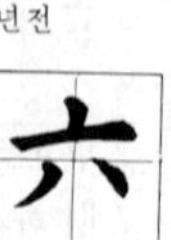

「六」은「入입」과「八팔」을 합한 모양이라고 일컬어지고 있지만 다른 무엇인가의 모양을 나타내는 글자를

빌어쓴 것인지도 모름。「五오」이상의 수를 나타내는 한자의 기원은 과히 뚜렷하지 않으나、다만「四사-六-八팔」은 닮은 글자이며「五오-七칠-九구」도 같은 자형(字形)으로 되어 있음。

뜻 ①여섯륙 다섯에 하나를 보탠 수。「六卿육경」「六朝육조」②여섯번 륙 육회。

주의 금전 증서(金錢證書) 등에서는「六」에 대신(代身)해서 같은 음의「陸륙」을 쓰는 일이 있음。

【六經 육경】여섯 가지 경서。곧 역경(易經)·서경(書經)·시경(詩經)·춘추(春秋)·예기(禮記)·악기(樂記)。악기는 진화(秦火)에 없어지고 지금은 오경(五經)만 남아 있음。

【六穀 육곡】여섯가지의 곡식。곧 찰기장·메기장·벼·조·보리·고미(菰米)。

【六國 육국】춘추전국시대(春秋戰國時代)의 제(齊)·초(楚)·연(燕)·한(韓)·위(魏)·조(趙)의 여섯 나라。

【六德 육덕】사람이 지켜야 할 여섯 가지의 덕。곧 지(知)·인(仁)·성(聖)·의(義)·충(忠)·화(和)。또는 예(禮)·인(仁)·신(信)·의(義)·용(勇)·지(智)。

【六禮 육례】①인생(人生)의 여섯 가지의 중요(重要)한 예의(禮儀)。곧 관례(冠禮)·혼례(婚禮)·상례(喪禮)·제례(祭禮)·향음주례(鄕飮酒禮)·상견례(相見禮)。②혼인(婚姻)의 여섯 가지 의식(儀式)。곧 납채(納采)·문명(問名)·납길(納吉)·납징(納徵)·청기(請期)·친영(親迎)。

【六母 육모】적모(嫡母)·계모(繼母)·자모(慈母)·양모(養母)·산모(産母)·유모(乳母)의 일컬음。

【六夢 육몽】여섯 가지의 꿈。곧 정몽(正夢)(평안한 꿈)·악몽(噩夢)(놀라는 꿈)·사몽(思夢)(생각하던 바를 꾸는 꿈)·오몽(寤夢)(비몽사몽간에 꾸는 꿈)·희몽(喜夢)(즐거워하는 꿈)·구몽(懼夢)(두려워 하는 꿈)。

【六味 육미】오미(五味)에 싱거운 맛을 보탠 여섯 가지 맛。곧 고(苦)·산(酸)·감(甘)·신(辛)·함(鹹)·담(淡)。

【六房 육방】《韓》승정원(承政院)과 각 지방 관아(地方官衙)에 두었던 이방(吏房)·호방(戶房)·예방(禮房)·병방(兵房)·형방(刑房)·공방(工房)의 총칭。

【六柄* 육병】정치를 실행하는 여섯 가지 권병(權柄)。곧 생(生)·살(殺)·빈(貧)·부(富)·귀(貴)·천(賤)。

【六部 육부】진한(秦漢) 때의 중앙 정부의 이부(吏部)·호부(戶部)·예부(禮部)·병부(兵部)·형부(刑部)·공부(工部)。

【六腑 육부】뱃속의 여섯 기관。곧 대장(大腸)·소장(小腸)·담(膽)·위(胃)·방광(膀胱)·삼초(三焦)。

【六書 육서】①한자(漢字)의 구성 및 활용에 관한 여섯 종류。곧 상형(象形)·지사(指事)·회의(會意)·형성(形聲)(해성(諧聲))·전주(轉注)·가차(假借)。②한자의 여섯 가지 서체(書體)。곧 고문(古文)·기자(奇字)·전서(篆書)·예서(隷書)·무전(繆篆)·충서(蟲書)。또는 대전(大篆)·소전

(小篆)·예서(隷書)·팔분(八分)·초서(草書)·행서(行書)。

【六旬 육순】①육십일。②육십세。

【六識 육식】《佛敎》육근(六根)에 의하여 생기는 여섯 가지 의식의 작용。곧 안(眼)·이(耳)·비(鼻)·설(舌)·신(身)·의(意)가 분별하는 색(色)·성(聲)·향(香)·미(味)·촉(觸)·법(法)。

【六十甲子 육십갑자】 천간(天干)의 갑(甲)·을(乙)·병(丙)·정(丁)·무(戊)·기(己)·경(庚)·신(辛)·임(壬)·계(癸)와 지지(地支)의 자(子)·축(丑)·인(寅)·묘(卯)·진(辰)·사(巳) 오(午)·미(未)·신(申)·유(酉)·술(戌)·해(亥)를 차례로 맞춘 것。육갑(六甲)。

【六藝 육예】①선비로서 배워야 할 여섯 가지의 일。곧 예(禮)·악(樂)·사(射)·어(御)·서(書)·수(數)。②육경(六經)。

【六義 육의】 시(詩)의 육체(六體)。곧 풍(風)·부(賦)·비(比)·흥(興)·아(雅)·송(頌)。

【六典 육전】①주대(周代)에 나라를 다스리기 위하여 제정한 여섯 가지 법전(法典)。곧 치전(治典)·교전(敎典)·예전(禮典)·정전(政典)·형전(刑典)·사전(事典)。②《韓》육조(六曹)의 집무 규정。곧 이전(吏典)·호전(戶典)·예전(禮典)·병전(兵典)·형전(刑典)·공전(工典)의 총칭。

【六情 육정】 희(喜)·노(怒)·애(哀)·낙(樂)·애(愛)·오(惡)의 여섯 가지의 감정(感情)。

【六曹* 육조】①육부(六部)의 이칭(異稱)。②《韓》이조(吏曹)·호조(戶曹)·예조(禮曹)·병조(兵曹)·형조(刑曹)·공조(工曹)。

【六朝 육조】 건업(建業)에 도읍한 여섯 나라。곧 오(吳)·동진(東晉)·송(宋)·제(齊)·양(梁)·진(陳)。

【六鎭 육진】 이조 세종(世宗) 때 김종서(金宗瑞)를 시켜 설치한 여섯 진(鎭)。곧 함경북도의 경원(慶源)·경흥(慶興)·부령(富寧)·온성(穩城)·종성(鍾城)·회령(會寧)。

【六戚 육척】 부(父)·모(母)·형(兄)·제(弟)·처(妻)·자(子)。육친(六親)。

【六花 육화】 눈(雪)의 별칭。여섯 모의 결정체이므로 이름。

◉雙六 쌍륙 丈六 장륙

二畫

【半】⇩十部三畫

【只】⇩口部二畫

四畫

6 【共】 八 4 중학 공 | 함께 | ①-③(去)宋 ④⑤(平)冬

一 十 廾 廿 共 共

자원 회의 卄+廾 → 共(八부) (A) (B) 2500년전

「卄입」〈스물〉과 「廾공」〈사람이 손을 바치는 모양〉으로 이루어짐。스무 사람이 모두 손을 바친다는 뜻에서 함께 하다의 뜻을 나타냄。

뜻 ①함께공 같이。한가지로。「共謀공모」 ②함께할공 같이 함。③향

(向)할공 ④공경할공 恭(心部六畫)과 같은 글자。 ⑤이바지할공、베풀공 供(人部六畫)과 같은 글자。「共給공급」

참고 「共」을 음으로 하는 글자=「供공」〈이바지하다〉·「拱공」〈두 손 마주잡다〉·「哄홍」〈떠들썩하다〉·「鬨홍、항」〈싸우다〉·「巷항」〈거리〉·「洪홍」〈큰물〉·「烘홍」〈때다〉

【共同 공동】 여럿이 같이 함。

【共立 공립】 ①같이 서 있음。 ②공동하여 설립함。

【共鳴 공명】 ①같은 음(音)을 내는 두 개의 물체 중 하나를 울리면 딴 것도 따라 울림。 ②남의 의견이나 주장에 찬성함。

【共謀 공모】 두 사람 이상이 같이 어떠한 일을 꾀함。 통모(通謀)。

【共犯 공범】 여럿이 공모하여 죄를 범(犯)함。 또 그 사람。 공범자。

【共產主義 공산주의】 계급 제도(階級制度)·재산 사유제도(財產私有制度) 등을 타파(打破)하고 생산수단(生產手段)을 공유하며 개인평등(個人平等)을 주장하는 주의。

【共生 공생】 ①공동의 운명 아래 같이 삶。 ②동물이나 식물이 상호간에 영양을 보충하는 생활 현상。

【共榮 공영】 서로 함께 번영함。

【共營 공영】 공동으로 경영함。

【共用 공용】 공동으로 사용함。

【共有 공유】 공동으로 소유함。

【共著 공저】 한 책을 두 사람 이상이 같이 지음。

【共濟 공제】 힘을 합하여 같이 함。 서로서로 도움。

【共存 공존】 함께 살아나감。

【共存共榮 공존공영】 다 같이 잘 살아 나아감。

【共通 공통】 쌍방 또는 여럿 사이에 같은 관계가 있음。

【共學 공학】 이성(異性) 혹은 이민족(異民族)끼리 한 학교에서 배움。

【共和國 공화국】 공화정치(共和政治)를 행하는 나라。

五畫

7 【兵】 八 5 중학 **병** 군사 ㊥庚

一 厂 𠂆 斤 丘 乒 兵

자원 회의 廾+斤→兵(八부) 2500년전 2000년전

「斤근」은 무기의 일종。
「廾공」은 양손으로 가짐。
「兵」은 여러가지 무기。 나중에 무기를 갖는 무사(武士)나 전쟁의 뜻에도 씀。

뜻 ①**군사병** ㉠군인。「兵丁병정」「兵士병사」 ㉡군대。 ②**병장기병** 무기(武器)。「兵器병기」「兵甲병갑」 ③**싸움병** 전투。 전쟁。「兵火병화」「兵端병단」 ④**칠병** 적(敵)을 침。

참고 「兵」을 음으로 하는 글자=「浜병」〈선거〉

【兵家 병가】 병학(兵學)을 닦는 사람。 또 그 학파。

【兵甲 병갑】 ①병기(兵器)와 갑주(甲冑)。 ②무기(武器)。 ③전(轉)하여 전쟁。

【兵車 병거】 전쟁(戰爭)에 쓰는 수레。

【兵庫 병고】 병기(兵器)를 두는 창고。 무기고(武器庫)。

【兵戈 병과】 ①칼과 창。 전(轉)하여

②무기. ③전쟁.
【兵權 병권】 병마(兵馬)를 장악한 권력(權力).
【兵貴神速 병귀신속】 용병(用兵)은 신속하여야 함.
【兵器 병기】 전쟁에 쓰는 무기.
【兵端 병단】 전쟁의 단서.
【兵亂 병란】 전쟁으로 인한 세상의 어지러움. 전란(戰亂).
【兵糧 병량】 군량(軍糧).
【兵力 병력】 군대의 수.
【兵馬 병마】 ①무기와 군마(軍馬). 전(轉)하여 ②군비(軍備). ③전쟁.
【兵法 병법】 전쟁하는 방법. 전술.
【兵備 병비】 군비(軍備).
【兵舍 병사】 병정이 들어 있는 집.
【兵事 병사】 군사(軍事).
【兵書 병서】 병법(兵法)에 관한 책.
【兵勢 병세】 병마(兵馬)의 세력.
【兵術 병술】 병법(兵法). 전술(戰術).
【兵役 병역】 ①전쟁 일로 징집당하는 부역(賦役). ②국민의 의무로서 군적에 편입되어 군무에 종사하는 일.
【兵營 병영】 병정이 들어 있는 집.
【兵員 병원】 군사의 인원. 군사의 수효.
【兵威 병위】 군대의 위세. 군대의 위력.
【兵衛 병위】 호위병(護衛兵).
【兵者凶器 병자흉기】 ①무기(武器)는 흉한 기구임. ②전쟁은 사람을 해치는 흉악한 일임.
【兵籍 병적】 군인의 적(籍).
【兵制 병제】 군사상(軍事上)의 제도.
【兵曹* 병조】 ①군사(軍事)를 맡은 벼슬. ②(韓) 육조(六曹)의 하나. 무선(武選)·군무(軍務)·병갑(兵甲)·기장(器仗)·문호관약(門戶管鑰)·의위(儀衛)·우역(郵驛) 등을 맡아 보던 마을.
【兵卒 병졸】 군사(軍士).
【兵塵* 병진】 전장(戰場)의 티끌.
【兵徵 병징】 전란(戰亂)의 징조.
【兵站* 병참】 전지(戰地)의 후방에서 군수품을 수송 또는 수용하는 곳.
【兵學 병학】 병법(兵法)에 관한 학문.
【兵革 병혁】 무기와 갑주(甲冑). 전(轉)하여 전쟁. 병갑(兵甲).
【兵火 병화】 전쟁으로 인하여 일어나는 화재(火災). 병선(兵燹).
◉強兵강병 工兵공병 觀兵관병 騎兵기병 老兵노병 大兵대병 白兵백병 步兵보병 補充兵보충병 伏兵복병 富國強兵부국강병 士兵사병 水兵수병 新兵신병 衛生兵위생병 養兵양병 練兵연병 閱兵열병 用兵용병 勇兵용병 義兵의병 殘兵잔병 將兵장병 敵兵적병 精兵정병 卒兵졸병 志願兵지원병 徵兵징병 斥候兵척후병 出兵출병 通信兵통신병 派兵파병 敗殘兵패잔병 海兵해병 憲兵헌병 護衛兵호위병

六畫

8 【其】 八 6 중학 기 | 그 | ①㊥支 ②㊤寘

一 十 卄 廿 甘 甘 其 其

자원 형성 丌 음 其(八부) 2500년전

본디 글자는 상형 문자로 키의 모양을 본뜬 것이며 ×은 뜬 코를 나타냈음. 여기에 丌(=「几궤」 원음은 기)를 더하여 음을 나타냄. 음을 빌어 어조사(語助辭)로 씀.

뜻 ①그 기 ㉠그것의. 지사(指事)의

사(辭)。ㄴ그것。대명사(代名詞)。ㄷ발어(發語)의 사(辭)。②어조사기 ㄱ어세(語勢)를 고르게 하기 위하여 구말(句末)에 첨가하는 조사(助辭)。시부(詩賦)에 쓰임。ㄴ무의미한 조사(助辭)。

참고 「其」를 음으로 하는 글자=「基기」〈터전〉·「期기」〈때〉·「旗기」〈기〉·「欺기」〈속이다〉·「萁기」〈콩대〉·「棋기」〈바둑〉·「碁기」〈바둑〉·「祺기」〈행복〉·「箕기」〈키·삼태기〉·「麒기」〈기린〉·「斯사」〈찍다〉

【其揆一也* 기규일야】 그 도(道)는 같음。

【其時 기시】 그 때。

【其餘 기여】 그 나머지。

【其亦 기역】 그것도 또。

【其外 기외】 그 밖。

【其前 기전】 그 전(前)。

【其中 기중】 그 속。그 가운데。

【其他 기타】 그 밖。그것 외(外)에 또 다른 것。

【其後 기후】 그 뒤。

8 【具】 八 6 고교 구 — 갖출 — ㊄遇

丨 冂 冃 月 目 且 具 具

具 2500년전

자원 회의 貝-目 廾 → 具(八부)

「廾공」은 두 손으로 물건을 바치는 모양。「貝패」는 물건이나 돈。「具」는 물건을 공급(供給)하여 모자라지 않도록 하다→갖추다→갖추어짐。

뜻 ①갖출구 판비함。구비함。「具足구족」「具有구유」 ②갖추어질구 구비됨。「具全구전」 ③차림구 준비。 ④그릇구 ㄱ제구。「器具기구」「家具가구」 ㄴ재능(才能)。 ⑤함께구 俱(人部八畫)와 같은 글자。「具慶구경」「具膽구담」 ⑥갖추구 갖게。일일이。자세히。「具載구재」 ⑦모두구 다。

참고 「具」를 음으로 하는 글자=「俱구」〈모두〉·「惧구」〈두려워하다〉·「颶구」〈구풍〉

【具格 구격】 격식(格式)을 갖춤。

【具慶 구경】 ①함께 경하(慶賀)함。②부모가 다 생존하고 있음。

【具備 구비】 빠짐 없이 모두 갖춤。또 빠짐 없이 모두 갖추어 있음。

【具象 구상】 구체(具體)。

【具色 구색】 여러 가지 물건을 골고루 갖춤。

【具書 구서】 글자의 획을 빼지 않고 갖추어 씀。

【具申 구신】 정상(情狀)을 일일이 아뢰어 바침。

【具陳 구진】 자세히 진술(陳述)함。

【具體 구체】 ①전체를 갖춤。전부를 가짐。②형상(形象)을 갖추어 감관(感官)에 지각된 것。구상(具象)。

【具現 구현】 구체적으로 나타냄。

◉家具가구 工具공구 器具기구 機具기구 農具농구 道具도구 馬具마구 文具문구 文房具문방구 不具불구 漁具어구 禮具예구 玩具완구 用具용구 雨具우구 運動具운동구 裝具장구 裝身具장신구 製具제구 寢具침구

8 【典】 八 6 중학 전 — 법 — ㊤銑

丨 冂 巾 曲 曲 典 典

典

자원 상형 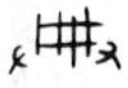 (A)  (B) 3000년전  (C) 2500년전

아주 옛날의 모양 (A)(B)는 동물을 우리 속으로 몰아 넣는 모양을 나타내는 듯。 그러나 나중에는 「丌기」〈책상〉 위에 「册책」을 얹은 모양 (C)로 되어 귀중한 책→모범→규정 따위의 뜻으로 쓰여짐。

뜻 ①법전 법식(法式)。 상경(常經)。 「典刑전형」「典法전법」 ②책전 서적。 「典籍전적」「經典경전」 ③벼슬전 관직(官職)。 ④맡을전 관장(管掌)함。 「典掌전장」「典統전통」 ⑤바를전 옳음。 「典雅전아」 ⑥전당잡힐전 전당에 넣음。 「典當전당」

【典客 전객】 빈객(賓客)의 응접을 맡은 사람。

【典據 전거】 고사(故事)의 증거(證據)。 출전(出典)。

【典決 전결】 규칙을 정함。 제정(制定)。

【典經 전경】 경서(經書)。

【典故 전고】 ①전례(典禮)와 고사(故事)。 ②전거(典據)되는 고사。

【典當 전당】 토지·가옥·물품 등을 담보로 하여 돈을 꾸어 쓰고 꾸어주는 일。 저당。

【典例 전례】 전고(典故)。

【典禮 전례】 일정한 의식(儀式)。

【典物 전물】 전당잡히는 물건。 저당물。

【典範 전범】 본보기。 모범。

【典法 전법】 전칙(典則)。

【典式 전식】 법식(法式)。

【典雅 전아】 바르고 고상함。

【典獄 전옥】 ①재판을 맡음。 ②옥(獄)의 감시자。

【典儀 전의】 법식。 의식(儀式)。

【典章 전장】 ①제도(制度)와 문물(文物)。 ②법칙(法則)。 규칙(規則)。

【典掌 전장】 일을 맡아서 주장함。 또 그 사람。

【典籍 전적】 책。 서적。

【典證 전증】 고사(故事)의 증거。

【典質 전질】 물건을 전당잡힘。

【典執 전집】 전당(典當)잡히거나 잡음。

【典則 전칙】 법。 법칙(法則)。 규범(規範)。

【典統 전통】 도맡아 다스림。

【典憲 전헌】 전범(典範)。

【典型* 전형】 ①어떤 부류의 모범이나 본보기가 될 만한 것。 ②조상이나 스승을 본받은 틀。

◉經典경전 古典고전 舊典구전 國典국전 內典내전 大典대전 文典문전 法典법전 佛典불전 事典사전 辭典사전 上典상전 書典서전 聖典성전 式典식전 樂典악전 原典원전 六典육전 恩典은전 儀典의전 字典자전 祭典제전 出典출전 刑典형전

八畫

10 【兼】 八 8 고교 겸 | 겸할 | ㊥鹽

자원 회의 禾+禾→秝, 秝+又→兼(八부) 2000년전

「禾화」는 벼。 「秝력」은 많은 벼。 「又우」는 손。 「兼」은 많은 벼를 손에 쥐다→한번에 갖다→겸하는 일。

뜻 ①겸할겸 ㉠나뉘어진 것을 합침。 「兼併겸병」 ㉡두 가지 이상을 아울러 맡음。 「兼任겸임」 ㉢한결같게 함。 층하 없이 동등히 함。 「兼愛겸애」 ②쌓을겸 겹쳐 쌓음。 포개어 쌓임。

참고 「兼」을 음으로 하는 글자=「嫌혐」〈싫어하다〉·「慊겸」〈앙심먹다〉·「歉겸」〈흉년들다〉·「謙겸」〈겸손하다〉·「廉렴」〈청렴하다〉

【兼官 겸관】두 가지 관직을 겸함。
【兼務 겸무】두 가지 이상의 일을 겸함。또 그 사무。
【兼併* 겸병】한데 합쳐 가짐。하나로 함。
【兼備 겸비】아울러 갖춤。
【兼愛 겸애】친근(親近)·소원(疏遠)의 차별 없이 평등히 사랑함。
【兼用 겸용】둘 이상의 사물을 함께 씀。또 하나로 여러 가지를 겸하여 씀。
【兼有 겸유】겸하여 가짐。
【兼任 겸임】한 사람이 두 사람 이상의 임무를 겸함。겸장(兼掌)。
【兼掌 겸장】본무(本務) 이외에 다른 일을 겸하여 맡아봄。
【兼全 겸전】여러 가지를 다 갖추어 완전함。
【兼職 겸직】한 사람이 두 가지 이상의 직무를 겸함。
【兼行 겸행】①이틀길을 하루에 감。밤낮으로 서두름。②두 가지 이상의 일을 함께 행함。

十畫

【會】⇩曰部八畫

十一畫

【與】⇩臼部七畫

十四畫

【興】⇩臼部九畫

冂部

2 【冂】부수 **경** | 먼데 | ①㊥青 ②㊤迥

자원 지사 「冂」은 교외(郊外)의 지경(地境)의 상태(狀態)를 나타냄。「坰경」의 옛 글자。

뜻 ①**먼데경** 읍외(邑外)를 교(郊)、교외(郊外)를 야(野)、야외(野外)를 임(林)、임외(林外)를 「冂경」이라 함。곧 나라의 먼 지경(地境)을 이름。②**빌경** 공허함。

二畫

4 【円】冂 2 圓(囗部十畫)의 속자(俗字)。

【丹】⇩丶部三畫

【內】⇩入部二畫

三畫

5 【册】冂 3 중학 **책** | 책 | ㊇陌

丿 刀 刀 冊 册

자원 상형 (A) (B) (C) 3000년전

「册」은 두 가지 말이 하나로 된 글자。⑴동물을 기르는 우리·울타리。(C)는 손으로 몰아 넣는 모양。나중에 「栅책」이라 씀。⑵대나무나 나무의 길이가 가지런하지 않는 패의 아래 위를 끈으로 엮은 것。문서로 쓰고 나중에 「简간」 또는 「策책」이라고도 일컬음。

뜻 ①책책 서적。「冊子책자」「冊書책서」 ②칙서책 봉록(封祿)·작위(爵位) 등을 수여할 때에 천자(天子)가 내리는 칙명(勅命)을 적은 것。「冊立책립」「玉冊옥책」「竹冊죽책」 ③꾀책 策(竹部六畫)과 같은 글자。 ④권책 책을 세는 수사(數詞)。「二冊이책」

참고 「冊」을 음으로 하는 글자=「柵책」〈울짱〉·「刪산」〈깎다〉·「珊산」〈산호〉

【冊價 책가】 책값。

【冊庫 책고】 책을 쌓아 두는 곳집。

【冊卷 책권】 서책(書冊)의 권질(卷帙)。

【冊禮 책례】 황후(皇后)를 책립하는 예식。

【冊籠* 책롱】 책을 넣어 두는 농。

【冊立 책립】 조칙(詔勅)을 내려 황태자 등을 정함。

【冊名 책명】 책의 이름。

【冊封 책봉】 ①칙명(勅命)을 내려 식록(食祿)·작위(爵位)를 수여함。 ②《韓》 왕세자(王世子)·세손(世孫)·비(妃)·빈(嬪)을 봉(封)함。

【冊書 책서】 ①문서·기록。 ②천자(天子)가 내린 사령서(辭令書)。 책서(策書)。

【冊葉 책엽】 책의 면수。

【冊子 책자】 서책(書冊)。

◉簡冊간책 丹冊단책 別冊별책 分冊분책 書冊서책 綸冊윤책 詔冊조책

5 【冊】 冂 3 冊(앞글자)와 같은 글자。

5 【囘】 冂 3 回(口部三畫)의 본디글자。

四畫

6 【再】 冂 4 중학 재 | 두번 | 去 隊

一 丅 冂 丙 再 再

자원 상형 3000년전 2500년전 再

「再」는 같은 일을 거듭하는 말。 자형(字形)은 같은 모양의 것이 겹치는 뜻인 「冓구」〈⇩構구〉를 간단하게 한 것이라 생각됨。

뜻 ①두번재 거듭。「再三재삼」「再考재고」 ②두번할재 거듭함。 다시함。

【再嫁* 재가】 과부(寡婦) 또는 이혼한 여자가 다시 다른 곳으로 시집감。

【再刊 재간】 두번째 간행(刊行)함。

【再改 재개】 다시 고침。

【再開 재개】 다시 엶。

【再擧 재거】 다시 일을 일으킴。 다시 함。

【再建 재건】 무너진 것을 다시 일으켜 세움。 고쳐 지음。

【再考 재고】 다시 생각함。

【再顧 재고】 ①두 번 돌아다 봄。 전(轉)하여 ②미인(美人)。

【再校 재교】 두 번째의 교정(校正)。

【再起 재기】 두 번째 일어남。

【再讀 재독】 두 번째 읽음。 다시 읽음。

【再來 재래】 ①두 번째 옴。 ②다시 이 세상에 남。

【再錄 재록】 다시 수록(收錄)함。

【再發 재발】 ①두 번째 생겨남。 다시 발생함。 ②글발을 다시 또 보냄。

【再拜 재배】 ①두 번 절함。 거듭 절함。 ②편지 끝에 써서 경의를 표하는 말。

【再犯 재범】 두 번 죄를 저지름。 또 그 사람。

【再三 재삼】두세번. 여러번.
【再三再四 재삼재사】서너너덧번. 여러번.
【再生 재생】①다시 살아남. ②버리게 된 것을 다시 쓰게 만듦.
【再選 재선】①두 번 선거함. ②두 번째 뽑힘. ③다시 뽑음.
【再說 재설】하던 이야기를 다시 말함.
【再訴 재소】두 번째 송사(訟事)를 일으킴.
【再宿 재숙】①이틀의 숙박. ②이틀째의 숙박. 이숙(二宿). 신숙(信宿).
【再巡 재순】①두 번째 도는 차례. ②두 번째 쏘는 활의 차례.
【再室 재실】(韓) 재취(再娶)한 아내.
【再審 재심】한 번 심리(審理)한 사건을 다시 심리함.
【再演 재연】(韓) 다시 상연함.
【再燃 재연】①꺼졌던 불이 다시 탐. ②그치려 하던 일이 다시 떠들고 일어남.
【再議 재의】두 번 의논(議論)함. 두 번 회의함.
【再任 재임】같은 임무에 두 번째 나감.
【再昨年 재작년】그러께.
【再昨日 재작일】그저께.
【再從 재종】재종(再從) 형제 자매의 총칭. 육촌 형제(六寸兄弟).
【再從孫 재종손】종형제(從兄弟)의 손자.
【再次 재차】두 번째.
【再請 재청】①두 번째 청(請)함. ②다른 사람의 동의(動議)에 대하여 찬성하는 뜻으로 거듭 청함.
【再築 재축】무너진 것을 다시 건축함.
【再湯 재탕】약(藥)을 두 번 달임.
【再版 재판】두 번째의 출판(出版).
【再現 재현】두 번째 나타남.
【再婚 재혼】두 번 혼인(婚姻)함.
【再會 재회】두 번째 모임. 다시 만남.
【再興 재흥】다시 일으킴. 또 다시 일어남. 부흥(復興).

【同】⇩口部三畫

六畫

8 【冐】冂 6 冒(다음 글자)의 속자(俗字).

七畫

9 【冒】冂 7 ㊀모 ㊁묵 ― 가릴 ― ㊀㊀去號 ㊁㊀入職

자원 형성 目 冃 음 → 冒(冂부) 「目목」〈눈〉과 음을 나타내며 동시에 가리다의 뜻을 나타내는 「冃모」로 이루어짐. 눈을 가리다→눈이 어두워지다→탐하다→무릅쓰다의 뜻.

뜻 ㊀①**가릴모** 덮어 가림. ②**쓰개모**, **건모** 두건(頭巾). ③**시기할모** 媢(女部九畫)와 같은 글자. ④**거짓쓸모** 가칭(假稱)함. 「冒名모명」 ⑤**탐할모** 탐(貪)냄. 「冒利모리」「貪冒탐모」 ⑥**범할모** 법을 범함. 참람(僭濫)한 짓을 함. 「凌冒능모」「抵冒저모」「僭冒참모」 ⑦**무릅쓸모** ㉠무릅쓰고 나감. 돌진함. 「冒進모진」「冒險모험」 ㉡무릅쓰고 침. 돌격함. ⑧**쓸모** 머리에 씀. ⑨**옥홀모** 瑁(玉部九畫)와 통용. ㊁**선우이름묵** 「冒頓묵돌」은 한초(漢初)의 흉노(匈奴)의 유명한 선우(單于).

참고 「冒」를 음으로 하는 글자=「帽모」〈두건〉·「賵봉」〈보내다·부의〉·「瑁

모ㄴ〈옥홀〉

【冒瀆* 모독】 능모(淩冒)하여 욕(辱)되게 함。「음에 내놓는 말。

【冒頭 모두】 말이나 문장(文章)의 처음。

【冒死 모사】 죽음을 무릅씀。생명을 걺。매사(昧死)。

【冒色 모색】 여색(女色)에 빠짐。

【冒雪 모설】 눈을 무릅씀。

【冒雨 모우】 비를 무릅씀。

【冒寒 모한】 추위를 무릅씀。

【冒險 모험】 위험(危險)을 무릅씀。위험한 일을 감행함。

◉感冒감모 欺冒기모 僞冒위모

9
【冑】 冂 7 **주** | 투구 | [去]宥

[자원] 형성 由[음]+冃→冑(冂부)

쓰는 것을 뜻하는 「冃모」(「月월」이 아님)와、음을 나타내는 「由유」(주는 변음)로 이루어짐。

[뜻] **투구주** 예전에 군인이 전시에 쓰던 쇠모자。「甲冑갑주」「介冑개주」

[주의] 「冑주」〈맏아들·자손〉(肉部五畫)와는 딴글자。

冖部

2
【冖】 부수 **멱** | 덮을 | [入]錫

[자원] 상형  2500년전

덮는 물건을 본뜸。한자(漢字)의 부수(部首)가 되어 갓머리、덮는 것、덮혀진 것에 관(關)한 뜻을 나타냄。

[뜻] **덮을멱** 보자기로 물건을 덮음。冪(冖部十四畫)과 같은 글자。

二畫

4
【冗】 冖 2 **용** | 한가로울 | [上]腫

[자원] 회의 冖+儿→冗(冖부)  2500년전

이 본디글자。은 사람。은 집。농사일이 없어서 사람이 집안에 쉬고 있는 것을 나타냄。음을 빌어 남다의 뜻(⇩剩잉)으로 쓰고、전하여 쓸데 없다는 뜻으로 되었음。

[뜻] ①**한가로울용** 한산(閑散)。②**가외용** 군더더기。③**쓸데없을용** 무용임。무익함。「冗兵용병」 ④**번거로울용** 번잡함。「冗雜용잡」 ⑤**떠다닐용** 일정한 주거 없이 방랑함。⑥**바쁠용** 다망함。

[주의] 「宂」이 정자(正字)。「冗」은 속자(俗字)。

【冗務 용무】 쓸데 없는 사무。

【冗文 용문】 객적고 너절한 글。쓸데 없이 긴 글。

【冗兵 용병】 쓸데 없는 병정。필요 이상으로 많은 병정。

【冗費 용비】 쓸데 없는 비용。

【冗食 용식】 무위도식(無爲徒食)함。

【冗員 용원】 쓸데 없는 인원。필요 이상으로 많은 인원。

【冗雜 용잡】 난잡(亂雜)함。번잡함。

【冗長 용장】 글이나 말 등이 쓸데 없이 긺。

三畫

5 【写】冖 3 寫(宀部 十二畫)의 약자(略字)。

五畫

7 【宜】冖 5 宜(宀部五書)의 속자(俗字)。

七畫

9 【冠】冖 7 고교 관 | 갓 | ①②㊥寒 ③-⑤㊦翰

冖 冖 冖 冖 冠 冠 冠 冠

자원 회의 元+寸+冖 → 冠(冖부)

쓰는 것을 뜻하는 「冖 민갓머리」와 사람의 두부(頭部)를 뜻하는 「元원」(관은 변음)자와 손(ヨ・ヨ→寸)으로 이루어짐。 머리에 쓰는 것을 쓰는 일。 또 그 관을 말함。

뜻 ①**갓관** 머리에 쓰는 물건。 「冠帶관대」「冠冕관면」 ②**볏관** 닭의 볏。 계관(鷄冠)。 「冠距관거」 ③**갓쓸관** ㉠갓을 씀。 ㉡어른이 되어 관례(冠禮)를 올리고 갓을 씀。 「冠者관자」 ④**어른관** 관례를 올린 성인(成人)。 「冠童관동」 ⑤**으뜸관** 제일。 수위(首位)。 「冠絶관절」

주의 「寇구」〈도둑〉와는 딴글자。

【冠童 관동】 어른과 아이。

【冠禮 관례】 사내아이가 스무살이 되었을 때 처음으로 갓을 쓰고 어른이 되는 예식。

【冠玉 관옥】 ①관(冠) 앞을 꾸미는 옥(玉)。 ②외모는 아름다우나 재덕(才德)이 없음의 비유。

【冠者 관자】 관례(冠禮)를 행하여 갓을 쓴 젊은이。

【冠絶 관절】 가장 뛰어나서 비견(比肩)할 만한 사람이 없음。

【冠族 관족】 지체가 훌륭한 집안。

【冠婚喪祭 관혼상제】 관례(冠禮)・혼례(婚禮)・상례(喪禮)・제례(祭禮)의 네 가지 큰 예(禮)。

◉ 加冠가관 鷄冠계관 掛冠괘관 金冠금관 戴冠대관 弱冠약관 榮冠영관 王冠왕관 月桂冠월계관 儒冠유관 衣冠의관

【軍】 ⇩車部二畫

八畫

10 【冢】冖 8 총 | 무덤 | ㊤腫 2500년전

자원 형성 冢음 勹+冖+豖 → 冢(冖부)

본디, 「冢」으로 쓰여졌음。 싸다의 뜻인 「勹포」와, 음과 동시(同時)에 부풀다의 뜻(⇩腫종)을 가지는 「豖축」(총은 변음)으로 이루어짐。 「勹」가, 나중에 「冖 민갓머리」로 됨。 흙을 쌓아 올려 사자(死者)를 싸서 장사지낸 커다란 묘(墓)를 뜻함。 또 음을 빌어, 「長장」의 뜻으로 쓰임。

뜻 ①**무덤총** 뫼。 분묘(墳墓)。 「冢塋총영」「古冢고총」 ②**봉토(封土)총** 흙을 높이 쌓아 올린 것。 ③**산꼭대기총** 산정(山頂)。 ④**언덕총** 구롱(丘壟)。 ⑤**클총** 「大대」와 뜻이 같음。 「冢宰총재」「冢君총군」 ⑥**맏총** 「長장」과 뜻이 같음。 「冢子총자」

주의 ①「塚」의 정자(正字)。 ②「冢몽」〈덮다〉과는 딴글자。

【冢墓 총묘】 무덤。

【冢宰 총재】 ①주(周)나라 때 육관(六官)의 장(長)。 지금의 국무총리(國務總理)와 같음。 ②후세(後世)에는 이부상서(吏部尙書)의 이칭(異稱)。

【冢中枯骨 총중고골】 무덤 가운데 있는 백골(白骨)이라는 뜻으로, 무능(無能)한 사람을 이르는 말。

◉古冢고총 舊冢구총 發冢발총 荒冢황총

10 **【冤】** 冖 8 원 | 원통할 | ㊊元

자원 회의 冖+兔→冤(冖부)

덮개를 뜻하는 「冖 민갓머리」와 「兔토」〈토끼〉로 이루어짐。 토끼가 올가미가 씌워져 움츠리고 있음을 뜻함。 널리, 몸을 웅크리고 있다의 뜻에서 전하여 억울한 죄를 받다의 뜻。

뜻 ①**원통할원** 억울함。 억울하게 죄를 받음。「冤刑원형」 ②**원죄원** 억울한 죄。 ③**원한원**, **원수원**

주의 「寃」은 속자(俗字)。

【冤鬼 원귀】 원통하게 죽은 사람의 귀신(鬼神)。 원혼(冤魂)。

【冤訴 원소】 원통한 것을 호소함。

【冤罪 원죄】 사실이 없는 원통한 죄。

【冤痛 원통】 ①원죄(冤罪)를 받을 한(恨)。 ②몹시 원망스러움。

【冤魂 원혼】 원통하게 죽은 사람의 혼령(魂靈)。

◉結冤결원 讐冤수원 伸冤신원

10 **【冥】** 冖 8 고교 명 | 어두울 | ㊊青

冖 冖 冃 冐 冝 冥 冥

자원 형성 六+日→冥 冖(음)+→冥(冖부) 2500년전

「日일」〈날〉과 「六륙」〈여섯〉으로 십육일을 뜻함。 십육일을 지나면 달이 이지러져 어두워지거니와, 덮는다는 뜻과 음을 나타내는 「冖멱」(명은 변음)을 더하여 덮여서 어두워짐을 나타냄。

뜻 ①**어두울명** ㉠밝지 아니함。「冥冥명명」「冥晦명회」 ㉡무식함。「冥昏명혼」 ㉢시력(視力)이 약함。 ②**그윽할명** 심원(深遠)함。「冥數명수」「冥遠명원」 ③**어릴명** 나이가 어림。 유치함。 ④**밤명** 어두운 밤。 ⑤**하늘명** 天(大部一畫)과 뜻이 같음。「靑冥청명」 ⑥**바다명** 溟(水部十畫)과 같은 글자。 ⑦**저승명** 황천(黃泉)。「冥土명토」「冥府명부」

주의 「寘」은 속자(俗字)。

참고 「冥」을 음으로 하는 글자=「溟명」〈바다〉·「瞑명」〈눈감다〉·「暝명」〈어둡다〉

【冥界 명계】 저승。 명부(冥府)。 황천。

【冥昧 명매】 어두움。 또 어둠。 명혼(冥昏)。

【冥冥之志 명명지지】 조용하고 정성러스운 뜻。

【冥福 명복】 죽은 뒤에 저승에서 받는 행복。 내세(來世)의 행복。 추선(追善)。

【冥府* 명부】 명계(冥界)。

【冥想 명상】 고요한 가운데 눈을 감고 깊이 사물을 생각함。 침사묵고(沈思默考)함。

◉北冥북명 頑冥완명 幽冥유명

冫部

2 【冫】 부수 **빙** | 얼음 | ㊥蒸

자원 상형 [고문자] 2500년전

「冫」은 얼음이 처음 얼었을 때의 모양을 나타내고 있음. 「氷빙」의 본디 글자. 한자(漢字)의 부수(部首)가 되어 얼음, 또는 추위에 관계(關係)되는 뜻을 나타냄.

뜻 **얼음빙** 冰(冫部四畫)과 같은 글자. 통속적으로 이수(二水)라 함.

三畫

5 【冬】 冫3 중학 **동** | 겨울 | ㊥冬

ノ ク 夂 冬 冬

자원 형성 冫 夂(음) ┬ 冬 (冫부) [고문자] (A) [고문자] (B) 3000년전 [고문자] (C) 2000년전

「冬」·「終종」자의 기원은 아직 확실치 않음. 「冬」의 옛 모양 (A)는 과수(果樹)의 가지가 부러진 모양이며 계절의 「겨울」을 나타낸 것으로 생각됨. (B)는 그 생략형. (C)는 (B)의 변형 「夂종」(동은 변음)에 「冫빙」〈얼음〉을 더한 것. 「夂」은 모으다(⇩聚취)의 뜻이 있어, 추위가 모이는 계절→겨울을 나타내는 것으로 생각됨.

뜻 ①**겨울동** 사시(四時)의 최후로 가장 추운 계절. 음력 시월·동짓달·섣달의 석달. 「冬季동계」「冬眠동면」 ②**겨울지낼동** 겨울을 경과함.

참고 「冬」을 음으로 하는 글자=「疼동」〈아프다〉·「終종」〈마지막〉

【冬季 동계】 동기(冬期).

【冬期 동기】 겨울 동안의 시기(時期).

【冬眠 동면】 파충류(爬蟲類)·양서류(兩棲類) 등의 냉혈 동물의 겨울잠.

【冬服 동복】 겨울 옷. 겨우살이.

【冬扇夏爐* 동선하로】 겨울의 부채와 여름의 화로란 뜻으로, 무용(無用)·무익(無益)한 사물의 비유.

【冬月 동월】 ①동절(冬節). ②겨울밤의 달.

【冬藏 동장】 가을의 수확을 겨울에 저장함. 또 그 물건.

【冬節 동절】 겨울 절기(節期). 겨울철.

【冬至 동지】 이십사절후(節候)의 하나. 태양(太陽)이 남회귀선(南回歸線) 곧 남위(南緯) 이십 삼도 오분에 이른 때인데 북반구(北半球)에서는 밤이 일년 중에 가장 길고 낮이 가장 짧음. 양력 십이월 이십이삼 일경.

【冬天 동천】 겨울 하늘.

【冬青 동청】 감탕나무. 동청(凍青). 상록 교목(常綠喬木).

【冬學 동학】 농가에서 농한기(農閑期)인 겨울 동안에 공부를 하는 일.

◉孟冬맹동 三冬삼동 盛冬성동 嚴冬엄동 越冬월동 忍冬인동 立冬입동 仲冬중동

四畫

6 【冰】 冫4 氷(水部一畫)의 본디 글자.

五畫

7
【冶】冫5 야 | 대장간 | ㊤馬

자원 형성 冫 台음 ┬ 冶 (冫부)

冶 2500년전

「冫이수변」〈얼음〉과、 음을 나타내며 동시에 느슨해지다의 뜻(⇩弛이)을 나타내기 위한 「台태·이」(야는 변음)로 이루어짐。 얼음이 녹다가 본래의 뜻。 전(轉)하여、 금속(金屬)이 녹다→금속을 녹여서 물건을 만들다의 뜻。

뜻 ①**대장간야** 시우쇠를 다루는 곳。 「鑪冶로야」「冶坊야방」 ②**대장장이야** 「冶工야공」「冶人야인」 ③**주물야** 쇠붙이를 녹여서 만든 그릇。 ④**불릴야** 쇠붙이를 녹여 주조(鑄造)함。 「冶金야금」 전(轉)하여 정련(精鍊)함。 ⑤**요염할야** 탐탁스럽게 아름다움。 또 요염하게 단장을 함。 「艷冶염야」「妖冶요야」

주의 「冶치」〈다스리다〉는 딴 글자。

【冶金 야금】 광석에서 금속(金屬)을 골라 내거나 합금(合金)을 만드는 작업。

【冶容 야용】 얼굴을 예쁘게 단장함。 또 예쁘게 단장한 얼굴。

◉鍛冶단야 陶冶도야 姸冶연야 艷冶염야

7
【冷】冫5 중학 랭 | 찰 | ①-④㊤梗 ⑤㊥青

丶 冫 冫 冫 冷 冷 冷

자원 형성 冫 令음 ┬ 冷 (冫부)

음을 나타내는 「令령」은 명령하는 일。 여기에서는 몸이 긴장되도록 엄격하다는 뜻을 나타냄。 「冫이수변」은 얼음。 「冷」은 얼음이 얼 만큼 춥다→차갑다의 뜻。

뜻 ①**찰랭** ㉠추움。 「冷風냉풍」 ㉡마음이 참。 박정(薄情)함。 「冷酷냉혹」 「冷淡냉담」 ②**맑을랭** 깨끗함。 「冷清냉청」 ③**쓸쓸할랭** 적적함。 ④**식힐랭** 차게 함。 ⑤**얼랭** 얼음이 얾。

주의 「泠령」〈맑다〉과는 딴 글자。

【冷却 냉각】 차게 함。 또 차짐。

【冷氣 냉기】 찬 기운。 또 찬 기후。

【冷淡 냉담】 ①짙지 아니함。 담담(淡淡)함。 ②마음이 참。 동정심이 없음。 ③일에 대하여 열성(熱誠)이 없음。

【冷待 냉대】 푸대접。 ［없음。

【冷凍 냉동】 차게 하여 얼림。

【冷冷 냉랭】 쌀쌀하게 찬 모양。

【冷房 냉방】 찬 방。 냉돌(冷堗)。

【冷病 냉병】 하체(下體)를 차게 하여 생기는 병(病)의 총칭。

【冷水 냉수】 찬 물。

【冷水浴 냉수욕】 찬 물에 목욕함。

【冷濕 냉습】 차고 누짐。

【冷藏 냉장】 썩거나 상(傷)하지 않게 온도(溫度)가 낮은 곳에 넣어 둠。

【冷靜 냉정】 감정을 누르고 침착(沈着)한 모양。

【冷泉 냉천】 광물질(鑛物質)을 다량으로 함유(含有)한 찬 샘。 광천(鑛泉)。

【冷徹 냉철】 냉정하고 투철함。

【冷汗 냉한】 부끄럽거나 놀랐을 때 나는 땀。 진땀。

【冷害 냉해】 한기(寒氣)로 인한 농작

물의 피해(被害)。

【冷酷 냉혹】 조금도 인정(人情)이 없이 쌀쌀함。박정(薄情)함。

◉涼冷양랭 溫冷온랭 秋冷추랭 寒冷한랭

八畫

10 **【凍】** 冫8 고교 동 | 얼 | (平)蒸

、 冫 冫 汇 洐 洒 凍 凍 凍

자원 형성 冫凍(음) ┬ 凍 (冫부)

「冫 이수변」〈얼음〉과 음을 나타내는 「東동」으로 이루어짐。

뜻 ①**얼동** ㉠얼음이 얾。㉡추위로 감각을 잃음。「凍死동사」 ②**얼음동**

【凍死 동사】 얼어서 죽음。

【凍傷 동상】 추위에 얼어서 피부(皮膚)가 상함。

【凍屍* 동시】 얼어 죽은 시체(屍體)。

【凍野 동야】 거의 일년(一年) 얼음이 풀리지 않는 북극(北極) 지방의 평원(平原)。동원(凍原)。툰드라。

◉冷凍냉동

10 **【凉】** 冫8 涼(水部八畫)의 속자(俗字)。

10 **【准】** 冫8 準(水部十畫) 一의 속자(俗字)。

주의 ①「準」이 본디글자。「准」은 본래 속자(俗字)이지만, 「批准비준」(이때의 准은 허가, 허가하다의 뜻), 「准將준장」「准尉준위」 등은 이 글자를 씀。②「准회」〈강이름〉는 딴 글자。

【准士官 준사관】 하사관의 위, 사관(士官)의 아래인 군(軍)의 직위。

【准將 준장】 소장(少將)의 아래, 대령(大領)의 위인 군(軍)의 계급。

◉批准비준 認准인준

十四畫

16 **【凝】** 冫14 응 | 얼 | (平)蒸

자원 형성 冫疑(음) ┬ 凝 (冫부)

「冫 이수변」〈얼음〉과, 음을 나타내는 동시에 멎어 움직이지 않는다는 뜻을 가진 「疑의」(응은 변음)로 이루어짐。물이 얼어붙어 움직이지 않다 ↓전하여, 엉기다의 뜻。

뜻 ①**얼응** 얼음이 얾。「凝氷응빙」 ②**엉길응** ㉠응결(凝結)함。「凝固응고」「凝縮응축」 ㉡한데 모임。열중(熱中)함。③**굳힐응** 응고시킴。견고하게 함。④**모을응** 눈 또는 마음을 한 군데에 집중함。「凝視응시」 ⑤**정할응** 결정함。⑥**이룰응** 성사(成事)함。⑦**막을응** 억지(抑止)함。⑧**엄할응** 준엄(峻嚴)함。⑨**바를응** 단정함。⑩**찰응** 추움。⑪**끌응** 음조(音調)가 느리고 길게 끎。

【凝結 응결】 ①엉김。②기체(氣體)가 액체(液體)로 변하는 현상。

【凝固 응고】 엉기어 굳어짐。

【凝視 응시】 뚫어지게 자세히 봄。

【凝脂 응지】 ①엉기어 굳은 지방(脂肪)。②희고 윤택 있는 살결。

【凝集力 응집력】 액체(液體) 및 고체(固體)의 분자간(分子間)에 존재하는 인력(引力)으로, 액체 및 고체에 형체(形體)를 부여(賦與)하는 힘。응취력(凝聚力)。

【凝縮 응축】 엉기어 줄어짐。

【凝血 응혈】 엉기어 뭉쳐진 피。

几 部

2 【几】 부수 궤 ─ 안석 ─ ㊤紙

자원 상형 2500년전

「几」는 사람이 앉아서 몸을 기대는 안석의 모양을 본뜸。 안석、 책상의 뜻。

뜻 ①**안석궤** 앉을 때에 몸을 기대는 제구。「隱几은궤」 ②**책상궤** 机(木部二畫)와 같은 글자。「几案궤안」「几硯궤연」 ③**진중할궤** 점잖고 침착한 모양。

주의 「几인」〈사람〉은 딴 글자。

참고 「几」를 음으로 하는 글자=「机궤」〈책상〉·「肌기」〈살가죽〉·「飢기」〈굶주리다〉

一畫

3 【凡】 几1 중학 범 ─ 대강 ─ ㊥咸

丿 几 凡

자원 상형 2500년전

「凡」은 토담틀을 본뜬 것。 음을 빌어 대체로의 뜻(⇩汎범)으로 쓰며 전하여 범상·보통의 뜻。

뜻 ①**대강범** 개요(槪要)。 대략。「凡例범례」 ②**범상할범** 보통임。 심상(尋常)함。「凡人범인」「凡常범상」 ③**범인범** 보통 사람。 또 속인(俗人)。 ④**속계범** 이 세상。 진세(塵世)。「塵凡진범」 ⑤**무릇범** 대컨。 대저。

참고 「凡」을 음으로 하는 글자=「汎범」〈뜨다〉·「帆범」〈돛〉·「般반」〈돌다〉·「佩패」〈노리개〉·「風풍」〈바람〉·「鳳봉」〈봉새〉

【凡骨 범골】 ①보통 골격(骨格)。 ②평범한 인물(人物)。

【凡器 범기】 범상(凡常)한 기국(器局)。 평범한 국량。 범재(凡才)。

【凡例 범례】 그 책의 요지(要旨)와 편찬의 체재 또는 주의 사항을 책 머리에 따서 적은 글。 일러두기。

【凡類 범류】 평범한 사람들。

【凡百 범백】 여러 가지。 제반(諸般)。

【凡夫 범부】 ①범인(凡人)。 ②《佛敎》 번뇌(煩惱)에 얽매이어 생사(生死)를 벗어나지 못하는 사람。

【凡事 범사】 ①모든 일。 ②평범한 일。

【凡常 범상】 평범하여 이상할 것이 없음。

【凡俗 범속】 평범하고 속됨。

【凡眼 범안】 범상한 사람의 안목과 식견。 속안(俗眼)。

【凡庸 범용】 평범하고 용렬(庸劣)함。 범상(凡常)。

【凡人 범인】 평범한 사람。 범부(凡夫)。

【凡節 범절】 ①모든 일。 ②모든 절차。

◉大凡대범 不凡불범 非凡비범 超凡초범

三畫

5 【処】 几3 處(虍部五畫)와 같은 글자。

주의 「處」는 「処」에 음을 나타내는 「虍호」(虎호의 생략형。 처는 변음)를 더한 것。

九畫

11【凰】几 9 **황** | 봉새 | (平)陽

자원 형성 几皇(음)丁凰(几부)

「鳳봉」의 생략형「几」와, 음을 나타내는「皇황」으로 이루어짐。

뜻 **봉새황** 봉황(鳳凰)새의 암컷。

十畫

12【凱】几 10 **개** | 싸움이긴풍류 | (上)賄

자원 형성 豈几(음)丁凱(几부)

「豈개」〈화락하다〉에 음을 나타내는「几궤」(개는 변음)를 더한 글자。화락하다의 뜻을 가진「豈」가 의문사(疑問詞)로 쓰이게 되매, 따로「几」를 더하여 만든 것으로, 특히 싸움에 이김을 나타냄。

뜻 ①**싸움이긴풍류개** 승전(勝戰)했을 때 아뢰는 음악。전승곡。「凱歌개가」「凱旋개선」또 승전하였을 때 외치는 환호성。②**이길개** 승전(勝戰)함。③**착할개** 마음이 착함。또 그 사람。④**화할개** 온화함。화락함。「凱弟개제」⑤**즐겨할개** 좋아함。

十二畫

【凱歌 개가】싸움에 이기고 부르는 노래。개가(愷歌)。

【鳳】⇩鳥部三畫

凵 部

2【凵】부수 **감** | 입벌릴 | (上)豏 (去)勘

자원 상형 2500년전

「凵」은 입을 벌린 모양을 본뜸。전하여, 물건을 받는 그릇의 모양을 나타냄。

뜻 ①**입벌릴감** 입을 벌림。②**위터진그릇감** 물건을 담는 기구(器具)。

二畫

4【凶】凵 2 중학 **흉** | 흉할 | ①-⑥(平)冬 ⑦(上)腫

ノ メ 凶 凶

자원 형성 凵メ(음)丁凶(凵부) 2500년전

「凵위튼입구」와, 음을 나타내며 동시에 텅 비었다는 뜻인「メ오」(흉은 변음)로 이루어짐。「凵」〈상자〉에 넣을 벼가 없다, 흉작(凶作)의 뜻。전(轉)하여 나쁘다, 재난(災難)의 뜻으로 쓰임。

뜻 ①**흉할흉** ㉠길(吉)하지 아니함。「凶兆흉조」㉡사람이 죽음。「凶報흉보」「凶衣흉의」②**흉년들흉** 곡식이 잘 여물지 않음。「凶豊흉풍」③**흉악할흉** 포악(暴惡)함。「凶逆흉역」「凶徒흉도」④**흉한흉** 흉악한 사람。악한。「凶手흉수」⑤**재앙흉** 재화(災禍)。「凶災흉재」「凶禍흉화」⑥**요사흉** 일찍 죽음。⑦**두려워할흉** 兇(几

部四畫)·恟(心部六畫)과 통용。

참고 「凶」을 음으로 하는 글자=「兇흉」〈나쁘다〉·「恟흉」〈두려워하다〉·「胸흉」〈가슴〉·「洶흉」〈용솟음치다〉

【凶家 흉가】 그 집에 사는 사람마다 흉한 일을 당하는 불길(不吉)한 집。

【凶計 흉계】 흉악(凶惡)한 꾀。

【凶器 흉기】 ①사람을 살해하는 기구(器具)。②장사(葬事) 때 쓰는 기구。

【凶年 흉년】 농작물(農作物)이 잘 되지 아니하는 해。흉세(凶歲)。

【凶徒 흉도】 흉악한 무리。흉당(凶黨)。

【凶夢 흉몽】 불길(不吉)한 꿈。

【凶物 흉물】 성질이 흉악한 사람。

【凶犯 흉범】 흉악한 범인。

【凶報 흉보】 ①불길(不吉)한 기별。②사람이 죽었다는 통지。흉음(凶音)。

【凶相 흉상】 ①보기 흉한 외모(外貌)。②흉악한 사람의 상(相)。

【凶手 흉수】 흉악한 자의 짓。 또 흉악한 짓을 하는 사람。

【凶惡 흉악】 ①성질이 험상궂고 모짊。②대단히 악함。②재앙。재화。

【凶作 흉작】 농작물이 잘 되지 못함。

【凶兆 흉조】 불길(不吉)한 조짐。

【凶豊 흉풍】 흉년과 풍년。

【凶漢 흉한】 흉악한 놈。

◉吉凶길흉 大凶대흉 陰凶음흉 豐凶풍흉

三畫

5 **【出】** 凵 3 중학 출 | 날 | 入質

出

丨 屮 屮 出 出

자원 상형 (A) (B) 3000년전 (C) 2000년전

「出」은 나아가는 일。경계(境界)로부터 나가는 일。옛 모양 Ⓐ는 경계에서 발이 나가는 모양。Ⓑ는 「彳두인변」〈가는 일〉과 발의 모양과 「口」〈목적지를 나타냄〉를 합한 모양이며、목적지에 걸어가다、나가다의 뜻으로 됨。Ⓒ는、Ⓐ가 변한 모양이지만 나중에는 풀이나 나무가 돋아나오는 모양이라고 생각하였음。

뜻 ①**날출** 산출함。생산함。「出產출산」 ②**나갈출** ㉠집 또는 나라 밖으로 나감。「出入출입」「出國출국」 ㉡떠남。㉢전진함。㉣감。㉤물러남。자리를 뜸。㉥수중에서 떠남。없어짐。㉦벼슬을 함。「出仕출사」 ㉧지방관이 되어 부임함。③**나올출** ㉠속에서 바깥으로 나타남。㉡나타나보임。「出沒출몰」「出現출현」。㉢생각이 나옴。㉣발생함。일어남。④**뛰어날출** 출중함。⑤**달아날출** 도망함「出奔출분」 ⑥**낼출** ㉠밖으로 나오게 함。㉡생각하여 냄。작성함。㉢줌。⑦**내보낼출** 돌려보냄。⑧**내칠출** 쫓음。물리침。「出妻출처」 ⑨**나타낼출** 뛰어나게 함。⑩**게울출** 토함。⑪**자손출** 후예。⑫**처남출** 처의 형제。

주의 「出」이라고 씀은 잘못。

참고 「出」을 음으로 하는 글자=「屈굴」〈굽히다〉·「詘굴」〈굽다·굽히다〉·「黜출」〈떨어뜨리다〉·「咄돌」〈꾸짖다〉·「拙졸」〈서툴다〉·「祟수」〈빌미〉

【出家 출가】 속가(俗家)를 떠나서 중이 됨。또 그 사람。

【出嫁* 출가】 시집을 감。

【出嫁外人* 출가외인】 시집 간 딸은

친정(親庭) 사람이 아니고 남이나 마찬가지임。

【出刊 출간】 출판(出版)。

【出京 출경】 ①서울에서 시골로 나감。 ②출부(出府)。

【出境 출경】 지경(地境) 밖으로 나감。

【出庫 출고】 곳집에서 물건을 꺼냄。

【出棺* 출관】 출상(出喪)하기 위하여 관을 집 밖으로 내감。 출구(出柩)。

【出口 출구】 나가는 곳。

【出柩* 출구】 ①발인(發靷) 때에 집에서 관(棺)을 내감。 ②이장(移葬) 때에 무덤에서 관(棺)을 꺼냄。

【出軍 출군】 전쟁(戰爭)하러 나감。 군대(軍隊)를 전지(戰地)에 내보냄。

【出勤 출근】 근무하는 곳에 나감。

【出金 출금】 돈을 내놓음。

【出給 출급】 물건을 내줌。

【出納 출납】 금전(金錢) 또는 사물(事物)을 내어 줌과 받아 들임。

【出動 출동】 나가서 행동함。

【出頭 출두】 ①어떠한 곳에 직접 나감。 ②두각(頭角)을 나타냄。

【出藍 출람】 청색이 본디 남빛에서 나와서 도리어 남빛보다 푸르다는 뜻으로, 제자(弟子)가 스승보다 낫거나 자식(子息)이 부모보다 나음을 이름。

【出來 출래】 안에서 밖으로 나옴。

【出馬 출마】 ①말을 타고 감。 ②자신이 직접 감。 입후보(立候補)함。

【出沒 출몰】 나타났다 숨었다 함。

【出發 출발】 ①길을 떠나감。 ②경주(競走)할 때에 출발점을 떠나감。

【出兵 출병】 군사(軍士)를 내 보냄。

【出府 출부】 지방에서 서울로 옴。 상경(上京)。 「망질。 출망(出亡)。

【出奔 출분】 달아나 종적을 감춤。 도

【出費 출비】 내는 비용(費用)。

【出仕 출사】 벼슬을 하여 사진(仕進)

【出師 출사】 출병(出兵)。 「함。

【出師表 출사표】 촉한(蜀漢)의 제갈양(諸葛亮)이 위(魏)나라를 치려고 출병(出兵)할 때 후주(後主) 유선(劉禪)에게 올린 글。

【出産 출산】 ①세상에 태어남。 출생。 ②물건이 남。 또 지방에서 나는 산물(産物)。

【出喪 출상】 상가(喪家)에서 상여(喪輿)가 떠남。

【出色 출색】 출중(出衆)하여 눈에 띔。

【出生 출생】 ①세상에 태어남。 ②아이를 낳음。 「감。 참석(參席)함。

【出席 출석】 모임 또는 자리에 나아

【出世 출세】 ①입신(立身)함。 성공함。 ②세상에 나타남。

【出水 출수】 넘쳐 흐름。 범람함。 또 그 물。 홍수(洪水)。

【出身 출신】 ①벼슬을 함。 관직에 등용됨。 ②그 토지 또는 그 지위에서 출세(出世)함。 ③그 학교를 졸업한 신분。 ④몸을 내어던져 나라를 위해서 힘을 씀。

【出芽 출아】 싹이 남。 「로 납심。

【出御 출어】 임금이 대궐(大闕) 밖으

【出漁 출어】 물고기를 잡으러 나감。

【出演 출연】 연설·강연·음악·연극 등을 나가서 함。

【出迎 출영】 나가서 맞음。

【出獄 출옥】 옥(獄)에 갇히어 있던 사람이 옥에서 나옴。

【出願 출원】 원서(願書)를 내놓음。

【出入 출입】 ①나감과 들어옴。 드나듦。 ②내놓음과 들여놓음。 ③왕래(往來)함。 ④출납(出納)。

【出資 출자】 밑천을 냄。 자본금을 냄。

【出張 출장】 직무(職務)를 띠고 나감。

【出場 출장】 ①그 자리에 나감。 ②운동 경기회에 참가함。

【出將入相 출장입상】 나가서는 장수(將帥)가 되고 들어와서는 재상(宰相)이 됨。 곧 문무를 겸비하여 문무양도(文武兩道)의 벼슬을 지냄。

【出典 출전】 고사(故事)·성어(成語)들의 출처(出處)가 되는 서적(書籍)。

【出戰 출전】 싸우러 나감。 나가 싸움。

【出征 출정】 정벌(征伐)하러 나감。 전지(戰地)로 향함。

【出題 출제】 문제(問題)를 냄。 시가(詩歌) 또는 시험(試驗)의 제(題)를 냄。

【出衆 출중】 여러 사람 속에서 뛰어남。

【出陣 출진】 전지(戰地)에 나가서 진(陣)을 침。

【出處 출처】 사물(事物)이 어디로부터 나온 곳。

【出超 출초】 수출초과(輸出超過)。

【出他 출타】 집에서 밖으로 나감。

【出版 출판】 서적(書籍) 등을 발행함。

【出捕 출포】 죄인을 쫓아가서 잡음。

【出品 출품】 전람회·전시회·경진회 등에 물품을 내놓음。

【出必告 출필곡】 밖에 나갈 때마다 부모에게 가는 곳을 아룀。

【出荷 출하】 하물(荷物)을 내어 보냄。

【出港 출항】 배가 항구를 떠나감。

【出現 출현】 나타남。

【出血 출혈】 피가 혈관(血管) 밖으로 나옴。 또 그 피。

◉醵出각출 傑出걸출 屆出계출 突出돌출 搬出반출 排出배출 射出사출 產出산출 選出선출 歲出세출 輸出수출 演出연출 捻出염출 外出외출 月出월출 流出유출 日出일출 提出제출 支出지출 進出진출 逐出축출 脫出탈출 特出특출 派出파출

六畫

8 **【函】** 凵 6 **함** — 휩쌀 — ㉲覃咸

자원 상형

「函」은 활시위를 넣어 두는 용기(容器)를 본뜸。 전하여、 상자、 또 집어넣다의 뜻에 쓰임。

뜻 ①**휩쌀함** 포용(包容)함。 ②**넣을함** 용납함。 ③**갑옷함** 예전에 싸움을 싸울 때 입던 옷。「函工함공」 ④**글월함** 편지。「書函서함」「貴函귀함」 ⑤**상자함、 갑함** 문서 등을 넣어 두는 조그마한 상자。「函蓋함개」「函底함저」 ⑥**상자에넣을함**

주의 본래는 「圅」으로 썼음。 「函」은 그 변한 자체(字體)。

참고 「函」을 음으로 하는 글자=「菡함」〈연꽃〉·「涵함」〈적시다〉

【函谷關 함곡관】 하남성(河南省) 함곡(函谷)에 있던 험준하기로 유명한 관문(關門)。 맹상군(孟嘗君)의 고사(故事)로 유명함。

◉空函공함 石函석함 玉函옥함 郵便函우편함 投票函투표함

【画】 ⇨田部三畫

〔二畫部首順〕二亠人儿入八冂冖冫几凵刀力勹匕匚匸十卜卩厂厶又

로따로 됨。「分散분산」 ㉡갈래가 짐。「分岐분기」 ③**분명할분** 명확함。「分明분명」「不可不分불가불분」 ④**분별할분** 변별(辨別)함。「分辨분변」 ⑤**나누어줄분** 분여(分與)함。 ⑥**반쪽분** 전체의 반。 ⑦**푼분** 척도(尺度)·중량(重量)의 단위。 ⑧**춘분분、추분분** 춘분과 추분의 총칭。 ⑨**분수분** 분한(分限)。「名分명분」「守分수분」 ⑩**직분분** 마땅히 하여야 할 본분。 ⑪**몫분** 배당(配當)。

참고 「分」을 음으로 하는 글자=「扮분」〈섞다〉·「紛분」〈어지럽다〉·「忿분」〈화내다〉·「吩분」〈분부하다〉·「芬분」〈향내나다〉·「氛분」〈기운〉·「雰분」〈안개〉·「粉분」〈가루〉·「貧빈」〈가난하다〉·「頒반」〈나누다〉

【分家 분가】 가족(家族)의 일부가 딴 집으로 나가서 딴 살림을 함。 또 그 집。

【分揀* 분간】 시비(是非)·선악(善惡)·대소(大小)·경중(輕重)을 나누어 가림。

【分遣 분견】 임무를 띠워 보냄。 파견(派遣)。

【分界 분계】 나누인 경계。 또 경계를 나눔。

【分科 분과】 학과 또는 업무를 나눔。 또 나누인 학과 또는 업무。

【分校 분교】 한 학교의 일부 학생을 수용하기 위하여 따로 세운 학교。

【分局 분국】 본국(本局)에서 갈라 따로 세운 국(局)。

【分權 분권】 권력을 나눔。

【分給 분급】 나누어서 줌。

【分岐* 분기】 나뉘어져 갈래가 짐。 또 그 갈래。

【分團 분단】 한 단체를 작게 나눈 그 부분。

【分擔 분담】 일을 나누어서 맡음。

【分黨 분당】 패를 가름。

【分隊 분대】 ①본대(本隊)에서 갈라져 나온 대(隊)。 ②대(隊)를 가름。

【分銅 분동】 저울 추(錘)。 법마(法馬)。

【分量 분량】 ①분수(分數)。 분한(分限)。 ②부피。 용적(容積)。 ③무게의 정도。

【分流 분류】 본류(本流)에서 갈라져 흐름。 또 그 물줄기。

【分類 분류】 종류를 따라 나눔。

【分離 분리】 나누어 떨어지게 함。 또 나누이어 떨어짐。

【分立 분립】 나뉘어서 따로 섬。

【分娩* 분만】 아이를 낳음。 해산(解産)。

【分明 분명】 뚜렷함。 명료함。

【分袂* 분몌】 작별함。 분금(分襟)。

【分半 분반】 반으로 나눔。

【分配 분배】 나누어 도름。 벼름。

【分辨 분변】 가리어 냄。

【分別 분별】 ①가름。 또 가름을 당함。 ②나눔。 또 나누임。 ③구별。 분별。 ④사리(事理)를 생각하여 변별(辨別)함。

【分福 분복】 타고난 복(福)。

【分封 분봉】 ①땅을 나누어 제후(諸侯)를 봉함。 또 나누인 봉토(封土)。 ②벌통의 여왕벌이 생란하여 새 여왕벌이 생기면 구(舊)여왕벌과 일벌의 일부가 딴 통으로 갈려 나가 옮기는 일。 분봉(分蜂)。

【分付 분부】 나누어 줌。

【分賦 분부】 세금 등을 나누어 물림。

【分泌* 분비】 ①액즙(液汁)이 스며나옴。 ②선세포(腺細胞)의 작용에 의하여 특수한 액즙을 만들어 배출

(排出)하는 기능。

【分散 분산】 따로따로 나뉘어서 흩어짐。이산(離散)。

【分析 분석】 ①쪽쪽이 나누어 가름。또 쪽쪽이 나누이어 갈라짐。②물질을 구성한 모든 원소(元素)로 분해함。③개념(概念)을 그 속성(屬性)으로 분해함。

【分設 분설】 나누어서 따로 베풂。

【分數 분수】 ①나머지 수(數)。②어떠한 수효나 분량을 몇 등분(等分)하여 가를 때에 두 수(數)의 관계를 표시하는 수(數)。③분한(分限)。

【分水界 분수계】 물이 양쪽으로 갈라져 흐르는 그 경계(境界)。

【分水嶺 분수령】 분수계(分水界)를 이룬 산맥。

【分乘 분승】 나누어 탐。

【分身 분신】 ①분만(分娩)。②《佛教》 부처가 중생(衆生)을 제도(濟度)하기 위하여 여러가지로 나타내는 몸。

【分室 분실】 한 사무실에서 갈라져 나가 따로 사무를 보는 곳。

【分野 분야】 ①전국시대(戰國時代)에 천문가(天文家)가 중국 전토를 하늘의 이십팔수(二十八宿)에 배당(配當)하여 나눈 칭호。전(轉)하여 ②세력(勢力)의 범위。

【分讓 분양】 큰 덩어리를 갈라서 여럿에 별러 넘겨 줌。

【分業 분업】 일을 나누어서 함。

【分與 분여】 나누어서 줌。

【分裂 분열】 찢어서 나눔。또 찢어져 나누임。갈라져 찢김。

【分外 분외】 분수(分數)의 밖。과분(過分)。

【分子 분자】 ①지파(支派)의 자손(子孫)。지손(支孫)。②한 개 이상의 원자(原子)가 모여 고유한 성질을 유지하고 있는 화학적 물질(化學的物質)의 최소입자(最小粒子)。

【分掌 분장】 일을 나누어 맡음。

【分爭 분쟁】 갈라져서 다툼。

【分冊 분책】 한 책을 여러 권으로 나누어서 만듦。또 그 책(冊)。

【分秒* 분초】 ①각도의 분과 초。곧 영여(零餘)의 수도(數度)。②일분과 일초。곧 매우 짧은 시간(時間)。

【分針 분침】 시계의 분(分)을 가리키는 바늘。

【分派 분파】 나누인 갈래。

【分布 분포】 나누이어 퍼짐。또 나누어 퍼지게 함。

【分割 분할】 쪼개어 나눔。또 쪼개져 나누임。

【分解 분해】 ①분별하여 풂。②한 가지의 물질(物質)이 분리(分離)하여 두 가지 이상의 물질로 됨。③한 개념(概念)을 분석(分析)하여 그 속성(屬性)을 설명함。

【分化 분화】 생물(生物)의 조직체 안에서 각 기관이 분업화하는 진화작용(進化作用)。

【分會 분회】 한 회의 하부 조직체。

◉過分과분 區分구분 氣分기분 等分등분 名分명분 本分본분 成分성분 性分성분 身分신분 十分십분 餘分여분 情分정분 職分직분 處分처분 秋分추분 春分춘분

三畫

5 **【刊】** 刀 3 고교 간 벨 (平)寒

一 二 干 刊 刊

자원 형성 刀-刂 干음 ─ 刊 (刀부)

음을 나타내는 「干간」은 범하다의 뜻。「刂칼도방」은 칼。「刊간」은 나무를 베다→깎다。후에 판목(板木)에 글자를 파서 인쇄하는 뜻으로 씀。

뜻 ①벨간 ②깎을간 깎아냄。③새길간 ㉠팜。조각함。㉡판목(版木)을 새김。전(轉)하여 출판함。「刊行간행」

주의 「刋천」〈끊다〉은 딴 글자。

【刊行 간행】서적 기타 출판물을 판각하거나 인쇄하여 발행함。

◉改刊개간 旣刊기간 發刊발간 續刊속간 新刊신간 月刊월간 日刊일간 停刊정간 週刊주간 創刊창간 廢刊폐간 休刊휴간

【召】 ⇨口部二畫

四畫

6 【刑】 刀 4 중학 형 형벌 ㊥平 青

一 二 于 开 开 刑

자원 형성 刀-刂 井음 开 → 刑(刀부) 2500년전

체형(體形)을 가하다의 뜻을 가진 「刂칼도방」〈칼〉과、음을 나타내며 동시에 규칙의 뜻을 가진 「井정」(형은 변음)으로 이루어짐。체형을 가하여 규칙에 복종시킨다는 뜻。

뜻 ①형벌형 죄인에게 가하는 제재。「刑法형법」「刑政형정」②형벌할형 죄를 줌。③법형 본받아야 할 전래(傳來)하는 예제(禮制)나 도리。「典刑전형」④본받을형 본보기로 하여 따라 함。「儀刑의형」⑤목벨형 목을 자름。죽임。⑥제어할형 통솔하여 어거함。바로잡음。⑦이루어질형 성취됨。⑧꼴형 形(彡部四畫)과 통용。⑨국그릇형

주의 「刑」과 「刑」은 같은 글자。

참고 「刑」을 음으로 하는 글자＝「型형」〈거푸집〉·「荆형」〈가시나무〉·「硎형」〈숫돌〉·「鉶형」〈제기〉

【刑官 형관】형법(刑法)을 맡아 죄를 다스리는 벼슬아치。사법관(司法官)。추관(秋官)。

【刑敎 형교】형벌(刑罰)과 교육(敎育)。

【刑具 형구】형벌(刑罰)이나 또는 고문을 하는 데 쓰는 기구(器具)。

【刑律 형률】형벌의 법률。

【刑名 형명】①형벌(刑罰)의 명칭。곧 사형·징역 등。②전국시대(戰國時代)에 한비자(韓非子)가 주장한 학설로 관리를 등용하는 데 그 사람의 의론 곧 명(名)과 그의 실제의 성적 곧 형(形)의 일치·불일치를 살펴 상벌·출척(黜陟)을 하여야 한다는 설(說)。형(刑)은 형(形)。

【刑罰 형벌】죄를 저지른 사람에게 주는 제재(制裁)。

【刑法 형법】죄인을 제재하는 규정(規定)。범죄를 처벌하는 법률。

【刑死 형사】처형(處刑)되어 죽음。

【刑事 형사】형벌(刑罰)의 적용(適用)을 받는 사건。

【刑餘 형여】①형을 받았으나 목숨을 보존한 사람이란 뜻으로、전과자(前科者)를 이름。전(轉)하여 ②거세(去勢)된 사람。환관(宦官)。③중。승려(僧侶)。

【刑獄 형옥】①형벌(刑罰)。②옥(獄)。감옥。뇌옥(牢獄)。

【刑杖* 형장】죄인(罪人)을 신문(訊問)할 때에 쓰는 막대기。

【刑場 형장】 사형을 집행하는 장소。
【刑政 형정】 죄인을 다스리는 정사(政事)。 또 형벌과 정치。
【刑制 형제】 형법(刑法)。
◉減刑감형 輕刑경형 極刑극형 徒刑도형 無期刑무기형 罰金刑벌금형 死刑사형 私刑사형 嚴刑엄형 流刑유형 杖刑장형 重刑중형 處刑처형 天刑천형 體刑체형 笞刑태형 行刑행형 火刑화형

6 【列】 刀 4 중학 **렬** 반열 ㉤屑

列

一 ア 歹 歹 列 列

자원 형성 刀-刂 歹(음)-歺 ┬列(刀부)

2000년전

음을 나타내는 「歹렬」〈물이 흐르는 모양〉과, 「刀도」〈칼〉로 이루어짐。「列」은 칼로 베어 가다의 뜻。

뜻 ①**반열렬** 석차。「位次위차」「列次열차」「序列서열」 ②**줄렬** 늘어선 줄。 행렬·항오(行伍) 따위。「隊列대열」「整列정렬」 ③**줄지을렬** 줄을 이루어 늘어섬。「列羅열라」 ④**매길렬** 순서를 매김。 ⑤**벌릴렬** 분리함。 ⑥**베풀렬** 차림。 진설(陳設)함。 진열함。

참고 「列」을 음으로 하는 글자‖「洌렬」〈맑다〉·「迾렬」〈막다〉·「烈렬」〈세차다〉·「冽렬」〈차다〉·「例례」〈법식〉

【列強 열강】 여러 강한 나라들。
【列擧 열거】 여러 가지를 들어 말함。
【列國 열국】 ①여러 나라。 ②인접한 나라。 이웃 나라。
【列女 열녀】 정조(貞操)가 곧은 여자。 열녀(烈女)。 열부(烈婦)。
【列女傳 열녀전】 책 이름。 한(漢)나라 유향(劉向)의 찬(撰)。 총 칠권(七卷)。 여러 열녀의 전기(傳記)를 모의(母儀)·현명(賢明)·인지(仁智)·정순(貞順)·절의(節義)·변통(辨通)·폐얼(嬖孼)의 일곱 항목에 나누어 수록하였음。
【列島 열도】 열(列)을 지은 모양으로 된 섬。
【列席 열석】 자리에 늘어 앉음。
【列聖 열성】 역대(歷代)의 천자(天子)。
【列聖朝 열성조】 역대 임금의 조정。
【列世 열세】 대대(代代)。 역대(歷代)。
【列子 열자】 열어구(列禦寇)。 전국시대(戰國時代) 정(鄭)나라 사람。 그의 학문은 황로(黃老)를 기본으로 하였으며 열자(列子) 여덟 권을 지었음。
【列傳 열전】 개인별로 쓴 전기(傳記)를 차례로 수록(收錄)한 것。
【列朝 열조】 열성조(列聖朝)의 준말。
【列座 열좌】 여러 사람이 늘어 앉음。
◉羅列나열 隊列대열 同列동렬 班列반열 排列배열 竝列병렬 分列분열 序列서열 順列순열 前列전열 戰列전열 整列정렬 直列직렬 陳列진열 行列항렬·행렬

五畫

7 【判】 刀 5 중학 **판** 가를 ㉮翰

判

ノ ハ ム 스 半 半 判

자원 형성 刀-刂 半(음) ┬判(刀부)

「刂도」는 칼。 음을 나타내는 「半반」은 둘로 나누는 것。「判」은 칼로 물건을 잘라 나누는 것。 옛날 증문(證文)을 판서(判書)라고 하여、서

로 나누어 가지고는 나중에 맞추어 보았음。그래서 나누는 일도 맞추는 일도 「判」이라고 함。

뜻 ①가를판 ㉠쪼갬。「剖判부판」 ㉡나눔。구분함。「分判분판」 ㉢시비곡직을 가름。재결함。판단함。「判決판결」「裁決재결」 ②나누일판 떨어짐。분리함。③판정될판 정하여짐。결정이 남。④판단판、판결판 재결(裁決)。⑤한쪽판 두 물건이 서로 합해서 온전한 한 물건이 되는 것。⑥맡을판 재상(宰相)이 백성을 다스리는 일을 맡거나 대관(大官)이 딴 관직을 겸섭(兼攝)하는 일。

【判決 판결】①시비(是非)·선악(善惡)을 판단하여 결정함。②법원(法院)이 법률을 적용(適用)하여 소송사건(訴訟事件)을 판단하여 결정함。

【判斷 판단】사물의 가부(可否)·진위(眞僞)·시비(是非)·곡직(曲直) 등을 분별하여 정함。

【判讀 판독】뜻을 판단하면서 읽음。

【判例 판례】소송사건(訴訟事件)을 판결(判決)한 선례(先例)。

【判明 판명】사실이 똑똑하게 드러남。분명(分明)히 알려짐。

【判無 판무】아주 없음。확실히 없음。

【判別 판별】가름。구별함。

【判事 판사】①사건의 판정(判定)。소송(訴訟)의 재판。②형벌을 맡은 벼슬아치。재판관(裁判官)。

【判書 판서】①두 사람이 각각 한쪽씩 가지고 있는 계약서。②《韓》육조(六曹)의 장관(長官)。

【判然 판연】아주 환하게 판명(判明)된 모양。

【判尹*판윤】《韓》조선(朝鮮) 때 한성부(漢城府)의 으뜸 벼슬。

【判異 판이】아주 다름。

【判定 판정】판별(判別)하여 결정함。

◉公判공판 菊判국판 談判담판 名啣判명함판 批判비판 身言書判신언서판 審判심판 誤判오판 自判자판 裁判재판

7 【別】 刀 5 중학 별 | 다를 | ㉧屑

丨 冂 口 另 另 別 別

자원 회의 冎-另 + 刀-刂 → 別(刀부)

2000년전

「冎과」는 살이 붙어 있지 않은 뼈。「刂칼도방」은 식칼。「別별」은 살(⇩肉육)과 뼈(⇩冎)를 베어 나누는 일。나중에 살에 한하지 않고 사물을 구분하는 일。

뜻 ①다를별 ㉠같지 아니함。한 사람이 아님。「別途별도」 ㉡특별함。「別世界별세계」 ②나눌별、가를별 ㉠분할함。분리함。「析別석별」 ㉡구별함。㉢구분함。구획함。㉣분별함。③나누일별、갈라질별 ㉠떨어짐。㉡구별이 됨。㉢갈래가 짐。④떠날별 이별함。「惜別석별」 ⑤구별별 ⑥갈래별 분기(分岐)。⑦이별별 생이별·사별(死別) 또는 작별。⑧따로별 다르게。별도로。

【別居 별거】따로 살림을 함。

【別格 별격】보통과 다른 특별한 격식(格式) 또는 품등(品等)。

【別故 별고】다른 연고(緣故)。뜻밖의 사고(事故)。

【別館 별관】본관(本館) 밖에 따로 설치한 집。

【別宮 별궁】《韓》왕(王)·왕세자(王世子)의 가례(嘉禮) 때에 비빈(妃

〔二畫部首順〕 二亠人儿入八冂冖冫几凵刀力勹匕匚匸十卜卩厂厶又

嬪)을 맞아들이는 궁전(宮殿)。
【別堂 별당】 ①몸채의 옆 또는 뒤에 따로 떨어져 있는 집。 ②《佛教》 주지(住持)나 강사(講師) 같은 이가 거처하는 곳。
【別途 별도】 ①길을 달리함。 또 다른 길。 ②딴 용도(用途)。
【別動隊 별동대】 본대(本隊)로부터 따로 떨어져 독립하여 작전(作戰)에 임(臨)하는 부대。
【別離 별리】 이별(離別)。
【別名 별명】 본명(本名) 이외에 지어 부르는 이름。 이명(異名)。
【別味 별미】 특별히 맛있는 음식(飮食)。 또는 그 맛。
【別房 별방】 ①딴 방。 다른 방。 또 딴 채。 ②소실(小室)。 첩(妾)。
【別杯 별배】 이별을 아끼는 술잔。 이배(離杯)。
【別法 별법】 다른 방법。
【別報 별보】 특별한 기별(寄別)。
【別封 별봉】 ①따로 싸서 봉(封)함。 ②따로 봉한 편지。
【別備 별비】 특별한 준비。
【別事 별사】 ①다른 일。 딴 일。 ②색다른 일。

【別世 별세】 세상을 떠남。 곧 죽음。
【別世界 별세계】 ①지구(地球) 밖의 세계(世界)。 ②딴 세상。 속세(俗世)와는 다른 세상。
【別食 별식】 늘 먹는 것이 아닌 특별한 음식。
【別室 별실】 ①딴 방。 ②소실(小室)。 첩(妾)。 별방(別房)。
【別人 별인】 딴 사람。 타인(他人)。
【別字 별자】 ①딴 글자。 ②잘못되어 딴 글자로 된 것。 위자(僞字)。 ③글자의 형체(形體)를 분석(分析)함。 석자(析字)。 ④별명(別名)함。
【別莊 별장】 본집 밖에 경치 좋은 곳에 따로 장만하여 둔 집。
【別邸* 별저】 별장(別莊)。
【別殿* 별전】 딴 궁전(宮殿)。
【別製 별제】 별다르게 된 제조(製造)。
【別種 별종】 ①특별한 종류(種類)。 ②특별히 선사하는 물건。
【別紙 별지】 ①딴 종이。 ②따로 적어 덧붙인 종이쪽。
【別集 별집】 매인별(每人別)로 된 문집(文集)。 한 사람의 문집。
【別冊 별책】 다른 책。 딴 책。

【別策 별책】 다른 계책(計策)。 다른 책략(策略)。
【別天地 별천지】 속계(俗界)를 떠난 딴 세계。 사람이 사는 이 세상과 전연 다른 세계。 별건곤(別乾坤)。
【別體 별체】 특별한 문체(文體)나 또는 자체(字體)。
【別派 별파】 딴 파。 타파(他派)。
【別表 별표】 따로 붙인 표(表)。
【別項 별항】 다른 조항(條項)이나 사항。
【別行 별행】 딴 줄。
【別號 별호】 ①호(號)。 ②딴 이름。 일명(一名)。
【別後 별후】 떠난 이후。 떠난 이래。
◉告別고별 區別구별 分別분별 死別사별 性別성별 送別송별 識別식별 有別유별 離別이별 作別작별 種別종별 差別차별 特別특별 派別파별 判別판별

7【別】刀5 別(앞글자)의 속자(俗字)。

7【利】刀5 중학 리 | 날카로울 | 去寘

一 二 千 禾 禾 利 利

자원 회의 禾勿-刀-刂-利(刀부) 2500년전

利

「勿물」은 여기에서는 쟁기와 흙을 나타내는 모양이며 논을 갈아 엎는 모양。「禾화」는 벼→곡식。「利」는 곡식을 만드는 밭을 가는 「쟁기」↓쟁기날이 날카롭다。나중에 날카롭다는 것과의 관계로부터 「勿」을 「刀도」로 쓰게 되고, 또 「刀」는 돈과 관계가 있으므로 이익의 뜻으로도 쓰여지게 된 듯함。

뜻 ①**날카로울리** 칼 같은 것이 잘 듦。「利鈍이둔」「銳利예리」 ②**날랠리** 재빠름。민첩함。 ③**이로울리** 유익함。유리함。좋음。편함。「便利편리」 ④**이롭게할리** 유익하게 함。유리하게 함。편하게 함。「利生이생」 ⑤**탐할리** 이를 탐냄。 ⑥**이리** ㉠이익。「私利사리」 ㉡장사하여 덧붙는 돈。「營利영리」 ㉢복。행복。복록(福祿)。「福利복리」 ㉣공용(功用)。「水利수리」 ㉤부(富)。 ⑦**길미리** 변리。이자。「利殖이식」 ⑧**힘리** 권력。「權利권리」 ⑨**승전리** 전승(戰勝)。「勝利승리」

참고 「利」를 음으로 하는 글자=「梨리」〈배나무〉·「黎려」〈검다〉·「藜려」〈명아주〉

【利劍 이검】 날카로운 칼。잘 드는 칼。

【利權 이권】 ①권력。②이익과 권리。

【利己 이기】 자기 한 몸의 이익과 쾌락(快樂)만을 꾀함。

【利器 이기】 ①예리(銳利)한 무기。②편리한 기계(器械)。③뛰어난 재능。④권세。권력。⑤이용(利用)。

【利己心 이기심】 자기의 이익과 쾌락만을 생각하는 마음。

【利尿* 이뇨】 약제(藥劑)를 써서 오줌을 잘 나오게 함。

【利刀 이도】 날카로운 칼。잘 드는 칼。

【利鈍 이둔】 ①날카로움과 무딤。②날램과 굼뜸。③이익과 손해。

【利得 이득】 이익의 소득。이익。득。

【利兵 이병】 예리한 무기。이금(利金)。

【利水 이수】 물이 잘 흐르게 함。

【利息 이식】 변리(邊利)。길미。

【利殖* 이식】 이(利)가 이를 낳아 자산(資産)이 불음。화식(貨殖)。

【利欲 이욕】 이익을 탐(貪)내는 욕심。

【利用 이용】 사용을 유리하게 함。또 유리하게 사용함。

【利用厚生 이용후생】 기물의 사용을 편리하게 하고 재물을 풍부히 하여 백성의 생활을 윤택하게 함。

【利源 이원】 이익이 생기는 근원。

【利潤 이윤】 ①이익(利益)。②기업가(企業家)의 순이익(純利益)。

【利率 이율】 본전(本錢)에 대한 변리(邊利)의 비율。

【利益 이익】 ①이(利)。이득。②유익(有益)함。③《佛敎》부처의 은혜。부처의 도움。

【利子 이자】 변리(邊利)。길미。

【利他 이타】 자기는 돌보지 않고 남의 이익·행복을 꾀함。

【利害 이해】 이익과 손해(損害)。

【利害得失 이해득실】 이익과 손해와 얻음과 잃음。

【利害相半 이해상반】 이익과 손해가 「반씩임。

◉功利공리 國利국리 權利권리 名利명리 謀利모리 薄利박리 邊利변리 福利복리 不利불리 私利사리 舍利사리 勝利승리

營利영리 銳利예리 有利유리 便利편리

7 【初】 刀 5 중학 **초** 처음 ㊥魚

丶 ㇇ 衤 衤 衤 衤 衩 初

자원 회의 刀 衣-衤 ┤初(刀부) 3000년전

「刀도」는 날붙이。여기에서는 가위。「衣의」는 옷。「初」는 옷을 만들기 위하여 헝겊에 가위를 대다→일을 시작하다→처음。

뜻 **처음초** ㉠시초。기원(起源)。「最初최초」 ㉡시작。단서(端緖)。㉢근본。㉣고사(故事)。㉤어릴 때。㉥이전。㉦처음으로。처음에。

【初見 초견】처음으로 봄。

【初更 초경】하룻밤을 오경(五更)으로 나눈 첫째의 경(更)。곧 오후 일곱 시부터 아홉 시까지。

【初校 초교】첫번의 교정(校正)。

【初級 초급】맨 처음의 등급(等級)。

【初期 초기】처음의 시기。

【初年 초년】①전생애의 초기。②처음 시기。

【初段 초단】①첫 단(段)。②태권도(跆拳道)·유도(柔道)·바둑 등의 맨 처음의 제일 낮은 단(段)。

【初唐 초당】당(唐)나라의 초기(初期)。곧 시학상(詩學上)으로 태조(太祖)부터 현종(玄宗)의 개원연간(開元年間)에 이르기까지의 사이。

【初代 초대】한 계통을 맨 처음으로 세운 사람。또 그 사람의 시대。

【初度 초도】①출생(出生)한 때。②생일(生日)。③처음。첫번。

【初冬 초동】①초겨울。맹동(孟冬)。②음력 시월의 이칭(異稱)。

【初等 초등】맨 처음의 등급(等級)。

【初老 초로】사십세(四十歲)의 일컬음。

【初面 초면】처음으로 만남。

【初犯 초범】처음으로 죄를 범함。또 그 사람。

【初步 초보】①첫 걸음。②학문·기술 등의 첫 걸음。가장 낮은 정도。

【初伏 초복】삼복(三伏)의 하나。소서(小暑)가 지난 뒤의 첫 경일(庚日)。

【初分 초분】초년(初年)의 운수。

【初產 초산】처음으로 아이를 낳음。

【初喪 초상】사람이 죽어서 장사(葬事) 지낼 때까지의 동안。

【初雪 초설】그 해에 처음으로 내린 눈。첫 눈。

【初聲 초성】한 음절에서 처음으로 나는 소리。첫 소리。

【初旬 초순】그 달 초하룻날부터 열흘날까지의 열흘 동안。상순(上旬)。

【初心 초심】처음의 마음。본시 먹은 마음。

【初審 초심】소송사건(訴訟事件)에 있어서 첫 번의 심리(審理)。

【初有 초유】처음으로 있음。

【初任 초임】처음으로 임명됨。

【初入 초입】처음으로 들어감。

【初志 초지】처음의 뜻。처음에 먹었던 뜻。소지(素志)。

【初出 초출】처음으로 나옴。

【初版 초판】서적(書籍)의 제일판(第一版)。처음 판。첫 판。

【初學 초학】①학문을 처음으로 배움。또 그 사람。초학자(初學者)。②익숙하지 못한 학문。

【初行 초행】첫 번으로 감。또 그 길。

【初獻 초헌】제사(祭祀) 때 첫 번으로 잔을 신위(神位)에 드림。

〔二畫部首順〕二亠人儿入八冂冖冫几凵刀力勹匕匚匸十卜卩厂厶又

【初婚 초혼】 첫 번의 혼인。
◉國初국초 當初당초 歲初세초 始初시초 年初연초 週初주초 最初최초 太初태초

六畫

8
【券】 刀 6 고교 권 | 엄쪽 | 去 願

丶 丷 丷 𠔉 关 券 券

2000년전

자원 형성 刀 龹-关(음) ┬ 券 (刀부)

음을 나타내는 「关권」은 흩어진 것을 정돈하다→정리하다→둥글게 하는 일。「刀도」는 날붙이。「券」은 칼로 나무나 대나무에 새긴 부절(符節)(⇩契계)을 끈으로 정리하다→글자를 쓸 수 있는 작은 조각。

뜻 ①**엄쪽권** ㉠어음을 쪼갠 한 쪽。「左券좌권」「右券우권」 ㉡전(轉)하여 계약서。증서。「證券증권」「債券채권」 ②**언약할권** 약속함。

주의 「劵권」〈게으르다〉은 딴 글자。

【券面 권면】 증권(證券)의 겉면。
◉株券주권 證券증권 地券지권 債券채권

8
【到】 刀 6 중학 도 | 이를 | 去 號

一 厶 云 至 至 至 到 到

자원 형성 至 刀-刂(음) ┬ 到 (刀부)

이르다의 뜻인 「至지」와、음을 나타내는 「刂칼도방」〈칼〉으로 이루어짐。도착하다의 뜻。

뜻 ①**이를도** ㉠닿음。도달함。「到着도착」 ㉡미침。㉢옴。감。「到來도래」 ②**주밀할도** 헐후한 데가 없고 세밀함。「周到주도」「懇到간도」 ③**속일도** 기만함。일설(一說)에는 이르게 함。오게 함。

참고 「到」를 음으로 하는 글자＝「倒도」〈넘어지다〉

【到達 도달】 이름。다다름。
【到來 도래】 이름。옴。
【到底 도저】 ①마침내。필경。결국。 ②끝까지。아주。철저(徹底)。
【到着 도착】 다다름。
【到處 도처】 가는 곳。이르는 곳。
◉來到내도 迫到박도 一到일도 精到정도

8
【制】 刀 6 고교 제 | 마를 | 去 霽

丿 𠂉 仁 午 未 制 制

2000년전

자원 회의 未(制) 刀-刂 ┬ 制 (刀부)

「刀도」는 날붙이。「未미」는 작은 나뭇가지가 뻗은 나무의 모양。「制」는 날붙이로 나무의 가지를 쳐서 깨끗이 하다→베다→만들다→누르다→규칙。

뜻 ①**마를제** 옷감이나 재목 따위를 치수에 맞추어 베고 자름。「裁制재제」 ②**지을제, 만들제** 「制造제조」 ③**정할제** 법 같은 것을 제정함。「制定제정」 ④**금할제** 금지함。「制止제지」 ⑤**누를제** 억압함。「抑制억제」「壓制압제」「制慾제욕」 ⑥**부릴제** 어거함。지배함。「制御제어」「制撫제무」 ⑦**바로잡을제** 바르게 함。 ⑧**맡을제** 주관함。 ⑨**존절히할제** 정도에 알맞게 함。「節制절제」 ⑩**오로지할제** 천단(擅斷)함。 ⑪**따를제** 좇음。복종함。 ⑫**분부제** 명령。 ⑬**법제** 법도(法度)。

규칙。「規制규제」「新制신제」 ⑭구실
제 직분。 ⑮정도제 알맞은 한도。
⑯등급제 등차(等差)。 ⑰꾀제 술수
(術數)。 ⑱끝제 생김새。 체재(體
裁)。 ⑲칙서제 칙명을 전하는 문서。
「矯制교제」

참고 「制」를 음으로 하는 글자＝「掣
체 철」〈끌다〉·「製제」〈짓다〉

【制度 제도】 국가의 법칙(法則)。 법
제(法制)。
【制毒 제독】 미리 해독(害毒)을 없앰。
【制令 제령】 법。 법도(法度)。
【制禮 제례】 예법을 제정함。
【制帽* 제모】 제정된 모자。
【制服 제복】 제정된 복장(服裝)。
【制勝 제승】 승리함。
【制壓 제압】 위력이나 위엄으로 남을
꽉 눌러서 통제함。「건이나 규정。
【制約 제약】 사물의 성립에 필요한 조
【制御 제어】 자기 마음대로 부림。 지
배함。 어거함。
【制作 제작】 ①생각하여 만듦。 ②꾸
밈새。 형식(形式)。「계(懲戒)함。
【制裁 제재】 잘못한 일에 대하여 징

【制定 제정】 만들어 정함。 제결(制
【制造 제조】 만듦。 제조(製造)。「決)。
【制止 제지】 금함。 못하게 함。 금제
(禁制)。
【制覇* 제패】 패권(覇權)을 잡음。
【制限 제한】 ㊀일정한 한도。 ②어느
한도를 넘지 못하게 함。
【制憲 제헌】 헌법(憲法)을 제정함。
◉牽制견제 官制관제 舊制구제 軍制군제
規制규제 禁制금제 法制법제 服制복제
壓制압제 抑制억제 禮制예제 專制전제
節制절제 體制체제 統制통제 學制학제

8【刷】刀6 고교 쇄(솰㊟) | 닦을 | ㊄黠

ㄱ ㅋ 尸 尸 局 屌 刷

자원 형성 刀-刂 / 㕞음-㕞 ┬ 刷(刀부)

「尸시」는 여기에서는 「厂민엄호밑」이
나 「广엄호밑」과 같아 집을 일컬음。
「巾건」은 헝겊。「又우」는 손。 음을
나타내는 「㕞쇄」는 집안의 더러움
을 닦아 깨끗이 하는 일。「刂칼도방
＝刀도」는 날붙이。「刷」는 칼로 깎
아 깨끗이 평평하게 하는 일。 나중
에 솔로 문지르는 일이나 인쇄(印
刷)의 뜻으로 씀。

뜻 ①닦을쇄、 쓸쇄 청소함。「刷掃
쇄소」 ②씻을쇄 ㉠더러운 것을 물에
씻음。「刷洗쇄세」 ㉡제거함。 없애버
림。 ③인쇄할쇄 「增刷증쇄」 ※본음
(本音) 솰

【刷新 쇄신】 묵은 것의 좋지 않은 데
를 버려 면목을 새롭게 함。
◉掃刷소쇄 印刷인쇄

8【刺】刀6 고교 ㊀자 ㊁척 ㊂라 ㊥ | 찌를 | ㊀㊟寘 ㊁㊂㊄陌

一 厂 币 市 朿 朿 刺

자원 형성 刀-刂 / 朿음 ┬ 刺(刀부)

음을 나타내는 「朿사」(朿이 옛 모
양이며 뾰족한 날이 가시 모양으로
붙은 무기)와 「刂칼도방」으로 이루
어짐。 찔러 죽이다、 찌르다의 뜻。

뜻 ㊀①찌를자 ㉠날카로운 것으로
찌름。 찔러 죽임。「刺殺자살」 ㉡침
같은 뾰족한 것으로 찌름。 ②꺾아

〔二畫部首順〕 二亠人儿入八冂冖冫几凵刀力勹匕匚匸十卜卩厂厶又

버릴자 깎거나 베어 버림。③주릴자 골라 뽑음。④바느질할자 ⑤꽂을자 삽입함。⑥바늘자、가시자 바느질하거나 침 놓는 데 등에 쓰이는 길쭉한 쇠。또 식물의 바늘처럼 뾰족하게 돋아난 부분。⑦봉망(鋒鋩)자 창 같은 것의 뾰족한 첨단。봉첨(鋒尖)。⑧헐뜯을자 비방함。욕함。「諷刺풍자」「譏刺기자」⑨꾸짖을자 책망함。⑩물을자 문의함。⑪문신할자 자자(刺字)함。입묵함。「刺字자자」「刺青자청」⑫명함자 이름을 적은 종이 쪽지。「名刺명자」「投刺투자」⑬명함내놓을자 명함을 내놓고 성명을 통(通)함。 二①찌를척 칼로 찔러 상처를 입힘。②정탐할척 몰래 살핌。③저을척 배를 저음。④말많을척 말을 많이 하는 모양。수다스러운 모양。 三《韓》수라(水刺)라 임금에게 올리는 진지。

주의 「刺랄」〈어그러지다〉은 딴 글자。

【刺客 자객】 사람을 몰래 칼로 찔러 죽이는 사람。

【刺戟* 자극】 ①감각 기관에 작용이 미쳐 감각을 일으킴。②흥분케 함。

【刺史 자사】 한(漢)·당(唐) 시대의 주(州)의 장관。태수(太守)。

【刺殺 자살】 척살(刺殺)。

【刺繡* 자수】 수를 놓음。또 그 수。

【刺字 자자】 입묵(入墨)。문신(文身)。

【刺殺 척살】 찔러 죽임。

◉縫刺봉자 水刺수라 手刺수자 諷刺풍자

8 **【刻】** 6 刀 고교 각 새길 入職

亠 亠 亥 亥 亥 亥 刻

자원 형성 刀─刂┐刻(刀부) 亥음┘

「刂칼도방」〈칼〉과、음을 나타내며 동시에 분명하게 하다의 뜻을 나타내기 위한 「亥해」(각은 변음)로 이루어짐。「刻」은 칼로 새기다→표를 하다→구분짓다。중국 사람들은 십오분을 일각(一刻)이라 함。

뜻 ①새길각 ㉠조각함。「刻字각자」「刻印각인」또 ㉡새긴 것。새김。②깎을각 깎아 냄。「刻削각삭」③해할각 해침。④각박할각 모나고 인정이 없음。「刻法각법」「刻削각삭」「刻峻각준」⑤시각각 ㉠물시계의 누전(漏箭)에 시간을 보기 위하여 새긴 금。전(轉)하여 시간。「刻限각한」㉡시헌력(時憲曆)에서는 십오분 동안。그 이전의 달력에서는 십사분 이십사초 동안。⑥정할각 시일을 정함。「刻期각기」

【刻苦 각고】 대단히 애를 씀。비상히 노력함。

【刻骨 각골】 마음 속에 깊이 새기어짐。

【刻骨難忘 각골난망】 남에게 입은 은혜가 마음 속 깊이 새기어져 잊혀지지 아니함。

【刻工 각공】 각수장이。

【刻刀 각도】 새김칼。

【刻勵 각려】 부지런히 힘씀。비상히 노력을 함。 각고면려(刻苦勉勵)。

【刻廉 각렴】 엄격하고 청렴함。

【刻銘 각명】 금석(金石)에 새긴 명(銘)。

【刻木 각목】 나무를 깎거나 새김。

【刻薄 각박】 잔인(殘忍)하고 인정(人情)이 없음。

【刻本 각본】 인본(印本)。

【刻石 각석】 돌에 새김。
【刻印 각인】 도장을 새김。
【刻字 각자】 글자를 새김。
【刻章琢句 각장탁구】 고심하여 조탁(彫琢)한 장구(章句)。
【刻舟求劍 각주구검】 옛날에 초(楚)나라 사람이 배를 타고 나루를 건너다가 잘못하여 칼이 물 속에 빠지자 그 뱃전에 표를 하였다가 배가 나루에 닿은 뒤에 표를 해 놓은 뱃전 밑의 물 속에 다시 들어가서 칼을 찾더라는 고사(故事)。 미련해서 옛 사물에 구애되어 시세(時勢)에 어둡고 변통성이 없음을 비유한 말。 각주(刻舟)。
【刻板 각판】 ①판각하는 데 쓰는 글씨·그림을 새기는 널 조각。 ②서화(書畫)를 널 조각에 새김。
【刻限 각한】 정한 시각。 정각(定刻)。
◉刊刻간각 頃刻경각 漏刻누각 銘刻명각 飜刻번각 石刻석각 時刻시각 深刻심각 印刻인각 篆刻전각 彫刻조각 板刻판각

8 **【剎】** 刀 6 刹(다음 글자)의 속자(俗字)。

七畫

9 **【刹】** 刀 7 **찰** | 기둥 | (入)點

자원 형성 刀-刂 ┐ 杀음 ┘ 刹(刀부)
「刂칼도방」과, 음을 나타내는 「杀찰」로 이루어짐。
뜻 ①**기둥찰** ②**절찰** 불사(佛寺)。「寺刹사찰」 ③**탑찰** 불탑(佛塔)。
【刹那 찰나】《佛敎》 지극히 짧은 시간。 순간(瞬間)。
◉古刹고찰 羅刹나찰 名刹명찰 寶刹보찰 佛刹불찰 寺刹사찰 僧刹승찰 淨刹정찰

9 **【則】** 刀 7 중학 ㊀**즉** | 곧 | ㊀㊁
㊁**칙**(측本) | 법칙 | (入)職

丨 冂 目 貝 貝 則

자원 회의 鼎-貝 ┐ 刀-刂 ┘ 則(刀부)
「刀도」는 날붙이→파서 새기는 일。「鼎정」은 청동기(青銅器)의 하나。「則」은 「鼎」에 파서 새겨진 명문(銘文)→약속의 말→규칙。 나중에 「鼎」을 약하여 「貝패」라고 썼으나 「貝」는 재산→물품의 뜻이므로 「則」은 재산에 의하여 차별(差別)을 하는 일, 또는 물건을 똑같은 분량으로 나누는 일 따위로 설명되게 되었음。

2500년전 2000년전

뜻 ㊀**곧즉** ㉠위를 받아 아래에 접속하는 말로서 아래와 같은 뜻에 쓰임。 …할 때에는。 …한 경우에는。 ㉡만일 그렇다면。 ㉢…에 이르러서는。 ㊁①**법칙칙** ㉠국가의 제도。 행위의 준칙。「規則규칙」 ㉡천지(天地)의 정도(定道)。 자연의 이치。「天則천칙」 ②**본받을칙** 본보기를 삼음。 본뜸。 ※㊁는 본음(本音) **측**
참고 「則」을 음으로 하는 글자=「惻측」〈측은히 여기다〉·「側측」〈곁·옆〉·「測측」〈헤아리다〉·「廁측」〈뒷간〉
◉規則규칙 內則내칙 法則법칙 常則상칙 原則원칙 定則정칙 天則천칙 通則통칙

9 **【削】** 刀 7 고교 ㊀**삭** ㊁**소** | 깎을 | ㊀(入)藥
㊂**초**(소本) | | ㊁㊂(去)嘯

〔二畫部首順〕 二亠人儿入八冂冖冫几凵刀力勹匕匚匸十卜卩厂厶又

丨 丷 小 小 个 肖 肖 肖 削 削

자원 형성 刀-刂 肖음 ┬ 削(刀부)

「刂칼도방」〈칼〉과 음을 나타내는 동시에 작게 하다의 뜻(⇩小소)을 가진 「肖소」(삭은 변음)로 이루어짐。날붙이를 써서 작게 하다, 깎다의 뜻。

뜻 一 ①**깎을삭** ㉠깎아 냄。「削髮삭발」 ㉡삭제함。제거함。「筆削필삭」 ㉢떼어냄。가름。분할함。「削減삭감」 ②**빼앗을삭** 약탈함。「削奪삭탈」「削官삭관」 ③**지근댈삭** 침범함。 ④**깎일삭** 삭감됨。줆。 ⑤**약해질삭** 쇠약하여짐。 ⑥**작을삭** 약소(弱小)함。 ⑦**모질삭** 모나고 인정이 없음。「刻削각삭」 ⑧**창칼삭** 서도(書刀)。 二 ①**채지(采地)소** 주대(周代)에 기전(畿甸) 이백리 안에 있던 대부(大夫)의 채읍(采邑)。「家削之賦가소지부」 ②**화락할소** 화평하고 즐거운 모양。 三 **칼집초** 도실(刀室)。 鞘(革部七畫)와 동용。 ※ 본음(本音) **소**

【削減 삭감】 깎아서 줄임。떼어 내어 줄임。줄임。또 깎이어 줆。

【削剝* 삭박】 깎고 벗김。

【削髮 삭발】 ①머리털을 깎음。 ②중이 됨。출가(出家)함。 「이 됨。

【削髮爲僧 삭발위승】 머리를 깎고 중이 됨。

【削除 삭제】 깎아버림。지워버림。

【削職 삭직】 관직을 삭탈(削奪)함。

【削奪官職 삭탈관직】 삭직(削職)。

◉刻削각삭 減削감삭 剝削박삭 添削첨삭

9 **【前】** 7 刀 중학 **전** | 앞 | ㊥先

丷 䒑 产 产 前 前 前

3000년전

자원 형성 止舟 ┬ 歬음 ┬ 刀-刂 ┬ 前(刀부)

「舟주」는 배→탈것。「止지」는 발의 모양→나아가는 일。음을 나타내는 「歬전」은 탈것으로 앞으로 나아가다→나아가다→앞。「刂칼도방」은 날붙이。「前」은 끝을 잘라 가지런히 하다→가위。나중에 「歬」 대신 써서 나아가다, 앞의 뜻을 나타냄。옛 모양은 「歬」과 「行행」 혹은 「歬」과 「亻두인변」을 합하여 썼음。

뜻 ①**앞전** ㉠장소(場所)에 관한 뒤(後)의 대。「庭前정전」「堂前당전」 ㉡시간(時間)에 관한 뒤(後)의 대。「前人전인」「前賢전현」 ㉢앞으로 나와 대항하는 사람。 ②**인도할전** 앞서 이끎。 ③**나갈전** 앞으로 나감。 ④**앞설전** 정한 시간보다 앞섬。 ⑤**앞서전** ㉠먼저。㉡먼저는。앞서서는。

주의 「前」의 「月」은 본디 「舟주」의 변형인 「月」로 씀。

참고 「前전」을 음으로 하는 글자＝「剪전」〈가위〉·「翦전」〈자르다〉·「揃전」〈자르다〉·「煎전」〈달이다〉·「箭전」〈화살〉 「일。

【前鑑 전감】 거울로 삼을 만한 이전의 일。

【前古未曾有 전고미증유】 자고 이래로 있어 본 일이 없음。옛부터 일찌기 한번도 없음。

【前功 전공】 이전의 공로(功勞)。

【前功可惜 전공가석】 그 전에 들인 공이 아까움。

【前科 전과】 이전에 치른 형벌。

【前官 전관】 전임(前任)의 벼슬아치。

【前驅 전구】말을 타고 행렬의 앞에서 인도함. 또 그 사람. 선구(先驅).
【前記 전기】앞에 적은 기록(記錄).
【前期 전기】①먼저의 기간. 앞의 기간. ②기한(期限)보다 앞섬.
【前年 전년】지난 해. 작년.
【前代 전대】지나간 시대. 예전.
【前代未聞 전대미문】지금까지 들은 적이 없음.
【前途 전도】①앞으로 갈 길. ②장래.
【前道 전도】앞길.
【前導 전도】앞길을 인도함. 선도(先導).
【前略 전략】①문장의 처음 부분을 생략(省略)함. ②편지에서 인사(人事)를 생략할 때 서두에 쓰는 말.
【前例 전례】이전부터 있던 사례(事例).
【前面 전면】앞쪽.
【前無後無 전무후무】전에도 없었고 나중에도 없음.
【前文 전문】앞에 쓴 글.
【前門 전문】앞 문.
【前門拒虎後門進狼* 전문거호후문진랑】간신히 화(禍)를 피하였는데 또 딴 화가 들이닥침을 이름.

【前半 전반】앞의 절반.
【前杯 전배】술자리에 참여(參與)하여 이미 먹은 술. 전작(前酌).
【前夫 전부】먼젓번의 남편.
【前非 전비】이전(以前)의 잘못.
【前生 전생】《佛教》이 세상에 나오기 전의 세상. 금생(今生)의 대(對).
【前生緣分 전생연분】이 세상에 나오기 전에 맺은 연분(緣分).
【前書 전서】①전에 적은 글. ②전번의 편지.
【前說 전설】①이전 사람이 남겨 놓은 설(說). ②전의 논설.
【前聖 전성】예전의 성인.
【前世 전세】①전대(前代). ②전생(前生).
【前述 전술】앞에서 말함.
【前習 전습】이전의 습관.
【前身 전신】①전세에 태어났던 몸. ②변하기 이전의 본체(本體).
【前室 전실】이전의 아내. 전취(前娶).
【前夜 전야】①어젯밤. ②전날 밤.
【前約 전약】전에 맺은 언약.
【前言 전언】①고인(古人)의 말. ②이왕에 한 말.

【前緣 전연】전인(前因).
【前列 전열】①앞줄. ②군대에서 앞선 대오(隊伍).
【前月 전월】지나간 달. 전달.
【前衛 전위】앞에서 먼저 나가는 호위(護衛). 후위(後衛)의 대(對).
【前人 전인】이전 사람. 선인(先人).
【前日 전일】지난 날. 선일(先日).
【前者 전자】앞의 것.
【前作 전작】전의 작품.
【前酌 전작】술자리에서 이미 마신 술.
【前定 전정】이전에 정하여짐. 미리 확정됨.
【前庭 전정】앞 뜰.
【前情 전정】옛 정(情).
【前程 전정】앞 길. 전도(前途).
【前程萬里 전정만리】전도가 매우 유망함을 이름. 전도만리(前途萬里).
【前提 전제】①어떠한 사물을 먼저 내세움. ②추리(推理)에서 단안(斷案)의 기초가 되는 명제(命題).
【前兆 전조】조짐(兆朕). 전표(前表).
【前朝 전조】①전의 조정. 선제(先帝)의 치세(治世). ②전대의 왕조(王朝).

【前罪 전죄】 이전에 저지른 죄.

【前職 전직】 이전의 벼슬 자리.

【前進 전진】 앞으로 나감.

【前車覆後車戒* 전차복후차계】 앞차가 엎어진 것을 보고 뒤차가 경계하여 넘어지지 않도록 한다는 뜻으로, 전인(前人)의 실패를 보고 후인(後人)은 이를 경계로 삼아야 한다는 말.

【前妻 전처】 이전의 아내. 전실(前室).

【前哲 전철】 예전의 철인(哲人).

【前轍* 전철】 앞에 지나간 수레바퀴의 자국이라는 뜻으로, 이전 사람이 그르친 일의 자취를 이름. 「군사.

【前哨* 전초】 전방(前方)에 둔 망보는

【前篇 전편】 두 편으로 나누인 책의 앞 편. 후편(後篇)의 대(對).

【前漢 전한】 유방(劉邦)이 세운 한(漢)나라를 후한(後漢)과 구별하여 부르는 이름. 서한(西漢)이라고도 함. (B.C. 二〇二~八)

【前項 전항】 앞에 적히어 있는 사항. 앞의 항목(項目).

【前嫌* 전혐】 전의 혐의(嫌疑).

【前回 전회】 지난번. 먼젓번.

【前後 전후】 ①앞뒤. ②먼저와 나중. ③처음과 끝.

◉ 空前공전 紀元前기원전 目前목전 門前문전 產前산전 生前생전 食前식전 眼前안전 御前어전 午前오전 以前이전 直前직전 最前최전 風前풍전 向前향전

八畫

10 【剖】 刀 8 부 | 가를 | ㊤有

자원 형성 刀-刂 ┬ 剖(刀부)
咅 음 ┘

「刂칼도방」〈칼〉과, 음을 나타내는 「咅부」로 이루어짐. 칼로 둘로 나누다의 뜻.

뜻 ①가를부 ㉠쪼갬. 빠갬. 「剖割부할」 ㉡시비를 가름. 판단함. 재결함. 「剖決부결」 ②갈라질부 ㉠쪼개짐. ㉡나누임. 분할됨.

【剖決 부결】 옳고 그름을 갈라 결정함. 판단함.

【剖棺斬屍 부관참시】 죽은 후에 큰 죄가 드러났을 때 관을 쪼개고 목을 베어 극형(極刑)을 추시(追施)하는 일.

◉ 評剖평부 解剖해부

10 【剛】 刀 8 고교 강 | 굳셀 | ㊥陽

丨 冂 冂 冈 冈 岡 岡 剛 剛

자원 형성 刀-刂 ┬ 剛(刀부)
岡 음 ┘

「刂칼도방」〈칼〉과, 음을 나타내는 동시에 단단하다는 뜻(⇩硬경)을 가진 「岡강」으로 이루어짐. 쉽게 굽거나 부러지지 않는 단단한 칼. 전(轉)하여 강하다는 뜻.

뜻 ①굳셀강 ㉠지조가 굳음. 주의·절조(節操)를 변하지 아니함. 「剛直강직」「剛毅강의」 ㉡힘이 셈. 약하지 아니함. 「剛健강건」 ②억셀강 연하지 아니함. 「剛柔강유」 ③강일강 십간(十干) 중의 갑(甲)·병(丙)·무(戊)·경(庚)·임(壬)에 해당하는 날. 기수(奇數)의 날. 유일(柔日)의 대(對). ④바야흐로강 속어(俗語)로서 시(詩)에 쓰이는데 方(部首)과

같은 뜻임。

【剛健 강건】①셈。굳셈。②격조(格調)가 웅장(雄壯)하고 어세(語勢)가 강함。기품(氣品)이 장대(壯大)하고 필력(筆力)이 강함。

【剛氣 강기】굳센 기상(氣象)。

【剛斷 강단】과단성 있게 결단함。

【剛猛 강맹】굳세고 사나움。

【剛性 강성】물질의 단단한 성질。

【剛柔 강유】①억셈과 연함。②굳셈과 부드러움。

【剛柔兼全 강유겸전】강(剛)과 유(柔)를 다 갖춤。성품이 부드러우면서도 단단함。

【剛毅* 강의】강직(剛直)하여 굴(屈)하지 아니함。

【剛忍 강인】억세어 인정이 없음。

【剛腸 강장】강직(剛直)한 마음의 비유。

【剛直 강직】마음이 굳세고 곧음。

◉金剛금강 內剛내강 內柔外剛내유외강 柔能制剛유능제강 至大至剛지대지강

10 【剝】刀 8 박 — 벗길 — [入]覺

[자원] 형성 刀—刂┐彔[음]┘剝(刀부)

「刂칼도방」〈칼〉과、음을 나타내며 동시에 떨어뜨리다의 뜻(⇩落락)을 나타내기 위한 「彔록」(박은 변음)으로 이루어짐。칼로 발라내다、전(轉)하여 벗기다의 뜻。

[뜻] ①**벗길박** ㉠껍질을 벗김。㉡옷을 벗김。옷을 빼앗음。㉢짐승을 죽이고 껍질을 벗기고 살을 바름。육체를 해부함。㉣드러냄。노출시킴。②**벗겨질박** ㉠벗김을 당함。㉡떨어짐。탈락(脫落)함。③**떨어뜨릴박** 탈락하게 함。④**깎을박** 깎아냄。⑤**다칠박**、**상할박** ⑥**찢을박** 잡아당기어 가름。⑦**두드릴박** 두드려 떨어뜨림。⑧**박괘박** 육십사괘(六十四卦)의 하나。☷☶(곤하(坤下)、간상(艮上))으로서 소인(小人)은 장(壯)하고 군자(君子)는 앓는 상(象)。

[주의] 「剝」은 같은 글자。

【剝落 박락】벗겨져 떨어짐。

【剝削 박삭】벗기고 깎음。또 벗기어 빼앗음。

【剝製 박제】새·짐승의 가죽을 벗기고 속에 솜을 메워 표본을 만드는 일。또 그 물건。

【剝奪 박탈】벗겨 빼앗음。탈취함。

【剝皮 박피】껍질을 벗김。

◉刻剝각박

10 【剣】刀 8 劍(刀部十三畫)의 약자(略字)。

10 【剤】刀 8 劑(刀部十四畫)의 약자(略字)。

九畫

11 【副】刀 9 [고교] ㊀부 ㊁복 — 버금 — ㊀[去]宥 ㊁[入]職

一 戸 畐 畐 畐 副 副

副

[자원] 형성 刀—刂┐畐[음]┘副(刀부)

「刂칼도방」은 칼。음을 나타내는 「畐복」(부는 변음)은 술단지→좌우(左右)가 불룩하여진 모양。「副」는 희생(犧牲)의 짐승의 배를 갈라 발라서 바치다、제사。나중에 쪼개다→

둘로 나누다。또 둘 있는 것 중、으뜸이 되는 것에 대하여 버금이 되는 것。

[뜻] ㊀①버금부 ㉠다음。둘째。예비。정(正)의 대(對)。「正副정부」「次副차부」「副將부장」㉡보좌。「副貳부이」「副職부직」②도울부 보좌함。③맞을부 적합함。④머리꾸미개부 머리를 땋아 만든 부인(婦人)의 수식(首飾)。㊁쪼갤복 뻐갬。

【副官 부관】장관(長官) 밑에서 군사상의 서무(庶務)를 맡는 무관(武官)。

【副馬 부마】예비로 두는 여벌의 말。

【副本 부본】원본(原本)의 버금으로 비치하여 두는 원본과 꼭 같은 서류。

【副使 부사】정사(正使)를 보좌하는 「버금 사신(使臣)。

【副産物 부산물】주산물(主産物)을 만드는 데 따라서 생기는 물건。

【副賞 부상】상장(賞狀) 이외에 덧붙여 주는 상품。

【副署 부서】법령 또는 조약 같은 것을 새로 제정할 때 원수(元首)의 이름을 서명한 다음에 국무 위원이 하는 서명(署名)。

【副成分 부성분】주성분 이외의 성분。

【副食物 부식물】주(主)되는 음식(飮食)에 껴서 먹는 음식(飮食)。밥에 대한 반찬 따위。

【副室 부실】적은집。첩(妾)。

【副業 부업】본업(本業) 밖에 갖는 직업。여업(餘業)。

【副元帥 부원수】원수(元帥)의 버금으로 원수를 보좌하는 직(職)。

【副作用 부작용】약(藥)이 목적으로 하는 본래의 작용 이외에 부수(副隨)하여 일어나는 작용。

【副將 부장】주장(主將)을 보좌하는 버금 장수。비장(裨將)。

◉正副정부

十畫

12 【剩】 刀 10 잉 | 남을 | [去]徑

[자원] 형성 刀—刂 乘음 ┬剩 (刀부)

「刂칼도방」과、음을 나타내는 동시에 남다의 뜻(⇩賸잉·싱)을 나타내기 위한 「乘승」(잉은 변음)으로 이루어짐。자른 나머지의 뜻。

[뜻] ①남을잉、나머지잉 어떤 한도 밖에 더 있음。또 그것。「剩餘잉여」「剩員잉원」②길잉 쓸데 없이 길。「剩語잉어」③더구나잉 더군다나。게다가。그 위에。

【剩餘 잉여】나머지。잔여(殘餘)。

◉過剩과잉 餘剩여잉 足剩족잉

12 【割】 刀 10 [고교] 할 | 가를 | [入]曷

丶 宀 宀 宀 宝 害 害 割

[자원] 형성 刀—刂 害음 ┬割 (刀부)

2500년전

「刂칼도방」과、음을 나타내며 동시에 일이 잘 되지 않도록 방해하는 뜻을 가진 「害해」(할은 변음)로 이루어짐。소를 수술(手術)하다의 뜻인 「犗개」를 칼로 수술하므로 「割」로 고쳐 쓴 것。또 칼로 가르다、빼개다、상처내다 등의 뜻。

[뜻] ①가를할 ㉠칼로 베어 끊음。절단함。「割烹할팽」㉡나눔。구분함。

「分割분할」ⓒ나누어 줌。분양(分讓)함。②빼앗을할 성이나 땅을 점령함。「割耕할경」③해칠할 손해를 끼침。④재앙할 재해(災害)。

【割據 할거】한 지방을 점령하여 웅거(雄據)함。

【割禮 할례】유대교에서 남자가 난 지 여드레 만에 자지 끝의 피부를 조금 베어 버리는 예식。

【割腹 할복】배를 가름。

【割符 할부】부신(符信)을 갈라 증거로 삼음。

【割授 할수】나누어 줌。

【割愛 할애】사랑하는 마음을 끊어버림。또 사랑하는 바를 잘라버림。

【割讓 할양】나누어 줌。

◉分割분할

12 **【創】** 刀 10 고교 **창** | 다칠 ㊀陽 ㊁漾

ㅅ ㅅ 今 合 倉 倉 創

創

자원 형성 刀-刂 倉음 ┬創(刀부)

2500년전

「刂칼도방」과、음을 나타내며 동시(同時)에 상처를 내다의 뜻(⇩傷상)을 가진 「倉창」으로 이루어짐。칼로 상처를 내다의 뜻。또 「刅창」과 통하여 음을 빌어 시작하다의 뜻。

뜻 ①**다칠창** 칼 따위의 연장에 다침。②**상처창** 연장에 다친 데。「創傷창상」③**부스럼창** 瘡(疒部十畫)과 통용。④**비롯할창** 시작함。개시함。「創始창시」「開創개창」⑤**징계할창** 한 번 혼이 나서 조심함。⑥**슬퍼할창** 상심함。가슴 아파함。

【創刊 창간】신문·잡지·교지(校誌) 등의 정기 간행물을 처음으로 간행함。발간(發刊)。

【創建 창건】창립(創立)。

【創見 창견】①독창(獨創)의 의견。②처음으로 한 발견。

【創立 창립】처음으로 세움。처음으로 이룩함。창건(創建)。창설(創設)。

【創傷 창상】연장에 다친 상처(傷處)。

【創設 창설】처음으로 베풂。창립(創立)。신설(新設)。

【創世 창세】처음으로 세계를 만듦。

【創世記 창세기】구약성서(舊約聖書)의 첫권。천지 개벽(天地開闢)과 만물을 창조(創造)한 전설의 기록。

【創始 창시】일을 비롯함。

【創業 창업】①나라를 처음으로 세움。②사업을 일으킴。

【創意 창의】새로 생각해 낸 의견。새로운 착상(着想)。

【創作 창작】①처음으로 생각해 내어 만듦。②자기의 창의(創意)에 의하여 지은 문예(文藝) 작품。

【創制 창제】①창건(創建)하여 다스림。②제도(制度)를 만듦。「製」。

【創造 창조】처음으로 만듦。창제(創制)。

◉傷創상창 刃創인창 重創중창 草創초창

十二畫

14 **【劃】** 刀 12 고교 **획** | 쪼갤 ㊀陌

ㄱ ㅋ 聿 聿 聿 書 書 畫 劃

자원 형성 刀-刂 畫음 ┬劃(刀부)

「刂칼도방」과、음을 나타내며 동시(同時)에 자국을 내는 뜻의 「畫화·획」으로 이루어짐。칼자국을 내서 나누다의 뜻。전(轉)하여、구분(區分)의 뜻。

뜻 ①쪼갤획 가름。②그을획 구분함。「區劃구획」 ③환히획 분명히。「劃然획연」

【劃給 획급】 갈라 줌。나누어 줌。

【劃一 획일】 모두 한결같이 함。획일(畫一)。일률(一律)。

◉區劃구획 天劃천획

十三畫

15 【劇】 刀 13 고교 극 심할 入陌

丨 ⺊ 广 卢 虍 豦 劇

자원 형성 力 ┬ 勮 ─ 劇(刀부) 豦음 ┘ 음을 나타내는「豦거」(극은 변음)는 호랑이가 두 발을 들고 서는 모양↓급함↓맹렬함。갑자기 무엇인가 일어나는 것을「遽거」라 하고、맹렬한 일、큰일을「勮거」라 함。「力력」은 일의 뜻。후에 음은「극」、자형(字形)은「力」을 닮은「刀도↓刂갈도방」으로 변하였음。

뜻 ①심할극 격심함。대단함。「劇甚극심」「劇寒극한」 ②어려울극 ③바쁠극 분망(奔忙)함。번거로움。「劇務극무」「劇職극직」 ④번화할극 사람의 왕래가 많음。또 그러한 곳。「劇地극지」 ⑤많을극 번다(繁多)함。⑥빠를극 신속함。⑦고생할극 ⑧놀이극 장난。⑨연극극 희극·비극 따위。「戲劇희극」「京劇경극」

참고 「劇」은「劇」의 속자(俗字)。

【劇界 극계】 연극인들의 사회。

【劇團 극단】 연극(演劇)하는 단체。

【劇壇 극단】 ①연극의 무대(舞臺)。②연극인의 사회。극계(劇界)。

【劇烈 극렬】 과격하고 맹렬함。

【劇論 극론】 격렬(激烈)한 의론。

【劇務 극무】 매우 바쁜 직무。

【劇文學 극문학】 연극 예술을 위한 문학。

【劇繁 극번】 대단히 고되고 바쁨。

【劇變 극변】 몹시 변(變)함。또 급격한 변화。격변(激變)。

【劇詩 극시】 연극 각본(脚本)으로 꾸며진 장편(長篇)의 시。

【劇甚 극심】 극도로 심함。아주 심함。

【劇藥 극약】 성질이 극렬한 약。표준 용량(用量)을 지나쳐 복용하면 중독을 일으켜 위험한 약。산토닌·수면제 같은 것。

【劇熱 극열】 몹시 심한 열。

【劇作 극작】 희곡(戲曲)이나 각본을 창작하는 일。

【劇作家 극작가】 희곡(戲曲)이나 각본을 창작하는 사람。

【劇場 극장】 연극(演劇)을 하는 곳。

【劇寒 극한】 대단한 추위。기한(祁寒)。

【劇戲 극희】 광대가 하는 연극(演劇)。

◉歌劇가극 繁劇번극 悲劇비극 演劇연극 雜劇잡극 慘劇참극 活劇활극 喜劇희극

15 【劉】 刀 13 류 죽일 平尤

2500년전

자원 형성 刀 ┬ 劉(刀부) 𨥙음 ┘ 「刂칼도방」과、음을 나타내는 동시에 죽이다의 뜻(⇩鐂류)을 가진「𨥙류」로 이루어짐。칼로 죽이다의 뜻。

뜻 ①죽일류 살해함。②도끼류 무

기(武器)로 쓰는 도끼。 월(鉞)의 한 종류。 ③성류 성(姓)의 하나。

주의 「劉」의 본디글자는 「劉」。「丣」는 「丣」로도 쓰여짐。 예를 들면 「柳류」는 「桺」가 본디글자。

【劉邦 유방】 전한(前漢)의 고조(高祖)。 자(字)는 계(季)。 항우(項羽)와 다투기 무릇 오년(五年)、 마침내 국내를 통일하고 한조(漢朝)를 세워、 장안(長安)에 도읍하였음。

【劉備 유비】 삼국시대(三國時代)의 촉한(蜀漢)의 임금。 자(字)는 현덕(玄德)。 제갈양(諸葛亮)을 양양(襄陽)에서 만나 그의 천하(天下)를 삼분(三分)하는 계책을 써서 파촉(巴蜀)을 평정한 후 성도(成都)에서 제위(帝位)에 오르고 국호를 한(漢)이라 하였음。 유선주(劉先主)。

【劉宋 유송】 남조(南朝)의 송(宋)의 별호(別號)。 조송(趙宋)과 구별(區別)하기 위하여 일컬음。

【劉秀 유수】 후한(後漢)의 제일세(第一世) 광무황제(光武皇帝)。 자(字)는 문숙(文叔)。 왕망(王莽)을 곤양(昆陽)에서 격파하고 제위(帝位)에 올라 후한(後漢)의 기초를 열었음。

【劉向 유향】 전한(前漢)의 종실(宗室)。 자(字)는 자정(子政)。 뛰어난 학자로서 저서(著書)에 열녀전(列女傳)·신서(新序)·홍범오행전(洪範五行傳)·설원(說苑) 등이 있음。

15 【劍】 刀 13 고교 검 — 칼 — 去 豔

𠆢 亼 合 合 侖 侖 僉 僉 劍 劍

자원 형성 刀-刂 僉음 ┬ 劍 (刀부) 2500년전

「刂칼도방」에、 음과 함께 뾰족하다의 뜻(⇩尖첨)을 나타내기 위한 「僉첨」(검은 변음)으로 이루어짐。 끝이 날카롭게 뾰족한 칼의 뜻。

뜻 ①칼검 허리에 차는 칼。 또 칼을 쓰는 법。 검술(劍術)。「客劍객검」 ②죽일검 칼로 찔러 죽임。

주의 「劒」은 옛글자。「劔」은 속자(俗字)。「剣」은 약자。

【劍客 검객】 검사(劍士)。

【劍舞 검무】 칼을 들고 추는 춤。 칼춤。

【劍法 검법】 검술(劍術)。

【劍鋒* 검봉】 칼의 끝。 검망(劍鋩)。

【劍士 검사】 검술(劍術)에 능통한 사람。 칼을 잘 쓰는 사람。 검객(劍客)。

【劍術 검술】 칼 쓰는 법。

【劍俠* 검협】 검술(劍術)이 능한 협객(俠客)。

【劍花 검화】 칼이 서로 부딪칠 때 나는 불꽃。 검화(劍火)。

◉短劍단검 刀劍도검 木劍목검 寶劍보검 三尺之劍삼척지검 利劍이검 長劍장검

十四畫

16 【劑】 刀 14 ㊀자 ㊁제 — 자를 — ㊀平 支 ㊁去 霽

자원 형성 刀-刂 齊음 ┬ 劑 (刀부)

「刂칼도방」과、 음을 나타내며 동시(同時)에 가지런히 하다의 뜻을 가진 「齊제」로 이루어짐。 칼로 잘라 가지런히 하다의 뜻。 전(轉)하여、 약을 섞는 뜻。

뜻 ㊀①자를자 가지런히 절단함。 ②어음자 「質劑질자」는 계약을 한 표

쪽。 [二]①약재제 약의 재료。「調劑조제」 ②약제제 조제(調劑)한 약。「強壯劑강장제」 ③한도제 일정한 분한(分限)。

◉強心劑강심제 藥劑약제 錠劑정제 調劑조제 淸涼劑청량제 催眠劑최면제

力 部

2

【力】 부수 중학 력 힘 ㊀職

ㄱ力

자원 상형 3000년전

「力」은 농구 **가래**의 모양。 나중에 일하다、힘의 뜻。

뜻 ①**힘력** ㉠근육의 작용。「筋力근력」 ㉡정신의 작용。「心力심력」 ㉢기능。작용。「能力능력」「人力인력」 ㉣물체의 운동을 일으키는 원인。「重力중력」「水力수력」 ㉤권세。위세(威勢)。「權力권력」 ㉥공。공적。 ㉦효험。「效力효력」 ㉧부역(賦役)。「力政역정」 ㉨노력。수고。「勞力노력」 ㉩기세。 ㉪무용(武勇)。 ㉫도움。원조。 ㉬은덕。덕택。또 힘들여 한 산물。 ②**힘쓸력** ㉠일을 함。업무에 종사함。「力作역작」 ㉡힘을 다함。애씀。「力戰역전」 ㉢뜻을 둠。 ③**힘써력** 힘을 다하여。노력하여。「力行역행」 ④**심할력** 병이 대단함。 ⑤**힘줄력** 심줄。 ⑥**하인력** 종복(從僕)。 ⑦**일꾼력** 인부。 ⑧**군사력** 병정。병사。

참고 「力」을 음으로 하는 글자=「肋륵」〈늑골〉·「勒륵」〈굴레〉

【力諫* 역간】 힘써 간함。고간(苦諫)。극간(極諫)。

【力求 역구】 힘써 구함。

【力道 역도】 《韓》 역기(力技)。

【力量 역량】 능력(能力)의 정도。

【力拔山兮氣蓋世 역발산혜기개세】 산(山)을 뽑고 세상(世上)을 덮을 만한 웅대(雄大)한 기력(氣力)을 형용한 말。초(楚)나라 항우(項羽)가 한(漢)나라 고조(高祖)와 결전(決戰)하여 해하(垓下)에서 패(敗)하였을 때의 노래의 일절(一節)。

【力不及 역불급】 힘이 미치지 못함。

【力士 역사】 힘이 센 사람。

【力說 역설】 힘써 말함。힘써 설명함。

【力作 역작】 ①힘써 일함。②경작(耕作)에 힘씀。

【力著 역저】 힘을 들여서 지은 저서。

【力戰 역전】 힘을 다하여 싸움。

【力點 역점】 지레로 물체를 움직일 때 힘이 모이는 점。

【力盡 역진】 힘이 다함。힘이 지침。

【力學 역학】 ①학문에 힘씀。②물체의 동정(動靜)·운동의 지속(遲速) 및 힘의 작용 등에 관한 학문。

◉強力강력 國力국력 權力권력 氣力기력 努力노력 勞力노력 能力능력 馬力마력 武力무력 勢力세력 速力속력 水力수력 心力심력 威力위력 有力유력 人力인력 自力자력 自制力자제력 財力재력 全力전력 戰力전력 精力정력 助力조력 主力주력 重力중력 盡力진력 體力체력 他力타력 彈力탄력 學力학력 協力협력

三畫

5
【加】 力 3 중학 **가** | 더할 | ㊥麻

ㄱ 力 加 加 加

자원 회의 力口 → 加 (力부)

「力힘력변」은 알통이 나온 팔의 모양。「口구」는 뭔가 물건의 모양。「加」는 위에 얹다。「何하」「荷하」〈어깨에 멤〉와 음이 옛날부터 통하고 뜻도 관계가 깊음。그러나 후세 사람은 「口」는 입으로 보고 「加」는 힘주어 말하다→수다떨다로 생각하였음。「力」은 농구(農具)의 모양이라고도 함。

2500년전 2000년전

뜻 ①**더할가** ㉠보탬。늘임。많게 함。「倍加배가」 ㉡높게 함。올림。「加階가계」 ㉢베풂。줌。「加恩가은」 ②**더하여질가** ㉠보태어짐。늚。많아짐。㉡높아짐。올라감。③**업신여길가** 모멸함。능멸(淩蔑)함。④**입을가、쓸가** 착용(着用)함。「加冠가관」 ⑤**칠가** 공격함。⑥**있을가** 처(處)함。⑦**미칠가** 이름。⑧**가법가** 수에 수를 보태는 일。또 그 산법(算法)。⑨**더욱가** 한층 더。오히려 더하게。

참고 「加」를 음으로 하는 글자=「枷가」〈도리깨〉·「架가」〈시렁〉·「痂가」〈딱지〉·「跏가」〈책상다리〉·「迦가」〈부처이름〉·「嘉가」〈아름답다〉·「賀하」〈하례하다〉·「駕가」〈탈것〉·「袈가」〈가사〉

【加減 가감】 ①더함과 덜함。②조절함。③가법(加法)과 감법(減法)。

【加減不得 가감부득】 더할 수도 없고 덜할 수도 없음。

【加工 가공】 자연물이나 미완성품에 인공(人工)을 가함。

【加冠 가관】 관례(冠禮)를 행하고 관(冠)을 씀。

【加擔* 가담】 같은 편이 되어 힘을 도움。

【加盟 가맹】 동맹(同盟)이나 연맹(聯盟)에 가입(加入)함。

【加味 가미】 ①음식에 다른 식료품을 조금 넣어 맛이 더 나게 함。②원약방문에 다른 약재(藥材)를 더 넣음。

【加法 가법】 몇 개의 수(數)나 식(式)을 합하는 법。

【加俸* 가봉】 ①봉급(俸給)을 올림。②정한 봉급 외에 따로 더 주는 봉급。

【加算 가산】 ①얹어서 계산(計算)함。②가법(加法)。

【加勢 가세】 조력함。원조함。

【加熱 가열】 열도(熱度)를 더함。

【加恩 가은】 은혜를 베풂。우대함。

【加一層 가일층】 더 한 층(層)。

【加除 가제】 더함과 뺌。

【加重 가중】 ①더 무거워짐。②더 무겁게 함。

【加之 가지】 그 위에。더욱。뿐만 아니라。

【加鞭* 가편】 채찍질하여 걸음을 재촉함。

【加筆 가필】 시문(詩文)에 붓을 대어 고침。첨삭(添削)。

【加害 가해】 ①남에게 해(害)를 줌。②남을 다치게 하거나 죽임。

【加護 가호】 ①보호함。②신불(神佛)의 두호(斗護)。명조(冥助)。

◉累加누가 冥加명가 倍加배가 附加부가 增加증가 參加참가 添加첨가 追加추가

5 【功】力 3 [중학] 공 | 공 | [平]東

一 丅 工 巧 功

[자원] 형성 力 工[음] 丅 功 (力부)

음을 나타내는「工공」은 도구(道具)↓일↓일을 하다.「力력」은 팔의 모양(농구의 모양이라고도 함)↓힘써 일을 하다.「功」은 훌륭하게 일을 하다↓훌륭한 일↓공로.

[뜻] ①공공 ㉠공적.「功名공명」「功勳공훈」㉡힘을 들여 이룬 결과. ㉢이룬 결과가 양호한 일. 또 공을 세운 사람. ②보람공 효험. ③공치사할공 자기가 자기 공을 자랑함.「自功자공」④일공 직무. 사업.「田功전공」⑤상복이름공 삼베로 만든 상복.「大功대공」

【功過 공과】공로(功勞)와 죄과.

【功課 공과】일의 과정(課程). 일의 성적(成績).

【功級 공급】공적(功績)의 등급.

【功德 공덕】공적과 은덕.

【功力 공력】①효험(效驗). 효력. ②애쓰는 힘. 힘들여서 이루는 공.

【功烈 공렬】큰 공업(功業).

【功勞 공로】애를 써 이룬 공적(功績).

【功利 공리】①공명(功名)과 이욕(利慾). ②공적(功績)과 그 공적이 세상에 미치는 이익(利益).

【功名 공명】공적과 명예(名譽).

【功名心 공명심】공명(功名)을 구하는 마음.

【功伐 공벌】공적(功績).

【功夫 공부】①궁리함. 연구함. 공부(工夫). ②방법. 수단.

【功臣 공신】나라에 공로가 있는 신하.

【功役 공역】토목공사의 부역(賦役).

【功績 공적】훈공(勳功). 공로(功勞).

【功田 공전】유공자(有功者)에게 하사(下賜)하는 전지(田地).

【功罪 공죄】공로와 죄과(罪過).

【功效 공효】①공적(功績). ②공을 들인 효과. 보람.

【功勳 공훈】공. 훈공(勳功).

◉ 論功논공 武功무공 成功성공 勳功훈공

【㓜】⇩幺部二畫

四畫

6 【劣】力 4 [고교] 렬 | 못할 | [入]屑

丨 八 小 少 劣 劣

[자원] 회의 力 少 丅 劣 (力부)

「力력」〈힘〉과「少소」〈적다〉로 이루어짐. 힘이 적다, 약하다의 뜻에서 못하다의 뜻이 되었음.

[뜻] ①못할렬 ㉠재능·기예 등이 남보다 못함.「庸劣용렬」「拙劣졸렬」㉡힘이나 마음이 약함.「弱劣약렬」㉢졸렬함. ②겨우렬 간신히.

【劣等 열등】낮은 등급(等級).

【劣勢 열세】세력이 열등함. 또 그 세력.

【劣惡 열악】품질이 나쁨.

【劣敗 열패】열등한 자가 패(敗)함.

◉ 卑劣비열 庸劣용렬 優劣우열 拙劣졸렬

五畫

7 【助】力 5 [중학] 조 | 도울 | [去]御

丨 冂 冃 月 且 盯 助

자원 형성 力 且(음) 丆 助(力부)

「力력」은 일을 하다。음을 나타내는 「且차·조」는 겹치다、또는 밑에 물건을 깔다。「助」는 물건 밑에 깔개를 깔듯이、또 물건을 겹쳐 쌓듯이 사람의 힘을 빌어 돕는 일。

뜻 ①**도울조** ㉠힘을 빌림。보좌함。「助力조력」、㉡어려운 사람을 구제함。또 돕는 사람。보좌。②**도움조** 조력。이익。③**구실조** 은(殷)나라 때에 정전(井田)의 중앙의 일구(一區)의 공전(公田)을 주위의 팔구(八區)를 경작하는 여덟 가호가 같이 경작하여 그 수확을 관(官)에 바치던 전조(田租)。

참고 「助」를 음으로 하는 글자=「耡서」〈호미〉·「鋤서」〈호미〉

【助教授 조교수】 대학(大學)에서 교수(教授)를 도와 연구 및 수업을 담당하는 교직자(教職者)。

【助動詞 조동사】《韓》동사(動詞)의 뜻을 돕는 품사(品詞)。

【助力 조력】 남의 일을 도와 줌。

【助命 조명】 생명을 구해 줌。

【助詞 조사】 ①조자(助字)。②《韓》체언(體言)이나 부사(副詞) 밑에 붙어 다른 말과의 관계나 그 말의 뜻을 돕는 품사。토。

【助產 조산】 아이를 낳을 때 산모를 돕고 아이를 받는 일。또 그 사람。

【助成 조성】 도와서 이루게 함。

【助手 조수】 주장되는 사람의 일을 도와 주는 사람。

【助言 조언】 옆에서 말참견하여 도와 줌。또 그 말。

【助字 조자】 문장(文章)의 의미를 돕기 위하여 첨가(添加)하는 글자。于·於·乎·矣·焉·哉·也 등의 글자。

【助長 조장】 ①도와서 빨리 자라게 함。전하여 ②속성하기를 바라 서두르다가 도리어 일을 해침。

【助興 조흥】 흥취를 도움。

◉救助구조 內助내조 補助보조 扶助부조 神助신조 援助원조 自助자조 天助천조

7 【劫】 力 5 **겁** — 겁탈할 — ㊀洽

자원 형성 力 去(음) 丆 劫(力부)

「力력」〈힘〉과 음을 나타내는 「去거」〈가다〉(겁은 변음)로 이루어짐。힘으로 을러 빼앗아 가다、또는 떠나가려는 사람을 힘으로 막다의 뜻。

뜻 ①**겁탈할겁** 억지로 빼앗음。「劫掠겁략」「劫盜겁도」 ②**으를겁** 위협함。협박함。「劫脅겁협」「威劫위겁」 ③**강도겁** 위협하여 약탈하는 도둑。④**대궐층계겁** 궁전의 계단。⑤**패겁** 바둑의 패。⑥**겁겁** 범어(梵語) kalpa의 음역(音譯)。가장 긴 시간。또 단지 시간의 뜻으로도 쓰임。⑦**부지런할겁** 부지런히 일하는 모양。

주의 「刦」·「刧」은 속자(俗字)。

【劫姦 겁간】 폭력(暴力)을 써서 간음(姦淫)함。강간함。

【劫掠 겁략】 협박하여 남의 물건을 빼앗음。

【劫迫 겁박】 위세(威勢)를 보이며 협박(脅迫)함。강박(強迫)함。

【劫奪 겁탈】 폭력으로써 빼앗음。협탈(脅奪)。겁략(劫略)。

◉萬劫만겁 掠劫약겁 億劫억겁 永劫영겁

7 【努】力 5 고교 노 — 힘쓸 — ㊤麌

く 女 女 奴 奴 努 努

자원 형성 奴음 力 ⊤努(力부)

음을 나타내는 「奴노」는 참고 일하는 노예。「力력」은 열심히 하다。「努」는 그다지 오래된 글자가 아니며、「怒노」가 무리하게 하다→열심히 하다란 뜻으로도 쓰였으나 나중에 「怒노」〈화내다〉와 「努」〈열심히 하다〉를 구별하여 쓺。

뜻 **힘쓸노** 열심히 일함。힘을 들임。

【努力 노력】 애씀。힘을 들임。

7 【劳】力 5 勞(力部十畫)의 속자(俗字)。

7 【励】力 5 勵(力部十五畫)의 속자(俗字)。

六畫

8 【劾】力 6 핵 — 캐물을 — ㊇職

자원 형성 亥음 力 ⊤劾(力부)

「力력」〈힘〉과 음을 나타내는 「亥해」로 이루어짐。

뜻 **캐물을핵** 죄상을 추궁하여 조사함。또 그 죄상을 기록한 문서。「劾按핵안」「劾奏핵주」

◉奏劾주핵 彈劾탄핵

8 【効】力 6 效(攴部六畫)의 속자(俗字)。

七畫

9 【勅】力 7 칙 — 신칙할 — ㊇職

자원 형성 力 束음 ⊤勅(力부)

본디글자는 「敕」으로서、강제(強制)를 뜻하는 「攵등글월문방」과、음을 나타내며 동시(同時)에 훈계(訓戒)의 뜻(⇩飭칙)을 가지는 「束속」(칙은 변음)으로 이루어짐。훈계하여 바르게 하다의 뜻。전하여、훈계의 말。한초(漢初)부터는 천자(天子)의 말·명령(命令)을 「勅」이라고 하게 되었음。

뜻 ①**신칙할칙** 타이름。경계함。「戒勅계칙」 ②**삼갈칙** 조신(操身)함。조심함。 ③**조서칙** 제왕의 선지(宣旨)。또 그것을 적은 문서。「詔勅조칙」

【勅命 칙명】 천자의 명령。

【勅使 칙사】 칙명(勅命)을 받은 사신(使臣)。

【勅書 칙서】 칙지(勅旨)를 기록한 문서。조서(詔書)。

【勅諭 칙유】 천자의 선유(宣諭)。

【勅任 칙임】 칙명(勅命)으로 관직(官職)을 임명함。또 그 관직。

【勅撰 칙찬】 ①천자가 친히 찬술함。②칙명(勅命)을 받들어 찬술함。또 그 저서(著書)。

◉密勅밀칙 手勅수칙 嚴勅엄칙 詔勅조칙

9 【勉】力 7 중학 면 — 힘쓸 — ㊤銑

ノ ⺈ 色 争 免 免 勉

자원 형성 免음 力 ⊤勉(力부)

음을 나타내는 「免면」은 아이를 낳

다→물건을 만들어내다→일하다。「力력」은 일하다。「勉」은 일에 힘쓰도록 권하다→권하다。

뜻 ①**힘쓸면** 근면함。부지런히 함。「勉學면학」 ②**권면할면** 힘써 하도록 격려함。「勸勉권면」

【勉勵 면려】 힘써 하도록 격려함。

【勉務 면무】 힘써 함。

【勉學 면학】 공부를 힘써 함。

◉勸勉권면 勤勉근면 力勉역면

9
【勇】 力 7 중학 **용** — 날랠 — ㊤腫

マ ア 丙 甬 甬 勇 勇

자원 형성 力 甬음 ┬ 勇(力부)

「甬용」은 음을 나타내는 동시에 관(管) 속을 뚫고 나가는 일。「力력」은 움직임→힘을 냄。「勇」은 몸 속을 통하여 가득 차 있는 기력。옛 모양은 「甬」과 「力」(A) 「甬」과 「心심」(B), 또 (C)는 「戈과」〈무기〉와 「用용」〈쓰다〉으로 이루어져, 적과 싸울 때의 용감함을 나타냄。「勇」은 나중에 쓰기 쉽게 한 글자 모양。

(A) (B) (C) 2000년전

뜻 ①**날랠용** 기운이 있고 동작이 빠름。「勇健용건」 ②**용감할용** 용기가 있음。의지가 강하고 과단성이 있음。「勇斷용단」 ③**용감용** ④**용사용** ㉠용감한 사람。㉡용감한 군사。군인。

【勇敢 용감】 씩씩하고 과단성이 있음。

【勇斷 용단】 용감하고 결단성이 있음。또 용감하게 결단(決斷)함。

【勇猛 용맹】 날래고 사나움。

【勇名 용명】 용맹(勇猛)한 이름。

【勇武 용무】 날래고 굳셈。

【勇兵 용병】 용감(勇敢)한 군사。

【勇夫 용부】 용감한 남자。「(勇兵)」。

【勇士 용사】 ①용감한 사람。②용병

【勇躍 용약】 용감하게 뜀。용기(勇氣)가 나서 뜀。

【勇將 용장】 용감한 장수(將帥)。

【勇戰 용전】 용감하게 싸움。

【勇進 용진】 용기(勇氣)있게 나아감。

【勇退 용퇴】 용기(勇氣)있게 쾌(快)히 물러나감。

◉蠻勇만용 武勇무용 義勇의용 豬勇저용 忠勇충용 匹夫之勇필부지용

九畫

11
【動】 力 9 중학 **동** — 움직일 — ㊤董 ㊦迵

二 亍 旨 盲 重 動 動

자원 형성 力 重음 ┬ 動(力부)

음을 나타내는 「重중」(동은 변음)은 물건을 들어 올리거나 움직이거나 할 때의 반응→무게。「力력」은 농기구인 쟁기→일하다。「動」은 일하다→움직이다→움직임。옛날엔 「童동」자를 빌어 동요한다는 뜻으로 쓰고 또 「重」과 「辵책받침」을 합한 자형(字形) (B)로도 썼음。

(A) (B) 2000년전

뜻 ①**움직일동** ㉠옮김。감。㉡흔들림。요동함。또 꿈틀거림。「動搖동요」 ㉢떨림。「心動심동」 ㉣느낌。감

응(感應)함。「感動감동」 ㉤기거동작을 함。㉥일을 함。㉦일어남。시작함。㉧벼슬을 함。㉨의혹함。㉩변함。㉪나옴。나타남。㉫어지러움。㉬이상(以上)의 타동사。②**움직임동** 앞의 뜻의 명사。「動靜동정」 ③**동물동** 움직이는 생물。④**자칫하면동** 까딱하면。

【動機 동기】①일의 발동(發動)의 계기(契機)。행동의 직접 원인。②행위의 직접 원인이 되는 마음의 상태。

【動亂 동란】난리(亂離)。세상의 어지러움。

【動力 동력】물체(物體)를 움직이는 힘。기계(機械)를 운전하는 힘。

【動脈 동맥】심장(心藏)의 피를 전신(全身)에 보내는 맥관(脈管)。

【動物 동물】자유로 운동을 하며 생명을 가진 생물。

【動産 동산】가구(家具)·금전(金錢) 등과 같이 이동할 수 있는 재산。

【動心 동심】마음이 움직임。

【動搖 동요】①흔들리어 움직임。또 흔들어 움직이게 함。②마음이 불안하여 흔들림。

【動員 동원】①군대를 평시편제(平時編制)로부터 전시편제(戰時編制)로 옮기는 일。②전시(戰時)에 인적·물적 자원(資源)을 정부의 통일적인 관리하에 집중시키는 일。

【動議 동의】토의(討議)하기 위하여 의제(議題)를 제출함。또 그 의제。

【動作 동작】사람의 평상의 행동。몸가짐。기거 동작(起居動作)。

【動靜 동정】①움직임과 정지(靜止)함。②기거동작(起居動作)。③인심(人心)·사태(事態)·병세(病勢) 등의 변천하는 상태。④사람의 안부(安否)。소식(消息)。

【動地 동지】땅을 움직인다는 뜻으로, 사물의 성대(盛大)함을 형용한 말。

【動體 동체】①움직이는 물체。②기체(氣體)와 액체(液體)의 총칭。

【動態 동태】움직이는 상태(狀態)。

【動向 동향】움직이는 방향。움직임。

◉稼動가동 感動감동 擧動거동 激動격동 亂動난동 反動반동 發動발동 變動변동 不動부동 騷動소동 言動언동 搖動요동 運動운동 移動이동 一擧一動일거일동 自動자동 暴動폭동 行動행동 活動활동

11 【務】 力 9 중학 ㊀무 ㊁모 힘쓸 ㊀㊎遇 ㊁㊤麌

マ ㄱ 予 矛 矛' 敄 務

務

자원 형성 力＋敄(음)→務(力부)

음을 나타내는 「敄무」는 「矛모」〈창〉와 「攵복」〈치다〉으로서 부수다→무리하게 무엇인가 하다→힘쓰다。「力력」은 일하다→힘쓰다。「務」는 무리를 참고 무엇인가 하다→근무하다。

뜻 ㊀①**힘쓸무** ㉠힘써 함。「務勸무권」 ㉡힘써 하는 일。사업。「事務사무」 ㉢직책。「任務임무」 ㊁**업신여길모** 侮(人部七畫)와 통용。

참고 「務」를 음으로 하는 글자＝「霧무」〈안개〉

◉家務가무 公務공무 軍務군무 勤務근무 急務급무 內務내무 本務본무 事務사무 庶務서무 業務업무 外務외무 用務용무 義務의무 任務임무 專務전무 主務주무 職務직무 執務집무 債務채무 學務학무

〔二畫部首順〕 二亠人儿入八冂冖冫几凵刀力勹匕匚匸十卜卩厂厶又

十畫

12 **【勞】** 力 10 중학 **로** ｜수고할｜ ①-⑧㊥豪 ⑨㊤號

丶 丷 火 炏 炏 炏 𤇾 勞 勞

자원 회의 炏—𤇾 力ㅜ勞(力부)

「炏형」은 집 안의 등불。 여기에서는 많은 불과 「冖민갓머리」〈집〉가 합쳐져서 집이 불에 타는 것을 나타내고 있다고 볼 수 있음。「力력」은 사람이 일하는 일。「勞」는 집에 불이 나서 사람이 분주하게 일하는 모습 ↓애쓰다↓노심(勞心)하는 일。 약자(略字)는 「労」。

뜻 ① **수고할로** 힘들임。 애씀。「勞苦노고」「勤勞근로」 ② **노곤할로** 고달픔。「疲勞피로」「勞倦노권」 ③ **괴로와할로** 마음을 괴롭게 함。 근심함。 ④ **앓을로** 병듦。 ⑤ **일할로** 힘써 일을 함。 ⑥ **수고로、피로로** ⑦ **일로** 힘써 하는 일。 사업。 ⑧ **공로** 힘써 한 공。 공적。「功勞공로」 ⑨ **위로할로** 수고한 것을 치사함。「慰勞위로」

참고 「勞」를 음으로 하는 글자＝「癆로」〈결핵〉·「撈로」〈잡다〉

【勞苦 노고】 ① 고되게 일함。 ② 애쓰고 고생함。 ③ 수고한 것을 위로함。

【勞困 노곤】 고단함。 아주 피곤함。

【勞農 노농】 노동자와 농부。

【勞動 노동】 일함。 힘써 일함。

【勞力 노력】 힘을 들여 일함。 힘을 씀。

【勞心 노심】 근심함。 걱정함。「움。

【勞心焦思* 노심초사】 걱정함。 속을 태

【勞役 노역】 힘드는 일。 고역(苦役)。

【勞賃 노임】 품삯。 노동 임금。

【勞資 노자】 노동자와 자본가。

◉ 功勞공로 勤勞근로 煩勞번로 心勞심로 過勞과로 慰勞위로 疲勞피로

12 **【勝】** 力 10 중학 **승** ｜이길｜ ㊤徵 ㊥蒸

月 月 月丶 月𠂉 月关 滕 勝

자원 형성 力 朕음ㅜ勝(力부)　3000년전

음을 나타내는 「朕양」(승은 변음)의 오른쪽은 무엇인가 소중한 것、신령을 상징하는 신성한 물체를 받드는 모양。 왼쪽은 배(⇩舟주)↓물건을 싣는 것。「勝」은 들어 올리다↓물건을 받치고 견디다↓이기다。

뜻 ① **이길승** ㉠적과 싸워서 쳐 부숨。 상대자를 지움。 ㉡억제함。 억누름。 ㉢능가함。 능범(凌犯)함。 ② **이김승** 승리。「勝敗승패」 ③ **나을승** ㉠딴 것보다 나음。 뛰어남。「劣련」의 대(對)。「勝景승경」 또 ㉡뛰어난 짓。 뛰어난 사람。 경치가 좋은 곳。「名勝명승」 ④ **머리꾸미개승** 부인의 수식(首飾)。 ⑤ **견딜승** 감당함。 감내함。 ⑥ **모두승** 다。 온통。

【勝景 승경】 좋은 경치。

【勝機 승기】 이길 기회(機會)。

【勝報 승보】 승리의 소식。 승전하였다는 보고。 첩보(捷報)。

【勝負 승부】 이김과 짐。 승패(勝敗)。

【勝負兵家常勢 승부병가상세】 이기고 지는 것은 전쟁하는 자가 항상 면(免)할 수 없는 일이므로、이겨도 교(驕)를 부리지 말고 져도 기를 꺾

이지 말라는 뜻。

【勝算 승산】이길 만한 좋은 꾀。또 이길 가능성。

【勝訴 승소】소송(訴訟)에 이김。

【勝因 승인】승리의 원인。

【勝者 승자】이긴 사람。승리를 거둔 사람。

【勝戰鼓 승전고】싸움에 이기고 치는 북。

【勝敗 승패】이김과 짐。

◉健勝건승 決勝결승 大勝대승 名勝명승 百戰百勝백전백승 連勝연승 優勝우승 全勝전승 戰勝전승 快勝쾌승 必勝필승

十一畫

13 【勤】力 11 중학 근 | 부지런히할 | (平)文

一 卄 廾 丗 昔 莗 菫 勤 勤

자원 형성 力 菫 음 ┬ 勤 (力부)

3000년전

음을 나타내는 「菫근」은 동물의 가죽을 불에 말리는 모양 같은데 나중에는 말릴 때 가죽에 바르는 흙→점토(粘土)로 생각하고 자체(字體)도 「火화」 부분을 「土토」로 쓰게 되었음。「力력」은 노력함。「勤」은 점토를 빈틈 없이 칠하듯이 실수 없이 잘 정리하는 일。

뜻 ①부지런히할근、힘쓸근 ㉠일을 꾸준히 함。「勤勉근면」 ㉡직책을 다 함。임무를 행함。「勤務근무」 ②위로할근 위안함。③괴로와할근 고생함。④근심할근 걱정함。⑤일근 직책。⑥괴로움근 고통。⑦은근할근 懃(心部十三畫)과 같은 글자。

【勤儉 근검】부지런하고 알뜰함。

【勤農 근농】부지런히 농사를 지음。

【勤勞 근로】일에 부지런함。

【勤勉 근면】부지런히 힘씀。

【勤務 근무】일에 종사(從事)함。또 종사하는 일。

【勤怠 근태】부지런함과 게으름。

【勤學 근학】부지런히 공부(工夫)함。

【勤行 근행】힘써 행함。역행(力行)함。

◉皆勤개근 缺勤결근 內勤내근 夜勤야근 外勤외근 在勤재근 精勤정근 出勤출근 通勤통근 退勤퇴근 特勤특근

13 【勧】力 11 勸(力部十八畫)의 속자(俗字)。

13 【募】力 11 고교 모 | 뽑을 | (去)遇

一 十 艹 芇 苩 莫 莫 募

자원 형성 力 莫 음 ┬ 募 (力부)

「莫모」가 음을 나타냄。모집하는 데는 힘이 들기 때문에 「力력」〈힘〉을 더하여 널리 구한다는 뜻。

뜻 ①뽑을모 모집함。「募兵모병」「募選모선」 ②부를모 불러 모음。「招募초모」 ③뽑음모、부름모 이상(以上)의 명사。

【募兵 모병】병정(兵丁)을 모집함。

【募集 모집】널리 뽑아서 모음。

【募債 모채】널리 공채(公債) 또는 사채(社債) 등을 조건을 붙여 모음。

◉公募공모 急募급모 應募응모 增募증모

13 【勢】力 11 중학 세 | 세력 | (去)霽

一 土 圥 坴 埶 埶 勢

자원 형성 力 埶 음 ┬ 勢 (力부)

〔二畫部首順〕 二亠人儿入八冂冖冫几凵刀力勹匕匚匸十卜卩厂厶又

「埶예」는 나무를 심다→나무가 자라는 일。나중에 「藝예」로 쓴 글자。「力력」은 힘→힘이 있다→원기(元氣)가 좋다。「勢」는 나무가 자라듯이 원기가 좋다→기운차다。

뜻 ①**세력세** ㉠권세(權勢)。위세(威勢)。「權門勢家권문세가」 ㉡물리적인 힘。「水勢수세」「火勢화세」 ②**형세세** ㉠환경의 상태。「大勢대세」「情勢정세」 ㉡형편。㉢산수(山水)의 상태。「山勢산세」 ③**기세세** 기운차게 뻗치는 형세。 기염(氣燄)。「氣勢기세」 ④**기회세** 가장 효과적인 시기(時機)。 ⑤**불알세** 「去勢거세」

【勢家 세가】 권력이 있는 집안。

【勢交 세교】 권세(權勢)나 이익(利益)을 목적으로 하는 교제。

【勢窮力盡 세궁역진】 궁경(窮境)에 빠지어 힘이 다 없어짐。

【勢道 세도】 정치상(政治上)의 권세。

【勢力 세력】 ①위력(威力)。 권세(權勢)。②일을 하는데 필요한 힘。에네르기。

【勢利 세리】 권력과 이익。

【勢門 세문】 세가(勢家)。

【勢族 세족】 세가(勢家)。

◉去勢거세 攻勢공세 國勢국세 軍勢군세 權勢권세 大勢대세 水勢수세 守勢수세 勝勢승세 時勢시세 劣勢열세 優勢우세 威勢위세 姿勢자세 情勢정세 地勢지세 趨勢추세 破竹之勢파죽지세 虛勢허세 形勢형세 豪勢호세

十四畫

16 **【勳】** 力 14 훈 | 공 | ㊥文

자원 형성 力 ┬ 勳 (力부) 熏음

「力력」〈힘〉과 음을 나타내며 동시에 임금의 뜻(⇩君군)을 나타내기 위한 「熏훈」으로 이루어짐。 임금을 위하여 봉직(奉職)하다의 뜻。 전하여、임금을 위하여 수행(遂行)한 행위(行爲)、공적(功績)의 뜻。

뜻 **공훈** 국가 또는 왕사(王事)를 위하여 세운 공적。훈공。「勳臣훈신」

주의 「勛」은 「勳」의 옛 글자。

【勳功 훈공】 왕사(王事)나 국가(國家)를 위하여 세운 공로(功勞)。공훈(功勳)。

【勳舊派 훈구파】《韓》조선(朝鮮) 세조(世祖) 때에 갈리기 시작(始作)한 유림(儒林)의 네 파(派) 가운데 하나。 대개 세조(世祖)의 총신(寵臣)·공신(功臣)들로 그때의 대표적(代表的)인 지배계급(支配階級)임。

【勳記 훈기】 훈장과 함께 내리는 표창의 글발。

【勳等 훈등】 훈공(勳功)의 등급。

【勳臣 훈신】 공훈이 있는 신하。

【勳位 훈위】 공훈과 위계(位階)。

【勳爵 훈작】 공훈이 있는 사람에게 주는 작위(爵位)。

【勳章 훈장】 나라에 대한 공훈을 표창하기 위하여 내리는 휘장(徽章)。

◉功勳공훈 大勳대훈 武勳무훈 賞勳상훈 殊勳수훈 樹勳수훈 元勳원훈 忠勳충훈

【辦】 ⇩辛部九畫

十五畫

17 **【勵】** 力 15 고교 려 | 힘쓸 | ㊀霽

厂 厂 严 严 厲 厲 厲 厲 勵

자원 형성 力 厲 음 ┬ 勵 (力부)

「力력」〈힘〉과 음을 나타내는 「厲려」로 이루어짐。

뜻 ①**힘쓸려** 일을 힘써 함。「勵行여행」 ②**권면할려** 힘써 하도록 권장함。「勉勵면려」「督勵독려」

【勵行 여행】 힘써 행함。

◉激勵격려 督勵독려 勉勵면려 奮勵분려

十八畫

20 **【勸】** 力 18 중학 **권** — 권할 — 去 願

亠 艹 芇 苷 茾 萑 雚 勸 勸

자원 형성 力 雚 음 ┬ 勸 (力부) 〔雚〕 3000년전

음을 나타내는 「雚관」(권은 변음)은 물새의 이름。처음에 「萑환」이라 쓰다가 나중에 우는 소리를 뜻하는 「吅현」=「讙」을 붙였음。「勸」은 소리를 지르며 힘을 합하여 일을 하다↓권하다→가르치다。약자는 「勧」。

뜻 ①**권할권** 권면함。장려함。「勸業권업」「勸誘권유」「勸奬권장」 ②**인도할권、가르칠권** 옳은 일을 하도록 지도함。③**힘쓸권** 힘써 함。④**따를권** 교훈에 복종함。착한 일을 따라함。⑤**권권** 권고。권면。

참고 「勸」을 음으로 하는 글자=「懽환」〈기뻐하다〉·「歡환」〈기뻐하다〉·「驩환」〈기뻐하다〉·「觀관」〈보다〉·「灌관」〈물을 대다〉

【勸告 권고】 타일러 말함。충고함。

【勸農 권농】 농사를 권장(勸奬)함。

【勸勉 권면】 권(勸)하여 힘쓰게 함。

【勸善 권선】 ①착한 일을 하도록 권함。②《佛敎》 선심(善心) 있는 사람에게 중이 시주(施主)하기를 청(請)함。

【勸善懲惡 권선징악】 착한 일을 권장(勸奬)하고 악한 일을 징계함。

【勸業 권업】 업무 또는 산업(産業)을 권장함。

【勸誘 권유】 권하여 하도록 함。

【勸奬 권장】 권하여 힘쓰게 함。장려함。

【勸酒 권주】 술을 권함。

【勸學 권학】 학문을 권면함。장학。

◉強勸강권 督勸독권 勉勸면권 奬勸장권

勹部

2 **【勹】** 부수 **포** — 쌀 — 平 肴

자원 상형 2500년전

「勹」는 사람이 앞으로 구부리고 껴안은 모양을 본뜸。한자(漢字)의 부수(部首)로 쓰일 때는 구불다、싸다에 관(關)한 뜻을 나타냄。

뜻 **쌀포** 보자기 따위에 물건을 쌈。

一畫

3 **【勺】** 勹 1 **작** — 구기 — 入 藥

자원 상형 2500년전

〔二畫部首順〕 二亠人儿入八冂冖冫几凵刀力勹匕匚匸十卜卩厂厶又

「勺」은 사발 모양의 그릇에서 액체(液體)(「一」로 나타냄)를 떠내는 모양을 본뜸。전(轉)하여、떠내는 도구(道具)、국자를 뜻함。또 용량(容量)의 단위(單位)로 쓰이게 되었음。

뜻 ①**잔질할작** 酌(酉部三畫)과 같은 글자。②**구기작** 술·국 따위를 뜨는 것。杓(木部三畫)과 같은 글자。③**작작** 용량(容量)의 단위。일홉의 십분지 일。「一勺일작」「二勺이작」④**풍류이름작** 주공(周公)이 제정한 음악의 이름。

주의 「勺」은 속자(俗字)

참고 「勺」을 음으로 하는 글자=「杓표」〈북두자루〉·「酌작」〈따르다〉·「灼작」〈태우다〉·「芍작」〈작약〉·「約약」〈묶다〉·「的적」〈과녁〉

3 【勺】 勹 1 勺(앞 글자)의 속자(俗字)。

二畫

4 【勿】 勹 2 중학 ㊀물 ㊁몰 | 없을 | ㊀㊇物 ㊁㊇月

ノ 勹 勺 勿

자원 상형 2500년전

「勿」은 장대에 단 기가 펄럭이는 모양을 나타냄。음을 빌어 부정(否定)·금지의 뜻의 어조사(語助辭)로 씀。

뜻 ㊀**없을물** 부정사(否定辭)。②**말물** 금지사(禁止辭)。③**기이름물** 옛적에 마을에서 일이 일어났을 때에 백성을 모으기 위하여 내걸던 신호기(信號旗)。④**바쁠물** 창황(倉皇)한 모양。㊁**털몰** 먼지를 。

참고 「勿」을 음으로 하는 글자=「物물」〈물건〉·「忽홀」〈돌연〉·「惚홀」〈황홀〉·「笏홀」〈홀〉·「吻문」〈입술〉

【勿吉 물길】 우리 나라 상고시대(上古時代)의 한 종족(種族)。숙신(肅愼)의 후예(後裔)이며 여진(女眞)의 전신(前身)임。

【勿謂今日不學有來日 물위금일불학유내일】 오늘 공부하지 않아도 내일(來日)이 있다고 미뤄서는 안됨。

三畫

5 【包】 勹 3 고교 포 | 쌀 | ㊥肴

ノ 勹 匀 包

자원 회의 巳勹包(勹부) 2500년전

「勹포」는 사람이 몸을 구부리고 있는 모습。「巳사」는 뱃속의 아이를 나타냄。뱃속의 아이의 뜻으로부터、모든 것을 싸는 뜻이 되었음。

뜻 ①**쌀포** ㉠보자기 따위로 물건을 쌈。「包裝포장」㉡둘러쌈。「包圍포위」㉢안에 넣음。아우름。겸(兼)함。㉣깊이 간직함。숨김。비밀로 함。「包藏포장」㉤거두어 들임。자기 것으로 함。「包占포점」②**용납할포** 받아 들임。「包容포용」③**꾸러미포** 싼 물건。④**애밸포** 胞(肉部五畫)와 같은 글자。⑤**더부룩이날포** 총생(叢生)함。⑥**푸주포**

참고 「包」를 음으로 하는 글자=「胞포」〈태의 껍질〉·「抱포」〈안다〉·「砲포」〈대포〉·「泡포」〈거품〉·「疱포」〈천연두〉·「匏포」〈바가지〉·「飽포」〈물리

다〉·「咆포」〈으르렁거리다〉·「炮포」〈통째로 굽다〉·「庖포」〈부엌〉

【包括* 포괄】 싸서 묶음。총괄함。

【包攝* 포섭】 받아 들임。감싸 줌。

【包容 포용】 ①넣어 쌈。싸 넣음。전하여 ②도량(度量)이 넓어서 남의 잘못을 허용하고 이해하여 감싸 줌。

【包圍 포위】 둘러 쌈。

【包裝 포장】 물건을 쌈。

【包藏 포장】 싸 둠。포장(包裝)하여 저장함。전하여 마음 속에 깊이 간직함。

【包含 포함】 싸 넣음。휩쌈。

【句】 ⇩口部二畫

四畫

【旬】 ⇩日部二畫

匕部

【匕】 2 부수 비 | 숟가락 | ㊤紙

자원 상형 2500년전

「匕」는 고대(古代)의 숟가락의 모양을 본뜸。옛날의 단검(短劍)의 목부분(部分)이 「匕」와 닮았었으므로, 단검을 비수(匕首)라고 했음。

뜻 ①**숟가락비** ②**살촉비** 화살의 촉。

주의 「匕」(「化화」의 방(傍)、「化」의 옛 글자)와는 딴 글자。

【匕首 비수】 날이 날카로운 단도。

【七】 2 匕 0 化(다음 글자)의 옛 글자。

二畫

【化】 4 匕 2 중학 화 | 화할 | ㊋禡 ㊊麻

丿 亻 亻 化

자원 형성 七음 人-亻-化 (人부)

化 〔七〕 2500년전

음을 나타내는 「七화」는 「人인」〈사람〉을 방향(方向)을 바꾸거나、거꾸로 쓴 것。사람의 자태(姿態)·모양이 바뀌다의 뜻。「化」는 사람이나 물건의、겉으로 본 모양이 바뀌는 일。

뜻 ①**화할화** ㉠어떤 상태가 다른 상태로 됨。변개(變改)됨。㉡한 물질이 전혀 다른 물질로 바뀜。변이(變異)함。㉢잘 됨。개선됨。교화(敎化)됨。㉣옮겨서 달라짐。변천함。㉤생멸(生滅)함。소장(消長)함。②**화하게할화** 위의 뜻의 타동사。③**죽을화** ④**변화화** 변전(變轉)。소장(消長)。⑤**덕화화** 인정(仁政)。은택(恩澤)。⑥**교화화** 교육。풍교(風敎)。⑦**요술화** 마술。환술(幻術)。⑧**집화** 도사(道士)의 거실(居室)。

주의 「七」는 「化」의 옛 글자。

참고 「化」를 음으로 하는 글자=「花화」〈꽃〉·「訛와」〈잘못되다〉·「靴화」〈구두〉·「貨화」〈재화〉

【化膿* 화농】 종기(腫氣)가 곪아서 고름이 생김。곪음。

【化石 화석】 전세기(前世紀)의 지층(地層) 속에 보존된 동식물(動植物)의 유해(遺骸)。

【化成 화성】 ①좋게 고침。개선(改善)

함。②다른 물질(物質)이나 원소(元素)가 화합(化合)하여 새 물체(物體)를 형성함。

【化身 화신】 불보살(佛菩薩)이 형체를 바꾸어 나타나는 일。또 그 몸。

【化學 화학】 물질(物質)의 성질 및 변화의 법칙을 연구하는 학문。

【化合 화합】 각기 다른 둘 이상의 원소(元素)가 서로 결합(結合)하여 새로운 물질을 발생함。또 그 현상。

◉感化감화 開化개화 歸化귀화 文化문화 變化변화 醇化순화 惡化악화 轉化전화 造化조화 進化진화 千變萬化천변만화 退化퇴화 風化풍화

【比】 ⇩部首

三畫

5 【北】 匕 3 중학 ㊀북 ㊁배 | 북녘 | ㊀入職 ㊁去隊

一 ㅓ ㅓ ㅓ' 北

자원 상형 3000년전

「北」은 사람이 등을 보이고 있는 모양→적에 등을 보이고 달아나다(⇩敗北패배)。또 사람은 밝은 쪽을 향하며 집도 남향으로 세우므로 반대쪽을 북쪽으로 삼음。

뜻 ㊀①북녘북 북쪽。「南北남북」②북녘으로갈북 ㊁①저버릴배 배반함。배신함。②달아날배 패주함。「敗北패배」③나눌배 분리함。

참고 「北」을 음으로 하는 글자 =「背배」〈등〉·「邶패」〈땅이름〉

【北京 북경】 하북성(河北省)에 있는 도시。요(遼)·금(金)·원(元)·명·청(清)나라의 옛 도읍(都邑)。

【北關 북관】 《韓》 함경남북도(咸鏡南北道) 지방。

【北國 북국】 ①북쪽의 나라。②북쪽 땅。

【北極 북극】 ①북방(北方)의 끝。②지축(地軸)의 북쪽 끝。③지남철이 북쪽을 가리키는 끝。④북극성(北極星)。

【北端 북단】 북쪽 끝。

【北斗 북두】 북두칠성(北斗七星)。

【北路 북로】 ①북쪽에 있는 길。②《韓》 서울에서 함경도(咸鏡道)로 통하는 길。

【北虜南倭* 북로남왜】 명(明)나라의 중세(中世) 이후에 명나라를 괴롭히던 두 가지 대환(大患)。곧 북방을 침략하던 몽고(蒙古)와 남방에서 노략질하던 왜구(倭寇)。

【北邙* 북망】 낙양(洛陽)의 북쪽에 있는 망산(邙山)。한(漢)나라 이래로 유명한 묘지(墓地)이므로、전(轉)하여 무덤·묘지의 뜻으로 쓰임。

【北面 북면】 ①신하(臣下)가 앉는 자리。전(轉)하여 신사(臣事)함。신하가 됨。②제자(弟子)가 앉는 자리。전(轉)하여 사사(師事)함。제자가 됨。

【北半球 북반구】 지구(地球)의 적도(赤道)의 이북의 부분。

【北方 북방】 ①북쪽。②북쪽 지방。

【北伐 북벌】 북쪽 나라를 침。

【北邊 북변】 북쪽 가。북쪽 변방(邊方)。

【北氷洋 북빙양】 북극(北極)의 주위에 있어 얼음으로 덮인 바다。

【北上 북상】 북쪽으로 올라감。

【北宋* 북송】 남송(南宋)의 대(對)。

변경(汴京)에 도읍(都邑)한 송(宋)나라의 태조(太祖)에서 흠종(欽宗)에 이르기까지의 백 육십 팔년간의 일컬음。(九六○ 一一二七)

【北原 북원】《韓》 강원도(江原道) 원주(原州)의 옛 이름。 북원경(北原京)。

【北緯 북위】 적도(赤道) 북쪽에 있는 「위도(緯度)。

【北魏* 북위】 남북조시대(南北朝時代) 북조(北朝)의 최초의 나라。 후위(後魏)라고도 함。 진(晉) 때 선비족(鮮卑族)의 탁발규(拓跋珪)가 평성(平城)에 도읍(都邑)하여 세운 나라。 효무제(孝武帝) 때 동위(東魏) 및 서위(西魏)로 분열되었음。(三八六 五三四)

【北人 북인】《韓》 사색당파(四色黨派)의 하나。 선조(宣祖) 때 동인(東人) 속에서 갈려나온 당파。 서울 북촌(北村)에 사는 이산해(李山海)를 중심으로 했음。 남인(南人)의 대(對)。

【北狄* 북적】 북쪽 오랑캐。

【北庭 북정】 ①한대(漢代)의 북방 흉노(匈奴)의 땅。 ②서역(西域)의 별칭(別稱)。 ③《韓》 성균관(成均館) 안에 있는 명륜당(明倫堂)의 북쪽 마당。 유생(儒生)들이 이곳에서 승학시(陞學試)를 보았음。

【北齊 북제】 나라 이름。 북조(北朝)의 하나。 시조(始祖)는 고양(高洋)。 도읍(都邑)은 업(鄴)。 북주(北周)에게 망하였음。(五五○ 五七七)

【北朝 북조】 남북조시대(南北朝時代)에 강북(江北)에 있던 여러 나라의 조정(朝廷)。 곧 후위(後魏)가 강북(江北)을 통일하여 강남(江南)의 송(宋)나라와 대립한 이래 서위(西魏)·후주(後周)·북제(北齊)를 거쳐 수(隋)나라가 남북을 통일할 때까지의 이백 십 팔년간(二百十八年間)의 조정。 남조(南朝)의 대(對)。

【北宗 북종】 당(唐)나라 사람 이사훈(李思訓)을 비조(鼻祖)로 하는 화가(畫家)의 이대 유파(二大流派)의 하나。 북종화(北宗畫)。 남종(南宗)의 대(對)。

【北周 북주】 북조(北朝)의 하나。 선비족(鮮卑族) 우문각(宇文覺)이 서위(西魏)를 멸하고 세운 나라。 도읍은 장안(長安)。 수(隋)나라에게 망하였음。(五五七 五八一)

【北進 북진】 북쪽으로 나아감。

【北窓 북창】 북쪽으로 낸 창。

【北村 북촌】 北쪽에 있는 마을。

【北平 북평】 북경(北京)。

【北風 북풍】 ①추운 바람。 ②북쪽에서 불어 오는 바람。 삭풍(朔風)。

【北學議 북학의】《韓》 조선(朝鮮) 정조(正祖) 때 박제가(朴齊家)가 청(清)의 풍속(風俗)·제도(制度)를 시찰(視察)하고 자기 의견(意見)을 붙여 쓴 기행문(紀行文)。

【北學派 북학파】《韓》 조선(朝鮮) 영·정조(英·正祖) 때의 실학(實學)의 한 파(派)。 당시 청조(清朝) 문화(文化)의 우수(優秀)함을 보고 그 발달(發達)한 문화를 수입(輸入)하자고 주장(主張)함。

【北漢 북한】 오대(五代) 때의 십국(十國)의 하나。 후한(後漢)의 은제(隱帝)가 시해(弑害)되자、 유숭(劉崇)

이 산서성(山西省) 진양(晉陽)에서 즉위하여 세운 나라。송(宋)나라에게 멸망 당하였음。(九五一～九七九)

【北行 북행】 북쪽으로 향하여 감。

【北向 북향】 북쪽을 향함。

【北胡 북호】 북쪽에 있는 오랑캐。

◉江北강북 極北극북 南北남북 東北동북

四畫

【旨】⇩日部二畫

【此】⇩止部二畫

【牝】⇩牛部二畫

【死】⇩歹部二畫

【老】⇩部首

五畫

【壱】⇩士部四畫

八畫

【能】⇩肉部六畫

【眞】⇩目部五畫

九畫

【頃】⇩頁部二畫

十二畫

【疑】⇩疋部九畫

匚 部

2 **【匚】** 부수 방 | 상자 | (平)陽

자원 상형 · 匚

「匚」은 물건을 넣어 두는 네모꼴의 상자(箱子)를 옆으로 본 모양。음(音)은 「方방」〈네모〉의 뜻에 유래(由來)함。부수(部首)로서 사용될 때는 넣는 그릇의 뜻을 나타냄。

뜻 **상자방** 네모 반듯한 그릇。

주의 「匸터진에운담」과는 딴 글자。

四畫

6 **【匠】** 匚4 장 | 장인 | (去)漾

자원 회의 匚+斤→匠(匚부) 2500년전

곱자를 뜻하는 「匚터진입구몸」과、큰 자귀를 뜻하는 「斤근」으로 이루어짐。둘 다 목수의 연장이므로、목수를 뜻하였음。전하여 널리 기능공(技能工)을 말함。

뜻 ①**장인장** ㉠목공(木工)。「匠伯장백」 ㉡전(轉)하여 널리 장색(匠色)의 뜻으로 쓰며 또 더 널리 특수한 기술이 있는 사람도 이름。「匠色장색」「工匠공장」 ②**궁리장** 고안。「意匠의장」 ③**가르침장** 교시(教示)。

【匠人 장인】 ①목수。②물건을 만드는 것을 업으로 삼는 사람。

◉巨匠거장 工匠공장 師匠사장 意匠의장

6 **【匡】** 匚4 광 | 바를 | (平)陽

자원 형성 匚+王(음)→匡(匚부) 2500년전

그릇의 뜻인 「匚터진입구몸」과 음을 나타내는 동시에 굽히다의 뜻을 가진 「王왕」(본디 모양은 「㞷황」, 광은 옛 음)으로 이루어짐。 대나무·나무를 굽혀서 만든 그릇。 전(轉)하여 넣다、바로 잡다의 뜻。

뜻 ①**바를광** 방정(方正)함。 ②**바로잡을광** 바르게 함。「匡救광구」 ③**구원할광** 구제함。 ④**도울광** 보조함。 보좌함。「匡弼광필」 ⑤**비뚤광**、**휠광** 굽음。 ⑥**두려워할광** ⑦**눈자위광**

참고 「匡」을 음으로 하는 글자=「框광」〈문테〉·「眶광」〈눈자위〉·「筐광」〈광주리〉·「恇광」〈겁내다〉

【匡救 광구】 바로 잡아 구원함。 악한 일을 못하게 하여 구원함。

【匡正 광정】 바르게 고침。 교정(矯正)。

八畫

10 **【匪】** 匚 8 ㊀**비** ㊁**분** — 아닐 — ㊀㊤尾㊥微 ㊁㊥文

자원 형성 匚 非 음 → 匪 (匚부)

상자를 뜻하는 「匚터진입구몸」과 음을 나타내는 「非비」로 이루어짐。 상자의 한 가지。 음을 벌어 부정사(否定詞)인 「非비」와 통용됨。

뜻 ㊀①**아닐비** 非(部首)와 같은 글자。 ②**대상자비** ③**담을비**、**넣을비** 상자에 넣음。 ④**비적비** 흉한(兇漢)·적도(賊徒)·난민(亂民) 등。「匪徒비도」「土匪토비」 ⑤**문채비**、**채색비** ⑥**빛날비** 색이 곱거나 문채(文采)가 있는 모양。 ㊁**나눌분** 나누어 줌。

【匪徒 비도】 도둑의 무리。

【匪賊 비적】 도둑의 떼。

◉共匪공비

匸 部

2 **【匸】** 부수 **혜** — 감출 — ㊤薺

ㄷ 2500년전

자원 지사

「匸」은、빈 곳(ㄴ)에 덮개(一)를 씌워 감춤을 뜻함。 부수(部首)로서는 감추다、숨다의 뜻을 나타냄。

뜻 **감출혜** 덮어 가림。

주의 「匚터진입구몸」과는 딴 글자。

二畫

4 **【匹】** 匸 2 중학 ㊀**필** ㊁**목** — 필 — ㊀㊇質 ㊁㊇屋

一 丆 兀 匹

자원 형성 八 匸 음 → 匹 (匸부) 2500년전

음을 나타내는 「八팔」(필은 변음)과 「匸터진에운담」의 합자。 본래는 옷감 두 끗의 뜻。 음은 나란히 놓다(⇩比비)에서 유래함。 필부(匹夫)와 같이 「하나」의 뜻으로 쓰는 것은、옛날 한 끗의 옷감을 ⊗와 같이 양쪽으로부터 감아 두개를 나란히 놓은 모양을 일필(一匹)이라고 한데서 유래(由來)함。

뜻 ㊀①**필필** ㉠옷감의 길이의 단위。 두끗의 일컬음。 ㉡말 같은 가축을 세는 수사(數詞)。「匹馬필마」 ②**짝필**

㉠배우자。「配匹배필」㉡벗。붕우。「匹儕필제」㉢한 쌍의 한 쪽。㉣상대。적수。③짝지을필 짝을 이룸。④홀필、흘필 하나。㊁집오리목

주의 「匹」은 통속적(通俗的)으로「疋」로도 쓰여짐。

【匹馬 필마】한 필의 말。

【匹馬單騎 필마단기】혼자 한 필의 말을 탐。

【匹夫 필부】①한 사람의 남자。②신분이 낮은 남자。

【匹夫之勇 필부지용】소인(小人)의 혈기(血氣)에서 나온 용기(勇氣)。

【匹敵 필적】①어슷비슷함。맞섬。②필우(匹耦)。

◉馬匹마필 良匹양필 令匹영필 好匹호필

4【区】匚 2 區(匚部九畫)의 약자(略字)。

五畫

7【医】匚 5 醫(酉部十一畫)의 약자(略字)。

九畫

11【匿】匚 9 닉 | 숨을 | ㊇職

자원 형성 匚+若(음)→匿(匚부) 2500년전

「匚터진에운담」〈감추다〉과 음을 나타내는「若약」으로 이루어짐。

뜻 ①숨을닉 ㉠도피함。「逃匿도닉」㉡잠복함。「隱匿은닉」②숨길닉 ㉠보이지 않는 곳에 감춤。㉡가림。덮음。㉢나타내지 아니함。「匿名익명」③숨은죄닉 나타나지 아니한 죄악。

◉祕匿비닉 隱匿은닉 潛匿잠닉 藏匿장닉

11【區】匚 9 고교 ㊀구 | 지경 | ㊀㊥虞 ㊁우 | | ㊁㊥尤

一 … 區

자원 회의 匚+品→區(匚부) (A) (B) 2500년전

「品품」은 많이 있는 물건。「匚혜」는 물건을 둘러쌈、숨겨 둠。「區」는 자잘한 것을 정리하여 치워 둔 모양→따로따로 갈라 놓다→구분하다。또 구부러지다、자잘하다는 뜻도 됨。「区」는 약자。

뜻 ㊀①지경구 갈라 놓은 지역。「區域구역」②숨긴곳구 물건을 감추어 두는 곳。③거처구 주소。④작은방구 소실(小室)。⑤구별구 차별。⑥방위구 방소(方所)。⑦곳구 장소。⑧나눌구 분별함。차별함。⑨구구할구 ㉠제각기 다름。㉡잔단 모양。작은 모양。「區區之心구구지심」㉢전(轉)하여 자기의 겸칭(謙稱)。㊁①숨길우 은닉함。②용량의단위우 열여섯 되。한말 엿 되。

참고 「區」를 음으로 하는 글자=「傴구」〈구부리다〉·「嶇구」〈산이 험준하다〉·「軀구」〈몸〉·「驅구」〈말을 몰다〉·「嘔구」〈토하다〉·「歐구」〈토하다〉·「嫗구」〈노파〉·「毆구」〈치다〉·「甌구」〈단지〉·「謳구」〈노래하다〉·「鷗구」〈갈매기〉

【區間 구간】일정한 지구(地區)의 사이。

【區區不一 구구불일】각각 다름。

【區別 구별】분류함。유별(類別)함。

【區分 구분】구별하여 나눔。

【區域 구역】갈라 놓은 경계。

【區處 구처】①구분하여 처리(處理)

〔二畫部首順〕二亠人儿入八冂冖冫几凵刀力勹匕匚匸十卜卩厂厶又

함。②거처(居處)。

【區劃 구획】 경계를 갈라 정함。구분하여 획정(劃定)함。

◉管區관구 選擧區선거구 地區지구

十 部

2 【十】 부수 중학 **십** | 열 | ㊅緝

一 十 | 3000년전 | 十

자원 상형

옛날 수를 나타낼 때 하나로부터 차례로 가로줄을 긋되、우수리 없는 수、다섯은 ×、열은 |과같이 눈에 띄는 기호(記號)를 사용하였음。나중에 「十」이라 씀。

뜻 ①**열십** ㉠아홉에 하나를 보탠 수。충족(充足)된 수라 하여 전(轉)하여 완전하거나 부족이 없다는 뜻으로 쓰임。「十分십분」「十全십전」 ㉡또 많은 수를 이름。②**열번십** 십회。「十戰九勝십전구승」 ③**열곱할십** 십배(十倍)함。

주의 문서(文書)·증문(證文) 등에는 「十」 대신(代身) 「拾십」 혹은 「什십」을 쓰는 일이 많음。

참고 「十」을 음으로 하는 글자=「什십」〈열사람〉·「汁즙」〈즙〉·「針침」〈침〉

【十干 십간】 육갑(六甲) 중의 천간(天干)。곧 갑(甲)·을(乙)·병(丙)·정(丁)·무(戊)·기(己)·경(庚)·신(辛)·임(壬)·계(癸)의 총칭。

【十經 십경】 유가(儒家)의 열 가지 경서。곧 주역(周易)·상서(尙書)·모시(毛詩)·예기(禮記)·주례(周禮)·의례(儀禮)·춘추좌씨전(春秋左氏傳)·공양전(公羊傳)·곡량전(穀梁傳) 및 논어(論語)·효경(孝經)。논어와 효경은 하나。

【十戒 십계】《佛敎》 십악(十惡)을 범(犯)하지 말라는 계(戒)。십선계(十善戒)。

【十國 십국】 오대(五代) 때 할거(割據)한 열 나라。오(吳)·전촉(前蜀)·남한(南漢)·민(閩)·오월(吳越)·초(楚)·남평(南平)·후촉(後蜀)·남당(南唐)·북한(北漢)。

【十年減壽 십년감수】 십년의 수명이 준다는 뜻으로、대단한 고통·위험을 당하였을 때에 쓰는 말。

【十年構思 십년구사】 다년간 시문(詩文)을 수련(修練)함。

【十年磨一劍 십년마일검】 십년 동안을 두고 한 자루의 칼을 간다는 뜻으로、여러 해를 두고 무예(武藝)를 연마함을 이름。

【十年之計 십년지계】 앞으로 십년간을 목표로 한 장구(長久)한 계획。

【十讀不如一寫 십독불여일사】 열 번 읽는 것 보다 한 번 쓰는 편이 더 기억이 잘 되고、정밀(精密)히 알 수 있음。

【十目 십목】 ①열 사람의 눈。②여러 사람의 눈。많은 사람의 관찰。

【十方 십방】 동·서·남·북、사방과 건(乾)·곤(坤)·간(艮)·손(巽)의 사우(四隅)와 상하(上下)의 총칭。천하(天下)。우주(宇宙)·세계(世界)의

〔二畫部首順〕二十人儿入八冂冖冫几凵刀力勹匕匚匸十卜卩厂厶又

뜻으로 쓰임。

【十方世界 십방세계】《佛教》 십방(十方)에 존재하는 전 세계。 「곱。

【十倍 십배】 열 곱。 전(轉)하여 여러

【十分 십분】 ①한 시간의 육분지 일。 ②아주 참。 극도에 달함。 ③충분(充分)。 「있는 작은 동네。

【十室之邑 십실지읍】 집이 열채 가량

【十羊九牧 십양구목】 열 마리의 양(羊)에 아홉 사람의 목자(牧者)。 백성은 적고 벼슬아치는 많음의 비유。

【十雨 십우】 열흘 만에 한 번 오는 비라는 뜻으로, 때를 맞춘 좋은 비。

【十六羅漢 십육나한】《佛教》 세계의 각처에 있어 각기 부하의 나한을 통솔하며 공덕이 무량(無量)한 열여섯의 대아라한(大阿羅漢)。

【十六夜 십육야】음력 열엿샛날 밤。 기망(旣望)。

【十義 십의】 사람으로서 지켜야 할 열가지 도리(道理)。 곧 부자(父慈)·자효(子孝)·형량(兄良)·제제(弟弟)(형을 잘 섬김)·부의(夫義)·부청(婦聽)·장혜(長惠)·유순(幼順)·군인(君仁)·신충(臣忠)。 또는 군령(君令)·신공(臣恭)·부자(父慈)·자효(子孝)·형애(兄愛)·제경(弟敬)·부화(夫和)·처유(妻柔)·고자(姑慈)부청(婦聽)。

【十二宮 십이궁】 황도(黃道)의 주위(周圍)에 분배(分配)된 십이 성좌(十二星座)。 곧 마갈궁(磨羯宮)·보병궁(寶瓶宮)·쌍어궁(雙魚宮)·백양궁(白羊宮)·금우궁(金牛宮)·쌍녀궁(雙女宮)·거해궁(巨蟹宮)·사자궁(獅子宮)·실녀궁(室女宮)·천칭궁(天秤宮)·천갈궁(天蠍宮)·인마궁(人馬宮)。 「지방 장관。

【十二牧 십이목】 십이주(十二州)의 각

【十二獸 십이수】 술가(術家)에서 십이지(十二支)에 배당(配當)한 열두 동물。 곧 쥐·소·범·토끼·용·뱀·말·양·원숭이·닭·개·돼지。 십이속(十二屬)。

【十二時 십이시】 하루 곧 일주야(一晝夜)의 시간을 열둘로 나눈 일컬음。 낮의 묘(卯)·진(辰)·사(巳)·오(午)·미(未)·신(申)과 밤의 유(酉)·술(戌)·해(亥)·자(子)·축(丑)·인(寅)。

【十二列國 십이열국】 춘추시대(春秋時代)의 열두 강국(強國)。 곧 노(魯)·위(衛)·진(晉)·정(鄭)·조(曹)·채(蔡)·연(燕)·제(齊)·진(陳)·송(宋)·초(楚)·진(秦)。

【十二支 십이지】 육갑(六甲) 중의 열두 지지(地支)。 곧 자(子)·축(丑)·인(寅)·묘(卯)·진(辰)·사(巳)·오(午)·미(未)·신(申)·유(酉)·술(戌)·해(亥)의 총칭。

【十日一水五日一石 십일일수오일일석】 열흘 동안에 내 하나를 그리고 닷새 동안에 돌 하나를 그린다는 뜻으로, 화가(畫家)가 고심(苦心)하여 그림을 이름。 「양。

【十字 십자】 열십자。 또 「十」자의 모

【十字架 십자가】 ①서양의 고대 형구(刑具)의 하나。 죄인을 못 박아 죽이는 십자형의 기둥。 ②기독교(基督教)의 기호(旗號)。 희생·속죄(贖罪)·고난의 표상(表象)으로 쓰임。

【十字街 십자가】 네거리。

【十長生 십장생】열 가지의 장생 불사(長生不死)한다는 물건。곧 해(日)·산(山)·물(水)·돌(石)·구름(雲)·소나무(松)·불로초(不老草)·거북(龜)·학(鶴)·사슴(鹿)。

【十全 십전】조금도 결점이 없음。완전 무결함。대전(大全)。

【十顚九倒* 십전구도】여러 가지 고생을 겪음。

【十戰九勝 십전구승】열 번 싸워 아홉 번 이김。

【十中八九 십중팔구】열 가운데 여덟 아홉。곧 거의 틀림 없이。십상팔구(十常八九)。

【十指不動 십지부동】열 손가락을 꼼짝 아니한다는 뜻으로, 게을러서 아무 일도 하지 않는다는 말。

【十千 십천】①많은 수량。②일만전(一萬錢)。천은 천전(千錢)의 뜻。

【十哲 십철】공자(孔子) 문하(門下)의 열 사람의 뛰어난 제자。곧 안연(顏淵)·민자건(閔子騫)·염백우(冉伯牛)·중궁(仲弓)·재아(宰我)·자공(子貢)·염유(冉有)·자로(子路)·자유(子游)·자하(子夏)。공문십철(孔門十哲)。

【十體 십체】열 가지 서체(書體)。곧 고문(古文)·대전(大篆)·소전(小篆)·주문(籀文)·팔분(八分)·예서(隸書)·장초(章草)·행서(行書)·비백(飛白)·초서(草書)。

【十八史 십팔사】열 여덟 가지 사서(史書)。곧 사기(史記)·한서(漢書)·후한서(後漢書)·삼국지(三國志)·진서(晉書)·송서(宋書)·남제서(南齊書)·양서(梁書)·진서(陳書)·후위서(後魏書)·북제서(北齊書)·후주서(後周書)·수서(隋書)(이상 십삼사)와 남사(南史)·북사(北史)·당서(唐書)·오대사(五代史)(이상 사사) 및 송감(宋鑑)。

【十八史略 십팔사략】원(元)나라의 증선지(曾先之)가 십팔사(十八史)를 간추려 초학자용(初學者用)의 독본(讀本)으로 편찬한 사서(史書)。

【十風五雨 십풍오우】열흘에 한 번씩 바람이 불고, 닷새에 한 번씩 비가 온다는 뜻으로, 우순풍조(雨順風調)함을 이름。

【十寒一曝* 십한일폭】열흘 춥고 하루 햇볕이 쬔다는 뜻으로, 일을 하는 데 근실하지 못하여 자주 중단함을 이름。

◉聞一知十문일지십 一當十일당십

一畫

3 【千】十 1 중학 천 | 일천 | (平)先

一 二 千

자원 형성 十+人(음)→千(十부) 𠂉(A) (B) 3000년전

「十십」은 많은 수。음을 나타내는 「人인」(천은 변음)은 여기에서는 많은 사람。「千」은 많은 수인 「十」보다 더 많은 수。

뜻 ①**일천천** 열의 백곱。전(轉)하여 많음을 이름。②**천번천** 천회。③**밭두둑천** ④**성천** 성(姓)의 하나。

주의 「干간」〈방패〉은 딴 글자。

참고 ①「千」을 음으로 하는 글자‖「仟천」〈일천〉·「阡천」〈길〉 ②문서(文

書)·증문(證文) 등에서는 「千」 대신(代身)「仟」「阡」을 쓰는 일이 많음。

【千古 천고】 ①먼 옛날。태고(太古)。②영원。영구。

【千苦萬難 천고만난】 갖은 고난。

【千軍萬馬 천군만마】 다수의 군사와 군마(軍馬)。

【千金 천금】 ①천장(千張)의 황금。②많은 돈。일금(一金)은 십량(十兩)。③비싼 값。④부자。부호。

【千代 천대】 많은 대(代)。전(轉)하여 영원(永遠)。

【千慮一得 천려일득】 어리석은 사람의 생각도 많은 생각 가운데에는 간혹 좋은 생각이 있음。

【千慮一失 천려일실】 지혜(智慧)가 있는 사람이라도 많은 생각 가운데에는 잘못 생각하는 것이 있음。

【千里同風 천리동풍】 먼 곳까지 같은 바람이 분다는 뜻으로、태평(太平)한 세상을 이름。

【千里馬 천리마】 ①하루에 천리를 닫는 준마(駿馬)。②재지(才智)가 뛰어난 사람의 비유。

【千里比隣 천리비린】 천리나 되는 먼 길도 이웃과 같다는 뜻으로서、교통이 매우 편리함을 이름。

【千里眼 천리안】 먼 곳의 것을 볼 수 있는 안력(眼力)。전(轉)하여 사물(事物)을 내뚫어 보는 재능。

【千里長城 천리장성】《韓》 고려(高麗) 덕종(德宗) 이년(二年)에 시작하여 정종(靖宗) 십년(十年)에 완성(完成)된 성(城)。북방(北方)의 글안(契丹)·여진족(女眞族) 등의 침입(侵入)을 막기 위한 것으로 압록강(鴨綠江) 변(邊)에서 동해(東海)에 이르는 천여리의 긴 성임。

【千里行始於足下 천리행시어족하】 천리의 여행도 발밑에서부터 시작한다는 뜻으로、작은 것을 쌓아서 큰 것을 이름을 비유한 말。

【千萬 천만】 ①아주 많은 수효。②수없이 여러 번 행(行)하거나 곱함。③황송스럽게도。 「되는 옛적。

【千萬古 천만고】 천만년(千萬年)이나

【千萬年 천만년】 천만 해나 되는 오랜 세월。대단히 오랜 세월。영구(永久)。영원(永遠)。

【千萬多幸 천만다행】 매우 다행함。

【千萬代 천만대】 천만세(千萬世)。

【千萬不當 천만부당】 조금도 이치에 맞지 아니함。얼토당토 아니함。

【千萬事 천만사】 허다한 일。

【千萬世 천만세】 멀고 먼 세대(世代)。

【千萬歲 천만세】 천만년(千萬年)。

【千變 천변】 퍽 여러 번 변함。

【千變萬化 천변만화】 천만가지로 변함。변화(變化)가 한이 없음。

【千兵萬馬 천병만마】 무수한 군사(軍士)와 군마(軍馬)。

【千思萬考 천사만고】 여러 가지로 생각함。곰곰 생각함。 「월(歲月)。

【千歲 천세】 ①천년(千年)。②긴 세

【千歲曆 천세력】 앞으로 백년 동안의 일월(日月)·성신(星辰)·절기(節氣)를 추산(推算)하여 엮은 책력(冊曆)。

【千愁 천수】 온갖 수심。갖은 근심。아주 많은 근심。

【千辛萬苦 천신만고】 온갖 신고(辛苦)。무한한 애。 「또 그 말。

【千言萬語 천언만어】 말을 수없이 함。

【千紫萬紅 천자만홍】 울긋불긋한 여러 가지 꽃의 빛깔。
【千載一遇 천재일우】 천년 동안에 겨우 한 번 만난다는 뜻으로、좀처럼 만나기 어려운 좋은 기회를 이름。
【千差萬別 천차만별】 여러 가지 물건이 각각 차이(差異)와 구별이 있음。
【千秋 천추】 천년(千年)。긴 세월。
【千秋萬古 천추만고】 아주 긴 세월。영원(永遠)。
【千秋萬歲 천추만세】 천년만년의 뜻。장수(長壽)를 축원하는 말。천만년。
【千秋遺恨 천추유한】 천년이 지나도 없어지지 않는 깊은 원한(怨恨)。
【千層萬層 천층만층】 천만층(千萬層)。
【千態萬狀 천태만상】 천상만태(千狀萬態)。
【千態萬象 천태만상】 천차만별(千差萬別)의 형태。
【千篇一律 천편일률】 ①시문(詩文)의 글귀가 어느 것이든지 단조로와 변화가 적음。전(轉)하여 ②사물(事物)이 어느 것이나 한결 같아 변화가 없음。모두 단조무미함。
◉萬千 만천 一騎當千 일기당천

【干】⇩部首

二畫

4【升】十 2 고교 승 | 되 | ㊥蒸

一 二 千 升

자원 상형

구기(⺀)로 물건을 떠올리는 모양을 나타냄。올리다의 뜻。또 양(量)의 단위(單位)로 씀。

뜻 ①**되승** ㉠용량의 단위。한 홉의 열 곱。㉡그 용량을 되는 그릇。②**새승** 직물의 여든 올。③**오를승** ㉠떠오름。㉡올라감。④**올릴승** 윗 뜻의 타동사。⑤**바칠승** 드림。⑥**이루어질승** 성립됨。⑦**성할승** 융성함。⑧**익을승** 곡식이 여묾。「升平승평」 ⑨**승괘승** 육십사괘의 하나。곧 ☷☴ (손하(巽下)、곤상(坤上))。전진 향상의 상(象)。

참고 「升」을 음으로 하는 글자=「昇승」〈올라가다〉·「陞승」〈올라가다〉

【升降 승강】 오르고 내림。또 올리고 내림。
【升啓 승계】 편지 피봉의 수신인(受信人)의 이름 아래에 쓰는 말。
【升引 승인】 끌어 올림。발탁(拔擢)함。
【升進 승진】 승진(昇進)。승진(陞進)。
【升天 승천】 ①하늘로 올라감。②기독교에서 죽음을 이름。승천(昇天)。
【升遐* 승하】 제왕(帝王)이 세상을 떠남。승하(昇遐)。

4【午】十 2 중학 오 | 일곱째지지 | ㊤麌

丿 𠂉 午

자원 상형 (A) (B) 3000년전

「午」는 절굿공이 모양인 듯。또 「五오」「互호」와 마찬가지로 가로 세로 엇갈리다의 뜻。또 저쪽과 이쪽이 갈리는 경계(境界)의 뜻을 나타냄。그 밖에 지지(地支)의 일곱째로도 쓰임。

뜻 ①**일곱째지지오** 십이지(十二支)

중의 일곱째. 시간으로는 정오, 방위로는 정남, 띠로는 말, 달로는 음력 오월(五月). ②**오시오** 오전 열한 시부터 오후 한 시까지의 시간. 「午刻오각」 ③**낮오** 주간(晝間). 「午睡오수」 ④**가로세로엇걸릴오** 종횡으로 교차함. 「交午교오」 ⑤**거슬릴오** 忤(心部四畫)와 같은 글자.

참고 「午」를 음으로 하는 글자=「忤오」〈거역하다〉·「迕오」〈만나다〉·「許허」〈허락하다〉

【午刻 오각】 오시(午時).

【午睡 오수】 낮잠. 주면(晝眠). 오침(午寢).

【午時 오시】 ①오전 열한 시부터 오후 한 시까지의 시간. ②낮.

【午前 오전】 ①정오(正午) 이전. ②밤 열두 시부터 낮 열두 시까지의 사이.

【午正 오정】 낮 열두 시. 정오(正午).

【午餐* 오찬】 점심. 주식.

【午寢 오침】 낮잠. 오수(午睡).

【午後 오후】 ①정오(正午) 이후. ②오정부터 밤 열두 시까지의 사이.

◉端午단오 上午상오 正午정오

【攴】⇩部首

4 【卆】 十 2 卒(十部六畫)의 속자(俗字).

三畫

5 【半】 十 3 중학 반 — 반 — ㊀翰

丿 八 𠂉 兰 半

자원 형성 八음 + 牛 → 半(十부)

(A) (B) 2500년 전

음을 나타내는 「八팔」(반은 변음)은 나누다. 「牛우」는 소. 「半」은 소를 해부하듯이 물건을 나누는 일. 옛 모양은 「八」과 「斗두」〈말〉를 합하여 물건의 양을 되는 것이며 나중에 「八」과 「牛」를 합친 자형(字形)으로 변한 것으로 생각됨.

뜻 ①**반반** 이분지 일. 「半年반년」「折半절반」 ②**가운데반** 중간. 중앙. 「半途반도」 ③**한창반** 절정. 「夜半야반」 ④**조각반** 큰 조각. ⑤**반쪽낼반** 중분(中分)함.

참고 「半」을 음으로 하는 글자=「判판」〈가르다〉·「伴반」〈짝〉·「胖반」〈희생(犧牲)의 반쪽〉·「畔반」〈두둑〉·「絆반」〈줄〉·「袢번」〈여름옷〉·「泮반」〈얼음이 녹다〉

【半價 반가】 반 값.

【半減 반감】 절반을 덞. 또 절반이 줆.

【半開 반개】 ①반쯤 엶. ②꽃이 다 피지 못하고 반쯤 핌. ③문화가 약간 열림. 개화(開化)가 다 되지 못함.

【半徑 반경】 원(圓) 또는 구(球)의 직경(直徑)의 절반. 반지름.

【半官半民 반관반민】 정부와 민간이 반반씩으로 조직·경영하는 일.

【半句 반구】 일구(一句)의 반. 곧 적은 말. 짧은 말.

【半球 반구】 ①지구를 동서 또는 남북으로 반분(半分)한 것의 한 부분. ②구(球)를 그 중심을 통과하는 평면으로 반분한 것의 한 부분.

【半期 반기】 일기(一期)의 반.

【半年 반년】 일 년의 절반. 육개월.

【半島 반도】 한 면(面)만 육지에 닿

〔二畫部首順〕二亠人儿入八冂冖冫几凵刀力勹匕匚匸十卜卩厂厶又

고 그 나머지 세 면은 바다에 싸인 땅。

【半面 반면】 ①한쪽의 면(面)。 ②얼굴의 왼쪽 또는 오른쪽의 한 쪽。

【半半 반반】 ①똑같이 가른 반과 반。 ②반씩。

【半白 반백】 ①반이 흼。 ②머리털이 흰 것과 검은 것이 반씩 섞임。 반백(斑白)。

【半步 반보】 반 걸음。

【半分 반분】 ①반。 이분지 일。 절반。 ②절반으로 나눔。

【半死半生 반사반생】 ①거의 죽게 되어서 죽을지 살지 알 수 없는 지경에 이름。 ②초목 같은 것이 반은 죽고 반은 삶。

【半生 반생】 ①일생의 절반。 ②거의 죽게 됨。

【半生半死 반생반사】 반사반생(半死半生)。

【半生半熟 반생반숙】 반은 설고 반은 익음。 전(轉)하여 미숙(未熟)함。

【半數 반수】 전체의 절반。

【半熟 반숙】 음식이나 과실 같은 것이 반쯤 익음。

【半時 반시】 한 시간의 절반。 곧 삼십분。

【半身 반신】 온 몸의 절반。

【半信半疑 반신반의】 반쯤은 믿고 반쯤은 의심함。

【半身不隨 반신불수】 몸의 어느 한쪽을 잘 쓰지 못함。 또 그 병。

【半失 반실】 반이나 없어짐。

【半額 반액】 《韓》 전액(全額)의 반。 원값의 절반。

【半夜 반야】 ①오밤중。 한밤중。 야반(夜半)。 ②한 밤의 반。

【半圓 반원】 원(圓)의 절반。

【半月 반월】 ①반원형의 달。 반달。 ②한 달의 반。 반달。

【半切 반절】 ①반으로 자름。 ②당지(唐紙)·화선지(畫仙紙) 등의 전지(全紙)를 세로 반으로 자른 것。

【半折 반절】 똑같이 반으로 꺾음。

【半點 반점】 ①한 점의 절반。 ②조금。 약간。 ③반시간。

【半製 반제】 반만 만듦。

【半醉 반취】 술이 반쯤 취함。

【半幅 반폭】 한 폭의 절반。

【半解 반해】 반쯤 이해함。

◉過半과반 大半대반 夜半야반 一半일반 前半전반 折半절반 下半하반

【古】 ⇩口部二畫

五畫

【克】 ⇩儿部五畫

六畫

8 【協】 十 6 [중학] 협 | 맞을 | [去]葉

一 十 忄 忄 怮 恊 協

[자원] 형성 十 + 劦[음] → 協(十부)

음을 나타내는 「劦협」은 힘을 합하는 일。 「十십」은 많은 뜻。 「協」은 많은 사람이 힘을 합하는 일。

[뜻] ①맞을협、 합할협 화합함。 협력함。 「協和협화」 「協心협심」 ②좇을협 따름。 복종함。 「協從협종」

[주의] 「恊협」〈위협하다〉과는 딴 글자。

[참고] 「劦협」〈힘을 합하다〉을 음으로 하는 글자=「恊협」〈위협하다〉·「脅협」〈겨드랑이〉

【協同 협동】마음을 같이 하고 힘을 합함。협심(協心)。
【協力 협력】힘을 모아서 같이함。협동(協同)하여 일함。육력(戮力)。
【協成 협성】힘을 합하여 일을 이룸。
【協約 협약】이해 관계가 있는 쌍방이 협의하여 약정(約定)함。또 그 약정。
【協韻 협운】서로 통하여 쓰는 운。
【協議 협의】여러 사람이 모이어 서로 의논(議論)함。협상(協商)。
【協定 협정】협의하여 결정함。
【協調 협조】힘을 합하여 서로 조화(調和)함。
【協和 협화】협력하여 화합(和合)함。또 협력하고 화합하게 함。
【協會 협회】회원이 협동(協同)하여 설립하는 회。
◉妥協타협 和協화협

8 **【卑】** 十 6 고교 **비** | 낮을 | ㊥支 ㊤紙

丿 丨 冂 白 白 甶 由 卑

자원 회의 甶+十→卑(十부) 2500년전

「卑」는 왼손(중국에서는 왼쪽을 낮게 여김)에 도구(道具) 甶(무엇인지 불명)를 가지고 일함을 나타냄。그것은 신분(身分)이 천한(⇩鄙비) 사람이 하는 일이므로 전(轉)하여 「천하다」의 뜻。

뜻 ①**낮을비** ㉠높지 아니함。「卑牆비장」㉡지위가 낮음。신분이 천함。㉢하등(下等)임。「卑陋비루」㉣웅성하지 아니함。㉤가까움。「卑近비근」㉥또 낮은 사람。낮은 데。②**낮게여길비** 천하게 여김。경멸함。③**낮출비** 겸손함。「卑下비하」「卑辭비사」④**하여금비** 俾(人部八畫)와 같은 글자。

주의 「卑」는 속자(俗字)。

참고 「卑」를 음으로 하는 글자=「俾비」〈시키다〉·「婢비」〈하녀〉·「碑비」〈비석〉·「脾비」〈지라〉·「裨비」〈돕다〉·「髀비」〈넓적다리〉·「稗패」〈피〉

【卑怯* 비겁】하는 짓이 비루하고 겁이 많음。
【卑見 비견】자기 의견의 겸칭(謙稱)。비견(鄙見)。
【卑屈 비굴】비루하고 기개(氣概)가 없음。비루하고 무기력함。
【卑陋* 비루】①낮고 좁음。②마음이 고상하지 못하고 더러움。③신분(身分)이 낮음。
【卑俗 비속】낮고 속됨。
【卑屬 비속】혈연(血緣) 관계에서 낮은 항렬에 있는 사람。곧 아들·손자·조카 따위。비항(卑行)。
【卑語 비어】천한 말。하등 사회(下等社會)의 상스러운 말。
【卑劣 비열】비굴하고 용렬함。
【卑賤 비천】지위(地位)나 신분(身分)이 낮음。천(賤)함。
【卑下 비하】①자기를 낮춤。겸손함。②남을 천대(賤待)함。
◉謙卑겸비 男尊女卑남존여비 鮮卑선비 升高自卑승고자비 野卑야비 尊卑존비

8 **【卒】** 十 6 중학 **졸** | 하인 | ①-⑦㊀月 ⑧-⑩㊀質

亠 亠 亣 亣 亣 亣 卒

자원 회의 衣+十→卒(十부) 2000년전

옛 모양은 「衣의」〈옷〉에 표가 붙어 있는 모양. 나중에 「衣」와 「十십」을 합친 자형(字形)으로 씀. 「卒」은 표가 붙은 제복(制服)을 입는 잡졸(雜卒)→하인→자잘한 하나하나. 또 자잘한 것을 뭉뚱그리다→끝마치다→끝나다→죽다.

뜻 ①하인졸 잡일을 하는 하인. 심부름꾼. ②무리졸 군중. 서인(庶人). ③군사졸 병졸. 군대. 「卒兵졸병」 ④백사람졸 백명을 한 조(組)로 한 칭호. 「卒伍졸오」 ⑤마을졸 삼백호를 한 구역으로 한 칭호. ⑥나라졸 삼십국(三十國)을 한 구역으로 한 칭호. ⑦갑자기졸 돌연히. 또 갑자기 일어나는 일. ⑧마칠졸 일을 끝마침. ⑨죽을졸 ㉠사망함. ㉡대부(大夫)로서 죽음. ⑩마침내졸 드디어. 기어이.

주의 「卆」은 속자(俗字).

참고 「卒」을 음으로 하는 글자=「猝졸」〈갑작스럽다〉·「粹수」〈순수하다〉·「翠취」〈물총새〉·「醉취」〈취하다〉·「萃췌」〈모으다〉·「悴췌」〈야위다〉·「瘁췌」〈병들다〉·「碎쇄」〈깨뜨리다〉

【卒年 졸년】 죽은 해.

【卒倒 졸도】 갑자기 정신을 잃고 쓰러짐.

【卒乍*졸사】 별안간. 갑자기.

【卒歲 졸세】 해를 마침. 그 해를 지냄.

【卒業 졸업】 ①업(業)을 마침. 일을 끝냄. ②규정(規定)한 과정(課程)을 마침.

【卒然 졸연】 갑자기. 느닷없이.

【卒章 졸장】 끝의 장구(章句).

【卒中風 졸중풍】 뇌일혈 등으로 별안간 의식을 잃고 졸도하는 병.

◉兵卒병졸 驛卒역졸 獄卒옥졸 從卒종졸

8 【卓】 十 6 탁 | 높을 | 入覺

자원 형성 早음 卜 ┬卓(十부) 2500년전

견주다의 뜻(⇩比비)을 가진「卜복」과, 음을 나타내며 동시에 높다의 뜻(⇩高고)을 나타내기 위한「早조」(탁은 변음)로 이루어짐. 다른 것과 견주어 높게 뛰어나다의 뜻. 책상은 앉는 자리보다 한 단 높게 되어 있으므로「卓」이라고 함.

뜻 ①높을탁 ㉠높이 솟아 있음. 높이 서 있음. 「卓峙탁치」 ㉡뛰어남. 우월함. 「卓越탁월」「卓見탁견」 ②멀탁 시간이나 거리가 멂. 「卓行탁행」 ③탁자탁 桌(木部六畫)과 통용. 「食卓식탁」

참고 「卓」을 음으로 하는 글자=「倬탁」〈현저하다〉·「悼도」〈슬퍼하다〉·「棹도」〈노〉·「掉도」〈흔들다〉·「罩조」〈가리〉·「踔초·탁」〈달리다〉·「焯작」〈밝다〉·「綽작」〈너그럽다〉

【卓見 탁견】 뛰어난 식견(識見).

【卓論 탁론】 뛰어난 의론(議論). 탁견(卓見). 탁설(卓說).

【卓立 탁립】 우뚝하게 서 있음. 여럿 가운데 높이 뛰어남. 정립(挺立).

【卓上 탁상】 책상 또는 식탁의 위.

【卓說 탁설】 탁월(卓越)한 설(說).

【卓然 탁연】 높이 뛰어난 모양.

【卓越 탁월】 월등하게 뛰어남. 아주 걸출하여 이채로움.

【卓子 탁자】 물건을 올려놓는 가구. 책상·식탁(食卓) 따위. 자(子)는 조사(助辭). 궤안(几案).

【卓絕 탁절】 남보다 훨씬 뛰어남。
【卓效 탁효】 뛰어난 효험。
◉奇卓기탁 食卓식탁 圓卓원탁 超卓초탁

【直】 ⇨目部三畫

【卓】 ⇨部首

七畫

9【南】7 十 중학 남 | 남녘 | ㊥覃

一 十 冂 冇 南 南 南

南

자원 상형 3000년 전

「南」의 자형(字形)의 기원에는 여러 가지 설(說)이 있었으나 최근의 연구로 옛날 남방(南方) 사람이 썼던 타악기(打樂器)를 달아맨 모양임을 알게 되었음。 그것은 매우 맑은 소리로 멀리 들리고 독특하였기 때문에 이 악기를 쓰는 남방 사람도 「南」이라 일컬음。 그 악기를 또 남임(南任)이라고도 하였는데 나중에 「南」이 「壬임」〈잉태하다、품다〉의 뜻으로 잘못 전하여지고 또 「暖난」〈따뜻하다〉의 뜻으로도 쓰이게 됨。 한편 「南」은 남방 사람을 일컫는 것이기 때문에 방위(方位)의 「남쪽」도 나타냄。

뜻 ①**남녘남** 남쪽。 남방。「南北남북」 ②**남녘으로갈남** 남쪽을 향하여 감。 ③**풍류이름남** 아악(雅樂)의 이름。 ④**임금남** 군주(君主)를 이름。

참고 「南」을 음으로 하는 글자=「楠남」〈녹나무〉·「喃남」〈재잘거리다〉·「諵남」〈수다스럽다〉

【南無三寶 나무삼보】《佛敎》 불(佛)·법(法)·승(僧)의 삼보에 귀의함。
【南無阿彌陀佛* 나무아미타불】《佛敎》 염불(念佛)하는 소리의 한 가지。 아미타불에 돌아가 의지한다는 뜻。
【南柯夢* 남가몽】 당(唐)나라 때 순우분(淳于棼)이 자기(自己) 집 남쪽에 있는 늙은 회화나무 밑에서 술 취하여 자고 있었는데、꿈에 대괴안국(大槐安國) 남가군(南柯郡)을 다스리어 이십년간이나 부귀(富貴)를 누리다가 깨었다는 고사(故事)。 전(轉)하여 꿈의 뜻으로 쓰이기도 하고 또 한때의 헛된 부귀(富貴)의 비유로 쓰이기도 함。 남가일몽(南柯一夢)。
【南京 남경】 ①강소성(江蘇省)의 서쪽 양자강(揚子江) 연안에 있는 도시。 삼국(三國)의 오(吳)를 비롯한 여러 나라 및 명(明)나라의 서울이었음。 ②《韓》 고려(高麗) 때 사경(四京)의 하나。 지금의 서울。
【南瓜 남과】 호박。
【南歐* 남구】 유럽의 남부。 곧 이탈리아·스페인 등。
【南宮 남궁】 당(唐)나라의 관제(官制)로 예부(禮部)를 이름。
【南極 남극】 ①남극성(南極星)。 ②남쪽 끝。 ③지축(地軸)의 남단(南端)。
【南極老人 남극노인】 남극성(南極星)의 이칭(異稱)。
【南極星 남극성】 남극。 남십자성(南十字星)。
【南道 남도】《韓》 경기도(京畿道) 이남의 도(道)。
【南蠻 남만】 남쪽 오랑캐。
【南面 남면】 ①남방으로 면(面)함。 남쪽으로 향함。 ②임금이 조정(朝

〔二畫部首順〕 二亠人儿入八冂冖冫几凵刀力勹匕匚匸十卜卩厂厶又

廷)에서 신하(臣下)에 대하여 남쪽으로 향해 앉는 자리。 전(轉)하여 ③임금의 지위。

【南半球 남반구】 지구(地球)의 적도(赤道) 이남의 부분。

【南方 남방】 남쪽의 방위(方位)。

【南北 남북】 남쪽과 북쪽。

【南北朝 남북조】 남북 양조(兩朝)가 대립한 백 오년간의 일컬음。 동진(東晉)의 뒤를 계승한 송(宋)·남제(南齊)·양(梁)·진(陳)의 사조(四朝)가 건강(建康)에 도읍(都邑)하여 강남(江南)의 땅을 영유(領有)한 것을 남조(南朝)라 하며, 이에 대하여 강북(江北)의 제국(諸國)이 북위(北魏)에 합병되었다가 다시 분열하여 북주(北周)에 이른 것을 북조(北朝)라 함。

【南氷洋 남빙양】 오대양(五大洋)의 하나。 남극(南極)에 가까운데 일년 내내 빙결(氷結)함。

【南船北馬 남선북마】 중국의 지세(地勢)는 남쪽은 강이 많아서 주로 배를 타고、 북쪽은 평지(平地)가 많아서 주로 말을 탄다는 뜻으로、 항상 여행(旅行)하거나 분주히 사방으로 돌아다님을 이름。

【南宋* 남송】 북송(北宋)이 금(金)나라에게 망할 때 그 마지막 황제 흠종(欽宗)의 아우 고종(高宗)이 즉위(即位)하여 강남(江南)으로 도망가、 임안(臨安)에 도읍(都邑)하여 세운 나라。 구대(九代) 백오십삼년(百五十三年) 만에 원(元) 나라에게 멸망되었음。

【南人 남인】 ①남쪽 나라의 사람。 ②원대(元代)에 남송(南宋) 사람을 가리켜 이른 말。 ③《韓》 조선(朝鮮) 때의 사색 당파(四色黨派)의 하나。 서울 남촌(南村)에 사는 유성룡(柳成龍)을 중심으로 한 당파임。

【南田北畓 남전북답】《韓》 소유한 전답이 여러 곳에 흩어져 있는 것을 이르는 말。

【南齊 남제】 남조(南朝)의 하나。 소도성(蕭道成)이 송(宋)나라를 멸하고 세운 나라。 도읍은 건강(建康)。 칠대(七代) 이십사년(二十四年) 만에 양(梁)나라에게 망하였음。 (四七九 五〇二)

【南朝 남조】 동진(東晉)이 망한 후 강남(江南)에서 한족(漢族)이 세운 송(宋)·남제(南齊)·양(梁)·진(陳)의 사조(四朝)。

【南宗 남종】 당나라의 왕유(王維)를 원조(元祖)로 하는 화가의 한 파。

【南支 남지】 중국 남부의 지방。 남중국。 화남(華南)。 남지나(南支那)。

【南窓 남창】 남쪽으로 향한 창。

【南草 남초】 담배。

【南風 남풍】 남쪽에서 불어오는 바람。 마파람。

【南漢 남한】 오대(五代) 때、 십국(十國)의 하나。 유은(劉隱)이 세운 나라。 광동(廣東) 및 광서(廣西) 남부 지방에 할거함。 오왕(五王) 육십삼년(六十三年) 만에 송(宋)나라에게 망하였음。 (九〇九 九七一)

【南海 남해】 남쪽에 있는 바다。

【南行北走 남행북주】 남으로 가고 북으로 달린다는 뜻으로、 바삐 돌아다님을 이름。 동분서주(東奔西走)。

【南向 남향】남쪽으로 향함。

【南華眞經 남화진경】장주(莊周)의 저서 장자(莊子)의 별칭(別稱)。

◉江南강남 極南극남 圖南도남 河南하남

9 【単】十 7 單(口部九畫)의 약자(略字)。

九畫

【卛】⇩玄部六畫

十畫

12 【博】十 10 고교 박 | 너를 | 入藥

十 𠀁 怇 恒 悑 悑 愽 博 博

자원 형성 甫음 十 성 又-寸丁專음丁博(十부) 2500년전

「甫보」는 모종의 뿌리 부분을 싼 모양。음을 나타내는 「専부」(박은 변음)는 나무 모종을 「又우=寸촌」〈손〉에 들고 심다→돕는 일。옛날에는、정치(政治) 따위가 널리 골고루 미치다→펴다(⇩敷부)의 뜻을 나타내었음。나중에 「十십」을 더하여 「博」이라 쓰고 충분히 넓히다의 뜻을 강조(強調)함。

뜻 ①너를박 좁지 아니함。「博遠박원」 ②넓을박 학식·견문 등이 많음。「博學박학」「博識박식」 ③많을박 넓은 정도。 ④넓힐박 넓게 함。 ⑤넓이박 ⑥쌍륙박、노름박 주사위를 던져 하는 놀이。전(轉)하여 도박。「博戲박희」

주의 「愽」은 틀린 글자。

참고 「尃」를 음으로 하는 글자=「溥부·보」〈광대함〉·「搏박」〈때리다〉·「縛박」〈묶다〉·「傅부」〈스승〉·「賻부」〈부조〉

【博達 박달】널리 사물에 통달함。박통(博通)。

【博大 박대】넓음。큼。

【博徒 박도】노름꾼。

【博覽會 박람회】산업(産業)을 진흥시키기 위하여 농공업(農工業)에 관한 제품(製品)과 통계표 등을 진열하여 여러 사람에게 관람시키는 회。

【博文 박문】학문을 널리 닦음。

【博聞 박문】사물(事物)을 널리 들어 잘 앎。

【博聞強記 박문강기】견문이 넓고 기억력이 좋음。

【博物 박물】①박식(博識)。②동물(動物)·식물(植物)·광물(鑛物)의 총칭。③온갖 사물(事物)과 그에 관한 참고가 될 만한 물건。

【博物館 박물관】내외국(內外國) 또는 고금(古今)의 역사적 유물(遺物)과 미술품(美術品)을 모아 진열하고 여러 사람에게 관람(觀覽)·연구를 하게 하는 곳。

【博物君子 박물군자】모든 사물(事物)에 능통한 사람。

【博士 박사】①교학(教學)을 맡은 벼슬。진(秦)나라 때 비로소 두었음。②일정한 학술(學術)을 전공하여 그 온오(蘊奧)를 다한 사람에게 주는 학위(學位)。전공 부문에 따라 공학(工學)·문학(文學)·농학(農學)·법학(法學) 등의 여러 박사(博士)가 있음。

【博識 박식】보고 들은 것이 많아서 많이 앎。또 그러한 사람。

【博愛 박애】모든 사람을 평등(平等)

하게 사랑함。

【博言學 박언학】 언어학(言語學)。

【博遠 박원】 넓고 멀리 미침。

【博通 박통】 널리 사물에 통(通)함。

【博學 박학】 널리 배움。 학문(學問)이 썩 넓음。또 그러한 사람。

【博學多聞 박학다문】 하식과 문견이 썩 넓음。

◉賭博도박 深博심박 精博정박 該博해박

卜部

2 【卜】 부수 고교 ㊀복 ㊁짐韓 — 점 — ㊀入屋

丨 卜

뜻 상형 卜 2500년전

옛날에는 거북의 등딱지나 쇠뼈를 불에 구워 그 금을 보고 길흉(吉凶)을 판단(判斷)했음。 옛 글자는 터진 금을 나타내고, 갈라질 때 나는 소리를 따서「복」이라고 했음。

뜻 ㊀①**점복** 거북의 등딱지를 불에 그슬리어 그 갈라진 금으로 길흉화복을 판단하는 일。 거북점。 전(轉)하여 널리 길흉화복의 판단。「卜占복점」「卜筮복서」 ②**점칠복** 길흉화복을 판단함。「卜仕복사」 ③**점장이복** 점치는 것을 업으로 하는 사람。 ④**줄복** 하사함。 ⑤**상고할복** 생각함。 ⑥**성복** 성씨(姓氏)의 하나。 ㊁**짐바리짐** 《韓》 마소로 실어 나르는 짐。

참고 「卜」을 음으로 하는 글자=「扑복」〈때리다〉·「朴박」〈나무껍질〉·「赴부」〈다다르다〉·「訃부」〈부고〉

【卜居 복거】 살 만한 곳을 점침。 살 만한 곳을 가려서 정함。

【卜吉 복길】 길일(吉日)을 점침。 좋은 날을 가려 받음。

【卜師 복사】 점(占)치는 사람。 복인「(卜人)」。

【卜商 복상】 춘추시대(春秋時代)의 위(衛)나라 사람。 자(子)는 자하(子夏)。 공자(孔子)의 제자로 문학에 뛰어남。

【卜筮* 복서】 점(占)。

【卜術 복술】 점을 치는 술법(術法)。

【卜定 복정】 점쳐서 일의 선악(善惡)을 판단함。

【卜債 복채】 점을 쳐 준 값으로 주는 「돈。

◉龜卜귀복 問卜문복 筮卜서복 占卜점복

二畫

4 【卞】 卜 2 변 — 법 — 去霰

자원 지사 「弁변」〈감투〉의 별체(別體)의 글자 𠔁의 예서(隸書) 𠘧이 𠘧→𠀃→卞으로 변한 것。

뜻 ①**법변** 법제(法制)。 법칙。 ②**조급할변** 성급함。 ③**성변**

【卞和 변화】 ①춘추시대(春秋時代)의 초(楚)나라 사람。 산중(山中)에서 얻은 명옥(名玉)을 초왕(楚王)에게 바쳤음。 ②화씨지벽(和氏之璧)。 전(轉)하여 보옥(寶玉)을 이름。

三畫

5 【占】 卜 3 고교 점 — 점칠 — ①-⑤平鹽 ⑥⑦去豔

丨 ⺊ ⺊ 占 占

자원 회의 口+卜→占(卜부)

점칠 때 갈라진 금을 나타내는 「卜복」과 묻다의 뜻인 「口구」로 이루어짐。「卜」에 의하여 길흉(吉凶)을 판단함을 일컬음。

뜻 ①**점칠점** 복술(卜術)을 행함。「占卜점복」「占術점술」 ②**점점** 복서(卜筮)。 ③**볼점** 알려고 자세히 살펴 봄。 ④**상고할점** 생각함。 ⑤**물을점** 문의함。일설(一說)에는 시험함。 ⑥**차지할점** 점유함。「占有점유」「占領점령」 ⑦**입으로부를점** 구수(口授)함。

참고 「占」을 음으로 하는 글자=「沾첨·점·접」〈젖다〉·「苫점·섬」〈뜸〉·「店점」〈가게〉·「點점」〈점〉·「帖첩·체」〈휘장〉·「貼첩」〈붙이다〉

【占據 점거】 차지하여 자리를 잡음。

【占卦* 점괘】 점쳐 나타나는 괘(卦)。

【占領 점령】 ①점유(占有)。 ②적(敵)의 토지(土地)·진영(陣營) 등을 무력(武力)으로 빼앗음。

【占卜 점복】 점。복서(卜筮)。

【占書 점서】 점에 관한 책。

【占星術 점성술】 천문(天文)을 보고 점치는 방법。

【占術 점술】 점을 치는 술법(術法)。

【占有 점유】 차지함。자기의 소유(所有)로 함。

◉口占구점 獨占독점 卜占복점 星占성점

六畫

8 【卦】 卜 6 괘 | 괘 | (去)卦

자원 형성 圭+卜→卦(卜부)

점의 뜻인 「卜복」과, 음을 나타내는 「圭규」(괘는 변음)로 이루어짐。

뜻 **괘괘**, **점괘괘** 복희씨(伏羲氏)가 만들었다고 하는 일종의 글자。한 괘에 각각 삼효(三爻)를 음양(陰陽)으로 나누어서 팔괘(八卦)가 되게 하고 팔괘가 거듭하여 육십사괘(六十四卦)가 됨。이것으로 천지간(天地間)의 변화를 나타내며 길흉화복을 판단하는 주역(周易)의 골자(骨子)가 되는 것임。또 이것으로 점쳐 나타나는 육십 사 종의 괘。「卦辭괘사」

【卦象 괘상】 괘의 길흉의 상(象)。

◉神卦신괘 陽卦양괘 陰卦음괘 八卦팔괘

【卓】 ⇩十部六畫

卩(㔾)部

2 【卩】 부수 절 | 병부 | (入)屑

자원 상형 3000년전

「卩」은, 사람이 무릎을 꿇은 모양을 본뜸。「膝슬」의 본디글자。부절(符節)의 뜻(⇩節절)으로 차용(借用)되어,「節」의 옛 글자로 쓰였음。

뜻 **병부절** 節(竹部九畫)의 옛글자。

2 【㔾】 卩 0 卩(앞글자)과 같은 글자。

三畫

5
【卯】 卩 3 중학 **묘** ─ 네째지지 ─ ㊤巧

一 ㄈ 𠂎 卯 卯

자원 상형 (古字形)

칼로 물건을 발긴 모양。일설(一說)에 문을 좌우로 연 모양이라고도 함。음을 빌어 지지(地支)의 네째를 나타냄。

뜻 **네째지지 묘** 십이지(十二支) 중의 네째。방위는 동쪽、시간으로는 오전 여섯시、띠로는 토끼、달로는 음력 이월(二月)。

주의 ①「戼」는「卯」와 같은 글자。②「丣」〈「酉」의 옛 글자〉·「夘원」〈엎드림〉·「丱관·환」〈총각〉은 다른 글자。

참고 「卯」를 음으로 하는 글자=「貿무」〈교역〉·「柳류」〈버들〉

【卯君 묘군】 묘(卯)의 해에 난 사람。

【卯金刀 묘금도】「劉류」자(字)를 풀어 이르는 말。

四畫

6
【印】 卩 4 중학 **인** ─ 인 ─ ㊍震

一 ㄈ E 𠂎 印

자원 회의 手-爪-E ┬ 印(卩부) 卩 (古字形) 2500년전

「E」은 손톱의 모양→손에 가지는 일。「卩절」은 옛날 약속할 때의 표이며 증명서와 같은 것。「印」은 증표를 손에 쥐다→사령(辭令)에 찍는 도장→표→표하는 일。

뜻 ①**인인** 도장。②**찍을인** ㉠인장을 찍음。㉡서적을 간행함。③**찍힐인**、**묻을인** 자취가 남음。「印象인상」④《佛教》**인상**(印相)**인** 손가락을 여러 가지로 끼워 맞추어 여러 형상을 만들어 법덕(法德)의 표지(標識)로 하는 것。

【印刻 인각】 나무나 그 밖의 물건에 글자나 물형(物形)을 새김。

【印鑑 인감】 관청에 대조용(對照用)으로 제출한 실용(實用)하는 도장의 인발。도장의 진위(眞僞)를 감정하기 위하여 씀。

【印譜 인보】 여러 가지 인영(印影)을 모아 실은 책。

【印本 인본】 인쇄(印刷)한 책。

【印象 인상】 ①《佛教》물건의 표면에 찍힌 형상。②자극을 받아 감각을 일으키어 마음에 새겨지는 작용。

【印稅 인세】 서적(書籍)의 발행자가 저작자(著作者)에게 보수로 주는 돈。「냄。

【印刷 인쇄】 글이나 그림 등을 박아

【印綬* 인수】 인(印)과 인끈。벼슬아치로 임명되어 임금으로부터 받는 표장(標章)。

【印影 인영】 찍어 놓은 도장의 형적(形迹)。인발。

【印章 인장】 ①도장。②인영(印影)。

【印材 인재】 도장을 만드는 재료。나무·수정·뿔·금속 등이 있음。

【印朱 인주】 도장에 묻히어 찍는 주홍(朱紅)빛이 나는 물건。

【印紙 인지】 ①인장(印章)을 찍은 종이。②세금 또는 수수료를 내는 증

거로 서류(書類)·장부(帳簿) 등에 붙이는 정부(政府)에서 발행하는 증표(證票)。

【印行 인행】 출판물을 발행함。 간행함。

◉刻印각인 檢印검인 官印관인 烙印낙인 捺印날인 銅印동인 拇印무인 封印봉인 私印사인 社印사인 信印신인 實印실인

6 【危】 卩 4 [중학] 위 | 위태할 | [平] 支

丿 ⺈ 厃 危

[자원] 회의 厃+㔾→危(卩부) 2000년전

「厃우」는 사람이 벼랑가에 선 모양↓깎은 듯이 선 벼랑→쳐다보다→위태롭다。 「㔾절」은 「卩」로도 쓰며 사람이 몸을 굽히고 주의를 하고 있는 모양。 「危」는 높고 험한 경사(傾斜)진 땅→위태롭다。

[뜻] ①위태할위 ㉠위험함。 「危徑위경」 ㉡보전하기 어려움。 거의 망하게 됨。 ㉢거의 죽게 됨。 병이 위중함。 「危篤위독」 ㉣바르지 아니함。 믿기 어려움。 ②위태롭게할위 앞의 뜻의 타동사。 ③위구할위 두려워함。 의구(疑懼)함。 불안해함。 「危怖위포」 ④높을위 「危空위공」「危峯위봉」 ⑤바를위 곧음。 「危坐위좌」 ⑥바르게할위 곧게 함。 일설(一說)에는 고상하게 함。 또 일설에는 엄격히 함。 ⑦마룻대위 옥동(屋棟)。 ⑧별이름위 이십팔수(二十八宿)의 하나。 북방에 있음。 ⑨거의위 거반。

[참고] 「危위」를 음으로 하는 글자＝「垝위」〈무너지다〉·「陒희」〈험하다〉·「詭궤」〈속이다〉

【危懼 위구】 두려워함。 대단히 불안해함。

【危急 위급】 위태하고 다급함。 위태로운 재난(災難)이 가까이 닥침。

【危急存亡之秋 위급존망지추】 나라의 존망(存亡)이 달려 있는 가장 중요한 때。

【危機 위기】 위급한 기회(機會)。 위험한 때。

【危機一髮 위기일발】 까딱하면 위험에 빠질 아슬아슬한 순간(瞬間)。 극히 위급한 경우。

【危難 위난】 위급한 재난(災難)。

【危篤 위독】 병세(病勢)가 매우 중함。

【危亂 위란】 나라가 위태(危殆)하고 어지러움。

【危如累卵 위여누란】 달걀을 달걀 위에 쌓아 올린 것처럼 위태위태함。

【危坐 위좌】 똑바로 앉음。 단정히 앉음。 궤좌(跪坐)。 정좌(正坐)。

【危重 위중】 병세(病勢)가 대단함。

【危症 위증】 위험한 병세。

【危地 위지】 위험한 땅。 또 위태로운 경지。

【危殆 위태】 위험함。 또 형세가 매우 어려움。

【危害 위해】 위험한 재난(災難)。 몸에 상해를 입을 만한 큰 액(厄)。

【危險 위험】 ①위태하고 험함。 ②안전하지 못함。 ③요해처(要害處)。

◉累卵之危누란지위 安危안위

五畫

7 【却】 卩 5 [고교] 각 | 물러날 | [入] 藥

一 十 土 去 去 却 却

[자원] 형성 卩 谷음→去+卩→却(卩부)

[二畫部首順] 二亠人儿入八冂冖冫几凵刀力勹匕匚匸十卜卩厂厶又

무릎을 꿇은 모양의「卩병부절」과、음을 나타내며 동시에 반대 방향으로 가다의 뜻(⇩逆역)을 나타내는「去거」(각은 변음)로 이루어짐。삼가 물러나다의 뜻。

뜻 ①**물러날각** ㉠뒤로 물러남。「退却퇴각」㉡감。멀어짐。㉢쉼。②**물리칠각** ㉠받지 아니함。퇴함。되돌려 보냄。「棄却기각」㉡오지 못하게 함。막음。㉢쫓아 버림。「却退각퇴」③**뒤집을각** 안과 겉을 뒤바꿈。「却手각수」④**어조사각** 조사(助詞)로서 딴 동사 밑에 첨가하여 씀。了(亅部一畫)와 뜻이 같음。「忘却망각」⑤**도리어각** 반대로。⑥**틈각** 틈새。간극。

주의 ①「郤」이 정자(正字)。「却」은 본디 속자(俗字)。「刼」은 속자。②「郤극」〈틈〉은 다른 글자。

참고 「却」을 음으로 하는 글자=「脚각」〈다리〉

【却說 각설】화제(話題)를 돌리어 딴 말을 꺼낼 때에 쓰는 말。

【却下 각하】소송(訴訟)・원서(願書) 등을 받지 아니하고 물리침。기각。

◉棄却기각 忘却망각 賣却매각 消却소각

7 **【卵】** 卩 5 중학 **란** | 알 | ㊤旱

丿 𠃌 𠂎 卯 卵 卵 卵

자원 상형  2000년전

「卵」은 닭 따위 새의 알의 뜻으로 쓰이지만 본디는 물고기나 개구리의 알과 같이 얽혀 있는 모양의 것이라고도 함。

뜻 **알란** ㉠새의 알。㉡물고기의 알。

【卵白 난백】달걀의 흰자위。

【卵巢* 난소】난자(卵子)를 만들어 내는 타원형의 여자의 생식 기관。

【卵子 난자】난소(卵巢) 안에서 정자(精子)와 합하여 생식작용(生殖作用)을 하는 개체(個體)。

【卵黃 난황】노른자위。

◉雞卵계란 累卵누란 排山壓卵배산압란

7 **【卽】** 卩 5 卽(卩部七畫)의 속자(俗字)。

六畫

8 **【卷】** 卩 6 중학 **권** | 두루마리 | ①-③ ㊁霰 ④-⑥ ㊥銑 ⑦-⑩ ㊤先

丶 丷 䒑 龹 龹 卷 卷

자원 형성 卩-㔾+龹음→卷(卩부)

음을 나타내는「龹권」은 두 손으로 자잘한 낟알 같은 것을 뭉치는 모양→주먹을 쥐다。「㔾절」은 몸을 구부리는 일。「卷」은 사람이 몸을 구부리다→물건을 말다→만 것。「巻」은 약자。

뜻 ①**두루마리권** 주지(周紙)。②**책권** 고대에는 책을 매지 않고 두루마리로 하였으므로、전(轉)하여 책의 뜻으로 쓰임。「書卷서권」③**권권** ㉠책을 세는 수사(數詞)。㉡도서의 편차(編次)의 구별。④**말권** 두루루 맒。「席卷석권」⑤**말릴권** 앞의 뜻의 피동사。⑥**두를권** ㉠싸서 가림。포위함。㉡돌림。감음。⑦**굽을권** 굴곡함。「卷髮권발」⑧**작을권** 조그마함。⑨**아름다울권** 婘(女部八畫)과

같은 글자。⑩정성권 惓(心部八畫)과 같은 글자。

참고 ①「卷」을 음으로 하는 글자＝「捲권」〈말다〉·「圈권」〈우리〉·「倦권」〈싫증나다〉·「惓권」〈삼가다〉 ②「龹」을 음으로 하는 글자＝「劵권」〈어음쪽〉·「拳권」〈주먹〉·「眷권」〈돌아보다〉·「豢환」〈기르다〉

【卷卷 권권】①친절한 모양。 정중한 모양。②영락한 모양。

【卷頭 권두】책 또는 두루마리 같은 것의 첫머리。권수(卷首)。

【卷尾 권미】책 또는 두루마리 같은 것의 제일 뒤。

【卷舌 권설】①혀를 맒。 놀라거나 하도 어이가 없어서 말이 나오지 아니함을 이름。②별의 이름。

【卷煙 권연】만 담배。

【卷然 권연】예쁘고 간드러짐。 미인의 모양。

【卷帙* 권질】책의 권수와 부수。 또 책。

【卷軸* 권축】표장(表裝)하여 말아 놓은 서화(書畫)。또 그 축(軸)。

【卷土重來 권토중래】티끌을 일으키며 온다는 뜻으로、한번 패한 자가 세력을 복구하여 전력을 들여 다시 처들어 오거나 한번 실패한 자가 다시 전력을 들여 진출함을 이름。

◉經卷경권 萬卷만권 別卷별권 席卷석권 壓卷압권 全卷전권

8 【巷】 卩 6 巷(己部六畫)의 속자(俗字)。

七畫

9 【卻】 卩 7 却(卩部五畫)의 정자(正字)。

9 【卽】 卩 7 중학 즉 — 곧 — ㊀職

丶 ｒ 𠂤 白 白 白 皀 皀 卽

자원 회의 皀+卩 卽(卩부)

먹을 것을 많이 담은 그릇 앞에 사람이 무릎 꿇고 있음을 나타냄。식탁에 좌정한다는 뜻에서、전(轉)하여 자리잡다의 뜻으로 되고、밀착(密着)하다의 뜻에서、전(轉)하여 곧·바로의 뜻이 됨。

뜻 ①곧즉 ㉠즉시。바로。「卽今즉금」「卽決즉결」 ㉡다름이 아니라。②가까이할즉 ③나아갈즉 자리에 나아감。「卽席즉석」「卽位즉위」 ④만약즉 만일。⑤불똥즉 촛불의 탄 나머지。

주의 「即」은 속자(俗字)。

【卽刻 즉각】곧 그 시각(時刻)。즉시。

【卽決 즉결】즉시(卽時) 처결함。

【卽今 즉금】곧 이제。지금 당장。

【卽斷 즉단】그 자리에서 곧 단정함。

【卽答 즉답】그 자리에서 곧 대답함。

【卽賣 즉매】상품이 놓인 그 자리에서 곧 팖。

【卽死 즉사】그 자리에서 곧 죽음。

【卽席 즉석】①자리에 앉음。②곧 그 자리。곧 그 때。

【卽時 즉시】①곧 그 때。②지금。현재(現在)。

【卽位 즉위】①제왕(帝王)의 자리에 나아감。제왕이 됨。②자리에 앉음。

【卽應 즉응】기회를 따라 곧 응(應)함。

【卽日 즉일】곧 그 날。당일(當日)。

【卽錢 즉전】맞돈。

【卽行 즉행】①곧 감。②일을 곧 치름。

【卽效 즉효】약(藥) 같은 것이 당장 에 효력(效力)이 나타남。

【卽興 즉흥】①즉석에서 일어나는 흥치。②즉석에서 하는 음영(吟詠)。

9 【卽】卩 7 卽(앞 글자)의 속자(俗字)。

十畫

12 【卿】卩 10 고교 경 | 벼슬 | 平庚

丶 ㄷ 卯 卯 卯 卯 卿

자원 회의 卯+皀→卿(卩부) 2500년전

「卯경」과 「皀향」의 합자(合字)。두 사람이 음식(飮食)을 마주 보고 앉은 모양。「饗향」〈향응하다〉의 본디 글자。또 왕(王)의 음식(⇩饗향) 시중을 드는 사람의 뜻으로 차용(借用)되었음。고대(古代)에 왕의 음식을 시중드는 사람은 높은 지위(地位)에 있었으므로 「공경」(公卿)의 뜻으로 전용(專用)되었음。

뜻 ①**벼슬경** ㉠고대의 관제에서 각성(各省)의 장관 이상의 벼슬。㉡제후의 상대부(上大夫)。②**경경** 진한(秦漢) 이후에 군주가 신하를 부르던 칭호。전(轉)하여 수당(隋唐) 이후에는 부부·붕우간에도 쓰였음。③**선생경** 장로(長老)에 대한 존칭으로 성 밑에 붙이는 말。「荀卿순경」④**아주머니경** 여자의 호칭。

주의 「鄕향」〈고향〉은 본래 같은 글자。지금은 딴글자。

【卿大夫 경대부】경(卿)과 대부(大夫)。곧 집정자(執政者)。

【卿相 경상】재상(宰相)。대신(大臣)。

【卿尹* 경윤】재상(宰相)。

【卿宰* 경재】경상(卿相)。

◉ 公卿공경 九卿구경 上卿상경 六卿육경

厂部

2 【厂】부수 한 | 언덕 | 去翰 上旱

자원 상형 2500년전

벼랑 끝의 모양을 본뜸。

뜻 ①**언덕한** 구릉(丘陵)。일설에는 낭떠러지。②**석굴한** 암혈(巖穴)。

주의 우리 나라에서는 통속적(通俗的)으로 「歷력」의 약자(略字)로 쓰임。

二畫

4 【厄】厂 2 고교 액 | 재앙 | 入陌

一 厂 厅 厄

자원 회의 厂+㔾→厄(厂부)

벼랑을 뜻하는 「厂민엄호밑」과, 몸을 구부려 주의를 기울이다의 뜻인 「㔾절」로 이루어짐。비좁은 벼랑가、위태롭다의 뜻。전(轉)하여、재앙(災殃)의 뜻。

뜻 **재앙액** 재액。「厄運액운」

주의 「戹」은 같은 글자。「巵」는 틀린 글자。

참고 「厄」을 음으로 하는 글자=「扼

액」〈누르다〉·「阨액·액」〈가파르다〉·「軛액」〈멍에〉

【厄年 액년】운수(運數)가 사나운 해。

【厄運 액운】액(厄)을 당할 운수。불운(不運)。

四畫

【反】⇩又部二畫

五畫

【灰】⇩火部二畫

七畫

【辰】⇩部首

9【厚】厂7 중학 후|두터울|㊤有

一 厂 厂 戸 戸 厚 厚

자원 형성 厂+㫗(음)→厚(厂부)

「厂언덕한」〈벼랑、산이나 지형(地形)〉과、음을 나타내는 「㫗후」로 이루어짐。「㫗」는 「亯형」을 거꾸로 한 모양。「亯=享」은、수북히 담은 제사 음식이라는 뜻。흙을 싸아 올리거나、제사 음식을 수북히 담는다는 뜻에서 융숭한 마음이라는 뜻도 나타냄。

2500년전

뜻 ①두터울후 ㉠두꺼움。「厚繒후증」 ㉡많음。「厚祿후록」 ㉢큼。「厚利후리」 ㉣깊음。㉤진함。「濃厚농후」 ㉥무거움。㉦친밀함。「厚誼후의」 ㉧정성스러움。「厚意후의」 ㉨침착함。천박하지 않음。㉩감각이 둔함。낯가죽이 두꺼움。「厚顔無恥후안무치」 ②두터이할후 앞의 뜻의 타동사。③두께후 두꺼운 정도。

【厚待 후대】후한 대우。

【厚德 후덕】두터운 덕행。또 두터운 은덕(恩德)。

【厚德君子 후덕군자】덕행(德行)이 두텁고 점잖은 사람。

【厚朴 후박】①인정이 두텁고 거짓이 없음。②녹나무과에 속하는 상록교목(常綠喬木)。후박나무。

【厚薄 후박】①후(厚)함과 박(薄)함。②진함과 묽음。③두꺼움과 얇음。④친절함과 냉담함。

【厚賜 후사】물건 같은 것을 후하게 내려 줌。또 그 물건。

【厚謝 후사】정중히 사례(謝禮)함。또 정중히 사죄(謝罪)함。

【厚賞 후상】후한 상급(賞給)。

【厚生 후생】①백성의 살림을 넉넉하게 함。②몸을 소중히 함。

【厚顔 후안】두꺼운 낯가죽。뻔뻔스러운 얼굴。철면피(鐵面皮)。

【厚顔無恥 후안무치】낯가죽이 두꺼워 부끄러운 줄 모름。

【厚遇 후우】두터운 대우。후대(厚待)。

【厚恩 후은】두터운 은혜(恩惠)。

【厚意 후의】두터운 마음。정성스러운 마음。친절한 마음。

【厚誼* 후의】두터운 정의(情誼)。친밀한 정의。

◉寬厚관후 濃厚농후 敦厚돈후 深厚심후 溫厚온후 仁厚인후 重厚중후 忠厚충후

9【厘】厂7 ㊀廛(广部十二畫)의 속자(俗字)。㊁釐(里部十一畫)의 속자(俗字)。

八畫

10【原】8 厂 중학 원 | 근원 | ㊥元

一 厂 厂 厂 戶 戶 原 原

자원 형성 泉음 厂 ┬ 原(厂부)
음을 나타내는「泉천」(원은 변음)은 물의 근원。「厂한」은 언덕。「原」은 수원↓사물의 근원。나중에 들판의 뜻으로 쓰이게 되자 수원의 뜻으로는「源원」이란 글자가 따로 만들어졌음。

2500년전

뜻 ①근원원 ㉠물의 근원。원천(源泉)。㉡근본。「原因원인」②원은원 원래。본래。③찾을원 근본을 캠。근본을 추구(推究)함。④놓아줄원 죄를 용서함。「原宥원유」⑤거듭원 재차。⑥거듭할원 재차 함。⑦저승원 황천。⑧들원 넓고 평탄한 토지。「田原전원」⑨문체이름원 한문의 한 체(體)。⑩삼갈원、정성스러울원 愿(心部十畫)과 통용。

참고「原」을 음으로 하는 글자=「源원」〈수원〉·「愿원」〈삼가하다〉·「願원」〈원하다〉

【原價 원가】①본값。②생산가。

【原告 원고】법원(法院)에 소송을 제기하여 재판(裁判)을 먼저 청구(請求)한 사람。피고(被告)의 대(對)。

【原稿 원고】①초고(草稿)。②인쇄(印刷)하기 위하여 쓴 글。

【原動力 원동력】운동을 일으키는 근원이 되는 힘。열(熱)·수력(水力)·동력(動力) 등。

【原頭 원두】들 가。

【原料 원료】물건을 만드는 재료。

【原流 원류】사물의 근원。

【原理 원리】사물(事物)의 근본이 되는 이치。

【原棉* 원면】면사(綿絲)、방직(紡織)의 원료가 되는 면화(棉花)。

【原名 원명】본디의 이름。

【原夢 원몽】꿈의 길흉을 점침。

【原文 원문】①본문(本文)。②고친 것의 본 글。③번역(飜譯)한 것의 본 글。역문(譯文)의 대(對)。

【原本 원본】①근본。근원。②등본(謄本)·초본(抄本) 등의 근본(根本)이 되는 문서。

【原簿 원부】본디의 장부。

【原產 원산】본디 생산됨。또 그 물건。

【原狀 원상】본래의 형편。본래의 상태。

【原色 원색】모든 빛의 근본되는 빛깔。곧 적(赤)·황(黃)·청(靑)의 세 빛깔。삼원색(三原色)。

【原生林 원생림】원시림(原始林)。

【原書 원서】번역(飜譯)한 책에 대하여 원본(原本)이 되는 책。

【原雪 원설】죄를 용서하여 결백한 몸으로 함。

【原始 원시】①처음。근본。②근본을 캠。근원을 추구(推究)함。

【原始林 원시림】저절로 자라 무성한 삼림。처녀림(處女林)。

【原案 원안】본디의 의안(議案)。

【原語 원어】①고친 말에 대하여 그 본디의 말。②번역한 말에 대하여 그 본디의 말。역어(譯語)의 대(對)。

【原油 원유】아직 정제(精製)하지 아

니한 석유(石油)。
【原音 원음】글자의 본디의 음(音)。
【原意 원의】①본디의 의사(意思)。②원의(原義)。
【原義 원의】본디의 뜻。 근본의 의의(意義)。
【原因 원인】사실(事實)의 근본이 되는 까닭。
【原任 원임】①전(前)의 벼슬。②전임의 관원(官員)。 전관(前官)。
【原子 원자】어떠한 화학적 방법으로도 더 나눌 수 없다고 생각되는 물질(物質)을 구성하는 궁극(窮極)의 요소(要素)。
【原作 원작】본디의 제작。 또는 저작(著作)。
【原著 원저】본디의 저작。 번역 또는 개작(改作)한 것에 대하여 이름。
【原籍 원적】본적(本籍)。
【原點 원점】운동이 시작되는 점。 기점(起點)。
【原罪 원죄】①죄를 용서(容恕)하여 형벌(刑罰)을 주지 아니함。②기독교(基督敎)에서 인류(人類)의 시조(始祖) 아담과 하와가 하나님의 명령을 배반하고 금단(禁斷)의 과실을 따 먹은 결과로 입고 있는 죄。

【原註*원주】본래의 주석(註釋)이나 주해(註解)。
【原紙 원지】등사판의 원판(原版)으로 쓰이는 종이。
【原泉 원천】원천(源泉)。
【原則 원칙】①많은 현상(現象)에 공통되는 근본의 법칙(法則)。②일반(一般)의 경우에 적용되는 법칙。
【原版 원판】근본이 되는 인쇄판。
【原憲 원헌】춘추시대(春秋時代)의 송(宋)나라 사람。 자(字)는 자사(子思)。 공자(孔子)의 제자。 적빈(赤貧)하였으나 의지가 견고하여 이를 감내하며 깊이 도(道)를 닦았음。
【原形 원형】①본디의 형상(形狀)。②진화(進化) 없는 본디의 상태。
【原型 원형】제작물(製作物)의 근본이 되는 거푸집。 또는 본。
◉高原고원 拔本塞原발본색원 語原어원

十畫

12【厥】厂 10 고교 궐(⑥굴(本)) — 그 — (入)月 (入)物

一 厂 … 厥

자원 형성 厂＋欮음→厥(厂부)
「厂민엄호밑」과, 음을 나타내는 「欮궐」로 이루어진 글자。 본래 돌의 이름。 관형사 「그」로 빌어 쓰임。 또、「劂궐」·「掘굴」·「撅궐」과 통하며、「厥」에는 갑자기 뛰어 오르다의 뜻이 포함되어 있음。

뜻 ①**그궐** 其(八部六畫)와 뜻이 같음。②**숙일궐** 앞으로 기울임。③**팔궐** 발굴함。撅(手部十二畫)과 같은 글자。 또 파낸 물건。 발굴물。④**짧을궐** 단소(短小)함。⑤**상기궐** 피가 머리로 몰리는 병。⑥**오랑캐이름궐** 「突厥돌궐」은 서기 육세기 중엽(中葉)에 알타이 산맥 부근에서 일어나 몽고·중앙아세아에 대제국(大帝國)을 건설한 토이기계(土耳其系)의 유목민。※❻은 본음(本音) 굴。

참고 「厥」을 음으로 하는 글자＝「蕨궐」〈고사리〉·「劂궐」〈새김칼〉·「蹶궐」〈날뛰다〉

【雁】⇩隹部四畫

十二畫

14 【厭】 厂 12

㊀염 ㊁암 ㊂엽 ㊃읍 | 싫어할 | ㊀去豔 ㊁上感 ㊂入葉 ㊃入緝

자원 형성 厂＋猒(음)→厭(厂부)

「厂민엄호밑」과 음을 나타내는「猒염」으로 이루어짐。「猒」이 싫증나다의 본디 글자。지금은「厭」자를 빌어 싫증나다의 뜻으로 씀。

뜻 ㊀①**싫어할염** ㉠…하기를 꺼림。「厭世염세」 ㉡미워함。「厭惡염오」 ②**물릴염** 싫증이 남。「厭倦염권」「厭飽염포」 ③**마음에찰염** ㉠만족함。「厭服염복」 ㉡또 마음에 차게 함。 만족시킴。 ④**막을염** 틀어 막음。 ⑤**조용할염** 안정(安靜)한 모양。 ⑥**가릴염** 은폐함。 ⑦**가위눌릴염** 무서운 꿈을 꾸고 놀람。「厭夢염몽」 ㊁**빠질암** 침닉(沈溺)함。 ㊂①**누를엽** ㉠억압함。 ㉡들이닥침。 압박함。 ㉢눌러 무너뜨림。 ㉣진압함。 ㉤기도나 주문(呪文)으로 화가 일어나지 않게 함。 ②**맞을엽** 마음에 듦。 ③**따를엽** 복종함。 ㊃**젖을읍** 축축하게 젖는 모양。

참고 「厭」을 음으로 하는 글자＝「饜염」〈포식하다〉·「魘염」〈가위눌리다〉·「黶염」〈보조개〉

【厭倦 염권】 물리어 싫증이 남。

【厭忌 염기】 싫어하고 꺼림。

【厭世 염세】 세상을 싫어함。 세상이 괴롭고 귀찮아서 비관함。

【厭惡 염오】 싫어서 미워함。 혐오(嫌惡)。

【厭症 염증】 싫증。

十五畫

17 【厳】 厂 15

嚴(口部十七畫)의 약자(略字)。

厶部

2 【厶】

수 ㊀사 부 ㊁모 | 사사 | ㊀平支 ㊁上有

자원 상형 (A) (B) 2500년전

「厶」는 보습의 모양을 본뜸。 음을 빌어 나(⇩私사)의 뜻으로 쓰임。「私」의 옛 글자。

뜻 ㊀**사사사** 私(禾部二畫)의 옛 글자。 ㊁**아무모** 某(木部五畫)와 같은 글자。

一畫

【允】 ⇩儿部二畫

【公】 ⇩八部二畫

【云】 ⇩二部二畫

三畫

5 【去】 厶 3

중학 거 | 갈 | ㊀去御 ㊁上語

一 十 土 去 去

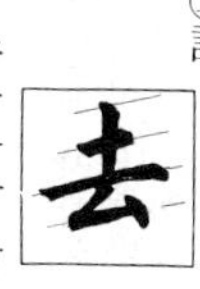

자원 상형 (厶) 2500년전

「去」는 본디「厶」라 쓰고 밥을 담는 우묵한 그릇↓안에 틀어박혀 나오지 않다의 뜻。 글자 윗부분의「土토」는 흙이 아니고「吉길」「壺호」의 윗부분같이 뚜껑을 나타냄。「去」는 우묵하다·틀어박히다의 뜻에서 전진(前進)에 대하여 퇴거(退去)를 나타내는 것으로 생각됨。

뜻 ①갈거 ㉠떠나감。「去退거퇴」㉡도망감。㉢경과함。지남。「去年거년」㉣소멸함。㉤죽음。「逝去서거」②떨어질거 ㉠이별함。㉡공간적으로 격(隔)함。㉢시간적으로 격함。③버릴거 ㉠내버림。없애버림。「去勢거세」「除去제거」㉡내쫓음。추방함。「七去칠거」④쫓을거 뒤쫓아감。⑤과거거 지나간 세월。「過去과거」⑥거성거 사성(四聲)의 하나。「去聲거성」⑦덜거 제외함。⑧거두어들일거 수장(收藏)함。

주의 「吉길」〈길하다〉은 딴글자。

참고 「去」를 음으로 하는 글자＝「胠거」〈위협하다〉·「祛거」〈소매〉·「刦겁」〈위협하다〉

【去去益甚 거거익심】 갈수록 점점 더 심함。

【去根 거근】①뿌리를 없애버림。②근심의 근원을 없애버림。병(病)의 근원(根源)을 없애버림。

【去年 거년】지난 해。작년。

【去頭截尾* 거두절미】①머리와 꼬리를 잘라 버림。②일의 원인(原因)과 결과(結果)를 빼고 요점만 말함。

【去來 거래】①감과 옴。왕래。②행동을 재촉할 때 내는 소리。

【去冷 거랭】조금 데워서 찬 기운을 없앰。

【去事 거사】지나간 일。과거지사(過去之事)。

【去聲 거성】사성(四聲)의 하나。발음의 처음이 높고 끝은 낮아지는 음(音)。 송(送)·송(宋)·강(絳)·치(寘)·미(未)·어(御)·우(遇)·제(霽)·태(泰)·괘(卦)·대(隊)·진(震)·문(問)·원(願)·한(翰)·간(諫)·선(霰)·소(嘯)·효(效)·호(號)·개(箇)·마(禡)·양(漾)·경(敬)·경(徑)·유(宥)·심(沁)·감(勘)·염(豔)·함(陷)의 삼십운(三十韻)으로 나누임。이에 속하는 글자는 모두 측자(仄字)임。현대의 중국 어학에서는 제사성(第四聲)이라고도 일컬음。

【去勢 거세】①세력을 제거함。②불알을 까서 버림。

【去者日疎 거자일소】①죽은 사람을 애석히 여기는 마음은 날이 감에 따라 차차 사라짐。전(轉)하여 ②서로 떨어지면 차차 멀어져 마침내 완전히 잊어버림。

【去處 거처】간 곳。

【去就 거취】관도(官途)를 물러남과 관도에 나섬。전(轉)하여 일신(一身)의 진퇴(進退)。

【去弊 거폐】폐단을 없앰。

【去皮 거피】껍질을 벗겨버림。

◉過去과거 死去사거 三不去삼불거 除去제거 撤去철거 七去칠거 退去퇴거

【弁】⇩廾部二畫

【台】⇩口部二畫

【弘】⇩弓部二畫

五畫

【矣】⇩矢部二畫

【私】⇩禾部二畫

六畫

8
【参】厶6 參(厶部九畫)의 속자(俗字)。

七畫

【怠】⇩心部五畫

八畫

【能】⇩肉部六畫

九畫

11
【參】厶9 중학 ㊀참 ㊁삼 | 섞일 | ㊀①-⑥平覃 ⑦平侵 ㊁①②平覃 ③④平侵

參

자원 형성 人┐亽 星┘彡음┐參(厶부) 2500년전

「亽」은 별과 사람의 모양이며 별을 사람에 비유한 것。음을 나타내는 「彡삼」은 빛을 나타냄。「參」은 별빛의 빛남。나중에 오리온 별자리를 가리킴。또 「三삼」과 같이 쓰고、셋、섞이다、한패에 끼다(⇩參加참가)、비교하다의 뜻을 나타냄

뜻 ㊀①**섞일참** 뒤섞임。교착(交錯)함。「參伍참오」②**나란할참** 셋이 서로 가지런함。병립(倂立)함。정립(鼎立)함。③**참여할참** ㉠참가함。간여함。또 참여시킴。「參政참정」㉡《佛敎》법(法)을 듣기 위하여 집회에 참가함。「參禪참선」④**뵐참** 군주 또는 장상(長上)을 가서 뵘。「參謁참알」⑤**헤아릴참** 대조하여 생각함。고검(考檢)함。「參考참고」⑥**무리참** ㉠같은 동아리。동렬(同列)。㉡부하。⑦**가지런하지않을참** ㊁①**석삼** 三(一部二畫)과 통용。「參參伍伍삼삼오오」②**별이름삼** 이십팔수(二十八宿)의 하나。서쪽에 있으며 세 별로 이룸。③**빽빽들어설삼** 빽빽이 들어선 모양。④**인삼삼** 인삼(人參)의 약칭。

주의 「参」은 약자。

참고 「參」을 음으로 하는 글자=「慘참」〈비참〉・「蔘삼」〈인삼〉・「驂참」〈곁말〉

【參參伍伍 삼삼오오】여기에 삼사인、저기에 오륙인이 각각 여러 패로 조금씩 떼지어 흩어져 있는 모양。

【參加 참가】어떠한 모임이나 단체에 참여함。

【參見 참견】《韓》남의 일에 간섭함。

【參考 참고】대조(對照)하여 생각함。

【參觀 참관】들어가 봄。참고로 봄。

【參謀 참모】①모의(謀議)에 참여함。②군기(軍機)에 참여하는 벼슬。③육해공군(陸海空軍)의 무관(武官)으로서 작전(作戰) 계획 기타 군사상(軍事上)의 기밀 회의(機密會議)에 참여(參與)하는 무관。

【參拜 참배】신불(神佛)에게 가서 배례(拜禮)함。

【參事 참사】어떠한 일에 참여함。

【參席 참석】자리에 참여(參與)함。

【參禪 참선】《佛敎》좌선(坐禪)을 함。또 선도(禪道)에 들어가 선법(禪

法)을 연구함。

【參與 참여】 참가(參加)하여 관계함。

【參議 참의】 조의(朝議)에 참여함。

【參酌 참작】 참고하여 알맞게 작량(酌量)함。

【參戰 참전】 전쟁(戰爭)에 참가함。

【參政 참정】 정치(政治)에 참여함。

【參照 참조】 참고로 마주 대어 봄。

【參集 참집】 와 모임。

【參差 참치】 가지런하지 아니한 모양。

【參畫 참획】 계획에 참여함。

◉古參고참 不參불참 新參신참 日參일참

又部

【又】 2

부수 중학 ㊀우 ㊁유 — 또 — ㊀㊁(去)宥

フ 又

자원 상형 2500년전

오른손 모양을 본뜸。본디는 오른쪽(⇩右우)、가지다(⇩有유)、돕다(⇩佑우)、권하다(⇩侑유)를 뜻하였으나 나중에 각각 전용자가 생겨 또의 뜻으로 빌어 썼음。한자의 부수로서는 손의 거동에 관한 뜻을 나타내며 음부(音符)가 될 때에는 돕다、풍부하다의 뜻을 나타냄。

뜻 ㊀①**또우** ㉠거듭하여。재차。㉡그 위에。다시。②**또할우** 재차 함。
㊁**용서할유** 용대(容貸)함。宥(宀部六畫)와 통용。

참고 「又」를 음으로 하는 글자=「右우」〈오른쪽〉·「佑우」〈돕다〉·「祐우」〈돕다〉

一畫

【叉】 3 又 1

차 — 깍지낄 — (平)麻

자원 지사 又+丶→叉 (又부)

손(=又우) 또는 손 모양의 것에 무엇을 낀 모양을 나타냄。

뜻 ①**깍지낄차** 두 손의 손가락을 서로 어긋매끼게 낌。「叉手차수」 ②**가닥질차** 갈래가 짐。「叉竿차간」 ③**가닥차、갈래차** 분기(分岐)。④**작살차** 물고기를 찔러 잡는 어구(漁具)。⑤**찌를차** 작살로 찌름。

【叉手 차수】 깍지를 낌。전(轉)하여 아무 것도 하지 않음。공수(拱手)。

【叉牙 차아】 ①가운데가 우묵하여 갈라진 이。②갈라져 나옴。③가닥지어 나옴。기출(岐出)。

◉戟叉극차 音叉음차 支叉지차 畫叉화차

二畫

【双】 4 又 2

雙(隹部十畫)의 속자(俗字)。

【收】 4 又 2

收(攴部二畫)의 속자(俗字)。

【及】 4 又 2

중학 급 — 미칠 — (入)緝

ノ 乃 乃 及

자원 회의 人+又→及 (又부)

사람(⺈)의 뒤에 손(⺕)이 닿음을 나타내며, 남을 쫓아 따라붙다의 뜻. 전하여, 도달(到達)하다.

뜻 ①**미칠급** ㉠뒤쫓아가 따름. ㉡일정한 곳에 이름. ㉢일정한 시기에 이름. ㉣일정한 상태에 이름. ㉤퍼짐「波及파급」 ㉥필적함. ㉦닿음. ㉧족(足)함. ㉨관여함. 참여함. ㉩연좌(連坐)함. ②**미치게할급** 앞의 뜻의 타동사. ③**및급** 접속사(接續詞). ④**더불급** ㉠더불어. 함께. 같이. 與(臼部七畫)와 뜻이 같음. ㉡더불어 함. 함께 함. 같이 함.

참고 「及」을 음으로 하는 글자=「吸흡」〈빨다〉·「扱급」〈취급하다〉·「汲급」〈물을 긷다〉·「級급」〈등급〉·「笈급」〈책상자〉

【及落 급락】 급제(及弟)와 낙제.

【及第 급제】 시험에 합격(合格)됨.

◉過不及과불급 過猶不及과유불급 論及논급 普及보급 言及언급 波及파급

4 【友】 又 2 중학 우 | 벗 | ㊤有

一 ナ 方 友

자원 형성 又 又(음) ⺁友(又부) (A) 3000년전 (B) 2500년전

「友」는 두 손이 같은 쪽을 향한 모양→서로 도와서 일하다. 동족(同族)의 친구를「朋붕」이라는 데 대하여 관리 친구를「友」라 하였으나 나중에「朋」도「友」도 친구→사이 좋게 하는 일의 뜻을 나타냄. 「又우」는 음을 나타냄. 옛 모양(B)는 기도의 말(⇩口구)과 두 손을 내미는 모양이며 신에게 맹세하다→약속하다가 글자 모양의 기원인 듯.

뜻 ①**벗우** 친구. 「友人우인」「朋友붕우」 ②**벗할우** 교유함. ③**우애있을우** 형제간에 의가 좋음. 「友弟우제」「孝友효우」

【友軍 우군】 ①우리 군대. 아군(我軍). ②우방(友邦)의 군대.

【友道 우도】 친구와 사귀는 도리.

【友邦 우방】 ①이웃 나라. ②가까이 사귀는 나라.

【友愛 우애】 ①형제(兄弟) 사이의 정애(情愛). ②벗 사이의 정분(情分).

【友誼*우의】 벗 사이의 정의(情誼).

【友人 우인】 벗. 붕우(朋友).

【友情 우정】 우의(友誼).

【友好 우호】 ①형제간에 우애가 있음. ②벗 사이에 우정이 깊음.

◉故友고우 交友교우 校友교우 教友교우 舊友구우 級友급우 同門友동문우 同友동우 盟友맹우 朋友붕우 師友사우 社友사우 詩友시우 親友친우 學友학우 鄉友향우 賢友현우

4 【反】 又 2 중학 ㈠반 ㈡번 ㈢판 | 돌이킬 | ㈠㊤阮 ㈡㊦願 ㈢㊥刪

一 厂 𠂆 反

자원 형성 厂又(음) ⺁反(又부)

「又우」는 손. 음을 나타내는「厂한」은 언덕. 비탈진 지형(地形)→정상(正常)이 아님→반대임. 「反」은 위에서 덮는(⇩覆복) (3000년전)

〔二畫部首順〕 二亠人儿入八冂冖冫几凵刀力勹匕匚匸十卜卩厂厶又

데 대하여 밑으로부터도 뒤덮는 일。그 양쪽을 합하면 「反覆반복」→「反復반복」이란 말이 됨。또 손바닥을 뒤집다→배반하다→돌아오다→돌아보다 따위의 뜻으로 씀。

뜻 一 ①**돌이킬반** ㉠그 전으로 돌아감。복귀함。㉡돌이켜 생각함。반성함。「反省반성」 ②**뒤집을반** 반대로 함。③**엎어질반** 전복함。④**돌아올반** ⑤**올반** 내도(來到)함。⑥**딩굴반** 누워서 이리저리 구름。⑦**거스를반** 어김。거역함。「反拒반거」 ⑧**배반할반** 모반함。「反逆반역」 ⑨**휠반** 굽어짐。⑩**듬직할반** 신중함。진중함。⑪**도리어반** 반대로。⑫**반절반** 한 자(字)의 음과 한 자의 운(韻)을 합쳐 한 음을 나타내는 일。二 **뒤집을번** ㉠원죄(冤罪)로 옥에 갇힌 사람을 재심하여 무죄로 함。㉡뒤집어 엎음。三 **팔판** 販(貝部四畫)과 같은 글자。

참고 「反」을 음으로 하는 글자=「飯반」〈밥〉·「版판」〈널빤지〉·「叛반」〈거역하다〉·「販판」〈팔다·사다〉·「板판」〈판자〉·「返반」〈되돌아가다〉

【反間 반간】 ①거짓 적국(敵國) 사람이 되어 적정을 탐지하여 본국에 알림。또 그 사람。②적국의 간첩을 역이용하여 적이 탐지한 책략(策略)의 반대의 책략을 씀。③이간질。이간책(離間策)。「노여운 감정。

【反感 반감】 거역하고자 하는 마음。

【反擊 반격】 쳐들어오는 적군(敵軍)을 도리어 침。

【反攻 반공】 수세(守勢)를 취하다가 반대로 공세를 취함。

【反旗 반기】 ①반란(反亂)을 일으킨 자가 드는 기(旗)。②반대 의사(意思)를 나타내는 행동이나 표시。

【反黨 반당】 당원이면서 당의 결정을 어기고 독자적으로 행동함。

【反對 반대】 ①사물(事物)이 아주 상반(相反)됨。②거스름。

【反動 반동】 어떠한 동작(動作)에 대하여 그 반대로 일어나는 동작。

【反面 반면】 ①반대의 방면。②어디를 갔다가 돌아와서 부모에게 뵘。

【反目 반목】 서로 눈을 흘김。전하여 서로 미워함。사이가 좋지 못함。

【反問 반문】 물음에 대하여 대답하지 않고 도리어 되받아 물음。

【反駁* 반박】 남의 의견을 반대하여 논박(論駁)함。

【反復 반복】 한 일을 되풀이함。

【反覆* 반복】 ①배반함。②되풀이함。③엎어짐。또 뒤집어 엎음。④본디로 돌아감。⑤언행을 이랬다 저랬다 함。

【反覆無常* 반복무상】 언행을 이랬다 저랬다 하여 일정한 주장(主張)이 없음。

【反比例 반비례】 어떤 양(量)이 다른 양의 역수(逆數)에 정비례(正比例)되는 관계。

【反射 반사】 이 편(便)에 비친 광선(光線)이 저 편에 되짚어 비침。

【反省 반성】 자기가 한 일을 스스로 돌이켜 살핌。

【反語 반어】 ①표면의 뜻과는 반대(反對)되는 뜻으로 쓰이는 말。②비꼬아 하고자 하는 말의 반대의 뜻의 말을 쓰는 어법(語法)。

【反逆 반역】 반역(叛逆)。

【反映 반영】 반사(反射)하여 비침。

【反應 반응】 ①이 편을 배반(背反)하고 저편에 응(應)함。 배반함。 내통함。 ②물질 사이에 일어나는 화학적(化學的) 변화。

【反掌 반장】 손바닥을 뒤집음。 일이 매우 쉬움의 비유。

【反轉 반전】 ①반대로 돎。 ②일의 형세가 뒤바뀜。

【反切 반절】 한문(漢文) 글자의 두 자의 음(音)을 반씩 취하여 한 음을 만들어 읽는 법。

【反正 반정】 정도(正道)로 되돌아가게 함。 난세(亂世)를 바로잡아 본디의 태평(太平)한 세상(世上)으로 되게 됨。

【反證 반증】 반대의 증거(證據)。

【反芻* 반추】 ①소·양 같은 짐승이 한번 삼킨 것을 다시 게워 내어 씹는 일。 전(轉)하여 ②같은 사물을 돌이켜 생각함을 이름。

【反側 반측】 ①누운 자리가 편안하지 못하여 몸을 뒤척거림。 ②이심(異心)을 품음。 모반함。 배반함。

【反則 반칙】 법칙이나 규칙에 어그러짐。

【反哺之孝* 반포지효】 자식이 자란 후에 부모에게 진 은혜를 갚아 자식의 도리를 다하는 효성。

【反抗 반항】 반대하여 저항(抵抗)함。

【反響 반향】 ①음향(音響)의 반사(反射)。 메아리。 ②어떠한 언동(言動)이 사회에 미치는 영향(影響)。

◉謀反모반 背反배반 相反상반 違反위반

六畫

8 **【叔】** 又 6 중학 **숙** | 아재비 | ㊀屋

一 ト 上 卡 未 尗 叔 叔

자원 형성 又 + 尗 음 → 叔 (又부)

「又우」〈손〉와 음을 나타내며 동시에 줄기 및 땅속의 감자를 뜻하는 「尗숙」으로 이루어짐。 감자를 줍다의 뜻。 작다의 뜻(⇩縮축)으로 빌어 쓰며、 전하여 형제의 차례를 나타내는 말로 씀。

뜻 ①**아재비숙** 숙부。 아버지의 아우。 ②**세째동포숙** 형제 중의 세째。 「伯仲叔季백중숙계」 ③**시동생숙** 남편의 아우。 ④**어릴숙** 연소함。 또 연소한 사람。 ⑤**끝숙** 멸망에 가까운 때。 말세(末世)。 ⑥**주울숙** 손으로 집음。 주로 열매 같은 것을 주움을 이름。 ⑦**콩숙** 菽(艸部八畫)의 옛 글자。

참고 「叔」을 음으로 하는 글자＝「俶숙」〈처음〉·「淑숙」〈착하다〉·「菽숙」〈콩〉·「椒초」〈산초나무〉·「寂적」〈고요하다〉·「踧척」〈편편하다〉

【叔父 숙부】 ①아버지의 아우。 ②천자(天子)가 동성(同姓)의 제후(諸侯)를 일컫는 말。

【叔姪 숙질】 ①조카。 ②《韓》 아저씨와 조카。

◉堂叔당숙 伯叔백숙 外叔외숙

8 **【取】** 又 6 중학 **취** | 취할 | ㊤麌

一 丆 F E 耳 耴 取

자원 회의 耳 + 又 → 取 (又부) 3000년전

「又우」는 손。「耳이」는 귀。「取」는 손으로 귀를 떼다→떼다。옛날 전쟁에서 적을 잡으면 그 왼쪽 귀를 잘라내었음。「手수」〈손〉와「足족」〈발〉을 합쳐서 생긴「捉착」〈잡다〉과 관계가 깊음。

뜻 ①취할취 ㉠전쟁에서 적을 죽이고 표로서 귀를 자름。㉡잡음。포획함。㉢빼앗음。탈취함。「奪取탈취」 ㉣도움。상조(相助)함。㉤손에 쥠。㉥받음。㉦거둠。거두어들임。㉧가림。거용함。㉨다스림。㉩구함。찾음。요구함。㉪함。행함。㉫씀。사용함。부림。㉬침。죽임。②장가들취 娶(女部八畫)와 같은 글자。③어조사취 ㉠수동의 뜻을 나타내는 조사。㉡무의미한 조사。

【取得 취득】손에 넣음。자기의 소유로 만듦。
【取利 취리】돈놀이。
【取捨 취사】씀과 버림。씀과 쓰지 아니함。용사(用捨)。
【取材 취재】기사(記事)나 회화(繪畫) 등의 재료를 얻음。또 그것。
【取擇 취택】가려 뽑음。선택함。

◉攻取공취 詐取사취 進取진취 採取채취 奪取탈취 捕取포취

8【受】又 6 중학 수 | 받을 | ㊤有

受

3000년전

자원 형성 爪 又 ┐受 冖(음) ┘受 (又부)

「爪조」도「又우」도 손。음을 나타내는「冖」(舟주의 생획(省畫)·수는 변음)은「민갓머리」처럼 썼지만 여기에서는 물건의 모양이 나중에 잘못 쓰이어진 것。「受」는 손에서 손으로 물건을 주고 받는 모양。주는 것도、받는 것도「受」였으나 나중에「授수」〈주다〉와「受」〈받다〉로 나누어졌음。

뜻 ①받을수 ㉠주는 것을 가짐。얻음。「受賂수뢰」 ㉡자기 몸에 가하여짐。주어짐。입음。㉢이음。계승함。㉣용납함。받아들임。㉤실음。담음。받음。㉥맞이함。②어조사수 수동의 뜻을 나타내는 조사。

참고「受」를 음으로 하는 글자=「授수」〈주다〉·「綬수」〈끈〉

【受講 수강】강습(講習)을 받음。
【受檢 수검】검사나 검열 등을 받음。
【受難 수난】재난(災難)을 당함。
【受納 수납】받아들임。들어 줌。
【受動 수동】남에게 작용(作用)을 받음。피동(被動)。
【受諾 수락】들어 줌。승낙(承諾)함。
【受領 수령】받아들임。
【受賂* 수뢰】뇌물(賂物)을 받음。
【受理 수리】받아서 처리(處理)함。
【受侮* 수모】남에게 모욕(侮辱)을 당함。
【受賞 수상】상(賞)을 받음。
【受禪 수선】선양(禪讓)을 받음。임금의 자리를 물려받음。또 그 일。
【受洗 수세】기독교인(基督敎人)이 세례(洗禮)를 받음。
【受授 수수】받음과 줌。수수(授受)。
【受信 수신】통신(通信)을 받음。
【受恩 수은】은혜(恩惠)를 입음。
【受益 수익】이익을 얻음。
【受任 수임】①임무를 받음。②위임(委任)을 받음。
【受精 수정】암컷의 난자(卵子)가 수

컷의 정자(精子)를 받아 들이어 하나로 합치는 생식(生殖) 현상。받음。

【受取 수취】받아 가짐。받음。

【受託 수탁】부탁(付託)을 받음。

【受胎*수태】아이를 뱀。회임(懷妊)。

【受驗 수험】시험을 치름。시험에 응함。응시(應試)。

【受刑 수형】형벌을 받음。

【受話機 수화기】전화(電話)를 듣는 기계(機械)。

◉甘受감수 感受감수 拜受배수 授受수수 引受인수 傳受전수

七畫

8 【变】6 又字。變(火部十三畫)의 약자(略字)。

9 【叙】7 又字。敍(攴部七畫)의 속자(俗字)。

9 【叛】又 7 [고교] 반 | 배반할 | [去]翰

丿 八 亼 亽 半 半 扩 扳 叛

[자원] 형성 半反 [음] 叛(又부)

2500년전

배반하다의 뜻을 가진「反반」과 음을 나타내는「半반」으로 이루어짐。

[뜻] ①배반할반 ㉠모반함。「叛徒반도」㉡적의를 품음。②배반반 ㉠앞의 뜻의 명사。「謀叛모반」㉡배반하는 사람。

【叛軍 반군】배반(背叛)한 군사。

【叛旗 반기】반란을 일으킨 표시로 드는 기(旗)。

【叛奴 반노】자기 상전(上典)을 배반한 종。

【叛徒 반도】반란을 일으킨 무리。

【叛亂 반란】배반(背叛)하여 일으키는 난리。또 모반(謀叛)。

【叛逆 반역】임금을 배반(背叛)하여 군사를 일으킴。

【叛將 반장】반란을 일으킨 장수。

【叛賊 반적】반란을 일으킨 사람。반역한 사람。역적(逆賊)。

◉謀叛모반 背叛배반 逆叛역반 離叛이반

八畫

【隻】⇩隹部二畫

十畫

【最】⇩曰部八畫

十四畫

16 【叡】又 14 예 | 밝을 | [去]霽

[자원] 회의 谷-仌 𣦵 目 ┼ 叡(又부)

파내다의 뜻을 나타내는「𣦵잔」과「目목」〈눈〉및「谷곡」〈골짜기〉의 생획(省畫)으로 이루어짐。사리(事理)에 깊이 통한다는 뜻。

[뜻] **밝을예、슬기로울예** 사리에 통하여 깊고 밝음。전(轉)하여、천자(天子)에 관한 사물의 관칭(冠稱)으로 쓰임。「叡旨예지」「叡覽예람」

【叡覽 예람】임금이 봄。상람(上覽)。

【叡旨 예지】임금의 뜻。성지(聖旨)。

【叡知 예지】사리에 통하여 깊고 밝은 슬기。

十六畫

18 【叢】又 16 총 | 모일 | [平]東

【자원】 형성 取(음)+丵 → 叢(又부) 叢 2500년전

풀의 떼지어 나 있는 모양을 나타내는 「丵착」과 음을 나타내는 「取취」(총은 변음)로 이루어짐。 풀숲의 뜻。 전하여、 떼지어 모이다의 뜻。

【뜻】 ①**모일총** 한곳으로 모임。「叢集총집」 ②**모을총** 한곳으로 모이게 함。 ③**떨기총** 더부룩하게 난 풀이나 빽빽하게 선 나무。 ④**숲총** 초목이 더부룩하게 난 곳。 ⑤**더부룩할총** 빽빽이 들어섬。「叢生총생」 ⑥**번잡할총** 번거로움。「叢煩총번」

【叢論 총론】 문장·논의(論議)를 모아 놓은 글。

【叢林 총림】 ①잡목(雜木)이 우거진 숲。 ②《佛敎》중이 모여 있는 곳。

【叢生 총생】 풀이나 나무가 무더기로 더부룩하게 남。

【叢書 총서】 ①책을 많이 모음。 ②같은 종류의 서적(書籍)을 모아서 한 질(帙)로 된 책。

【叢說 총설】 모아 놓은 많은 학설。

【叢竹 총죽】 무더기로 난 대。 대숲。

【叢中 총중】 뭇사람이 떼를 지은 속。

【叢集 총집】 떼를 지어 모임。

◉談叢담총 淵叢연총 林叢임총

口 部

3 【口】 부수 중화 구 | 입 | ㊤有

丨 ㄇ 口

【자원】 상형 ㅂ 3000년전

「口구」는 사람의 입을 나타냄。 그러나 다른 글자의 부분으로 포함되어 있는 「口」꼴의 자형(字形)은 입의 뜻인 경우뿐만은 아님。「品품」과 같이 물품을 나타내거나、「各각」과 같이 장소를 나타내기도 하고、「石석」과 같이 돌을 나타내기도 함。

【뜻】 ①**입구** ㉠오관(五官)의 하나。「耳目口鼻이목구비」 ㉡말하는 입。 ㉢먹는 입。「糊口호구」 ②**아가리구** 그릇 등속의 물건을 넣고 내고 하는 데。 ③**어귀구** 출입구。 관문。「海口해구」 ④**인구구** 사람의 수효。「戶口호구」 ⑤**구멍구** 뚫어지거나 파낸 자리。 ⑥**자루구** 칼 같은 것을 세는 수사(數詞)。 ⑦**입밖에낼구** 말함。

【주의】 「囗에운담몸」은 딴 글자。

【참고】 「口」를 음으로 하는 글자=「叩고·扣구」〈두드리다〉

【口角 구각】 입아귀。

【口渴 구갈】 목이 마름。 조갈이 남。

【口腔* 구강】 입 속。

【口蓋 구개】 입천장。

【口徑 구경】 아구리의 직경(直徑)。

【口頭 구두】 직접 입으로 하는 말。

【口頭禪 구두선】 실행(實行)이 따르지 않는 빈 말。

【口頭試驗 구두시험】 묻는 말에 구두(口頭)로 대답하는 시험。

【口糧 구량】 사람 수효대로 내어 주는 양식。

【口令 구령】 단체(團體) 행동에 동작(動作)을 지휘하여 부르는 호령。

【口文 구문】 흥정을 붙여 주고 받는 돈。 구전(口錢)。

【口味 구미】입맛。
【口蜜腹劍 구밀복검】말로는 친절(親切)하나 마음 속으로는 해(害)칠 생각을 가지고 있음。
【口辯 구변】말 솜씨。언변。
【口碑 구비】대대로 전하여 내려오는 말。
【口尙乳臭 구상유취】입에 아직 젖내가 난다는 뜻으로、나이가 어리고 경험이 없어 언행(言行)이 유치(幼稚)함을 비웃어 하는 말。
【口書 구서】붓을 입에 물고 쓴 글씨。
【口舌 구설】말씨。또 공론(空論)。
【口受 구수】구수(口授)를 받음。
【口授 구수】말로 전(傳)하여 줌。
【口數 구수】인구 수。
【口述 구술】구두로 진술(陳述)함。
【口是禍之門 구시화지문】화(禍)는 입으로부터 생기므로 말을 삼가야 한다는 말。
【口實 구실】①이야깃거리。②음식。먹을 것。
【口液* 구액】침。
【口約 구약】구두로 하는 약속。
【口語 구어】①말。언어。②보통 회화에 쓰는 말。
【口演 구연】구술(口述)。
【口才 구재】변설(辯舌)의 재능。말솜씨。
【口傳 구전】입으로 전함。말로 전함。
【口傳心授 구전심수】입으로 전(傳)하고 마음으로 가르침。
【口臭 구취】입에서 나는 악취(惡臭)。
【口號 구호】①읊조림。읊음。구음(口吟)。②군대(軍隊)에서 쓰는 호령。
◉開口개구 良藥苦口양약고구 有口유구 利口이구 異口이구 人口인구 一口일구 入口입구 衆口중구 出口출구 浦口포구 河口하구 戶口호구 虎口호구 火口화구

一畫

【中】⇨丨部三畫

二畫

5 【只】口 2 중학 **지** | 다만 | ㊥支

丨 ㄇ 口 只 只

자원 회의 口+八→只(口부)
「口구」는 입의 모양。「八팔」은 말이 끝나고 숨이 분산(分散)하는 모양을 본뜸。어조사(語助辭)로서 말의 끝에 씀。또 음을 빌어 다만의 뜻(⇨祗지)으로 씀。

뜻 ①**다만지** 단지。②**말그칠지** 어조(語調)를 위하여 어미(語尾)에 붙이거나 구(句) 중에 쓰는 말。

참고 「只」를 음으로 하는 글자=「咫지」〈여덟치〉·「枳지」〈탱자나무〉·「軹지」〈굴대끝〉

◉但只단지
【只今 지금】시방。이제。

5 【叫】口 2 고교 **규** | 부르짖을 | ㊤嘯 ㊤宥

丨 ㄇ 口 口ㅣ 叫

자원 형성 口+丩음→叫(口부) 2500년전
「口구」〈입〉와 새된 부르짖음을 나타내는 「丩구·교」(규는 변음)로 이루어짐。

뜻 ①**부르짖을규** 큰 소리를 지름。「叫喚규환」「叫呼규호」②**울규** 큰 소리로 욺。「叫吟규음」

3 획

〔三畫部首順〕 口囗土士夂夊夕大女子宀寸小尢尸屮山巛工己巾干幺广廴廾弋弓彐彡彳

주의 「吅」는 속자(俗字)。

【叫喚 규환】 큰 소리로 부르짖음。

◉絶叫절규 喚叫환규

5 【号】 口 2 號(虍部七畫)와 같은 글자。

5 【叱】 口 2 질(즐本) ─ 꾸짖을 ─ 入質

자원 형성 七(음)+口→叱(口부)

「口입구변」과 음을 나타내는 「七칠」(질은 변음)로 이루어짐。 꾸짖을 때의 소리를 나타낸 글자。

뜻 **꾸짖을질** 큰 소리로 책망함。 또 그 소리。 ※본음(本音) **즐**

【叱責 질책】 꾸짖으며 책망함。

5 【史】 口 2 중학 **사** ─ 사관 ─ 上紙

一 ㄷ 口 中 史

자원 회의 中+又→史(口부) 3000년전

「中」은 신을 모실 때 쓴 나뭇가지。 또 천문(天文)을 조사할 때 쓰는 계산용 막대。 중앙(中央)의 「中」과는 다름。 「又우」는 손→손에 가지다。 「史」는 제사의 이름。 나중에 천문이나 나라 일을 기록하는 관리→기록→역사의 뜻이 됨。

뜻 ①**사관사** 제왕의 언행을 기록하며 또 정부의 문서를 맡은 벼슬아치。 ②**속관사** 장관(長官) 밑에 딸린 벼슬아치。 육관(六官)의 좌속(佐屬)。 ③**사기사** 사승(史乘)。 「歷史역사」「史實사실」 ④**화사할사** 장식(裝飾)이 있어 아름다움。

【史家 사가】 역사를 연구하는 사람。 역사가(歷史家)。

【史官 사관】 역사를 편수하는 벼슬。

【史觀 사관】 역사를 보는 관점(觀點)。 역사적 현상을 해석하는 관점。

【史劇 사극】 역사상(歷史上)의 사실(事實)로 꾸민 연극(演劇)。

【史記 사기】 ①역사적(歷史的) 사실(事實)을 기록한 책。 ②책명(冊名)。 백삼십권(百三十卷)。 한(漢)나라 사마천(司馬遷)의 찬(撰)。 항제(黃帝)로부터 한(漢)나라 무제(武帝)에 이르기까지의 삼천여년(三千餘年)의 일을 적은 기전체(紀傳體)의 사서(史書)。

【史談 사담】 역사에 관한 이야기。

【史略 사략】 간단히 서술한 사서(史書)。

【史錄 사록】 역사에 관한 기록。 [書]。

【史論 사론】 역사(歷史)에 관한 논설。

【史料 사료】 역사(歷史)의 연구나 편찬에 필요한 재료(材料)。

【史書 사서】 역사책(歷史冊)。

【史實 사실】 역사에 실제로 있는 일。

【史有三長 사유삼장】 역사를 쓰는 데는 재(才)와 학(學)과 식(識)의 세 가지 장점을 갖추어야 한다는 뜻。

【史二體 사이체】 편년체(編年體)와 기전체(紀傳體)。

【史蹟 사적】 역사상(歷史上)의 유적(遺蹟)。 고적(古蹟)。

【史籍 사적】 역사책。 사기(史記)。

【史傳 사전】 역사와 전기。

【史草 사초】 사서(史書)의 초고(草稿)。

【史筆 사필】 역사를 쓰는 필법(筆法)。

【史學 사학】 역사를 연구하는 학문。

【史話 사화】 역사에 관한 이야기。

【史禍 사화】 사필(史筆)로 인(因)하여 좌죄(坐罪)된 화(禍)。

◉古史고사 國史국사 府史부사 三史삼사 丞史승사 侍史시사 野史야사 御史어사 歷史역사 外史외사 右史우사 二史이사 正史정사 左史좌사 青史청사 太史태사

5 **【可】** 口 2 [중학] [一]가 [二]극 | 옳을 | [一]㊤哿 [二][入]陌

一 丆 冂 可 可

[자원] 형성 口 㔾[음] → 可 (口부)

〔丂〕

〔㔾〕 2500년전

「丂고」는 「巧교」「考고」 따위의 글자의 성분인데 위로 뻗어가려는 것이 막혀서 굽어 버리는 모양。 그것을 반대로 쓴 음을 나타내는 「㔾하·가」는 막혔던 것이 힘차게 나가는 일。 「可」는 입에서 심하게 숨이 나오다의 뜻인데 나중에 「呵가」=「訶가」〈꾸짖다〉·「哥가」=「歌가」〈노래〉 따위의 글자가 되는 근본이 됨。 또 나가기 힘드는 것이 나갈 수 있다→되다→그래도 좋다→허가하다의 뜻으로 되었음。

[뜻] [一] ①**옳을가** ㉠좋음。 ㉡아직 썩 좋지는 않으나 그만하면 쓴다는 뜻으로도 쓰임。 ②**들을가** 들어 줌。 동의함。 「許可허가」 ③**가히가** ㉠긍정하는 말。 ㉡단정하는 말。 ㉢추측하는 말。 ㉣명령의 뜻을 나타내는 말。 ㉤가능의 말。 ④**쯤가** 정도。 [二]**오랑캐임금이름극** 「可汗극한」은 흉노(匈奴)·돌궐(突厥)·회흘(回紇) 등의 군주(君主)의 칭호。

[참고] 「可」를 음으로 하는 글자=「何하」〈어찌·무엇〉·「河하」〈강〉·「歌가」〈노래〉·「呵가」〈꾸짖다〉·「訶가」〈꾸짖다〉·「柯가」〈도끼자루〉·「苛가」〈준엄하다〉·「珂가」〈흰 마노〉·「舸가」〈큰 배〉·「軻가」〈수레가 가기 힘드는 모양〉

【可決 가결】 의안(議案)을 시인(是認)하여 결정(決定)함。

【可考 가고】 참고할 만함。

【可恐 가공】 두려워할 만함。

【可觀 가관】 볼 만함。

【可能 가능】 될 수 있음。 할 수 있음。

【可當 가당】 ①합당함。 ②당할 수 있음。

【可東可西 가동가서】 이렇게 할 만도 하고 저렇게 할 만도 함。

【可憐 가련】 ①모양이 어여쁘고 아름다움。 귀여움。 ②불쌍함。

【可望 가망】 가능성이 있는 희망。

【可否 가부】 ①옳은가 그른가의 여부(與否)。 ②허가하느냐 안 하느냐의 여부。 ③회의(會議)에 있어서 표결(表決)할 때에 좋은가 나쁜가의 여부。

【可分 가분】 나눌 수 있음。

【可不可 가불가】 가(可)함과 불가(不可)함。

【可笑 가소】 웃을 만함。

【可燃性 가연성】 불에 타는 성질。

【可溶性 가용성】 액체에 녹는 성질。

【可謂 가위】 이르자면。

【可憎 가증】 얄미움。

【可知 가지】 알 만함。

【可歎 가탄】 탄식(歎息)할 만함。

【可痛 가통】 통탄(痛歎)할 만함。

【可票 가표】 찬성을 나타내는 표。

◉無不可무불가 不可불가 認可인가 裁

〔三畫部首順〕 口囗土士夂夊夕大女子宀寸小尢尸屮山巛工己巾干幺广廴廾弋弓彐彡彳

3획

可재가 適可적가 朝聞道夕死可조문도석사가 薦可천가 許可허가

5 【司】口2 고교 사 | 맡을 | ㊥支 ㊤寘

ㄱ ㄱ 司 司 司

자원 회의 人+口+司(口부) 3000년전

「口구」는 기도의 말. 「司」는 신에게 빌다→모시다→사당. 또 비는 사람→벼슬아치→졸개. 「司」를 좌우(左右)로 바꾸어 쓴 자형(字形)이 「后후」〈황후〉라고 생각되고 있음.

뜻 ①**맡을사** 관리함. 담당하여 함. 「司命사명」 ②**벼슬사** 관직. ③**마을사** 관아. 「三司삼사」 ④**벼슬아치사** 관리. 「有司유사」 ⑤**엿볼사** 伺(人部五畫)와 같은 글자.

참고 「司」를 음으로 하는 글자=「伺사」〈엿보다〉·「祠사」〈사당〉·「詞사」〈알리다〉·「嗣사」〈잇다〉·「飼사」〈기르다〉·「笥사」〈상자〉·「覗사」〈엿보다〉

【司諫* 사간】①주(周)나라 때 만민(萬民)의 비행(非行)을 규정(糾正)하는 벼슬. ②송(宋)나라 때 정치를 잘못하는 것을 간하는 벼슬.

【司諫院* 사간원】《韓》조선(朝鮮) 때의 삼사(三司)의 하나. 왕(王)에 대한 간쟁(諫爭)을 맡아 봄. 장관(長官)은 대사간(大司諫).

【司空 사공】①주(周)나라 때 토지(土地)·민사(民事)를 맡은 벼슬. ②한(漢)나라의 삼공(三公)의 하나. ③옥(獄).

【司敎 사교】천주교의 교직(敎職). 대사교(大司敎)의 다음임.

【司令 사령】군대 또는 함대(艦隊)의 지휘와 통솔을 맡음. 또 그 직책.

【司馬光 사마광】송(宋)나라 명신(名臣). 자(字)는 군실(君實). 태사온국공(太師溫國公)을 증직(贈職)받았으므로 사마온공(司馬溫公)이라 함. 신종(神宗) 때 왕안석(王安石)의 신법(新法)을 반대하다가 실각(失脚)하였고 철종(哲宗) 때 정승(政丞)이 되어 신법을 모두 폐지하였음. 저서에 자치통감(資治通鑑)·통감고이(通鑑考異)·독락원집(獨樂園集) 등이 있음.

【司馬相如 사마상여】전한(前漢)의 문인. 자(字)는 장경(長卿). 사부(辭賦)에 능하여 한위육조(漢魏六朝)의 문인의 모범이 되었음.

【司馬懿* 사마의】삼국시대의 위(魏)나라 명장(名將). 자(字)는 중달(仲達). 책략(策略)이 뛰어나 촉한(蜀漢) 제갈양(諸葛亮)의 군사를 잘 막아 냈음.

【司馬遷 사마천】전한(前漢)의 사가(史家). 자(字)는 자장(子長). 무제(武帝) 때 흉노(匈奴)에게 항복한 이릉(李陵)의 일족(一族)을 멸살하려는 논의가 있자, 그의 충신(忠信)과 용전(勇戰)을 변호하다가 무제의 격노를 사서 궁형(宮刑)을 당하고 그 후에 중서령(中書令)이 되었음. 백삼십편이나 되는 거작(巨作) 사기(史記)를 지었음.

【司牧 사목】①군주(君主). ②지방관(地方官).

【司法 사법】삼권(三權)의 하나. 법에 의한 재판(裁判) 및 그에 관련

되는 국가 작용。

【司祭 사제】 천주교에서 교회의 의식을 맡는 사교(司教)의 아래 교직。

【司直 사직】 공명정직(公明正直)을 맡았다는 뜻으로서、 재판관을 이름。

【司憲府 사헌부】《韓》 조선(朝鮮) 때의 삼사(三司)의 하나。 백관(百官)의 규찰(糾察)을 맡은 감찰기관(監察機關)。

【司會 사회】《韓》 집회(集會)의 진행을 맡아 봄。 또 그 사람。

◉家司가사 大司대사 臺司대사 上司상사 右司우사 有司유사 左司좌사

5 【右】口 2 중학 우 오른 ㉤宥 ㉤有

右

ノ ナ 𠂇 右 右

자원 형성 口+又음 → 右(口부) 3000년전 2000년전

음을 나타내는「又우」는 오른손。「口구」는 신에게 빌 때의 도구(道具)。「右」는 신의 도움을 받을 수 있게 비는 일。 나중에「口」를 사람의 입으로 보아「右」는 사람이 일이 잘 되도록 말하여 주다→돕다(⇩佑우)로 생각하게 되었음。⇩「左좌」

뜻 ①오른우、우편우 오른쪽。「左좌」의 대(對)。 또 방위로는 서쪽。「江右강우」 ②위우 상(上)。 상위(上位)。 ③숭상할우 중히 여김。「右文우문」 ④강할우 권세가 있음。「右戚우척」 ⑤도울우 佑(人部五畫)와 같은 글자。

참고 「右」를 음으로 하는 글자＝「佑우」〈보좌하다〉·「祐우」〈도와주다〉

【右傾 우경】 보수적인 경향(傾向)。

【右契 우계】 어음 또는 부신(符信)을 두 쪽으로 나눈 것 중의 오른쪽 것。 약속을 받은 사람이 가짐。

【右軍 우군】 ①우익(右翼)의 군대。 ②진(晉)나라 왕희지(王羲之)의 일컬음。 그가 우군장군(右軍將軍)을 지냈으므로 이름。

【右黨 우당】 우익(右翼)의 당(黨)。 보수적 노선을 표방하는 정당。

【右文 우문】 글을 숭상함。 문사(文事)를 숭상함。

【右文左武 우문좌무】 문무 두 가지 도(道)로써 천하를 다스림。

【右相 우상】《韓》 우의정(右議政)의 별칭(別稱)。

【右旋 우선】 오른편으로 돎。

【右手 우수】 오른손。

【右往左往 우왕좌왕】 이리저리 왔다 갔다 함。

【右議政 우의정】《韓》 의정부(議政府)의 정일품 벼슬。 좌의정의 아래。

【右翼 우익】 ①오른편 날개。 ②오른편에 있는 군대。 ③횡대(橫隊)의 우단(右端)。 ④보수파(保守派)。

【右舷* 우현】 오른쪽의 뱃전。

◉左右좌우 座右좌우

5 【古】口 2 중학 고 예 ㉡麌

古

一 十 十 古 古

자원 회의 口+十 → 古(口부) (A) (B) 2500년전

「古」는「告고」「言언」 따위의 자형(字形)과 비슷하므로 본디의 뜻은 조상에게 비는 모양을 나타내는 듯함。 나중에는「十십」과「口구」를 합한 모양으로 십대(十代)나 입에서

입으로 전하다→낡다→옛날의 뜻이라고 생각하게 되었음。

뜻 ①**예고** ㉠예전。「古昔고석」「古代고대」 ㉡옛일 또는 옛날의 도서。「好古호고」 ②**선조고** 조상。또 선왕(先王)。③**묵을고** 오래됨。「古物고물」 ④**예스러울고** 옛 풍취가 있음。「古奇고기」

참고 「古」를 음으로 하는 글자=「固고」〈굳다〉·「個개」〈낱〉·「枯고」〈초목이 마르다〉·「故고」〈사고〉·「估고」〈물가〉·「沽고」〈팔다〉·「姑고」〈시어머니〉·「怙호」〈믿다〉·「罟고」〈그물〉·「胡호」〈턱밑살〉·「酤고」〈단술〉·「居거」〈거주하다〉

【古家 고가】 지은 지가 오래된 집。

【古歌 고가】 옛날 노래。

【古宮 고궁】 옛 궁궐。

【古今獨步 고금독보】 고금을 통하여 그와 견줄 만한 사람이 없음。

【古今不同 고금부동】 사물이 변하여 예와 지금이 같지 아니함。

【古奇 고기】 예스럽고 기이함。

【古基 고기】 옛 터。

【古器 고기】 옛날 그릇。

【古談 고담】 옛날 이야기。

【古代 고대】 옛날。옛적。

【古都 고도】 옛날의 서울。

【古來 고래】 옛날부터 지금에 이르기까지。자고이래(自古以來)。

【古例 고례】 옛날부터 내려오는 관례(慣例)。

【古禮 고례】 옛날의 예절(禮節)。

【古老 고로】 ①늙은이。노인。②옛일을 잘 아는 노인。고실(故實)에 밝은 노인。③부모(父母)를 이름。

【古老相傳 고로상전】 늙은이들의 말로 전하여 옴。

【古名 고명】 옛날 이름。

【古木 고목】 오래 묵은 나무。

【古墓 고묘】 오래된 무덤。옛날 무덤。

【古文 고문】 ①옛날의 글자。주로 주대(周代)의 과두(蝌蚪) 문자。②당대(唐代)의 고체(古體)의 산문(散文)。육조(六朝) 이래의 사륙문(四六文)의 대(對)。

【古文尙書 고문상서】 경서(經書)。사십육권(四十六卷)、오십구편(五十九篇)。한대(漢代)에 노(魯)나라의 공왕(共王)이 공자(孔子)의 집을 헐고 벽 속에서 얻은 서경(書經)。

【古文眞寶 고문진보】 시문집(詩文集)。송(宋)나라 황견(黃堅)의 편집(編輯)이라고 전함。

【古物 고물】 ①옛날 물건。②낡은 물건。

【古米 고미】 해를 묵힌 쌀。묵은 쌀。

【古朴 고박】 예스럽고 검박함。

【古法 고법】 옛날의 법。

【古本 고본】 ①헌 책。②고서(古書)。

【古墳 고분】 고대의 무덤。

【古佛 고불】 옛날의 불상(佛像)。오래된 불상。

【古碑 고비】 옛날 비석。오래된 비석。

【古史 고사】 옛날의 역사(歷史)。

【古寺 고사】 오래된 절。고찰(古刹)。

【古事 고사】 옛 일。

【古色 고색】 ①낡은 빛。②옛날의 풍치(風致)。

【古生物 고생물】 지질 시대(地質時代)에 살던 생물。

【古書 고서】 옛날 책。고본(古本)。

【古石 고석】 ①이끼가 덮인 오래된 돌멩이。②괴석(怪石)。

【古昔 고석】옛날。
【古說 고설】①옛날 이야기。②옛적의 학설(學說)。
【古城 고성】옛 성。
【古俗 고속】옛날의 풍속。
【古松 고송】①오래 된 소나무。노송(老松)。
【古時 고시】옛날。
【古詩 고시】①옛날 사람이 지은 시。고대의 시。②고체(古體)의 시。구수(句數)·자수(字數)에 제한이 없고 압운(押韻)에도 일정한 법칙이 없음。
【古式 고식】옛날의 식(式)。
【古雅 고아】고색(古色)을 띠어 아담(雅淡)함。
【古樂 고악】옛날 음악。
【古語 고어】고언(古言)。
【古言 고언】①옛 사람의 말。②옛날말。
【古諺* 고언】옛날부터 전해 오는 속담(俗談)。
【古屋 고옥】지은 지 퍽 오래 된 집。
【古瓦 고와】옛 기와。
【古往今來 고왕금래】옛날부터 지금까지。
【古義 고의】①옛 의의(意義)。②옛 해석(解釋)。
【古人 고인】옛 사람。
【古字 고자】옛 체(體)의 글자。
【古跡 고적】①남아 있는 옛 물건。②옛날 물건이 있던 자리。고적(古蹟)。
【古蹟 고적】고적(古跡)。
【古典 고전】①옛날의 기록、또는 서적(書籍)。②옛날의 법식(法式)、또는 제도。
【古錢 고전】옛날 쓰던 돈。
【古典美 고전미】고전적인 미(美)。
【古戰場 고전장】옛날의 싸움터。
【古制 고제】옛날의 제도。
【古製 고제】옛날 양식으로 한 제작。
【古調 고조】옛날부터 전해 오는 곡조。
【古鐘 고종】옛날의 종。
【古註* 고주】옛 주석(註釋)。
【古刹* 고찰】옛 절。고사(古寺)。
【古鐵 고철】헌 쇠。
【古體 고체】①고풍(古風)❶。②고문의 체(體)。③한시(漢詩)에서 절구(絕句)와 율(律) 이외의 것。
【古稱 고칭】옛날에 부르던 이름。
【古塔 고탑】오래된 탑。
【古風 고풍】①옛 사람의 풍도。또 옛날의 모습。②고시(古詩)。
【古稀 고희】나이 일흔 살의 일컬음。

◉考古고고 近古근고 萬古만고 復古복고 上古상고 先古선고 往古왕고 前古전고 中古중고 千古천고 太古태고 懷古회고

5 **【句】** 口 2 중학 **구** | 구절 | ①②(去)遇 ③-⑤(去)宥

ノ 勹 勺 句 句

자원 형성 口 勹(음) 丅 句(口부) 2500년 전

음을 나타내는 「丩구」(勹의 전자형。勹쌀포몸이 아님)는 얽혀서 펴지지 않다의 뜻。「句구」는 어기(語氣)가 굴곡(屈曲)하여 펴지지 않는다는 뜻을 나타내며、전하여、모든 굴곡을 일컬음。

뜻 ①**구절구** 시문 중의 한 토막。「字句자구」「章句장구」 ②**굽을구** 굴곡함。「句戟구극」 ③**맡을구** 임무를 담당함。 ④**셀구** 셈을 셈。 ⑤**당길구** 활 시위를 잡아 당김。

주의 「勾구」는 딴 글자이지만、통속적(通俗的)으로 「句」와 통하여 쓰임。

참고 「句」를 음으로 하는 글자＝「佝구」〈꼽추〉·「狗구」〈개〉·「拘구」〈잡다〉·「枸구」〈탱자나무〉·「苟구」〈구차

하다〉·「鉤구」〈띠쇠〉·「駒구」〈망아지〉·「喣후」〈불다〉·「蒟구」〈구약나물〉

【句戟* 구극】 끝이 굽은 창。

【句當 구당】 ①취급함。담당함。②담당。계(係)。

【句讀 구두】 글을 읽기 편하게 하기 위하여 구절(句節)이 떨어진 곳에 점(點)이나 딴 부호로 표하는 일。

【句讀點 구두점】 구두법(句讀法)을 따라 찍는 점。

【句配 구배】 기운 정도。경사면(傾斜面)의 경도(傾度)。

【句法 구법】 시문의 구(句)를 짓는 법。

【句節 구절】 한 토막의 말이나 글。

【句點 구점】 구절 밑에 찍는 점。

【句賤 구천】 춘추 시대의 월(越)나라의 제이대 왕。와신상담(臥薪嘗膽) 끝에 부차(夫差)에게 당한 치욕을 씻었음。

◉結句결구 警句경구 奇句기구 起句기구 倒句도구 名句명구 妙句묘구 發句발구 秀句수구 語句어구 麗句여구 聯句연구 一言半句일언반구 字句자구 章句장구 長短句장단구 絶句절구 集句집구

5 **【召】** 口 2 고교 ㊀**소** ㊁**조** 韓 — 부를 — ㊀去嘯

ㄱ 刀 刀 召 召

자원 형성 口 刀음 ⊤召(口부)

「口구」와、음을 나타내는「刀도」(소는 변음)로 이루어짐。소리를 내어 불러오다의 뜻。

뜻 ㊀①**부를소** ㉠웃사람이 말함이나 글로 남을 오라고 함。「召喚소환」 ㉡초래함。「召禍소화」 ②**부름소** 앞의 뜻의 명사。「徵召징소」 ③**땅이름소** 소공(召公)의 채읍(采邑)。지금의 섬서성(陝西省) 기남현(岐南縣)의 서남。㊁《韓》**대추조** 약화제(藥和劑)나 약복지에 대추(棗)의 뜻으로 쓰는 말。

참고 「召」를 음으로 하는 글자=「招초」〈부르다〉·「沼소」〈늪〉·「昭소」〈밝다〉·「詔소」〈조서〉·「劭소」〈권하다〉·「紹소」〈계승하다〉·「韶소」〈아름답다〉·「超초」〈뛰어넘다〉

【召命 소명】 신하를 부르는 왕의 명령。

【召集 소집】 불러 모음。

【召喚* 소환】 관청(官廳)에서 사인(私人)에게 일정(一定)한 곳으로 오라고 명령함。

【召還 소환】 돌아오라고 부름。불러 돌아오게 함。

◉聘召빙소 徵召징소

5 **【台】** 口 2 ㊀**태** ㊁**이** — 별 — ㊀平灰 ㊁平支

자원 형성 口 厶음 ⊤台(口부)

「口구」〈입〉와、음을 나타내는「厶사」(태·이는 변음)로 이루어짐。입을 방실거리며 기뻐하다의 뜻。음이 비슷한 데서 예로부터「臺대·태」의 속자(俗字)로서 쓰였음。

2500년전

뜻 ㊀**별태** 「三台삼태」는 별 이름으로서「上台상태」「中台중태」「下台하태」의 셋이 있음。예전에 이 세 별을 삼공(三公)에 견주었으므로 삼공 또는 삼공의 지위의 뜻으로 쓰임。또 전(轉)하여 경의를 표하는 말로 쓰임。「台覽태람」「台臨태림」 ㊁

〔三畫部首順〕 口囗土士夂夊夕大女子宀寸小尢尸屮山巛工己巾干幺广廴廾弋弓彐彡彳

3 획

①나이 자기。②기뻐할이 희열함。

주의 현재 臺(至部八畫)의 속자(俗字)로 쓰임。

【台覽 태람】 보심。 봄(覽)의 존칭。

【台臨 태림】 고귀한 이의 임석。

◉三台삼태 天台천태

【兄】⇩儿部三畫

【加】⇩力部三畫

【占】⇩卜部三畫

三畫

6 【弔】 口 3 弔(弓部一畫)의 속자(俗字)。

6 【吐】 口 3 고교 토 | 토할 | ㊤麌 ㊦遇

丨 𠃍 口 口一 吅 吐

자원 형성 口 土음 ⊤吐(口부) 𠮛 2500년전

「口입구변」과、음을 나타내며 동시에 나오다의 뜻(⇩突돌)을 가진 「土토」로 이루어짐、입에서 나오다의 뜻。

뜻 토할토 ㉠게움。뱉음。「吐瀉토사」 ㉡또 게운 것。㉢드러내어 보임。㉣입 밖에 냄。말함。폄。「吐露토로」

【吐露 토로】 마음에 있는 것을 다 드러내어 말함。

【吐蕃* 토번】 지금의 티벳。

【吐瀉* 토사】 토하고 설사(泄瀉)함。

【吐說 토설】 일의 내용을 사실(事實)대로 말함。토실(吐實)。

【吐劑* 토제】 먹은 음식을 토하게 하는 약제(藥劑)。

【吐破 토파】 마음 속에 품고 있던 생각을 숨김 없이 다 털어내어 말함。

【吐下 토하】 토사(吐瀉)。

【吐血 토혈】 피를 토(吐)함。

◉嘔吐구토 呑吐탄토

6 【吏】 口 3 고교 리 | 벼슬아치 | ㊦寘

一 𠫓 𠮛 𠮠 吏

자원 회의 𠭧 2500년전

본디 「事사」와 같은 글자이었음。⇩事。나중에 「事」를 「일」의 뜻으로、「吏」를 다스리는 관리의 뜻으로 나누어 쓰게 되었음。일설에 「一일」과 「史사」로 이루어져 관리의 뜻이라고도 함。관리는 오로지 한 마음으로 공평하게 종사하여야만 되는 사람이므로 「一」과 「史」를 합함。「史」는 일을 기록하는 사가(史家)의 뜻。

뜻 ①벼슬아치리 관리。「吏才이재」 ②벼슬살이할리 관리 노릇을 함。③《韓》 아전리 주로 지방 관청의 속료의 뜻으로 썼음。「吏屬이속」

참고 「吏」를 음으로 하는 글자＝「使사」〈부리다〉

【吏道 이도】 ①관리의 사무。②관리로서 행할 도리(道理)。

【吏讀 이두】 《韓》 삼국 시대부터 한자(漢字)의 음과 뜻을 빌어서 우리나라 말을 표기하는 데 쓰이던 문자。

【吏屬 이속】 《韓》 아전(衙前)들。

◉公吏공리 官吏관리 軍吏군리 能吏능리 刀筆吏도필리 良吏양리 汚吏오리 獄吏옥리 委吏위리 捕吏포리

6 【向】 口 3 중학 ㊀향 ㊁상 | 북창 | ㊀㊁ ㊦漾

丶 丨 冂 冋 向 向

向

자원 회의 宀+口→向(口부) 3000년전

「宀 갓머리」는 건물。「口」는 창문을 본뜸。「向」은 북쪽의 창문→바람이 들어오는 방향。또 음이 같은 「鄕→嚮향」과 결부되어 향하다의 뜻을 나타냄。

뜻 一①**북창향** 북향한 창。②**향방향** 향하는 방향。향하는 곳。③**향할향** ㉠바라봄。면(面)함。또 마주 봄。대면함。「向人향인」「向南향남」 ㉡향하여 감。㉢마음을 기울임。「向意향의」 ④**접때향** 이전。옛적。「向者향자」「向日향일」 二①**성상** 성(姓)의 하나。②**땅이름상** 지명(地名)。

【向南 향남】 남쪽으로 향(向)함。

【向東 향동】 동쪽으로 향함。

【向方 향방】 향(向)하는 곳。

【向背 향배】 좇음과 등짐。복종(服從)과 배반(背叛)。

【向北 향북】 북쪽으로 향함。

【向上 향상】 차차 낫게 됨。

【向陽 향양】 볕을 마주 받음。남쪽을 향함。

【向意 향의】 마음을 기울임。생각을 둠。

【向日 향일】 접때。지난 날。

【向者 향자】 접때。지난 번에。

【向學 향학】 학문(學問)에 뜻을 두고 그 길로 나아감。

【向後 향후】 이 다음。이후(以後)。

◉傾向경향 意向의향 趣向취향 下向하향

6 **【同】** 3 口 중학 **동** | 한가지 | ㊦東

丨 冂 冂 同 同 同

同

자원 회의 凡+口→同(口부) 3000년전

「凡범」은 모든 것을 종합(綜合)하는 일。「口구」는 사람의 입、대나무의 단면(斷面)、산의 굴 따위 모두 구멍 같은 것을 나타냄。「同」은 사람의 입、곧 말이 맞듯이、또 대나무의 벤 자리가 맞듯이、사물이 맞다→맞아지다→같다의 뜻。

뜻 ①**한가지동** 같음。「同一동일」 ②**같이할동** ㉠함께 함。㉡합침。「同心동심」 ㉢균일하게 함。③**모일동** 회동함。「合同합동」 ④**화할동** 화합함。「和同화동」 ⑤**무리동** 동아리。「一同일동」 ⑥**알현동** 주대(周代)에 제후(諸侯)가 모여 천자(天子)에게 알현(謁見)하는 예(禮)。「會同회동」 ⑦**방백리동** 주대(周代)의 제도에서 사방 백리의 땅。

참고 「同」을 음으로 하는 글자=「桐동」〈오동나무〉·「筒통」〈대롱〉·「侗동」〈미련하다〉·「胴동」〈몸통〉·「洞동」〈골〉·「銅동」〈구리〉

【同感 동감】 남과 같이 느낌。

【同甲 동갑】 나이가 같음。같은 나이。갑자(甲子)를 같이 한다는 뜻。

【同居 동거】 한 집에서 같이 삶。

【同格 동격】 자격(資格)이 같음。

【同慶 동경】 같이 경사스러워 하여 즐거워함。

【同苦同樂 동고동락】 괴로움과 즐거움을 같이함。

【同工異曲 동공이곡】 서로 재주는 같으나 취미가 다름。

【同功一體 동공일체】 같은 공(功)으로 같은 지위에 있음。

3획

〔三畫部首順〕 口囗土士夊夂夕大女子宀寸小尢尸屮山巛工己巾干幺广廴廾弋弓彐彡彳

【同官 동관】 같은 관청(官廳)에 다니는 같은 지위에 있는 관원(官員)。
【同軌* 동궤】 ①천하(天下)의 수레의 바퀴와 바퀴 사이의 광협(廣狹)이 같음。 전(轉)하여 천하가 통일됨을 이름。 ②중국(中國)의 제후(諸侯)。 사이(四夷)의 나라와 구별하여 이름。
【同級 동급】 학급(學級)이 같음。
【同氣 동기】 ①형제(兄弟)·자매(姊妹)의 총칭(總稱)。 ②동류(同類)。
【同期 동기】 ①같은 시기(時期)。 ②동기 동창(同期同窓)。
【同年 동년】 ①같은 나이。 ②같은 해。 ③동년생(同年生)。
【同等 동등】 같은 등급(等級)。
【同樂 동락】 여러 사람이 한 가지로 즐김。
【同僚* 동료】 같은 직장에서 지위가 비슷한 사람。
【同類 동류】 ①같은 무리。 ②같은 종류。
【同盟 동맹】 개인·단체 또는 국가가 같은 목적이나 이익을 위하여 같이 행동하기로 약속하는 일。 또 그 사람·단체 또는 나라。
【同名 동명】 같은 이름。
【同母 동모】 동복(同腹)。
【同文 동문】 사용하는 글자가 같음。
【同門 동문】 같은 선생의 문인(門人)。 같은 학교의 출신자。 동창(同窓)。
【同文同軌* 동문동궤】 문자(文字)가 같고 수레의 제법(製法)이 일정(一定)하다는 뜻으로, 한 천자(天子)가 천하(天下)를 통일함을 이름。
【同文同種 동문동종】 두 나라의 사용하는 문자(文字)와 민족(民族)이 모두 같음。
【同門受學 동문수학】 같은 스승에게 글을 배움。
【同伴* 동반】 길을 같이 감。 동행(同行)。
【同房 동방】 한 방에서 동거함。
【同輩 동배】 나이·신분(身分)이 서로 비슷한 사람。
【同病相憐 동병상련】 ①같은 병을 가진 사람끼리 서로 동정함。 전(轉)하여 ②처지가 같은 사람끼리 서로 동정함。
【同腹 동복】 한 어머니에게서 남。
【同封 동봉】 두 가지 이상(以上)을 한 데 싸서 봉(封)함。
【同夫人 동부인】 아내와 함께 동행함。
【同色 동색】 ①같은 빛。 ②같은 당파。
【同棲* 동서】 부부(夫婦)가 되어 한 집에서 같이 삶。
【同席 동석】 자리를 같이함。
【同性 동성】 남녀(男女)·자웅(雌雄)의 성(性)이 같음。
【同姓 동성】 ①같은 성(姓)。 ②일가。
【同姓同本 동성동본】《韓》 성(姓)과 관향(貫鄕)이 같음。
【同宿 동숙】 한 방(房)에서 같이 잠。
【同乘 동승】 같이 탐。
【同心 동심】 마음이 같음。
【同心合力 동심합력】 마음과 힘을 한 가지로 하여 합침。
【同額 동액】 같은 액수(額數)。
【同樣 동양】 같은 모양。
【同業 동업】 같은 직업。 같은 영업。
【同然 동연】 동양(同樣)。
【同友 동우】 뜻과 취미가 같은 벗。
【同音 동음】 같은 소리。
【同意 동의】 ①같은 의견(意見)。 같은 의사。 ②같은 뜻。 같은 의미。 동의(同義)。 ③응낙함。 승인함。 찬성함。

【同義 동의】 같은 뜻。 같은 의의(意義)。동의(同意)。

【同異 동이】 이동(異同)。

【同而不和 동이불화】 이(利)에 의하여 합동(合同)하나 주의는 같지 아니함。이(利)로써 같이 결합하였기 때문에 서로 화목하지 아니함。

【同人 동인】 ①뜻이 같은 사람。②같은 사람。동일인(同一人)。③동문수학(同門受學)한 사람。

【同仁 동인】 차별 없이 평등히 사랑함。

【同一 동일】 같음。

【同日 동일】 같은 날。

【同情 동정】 ①남의 불행을 가엾게 여기어 따뜻한 마음을 씀。②남을 이해하여 같이 느낌。

【同鼎食* 동정식】 한솥의 밥을 먹음。

【同族 동족】 같은 민족。

【同種 동종】 같은 종류(種類)。

【同志 동지】 뜻이 같음。 또 그 사람。

【同窓 동창】 동문(同門)。

【同寢 동침】 잠자리를 같이함。

【同胞 동포】 ①동복(同腹) 형제。②같은 나라 또는 같은 민족의 사람。

【同學 동학】 스승이 같거나 배우는 학교가 같은 벗。

【同行 동행】 길을 같이 감。

【同鄕 동향】 같은 고향(故鄕)。

【同穴 동혈】 부부(夫婦)가 죽은 뒤에 같은 무덤에 묻힌다는 뜻으로、부부의 금슬이 좋음을 비유하는 말。

【同好 동호】 같은 취미。

【同化 동화】 ①최초 다르던 것이 차차 다른 한 쪽에 닮아가는 일。②생물이 외계로부터 양분으로서 섭취한 물질을 자체 구성에 필요한 물질로 바꾸는 일。

◉來同내동 雷同뇌동 大同대동 符同부동 異同이동 協同협동 混同혼동 會同회동

6 【各】 口 3 중학 각 |각각| ㊀藥

ノ ク 夂 夂 各 各

자원 회의 口+夂→各(口부) 3000년 전

「夂치」는 발의 모양。위를 향한 「止지」가 가다의 뜻인 데 대하여 밑을 향한 「夂」는 내리다、이르다의 뜻。「口구」는 어귀。「各」은 어귀까지 가다、바로 가서 닿다。「箇개=個개」와 음이 비슷하기 때문에 각각의 뜻으로도 쓰임。

뜻 각각 ㉠제각기。따로따로。「各自각자」「各位각위」 ㉡각기 다름。 각각임。

참고 「各」을 음으로 하는 글자=「格격」〈다다르다〉·「閣각」〈다락집〉·「恪각·격」〈삼가다〉·「貉하」〈오소리〉·「洛락」〈강이름〉·「烙락」〈지지다〉·「咯각」〈꿩 우는 소리〉·「路로」〈길〉

【各個 각개】 낱낱。하나하나。

【各其所長 각기소장】 각 사람 저마다의 장기(長技)。 저마다 잘하는 재주。

【各道 각도】 각각의 도(道)。

【各立 각립】 따로따로 갈라섬。

【各房 각방】 각각의 방(房)。

【各別 각별】 각각 따로따로。

【各封 각봉】 따로따로 봉(封)함。

【各部 각부】 여러 부(部)로 나눈 각각의 부(部)。

【各色 각색】 ①여러 가지 빛깔。②여러 가지。

【各設 각설】 따로따로 베풂。

〔三畫部首順〕 口囗土士夂夊夕大女子宀寸小尢尸屮山巛工己巾干幺广廴廾弋弓彐彡彳

3획

【各心所爲 각심소위】 각 사람이 각각 다른 마음으로 한 일。

【各樣 각양】 여러 가지 모양。

【各位 각위】 앞앞의 여러 분。

【各自圖生 각자도생】 제각기 살아 갈 길을 도모함。

【各條 각조】 각각의 조목(條目)。

【各種 각종】 여러 가지。각가지。

【各層 각층】 여러 층。각각의 층。

【各派 각파】 ①각각의 파벌。②한 조상에서 나와서 파가 갈린 친족(親族)。「가지。

【各項 각항】 ①각 항목(項目)。②각

6 **【合】** 3 口 중학 ㊀**합** ㊁**홉** | 합할 | ㊀㊁ ㊀合

ノ 人 亼 亽 合 合 合

자원 회의 亼+口→合(口부) 2500년전

이 글자의 기원에는 여러 가지 설(說)이 있음。

(1)「亼」은 뚜껑。「口」는 그릇의 몸의 모양。「合」은 궤짝의 뚜껑과 몸을 맞추는 일。 후세의 「盒합」과 같음。

(2)「亼집」은 「集집」과 같음。「口구」는 사람의 입。「合」은 소리를 합하다→대답하다。 후세의 「荅=答답」과 같음。

(3)「亼」은 「集」。「口」는 물건。「合」은 많은 물건을 모으다→합하다。 후세의 「敆갑」과 같음。

그 어느 것이나、 모으다·모이다·합하다·맞다의 뜻이 공통(共通)됨。

뜻 ㊀ ①**합할합** ㉠하나로 됨。「合體합체」 ㉡마음이 맞음。일치함。「合和합화」 ㉢입을 다묾。 ㉣짝지음。「男女之合남녀지합」 ㉤섞음。「混合혼합」 ②**합칠합** 앞의 뜻의 타동사。「合倂합병」 ③**모일합** 「會合회합」 ④**맞을합** 적합함。「合體합체」「合法합법」「合格합격」 ⑤**만날합** 상봉함。「合離합리」 ⑥**싸울합** 교전함。 ⑦**대답할합** ⑧**교합할합** 성교함。 ⑨**짝합** 배필。 ⑩**합합** 盒(皿部六畫)과 같은 글자。 ㊁ **홉홉** 용량의 단위。 일승(一升)의 십분지 일。

참고 「合」을 음으로 하는 글자=「洽흡」〈두루 미치다〉·「袷겹」〈겹옷〉·「盒합」〈합〉·「蛤합」〈대합조개〉·「閤합」〈협문〉·「給급」〈주다〉·「拾습」〈줍다〉·「答답」〈대답하다〉

【合格 합격】 시험에 급제(及第)함。

【合計 합계】 합하여 계산함。 또 그 수。

【合金 합금】 두 가지 이상의 다른 금속이 용해 혼합하여 된 금속。

【合力 합력】 힘을 합침。

【合流 합류】 ①물이 합하여 흐름。②단결을 위하여 한데로 모임。

【合理 합리】 이치(理致)에 합당함。

【合邦 합방】 두 나라를 합침。「맞음。

【合法 합법】 법령 또는 법식(法式)에

【合倂* 합병】 둘 이상이 하나로 합침。

【合絲 합사】 실을 합하여 드림。 또 그 실。

【合朔 합삭】 해와 지구가 달을 중간에 두고 일직선으로 되었을 때에 달이 앞에 있게 되어 달이 전연 안

【合算 합산】 합계(合計)。「보일 때。

【合席 합석】 한자리에 같이 앉음。

〔三畫部首順〕 口囗土士夂夊夕大女子宀寸小尢尸屮山巛工己巾干幺广廴廾弋弓彐彡彳

3획

3 획

〔三畫部首順〕 口口土士夂夊夕大女子宀寸小尢尸屮山巛工己巾干幺广廴廾弋弓彐彡彳

【合成 합성】합하여 이룸。
【合勢 합세】세력을 한데로 합함。
【合水 합수】내나 강물 등이 합하여 흐름。
【合宿 합숙】여러 사람이 한 곳에서 「같이 숙박함。
【合意 합의】서로 의사가 일치함。 또 서로 의사를 합쳐 하나로 함。
【合議 합의】두 사람 이상이 모여 의논함。
【合資 합자】두 사람 이상이 자본을 「합함。
【合作 합작】두 사람 이상이 공동으로 저술하거나 제작함。 또 그 저술 또는 제작한 것。
【合掌 합장】①절하려고 두 손바닥을 합함。 ②《佛敎》부처에게 배례할 때 두 손바닥을 합침。
【合葬 합장】두 사람 이상 특히 부부의 시체를 한 무덤 속에 장사지냄。
【合從 합종】①전국(戰國) 시대에 조(趙)·위(魏)·한(韓)·연(燕)·제(齊)·초(楚)가 남북의 종(縱)으로 연합하여 진(秦)나라를 대항하던 공수 동맹(攻守同盟)。 전(轉)하여 ② 큰 세력에 대항하는 공수 동맹의 뜻。 종(從)은 종(縱)。
【合從連衡* 합종연횡】①소진(蘇秦)이 주창한 합종설(說)과 장의(張儀)가 주창한 연횡설。 전하여 ②동맹(同盟)의 뜻。
【合奏* 합주】두 가지 이상의 악기(樂器)로 함께 연주(演奏)함。
【合唱 합창】두 사람 이상이 소리를 맞추어 노래함。
【合致 합치】둘이 서로 일치함。
【合歡酒 합환주】혼인 때 신랑과 신부가 서로 잔을 바꾸어 마시는 술。
◉交合교합 糾合규합 配合배합 野合야합 烏合오합 六合육합 融合융합 調合조합 集合집합 混合혼합 和合화합 會合회합

6【吉】口 3 중학 **길** | 길할 | ㉠質

一 十 士 士 吉 吉

자원 회의 口+士→吉(口부) 2500년전

「士사」〈선비〉와、「口구」〈말〉로 이루어짐。 선비의 말은 훌륭하므로 좋다의 뜻이 되었음。

뜻 ①**길할길** 상서로움。 「凶흉」의 대。 「吉日길일」 ②**착할길** 선량함。 「吉士길사」 「吉人길인」 ③**복길** 길한 일。 행복。 「吉凶길흉」 ④**초하루길** 「吉日길일」 「正月之吉정월지길」 ⑤**혼인길** 결혼。 ⑥**제사길** 제향(祭享)。

참고 「吉」을 음으로 하는 글자＝「佶길」〈바르다〉·「詰힐」〈꾸짖다〉·「拮길결」〈일하다〉·「頡힐」〈날아올라가다〉·「結결」〈맺다〉·「髻계」〈상투〉

【吉年 길년】혼인을 하는데 그 당사자(當事者)의 나이에 대하여 좋은 연운(年運)。
【吉禮 길례】①제사。 ②관례나 혼례 등의 경사스러운 예식。
【吉夢 길몽】상서로운 꿈。
【吉報 길보】좋은 기별。
【吉日 길일】길한 날。 좋은 날。
【吉再 길재】《韓》여말(麗末)·선초(鮮初) 때의 학자(學者)。 호(號)는 야은(冶隱)。 정몽주(鄭夢周) 등(等)에게 주자학을 배웠으며 벼슬이 성균관(成均館) 박사에 이름。
【吉兆 길조】상서로운 일이 있을 조「짐。

【吉凶 길흉】 ①길함과 흉함。 선(善)과 악(惡)。 행복과 불행。 ②혼례(婚禮)와 장례(葬禮)。
◉ 納吉납길 大吉대길 不吉불길

6 【名】 口 3 중학 명 | 이름 | ㊥庚

ノクタタ名名

자원 회의 夕+口→名(口부) 3000년전

「夕석」은 초승달→어두움。「口구」는 입→소리를 내다。「名」은 어두운 곳에서 소리를 질러 자기임을 알리는 일。 예로부터 이렇게 설명하여 왔으나 글자의 기원이 그대로였는지 아닌지는 모름。 그러나 「名」은 똑똑하게 알게 하다의 뜻이며 옛 음이 「鳴명」이나 「命명」과 비슷하며 뜻도 관계가 깊음。

뜻 ①이름명 ㉠사람의 성 아래에 붙이는 개인의 명칭。 널리 성씨(姓氏)를 포함하여 이르기도 함。「姓名성명」「人名인명」 전(轉)하여 ㉡사람의 수효。「二三名이삼명」 ㉢사물의 칭호。「物名물명」 ㉣인륜상의 칭호。 곧 군신(君臣)·부자(父子) 같은 것。「名分명분」 ㉤직책상의 칭호。 곧 관민(官民)·문무(文武) 같은 것。「刑名형명」 ㉥작호(爵號)。 ㉦명예。「盛名성명」「爭名쟁명」 ②이름부를명 ㉠자기의 이름을 말함。「父前子名부전자명」 ㉡남의 이름을 부름。 ㉢지칭(指稱)함。 ③이름지을명 작명(作名)함。 ④이름날명 유명함。「名山명산」 ⑤글자명 문자(文字)。 ⑥공명 공적。

참고 「名」을 음으로 하는 글자=「銘명」〈새기다〉·「茗명」〈차나무〉·「酩명」〈술취하다〉

【名家 명가】 ①명문(名門)。 ②입론(立論)의 법식(法式)을 연구하는 학파。 논리학자(論理學者)。 공손용(公孫龍)·혜시(惠施) 등이 이 파에 속함。

【名劍 명검】 이름난 칼。 명도(名刀)。

【名工 명공】 이름난 장색(匠色)。

【名官 명관】 명성(名聲)이 높은 벼슬아치。

【名君 명군】 지덕(智德)이 뛰어난 군주。 명군(明君)。

【名弓 명궁】 ①이름난 활。 ②활을 잘 쏘는 사람。

【名妓* 명기】 이름난 기생(妓生)。

【名堂 명당】 ①임금이 신하(臣下)의 조현(朝見)을 받는 정전(正殿)。 ②무덤 아래에 있는 평지(平地)。 ③썩 좋은 묏자리。

【名論 명론】 유명한 언론(言論)이나 「논문(論文)」。

【名利 명리】 명예(名譽)와 이익(利益)。

【名馬 명마】 이름난 좋은 말。

【名望 명망】 명성(名聲)과 인망(人望)。 명성이 높고 인망이 있음。

【名目 명목】 사물의 이름。

【名文 명문】 이름난 글。 잘 지은 글。

【名門 명문】 유명한 가문(家門)。

【名門巨族 명문거족】 이름난 집안과 크게 번창(繁昌)한 겨레。

【名物 명물】 ①한 지방의 특유(特有)한 산물。 ②특징이 있어 인기 있는 사람。 또 좋은 물건。

【名簿 명부】 성명을 적은 장부(帳簿)。

【名分 명분】 명의(名義)가 정해진 데 따라 반드시 지켜야 할 직분(職分)。

【名士 명사】 명성(名聲)이 높은 사람。

【名産 명산】 유명한 산물(産物)。
【名山大川 명산대천】 이름난 산(山)과 큰 강(江)。
【名相 명상】 이름난 재상(宰相)。
【名聲 명성】 세상에 널리 떨친 이름。명예(名譽)。명문(名門)。
【名所 명소】 경치 좋기로 이름난 곳。명승(名勝)。「씨를 가진 사람。
【名手 명수】 뛰어난 솜씨。또 그 솜
【名數 명수】 ①호적(戶籍)。②사람의 수효(數爻)。③단위(單位)의 명칭(名稱)을 붙인 수(數)。곧 백리(百里)·십관(十貫) 등。
【名勝 명승】 ①명사(名士)。②경치 또는 고적(古蹟)으로 유명(有名)한 곳。
【名僧 명승】 지식(智識)과 덕행(德行)이 높은 이름난 중。
【名臣 명신】 이름난 신하。
【名實 명실】 ①겉에 나타난 이름과 속에 있는 실상。②명예와 실익(實益)。
【名實相符 명실상부】 이름과 실상(實狀)이 서로 틀리지 아니함。「생각。
【名案 명안】 뛰어난 고안(考案)。좋은

【名藥 명약】 효험(效驗)이 있기로 이름난 약(藥)。「게 썩 잘한 말。
【名言 명언】 좋은 말。또 이치에 맞
【名譽 명예】 ①세상(世上)에 들리는 좋은 이름。자랑스러운 평판。명성(名聲)。②봉급을 받지 아니하는 면목상(面目上)의 지위。「난 선비。
【名儒 명유】 학덕(學德)이 높아 이름
【名義 명의】 명칭과 그 명칭에 따르는 도리(道理)。예컨대 아들이라는 명칭과 아들이라는 명칭에 따르는 아버지에 대한 의무。「원。
【名醫 명의】 의술이 용하여 이름난 의
【名人 명인】 ①기예(技藝)에 뛰어난 사람。②이름난 사람。명성(名聲)이 높은 사람。
【名日 명일】 《韓》 일년 동안의 특별히 지키는 날。곧 원일(元日)·한식(寒食)·단오(端午)·백중(百中)·추석(秋夕)·동지(冬至) 등。명절。
【名字 명자】 ①이름과 자(字)。②작위(爵位)와 칭호(稱號)。특히 천자(天子)의 칭호。
【名作 명작】 뛰어난 작품。

【名節 명절】 ①명예(名譽)와 절개(節介)。②《韓》 명일(名日)。명질。
【名唱 명창】 썩 잘 부르는 노래。또 노래를 썩 잘 부르는 사람。
【名筆 명필】 썩 잘 쓰는 글씨。또 글씨를 썩 잘 쓰는 사람。
【名銜* 명함】 성명을 적은 종이쪽。
【名賢 명현】 이름난 현인(賢人)。
【名畫 명화】 유명한 그림。

◉家名가명 假名가명 高名고명 功名공명
光名광명 記名기명 賣名매명 命名명명
美名미명 本名본명 署名서명 姓名성명
雅名아명 惡名악명 揚名양명 御名어명
連名연명 英名영명 汚名오명 威名위명
僞名위명 有名유명 匿名익명 著名저명
除名제명 知名지명 指名지명 顯名현명

6 【后】 口 3 후 ㊤有 — 임금 — ㊦宥

자원 형성 口 음 戶 𠂆 丅 后 (口부)

사람이 쭉 몸을 펴고 있는 모양의 「戶시」의 변형(變形)인 「𠂆」와、음을 나타내며

3000년 전

동시(同時)에 구멍을 뜻하는「口구」로 이루어짐。 사람의 몸의 뒤에 있는 구멍、똥구멍의 뜻。 나중에、단순(單純)히 뒤의 뜻이 됨。 음을 빌어、임금의 뜻(⇩侯후·皇황)으로 쓰이고、다시「侯」를 남자 임금、「后」를 여자、곧、황후(皇后)의 뜻으로 함。

뜻 ①**임금후** ㉠천자(天子)。 군주。 ㉡제후(諸侯)。 ②**황후후** 천자의 아내。 은(殷) 이전에는 비(妃)、주대(周代)에는 왕후(王后)、진한(秦漢) 이후에는 황후(皇后)라 일컬었음。「后妃후비」「天子有后천자유후」 ③**신령후、신명후** 신(神)의 존칭(尊稱)。「后祇후기」 ④**뒤후** 後(彳部六畫)와 통용。「后宮후궁」

참고 「后」를 음으로 하는 글자=「垢구」〈때〉·「哠후」〈부끄럽다〉·「姤구」〈아름답다〉·「逅후」〈만나다〉·「詬후」〈꾸짖다〉

【后宮 후궁】 후궁(後宮)。

【后妃 후비】 ①황후(皇后)。 ②황후(皇后)와 비(妃)。

3 획

【后王 후왕】 임금。 천자(天子)。 군주(君主)。

◉母后모후 女后여후 王后왕후 元后원후 太后太皇태후태황 太后태후 皇太后황태후 皇后황후

【回】 ⇩口部三畫

四畫

7 **【呂】** 口4 려 | 등뼈 | ㊤語

자원 상형 2500년전

사람의 등뼈가 이어져 있는 모양을 본뜸。

뜻 ①**등뼈려** 등골의 뼈。 척골(脊骨)。 ②**풍류려** 음(陰)의 음률(音律)。「律呂율려」「六呂육려」 ③**성려** 성(姓)의 하나。

참고 「呂」를 음으로 하는 글자=「侶려」〈짝〉·「閭려」〈이문〉·「絽려」〈명주〉·「筥거」〈둥구미〉·「莒거」〈나라 이름〉

【呂氏春秋 여씨춘추】 책명(冊名)。 이십 육권(二十六卷)。 일명(一名) 여람(呂覽)。 진(秦)나라 여불위(呂不韋)의 찬(撰)이라 하나 실상은 그의 빈객이 수집(收集)한 것임。

【呂后 여후】 한(漢)나라 고조(高祖)의 황후(皇后)。 고조를 도와서 천하(天下)를 평정(平定)하였음。

7 **【呈】** 口4 정 | 나타날 | ①-④(平)庚 ⑤(去)敬

자원 형성 口+壬(음) → 呈(口부) 2500년전

「口구」〈입〉와、음을 나타내는 동시에 제출(提出)하다의 뜻을 나타내기 위한「壬정」으로 이루어짐。 말을 하다、진언(進言)의 뜻。

뜻 ①**나타날정** 드러나 보임。 ②**나타낼정** 드러냄。「呈形정형」「呈示정시」 ③**드릴정** 웃사람에게 바침。「呈上정상」「送呈송정」 ④**한정정** 程(禾部七畫)과 통용。 ⑤**쾌(快)할정** 逞(辵部七畫)과 통용。

주의 「呈광」〈미치다〉과는 딴 글자。

참고 「呈」을 음으로 하는 글자=「程정」〈한도〉·「逞령」〈왕성하다〉

【呈示 정시】 나타내 보임。내놓음。

◉敬呈경정 謹呈근정 露呈노정 贈呈증정

7 **【吳】** 口 4 오 | 오나라 | ㊥虞

자원 형성 矢-夨┬吳(口부) 口음┘

吳 2500년전

「口구」와 「夨책」(夨은 그 변형)으로 이루어지며 「口」의 변음이 음을 나타냄。「口」는 노래、「夨」은 사람이 머리를 기울이다의 뜻。「吳」는 본디 사람이 노래에 귀를 기울여 즐기다의 뜻이며 「娛오」의 본디 글자。또 「俁우」와 통하여 크다의 뜻。또 옛 중국의 나라 이름。

뜻 ①**오나라오** ㉠춘추시대(春秋時代)의 십이 열국(十二列國)의 하나。태백(泰伯)이 강소성(江蘇省)에 세운 나라。한때 세력을 떨쳐 판도(版圖)를 절강성(浙江省) 안까지 넓혔으나 부차(夫差) 때 개국(開國)한 지 칠백여 년만에 월(越)나라 구천(句踐)에게 멸망당하였음。(B.C. 四七三?) ㉡삼국 시대(三國時代)에 손권(孫權)이 강소(江蘇)·절강(浙江)·안휘(安徽)지방에 세운 나라。수도(首都)는 건업(建業)。건국 후 사주(四主) 오십 구년 만에 서진(西晉)에게 멸망당하였음。(二二二~二八〇) ㉢오대(五代) 때 양행밀(楊行密)이 회남(淮南)에 의거하여 세운 나라。서울은 양주(揚州)。건국한 지 사주(四主) 삼십 육년 만에 남당(南唐)에게 멸망당하였음。(九〇二~九三七) ②**땅이름오** 강소성(江蘇省) 오현(吳縣)을 중심으로 한 군(郡)。전(轉)하여、강소성 일대의 특칭。③**큰소리할오** 떠듦。④**성오** 성(姓)의 하나。

참고 「吳」를 음으로 하는 글자=「娛오」〈즐거워하다〉·「蜈오」〈지네〉·「誤오」〈그르치다〉·「麌우」〈수사슴〉

【吳廣 오광】 진(秦)나라 말엽의 장군。진승(陳勝)과 반란을 일으켜 진승은 왕(王)、그는 가왕(假王)이 되었다가 후에 부하에게 살해되었음。

【吳越同舟 오월동주】 오(吳)나라와 월(越)나라와 같이 서로 사이가 대단히 나쁜 자가 같은 장소에 있음을 이름。

【吳下阿蒙 오하아몽】 몇 해가 지나도 진취(進就)함이 없이 그냥 그 모양으로 있는 사람。삼국 시대(三國時代)의 오(吳)나라에 여몽(呂蒙)이란 사람이 있어 임금 손권(孫權)이 여몽(呂蒙)에게 글 읽기를 권하였는데 뒤에 노숙(魯肅)이 여몽(呂蒙)과 만나서 그의 지식(知識)의 진보(進步)한 것을 보고 감동(感動)하여 군(君)은 오하(吳下)의 아몽(阿蒙)이 아니라고 한 고사(故事)에서 나온 말。

7 **【吟】** 口 4 중학 ㊀음 ㊁금 | 읊을 | ㊀㊥侵 ㊁㊤寢

丨 冂 口 口丿 口人 口今 吟

자원 형성 口 今음┬吟(口부)

「口구」와、음을 나타내는 「今금」으로 이루어짐。목소리를 입속에 머금고 낮은 소리로 읊조리다의 뜻。

뜻 ㊀①**읊을음** ㉠읊조림。「吟詠음영」

㉡시가(詩歌)를 지음。「吟詩음시」 ②**끙끙거릴음** 괴로와서 끙끙 앓음。「呻吟신음」 ③**말더듬을음** 말을 떠듬떠듬 함。 ④**울음** 짐승이나 벌레가 소리를 냄。 ⑤**시체이름음** 한시(漢詩)의 한 체(體)。 고악부(古樂府)에 연원(淵源)하며 울굴(鬱屈)한 정서를 읊은 것。 ㈡**입다물금** 噤(口部十三畫)과 같은 글자。

【吟味 음미】 시가(詩歌)를 읊으면서 그 멋을 감상(鑑賞)함。

【吟風弄月 음풍농월】 맑은 바람을 쐬며 시를 읊고 달을 바라보며 시를 지어 즐겁게 놂。

◉朗吟낭음 默吟묵음 呻吟신음 詠吟영음

7 **【吸】** 口 4 고교 **흡** | 숨들이쉴 | ㊇緝

丨 ㄇ 口 叨 叨 吸 吸

자원 형성 口 及(음) ㅜ 吸(口부)

「口입구변」과、 음을 나타내며 동시(同時)에、 거기까지 닿다의 뜻을 가지는 「及급」(흡은 변음)으로 이루어져、 입을 대고 빨다、 숨을 들이마시다의 뜻。

뜻 ①**숨들이쉴흡** 숨을 들이마심。「呼호」의 대。 ②**마실흡** 단숨에 마심。

【吸氣 흡기】 ①빨아들이는 기운。 ②들이마시는 숨。

【吸收 흡수】 ①빨아들임。 ②액체·고체가 기체를 빨아들여 용해(溶解)하는 현상(現象)。

【吸煙 흡연】 담배를 피움。

【吸引 흡인】 빨아서 이끎。 앞으로 빨아들임。

【吸引力 흡인력】 빨아들이는 힘。

【吸入 흡입】 빨아들임。

【吸血鬼 흡혈귀】 ①밤중에 무덤에서 나와 사람의 피를 빨아 먹는다는 귀신(鬼神)。 ②사람의 고혈(膏血)을 착취(搾取)하는 인간。

◉呼吸호흡

7 **【吹】** 口 4 중학 **취** | 불 | ①②㊉支 ③㊄寘

丨 ㄇ 口 口' 吖 吵 吹

자원 회의 口 欠 ㅜ 吹(口부)

「口입구변」과 입을 벌린 모양인 「欠흠」으로 이루어짐。 크게 숨을 내쉬다의 뜻。

뜻 ①**불취** ㉠숨기운을 내어보냄。「吹呼취호」 ㉡관악기에 입을 대어 입김으로 소리를 냄。「吹奏취주」 ㉢바람이 남。 ㉣추켜 세움。 칭양(稱揚)함。 칭찬함。 또 도움。 방조함。「吹擧취거」 ②**관악취** 관악기로 연주하는 음악。 ③**바람취**

【吹奏 취주】 저·피리 따위의 관악기를 입으로 불어 연주(演奏)함。

◉鼓吹고취

7 **【君】** 口 4 중학 **군** | 임금 | ㊉文

ㄱ ㅋ ⺕ 尹 尹 君 君 君

자원 형성 口 尹(음) ㅜ 君(口부)　3000년전

음을 나타내는 「尹윤」(군은 변음)은 손에 무엇인가를 갖는 모양→천하(天下)를 다스리다。「口구」는 입→말→기도하다。「君」은 하늘에 기도하여 하늘의 뜻을 이어받아 천하를 다스리는 사람。

뜻 ①임금군 ㉠군주。천자、제후 등 국가의 주권자。「君主군주」 ㉡제후(諸侯)。또 영지(領地)가 있는 경대부(卿大夫)。또 봉호(封號)。「君侯군후」 ㉢주재자(主宰者)。두목。추장(酋長)。②부모군 부모의 존칭。「先君선군」 ③조상군 선조(先祖)의 존칭。④남편군 처첩이 그의 남편을 이르는 말。⑤아내군 처첩의 일컬음。「細君세군」「小君소군」 ⑥스승군 재덕이 겸비한 사람。「君子군자」 ⑦임군 남의 존칭。⑧귀신군 귀신(鬼神)의 경칭(敬稱)。

참고 「君」을 음으로 하는 글자=「捃군」〈줍다〉·「焄훈」〈냄새〉·「裙군」〈치마〉·「窘군」〈군색하다〉·「群군」〈무리〉·「郡군」〈고을〉

【君國 군국】 ①임금과 나라。②군주(君主)가 다스리는 나라。「스림。

【君臨 군림】 임금이 되어 나라를 다

【君父 군부】 임금과 아버지。

【君師父一體 군사부일체】 임금·스승·아버지의 은혜(恩惠)는 같다는 말。

【君臣 군신】 임금과 신하(臣下)。

【君王 군왕】 임금。군주(君主)。

【君恩 군은】 임금의 은덕。

【君子 군자】 심성(心性)이 어질고 덕행(德行)이 높은 사람。남의 사표(師表)가 될 만한 사람。

【君子交絶不出惡聲 군자교절불출악성】 군자(君子)는 사람과 절교(絶交)를 한 뒤에 그 사람의 악평(惡評)을 하지 아니함。

【君子國 군자국】 ①풍속(風俗)이 선량(善良)하고 예의(禮儀)가 바른 나라。②우리 나라、특히 신라(新羅)의 별칭(別稱)。

【君子三樂 군자삼락】 군자의 세 가지 낙(樂)。첫째 부모가 구존(俱存)하고 형제가 무고한 것、둘째 하늘과 사람에게 부끄러워할 것이 없는 것、세째 천하의 영재(英才)를 얻어서 교육하는 것。

【君子人 군자인】 군자라 일컬을 만한 사람。덕행(德行)이 있는 사람。남의 사표(師表)가 될 만한 사람。

【君子之交淡若水 군자지교담약수】 군자의 교제(交際)는 그 담박(淡泊)한 것이 물과 같아 영구히 변치 아니함。

【君長 군장】 ①군주(君主)。②두목(頭目)。③손윗사람。④추장(酋長)。

【君主 군주】 국가(國家)의 주권(主權)을 총람(總攬)하는 사람。임금。

【君號 군호】 군(君)을 봉(封)한 이름。

◉家君가군 郎君낭군 名君명군 父君부군 夫君부군 聖君성군 小君소군 暗君암군 良君양군 幼君유군 諸君제군 主君주군

7 【吝】 口 4 린 | 아낄 | ㊀震

자원 형성 口 文(음) ⊤ 吝(口부)

「口구」〈입〉와 음을 나타내는 「文문」(린은 변음)으로 이루어짐。

뜻 아낄린 ㉠소중히 여김。㉡인색함。㉢주저함。

【吝嗇 인색】 체면(體面)을 돌아보지 않고 재물(財物)을 지나치게 아낌。

7 【否】 口 4 중학 ㊀부 ㊁비 | 아닐 | ㊀㊤有 ㊁㊤紙

一 丆 不 不 否 否

否

자원 형성 不(음) 口 ┬ 否 (口부)

음을 나타내는「不불·부」는「…이 아니다」「…하지 않다」란 뜻을 나타냄。「口구」는 말。「否」는「…이 아니다」의 뜻。

뜻 ㊀**아닐부** ㉠부동의(不同意)를 나타내는 말。아님。㉡의문사(疑問辭)。…하지 않았는가? ㉢그렇지 아니함。또 그렇게 하지 아니함。㉣그러한 일은 없음。㉤부인함。듣지 아니함。㉥그렇지 아니하면。㊁①**악할비** 나쁨。좋지 아니함。또 그것。②**막힐비** 운수가 막힘。「否塞비색」③**비괘비** 육십사 괘의 하나。곧 ☷☰(곤하(坤下)、건상(乾上))。음양(陰陽)이 고르지 못하여 일이 잘 되지 않는 상(象)。

【否決 부결】의안(議案)의 불성립을 의결함。

【否認 부인】인정(認定)하지 아니함。

【否定 부정】그렇지 않다고 인정(認定)함。아니라고 함。

【否塞 비색】운수(運數)가 좋지 못하여 막힘。불운(不運)함。

【否運 비운】비색(否塞)한 운수(運數)。불운(不運)。

◉可否가부 成否성부 安否안부 存否존부

7 **【含】** 口 4 고교 **함** | 머금을 | ①-③㊥覃 ④㊦勘

ノ 人 亼 今 今 含 含

자원 형성 今(음) 口 ┬ 含 (口부)

「口구」〈입〉와 음을 나타내는 동시(同時)에 속으로 숨다의 뜻을 나타내기 위한 「今금」(함은 변음)으로 이루어짐。입 속에 넣다의 뜻。

뜻 ①**머금을함** 입 속에 넣음。「含嚼함작」②**넣을함** 속에 넣음。수용(收容)함。또 저장함。「含蓄함축」「含藏함장」「含萬物함만물」③**품을함** ㉠마음 속에 넣어 둠。「含怒함노」「含情함정」㉡마음 속에 품고 참음。「含忍함인」④**무궁주함** 중국에서 옛날 죽은 사람의 입 속에 넣던 구슬。반함(飯含)하는 데 쓰이는 구슬。

참고 「含」을 음으로 하는 글자＝「荅함」〈꽃술〉·「頷함」〈턱〉

【含量 함량】들어 있는 분량(分量)。

【含憤蓄怨 함분축원】분노와 원한을 품음。

【含笑 함소】①웃음을 머금음。웃는 빛을 띰。②꽃이 피기 시작함。

【含怨 함원】원한(怨恨)을 품음。

【含有 함유】물질이 어떤 성분(成分)을 포함하고 있음。

【含蓄 함축】깊은 뜻을 품음。

◉包含포함

7 **【吾】** 口 4 중학 ㊀**오** ㊁**어** | 나 | ㊀㊥虞 ㊁㊥魚

一 丆 五 五 吾 吾

吾 2500년전

자원 형성 五(음) 口 ┬ 吾 (口부)

음을 나타내는「五오」(我아의 변음)에「口구」〈입〉를 더하여「나」의 뜻을 나타냄。

뜻 ㊀①**나오** ㉠자기의 일컬음。「吾人오인」㉡자기의 존재。자기의 의

3획

식。②**우리오** 자기 나라·자기 집·자기의 당(黨) 등。③**글읽는소리오** 「吾伊오이」는 독서하는 소리。「唔咿오이」로도 씀。㊁**친하지않을어** 친하지 않은 모양。친하려고 하지 않는 모양。

참고 「吾」를 음으로 하는 글자=「梧오」〈벽오동나무〉·「語어」〈말하다〉·「悟오」〈깨닫다〉·「晤오」〈밝다〉·「寤오」〈깨다〉·「捂오」〈거역하다〉·「牾오」〈거역하다〉·「齬어」〈맞지 않다〉·「圄어」〈감옥〉·「衙아」〈마을〉

【吾等 오등】 우리들。「자기。

【吾人 오인】 ①우리。우리들。②나。

7 **【告】** 口 4 중학 ㊀**고** ㊁**곡** ㊂**국** 고할 ㊀去號 ㊁入沃 ㊂入屋

ノ 𠂉 𠂒 牛 牛 告 告

자원 회의 牛+口=告(口부)

Ⓐ Ⓑ Ⓒ 3000년전

옛 모양 Ⓐ Ⓑ는 신성한 나무에 기도드리는 모습이지만 나중에 나무의 부분을 모양이 소(牛)를 닮았다고 보아 소를 바쳐 신에게 아뢰다↓고하다의 뜻으로 씀。옛 모양 Ⓒ는 소가 사람을 뿔로 뜨지 않게 뿔에 가로대를 붙들어 맨 모양。「告」는 큰 소리로 아뢰다의 뜻의 「號호」와도 관계가 깊음。

뜻 ㊀①**고할고** ㉠아룀。여쭘。㉡알림。보고함。㉢이야기함。㉣청(請)함。㉤소송을 제기(提起)함。「告訴고소」 ②**찾을고、물을고** 방문하여 안부를 물음。③**고신고** 관리의 사령서。직첩(職牒)。「告身고신」 ④**말미고** 관리의 휴가。㊁①**고할곡** 청알(請謁)함。②**말미곡** 휴가。㊀의 ❹와 뜻이 같음。㊂**국문할국** 鞫(革部八畫)과 통용。

참고 「告」를 음으로 하는 글자=「梏곡」〈수갑〉·「牿곡」〈외양간〉·「酷혹」〈가혹하다〉·「鵠곡」〈고니〉·「嚳곡」〈고대 제왕의 이름〉·「浩호」〈넓다〉·「皓호」〈맑다〉·「窖교」〈움〉·「誥고」〈고하다〉·「靠고」〈기대다〉

【告歸 고귀】 휴가를 얻어 집에 돌아감。

【告急 고급】 급함을 알림。

【告發 고발】 남의 범죄(犯罪) 사실을 제삼자가 관(官)에 아룀。

【告白 고백】 사실(事實)대로 말함。

【告變 고변】 반역(叛逆)을 고발함。

【告別 고별】 작별(作別)을 고(告)함。

【告訃* 고부】 사람의 죽음을 통지함。

【告祀 고사】 《韓》 한 몸이나 집안이 무고(無故)하고 잘되기를 비는 제사。

【告辭 고사】 고시(告示)하는 문사(文辭)。

【告訴 고소】 ①하소연함。②범죄의 피해자가 관아(官衙)에 범죄 사실을 신고하여 소추(訴追)를 구함。

【告示 고시】 ①고하여 알림。②관청(官廳)에서 모든 인민(人民)에게 알리는 게시(揭示)。

【告由 고유】 《韓》 나라에서나 사가(私家)에서 큰일이 생겼을 때에 사당(祠堂)이나 신명에게 고(告)함。

【告諭* 고유】 알려 깨우쳐 줌。

【告知 고지】 알림。통지(通知)함。

【告天文 고천문】 예식(禮式) 때에 하

3 획

〔三畫部首順〕 口囗土士夂夊夕大女子宀寸小尢尸屮山巛工己巾干幺广廴廾弋弓彐彡彳

느님께 아뢰는 글。

◉警告경고 戒告계고 誣告무고 密告밀고 報告보고 訃告부고 上告상고 宣告선고 豫告예고 忠告충고 布告포고 抗告항고

【邑】⇩部首

【局】⇩尸部四畫

五 畫

8【呪】 口5 **주** —방자— ㊤宥

자원 형성 口 祝-兄음 ┬呪(口부)

「口입구변」과 음을 나타내며 동시에 기도하다의 뜻을 가지는 「兄형」(祝축의 생략형)으로 이루어짐。 재난이 남에게 내리도록 신(神)에게 빌다、저주(咀呪)하다의 뜻。

뜻 ①**방자주、방자할주** ㉠남에게 재앙이 내리기를 비는 짓。「詛呪조주」 ㉡또 그 짓을 함。 ②**빌주** 신불(神佛)에게 소원 성취하기를 빎。「呪願주원」

【呪文 주문】 ①저주하는 글。 ②술가(術家)가 술법을 행할 때 외는 글。

【呪術 주술】 신의 힘、또는 신비력을 빌어 길흉을 점치고 재액을 물리치거나 내려달라고 비는 술법。

◉巫呪무주 誦呪송주 神呪신주 咀呪저주

8【味】 口5 중학 **미** —맛— ㊤未

丨 ㄇ 口 口一 叶 呋 味

자원 형성 口 未음 ┬味(口부)

음을 나타내는 「未미」는 나무 끝의 가느다란 작은 가지→잘고 희미하다의 뜻。 나무 끝에 여는 과일도 각각 조금씩 틀리는 데가 있고 미묘한 맛이 남。 그래서 「未」를 맛이란 뜻으로 썼으나 나중에 「末」의 다른 쓰임과 구별하여 먹는 것에 관계가 있음을 분명히 하기 위하여 「口입구변」을 붙여서 「味」라 씀。

뜻 ①**맛미** ㉠음식의 맛。「五味오미」 ㉡사물의 맛。「興味흥미」 ㉢뜻。의의。「意味의미」 ㉣맛있는 음식。 ②**의맛볼미** ㉠맛을 봄。 ㉡의미를 음미(吟味)함。

【味覺 미각】 혀의 미신경(味神經)이 달고、시고、짜고、맵고、쓴 맛을 느껴 아는 감각。 미감(味感)。

◉甘味감미 苦味고미 氣味기미 妙味묘미 無味무미 美味미미 酸味산미 辛味신미 五味오미 意味의미 一味일미 絕味절미 珍味진미 眞味진미 淸味청미 趣味취미 風味풍미 香味향미 興味흥미

8【呻】 口5 **신** —끙끙거릴— ㊥眞

자원 형성 口 申음 ┬呻(口부) 2500년전

「口입구변」에 음을 나타내는 「申신」을 더하여 이루어짐。「申」이라는 음은 「吟음」〈끙끙거리다〉의 변음에 유래함。 입을 다물고 신음하다의 뜻。

뜻 ①**끙끙거릴신** 신음함。 ②**읊조릴신** 읊음。「呻吟신음」

주의 「呷합」〈오리가 우는 소리〉은 딴 글자。

【呻吟 신음】 ①괴로와 끙끙거리는 소

리를 함。탄성(歎聲)을 냄。②괴로와하면서 시(詩) 같은 것을 읊조림。

8 【呼】口5 중학 호 | 숨내쉴 | ㊤虞

丨 ㅁ 口 口' 口'' 口乊 呼

자원 형성 口 乎음 ┬呼(口부)

「口입구변」과、음을 나타냄과 동시에 내쉬는 숨소리를 나타내는 「乎호」로 이루어짐。숨을 내쉬다의 뜻。또 음을 빌어 큰 소리로 부르다의 뜻(⇩謼호)으로 쓰임。

乎 2000년전

뜻 ①숨내쉴호 숨을 내쉼。「吸흡」의 대。「呼噓호허」②부를호 ㉠오라고 소리를 내어 부름。「招呼초호」㉡일컬음。이름지음。「稱呼칭호」③부르짖을호 큰 소리를 냄。떠듦。「呼號호호」「呼噪호조」④슬프다할호 탄식하는 소리。「嗚呼오호」

【呼價 호가】값을 부름。

【呼名 호명】이름을 부름。

【呼訴 호소】사정을 관부(官府) 또는 남에게 하소연함。

【呼應 호응】①부르면 대답함。전(轉)하여、대답함。기맥(氣脈)을 통함。②문맥(文脈)의 전후가 상통함。

【呼出 호출】불러 냄。

【呼兄 호형】형이라고 부름。

【呼吸 호흡】숨을 쉼。또 숨。

◉嗚呼오호 點呼점호 指呼지호

8 【和】口5 중학 화 | 온화할 | ㊤歌 ㊦箇

一 ニ 千 禾 利 和 和

자원 형성 口 木-禾음 ┬和(口부)

음을 나타내는 「禾화」는 여기에서는 벼의 뜻이 아니라 군문(軍門)에 세운 깃발을 나타냄。「口구」는 입、약속하는 일。「和」는 군문에서 약속하다、강화(講和)를 체결(締結)하다의 뜻。다시 화목하다、고르다의 뜻이 됨。

2500년전

뜻 ①온화할화 온순하고 인자함。「和色화색」②화목할화 사이가 좋음。③고를화 조화됨。순조로움。④따뜻할화 온난함。「溫和온화」⑤순할화 유순함。조용함。「和風화풍」⑥잘화 바람이 그침。⑦좇을화 따름。복종함。⑧화해화 사화(私和)。「和約화약」⑨방울화 수레 앞에 가로 댄 나무 곧 식(軾)에 다는 방울。⑩응할화 소리에 응함。⑪대답할화 응답함。⑫화답할화 ㉠서로 응하여 대답함。「唱和창화」㉡남의 운(韻)을 따서 작시(作詩)함。「和韻화운」⑬섞을화、탈화 혼합함。「混和혼화」⑭나라이름화 일본(日本)의 별칭。「和寇화구」

【和歌 화가】가락에 맞추어 노래함。

【和敬 화경】온순하고 공경함。

【和光同塵* 화광동진】빛을 감추고 속진(俗塵)에 섞임。곧 자기의 뛰어난 재덕(才德)을 나타내지 않고 세속(世俗)을 따르다는 뜻。

【和氣 화기】①화창(和暢)한 일기。②온화(溫和)한 기색。화락한 마음。

【和氣靄靄* 화기애애】온화(溫和)한 기색(氣色)이 넘쳐 흐르는 모양。

【和同 화동】화합(和合)。

【和樂 화락】 함께 모여 사이 좋게 즐김。

【和睦 화목】 서로 뜻이 맞고 정다움。

【和白 화백】《韓》 신라(新羅) 초기(初期) 육촌(六村) 사람들이 모여서 나라의 일을 의논하던 회의(會議)。

【和尙 화상】 수행(修行)을 많이 한 중。 도(道)를 가르치는 중。 전(轉)하여 중의 존칭(尊稱)。

【和色 화색】 온화(溫和)한 안색(顏色)。

【和聲 화성】 ①소리에 맞춤。 또 맞추는 소리。 ②가락。

【和順 화순】 ①고분고분하여 시키는 대로 잘 좇음。 온순함。 ②기후(氣候)가 온화(溫和)함。

【和氏之璧* 화씨지벽】 변화(卞和)가 초(楚)나라의 여왕(厲王)에게 바친 옥。

【和約 화약】 ①화목하자는 약속。 ②평화 조약。

【和議 화의】 화해(和解)하는 의론。 전쟁을 그만두자는 의론。

【和而不同 화이부동】 남과 화목하게 지내기는 하지마는 의(義)를 굽혀서 좇지는 아니함。

【和暢 화창】 ①일기가 따뜻하고 맑음。 ②마음이 온화(溫和)하고 상쾌함。

【和親 화친】 ①서로 의좋게 지냄。 ②화해(和解)。

【和平 화평】 평화(平和)함。

【和合 화합】 화목하게 합함。 또 화목하여 합하게 함。

【和解 화해】 다툼질을 그치고 불화를 풂。

◉講和강화 共和공화 琴瑟相和금슬상화 同和동화 附和부화 不和불화 淳和순화 溫和온화 柔和유화 人和인화 調和조화 中和중화 太和태화 平和평화 協和협화

8 【命】 口 5 중학 **명** | 목숨 | 去 敬

ノ 人 亼 亽 合 合 命 命

자원 형성 口 令(음) ⊢ 命 (口부)

3000년전

음을 나타내는 「令령」(명은 변음)은 신이나 높은 사람이 명령을 내려 그것에 복종시키는 일。 「口구」는 말。 「命」은 신의 계시나 높은 사람의 명령。 옛날엔 그 뜻도 「令령」(명은 변음)이라고만 써서 나타내었으나、 나중에 입으로 전함을 명백히 하기 위하여 「命」이라고 쓰게 되었음。 「命」은 「名명」이나 「鳴명」과 예로부터 음이 닮았고 뜻도 관계가 깊음。

뜻 ①**목숨명** 생명。 「生命생명」 「壽命수명」 ②**운수명** 운명。 「知命지명」 ③**분부명** 명령。 또 교령(敎令)。 「矯命교명」 ④**말명** 사령(辭令)。 ⑤**가르침명** 교훈。 교회(敎誨)。 ⑥**이름명** 名(口部三畫)과 같은 글자。 「亡命망명」 ⑦**이름지을명**·「命名명명」 ⑧**명할명** 명령을 내림。 ⑨**줄명** 수여함。 ⑩**도명** 자연의 이수(理數)。 ⑪**품계명** 주대(周代)의 관계(官階)。 구등(九等)이 있음。 「命服명복」

【命輕於鴻毛 명경어홍모】 목숨이 기러기 털보다도 가볍다는 뜻으로、 임금이나 나라를 위하여는 목숨을 아낌 없이 버린다는 뜻。

【命令 명령】 웃사람이 아랫사람에게 내리는 분부。

【命脈 명맥】 목숨과 맥(脈)。 전(轉)하여、 목숨。 생명(生命)。

【命名 명명】이름을 지음。
【命門 명문】가슴의 한가운데의 오목하게 들어간 곳。명치。
【命數 명수】①운명(運命)。②수명。
【命運 명운】명수(命數)。
【命在頃刻 명재경각】거의 죽게 되어서 목숨이 넘어갈 지경에 있음。
【命在天 명재천】수명·운명은 하늘이 이미 정해 놓은 바로서 인력(人力)으로는 어찌할 도리가 없음。
【命題 명제】판단(判斷)의 결과를 표시(表示)한 언사(言辭)。
【命中 명중】겨냥한 것을 바로 쏘아 맞힘。

◉見危授命견위수명 告命고명 顧命고명 考終命고종명 官命관명 國命국명 君命군명 短命단명 大命대명 亡命망명 拜命배명 復命복명 非命비명 使命사명 壽命수명 宿命숙명 身命신명 遺命유명 人命인명 長命장명 知命지명 天命천명 致命치명 勅命칙명 特命특명 革命혁명

8 【周】 口 5 고교 주 ― 두루 ― ㊥尤

丿 冂 冂 冃 冃 冃 周

자원 회의 口+用→周(口부)

「用용」〈쓰다〉과「口구」〈입〉로 이루어짐。본디 뜻은 입을 잘 써서 말을 삼가는 일。전(轉)하여、주밀(周密)의 뜻을 나타냄。옛 모양은 논밭에 농작물이 빽빽하게 들어차 있는 모양이라든가、무늬가 있는 방패의 모양이라고도 일컬어짐。

3000년전 2500년전

뜻 ①두루주 골고루。널리。「周游주유」 ②두루미칠주 빠짐없이 미침。③찬찬할주 면밀함。치밀함。「周密주밀」 ④지극할주 이 위에 없음。⑤미쁠주 신의가 있음。⑥둘레주 주위。「周回주회」 ⑦돌주 한 바퀴 돎。⑧굳힐주 굳게 함。견고하게 함。⑨진휼할주 賙(貝部八畫)와 같은 글자。「周急주급」 ⑩모퉁이주 구석。⑪주나라주 ㉠삼대(三代)의 하나。무왕(武王) 발(發)이 은(殷)나라를 멸하고 세운 왕조(王朝)。성(姓)은 희(姬)。처음에 호경(鎬京)、곧 호(鎬)에 도읍하였다가 후에 낙양(洛陽)으로 천도(遷都)。건국한 지 삼십오주(三十五主) 팔백칠십사 년 만에 진(秦)나라에게 망하였음。(B.C.一一二二~B.C.二四九) ㉡남북조시대(南北朝時代)의 북조(北朝)의 하나。우문각(宇文覺)이 서위(西魏)의 뒤를 이어 세운 나라。건국한 지 오주(五主) 이십사년 만에 수(隋)나라에게 망하였음。북주(北周)라고도 함。(五五七~五八〇) ㉢오대(五代)의 하나。곽위(郭威)가 후한(後漢)의 뒤를 이어 세운 나라。삼주(三主) 구년 만에 송(宋)나라 태조(太祖)에게 망하였음。후주(後周)라고도 함。(九五一~九五九) ⑫성주 성(姓)의 하나。

참고「周」를 음으로 하는 글자=「週주」〈일주〉·「賙주」〈진휼하다〉·「倜척」〈뜻이 크고 기개가 있다〉·「凋조」〈시들다〉·「彫조」〈새기다〉·「蜩조」〈쓰르라미〉·「調조」〈고르다〉·「雕조」〈수리의 일종〉

〔三畫部首順〕 口囗土士夂夊夕大女子宀寸小尢尸屮山巛工己巾干幺广廴廾弋弓彐彡彳

3획

【周忌 주기】 사후(死後) 만 일년의 기일(忌日)。 소기(小忌)。

【周年 주년】 돐이 돌아온 한 해。 일주년(一週年)。

【周到 주도】 주의(注意)가 두루 미치어 빈틈이 없음。 찬찬함。

【周敦頤* 주돈이】 송대(宋代)의 유학자(儒學者)。 자(字)는 무숙(茂叔)。 영도현(營道縣) 염계(濂溪) 가에서 세거(世居)하였으므로 세상에서 염계선생(濂溪先生)이라 일컬음。 태극도설(太極圖說)·통서(通書) 등을 지어 이기학(理氣學)의 개조(開祖)가 됨。 정호(程顥)·정이(程頤) 형제는 그의 제자임。 「견(周見)」。

【周覽 주람】 두루 돌아다니며 봄。 주

【周禮 주례】 책명(册名)。 사십이권(四十二卷)。 주관(周官)이라고도 함。 주(周)나라 주공(周公) 단(旦)의 찬(撰)이라 전(傳)함。 천지(天地)와 춘하추동(春夏秋冬)에 상징(象徵)하여 천관(天官)·지관(地官)·춘관(春官)·하관(夏官)·추관(秋官)·동관(冬官)의 육관(六官)으로 나누어 이에 속하는 직장(職掌)을 자세히 기록하였음。

【周密 주밀】 ①무슨 일에나 빈 구석이 없고 자세함。 ②생각이 찬찬함。

【周邊 주변】 주위(周圍)의 가장자리。

【周旋 주선】 ①빙빙 돎。 왔다갔다 함。 ②기거동작(起居動作)。 ③뒤쫓아감。 서로 쫓고 쫓김。 ④돌보아 줌。

【周世鵬* 주세붕】《韓》 조선(朝鮮) 중종(中宗) 때의 학자(學者)。 풍기군수(豐基郡守)로 있을 때 최초(最初)의 서원(書院)인 백운동서원(白雲洞書院)을 세움。

【周易 주역】 오경(五經)의 하나。 주대(周代)에 문왕(文王)·주공(周公)·공자(孔子)에 의하여 대성(大成)한 역학(易學)。 또 그 책。 역경(易經)。

【周圍 주위】 둘레。

【周遊 주유】 두루 돌아다니며 놂。

【周衣 주의】《韓》 두루마기。

【周知 주지】 여러 사람이 두루 앎。 또 여러 사람이 두루 알게 함。

【周紙 주지】 두루마리。

【周尺 주척】《韓》 자의 한 가지。 한 자가 곡척(曲尺)으로 여섯치 육푼。

◉外周외주 圓周원주

【知】 ⇩矢部三畫

六畫

9 【品】 口 6 중학 품 | 가지 | ㊤寢

ㅁ ㅁ ㅁ 品 品 品

品

(A) (B) 3000년전

자원 회의 口口口 → 品 (口부)

「口구」는 사람의 입→말을 하는 일。 「品」은 많은 사람이 와글와글 의론(議論)함→물건의 좋고 나쁨을 판정하는 일。 일설(一說)에는 「口」는 말을 하는 것이 아니고 물건의 모양을 나타내고、「品」은 많은 물건의 뜻이라고도 함。

뜻 ①**가지품** 종류。 ②**무품** 온갖。 갖가지。 ③**물건품** 「品種품종」 ④**품수품** 물품의 등급·품격의 고하 등。

「上品상품」「人品인품」⑤벼슬차례품 ⑥법품 관위(官位)의 차서。「品秩품질」⑥법품 법식。「品程품정」⑦수품 정수(定數)。⑧가지런히할품 제일(齊一)하게 함。⑨같을품 동일함。

참고 「品」을 음으로 하는 글자=「嵒암」〈바위〉·「癌암」〈암〉·「臨림」〈임하다〉

【品格 품격】사람된 바탕과 타고난 성질(性質)。품성과 인격(人格)。

【品階 품계】직품과 관계(官階)。

【品目 품목】①명칭。제목(題目)。②품평(品評)。③종목(種目)。

【品詞 품사】단어를 그 성질·직능에 따라 종류(種類)를 나눈 말。

【品性 품성】개인(個人)이 가지고 있는 품격(品格)과 성질(性質)。

【品位 품위】①품격(品格)。②직품(職品)과 지위(地位)。자리。

【品種 품종】물품(物品)의 종류。

【品質 품질】물품의 성질。

【品評 품평】물품의 등급을 평정(評定)함。

【品行 품행】몸가짐。행실(行實)。

◉氣品기품 物品물품 上品상품 小品소품 神品신품 藥品약품 良品양품 人品인품 一品일품 逸品일품 中品중품 下品하품

9 【咽】 口 6

㊀인 (연㊍)	목구멍	㊀①②㊥先 ③㊥眞
㊁연		㊁㊤霰
㊂열		㊂㊈屑

자원 형성 口+因음 → 咽(口부)

「口입구변」과 음을 나타내는 「因인」으로 이루어짐。

뜻 ㊀①목구멍인 인후(咽喉)。②목인 요해처。③북칠인 북을 빨리 치는 소리。※이상 본음(本音) 연 ㊁삼킬연 꿀떡 삼킴。嚥(口部十六畫)과 같은 글자。「咽下연하」㊂①막힐열 ㉠충색(充塞)함。㉡숨이 막힘。②목멜열 목이 메어 소리가 막힘。「嗚咽오열」

【咽下 연하】삼킴。

【咽喉 인후】목구멍。전(轉)하여、목。급소(急所)。요해처(要害處)。

9 【哀】 口 6 중학

애	서러울	㊥灰

丶 亠 亠 古 古 亨 亨 哀

자원 형성 口+衣음 → 哀(口부) 2500년전

「口구」〈입〉와 슬픔의 소리를 나타내는 「衣의」(애는 변음)로 이루어짐。

뜻 ①서러울애 슬픔。「哀話애화」②슬퍼할애 서러워함。③민망히여길애 딱하게 여김。「哀矜애긍」④복애 상중(喪中)。「居哀거애」⑤슬픔애 비애。「餘哀여애」

주의 「衰쇠」〈약하여지다〉는 딴 글자。

【哀歌 애가】슬픈 노래。

【哀乞* 애걸】슬프게 하소연하여 빎。

【哀乞伏乞* 애걸복걸】연방 굽실거리며 애걸함。절을 하며 애걸함。

【哀苦 애고】슬픔과 괴로움。

【哀哭 애곡】슬프게 욺。

【哀矜* 애긍】불쌍하게 여김。

【哀悼* 애도】사람의 죽음을 서러워함。

【哀樂 애락】슬픔과 즐거움。

【哀史 애사】슬픈 역사(歷史)。또 불행한 신상(身上) 이야기。

【哀惜 애석】슬퍼하고 아깝게 여김。

3 획

〔三畫部首順〕口口土士夂夊夕大女子宀寸小尢尸屮山巛工己巾干幺广廴廾弋弓彐彡彳

【哀訴 애소】 슬프게 호소(呼訴)함。탄식하며 하소연함。

【哀愁 애수】 가슴에 스며드는 슬픈 시름。

【哀願 애원】 슬픈 소리로 간절히 원함。

【哀子 애자】 ①부모의 상중(喪中)에 있는 아들。②어머니는 죽고 아버지만 있는 아들。

【哀痛 애통】 몹시 슬퍼함。

【哀話 애화】 슬픈 이야기。

◉悲哀비애 凄哀처애

9 【咸】 口 6 고교 ㊀함 ㊁감 | 다 | (平)㊀㊁感

丿 厂 厂 𠂆 后 后 咸 咸 咸

자원 형성 口戌음→咸(口부) 3000년전

「口구」〈입〉와 음을 나타내는 「戌술」(함은 변음)로 이루어졌음。음을 빌어 다의 뜻(⇩皆개)으로 쓰임。

뜻 ㊀①다함 모두。②같을함 마음이 같음。③두루미칠함 빠짐 없이 미침。④찰함 충만함。⑤함괘함 육십사괘의 하나。곧 ☱☶(간하(艮下)、태상(兌上))。음양(陰陽)이 교감(交感)하는 상(象)。㊁덜감 減(水部九畫)과 통용。

참고 「咸」을 음으로 하는 글자=「喊함」〈소리치다〉·「感감」〈감동하다〉·「憾감」〈한하다〉·「撼감」〈흔들다〉·「緘함」〈봉함〉·「鹹함」〈소금기〉·「減감」〈줄다〉·「箴잠」〈바늘〉·「鍼침」〈바늘〉

【咸氏 함씨】《韓》남의 조카의 존칭。

【咸興差使 함흥차사】《韓》이조(李朝) 때 태조(太祖)가 선위(禪位)하고 함흥에 은퇴하고 있을 때 태종(太宗)이 보낸 사신(使臣)이 태조한테 죽음을 당하거나 또는 갇히었다가 오래간만에 되돌아오던 일에서 나온 말로 심부름을 가서 소식이 아주 없거나 회답이 더디 옴을 이름。

9 【哉】 口 6 중학 재 | 비롯할 | (平)灰

一 十 土 土 吉 吉 𢦏 哉 哉

자원 형성 口𢦏음→哉(口부) 2500년전

「口구」〈입〉와 음을 나타내는 「𢦏재」로 이루어짐。

뜻 ①비롯할재 시작함。才(手部)와 같은 글자。「哉生明재생명」 ②어조사재 ㉠단정하는 말。㉡탄미(嘆美)하는 말。㉢의문사(疑問辭)。㉣반어사(反語辭)。

◉也哉야재 也乎哉야호재 乎哉호재

七畫

10 【哭】 口 7 고교 곡 | 울 | (入)屋

丨 ㄇ 口 吅 吅 吅 哭 哭 哭

자원 형성 吅屰-犬음→哭(口부)

「咢악」이 본디 글자。외친다는 뜻을 가진 「吅현」과 음을 나타내는 「屰역」(곡은 변음)의 변한 꼴「犬견」으로 이루어짐。

뜻 ①울곡 슬퍼 큰소리를 내어 욺。「哭聲곡성」 ②곡할곡 사람의 죽음을 슬퍼하여 우는 예(禮)。

〔三畫部首順〕 口囗土士夂夊夕大女子宀寸小尢尸屮山巛工己巾干幺广廴廾弋弓彐彡彳

【哭聲 곡성】 슬피 우는 소리。
◉痛哭통곡

10
【員】 口 7 [고교] ㊀원 ㊁운 | 인원 | ㊀[平]先 ㊁①②[平]文 ③[去]問

一 ㄇ 口 尸 月 員 員

員 (인원원)

[자원] 형성 口貝 [음] 員(口부)

세발 솥의 모양을 본뜬 貝  2500년전 (貝)와 둥글다의 뜻을 나타내는 「○」 나타내는 동시에 음을 나타내는 「○원」으로 이루어짐。「口구」는 「○」의 변형으로 「圓원」의 뜻。둥근 세발솥의 뜻。세발솥을 세는 데서 원수(員數)의 뜻이 됨。

[뜻] ㊀①**인원원** 사람 수。물건의 수에도 씀。「員數원수」 ②**관원원** 벼슬아치。③**둥글원**、**동그라미원** 圓(囗部十畫)과 같은 글자。「員石원석」 ㊁①**더할운** 늘임。②**이를운** 云(二部二畫)과 같은 글자。③**사람이름운** 「伍員오운」은 전국시대(戰國時代)의 초(楚)나라 사람。

[참고] 「員」을 음으로 하는 글자=「圓원」〈둥글다〉·「韻운」〈울림〉·「隕운」〈떨어지다〉·「殞운」〈죽다〉·「損손」〈덜어지다〉

【員數 원수】 인원의 수효。
◉缺員결원 官員관원 教員교원 滿員만원 議員의원 任員임원 定員정원 職員직원

10
【哨】 口 7 ㊀소 ㊁초 | 입비뚤 | ㊀[平]蕭 ㊁[去]效

[자원] 형성 口肖 [음] 哨(口부)

「口입구변」과 음을 나타내며 동시(同時)에 작다의 뜻(⇩小소)을 가지는 「肖초·소」로 이루어짐。입을 작게 오므리다의 뜻。음을 빌어 수상한 사람을 의심하여 문책(問責)하는 뜻(⇩譙초)으로 쓰임。

[뜻] ㊀①**입비뚤소** 병(甁)의 아가리가 비뚤어져서 물건이 들어가기 어려움。②**수다스러울소** 잔말이 많은 모양。㊁①**파수볼초**、**파수병초** 경계하여 지킴。망봄。또 그 군사。「哨兵초병」 ②**뾰족할초** 가늘고 날카로움。

【哨兵 초병】 망보는 병정。
【哨船 초선】 망보는 배。
◉動哨동초 步哨보초 巡哨순초 立哨입초

10
【唆】 口 7 사 | 꾈 | [平]歌

[자원] 형성 口夋 [음] 唆(口부)

「口입구변」과 음을 나타내는 「夋준」(사는 변음)으로 이루어짐。부추기다의 뜻。

[뜻] **꾈사**、**부추길사** 꾀어 시킴。교사함。「使唆사사」
◉教唆교사

10
【哲】 口 7 [고교] 철 | 밝을 | [入]屑

一 扌 扌 扩 扩 折 哲 哲

[자원] 형성 口折 [음] 哲(口부)

「口구」〈입〉와 음을 나타내는 「折절」(철은 변음)로 이루어짐。죄를 하나

하나 들어 말하며 꾸짖다가 원뜻。 전하여、잘 알다의 뜻이 되었음。

[뜻] **밝을철** ㉠슬기가 있고 사리에 밝음。「明哲명철」 ㉡또 그러한 사람。「先哲선철」

[주의] ①「晢절」〈밝다〉은 딴 글자。 ②「喆」은 같은 글자。

【哲理 철리】 ①현묘(玄妙)한 이치。 ②철학상(哲學上)의 이치(理致)。

【哲人 철인】 어질고 밝은 사람。

【哲學 철학】 자연(自然)과 인생(人生)、현실(現實) 및 이상(理想)에 관한 근본 원리(根本原理)를 연구하는 학문。

◉明哲명철 先哲선철 聖哲성철 英哲영철

10 **【唐】** 口 7 [고교] **당** ─ 황당할 ─ ㊣陽

丶 亠 广 户 户 庚 庚 庚 唐

[자원] 형성 口 庚[음] ㅏ唐(口부)

「口구」〈입〉와 음을 나타내는 동시에 크다의 뜻(⇩洪홍)을 나타내기 위한 「庚경」(당은 변음)으로 이루어짐。 큰소리치다가 본뜻。

[뜻] ①**황당할당** 황탄무계함。 ②**클당** ③**넓을당** ④**빌당** 공허함。 ⑤**길당** 뜰안의 길。 ⑥**둑당** 제방。 塘(土部十畫)과 같은 글자。「唐堤당제」 ⑦**새삼당** 풀 이름。 토사(菟絲)。 ⑧**당나라당** ㉠이연(李淵)이 수(隋)나라의 뒤를 이어 천하를 통일한 나라。 서울은 장안(長安)。 건국한 지 이십주(二十主) 이백 구십년(二百九十年) 만에 후량(後梁)에게 멸망당하였음。(六一八 九〇七) ㉡오대(五代)의 하나。 이존욱(李存勖)이 후량(後梁)의 뒤를 이어 세운 나라。 서울은 장안(長安)。 건국한 지 사주(四主) 십사년(十四年) 만에 후진(後晉)에게 멸망당하였음。 후당(後唐)이라고도 함。(九二三 九三六) ㉢이변(李昪)이 세운 나라。 건국한 지 삼주(三主) 삼십구년(三十九年) 만에 송(宋)나라에게 멸망당하였음。 남당(南唐)이라고도 함。(九三七 九七五) ㉣제요(帝堯)의 조정(朝廷)을 도당(陶唐)이라 하고 요순 양조(堯舜兩朝)를 당우(唐虞)라 함。

[참고] 「唐」을 음으로 하는 글자=「塘당」〈둑〉·「糖당」〈엿〉

【唐突 당돌】 ①부딪침。 ②속임。 기만함。 ③느닷없이。 뜻밖에。 돌연히。

【唐三絕 당삼절】 당(唐)나라 때에 예능(藝能)에 뛰어난 세 사람。 곧 시부(詩賦)에 이백(李白)、 검무(劍舞)에 배민(裴旻)、 초서(草書)에 장욱(張旭)。

【唐宋八大家* 당송팔대가】 당(唐)·송(宋) 이대(二代)의 팔인(八人)의 대문장가(大文章家)。 곧 당(唐)나라의 한유(韓愈)·유종원(柳宗元) 두 사람과 송(宋)나라의 구양수(歐陽修)·소순(蘇洵)·소식(蘇軾)·소철(蘇轍)·증공(曾鞏)·왕안석(王安石)의 여섯 사람。

【唐詩選 당시선】 당(唐)나라 시인 백이십팔가(百二十八家)의 시 사백육십오수(四百六十五首)를 고시(古詩)·율(律)·배율(排律)·절구(絕句)의 네 가지로 분류(分類)하여 수록(收錄)한 시집(詩集)。 칠권(七卷)。

명(明)나라의 이반룡(李攀龍)이 엮었다 하나 확실하지 않음。

【唐堯* 당요】 옛 성황(聖皇)。제곡(帝嚳)의 차자(次子)。처음에 도(陶)에 봉(封)함을 받았다가 후에 당(唐)으로 옮겼으므로 도당씨(陶唐氏)라고도 일컬으며 호(號)는 요(堯)라 함。사가(史家)가 당요(唐堯) 또는 방훈(放勳)이라 일컬음。아들 단주(丹朱)가 불초(不肖)하여 순(舜)임금에게 전위(傳位)하였음。재위(在位) 구십팔년(九十八年)。

【唐虞之化* 당우지화】 제요(帝堯) 도당씨(陶唐氏)와 제순(帝舜) 유우씨(有虞氏)의 지치(至治)의 덕화(德化)。

【唐慌* 당황】《韓》 놀라서 어찌할 줄 모름。

◉陶唐도당 虞唐우당 荒唐황당 後唐후당

八畫

11 **【唯】** 口 8 중학 ㊀유 ㊁수 — ㊀①㊥平支 ②㊤紙 ㊁㊥平支

자원 형성 口 隹(음) ⊤唯(口부)

「口입구변」과 「예」라고 대답하는 소리를 나타내는 「隹추」(유·수는 변음)로 이루어짐。

뜻 ㊀①**오직 유** 다만。惟(心部八畫)·維(糸部八畫)와 혼용(混用)。②**대답할 유** 「예」하고 대답함。「諾낙」보다는 공손한 말。「唯唯유유」 ㊁**비록 수** 雖(隹部九畫)와 같은 글자。

【唯物論 유물론】 물질적 실재(實在)를 만유(萬有)의 근본 원리(原理)로 하는 학설。곧 우주의 모든 현상(現象)의 본질(本質)은 물질이고 정신적 현상도 물질적 작용(作用)에 의한 것이라고 하는 학설。

【唯心論 유심론】 정신적(精神的) 실재(實在)를 만유(萬有)의 근본 원리(原理)로 하는 학설(學說)。곧 우주(宇宙)의 모든 현상(現象)의 본질(本質)은 정신이라 하는 학설。

【唯我獨尊 유아독존】《佛敎》 이 세상에서 나보다 더 높은 것이 없음。

【唯唯諾諾 유유낙낙】 남에게 순종(順從)하는 모양。유낙(唯諾)。

【唯一 유일】 오직 하나。

【唯一無二 유일무이】 오직 하나만 있고 둘은 없음。

11 **【唱】** 口 8 중학 창 — 부를 — ㊤去漾

자원 형성 口 昌(음) ⊤唱(口부)

음을 나타내는 「昌창」은 「日일」〈밝다〉과 「口구」〈말하다〉를 합한 모양이며、햇볕이 밝음과、똑똑히 말을 하는 것과의 두 가지 뜻으로 쓰여짐。옛모양 Ⓐ는 「口」와 「日」을 합한 자형(字形)。Ⓑ는 日과 「甘감」(口와 같음)을 합친 자형 임。나중에 다시 「口입구변」을 붙여 「唱」이라고 쓰고 먼저 노래하다→앞에 서서 말하다→앞장서서 부르짖다의 뜻을 나타냄。먼저 노래하는 「唱」에 맞추는 것을 「和화」라 함。

(A) (B) 2000년전

뜻 ①**부를 창** ㉠노래를 부르기 시작

함。 먼저 노래를 부름。「唱和창화」 ㉡소리를 높여 부름。 ㉢읽음。 또 암송함。 ㉣선창함。 먼저 말함。 솔선하여 함。「唱義창의」 ㉤가르쳐 인도함。 ②**노래창** 음송(吟誦)하는 사장(詞章)。

【唱歌 창가】 곡조(曲調)를 맞추어 노래를 부름。 또 그 노래。

【唱劇 창극】 광대 노래의 연극(演劇)。

【唱道 창도】 제일 먼저 제창(提唱)함。 수창(首唱)함。

【唱義 창의】 앞장서서 정의(正義)를 부르짖음。 국난(國難)을 당하여 의병(義兵)을 일으킴。

◉歌唱가창 高唱고창 先唱선창 首唱수창 吟唱음창 絕唱절창 主唱주창 呼唱호창

11 **【唾】** 口 8 타 | 침 | ㊤箇

자원 형성 垂음 口┬唾(口부)

「口입구변」과 음을 나타내는 「垂수」(타는 옛음)로 이루어짐。 침을 뱉을 때의 소리를 나타내며 침을 뱉다의 뜻。

뜻 ①**침타** 구액(口液)。「唾液타액」 ②**침뱉을타** 「唾棄타기」

【唾具 타구】《韓》 타호(唾壺)。

【唾棄 타기】 아주 다랍게 여겨 침을 뱉듯이 내버려 돌아보지 아니함。

【唾罵 타매】 침을 뱉고 욕(辱)을 함。

【唾腺 타선】 구강(口腔)의 침을 분비(分泌)하는 선(腺)。

【唾液 타액】 침。

11 **【啞】** 口 8 ㊀아 ㊁액 | 벙어리 | ㊀㊤馬 ㊁㊅陌

자원 형성 亞음 口┬啞(口부)

「口입구변」과 음을 나타내며 동시(同時)에 웃는 소리를 나타내는 「亞아」로 이루어짐。 음을 빌어 벙어리의 뜻(⇩瘂아)으로 쓰임。

뜻 ㊀①**벙어리아** 瘂(疒部八畫)와 같은 글자。「啞子아자」 ②**까마귀소리아** 까마귀가 우는 소리。 ③**놀라는소리아** 아 하고 깜짝 놀라는 소리。 ㊁**웃을액** 껄껄 웃음。「啞啞액액」

【啞然 아연】 기가 막혀서 말이 안 나오는 모양。 기가 막혀서 벌린 입이 닫히지 않는 모양。

◉聾啞농아 盲啞맹아

11 **【商】** 口 8 중학 상 | 헤아릴 | ㊥陽

亠 亣 产 产 产 商

자원 형성 辛음 内┬口┬商(口부)

(A) 3000년전 (B) (C) 2500년전

「商」의 옛 모양 Ⓐ는 대(臺‖丙)에 형구(刑具)의 가로대 「辛신」(상은 변음)을 얹은 모양이며 준엄하고 엄숙한 모양을 나타내었음。 이 글자를 중국 고대의 왕조(王朝)인 은(殷)나라 사람들이 부족(部族)의 이름이나 지명(地名)으로 쓴 것은 「章장」〈밝다〉·「上상」〈높다〉·「強강」〈세다〉 따위의 글자와 음이 비슷하기 때문에 밝은 고대(高臺)에 사는 훌륭한 사람들이란 자랑을 스스로 나

타내기 위한 것이었으리라 생각됨。「辛」은 음부(音符)。 나중에 자형(字形)이 Ⓑ처럼 바뀌어 「章장」의 생략형과 「冏경」 또는 「言언」과 「内내」를 합쳐서 쓰게 되었으며 추측하다、명백히 하다의 뜻을 나타내게 되었음。 또 「唱창」〈외치며 팔러 다니는 행상〉과 음이 비슷하여 장사하다의 뜻으로 빌어 썼음。 또 따로 「商」과 「貝패」〈물건〉를 합한 글자 Ⓒ가 생겨 장사하다、헤아리다의 뜻을 나타내게 되었는데 나중에 이것도 줄여서 「商」이라고 쓰게 되었음。

[뜻] ①**헤아릴상** 생각하여 분간함。「商量상량」 ②**장사상** 상업을 함。「商販상판」 ③**장수상** 상인。「商賈상고」 ④**서쪽상** 서방(西方)。 ⑤**가을상** 추계(秋季)。 ⑥**쇠소리상** 오음(五音)의 하나。「宮궁・商상・角각・徵치・羽우」 ⑦**상나라상** 탕(湯)임금이 하(夏)나라의 걸왕(桀王)을 멸하고 세운 나라。 박(亳)에 도읍하였다가 후에 반경(盤庚)이 은(殷)(지금의 하남성 언사현(河南省偃師縣))으로 천도(遷都)하여 은(殷)나라로 고침。 이십팔주(二十八主) 만에 주(周)나라의 무왕(武王)에게 멸망당하였음。(B.C. 一二二三?) ⑧**별이름상** 동쪽에 있는 별의 이름。 ⑨**상상** 제법(除法)을 행하여 얻은 수(數)。

【商家 상가】 장사하는 집。

【商鑑不遠 상감불원】 국가(國家)가 멸망(滅亡)한 선례(先例)는 멀리 옛날에 구하지 않아도 가깝게 눈앞에 있다는 뜻。 상(商)은 왕조(王朝)의 이름으로 은(殷)이라고도 함。 감(鑑)은 거울。 본보기。 은감불원(殷鑑不遠)。

【商工 상공】 ①장사와 공장(工匠)。 ②상업(商業)과 공업(工業)。

【商權 상권】 상업상의 권리(權利)。

【商略 상략】 ①꾀。 계략(計略)。 ②장사하는 꾀。

【商量 상량】 헤아리어 생각함。 상탁(商度)。

【商暮 상모】 가을날의 저녁 때。

【商法 상법】 ①상업에 관한 규칙。 ②상업상의 사권(私權) 관계를 규정하는 법률。

【商社 상사】 ①상업상의 결사(結社)。 ②상사회사(商事會社)의 준말。

【商事 상사】 상업에 관한 일。

【商山四皓* 상산사호】 진(秦)나라 말년(末年)에 전란(戰亂)을 피하여 섬서성(陝西省) 상산(商山)에 은거한 네 사람의 백발 노인。 곧 동원공(東園公)・하황공(夏黃公)・녹리선생(甪里先生)・기이계(綺里季)。 후에 모두 한(漢)나라 혜제(惠帝)의 스승이 되었음。

【商船 상선】 상업상의 목적에 쓰이는 배。

【商鞅* 상앙】 전국 시대(戰國時代)의 정치가。 위(衛)나라 사람。 성(姓)은 공손씨(公孫氏)。 형명(刑名)의 학(學)을 좋아하여 진(秦)나라 효공(孝公)을 섬겨 정승이 되자 법령(法令)을 고치고 부강지책(富強之策)을 써서 치적(治績)이 볼만하였으나 법이 너무 준엄하고 귀척(貴戚)과 대신의 원망을 사서 효공이 죽은 후 차열(車裂)의 형벌을 받았음。 상(商)에 봉(封)함을 받았으므

로 호(號)를 상군(商君)이라 함。저서에 상자(商子)가 있음。

【商業 상업】장사。상행위(商行爲)의 영업。

【商用 상용】①상업상의 용무。②장사하는 데 씀。

【商人 상인】장수。

【商子 상자】책 이름。오권 이십 육편(五卷二十六編)。상군서(商君書)라고도 함。진(秦)나라 상앙(商鞅)의 저(著)라고 하나 상앙이 죽은 뒤의 일을 많이 부회(附會)하였음。

【商敵 상적】자기가 경영하는 상업에 있어서의 경쟁자。

【商定 상정】헤아려 정함。

【商標 상표】상공업자가 자기의 상품인 것을 표시하기 위하여 쓰는 일정한 표(標)。

【商品 상품】팔고 사는 물건。

【商港 상항】상선(商船)이 드나들고 화물이 집산(集散)하는 항구(港口)。

【商號 상호】장사하는 사람이 영업상 자기(自己)를 표시하는 이름。

【商況 상황】상업상의 형편(形便)。

【商會 상회】상업상의 결사(結社)。전(轉)하여 상점。

◉隊商대상 士農工商사농공상 仲商중상 通商통상 海商해상 行商행상 豪商호상

11 【問】口 8 중학 문 —물을— ㊀問

丨 ｢ 𠁣 門 門 門 問 問

자원 형성 門(음) 口 ┬ 問 (口부)

問 (3000년 전)

음을 나타내는「門문」은 출입구。「口구」는 입→말。「問문」은 말이 나는 곳→남의 안부를 묻거나 죄인에게 따져 묻는 일。

뜻 ①물을문 질문함。「問答문답」②문초할문 신문함。「問罪문죄」③찾을문 ㉠방문함。㉡병 앓는 사람을 찾아가 위로함。「問病문병」④알릴문 고함。⑤선사할문 증정함。⑥물음문 질문。⑦부를문 초빙(招聘)。⑧소식문 음신(音信)。

【問答 문답】물음과 대답。또 한쪽에서 묻고 다른 한쪽에서 대답함。

【問病 문병】앓는 사람을 찾아 보고 위문(慰問)함。

【問喪 문상】사람의 죽음에 대(對)하여 위로(慰勞)함。조상(弔喪)。

【問安 문안】웃어른에게 안부(安否)를 여쭘。

【問議 문의】물어 보고 의논함。

【問題 문제】①대답(對答)을 얻기 위하여 내는 제목(題目)。②의논(議論)의 목적물(目的物)이 되는 일。

【問罪 문죄】죄(罪)를 신문하여 책망함。또 죄지은 자를 성토(聲討)하고 징벌함。

【問招 문초】죄지은 사람을 신문(訊問)함。

【問候 문후】웃어른의 안부를 물음。

◉顧問고문 難問난문 名問명문 訪問방문 不問불문 査問사문 訊問신문 審問심문 尋問심문 慰問위문 疑問의문 一問일문 弔問조문 質問질문 下問하문 學問학문

11 【啓】口 8 고교 계 —열— ㊀霽

一 ⺕ ⺕ 戶 戶 户攵 啓 啓

자원 형성 𢼄(음) 口 ┬ 啓 (口부)

「口구」〈입〉와、문을 손으로 연다는 뜻과 함께 음을 나타내는「𢼄계」로

이루어짐。 입으로 사람을 가르쳐 깨우침을 뜻함。

뜻 ①열계 ㉠문 같은 것을 엶。「啓閉계폐」 ㉡슬기와 지능을 열어줌。「啓蒙계몽」「啓發계발」 ㉢시작함。 ②열릴계 ㉠열어짐。 ㉡통(通)함。 ㉢일어남。 흥함。 ③인도할계 안내함。 보도(輔導)함。「啓佑계우」 ④여쭐계 사룀。 아룀。「啓白계백」 ⑤책상다리할계 한 다리를 올리고 한 다리를 그 위에 포개어 편히 앉음。

【啓告 계고】 말씀드림。 고함。

【啓明 계명】 유성(遊星)의 하나。 샛별。 금성(金星)。 태백성(太白星)。

【啓蒙 계몽】 어린 아이나 몽매(蒙昧)한 사람을 깨우침。

【啓發 계발】 식견(識見)을 열어 줌。

【啓示 계시】 ①열어 보임。 숨김 없이 보임。 ②신의 가르침。 묵시(默示)。

◉謹啓근계 拜啓배계 復啓복계 上啓상계 狀啓장계 陳啓진계 行啓행계

九畫

〔三畫部首順〕 ㅁ口土士夂夊夕大女子宀寸小尢尸屮巛工己巾干幺广廴廾弋弓彐彡彳

12 【單】 口 9 중학 ㊀단 ㊁선 — 홑 — ㊀㊥寒 ㊁①㊥先 ②③㊤銑

丨 ㅁ ㅁ 吅 吅 門 𠱠 𠱠 單

자원 형성 吅 單 음 丅單(口부) (A) (B) 3000년전

「單」은 음을 나타내는 「吅현」〈크게 부르짖다·(단은 변음)〉과 「甲필」의 합자(合字)。「甲」은 뜻 미상。 본뜻은 큰 소리。 또는 사냥할 때 짐승을 모는 도구라고도 함。 음을 빌어 하나의 뜻으로 씀。

뜻 ㊀①홑단 ㉠단지 하나。「單數단수」「單身단신」 ㉡한겹。「單衣단의」 ㉢외로움。「孤單고단」 ②다할단 다 없어짐。「單竭단갈」 ③다단 모두。 ④다만단 단지。 ㊁①오랑캐임금선 「單于선우」는 흉노(匈奴)의 왕(王)。 광대(廣大)의 뜻。 ②고을이름선 「單父선부」는 춘추시대(春秋時代)의 노(魯)나라의 읍(邑)。 현재의 산동성(山東省) 선현(單縣)。 ③성선 성(姓)의 하나。

참고 「單」을 음으로 하는 글자=「憚탄」〈꺼리다〉·「簞단」〈밥그릇〉·「彈탄」〈활〉·「闡천」〈열다〉·「襌단」〈홑옷〉

【單價 단가】 단위(單位)의 가격。

【單間 단간】 단지 한 간(間)。

【單鉤* 단구】 집필법(執筆法)의 하나。 가운뎃손가락을 집게손가락과 가지런히 하여 손가락 끝으로 붓대를 쥐고 글씨를 쓰는 일。 쌍구(雙鉤)의 대(對)。

【單卷 단권】 한 권으로 완결된 책。

【單衿 단금】 홑이불。

【單記 단기】 낱낱이 따로따로 적음。

【單騎 단기】 혼자 말을 타고 감。 또 그 사람。

【單刀直入 단도직입】 한칼로 바로 적진(敵陣)에 쳐들어간다는 뜻으로、 문장·언론 등에서 바로 본론(本論)으로 들어감을 이름。

【單獨 단독】 ①독신자(獨身者)。 ②단지 한 사람。 혼자。 또 단지 하나。

【單利 단리】 원금(元金)에 가입시키지 않는 이자。

【單文 단문】 간단한 문장。 간단한 문구(文句)。

【單方藥 단방약】 단 한 가지만 가지

고 병(病)을 다스리는 약。

【單番 단번】 단 한 번。 한 차례。

【單絲不成線 단사불성선】 외가닥실은 아무 쓸모가 없다는 뜻。

【單色 단색】 ①한 가지 빛。 ②단일한 빛。 곧 원색(原色)。

【單線 단선】 외줄。

【單純 단순】 ①어수선하지 않고 홀짐。 복잡하지 않고 순일(純一)함。 ②조건(條件)이나 제한(制限)이 없음。

【單式 단식】 단순한 방식。

【單身 단신】 홑몸。 홀몸。

【單語 단어】 낱말。

【單元 단원】 ①단일(單一)한 근원(根元)。 ②단자(單子)❶。

【單位 단위】 ①수량(數量)을 헤아리는 데 그 기초가 되는 분량의 표준(標準)。 ②사물을 비교·계산하는 기본。

【單音 단음】 ①홑소리。 ②음악에서 단일한 선율(旋律)만을 아뢰는 소리。

【單衣 단의】 홑옷。

【單一 단일】 단지 하나。

【單子 단자】 ①모든 물체(物體) 조성(組成)의 근본이라고 생각되는 개체(個體)로서 절대로 나눌 수 없는 독립 자유의 존재。 ②《韓》 남에게 보내는 물목(物目)을 적은 종이。

【單調 단조】 ①음향(音響) 등의 가락이 단일(單一)함。 ②사물이 변화가 없이 싱거움。

【單行本 단행본】 총서(叢書)나 전집(全集)에 대(對)하여 그것만으로 단독으로 출판(出版)된 책。

◉簡單간단 名單명단 食單식단 傳單전단

12 【喪】 口 9 중학 상 | 복입을 | ①②去漾 ③-⑤平陽

자원 형성 亡+噩(음)→喪(口부)

사람이 숨는다는 뜻을 나타내는 「亡망」과, 나무 잎이 떨어져 없어지다의 뜻과 함께 음을 나타내는 「噩악」(상은 변음)으로 이루어짐。 사람이 죽어 없어지다의 뜻。 전(轉)하여 물건을 잃다의 뜻。

뜻 ①**복입을상** 상제 노릇을 함。 ②**망할상** 멸망함。 ③**잃을상** ㉠없어지게 함。 상실함。 「喪心상심」 ㉡지위를 잃음。 ㉢사별(死別)함。 ④**복상** 상복(喪服)。 ⑤**관상** 널。

【喪家 상가】 ①초상(初喪)난 집。 ②상제의 집。

【喪家之狗 상가지구】 초상(初喪)집 개란 말이니, 초상집은 슬픈 나머지 개에게 먹을 것을 줄 경황이 없어서 개가 파리해지므로 기운이 없어 축 늘어진 사람이나 수척하고 쇠약한 사람의 비유로 쓰임。

【喪具 상구】 장례에 쓰는 제구(諸具)。

【喪配 상배】 아내가 죽음。 홀아비가 됨。 상처(喪妻)。

【喪服 상복】 상중(喪中)에 입는 옷。

【喪費 상비】 초상에 드는 비용。

【喪事 상사】 사람이 죽는 일。

【喪失 상실】 잃어버림。

【喪心 상심】 ①본심(本心)을 잃음。 마음이 미혹(迷惑)함。 ②미침。

【喪輿 상여】 시체를 운반하는 기구。

【喪杖* 상장】 상제가 짚는 지팡이。 부상(父喪)에는 대(竹)、 모상(母

喪)에는 오동(梧桐)。

【喪章 상장】 조의(弔意)를 표시(表示)하는 휘장(徽章)。

【喪主 상주】 주장이 되는 상제。

【喪中 상중】 상제로 있는 동안。「됨。

【喪妻 상처】 아내가 죽음。 홀아비가

◉國喪국상 問喪문상 沮喪저상 弔喪조상 脫喪탈상 好喪호상 護喪호상

12 **【喉】** 口 9 (고교) **후** | 목구멍 | (平)尤

丨 ㄇ 口 吖 吖 吖 吖 喉 喉

(자원) 형성 口＋侯(음) → 喉 (口부)

「口입구변」과, 음을 나타내는 「侯후」로 이루어짐。 인후(咽喉), 목구멍의 뜻。

(뜻) ①**목구멍후** 「喉頭후두」 ②**목후** 급소。 요해처。

【喉頭 후두】 기관(氣管)과 설골(舌骨) 사이에 있는 호흡기의 일부。

【喉舌 후설】 목구멍과 혀。

【喉音 후음】 내쉬는 숨으로 목청을 마찰하여 내는 소리。 ㅇ·ㅎ 같은 것。

목소리。

◉結喉결후 嬌喉교후 咽喉인후

12 **【喚】** 口 9 **환** | 부를 | (去)翰

(자원) 형성 口＋奐(음) → 喚 (口부)

「口입구변」과, 음을 나타내는 「奐환」으로 이루어짐。 또 「奐」은 시끄럽게 떠드는 소리를 나타냄。

(뜻) **부를환** ㉠큰 소리로 부름。 대호(大呼)함。 「叫喚규환」 ㉡불러옴。 소환함。 「喚問환문」

【喚問 환문】 관청에서 불러내어 물어 [봄。

【喚呼 환호】 큰 소리로 부름。

◉叫喚규환 召喚소환 招喚초환 呼喚호환

12 **【喝】** 口 9 ㊀**갈** ㊁**애** | 꾸짖을 | ㊀(入)曷 ㊁(去)卦

(자원) 형성 口＋曷(음) → 喝 (口부)

「口입구변」과, 음을 나타내는 동시에 사람을 꾸짖는 큰 소리를 나타내는 「曷갈」로 이루어짐。

(뜻) ㊀①**꾸짖을갈** 큰 소리로 나무람。 「大喝대갈」 ②**부를갈** 큰 소리로 오라고 함。 ③**큰소리갈** 대성(大聲)。 노성(怒聲)。 ㊁**목멜애** 목구멍이 막힘。 또 목맺힘。

【喝采 갈채】 기쁜 소리로 크게 소리지르며 칭찬(稱讚)함。

【喝破 갈파】 ①큰 소리로 꾸짖음。 ②큰 소리로 남의 언론을 설파함。

◉恐喝공갈 大喝대갈 一喝일갈 呼喝호갈

12 **【喩】** 口 9 **유** | 깨우쳐줄 | ①-③(去)遇 ④(平)虞

(자원) 형성 口＋兪(음) → 喩 (口부)

「口입구변」에, 음과 함께 옮기다의 뜻을 나타내기 위한 「兪유」로 이루어짐。 다른 말로 옮겨 알기 쉽게 말하다의 뜻。

(뜻) ①**깨우쳐줄유** 가르치고 타일러 이해시킴。 「曉喩효유」 ②**깨달을유** 잘 못을 앎。 또 이치를 알아냄。 ③**비유할유**、**비유유** 「譬喩비유」 ④**좋아할유** 기뻐함。 「喩喩유유」

◉敎喩교유 比喩비유 譬喩비유 直喩직유

12【喫】口 9 **끽** | 먹을 | ㊀入 錫

자원 형성 口 契음 ┬ 喫 (口부)

「口구」〈입〉와、음을 나타내며 동시에 깨물다(⇩齧설)의 뜻을 나타내기 위한 「契계·설」(끽은 변음)으로 이루어짐。 먹을 것을 입에 넣고 씹다→널리 음식을 먹다의 뜻。

뜻 ①**먹을끽** 「喫飯끽반」 ②**마실끽** 「喫茶끽다」

【喫緊 끽긴】 매우 긴요(緊要)함。

【喫茶 끽다】 차를 마심。

【喫煙 끽연】 담배를 피움。

◉滿喫만끽

12【喆】口 9 哲(口部七畫) 같은 글자。

12【営】口 9 營(火部十三畫)과 약자(略字)。

12【喬】口 9 **교** | 높을 | ㊥蕭

자원 형성 高 夭음 ┬ 喬 (口부)

「高고」의 생략형과、음을 나타내는 동시에 꼬부라지다의 뜻을 나타내는 「夭요」(교는 변음)로 이루어짐。 우둠지가 구부러진 높은 나무→높다의 뜻。 일설에는 「高」와 음을 나타내며 동시에 굽다의 뜻을 나타내는 「句구」(교는 변음)로 이루어져、높은 건물의 휘어진(⇩句) 지붕→가지가 굽은 큰 나무의 뜻으로 쓰이게 되었다고도 함。

뜻 ①**높을교** 높이 우뚝 섬。「喬木교목」 ②**창교** 끝이 갈고리진 창。 ③**교만할교** 驕(馬部十二畫)와 통용。「喬然교연」

참고 「喬」를 음으로 하는 글자=「僑교」〈우거하다〉·「嬌교」〈아리땁다〉·「橋교」〈다리〉·「蕎교」〈메밀〉·「矯교」〈바로잡다〉·「驕교」〈씩씩하다〉·「轎교」〈가마〉

【喬木 교목】 ①키가 큰 나무。 ②줄기가 곧고 높이 자라서 가지가 퍼지는 나무。

【喬木世家 교목세가】 여러 대(代)를 중요(重要)한 지위(地位)에 있어서 나라와 운명을 같이하는 집안。

【喬木世臣 교목세신】 여러 대(代)를 중요(重要)한 지위에 있어서 나라와 운명을 같이하는 신하(臣下)。

12【善】口 9 중학 **선** | 착할 | ㊤銑

丷 䒑 兰 羊 羊 羊 善

善

2500년전

자원 회의 羊 誩 ┬ 善 (口부)

「誩경」은 말다툼。「羊양」은 양。 옛날 재판에는 「廌치」라는 양 비슷한 신성한 짐승을 썼음。「善」은 신에게 맹세하고 한 재판이란데서 나중에 훌륭한 말→훌륭함→좋다의 뜻이 되었음。

뜻 ①**착할선、좋을선** 「惡악」의 대。 또 좋은 점。 또 착한 행실。 또 착한 사람。 ②**친할선** 사이가 좋음。「親善친선」 ③**길할선** 행복됨。 상서로움。「善祥선상」 ④**옳게할선** 바르게 함。「獨善其身독선기신」 ⑤**옳게여길선** 좋다고 인정함。 ⑥**잘할선** 「善射선사」 ⑦**잘선** ㉠자주。 ㉡자칫하면。 ㉢익숙하고 능란하게。㉣친절히。

참고 「善」을 음으로 하는 글자=「膳선」〈찬〉·「繕선」〈수선하다〉

【善男善女 선남선녀】《佛敎》 불문(佛門)에 귀의(歸依)한 남녀。

【善德 선덕】 바르고 착한 덕행。

【善道 선도】 바르고 착한 도。

【善導 선도】 잘 인도(引導)함。

【善良 선량】 착하고 어짊。또 그 사람。

【善鄰 선린】 이웃과 의좋게 지냄。

【善文 선문】 문장을 잘 지음。

【善美 선미】 착하고 아름다움。

【善防 선방】 잘 막아냄。

【善不善 선불선】 선(善)과 불선(不善)。착함과 착하지 아니함。

【善辭令 선사령】 말을 잘함。변설이 능함。

【善書不擇紙筆 선서불택지필】 글씨를 잘 쓰는 사람은 종이나 붓의 질(質)을 가리지 아니함。

【善心 선심】 착한 마음。선량한 심지。

【善惡 선악】 ①착함과 악(惡)함。②선인과 악인。

【善惡邪正 선악사정】 착함과 악함과 간사함과 올바름。

【善用 선용】 적절하게 잘 씀。

【善游者溺* 선유자익】 헤엄을 잘 치는 자가 익사함。곧 자기의 능한 바를 믿다가 도리어 위험이나 재난을 초래함을 이름。

【善意 선의】 좋은 뜻。선량한 의사。

【善政 선정】 착한 정치。잘 다스리는 정치。

【善知識 선지식】《佛敎》 덕(德)이 높은 중。고승(高僧)。

【善策 선책】 좋은 책략(策略)。

【善處 선처】 잘 처리(處理)함。

【善治 선치】 잘 다스림。

【善行 선행】 착한 행실(行實)。

【善後 선후】 뒷수습을 잘함。

【善後策 선후책】 뒷갈망을 잘 하려는 계획。

◉多多益善다다익선 獨善독선 聖善성선 僞善위선 仁善인선 慈善자선 積善적선 至善지선 最善최선 忠善충선 親善친선

12 【喜】 9 口 중학 희 — 기쁠 — ㊤紙

十 吉 吉 壴 喜 喜

자원 형성 口 壴음 ┬喜 (口부)

喜

「口구」〈입→먹다〉와、음을 나타내며 큰 북이나 장구 같은 타악기(打樂器)、또는 악기를 치며 즐거워하는 뜻을 가진 「壴주」(희는 변음)로 이루어짐。악기를 울리며 요리(料理)를 먹고 즐거워하다의 뜻。나중에 맛있는 음식의 뜻은 「饎치」로 쓰고、「喜」는 웃음소리를 내며 즐거워하는 뜻으로만 쓰임。

뜻 ①**기쁠희、기뻐할희** 「喜悅희열」 ②**좋아할희** 애호함。③**기쁨희** ㉠희열。「喜怒희로」 ㉡기쁜 일。경사。

참고 「喜」를 음으로 하는 글자=「僖희」〈기쁘다〉·「嘻희」〈화락하다〉·「嬉희」〈놀다〉·「熹희」〈왕성하다〉·「禧희」〈행복〉·「饎치」〈술과 밥〉

【喜慶 희경】 기뻐하여 축하함。

【喜劇 희극】 사람을 웃기는 연극。

【喜樂 희락】 기뻐하고 즐김。

【喜怒 희로】 기쁨과 노염。

【喜怒不形色 희로불형색】 희로애락의 감정을 안색에 나타내지 아니함。

【喜怒哀樂 희로애락】 기쁨과 노염과 슬픔과 즐거움。사람의 온갖 감정。

【喜報 희보】 기쁜 기별。 기쁜 소식。
【喜悲 희비】 기쁨과 슬픔。
【喜捨 희사】 《佛敎》 기꺼이 재물을 버린다는 뜻으로、남에게 재물(財物)을 시여(施與)하거나 신불(神佛)의 일로 재물을 기부하는 일。
【喜色 희색】 기뻐하는 얼굴빛。
【喜色滿面 희색만면】 기쁜 빛이 얼굴에 가득함。
【喜消息 희소식】 기쁜 소식。
【喜壽 희수】 칠십칠세(七十七歲)。
【喜悅 희열】 기뻐함。 또 기쁨。
【喜喜樂樂 희희낙락】 매우 기뻐하고 즐거워함。
◉嘉喜가희 慶喜경희 大喜대희 賀喜하희

十畫

13 【嗅】 口 10 후 | 맡을 | [去]宥

[자원] 회의 臭 鼻-口 ┬嗅(口부)
냄새를 맡는 뜻의 「臭후」와 「鼻비」로 이루어진 글자。 나중에 「鼻」를 콧구멍을 뜻하는 「口입구변」으로 바꾼 글자。

[뜻] **맡을후** 냄새를 맡음。「嗅覺후각」
【嗅覺 후각】 냄새를 맡는 감각(感覺)。
【嗅感 후감】 후각(嗅覺)。
【嗅神經 후신경】 콧구멍속의 점막(粘膜)에 분포(分布)되어 후각(嗅覺)을 맡은 신경(神經)。

13 【嗚】 口 10 [고교] 오 | 오호라 | [平]虞

丨 ㄇ 口 口' 口ㄏ 口⺆ 口白 嗚 嗚

[자원] 형성 口 烏[음] ┬嗚(口부)
「口입구변」과、탄식하는 소리를 나타내는 「烏오」로 이루어짐。

[뜻] ①**오호라오** 탄식하는 소리。「嗚呼오호」 ②**탄식할오、애달파할오** ③**노래소리오**

[주의] 「鳴명」〈울다〉은 딴 글자。
【嗚咽 오열】 목이 메어 욺。「는 소리。
【嗚呼 오호】 슬플 때나 탄식할 때 내

13 【嗣】 口 10 사 | 이을 | [去]寘

[자원] 형성 口 冊 司[음] 畾 ┬嗣(口부)
천자(天子)의 사령장(辭令狀)의 뜻인 「冊책」과、아뢰다의 뜻인 「口구」 및 음을 나타내며 동시에 잇다、계승하다의 뜻을 나타내는 「司사」로 이루어짐。 제후(諸侯)가 나라를 계승할 때 천자의 책명(冊命)을 사당(祠堂)에서 읽게 하다의 뜻。

[뜻] ①**이을사** 뒤를 이음。「嗣子사자」 ②**후사사** 대를 잇는 자식。 ③**자손사**。 ④**익힐사** 연습함。
【嗣子 사자】 맏아들。
◉家嗣가사 係嗣계사 繼嗣계사 國嗣국사 遺嗣유사 嫡嗣적사 血嗣혈사 後嗣후사

十一畫

14 【嗾】 口 11 [一]수 [二]주 | 추길 | [上]有 [一][二]

[자원] 형성 口 族[음] ┬嗾(口부)
「口입구변」과、음을 나타내며 동시에 재촉하다의 뜻(⇩促촉)을 가진 「族

〔三畫部首順〕口囗土士夂夊夕大女子宀寸小尢尸屮巛工己巾干幺广廴廾弋弓彐彡彳

족」으로 이루어짐。 선동(煽動)하다의 뜻。

뜻 추길수、 추길주 선동함。「使嗾사주」

14 **【嘆】** 口 11 **탄** —한숨쉴— ㊋翰 ㊥寒

자원 형성 口 𦰩음 ⊤嘆(口부)

「口입구변」과、 낙담(落膽)하여 나오는 한숨의 뜻을 가진 「難난」의 생획 「𦰩」(탄은 변음)으로 이루어짐。

뜻 **한숨쉴탄** 탄식함。 歎(欠部十一畫)과 같은 글자。「嘆息탄식」

【嘆息 탄식】 한숨을 쉬며 한탄(恨嘆)함。 탄식(歎息)。

◉憤嘆분탄 永嘆영탄 泣嘆읍탄 嗟嘆차탄

14 **【嘔】** 口 11 ㊀**구** ㊁**후** —게울— ㊀①㊤有 ②㊥尤 ㊁㊥虞

자원 형성 口 區음 ⊤嘔(口부)

「口입구변」과 음을 나타내는 「區구」로 이루어짐。

뜻 ㊀①**게울구** 토함。「嘔吐구토」 ②**노래할구** 謳(言部十一畫)와 같은 글자。 ㊁**기뻐할후**

주의 「呕」는 약자(略字)。

【嘔吐 구토】 게움。 또 그 오물。

14 **【嘗】** 口 11 고교 **상** —맛볼— ㊥陽

丶 丷 ⺍ 龸 尚 尚 嘗 嘗 嘗

자원 형성 尙음 旨 ⊤嘗(口부)

맛있다는 뜻의 「旨지」와、 음을 나타내는 「尙상」으로 이루어짐。 맛본다는 뜻。 전하여 시험하다의 뜻이 되었음。

뜻 ①**맛볼상** ㉠음식의 맛을 봄。「嘗膽상담」 ㉡먹음。 ㉢몸소 겪음。 ②**시험할상** 「嘗試상시」 ③**일찍상** 일찌기。 예전에。 ④**항상상** 언제나。 늘。 ⑤**가을제사상** 가을에 신곡을 올려 지내는 제사。

주의 「甞」은 같은 글자。

【嘗膽 상담】 쓸개를 맛본다는 뜻으로、 복수하려고 모든 간고(艱苦)를 참는 것을 이름。 월왕(越王) 구천(句踐)이 오왕(吳王) 부차(夫差)에게 복수할 생각으로 몸을 괴롭게 하고 노심초사(勞心焦思)하여 늘 쓸개를 맛본 옛일에서 나온 말。

【嘗新 상신】 임금이 그 해의 신곡(新穀)을 처음으로 맛봄。

◉奉嘗봉상 新嘗신상 享嘗향상

14 **【嘉】** 口 11 **가** —아름다울— ㊥麻

자원 형성 加음 壴 ⊤嘉(口부)

음식을 그릇에 담은 모양인 「壴주」와、음을 나타내며 동시에 더하여 권하다의 뜻인 「加가」로 이루어짐。 옛날에는 공적을 기릴 때에 신전(神前)에서 음식을 베풀어 주었으므로 음식을 내려 주어 칭찬하다의 뜻。 널리 경사스럽다、 아름답다의 뜻。

뜻 ①**아름다울가** ㉠예쁨。 고움。 ㉡언행이 훌륭함。「嘉言가언」 ②**기릴가** 칭찬함。 가상히 여김。「嘉奬가장」 ③**경사스러울가** 기쁨。 또 그 일。

「嘉慶가경」④맛좋을가 ㉠맛이 있음. 「嘉肴가효」㉡또 그 음식. ⑤기뻐할가、즐길가「嘉樂가락」

【嘉客 가객】반가운 손.

【嘉穀 가곡】좋은 곡식. 또 오곡.

【嘉納 가납】①간(諫)하거나 권하는 말을 옳게 여기어 들음. ②물건 바치는 것을 고맙게 여기어 받아 들임.

【嘉樂 가락】①기뻐하고 즐김. ②〈가악〉가악(嘉樂)을 보라.

【嘉例 가례】좋은 전례(前例).

【嘉禮 가례】①오례(五禮)의 하나로 혼례(婚禮)를 이름. ②《韓》임금의 성혼·즉위 또는 왕세자·왕세손의 성혼·책봉(冊封) 같은 때의 예식.

【嘉尙 가상】귀엽게 여기어 칭찬(稱讚)함.

【嘉祥 가상】가서(嘉瑞).

【嘉賞 가상】칭찬함. 기림.

【嘉瑞 가서】상서(祥瑞). 길조(吉兆).

【嘉辰 가신】경사스러운 날. 또 좋은 때. 길일(吉日).

【嘉樂 가악】①음률(音律)에 맞는 음악. ②경사스러운 음악.

【嘉節 가절】①좋은 때. 또 좋은 날. 가신(嘉辰). ②음력 구월 구일(九月九日)의 별칭(別稱).

【嘉好 가호】정의(情誼). 또 정의를 두텁게 하기 위한 회합.

【嘉話 가화】아름다운 이야기. 가화(佳話).

【嘉會 가회】①경사스러운 모임. ②풍류(風流)스러운 모임.

【鳴】⇩鳥部三畫

十二畫

15 【嘲】口 12 조 | 비웃을 | (平)肴

자원 형성 口 朝 음 ⊤嘲(口부)

「口입구변」과 음을 나타내는 「朝조」로 이루어짐.

뜻 ①**비웃을조** 경멸함. 「嘲笑조소」 ②**조롱할조** 희롱함. 「嘲戲조희」 ③**지저귈조** 새가 욺.

【嘲弄 조롱】비웃적거리며 희롱함.

【嘲笑 조소】비웃음.

◉狂嘲광조 自嘲자조

15 【噴】口 12 분 | 꾸짖을 | (去)願 (去)問

자원 형성 口 賁 음 ⊤噴(口부)

「口입구변」과 숨을 몰아서 갑자기 내쉬는 음을 나타내는 「賁분」으로 이루어짐.

뜻 ①**꾸짖을분** 질책함. ②**뿜을분** 물 같은 것을 뿜음. 「噴水분수」 ③**재채기할분**

【噴激 분격】물을 힘차게 내뿜음.

【噴門 분문】위(胃)와 식도(食道)가 결합된 국부(局部).

【噴水 분수】물을 뿜어 냄. 또 그 물.

【噴火 분화】①불을 내뿜음. ②화산(火山)이 터지어 불을 내뿜는 현상.

15 【嘱】口 12 囑(口部二十一畫)의 속자(俗字).

十三畫

16 【器】口 13 고교 기 | 그릇 | (去)寘

ㅣ ㅁ ㅁ ㅁㅁ 㗊 哭 哭 噐 器

자원 회의 犬＋㗊→器(口부) 2500년전

「犬견」〈개〉은 고대(古代)의 식료(食料)로서 무덤에 묻혀지는 일이 많았음。「㗊습」은 많음。

「器」는 먹을 것을 제각기 덜어 먹는 접시→그릇。「犬」을 「工공」으로도 씀。

뜻 ①그릇기 ㉠용기(容器) 또는 기구「什器집기」 ㉡벼슬에 따르는 거복(車服)·훈장 따위。 ㉢재능。「器局기국」 ㉣도량。「器度기도」 ②그릇으로여길기 중히 여김。 ③그릇으로쓸기 적재를 적소에 씀。「器使기사」

주의 「噐」는 속자(俗字)。

【器械 기계】 연장·연모·그릇·기구(器具) 등의 총칭。

【器官 기관】 생물체(生物體)의 생활작용을 하는 부분。

【器具 기구】 그릇。세간。

【器量 기량】 기국(器局)。

【器物 기물】 기명(器皿)。

【器質 기질】 타고난 재능(才能)이 있는 바탕。

◉陶器도기 便器변기 兵器병기 石器석기 食器식기 神器신기 樂器악기 浴器욕기 容器용기 利器이기 祭器제기 酒器주기 珍器진기 土器토기 火器화기 凶器흉기

16 **【噫】** 口 13 고교 ㊀희 — 한숨쉴 — ㊀(平)支 ㊁애 — ㊁(去)卦

丨 口 口 口丶 口亠 口立 喑 噫 噫

자원 형성 口＋意음→噫(口부)

「口입구변」과, 음을 나타내는 「意의」(희는 변음)로 이루어짐。

뜻 ㊀①한숨쉴희 탄식함。또 그 소리。 ㊁①트림할애 먹은 음식이 잘 삭지 않아서 입으로 가스가 나옴。②하품애

【噫嗚 희오】 탄식하는 모양。

【噫乎 희호】 찬미(美)하거나 탄식 또는 애통하는 소리。

十七畫

20 **【嚴】** 口 17 중학 엄 — 엄할 — (平)鹽

口 吅 吅 吅 严 严 严 嚴 嚴

자원 형성 厂＋敢→吅＋厰음→嚴(口부) 2500년전

「敢감」은 억지로 무엇인가 하다→엄하다。「厂한」은 언덕→산。음을 나타내는 「厰엄」은 험한 산봉우리 「吅현」은 바위가 널린 모양。「嚴」은 바위가 많이 널린 험한 산→엄하다。

뜻 ①엄할엄 ㉠엄정함。「嚴格엄격」 ㉡엄중함。「嚴禁엄금」 ㉢엄숙함。「嚴莊엄장」 ㉣위엄이 있어 두려움。「嚴威엄위」 ②굳셀엄 의연(毅然)함。 ③높을엄 존엄함。 ④혹독할엄 ㉠정도가 심함。「嚴寒엄한」 ㉡행위가 모짊。「嚴刻엄각」 ⑤경계할엄 ㉠조심함。「申嚴신엄」 ㉡방비함「戒嚴계엄」 ⑥높일엄 존중함。「嚴師엄사」 ⑦삼갈엄 공경하여 조심함。 ⑧경계엄、계엄엄 경비(警備)。 ⑨차림엄 장속(裝束)。차비(差備)。「嚴程엄정」

참고 「嚴」을 음으로 하는 글자=「儼엄」〈공손하다〉·「玁험」〈북방의 이민족〉·「巖암」〈바위〉

【嚴家 엄가】 가풍(家風)이 엄격한 집。
【嚴格 엄격】 언행(言行)이 엄숙(嚴肅)하고 정당함。
【嚴禁 엄금】 엄중(嚴重)하게 금함。 또 엄중한 금령(禁令)。
【嚴冬 엄동】 몹시 추운 겨울。
【嚴冬雪寒 엄동설한】 눈이 오고 몹시 추운 겨울。
【嚴命 엄명】 엄한 명령。
【嚴密 엄밀】 엄중하고 정밀(精密)함。
【嚴罰 엄벌】 엄중한 형벌。
【嚴父 엄부】 ①엄격(嚴格)한 아버지。 전하여 아버지。 ②아버지의 경칭(敬稱)。 ③아버지를 존중함。
【嚴選 엄선】 엄중히 가려냄。
【嚴守 엄수】 엄(嚴)하게 지킴。
【嚴肅 엄숙】 장엄(莊嚴)하고 정숙함。
【嚴侍下 엄시하】 《韓》 어머니는 돌아가고 아버지만 생존(生存)한 터。
【嚴然 엄연】 엄숙하여 범(犯)할 수 없는 모양。
【嚴正 엄정】 엄중(嚴重)하고 정직함。
【嚴重 엄중】 ①엄격(嚴格)하게 무게가 있음。 ②존중함。 ③몹시 엄함。
【嚴責 엄책】 엄하게 꾸짖음。
【嚴治 엄치】 엄중하게 다스림。 엄하게 처벌함。
【嚴親 엄친】 ①엄부(嚴父)❶❷。 ②《韓》남에게 대하여 자기(自己)의 아버지를 일컫는 말。
【嚴寒 엄한】 혹독한 추위。 혹한(酷寒)。
【嚴刑 엄형】 엄중한 형벌。
◉戒嚴계엄 謹嚴근엄 禁嚴금엄 森嚴삼엄 威嚴위엄 莊嚴장엄 尊嚴존엄 華嚴화엄

十九畫

22 【囊】 口 19 낭 | 주머니 | ㊅陽

자원 형성 襄(음)-𧙞 ⿱廿冖-橐 ┬ 囊(口부)
전대를 뜻하는 「橐탁」의 생략형(省略形) 「⿱廿冖」과 음을 나타내는 「襄양」(낭은 변음)의 생략형 「𧙞」으로 이루어짐。

뜻 **①주머니낭** 자루 또는 지갑。 「囊中無一物낭중무일물」 「智囊지낭」 **②주머니에 넣을낭**

【囊刀 낭도】 주머니 칼。
【囊中無一物 낭중무일물】 주머니 속에 돈이 한푼도 없음。 돈 한푼도 가지고 있지 아니함。
【囊中之物 낭중지물】 자기 수중에 있는 물건。
【囊中之錐 낭중지추】 주머니 속의 송곳이 뾰족하여 밖으로 뚫고 나오듯이、 뛰어난 사람은 많은 사람 가운데 섞여 있을지라도 그 재능이 저절로 드러난다는 뜻。
◉背囊배낭 浮囊부낭 陰囊음낭 行囊행낭

二十一畫

24 【囑】 口 21 촉 | 청촉할 | ㊅沃

자원 형성 屬(음) 口 ┬ 囑(口부)
「口입구변」과、음을 나타내며 동시에 일을 맡기다의 뜻을 가지는 「屬촉」으로 이루어짐。 분부하다의 뜻。

뜻 **청촉할촉** 부탁함。 「囑託촉탁」

【囑言 촉언】 ①남을 통하여 전하는 말。 전언(傳言)。 ②뒷일을 부탁(付

託)함。 또 그 말。

【囑託 촉탁】 일을 부탁하여 맡김。

◉懇囑간촉 委囑위촉

囗 部

3【囗】 수 부 ㊀위 ㊁국 | 에울 | ㊀(入)微 ㊁(入)職

자원 지사 어떤 범위(範圍)를 둘러싸는 뜻을 나타냄。 한자(漢字)의 부수(部首)로는 에운담몸、큰입구몸이라 하여 둘러싸다의 뜻。 전하여、「나라」 또 ○의 변형(變形)으로서 「둥글다」의 뜻에 관계(關係)가 있음을 나타냄。

뜻 ㊀에울위 圍(囗部九畫)의 옛 글자。 ㊁나라국 國(囗部八畫)의 옛 글자。

참고 ①둘러싸다의 뜻의 의부(意符)로서…「囚수」〈가두다〉·「囮와」〈어리새〉·「囿유」〈동산〉·「圃포」〈채마전〉·「圄어」〈옥〉·「圈권」〈우리〉·「園원」〈동산〉 ②나라의 뜻의 의부(意符)로서…「國국」〈나라〉·「圀국」〈國의 옛 글자〉 ③둥글다의 뜻의 의부(意符)로서…「圓원」〈둥글다〉·「團단」〈둥글다〉·「圜환」〈두르다〉·「回회」〈돌다〉

二畫

5【囚】 囗 2 고교 수 | 가둘 | (平)尤

丨 冂 冂 冈 囚

자원 회의 人+囗 → 囚 (囗부) 2500년전

「囚」는 「人인」〈사람〉이 울타리 안에 갇혀 있음을 나타냄。

뜻 ①가둘수 죄인을 가둠。「囚繫수계」 ②갇힐수 앞의 뜻의 피동사。 전(轉)하여 사물에 구애됨。 ③죄수수 ④포로수 「囚虜수로」 ⑤옥사(獄詞)수 재판의 말。

【囚役 수역】 죄수에게 시키는 일。

【囚獄 수옥】 옥(獄)。 감옥。

【囚人 수인】 옥(獄)에 갇힌 사람。

◉禁囚금수 男囚남수 死刑囚사형수 女囚여수 獄囚옥수 脫獄囚탈옥수

5【四】 囗 2 중학 사 | 넉 | (去)寘

丨 冂 冂 四 四

자원 지사 亖 (A) 3000년전 (B) 2500년전 四

「四」는 코에서 숨이 나오는 모양을 본뜬 것이었으나 그 뜻으로는 나중에 「呬희」로 나타내고、「四」는 오로지 수의 넷을 표시하는데 씀。 아주 옛날엔 수를 나타낼 때 가로 장대 네개 (A) 의 모양으로 썼으나 「三삼」 따위와 혼동하기 쉽기 때문에 「四」를 빌어 쓰게 되었음。

뜻 ①넉사 셋에 하나 보탠 수。「三四삼사」 ②네번사 사회(四回)。 ③사방사 네 방위。「四海사해」

주의 「网그물망」의 약자(略字)인 「罒」는 딴 글자。

참고 「四」를 음으로 하는 글자‖「泗사」〈

【四角 사각】 네모。

【四更 사경】 하룻밤을 오경(五更)으로 나눈 네째 번의 시각으로, 오전(午前) 두 시경。

【四京 사경】 ①당(唐)나라의 네 곳의 서울。②송(宋)나라의 네 곳의 서울。③고려 때의 네 곳의 서울。곧 한경(漢京、서울)·동경(東京、慶州)·중경(中京、開城)·서경(西京、平壤)。

【四經 사경】 ①시경(詩經)·서경(書經)·역경(易經)·춘추(春秋)의 네 경서(經書)。②좌씨춘추(左氏春秋)·곡량춘추(穀梁春秋)·고문상서(古文尙書)·모시(毛詩)의 네 경서。

【四季 사계】 ①음력(陰曆)에서 사시(四時)의 말월(末月)。곧 계춘(季春)·계하(季夏)·계추(季秋)·계동(季冬)。②춘·하·추·동。

【四苦 사고】 사람의 네 가지 괴로움。곧 생(生)·노(老)·병(病)·사(死)。

【四庫 사고】 당(唐)나라 때 관(官)의 서적을 경(經)·사(史)·자(子)·집(集)으로 분류하여 각각 따로 간직하여 두던 곳간。전하여 그 서적。

【四顧 사고】 사면(四面)으로 돌아봄。

【四顧無親 사고무친】 의지(依支)할 데가 아주 없음。

【四庫全書 사고전서】 청(淸)나라 건륭(乾隆) 삼십칠년(三十七年)에 사고전서관(四庫全書館)을 열고 천하(天下)의 서적(書籍) 십칠만 이천여권(十七萬二千餘卷)을 모아 각(各) 칠부(七部)를 베껴 일곱 각(閣)을 짓고 보관하여 둔 총서。

【四骨 사골】 소의 네 다리뼈。약으로 쓰임。

【四敎 사교】 ①시(詩)·서(書)·예(藝)·악(樂)의 네 가지 가르침。②문(文)·행(行)·충(忠)·신(信)의 네 가지 가르침。

【四郡 사군】 우리 나라 상고 시대(上古時代)에 북쪽 지방에 있던 한인(漢人)의 부락(部落)。곧 낙랑(樂浪)·임둔(臨屯)·현토(玄菟)·진번(眞蕃)。

【四君子 사군자】 기개(氣槪)가 있는 군자(君子)에 비(比)한 네 가지 식물(植物)。곧 매화(梅花)·난초(蘭草)·국화(菊花)·대나무。

【四窮 사궁】 환과고독(鰥寡孤獨)。곧 늙은 홀아비·늙을 홀어미·어버이없는 아이·자식 없는 늙은이。

【四大奇書 사대기서】 중국 소설 중의 백미(白眉)라고 일컫는 네 소설。곧 삼국지연의(三國志演義)·서상기(西廂記)·비파기(琵琶記)·수호지(水滸誌)。또는 수호지(水滸誌)·삼국지연의(三國志演義)·서유기(西遊記)·금병매(金瓶梅)。

【四大門 사대문】 서울에 있는 네 큰 문(門)。곧 동쪽의 흥인문(興仁門)·서쪽의 돈의문(敦義門)·남쪽의 숭례문(崇禮門)·북쪽의 숙정문(肅靖門)。

【四德 사덕】 천지자연(天地自然)의 네 가지 덕(德)。곧 원(元)·형(亨)·이(利)·정(貞)。

【四禮 사례】 ①네 가지 큰 예(禮)。곧 관(冠)·혼(婚)·상(喪)·제(祭)。②군신(君臣)·부자(父子)·형제(兄弟)·붕우(朋友)간의 예(禮)。

【四六文 사륙문】 육조시대(六朝時代)

에 발달한 문체(文體)로 네 글자와 여섯 글자의 구(句)로 된 문장(文章)。 변려문(駢儷文)。

【四鄰 사린】 ①사방(四方)의 이웃。 ②사방의 이웃 나라。

【四立 사립】 입춘(立春)·입하(立夏)·입추(立秋)·입동(立冬)。

【四面楚歌* 사면초가】 사방(四方)이 모두 적(敵)에게 둘러 싸였거나 또는 고립무원(孤立無援)의 경우。

【四面八方 사면팔방】 ①사면(四面)과 팔방(八方)。 ②모든 곳。

【四溟堂* 사명당】《韓》 유정(惟靜)。

【四名山 사명산】 우리 나라 백두산(白頭山)에서 내려온 네 명산。 곧 동(東)의 금강산(金剛山)、 서(西)의 구월산、 남(南)의 지리산、 북(北)의 묘향산。

【四勿 사물】 공자(孔子)가 안회(顏回)에게 하면 아니 된다고 가르친 네 가지 경계(警戒)。 곧 비례물시(非禮勿視)·비례물청(非禮勿聽)·비례물언(非禮勿言)·비례물동(非禮勿動)。

【四民 사민】 ①사(士)·농(農)·공(工)·상(商)。 ②모든 인민(人民)。

【四方 사방】 동(東)·서(西)·남(南)·북(北)。 전(轉)하여 일체의 방면。

【四百餘州 사백여주】 중국 전토(中國全土)의 일컬음。

【四分五裂 사분오열】 여러 갈래로 분열됨。

【四史 사사】 사기(史記)·전한서(前漢書)·후한서(後漢書)·삼국지(三國志)。

【四象 사상】 ①노양(老陽)·소양(少陽)과 노음(老陰)·소음(少陰)。 ②한방(漢方)의 태양(太陽)·소양(少陽)·태음(太陰)·소음(少陰)。 ③일(日)·월(月)·성(星)·신(辰)。

【四色 사색】《韓》 색목(色目)의 네갈래。 곧 노론(老論)·소론(少論)·남인(南人)·북인(北人)。

【四書 사서】 대학(大學)·중용(中庸)·논어(論語)·맹자(孟子)。

【四聖 사성】 석가(釋迦)·공자(孔子)·기독(基督)·소크라테스。

【四聲 사성】 한자(漢字)의 네 가지 음(音)。 곧 평성(平聲)·상성(上聲)·거성(去聲)·입성(入聲)。

【四時 사시】 춘(春)·하(夏)·추(秋)·동(冬)。 또 아침(朝)·낮(晝)·저녁(夕)·밤(夜)。

【四時佳節 사시가절】 사시(四時)의 명절(名節)。

【四時長青 사시장청】 소나무·대나무 「등과 같이 사철 푸름。

【四時長春 사시장춘】 ①늘 봄과 같음。 ②늘 잘 지냄。

【四神 사신】 하늘의 사방(四方)에 있는 신(神)。 곧 청룡(青龍)(동(東))·주작(朱雀)(남(南))·현무(玄武)(북(北))·백호(白虎)(서(西))。

【四惡趣 사악취】 지옥(地獄)·아귀(餓鬼)·축생(畜生)·수라(修羅)。

【四友 사우】 ①눈속에서 피는 네가지 꽃。 곧 옥매(玉梅)·납매(臘梅)·수선(水仙)·산다화(山茶花)。 ②네 가지의 문방구(文房具)。 곧 필(筆)·묵(墨)·지(紙)·연(硯)。

【四恩 사은】《佛敎》 사람으로 태어나서 받는 네가지 은혜。 곧 부모(父母)·중생(衆生)·국왕(國王)·삼보

(三寶)의 은혜。

【四夷 사이】 사방(四方)에 있는 오랑캐。곧 동이(東夷)·서융(西戎)·남만(南蠻)·북적(北狄)。또는 구이(九夷)·팔적(八狄)·칠융(七戎)·육만(六蠻)。전(轉)하여 야만인(野蠻人)의 총칭。

【四子 사자】 공자(孔子)·증자(曾子)·자사(子思)·맹자(孟子)의 일컬음。

【四足 사족】 짐승의 네 발。전(轉)하여 짐승。

【四柱 사주】 사람이 출생(出生)한 연(年)·월(月)·일(日)·시(時)。

【四柱八字 사주팔자】 사주(四柱)의 간지(干支)의 여덟 글자。

【四重奏* 사중주】 각각 독립한 네 개의 악기(樂器)로 하는 합주(合奏)。

【四肢* 사지】 팔과 다리。수족。

【四體 사체】 ①팔과 다리。사지(四肢)。전(轉)하여 몸。신체。②형제(兄弟)。

【四通五達 사통오달】 길이 사방(四方)으로 통(通)함。

【四海 사해】 ①사방의 바다。②천하(天下)。세계(世界)。만국(萬國)。

【四海兄弟 사해형제】 서로 존경하여 사귀면 천하 사람은 모두 친하여져서 정의가 형제와 같이 두텁게 된다는 뜻。전하여 세계(世界) 사람은 다 형제같다는 뜻으로 쓰임。

【四行 사행】 ①효(孝)·제(悌)·충(忠)·신(信)의 네가지 행위。②네째 줄。

◉三四삼사 張三李四장삼이사 再四재사 再三再四재삼재사 朝三暮四조삼모사

三畫

6【回】3 口 중화 회 — 돌 — ①-⑩(平)灰 ⑪⑫(去)隊

丨 冂 冂 冋 回 回

자원 상형 2000년전

옛모양은 물이나 무엇이 빙빙 소용돌이치고 있는 모양。나중에 「回」로 쓰고 또 「囘」「囬」등으로도 씀。

뜻 ①돌회 ㉠둥글게 움직임。「回轉회전」 ㉡둥글게 굽음。㉢여기저기 걸어다님。②돌아올회 갔다 도로 옴。「回國회국」 ③돌아볼회 뒤를 봄。④돌릴회 ㉠돌게 함。방향을 다른 쪽으로 바꿈。「回船회선」 ㉡마음을 돌림。뜻을 굽힘。⑤간사할회 「回邪회사」 ⑥어길회 배반함。⑦어그러질회 상위함。⑧머뭇거릴회 배회함。⑨멀회 빙 돌아 멂。⑩피할회 회피함。「回隱회은」 ⑪둘레회 주위。⑫횟수회 「一回일회」

주의 ①囘는 「回」의 정자(正字)。②囬는 「回」의 속자(俗字)。

참고 「回」를 음으로 하는 글자=「徊회」〈배회하다〉·「廻회」〈돌다〉·「蛔회」〈회충〉

【回甲 회갑】 육십일세(六十一歲)의 일컬음。환갑(還甲)。

【回顧 회고】 ①돌아다 봄。②지난 일을 생각하여 봄。회상(回想)。

【回教 회교】 회회교(回回教)。

【回國 회국】 자기 나라로 돌아옴。환국(還國)。

【回軍 회군】 군사(軍士)를 돌이켜 돌아옴。환군(還軍)。

【回歸 회귀】 ①도로 돌아옴。②한바퀴 돌고 제자리로 돌아옴。

【回歸線 회귀선】 적도(赤道)에서 남

북(南北)으로 각각 약(約) 이십삼도(二十三度) 이십팔분(二十八分)을 통과하는 작은 권(圈)。

【回覽 회람】 차례로 돌려가며 봄。

【回廊 회랑】 ①원형(圓形)의 복도(複道)。 ②정당(正堂)의 양 옆에 있는 기다란 집채。

【回文 회문】 ①한시체(漢詩體)의 한 가지。 순역종횡(順逆縱橫) 어느 쪽으로 읽어도 체(體)를 이루고, 의미(意味)가 통하는 시(詩)。 회문시(回文詩)。 ②회족(回族)의 문자(文字)。 ③회장(回章)。

【回報 회보】 ①대답(對答)으로 하는 보고(報告)。 ②돌아와서 여쭘。

【回附 회부】 돌리어 보냄。

【回想 회상】 지나간 일을 돌이켜 생각함。

【回生 회생】 다시 살아남。 소생함。

【回書 회서】 대답(對答)하여 보내는 편지(便紙)。 답장(答狀)。

【回船 회선】 ①돌아가는 배。 또 그 배편(便)。 ②배를 돌림。

【回旋 회선】 빙빙 돎。

【回送 회송】 도로 돌리어 보냄。

【回收 회수】 도로 거두어 들임。

【回首 회수】 회두(回頭)。

【回信 회신】 편지 또는 전신의 회답。

【回心 회심】 마음을 돌려 먹음。 마음을 고침。

【回電 회전】 회답(回答)의 전보。

【回轉 회전】 빙빙 돎。

【回漕* 회조】 배로 물건을 실어 나름。

【回診 회진】 의사가 환자가 있는 곳으로 돌아다니며 하는 진찰。

【回天 회천】 ①임금의 마음을 돌리게 함。 ②국세(國勢)를 만회함。 쇠운(衰運)을 회복시킴。

【回春 회춘】 ①봄이 다시 돌아옴。 ②중병(重病)을 돌리어 건강(健康)을 회복(回復)함。 ③젊어짐。

【回憚* 회탄】 피하고 꺼림。

【回避不得 회피부득】 피(避)하려고 하여도 피(避)할 수가 없음。

【回航 회항】 ①여러 항구(港口)에 기항하는 항해。 ②배를 타고 돌아옴。

【回婚 회혼】 혼인(婚姻)한지 육십일 년(六十一年)되는 해。

【回回教 회회교】 마호멧을 교조(教祖)로 하는 종교(宗教)。 회교(回教)。

【回訓 회훈】 외국에 가 있는 전권(全權)의 청훈(請訓)에 대하여 본국(本國)에서 회답(回答)하는 훈령。

【回紇* 회흘】 수당(隋唐) 시대부터 송원(宋元) 시대에 걸쳐 몽고 및 감숙성(甘肅省) 등지에서 약 일세기 동안 세력을 잡은 터어키 계통의 부족(部族)。 위이구르。

◉姦回 간회 今回 금회 挽回 만회 每回 매회 盤回 반회 徘回 배회 私回 사회 旋回 선회 照回 조회 年回 연회 迂回 우회 前回 전회 周回 주회 遲回 지회 次回 차회 初回 초회

6 【因】 囗 3 중학 인 | 인할 | 入眞

丨 冂 冃 冄 囙 因

자원 회의 口+大→因(口부) 2500년전

「口위」는 잠자리의 모양。 「大대」는 사람의 모습。 「因」은 사람이 잠자리에 눕다→기대다→의지하다。 또 「口」는 집、「大」는 남자이며 「因」은 남자의 집→여자가 결혼하여 가는

행선지→결혼하다→의지하다로 되었도 생각됨。

뜻 ①인할인 종전대로 따름。「因襲인습」「因循인순」②말미암을인 인연함。③의지할인「因依인의」④부탁할인 ⑤겹칠인、쌓일인 중첩함。⑥인연인 관계。연유。「因果인과」⑦까닭인 기원。「原因원인」

참고「因」을 음으로 하는 글자=「咽인」〈목구멍〉·「姻인」〈인연〉·「氤인」〈기운어리다〉·「茵인」〈깔개〉·「恩은」〈은혜〉·「烟연」〈연기〉

【因果 인과】①원인(原因)과 결과(結果)。②《佛敎》인연(因緣)과 과보(果報)。

【因果律 인과율】원인(原因)과 결과의 관계에 대한 자연의 법칙。

【因果應報 인과응보】《佛敎》좋은 인연에는 좋은 과보(果報)가 오고 악(惡)한 인연에는 악한 과보가 옴。

【因山 인산】《韓》국장(國葬)。

【因循 인순】①무기력하여 고식적(姑息的)임。②구습에 따라 행함。

【因襲 인습】예전대로 행(行)하고 고치지 아니함。

【因人成事 인인성사】남의 힘으로 일을 이룸。

◉近因근인 基因기인 病因병인 勝因승인 惡因악인 原因원인 遠因원인 敗因패인

四畫

7【困】囗 4 중학 곤|곤할|㊀願

丨 冂 冃 冃 闲 困 困

자원 회의 木+囗→困 (囗부)

「困」은 나무를 다발로 묶다→붙들다→괴로움을 겪다의 뜻。일설(一說)에는 나무가 울타리(囗) 속에서 자라지 못하고 난처하게 된 모양으로 생각되어 왔음。

뜻 ①곤할곤 ㉠고생함。「困厄곤액」㉡괴로움。난처함。「困難곤란」㉢생활이 가난함。「困窮곤궁」㉣피곤함。지침。「疲困피곤」㉤위경(危境)에 빠짐。②곤하게할곤 앞의 뜻의 타동사。③괴로움곤、고난(苦難)곤 위의 뜻의 명사。④곤괘곤 육십 사괘의 하나。곤 ☱☵(감하(坎下)、태상(兌上))。진퇴에 궁한 상(象)。

참고「困」을 음으로 하는 글자=「悃곤」〈정성〉·「捆곤」〈두드리다〉·「梱곤」〈문지방〉·「閫곤」〈문지방〉

【困脚 곤각】아주 고생함。

【困窮 곤궁】빈곤(貧困)함。

【困辱 곤욕】심한 모욕(侮辱)。

【困知勉行 곤지면행】도(道)를 힘써 배워 알고 힘써 닦아 행함。

【困學 곤학】①머리가 좋지 않아 애를 쓰며 공부함。②고학(苦學)함。

◉窮困궁곤 勞困노곤 病困병곤 貧困빈곤 春困춘곤 弊困폐곤 疲困피곤

7【囯】囗 4 國(囗部八畫)의 속자(俗字)。

7【囲】囗 4 圍(囗部九畫)의 속자(俗字)。

7【囬】囗 4 回(囗部三畫)의 속자(俗字)。

7【図】囗 4 圖(囗部十一畫)의 속자(俗字)。

〔三畫部首順〕 口口土士夊夂夕大女子宀寸小尢尸屮山巛工己巾干幺广廴廾弋弓彐彡彳

五畫

8 **【固】** 口 5 중학 **고** | 굳을 | 去遇

丨 冂 冂 円 冋 固 固 固

固

자원 형성 古음 口 ┬ 固 (口부)

음을 나타내는 「古고」는 오래다↓옛날로부터의 습관↓그것을 그대로 지키다↓굳다。「口위」는 에워 싸는 (⇩囲위) 일。「固」는 공격에 대비하여 사방을 경비하다↓굳다↓완고하여 융통성이 없다。

뜻 ①**굳을고** ㉠견고함。「固體고체」 ㉡변하지 아니함。변동하지 아니함。 ㉢움직이지 아니함。안정(安定)함。 ㉣수비가 엄함。㉤지세가 험준함。또 험준한 요해처。②**굳게할고** 위의 뜻의 타동사。③**우길고** 고집함。「固執고집」④**고루할고** 완고하고 비루함。「固陋고루」⑤**굳이고** ㉠억지로。㉡재삼。거듭。「固諫고간」⑥**진실로고** ㉠말할 것도 없이。물론。㉡본디부터。⑦**항상고** 늘。⑧**고질고** 오랜 질병。錮(金部八畫)와 통용。

참고 「固」를 음으로 하는 글자＝「個개」〈낱〉·「箇개」〈낱〉·「涸고」〈얼다〉·「涸학」〈마르다〉·「痼고」〈고질〉·「錮고」〈막다〉

【固諫*고간】 굳이 간(諫)함。

【固辭 고사】 굳이 사양(辭讓)함。한사코 사퇴함。

【固所願 고소원】 본래 바라던 바임。

【固有 고유】 ①본디부터 있음。본래 자연히 갖추어 있음。②그 물건에만 있음。

【固定 고정】 일정한 곳에 있어 움직「이지 아니함。

【固疾 고질】 오래 낫지 않는 병。

【固執 고집】 굳게 지님。굳게 지킴。자기의 의견(意見)을 굳게 내세움。

【固着 고착】 단단히 붙음。

【固體 고체】 일정한 체형(體形)과 체질(體質)을 가진 물체。곧 나무·쇠붙이 따위。

◉強固강고 堅固견고 膠固교고 頑固완고 凝固응고 確固확고

八畫

11 **【圈】** 口 8 **권** | 우리 | ①去霰 ②平先 ③上阮

자원 형성 卷음 口 ┬ 圈 (口부)

가축을 가두어 기르는 울의 뜻인 「口위」와 음을 나타내는 동시에 먹여 기르다의 뜻(⇩豢권)을 나타내기 위한 「卷권」으로 이루어짐。가축을 기르는 우리↓가축、사육지↓한정된 범위의 뜻。

뜻 ①**우리권** 동물의 우리。「虎圈호권」②**바리권** 나무로 휘어 만든 그릇。棬(木部八畫)과 같은 글자。③**동그라미권** 권점。「圈點권점」

【圈內 권내】 테안。범위(範圍) 안。

【圈外 권외】 테의 밖。

◉共產圈공산권 南極圈남극권 當選圈당선권 大圈대권 大氣圈대기권 北極圈북극권 成層圈성층권 勢力圈세력권

11 **【國】** 口 8 중학 **국** | 나라 | 入職

丨 冂 冂 冋 冋 冋 國 國 國

자원 형성 口＋或(음)→國(口부) 3000년전 2500년전

「口위」와 음을 나타내는 「或혹」(국은 변음)이 합친 글자。「口」는 에운담→영토(領土)。「或혹」은 「口위」와 「一」로써 영토의 경계선을 긋는 일을 나타내며 「戈과」로써 무기를 들고 지킴을 뜻함。본디는 「或」이 「나라」를 뜻하였으나 나중에 「혹은…」의 뜻으로 쓰이게 되자 「나라」의 뜻을 나타내기 위해서 「域역」「國」의 글자를 따로 만들었음。다시 「域」도 다른 뜻으로 쓰는 경우가 많아지매 「國」이 「나라」의 뜻을 나타내는 글자로 굳어졌음。

뜻 ①**나라국** ㉠국가。국토。「國力국력」 ㉡지리상 또는 행정상 구획된 토지。㉢서울。수도(首都)。㉣고향。②**나라세울국** 나라를 창립함。

주의 ①「囯」은 속자(俗字)。②「囶」은 옛 글자。

참고 「國」을 음으로 하는 글자＝「幗괵」〈머리장식〉·「摑괵」〈치다·갈기다〉

【國家 국가】①나라。②나라와 집。

【國境 국경】나라의 경계(境界)。

【國庫 국고】국가 소유의 현금을 관리(管理)하는 기관(機關)。

【國光 국광】나라의 영광(榮光)。국가의 위광(威光)。

【國交 국교】나라와 나라의 사귐。

【國權 국권】나라의 권력(權力)。곧 주권(主權)과 통치권(統治權)。

【國禁 국금】국법(國法)으로 금한 일。

【國基 국기】나라를 유지하는 기초。

【國難 국난】나라의 위난(危難)。

【國內城 국내성】《韓》고구려(高句麗) 전기(前期)의 수도(首都)。지금의 만주(滿洲) 집안(輯安)。

【國都 국도】한 나라의 서울。

【國亂 국란】나라 안의 변란(變亂)。

【國亂則思良相 국란즉사양상】나라가 어지러워졌을 때 어진 재상(宰相)을 얻고자 생각함。

【國祿 국록】나라에서 주는 녹봉。

【國論 국론】나라 안의 여론(輿論)。

【國利民福 국리민복】국가의 이익과 인민의 행복。

【國務 국무】나라의 정무(政務)。

【國文 국문】①그 나라의 고유(固有)한 글。한 나라의 국어(國語)로 된 문장(文章)。②《韓》우리 나라의 글。

【國防 국방】외적(外敵)이 침범(侵犯)하지 못하도록 준비하는 방비。

【國法 국법】나라의 법률(法律)。

【國寶 국보】①나라의 보배。②역사상 또는 예술상 귀중한 것으로서 국가에서 보호하는 건축·기물(器物)·서화(書畫)·전적(典籍) 등。

【國本 국본】나라의 근본。

【國費 국비】나라의 비용(費用)。

【國賓 국빈】나라의 손님으로 국가적인 대우를 받는 외국(外國) 사람。

【國史 국사】①국내의 일을 기록하는 사관(史官)。②자기 나라의 역사(歷史)。③한 왕조(王朝)의 역사。

【國事 국사】국정(國政)。

【國師 국사】①국가의 사표(師表)가 될만한 사람。②나라에서 내리는 중의 가장 높은 칭호(稱號)。

【國產 국산】 자기 나라의 물산。

【國喪 국상】 국민 전체가 복(服)을 입는 상사(喪事)。

【國色 국색】 나라 안의 첫째 가는 미인(美人)。

【國書 국서】 나라의 이름으로 타국(他國)에 보내는 서류(書類)。

【國仙 국선】 신라(新羅) 때에 있었던 청소년의 민간 수양 단체。 또 그 단체의 중심 인물。 곧 화랑(花郞)。

【國稅 국세】 나라에서 경비(經費)를 쓰기 위하여 받는 세금(稅金)。

【國勢 국세】 나라의 형세(形勢)。

【國手 국수】 ①명의(名醫)。 ②재예(才藝)가 나라 안에서 첫째 가는 사람。

【國粹* 국수】 정신상(精神上) 또는 물질상(物質上)으로 한 나라 또는 한 민족의 고유(固有)한 장처(長處)。

【國是 국시】 한 나라에 있어서 중론(衆論)이 옳다고 인정하는 바。 또 국정(國政)의 방침(方針)。

【國樂 국악】 자기 나라 고유의 음악。

【國語 국어】 ①온 국민이 사용하는 그 나라 고유(固有)의 말。 ②《韓》 우리 나라 말。 한국어(韓國語)。 ③책명(册名)。 이십일권(二十一卷)。 좌구명(左丘明)의 저(著)라 함。 좌전(左轉)은 노(魯)나라의 역사를 주로 기술하였는데 이 책은 진초(晉楚)를 비롯한 제후(諸侯)의 여러 나라의 역사를 기록한 것임。 춘추외전(春秋外傳)。

【國營 국영】 나라에서 경영(經營)함。

【國外 국외】 한 나라의 영토 밖의 땅。

【國運 국운】 나라의 운수(運數)。

【國威 국위】 나라의 위력(威力)。

【國恩 국은】 나라의 은혜(恩惠)。

【國字 국자】 한 나라에서 통용하는 문자。

【國子監 국자감】 귀족의 자제 및 나라 안의 준재(俊才)를 교육하기 위하여 천자(天子)가 있는 서울 안에 설립한 학교。

【國葬 국장】 나라에서 비용을 부담하여 지내는 장사。

【國賊 국적】 나라를 망치는 놈。

【國籍 국적】 국민된 신분(身分)。 개인이 국가에 부속하는 명적(名籍)。

【國定 국정】 나라에서 정함。

【國政 국정】 나라의 정사(政事)。

【國情 국정】 나라의 정상(情狀)。

【國際 국제】 나라와 나라 사이의 교제(交際)、 또는 관계(關係)。

【國債 국채】 나라의 빚。

【國策 국책】 ①나라의 정책。 국시(國是)。 ②책 이름。 전국책(戰國策)의 준말。

【國體 국체】 ①나라의 체면(體面)。 ②나라가 이루어진 상태(狀態)。 ③통치권(統治權)의 존재 형태에 의하여 구별한 국가의 체양(體樣)。

【國初 국초】 건국(建國)의 처음。

【國礎 국초】 국기(國基)。

【國恥 국치】 나라의 부끄러움。 국가의 수치。

【國泰民安 국태민안】 나라가 태평(泰平)하고 인민(人民)이 평안함。

【國破山河在 국파산하재】 나라는 이미 망하여 없어졌으나 산과 강은 예전과 다름 없이 존재하여 있음。 두보(杜甫)가 망국(亡國)의 유적(遺蹟)을 보고 읊은 시(詩)의 한 구。

【國弊 국폐】 나라의 폐해(弊害)。

【國風 국풍】 ①나라의 풍속(風俗)。 ②그 나라 풍속이 나타나 있는 시

가(詩歌)·속요(俗謠)。

【國憲 국헌】 나라의 근본 법규。

【國號 국호】 나라의 이름。

【國花 국화】 한 나라의 상징(象徵)으로서 국민이 가장 중(重)하게 여기는 꽃。

【國會 국회】 전국의 인민(人民)이 선출한 의원(議員)이 모여서 하는 회의(會議)。

◉強國강국 開國개국 擧國거국 建國건국 經國경국 傾國경국 故國고국 軍國군국 歸國귀국 亂國난국 大國대국 萬國만국 亡國망국 母國모국 報國보국 本國본국 富國부국 殉國순국 愛國애국 列國열국 王國왕국 外國외국 憂國우국 異國이국 一國일국 敵國적국 全國전국 戰國전국 祖國조국 盡忠報國진충보국 治國치국 他國타국 兄弟之國형제지국

九畫

12 【圍】 口 9 고교 위 ｜ 에울 ｜ ㊥ 微

丨 冂 冂 冂 冃 冏 圍 圍 圍

자원 형성 口+韋(음)→圍(口부) 〔韋〕3000년전 〔韋〕2500년전

둘러싸다의 뜻을 가지는 「口에운담몸」과 음을 나타내는 「韋위」로 이루어짐。 둘러싸는 것、 둘러싸다의 뜻。

뜻 ①**에울위** ㉠둘러 쌈。「圍繞위요」 ㉡적을 둘러싸고 사방에서 침。 ②**에워싸일위** 포위당함。 ③**둘레위** 주위。「範圍범위」 ④**포위위** 군사로 에워싸거나 에워싸이는 일。 또 그 에워싼 진형(陣形)。 ⑤**아름위** 양팔을 벌려 낀 둘레。 일설(一說)에는 다섯 치의 둘레。

【圍棋* 위기】 바둑。 또 바둑을 둠。

【圍繞* 위요】 싸 두름。 둘러 쌈。

◉攻圍공위 範圍범위 四圍사위 周圍주위 重圍중위 包圍포위

12 【圎】 口 9 圓(口部十畫)의 속자(俗字)。

十畫

13 【園】 口 10 중학 원 ｜ 동산 ｜ ㊥ 元

冂 冂 冃 冏 冏 園 園

자원 형성 口+袁(음)→園(口부)

「口위」는 에워싸는 모양。 음을 나타내는 「袁원」은 여유가 있는 모양。 「園」은 과수원、 또는 채마밭。

뜻 ①**동산원** 울을 두른 수목의 재배지。「庭園정원」 ②**구역원** 구획한 지역。 또 장소。 ③**능원** 능침。 왕릉。「園陵원릉」 ④**절원** 사원。「祇園기원」 ⑤**울원** 담。

【園兒 원아】《韓》 유치원(幼稚園)에 다니는 아이。

【園藝 원예】 채소(菜蔬)·과목(果木)·화초(花草) 등을 심어 기르는 기술。

【園丁 원정】 정원(庭園)을 맡아 다스리는 사람。

【園亭 원정】 뜰 안에 있는 정자。

◉公園공원 樂園낙원 動物園동물원 植物園식물원 幼稚園유치원 莊園장원 田園전원 菜園채원 學園학원

13 【圓】 口 10 중학 원 ｜ 둥글 ｜ ㊥ 先

冂 冂 冂 冃 冃 冐 員 圓

자원 형성 ○員(음)+口 → 圓 (口부)

음을 나타내는「員원」은 둥글다의 뜻。나중에 수를 세는 말로 쓰이게 되매 둥글다의 뜻으로는「圓」이라고 씀。약자는「円」。

뜻 ①**둥글원** ㉠원형임。「圓丘원구」 ㉡모가 없음。「圓滿원만」 ㉢막히지 아니함。통함。「圓轉원전」 ②**동그라미원** 원형。③**둘레원**「周圓주원」 ④**알원** 새알。⑤**원원** 화폐의 단위。일전(一錢)의 백배。

주의「圓」은 속자(俗字)。

【圓覺 원각】《佛敎》석가여래의 각성(覺性)。부처의 원만한 깨달음。

【圓鏡 원경】둥근 거울。

【圓光 원광】①《佛敎》부처의 몸 뒤로부터 내비치는 광명。후광(後光)。②《韓》신라(新羅) 진평왕(眞平王) 때의 중。화랑(花郞)의 세속오계(世俗五戒)를 지음。

【圓滿 원만】①두루 미쳐 꽉 참。②충족하여 결점이 없음。③모난 데가 없이 둥글둥글하고 복스러움。④티격나지 않고 서로 좋게 지냄。

【圓熟 원숙】①아주 숙련(熟練)함。②인격·지식 따위가 오묘(奧妙)한 경지에 이름。

【圓心 원심】원(圓)의 중심(中心)。

【圓轉 원전】①빙빙 돎。구름。②거침이 없음。또 자유 자재함。

【圓轉滑脫 원전활탈】말이나 또는 일을 처리하는데 모나지 않고 원만하게 변화하여 거침이 없음。

【圓頂 원정】①둥근 머리。②중。승려(僧侶)。

【圓鑿方枘* 원조방예】둥근 구멍에 네모진 자루를 박는다는 뜻으로 서로 맞지 않는 사물을 이름。

【圓周 원주】원의 둘레。

【圓柱 원주】둥근 기둥。

【圓陣 원진】둥근 진형(陣形)。

【圓卓會議 원탁회의】여러 사람이 둥근 테이블을 중심(中心)하여 죽 둘러앉아서 하는 회의(會議)。

【圓通 원통】《佛敎》두루 통달함。보살(菩薩)의 묘오(妙悟)를 이름。

【圓滑 원활】①둥글고 매끈매끈함。②잘 진행되어 거침이 없음。

◉方圓방원 一圓일원 周圓주원

十一畫

14 【圖】 口 11 중학 도 | 그림 | ㊥虞

冂 冂 冂 冋 冋 周 啚 圖 圖

자원 회의 口+啚 → 圖 (口부)

2500년전

「啚비」는 쌀곳간에 곡식을 넣어 놓고 내지 않음→시골(⇩鄙비)。「口위」는 경계(境界)。「圍위」와 같음。「圖」는 영토→지도→그림을 그리다。또 영토→영토를 다스리다→일을 꾀하다。

뜻 ①**그림도** ㉠회화。「繪圖회도」 ㉡지도。②**그릴도** 그림을 그림。③**꾀할도** ㉠계책을 세움。「圖謀도모」 ㉡또 꾀하여 얻음。도모(圖謀)하여 취득함。④**헤아릴도** 사고함。⑤**다스릴도** 죄를 다스림。⑥**하도도** 복희씨

(伏羲氏) 때 황하(黃河)에서 나왔다는 팔괘(八卦)의 그림。「圖緯도위」

주의 ①「図」는 약자(略字)。②「圖」는 속자(俗字)。

【圖面 도면】 토목·건축(建築)·임야(林野) 등을 제도기로써 그린 그림。

【圖謀 도모】 일을 이루려고 꾀함。

【圖生 도생】 살기를 꾀함。

【圖書 도서】 ①하도낙서(河圖洛書)의 준말。②그림과 책。또 지도와 책。③책。서적。「그 책。

【圖說 도설】 그림을 넣어 설명함。또

【圖示 도시】 그림으로 그려 보임。

【圖式 도식】 ①그림으로 그린 양식。②그림의 형식。

【圖解 도해】 ①그림의 내용의 설명(說明)。②그림으로 풀어 놓은 설명。문자(文字)의 설명 속에 그림을 끼워 그 부족한 것을 보조한 풀이。

【圖形 도형】 그린 형상(形狀)。또 형상을 그림。

【圖畫 도화】 그림。또 그림을 그림。

【圖畫 도획】 계획。또 계획을 함。

◉構圖구도 企圖기도 設計圖설계도 略圖약도 意圖의도 地圖지도 地形圖지형도 天氣圖천기도 版圖판도 海圖해도

14 【圖】 口 11 圖(앞 글자)의 속자(俗字)。

14 【團】 口 11 고교 단 | 둥글 | ㊀寒

冂 冂 冃 冃 冃 冃 團

자원 형성 口 專음 ┤團 (口부)

음을 나타내는 「專전」(단은 변음)은 직물(織物)에 쓰는 오지로된 실패。그 모양은 둥글게 뭉친 것이므로 「專=專」에는 오로지란 뜻이 있음。「口위」는 에우다는 뜻이며 본디는 ○모양으로 쓴 것。「團」은 둥글게 뭉치다→둥근 모양。

뜻 ①둥글단 「團圓단원」 ②모일단 한 곳으로 옴。또 엉겨 굳어짐。③모을단 한데 합침。④모임단 ㉠단체。「軍團군단」「財團재단」 ㉡또 둥글게 뭉친 것。「團子단자」

【團結 단결】 여러 사람이 서로 결합(結合)함。또 여러 사람을 단체로 결합시킴。

【團欒* 단란】 친밀(親密)하게 한 곳에서 즐김。또 그 모임。

【團束 단속】 잡도리를 단단히 함。

【團圓 단원】 ①둥긂。둥근 모양。②끝。주로 소설·사건 등의 완결을 이름。③단란(團欒)。

【團合 단합】 단결(團結)。

◉軍團군단 兵團병단 師團사단 旅團여단 一團일단 海兵團해병단

土部

3 【土】 부수 중학 ㊀토 ㊁두 | 흙 | ㊀㊤麌 ㊁㊥虞

一 十 土

자원 지사 (A) (B) 3000년전

「土토」는 흙을 수북이 쌓거나、그것에 나무를 심거나 하는 모양으로서、

토지의 신의 신체(神體)를 나타냄。나중에 이것을「社사」로 쓰고、「土」는 토지→흙의 뜻이 되었음。

뜻 一①흙토 ㉠토양。「土沙토사」㉡오행(五行)의 하나。「水火木金土수화목금토」㉢토제의 악기。팔음(八音)의 하나。②땅토 ㉠육지。㉡나라。㉢영토。㉣장소。곳。㉤고향。③살토 거주함。④잴토 측량함。⑤토성토 별 이름。二뿌리두 초목의 뿌리。杜(木部三畫)와 같은 글자。

주의「士사」〈선비〉는 딴글자。

참고「土」를 음으로 하는 글자=「吐토」〈토하다·뱉다〉·「杜두」〈팥배나무〉·「肚두」〈배〉·「徒도」〈걸어다니다〉·「社사」〈땅귀신〉

【土工 토공】①도공(陶工)。옹기장(甕器匠)。②토지(土地)의 공사(工事)。

【土管 토관】흙으로 구워 만든 관。배수로(排水路)에나 굴뚝에 흔히 씀。

【土塊 토괴】흙덩이。

【土器 토기】질그릇。

【土農 토농】그 곳에서 붙박이로 살며 농사(農事)를 짓는 사람。토착(土着)의 농민(農民)。

【土壇 토단】흙으로 쌓아서 만든 단。

【土臺 토대】①흙으로 쌓아 올린 대(臺)。②집의 가장 아랫도리가 되는 밑바탕。

【土幕 토막】움집。

【土木 토목】①흙과 나무。전(轉)하여 자연 그대로 두고 수식(修飾)하지 아니함。꾸미지 아니함。②가옥(家屋)·교량(橋梁)·제방(堤防) 등의 공사。토목공사(土木工事)。

【土民 토민】토착의 인민。여러 대(代)를 그 땅에서 붙박이로 사는 백성。

【土班 토반】《韓》여러 대(代)를 벼슬을 하지 못하고 한 지방에서 붙박이로 사는 지체가 낮은 양반(兩班)。향족(鄕族)。

【土壁 토벽】흙 벽。

【土崩 토붕】흙이 무너지듯이 일이 잘 안되어 도저히 손 댈 여지가 없음。

【土沙 토사】모래。

【土山 토산】돌이 없고 흙으로만 된 작은 산(山)。

【土産 토산】그 토지의 산물。전(轉)하여 선물。

【土色 토색】파랗게 질린 안색。

【土城 토성】①흙으로 쌓아 올린 성。②개자리 뒤에 흙을 쌓아 화살을 막는 곳。무겁。

【土俗 토속】그 지방(地方)의 특유(特有)한 풍속(風俗)。

【土壤 토양】①흙。토지(土地)。②국토(國土)。

【土語 토어】그 땅의 토인(土人)이 쓰는 말。그 지방의 고유(固有)한 언어(言語)。방언(方言)。

【土屋 토옥】토담집。

【土浴 토욕】①닭이 흙을 파서 헤치고 들어앉아서 버르적거림。②말이 땅에 뒹굴어 몸을 비빔。

【土雨 토우】바람에 날려 떨어지는 가벼운 모래 흙。흙비。

【土偶 토우】흙으로 만든 인형(人形)。

【土人 토인】①그 지방 사람。②대대(代代)로 그 땅에서 붙박이로 사는 사람。③흙으로 만든 인형(人形)。토우(土偶)。

【土葬 토장】죽은 사람을 땅속에 묻어 장사 지냄。

【土族 토족】토반(土班)의 족속。

【土地 토지】땅。지면(地面)。

【土疾 토질】 그 곳의 수토(水土)가 좋지 않아서 생기는 병(病)。
【土質 토질】 토지의 성질(性質)。
【土着 토착】 대대로 그 땅에서 살고 있음。또 그 인민。토착민(土着民)。
【土炭 토탄】 석탄의 한 종류。연대(年代)가 오래지 아니하여 탄화작용(炭化作用)이 완전히 못된 것。
【土豪 토호】 지방의 호족(豪族)。
◉疆土강토 故土고토 國土국토 樂土낙토 本土본토 沃土옥토 赤土적토 田土전토 淨土정토 尺土척토 草土초토 風土풍토 鄕土향토 黃土황토

二 畫

5 【圧】 2 壓(土部十四畫)의 약자(略字)。

【去】 ⇩厶部三畫

三 畫

6 【圭】 3 土 규 | 홀 | ㊥齊

자원 회의 土土 丅 圭(土부)

「土토」〈흙·땅〉를 두 개 포개어 이룬 글자。음을 빌어、천자(天子)가 제후(諸侯)를 봉(封)할 때 약속의 표(⇩契계)로 주는 위가 둥글뾰족하고 아래가 모진 옥(玉)의 이름으로 쓰이었음。또、제후는 천자가 내려준 땅(土)을 재어서(⇩土) 다스리므로 「土」를 두 개 겹침。

뜻 ①**홀규** 고대에 제후(諸侯)가 조회(朝會)·회동(會同)할 때 손에 갖는 위가 둥글고 아래가 모진 길쭉한 옥(玉)。천자가 제후를 봉(封)할 때 줌。②**용량단위규** ㉠기장알 육십 사 개의 용량。「圭勺규작」。㉡전(轉)하여 소량(少量)의 뜻으로 쓰임。③**모규** 모서리。

참고 「圭」를 음으로 하는 글자=「奎규」〈별이름〉·「挂괘·계」〈걸다〉·「恚에」〈성내다〉·「桂계」〈계수나무〉·「畦휴」〈두둑〉·「罣괘」〈거리끼다〉·「閨규」〈협문〉·「鮭규」〈연어〉·「佳가」〈아름답다〉·「卦괘」〈점괘〉·「街가」〈거리〉·「厓애」〈언덕〉·「崖애」〈낭떠러지〉·「蛙와」〈개구리〉·「娃왜·와」〈예쁘다〉

【圭角 규각】 ①홀의 모진 데。모서리。②언어(言語)·행동(行動)이 모져서 남과 서로 맞지 아니함。
◉刀圭도규 三復白圭삼복백규 土圭토규

6 【地】 3 土 중학 지 | 땅 | ㊤寘

一 十 土 圵 圴 地

地 2000년전

자원 형성 土 它(음)—也 丅 地(土부)

음을 나타내는 「它사」(지는 변음)는 뱀。여기서는 평평하게 넓어짐을 나타냄。「也야」는 「它」의 변체(變體)。「土토」는 땅。「地」는 평평하게 넓어져 있는 땅。옛날엔 하늘은 둥글고 땅은 평평하다고 생각했음。

뜻 ①**땅지** ㉠토양(土壤)。「土地토지」 ㉡국토(國土)。㉢논밭。㉣곳。장소。㉤거소。입장。㉥뭍。육지。㉦땅의 신(神)。지기(地祇)。②**지위지** 신분。③**다만지** 但(人部五畫)과 뜻이 같음。④**어조사지** 무의미한 조사(助辭)。「一頭地일두지」

【地價 지가】 땅값。

【地境 지경】땅의 경계(境界)。

【地階 지계】①고층건물(高層建物)의 제일계(第一階)。②지하실(地下室)。

【地久 지구】땅이 영원(永遠)히 변하지 아니함。

【地金 지금】제품(製品)을 하지 아니한 황금(黃金)。

【地代 지대】땅을 이용(利用)한 값으로 지주(地主)에게 내는 돈、또는 현물(現物)。

【地帶 지대】자연이나 인위(人爲)로 한정(限定)된 땅의 구역의 안。

【地圖 지도】지구(地球)의 현세를 그린 그림。

【地動 지동】①지진(地震)。②지구(地球)의 운동(運動)。곧 공전(公轉)과 자전(自轉)의 총칭(總稱)。

【地力 지력】토지의 생산력。

【地雷 지뢰】적을 살상하거나 건물을 파괴할 목적으로 땅속에 묻는 폭약。

【地利 지리】①요해처(要害處)로 된 지세(地勢)。②토지의 생산(生産)으로 얻는 이익(利益)。

【地理 지리】①땅의 고저(高低)·광협(廣狹)의 상태。②지구상(地球上)의 산천과 해륙(海陸)의 위치 및 형상·기후(氣候)·생물(生物)·인구·물산(物産) 등에 관한 사항。

【地利不如人和 지리불여인화】지형상(地形上) 유리한 산천(山川)의 요해(要害)도 인심(人心)이 일치한 것만 같지 못함。

【地脈 지맥】땅의 맥락(脈絡)。

【地目 지목】땅을 구별하는 명목(名目)。곧 논·밭·집터 따위。

【地物 지물】입목(立木)·암석 등、병사(兵士)의 방패(防牌)가 되는 물건。

【地盤 지반】①지각(地殼)。②근거(根據)가 되는 땅바닥。근거지。또는 사물의 근거를 삼는 자리。토대。

【地方色 지방색】그 지방(地方)에 있는 특별(特別)한 정취(情趣)。

【地變 지변】지상(地上)에서 일어나는 괴변(怪變)。지이(地異)。

【地上權 지상권】남의 소유지(所有地)를 사용(使用)할 수 있는 권리。

【地稅 지세】토지(土地)에 대한 조세(租稅)。

【地勢 지세】①토지(土地)의 산물(產物)을 산출(產出)하는 힘。②땅의 생긴 형세(形勢)。

【地神 지신】땅을 맡은 신령(神靈)。

【地心 지심】지구의 중심、또는 내부。

【地域 지역】①땅의 경계。②일정(一定)한 구역(區域) 안의 토지(土地)。

【地熱 지열】땅덩이가 가지고 있는 열(熱)。

【地獄 지옥】《佛敎》생전의 죄에 의하여 사후 가책(苛責)을 받는 곳。

【地位 지위】①있는 곳。거처(居處)。②신분(身分)。③입장(立場)。

【地異 지이】땅 위에 일어나는 이변(異變)。지변(地變)。

【地積 지적】토지(土地)의 면적。

【地籍 지적】토지에 대한 온갖 사항을 적은 기록。

【地點 지점】어디라고 지정(指定)한 땅의 한 곳。

【地主 지주】토지의 소유자。

【地中 지중】①땅 속。②광중(壙中)。

【地支 지지】육십 갑자(六十甲子)의 아랫 단위를 이루는 요소。곧 자(子)·축(丑)·인(寅)·묘(卯)·진(辰)·사(巳)·오(午)·미(未)·신(申)·유

(酉)·술(戌)·해(亥)。

【地誌 지지】 지리(地理)의 기록。

【地震* 지진】 지각(地殼)의 겉이 움직이어 흔들리는 현상(現象)。

【地質 지질】 토지의 성질。 곧 지층의 상태·토리(土理)의 호불호 등。

【地層 지층】 지면(地面)에서 물·빙설(氷雪)·바람 등의 작용으로 운반·침적(沈積)된 암석·토사(土沙) 등의 켜。

【地平線 지평선】 지평면(地平面)과 천공(天空)이 서로 맞닿은 것같이 보이는 선(線)。

【地下 지하】 ①지면(地面)의 아래。 땅밑。 ②구천(九泉)。 저승。

【地下線 지하선】 ①땅 속으로 묻은 전선(電線)。 ②지하 철도의 선로。

【地下鐵道 지하철도】 땅 밑을 파고 궤도(軌道)를 만든 철도(鐵道)。

【地峽* 지협】 두 대륙(大陸)을 연결하는 좁은 육지。

【地形 지형】 땅의 생긴 형상(形狀)。 토지의 형세。

◉居留地거류지 驚天動地경천동지 空地공지 官有地관유지 國有地국유지 窮地궁지 根據地근거지 基地기지 內地내지 綠地녹지 大地대지 墓地묘지 無人地무인지 僻地벽지 別天地별천지 盆地분지 不毛地불모지 私有地사유지 死地사지 所有地소유지 植民地식민지 實地실지 餘地여지 外地외지 要地요지 陸地육지 立地입지 敵地적지 戰地전지 租借地조차지 震源地진원지 天地천지 宅地택지 土地토지 平地평지

6 【在】 土 3 중학 재 — 있을 — 去隊 上賄

一 ナ 𠂇 𡉀 在 在

자원 형성 土+才음 → 在(土부)

3000년 전 2500년 전

옛날엔 「才재」라 쓰다가 나중에 「土토」를 덧붙여 「在」는 흙으로 막아서 그치게 하다→멈추어 있다→살아 있다→존재하다의 뜻이 됨。

뜻 ①있을재 ㉠지위·장소 같은 것을 차지함。「在職재직」 ㉡살아 있음。「在世재세」 ㉢단정하는 말。 ②찾을재 존문(存問)함。 ③살필재 명찰함。 ④곳재 장소。 또 지경。「行在행재」

【在家 재가】 ①집에 있음。 ②《佛敎》 집에 있어서 중처럼 도(道)를 닦음。 또 그 사람。 출가(出家)의 대(對)。

【在監 재감】 감옥에 갇히어 있음。

【在京 재경】 서울에 있음。

【在庫品 재고품】 곳간에 쌓여 있는 물품。

【在來種 재래종】 전부터 있어 내려온 종자(種子)。 개량종(改良種)의 대。

【在留 재류】 딴 곳에 가 머물러 있음。

【在昔 재석】 옛날。 옛적。

【在世 재세】 세상에 살아 있음。 또 그 동안。

【在俗 재속】 《佛敎》 재가(在家)한 사람。

【在野 재야】 벼슬을 하지 않고 민간에 있음。 재조(在朝)의 대(對)。

【在外 재외】 외국(外國)에 가 있음。

【在位 재위】 임금의 자리에 있음。 또 그 동안。

【在籍 재적】 호적(戶籍) 또는 학적(學籍)에 적혀 있음。

【在住 재주】 그 곳에 머물러 삶。

【在中 재중】 속에 들어 있음。

【在職 재직】 어느 직장에 직업을 두고 있음。

【在下者 재하자】 웃어른을 섬기는 사람。

【在學 재학】 학교에 있어서 공부함。

◉ 介在개재 健在건재 不在부재 散在산재 所在소재 實在실재 自由自在자유자재 存在존재 滯在체재 偏在편재 現在현재

【寺】 ⇩寸部三畫

四畫

7 【址】 土 4 지 — 터 — ㊤紙

자원 형성 土止음 → 址(土부)

「土흙토변」과、 음을 나타내며 동시(同時)에 기초、 토대의 뜻(⇩基기)을 가지는 「止지」로 이루어짐。 토대(土臺)、 주춧돌의 뜻。

뜻 **터지** 阯(阜部四畫)와 같은 글자。 「城址성지」

◉ 故址고지 舊址구지 遺址유지 廢址폐지

7 【均】 土 4 중학 ㊀균 ㊁연 ㊂운 — 평평할 — ㊀㊥眞 ㊁㊥先 ㊂㊦問

一 十 土 圴 均 均 均

자원 형성 二勹土 匀음 → 均(土부)

음을 나타내는 「匀균」의 옛체는 「旬순」의 생략체 「勹」과 「二이」를 합친 것。 「旬」은 열흘↓고루 퍼지다。 「二」는 가지런하다。 「均」은 땅을 평평하게 고르다↓고르게 하다↓할당하다。

뜻 ㊀①**평평할균** ㉠편편함。 고저가 없음。 「平均평균」 ㉡전하여 평등。 공평무사。 ②**고를균** ㉠더하고 덜함이 없음。 「均齊균제」 ㉡조화됨。 ③**고르게할균** 과불급(過不及)이 없게 함。 평등하게 함。 ④**두루균** 모두。 ⑤**녹로균** 도기(陶器)를 만드는 연장。 ⑥**악기이름균** 악음(樂音)을 조절하는 현악기。 ㊁**따를연** 沿(水部五畫)과 같은 글자。 「均河海연하해」 ㊂**운운** 韻(音部十畫)의 옛 글자。

【均等 균등】 고르고 가지런하여 차별이 없음。

【均分 균분】 고르게 나눔。 뜻 같게 나눔。

【均一 균일】 한결같이 고름。

【均霑* 균점】 모든 사람이 이익을 고르게 얻거나 은혜를 고르게 받음。

【均齊 균제】 고르고 가지런함。

【均衡* 균형】 어느 편에 치우쳐서 기울어지지 않고 고름。

◉ 齊均제균 平均평균

7 【坊】 土 4 방 — 동네 — ㊥陽

자원 형성 土方음 → 坊(土부) 2500년전

「土흙토변」과 음을 나타내는 동시에 네모짐을 뜻하는 「方방」으로 이루어짐。 네모지게 구획된 토지(土地)、 마을의 뜻。 또 「房방」과 통하여 거처하는 곳의 뜻으로도 씀。

뜻 ①**동네방** 도읍·동리의 구획。 「教坊교방」 ②**방방** 거처하는 방。 「別坊별방」 ③**전방방** 상점。 ④**절방** 중의 거처。 「僧坊승방」 ⑤**동궁방** 황태자(皇太子)가 거처하는 궁전。 전

(轉)하여 황태자。「春坊춘방」 ⑥마을방 관청。 ⑦둑방 제방。 ⑧막을방 防(阜部四畫)과 통용。

[주의] 「防」은 본래 같은 글자。

【坊坊曲曲 방방곡곡】 여러 곳。도처。

◉客坊객방 京坊경방 教坊교방 宮坊궁방 馬坊마방 僧坊승방 酒坊주방

7 【坑】 4 土 갱 | 구덩이 | [入]庚

[자원] 형성 亢[음]+土 → 坑(土부)

「土흙토변」과 음을 나타내는 동시에 텅 빈 데의 뜻(⇩空공)을 나타내기 위한 「亢갱·항」으로 이루어짐。큰 구덩이의 뜻。

[뜻] ①구덩이갱 「坑塹갱참」 ②구덩이에묻을갱 「坑殺갱살」

[주의] ①「阬」은 같은 글자。 ②「抗항」〈막다〉은 딴글자。

【坑口 갱구】 갱도(坑道)의 입구。

【坑內 갱내】 광산의 구덩이의 안。

【坑道 갱도】 광산의 갱내(坑內)에 통한 길。

【坑夫 갱부】 광산에서 채굴 작업에 「종사하는 사람。

◉鋼坑강갱 鑛坑광갱 金坑금갱 銅坑동갱 焚坑분갱 溫坑온갱 銀坑은갱 炭坑탄갱

7 【坐】 4 土 [중학] 좌 | 앉을 | [去]箇 [上]哿

丿 人 人丿 从 坐 坐 坐

[자원] 회의 从+土 → 坐(土부)

3000년전

머무는 곳을 뜻하는 「土토」와 마주앉은 사람을 나타내는 「从종」으로 이루어짐。사람이 마주보고 멈춘다는 뜻。전(轉)하여 그냥 앉아 있다。또 앉은 채로 있다의 뜻으로 됨。

[뜻] ①앉을좌 ㉠「行행」의 대(對)。「坐臥좌와」 ㉡앉아서。아무것도 하지 않고。「坐視좌시」 ②무릎꿇을좌 무릎을 꿇고 앉음。 ③지킬좌 수호함。 ④죄입을좌 죄를 받음。「坐罪좌죄」 ⑤연루좌 남의 죄에 걸려듦。「連坐연좌」 ⑥대질할좌 대질 심문함。무릎맞춤함。 ⑦자리좌 座(广部七畫)와 통용。「坐次좌차」

[주의] ①「坐」와 「座좌」는 본래 같은 글자。지금은 「座」는 명사(名詞)에、「坐」는 동사(動詞)에 쓰임。 ②「坐」는 속자(俗字)。

[참고] 「坐」를 음으로 하는 글자＝「座」〈자리〉·「挫좌」〈꺾다〉·「脞좌」〈잘다〉

【坐不安席 좌불안석】 불안·근심으로 또는 초조하여 한 군데에 오래 앉아 있지를 못함。

【坐像 좌상】 앉아 있는 형상(形像)。

【坐席 좌석】 ①앉은 자리。 ②깔고 앉는 물건의 총칭。

【坐禪 좌선】 《佛教》 고요히 앉아서 「참선함。

【坐視 좌시】 참견하지 않고 앉아서 보기만 함。수수방관(袖手傍觀)함。

【坐食 좌식】 일을 하지 않고 놀고 먹음。도식(徒食)。와식(臥食)。

【坐藥 좌약】 요도(尿道)·분문(糞門) 등에 꽂아 넣는 약(藥)。

【坐臥 좌와】 앉음과 누움。

【坐右 좌우】 ①좌석(坐席)의 오른쪽。 ②그 사람을 직접 가리키는 것을 꺼리어 일컫는 높임말。

【坐位 좌위】 좌석(坐席)의 순서。앉는 자리。석차(席次)。

【坐定 좌정】 앉음。

【坐罪 좌죄】 죄(罪)를 받음。

【坐次 좌차】 좌석의 차례。

【坐向 좌향】 묏자리나 집터 같은 것의 위치(位置)의 등진 방위에서 정면(正面)으로 바라보이는 방향。

◉端坐단좌 對坐대좌 末坐말좌 上坐상좌 禪坐선좌 安坐안좌 連坐연좌 閑坐한좌

五畫

8 **【坤】** 土 5 중학 곤 | 땅 | ㊅元

一 十 土 圵 坧 坰 坤 坤 (2500년전)

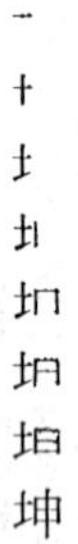

자원 형성 土 申음 ㄱ 坤 (土부)

「土흙토변」과 음을 나타내는 동시에 늘리다의 뜻을 가진 「申신」(곤은 변음)으로 이루어짐。 생물(生物)을 생장(生長)시키는 대지(大地)의 뜻。

뜻 ①**땅곤** 대지。 「乾건」의 대(對)。 「乾坤건곤」 ②**곤괘곤** 팔괘(八卦)의 하나。 곤 ☷。 순음(純陰)의 괘로 땅의 상징이며 방위로는 서남。 또 육십사괘(六十四卦)의 하나。 곤 ☷☷(곤하(坤下)、 곤상(坤上))。 유순함용(柔順含容)의 상(象)。 ③**황후곤** 황제의 아내。 또 그 지위。

주의 「押압」〈누루다〉·「抽추」〈뽑다〉는 딴 글자。

【坤元 곤원】 대지(大地)。 땅의 덕(德)。

【坤殿* 곤전】 왕비(王妃)。

◉乾坤건곤 握乾統坤악건통곤

8 **【坪】** 土 5 평 | 벌 | ㊅庚 (2500년전)

자원 형성 土 平음 ㄱ 坪 (土부)

「土흙토변」과、 음을 나타내는 동시에 평탄하다의 뜻인 「平평」으로 이루어짐。 평탄한 땅→들판의 뜻。

뜻 ①**벌평、 들평** 평탄한 땅。 ②**평평**《韓》 현재 우리 나라 및 일본(日本)에서 육척(六尺) 사방의 토지 면적 단위로 쓰임。

◉建坪건평

8 **【垂】** 土 5 수 | 늘어질 | ㊤支 (2500년전)

자원 형성 土 𠂹음 ㄱ 垂 (土부)

「土토」〈흙〉에 음을 나타내는 동시에 초목의 꽃이나 잎이 늘어진 모양을 본뜬 「𠂹수」로 이루어짐。 본디 「𠂹」가 「垂」의 옛 글자였으며、 거기에 「土」를 더하여 만들어진 「垂」는 나라의 변두리의 뜻이었으나、 「𠂹」가 일찌기 안 쓰이게 되자、 「垂」가 늘어지다의 뜻의 전용으로 되고、 나라의 변두리의 뜻으로는 「陲수」가 만들어졌음。

뜻 ①**늘어질수** 축 늘어짐。 「下垂하수」 ②**드리울수** ㉠늘임。 아래로 처지게 함。 「垂簾수렴」 ㉡교훈을 함。 「垂示수시」 「垂敎수교」 ㉢후세에 전함。 ③**가수** ㉠변두리。 가장자리。 ㉡당(堂) 위의 섬돌에 가까운 가장자리。 또 그 곳에 있음。 ④**변방수** 변경。 ⑤**거의수** 거의 됨。 「垂老수로」

참고 「垂수」를 음으로 하는 글자=「捶추」〈채찍질하다〉·「棰추」〈회초리〉·「箠추」〈채찍〉·「陲수」〈변방〉·「睡수」〈졸다〉·「錘추」〈저울추〉·「唾타」〈침〉

【垂簾 수렴】 ①발을 드리움。 또 드리

운 발。 ②수렴청정(垂簾聽政)。

【垂簾聽政 수렴청정】 신하(臣下)와 직면(直面)하는 것을 꺼리어 발을 드리우고 정사(政事)를 들음。 곧 황태후(皇太后) 등이 어린 임금을 대신하여 정사를 봄。

【垂老 수로】 거의 노인이 됨。 일설(一說)에는 칠십에 가까운 노인。

【垂露 수로】 ①뚝뚝 떨어지는 이슬。 ②서법(書法)에서 세로 내리긋는 획의 끝을 삐치지 않고 붓을 눌러 멈추는 법。

【垂柳 수류】 수양(垂楊)。

【垂範 수범】 모든 사람의 모범이 되게 함。

【垂氷 수빙】 고드름。

【垂絲柳 수사류】 능수버들。

【垂線 수선】 어느 직선 또는 평면에 수직(垂直)으로 마주치는 선。

【垂楊 수양】 버드나무의 일종。 가지가 아래로 길게 늘어짐。 수양버들。

【垂直 수직】 직선(直線)과 직선(直線)이 닿아 직각(直角)을 이룬 상태。

【垂訓 수훈】 후세(後世)에 전(傳)하는 교훈(敎訓)。

◉下垂하수 懸垂현수

8 【垈】 土 5 대 [韓] | 터

[자원] 형성 土+代[음]→垈(土부)

땅의 뜻인 「土토」와 음을 나타내는 「代대」로 이루어지며, 집터의 뜻。

[뜻] 《韓》 **터대** 집터。 「垈地대지」

◉家垈가대

【垈地 대지】 집터로서의 땅。

【幸】 ⇩干部五畫

六畫

9 【型】 土 6 **형** | 거푸집 | [平]青

[자원] 형성 刑[음]+土→型(土부)

「土토」〈흙〉와, 음을 나타내는  2500년전  동시(同時)에 모양·형태(形態)의 뜻(⇩形형)을 가지는 「刑형」으로 이루어짐。 흙으로 만든 거푸집。 전(轉)하여 틀의 뜻。

[뜻] ①**거푸집형** 부어서 만드는 물건의 모형。 ②**본보기형** 의범(儀範)。

◉模型모형 木型목형 原型원형 類型유형 儀型의형 典型전형 鑄型주형 紙型지형

七畫

10 【埋】 土 7 [고교] 매 | 묻을 | [平]佳

一 十 土 圵 坦 坦 坦 埋

[자원] 형성 土+里[음]→埋(土부)

「土흙토변」과 음을 나타내는 동시에 다스리다의 뜻(⇩釐리)을 가진 「里리」(매는 변음)로 이루어짐。 흙속에 묻히다, 묻다의 뜻。

[뜻] ①**묻을매** ㉠파묻음。 「埋葬매장」 ㉡박장(薄葬)함。 ②**묻힐매** 앞의 뜻의 피동사。 ③**감출매** 숨음。 숨김。

【埋沒 매몰】 파묻음。 또 파묻힘。

【埋伏 매복】 ①몰래 숨음。 또 몰래 숨김。 ②복병(伏兵)을 둠。

【埋葬 매장】 ①시체를 땅 속에 묻어 장사(葬事)를 지냄。 ②못된 사람을

사회(社會)에 용납(容納)하지 못하게 함。

【埋藏 매장】묻어 감춤。땅 속에 묻어 「둠。

【埋築 매축】물 있는 데를 메워서 땅을 만드는 일。

◉暗埋암매

10 【城】 土 7 중학 성 | 재 | ㊥庚

土 圵 圻 垃 城 城

자원 형성 成음 土┬城(土부)

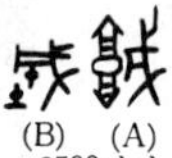

(A) (B) 2500년전

음을 나타내는「成성」은 이루어지다。또「盛성」〈수북하게 담다〉이나「整정」〈일치하다、정리되다〉따위와 뜻이 통함。「城」은 흙을 높이 쌓아 방벽(防壁)을 지어 인민(人民)을 지키다의 뜻。중국에서는 동네 전체를 성벽으로 에워싸기 때문에 동네를「城市성시」라 함。「北京城북경성」하면「北京市」를 가리킴。옛모양 (A)는「郭곽」〈성벽〉과「城성」(B)는「土토」와「成」을 합한 모양。

뜻 ①재성 ㉠성。내성(內城)。「城郭성곽」 ㉡또 주위에 성을 쌓은 도읍。성읍(城邑)。또 나라。 ②성쌓을성 축성(築城)함。

【城郭 성곽】성(城)。성(城)은 내성(內城)이요、곽(郭)은 외성(外城)。

【城內 성내】성 안。성중(城中)。

【城樓 성루】성 위의 누각(樓閣)。

【城門 성문】성의 문(門)。

【城壁 성벽】성(城)의 담벼락。

【城上 성상】성(城) 위。

【城戍* 성수】성의 수비(守備)。

【城守 성수】성 안에 들어박혀 지킴。

【城外 성외】성문(城門)의 밖。

【城邑 성읍】성으로 둘러싸인 읍(邑)。

【城主 성주】성을 지키는 주장(主將)。

【城中 성중】성(城) 안。

【城址* 성지】성이 있던 빈터。성터。

【城下 성하】①성(城) 아래。②성(城) 부근(附近)의 땅。

【城下之盟 성하지맹】적군이 성 밑까지 쳐들어와서 항복하고 체결하는 맹약。대단히 굴욕적인 강화(講和)。

【城隍堂* 성황당】성(城)을 지키는 혼신(魂神)을 모신 집。

◉干城간성 傾城경성 古城고성 宮城궁성 落城낙성 籠城농성 都城도성 萬里長城만리장성 不夜城불야성 牙城아성 王城왕성 外城외성 築城축성 皇城황성

10 【垂】 土 7 垂(土部五畫)의 속자(俗字)。

八畫

11 【執】 土 8 중학 집 | 잡을 | ㊤緝

一 十 土 圭 幸 幸 執 執 執

자원 형성 丸 㚔음-幸┬執(土부)

2500년전

음을 나타내는 동시에 죄인의 뜻을 가진「㚔전」(집은 변음)과、손을 뻗어 잡는다는 뜻의「丸환」으로 이루어짐。죄인을 잡다의 뜻。전(轉)하여 널리 잡다의 뜻。

뜻 ①잡을집 ㉠손으로 쥠。「執筆집필」 ㉡꼭 쥐고 놓지 않음。지킴。보존함。「執義집의」 ㉢체포함。「拘執구집」 ㉣잡아 맴。 ㉤권세 따위를

차지함。 주장(主掌)함。 맡음。 「執政집정」 ②**막을집** 틀어막음。 ③**벗집** 동지。 친구。 「父執부집」 ④**두려워할집** 慹(心部十一畫)과 통용。

【執權 집권】 정사(政事)를 행하는 실권(實權)을 잡음。

【執刀 집도】 칼을 쥠。

【執務 집무】 사무(事務)를 봄。

【執事 집사】 ①사무를 봄。 또 그 사람。 ②귀인(貴人)을 모시고 그 집안 살림을 맡은 사람。 ③귀인(貴人)을 직접·지칭하기가 황송하여 그의 옆에 모시고 있는 집사에게라는 뜻으로 편지에서 귀인의 성명 밑에 쓰는 말。

【執喪 집상】 부모(父母)의 상사(喪事)에 있어서 예절(禮節)을 지킴。

【執拗* 집요】 ①자기의 의견을 우겨대는 고집(固執)이 매우 셈。 ②추근추근하게 끈질김。

【執牛耳 집우이】 동맹(同盟)의 주도권(主導權)을 잡음。 또는 단체(團體) 따위에서 지배적 위치에 있음。 춘추전국시대(春秋戰國時代)에 제후(諸侯)들이 맹약(盟約)을 맺을 때 맹주(盟主)가 소의 귀를 쥐고 베어 그 피를 마시고 서약한 고사(故事)에 의함。

【執政 집정】 나라의 정권(政權)을 잡「음。 또 그 사람。

【執着 집착】 《佛敎》 마음이 한 곳에 달라붙어 떨어지지 아니함。 마음이 늘 그리로 쏠리어 잊혀지지 아니함。

【執筆 집필】 붓을 쥐고 글 또는 글씨를 씀。

【執行 집행】 ①실제(實際)로 일을 잡아서 행(行)함。 실행함。 ②강제집행(強制執行)의 준말。

◉固執고집 拘執구집 禁執금집 確執확집

11 **【域】** 土 8 고교 **역** | 지경 | ㉧職

자원 형성 土或음 ㅜ域(土부)

뜻을 나타내는 「土토」와、음을 나타내며 동시(同時)에 나라의 뜻을 가지는 「或혹」(역은 변음)으로 이루어짐。 토지(土地)의 넓이、지경(地境)을 뜻함。

뜻 ①**지경역** ㉠토지의 경계。 「區域구역」 ㉡사물의 경계。 범위。 ②**땅가장자리역** 땅의 끝。 극지(極地)。 ③**나라역** 국가。 「西域서역」 ④**곳역** 장소。 ⑤**경계지을역** 경계를 설정함。

【域外 역외】 ①구역(區域) 밖。 ②범위(範圍) 밖。 ③외국(外國)。

【域中 역중】 구역의 안。 세계。 우내(宇內)。

◉疆域강역 區域구역 西域서역 聖域성역 領域영역 靈域영역 流域유역 異域이역

11 **【埠】** 土 8 **부**(보㊍) | 부두 | ㊤遇

자원 형성 土阜음 ㅜ埠(土부)

「土흙토변」과、음을 나타내는 동시에 언덕을 뜻하는 「阜부」로 이루어짐。 수북이 쌓아올린 흙、무덤의 뜻。 또 「부」의 음을 빌어 배가 닿다의 뜻(⇩附부)을 나타내며、배가 닿는 부두의 뜻으로 씀。

뜻 **부두부** 배 닿는 곳。 선창。 「埠

頭부두」 ※본음(本音) 보

【埠頭 부두】 배를 대기 위하여 육지에서 바다로 돌을 쌓아 만든 방죽。

11 【培】 8 土 고교 ㊀배 ― 북돋울 ― ㊀㊥灰 ㊁부 ― ㊁㊤有

一 十 土 圵 圹 圹 坫 培 培 培

자원 형성 土 ＋ 咅음 → 培(土부) [고문자] 2500년전

「土흙토변」과 음을 나타내는 동시에 덧붙이다의 뜻(⇩付부)을 나타내기 위한 「咅부」로 이루어짐。 초목(草木)의 뿌리를 흙으로 싸서 가꾸는 일이 전(轉)하여 초목을 북돋우어 기르다의 뜻。

뜻 ㊀**북돋울배** ㉠초목의 뿌리를 흙으로 싸서 가꿈。「栽培재배」 ㉡봉분(封墳)함。 ㉢양성함。「培材배재」 ㊁**언덕부** 작은 언덕。

【培植 배식】 ①초목을 북돋우어 심음。 ②인재를 양성함。

【培養 배양】 ①초목을 북돋우어 기름。 전하여 ②사물을 발달시킴。

◉栽培재배

11 【堆】 8 土 퇴 ― 흙무더기 ― ㊥灰

자원 형성 土 ＋ 隹음 → 堆(土부)

「土흙토변」과, 음을 나타내며 밀어내다의 뜻(⇩推추)을 가지는 「隹추」(퇴는 변음)로 이루어짐。 흙이 조금 높게 된 곳의 뜻。

뜻 ①**흙무더기퇴** 흙더미。 ②**쌓을퇴, 쌓일퇴** 높이 쌓임。 또 쌓음。「堆積퇴적」 ③**놓을퇴** 하던 것을 그만둠。

주의 「推추」〈밀다〉는 딴 글자。

【堆金積玉 퇴금적옥】 금과 옥을 높이 쌓음。 부유(富有)한 일。

【堆肥 퇴비】 북데기를 쌓아 썩힌 거름。

【堆積 퇴적】 많이 쌓임。

11 【基】 8 土 중학 기 ― 터 ― ㊥支

一 卄 廾 甘 甘 其 其 其 基 基

자원 형성 土 ＋ 其음 → 基(土부) [고문자] 〔其〕 2500년전

음을 나타내는 「其기」는 벼를 까부르는 「키」의 모양과 그것을 놓는 대(臺)의 모양을 합한 자형(字形)。 나중에 「其」는 가리켜 보이는 말의 「그」의 뜻으로 쓰여지고 「키」의 뜻으로는 「箕기」를 따로 만듦。 「基」는 흙(土)으로 구획을 짓다↓ 토담을 쌓는 토대(土臺)의 뜻이 됨。

뜻 ①**터기** 토대。 터전。「基礎기초」 ②**근본기** ㉠기본。「國基국기」 ㉡의지。 의거。 ③**업기** 사업。 ④**수사의 하나기** 탑(塔)·비(碑)를 세는 수사(數詞)。 ⑤**기인할기** 기본의 원인이 됨。 ⑥**자리잡을기** 터전을 잡음。

【基幹 기간】 근본이 되는 줄거리。 본바탕이 되는 줄기。

【基金 기금】 기본금(基本金)。

【基督 기독】 그리스도。

【基盤 기반】 기초가 되는 지반(地盤)。

【基本 기본】 사물(事物)의 근본。

【基部 기부】 기초가 되는 부분。

【基數 기수】 하나에서 열까지의 수。

【基源 기원】 근원(根源)。

【基因 기인】 기초가 되는 원인。

【基點 기점】 기본(基本)이 되는 점。

【基準 기준】 기본이 되는 표준。

【基地 기지】 터전。

【基礎 기초】 ①주춧돌。②사물(事物)의 근본。

◉國基국기 根基근기 元基원기 創基창기

11【堂】土 8 중학 당 | 집 | 去陽

丨 ⺌ 尚 尚 尚 堂 堂

자원 형성 土 尙음 ┬ 堂(土부)

음을 나타내는「尙상」(당은 변음)은「上상」과 마찬가지로 높은 곳→위의 뜻。「土토」는 흙。「堂」은 흙을 높이 쌓아올린 위에 세운 네모난 건물이며 공적인 일을 하는 곳。나중에「殿전」이라 일컫게 됨。또 큰 건물의 앞쪽의 봉당으로 되어 있는 곳으로서 의식(儀式) 따위를 거행하는 곳→대청。「堂」의 안쪽에 방이 있었음。

뜻 ①집당 ㉠주거(住居)。방。㉡관아·사원·집회소 등의 높고 큰 집。「僧堂승당」「殿堂전당」㉢터를 높이 돋아 지은 남향(南向)한 본채。②당당할당 의젓함。③동조친(同祖親)당 조부에서 갈린 일가。「堂伯叔당백숙」「同堂兄弟동당형제」

참고「堂」을 음으로 하는 글자＝「瞠당」〈똑바로 보다〉·「螳당」〈버마재비〉·「鏜당」〈종·북 소리〉

【堂內 당내】《韓》동성(同姓) 동본(同本)의 유복친(有服親)。

【堂堂 당당】①형세가 성대(盛大)한 모양。정돈이 잘된 모양。②의용(儀容)이 훌륭한 모양。③씩씩한 모양。④뛰어난 모양。⑤숨김 없는 모양。공명 정대한 모양。

【堂伯叔 당백숙】아버지의 종형제(從兄弟)。

【堂上 당상】①당(堂)의 위。②묘당(廟堂)에 올라갈 수 있는 지위。우리 나라에서는 당상정삼품(堂上正三品) 이상의 지위。전(轉)하여 장관(長官)。③부모(父母)。

【堂上官 당상관】《韓》당상정삼품(堂上正三品) 이상의 벼슬。또 그 벼슬아치。

【堂室 당실】바깥채와 안채。전하여 집안。

【堂宇 당우】당(堂)의 처마。또 당(堂)。

【堂姪 당질】《韓》종형제(從兄弟)의 아들。

【堂姪女 당질녀】《韓》종형제의 딸。

【堂兄弟 당형제】사촌 형제。동당형제(同堂兄弟)。

◉講堂강당 公會堂공회당 滿堂만당 明堂명당 廟堂묘당 法堂법당 佛堂불당 書堂서당 食堂식당 天堂천당 學堂학당

11【堅】土 8 중학 견 | 굳을 | 平先

一 ｒ 𦣝 𦣝 臣 臤 臤 堅

자원 형성 臤土 음 ┬ 堅(土부)

堅 2500년전

음을 나타내는「臤간」(견은 변음)은 단단하다는 뜻을 가짐。「堅」은 단단한 흙의 뜻。전하여 널리 단단하다의 뜻。

뜻 ①굳을견 ㉠단단함。「堅固견고」㉡의지가 굳음。㉢변하지 아니함。㉣굳셈。강함。「堅剛견강」②굳어질견 견고하여짐。③굳게견 견고하게。「堅忍견인」④갑주견 갑옷과 투구。

주의 「竪수」〈똑바로 서다〉는 딴 글자。

참고 「堅」을 음으로 하는 글자=「慳간」〈아끼다·인색하다〉·「樫견」〈떡갈나무〉·「鰹견」〈가물치〉

【堅固 견고】 굳음。 튼튼함。

【堅城 견성】 튼튼한 성。 방위가 엄하여 쉽사리 떨어지지 않는 성。

【堅實 견실】 튼튼하고 충실(充實)함。

【堅忍 견인】 굳게 참고 견딤。

【堅忍持久 견인지구】 굳게 참아 오래 ［버팀。

【堅持 견지】 굳게 지님。

◉剛堅강견 強堅강견 中堅중견

九畫

12 【堯】 土 9 요 | 높을 | (平)蕭

자원 형성 兀 垚음 ┬堯(土부)

음을 나타내는 「垚요」는 흙을 수북하게 쌓은 모양。「兀올」도 또한 높고 위가 평평한 모양。 합하여 매우 높음을 뜻함。

뜻 ①**높을요、멀요** 고원(高遠)함。「堯堯요요」 ②**요임금요** 고대 제왕의 이름。「唐堯당요」

참고 「堯」를 음으로 하는 글자=「僥요」〈요행〉·「嶢요」〈높은 산〉·「曉효」〈새벽〉·「翹교」〈꼬리〉·「蟯요」〈요충〉·「驍효」〈굳세다·날래다〉·「撓뇨·효」〈휘다〉·「橈뇨·요」〈노〉·「燒소」〈불사르다〉·「繞요」〈얽히다·감기다〉·「蕘요」〈땔나무〉

【堯舜 요순】 성제(聖帝)인 당요(唐堯)와 우순(虞舜)。 전(轉)하여、성군(聖君)·명군(明君)의 뜻。

12 【報】 土 9 중학 ㊀보 ㊁부 | 갚을 | ㊀(去)號 ㊁(去)遇

土 圭 幸 幸ᄀ 𫞀 報 報

자원 형성 幸 𠬝음 ┬報(土부)

報 2500년전

「㚔행·접」(幸행의 옛글자)은 죄를 짓는 일。「𠬝복」은 사람을 복종시키는 모양。⇩服복。「報」는 죄받다→대답하다。 갚다。

뜻 ㊀①**갚을보** 은혜나 원한을 갚음。「報恩보은」 ②**갚을보** 위의 뜻의 명사。 ③**대답할보** ④**알릴보、여쭐보** 「報告보고」 ⑤**대답보、알림보** ❸및 ❹의 명사。 ⑥**공초받을보** 죄를 심판함。 죄수를 처결함。 ⑦**형보** 처형(處刑)。 ⑧**치붙을보** 아랫사람이 웃사람과 간음함。 ㊁**빨리부** 속히。

【報告 보고】 알리어 바침。

【報國 보국】 나라의 은혜를 갚음。 나라를 위해서 충성을 다함。

【報道 보도】 알려줌。 알림。

【報復 보복】 ①은혜 또는 원수를 갚음。 ②대답함。 ③되돌아옴。

【報償 보상】 ①앙갚음을 함。 ②남에게 빚진 것을 갚아줌。

【報酬* 보수】 ①보답(報答)함。 갚음。 ②근로(勤勞)에 대한 소득(所得)。

【報怨以德 보원이덕】 원한 있는 자에게 은덕(恩德)으로써 갚음。

【報恩 보은】 은혜(恩惠)를 갚음。

【報應 보응】 인과응보(因果應報)。

◉警報경보 果報과보 官報관보 誤報오보 應報응보 諜報첩보 通報통보 凶報흉보

12 【堤】 土 9 고교 제 | 둑 | (平)齊

一 十 士 圽 坦 垾 堤 堤

자원 형성 土是(음)ㅜ堤(土부)

「土흙토변」과、음을 나타내며 동시에 멈추다의 뜻(⇩止지)을 나타내기 위한「是시」(제는 변음)로 이루어짐。물의 흐름을 멈추게 하는 흙의 뜻。

뜻 **둑제** 제방。

주의 「隄」는 같은 글자。

【堤防 제방】홍수(洪水)를 막기 위하여 흙과 돌을 쌓은 것。둑。

12 **【堪】** 土 9 **감** |견딜| ㉾覃 2500년전

자원 형성 甚(음)土ㅜ堪(土부)

「土흙토변」에 음을 나타내는「甚심」(감은 변음)을 더한 글자。붕긋하게 높은 흙의 뜻이 본뜻이었으나、「甚」의 음이 「壬임」〈참다〉과 비슷하므로、「堪」을 참다·견디다의 뜻으로 빌어 쓰게 되었음。

【堪耐 감내】참고 견딤。감인(堪忍)。

【堪當 감당】①산의 형세(形勢)가 기발(奇拔)한 모양。②법에 의해서 죄를 줌。③일을 능(能)히 해냄。

◉克堪극감 難堪난감 不堪불감

12 **【場】** 土 9 중학 **장** |마당| ㉾陽

土 圽 坦 坦 坦 埸 埸 場

자원 형성 土昜(음)ㅜ場(土부)

음을 나타내는「昜양」(장은 변음)은 해가 솟아오르다↓오르다↓밝다。「場」은 흙을 쌓아 높이고 위를 평평하게 하여 신을 모시는 곳↓제단(祭壇)。나중에 그러한 넓은 마당↓장소(場所)의 뜻으로 씀。

뜻 ①**마당장** ㉠구획한 공지。㉡곳。「場所장소」㉢제사 지내는 터。㉣타작 마당。②**때장** 시기(時期)。「一場春夢일장춘몽」③**구획장** 사물의 일단락。

주의 ①「場역」〈밭두둑〉은 딴 글자。②「場」·「塲」은 속자(俗字)。

【場市 장시】《韓》시장(市場)。

【場外 장외】①어떠한 처소의 바깥。②과장(科場)의 밖。

◉古戰場고전장 教場교장 球場구장 登場등장 滿場만장 一場일장 罷場파장

12 **【塔】** 土 9 塔(土部十畫)의 속자(俗字)。

12 **【塚】** 土 9 冢(冖部八畫)의 와자(譌字)。

12 **【堡】** 土 9 **보** |작은성| ㊤晧 2500년전

자원 형성 土保(음)ㅜ堡(土부)

「土토」〈흙〉와 음을 나타내면서 막다의 뜻(⇩防방)을 가진「保보」로 이루어짐。흙을 쌓아 적을 막는 것。

뜻 **작은성보** 토석으로 쌓은 작은 성。「堡砦보채」「連城堡연성보」

주의 「堢」는 같은 글자。

【堡壘 보루】적군을 막기 위해 토석으로 쌓은 작은 성。보채(堡砦)。

【堡砦 보채】보루。

◉望堡망보 城堡성보 營堡영보 哨堡초보

12 **【塁】** 土 9 壘(土部十五畫)의 약자(略字)。

十畫

13 **【報】** 土 10 報(土部九畫)의 와자(譌字)。

13 **【塊】** 土 10 고교 **괴** | 흙덩이 | 去隊泰

土 圹 圹 坾 坾 坤 塊 塊 塊

자원 형성 土 鬼음 ㅜ塊 (土부)

「土흙토변」과 음을 나타내는 「鬼귀」(괴는 변음)로 이루어짐。흙덩이。전하여、모든 물건의 덩어리의 뜻。

뜻 ①**흙덩이괴** 덩어리진 흙。토과(土塊)。②**덩이괴** 덩어리。「肉塊육괴」③**나괴** 자기。④**홀로괴** 고독한 모양。

【塊石 괴석】 돌멩이。

【塊炭 괴탄】 덩이로 된 석탄。

◉金塊금괴 肉塊육괴 土塊토괴 血塊혈괴

13 **【塔】** 土 10 고교 **탑** | 탑 | 入合

土 圹 圹 坩 坳 坎 坎 塔 塔

자원 형성 土 荅음 ㅜ塔 (土부)

「土흙토변」과、음을 나타내는 「荅답」(탑은 변음、범어(梵語) stupa의 음역(音譯))으로 이루어짐。탑은 흙으로 만들므로 「土」를 덧붙였음。졸탑파(卒塔婆)·탑파(塔婆)의 준말。

뜻 ①**탑탑** 불탑。②**절탑** 사찰。불당(佛堂)。③**층집탑** 오층 또는 칠층의 고각(高閣)。

주의 「搭탑」〈타다〉은 딴 글자。

【塔碑 탑비】 탑과 비(碑)。

◉寶塔보탑 佛塔불탑 寺塔사탑 石塔석탑

13 **【塡】** 土 10 ㊀**전** ㊁**진** | 메울 | ㊀平先 ㊁①②入眞 ③上銑

자원 형성 土 眞음 ㅜ塡 (土부)

「土흙토변」과、음을 나타내는 「眞진」(전은 변음)으로 이루어짐。

뜻 ㊀①**메울전** 넣어 채움。「充塡충전」②**박아넣을전** 감입(嵌入)함。「塡金전금」③**채울전** 충당함。④**따를전** 순종함。따라감。⑤**북소리전**

㊁①**오랠진** 塵(土部十一畫)과 같은 글자。②**누를진** 鎭(金部十畫)과 같은 글자。「塡撫진무」③**다할진** 궁진(窮盡)함。殄(歹部五畫)과 같은 글자。

【塡補 전보】 메워 기움。부족한 것을 메워 채움。

◉補塡보전 裝塡장전 充塡충전

13 **【塩】** 土 10 鹽(鹵部十三畫)의 속자(俗字)。

13 **【塚】** 土 10 冢(冖部八畫)의 속자(俗字)。

13 **【塑】** 土 10 **소** | 토우 | 去遇

자원 형성 土 朔음 ㅜ塑 (土부)

「土토」〈흙〉와、음을 나타내며 동시에 깎다의 뜻(⇩削삭)을 나타내기 위한 「朔삭」(소는 변음)으로 이루어짐。군더더기를 깎아낸 흙으로 만든 인형의 뜻。

뜻 ①**토우(土偶)소** 흙으로 만든 우상(偶像)。②**흙이겨만들소** 흙으로 물형(物形)을 만듦。「彫塑조소」

【塑像 소상】 진흙으로 만든 우상。

◉ 彫塑조소 繪塑회소

13
【塞】

土 10 [고교]

㊀ **새** ─ 변방 ─ ㊀[去] 隊

㊁ **색** ─ ㊁[入] 職

丶 丷 宀 宀 宙 寉 寒 寒 塞

[자원] 형성 土 寒[음]┬塞(土부)  2500년전

「寒색」이 음을 나타냄。「寒」의 옛 자형(字形)은 벽돌을 양손으로 쌓아 집(宀)의 벽을 막는 모양을 나타냄。「土토」를 더하여 「塞」이 막다의 뜻을 나타내게 되었음。 또 「砦채」와 통하여 보루(堡壘)의 뜻。

[뜻] ㊀ ① **변방새** 변경。「邊塞변새」 ② **요새새** 적의 침입을 방어할 만한 험준한 요해처。「要塞요새」「險塞험새」 ③ **보루새** 본성(本城)에서 떨어져 있는 작은 성。 ④ **굿새** 賽(貝部十畫)와 같은 글자。 ⑤ **주사위새** ㊁ ① **막을색** ㉠ 사이를 가름。「蔽塞폐색」 ㉡ 틀어막음。「充塞충색」 ㉢ 통하지 못하게 함。 차단함。「遏塞알색」 ㉣ 막이루어 채움。 다함。 ② **막힐색** ㉠ 막음을 당함。「語塞어색」 ㉡ 운이 막힘。 불운함。

【塞翁馬 새옹마】 인생의 길흉 화복(吉凶禍福)이 무상(無常)하여 예측할 수 없음을 이름。

◉ 硬塞경색 窮塞궁색 要塞요새 閉塞폐색

13
【塗】

土 10

도 ─ 진흙 ─ [平] 虞

[자원] 형성 土 涂[음]┬塗(土부)

「土토」〈흙〉와、 음을 나타내는 「涂도」로 이루어짐。 본디는 「涂」가 탁한 물、 곧 진흙을 나타내었는데、 강의 이름인 「涂」와 구별하기 위하여 「土」를 더하여 만든 글자。 또 「途도」〈길〉와 통용됨。

[뜻] ① **진흙도** 이토(泥土)。 ② **길도** 途(辵部七畫)와 같은 글자。 ③ **매흙질할도** 흙을 바름。 ④ **칠할도** ㉠ 도료(塗料) 같은 것을 바름。 ㉡ 칠하여 지움。「塗抹도말」 ⑤ **지울도** 지워 고침。 개찬(改竄)함。 ⑥ **더럽힐도** 더럽게 함。 ⑦ **괴로움도** 고통。

【塗工 도공】 미장이。 「료。

【塗料 도료】 물건의 거죽에 바르는 재

【塗褙 도배】 벽·천장·창·장지·장판 등을 종이로 바름。 「함。

【塗裝 도장】 칠 따위를 발라서 치장

【塗炭 도탄】 진흙과 숯불。 전(轉)하여 몹시 곤란한 경우。

◉ 糊塗호도

十一畫

14
【境】

土 11 [고교]

경 ─ 지경 ─ [上] 梗

土 圹 圹 埣 培 境

[자원] 형성 音 儿┬竟[음] 土┬境(土부)

「儿인」은 그 위쪽에 붙는 글자의 작용을 나타냄。「竟경」은 「音음」의 작용→악곡(樂曲)의 끝→일의 끝→지경。 본디 땅을 구분짓는다는 뜻으로 「畺=疆강」이란 글자가 있었으나 나중에 속자(俗字)로서 「境경」자가 생겨 지경→경계란 뜻으로 쓰임。

[뜻] **지경경** ㉠ 경계。「國境국경」 ㉡ 곳。

「勝境승경」 ㉢경우。「逆境역경」

【境內 경내】 지경(地境) 안。

【境遇 경우】 부닥친 형편이나 사정。

◉佳境가경 老境노경 心境심경 環境환경

14 【墟】 土 11 墟(土部十二畫)의 속자(俗字)。

14 【塵】 土 11 진 | 티끌 | (平)眞

자원 회의 鹿+土→塵(土부)

본디 글자 「鹿록」〈사슴〉이 떼지어 달릴 때 흙먼지가 일어나는 모양을 뜻하고, 전하여 먼지의 뜻이 됨。

뜻 ①티끌진 ㉠먼지。「塵芥진개」 ㉡이 세상。속세(俗世)。②때진 옷이나 몸에 낀 더러운 것。「塵汚진오」 ③더럽힐진 더럽게 함。 ④묵을진 오래 묵음。 ⑤유업진 끼친 업(業)。 ⑥소수이름진 소수(小數)의 명목(名目)。 ⑦때진 시간。

【塵芥 진개】 먼지와 쓰레기。

【塵世 진세】 티끌이 있는 세상。속계(俗界)。곧 이 세상。

【塵土 진토】 먼지와 흙。

【塵合泰山 진합태산】 작은 물건도 많이 모이면 나중에 크게 이루어짐의 비유。티끌 모아 태산。

◉蒙塵몽진 微塵미진 粉塵분진 俗塵속진

14 【墓】 土 11 고교 묘 | 무덤 | (去)遇

一 十 艹 芇 芇 苩 莒 莫 墓

자원 형성 土+莫음→墓(土부) 2000년전

음을 나타내는 「莫막·모」는 「暮모」의 본디 글자이며 풀 저쪽편으로 해가 지다→해질 녘→쓸쓸하다→물건이 없다의 뜻。「土토」는 토지(土地)→곳。「墓」는 죽은 사람을 묻는, 쓸쓸한 곳。

뜻 무덤묘 뫼。「墳墓분묘」

【墓所 묘소】 무덤이 있는 곳。묘지。

【墓誌 묘지】 망인(亡人)의 사적(事蹟)·덕행(德行), 자손(子孫)의 이름, 묘지(墓地)의 지명(地名), 생사(生死) 연월일(年月日), 매장(埋葬) 연월일 등을 기록(記錄)한 글。도판(陶板) 또는 석판(石板)에 새기어 무덤에 묻음。

◉陵墓능묘 封墓봉묘 墳墓분묘 省墓성묘

十二畫

15 【增】 土 12 중학 ㊀증 | ㊀(平)蒸 ㊁층 | ㊁(去)徑

一 ± 圹 圹 坮 坳 埆 增 增

자원 형성 土+曾음→增(土부)

음을 나타내는 「曾증」은 겹치다의 뜻。「增」은 흙을 쌓아 높게 하다→물건을 늘리다。

뜻 ㊀①불을증, 늘증 증가함。「增減증감」 ②늘릴증, 더할증 증가시킴。「增兵증병」 ③더욱증 더욱 더。한층 더。㊁겹칠층 層(尸部十二畫)과 통용。

【增強 증강】 더 늘려 세게 함。

【增募 증모】 사람을 더 모집(募集)함。

【增發 증발】 정(定)한 수효(數爻)보다 더 내보냄。

【增補 증보】 모자람을 깁기 위하여 더 채움。

【增産 증산】 생산량을 늘림。
【增稅 증세】 세금(稅金)의 액수(額數)를 늘림。
【增額 증액】 액수(額數)를 늘림。
【增援 증원】 ①인원을 늘려서 도움。②원조액을 늘림。
【增資 증자】 자본(資本)을 늘림。
【增築 증축】 집을 더 늘리어 지음。
◉加增가증 激增격증 急增급증 倍增배증

15 **【墟】** 土 12 허(거本) — 터 — ㊥魚

자원 형성 土 虛음 ⊤ 墟(土부) 2500년전

「虛허」는 음과 함께 커다란 언덕、허무(虛無)하다의 뜻을 나타내며、「土흙토변」을 더하여 허무한 흔적、매우 황폐(荒廢)해진 자국의 뜻이 됨。또 「居거」와 통함。

뜻 ①**터허** 구지(舊址)。 고적。「故墟고허」「殷墟은허」 ②**언덕허** 큰 언덕。「丘墟구허」 ③**구렁허** 움푹 들어간 땅。전(轉)하여 바다。④**저자허** 장。※본음(本音)거

◉郊墟교허 舊墟구허 廢墟폐허 荒墟황허

15 **【墳】** 土 12 고교 분 — 무덤 — ①~⑥㊀文 ⑦㊤吻 ⑧㊤阮

자원 형성 土 賁음 ⊤ 墳(土부)

「土흙토변」과 음을 나타내는 동시에 부풀어 오른다는 뜻을 가진 「賁분」으로 이뤄짐。흙을 높이 쌓은 무덤。

뜻 ①**무덤분** 높게 봉분한 무덤。「墳墓분묘」 ②**언덕분** 구릉。 ③**둑분** 제방。④**책분** 삼황(三皇)의 서적。전(轉)하여 고서(古書)。옛날 서적。⑤**클분** ⑥**나눌분** 가름。 ⑦**걸찰분** 비옥함。 ⑧**흙부풀어오를분** 토지가 솟아오름。

【墳墓 분묘】 무덤。구묘(丘墓)。
◉古墳고분 孤墳고분 舊墳구분 荒墳황분

15 **【墜】** 土 12 추 — 떨어질 — ㊋寘

자원 형성 土 隊음 ⊤ 墜(土부)

「土토」〈흙〉와、 음을 나타내는 「隊대」로 이루어짐。「隊」는 허물어져 떨어지다가 본래의 뜻。흙이 허물어져 떨어지다→전(轉)하여、단순(單純)히 떨어지다의 뜻이 됨。

뜻 ①**떨어질추** ㉠낙하함。「墜落추락」 ㉡전(轉)하여 퇴폐(頹廢)함。쇠퇴함。「墜廢추폐」 ②**떨어뜨릴추** ㉠위의 뜻의 타동사。㉡잃음。망실함。③**무너질추** 퇴락함。「山墜산추」

【墜落 추락】 떨어짐。낙하함。
◉失墜실추 顚墜전추 墮墜타추 荒墜황추

15 **【墨】** 土 12 중학 묵 — 먹 — ㊀職

자원 형성 土 黑음 ⊤ 墨(土부) 2500년전

「黑흑」(묵은 변음)은 아궁이에 생기는 그을음이 본뜻。그을음을 흙에 섞어 휘저어 만드는 것、곧 먹。속자(俗字)는 「墨」。

뜻 ①**먹묵** ㉠글씨를 쓰는 먹。또 먹물。「紙筆墨지필묵」 ㉡눈썹을 그리는 먹。②**그을음묵** 유연(油煙)。「墨煤

묵매」③**먹줄묵** 목수의 직선을 긋는 줄。전(轉)하여 법도。규범。④**다섯자묵** 오척(五尺)。⑤**자자묵** 오형(五刑)의 하나。입묵(入墨)하는 형벌。「墨刑묵형」⑥**검을묵** ㉠흑색임。「墨綬묵수」㉡속이 검음。욕심이 많음。「墨吏묵리」⑦**어두울묵** 캄캄함。⑧**묵흔묵** 필적(筆跡)。⑨**잠잠할묵** 默(黑部四畫)과 통용。

【墨家 묵가】묵자(墨子)의 학설을 신봉하는 학파。

【墨客 묵객】글씨 또는 그림에 능(能)한 사람。서가(書家)。화가。

【墨守 묵수】송(宋)나라 묵적(墨翟)이 초(楚)나라 군사(軍師) 공수반(公輸般)의 끈덕진 공격에 대해서 성(城)을 굳게 잘 지켜 굴하지 아니한 고사(故事)。전(轉)하여 자기의 의견을 굳게 지킴을 이름。

【墨子 묵자】책명(冊名)。송(宋)나라 묵적(墨翟)의 저(著)。

【墨翟* 묵적】전국(戰國)시대 송(宋)나라의 사상가。묵가(墨家)의 시조。겸애(兼愛)·숭검(崇儉)·비공(非攻) 등의 설(說)을 주창함。

【墨紙 묵지】복사(複寫)에 쓰는 탄산지(炭酸紙)。

【墨帖* 묵첩】명필(名筆)을 탑본(搨本)한 습자첩。법첩(法帖)。

【墨畫 묵화】먹으로만 그린 그림。

◉淡墨담묵 白墨백묵 水墨수묵 筆墨필묵

15 **【墮】** 土 12 고교 ㊀**타** ㊁**휴** | 떨어질 | ㊀㊤哿 ㊁㊅支

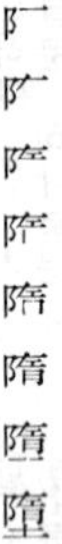

⻖ 阝 阝 阼 陊 陏 隋 隋 隋 墮 墮

자원 형성 隋음 土 ┬ 墮(土부)

뜻을 나타내는 「土토」〈흙〉와、음을 나타내며 동시에 무너뜨리다의 뜻을 가지는 「隋수」를 합친 글자。흙을 무너뜨리다의 뜻에서 무너지다、떨어지다의 뜻으로 쓰임。

뜻 ㊀①**떨어질타** ㉠낙하함。「墮落타락」㉡빠짐。함입(陷入)함。②**떨어뜨릴타** ㉠낙하시킴。㉡망실(亡失)함。③**빠질타** 탈락함。④**게으를타** 惰(心部九畫)와 통용。㊁**무너뜨릴휴** 무너지게 함。또 무너짐。

【墮落 타락】①무너져 떨어짐。전(轉)하여 실패함。②빠져 떨어짐。③시들어 떨어짐。④높은 곳에서 떨어짐。또 빠짐。

◉善騎者墮선기자타 怠墮태타 頹墮퇴타

十三畫

16 **【壇】** 土 13 고교 **단** | 단 | ㊅寒

一 ± ±' 圹 垆 墇 墰 壇 壇 壇

자원 형성 亶음 土 ┬ 壇(土부)　壇 2500년전

「土흙토변」과 음을 나타내는 「亶단」으로 이루어짐。

뜻 **단단** ㉠흙을 높이 쌓아 위가 평평하게 만든 특수한 행사를 하는 장소。전(轉)하여 좀 높게 베풀어 놓은 자리。「祭壇제단」「演壇연단」㉡장소。범위。㉢특수 사회。「文壇문단」「詩壇시단」

주의 「擅천」〈제멋대로 하다〉은 딴 글자。

◉教壇교단 論壇논단 佛壇불단 花壇화단

16 【墻】 土 13 牆(爿部十三畫)의 속자(俗字)。

16 【墾】 土 13 간 | 따비이룰 | [上]阮

[자원] 형성 土 豤[음] ┬墾(土부) 2500년전

「土토」〈흙·땅〉와、음을 나타내며 동시에 힘쓰다의 뜻(⇩勤근)을 나타내는 「豤간」으로 이루어짐。 힘써 황무지를 개간하다의 뜻。

[뜻] ①따비이룰간 개간함。「墾田간전」 ②개질간、부서질간

【墾耕 간경】 개간하여 경작함。

◉開墾개간 耕墾경간 勤墾근간 新墾신간

16 【壁】 土 13 [고교] 벽 | 벽 | [入]錫

ㄱ 尸 启 启 启 启 辟 辟 壁

[자원] 형성 辟[음] ┬壁(土부) 2500년전

「土토」〈흙〉와、음을 나타내는 동시에 막다의 뜻(⇩屛병)을 가진 「辟벽」으로 이루어짐。 흙을 쌓아 올려 안과 밖을 구별하여 막다。 전(轉)하여、집의 벽을 가리킴。

[뜻] ①벽벽 바람벽。「土壁토벽」 ②진벽 군루(軍壘)。「金城鐵壁금성철벽」 ③나성벽 성루(城壘)의 외곽(外廓)。 ④낭떠러지벽 깎아지른 듯한 벼랑。 절벽。「壁岸벽안」 ⑤별이름벽 이십팔수(二十八宿)의 하나。 현무 칠수(玄武七宿)의 끝 성수(星宿)。 별 둘로 구성되었음。

[주의] 「璧벽」〈옥〉은 딴 글자。

【壁報 벽보】 벽에 쓰거나 붙여 여러 사람에게 알리는 것。

【壁書 벽서】 벽에 붙이거나 쓰는 글。

【壁岸 벽안】 낭떠러지。

【壁有耳 벽유이】 벽에 귀가 있다는 뜻으로 비밀이 새기 쉬움을 경계한 말。

【壁欌* 벽장】 벽에 만들어 붙인 물건을 넣는 곳。

【壁紙 벽지】 벽을 도배하는 종이。

【壁土 벽토】 벽에 바른 흙。

【壁畫 벽화】 벽에 그린 그림。

◉古壁고벽 面壁면벽 四壁사벽 石壁석벽 城壁성벽 絶壁절벽 土壁토벽 破壁파벽

十四畫

17 【壕】 土 14 호 | 해자 | [平]豪

[자원] 형성 土 豪[음] ┬壕(土부)

「土흙토변」과、음을 나타내는 「豪호」로 이루어짐。

[뜻] 해자호 성 둘레에 판 도랑。

[주의] 「濠」는 같은 글자。

17 【壓】 土 14 [고교] [一]압 | 누를 | [一][入]洽 [二]염 | | [二][去]黶

一 厂 厈 肙 肙 厞 厭 厭 壓

[자원] 형성 土 厭[음] ┬壓(土부)

「土토」〈흙〉와、음을 나타내며 동시(同時)에 누르다의 뜻(⇩抑억)을 가지는 「厭염」(압은 변음)으로 이루어짐。 흙으로 눌러막다→전하여、널리 누르다의 뜻。

[뜻] [一]①누를압 ㉠내리 누름。「抑壓억압」 ㉡진정(鎭定)함。「鎭壓진압」 ㉢바싹 다가옴。 들이닥침。「壓迫

압박」 ②막을압 틀어막음。 충색(充塞)함。 ㊁싫어할염 厭(厂部十二畫)과 통용。

【壓卷 압권】 그 책 가운데에서 가장 잘 지은 부분。 또는 여러 책 가운데에서 가장 가치 있는 책。 다른 책을 억누를 만큼 훌륭한 책。 옛날 과거 때 장원(壯元)한 사람의 두루마리로 된 답안지를 모든 답안지 위에 놓았던 데서 생긴 말。

【壓倒 압도】 눌러서 거꾸러뜨림。 전(轉)하여 굴복시킴。

【壓力 압력】 어떠한 물체가 다른 물체를 누르는 힘。

【壓迫 압박】 ①내리 누름。 ②바싹 다가옴。

【壓死 압사】 물건에 눌려서 죽음。

【壓搾* 압착】 눌러서 짜냄。

◉高壓고압 氣壓기압 抑壓억압 威壓위압 低氣壓저기압 鎭壓진압 彈壓탄압

十五畫

18 【壘】 土 15

㊀루 ㊀[上]紙
㊁뢰 진 ㊁[平]賄
㊂률 ㊂[入]質

[자원] 형성 畾[음] 土 ┬ 壘 (土부)

「土토」〈흙〉와 음을 나타내는 동시에 포개다의 뜻(⇩累루)을 가진 「畾루·뢰」로 이루어짐。 흙을 쌓아 만든 작은 성의 뜻。

[뜻] ㊀①진루 작은 성。 성보(城堡)。 「四郊多壘사교다루」 ②포갤루、겹칠루 ②누루 累(糸部五畫)와 같은 글자。 ㊁끌밋할뢰 씩씩함。 ㊂귀신이름률 「鬱壘울률」은 신(神)의 이름。

【壘門 누문】 진영(陣營)의 문。

◉孤壘고루 軍壘군루 邊壘변루 堡壘보루 城壘성루 營壘영루 敵壘적루

十六畫

19 【壞】 土 16 [고교]

㊀괴(②회[本]) 무너뜨릴 ㊀[上]賄
㊁회 ㊁[去]卦

[자원] 형성 褱[음] 土 ┬ 壞 (土부) 2500년전

「土토」와、 음과 함께 허물어진다는 뜻(⇩隤퇴)을 나타내기 위한 「褱회」로 이루어짐。 흙이 갈라져 허물어지다→전(轉)하여、 찢어지다、 깨어지다의 뜻。

[뜻] ㊀①무너뜨릴괴 훼。 파괴함。 「破壞파괴」 ②무너질괴 허물어짐。 파괴됨。 「壞滅괴멸」 ※❷는 本音 회 ㊁①혹회 나무의 거죽에 불쑥하게 내민 것。 나무 혹。 ②앓을회 병듦。

【壞亂 괴란】 무너뜨려 어지럽게 함。

【壞滅 괴멸】 ①무너뜨려 멸함。 ②무너져 멸망함。

【壞死 회사】 몸의 조직이 국부적으로 죽는 일。

◉金剛不壞금강불괴 破壞파괴

十七畫

20 【壤】 土 17 [고교]

양 고운흙 [上]養

[자원] 형성 襄[음] 土 ┬ 壤 (土부) 2500년전

「土흙토변」과、 음을 나타내는 동시에 부드럽다의 뜻(⇩柔유)을 나타내기 위한 「襄양」으로 이루어짐。 부

〔三畫部首順〕 口囗土士夂夊夕大女子宀寸小尢尸屮山巛工己巾干幺广廴廾弋弓彐彡彳

드럽고 비옥(肥沃)한 땅의 뜻。

뜻 ①고운흙양 명개흙。②땅양 ㉠대지。㉡경작지。㉢국토(國土)。㉣곳。장소。③상할양 손상함。④만억양 수(數)의 이름。억(億)의 만배。⑤풍년들양 穰(禾部十七畫)과 같은 글자。

◉擊壤격양 天壤천양 土壤토양

士部

3 【士】 부수 중학 **사** 선비 ㊤紙

一十士

자원 상형 (3000년전) (2500년전) 士

「士」의 옛 모양은 날붙이를 나타내는 듯함。나중에 군대의 규율(規律)을 단속하는 사람→신분(身分)을 나타내는 말이 되어 관리나 남자를 뜻하게 됨。한대(漢代) 이후의 학자는 「十십」과 「一일」을 합한 자형(字形)이라고 보아 수를 세다→사무를 보다→관리→훌륭한 사람의 뜻으로 설명함。

뜻 ①선비사 ㉠천자(天子) 또는 제후(諸侯)를 섬기는 사람의 계급의 명칭으로 대부(大夫)의 아래、서인(庶人)의 위。「士大夫사대부」 전(轉)하여 ㉡상류 사회·지식 계급의 사람。「紳士신사」「士君子사군자」 ㉢뛰어난 인물。영재。「天下士천하사」「國士국사」 ㉣도의(道義)를 행하고 학예를 닦는 사람。㉤남아(男兒)。②무사사 무인(武人)。무부(武夫)。③하사관사 졸오(卒伍)를 거느리는 군인。④벼슬사 관직。⑤일사 事(亅部七畫)와 통용。

【士官 사관】 ①재판관。법관(法官)。②병정을 지휘하는 무관(武官)。위관(尉官)과 영관(領官)의 통칭。

【士君子 사군자】 교양과 인격이 높은 사람。

【士氣 사기】 ①선비의 기개(氣槪)。②군사(軍士)가 용기를 내는 기운。

【士農工商 사농공상】 국민의 네 가지 계급。곧 선비·농부·장색·장수。

【士大夫 사대부】 ①천자(天子) 또는 제후를 섬기는 벼슬아치。사(士)와 대부(大夫)。②하사(下士)와 장교。

【士類 사류】 사림(士林)。

【士林 사림】 유교를 닦는 선비들。

【士族 사족】 양반(兩班)에 속하는 겨레。양반(兩班)。

【士卒 사졸】 하사(下士)와 병졸。

【士禍 사화】 사림(士林)의 참화。옳은 말을 하는 선비들이 간악(奸惡)한 무리에게 받는 참혹한 화(禍)。

◉居士거사 計理士계리사 騎士기사 道士도사 名士명사 武士무사 文士문사 辯士변사 辯護士변호사 碩士석사 紳士신사 力士역사 烈士열사 勇士용사 隱士은사 義士의사 壯士장사 處士처사 學士학사 賢士현사

一畫

4 【壬】 士 1 중학 **임** 아홉째천간 ㊥侵

一二千壬

자원 상형 工 3000년전 工 2500년전 壬 2000년전

옛글자 工은 옷감 짜는 실을 감아 붙이기 위한 막대기의 모양이며、工은 거기에 실을 감아 붙인 모양을 나타낸다 함。임신하다의 뜻(⇩妊임)과 또 천간(天干)의 하나로 빌어 씀。

뜻 ①**아홉째천간임** 천간(天干)의 제구위(第九位)。오행(五行)으로는 물에 속하고 방위로는 북방임。②**간사할임** 「壬佞임녕」③**클임**

참고 「壬」을 음으로 하는 글자=「任임」〈맡기다〉·「妊임」〈애배다〉·「紝임」〈짜다〉·「衽임」〈옷섶〉·「飪임」〈익히다〉·「賃임」〈품삯〉

【壬佞*임녕】간사함。

【壬辰倭亂*임진왜란】《韓》조선(朝鮮) 선조(宣祖) 이십 오년(二十五年)에 일본의 풍신수길(豊臣秀吉)이 십 오만(十五萬) 대군(大軍)으로 조선에 침입(侵入)한 난리。

三畫

6 【壯】3 士 壯(士部四畫)의 속자(俗字)。

【吉】⇩口部三畫

四畫

7 【声】4 士 聲(耳部十一畫)의 속자(俗字)。

7 【壱】4 士 壹(士部九畫)의 속자(俗字)。

【志】⇩心部三畫

7 【壯】4 士 중학 **장** | 씩씩할 | ㊀漾

丨 丬 丬 爿 爿 壯 壯

자원 형성 士 爿음 ⊢ 壯(士부) 壯 2500년전

남자를 뜻하는 「士사」와、음을 나타내는 「爿장」으로 이루어짐。「장」의 음(音)은 「將장」〈크다〉에 유래함。큰 남자、씩씩한 남자의 뜻。전(轉)하여 왕성하다의 뜻。

뜻 ①**씩씩할장** 용감함。「勇壯용장」②**왕성할장** ㉠혈기가 왕성함。기력이 좋음。「壯年장년」㉡또 그 사람。③**장할장** 훌륭함。웅대함。웅장함。「壯志장지」④**굳을장** 견고함。단단함。⑤**한방뜰장** 뜸질 한 번 하기。⑥**팔월장** 음력 팔월의 별칭。「壯月장월」

참고 「壯」을 음으로 하는 글자=「莊장」〈엄하다〉·「奘장」〈크다〉·「裝장」〈차려입다〉

【壯擧 장거】장한 거사(擧事)。「격。

【壯骨 장골】기운 좋고 크게 생긴 골

【壯觀 장관】굉장하고 볼 만한 광경。

【壯談 장담】확신을 가지고 자신 있게 하는 말。

【壯大 장대】장건(壯健)하고 큼。

【壯圖 장도】웅장한 꾀。장한 계획。

【壯麗 장려】장대(壯大)하고 화려함。

【壯烈 장렬】씩씩하고도 열렬함。

【壯士 장사】①기개(氣槪)가 있고 용감한 사람。②역사(力士)。

【壯元 장원】《韓》①과거(科擧)에서

갑과(甲科)에 첫째로 급제(及第)함。또 그 사람。②성적(成績)이 첫째임。또 그 사람。

【壯遊 장유】①장지(壯志)를 품고 먼 곳으로 떠나는 일。②성대한 놀이。

【壯丁 장정】장년의 남자。젊은이。

【壯志 장지】웅대한 뜻。장한 뜻。장심(壯心)。대지(大志)。웅심(雄心)。

◉強壯강장 健壯건장 宏壯굉장 老益壯노익장 勇壯용장 雄壯웅장

7 【壳】士 4 賣(貝部八畫)의 약자(略字)。

九畫

12 【壶】士 9 호 | 병 | ㊥虞

자원 상형 2500년전

아가리가 작고 중배가 부른 단지의 모양。윗 부분은 뚜껑을 표시함。

주의 ①「壷」는 같은 글자。②「壼곤」〈대궐안길〉은 딴 글자。

뜻 ①**병호** 배가 불룩한 병。주로 술 또는 물을 담음。「壺漿호장」②**투호호** 병에 화살을 던져 넣는 유희。「投壺투호」③**박호** 瓠(瓜部六畫)와 같은 글자。

◉漏壺누호 氷壺빙호 投壺투호

12 【壹】士 9 중학 일 | 한 | ㊀質

一 士 声 声 壱 壱 壱 壹

자원 형성 吉 壺음 ㅏ壹(士부) 2500년전

「壺호」는 술단지。음을 나타내는「吉길」(일은 변음)은 그릇에 물건이 가득 차 있다의 뜻。「壹」은 술단지에 가득 술을 넣어 마개를 꼭 닫은 모양→마음을 하나로 하다→오로지…하다의 뜻。나중에 숫자(數字)의「一일」대신 쓰는 것은 음이 같고 둘 다 하나로 뭉뚱그리다는 뜻이 있기 때문인 듯。

뜻 ①**한일** ㉠하나。一(部首)과 같은 글자。주로 증서·계약 등에 씀。㉡한 번。㉢한가지로。모두。②**전일할일** 마음을 오로지 한 곳으로 씀。「專壹전일」③**통일할일** 통합함。④**순박할일** 순후함。「醇壹순일」

【壹意 일의】한 가지 일에 마음을 오로지 기울임。일심。일의(一意)。

◉均壹균일 專壹전일 齊壹제일 和壹화일

【喜】⇩口部九畫

12 【壻】士 9 서 | 사위 | ㊤霽

자원 형성 士 胥음 ㅏ壻(士부) 2500년전

「士사」〈남자·선비〉와、음을 나타내며 동시에 능력 있는 사람의 뜻을 가진「胥서」로 이루어짐。능력 있는 남자→사위의 뜻。

뜻 ①**사위서** 딸의 남편。「女壻여서」②**남편서**「夫壻부서」③**벗서** 친우。「友壻우서」④**사내서** 남자。

주의「婿」는 같은 글자。

◉佳壻가서 國壻국서 夫壻부서 賢壻현서

十一畫

14 【壽】士 11 중학 수 | 수 | ㊤有 ㊤宥

〔三畫部首順〕 口囗土士夂夊夕大女子宀寸小尢尸屮山巛工己巾干幺广廴廾弋弓彐彡彳

士 壴 壴 壴 壴 壴 壽 壽 壽

자원 형성 老 𠷎음 ┬壽(士부)
「耂」(老의 생획)와、음을 나타내는 동시에 오래다의 뜻(⇩脩수)을 가진 「𠷎수」(𠷎·𠷎)로 이루어짐。늙을 때까지의 긴 세월→장수하다의 뜻。

뜻 ①수수 ㉠나이。목숨。「天壽천수」「萬壽無疆만수무강」 ㉡장수。「壽夭수요」 ②수할수 장수함。오래 삶。명이 길。 ③헌수할수 ㉠장수를 축하하여 술을 드림。「上壽상수」 ㉡장수를 축하하여 선물을 보냄。

주의 「夀」는 속자(俗字)。

참고 「壽」를 음으로 하는 글자=「鑄주」〈부어만들다〉·「儔주」〈무리〉·「幬주」〈휘장〉·「疇주」〈두둑〉·「籌주」〈산가지〉·「譸주」〈속이다〉·「躊주」〈머뭇거리다〉·「禱도」〈빌다〉·「濤도」〈물결〉「檮도」〈나무등걸〉

【壽命 수명】 타고난 목숨。생명。수。

【壽福 수복】 수(壽)와 복(福)。

【壽福康寧 수복강녕】 장수(長壽)하고 복을 누리며 몸이 튼튼하고 편안함。

【壽宴 수연】 장수(長壽)를 축하(祝賀)하는 잔치。

【壽夭* 수요】 장수와 단명(短命)。

【壽衣 수의】 염습할 때 시체(屍體)에 입히는 옷。

【壽昌 수창】 장수하며 창성(昌盛)함。

【壽冢* 수총】 생전에 만들어 놓은 무덤。

【壽限 수한】 타고난 수명의 한정。

【壽穴 수혈】 수총(壽冢)。

◉康壽강수 無量壽무량수 福壽복수 仁壽인수 長壽장수 天壽천수 賀壽하수

【嘉】 ⇩口部十一畫

【臺】 ⇩至部八畫

夊部

3 【夊】 부수 치 | 뒤져올 | ㊥支

자원 지사 3000년전
「夊」는 발이 끌려 땅에 닿는 모양을 나타냄。

뜻 뒤져올치 뒤떨어져 옴。

주의 「夂쇠」〈천천히 걷다〉는 딴 글자。

二畫

【夅】 ⇩夂部三畫

【処】 ⇩几部三畫

三畫

【各】 ⇩口部三畫

四畫

7 【麦】 夊 4 麥(部首)의 속자(俗字)。

六畫

9 【変】 夊 6 變(言部十六畫)의 속자(俗字)。

夊部

3 **【夊】** 부수 **쇠** | 천천히걸을 | ㉾支

자원 지사 2500년전

「夊」는 발자국을 나타내고, 발을 끌듯 천천히 걷는 모양을 나타냄。

뜻 **천천히걸을쇠** 서행(徐行)함。

주의 「夊치」〈뒤져오다〉는 딴 글자。

七畫

10 **【夏】** 夊 7 중학 **하** | 여름 | ㉮禡

一 𠂇 丆 百 百 頁 頁 夏

자원 회의 頁 臼 夊 → 夏 (夊부) 2500년전

「夏」는 「頁혈」〈큰머리〉과 「臼=臼국」〈깍지끼다〉과 「夊쇠」〈천천히 걷다〉를 합한 글자로서, 탈을 쓰고 춤추는 모양→크고 훌륭하다→중국 사람이나 중국을 가리킴。 여름의 뜻으로 쓰게 된 것은 여름에 지내는 제사 때 춤추는 데서 유래한다고도 함。 일설에는 여름은 만물이 크게 자라는 철이기 때문이라고도 함。

뜻 ①**여름하** ㉠사철의 하나。「春夏秋冬춘하추동」 ㉡여름의 더위。 ②**중국하** 중국 본부。「中夏중하」 ③**하나라하** 우왕(禹王)이 세운 고대 왕조。 십칠주(十七主) 사백 칠십 일 년(四百七十一年) 동안 존속하였다 함。 걸(桀)에 이르러 상(商)나라의 탕왕(湯王)에게 망함。「夏殷周하은주」 ④**클하** 「夏屋하옥」 ⑤**회초리하** 榎(木部十畫)와 통용。

【夏季 하계】 여름의 계절。 여름철。

【夏期 하기】 여름의 시기(時期)。

【夏爐冬扇* 하로동선】 여름의 화로(火爐)와 겨울의 부채。 곧 쓸데 없는 사물(事物)을 비유하여 이르는 말。

【夏服 하복】 여름에 입는 옷。 여름살이。

【夏日 하일】 여름날。

【夏節 하절】 여름 절기。 여름철。

【夏至 하지】 이십사절기(二十四節氣)의 열째。 망종(芒種)과 소서(小暑) 사이에 있는 일년 중 낮이 가장 긴 날。 양력 유월 이십 일이일경(頃)。

◉季夏계하 晩夏만하 麥夏맥하 孟夏맹하 盛夏성하 銷夏소하 炎夏염하 立夏입하 殘夏잔하 仲夏중하 初夏초하 春夏춘하

夕部

3 **【夕】** 부수 중학 **석** | 저녁 | ㉧陌

ノ ク 夕

자원 상형 (A) (B) 3000년전

「夕」은 달의 모양。 아주 옛날엔「月월」〈달〉과 「夕」의 구별은 없었음。 나중에 달 자체는 「月」、달이 뜨는 밤의 뜻으로는 「夕」이 쓰였음。 다시 나중에 해질녘은 「夕」、밤은 「夜야」

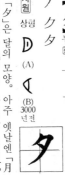

로 구별해서 쓰게 됨。

뜻 ①**저녁석** ㉠해질 녘。「朝夕조석」 ㉡또 해의 마지막、달의 마지막을 이름。②**밤석** ㉠야간。㉡밤 일。밤의 잠자리。③**저녁에뵐석** 저녁 때 알현(謁見)함。④**쏠릴석** 기욺。

주의 「夕」을 음으로 하는 글자＝「汐석」〈석수〉・「夙숙」〈이르다〉

【夕刊 석간】 저녁에 도르는 신문。

【夕暮 석모】 해질 무렵。

【夕飯 석반】 저녁 밥。

【夕陽 석양】 ①저녁나절의 해。사양(斜陽)。②산의 서쪽。③노년(老年)의 비유。「또 저녁 놀。

【夕照 석조】 저녁 때에 비치는 햇빛。

【夕餐* 석찬】 저녁 밥。만찬(晩餐)。

◉旦夕단석 一朝一夕일조일석 七夕칠석 花朝月夕화조월석 曉夕효석

二畫

5 【外】 夕 2 중학 **외** ─ 밖 ─ (去)泰

ノ ク タ 夘 外

자원 형성 夕卜 음 ⊤外(夕부) 2500년전

「卜복」은 옛날에 거북의 등딱지를 구워서 본 점(占)。음을 나타내는 「夕석」(외는 변음)은 「月월」〈달〉과 같아 이지러지다의 뜻에서 거북딱지에 금이 감을 나타냄。그 금의 모양이 「卜」임。「外」는 거북 껍질을 사용하는 점에서 갈라진 금이 바깥쪽에 나타나는 일→바깥。또 거북 껍질의 안쪽을 도려낸 나머지이므로 등딱지가 「外」로 일컬어졌을 것으로도 생각됨。

뜻 ①**밖외** ㉠안의 대。「內外내외」 ㉡가운데의 대(對)。「中外중외」 ㉢겉。㉣남。타인。㉤마음에 대하여、언행 또는 용모。㉥본국에 대하여、외국。㉦자기 집에 대하여、딴 곳。「外泊외박」 ㉧안일에 대하여、밖의 일。사사(私事)에 대하여、공사。「言外언외」 ㉨조정에 대하여、민간。「中外服從중외복종」 ㉩궁중(宮中)에 대하여、조정。㉪모친 및 처의 겨레붙이。「外孫외손」 ㉫사랑。바깥채。②**멀외** ㉠멀리함。㉡제외함。「除外제외」 ㉢잊음。망각함。

【外家 외가】 어머니의 친정(親庭)。

【外殼* 외각】 겉 껍질。「무름。

【外剛 외강】 겉은 굳세어 뵈나 속은

【外見 외견】 외관(外觀)。

【外界 외계】 한 사물(事物)을 둘러싸고 있는 바깥 세계。

【外科 외과】 병이나 상처를 주로 수술로써 고치는 의학。

【外廓* 외곽】 성 밖으로 다시 둘러 쌓은 성。

【外觀 외관】 겉으로의 볼품。

【外交 외교】 외국(外國)과의 교제(交際)、또는 교섭(交涉)。

【外勤 외근】 경찰(警察)・은행(銀行)・회사(會社) 등에서 그 외부에서 하는 근무(勤務)。

【外來 외래】 ①다른 나라에서 옴。②다른 곳에서 옴。③밖에서 옴。

【外來思想 외래사상】 외국(外國)에서 전(傳)해 들어온 사상。

【外面 외면】 거죽。외양。

【外面如菩薩內心如夜叉* 외면여보살내심여야차】 외양은 자비스러운 보

〔三畫部首順〕 ㅁ口土士夂夊夕大女子宀寸小尢尸屮山巛工己巾干幺广廴廾弋弓彐彡彳

살같으나 내심은 흉악한 야차(夜叉) 같음。용모는 온화하나 마음은 흉악함。

【外貌 외모】겉 모습。

【外務 외무】①속세(俗世)의 번거로운 일。②외교(外交)에 관한 사무。

【外聞 외문】바깥 소문。

【外泊 외박】밖에서 머무름。밖에서 숙박(宿泊)함。

【外方 외방】외부。외면(外面)。

【外賓 외빈】외국에서 오는 손님。

【外使 외사】외국(外國)의 사신。

【外事 외사】①집안 밖의 일。②외국(外國)에 관한 일。②또 부외(部外)의 일。③딴 일。타사(他事)。

【外傷 외상】겉으로 받은 상처。

【外城 외성】성 밖에 겹으로 쌓은 성。

【外勢 외세】외국의 세력。

【外孫 외손】딸이 낳은 사식。

【外叔 외숙】어머니의 친오라비。

【外信 외신】외국으로부터의 소식。외국으로부터의 보도。

【外心 외심】①이심(異心)。②삼각형의 외접원(外接圓)의 중심(中心)。

【外洋 외양】①육지(陸地)에서 멀리 떨어져 있는 바다。②세계 만국 공용의 바다。

【外樣 외양】겉모양。겉치레。

【外遊 외유】외국에 가서 유람함。

【外人 외인】①한 집안·한 단체 또는 한 나라 밖의 사람。②어떠한 일에 관계 없는 테밖의 사람。

【外敵 외적】외국의 적병(敵兵)。

【外電 외전】외국(外國)에서 온 전보。

【外從 외종】외숙(外叔)의 자녀。

【外地 외지】①남의 나라의 땅。②식민지。내지(內地)의 대(對)。

【外債 외채】외국(外國)에 진 빚。

【外戚 외척】본종(本宗) 이외(以外)의 친척。모계(모계)의 겨레붙이。

【外出 외출】집 밖으로 나감。

【外親內疎 외친내소】겉으로는 가까운 체하고 속으로는 멀리함。

【外託* 외탁】용모(容貌)·성질(性質)이 외가(外家) 쪽을 닮음。

【外風 외풍】①밖에서 들어오는 바람。②외국(外國)의 풍속(風俗)。

【外港 외항】선박(船舶)이 내항(內港)에 들어오기 전에 일시 정박(碇泊)하는 항구(港口)。

【外海 외해】외양(外洋)。

【外貨 외화】①외국의 물화(物貨)。②외국의 화폐(貨幣)。

【外患 외환】외적이 침입(侵入)하는 근심。

◉郊外교외 院外원외 海外해외 號外호외

三畫

6【多】夕 3 중학 다 | 많을 | ㊥歌

ノ ク 夕 夕 多 多

자원 회의 夕+夕→多(夕부) 3000년전 〔組〕3000전년

「多」는 「夕」〈저녁〉을 겹친 모양이 아니고 신에게 바치는 고기를 쌓은 모양으로 물건이 많음을 나타냄。그것은 「組조」〈고기를 바치는 일〉자의 옛 모양 따위를 보면 잘 알 수 있음。뒷날에 와서 「夕」〈밤〉이 거듭 쌓여서 「多」가 되었다고 생각하게 되었음。

뜻 ①**많을다** 「多數다수」 ②**많게할다** 앞의 뜻의 타동사。③**나을다** 뛰어

남。④**아름답게여길다** 칭찬함。⑤**전공다** 싸움에 이긴 공로。⑥**마침다** 때마침。우연히。

참고 「多」를 음으로 하는 글자‖「哆차」〈많다〉·「侈치」〈사치하다〉·「移이」〈옮기다〉

【多角 다각】 많은 모。여러 방면。

【多感 다감】 잘 감동(感動)됨。

【多寡 다과】 수효(數爻)의 많음과 적음。또 수량(數量)。다소(多少)。

【多岐亡羊* 다기망양】 달아난 양(羊)을 찾으려다가 길이 여러 갈래로 나서 찾지 못하였다는 뜻。학문도 너무 다방면에 걸치면 도리어 진리(眞理)를 얻기 어렵다는 말。

【多年 다년】 여러 해。오랜 세월。

【多難 다난】 어려운 일이 많음。

【多能 다능】 재능(才能)이 많음。

【多多益善 다다익선】 많으면 많을수록 더욱 좋음。

【多端 다단】 ①할 일이 많음。바쁨。다방면에 걸침。②일이 이 끝 저 끝하여 가닥이 많음。

【多忙 다망】 바쁨。분망함。

【多聞 다문】 사물(事物)을 많이 들어 앎。문견이 넓음。박문(博聞)。

【多辯 다변】 말이 많음。잘 떠듦。

【多寶塔 다보탑】 신라 때 건립된 경주 불국사에 있는 석조의 불탑。

【多福 다복】 복(福)이 많음。

【多事 다사】 일이 많음。바쁨。또 일을 많게 함。일을 많이 벌임。

【多事多端 다사다단】 일이 많은데 또 한 까닭이 많음。 「인물이 많음。

【多士濟濟 다사제제】 재능이 뛰어난

【多少 다소】 ①수량의 많음과 적음。또 수량。수효。②많음。

【多食 다식】 음식을 많이 먹음。

【多額 다액】 많은 액수(額數)。

【多樣 다양】 모양이 여러 가지임。

【多欲 다욕】 욕심(欲心)이 많음。

【多作 다작】 많이 만듦。

【多才多藝 다재다예】 재예가 많음。

【多情多恨 다정다한】 애틋한 정(情)도 많고 한(恨)스러운 일도 많음。

【多情佛心 다정불심】 다정다감(多情多感)하고 착한 마음。

【多幸 다행】 ①다복(多福)。②《韓》운수가 좋음。일이 뜻밖에 잘 됨。

◉過多과다 繁多번다 數多수다 許多허다

【名】 ⇩口部三畫

五畫

8 【夜】 夕 5 중학 야 밤 ㉤禡

亠 亣 夜 夜 夜

夜

자원 형성 夕 亦(음) 夜(夕부)

2500년전

「夕석」은 「月월」〈달〉과 같음。음을 나타내는 「亦역」(야는 변음)은 사람 몸의 양 겨드랑。「夜」는 하루를 사람의 몸〈大대〉에 비겨 그 옆구리에 달〈夕〉을 그린 모양→새벽녘을 이름。나중에 해질녘에서 새벽까지의 전체를 가리키게 되었는데 낮에 대하여 밤은 곁에 있는 것으로 생각했기 때문임。

뜻 ①**밤야** ㉠낮의 대。「晝夜주야」 ㉡깊은 밤。②**새벽야** 날이 밝을 녘。③**침실야** 밤에 자는 방。

참고 ①「夜」를 음으로 하는 글자＝「液액」〈즙〉·「掖액」〈곁부축하다〉·「腋액」〈겨드랑〉 ②저녁부터 밤까지는 「夕석」·「暮모」·「昏혼」·「夜야」의 차례로 불려짐。

【夜間 야간】 밤 사이。밤 동안。

【夜警 야경】 야간(夜間)의 경계。

【夜光珠* 야광주】 밤에 빛이 나는 구슬。

【夜勤 야근】 밤에 근무(勤務)함。

【夜盜 야도】 밤도둑。

【夜來 야래】 지난밤부터。간밤부터。

【夜半 야반】 밤중。

【夜襲 야습】 밤중에 습격(襲擊)함。

【夜市 야시】 밤에 벌이는 저자。

【夜食 야식】 밤에 음식(飮食)을 먹음。

【夜深 야심】 밤이 깊음。

【夜陰 야음】 밤의 어두운 때。

【夜戰 야전】 야간 전투。

【夜學 야학】 밤에 글을 배움。

◉月夜월야 除夜제야 初夜초야 秋夜추야

十一畫

14 **【夢】** 夕 11 고교 몽 — 꿈 — ① ② 去 送 ③ 平 東

丨 艹 艹 芇 芇 芇 苎 夢 夢

자원 형성 瞢 음 — 苎 夕 夢 (夕부)

밤을 뜻하는 「夕석」과 음을 나타내는 동시에 어둡다는 뜻을 가진 「瞢몽」의 생획(省畫)「苎몽」으로 이루어짐。본뜻은 저녁이 되어 시계(視界)가 침침하여 뚜렷이 보이지 않는 일→밤이 어둡다의 뜻。「꿈」의 뜻의 본디 글자인 「㝱몽」〈꿈〉과 통하여 꿈의 뜻으로 씀。

뜻 ①**꿈몽** ㉠수면 중에 보는 환상(幻像)。「夢想몽상」 ㉡덧없음。②**꿈꿀몽** 꿈을 꿈。③**흐리멍덩할몽** 혼미함。

【夢寐* 몽매】 잠을 자며 꿈을 꿈。또 「그 동안。

【夢遊 몽유】 꿈에 놂。꿈을 꿈。

【夢遺 몽유】 자면서 모르는 가운데 정액(精液)이 나옴。몽정(夢精)。

【夢中 몽중】 꿈 속。

【夢中夢 몽중몽】 이 세상의 덧없음의 「비유。

◉吉夢길몽 瑞夢서몽 惡夢악몽 異夢이몽 一場春夢일장춘몽 凶夢흉몽

大部

3 **【大】** 부수 중학 ㊀대 ㊁태 — 클 — ㊀去泰 ㊁去箇

一 ナ 大

자원 상형 (3000년전)

「大」는 서 있는 사람을 정면으로 본 모양。처음에는 옆에서 본 모양인 「人인」「匕비」 따위와 같이、다만 인간을 나타내는 글자였으나 나중에 구분하여 훌륭한 사람→훌륭하다↓크다의 뜻을 나타냄。

뜻 ㊀①**클대** ㉠부피나 길이가 많은 공간을 차지함。「大弓대궁」 ㉡넓음。「大陸대륙」 ㉢많음。「大軍대군」 ㉣거셈。심함。「大風대풍」 ㉤훌륭함。「大人物대인물」 ㉥중함。비상함。「重大중대」「大事대사」 ㉦높음。존귀함。「大官대관」 ㉧왕성함。세력이 있음。「大

〔三畫部首順〕 口囗土士夂夊夕大女子宀寸小尢尸屮山巛工己巾干幺广廴廾弋弓彐彡彳

族대족」 ㉶과장(誇張)됨。「大言대언」 ㉷나이 먹음。 ㉸존경·찬미하는 말。「大著대저」「大韓대한」 ②거칠대 성김。 ③지날대 한도를 넘음。 ④나을대 남보다 뛰어남。 ⑤크게여길대 중히 여김。 ⑥크게할대 ㉠떠벌림。 자랑함。 ㉡성(盛)하게 함。 ⑦크기대 큰 정도。 ⑧대강대 개략。「大略대략」「大要대요」 ⑨크게대 성(盛)하게 ㊁클태 太(大部一畫)와 같은 글자。

주의 옛날에는「大·太태」는 통하여 쓰이었음。

【大家 대가】 ①큰 집。 ②부잣집。 ③경대부(卿大夫)와 같은 신분이 높은 사람。 또 지체 좋은 집。 ④학예(學藝)가 뛰어난 사람。

【大覺國師 대각국사】《韓》고려(高麗) 때의 고승(高僧)。 자(字)는 의천(義天)。 문종(文宗)의 네째 왕자(王子)。 속장경(續藏經)을 간행(刊行)함。 우리 나라 천태종(天台宗)의 개조(開祖)。

【大姦似忠 대간사충】 아주 간사한 사람은 겉을 교묘하게 꾸미므로 도리어 충신(忠臣) 같이 보임。

【大喝* 대갈】 큰 소리로 꾸짖음。

【大監 대감】《韓》정이품(正二品) 이상의 관원(官員)의 존칭(尊稱)。

【大綱 대강】 일의 중요(重要)한 것만 따낸 부분(部分)。 대강령(大綱領)。

【大概 대개】 ①대체의 경개(梗概)。 ②세밀하지 아니한 정도로。

【大擧 대거】 ①많은 사람을 움직여 거사(擧事)함。 ②크게 서둘러 일을 함。

【大驚失色 대경실색】 몹시 놀라서 얼굴 빛을 잃음。

【大計 대계】 ①총계。 ②빠짐없이 전체를 계교(計較)함。 ③큰 계획。

【大故 대고】 ①부모(父母)의 상사(喪事)。 ②큰 사고(事故)。 ③아주 못된 짓。 대악(大惡)。 악역(惡逆)。

【大公 대공】 ①군주(君主)의 일가(一家)의 남자。 ②소국(小國)의 군주。

【大功 대공】 ①나라에 대(對)한 큰 공로(功勞)。 ②오복(五服)의 하나。 굵은 베로 지어 아홉달 입는 복。

【大公至平 대공지평】 아주 공평함。 지극히 공평함。

【大過 대과】 큰 과실(過失)。

【大官 대관】 높은 벼슬。

【大觀 대관】 널리 보여 알리는 것。 사물(事物)의 전체를 관찰함。

【大巧若拙 대교약졸】 아주 교묘(巧妙)한 재주를 가진 사람은 그 재주를 자랑하지 아니하므로 언뜻 보기에는 서투른 것 같음。

【大矩和尙* 대구화상】《韓》 신라(新羅) 진성여왕(眞聖女王) 때의 중。 위홍(魏弘)과 함께 향가(鄕歌)를 모아「삼대목(三代目)」을 편찬하였음。

【大局 대국】 일의 대체의 형세。 천하(天下)의 대세(大勢)。

【大君 대군】 ①천자(天子)。 군주(君主)。 ②《韓》왕비(王妃)의 아들。

【大權 대권】 제왕 또는 국가의 원수가 국토·국민을 통치하는 권력。

【大闕* 대궐】 임금이 있는 곳。 궁궐。

【大規模 대규모】 매우 큰 규모(規模)。

【大金 대금】 큰 돈。 많은 돈。

【大器 대기】 ①큰 그릇。 ②뛰어난 인재(人才)。

【大器晩成 대기만성】 큰 그릇은 만드

는 데 오래 걸림。 전(轉)하여 크게 될 사람은 늦게 이루어짐。

【大器小用 대기소용】 대재(大才) 있는 사람을 낮은 지위에 머물러 두고 부림을 이름。

【大吉 대길】 크게 길함。

【大團圓 대단원】 끝。 최후의 장면。

【大膽* 대담】 겁이 없이 결단(決斷)하는 담력(膽力)。

【大戴禮* 대대례】 전한(前漢)의 대덕(戴德)이 이백여편의 예기(禮記)를 줄여서 팔십오편으로 한 것。 예기(禮記)와 구별하여 이름。 대대기(大戴記)라고도 함。

【大德 대덕】 ①큰 덕행(德行)。 덕이 높음。 또 그 사람。 ②넓고 큰 은덕(恩德)。

【大度 대도】 큰 도량(度量)。

【大盜 대도】 큰 도적(盜賊)。

【大道 대도】 ①큰 길。 대로(大路)。 ②큰 도(道)。 대의(大義)。

【大東 대동】 우리 나라의 별칭。

【大同團結 대동단결】 여러 당파(黨派)가 어떤 목적을 위하여 소이(小異)를 버리고 합동(合同)함。

【大動脈 대동맥】 머리·사지 등에 있는 동맥(動脈)의 중요한 줄기。

【大同法 대동법】《韓》 조선(朝鮮) 중기(中期) 이후(以後) 공물(貢物)을 미곡(米穀)으로 통일(統一)하여 바치게 하던 납세 제도(納稅制度)。

【大同小異 대동소이】 거진 같고 조금 다름。

【大東輿地圖 대동여지도】《韓》 김 정호(金正浩)가 만든 한국(韓國) 최초(最初)의 자세(仔細)한 지도。

【大豆 대두】 콩。

【大略 대략】 ①큰 계략。 원대(遠大)한 지략(智略)。 ②대요(大要)。

【大量 대량】 ①큰 도량(度量)。 대도(大度)。 ②많은 분량(分量)。

【大禮 대례】 ①가장 중대한 의식(儀式)。 ②혼례(婚禮)。

【大怒 대로】 크게 성냄。

【大理石 대리석】 석회석(石灰石)이 높은 온도와 강한 압력(壓力)으로 변한 아름다운 돌。

【大痲 대마】 삼。

【大望 대망】 큰 소망(所望)。

【大麥 대맥】 보리。

【大命 대명】 ①천명。 ②칙명(勅命)。

【大文章 대문장】 웅대(雄大)한 글。 또 그러한 글을 짓는 사람。

【大邦 대방】 큰 나라。 대국(大國)。

【大法 대법】 중요(重要)한 법。 근본이 되는 법。

【大別 대별】 크게 분류(分類)함。

【大寶 대보】 ①아주 귀중(貴重)한 보배。 지보(至寶)。 ②천자의 지위。 ③자기의 몸。 ④임금의 옥새(玉璽)。

【大本 대본】 크고 중요로운 근본。 제일의 기본(基本)。

【大部分 대부분】 반(半)이 훨씬 지나는 수효(數爻)、 또는 분량(分量)。

【大夫人 대부인】 남의 어머니의 존칭。

【大佛 대불】 거대한 불상(佛像)。

【大妃 대비】 선왕(先王)의 비(妃)。

【大使 대사】 원수(元首)의 명을 봉행(奉行)하는 정사(正使)로서 한 나라를 대표하여 외국에 가 있어 외교관계를 맺는 최상급의 외교관。

【大事 대사】 ①부모의 상(喪)。 ②큰 사건。 비상한 일。 ③원대한 사업。

【大師 대사】 ①다수(多數)의 군대。 ②

뛰어난 학자。③불(佛)·보살(菩薩)의 경칭(敬稱)。④나라에서 높은 선사(禪師)에게 내리는 칭호。

【大赦* 대사】나라에서 큰 경사(慶事)가 있을 때 죄수(罪囚)를 놓아주거나 감형(減刑)하는 은전(恩典)。

【大祥 대상】사람이 죽은 지 두 돌 만에 지내는 제사(祭祀)。

【大書特書 대서특서】특히 큰 글자로 적어 표시(表示)함。

【大成 대성】크게 이룸。큰 성공。

【大聖 대성】①가장 재덕(才德)이 높은 성인(聖人)。고금에 견줄 이 없는 성인。②공자(孔子)의 존칭。③《佛敎》여래(如來)의 이칭。

【大聲 대성】큰 목소리。

【大聲痛哭 대성통곡】큰 소리로 슬프게 욺。

【大勢 대세】①대국적(大局的) 형세。②큰 권력。③많은 사람。

【大小 대소】사물(事物)의 큼과 작음。

【大笑 대소】큰 목소리로 웃음。

【大蘇 대소】송(宋)나라의 소식(蘇軾)。아우인 철(轍)을 소소(小蘇)라고 하는 것의 대(對)。

【大小事 대소사】큰 일과 작은 일。

【大小祥 대소상】대상(大祥)과 소상。

【大小腸 대소장】대장(大腸)과 소장。

【大勝 대승】크게 이김。대첩(大捷)。

【大乘佛敎 대승불교】《佛敎》불교의 높고 깊은 이치를 말한 교법(敎法)。소승불교(小乘佛敎)의 대(對)。

【大洋 대양】대륙(大陸)을 싸고 있는 큰 바다。

【大言 대언】①훌륭한 말。②큰 소리。장담(壯談)。

【大逆 대역】가장 인도에 거스르는 행위。군부(君父)를 죽이는 일 따위。

【大逆無道 대역무도】한(漢)나라 때 법률용어로서 모반(謀反)을 이름。

【大悟 대오】①크게 깨달음。②《佛敎》번뇌를 벗어나 진리를 깨달음。

【大王 대왕】①선왕(先王)의 존칭(尊稱)。②왕(王)의 존칭。

【大要 대요】대강。대략(大略)。

【大勇若怯* 대용약겁】대단히 용맹한 사람은 함부로 날뛰지 않으므로 도리어 겁장이같이 보임。

【大原 대원】근본(根本)。대본(大本)。

【大圓 대원】①큰 원형(圓形)。대권(大圈)。②하늘。

【大願 대원】①큰 소원(所願)。②《佛敎》성불(成佛)의 원망(願望)。

【大院君 대원군】《韓》방계(傍系)에서 들어와서 대통(大統)을 이은 임금의 친아버지의 봉작(封爵)。

【大元帥 대원수】①전군(全軍)을 통솔하는 대장。총대장(總大將)。②국가의 병권을 총람(總攬)하는 원수。

【大儒 대유】학식이 높은 선비。거유(巨儒)。

【大恩 대은】큰 은혜(恩惠)。

【大邑 대읍】큰 고을。

【大意 대의】①대지(大旨)。②큰 뜻。대지(大志)。

【大義 대의】①인륜(人倫)의 중대(重大)한 의리(義理)。②대강의 뜻。

【大義滅親 대의멸친】중대(重大)한 의리를 위하여는 골육(骨肉)의 사정(私情)을 끊음。

【大義名分 대의명분】사람이 지켜야 할 절의(節義)와 분수(分數)。

【大人 대인】①아버지의 경칭(敬稱)。②어머니의 경칭。③큰 덕(德)이 있는 사람。④벼슬이 높은 사람。또 관직(官職)에 있는 사람。

【大人君子 대인군자】덕행(德行)이 높은 사람。

【大人物 대인물】위대한 인물。

【大任 대임】중대한 임무。

【大慈大悲 대자대비】넓고 커서 끝이 없는 자비。 특히 관세음보살(觀世音菩薩)의 덕(德)을 칭송하는 말。

【大腸 대장】소장(小腸)의 주위(周圍)를 돌아서 항문(肛門)에 이르는 창자。

【大藏經 대장경】불교(佛敎)의 모든 경전(經典)의 총칭(總稱)。

【大將軍 대장군】옛날 정토(征討)에 파견되는 군의 총대장(總大將)。

【大丈夫 대장부】사내답고 씩씩한 남자。 지조(志操)가 굳어 불의(不義)에 굽히지 않는 남자。 위장부(偉丈夫)。

【大災 대재】큰 재앙(災殃)。

【大抵 대저】무릇。 대개。

【大著 대저】①큰 저술(著述)。 뛰어난 저술(著述)。 ②남의 저작(著作)의 존칭。

【大賊 대적】①몹시 나쁜 짓을 하는 사람。 ②큰 도둑。

【大敵 대적】많은 적。 또 강적。

【大典 대전】①귀중한 대부(大部)의 서적(書籍)。 ②나라의 큰 의식。

【大殿* 대전】《韓》임금의 존칭。

【大篆* 대전】한자(漢字)의 한 체(體)。 주(周)나라 선왕(宣王) 때 사주(史籒)가 처음 만들었다 함。 주문(籒文)。 소전(小篆)의 대(對)。

【大典通編 대전통편】《韓》경국대전(經國大典)·대전속록(大典續錄)·대전후속록(大典後續錄)·수교집록(受敎集錄)·속대전(續大典)을 한데 모아 이룬 책(册)。 조선(朝鮮) 정조(正祖)때 김치인(金致仁)이 편집(編輯)。

【大帝 대제】①하늘。 ②성덕(盛德) 있는 천자(天子)의 미칭(美稱)。

【大提學 대제학】《韓》홍문관(弘文館)·예문관(藝文館)의 정이품(正二品)의 으뜸 벼슬。

【大祚榮* 대조영】《韓》발해의 고왕(高王)。 본디 고구려의 유민(流民)。

【大宗 대종】①큰 근본。 ②시조(始祖)의 적장자(嫡長子)。 ③대족(大族)。

【大鐘 대종】《佛敎》쇠로 만든 큰 종。

【大宗家 대종가】제일 큰 종가(宗家)。

【大罪 대죄】중대한 죄(罪)。

【大衆 대중】①다수(多數)의 사람。 ②수효가 많은 일반 사람。

【大志 대지】큰 뜻。 원대한 뜻。

【大秦* 대진】동(東)로마 제국의 일컬음。

【大差 대차】큰 차이(差異)。

【大處 대처】도회지(都會地)。

【大捷* 대첩】큰 승리(勝利)。

【大廳 대청】《韓》관아(官衙) 또는 사가(私家)의 주장되는 집채 가운데에 있는 마루。

【大體 대체】①대략(大略)。 대개。 ②마음을 이름。 이목을 소체(小體)라고 하는 데 대한 말。 ③대저(大抵)。

【大醉 대취】술이 몹시 취(醉)함。

【大通 대통】인정(人情)에 정통(精通)함。 사물에 구애(拘礙)하지 않음。 또 그 사람。

【大統 대통】임금의 계통。 황통(皇統)。

【大破 대파】①크게 깨짐。 ②적(敵)을 크게 쳐부숨。

【大敗 대패】①큰 실패。 ②싸움에 크게 짐。

【大豐 대풍】곡식이 썩 잘됨。

【大夏 대하】①한여름。 ②사서(史書)에 보이는 서역(西域)의 한 나라。

③오호십육국(五胡十六國)의 하나。

【大學 대학】①중국 상대(上代)에 고등교육을 실시하던 학교。②최고급의 학교。단과대학과 종합대학이 있는데 종합대학은 특히 대학교라 함。③사서(四書)의 하나。

【大學士 대학사】학사(學士)의 최상급(最上級)。

【大學者 대학자】학식(學識)이 뛰어난 학자(學者)。

【大寒 대한】①이십사절기의 마지막 절후。양력 일월 이십일일경。②아주 대단한 추위。

【大韓帝國 대한제국】우리 나라 국호(國號)의 하나。조선 고종(高宗) 삼십사년(서기 一八九七년)에 임금의 위호(位號)를 황제로 하고 조선(朝鮮)을 대한 제국이라 개칭하였음。

【大害 대해】큰 손해(損害)。

【大行 대행】①제왕(帝王)·후비(后妃)가 죽은 뒤에 아직 시호(諡號)를 올리지 아니한 동안의 존칭(尊稱)。②큰 행위。큰 사업。

【大兄 대형】①맏형。장형。②형의 경칭。③붕우간(朋友間)의 경칭。

【大火 대화】①큰 불。②화성(火星)。③여름의 더위。

【大化 대화】넓고 큰 덕화(德化)。큰 교화(敎化)。

【大孝 대효】지극한 효성。지효(至孝)。

◉重大중대 最大최대 特大특대 擴大확대

一畫

4【太】大 1 중학 태 — 클 — ㊀泰

一 ナ 大 太

자원 회의 大二 亽 ‖太(大부)

「大대」는 크다。「二이」는 같은 모양이 겹치는 표。「亽태」는 「夳」라고 쓴 것을 약한 것으로서 심하다의 뜻을 나타냄。나중에 다시 약해서 「太」라고 씀。

뜻 ①**클태** 용적·면적 등이 큼。또 아주 훌륭함。「太倉태창」②**심할태** 격심함。③**심히태** 대단히。④**통**(通)**할태** ⑤**처음태** 최초。「太極태극」⑥《韓》**콩태** 대두(大豆)。

주의 옛날엔 太·大는 통하여 썼음。

참고 「太」를 음으로 하는 글자=「汰태」〈일다〉·「駄태」〈태우다〉·「忲태」〈방자하다〉

【太古 태고】아주 오랜 옛날。

【太公望 태공망】주초(周初)의 현신(賢臣)인 여상(呂尙)을 이름。

【太極 태극】천지(天地)가 아직 열리지 않고 혼돈(混沌)한 상태(狀態)로 있던 때。곧 천지(天地)와 음양(陰陽)이 나누어지기 이전(以前)。

【太極扇*태극선】태극 모양을 그린 둥근 부채。

【太嶺 태령】험(險)하고 높은 고개。

【太半 태반】절반(折半)이 지남。반수 이상。

【太白 태백】①당나라 시인 이백(李白)의 자(字)。②태백성(太白星)。

【太不足 태부족】많이 모자람。

【太上王 태상왕】왕(王)의 아버지에게 바치는 존호(尊號)。

【太歲 태세】그 해의 간지(干支)。

【太守 태수】한대(漢代)의 군(郡)의 지방 장관。군수(郡守)。

이의 변하지 않는 떳떳한 도리(道理)。

【天理 천리】 천지자연(天地自然)의 이치(理致)。

【天命 천명】 ①하느님의 명령。 ②하느님에게서 받은 운명。 자연의 운수。 ③하늘에서 타고난 목숨。

【天無二日 천무이일】 하늘에 해가 둘이 없다는 뜻으로、 나라에는 오직 한 임금이 있을 뿐이라는 말。

【天文 천문】 ①천체(天體)의 온갖 현상(現象)。 ②천문학(天文學)。

【天文臺 천문대】 천문(天文)을 관측(觀測)하는 곳。

【天方地軸 천방지축】《韓》 ①너무 급하여 두서(頭緖)를 잡지 못하고 허둥지둥함。 ②어리석은 사람이 종작없이 덤벙댐。

【天罰 천벌】 하늘이 주는 벌(罰)。

【天變地異 천변지이】 하늘과 땅의 변동과 괴변(怪變)。

【天賦 천부】 천성(天性)。

【天分 천분】 ①천성(天性)。 ②분수。 분한(分限)。 ③정신。 영혼。

【天崩地壞 천붕지괴】 하늘이 무너지고 땅이 꺼짐。

【天使 천사】 ①하느님의 사명(使命)을 받들고 인계(人界)에 내려온 신(神)。 ②천자(天子)의 사신(使臣)。 칙사(勅使)。 ③해와 달。 일월(日月)。 ④무지개。

【天產 천산】 ①자연(自然)의 산출(產出)。 ②천산물(天產物)。

【天上 천상】 ①하늘의 위。 하늘。 ②《佛敎》 하늘 위에 신이 있는 곳。

【天上天下唯我獨尊 천상천하 유아독존】 천지 사이에 나보다 높은 것이 없음。 석가(釋迦)가 한 말임。

【天生 천생】 ①하늘로부터 타고남。 또 타고난 성질。 ②자연히 이루어짐。 저절로 남。

【天生配匹 천생배필】 하늘이 맺어 준 배필(配匹)。

【天生緣分 천생연분】 하늘이 배필(配匹)을 맺어 준 연분(緣分)。

【天成 천성】 자연히 이루어짐。

【天性 천성】 타고난 성품(性品)。

【天水 천수】 빗물。

【天壽 천수】 ①천자(天子)의 수(壽)。 ②타고난 목숨。 천명(天命)。

【天數 천수】 ①천명(天命)。 ②천운(天運)。

【天神 천신】 하늘의 신(神)。

【天神地祇 천신지기】 천신과 사직。

【天心 천심】 ①하느님의 마음。 천의(天意)。 ②하늘의 한가운데。

【天顏 천안】 천자(天子)의 얼굴。

【天涯 천애】 ①하늘의 끝。 ②썩 먼 곳。

【天涯地角 천애지각】 하늘의 끝과 땅의 모퉁이。 곧 썩 먼 곳。

【天壤 천양】 하늘과 땅。 천지(天地)。

【天壤無窮 천양무궁】 천지(天地)와 더불어 끝이 없음。 영구(永久)。

【天與 천여】 하늘이 줌。 하늘이 준 바。

【天然 천연】 자연 그대로의 상태。

【天然美 천연미】 자연미(自然美)。

【天然色 천연색】 인공(人工)을 가(加)하지 아니한 그대로의 빛깔。

【天佑神助* 천우신조】 하느님과 신령의 도움。

【天運 천운】 ①하늘이 정(定)한 운수。 ②천체(天體)의 운행(運行)。

【天圓地方 천원지방】 하늘은 둥글고 땅은 네모짐。

【天恩 천은】 ①하느님의 은혜(恩惠)。

②천자(天子)의 은혜(恩惠)。

【天意 천의】 ①하느님의 뜻。 ②천자(天子)의 뜻。

【天衣無縫* 천의무봉】 하늘에 있다는 직녀(織女)가 짜 입은 옷은 솔기가 없다는 뜻으로、시문(詩文) 등이 너무 자연스러워 조금도 꾸민 티가 없음을 이름。

【天人之道 천인지도】 하느님과 인간(人間)에게 상통(相通)하는 우주간(宇宙間)의 근본 원리(根本原理)。

【天日 천일】 해。 태양(太陽)。

【天子 천자】 ①하느님의 아들。 ②천하를 다스리는 사람。 곧 황제。

【天資 천자】 타고난 자질(資質)。 타고난 바탕。 천품(天稟)。

【天長節 천장절】 당(唐)나라 현종(玄宗)의 생일 이름。

【天長地久 천장지구】 하늘과 땅은 영구(永久)히 변(變)하지 아니함。

【天才 천재】 타고난 재능。 ②날 때부터 갖춘 뛰어난 재주。 또 그 사람。

【天災 천재】 바람·비 등의 자연(自然)의 재앙(災殃)。

【天井 천정】 방(房)·마루 등의 위되는 곳。 곧 지붕의 안 쪽。 천장。

【天井不知 천정부지】 《韓》 물건 값이 자꾸 오르기만 함을 이르는 말。

【天定緣分 천정연분】 천생연분(天生緣分)。

【天帝 천제】 천지(天地)를 주재(主宰)「하는 신(神)。 하느님。

【天主 천주】 ①하늘의 신(神)。 ②천주교에서 우주(宇宙)·만물(萬物)의 창조자(創造者)。 하느님。

【天中佳節 천중가절】 단오(端午)。

【天池 천지】 《韓》 백두산(白頭山) 꼭대기에 있는 큰 못。

【天地 천지】 ①하늘과 땅。 ②우주(宇宙)。 ③세상(世上)。 ④위와 아래。 ⑤차이가 대단함의 비유。

【天地開闢* 천지개벽】 하늘과 땅이 처음으로 열림。

【天地神明 천지신명】 우주(宇宙)를 주재하는 신령(神靈)。

【天職 천직】 ①하느님이 맡긴 직무。 ②하느님의 직무。 하느님이 맡은 바。 ③천자(天子)의 직무。 ④천도(天道)를 좋아하는 일。

【天眞爛漫 천진난만】 거짓과 꾸밈이 없이 마음이 언행에 그대로 나타남。

【天窓 천창】 방을 밝게 하기 위하여 천장에 낸 창。

【天聽 천청】 하느님 또는 천자(天子)「께서 들음。

【天體 천체】 ①하늘의 형체(形體)。 ②일월성신(日月星辰)의 총칭(總稱)。

【天寵* 천총】 하느님 또는 천자(天子)의 총애(寵愛)。

【天竺* 천축】 중국에서 이르는 인도(印度)의 고칭(古稱)。

【天癡* 천치】 날 때부터 정신작용(精神作用)이 완전하지 못한 사람。

【天則 천칙】 우주 대자연의 법칙。

【天秤* 천칭】 저울의 한 가지。 천평칭(天平秤)。

【天統 천통】 ①자연의 법칙。 ②천자(天子)의 혈통(血統)。

【天稟* 천품】 타고난 기품(氣稟)。 천「성(天性)。

【天下 천하】 ①하늘 아래。 ②온 나라。

【天下奇才 천하기재】 천하에서 견줄 수 없을 만한 재주。 또 그 사람。

【天下大勢 천하대세】 세상(世上)이 돌아가는 추세(趨勢)。

【天下無雙 천하무쌍】 천하에 비길 것이 없음。
【天下壯士 천하장사】 세상에서 보기 드문 장사(壯士)。
【天下太平 천하태평】 온 천하가 극히 잘 다스려져 있음。
【天旱 천한】 가물음。
【天漢 천한】 은하(銀河)。
【天幸 천행】 뜻밖의 우연한 행복(幸福)。 하늘이 주는 행복。
【天刑 천형】 ①자연(自然)의 법(法)。 ②천벌(天罰)。
【天刑病 천형병】 문둥병을 이름。
【天惠 천혜】 하늘의 은혜(恩惠)。
【天禍 천화】 하느님이 내리는 재화。
【天皇 천황】 ①천자(天子)。 황제(皇帝)。 ②천제(天帝)。
【天候 천후】 기후(氣候)。
◉九天구천 樂天낙천 東天동천 命在天명재천 碧天벽천 富貴在天부귀재천 不俱戴天불구대천 昇天승천 仰天앙천 雨天우천 一念通天일념통천 中天중천 至誠感天지성감천 蒼天창천 靑天청천 衝天충천 寒天한천 荒天황천

4 【夭】 大 1 ㊀요 ㊁오 | 일찍죽을 | ㊀①㊤篠 ②-⑤(平)蕭 ㊁㊤皓

자원 상형 夭 2500년전

「夭」는 사람이 머리를 갸우뚱하게 하고 요염하게 교태를 부리고 있는 모양을 본뜸。 전하여 젊음에 넘치다、또 젊음을 뜻함。

뜻 ㊀①**일찍죽을요** 「夭死요사」 ②**무성할요** 풀이 무성함。 ③**예쁠요** 나이가 젊고 용모가 아름다움。 ④**얼굴빛화평할요** ⑤**재앙요** 재화。 ㊁**어린애오** 유아。

주의 「天천」〈하늘〉과는 딴 글자。

참고 「夭」를 음으로 하는 글자＝「妖요」〈아름답다〉·「祅요」〈재앙〉·「殀요」〈젊어 죽음〉·「訞요」〈요사하다〉·「笑소」〈웃다〉·「沃옥」〈물대다〉

【夭桃 요도】 ①꽃이 아름답게 핀 복숭아나무。 ②젊고 예쁜 여자의 얼굴。 ③시집 갈 나이。
【夭死 요사】 일찍 죽음。 나이가 젊어서 죽음。
【夭折 요절】 요사(夭死)。

【大】 ⇩部首

二畫

5 【央】 大 2 고교 앙 | 가운데 | (平)陽

丨 冂 口 央 央

자원 회의 大 ⊢冂 丅央(大부) 2500년전

사람이 서 있는 모양의 「大대」와、나라의 경계(境界)를 뜻하는 「冂경」(冂은 冂의 변형)의 합자(合字)。 사람이 나라의 한가운데 서 있는 모양을 나타냄。 중앙(中央)의 뜻。

뜻 ①**가운데앙** ㉠한가운데。 「中央중앙」 ㉡중간。 반분。 ②**다할앙** 없어짐。 ③**오랠앙、멀앙** 시간이 긺。 ④**넓을앙** 광대한 모양。

참고 「央」을 음으로 하는 글자＝「怏앙」〈원망하다〉·「殃앙」〈재앙〉·「盎앙」〈동이〉·「秧앙」〈모·모종〉·「鴦앙」〈원앙〉·「英영」〈꽃〉·「映영」〈비치다〉

◉未央미앙 中央중앙

5 **【失】** 大 2 중학 **실** 잃을 ⓐ質

ノ 𠂉 𠂊 失 失

자원 형성 手+乙(음)→失(大부)

2000년전

손(手)과、음을 나타내는 동시에 잃다의 뜻(⇩逸일)을 가진 「乙을」(∼실은 변음)로 이루어짐。손에서 물건이 떨어져 나가다의 뜻。전하여 잃다의 뜻。

뜻 ①**잃을실** ㉠빠뜨림。「紛失분실」 ㉡놓침。「失農실농」 ㉢남의 손으로 넘어감。빼앗김。㉣찾지 못함。㉤그르침。잘못함。「失禮실례」 ②**허물실** 과실。실수。「過失과실」

참고 「失」을 음으로 하는 글자=「佚일」〈편하다〉·「軼일」〈앞지르다〉·「迭질」〈갈마들다〉·「跌질」〈넘어지다〉·「鉄질」〈꿰매다〉·「帙질」〈책갑〉·「秩질」〈차례〉·「抶질」〈종아리치다〉

【失脚 실각】 ①발을 헛디딤。②실패(失敗)함。그 자리에서 물러남。

【失格 실격】 ①자격을 잃음。②격식에 맞지 않음。

【失權 실권】 ①권세(權勢)를 잃음。권리(權利)를 잃음。

【失期 실기】 일정(一定)한 시기(時期)를 놓침。

【失機 실기】 기회(機會)를 잃음。

【失念 실념】 잊음。생각에서 사라짐。

【失農 실농】 농사(農事)의 시기를 잃음。농사에 실패함。

【失德 실덕】 덕망(德望)을 잃음。또 그러한 행실。

【失禮 실례】 예의(禮儀)에 벗어남。

【失利 실리】 손해(損害)를 봄。

【失望 실망】 바라는 바대로 되지 않아 낙심함。

【失名 실명】 ①이름을 잃어버림。②이름이 전하지 아니하여 알려지지 아니함。이름을 알지 못함。

【失命 실명】 목숨을 잃어버림。죽음。

【失明 실명】 시력(視力)을 잃음。장님이 됨。

【失物 실물】 물건을 잃어버림。또 잃어버린 물건。

【失色 실색】 놀라서 얼굴 빛이 변함。

【失性 실성】 정신에 이상이 생김。

【失笑 실소】 참으려 하여도 참을 수 없이 웃음이 툭 터져 나옴。

【失手 실수】 잘못。

【失神 실신】 본 정신(精神)을 잃음。

【失心 실심】 본심(本心)을 잃음。

【失言 실언】 잘못한 말。또 말을 잘못함。실구(失口)。실사(失辭)。

【失業 실업】 직업(職業)을 잃음。

【失意 실의】 ①기분이 좋지 아니함。②뜻을 잃음。뜻을 펴지 못함。

【失政 실정】 잘못된 정치。또 정치를 잘못함。비정(秕政)。악정(惡政)。

【失足 실족】 발을 헛디딤。

【失踪* 실종】 달아나 자취를 감춤。간 곳을 모름。

【失地 실지】 잃은 영토。

【失職 실직】 ①직업(職業)을 잃음。②관직(官職)에서 떨어짐。

【失策 실책】 잘못된 계책(計策)。또 계책을 잘못 씀。

【失墜* 실추】 ①떨어뜨려 잃음。②실패(失敗)。

【失態 실태】 체면을 손상함。면목(面目)을 잃음。실체(失體)。

【失火 실화】 잘못하여 불을 냄。

◉過失과실 得失득실 亡失망실 消失소실 損失손실 遺失유실 千慮一失천려일실

三畫

6 **【夷】** 大 3 고교 **이** | 오랑캐 | ㊥支

一 ㄱ 亖 弖 夷 夷

자원 회의 大+弓 → 夷(大부) 2500년전

「大대」와 「弓궁」으로 이루어지며, 사람이 활을 들고 있는 모양을 본뜸。옛날 동방(東方)의 오랑캐를 「이」라고 불렀으므로, 음을 빌어 이 글자가 쓰임。또 평정(平定)하다(⇩易이)、항상 변하지 않다(⇩彝이) 등의 뜻으로 빌어 쓰임。

뜻 ①**오랑캐이** ㉠중국 동방의 미개인。「東夷동이」 ㉡전(轉)하여 야만 미개한 민족·국가。「夷狄이적」 ②**평평할이** 평탄함。또 평탄하게 함。「夷坦이탄」 ③**온화할이** 온순하고 인자함。④**안온할이** 평온 무사함。「夷謐이밀」 ⑤**기뻐할이** 희열(喜悅)함。⑥**클이** 성대함。⑦**멸할이** 멸망시킴。「夷滅이멸」 ⑧**무리이** 동등한 자。⑨**상할이** 다침。또 상처。痍(疒部六畫)와 같은 글자。⑩**깎을이** 풀을 벰。⑪**잘못이** 과오。실책。⑫**떳떳할이** 彝(彑部十五畫)와 같은 글자。

참고 「夷」를 음으로 하는 글자=「姨이」〈이모〉·「痍이」〈상처〉

◉東夷동이 攘夷양이 征夷정이 荒夷황이

五畫

8 **【奇】** 大 5 고교 **기** | 기이할 | ㊥支

一 ナ 大 太 㚎 奆 奇 奇

자원 형성 大+可(음) → 奇(大부) 2500년전

사람이 손발을 펴고 선 모양인 「大대」와, 음을 나타내는 동시에 하나의 뜻(⇩觭기)을 나타내기 위한 「可가」(기는 변음)로 이루어짐。사람이 한 쪽 발로 선다는 뜻으로 「踦기」의 본디 글자。보통이 아니라는 데서 전하여 진기하다의 뜻이 됨。

뜻 ①**기이할기** ㉠괴이(怪異)함。괴상함。「奇怪기괴」 ㉡진귀(珍貴)함。「奇聞기문」 ㉢진부(陳腐)하지 아니함。새로움。「奇論기론」 ㉣뛰어남。범상(凡常)하지 아니함。「奇骨기골」 ㉤알 수 없음。불가해함。또 기이한 일。기이한 것。「奇蹟기적」 ②**가만할기** 비밀함。③**때못만날기** 불우함。「奇薄기박」 ④**속임수기** 궤사(詭詐)。궤계(詭計)。⑤**기수기** 둘로 나뉘지 않는 수。우수(偶數)의 대(對)。⑥**짝기** 쌍을 이룬 한 쪽。⑦**여수기** 남은 수。「奇零기령」 ⑧**심히시** 대단히。「奇愛기애」

참고 「奇」를 음으로 하는 글자=「寄기」〈붙어 있다〉·「掎기」〈당기다〉·「崎기」〈험하다〉·「畸기」〈병신〉·「綺기」〈무늬〉·「踦기」〈절름발이〉·「騎기」〈말타다〉·「倚의」〈기대다〉·「椅의」〈의자〉

【奇傑 기걸】 기이(奇異)한 호걸。

【奇計 기계】 기묘(奇妙)한 꾀。

【奇骨 기골】 보통과 다른 골격(骨格)。뛰어난 기풍(氣風)。

【奇觀 기관】 기이(奇異)한 광경。

【奇怪罔測 기괴망측】 기괴(奇怪)하여 헤아릴 수 없음。

【奇大升 기대승】《韓》조선(朝鮮) 선조(宣祖)때의 성리학자(性理學者)。
【奇奇妙妙 기기묘묘】 매우 기묘함。
【奇聞 기문】 진기한 이야기。
【奇拔 기발】 특별(特別)히 뛰어남。
【奇想天外 기상천외】 상식을 벗어난 아주 엉뚱한 생각。
【奇書 기서】 기이한 내용의 서적。
【奇聲 기성】 기묘한 소리。 익숙하지 못한 이상한 소리。
【奇數 기수】 ①기묘(奇妙)한 술법。 기술(奇術)。 ②둘로 나누어지지 않는 수。
【奇習 기습】 기이한 풍습。
【奇岩怪石 기암괴석】 기이(奇異)한 바위와 괴이(怪異)한 돌。
【奇緣 기연】 기이(奇異)한 인연。
【奇偶 기우】 기수(奇數)와 우수(偶數)。
【奇遇 기우】 이상하게 만남。 뜻밖의 상봉(相逢)。
【奇異 기이】 이상(異常)함。
【奇人 기인】 ①미성년자。 ②기이한 사람。 언행이 상규를 벗어난 사람。
【奇才 기재】 세상(世上)에 드문 재주。
【奇蹟 기적】 사람의 생각과 힘으로는 할 수 없는 기이(奇異)한 일。
【奇特 기특】 특이(特異)함。
【奇行 기행】 기이한 행동。
【奇貨 기화】 ①진귀한 보배。 ②절호의 기회。
◉怪怪奇奇괴괴기기 神奇신기 珍奇진기

8 【奈】 大 5 [고교] [一]나 [二]내 어찌 [一][二] [去]隊

一 ナ 大 夳 夳 夳 奈 奈

[자원] 형성 大 示[음] ↓奈(大부)

「大대」〈크다〉와、 음을 나타내는 「示시」(나는 변음)로 이루어짐。 사과나무의 일종。 음을 빌어 의문사로 씀。

[뜻] 어찌나、 어찌내 「如何여하」와 뜻이 같음。 「奈何내하」

[주의] 「柰」가 정자(正字)。 「奈」는 그 속자(俗字)。

【奈落 나락】《佛敎》지옥。 범어(梵語) naraka의 음역(音譯)。
【奈勿王 내물왕】《韓》신라(新羅) 십칠(十七)대 왕(王)。 이 왕(王) 때에 처음으로 우리 나라에서 한자(漢字)를 사용하기 시작했음。
【奈何 내하】 ①어떤가。 ②어찌하여。

8 【奔】 大 5 [고교] 분 달릴 [平]元

一 ナ 大 太 夲 夲 奔 奔

[자원] 형성 大 卉[음] ↓奔(大부)

2500년전

은 사람이 양손을 흔들며 달리는 모양인 와 (많은 발)로 이루어짐。 힘차게 계속하여 달린다는 뜻의 회의자(會意字)。 은 형성자(形聲字)로、 (卉위)가 음(분은 변음)을 나타냄。

[뜻] ①달릴분 ㉠빨리 감。 「奔走분주」 ㉡빨리 가게 함。 ②달아날분 도망함。 ③패주할분 전쟁에 패하여 달아남。 또 그 군사。 ④예를갖추지않고혼인할분

【奔流 분류】 세차게 빨리 흐름。 또 그 물。
【奔馬 분마】 내닫는 말。
【奔忙 분망】 매우 부산하여 바쁨。
【奔放 분방】 ①기세 좋게 달림。 또 세차게 흐름。 ②절제 없이 제멋대로

함。 아무 구속을 받지 아니함。

【奔走 분주】 ①바삐 달림。 전(轉)하여 ②애씀。 진력함。 바쁨。

◉狂奔광분 逃奔도분 淫奔음분 出奔출분

8【奉】大 5 중학 봉 | 받들 | ①-③㊤腫 ④㊍宋

一 二 三 丰 夫 夫 叐 奉 奉

자원 형성 丰음 手 廾 ┼ 奉(大부)

2500년전

음을 나타내는 「丰봉」(丯)과 「手수」(𠂇=손)와 「廾공」(𠬞=두 손)으로 이루어짐。 양손으로 받들어 간직하다→사람에게 바친다는 뜻을 나타내고 있음。

뜻 ①받들봉 ㉠두 손으로 공경하여 듦。 ㉡공경하여 이어받음。 계승함。 ㉢하명(下命)을 받음。「奉命봉명」 ㉣웃사람을 섬김。 ㉤웃어른을 위하여 일을 하거나 웃어른과 말할 때 등에 공경하는 뜻을 나타내는 말。「奉讀봉독」「奉答봉답」 ②바칠봉 ㉠드림。「奉獻봉헌」 ㉡또 드리는 물건。 공물(貢物) 따위。 ③씀씀이봉 용도(用度)。 ④녹봉봉 봉급。「奉祿봉록」

주의 「奏주」〈아뢰다〉는 딴 글자。

참고 「奉봉」을 음으로 하는 글자=「俸봉」〈녹봉〉·「捧봉」〈받들다〉·「棒봉」〈몽둥이〉

【奉教 봉교】 가르침을 받자옴。

【奉命 봉명】 웃사람의 명령(命令)을 받듦。

【奉仕 봉사】 웃사람을 섬김。

【奉養 봉양】 부모(父母)·조부모(祖父母)를 받들어 모심。

【奉迎 봉영】 귀인(貴人)을 영접함。

【奉職 봉직】 공무(公務)에 종사함。

◉貢奉공봉 順奉순봉 遵奉준봉 進奉진봉

六畫

9【奎】大 6 규 | 별이름 | ㊥齊

자원 형성 圭음 大 ┼ 奎(大부)

2500년전

사람이 팔다리를 벌린 꼴을 본뜬 「大대」(大)와、 음을 나타내는 동시에 열다의 뜻(⇩啓계)을 나타내기 위한 「圭규」로 이루어짐。 본디、 양가랑이를 벌리다→사타구니의 뜻。 규성(奎星) 성좌의 모양이 양가랑이를 벌린 꼴과 비슷하므로 별 이름으로 쓰이게 됨。

뜻 별이름규 이십팔수(二十八宿)의 하나。 백호 칠수(白虎七宿)의 첫째 성수(星宿)로서 열여섯 별로 구성되었으며 문운(文運)을 맡았다고 함。 규수(奎宿)。「奎文규문」

【奎文 규문】 문물(文物)。 또는 문장。

【奎章閣 규장각】(韓) 역대 임금의 저술(著述)·필적(筆蹟)·유교(遺敎)·선보(璿譜)·보감(寶鑑) 및 정조(正祖)의 진영(眞影)을 보관한 관아。

【奎翰* 규한】 천자(天子)의 시문(詩文)。 또는 조칙(詔勅)。

9【奔】大 6 奔(大部五畫)의 본디 글자。

9【奏】大 6 주 | 아뢸 | ㊍宥

자원 회의 屮 廾 本 ┼ 奏(大부)

2000년전

「屮철」〈초목의 싹〉과 「廾공」〈양손〉

〔三畫部首順〕 口囗土士夂夊夕大女子宀寸小尢尸屮山巛工己巾干幺广廴廾弋弓彐彡彳

과「本토」〈나아가 이르다〉로 이루어짐。양손으로 받들어 신(神)에게 나아가 바치다。물건을 권하다↓전하여、아뢰다의 뜻。

[뜻] ①아뢸주 ㉠군주(君主)에게 여쭘。「奏對주대」㉡음악을 함。「奏樂주악」②상소주 군주에게 올리는 글。③곡조주 음악의 곡조。④모일주 湊(水部九畫)와 통용。

[주의]「秦진」〈진나라〉은 딴 글자。

【奏功 주공】①일의 성공을 임금에게 아룀。전(轉)하여 ②일이 성취됨。③효험이 나타남。주효(奏效)。

【奏樂 주악】풍류(風流)를 아룀。음악을 연주함。

【奏效 주효】효력을 나타냄。

◉獨奏독주 伏奏복주 上奏상주 合奏합주

9 【契】 大 6 [고교]

[一]계	서약	[一][去]霽
[二]결		[二][入]屑
[三]글		[三][入]物
[四]설		[四][入]屑

一 二 三 丰 丰丁 丰刀 㓞 㓞 契

〔三畫部首順〕 口囗土士夂夊夕大女子宀寸小尢尸屮山巛工己巾干幺广廴廾弋弓彐彡彳

[자원] 형성 大 + 㓞음 → 契(大부) 契 2500년전

「大대」〈크다〉와、음을 나타내며 동시에 칼로 나무에 새김질을 한 패의 뜻(⇩栔결·挈설)을 가진「㓞갈·할」(계는 변음)로 이루어짐。큰 부절(符節)의 뜻。옛날에는 부절을 증거로 하여 약속을 하였기 때문에 장래를 굳게 약속한다는 뜻으로 됨。

[뜻] [一]①서약계、계약계 약속。②계약서계 계약한 문서。「文契문계」③정의계 두터운 정。「金蘭之契금란지계」④연분계 부부 등의 인연。⑤계약할계 약속함。「契文계문」⑥맺을계 우정(友情) 또는 부부의 인연 등을 맺음。⑦맞을계 합치함。「契合계합」⑧《韓》계계 옛날부터 내려오는 우리 나라의 독특한 협동 단체。「契員계원」[二]①근고할결 신고하여 일함。②소원(疏遠)할결 성기어 멂。③끊을결 단절함。④새길결 조각함。[三]부족이름글「契丹글안」은 사세기(四世紀) 이래 몽고의 시라무렌강 유역(流域)에 유목(游牧)하고 있었던 부족(部族)。십세기(十世紀) 초에 추장(酋長) 야율아보기(耶律阿保機)가 요(遼)나라를 세웠는데 후에 금(金)나라에 멸망하였음。[四]사람이름설 은(殷)나라 왕조의 시조。

[참고]「契」를 음으로 하는 글자=「栔결」〈깨끗하다〉·「潔결」〈깨끗하다〉·「鍥계」〈새기다〉·「楔설」〈쐐기〉

【契機 계기】어떠한 일을 일으키는 기회(機會)나 근거(根據)。

【契父 계부】양부。또는 의부(義父)。

【契約 계약】①약속。②사법(私法)상의 효과를 목적으로 하여 두 사람 이상의 사이에 성립되는 의사 표시의 합치。

【契員 계원】《韓》계에 든 사람。

◉交契교계 金石之契금석지계 默契묵계

七畫

10 【套】 大 7

투(토[本])	클	[去]號

[자원] 회의 大 + 長-镸 → 套(大부)

「套」라고도 씀。「大대」〈크다〉와「長

장」〈길다〉을 합쳐、크게 김을 뜻함。전하여、겹치다、자루 등의 뜻으로 차용(借用)됨。

뜻 ①**클투** 길고 큼。②**겹칠투** 중첩됨。③**모퉁이투** 구부러지거나 꺾이어 돌아간 자리。④**덮개투** 물건의 위를 싸 가리는 것。「封套봉투」「外套외투」⑤**우리투** 짐승을 가두어 두는 곳。※본음(本音) **토**

【套語 투어】 진부(陳腐)한 말。상투어(常套語)。

◉舊套구투 封套봉투 常套상투 外套외투

10【奚】大 7 고교 ㊀해(혜本) ㊁혜 | 어찌 | ㊥齊

자원 상형 3000년전 2500년전

「奚해」는 손(ㅌ)과 머리칼을 다발로 빗은 사람의 모양。머리를 다발로 빗는 풍속(風俗)을 가진 종족(種族)을 나타낸다 함。음을 빌어、의문사(疑問詞)로 씀。

뜻 ㊀①**종해** 노복。「奚奴해노」②**어찌해** ㉠의문사。㉡반어(反語)。어찌 …하랴。※본음(本音) 혜 ㊁**어느곳혜** 하처(何處)。

참고 「奚」를 음으로 하는 글자=「傒혜」〈샛길〉·「蹊혜」〈좁은 길〉·「溪계」〈골짝〉·「谿계」〈개울〉·「鷄계」〈닭〉

【奚琴 해금】 속 빈 둥근 나무에 짐승 가죽을 메우고 긴 나무를 꽂아 줄을 활 모양으로 건 악기。깡깡이。

【奚若 해약】 여하(如何)와 같음。

八畫

【爽】⇩爻部七畫

九畫

12【奢】大 9 사 | 사치할 | ㊥麻

자원 형성 大+者(음)→奢(大부)

크게 하다、떠벌리다의 뜻인「大대」와 음을 나타내는「者자」(사는 변음)로 이루어짐。분에 넘치게 크게 떠벌리다→사치하다의 뜻。

뜻 ①**사치할사** 호사함。「奢佚사일」②**과분할사** 분수에 지나침。③**오만할사** 거만함。「奢傲사오」④**넉넉할사** 풍요(豐饒)함。⑤**사치사** 호사。

【奢侈 사치】 지나치게 치레함。

◉嬌奢교사 豪奢호사

12【奠】大 9 전 | 정할 | ㊤霰

자원 회의 酋+八+大→奠(大부) 2500년전

「酋유」〈酉·술단지〉와「八궤」〈大는 변형·받침〉로 이루어져、술을 신전(神前)에 바치는 모양을 나타냄。전하여、의식을 갖추어 신에게 제를 올리다、권하다、놓다의 뜻。

뜻 ①**정할전** 결정함。「奠都전도」②**둘전** 지상(地上)에 안치(安置)함。③**전올릴전** 제물을 올림。「奠菜전채」④**제수전** 제물。

【奠都 전도】 도읍(都邑)을 정함。

【奠物 전물】 제물(祭物)。제수(祭需)。

◉釋奠석전 疏奠소전 祭奠제전 進奠진전

12 【奥】 大 9 奧(다음 글자)의 속자(俗字)。

十畫

13 【奧】 大 10 ㊀오 ㊁욱 — 아랫목 — ㊀㊄號 ㊁㊇屋

자원 형성 宀 𢍏(음) ┬ 奧(大부) 2500년전

집을 뜻하는 「宀 갓머리」와 음을 나타내는 동시에 불을 때다의 뜻을 나타내기 위한 「𢍏권」(오·욱은 변음)으로 이루어짐。 집안에서 불을 때는 곳、아궁이가 있는 곳。 옛날 중국에서는 서남(西南)쪽 구석에 아궁이를 두었기 때문에 전하여 깊숙한 곳、깊숙한 구석진 곳을 뜻함。

뜻 ㊀ ①**아랫목오** 방의 서남우(西南隅)。 중국의 가옥에서 가장 깊숙한 곳。 여기에서 제사지냄。 전(轉)하여 깊숙한 가장 구석진 곳。 ②**그윽할오** ㉠깊숙함。 ㉡뜻·이치 등이 깊음。 심원함。 ③**쌓을오** 축적함。 ㊁ ①**따뜻할욱**、**더울욱** 燠(火部十三畫)과 통용。 ②**후미욱**、**굽이욱**

참고 「奧」를 음으로 하는 글자=「懊오」〈한탄하다〉·「墺오」〈물가〉·「隩오」〈숨다〉·「燠욱」〈따뜻하다〉

【奧義 오의】 깊은 이치。 심오한 뜻。

【奧旨 오지】 깊은 뜻。 심오한 뜻。

◉ 禁奧금오 深奧심오 精奧정오

13 【奨】 大 10 奬(大部十一畫)의 약자(略字)。

十一畫

14 【奪】 大 11 고교 탈 — 빼앗을 — ㊇曷

一 大 夲 夲 奞 奞 奞 奪

자원 회의 手寸 奞 ┬ 奪(大부)

새가 날개를 펼치고、많이 날음을 뜻하는 「奞수」와 사람의 손(寸)으로 이루어져、새가 도망쳐 나감을 나타냄。 전하여、빼다의 뜻。

뜻 ①**빼앗을탈** ㉠억지로 빼앗음。 ㉡침략하여 빼앗음。 쳐빼앗음。 ㉢봉토(封土) 또는 관록(官祿)을 박탈함。 ㉣잃게 함。 놓치게 함。 ②**빼앗길탈** 앞의 뜻의 피동사。 ③**좁은길탈** 소로。 「略」。

【奪去 탈거】 빼앗아 감。

【奪掠 탈략】 약탈(掠奪)함。 탈략(奪略)

【奪取 탈취】 빼앗아 가짐。

【奪還 탈환】 도로 빼앗음。

◉ 強奪강탈 劫奪겁탈 掠奪약탈 爭奪쟁탈

14 【奬】 大 11 고교 장 — 도울 — ㊤養

丨 丬 爿 爿 將 將 將 奬 奬

자원 형성 大 將(음) ┬ 奬(大부)

「大대」와、음을 나타내는 동시에 돕다、권하다의 뜻을 가진 「將장」으로 이루어짐。 크게 권하다의 뜻。

뜻 ①**도울장** 조성(助成)함。 ②**권면할장** 권장함。 「奬勵장려」 ③**표창할장** 상줌。 「恩奬은장」

【奬勵 장려】 권하여 힘쓰게 함。

【奬進 장진】 권장하여 끌어 올림。

【奬學 장학】 학문을 장려함。

◉ 勸奬권장 推奬추장

十二畫

15 【奭】 大 12 ㊀석 ㊁혁 — 클 — ㊀㊁ [入] 陌

[자원] 형성 大+皕(음)→奭(大부)

크다의 뜻인「大대」와, 음을 나타내며 동시에 이백(二百), 곧 많다의 뜻을 나타내는「皕벽」(석은 변음)으로 이루어짐。크다、왕성하다의 뜻。

[뜻] ㊀①클석 ②성낼석 결냄。㊁붉을혁 빨간 모양。

十三畫

16 【奮】 大 13 [고교] 분 — 떨칠 — [去] 問

2500년전

[자원] 회의 田+奞→奮(大부)

「奞수」는 새가 날개치는 일。「奮」은 새가 들판을 날개치면서 날다→새나 양이 힘찬 모양→분발하다의 뜻。옛 자형(字形)은 새〈隹〉가 새장〈田〉에 갇혀서〈衣〉 퍼덕이는 모양을 나타낸 듯。

[뜻] ①떨칠분 ㉠세게 흔듦。「奮躍분약」 ㉡진동(震動)함。㉢분발함。분발시킴。㉣결냄。분격(憤激)함。「奮怒분노」 ㉤들날림。「奮揚분양」 ②휘두를분 손에 잡고 휘휘 돌림。

【奮激 분격】 분발시켜 일으킴。또 분발하여 일어남。

【奮起 분기】 분발하여 일어남。

【奮怒 분노】 성냄。

【奮發 분발】 마음과 힘을 돋우어 일으킴。

【奮然 분연】 분발하여 일어나는 모양。

【奮戰 분전】 힘을 다하여 싸움。

◉感奮감분 興奮흥분

女部

3 【女】 부수 [중학] ㊀녀 ㊁여 — 계집 — ㊀①-③ [上] 語 ④ [去] 御 ㊁ [上] 語

3000년전

[자원] 상형

「女녀」는 보통 연약한 여성의 모습을 나타낸 것이라 생각되고 있음。그러나 옛날엔 여자나 남자나 모두「人인」과 같은 모양으로 쓰고 또「女」라는 자형(字形)으로 써도 그것은 남녀의 여자를 가리키는 것이 아니고 사람이 신을 섬기는 경건(敬虔)한 모습을 나타내는 것이었음。

[뜻] ㊀①계집녀 여자。「女人여인」 ②딸녀 여식(女息)。또 처녀。「長女장녀」 ③별이름녀 이십팔수(二十八宿)의 하나。현무 칠수(玄武七宿)의 세째 성수(星宿)로서 별 셋으로 구성됨。여수(女宿)。④시집보낼녀 ㊁너여 汝(水部三畫)와 같은 글자。

[참고] 「女」를 음으로 하는 글자=「如여」〈같다〉·「汝여」〈너〉

【女傑 여걸】 여자 호걸(豪傑)。

【女工 여공】 ①여자의 하는 일。여공(女功)。②여자의 직공(職工)。

【女官 여관】 나인。 궁녀(宮女)。
【女權 여권】 여자의 사회상·정치상·법률상의 권리。
【女難 여난】 남자가 여자와의 관계로 인하여 당하는 재난(災難)。
【女史 여사】 ①후궁(後宮)에 출사(出仕)하여 기록·문서 등을 맡은 여관(女官)。 ②학문이 있는 부녀(婦女)의 이름 밑에 붙여서 높이는 말。
【女相 여상】 여자의 상(相)。 여자같이 생긴 얼굴。
【女色 여색】 ①부녀의 얼굴 빛。 여자의 고운 태도。 ②여자와의 육체적 관계。
【女壻* 여서】 사위。
【女僧 여승】 여자중。 비구니(比丘尼)。
【女神 여신】 여성의 신(神)。
【女王 여왕】 ①여자 임금。 ②벌·개미의 암컷。
【女媧氏* 여왜씨】 상고(上古)의 제왕(帝王)의 이름。
【女陰 여음】 여자(女子)의 음부。
【女醫 여의】 여자 의사(醫師)。
【女人禁制 여인금제】 《佛敎》 부녀자는 수도(修道)에 장애가 되므로 영장(靈場)의 출입을 금하는 일。

【女裝 여장】 여자의 차림。
【女丈夫 여장부】 사내같이 헌걸찬 여자。
【女弟 여제】 누이 동생。 손아랫 누이。
【女帝 여제】 여자 황제。
【女尊男卑 여존남비】 여자를 귀(貴)히 여기고 남자를 천시(賤視)함。 남존여비(男尊女卑)의 대(對)。
【女主 여주】 ①여자 군주(君主)。 ②황후(皇后)。
【女中君子 여중군자】 숙덕(淑德)이 높은 부녀。
【女眞 여진】 만주 동북쪽에 살던 퉁구스계 부족(部族)。
【女必從夫 여필종부】 아내는 남편을 반드시 따라야 함。
【女學 여학】 여자(女子)가 배워야 할 학문(學問)。
◉宮女궁녀 婦女부녀 善男善女선남선녀 仙女선녀 淑女숙녀 惡女악녀

二畫

5 【奴】 女 2 고교 노 | 종 | ①平虞 ②去遇

乆 女 女 奴 奴

자원 회의 女+又→奴(女부) 2500년전

「女녀」와 일한다는 뜻을 나타내는 「又우」〈손〉로 이루어짐。 노동에 종사하는 여자의 뜻。 나중에 널리 남에게 부림을 받는 천한 사람을 가리켜 특히 남자 종의 뜻이 되었음。

뜻 ①종노 남자 종。 「奴僕노복」 ②놈노 남의 천칭(賤稱)。 또 여자의 겸칭(謙稱)。

참고 「奴」를 음으로 하는 글자=「努노」〈힘쓰다〉·「怒노」〈성내다〉·「孥노」〈처자〉·「帑탕」〈나라곳집〉·「駑노」〈쇠뇌·큰 활〉「砮노」〈돌살촉〉

【奴僕* 노복】 사내종。
【奴婢 노비】 남자 종과 여자 종。
【奴隷* 노예】 종。
◉農奴농노 賣國奴매국노 守錢奴수전노

三畫

6 【奸】 女 3 간 | 범할 | ①②平寒 ③平刪

자원 형성 女+干음→奸(女부)

「女계집녀변」과、음을 나타내는 동시에 범하다의 뜻(⇩犯범)을 가진「干간」으로 이루어짐。여자를 범하다、난잡하다의 뜻。

뜻 ①**범할간** 침범함。②**간음할간**、**간악할간** 姦(女部六畫)과 통용。「奸淫간음」「奸賊간적」③**구할간** 요구함。干(部首)과 통용。

【奸計 간계】간사한 꾀。

【奸邪 간사】마음이 간교(奸巧)하고 행실이 바르지 못함。

【奸商輩 간상배】간상(奸商)의 무리。

【奸臣 간신】간사한 신하。간신(姦臣)。

【奸惡 간악】간사하고 악독함。

【奸雄 간웅】간사한 지혜가 있는 영웅。

6 **【好】** 女 3 중학 호 좋을 ①-④ ㊤皓 ⑤-⑧ ㊋號

자원 회의 子+女→好(女부)

「子자」는 아이。「女계집녀변」은

(A) (B) 3000년전

본래는 사람을 나타냈지만、나중에 남녀의 여(女)를 나타냄。「好」는 어른이 아이를 키우는 모양→중요하게 여기다→좋아하다의 뜻。

뜻 ①**아름다울호** 미려함。「好女호녀」②**좋을호** ㉠훌륭함。또 마음에 듦。「好士호사」㉡바름。㉢화목함。사이가 좋음。③**좋아할호**「好事호사」④**사랑할호** ⑤**정의호** 친선(親善)의 정(情)。⑥**구멍호** 구슬 또는 돈의 구멍。⑦**잘호** 버릇으로 늘。자주。⑧**심히호** 대단히。방언(方言)임。

【好感 호감】좋은 감정。

【好期 호기】좋은 시기。

【好機 호기】좋은 기회。

【好奇心 호기심】새롭고 이상한 것을 좋아하는 마음。

【好事 호사】①좋은 일。②일을 벌여 놓기를 좋아함。

【好事多魔 호사다마】좋은 일에는 마(魔)가 들기 쉬움。

【好喪 호상】나이가 많고 복(福)이 많은 사람의 상사(喪事)。

【好色 호색】①남다르게 여색(女色)을 좋아함。②아름다운 용모(容貌)。미모。또 그러한 사람。미인(美人)。

【好時節 호시절】좋은 시절(時節)。

【好意 호의】①친절한 마음。②호감。

【好人 호인】좋은 사람。

【好敵手 호적수】좋은 상대。부족하지 않은 상대。

【好轉 호전】①무슨 일이 잘 되어 감。②병 증세가 차차 나아가기 시작함。

【好評 호평】좋은 평판(評判)。

◉嗜好기호 同好동호 良好양호 友好우호

6 **【如】** 女 3 중학 여 같을 ㊀魚

자원 형성 女+口(음)→如(女부)

2500년전

음을 나타내는「女계집녀변」과 말을 뜻하는「口구」로 이루어짐。여자가 남의 말에 잘 따르다의 뜻→전하여、같다의 뜻。또 음을 빌어「若약」과 같이 어조사(語助辭)로 씀。

뜻 ①**같을여** ㉠다르지 않음。「如前여전」㉡지시(指示)의 말。…같은 것은。②**같이할여** 똑같이 함。③**좇을여** 따름。순종함。④**어조사여** 조사(助辭)。형용사의 어미에 붙여 「然연」과 같은 뜻으로 쓰임。「突如돌여」⑤**갈여** ⑥**미칠여** 상당(相當)함。及(又部二畫)과 뜻이 같음。⑦**만일여** 만약。「如或여혹」⑧**여하여** 의문의 말。대개는 「如何여하」「何如하여」로 연용(連用)함。⑨**쯤여** 정도。⑩**말이을여** 而(部首)와 통용。

【如來 여래】《佛敎》부처의 존칭。

【如反掌 여반장】손바닥을 뒤집는 것같이 아주 쉬움。

【如上 여상】위와 같음。

【如是 여시】여차(如此)。

【如實 여실】사실과 똑같음。

【如意 여의】일이 뜻과 같이 됨。

【如意珠* 여의주】용(龍)의 턱 아래에 있다는 구슬。이것을 얻으면 갖은 조화(造化)를 마음대로 부릴 수 있다고 함。

【如一 여일】첫번부터 끝까지 한결같음。

【如左 여좌】왼쪽에 기록(記錄)한 바와 같음。

【如此 여차】이러함。

【如何 여하】①어찌하여。②어떠하게。③어찌할꼬。어찌하랴。

◉缺如결여 突如돌여 眞如진여

6 【妃】女 3 고교 ㊀**비** ㊁**배** | 왕비 | ㊀㊥微 ㊁㊄隊

ㄑ 女 女 女 妃 妃

자원 형성 女 己음 ┬妃(女부)  2500년전

「女계집녀변」과、음을 나타내며 동시에 짝짓다의 뜻(⇩配배)을 나타내기 위한 「己기」(비는 변음)로 이루어짐。배우(配偶)의 여성、왕비의 뜻。

뜻 ㊀**왕비비** ㉠황제의 으뜸가는 첩。「妃嬪비빈」㉡또 왕·황태자·황족의 정실(正室)。㊁**짝배** 配(酉部三畫)와 같은 글자。

【妃嬪* 비빈】여관(女官)。황후의 다음이 비(妃)、비의 다음이 빈(嬪)임。

◉貴妃귀비 王妃왕비 正妃정비

6 【妄】女 3 고교 **망** | 허망할 | ㊄漾

丶 亠 亡 妄 妄 妄

자원 형성 女 亡음 ┬妄(女부)

「女녀」〈여자〉와 음을 나타내며 동시에 어둡다의 뜻(⇩罔망)을 나타내기 위한 「亡망」자로 이루어짐。도리(道理)나 예법에 어둡고 이치에 거슬리다의 뜻。

뜻 ①**허망할망** 거짓되고 망령됨。「妄言망언」②**거짓망** 사실 혹은 진실이 아님。③**무릇망** 대개。

【妄擧 망거】분별(分別)이 없는 행동(行動)。망령스러운 짓。

【妄動 망동】분수(分數) 없이 함부로 하는 행동。망거(妄擧)。

【妄靈 망령】노망(老妄)하여 언행(言行)이 상규(常規)에 벗어남。

【妄發 망발】망령된 말을 함。

【妄想 망상】망령된 생각。허황한 공상(空想)。

【妄說 망설】허무맹랑한 말。무근지설(無根之說)。

【妄言 망언】망령된 말。망발한 말。

【妄妖* 망요】망령되고 요사스러움。

【妄評 망평】함부로 하는 비평。

◉迷妄미망 妖妄요망 虛妄허망 幻妄환망

四畫

7 **【妊】** 女 4 임 | 애밸 | 去沁 平侵

자원 형성 壬음 女 ⊤ 妊(女부) 2500년전

「女계집녀변」과、음을 나타내는 동시에 애배다의 뜻(⇩娠신)을 가진「壬임」으로 이루어짐。애배다의 뜻。

뜻 **애밸임** 姙(女部六畫)과 같은 글자。

【妊婦 임부】아이밴 부녀。「자。

【妊娠 임신】아이를 뱀。회임(懷妊)。

胎妊태임 懷妊회임

7 **【妓】** 女 4 기 | 기생 | 上紙

자원 형성 支음 女 ⊤ 妓(女부)

女「계집녀변」과、음을 나타내는「支지」(기는 변음)로 이루어짐。

뜻 **기생기**、**갈보기**「妓女기녀」

【妓女 기녀】①기생。②갈보。창기。

【妓樓 기루】갈봇집。창가(娼家)。청루(靑樓)。

【妓夫 기부】기둥서방。

【妓生 기생】잔치나 술자리에서 가무(歌舞)로 흥을 돋는 계집。

◉童妓동기 名妓명기 美妓미기 娼妓창기

7 **【妖】** 女 4 요 | 아리따울 | 平蕭

자원 형성 夭음 女 ⊤ 妖(女부)

「女계집녀변」과、음을 나타내는 동시에 요염하게 아름답다는 뜻의「夭요」(⼈‖사람이 머리를 갸우뚱하게 하고 교태를 부리고 있는 모양)로 이루어짐。요염한 여자의 뜻。

뜻 ①**아리따울요** 요염하도록 아름다움。「妖艶요염」②**괴이할요** 기괴함。「妖雲요운」③**재앙요** 재화。또는 재화의 전조。「災妖재요」④**요귀요** 요사한 귀신。「妖精요정」

【妖怪 요괴】도깨비。요사스러운 귀신。

【妖鬼 요귀】요사(妖邪)한 귀신。「신。

【妖氣 요기】상서(祥瑞)롭지 못한 기운。요사(妖邪)스러운 기운。

【妖女 요녀】①요염(妖艶)한 여자。②요사(妖邪)스러운 계집。

【妖魔 요마】요사(妖邪)스러운 마귀。

【妖妄 요망】언행(言行)이 기괴(奇怪)하고 망령됨。

【妖物 요물】①요사(妖邪)스러운 물건(物件)。②요사스러운 사람。

【妖邪 요사】요망(妖妄)스럽고 간사(奸邪)함。

【妖術 요술】사람의 눈을 어리게 하는 괴상(怪常)한 방술(方術)。

【妖僧 요승】정도(正道)를 어지럽게 하는 요사(妖邪)스러운 중。

【妖艶 요염】사람을 홀릴 만큼 탐탁스럽게 아리따움。

【妖精 요정】요괴(妖怪)。

7 **【妙】** 女 4 중학 묘 | 묘할 | 去嘯

2500년전

자원 형성 少음 女 ⊤ 妙(女부)

「女계집녀변」과、음을 나타내는 동시에 자잘하다는 뜻(⇩小소)을 가진

「少소」(묘는 변음)로 이루어짐。 여자가 오밀조밀하게 아름답다는 뜻。

뜻 ①**묘할묘** ㉠신묘(神妙)함。 불가사의함。 또 신묘한 일。「靈妙영묘」 ㉡정묘함。 아주 잘됨。「微妙미묘」 ②**젊을묘** 나이가 스물 안짝임。「妙齡묘령」 ③**예쁠묘** 아리따움。

【妙計 묘계】 교묘(巧妙)한 계책。

【妙技 묘기】 교묘한 손 재주。 교묘한 기술。

【妙理 묘리】 현묘(玄妙)한 이치。

【妙味 묘미】 묘한 맛。 극치의 취미。

【妙方 묘방】 교묘(巧妙)한 방법。

【妙案 묘안】 묘(妙)한 고안(考案)。

【妙藥 묘약】 신효(神效)한 약(藥)。

【妙策 묘책】 교묘(巧妙)한 계책。

【妙淸 묘청】 《韓》 고려(高麗) 인종(仁宗) 때의 중。 풍수지리(風水地理)를 믿고 서경(西京) 천도(遷都)를 주장(主張)하다가 김부식(金富軾) 등의 반대로 난(亂)을 일으킴。

◉巧妙교묘 奇妙기묘 微妙미묘 奧妙오묘

7 【妨】 女 4 고교 **방** | 거리낄 | (平)陽 (去)漾

자원 형성 女 方음 → 妨(女부) 2500년전

「女계집녀변」과, 음을 나타내는 동시에 구부리다의 뜻(⇩枉왕)을 가진 「方방」으로 이루어짐。 여자가 일을 방해한다는 뜻。

뜻 ①**거리낄방** 장애가 됨。 또 거리끼는 일。 장애。 ②**헤살놓을방** 방해함。「妨止방지」

주의 「防방」〈막다〉은 딴 글자。

【妨害 방해】 남의 일에 헤살을 놓아서 해(害)롭게 함。

7 【妥】 女 4 고교 **타** | 편안할 | (上)哿

자원 형성 女 𥝌-爫음 → 妥(女부) 2500년전

뜻을 나타내는 「女여」와, 음을 나타내며 동시에 꽃 따위가 시들어 늘어지다의 뜻을 가지는 「𥝌수」(타는 변음)로 이루어짐。 여자의 연약한 모양의 뜻에서부터 온화(溫和)한 모양, 편안한 모양의 뜻이 됨。

뜻 ①**편안할타** 무사함。 안태함。「妥安타안」 ②**온당할타** 마땅함。「妥當타당」 ③**떨어질타** 墮(土部十二畫)와 같은 글자。

참고 「妥」를 음으로 하는 글자=「挼뇌」〈비비다〉·「餒뇌」〈굶주리다〉

【妥當 타당】 사리(事理)에 마땅함。

【妥協 타협】 두 편이 서로 좋도록 협의(協議)하여 조처(措處)함。

五畫

8 【妬】 女 5 **투** | 강새암할 | (去)遇

자원 형성 女 石음 → 妬(女부)

「女계집녀변」과, 음을 나타내는 「石석」(투는 변음)으로 이루어짐。

뜻 ①**강새암할투** 투기함。「嫉妬질투」 ②**시새울투** 시기함。

주의 「妒」는 같은 글자。

【妬忌 투기】 강새암。 질투(嫉妬)。

【妬殺 투살】 질투함。 시기함。 살(殺)은 조자(助字)。

◉嫉妬질투

8 【妹】 女 5 중학 매 | 누이 | ㊀泰 ㊀隊

亻 女 女 女 妹 妹 妹

3000년전

자원 형성 女+未(음)→妹(女부)

음을 나타내는 「未미」(매는 변음)는 나무끝의 작은 가지。「女녀」는 처녀。「妹」는 나중에 난 딸→누이 동생。

뜻 누이매 ㉠손아래 누이。「姉妹자매」 ㉡나이가 아래인 여자의 애칭。

주의 「妹말」〈계집이름〉은 딴 글자。

【妹夫 매부】 누이의 남편(男便)。

【妹氏 매씨】《韓》 ①남의 누이의 존칭(尊稱)。②자기(自己)의 손위 누이를 일컫는 말。

【妹弟 매제】《韓》 손아래 누이의 남편。

【妹兄 매형】《韓》 손위 누이의 남편。

◉令妹영매 義妹의매 姉妹자매 弟妹제매

8 【姉】 女 5 중학 자 | 누이 | ㊤紙

亻 女 女 女 姉 姉

〔秭〕 2500년전

자원 형성 女+𠂔(음)→姊(女부)→姉

「女녀」와, 음을 나타내는 동시에 초목(草木)이 너무 자란다는 뜻을 가진 「𠂔자」로 이루어짐。「姊」는 많은 여자 형제→그 중의 나이 많은 사람。「姉」는 나중에 잘못 쓴 글자체로서 본디 도시(都市)의 「市시」와는 관계가 없음。

뜻 누이자 ㉠손위 누이。「姉妹자매」 ㉡여자를 친숙한 뜻을 나타내어 이르는 말。

주의 「姉」는 「姊」의 정자(正字)。

【姉妹 자매】 손위의 누이와 손아래 누이。

【姉夫 자부】 손위 누이의 남편。

8 【姊】 女 5 姉(앞 글자)의 정자(正字)。

8 【始】 女 5 중학 시 | 처음 | ㊤紙

亻 女 女 始 始 始 始

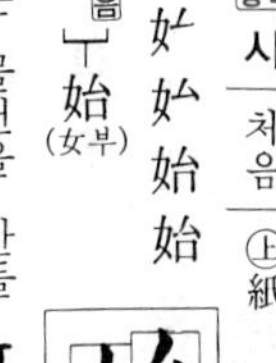

2500년전

자원 형성 女+台(음)→始(女부)

「台태·시」는 물건을 만들다→물건의 기원。「女녀」는 여자→모친。「始」는 어머니 뱃속에 아이가 생기는 일(⇩胎태)。또 한 집안의 시초→시조(始祖)。나중에 사물의 시작이란 뜻으로도 씀。

뜻 ①처음시 ㉠시초。㉡근본。근원。㉢처음에。㉣이전에。②비롯할시 시작함。③비로소시 처음으로。

【始末 시말】 ①처음과 끝。②처음부터 끝까지。줄곧。③시작과 끝。④시작부터 끝까지의 사정。일의 내력。

【始發 시발】 처음 떠남。

【始作 시작】 처음으로 함。

【始祖 시조】 한 족속(族屬)의 맨 처음 되는 조상(祖上)。

【始終 시종】 ①처음과 끝。②처음부터 끝까지。줄곧。항상。③처음부

터 끝까지 일관(一貫)함。

【始終如一 시종여일】처음과 끝이 변(變)함이 없이 꼭 같음。「(始原)。

【始初 시초】처음。시원(始元)。시원

【始皇 시황】진시황(秦始皇)。

◉開始개시 本始본시 年始연시 原始원시

8 **【姑】** 女 5 고교 **고** | 시어미 | ㊥虞

ㄑ 女 女 女一 女十 女古 姑 姑

자원 형성 女+古음 → 姑(女부)

「女계집녀변」과, 음을 나타내는 「古고」로 이루어짐。남편의 어머니 또는 아내의 어머니의 뜻。

뜻 **①시어미고** ㉠남편의 어머니。「舅姑구고」 ㉡또 시누이는 「小姑소고」 ㉢장모는 「外姑외고」 **②고모고** 아버지의 자매。「姑壻고서」 **③계집고** 여자。부녀。 **④잠시고** 조금 동안。일시。

【姑母 고모】《韓》아버지의 누이。

【姑婦 고부】시어머니와 며느리。

【姑息 고식】구차하게 우선 당장 평안한 것만을 취함。

【姑從 고종】《韓》고종사촌(姑從四寸)。

◉先姑선고 小姑소고 外姑외고 皇姑황고

8 **【姓】** 女 5 중학 **성** | 성 | ㊟敬

ㄑ 女 女 女' 女一 女牛 姓 姓

자원 형성 女+生음 → 姓(女부) 2500년전

「女계집녀변」과, 음을 나타내는 동시에 태어난다는 뜻의 「生생」(성은 변음)으로 이루어짐。어떤 집 여자로부터 태어난 같은 혈족의 이름。나중에 집안 이름 곧 성으로 되었음。

뜻 **①성성** 성씨。「姓名성명」 **②겨레성** 씨족。 **③아들성** 낳은 아들。

【姓名 성명】성(姓)과 이름。

◉同姓동성 百姓백성 本姓본성 異姓이성

8 **【妻】** 女 5 중학 **처** | 아내 | ①㊥齊 ②㊟霽

一 ㄱ 彐 事 妻 妻 妻

자원 형성 女+疌음-彐 → 妻(女부)

「女녀」와, 음을 나타내는 「疌섭」(처는 변음)을 합한 글자。삼가 달려가서 일을 하는 사람의 뜻。따라서 사람의 아내를 일컫고, 전하여 시집보낸다는 뜻으로 씀。 2500년전

뜻 **①아내처** 「妻妾처첩」 **②시집보낼처**

참고 「妻」를 음으로 하는 글자=「淒처」〈쓸쓸하다〉·「棲서」〈살다〉

【妻家 처가】아내의 본가(本家)。

【妻娚* 처남】《韓》아내의 오라비。

【妻德 처덕】①아내의 덕(德)。②아내의 덕행(德行)。

【妻弟 처제】《韓》아내의 여동생。

【妻族 처족】아내의 겨레붙이。

【妻兄 처형】《韓》아내의 언니。

◉恐妻공처 糟糠之妻조강지처 賢妻현처

8 **【妾】** 女 5 고교 **첩** | 첩 | ㊀葉

丶 亠 立 立 妾 妾 妾

자원 형성 女+辛음-立 → 妾(女부) 2500년전

〔三畫部首順〕口囗土士夂夊夕大女子宀寸小尢尸屮山巛工己巾干幺广廴廾弋弓彐彡彳

「立」은 「辛신」(첩은 변음)의 생략자로서, 원뜻은 문신(文身)하는 바늘. 전하여, 문신을 한 죄인을 뜻함. 옛날에는 여자 죄인을 하녀로 썼던 데서 시녀(侍女), 첩의 뜻.

뜻 ①**첩첩** ㉠작은 마누라. 「愛妾애첩」 ㉡여자의 겸칭(謙稱). ②**시비첩** 좌우에 두고 부리는 부녀. ③**계집아이첩** 「處妾처첩」

참고 「妾」을 음으로 하는 글자=「霎삽」〈가랑비·잠시〉·「接접」〈사귀다〉

【妾子 첩자】 서자(庶子).

【妾出 첩출】 첩이 난 아들. 첩소생.

◉愛妾애첩 妻妾처첩 寵妾총첩 蓄妾축첩

8 **【委】** 女 5 고교 **위** | 맡길 | ①-⑦㊤紙 ⑧㊍寘 ⑨㊥支

ニ 千 禾 禾 禾 秂 委 委

자원 형성 女 禾음 ┬委(女부)

뜻을 나타내는 「女녀」와, 음을 나타내며 동시(同時)에 넘실거리다의 뜻을 가지는 「禾화」로 이루어짐. 여자의 몸이 나긋나긋하다는 데에서 맡기다, 뜻대로 하게 하다의 뜻.

2000년전

뜻 ①**맡길위** ㉠위임함. 「委託위탁」 ㉡자유로 하게 함. 내버려둠. ②**쌓을위** 축적함. 「委積위적」 ③**버릴위** 내버림. 「委棄위기」 ④**자세할위** 세밀함. 「委曲위곡」 ⑤**끝위** 말단. ⑥**시들위** 萎(艸部八畫)와 통용. ⑦**굽을위** 꼬불꼬불함. ⑧**곳집위** 관부(官府)의 창고. ⑨**옹용할위** 「委蛇위이」는 마음이 온화하고 조용한 모양.

참고 「委」를 음으로 하는 글자=「逶위」〈구불구불가다〉·「蜲위」〈쥐며느리〉·「萎위」〈시들다〉·「餧위」〈먹이다〉

【委曲 위곡】 자세(仔細)함. 상세함.

【委付 위부】 맡김. 위임함.

【委員 위원】 어떠한 일에 대(對)하여 그 처리(處理)를 위임받은 사람.

【委任 위임】 맡김. 일임(一任)함.

【委囑* 위촉】 위탁(委託)함. 「囑」.

【委託* 위탁】 부탁하여 맡김. 위촉(委囑)함.

六畫

9 **【姦】** 女 6 고교 **간** | 간사할 | ㊥刪

ㄑ 女 女 女' 女女 姦 姦 姦

자원 형성 女 奻음 ┬姦(女부)

「女녀」〈여자〉와, 음을 나타내며 동시에 범한다는 뜻(⇩干간)을 나타내기 위한 「奻난」(간은 변음)으로 이루어짐. 여자를 도리에 어긋나게 범한다는 뜻.

뜻 ①**간사할간** 사악함. 또 그 사람. 「姦黠간할」 「姦兇간흉」 ②**간음할간** 간통함. 또 그 행위. 「強姦강간」

주의 「奸」은 같은 글자.

【姦婦 간부】 ①간사한 부인. ②제 남편 아닌 남자와 간통(姦通)한 계집. 서방질한 계집.

【姦惡 간악】 간사(奸邪)하고 악독함.

【姦雄 간웅】 간지(姦智)가 있는 영웅.

【姦淫 간음】 부부(夫婦)가 아닌 남자와 여자 사이에 성적 관계를 맺음.

【姦通 간통】 배우자 있는 사람이 배우자 이외의 사람과 맺는 간음 행위.

【姦凶 간흉】 간사하고 흉악(凶惡)함。또 그러한 사람。

◉強姦강간 大姦대간 通姦통간 和姦화간

9 【姙】女6 妊(女部四畫)과 같은 글자。

9 【姨】女6 이 | 이모 | [平]支

[자원] 형성 女夷[음] 丅 姨(女부)

2500년전

「女계집녀변」과、음을 나타내는 「夷이」로 이루어짐。

[뜻] ①이모(姨母)이 모친의 동복의 자매。「姨夫이부」 ②처형제이 아내의 동복의 자매。「姨妹이매」

【姨從 이종】《韓》이모(姨母)의 자녀(子女)。이종 사촌(姨從四寸)。

【姨姪 이질】이종(姨從)의 자녀。

9 【姪】女6 [고교] 질 | 조카 | [入]質

[자원] 형성 女至[음] 丅 姪(女부)

𡿨 女 女 女一 女厂 女𠫔 女至 姪 姪

「女계집녀변」과、음을 나타내는 「至지」(질은 변음)로 이루어진 글자。

[뜻] ①조카질 형제가 난 아들。②조카딸질 형제가 난 딸。③이질질 아내의 자매(姉妹)의 자녀(子女)。

【姪女 질녀】조카딸。

【姪孫 질손】조카의 아들。형제의 손자。종손(從孫)。

◉堂姪당질 甥姪생질 叔姪숙질

9 【姬】女6 희(기[本]) | 아씨 | [平]支

[자원] 형성 女𦣞[음] 丅 姬(女부)

2500년전

「女계집녀변」과、음을 나타내는 「𦣞이애」(희는 변음)로 이루어짐。「姬」는 본래는 주민족(周民族)의 성(姓)이었으나 나중에 부인(婦人)의 미칭(美稱)으로 쓰임。

[뜻] ①아씨희 여자의 미칭。②임금의아내희 황후。왕비。③첩희 측실(側室)。「姬妾희첩」 ④성희 성씨(姓氏)의 하나。※본음(本音) 기

◉歌姬가희 舞姬무희 美姬미희 寵姬총희

9 【姻】女6 [고교] 인 | 시집갈 | [平]眞

𡿨 女 女 如 如 姛 姛 姻 姻

[자원] 형성 女因[음] 丅 姻(女부)

2500년전

「女계집녀변」과、음을 나타내는 「因인」〈말미암다〉으로 이루어짐。여자가 의지하는 신랑의 집、전(轉)하여 결혼하다의 뜻。

[뜻] ①시집갈인 「婚姻혼인」 ②인척인 혼인으로 맺은 친척。「姻族인족」 ③인연인 연분。「結姻결인」

【姻弟 인제】처남 매부 사이에 편지할 때 자기를 낮추어 쓰는 말。

【姻戚 인척】외가(外家)와 처가(妻家)의 일족(一族)。인속(姻屬)。

◉婚姻혼인

9 【威】女6 [중학] [一]위 [二]외 | 위엄 | [一][二] [平]微

[자원] 형성 女戌[음] 丅 威(女부)

丿 厂 厂 厂 反 反 威 威 威

「女녀」와 음을 나타내는「戉월」(위는 변음)로 이루어짐。 옛날엔 한 집안의 권력을 잡고 있는 여자、시어머니의 뜻。 나중에 음을 빌어 두려워하다、으르다의 뜻(⇩畏외)으로 씀。

뜻 一 ①위엄위 권위。 존엄(尊嚴)。「威光위광」 ②거동위 예모 있는 거동。 의용(儀容)。「威儀위의」 ③힘위 세력。 권병(權柄)。 ④해위 해독。 ⑤으를위 위협함。「威嚇위하」 二두려워할외 畏(田部四畫)와 통용。

주의 「威함」〈모두〉은 딴 글자。

【威光 위광】 감히 범할 수 없는 권위。 빛나는 위세(威勢)。

【威力 위력】 위엄이 있어 남을 복종시키는 힘。

【威令 위령】 ①위엄(威嚴)이 있는 명령(命令)。 ②위광(威光)과 명령。

【威服 위복】 위력(威力)으로 남을 복종(服從)시킴。

【威勢 위세】 위엄(威嚴)이 있는 기세。

【威信 위신】 ①위엄(威嚴)이 있고 신실(信實)함。 ②위력(威力)과 신용。

【威壓 위압】 위력으로 억누름。 위엄으로 올러댐。

【威嚴 위엄】 점잖고 엄숙(嚴肅)하여 위광(威光)이 있음。 의젓하고 드레짐。

【威容 위용】 위엄 있는 모습。

【威儀 위의】 ①예의(禮儀)에 맞아 위엄있는 거동(擧動)。 ②예(禮)의 세칙(細則)。 ③의식(儀式)。

【威風 위풍】 위엄(威嚴)이 있는 풍채。

【威脅 위협】 으름。 협박(脅迫)함。

◉ 國威국위 權威권위 武威무위 脅威협위

9 【姜】 女 6 강 | 성 | ㊥陽

자원 형성 女 羊음 ┬姜(女부) 2500년전

「女녀」와 음을 나타내는「羊양」(강은 변음)으로 이루어짐。 옛 민족의 성씨(姓氏)。

뜻 성강 신농씨(神農氏) 후손의 성。

【姜邯贊 강감찬】《韓》 고려(高麗)의 공신(功臣)。 현종(顯宗) 때 글안(契丹)이 쳐들어오자、흥화진(興化鎭)에서 적군을 대패(大敗)시켰음。

【姜希顔 강희안】《韓》 조선(朝鮮) 세종(世宗) 때의 명신(名臣)。 시서화(詩書畫)에 뛰어남。

9 【姿】 女 6 고교 자 | 맵시 | ①② ㊥支 ③ ㊤寘

冫 冫 次 次 姿 姿

자원 형성 女 次음 ┬姿(女부)

음을 나타내는「次차·자」는 여러 가지 모아 갖춘 것。「女녀」는 여성(女性)。「姿」는 얼굴 모양이 모두 고루 아름다운 여성→모습·모양을 갖추다→맵시。

뜻 ①맵시자 자태。「英姿영자」 ②풍치자 풍경의 아취(雅趣)。 ③모양낼자 자태를 꾸밈。

【姿色 자색】 여자의 용모와 안색。

【姿勢 자세】 몸을 가지는 상태。

【姿態 자태】 모양과 태도(態度)。 맵시。

◉ 容姿용자 勇姿용자 雄姿웅자 風姿풍자

【要】 ⇩襾部三畫

七畫

10 【娘】 女 7 고교 一 낭(냥㊍) 二 랑 | 계집 | 一二 ㊥陽

女 女 女 女 女 女 娘 娘 娘

자원 형성 女 良(음) ─ 娘(女부)
「女계집녀변」과 음을 나타내는 「良량·랑」으로 이루어짐。

뜻 ①계집낭, 계집랑 ㉠소녀(少女)。「娘子낭자」 ㉡소녀의 이름 밑에 붙여 쓰는 말。②어미낭, 어미랑 모(母)의 속어임。※본음(本音) 냥

【娘子 낭자】①소녀(少女)。②어머니。③아내。④궁녀(宮女)。

【娘子軍 낭자군】①여자(女子)로 조직(組織)한 군대(軍隊)。②부인(婦人) 또는 소녀의 단체。

10 【娛】 女 7 고교 오 ─ 즐거워할 ─ (平)虞 (去)遇

女 女 女 如 如 娛 娛 娛

자원 형성 女 吳(음) ─ 娛(女부)
「女계집녀변」에, 음을 나타내며 동시에 사람이 노래를 듣고 즐기다의 뜻을 나타내기 위한 「吳오」로 이루어짐。빛나고 호화롭게 즐기다의 뜻。전하여 즐겁게 놀다의 뜻。

뜻 즐거워할오, 즐거움오 「娛樂오락」

【娛樂 오락】재미있게 노는 일。

10 【娠】 女 7 신 ─ 애밸 ─ (平)眞 (去)震

자원 형성 女 辰(음) ─ 娠(女부)
「女계집녀변」에 음을 나타내는 「辰신」을 더하여 이루어짐。음은 애배다의 뜻의 본디 글자 「身신」에 유래함。

뜻 애밸신 잉태함。「妊娠임신」

10 【娩】 女 7 ㊀만(면本) ㊁면 ─ 해산할 ─ ㊀(上)銑 ㊁(上)阮

자원 형성 女 免(음) ─ 娩(女부)
음을 나타내며, 아이를 낳다의 뜻인 「免면·문」에 「女계집녀변」을 더한 글자。아이를 낳다의 뜻。

뜻 ㊀해산할만 아이를 낳음。「分娩분만」 ※본음(本音) 면 ㊁따를면 순종함。

〔三畫部首順〕 口囗土士夂夊大女子宀寸小尢尸屮山巛工己巾干幺广廴廾弋弓彐彡彳

八畫

11 【娼】 女 8 창 ─ 노는계집 ─ (平)陽

자원 형성 女 昌(음) ─ 娼(女부)
「女계집녀변」에 음을 나타내며 동시에 춤·노래로 위안을 주는 연기자(演技者)의 뜻(⇩倡창)을 지닌 「昌창」으로 이루어짐。여자 연기자、전하여 노는 계집의 뜻。

뜻 노는계집창 창기(娼妓)。

주의 「倡」은 속자(俗字)。

【娼妓 창기】①손의 잠자리에 모시는 것을 업(業)으로 삼는 노는 계집。갈보。②기생(妓生)。

【娼樓 창루】창기의 집。청루(靑樓)。

【娼婦 창부】창기(娼妓)。

◉歌娼가창 名娼명창 俳娼배창 研娼연창

11 【婚】 女 8 중학 혼 ─ 혼인할 ─ (平)元

女 女 女 妒 妒 妒 婚 婚 婚

자원 형성 女 昏 음 ┬ 婚 (女부) 2500년전

「女계집녀변」에 음을 나타내며 동시에 해질녘의 뜻을 가지는 「昏혼」으로 이루어짐。 옛날엔 여자가 시집갈 때에 해질녘부터 식이 시작되었으므로 시집가는 뜻을 나타냄。

뜻 ①**혼인할혼** 「婚姻혼인」 ②**사돈혼** 혼인에 의하여 맺어진 친척 관계。

【婚具 혼구】 혼인(婚姻) 때에 쓰는 제구(諸具)。

【婚期 혼기】 혼인을 하기에 적당한 나이。

【婚談 혼담】 혼처(婚處)를 정(定)하려고 서로 오고 가는 말。

【婚禮 혼례】 혼인(婚姻)의 예절(禮節)。 또 혼인의 예식。 결혼식。

【婚事 혼사】 혼인에 관한 모든 일。

【婚需 혼수】 혼인(婚姻)에 드는 물건이나 비용(費用)。

【婚約 혼약】 혼인(婚姻)을 맺는 약속。

【婚姻 혼인】 결혼。

◉新婚신혼 約婚약혼 再婚재혼 初婚초혼

11 【婢】 女 8 고교 비 | 계집종 | ㊤紙

ㄑ 女 女 女' 女ㄇ 女白 女申 婢 婢

자원 형성 女 卑 음 ┬ 婢 (女부) 2500년전

「女계집녀변」과, 음을 나타내는 동시에 신분(身分)이 천하다는 뜻을 가진 「卑비」로 이루어짐。 천한 여자。

뜻 ①**계집종비** 「婢僕비복」 ②**소첩비** 여자가 자기를 낮추어 일컫는 말。

【婢女 비녀】 계집 종。

【婢僕* 비복】 계집 종과 사내 종。

【婢子 비자】 ①계집 종。 ②계집 종이 낳은 아들。 ③첩(妾)。

【婢妾 비첩】 시비(侍婢)。

◉官婢관비 奴婢노비 侍婢시비 從婢종비

11 【婦】 女 8 중학 부 | 지어미 | ㊤有

ㄑ 女 女 女ㄱ 女ヨ 女ヨ 婦 婦 婦

자원 형성 女 帚 음 ┬ 婦 (女부) 2500년전

음을 나타내는 「帚추·부」는 사당을 깨끗이 하는 비 같은 것→나중에 비의 뜻으로 씀。 「女녀」는 신을 섬기는 사람→여자。 「婦」는 시집와서 그 집의 조상의 사당을 깨끗이 하고 섬기다→신부→여자。

뜻 ①**지어미부** 유부녀。 「婦人부인」 ②**아내부** 처。 ③**며느리부** 자부。 ④**계집부** 여자。 ⑤**암컷부** 동물 같은 것의 암컷。 ⑥**예쁠부** 아름다움。 ⑦**질부** 負(貝部二畫)와 통용。

【婦功 부공】 사덕(四德)의 하나。 여자가 하는 일。 주로 길쌈을 이름。

【婦德 부덕】 사덕(四德)의 하나。 부녀(婦女)가 닦아야 할 덕행(德行)。

【婦道 부도】 부녀의 지켜야 할 도리。

【婦人 부인】 ①여자。 여인。 ②선비의 아내。 ③며느리。

◉家政婦가정부 寡婦과부 毒婦독부 夫婦부부 產婦산부 新婦신부 一夫一婦일부일부 妊婦임부 子婦자부 接待婦접대부 貞婦정부 主婦주부 賢婦현부

11 【婆】 女 8 파 | 할미 | ㊥歌

자원 형성 女 波 음 ┬ 婆 (女부) 2500년전

「女녀」와 음을 나타내는 「波파」로 이루어짐。

뜻 할미파 ㉠노모(老母)。 ㉡늙은 여자。「老婆노파」

【婆羅門 바라문】 범어(梵語) Brahmana의 음역(音譯)。 ①인도(印度) 사성(四姓) 가운데에서 가장 높은 지위의 승족(僧族)。 ②바라문교(婆羅門教)。 또 그 승려。

◉老婆노파 媒婆매파 産婆산파 塔婆탑파

九畫

12 【媒】 女 9 고교 매 | 중매 | ①-⑤(平)灰 ⑥(去)隊

자원 형성 女 某음 ┬媒 (女부) 2500년전

「女계집녀변」에 음을 나타내며 동시에 꾀한다는 뜻(⇩謀모)을 가진 「某모」(매는 변음)로 이루어짐。 결연(結緣)을 꾀하다의 뜻。

뜻 ①중매매 혼인을 중신하는 사람。 ②매개매 어떤 사물을 유치하는 원인。 ③중개자매 양자 사이에서 관계를 맺어 주는 사람。 ④술밑매 효모(酵母)。 ⑤빚을매 양성(釀成)함。 ⑥어두울매 밝지 아니함。

【媒介 매개】 중간에서 관계를 맺어 주는 일。 중개(仲介)。 알선(斡旋)。

【媒婆*매파】 혼인(婚姻)을 중매(仲媒)하는 노파(老婆)。

◉良媒양매 鳥媒조매 蟲媒충매 風媒풍매

12 【媚】 女 9 미 | 아첨할 | (去)寘

자원 형성 女 眉음 ┬媚 (女부) 2500년전

「女계집녀변」에 음을 나타내며 동시에 곱다의 뜻(⇩美미)을 나타내는 「眉미」로 이루어짐。 아름다운 여성을 사랑하다가 본뜻이었으나 나중에 아첨하다의 뜻으로 흔히 쓰이게 됨。

뜻 ①아첨할미 아유함。 영합。「媚語미어」 ②아양떨미 귀염을 받으려고 애교를 부림。「媚嫵미무」 ③사랑할미 귀여워함。 ④아름다울미 고움。「明媚명미」 ⑤아첨미、아양미

【媚藥 미약】 성욕(性慾)을 돋구는 약。

【媚態 미태】 아양떠는 태도(態度)。

◉明媚명미 淑媚숙미 阿媚아미 姸媚연미

12 【媛】 女 9 원 | 미녀 | ①-③(去)霰 ④(平)元

자원 형성 女 爰음 ┬媛 (女부)

「女계집녀변」과 음을 나타내는 「爰원」으로 이루어짐。

뜻 ①미녀원 재덕이 뛰어난 미인。「才媛재원」 ②궁녀원 궁중의 시녀(侍女)。「嬙媛장원」 ③아름다울원 예쁨。 ④끌원 「嬋媛선원」은 끌어 당기는 모양。 일설(一說)에는 늘어져서 땅 위에 끌리는 모양。 또 일설에는 아름다운 모양。

◉淑媛숙원 良媛양원 才媛재원 貞媛정원

12 【媤】 女 9 시 (韓) | 시집

자원 형성 女 思음 ┬媤 (女부)

「女계집녀변」과 음을 나타내는 「思사」(시는 변음)로 이루어짐。 본디는 여

자의 뜻。 시집의 뜻으로 씀。

뜻 《韓》 **시집시** 남편의 집。「媤宅시댁」「媤父母시부모」

12 **【婿】** 女 9 壻(士部九畫)의 속자(俗字)。

十畫

13 **【嫁】** 女 10 **가** | 시집갈 | 去 禡

자원 형성 女家음—嫁(女부)

「女계집녀변」에 음을 나타내는 동시에 거두어 들이다의 뜻(⇩稼가)을 나타내기 위한 「家가」를 더한 글자。 시집온 여자→시집가다의 뜻。 또 떠넘기다의 뜻으로도 쓰임。

뜻 ①**시집갈가** 「嫁娶가취」 ②**시집보낼가** ③**떠넘길가** 허물·재난 등을 남에게 떠넘김。 전가함。 ④**갈가** 어떤 곳을 향하여 감。

【嫁期 가기】 시집 가게 된 시기(時期)。 시집갈 나이。

◉降嫁강가 改嫁개가 更嫁갱가 再嫁재가

13 **【嫂】** 女 10 **수** | 형수 | 上 皓

자원 형성 女叟음—嫂(女부) 2500년전

「女계집녀변」에 음을 나타내며 동시에 손위의 뜻인 「叟수」를 더하여 이루어짐。 형수의 뜻。

뜻 **형수수** 형의 아내。「兄嫂형수」

◉季嫂계수 兄嫂형수

13 **【嫉】** 女 10 **질** | 시새움할 | 入 質

자원 형성 女疾음—嫉(女부)

「女계집녀변」에 음을 나타내는 「疾질」로 이루어짐。

뜻 ①**시새움할질** 시기함。 질투함。 「嫉視질시」 ②**시새움질** 시기。 질투。

【嫉視 질시】 밉게 봄。 시기함。 흘겨봄。

【嫉妬 질투】 강새암함。 시기함。

13 **【嫌】** 女 10 **혐** | 싫어할 | 平 鹽

자원 형성 女兼음—嫌(女부) 2500년전

「女계집녀변」과 음을 나타내는 동시에 싫증나다의 뜻(⇩惓권)을 나타내기 위한 「兼겸」으로 이루어짐。 여자에 싫증나다、 전하여 싫다의 뜻。

뜻 ①**싫어할혐** ㉠미워함。 또 꺼림。「嫌憚혐탄」 ㉡소외(疏外)함。 ㉢불만하게 여김。 ②**의심할혐** 의혹함。「嫌疑혐의」 ③**미움혐** 증오。 또 불만。 ④**혐의혐** 의혹。

【嫌忌 혐기】 싫어하여 꺼림。

【嫌厭 혐염】 미워서 싫어함。

【嫌惡 혐오】 싫어하고 미워함。

【嫌疑 혐의】 ①의심스러움。 미심쩍음。 ②의심함。 또 의심。 ③꺼리어 싫어함。

十一畫

14 **【嫡】** 女 11 **적** | 아내 | 入 錫

자원 형성 女商음—嫡(女부) 2500년전

「女계집녀변」과 음을 나타내는 「商적」으로 이루어짐。 음을 빌어 대등(對等)한 상대의 뜻(⇩適적)인 정처(正

妻)를 나타내고、전하여 그가 낳은 아이、후사(後嗣)의 뜻이 됨。

뜻 ①아내적 첩에 대하여 정실(正室)을 이름。②맏아들적 정실이 난 장남。전하여 널리 본처 소생의 아들의 뜻으로도 쓰임。「嫡子적자」

【嫡庶 적서】적자(嫡子)와 서자(庶子)。본처의 아들과 첩의 아들。

【嫡孫 적손】적자(嫡子)의 적자。대를 잇거나 지위를 물려받는 손자。

【嫡子 적자】본처(本妻)의 몸에서 난 맏아들。적장자(嫡長子)。②본처의 몸에서 난 모든 아들。

【嫡妻 적처】정식으로 예를 갖추어 맞은 아내。본처(本妻)。「(所生)。

【嫡出 적출】정실(正室)의 몸의 소생

【嫡統 적통】적파(嫡派)의 계통。

十二畫

15 【嬌】女 12 교 | 아리따울 | ㊥蕭 ㊤篠

자원 형성 女 喬음 ㅜ嬌(女부)

「女계집녀변」과 음을 나타내는「喬교」로 이루어짐。여자가 뛰어나게 아름답다→요부、전하여 여자의 뜻。

뜻 ①아리따울교 요염하도록 아름다움。또 요염한 자태로 아양 부리는 모양。「嬌態교태」②계집애교 아녀자의 통칭。

【嬌奢 교사】요염하게 치장함。

【嬌聲 교성】아양 떠는 소리。

【嬌態 교태】아리따운 모습。

◉愛嬌애교 春嬌춘교 含嬌함교

十四畫

17 【嬪】女 14 빈 | 궁녀 | ㊥眞

자원 형성 女 賓음 ㅜ嬪(女부)

「女계집녀변」과 음을 나타내는 동시에 곁에 따라 있다의 뜻(⇩伴반)을 나타내기 위한「賓빈」으로 이루어짐。남편에게 시집간 여자、아내의 뜻。

뜻 ①아내빈 죽은 아내。또 널리 부인(婦人)의 미칭(美稱)으로 쓰임。②시집갈빈、③궁녀빈 궁중의 여관(女官)의 이름。「妃嬪비빈」④많을빈 많은 모양。

【嬪宮 빈궁】《韓》왕세자(王世子)의 아내。세자빈(世子嬪)。

◉貴嬪귀빈 良嬪양빈

17 【嬰】女 14 영 | 갓난아이 | ㊥庚

자원 형성 女 賏음 ㅜ嬰(女부) 2500년전

「女녀」〈여자〉와 음을 나타내는「賏영」〈조개로 만든 목걸이〉으로 이루어짐。여자가 목걸이를 걸다의 뜻。전(轉)하여 걸다、닿게 하다、둘러싸다의 뜻。또 목걸이 앞에 젖먹이 아이를 안는데서 갓난아이를「嬰兒영아」라고 함。

뜻 ①갓난아이영 적자(赤子)。「嬰孩영해」②닿을영 접촉함。③두를영 환요(環繞)함。④가(加)할영 ⑤걸릴영 ㉠걸려 듦。㉡병에 걸림。

참고「嬰」을 음으로 하는 글자＝「瓔영」〈구슬목걸이〉・「癭영」〈혹〉・「纓영」

〈갓끈〉·「攖영」〈가까이하다〉·「櫻앵」〈앵도나무〉·「鸚앵」〈앵무새〉

【嬰兒 영아】 젖먹이。어린 아이。

【嬰孩 영해】 젖먹이。어린 아이。

◉嬌嬰교영 退嬰퇴영 孩嬰해영

十七畫

20 【孃】 17 女 양(냥㊍) — 계집 — ㊉陽

자원 형성 女 襄음 ┬ 孃(女부) 2500년전

「女계집녀변」과 음을 나타내는 「襄양」으로 이루어짐。 커다란 여자의 뜻으로 본래 어머니를 가리키는 속어(俗語)。 전하여 「娘낭」〈소녀의 존칭〉과 혼용(混用)됨。

뜻 ①**어미양** 모친。 ②**계집양** 소녀。

※본음(本音) **냥**

◉貴孃귀양 老孃노양 令孃영양

子 部

3 【子】 부수 중학 **자** — 아들 — ㊤紙

ㄱ 了 子

자원 상형 (A) (B) 3000년전 (C) (D) 3000년전 (E) (F) (G) 2500년전

지금의 「子」라는 글자는 여러 가지 글자가 합쳐져 하나가 된 듯。 (A)·(B)는 지지(地支)의 첫째인 「子」。 (C)·(D)는 지지의 여섯째인 「巳사」。 (E)·(F)·(G)는 자손(子孫)의 뜻이나 사람의 신분(身分)·칭호(稱號) 따위에 쓰인 「子」。

뜻 ①**아들자** ㉠자식。「子女자녀」 ㉡또 자손。 ②**새끼자** 동물의 새끼。 ③**알자** 동물의 알。「魚子어자」「蠶子잠자」 ④**열매자** 과실。 ⑤**씨자** 종자。 ⑥**이자자** 금리(金利)。「子母錢자모전」 ⑦**임자** ㉠남자의 미칭(美稱)。 ㉡일가언(一家言)을 세운 사람。「孔子공자」「孟子맹자」 ⑧**나자** 성씨의 아래에 붙여 쓰는 남자의 자칭(自稱)。 ⑨**당신자** 남의 호칭。 ⑩**남자자** 장부(丈夫)。 ⑪**첫째지지자** 십이지(十二支)의 제일위。 방위로는 정북(正北)이고, 시각으로는 오후 열두시임。「甲子갑자」 ⑫**자작자** 오등작(五等爵)의 제사위(第四位)。「公侯伯子男공후백자남」 ⑬**어조사자** 접미(接尾)의 조사(助辭)。「亭子정자」 ⑭**아들같이여길자** 아들같이 사랑함。 ⑮**아들같이자** 아들이 어머니를 대하듯이。 ⑯**열매맺을자** 결실함。 ⑰**사랑할자** 慈(心部十畫)와 통용。

주의 「于우」〈어조사〉·「孑혈」〈외로움〉은 딴 글자。

참고 「子」를 음으로 하는 글자=「仔자」〈자세하다〉·「字자」〈글자〉·「季계」〈철·끝〉·「存존」〈있다〉

【子貢 자공】 위(衛)나라 사람。 공자(孔子)의 제자(弟子)。 구재(口才)가 있고 화식(貨殖)에 능하여 누천금(累千金)을 모았음。

【子規 자규】 두견(杜鵑)의 별칭。

【子路 자로】 노(魯)나라의 변(卞) 사람。 공자(孔子)의 제자。 정사(政事)

에 뛰어남。

【子婦 자부】①며느리。②아들과 며느리。

【子部 자부】경(經)·사(史)·자(子)·집(集)의 사부(四部)의 하나。유(儒)·병(兵)·법(法)·도(道)·석(釋)의 각 가(家)와 기예(技藝)·술수(術數)·소설(小說) 등속이 이에 속함。병부(丙部)。

【子史 자사】장자(莊子)·열자(列子) 등 제자(諸子)의 책과 사기(史記)·한서(漢書) 등 역사의 책。

【子思 자사】춘추 시대 노(魯)나라의 유가(儒家)。공자(孔子)의 손자。중용(中庸)을 지었음。

【子孫 자손】①아들과 손자。②후손(後孫)。

【子午線 자오선】지구의 남북 양극을 연락하는 상상상의 권선(圈線)。

【子音 자음】닿소리。

【子子孫孫 자자손손】자손의 여러 대(代)。

【子爵 자작】오등작(五等爵)의 제사위(第四位)。백작(伯爵)의 아래이며 남작(男爵)의 위임。

【子弟 자제】①아들과 아우。부형(父兄)의 대(對)。②젊은이。

◉孤子 고자 公子 공자 君子 군자 男子 남자 娘子 낭자 獨子 독자 帽子 모자 父子 부자 嗣子 사자 庶子 서자 世子 세자 梁上君子 양상군자 養子 양자 女子 여자 王子 왕자 嫡子 적자 册子 책자 天子 천자 賢子 현자 孝子 효자

一畫

4 **【孔】** 子 1 고교 **공** 구멍 ㊤ 董

ㄱ 了 子 孔

자원 지사 2500년전

「孔」은 아이가 젖통(ㄴ)에서 젖을 빠는 모양을 본떠 젖이 나오는 구멍을 나타냄。「공」이란 음도 구멍이 뚫려 있다는 뜻(⇩空공)을 가짐。전하여 구멍의 뜻。

뜻 ①**구멍공**「眼孔안공」②**성공** ㉠성(姓)의 하나。공자(孔子)의 성。「孔丘공구」㉡또 공자를 이름。③**매우공** 심히。「孔棘공극」④**빌공** 공허함。⑤**깊을공**

【孔教 공교】공자(孔子)의 교(教)。유교(儒教)。

【孔孟 공맹】공자와 맹자。

【孔明 공명】①대단히 밝음。②제갈양(諸葛亮)의 자(字)。

【孔門 공문】공자의 문하(門下)。

【孔門十哲 공문십철】공자의 제자 중에서 학문 또는 덕행 등이 뛰어난 열 사람。곧 덕행에는 안연(顏淵)·민자건(閔子騫)·염백우(冉伯牛)·중궁(仲弓)、언어에는 재아(宰我)·자공(子貢)、정사(政事)에는 염유(冉有)·계로(季路)、문학에는 자유(子游)·자하(子夏)。

【孔父 공보】공자(孔子)를 이름。이보(尼甫)。

【孔聖 공성】공자(孔子)의 존칭。덕이 가장 높은 성인。대성(大聖)。

【孔子 공자】유가(儒家)의 교조(教祖)로서 춘추시대(春秋時代)의 노(魯)나라 사람。이름은 구(丘)。자(字)는 중니(仲尼)。시(詩)·서(書)·예(禮)·악(樂)·역(易)·춘추(春秋) 등 육경(六經)을 산술(刪述)하였음。

【孔子家語 공자가어】공자(孔子)의

언행(言行)·일사(逸事) 및 그의 문인(門人)과의 문답(問答)한 말을 수록한 책。

【孔雀* 공작】 꿩과에 속하는 새。 열대지방(熱帶地方)의 원산(原產)。

◉毛孔모공 鼻孔비공 眼孔안공

三畫

6【字】 子 3 중학 **자** | 글자 | ㊧ 寘

丶 丶 宀 宀 字 字

자원 형성 宀+子음 → 字(子부)

음을 나타내는 「子자」는 자손(子孫)。「宀갓머리」는 집。「字」는 한집안에 자손이 붙는 일。 옛날에는 글자를 「名명」 또는 「文문」이라 일컫다가 진(秦)나라의 시황제(始皇帝) 때쯤부터 「文字문자」라는 말이 생겼음。「字」는 「文」과 「文」이 합하여 마치 사람의 가족이 붙듯이 계속하여 생기는 글자라는 뜻임。 나중에는 글자 전부를 「字」라 일컬음。

뜻 ①**글자자** 문자。「字義자의」 ②**자자** 본이름 외에 부르는 이름。 또 자를 지음。 ③**암컷자** 동물의 암놈。 ④**정혼할자** 혼약을 맺음。 ⑤**낳을자** 새끼를 낳음。 ⑥**기를자** 사랑하여 양육함。 ⑦**사랑할자** 「字撫자무」

주의 「宇우」〈집〉는 딴 글자。

【字句 자구】 문자와 어구(語句)。

【字幕 자막】 영화에서 표제·배역·설명 따위를 글자로 나타낸 것。

【字母 자모】 ①발음(發音)의 근본(根本)이 되는 글자。 음(音)을 표시하는 글자。 ②활자(活字)를 만드는 데 쓰는 근본이 되는 자형(字型)。

【字源 자원】 문자의 구성(構成)된 근원。

【字義 자의】 글자의 뜻。

【字典 자전】 한문(漢文) 글자를 수집(蒐集) 배열(排列)하여 낱낱이 그 뜻을 해석(解釋)한 책(册)。

【字體 자체】 ①글자(字)의 모양。 ②글자의 체(體)。

【字學 자학】 글자의 근원·구성 원리·체(體)·음(音)·의(義) 등을 연구(研究)하는 학문。

【字解 자해】 글자의 풀이。 문자의 해석。

【字畫 자획】 문자를 구성하는 점획(點畫)。

◉古字고자 文字문자 姓字성자 俗字속자 誤字오자 正字정자 題字제자 草字초자

6【存】 子 3 중학 **존** | 있을 | ㊥ 元

一 ナ 𠂇 存 存 存

자원 회의 在-才+子 → 存(子부)

「子자」와 「在재」의 생획(省畫)으로 이루어짐。「子」는 약한 아이。「在」는 만물(萬物)이 살고 있다의 뜻。「存」은 아이가 살고 있음을 불상히 여겨 동정을 베푼다는 뜻。 일설에 형성(形聲)으로 보아 「在」의 생획과 음을 나타내는 「孨전」〈약하다〉의 생획을 합한 글자라고 설명함。 그러므로 뜻은 같음。 전하여 오래 살다→있다의 뜻이 됨。

뜻 ①**있을존** 존재함。「存亡존망」 ②**보존할존** 보지(保持)함。 ③**존문할**

〔三畫部首順〕 口囗土士夂夊夕大女子宀寸小尢尸屮山巛工己巾干幺广廴廾弋弓彐彡彳

존 ㉠휼문(恤問)함。「存潤존윤」㉡위문함。「存慰존위」 ④**살필존** 조사함。⑤**편안할존** 안태(安泰)함。

참고 「存」을 음으로 하는 글자＝「拵존」〈꽂다〉·「栫천」〈둘러막다〉

【存立 존립】 ①생존함。존재함。②도와서 생존시킴。

【存亡 존망】 존속(存續)과 멸망。삶과 죽음。또 안태(安泰)함과 위태로움。흥폐(興廢)。

【存否 존부】 건재(健在)한지 어떤지。생사(生死) 여부(與否)。

【存續 존속】 존재(存在)를 계속함。

【存在 존재】 있음。현존(現存)함。

【存廢 존폐】 보존과 폐지。

◉保存보존 異存이존 適者生存적자생존

四畫

7 【孝】 子 4 중학 **효** | 효도 | 去 效

一 + 土 耂 考 孝 孝

자원 회의 老 + 子 → 孝(子부) 2500년전

「老로」〈노인〉와 「子아들자」를 합(合)친 글자。아들이 노인을 잘 봉양(奉養)하는 뜻에서 부모(父母)나 조상(祖上)을 잘 섬김을 나타냄。

뜻 ①**효도효** 부모를 잘 섬김。②**효자효** 부모를 잘 섬기는 아들。

【孝經 효경】 경서(經書)의 하나。공자가 증자(曾子)를 위해서 효도(孝道)에 관하여 한 말을 기록한 책。

【孝女 효녀】 효행(孝行)이 있는 딸。

【孝道 효도】 부모를 잘 섬기는 도리。

【孝婦 효부】 ①효행(孝行)이 있는 며느리。②효도가 지극한 부인。

【孝誠 효성】 부모를 섬기는 정성。

【孝心 효심】 효성(孝誠)의 마음。

【孝養 효양】 부모를 효도(孝道)로써 봉양(奉養)함。

【孝子 효자】 ①부모를 잘 섬기는 아들。②부모 제사 때에 자기를 일컫는 말。③부모의 상중(喪中)에 있는 사람。

【孝者德之本 효자덕지본】 효도는 「덕의 근본임。」

【孝子門 효자문】 효자를 표창(表彰)하여 세운 정문(旌門)。

【孝悌* 효제】 부모와 형을 잘 섬김。「효제(孝弟)。

【孝鳥 효조】 까마귀。

【孝行 효행】 부모를 정성(精誠)으로 섬기는 행실(行實)。

◉不孝불효 仁孝인효 至孝지효 忠孝충효

五畫

8 【孟】 子 5 고교 **맹** | 우두머리 | ①-⑥ 去 敬 ⑦ 去 漾

一 了 子 子 舌 舌 孟 孟

자원 형성 子 皿음 → 孟(子부) 2500년전

「子자」〈아들〉와 음을 나타내는 「皿명」(맹은 변음)으로 이루어짐。장자→전하여 처음、우두머리의 뜻。

뜻 ①**우두머리맹** 장。②**맏맹** 맏아들이나 맏딸。③**첫맹** 사시(四時)의 처음。「孟月맹월」 ④**성맹** 성(姓)의 하나。⑤**힘쓸맹** 애씀。노력함。⑥**클맹** ⑦**맹랑할맹** 엉터리임。

주의 「孟우」〈사발〉는 딴 글자。

【孟冬 맹동】 첫 겨울。겨울의 첫째 달。음력 시월(十月)의 이칭(異稱)。

【孟母斷機 맹모단기】 맹자(孟子)의 어머니가 베틀에 맨 날을 끊어 맹자가 학업을 중도에 그만두려는 것을 경계(警誡)한 고사(故事)。

【孟母三遷 맹모삼천】 맹자(孟子)의 어머니가 세 번 이사(移徙)를 하여 맹자를 교육시킨 고사(故事)。 처음에 공동묘지(共同墓地) 근방에 살았는데 맹자가 장사(葬事)지내는 흉내를 내므로 장(場)거리에 옮겼더니 이번에는 물건 파는 흉내를 내어 또 다시 글방 있는 근처로 옮겼다고 함。

【孟朔 맹삭】 맹월(孟月)。

【孟子 맹자】 ①전국시대(戰國時代)의 철인(哲人)。 이름은 가(軻)。 자(字)는 자여(子輿)。 노(魯)나라 사람。 맹자(孟子) 칠편(七篇)을 저술하여 왕도(王道)와 인의(仁義)를 존중하였으며 성선설(性善說)을 주창(主唱)하였음。 후세에 공자 다음 간다하여 아성(亞聖)이라 일컬음。 ②책명(册名)。 칠편(七篇)。 맹가(孟軻)의 찬(撰)。 송대(宋代)에 비로소 높여 경서(經書)에 넣었음。

◉孔孟공맹 論孟논맹 四孟사맹

8 【孤】 子 5 고교 고 | 고아 | ㊥虞

了 了 孑 孑 孤 孤 孤

자원 형성 子 瓜음 ⊤ 孤 (子부) 2500년전

「子자」와、음을 나타내며 동시에 적다는 뜻(⇩寡과)을 가진 「瓜과」(고는 변음)로 이루어짐。 아비를 여읜 의지할 곳 없는 아이、고아의 뜻。

뜻 ①**고아고** 아버지가 죽어 없는 아이。 또 부모가 모두 없는 아이。 ②**홀로고** 단독。 「孤獨고독」 ③**외로울고** ㉠배우자가 없음。 ㉡도움이 없음。 「孤軍고군」 ④**저버릴고** 배반함。 ⑤**벼슬이름고** 삼공(三公) 다음 가는 교화(敎化)를 펴는 관직。 ⑥**나고** 왕후(王侯)의 겸칭(謙稱)。

주의 「弧호」〈활〉는 딴 글자。

【孤高 고고】 혼자만 유달리 고상함。

【孤軍 고군】 후원(後援)이 없는 외로운 군대。

【孤島 고도】 외딴 섬。

【孤獨 고독】 ①어려서 부모를 잃은 아이와 늙어서 자손이 없는 사람。 ②외로움。 고립 무원(孤立無援)함。 ③홀몸이어서 의지가지 없는 사람。

【孤立 고립】 남의 도움이 없이 외톨이 됨。

【孤立無依 고립무의】 외로와 의탁할 만한 사람이 없음。

【孤兒 고아】 부모가 없는 어린애。

【孤子 고자】 ①아버지가 없는 사람。 ②아버지는 돌아가고 어머니만 생존(生存)하였을 때에 상중(喪中)에 있는 사람의 자칭。 ③고아。

【孤寂 고적】 외롭고 쓸쓸함。

8 【季】 子 5 중학 계 | 끝 | ㊤寘

一 二 千 禾 秀 季 季

자원 회의 禾子 ⊤ 季 (子부) 2500년전

「禾화」는 벼·보리 따위의 곡식。「子자」는 아이。「季」는 벼 따위가 늦되다、키가 작다→젊다의 뜻。 형제를 나이의 차례로 「伯백」·「仲중」·「叔숙」·「季」라 함。 또 계절을 이른 쪽에서 「孟맹」·「仲」·「季」로 나눔。

뜻 ①어릴계 ㉠나이가 적음。㉡아직 성숙하지 아니함。②어린이계、소년계 ③말째계 막내 아우。④끝계 ㉠사시(四時)의 끝。「季月계월」「季冬之月계동지월」 ㉡전(轉)하여 거의 망하게 된 때。말세(末世)。⑤철계 일년을 사등분한 석 달 동안。

주의 「李리」〈오얏〉는 딴 글자。

【季刊 계간】 일년에 네 철 정도로 잡지를 간행함。또 그 잡지。

【季氏 계씨】 남의 남자 아우의 존칭。

【季子 계자】 끝의 아들。막내 아들。

【季弟 계제】 끝의 아우。말제(末弟)。

◉冬季동계 秋季추계 春季춘계 夏季하계

8 【学】 子 5 學(子部十三畫)의 속자(俗字)。

六畫

【厚】 ⇩厂部七畫

七畫

10 【孫】 子 7 중학 손 | 손자 | ①②(平)元 ③(去)願

了 孑 孖 孫 孫

자원 회의 子＋系 → 孫(子부) 3000년전 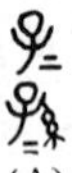 (A) 2500년전

「系계」는 실이 연결되는 일。「孫」은 자식에서 자식에로 이어지는 일。옛 청동기(靑銅器)의 보물에는 (A)와 같이 「子子孫孫자자손손」이 오래 전한다는 어구(語句)가 흔히 새겨져 있음。

뜻 ①손자손 아들의 아들。「子子孫孫자자손손」 ②자손손 ㉠후예(後裔)。「七世孫칠세손」 ㉡전(轉)하여 갈려나온 것。③겸손할손、달아날손 遜(辶部十畫)과 같은 글자。「孫辭손사」 ④성손 성(姓)의 하나。

【孫權 손권】 삼국(三國) 시대 오(吳)나라의 초대 황제。

【孫文 손문】 근대 중국 혁명의 중심인물。자(字)는 일선(逸仙)(뒤에 중산(中山)이라 고침)。

【孫婦 손부】 손자의 아내。아들의 며느리。

【孫壻* 손서】 손녀의 남편。아들의 사위。

【孫悟空 손오공】 괴기소설(怪奇小說) 서유기(西遊記) 가운데에서 가장 주요한 역할을 하는 원숭이。

【孫子 손자】 ①아들의 아들。자손。②책명(冊名)。 주(周)나라 손무(孫武)의 찬(撰)。 병서(兵書) 중에서 가장 유명함。

◉王孫왕손 外孫외손 子孫자손 曾孫증손

八畫

11 【孰】 子 8 고교 숙 | 누구 | (入)屋

亠 古 亨 享 享 孰 孰 孰

자원 회의 享＋丮(丸) → 孰(子부)  2000년전

삶는다는 뜻인 「享향」과 양손으로 다루는 모양을 나타내는 「丮극」(丸환으로 씀)으로 이루어짐。「熟숙」〈익다〉의 본디글자。그 음이 「誰수」에 가까와 의문사로 차용(借用)되어 그 뜻으로 많이 쓰임。

뜻 ①누구숙 어느 사람。②어느숙

어느 것。③익을숙 熟(火部十一畫)과 통용。

참고 「孰」을 음으로 하는 글자=「熟숙」〈익다〉·「塾숙」〈글방〉

十三畫

16 【學】 子 13 중학 학 —배울— ㊀覺

자원 형성 爻(음) 𦥑 冖 子 → 學(子부)

(A) (B) 3000년전 (C) 2500년전

음을 나타내는 「爻효」는 복잡하게 뒤얽힌 것→여러 가지 배워야 할 일들。「𦥑곡」은 양손의 모양→돌보다。「冖갓머리」는 건물。「子자」는 학생。「學」은 학교→가르치다→배우다。

옛모양 (A)는 「乂예」〈다스리다〉와 「冖」를 합친 글자。「乂」와 「爻」는 같은 뜻。대체로 「學」은 「教교」〈가르치다〉·「孝」〈효도〉·「交교」〈사귀다〉·「校교」〈학교〉 등과 관계 깊음。

뜻 ①배울학 ㉠학문을 배움。「學問학문」 ㉡모방하여 익힘。㉢연구함。②학자학 ㉠학문에 뛰어난 사람。또 ㉡학문을 배우는 사람。「幼學유학」 ③학문학 ㉠배워 익히는 바。「修學수학」 ㉡사물의 이치를 연구하여 얻은 원리。체계화한 지식。「天文學천문학」 ④학교학 학사(學舍)。

주의 「斈」은 속자(俗字)。「学」은 약자(略字)。

【學界 학계】 학문의 사회(社會)。

【學科 학과】 학문의 과목(科目)。

【學課 학과】 학문의 과정(課程)。

【學館 학관】 ①사숙(私塾)。②학사(學舍)。

【學級 학급】 한 교실 안에서 같이 교수를 받는 학생의 일단(一團)。

【學期 학기】 학교에서 한 학년의 수업 기간을 구분한 시기(時期)。

【學徒 학도】 ①학생。생도。②학문을 닦는 사람。

【學力 학력】 ①학문의 힘。②힘써 배움。

【學歷 학력】 수학한 이력(履歷)。

【學齡* 학령】 법률상 국민 교육을 받을 의무가 발생하는 연령。

【學理 학리】 학문상(學問上)의 원리(原理)나 이론(理論)。

【學問 학문】 ①학예를 배워 익힘。②배워 닦은 학예。③체계(體系)가 선 지식(知識)。

【學閥* 학벌】 ①한 학교를 나온 사람들이 단결하여 서로 의지하고 서로 도와 세력을 형성하는 파벌。②출신 학교의 지체。

【學府 학부】 학문이나 학자가 모이는 곳。학술 사회의 중추부(中樞府)。

【學士 학사】 ①학식 있는 사람。학자。②관명(官名)。국가의 전례(典禮)·편찬·찬술(撰述) 등을 맡음。③고관(高官)을 우대하여 수여하는 칭호。④대학 본과(本科)의 규정한 학과를 마치고 일정한 절차를 밟은 사람의 칭호。

【學生 학생】 ①학문을 배우는 사람。서생(書生)。②《韓》생전(生前)에 벼슬하지 아니한 사람에 대한 존칭。

【學說 학설】 학문상(學問上)의 논설。

학술상의 의견。

【學術 학술】①학문과 예술 또는 기술。②학문。

【學識 학식】①학문과 식견(識見)。②학문상의 식견。 상식의 대(對)。

【學業 학업】①공부하여 학문(學問)을 닦는 일。②습득(習得)한 학문。

【學藝 학예】학문(學問)·문장(文章)·기예(技藝)의 총칭。

【學友 학우】같이 공부(工夫)하는 벗。 글동무。

【學院 학원】①학교(學校)。②일정한 자격을 갖추지 못한 학교。

【學園 학원】학문(學問)을 닦는 곳。

【學位 학위】어떤 부문(部門)의 학술에 능통한 사람에게 주는 칭호。 박사·석사·학사 등。

【學者 학자】①학문(學問)에 통달(通達)한 사람。②학문을 연구하는 사람。

【學資 학자】학비(學費)。

【學才 학재】학문상의 재능。

【學籍 학적】재학생(在學生)의 성명·생년월일·주소 등을 기록한 명부。 또 그 명부에 등록된 신분。

【學制 학제】학교 및 교육에 관한 제도。

【學窓 학창】학문(學問)을 닦는 곳。 학교·사숙(私塾) 등。

【學則 학칙】①학교(學校)의 규칙。 교칙(校則)。②학문의 준칙(準則)。

【學風 학풍】①학문상의 경향(傾向)。②학교의 기풍(氣風)。 교풍(校風)。

【學兄 학형】학우(學友)의 높임말。

【學會 학회】학술의 연구·장려를 목적으로 조직된 단체。

◉苦學고학 工學공학 獨學독학 晩學만학 入學입학 在學재학 初學초학 就學취학

宀部

3 【宀】 부수 면 | 집 | ㊦先

자원 상형 2500년전

집 지붕의 모양을 본뜸。 한자(漢字)의 부수(部首)로서 갓머리라 하여 주로 주거(住居)에 관계(關係)되는 뜻으로 쓰임。

뜻 **집면** 집을 상형(象形)한 글자。

〔三畫部首順〕 口囗土士夂夊夕大女子宀寸小尢尸屮山巛工己巾干幺广廴廾弋弓彐彡彳

주의 「冖 멱」(민갓머리)은 딴 글자。

三畫

6 【宅】 宀 3 중학 택(①댁 ㉧) | 집 | ㊀陌

丶 丶丶 宀 宀 宅

자원 형성 宀 乇음 → 宅(宀부)

「宀 갓머리」〈집〉와、음을 나타내며 동시에 풀의 새싹이 퍼지는 모양의 뜻을 가진 「乇척」(택은 변음)으로 이루어짐。 방이 몇 개씩 있는 집의 뜻。 옛 글자 모양은 「宀」와 수를 나타내는 「七칠」을 합친 모양 같음。 「七」은 「切절」〈나누다〉과 같으므로 방을 나누어 사람이 살기 좋게 하는 뜻인 듯。

2500년전 3000년전

뜻 ①**집택** 주거。「宅宇택우」「卜宅복택」 ※속음(俗音) **댁** ②**묏자리택** 무덤 자리。「宅兆택조」 ③**살택** 거주함。④**자리잡을택** 위치·지위에 있음。⑤**정할택** 결정함。

【宅地 택지】 가택(家宅). 집. 집터.
◉家宅가택 居宅거택 故宅고택 舊宅구택 社宅사택 自宅자택 邸宅저택 住宅주택

6 【宇】 宀3 중학 우 | 집 | ㊤麌

丶 丶 宀 宀 宇 宇

자원 형성 宀 + 于(음) → 宇 (宀부)

「宀 갓머리」는 건물. 음을 나타내는 「于우」는 「아아」하고 큰 소리를 내다→크다→크게 굽다의 뜻. 「宇」는 크게 날개를 편 듯한 차양(遮陽)이 있는 건물. 나중에 우주(宇宙) 또는 천하(天下)의 뜻으로도 되었음. 옛 중국에서는 「宇」는 공간적(空間的) 확대, 「宙」는 시간적 격차라 생각하였음.

뜻 ①**집우** 주거. 「屋宇옥우」 ②**지붕우** ③**처마우** 지붕이 도리 밖으로 내민 부분. 「上棟下宇상동하우」 ④**처마밑우** 처마의 아래. ⑤**하늘우** 천공(天空). 「天宇천우」 ⑥**변방우** 국경 지대. 변경(邊境). 세계. 「宇內우내」 ⑦**나라우, 천하우** 국토(國土). ⑧**도량우** 기국(器局). 품성. ⑨**끝우** 가장자리. 「眉宇미우」

【宇宙 우주】 ①천지(天地)와 고금(古今). 시간(時間)과 공간(空間). ②천지(天地). 세계(世界).

6 【守】 宀3 중학 수 | 지킬 | ①-③㊤有 ④-⑥㊦宥

丶 丶 宀 宀 守 守

자원 회의 宀 + 寸 → 守 (宀부)

(A) (B) 2500년전

「宀 갓머리」는 건물→관청. 「寸 촌」은 손→손으로 꽉 잡는 일. 또 치수→법도(法度)〈규칙〉. 「守」는 관청의 일을 깔끔히 하다→직무(職務)를 지키다→지키다. 옛 모양은 「宀」와 「又우」자를 합한 모양인데 「又」도 손을 가리킴.

뜻 ①**지킬수** ㉠소중히 보존하거나 보호함. 「守護수호」 ㉡방어함. 또 방비. 방어 시설. 「守備수비」 ㉢보살핌. 관장함. ㉣관직(官職)에 임(臨)함. 또 맡은 관직. 직책. ②**절개수** 지조. 「操守조수」 ③**계비직고수** (階卑職高)**수** 품계(品階)는 낮고 관직은 높은 일. ④**벼슬이름수** ㉠군국(郡國)의 장관. 「太守태수」「郡守군수」 ㉡관무(官務)의 주임(主任). ⑤**임지수** 관직에 있는 곳. ⑥**돌수** 狩(犬部六畫)와 통용. 「巡守순수」

【守舊 수구】 구습(舊習)을 지킴. 전례(前例)를 따름.
【守令 수령】 ①태수(太守)와 읍령(邑令). ②《韓》원. 부윤(府尹)·목사(牧使)·부사(府使)·군수(郡守)·현감(縣監)·현령(縣令) 등.
【守門將 수문장】 성궐(城闕)의 문을 지키는 벼슬.
【守備 수비】 지키어 방비함. 또 그 시설.
【守衛 수위】 지킴. 또 지키는 사람.
【守錢奴 수전노】 돈을 모을 줄만 알고 쓸 줄 모르는 놈.
【守節 수절】 절개(節概)를 지킴.
【守護 수호】 지키어 보호(保護)함.
◉看守간수 固守고수 郡守군수 太守태수

6【安】宀3 중학 안 ─ 편안할 ─ ㊥寒

丶 宀 宀 安 安 安

자원 회의 宀+女→安(宀부)

「女녀」는 사람이 무릎꿇고 깍지끼어 신을 섬기는 모습。「宀갓머리」는 건물의 지붕→신을 모시는 곳。「安」은 사람이 사당에서 신을 섬기는 일。나중에 「女」를 여자라 생각하여 「安」은 집속에 여자가 고요히 앉아 있는 모양→평안함이라 설명하게 됨。 3000년전 2500년전

뜻 ①**편안할안** ㉠마음 편함。「安閑안한」 ㉡위태롭지 않음。「安危안위」「安全안전」 ㉢잘 다스려짐。「治安치안」 ②**안존할안** 침착하고 조용함。「安詳안상」 ③**편안히할안** ㉠편안하게 함。 ㉡안심시킴。 ㉢이동시키지 않고 한 군데 평안히 있게 함。 ④**값쌀안** 「安價안가」 ⑤**어디에안** 어느 곳에。 ⑥**어찌안** 어떻게 하여。 ⑦**이에안** 乃(丿部一畫)와 뜻이 같음。 ⑧**성안** 성(姓)의 하나。

참고 「安」을 음으로 하는 글자=「按안」〈누르다〉·「晏안」〈늦다〉·「案안」〈안석〉·「鮟안」〈아귀〉

【安康 안강】 편안함。아무 탈이 없음。또 편안하게 함。

【安居 안거】 평안(平安)히 있음。 또 편안한 거처(居處)。

【安堅 안견】 《韓》 조선(朝鮮) 초기(初期)의 화가(畫家)。호(號)는 현동자(玄洞子)。 산수(山水)의 그림에 능(能)함。

【安寧秩序 안녕질서】 생명과 재산이 안전(安全)하고 사회(社會)의 질서(秩序)가 문란(紊亂)하지 아니함。

【安祿山* 안녹산】 당(唐)나라의 절도사(節度使)·반신(叛臣)。 돌궐계(突厥系)의 잡호(雜胡)。

【安堵* 안도】 ①사는 곳에서 편안(便安)히 지냄。 전(轉)하여 ②심신(心身)이 편안함。

【安樂 안락】 ①마음과 기운이 편안(便安)하고 즐거움。 ②《佛敎》 극락정토(極樂淨土)의 이칭(異稱)。

【安眠 안면】 편안하게 잘 잠。

【安否 안부】 편안하고 편안하지 아니함。곧 기거(起居)의 상황(狀況)。

【安貧樂道 안빈낙도】 궁(窮)하면서도 편안한 마음으로 도(道)를 즐김。

【安産 안산】 아무 탈 없이 순조롭게 아이를 낳음。 순산(順產)。

【安市城 안시성】 《韓》 중국(中國) 해성(海城) 동남 영성자(英城子) 부근에 있던 성(城)。 고구려 보장왕(寶藏王) 때 당태종(唐太宗)의 공격을 맞아 성주(城主) 양만춘(楊萬春)이 적군을 격파한 곳。

【安心 안심】 ①마음이 편안함。 또 마음을 편안하게 함。 ②《佛敎》 신앙(信仰)에 의하여 마음을 안정함。

【安穩 안온】 무사하고 편안(便安)함。

【安危 안위】 편안함과 위태함。

【安逸 안일】 몸이 편하고 한가(閑暇)함。

【安存 안존】 성질(性質)이 안온(安穩)하고 얌전함。

【安全保障 안전보장】 조약국(條約國)이 서로 상대국(相對國)의 영토적

안전을 보장(保障)하는 일。
【安定 안정】 편안하게 자리잡음。 편안히 좌정함。 또 편안히 좌정하게 함。
【安靜 안정】 마음과 정신(精神)이 편안하고 고요함。
【安鼎福* 안정복】《韓》 조선(朝鮮) 정조(正祖) 때의 학자(學者)。 호(號)는 순암(順菴)。 이익(李瀷)의 문인(門人)으로 하학지남(下學指南) 등 저서(著書)가 많음。
【安住 안주】 자리잡고 편안히 삶。
【安着 안착】 무사히 도착함。 「놓음。
【安置 안치】 일정한 장소에 안정하게
【安平大君 안평대군】《韓》 조선(朝鮮) 세종(世宗)의 세째 아들。 이름은 용(瑢)。 시문(詩文)、 서화(書畫)를 잘 하였음。
【安珦* 안향】《韓》 고려(高麗) 충렬왕(忠烈王) 때의 성리학자(性理學者)。 동방(東方) 최초(最初)의 주자학도(朱子學徒)가 됨。
◉苟安구안 大安대안 問安문안 保安보안 不安불안 慰安위안 長安장안 治安치안 便安편안 平安평안

【字】 ⇩子部三畫

[四畫]

7 【宋】 宀 4 송 | 송나라 | [去]宋

[자원] 회의 宀+木→宋(宀부)  2500년전

「宀갓머리」〈지붕, 집〉에 기둥을 나타내는 「木목」을 더하여 이루어짐。 본디 집의 뜻。 일설에는 「宀」와、 음을 나타내며 중국의 옛 송(宋)나라의 사당(祠堂)의 신목(神木)인 뽕나무를 나타내는 「桑상」(송은 변음)의 생략체 「木」으로 이루어진 형성자(形聲字)라고도 함。 중국의 옛나라의 이름。 또 딴 설(說)에 의하면 「宀」와 음을 나타내는 「松송」의 생략체 「木」으로 이루어진 형성자라고도 함。

[뜻] ①송나라송 ㉠춘추 십이 열국(春秋十二列國)의 하나。 미자(微子)가 세운 나라로 지금의 하남성 상구현(河南省商邱縣) 지방。 제(齊)·위(魏)·초(楚) 삼국에게 멸망당하였음。 ㉡남조(南朝)의 하나로 유유(劉裕)가 진(晉)나라의 선양(禪讓)을 받아 세운 왕조(王朝)。 도읍은 건강(建康)。 팔주(八主) 육십년(六十年) 만에 남제(南齊)에게 망하였음。 유송(劉宋)이라고도 함。(四二〇~四七九) ㉢조광윤(趙匡胤)이 후주(後周)의 선위(禪位)를 받아 세운 왕조。 도읍은 변경(汴京)。 후에 임안(臨安)으로 천도(遷都)。 십육주(十六主) 삼백 십칠년(三百十七年) 만에 원(元)나라에 멸망당하였음。 조송(趙宋)이라고도 함。(九六〇~一二七六) ②성송 성(姓)의 하나。
【宋時烈 송시열】《韓》 조선(朝鮮) 숙종(肅宗) 때의 정치가·학자。 호(號)는 우암(尤庵)。 서인(西人)·노론(老論)의 거두로 활약함。
【宋學 송학】 송대(宋代)의 유학(儒學)。 곧 성리학(性理學)。

7 【完】 宀 4 [중학] 완 | 완전할 | [平] 寒

丶 丷 宀 宀 宀 完

完

자원 형성 宀 元(음) 完(宀부)

음을 나타내는 「元원」(완은 변음)은 사람의 머리→둥글다→둥글게 둘러싸다。「宀갓머리」는 건물 또는 지붕。「完」은 건물을 완전히 수리(修理)하다→모든 일에 흠 없음。

뜻 ①**완전할완** 부족함이 없음。흠이 없음。「完全無缺완전무결」 ②**완전히할완** 본디대로 있게 함。③**끝날완** 일이 완결됨。「完了완료」「完功완공」 ④**지킬완** 보전함。「完城완성」 ⑤**기울완** 수선함。「繕完선완」 ⑥**튼튼할완** 견고함。「完牢완뢰」

참고 「完」을 음으로 하는 글자=「浣완」〈씻다〉·「晥완」〈밝다〉·「睆환」〈바라보다〉·「筦관」〈피리〉·「院원」〈집〉

【完決 완결】 완전(完全)하게 끝을 맺음。완결(完結)。

【完了 완료】 끝이 남。마침。

【完本 완본】 전질(全帙) 중에 빠진 것이 없는 완전한 서책(書册)。

【完備 완비】 빠짐 없이 구비(具備)함。부족이 없음。

【完成 완성】 완전(完全)하게 성취(成就)함。죄다 이룸。

【完全 완전】 ①조금도 섞인 것이 없음。순수함。②부족(不足)이 없음。흠(欠)이 없음。

【完全無缺 완전무결】 부족(不足)이 없고 조금도 결점(缺點)이 없음。

【完治 완치】 병을 완전히 치료함。

◉大完대완 未完미완 補完보완

7 【宏】 宀 4 굉 | 클 | ㊉庚

자원 형성 宀 厷(음) 宏(宀부) 2500년전

「宀갓머리」〈집〉에 음을 나타내는 동시에 크다의 뜻(⇩光광)을 나타내기 위한 「厷굉」으로 이루어짐。집이 넓다→안이 너르다、넓다의 뜻。

뜻 **클굉**、**넓을굉** 광대(廣大)함。「宏大광대」

【宏大* 굉대】 굉장(宏壯)하게 큼。

【宏壯* 굉장】 크고 훌륭함。

五畫

8 【宗】 宀 5 중학 종 | 마루 | ㊉冬

丶 丷 宀 宀 宇 宗 宗

宗

자원 회의 宀 示 宗(宀부)

「宀갓머리」는 집。 3000년전 「示시」는 신이 2500년전 들리는 나무로 된 받침。「宗」은 조상을 모시는 사당→같은 조상을 모시는 한 종중 사람들→근본이 되는 것。

뜻 ①**가묘종**、**종묘종** 사당。「宗社종사」 ②**마루종**、**밑종** 밑둥。근본。「宗家종가」 ③**겨레종** 일가。「宗門종문」 ④**갈래종** 유파(流派)。「宗派종파」 ⑤**높일종** 존숭함。또 존숭하는 사람。앙모하는 사람。「詩宗시종」 ⑥**조회볼종** 여름에 제후가 천자에게 알현함。⑦**향할종** 향하여 감。

주의 「宋송」〈나라 이름〉은 딴 글자。

참고 「宗」을 음으로 하는 글자=「淙

종」〈물대다〉·「棕종」〈종려나무〉·「琮종」〈옥홀〉·「綜종」〈모으다〉·「踪종」〈발자취〉·「崇숭」〈높다·높이다〉

【宗家 종가】 맏파(派)의 집안。큰집。

【宗畓 종답】 《韓》 종중(宗中) 소유(所有)의 논。

【宗徒 종도】 종교·종파(宗派)의 신앙자。신도(信徒)。

【宗廟 종묘】 ①역대(歷代)의 신주(神主)를 모신 제왕가(帝王家)의 사당(祠堂)。예적에는 사서인(士庶人)의 사당도 종묘라고 하다가 후세에 이르러 대부(大夫) 이하의 사당은 가묘(家廟)라 일컫게 되었음。②국가(國家)。천하(天下)。

【宗門 종문】 ①종족(宗族)。②종교(宗敎)의 갈래。종파(宗派)。

【宗社 종사】 종묘(宗廟)와 사직(社稷)。전(轉)하여 왕실과 국토。

【宗山 종산】 한 겨레의 조상의 무덤이 있는 산。곧 종중(宗中)의 산。

【宗孫 종손】 맏파(派)집의 맏자손。

【宗臣 종신】 ①중신(重臣)。②종친(宗親)인 신하。임금과 동족의 신하。

【宗室 종실】 ①선조(先祖)의 사당(祠堂)。②천하(天下)의 총본가(總本家)。③겨레。집안。④제왕(帝王)의 일가。종친(宗親)。

【宗氏 종씨】 《韓》 동성 동본(同姓同本)으로서 계촌(計寸)을 아니하는 겨레에 대(對)한 칭호(稱號)。

【宗族 종족】 동성 동본의 일가。

【宗主 종주】 ①근본(根本)。②종자(宗子)。③제후(諸侯)의 위에 서서 패권(覇權)을 잡은 맹주(盟主)。④종묘(宗廟)의 신주(神主)。

【宗主國 종주국】 종주권(宗主權)을 가진 나라。

【宗中 종중】 한 겨레의 문중(門中)。

【宗親 종친】 ①동모(同母)의 형제(兄弟)。②동족(同族)의 사람。③《韓》 제왕의 일가。

【宗派 종파】 ①종족(宗族)의 파(派)。②종교의 갈래。③학술(學術)의 유파(流派)。④《韓》 지파(支派)에 대하여 종가(宗家)의 계통(系統)。

【宗會 종회】 종중(宗中)의 회의。

◉改宗개종 敎宗교종 同宗동종 文宗문종

8 **【官】** 宀 5 중학 **관** | 벼슬 | (平)寒

丶 丶 宀 宀 宀 官 官

자원 회의 𠂤+宀→官(宀부) 3000년전

「𠂤퇴」는「師사」의 옛 글자로서 군대→집단。「宀갓머리」는 건물。「官」은 많은 관리가 사무를 보는 곳→관리。

뜻 ①**벼슬관** 관직。「高官고관」 ②**마을관** 관가。「官廳관청」 ③**벼슬아치관** 관원。「官海관해」 ④**기능관** 이목구비(耳目口鼻) 등의 기능。「五官오관」 ⑤**벼슬줄관** 임관함。⑥**벼슬살이할관** 관직에 나아가 봉사함。⑦**본받을관** 본보기로 함。

주의 「宮궁」〈대궐〉은 딴 글자。

참고 「官」을 음으로 하는 글자=「棺관」〈널〉·「管관」〈대롱〉·「菅관」〈솔새〉·「逭환」〈달아나다〉·「館관」〈객사〉

【官家 관가】 ①천자(天子)。또 황실(皇室)。②정부。③《韓》 나라 일을 맡은 마을。지방의 한 고을의 행정 사무를 처리하는 마을。

【官權 관권】 ①정부(政府)의 권력(權

力)。②관청(官廳)의 권력。
【官紀 관기】 관부(官府)의 규율(規律)。관리의 단속。
【官等 관등】 벼슬의 등급(等級)。
【官力 관력】 관청(官廳)의 힘。
【官祿 관록】 ①관위(官位)와 봉록(俸祿)。②관리의 봉록(俸祿)。
【官吏 관리】 벼슬 다니는 사람。벼슬
【官名 관명】 벼슬의 이름。〔아치。
【官民 관민】 관리와 백성(百姓)。
【官報 관보】 ①정부에서 발행하는 일간(日刊) 공보(公報)。②관공서에서 발송하는 공용(公用) 전보。
【官費 관비】 관아(官衙)에서 지출하는 비용(費用)。「리(官吏)의 주택。
【官舍 관사】 관부(官府)에서 지은 관
【官選 관선】 관아(官衙)에서 뽑음。
【官衙* 관아】 관원(官員)이 사무를 처리하는 곳。마을。관청(官廳)。
【官印 관인】 관용으로 쓰는 도장。
【官邸* 관저】 관사(官舍)。
【官制 관제】 관청(官廳)의 조직·권한 및 관리(官吏)의 직무 등을 규정한 법칙。
【官製 관제】 정부(政府)의 경영으로 만듦。
【官尊民卑 관존민비】 관리는 높이 여기고 백성은 천히 여기는 사상。또는 그 사회 현상。
【官職 관직】 ①관리의 직무。②관위(官位)。관계(官階)。
【官昌 관창】 《韓》 신라(新羅) 무열왕(武烈王) 때의 화랑(花郎)。장군(將軍) 품일(品日)의 아들로서 황산(黃山) 싸움에서 단신(單身) 적군에 돌입(突入)하여 전사(戰死)함。
【官廳 관청】 관아(官衙)。
【官憲 관헌】 ①국가(國家) 또는 정부(政府)의 규칙。②관할권을 가진 관청。③관리(官吏)。관원(官員)。
◉警官경관 高官고관 文官문관 試官시관

8 【宙】 宀 5 중학 주 | 집 | ㊀宥

丶 丶 宀 宀 宀 宙 宙 宙

宙

자원 형성 宀 由 음 宙 (宀부)
음을 나타내는 「由유」(주는 변음)는 빠져나가다、내밀다。「宀갓머리」는 건물。「宙」는 지붕이 불룩한 큰 건물。나중에 「宇우」를 공간적(空間的) 확대、「宙」를 시간적 격차、합하여 「宇宙」는 천지간의 모든 것을 나타내는 말。
뜻 ①**집주** 주거。②**동량주** 마룻대와 들보。③**때주** 무한한 시간。④**하늘주** 허공(虛空)。또 천지(天地)의 사이。「碧宙벽주」
◉宇宙우주

8 【定】 宀 5 중학 정 | 정할 | ㊀徑

丶 丶 宀 宀 宀 宇 宇 定

定

자원 형성 宀 正 음 定 (宀부)

2500년전
음을 나타내는 「正정」은 바르다→정돈하다。「宀갓머리」는 사당이나 사람의 집。「定」은 집안의 물건을 정돈하여 놓거나 사람의 거처를 정돈하는 일。
뜻 ①**정할정** ㉠결정함。「決定결정」 ㉡바로잡음。㉢평정함。안정시킴。

〔三畫部首順〕 口囗土士夂夊夕大女子宀寸小尢尸屮山巛工己巾干幺广廴廾弋弓彐彡彳

「鎭定진정」 ②**정하여질정** 위뜻의 자동사。 ③**잘정** 취침함。 ④**머무를정** 정지함。 「定止정지」 ⑤**별이름정** 별의 하나。 ⑥**이마정** 액(額)。 ⑦**꼭정** 반드시。

참고 「定」을 음으로 하는 글자=「碇정」〈닻〉·「錠정」〈은화 이름〉·「綻탄」〈솔기 터짐〉

【定價 정가】 ①값을 매김。 ②매겨 놓은 값。

【定刻 정각】 작정한 바로 그 시각。

【定期 정기】 일정(一定)한 기한(期限) 또는 시기(時期)。

【定量 정량】 일정한 분량(分量)。

【定例 정례】 일정한 규례(規例)。

【定論 정론】 정확하여 움직일 수 없는 이론。 정설(定說)。

【定石 정석】 ①바둑에 있어 공격과 수비에 최선(最善)을 다한 수법(手法)의 정형(定形)을 이룬 것。 전(轉)하여 ②일정한 방식。

【定說 정설】 정론(定論)。

【定數 정수】 ①일정(一定)한 수(數)。 ②정하여진 운수(運數)。

【定時 정시】 일정한 시각(時刻) 또는 시기(時期)。

【定式 정식】 일정한 방식(方式)。

【定額 정액】 일정한 액수(額數)。

【定員 정원】 정하여진 사람의 수。 일정(一定)한 인원(人員)。

【定義 정의】 한 사물(事物)에 관하여 의미를 밝혀 개념(槪念)을 명확하게 한정(限定)하는 일。 또 그 설명。

【定處 정처】 일정한 처소(處所)에 있음。 또 일정한 처소에 있게 함。

【定則 정칙】 일정한 규칙。

【定評 정평】 모든 사람이 다 같이 옳다고 하는 비평 또는 평판(評判)。

【定婚 정혼】 혼인(婚姻)을 정함。

【定形 정형】 일정한 형체(形體)。

◉假定가정 鑑定감정 改定개정 更定갱정 檢定검정 決定결정 肯定긍정 旣定기정

8 【宜】5 宀 고교 의 ― 옳을 ― ㊥支

丶 丶 宀 宀 宂 宁 宜 宜

자원 회의 宀+俎→宜(宀부) 2500년전

집의 뜻인 「宀갓머리」와、 제사지낼 때 고기를 담는 그릇 「俎조」의 생략체 「且」로 이루어짐。 신에게 기도드리다가 원뜻。 전하여、 순리(順理)에 맞는 일。 또 일설(一說)에는 「宀」와 많다의 뜻의 「多다」의 생략체 「夕」과 「一일」로 이루어져 땅 위에 지은 집 안에 많은 물건이 갖추어져 있음을 나타내며、 흐뭇하다、 좋다의 뜻이 된다고도 함。

뜻 ①**옳을의** ㉠이치에 맞음。 「適宜적의」 ㉡선미(善美)함。 ②**마땅할의** 당연함。 ③**마땅히의** 당연히 …이어야 함。 결정(決定)의 말。 ④**화목할의** 화순(和順)함。 ⑤**제사이름의** 사(社)의 제사。

주의 「宣선」〈펴다〉은 딴 글자。

【宜當 의당】 마땅히。 으레。

◉機宜기의 時宜시의 適宜적의 便宜편의

8 【宝】5 宀 寶(宀部十七畫)의 속자(俗字)。

8 【実】5 宀 實(宀部十一畫)의 속자(俗字)。

六畫

9 **【客】** 宀 6 중학 **객** —손— ㉠入 陌

丶 丷 宀 宂 㝉 安 客 客

2500년전

자원 형성 各음 宀 丅客(宀부)

「宀갓머리」는 건물。음을 나타내는 「各각」(객은 변음)은 거기까지 이르다→붙들어 두다。「客」은 다른 곳에서 온 사람을 붙들어 두다→다른 곳에서 온 사람。

뜻 ①**손객** ㉠내방한 사람。「賓客빈객」 ㉡주(主)에 대한 위치에 선 사람。「主客주객」 ㉢기식(寄食)하는 사람。「門客문객」 ㉣단골 손님。「顧客고객」 ㉤타국에서 온 사람。 ㉥좌중(座中)에서 존경하는 사람。상객(上客)。 ②**나그네객** 여행자。「旅客여객」 ③**사람객** 인사(人士)。「政客정객」 ④**지난세월객** 지나간 연월(年月)。「客冬객동」「客年객년」 ⑤**붙일객** 기우(寄寓)함。「客居객거」

주의 「容용」〈얼굴·꾸미다〉은 딴 글자。

참고 「客」을 음으로 하는 글자=「喀객」〈뱉다〉·「衉객」〈피를 토하다〉·「額액」〈이마〉

【客苦 객고】 객지(客地)에서의 고생。

【客觀 객관】 의식(意識)의 대상이 되는 일체(一切)의 현상(現象)。

【客年 객년】 지나간 해。

【客談 객담】 객적은 말。군말。군소리。

【客舍 객사】 여관。여사(旅舍)。

【客席 객석】 손님의 자리。

【客船 객선】 손님을 태우는 배。

【客愁 객수】 여행 중에 일어나는 수심。

【客室 객실】 손님을 접대하는 방。

【客月 객월】 지난 달。전달。

【客人 객인】 ①손님。②객적은 사람。

【客主 객주】 《韓》 장수의 물화(物貨)를 위탁받아 팔거나 매매(賣買)를 소개(紹介)하고 또는 그 장수를 숙박(宿泊)시키는 영업。

【客地 객지】 ①타향。객토(客土)。②전쟁 때 쳐들어간 적(敵)의 땅。

【客車 객차】 ①손이 타는 수레。②여객을 운송하는 열차。

【客窓 객창】 나그네가 거처하는 방。여창(旅窓)。

【客土 객토】 ①딴 데서 가져온 흙。②타향(他鄕)。객지(客地)。

【客鄕 객향】 객거(客居)하는 타향。

【客懷 객회】 객중(客中)의 정회(情懷)。나그네의 회포(懷抱)。객심(客心)。객혼(客魂)。

◉弔客조객 主客주객 醉客취객 賀客하객

9 **【宣】** 宀 6 고교 **선** —베풀— ㉥平 先

丶 丷 宀 宀 宀 宣 宣 宣

2500년전

자원 형성 亘음 宀 丅宣(宀부)

음을 나타내는 「亘선」은 빙 둘러싸는 일。「宀갓머리」는 건물。건물이 빙 둘러싸고 있는 천자(天子)의 방。나중에 널리 퍼지다의 뜻으로 씀。

뜻 ①**베풀선** 널리 은덕(恩德)을 입힘。 ②**펼선** ㉠널리 알림。「宣布선포」 ㉡군주(君主)가 말함。 ㉢의사(意思)를 말함。 ㉣발양(發揚)함。 ㉤해침。 흩어지게 함。 ③밝힐선 명시함。 ④조칙선 조서(詔書)。 ⑤일찍셀선 머리가 일찍 셈。

주의 「宜의」〈좋다〉는 딴 글자。

참고 「宣」을 음으로 하는 글자=「喧훤」〈떠들썩하다〉·「諠훤」〈잊다〉

【宣告 선고】 ①널리 말하여 이름。 공포(公布)함。 ②재판의 언도(言渡)。

【宣敎 선교】 종교(宗敎)를 선전함。

【宣誓* 선서】 서약(誓約)의 선언。

【宣揚 선양】 널리 떨치게 함。

【宣言 선언】 세상에 언명함。 정식(正式)으로 표명(表明)함。 또 그 말。

【宣戰 선전】 전쟁을 개시(開始)하는 이유(理由)의 선언(宣言)。

【宣布 선포】 널리 펴 알림。

◉明宣명선 不宣불선 承宣승선

9 **【室】** 宀 6 중학 **실** 집 入質

' 宀 宀 宊 宎 宔 室

자원 형성 宀 + 至음 → 室(宀부)

「宀갓머리」는 건물。 음을 나타내는 「至지」(실은 변음)는 닿다→속까지 이르다。 「室」은 바깥채인 「堂당」에 대하여 안쪽의 방을 일컬음。

뜻 ①**집실** 건물。 「室家실가」 ②**방실** 집의 방。 「寢室침실」 ③**아내실** 처。 ④**가족실** 집안 식구。 ⑤**굴실** 물품을 저장하는 굴혈(窟穴)。 「氷室빙실」 ⑥**광실** 시체를 묻는 구덩이。 ⑦**칼집실** 칼의 집。 ⑧**별이름실** 이십팔수(二十八宿)의 하나。 현무 칠수(玄武七宿)의 여섯째 성수(星宿)로서 별 둘로 구성되었음。 「室宿실수」

【室家 실가】 ①집。 가옥(家屋)。 ②가족(家族)。 ③아내。 처(妻)。

【室家之樂 실가지락】 부부간의 화락(和樂)。

【室內 실내】 방 안。

【室人 실인】 ①집안 사람。 ②아내。

◉居室거실 敎室교실 內室내실 茶室다실 事務室사무실 寢室침실 皇室황실

9 **【宥】** 宀 6 **유** 용서할 去宥

자원 형성 宀 + 有음 → 宥(宀부)

집을 뜻하는 「宀갓머리」와、 음을 나타내며 동시에 권하다의 뜻을 가진 「有유」로 이루어짐。 음식을 권하며 편히 있게 하다에서 용서하다의 뜻。

뜻 ①**놓을유、용서할유** 처벌하거나 힐책하지 아니함。 「赦宥사유」 ②**도울유** 보좌함。 「宥弼유필」 ③**권할유**

【宥恕 유서】 용서(容恕)함。

七畫

10 **【宮】** 宀 7 고교 **궁** 집 平東

' 宀 宀 宁 宫 宮

자원 형성 宀 + 躳음-吕 → 宮(宀부)

「宀갓머리」〈집〉와、 음을 나타내는 「躳궁」의 생획(省畫) 「吕」로 이루어짐。 일설에는 건물이 많이 늘어선(⇩吕) 집(⇩宀)을 나타내는 회의자(會意字)라고도 함。 옛날엔 귀천(貴賤)에 관계 없이 썼으나 진(秦)나라 이후 대궐의 뜻으로만 씀。

3000년전

〔三畫部首順〕 口囗土士夊夂夕大女子宀寸小尢尸屮山巛工己巾干幺广廴廾弋弓彐彡彳

[뜻] ①집궁 가옥。 진한(秦漢) 이전에는 널리 가옥의 뜻으로 쓰이었으나 진한 이후부터 궁궐(宮闕)의 전칭(專稱)으로 되었음。「宮室궁실」 ②대궐궁 궁전。「宮闕궁궐」 ③종묘궁 제왕가의 사당。 ④담궁 장원(牆垣)。「宮垣궁원」 ⑤소리이름궁 오음(五音)의 하나。「宮商角徵羽궁상각치우」 ⑥궁형궁 오형(五刑)의 하나。 생식기를 없애는 형벌。 ⑦두를궁 위요함。

[주의] ①「官관」〈벼슬〉은 딴 글자。 ②「宮궁」은 약자(略字)。

【宮家 궁가】 《韓》 대군(大君)·왕자군(王子君)·공주·옹주(翁主)의 궁전。

【宮闕* 궁궐】 대궐(大闕)의 문。 전하여 대궐。

【宮女 궁녀】 궁중의 여관(女官)。 나인(內人)。

【宮苑* 궁원】 궁중(宮中)의 정원(庭園)。

【宮人 궁인】 궁녀(宮女)。

【宮庭 궁정】 대궐(大闕)。 궁정(宮廷)。

【宮中 궁중】 ①대궐 안。 궁궐(宮闕) 안。 ②집안。 가내(家內)。

【宮體 궁체】 ①육조(六朝)의 말기 및 양(梁)·당초(唐初)에 유행한 기염(綺艶)한 시체(詩體)。 ②이조(李朝) 때 궁녀(宮女)들이 쓰던 한글의 글씨 체(體)。

【宮刑 궁형】 오형(五刑)의 하나。 보통은 음란한 사녀(士女)에게 과하는 형벌로서 남자(男子)는 거세(去勢)를 하고 여자(女子)는 음부(陰部)를 유폐(幽閉)하는 형벌(刑罰)。

◉東宮동궁 迷宮미궁 王宮왕궁 龍宮용궁

10 【宰】 宀 7 재 | 재상 | [上]賄

[자원] 형성 宀 辛[음] → 宰 (宀부)

2500년전

집을 뜻하는 「宀갓머리」와、 음을 나타내며、 동시(同時)에 관장(管掌)하다의 뜻(⇩司사)을 나타내기 위한 「辛신」(재는 변음)으로 이루어짐。 임금의 곁에서 요리(料理)、 그밖에 허드렛일을 관장하는 사람의 뜻。 주관하다의 뜻에서 전하여 벼슬아치의 우두머리를 가리키게 되었음。

[뜻] ①재상재 대신。「宰相재상」 ②우두머리재 ㉠장(長)。 ㉡현(縣)·읍(邑) 등의 장관。「縣宰현재」 ㉢가신(家臣)의 장。 가령(家令)。 ③주관할재 맡아 다스림。「宰制재제」 ④고기저밀재 칼을 가지고 고기를 저며 요리함。 또 그 사람。 ⑤무덤재 뫼。

【宰相 재상】 제왕(帝王)을 도와 정무(政務)를 총리(總理)하는 대신。 승상(丞相)。 재보(宰輔)。

◉主宰주재 總宰총재 太宰태재 衡宰형재

10 【害】 宀 7 [중학] ㊀해 ㊁할 | 해칠 | ㊀[去]泰 ㊁[入]曷

[자원] 형성 宀 丰[음] → 宀丰 口 → 害 (宀부)

(B) (A)
2500년전

옛 자형(字形)은 「古고」 또는 「口구」(둘 다 사람의 머리의 모양이라고도 함) 위에 그물 같은 것을 씌운 모양으로、 무언가를 위로부터 덮어서 일의 진행을 방해하는 것인 듯함。 나중에 「宀갓머리」와 음을 나타내는 「丰개」(해는 변음)와 「口구」를 합한

〔三畫部首順〕 口囗土士夊夂夕大女子宀寸小尢尸屮山巛工己巾干幺广廴廾弋弓彐彡彳

것으로 해석(解釋)하게 되었음。

뜻 一 ①**해칠해** ㉠해롭게 함。 또 재앙을 내림。「害心해심」 ㉡살상(殺傷)함。 ②**훼방할해** 「妨害방해」 ③**시기할해** 질투함。 ④**해해** ㉠해로운 일。 또 해로운 것。「利害이해」 ㉡재앙。 재해。「害咎해구」 ⑤**요해처해** 산천의 형세가 수비하기에 좋고 공격하기 불리한 곳。「要害요해」 二 ①**어느할** 어느 것을 또는 어느 때에。 ②**어찌할** 무슨 연고로。

참고 「害」를 음으로 하는 글자＝「割할」〈가르다〉·「瞎할」〈애꾸눈〉·「豁활」〈골짜기〉·「轄할」〈비녀장〉

【害毒 해독】 해(害)와 독(毒)。

【害惡 해악】 남을 해치는 악한 일。

【害蟲 해충】 인류(人類)에게 해(害)가 되는 벌레。

◉妨害방해 殺害살해 自害자해 風害풍해

10 【宴】 宀7 고교 연 ― 잔치 ― ㊀霰

丶 丷 宀 宀 宀 宀 宀 宴 宴 宴

자원 형성 宀+妟(음) → 宴(宀부)

집을 뜻하는 「宀갓머리」와 음을 나타내며 동시(同時)에 편안하다의 뜻(⇩安안)을 가지는 「妟안」(연은 변음)으로 이루어짐。 집에서 편안하게 즐기다의 뜻。

뜻 ①**잔치연** 주연(酒宴)。「宴會연회」 ②**잔치할연** 잔치를 베풂。 ③**즐길연** 마음을 즐겁게 가짐。 ④**편안할연** 안락함。「宴坐연좌」

【宴樂 연락】 ①잔치를 베풀고 즐김。 ②주색(酒色)의 즐거움。

【宴席 연석】 잔치하는 자리。

【宴會 연회】 잔치。

◉送別宴송별연 祝宴축연 饗宴향연

10 【家】 宀7 중학 一가 二고 ― 집 ― 一㊥麻 二㊤虞

丶 宀 宀 宁 宇 家 家 家

자원 회의 宀+豕 → 家(宀부)

「宀집면」은 신을 모시는 집。「豕시」는 신에게 바치는 산 제물인 돼지。「家」는 신을 모시는 곳。 후에 널리 사람이 사는 곳을 나타냄。

家

3000년 전

뜻 一 ①**집가** ㉠건물。「家屋가옥」 ㉡살림。 주거(住居)。 ㉢가족。 ㉣문벌。 지체。 ㉤가정。 ㉥재산。 가산(家産)。 ②**남편가** 서방。 ③**아내가** 처。 ④**용한이가** 학문·기예 등에 뛰어난 사람。「百家백가」 ⑤**대부가** 공경(公卿) 아래의 벼슬。 또 그 사람。 또 그 채지(采地)。 ⑥**살가** 집을 장만하여 삶。 二 **계집고** 姑(女部五畫)와 통용。「大家대고」는 여자의 존칭。

참고 「家」를 음으로 하는 글자＝「嫁가」〈시집가다〉·「稼가」〈심다〉

【家系 가계】 ①한 집안의 계통(系統)。 ②한 집안의 계도(系圖)。

【家計 가계】 한 집안의 생계(生計)。 살림살이。 살림살이의 형편(形便)。

【家口 가구】 집안 식구(食口)。 가족(家族)。 처자(妻子)。

【家具 가구】 집안 살림에 쓰는 기구(器具)。 집물(什物)。

【家禽 가금】 집에서 기르는 날짐승。

【家內 가내】①집의 안。②가족。
【家豚 가돈】자기 아들의 겸칭。
【家名 가명】①한 집안의 명예(名譽)。가성(家聲)。②집의 명칭。
【家門 가문】①자기 집의 문。②집。③대부(大夫)의 집。④집안。가족(家族)。또 일족(一族)。⑤지체。
【家譜 가보】한 집안의 계보(系譜)。
【家寶 가보】한 집안에 대대(代代)로 전(傳)하여 내려오는 보물(寶物)。
【家產 가산】한 집안의 재산(財產)。
【家相 가상】①한 집안의 사무를 관리하는 사람의 우두머리。가신(家臣)의 장。②집의 구조·방향·장소 등을 보아 길흉을 판단하는 일。
【家勢 가세】①집안의 형세(形勢)。②살림살이의 형편(形便)。지내는 정도(程度)。터수。
【家乘 가승】한 집안의 기록。족보(族譜)·문집(文集) 따위。
【家臣 가신】높은 벼슬아치의 집에서 섬기는 사람。
【家業 가업】①한 집안의 대대로 물려서 내려오는 직업(職業)。세업(世業)。②한 집안의 재산。
【家用 가용】①집에서 쓰는 비용(費用)。②집안에서 씀。
【家運 가운】집안의 운수(運數)。
【家長 가장】한 집안의 어른。호주。
【家財 가재】①한 집안의 재산。②가구(家具)。
【家傳 가전】①대대(代代)로 전(傳)하여 내려옴。또 그 전하여 내려온 것。세전(世傳)。②가사(家史)。
【家政 가정】집안의 살림살이。한 집안의 경제(經濟)。가도(家道)。
【家親 가친】남에게 대하여 자기의 아버지를 일컫는 말。
【家宅 가택】살림하는 집。주택。
【家風 가풍】한 집안의 풍습(風習)。
【家訓 가훈】가정 교훈(家庭教訓)。
◉古家고가 貴家귀가 歸家귀가 農家농가 民家민가 兵家병가 本家본가 分家분가 商家상가 勢家세가 良家양가 王家왕가 外家외가 一家일가 作家작가 諸子百家제자백가 宗家종가 畫家화가

10 【容】 宀 7 중학 용 | 얼굴 | ㊥冬

丶 宀 宂 穴 容 容

容

자원 형성 宀 + 谷음 → 容(宀부)
「宀갓머리」는 건물、물건을 덮는 일。음을 나타내는 「谷곡·욕」(용은 변음)은 산 속의 깊은 골짜기。여기서는 물건을 받아들임을 나타냄。「容」은 물건을 담다→또 사람을 받아들이다→마음의 여유。

뜻 ①**얼굴용**、**모습용** 용모。또 모양。「容姿용자」②**꾸밀용** 맵시를 냄。화장함。③**담을용** 담아 넣음。「容量용량」④**받아들일용** ㉠남의 말을 들어 줌。「容納용납」㉡도량이 커서 잘 포용(包容)함。⑤**용서할용** 관대히 보아 주어 꾸짖거나 처벌하지 아니함。⑥**안존할용** 종용함。⑦**혹용** 或(戈部四畫)과 뜻이 같음。⑧**어찌용** 豈(豆部三畫)와 뜻이 같음。

참고 「容」을 음으로 하는 글자=「溶용」〈녹다〉·「鎔용」〈녹이다〉·「榕용」〈용나무〉·「蓉용」〈부용〉

【容納 용납】받아들임。

〔三畫部首順〕口囗土士夂夊夕大女子宀寸小尢尸屮山巛工己巾干幺广廴廾弋弓彐彡彳

【容量 용량】 물건이 담기는 분량。
【容貌 용모】 사람의 얼굴의 모양。
【容恕 용서】 관대(寬大)히 보아 주어 꾸짖거나 처벌하지 아니함。
【容疑者 용의자】 범죄의 혐의를 받고 있는 사람。
【容易 용이】 쉬움。
【容認 용인】 용납(容納)하여 인정함。
【容積 용적】 ①속에 물건을 담을 수 있는부피。 ②입방체의 체적(體積)。
【容態 용태】 ①용모와 자태。 모습。 ②병의 형편。 병상(病狀)。
◉寬容관용 內容내용 美容미용 威容위용 從容종용 包容포용 許容허용 形容형용
【案】 ⇩木部六畫

八畫

11【宿】8 중학 ㊀숙 ㊁수 | 묵을 | ㊀入屋 ㊁去宥

宀 宀 宀 宀 宿 宿

자원 형성 人-亻 西 ㄴ 㐰(음) 宀-宿 (宀부)

(A) (B) 3000년전 (C) 2500년전

「㐁첨」은 이부자리로 쓰는 깔개 「席석」의 변한 모양。 음을 나타내는 「㐰숙」은 사람이 잠자리에 들다。 「宿숙」은 나그네가 숙소를 정하다↓숙소。 또 묵다↓오래 되다의 뜻。 옛 모양 (A)는 사람과 깔개 「席」의 모양。 「宿」의 기원이라 생각됨。 (B)는 「夕석」(=月월)과 「丮극」〈일을 하다〉을 합한 글자로、 아침 일찍 달이 있을 때부터 일을 하다↓아침 일찍(⇩夙숙)의 뜻。 옛날 「夕」과 「席」은 비슷한 음이었으며 「宿」과 「夙」과도 같은 음이었던 듯하므로、 글자 모양이나 뜻이 뒤섞인 것으로 생각됨。 (C)는 (A)가 변한 모양으로 나중에 「㐰」이라 쓰게 된 것인데、 사실은 「宿」의 본디 글자이나 「夙」과 같은 글자로 간주되었음。 「宿」은 「宿」을 쓰기 쉽게 한 글자체。

뜻 ㊀ ①묵을숙 ㉠숙박함。 「宿舍숙사」 ㉡오래 됨。 또 경험이 많음。 「宿債숙채」 ②묵힐숙 앞의 뜻의 타동사。 ③편안할숙 안심하고 종사함。 ④지킬숙 어기지 아니함。 지켜 나감。 ⑤빠를숙 夙(夕部三畫)과 같은 글자。 ⑥번숙 숙직。 당직。 ⑦주막숙 여관。 ㊁성수수 성차(星次)。

참고 「宿」을 음으로 하는 글자=「縮축」〈줄다〉·「蹜숙」〈종종걸음치다〉

【宿德 숙덕】 ①덕행이 있는 노인。 ②오래도록 쌓은 덕망(德望)。
【宿望 숙망】 ①오래 전부터 지닌 명망(名望)。 ②오래 전부터 가진 소망(所望)。
【宿泊 숙박】 주막(酒幕)에서 묵음。 여관(旅館)에 듦。
【宿食 숙식】 자고 먹음。
【宿緣 숙연】 ①오래 된 인연(因緣)。 ②《佛敎》 숙세(宿世)의 인연。
【宿怨 숙원】 오래 된 원한。 또 원한을 풀지 않고 마음 속에 품음。
【宿願 숙원】 오래 된 희망。 늘 바라던 소망(所望)。
【宿敵 숙적】 오래 전부터의 원수。
【宿題 숙제】 ①미리 내주는 문제。 ②두고 생각할 문제。
【宿直 숙직】 관청(官廳)이나 회사 등에서 자고 밤을 지키는 일。
【宿患 숙환】 긴 병。 오래 된 병。

〔三畫部首順〕口囗土士夂夊夕大女子宀寸小尢尸屮山巛工己巾干幺广廴廾弋弓彐彡彳

◉寄宿기숙 露宿노숙 星宿성수 下宿하숙

11 **【寂】** 宀8 고교 **적** | 고요할 | ㊅錫

丶 宀 宀 宇 宇 宋 宋 寂 寂

자원 형성 宀 叔음 ─ 寂(宀부)

집을 뜻하는 「宀갓머리」와 음과 함께 사람의 소리가 없이 조용하다는 뜻(⇩肅숙)을 나타내기 위한 「叔숙」(적은 변음)으로 이루어짐. 집 속에 사람의 소리가 없이 고요하다의 뜻. 전(轉)하여, 적적하다.

뜻 **고요할적** 적적함. 「寂漠적막」

【寂漠 적막】 적적함. 고요함.

【寂滅 적멸】 ①자연히 없어져 버림. ②《佛敎》 번뇌(煩惱)의 경지를 벗어나, 생사(生死)의 환루(患累)를 끊음. 전(轉)하여, 죽음.

◉幽寂유적 靜寂정적

11 **【寄】** 宀8 고교 **기** | 붙여있을 | ㊄寘

丶 丶 宀 宀 宊 宊 客 客 寄

자원 형성 宀 奇음 ─ 寄(宀부)

음을 나타내는 「奇기」는 정상이 아닌 사람→다르다→기울어지다→가까이 다가서다. 「宀갓머리」는 건물. 「寄」는 사람이 몸을 의지할 곳→의지하다→주다.

뜻 **①붙여있을기** ㉠기우(寄寓)함. 「寄居기거」 ㉡붙여 있게 함. 머무르게 함. **②맡길기** 위임함. 부탁함. 「寄托기탁」 **③부칠기** 보냄. 전함. 「寄書기서」 **④의뢰할기** 의탁함. 의지함. 또 의뢰하는 바.

【寄留 기류】 남의 집 또는 타향(他鄕)에서 일시 몸을 붙여 삶.

【寄別 기별】 알림. 통지(通知)함.

【寄生 기생】 ①남에게 의지하여 삶. ②독립하여 생존(生存)할 수 없는 동식물(動植物)이 다른 동식물의 몸 또는 거죽에 붙어서 영양을 얻어 살아감.

【寄書 기서】 ①편지(便紙)를 부침. 「②기고(寄稿)」.

【寄宿 기숙】 남의 집에 몸을 붙여 숙식(宿食)함. 「식객 노릇을 함.」

【寄食 기식】 남의 집에 붙여서 먹음.

【寄與 기여】 ①부치어 줌. 보내어 줌. ②이바지함. 공헌(貢獻).

【寄贈 기증】 물건을 보내어 줌. 증정.

11 **【寅】** 宀8 중학 **인** | 세째지지 | ㊤眞

丶 丶 宀 宀 宀 宙 宙 寅 寅

자원 회의 宀 矢 臼 ─ 寅(宀부) ←

〔矢〕 3000년전

2500년전

「寅」은 양손(臼)으로 화살(↕=矢)을 바로 펴고 있는 모양을 본뜸. 나중에는 본 뜻이 잊혀지고, 음을 빌어 지지(地支)의 세째로 썼음.

뜻 **①세째지지인** 십이지(十二支)의 제삼위. 시간으로는 오전 세시부터 오전 다섯시까지의 동안. 방위(方位)로는 동북간. 띠로는 범. 「寅時인시」 「寅方인방」 **②동관인** 동료. 「同寅동인」 **③공경할인** 「寅賓인빈」

참고 「寅」을 음으로 하는 글자=「夤인」〈조심하다〉·「殯인」〈멀다〉·「螾인」

〈지렁이〉·「演연」〈펴다·부연하다〉

11 【密】 宀 8 [중학] 밀 | 빽빽할 | [入]質

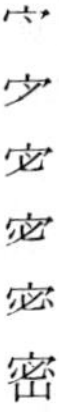

密

[자원] 형성 宓[음] 山 ⊤ 密(宀부)

2500년전

음을 나타내는 「宓밀」은 신전(神殿)의 속 깊숙한 데 은밀히 신이 모셔져 있는 모양。「密」은 신을 모신 집과 같이 깊숙하게 나무가 무성한 산。나중에 은밀하다、자상하게 널리 미치다의 뜻이 됨。

[뜻] ①빽빽할밀 밀집함。또 짙음。「密林밀림」 ②꼼꼼할밀 찬찬하여 빈틈이 없음。「綿密면밀」 ③촘촘할밀 결틈이나 구멍이 썩 뱀。④고울밀 결이 거칠지 아니함。⑤은밀할밀 ㉠심오함。알기 어려움。㉡남에게 알리지 아니함。「祕密비밀」 ⑥가까울밀 친근함。「親密친밀」 ⑦가까이할밀 근접함。「密接밀접」 ⑧조용할밀 고요함。「靜密정밀」 ⑨몰래밀 남몰래。「密告밀고」

【密計 밀계】 비밀한 꾀。밀책(密策)。
【密告 밀고】 남몰래 고(告)함。
【密談 밀담】 다른 사람이 듣지 못하게 가만히 이야기함。
【密度 밀도】 ①조밀(稠密)한 정도。②물체의 단위용적(單位容積) 중에 포함된 질량(質量)。
【密獵* 밀렵】 몰래 어렵(漁獵)을 함。
【密林 밀림】 빽빽한 숲。
【密賣 밀매】 몰래 팖。
【密封 밀봉】 단단히 봉함。꼭 봉함。
【密符 밀부】 《韓》 병란에 응할 수 있게 하기 위하여 유수(留守)·감사(監司)·병사(兵使)·수사(水使)·방어사(防禦使)에게 내리는 병부(兵符)。
【密使 밀사】 몰래 보내는 사자(使者)。
【密生 밀생】 빈틈 없이 빽빽하게 남。
【密輸 밀수】 금제(禁制)를 범하여 몰래 물품을 수입 또는 수출함。
【密室 밀실】 꼭 닫아 두고 함부로 출입을 못하게 하는 방。
【密約 밀약】 비밀(祕密)한 약속。
【密接 밀접】 ①꼭 달라 붙음。②서로 떨어지기 어려운 깊은 관계가 있음。
【密偵* 밀정】 비밀(祕密)히 정탐(偵探)하는 사람。
【密酒 밀주】 허가 없이 몰래 담근 술。
【密着 밀착】 ①빈틈없이 단단히 붙음。②여러 개(個)가 다닥다닥 붙음。
【密探 밀탐】 몰래 정탐(偵探)함。
【密通 밀통】 남녀가 몰래 정(情)을 통함。
【密閉 밀폐】 꼭 닫음。
【密航 밀항】 금제(禁制)를 범하여 몰래 하는 도항(渡航)。
【密會 밀회】 비밀(祕密)히 만남。
◉機密기밀 內密내밀 綿密면밀 祕密비밀 細密세밀 嚴密엄밀 精密정밀 親密친밀

11 【寇】 宀 8 구 | 도둑 | [去]宥

[자원] 형성 攴 完[음] ⊤ 寇(宀부)

2500년전

나뭇가지를 손에 들고 치다의 뜻인 「攴복」과 음을 나타내며 동시에 범하다의 뜻(⇩干간)을 나타내기 위한 「完완」(구는 변음)으로 이루어짐。쳐들어오다、해치다의 뜻。일설

(一說)에는 적의 잘 준비된(⇩完) 곳을 치다(⇩攴)의 뜻이라고도 함。

뜻 ①도둑구 떼를 지어 백성의 재물을 겁탈하는 비도(匪徒)。「寇賊구적」 ②원수구 「寇讎구수」 ③난리구 외적(外敵)이 쳐들어온 난리。 ④해칠구、쳐들어올구、노략질할구 해를 입힘。침입함。겁략(劫掠)함。

주의 「冠관」〈갓〉은 딴글자。

◉內寇내구 倭寇왜구 外寇외구 侵寇침구

11 【冦】宀 8 寇(冖部八畫)과 같은 글자。일설(一說)에는 속자。

九畫

12 【富】宀 9 중학 부 | 넉넉할 | ㊀去 宥

丶 宀 宀 宫 富 富 富

자원 형성 畐(음) 宀┬富(宀부)

음을 나타내는 「畐복」은 술 단지→물건이 가득 차 있다。「宀갓머리」는 건물。「富부」는 집에 재산이 가득 있는 일。

2500년전

뜻 ①넉넉할부 ㉠재산이 많음。「富裕부유」 ㉡많이 있음。 ㉢충실함。「贍富섬부」 ②넉넉히할부 넉넉하도록 함。「富國強兵부국강병」 ③부부、부자부 부유함。또 그 사람。

주의 「冨」는 속자(俗字)。

【富強 부강】 나라가 부유하고 강(強)함。재물이 많고 군사가 강함。

【富國強兵 부국강병】 나라를 부요(富饒)하게 하고 군사(軍士)를 강하게 함。곧 국세(國勢)를 증대시킴。

【富貴 부귀】 재산이 많고 지위가 높음。

【富貴功名 부귀공명】 부귀와 공명(功名)。

【富貴在天 부귀재천】 부귀는 하늘이 이미 정해 놓은 것이어서 사람이 바란다고 마음대로 되는 것이 아님。

【富裕 부유】 재산이 넉넉함。부요(富饒)。

【富益富 부익부】 부자(富者)가 더욱 부자가 됨。

【富春秋 부춘추】 나이가 어림。나이가 아직 젊음。전정(前程)이 요원(遙遠)함。

【富豪 부호】 큰 부자。

◉甲富갑부 巨富거부 國富국부 豐富풍부

12 【寒】宀 9 중학 한 | 찰 | ㊀平 寒

丶 宀 宀 宑 宑 寒 寒

자원 회의 宀┬寒 𤰲 人 冫┴寒(宀부)

〔寒〕 2500년전

「寒」의 옛 모양은 「宀갓머리」와 「𤰲맹」〈풀〉과 「人인」이며 집안에 풀을 깔고 사람이 누운 모양→추움을 나타냄。「冫이수」는 얼음이며 역시 추움을 나타냄。「寒」은 춥다→몹시 춥다。

뜻 ①찰한 추움。「寒冷한랭」 ②서늘할한 간담이 선뜩함。전율함。「寒心한심」 ③궁할한 곤궁함。「貧寒빈한」 ④천할한 지체가 낮음。 ⑤그만둘한 중지함。 ⑥얼한 냉동함。 ⑦식힐한 차게 함。 ⑧추위한 「寒暑한서」

【寒家 한가】 가난한 집。빈한한 집안。또 미천(微賤)한 집。

【寒苦 한고】 추위의 고통。

【寒國 한국】 매우 추운 나라。

【寒氣 한기】 추운 기운。추위。

【寒暖 한난】추움과 따뜻함。

【寒燈 한등】추운 밤의 등불。 또 쓸쓸하게 보이는 등불。

【寒冷 한랭】추움。 참。

【寒露 한로】①찬 이슬。 ②이십 사절기(節氣)의 하나。 양력 시월 팔일경。

【寒微 한미】빈한하고 미천(微賤)함。 가난하고 지체가 변변하지 못함。

【寒士 한사】가난한 선비。 한미(寒微)한 선비。

【寒山 한산】쓸쓸한 가을철의 산。

【寒山拾得 한산습득】당(唐)나라 정관시대(貞觀時代)의 두 사람의 중 이름。 모두 천태산(天台山) 국청사(國淸寺)의 풍간선사(豐干禪師)의 제자로서 대단히 사이가 좋았음。

【寒色 한색】찬 감정을 주는 빛。 푸른 빛 또는 그에 가까운 빛。

【寒暑 한서】①추위와 더위。 ②겨울과 여름。

【寒食 한식】동지(冬至) 뒤 백오일(百五日) 되는 날。 고속(古俗)에 이 날은 불을 금하고 찬밥을 먹었는데 그 유래는 진문공(晉文公) 때 개자추(介子推)가 이 날 산에서 불에 타죽었으므로 그를 애도(哀悼)하는 뜻에서라 함。

【寒心 한심】마음이 선뜩함。

【寒雨 한우】①찬 비。 ②겨울에 오는 비。

【寒月 한월】겨울의 달。 겨울 하늘에 「뜬 달。

【寒節 한절】추운 절기。 추운 철。

【寒天 한천】추운 하늘。 겨울의 하늘。

【寒村 한촌】가난한 마을。 쓸쓸한 마을。

【寒波 한파】심한 추위가 오는 현상。

【寒風 한풍】찬 바람。

【寒害 한해】심한 추위로 농작물이 입 「는 해。

◉極寒극한 猛寒맹한 貧寒빈한 酷寒혹한

12 【寓】宀 9 우 | 붙이어살 | ㊀遇

자원 형성 禺(음)+宀→寓(宀부)

집을 뜻하는 「宀갓머리」와 음을 나타내며 동시에 가끔의 뜻(⇩偶우)을 가진 「禺우」로 이루어짐。 가끔 몸을 붙이는 집、 임시 사는 곳의 뜻。

뜻 ①붙이어살우 ㉠남에게 의지하여 삶。 「寓食우식」 ㉡남에게 붙여 살게 함。 ②부칠우 보냄。 ③맡길우 위탁함。 ④칭탁(稱託)할우 가탁(假託)함。 「寓話우화」 ⑤우거(寓居)우 교거(僑居)。

【寓居 우거】①남의 집에 붙이어 삶。 ②타향(他鄕)에 임시(臨時)로 삶。

【寓宿 우숙】남에게 붙이어 묵음。

【寓意 우의】어떤 사물에 가탁(假託)하여서 은연중 어떤 의미를 비춤。

【寓話 우화】딴 사물에 가탁(假託)하여 교훈(敎訓)의 뜻을 은연중에 나타내는 이야기。

◉寄寓기우 旅寓여우 託寓탁우 漂寓표우

十畫

13 【寛】宀 10 寬(宀部十二畫)의 와자(譌字)。

13 【寝】宀 10 寢(宀部十一畫)의 약자(略字)。

【塞】⇩土部十畫

十一畫

14 【寞】 宀 11 막 | 쓸쓸할 | 入藥

자원 형성 宀+莫(음)→寞(宀부) 2500년전

「宀(갓머리)」〈집〉에 음을 나타내는 「莫(막)」으로 이루어짐。 집안이 조용하다→쓸쓸하다의 뜻。

뜻 **쓸쓸할막** 고요함。「寂寞(적막)」

◉落寞(낙막) 寂寞(적막)

14 【察】 宀 11 중학 **찰** | 살필 | 入黠

丶 宀 宊 宊 寮 寮 察

자원 형성 宀+祭(음)→察(宀부) 2500년전

음을 나타내는 「祭(제)」(찰은 변음)는 조상을 모시다→친절하게 자잘한 일을 하다→더러움을 깨끗이 하다의 뜻。「宀(갓머리)」는 지붕→위에서 덮다의 뜻。「察」은 사물(事物)을 위에서 덮듯이 빠짐 없도록 잘 생각하여 드러나게 하는 일。

뜻 ①**살필찰** ㉠살펴 잘 앎。「察知(찰지)」 ㉡조사함。생각하여 봄。「檢察(검찰)」 ②**드러날찰** 환히 드러남。널리 알려짐。 ③**자세할찰** 너무 세밀하여 까다로움。찰찰함。 ④**깨끗할찰** 결백함。

참고 「察」을 음으로 하는 글자=「擦(찰)」〈비비다〉

◉監察(감찰) 考察(고찰) 診察(진찰) 洞察(통찰)

14 【寡】 宀 11 고교 **과** | 적을 | 上馬

丶 宀 宀 宀 宜 寅 寡 寡

자원 형성 宀+夏(음)-㝥→寡(宀부) 2500년전

집을 뜻하는 「宀(갓머리)」와 음을 나타내는 동시에 의지할 곳이 없다는 뜻(⇩孤(고))을 나타내기 위한 「夏(하)」의 변형 「㝥」(𡕒。과는 변음)로 이루어짐。집안에 의지할 사람이 적은 사람→전(轉)하여、적다의 뜻。

뜻 ①**적을과**、**작을과** 수효가 적거나 세력이 미약함。「寡少(과소)」 ②**홀어미과** 늙은 과부。「寡婦(과부)」 ③**홀어미될과** 과부가 됨。 ④**나과** 왕후(王侯)의 자칭(自稱)。

【寡頭政治 과두정치】 소수(少數)의 사람이 지배권(支配權)을 장악하여 정치를 행하는 공화정치(共和政治)。

【寡默 과묵】 침착하고 말이 적음。

【寡聞 과문】 견문이 적음。아는 것이 〔적음。

【寡婦 과부】 홀어미。

【寡不敵衆 과부적중】 적은 것은 많은 것을 대적(對敵)할 수 없음。

【寡少 과소】 적음。

【寡守 과수】《韓》 홀어미。과부(寡婦)。

【寡言 과언】 말이 적음。

【寡慾 과욕】 욕심(慾心)이 적음。

【寡人 과인】 덕(德)이 적은 사람이란 뜻으로、왕후(王侯)의 자칭 대명사。

◉孤寡(고과) 多寡(다과) 衆寡(중과)

14 【寢】 宀 11 고교 **침** | 잘 | 上寢

宀 宀 宀 宀 宀 宀 寢 寢

자원 형성 宀+人-亻+帚(음)→宀+𡨦-寢 (A)

(B) 2500년전

寑-帚[음]┬寢-寢
㝲-寢┘

「寢」의 근원(根源)이 되는 옛 자형(字形)은 두 계통(系統)이 있음。옛 자형 Ⓐ는 음을 나타내며 바르게 하다의 뜻(⇩修수)을 가지는 「帚추」(침은 변음)와 뜻을 나타내는 「宀갓머리」〈집〉및 「人인」〈사람〉으로 이루어짐。묘실(廟室)의 뜻。옛 자형 Ⓑ는 어두운 방을 뜻하는 「㝱몽」(寢의 생획(省畫))과 음을 나타내며 동시에 자리에 들다의 뜻(⇩就취)을 가지는 「帚」로 이루어짐。병(病)으로 자리에 눕다의 뜻。「寢」은 Ⓐ·Ⓑ를 겸(兼)한 글자로 자다의 뜻。

[뜻] ①**잘침** 잠을 잠。「寢食침식」②**재울침** 자게 함。③**누울침** ㉠몸을 가로 놓음。㉡병상에 누움。앓음。④**쉴침** 그침。「寢息침식」⑤**잠침** 자는 일。⑥**능침침** 능묘(陵墓) 옆에 설치하여 제전(祭典)을 행하는 곳。⑦**방침** ㉠거실(居室)。㉡침실。⑧**못생길침** 용모가 못생김。「寢陋침루」

[주의] 「寖침」(=浸·잠기다)은 딴글자。

【寢具 침구】이부자리와 베개。금침(衾枕)。
【寢房 침방】침실(寢室)。「상(臥床)。
【寢床 침상】사람이 누워 자는 상。와
【寢席 침석】침실에 까는 돗자리。
【寢食 침식】잠과 식사。전(轉)하여、
【寢室 침실】자는 방。「일상 생활。
【寢殿* 침전】임금이 자는 집。

◉假寢가침 客寢객침 孤寢고침 就寢취침

14 **【寥】** 宀 11 **료** | 쓸쓸할 | [平]蕭

[자원] 형성 翏[음]┬寥(宀부)
宀┘

집을 뜻하는 「宀갓머리」와 음을 나타내는 「翏료」로 이루어짐。

[뜻] ①**쓸쓸할료** 적막함。「寥寥요료」②**휑할료** 공허함。「寥廓요곽」③**하늘료** 허공(虛空)。

◉寂寥적료

14 **【實】** 宀 11 [중학] ㊀**실** | 열매 | ㊀[入]質 ㊁**지** ㊁[去]寘

丶 宀 宀 宀 宀 宀 宀 實 實 實

[자원] 회의 貝┬貫┬實(宀부)
毌┘ 宀┘

2500년전

옛 글자는 재화(財貨)의 뜻인 「貝패」와 가득 차다의 뜻인 「𤰔주」(=周주)와 「宀갓머리」〈집〉로 이루어졌음。나중에 「𤰔」가 「毌관」으로 잘못 쓰이게 된 것임。「貫관」은 엽전 구멍에 끈을 꿴 많은 돈→재화(財貨)의 뜻。집안에 금은재보(金銀財寶)가 가득 차는 일。전(轉)하여、비다(⇩虛허)의 반대인 참다움、내용、본질(本質)、열매의 뜻으로 됨。

[뜻] [一] ①**열매실** 「果實과실」②**씨실** 종자。③**속실** 내용(內容)。또 그릇에 담은 물건。④**재물실** 재화(財貨)。⑤**기물실** 기구(器具)。⑥**참실** 허(虛) 또는 명(名)의 대。「虛實허실」「誠實성실」「事實사실」⑦**참으로실** 진실로。⑧**찰실** 충만함。「充實충실」⑨**채울실** 충만하게 함。⑩**익을실** 열매가 익음。⑪**맞게할실** 죄과와 형벌이 상당하게 함。⑫**겪을실** 지냄。⑬**이실** 是(日部五畫)와 뜻이 같음。[二] **이를지** 至(部首)와 통용。

〔三畫部首順〕口囗土士夂夊夕大女子宀寸小尢尸屮山巛工己巾干幺广廴廾弋弓彐彡彳

【實功 실공】 실제의 공효(功效)。
【實果 실과】 과실(果實)。
【實權 실권】 실제의 권력(權力)。
【實記 실기】 실제(實際)의 사실(事實)을 적은 기록(記錄)。
【實錄 실록】 ①사실을 그대로 적은 기록。 ②사체(史體)의 하나。 한 임금의 재위 연간(在位年間)의 정령(政令) 및 기타 사실을 적은 기록。
【實利 실리】 ①실제(實際)의 이익(利益)。 ②실제의 효용(效用)。
【實務 실무】 실제(實際)의 사무。 실제로 취급하는 업무(業務)。
【實寫 실사】 실물(實物)·실경(實景)을 그리거나 찍음。 또 그 그림이나 사진。
【實事求是 실사구시】 사실에 의거하여 진리를 탐구함。
【實相 실상】 ①진상(眞相)。 ②《佛敎》 생멸무상(生滅無常)을 떠난 만유(萬有)의 진상(眞相)。
【實收 실수】 실제의 수입과 수확。
【實演 실연】 실제로 연출(演出)함。
【實意 실의】 ①본 마음。 진실(眞實)한 마음。 ②참된 마음。
【實益 실익】 실제의 이익(利益)。
【實字 실자】 의미·내용을 지닌 글자。 조사(助辭)로 쓰이는 지(之)·호(乎)·언(焉) 등의 허자(虛字)의 대(對)。
【實在 실재】 ①실지로 존재함。 ②객관적 대상(對象)의 존재。
【實績 실적】 실제의 업적 또는 공적。
【實戰 실전】 실제의 전쟁(戰爭)。
【實際 실제】 ①실지(實地)의 경우 또는 형편。 ②《佛敎》 우주(宇宙)의 본체(本體)로서 불변하는 진실。
【實存 실존】 실재(實在)。
【實證 실증】 확실한 증거(證據)。
【實直 실직】 성실하고 정직(正直)함。
【實質 실질】 실제의 성질。 본바탕。
【實踐躬行* 실천궁행】 자기 몸으로 실제로 이행(履行)함。
【實吐 실토】 바른 대로 말함。
【實學 실학】 실지에 소용되는 학문。
【實況 실황】 실제의 상황(狀況)。
【實效 실효】 확실(確實)한 효험(效驗)。 거짓 없는 효력。
◉堅實견실 結實결실 果實과실 口實구실 內實내실 名實명실 無實무실 篤實독실

14 **【寧】** 宀 11 고교 **녕** | 차라리 | ㊥平 青

· 宀 宀 宀 寍 寍 寍 寧

자원 형성 丂-丁 ┤ 寍(음) 寧(宀부) 2500년전

소원한다는 뜻을 나타내는 「丁정」(「丂교」의 변형)과 음을 나타내며 또 편안하게 한다는 뜻의 「寍녕」으로 이루어짐。 음을 빌어 어조사(語助辭)로 씀。 차라리、어찌의 뜻。

뜻 ①**차라리녕** 선택하는 뜻을 나타내는 말。 ②**어찌녕** ㉠반어(反語)。 어찌…랴。 ㉡의문의 말。 ③**편안할녕** ㉠무사함。 「寧日영일」 ㉡건강함。 무병함。 「安寧안녕」 ④**편안히할녕** 편안하게 함。 「寧王영왕」 ⑤**문안할녕** 귀성(歸省)함。 「寧親영친」

참고 「寧」을 음으로 하는 글자＝「濘녕」〈진창〉·「獰녕」〈모질다〉

【寧日 영일】 편안한 날。 평화스런 날。
◉康寧강녕 無寧무녕 安寧안녕

【蜜】 ⇩虫部八畫

【賓】⇩貝部七畫

十二畫

15 【**審**】宀12 고교 ㊀**심** ─ 살필 ─ ㊀㊤寢 ㊁**반** ─ ㊁㊥寒

宀 宀 宀 宷 宷 審 審

자원 회의 宀+番→審(宀부) 2500년전

덮개를 나타내는 「宀갓머리」와 물건을 잘게 나눈다는 뜻의 「番번」을 합한 글자。덮여서 명백하지 않은 것을 자세히 살핀다는 뜻。

뜻 ㊀①**살필심** 상세히 조사함。「審査심사」 ②**깨달을심** 깨달아 환히 앎。③**자세할심** 상세함。④**자세히심** 상세하게。⑤**묶을심** 한 묶음。⑥**만일심** 가설(假設)의 말。㊁**돌반** 盤(皿部十畫)과 같은 글자。

【審理 심리】 상세히 조사함。조사하여 처리함。

【審問 심문】 자세히 물어 조사함。

【審美 심미】 미(美)와 추(醜)를 식별함。미(美)의 본질을 구명(究明)함。

【審査 심사】 자세히 조사함。

【審議 심의】 상세히 의논함。충분히 상의함。

【審判 심판】 ①일의 시비곡직을 심리(審理) 판단함。②경기(競技) 등의 우열(優劣)을 판단함。또 그 사람。

◉結審결심 不審불심 豫審예심 初審초심

15 【**寫**】宀12 고교 **사** ─ 베낄 ─ ㊤馬

宀 宀 宀 宀 宀 寫 寫

자원 형성 宀+舄(음)→寫(宀부) 〔舄〕 2500년전

음을 나타내는 「舄석」(사는 변음)은 까치새의 모양。여기에서는 「藉자·적」과 같으며 겹쳐 깔다→두다의 뜻。「宀갓머리」는 건물。「寫」는 밖에서 물건을 가져와서 건물 안에 두다→먹을 것을 자기 그릇에 덜어서 먹다→이쪽에서 저쪽으로 옮기다→옮겨 쓰다의 뜻。

뜻 ①**베낄사** 베껴 씀。「寫錄사록」 ②**그릴사** 본떠 그림。「寫生사생」 ③**본뜰사** 모방함。④**부어만들사** 주조함。⑤**쏟을사** 瀉(水部十五畫)와 같은 글자。⑥**부릴사** 卸(卩部六畫)와 같은 글자。⑦**덜사** 덜어 없앰。

주의 「寫·写」는 속자(俗字)。

【寫經 사경】 경문을 베낌。또 그 경문。

【寫本 사본】 문서나 책을 베껴 부본(副本)을 만듦。또 그 문서나 책。

【寫生 사생】 실물(實物)·실경(實景)을 그대로 그림。

【寫實 사실】 실제로 있는 그대로를 그려 냄。

◉謄寫등사 模寫모사 描寫묘사 複寫복사

15 【**寬**】宀12 고교 **관** ─ 너그러울 ─ ㊅寒

宀 宀 宀 寬 寬 寬 寬

자원 형성 宀+莧(음)→寬(宀부)

집을 뜻하는 「宀갓머리」와 음을 나타내는 동시에 넓다는 뜻을 나타내기 위한 「莧관」으로 이루어짐。집이 넓다→전(轉)하여 넓다→또 마음이 크다의 뜻。

뜻 ①**너그러울관** 관대함。「寬嚴관엄」

②넓을관 면적·용적 등이 큼。「寬敞관창」 ③느슨할관 이완(弛緩)함。④놓을관 관대히 용서함。「寬假관가」

【寬容 관용】①마음이 넓어 남의 말을 잘 들음。②너그럽게 덮어 줌。너그럽게 용서(容恕)함。

【寬仁 관인】마음이 너그럽고 어짊。

【寬厚 관후】①너그럽고 후(厚)함。②넓고 큼。

十三畫

【憲】⇩心部十二畫

十六畫

19 【寵】宀 16 총 | 괼 | ㊤腫

자원 형성 龍음 + 宀 → 寵(宀부)

집을 뜻하는 「宀갓머리」와 음을 나타내는 「龍룡·룡」(총은 변음)으로 이루어짐。

뜻 ①괼총 사랑함。「寵愛총애」 ②굄총 ㉠총애。은혜。「恩寵은총」「天寵천총」 ㉡군주에게 굄을 받는 사람。특히 후궁(後宮)。③영화총 영예。「寵辱총욕」。

【寵臣 총신】총애를 받는 신하。

【寵兒 총아】①특별한 굄을 받는 아들。②행운아(幸運兒)。

【寵愛 총애】특별히 귀엽게 여겨 사랑함。

◉愛寵애총 榮寵영총 恩寵은총 天寵천총

19 【寶】宀 16 寶(다음 글자)의 속자(俗字)。

十七畫

20 【寶】宀 17 고교 보 | 보배 | ㊤皓

자원 형성 玉貝 + 宀 + 缶음 → 寶(宀부) 3000년전

「宀갓머리」는 건물。「玉옥」은 보석。「貝패」는 자패(紫貝)인데 옛날엔 이것을 보배로 삼아 돈과 같이 다루었음。음을 나타내는 「缶부」(보는 변음)는 술 따위를 넣어 두는 장군。「寶」는 집안에 여러 가지 보물을 간직해 두다→보배。

뜻 ①보배보 ㉠보물。「寶庫보고」 ㉡전(轉)하여、소중한 사물。②보배로여길보 소중히 여김。③옥새보 ㉠제왕의 인。「御寶어보」 ㉡전(轉)하여、천자(天子)에 관한 사물(事物)의 관칭(冠稱)으로 쓰임。「寶算보산」

주의 「寶보」는 속자(俗字)。

【寶鑑 보감】①귀한 거울。보물의 거울。②모범이 될 만한 사물(事物)。

【寶劍 보검】보배로운 칼。귀중한 칼。

【寶庫 보고】①귀중한 재물(財物)을 쌓아 두는 곳집。②물자가 많이 산출되는 땅。

【寶刀 보도】귀중한 칼。보배로운 칼。

【寶物 보물】보배로운 물건。

【寶算 보산】천자(天子)의 나이。

【寶石 보석】귀중한 옥돌。

【寶典 보전】보배로 삼을 만한 귀중한 책。

【寶貨 보화】귀중한 재화(財貨)。보물(寶物)。

◉家寶가보 國寶국보 財寶재보 七寶칠보

〔三畫部首順〕口囗土士夂夊夕大女子宀寸小尢尸屮山巛工己巾干幺广廴廾弋弓彐彡彳

寸部

【寸】3 부수 중학 촌 | 치 | ㊀去 願

一 十 寸

자원 지사 又—寸(부수)

2500년전

「又우」는 손의 모양。「一일」은 표시。「寸」은 손가락 하나의 너비。나중에 「寸」은 손목의 맥을 짚는 자리↓손목에서 맥 짚는 곳까지의 길이로 생각하게 되었음。 옛날에는 길이나 저울눈은 사람의 몸을 표준으로 하여 정한 것이 많음。

뜻 ①치촌 ㉠한 치。 한 자의 십분지일。「尺寸척촌」 ㉡전(轉)하여、근소·약간 등의 뜻으로 쓰임。 ②《韓》촌수촌 혈족(血族)의 세수(世數)를 세는 말。「三寸삼촌」「四寸사촌」

참고 「寸」을 음으로 하는 글자＝「忖촌」〈헤아리다〉·「村촌」〈마을〉·「尊존」〈높다〉

【寸暇 촌가】 얼마 안되는 겨를。

【寸步 촌보】 몇 발자국 안되는 걸음。 또 조금 걸음。

【寸陰 촌음】 썩 짧은 시간(時間)。

【寸志 촌지】 ①촌심(寸心)。 ②약소한 뜻이란 말로、 자기의 증정물(贈呈物)의 겸칭(謙稱)。

【寸進尺退 촌진척퇴】 진보(進步)는 적고 퇴보(退步)는 많음。

【寸土 촌토】 얼마 안되는 땅。「(尺土)。

◉ 徑寸경촌 方寸방촌 分寸분촌 尺寸척촌

三畫

【寺】6 寸3 중학 ㊀사 ㊁시 | 마을 | ㊀㊁去 寘

一 十 土 土 寺 寺

자원 형성 又—寸(寸부) 之음 —寺

2500년전

음을 나타내는 「之지」(사는 변음)는 가다→움직이다。「又우」는 손→갖다→움직이다。「寺사」는 물건을 손에 갖다→일을 하다→일을 하는 곳→관청(마을)。 처음에는 「寺」를 여러 가지 뜻으로 썼으나 외국에서 온 사람을 접대하는 관공서도 「寺」라 하였기 때문에 일세기 후반(後半)에 인도로부터 중국에 불교를 전하러 온 사람들도 홍려사(鴻臚寺)·백마사(白馬寺)에서 묵었음。 그로부터 불교의 「절」의 뜻으로 「寺」를 쓰게 되었음。

뜻 ㊀①마을사 관아(官衙)。「寺署사서」 ②절사 중이 있는 곳。「寺院사원」 ㊁①내시시 환관(宦官)。 ②모실시 侍(人部六畫)와 같은 글자。

참고 「寺」를 음으로 하는 글자＝「侍시」〈모시다〉·「時시」〈때〉·「持지」〈갖다〉·「恃시」〈믿다〉·「畤치」〈제터〉·「痔치」〈치질〉·「詩시」〈시〉·「待대」〈기다리다〉·「等등」〈등급〉·「特특」〈특히〉

【寺田 사전】 절에 달린 밭。

【寺址* 사지】 절 터。

【寺刹* 사찰】 절。

【寺塔 사탑】 절의 탑(塔)。

〔三畫部首順〕 口囗土士夂夊夕大女子宀寸小尢尸屮山巛工己巾干幺广廴廾弋弓彐彡彳

佛寺불사 山寺산사 僧寺승사 庵寺암사

[四畫]

7 【对】 寸 4 對(寸部十一畫)의 속자(俗字)。

7 【寿】 寸 4 壽(士部十一畫)의 속자(俗字)。

[六畫]

9 【封】 寸 6 [고교] 봉 — 봉할 — [平]多

一 十 土 圭 丰 圭 圭 封 封

[자원] 형성 寸 丰[음] ┌封-封 (寸부)

옛 자형(字形)은 음을 나타내는 동시에 무성한 나무의 뜻인 「丰봉」, 또는 이것에 「土토」를 더한 모양과 「又우」〈손〉, 또는 「寸촌」으로 이루어짐。 흙을 수북히 모아 나무를 심은 모양을 나타냄。 고대(古代)에는 흙을 수북히 모아 나무를 심어서 국경으로 삼았기 때문에, 흙을 수북히 모으다、지경(地境)삼다、막다의 뜻을 나타내며、전(轉)하여、영토(領土)의 뜻으로 되었음。

[뜻] ①**봉할봉** ㉠토지를 주어 제후(諸侯)로 삼음。 또 그 토지。 ㉡단단히 붙임。 또 붙인 곳에 표시함。「封緘봉함」 ②**흙더미쌓을봉** 하늘에 제사 지내기 위하여 산 위에 흙을 높이 쌓음。「封土봉토」 ③**북돋울봉** 배토(培土)함。 전(轉)하여、배양(培養)함。 ④**클봉** 거대함。 ⑤**지경봉** 강계(疆界)。「封界봉계」 ⑥**봉사(封祀)봉** 흙을 쌓아 올리고 하늘에 지내는 제사。「封禪봉선」 ⑦**무덤봉** 뫼。 ⑧**편지봉** 봉한 편지。 ⑨**부자봉** 요부(饒富)함。「素封소봉」

[참고] 「封」을 음으로 하는 글자=「幇방·幫방」〈돕다〉

【封建 봉건】 제후(諸侯)를 봉하여 나라를 세우게 하고 천자의 명령、감독 밑에서 그 국내를 다스리게 함。

【封庫罷職 봉고파직】《韓》 어사(御史) 혹은 감사(監司)가 악정(惡政)을 행하는 수령(守令)을 면직(免職)시키고 그 관고(官庫)를 봉쇄하는 일。

【封君 봉군】 봉토(封土)가 있는 사람。 곧 제후(諸侯)。

【封祿 봉록】 봉(封)하여 주는 녹(祿)。

【封墳 봉분】 무덤 위에 흙을 쌓아 높게 만듦。 또 그 흙더미。

【封土 봉토】 ①봉사(封祀)를 지내기 위하여 산에 흙을 높이 쌓은 것。 ②봉지(封地)。

【封緘* 봉함】 봉함。 붙임。 또 그 자리。

◉開封개봉 同封동봉 密封밀봉 爵封작봉

【耐】 ⇩而部三畫

[七畫]

10 【射】 寸 7 [중학] [一]사 [二]야 [三]석 [四]역 — 쏠 — [一][二] [去]禡 [三][四] [入]陌

丨 ⺁ 自 身 身 身 射 射

射

[자원] 회의 矢 身 ┌躲-射 (寸부)

(A)옛 글자체는 화살

(A) 3000년전

(B) 2500년전

을 활시위에 댄 모양。(B)는 그것에 「又우」〈손〉를 댄 모양。나중에 자형(字形) (A)가 「身신」을 닮았기 때문에 「身」과 「矢시」 또는 「身」과 「寸촌」으로 씀。「身」은 사람의 몸이며 「伸신」〈몸을 펴다〉과 통함。

[뜻] [一] **쏠사** ㉠활·총 같은 것을 쏨。「射擊사격」 ㉡또 쏘는 일。사술(射術)。㉢전(轉)하여、쏜살같이 나가는 뜻으로 쓰임。「注射주사」「噴射분사」 [二] ①**벼슬이름야** 「僕射복야」는 진(秦)나라 때 처음 둔 벼슬。본시 활쏘는 일을 맡았으나 당(唐)나라 이후에는 상서(尙書)의 다음 벼슬로 되어 실권(實權)을 장악하였으므로 사실상의 재상(宰相)이었음。②**산이름야** 「姑射山고야산」은 신산(神山)의 이름。[三] **맞힐석** ㉠활을 쏘아 적중(的中)시킴。㉡은폐한 것을 알아 맞힘。㉢명중함。[四] ①**싫어할역** 염오함。②**율이름역** 「無射무역」은 율명(律名)。십이율(十二律)의 하나。

[참고] 「射」를 음으로 하는 글자=「謝사」〈사양하다〉·「榭사」〈정자〉

【射利 사리】 요행으로 이끗을 얻으려고 노림。

【射殺 사살】 쏘아 죽임。

【射御 사어】 활쏘기와 말타기。

【射人先射馬 사인선사마】 말탄 사람을 쏘려면 먼저 그 말을 쏜다는 뜻으로、적(敵)을 격파하려면 먼저 그 근거지(根據地)를 빼앗음의 비유。

【射場 사장】 활쏘기를 연습하는 곳。

【射亭 사정】 활터에 세운 정자(亭子)。

【射出 사출】 ①쏘아 내보냄。발사함。②한 점에서 방사상으로 나감。

【射倖心* 사행심】 요행을 노리는 마음。

◉亂射난사 噴射분사 掃射소사

10 【将】 寸 7 將(寸部八畫)의 약자(略字)。

【辱】 ⇩辰部三畫

八畫

11 【尉】 寸 8 [一]위 [二]울 | 편안히할 | [一][去]未 [二][入]物

[자원] 형성 火寸 尼[음] → 尉(寸부)

2500년전

「火화」〈다리미〉와 「寸촌」〈손〉과 음을 나타내는 「尼니」(위는 변음)로 이루어짐。「𡰥」은  이 변한 것。손에 다리미를 들고 헝겊에 댄다는 뜻。「熨위·울」의 본디 글자。전하여、누르다의 뜻。못된 자를 누른다는 뜻에서 군대 장교의 뜻으로 쓰여짐。

[뜻] [一] ①**편안히할위** 눌러 안정하게 함。②**벼슬이름위** 병사(兵事) 또는 형옥(刑獄)을 맡은 벼슬。「廷尉정위」「大尉대위」 [二] ①**다리미울** 熨(火部十畫)의 본디 글자。②**성울** 「尉遲울지」는 복성(複姓)의 하나。또 「尉繚울요」는 주대(周代)의 병법가(兵法家)。

[참고] 「尉」를 음으로 하는 글자=「慰위」〈위로하다〉·「熨위·울」〈다리미〉

【尉官 위관】 군대의 대위·중위·소위。

【尉繚子 울요자】 전국시대(戰國時代)의 병법가(兵法家)。또는 그가 지었다고 전하는 병서(兵書)。

◉校尉교위 都尉도위 衞尉위위 廷尉정위

11 【將】 寸 8 [중학] 장 | 장수 | ①[去]漾 ②-㉒[平]陽

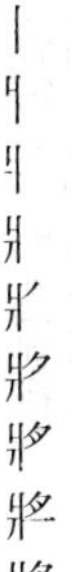

자원 형성 寸 肉-月 ┐ 爿(음) ┘ 將(寸부)  2500년전

「爿」은 「月육달월 ‖肉육」과 「寸촌」을 합한 모양이며 「肘주〈팔꿈치〉와 마찬가지. 옛날에는 「肉‖月」과 「人인」을 합한 모양으로나 또는 「肉‖月」과 「手수‖又우」〈손〉를 합친 모양으로도 썼음. 고기를 손으로 가지는 일이라 생각됨. 음을 나타내는 「爿장」은 몸을 의지하는 침대(寢臺)→의지가 되는 것을 나타냄. 「將」은 어린아이의 손을 끌거나 노인의 팔꿈치를 잡거나 하여 걸음을 돕는 일. 나중에 「壯장」〈씩씩한 남자〉과 결부되어 군대가 의지로 삼는 사람→군대를 이끄는 대장(大將)의 뜻으로 씀. 또 음을 빌어 어조사(語助辭)로 씀.

뜻 ①**장수장** 장군. 「大將대장」 ②**장차장** 차차 앞으로. ③**청컨대장** 바라건대. ④**문득장** 전환(轉換)하는 말. 抑(手部四畫)과 같은 뜻. ⑤**또장** 且(一部四畫)와 같은 뜻. ⑥**기를장** 양육함. 또는 봉양함. 「將養장양」 ⑦**도울장** 원조함. ⑧**보낼장** 「將迎장영」 ⑨**받들장** 봉승(奉承)함. 「將順장순」 ⑩**가질장** 잡아 가짐. 소지함. 「將來장래」 ⑪**행할장** 실행함. ⑫**나아갈장** 진보함. 「日就月將일취월장」 ⑬**따를장** 복종함. ⑭**갈장** 가버림. ⑮**동반할장** 같이 감. ⑯**클장** ⑰**거느릴장** 인솔함. 「將御장어」 ⑱**장성할장** ⑲**길장** ⑳**써장** 以(人部三畫)와 뜻이 같음. ㉑**이장** 此(止部二畫)와 뜻이 같음. ㉒**가장** 곁.

【將軍塚* 장군총】《韓》 만주(滿州) 통구(通溝)에 있는 석총(石塚). 광개토왕릉(廣開土王陵)으로 추측(推測)됨.

【將臺 장대】 지휘(指揮)하는 사람이 올라서서 명령(命令)하는 대(臺).

【將門必有將 장문필유장】 장군(將軍)의 집안에는 자손 중에 반드시 장군이 될 인물(人物)이 나옴.

【將相之器 장상지기】 장수(將帥) 또는 재상(宰相)이 될 만한 그릇.

【將星 장성】 ①북두칠성(北斗七星)의 둘째 별. 하괴성(河魁星). ②장군(將軍)의 별칭(別稱).

【將帥 장수】 전군(全軍)을 거느리는 사람. 군대의 우두머리.

【將卒 장졸】 장수(將帥)와 병졸.

◉老將노장 猛將맹장 名將명장 武將무장

11 **【專】** 寸 8 고교 **전** | 오로지 | ㊥先

一 丅 戸 亩 亩 亩 叀 專 專

자원 형성 寸 叀(음) ┘ 專(寸부)

 3000년전

 〔叀〕 2500년전

음을 나타내는 「叀전」은 본디 「紡專방전」〈실패〉의 모양이라 함. 「寸촌」은 손을 나타냄. 「專」은 방전을 다루고 있는 모양→추를 바로 달아매다→가만히 머무르고 있다→오로지…하다.

뜻 ①**오로지전** 오직 외곬으로. 전혀. 또 단독으로. 「專念전념」 「專用전용」 ②**오로지할전** ㉠독점함. ㉡잡념(雜念)을 끊고 외곬으로 함. ㉢자기 혼자 처리함. ③**전일할전** 순일(純一)함. ④**제멋대로할전** 전단함.

또 방자함。「專橫전횡」

주의 「專부」〈펴다〉는 딴 글자。

참고 「專」을 음으로 하는 글자=「塼전」〈벽돌〉·「團단」〈모으다〉·「傳전」〈전하다〉·「轉전」〈구르다〉

【專決 전결】 단독으로 결정함。

【專念 전념】 오로지 그 일에만 마음을 씀。 몰두(沒頭)。

【專斷 전단】 마음대로 결단(決斷)함。

【專擔 전담】 혼자 담당(擔當)함。 전문적으로 담당함。

【專力 전력】 오로지 그 일에만 힘을 씀。

【專屬 전속】 오직 한 곳에만 속함。

【專修 전수】 오로지 그 일만을 닦음。

【專心 전심】 마음을 오로지 한 곳에만 씀。

【專業 전업】 ①전문(專門)의 직업(職業) 또는 사업。 ②전문의 학문。

【專用 전용】 ①혼자 씀。 ②오로지 그것만을 씀。

【專任 전임】 어떠한 일을 오로지 담당(擔當)함。

【專制 전제】 ①남의 의사는 돌아보지 않고 자기의 생각대로만 처리함。 ②군주(君主) 등 특정의 주권자(主權者)가 자기 마음대로 정치를 행함。

【專行 전행】 마음대로 행함。

【專橫 전횡】 제멋대로 함。

九畫

12 【尊】 寸 9 중학 ㊀존 ㊁준 | 높을 | ㊀㊁ ㊥元

자원 형성 酋 廾-寸 음 丅尊(寸부) 3000년전

「酋추」는 그릇에 담은 술。「廾공」은 양손으로 바치는 모양。「尊」의 옛 모양은 「䍀」이라 쓰고 술을 신에게 바치다→삼가 섬기다→존경함을 나타내었음。 나중에 음을 뚜렷이 나타내는 「寸촌」(존은 변음)을 곁들여 「尊」이라 쓰게 되었는데 「寸」도 역시 손을 나타냄。

뜻 ㊀①높을존 ㉠존귀함。「尊位존위」 ㉡높은 지위。 높은 신분。「尊卑존비」 ㉢높은 사람。 나라에서는 군주、 집에서는 부친 따위。 ㉣전(轉)하여、 경의를 표하는 관칭(冠稱)으로 쓰임。「尊大人존대인」 ②높일존 ㉠존경함。「尊重존중」 ㉡지위를 올림。 ㊁ 술그릇준 주기(酒器)。 樽(木部十二畫)·罇(缶部十二畫)과 같은 글자。

참고 「尊」을 음으로 하는 글자=「噂준」〈이야기하다〉·「樽준」〈술그릇〉·「罇준」〈술그릇〉·「蹲준」〈쭈그리다〉·「鱒준」〈송어〉·「遵준」〈따라가다〉

【尊庚 존경】 남의 나이의 경칭。

【尊待 존대】 존경하여 대접(待接)함。

【尊大人 존대인】 남의 아버지의 존칭。

【尊名 존명】 ①높은 칭호(稱號)。 ②남의 이름의 경칭(敬稱)。

【尊卑貴賤 존비귀천】 지위·신분의 높고 낮음과 귀(貴)하고 천(賤)함。

【尊屬 존속】 부모와 같은 항렬(行列) 이상의 혈족(血族)。

【尊崇 존숭】 존경(尊敬)하고 숭배(崇拜)함。

【尊顔 존안】 남의 얼굴의 존칭(尊稱)。

【尊嚴 존엄】 ①존귀하고 엄숙함。 ②풍채가 늠름하여 위엄이 있음。

【尊長 존장】 ①웃어른。 나이가 많은 어른。 ②부모(父母)。

【尊體 존체】 ①남의 몸의 존칭(尊稱)。

②초상(肖像)·불상 등의 경칭。

【尊銜* 존함】 상대자의 이름의 경칭。

◉本尊본존 釋尊석존 世尊세존 自尊자존

12 【尋】 寸 9 고교 심 | 찾을 | ㊥侵

⺕ ⺕ ⺕ ⺕ ⺕ 尋

자원 회의 右|𠬝 左寸|尋(寸부) 2500년전

「左좌」와 「右우」와 「寸촌」과의 합자(合字)。「𠬝」은 ⺕(左좌)와 𠂇(右우)의 합자。「寸촌」은 법칙의 뜻。곧 「尋」은 좌우의 손을 법칙대로 벌린다는 뜻이며, 한 발을 일컬음。양손을 벌리면 쉽게 잴 수 있는 길이이기 때문에 보통의 뜻으로 쓰여짐。

뜻 ①찾을심 ㉠탐색함。㉡방문함。「尋訪심방」 ②물을심 질문함。③얼마아니있을심 이윽고。④이을심 계속함。⑤쓸심 사용함。⑥여덟자심 척도(尺度)의 단위。여덟자의 길이。「十尋십심」 ⑦자심 길이를 재는 기구。⑧길이심 긴 정도。장척(丈尺)。⑨보통심 범상(凡常)。

참고 「尋」을 음으로 하는 글자=「潯심」〈물가〉·「燖심」〈삶다〉

【尋訪 심방】 찾음。방문(訪問)함。

【尋常 심상】 ①여덟 자와 열 여섯 자。전(轉)하여 약간의 길이。약간의 땅。②평범함。보통。

【尋人 심인】 사람을 찾음。또 찾을 사람。

◉千尋천심 追尋추심 探尋탐심

十一畫

14 【對】 寸 11 중학 대 | 마주볼 | ㊦對

丵 丵 丵 丵 丵 丵 對

자원 회의 丵又|寸|對(寸부) 2500년전 3000년전

「又우」나 「寸촌」이나 모두 손으로 동작(動作)을 하는 일。「丵」은 타악기(打樂器)를 받치는 도구(道具)。이 도구는 좌우 두 개로 한 쌍이 되어 있고 또 이 도구에 악기를 걸고 사람이 마주 앉음。「對」는 쌍으로 하는 일→또 마주앉다→대답하는 일。

뜻 ①마주볼대 서로 정면으로 봄。서로 대함。「對面대면」 ②대답할대 응답함。「對答대답」 ③보답할대 갚음。④짝대 ㉠배우자。㉡한 쌍。⑤적수대 대등한 자。⑥문체이름대 상소(上疏)의 한 체(體)。천자(天子)의 하문(下問)에 대하여 의견을 진술하는 것。

주의 「対」는 약자(略字)。

【對句 대구】 대(對)를 맞춘 글귀。글자 수가 같고 의미가 상응(相應)하며 구조(構造)가 같은 두 글귀。

【對面 대면】 서로 얼굴을 마주 대(對)함。서로 만나봄。

【對比 대비】 ①맞대어 비교함。②대조(對照)。

【對譯 대역】 원문(原文)과 대조(對照)하며 하는 번역(飜譯)。

【對應 대응】 ①마주 대함。②걸맞음。상당(相當)함。③상대방에 응(應)하여 일을 함。

【對酌 대작】 서로 마주 대하여 술을 마심。

【對敵 대적】 ①적병(敵兵)을 대(對)하여 서로 겨눔。②세력이 맞서서 서로 겨눔。적수(敵手)를 삼음。또

〔三畫部首順〕 口囗土士夂夊夕大女子宀寸小尢尸屮山巛工己巾干幺广廴廾弋弓彐彡彳

적수。상대(相對)。
【對戰 대전】 서로 대(對)하여 싸움。
【對照 대조】 둘을 서로 마주 대어 봄。
【對座 대좌】 서로 대(對)하여 앉음。마주 앉음。
【對陣 대진】 양 군대가 서로 대하여 진을 침。
【對質 대질】 쌍방과 증인들을 맞대어 진술케 하고 신문함。무릎 맞춤。
【對策 대책】 ①과거(科擧)에서 정치 또는 경의(經義)에 관한 문제를 내어 답안을 쓰게 하는 일。또 그 답안。②어떠한 일에 상대자(相對者)에게 대응(對應)하는 방책(方策)。
【對處 대처】 어떠한 일에 대응(對應)하는 처치(處置)。
【對峙* 대치】 서로 마주 대하여 우뚝 섬。
【對抗 대항】 서로 맞서서 겨룸。
【對話 대화】 서로 마주 대하여 하는 이야기。
◉反對반대 相對상대 應對응대 敵對적대

【奪】 ⇩大部十一畫

十三畫

16 【導】 寸 13 [고교] 도 | 이끌 | [去]號

丷 䒑 首 首 道 道 道 導

[자원] 형성 道[음] ┬ 導(寸부)
寸 ┘

(A) 2500년전

(B) 2000년전

음을 나타내는 「道도」는 길。「寸촌」은 손→도와줌。「導」는 남을 도와서 목적지에 인도하다→남의 행실을 좋은 쪽으로 인도하는 일。 옛날에는 「道」와 「導」는 같은 글자로서 「道」、길·인도하다의 뜻을 나타냈음。 옛 모양 Ⓐ는 「行행」과 「首수」와 「又우」를 합한 자형(字形)。Ⓑ는 首와 寸을 합한 모양。

[뜻] 이끌도 ㉠인도함。㉡가르침。「教導교도」 ㉢다스림。㉣소통하게 함。
【導線 도선】 전기를 전도하는 철선。
【導火線 도화선】 ①화약(火藥)이 터지도록 불을 점화(點火)하는 심지。②사건이 발생하는 직접 원인。
【導訓 도훈】 지도(指導)하여 가르침。
◉教導교도 先導선도 引導인도 指導지도

小部

3 【小】 부수 [중학] 소 | 작을 | [上]篠

亅 小 小

3000년전

[자원] 상형

「小」는 작은 낟알의 모양。시내의 모래나 곡식의 낟알을 나타내는 「沙사→砂사」가 「小」의 기원이라고도 함。나중에 모양이 변하여 한 가운데의 「亅궐」과 나눔을 나타내는 「八팔」을 합하여 물건을 작게 나누는 것이라 생각되었음。「小」는 작다와 작게하다의 두 가지 뜻을 나타내었으나 나중에 「小소」〈작다〉와 「少소」〈적다〉를 구별하여 씀。

[뜻] ①작을소 ㉠크지 아니함。「小戶소호」 ㉡짧음。「小暇소가」 ㉢낮음。얕음。㉣지위가 낮음。「小族소족」 ㉤젊

음。 어림。 ㉡협소함。 ②**적을소** 많지 아니함。 少(小部一畫)와 뜻이 같음。 ③**적게여길소** 경시함。 ④**첩소** 비첩(婢妾)。 ⑤**소인소** ㉠간사한 사람。 ㉡신분이 낮은 사람。 천한 사람。 ㉢아이。 연소한 사람。 ⑥**조금소** 적게。

참고 「小」를 음으로 하는 글자=「肖초」〈닮다〉

【小康 소강】 ①소란(騷亂)하던 세상이 조금 안정됨。 ②잠시 무사(無事)함。 ③조금 편안함。 ④조금 자산(資産)이 있어 지내기 곤란하지 않음。

【小曲 소곡】 짤막한 노래 곡조(曲調)。

【小科 소과】 《韓》 생원(生員)과 진사(進士)를 뽑던 과거(科擧)。

【小君 소군】 ①제후(諸侯)의 아내。 소군(少君)。 ②아내의 통칭(通稱)。 ③고려 때 천첩(賤妾)의 몸에서 나아서 중이 된 왕자(王子)를 일컫는 말。

【小豆 소두】 팥。

【小量 소량】 작은 도량(度量)。 좁아 너그럽지 못한 마음。

【小滿 소만】 이십사절기(二十四節氣)의 하나。 입하(立夏)와 망종(芒種) 사이에 있는 절기(節氣)。 양력 오월 이십일경(頃)。

【小麥 소맥】 밀。

【小史 소사】 간단히 기록한 역사。

【小祥 소상】 사람이 죽은 지 돐만에 지내는 제사(祭祀)。 소기(小朞)。

【小生 소생】 ①후배。 ②자기(自己)를 낮추어 일컫는 말。 ③남을 천히 여겨 부르는 말。 ④조금 덜 익음。

【小暑 소서】 이십사절기(二十四節氣)의 하나。 하지(夏至)와 대서(大暑) 사이에 있는 절기(節氣)。 양력(陽曆) 칠월 칠일경。

【小雪 소설】 이십사절기(二十四節氣)의 하나。 입동(立冬)과 대설(大雪) 사이에 있는 절기(節氣)。 양력(陽曆) 십일월 이십이일경。

【小說 소설】 작자(作者)의 사상(思想)대로 사실(事實)을 구조(構造) 또는 부연(敷衍)하여 인정(人情)·세태(世態)를 묘사(描寫)한 산문체(散文體)의 이야기。

【小乘 소승】 《佛敎》 불교의 두 가지 큰 파(派)의 하나。 대승(大乘)의 고상(高尙)·심원(深遠)한 데 비하면 비근(卑近)하여 이해하기 쉬운 교리。

【小僧 소승】 ①젊은 중。 어린 중。 ②중의 자칭 대명사(自稱代名辭)。

【小室 소실】 《韓》 첩(妾)。

【小心 소심】 ①조심함。 삼감。 ②소담。

【小我 소아】 ①남과 구별한 나。 곧 차별계(差別界)의 자아(自我)。 작은 자아(自我)。 ②《佛敎》 육체의 나。 대아(大我)의 대(對)。

【小人 소인】 ①간사(奸邪)하고 도량(度量)이 좁은 사람。 덕(德)이 없는 사람。 ②천(賤)한 사람。 신분이 낮은 사람。 평민(平民)。 ③자기를 낮추어 이르는 말。 저。 소자(小子)。 ④키가 작은 사람。

【小作 소작】 《韓》 남의 땅을 소작료(小作料)를 주고 농사 지음。

【小姐* 소저】 아가씨。 작은 아씨。

【小篆* 소전】 한자(漢字) 서체(書體)의 하나。 진시황(秦始皇) 때 이사(李斯)가 대전(大篆)을 간략히 하여 만들었음。

【小妾 소첩】 여자(女子)가 자기를 낮

추어 일컫는 말。

【小春 소춘】 음력 시월(十月)경。

【小貪大失 소탐대실】 작은 이익(利益)을 탐내다가 큰 이익을 잃음。

【小品 소품】 짤막한 글。

【小學 소학】 ①중국 삼대(三代) 때 아이들에게 가르친 예의(禮儀)·문자(文字) 등의 학문。 또 그 학교。 ②문자의 구성(構成)에 관한 학문。 자학(字學)。 ③유서(儒書)의 하나。 육편(六編)。

【小寒 소한】 이십사절기(二十四節氣)의 하나。 동지(冬至)와 대한(大寒) 사이에 있는 절기(節氣)。 양력(陽曆) 일월 오일경。

◉短小단소 大小대소 弱小약소 縮小축소

一畫

4 **【少】** 小 1 중학 **소** 적을 ①-⑤ ㊤篠 ⑥-⑧ ㊦嘯

丿 小 小 少

자원 상형 丿+小 → 少 (小부) 2500년전

「小소」는 작다는 뜻과 적다는 뜻의 양쪽을 나타내었으나 나중에 「小」〈작다〉와 「少」〈적다〉를 구별하기 위하여 자형(字形)을 조금 바꾸었음。「少」가 붙어야할 말을 「小」로 쓰는 일이 많음은 본디 한 글자였기 때문임。

뜻 ①**적을소** 많지 아니함。 또 모자람。 ②**젊을소** 나이가 젊음。「少年소년」 ③**좀소** 다소。 약간。 ④**잠시소** 잠깐。「少焉소언」 ⑤**적어질소** 줆。 ⑥**적게여길소** 비난함。 ⑦**젊은이소** 연소자。「少長소장」 ⑧**버금소** 부이(副貳)。 또 관명(官名) 같은 데에 장(長)을 돕는 벼슬의 접두어(接頭語)로 쓰임。「少師소사」

참고 「少」를 음으로 하는 글자＝「抄초」〈베끼다〉·「炒초」〈볶다〉·「杪초」〈나무끝〉·「秒초」〈시간의 단위〉·「砂사」〈모래〉·「紗사」〈깁〉

【少卿 소경】 ①경(卿) 중의 연소자。 ②관명(官名)。 부(部)의 차관(次官)에 해당함。

【少君 소군】 ①제후(諸侯)의 부인(夫人)의 일컬음。 소군(小君)。 ②신선(神仙)。 ③남의 아들의 일컬음。

【少年易老學難成 소년이로학난성】 세월(歲月)은 빠르고 배우기는 어렵다는 뜻으로 늙기 전(前)에 배우기를 힘쓰라는 말。

【少婦 소부】 ①나이가 젊은 부녀(婦女)。 ②젊은 아내。

【少僧 소승】 젊은 중。

【少壯 소장】 ①젊고 혈기가 왕성함。 ②젊은이。

◉減少감소 僅少근소 老少노소 多少다소 些少사소 年少연소 最少최소 稀少희소

三畫

6 **【尖】** 小 3 고교 **첨** 뾰족할 ㊥鹽

丿 ⺌ 尘 尖 尖

자원 회의 小+大 → 尖 (小부) 尖 2500년전

「小소」와 「大대」로 이루어짐。 뿌리가 굵고, 끝이 뾰족한 것, 전(轉)하여 뾰족하다의 뜻。

뜻 ①**뾰족할첨** ㉠끝이 날카로움。「尖銳첨예」 ㉡전(轉)하여 날카로움。

〔三畫部首順〕 口囗土士夂夊夕大女子宀寸小尢尸屮山巛工己巾干幺广廴廾弋弓彐彡彳

②작을첨 조그마함。③끝첨 날카롭게 된 끝。「筆尖필첨」

【尖端 첨단】①뾰족한 물건의 맨끝。②시대 사조(思潮)에 앞장서는 일。

6 【当】小 3 當(田部八畫)의 속자(俗字)。

四畫

【光】⇩儿部四畫

【肖】⇩肉部三畫

五畫

8 【尙】小 5 중학 **상** —오히려— 去漾

丨 ⺌ ⺌ ⺌ 尙 尙 尙 尙

자원 형성 向음＋尙(小부) 2500년전

「八팔」과、음을 나타내는 「向향」(상은 변음)으로 이루어짐。

뜻 ①**오히려상** 猶(犬部九畫)와 뜻이 같음。②**바랄상** 원함。「尙饗상향」 ③**숭상할상** 높이 여김。「尙武상무」 ④**더할상** 보탬。⑤**자랑할상** 자만함。⑥**주관할상** 맡아 함。⑦**장가들상** 공주(公主)에게 장가듦。⑧**짝지을상** 부부가 됨。⑨**높일상** 높게 함。고상하게 가짐。⑩**꾸밀상** 장식함。⑪**오랠상** 오래됨。⑫**받들상** 봉승(奉承)함。⑬**옛상** 上(一部二畫)과 통용。

참고 「尙」을 음으로 하는 글자「掌장」〈손바닥〉·「裳상」〈아랫도리옷〉·「賞상」〈칭찬하다〉·「常상」〈항상〉

【尙宮 상궁】이조(李朝) 때 여관(女官)의 정오품(正五品) 이상의 벼슬。

【尙武 상무】무용(武勇)을 숭상함。

【尙文 상문】문필(文筆)을 숭상함。

【尙書 상서】①서경(書經)의 별칭。②상서성(尙書省)의 장관。진(秦)나라 때에 천자(天子)와 조신(朝臣)간의 문서(文書)의 수수(受授)를 맡았을 뿐이었으나 당(唐)나라 때에 이르러서는 육부(六部)의 장관(長官)의 명칭으로 되었음。

◉高尙고상 崇尙숭상 和尙화상

八畫

【雀】⇩隹部三畫

【常】⇩巾部八畫

【堂】⇩土部八畫

十二畫

【賞】⇩貝部八畫

尢部

3 【尢】부수 **왕** —절름발이— 平陽

자원 상형 2500년전

정강이가 굽은 절름발이를 본뜸。「尫」의 본디 글자。「尣」으로도 쓰고 부수로서는 굽다의 뜻(⇩尫왕)을 나타냄。

뜻 ①절름발이왕 ②곱사등이왕 「尢傴왕구」 ③약할왕 병약함。「尢弱왕약」

주의 「尤우」〈더욱〉는 딴 글자。

一畫

【尤】 4 尢 1 중학 **우** | 더욱 | ㊥尤

一 ナ 尢 尤

자원 상형 3000년전 2500년전 끝을 「一일」로 고정(固定)시키고 반대 쪽을 잡고 구부리는 모양을 나타냄。 일설에는 손(⇩又우)에서 물건이 떨어지는 모양으로서、 예사、 보통이 아니다→뛰어나다의 뜻이 되었다 함。 음을 빌어 탓하다의 뜻(⇩咎구)으로 씀。

뜻 ①**더욱우** ㉠가장。「尤甚우심」 ㉡가장 뛰어난 것。 ②**허물우** 과실。 ③**탓할우** 원망함。 ④**나무랄우** 책망함。 비난함。

주의 「尢왕」〈절름발이〉은 딴 글자。

참고 「尤」를 음으로 하는 글자=「肬우」〈혹〉·「疣우」〈혹〉·「就취」〈이루다〉

【尤甚 우심】 더욱 심(甚)함。

四畫

【尨】 7 尢 4 **방** | 삽살개 | ①-③㊥江 ④㊥東

자원 상형 2500년전 털이 많은 개를 본뜸。 삽살개。

뜻 ①**삽살개방** 털이 더부룩한 개。 ②**얼룩얼룩할방** 빛이 얼룩얼룩함。 ③**흩어질방** 털 같은 것이 산란한 모양。 ④**클방** 厖(厂部七畫)과 통용。

【尨大 방대】 두툼하고 큼。

九畫

【就】 12 尢 9 중학 **취** | 이룰 | ㊋宥

亠 古 亨 京 就 就 就

자원 형성 京 尤(음) → 就(尢부)

就

음을 나타내는 「尤우」(취는 변음)는 손(⇩又우) 2500년전 에서 물건이 떨어지는 모양→보통과 다르다→보통과 달리 뛰어나다의 뜻。「京경」은 높은 언덕→도읍。「就」는 아주 높고 살기 좋은 곳에 닿다→닿다→완성되다→이루다。 옛 모양은 「京경」과 「又우」〈손→손으로 무엇인가 하다〉를 합한 모양이며 높은 받침을 만듦을 나타낸 듯。

뜻 ①**이룰취** 성사함。「成就성취」 ②**좇을취** 따름。「從就종취」 ③**나갈취** ㉠일자리 또는 벼슬자리에 나감。 ㉡향하여 감。 ④**마칠취** 끝마침。「就世취세」(죽는다는 뜻)。 ⑤**능히취** 능(能)하게。 ⑥**곧취** 즉시(即時)。 ⑦**가령취** 가정하여。 가사(假使)。「就令취령」으로 연용(連用)하기도 함。

【就業 취업】 업무를 봄。 업에 종사함。

【就任 취임】 임무(任務)에 나아감。

【就中 취중】 그 중에서 특별히。

【就職 취직】 ①직업을 얻음。 ②취업。

【就寢 취침】 잠을 잠。

【就學 취학】 학교(學校)에 들어가서

공부(工夫)를 함。 스승에게 나아가서 학문(學問)을 배움。「배가 떠남。

【就航 취항】 항해(航海)하기 위하여

◉去就거취 晚就만취 成就성취 從就종취

尸 部

3 **【尸】** 부수 **시** — 주검 — ㊤支

자원 상형 2500년전

사람이 죽어서 팔을 뻗치고 누워 있는 모양을 본뜸。「屍시」〈송장〉의 본디 글자。부수(部首)로서는 주로 사람의 몸에 관계(關係)가 있음을 나타냄。

뜻 ①**주검시** 시체。또 죄인의 시체를 여러 사람이 보도록 매달아 놓음。②**시동(尸童)시** 제사 때 신(神)을 대신하는 아이。후세에는 화상(畫像)을 썼음。③**신주시** 위패(位牌)。④**주장할시** 주관함。⑤**진칠시** 진(陣)을 침。

주의 「戶호」〈지게〉와는 딴 글자。

참고 「尸」를 음으로 하는 글자=「屍시」〈송장〉·「屎시」〈똥〉

【尸位素餐 시위소찬】 벼슬 자리에 있어 그 직책을 다하지 못하고 녹(祿)만 타 먹는 사람을 이르는 말。

一畫

4 **【尺】** 尸 1 중학 **척** — 자 — ㊇陌

ㄱ ㄱ 尸 尺

자원 상형 2000년전

「尺」은 사람의 발 부분에 표를 한 모양→발바닥의 길이→한 치의 열 배。

뜻 ①**자척** ㉠길이의 단위。열 치。㉡길이를 재는 자。㉢전(轉)하여, 근소·약간의 뜻으로 쓰임。「尺土척토」 ②**길이척** 긴 정도。「尺度척도」

【尺度 척도】 ①자。②길이。③계량(計量)의 표준(標準)。

【尺土 척토】 얼마 안되는 땅。

◉竿尺간척 刀尺도척 三尺삼척 咫尺지척

4 **【尹】** 尸 1 **윤** — 미쁠 — ㊤軫

자원 회의 又+丨→尹(尸부) 2500년전

「尹」은 ㅋ(오른 손)과 「丨곤」〈자〉으로 이루어짐。손에 자를 들고 공사를 감독하는 사람→전(轉)하여, 바로 잡다, 다스리다의 뜻。

뜻 ①**미쁠윤, 미쁨윤** 신의가 있음。신의。②**다스릴윤** 다스려 바로 잡음。③**벼슬윤, 벼슬이름윤** 관직。또 관리。관명(官名)。옛날에는 이 글자를 붙인 관명이 많았음。예컨대 「師尹사윤」「令尹영윤」「京兆尹경조윤」「道尹도윤」 등이 있음。④**포(脯)윤** 건육(乾肉)。⑤**성윤** 성(姓)의 하나。

참고 「尹」을 음으로 하는 글자=「君군」〈임금〉·「伊이」〈강이름〉·「笋순」(=筍순)〈대순〉

【尹瓘 윤관】 《韓》 고려(高麗) 때의 학

자(學者)·장군(將軍)。 예종(睿宗) 때 여진(女眞)을 정복(征服)하고 구성(九城)을 쌓았음。

【尹拯 윤증】《韓》조선(朝鮮) 숙종(肅宗) 때의 학자(學者)。 소론(小論)의 거두(巨頭)。 호는 명재(明齋)。

二 畫

5 【尼】 尸 2 니 — 중 — ①(平)支 ②(入)質 ③(上)薺

자원 형성 尸 匕(음) → 尼(尸부)

「尸주검시밑」〈인체(人體)〉과 음을 나타내는 「匕비」로 이루어짐。 「昵닐」〈친하다〉과 통하여 사람 뒤에 바싹 붙어 가까이하다의 뜻。 나중에 흔히 범어(梵語) 「比丘尼비구니」의 음역자(音譯字)로 쓰임。

뜻 ①**중니** 여승(女僧)。「尼僧이승」 ②**기꺼울니** 昵(日部五畫)의 옛글자。 ③**정지시킬니** 그치게 함。

참고 「尼」를 음으로 하는 글자＝「泥니」〈진흙〉·「昵닐」〈친하다〉·「怩니」〈부끄러워하다〉

【尼父 이보】 공자(孔子)의 존칭。

【尼僧 이승】 여승(女僧)。

三 畫

6 【尽】 尸 3 盡(皿部九畫)의 속자(俗字)。

四 畫

7 【尾】 尸 4 중학 미 — 꼬리 — (上)尾

ㄱ ㅋ 尸 尸 尸 尸 尾

자원 회의 尸 毛 → 尾(尸부) 2500년전

엉덩이를 나타내는 「尸시」와 엉덩이에 붙어 있는 「毛모」〈털〉로 이루어짐。 꼬리↓전하여、 뒤、 끝의 뜻으로 됨。

뜻 ①**꼬리미** ②**끝미** 「末尾말미」 ③**별이름미** 이십팔수(二十八宿)의 하나。 창룡 칠수(蒼龍七宿)의 여섯째 성수(星宿)로서 열 아홉 별로 구성되었음。 미수(尾宿)。 ④**흘레할미** 「交尾교미」 ⑤**마리미** 물고기를 세는 수사(數詞)。

참고 「尾」를 음으로 하는 글자＝「娓미」〈되풀이하다〉·「梶미」〈나무끝〉·「浘미」〈흐르다〉

【尾蔘* 미삼】 인삼의 가는 뿌리。

【尾行 미행】 몰래 뒤를 따라감。

◉交尾교미 大尾대미 首尾수미 燕尾연미

7 【尿】 尸 4 뇨 — 오줌 — (去)嘯

자원 회의 尾 水 → 尿(尸부)

본디 「尾미」〈꼬리〉(지금의 「尸」는 그 생략체)와 「水수」〈물〉로 이루어짐。 오줌 누는 모양을 나타낸 글자。

뜻 **오줌뇨** 소변。「糞尿분뇨」

【尿道 요도】 오줌이 나오는 길。 오줌이 방광(膀胱)에서 체외(體外)로 나오게 된 속이 빈 심줄。

◉排尿배뇨 泌尿비뇨 夜尿야뇨

7 【局】 尸 4 고교 국 — 방 — (入)沃

ㄱ ㅋ 尸 月 局 局 局 局

자원 회의 尺+口→局(尸부) 2000년전

「尺척」과 「口구」〈입〉로 이루어짐。 「尺」은 자이며 바르다의 뜻。 입을 자 밑에 놓은 것은 말을 삼가 적게 하다의 뜻임。 이에서 집다、한정하다 따위의 뜻이 나오고、전하여 구획、방、장기·바둑판 따위의 뜻으로 됨。

뜻 ①**방국** 구획한 한 방(房)。 전(轉)하여 구분·구획의 뜻으로 쓰임。 「局部국부」 ②**마을국** 관아。「郵遞局우체국」 ③**판국** ㉠장기·바둑 등의 판。 「對局대국」 ㉡바둑·장기 등의 승부의 결말。 전(轉)하여 추세(趨勢)。 판국。「時局시국」 ④**재간국** 재능。 기우(器宇)。 ⑤**말릴국** 노끈이나 실 등이 감김。 ⑥**굽힐국** 몸을 굽힘。

참고 「局」을 음으로 하는 글자＝「侷국」〈구부리다〉·「跼국」〈허리를 굽히고 걷다〉

【局面 국면】 ①승패를 다투는 바둑·장기·고누 등의 판의 형세。 ②사건이 변천하여 가는 정형(情形)。

【局部 국부】 ①전체 중의 일부분。 ②남녀의 생식기(生殖器)。

【局外 국외】 ①바둑에서 대국자(對局者)가 아닌 방관자(傍觀者)。 전하여 ②그 사건에 관계 없는 지위。「역。

【局地 국지】 한정(限定)된 일정한 지

【局限 국한】 어떠한 국부(局部)에만 한정(限定)함。

◉結局결국 當局당국 大局대국 對局대국 本局본국 分局분국 政局정국 終局종국

五畫

8 【居】 尸 5 중학 ㊀거 ⑩기 本 —살— ㊀平魚 ㊁기 ㊁平支

ㄱ ㅋ 尸 尸 尸 居 居 居

자원 형성 尸+古음→居(尸부)

「尸시」는 사람의 엉덩이。 음을 나타내는 「古고」(거는 변음)는 고정(固定)시키는 일。 「居」는 앉아서 거기에 있음을 뜻함。

(A) (B) 2500년전

뜻 ㊀①**살거** 거주함。 「居所거소」 ②**살게할거** 거주하게 함。 ③**앉을거** 자리에 앉음。 ④**있을거** ㉠집안에 항상 있음。 또는 한 경우에 처하여 있음。 「居喪거상」 ㉡해당함。 차지함。 「居甲거갑」 ⑤**쌓을거** 저축함。 또 저축한 것。 ⑥**곳거** 있는 곳。 ⑦**집거** 사는 집。 ⑧**무덤거** 분묘。 ⑨**산사람거** 생존자。 ⑩**어조사거** 영탄(詠歎)의 어조사。 ※⑩은 본음(本音) **기** ㊁**어조사기** 의문의 어조사。 其(八部六畫)와 통용。

참고 「居」를 음으로 하는 글자＝「踞거」〈쭈그리고 앉다〉·「据거」〈일하다〉·「裾거」〈자락〉·「倨거」〈거만하다〉·「鋸거」〈톱〉

【居間 거간】 ①쌍방(雙方)의 중간(中間)에 서서 알선함。 ②흥정을 붙임。 또 그 사람。

【居留地 거류지】 조약(條約)에 의하여 개항장(開港場) 같은 곳에서 외국인에게 거주(居住)를 허락하는 일정한 구역의 토지。

【居士 거사】①재덕(才德)이 있는 처사(處士)。덕(德)이 높고 재예(才藝)가 있으나 사환(仕宦)하지 아니하는 인사(人士)。②당호(堂號) 따위의 밑에 붙이는 칭호(稱號)。

【居喪 거상】①부모상(父母喪)을 당하고 있음。②부모상을 당하고 있을 때에 입는 상복(喪服)。

【居中調停 거중조정】다툼질하는 새에 서서 다툼을 말리거나 화해를 붙임。

「거소(居所)」。

【居處 거처】①집에 있음。②있는 곳。

◉起居기거 同居동거 別居별거 寓居우거 隱居은거 移居이거 雜居잡거 住居주거

8 【屈】尸 5 고교 굴 | 굽을 | ㊇物

ㄱ ㅋ 尸 尸 屏 屏 屈 屈

자원 형성 出음 尾-尸 ⊤屈(尸부) 2500년전

「尸」(「尾미」의 생략형)와、음을 나타내며 동시(同時)에 오그라든다는 뜻을 나타내기 위한 「出출」(굴은 변음)로 이루어짐。짧은 꼬리→몸을 굽히다、누르다를 뜻함。

뜻 ①굽을굴 ㉠굴곡함。㉡오므라듦。㉢뜻을 얻지 못함。㉣막힘。궁함。㉤쇠(衰)함。쇠퇴함。②굽힐굴 ㉠굽게 함。「屈撓굴요」㉡억누름。「屈抑굴억」㉢뜻을 굽힘。절개를 굽힘。「屈節굴절」「屈從굴종」③다할굴 다 없어짐。「力屈역굴」④굳셀굴 강함。「屈起굴기」

참고 「屈」을 음으로 하는 글자=「詘굴」〈굽히다〉·「倔굴」〈굳세다〉·「堀굴」〈굴〉·「掘굴」〈파다〉·「窟굴」〈움〉·「崛굴」〈우뚝 솟다〉

【屈服 굴복】굽히어 복종(服從)함。힘이 미치지 못하여 복종함。

【屈身 굴신】①몸을 굽힘。②겸사함。

【屈辱 굴욕】자기 의사(意思)를 굽히어 남에게 복종하는 치욕(恥辱)。

【屈指 굴지】①손가락을 꼽아 셈。②손을 꼽아 셀 만하게 뛰어남。곧 첫째나 둘째가 될 만큼 뛰어남。

◉卑屈비굴 鬱屈울굴

六畫

9 【屋】尸 6 중학 옥 | 집 | ㊇屋

ㅋ 尸 尸 层 层 屖 屋

자원 회의 室-屋-至 尸⊤屋(尸부)

「尸시」는 사람이 누워서 쉬고 있는 모양이며 인체(人體)나 가옥(家屋)에 관계가 있음을 나타냄。「至지」는 속까지 닿다→안쪽 방。「屋」은 안쪽 방→방→방장(房帳)。

뜻 ①집옥 주거。건물。②지붕옥 가옥의 꼭대기의 덮개。「屋梁옥량」③수레뚜껑옥 차개(車蓋)。

참고 「屋」을 음으로 하는 글자=「幄악」〈휘장〉·「握악」〈쥐다〉·「渥악」〈짙다〉

【屋下架屋 옥하가옥】지붕 밑에 또 지붕을 얹는다는 뜻으로、무슨 일을 부질없이 거듭하여 함의 비유。

◉家屋가옥 陋屋누옥 漏屋누옥 社屋사옥 祠屋사옥 瓦屋와옥 草屋초옥

9 【屍】尸 6 시 | 주검 | ㊉支

〔三畫部首順〕 口囗土士夂夊夕大女子宀寸小尢尸屮山巛工己巾干幺广廴廾弋弓彐彡彳

자원 형성 尸 死 음 ┬ 屍(尸부) 2500년전

「尸주검시밑」과 죽다의 뜻인 「死사」로 이루어짐。「尸」가 음을 나타냄。송장의 뜻의 본디 글자 「尸」가 신주(神主)의 뜻으로 쓰이게 되자、송장의 전용 글자로서 「屍」가 만들어졌음。

뜻 **주검시** 송장。「屍體시체」

【屍身 시신】 송장。

◉檢屍검시

七畫

10 **【屑】** 尸7 **설** — 가루 — ㊀屑

자원 형성 尸 肖 음-肖 ┬ 屑(尸부) 2500년전

사람의 뜻인 「尸시」와 음을 나타내는 「肖일」(설은 변음)로 이루어짐。나중에 「肖」이 잘못 「肖초」로 변하였음。사람이 고생하다↓마음이 편치 않다가 본디 뜻。또 「碎쇄」「絜결」과 통(通)하여 가루·깨끗하다의 뜻으로 쓰임。

뜻 ①**가루설** 잔부스러기。「屑塵설진」②**부술설** 가루로 만듦。③**잘달설** 쇄소(瑣小)함。「屑屑설설」④**달갑게여길설** 달갑게 생각함。⑤**업신여길설** 경모(輕侮)함。⑥**수고할설** 힘을 씀。⑦**편치않을설** 마음이 편치 아니함。⑧**모두설** 다。

10 **【展】** 尸7 중학 **전** — 펼 — ㊤銑

ㄱ 尸 屏 屈 屏 屏 展

자원 형성 衣 㠭 ┬ 𧝓 음-𧝓 尸 ┬ 展(尸부) 2000년전

「㠭전」은 볼만하게 세공한 것→자세히 물건을 보다→물건을 깨끗이 한줄로 늘어놓다→물건이 여러가지 있는 일。「衣의」는 옷。음을 나타내는 「𧝓전」은 붉은 의복。「尸시」는 사람이 몸을 태연하게 하고 있는 모습。「展」은 「尸」와 「𧝓」의 생략형을 합한 글자라 일컬어지며、그것을 쓰기 쉽게 한 것이 「展」인 듯。「展」은 사람의 몸에 가지런히 붙어 있는 사지(四肢)를 움직이는 일。

뜻 ①**펼전** ㉠엶。벌림。「展開전개」㉡신장(伸長)함。늘임。「展性전성」㉢발달함。「發展발전」㉣진열(陳列)함。늘어 놓음。㉤의사를 말함。「展敍전서」㉥뜻을 폄。뜻대로 됨。㉦홍포(弘布)함。②**늘일전** 기한을 연기함。「展期전기」③**살필전** 살펴봄。「展墓전묘」④**두터이할전** 정의 같은 것을 두터이 함。⑤**적을전** 기록함。⑥**구를전** 굴뒹굴 구름。또 몸을 이리 뒤치락 저리 뒤치락 함。⑦**베풀전** 차림。⑧**가지런히할전** 정돈함。⑨**정성전** 성의。⑩**진실로전** 참으로。

참고 「展」을 음으로 하는 글자=「碾년」〈매〉·「輾전」〈돌다〉·「蹍전」〈밟다〉

【展開 전개】 ①펴져 벌어짐。또 펴서 벌림。②밀집부대(密集部隊)가 헤어져 산병(散兵)이 됨。「고 봄。

【展覽 전람】 ①펴서 봄。②벌이어 놓

【展示 전시】 책(冊)·편지(便紙) 등을 펴서 보임。

◉開展개전 發展발전 中展신전 親展친전

八畫

11 **【屛】** 尸 8 고교 **병** | 울 | ①-③㊥青 ④-⑥㊤梗 ⑦㊥庚

ㄱ 尸 尸 尸 屛 屛 屛 屛 屛 屛

자원 형성 尸 幷(음) ┬ 屛 (尸부)

사람이 엎드린다는 뜻의 「尸시」와, 음을 나타내는 동시에 가리다의 뜻(⇩蔽폐)을 나타내기 위한 「幷병」으로 이루어짐. 엎드려 있는 사람 옆의 가리개, 간막이→전하여 벽·울타리의 뜻.

뜻 ①**울병** 담. 「屛翰병한」 ②**병풍**(屛風)**병** 「屛障병장」 ③**가릴병** 가려 막음. 또 가려 막는 것. 「屛蔽병폐」 ④**물리칠병** ㉠제거함. 버림. ㉡멀리함. 내쫓음. ⑤**물러날병** ㉠뒤로 물러남. ㉡은퇴함. ⑥**변방병** 변읍(邊邑). 두메. ⑦**두려워할병**

주의 「屏」은 속자(俗字).

【屛風 병풍】 바람을 막기 위하여 방 안에 치는 물건.

◉曲屛곡병 硯屛연병 簾屛염병 畫屛화병

九畫

12 **【屠】** 尸 9 **도** | 잡을 | ㊇虞

자원 형성 尸 者(음) ┬ 屠 (尸부)

(2500년전 자형)

「尸주검시밑」과, 음을 나타내며 동시에 속의 것을 토해 내게 하다의 뜻(⇩吐토)을 나타내기 위한 「者자」(도는 변음)로 이루어짐. 짐승을 잡아 배를 가르다의 뜻.

뜻 ①**잡을도** 짐승을 잡아 죽임. 「屠殺도살」 ②**무찌를도** 쳐들어가 사람을 많이 죽임. 「屠城도성」 ③**죽일도** 찢어 죽임. ④**백장도, 도수장도** 짐승을 잡는 것을 업으로 삼는 사람. 또 짐승을 잡는 곳.

【屠家 도가】 백장.

【屠戮 도륙】 무찔러 죽임.

【屠殺 도살】 ①도륙(屠戮). ②짐승을 「죽임.

【屠獸場 도수장】 소·돼지·양 등의 짐승을 잡는 곳.

12 **【屬】** 尸 9 屬(尸部十八畫)의 속자(俗字).

【犀】 ⇩牛部八畫

十一畫

14 **【屢】** 尸 11 고교 **루** | 여러 | ㊦遇

ㄱ 尸 尸 尸 屇 屢 屢 屢 屢 屢

자원 형성 尸 婁(음) ┬ 屢 (尸부)

「屋옥」〈집〉의 생략형인 「尸시」와 음을 나타내는 「婁루」로 이루어짐. 「樓루」와 같은 뜻. 여러 층으로 겹쳐진 집→전하여, 자주의 뜻이 됨.

뜻 ①**여러루** 자주. 「屢次누차」 ②**번거로울루** 번잡(煩雜)함.

주의 「屡」는 속자(俗字).

【屢屢 누누】 여러 번.

【屢代 누대】 여러 대(代).

【屢世 누세】 여러 대(代).

【屢次 누차】 여러 번。

十二畫

15 **【層】** 尸 12 고교 **층** | 층집 | ㊥平 蒸

一 尸 屄 層 層 層 層 層 層

자원 형성 曾음 广-尸+曾→層(尸부)

「尸시」는「广엄호밑」〈집〉이 변한 것。「曾증」(층은 변음)은 음을 나타내는 동시에 지붕 위에 지붕이 겹친 높은 건물, 또는 찬합 모양으로 여러 층으로 된 찜통의 뜻을 가짐。지붕이 겹치는 데서, 겹친 것을 뜻하게 되었음。

뜻 ①**층집 층** 이층 이상의 집。②**층 층** ㉠층계(層階)。㉡겹。

【層階 층계】 여러 층으로 된 계단。

【層巖絕壁 층암절벽】 여러 층의 험한 바위로 된 낭떠러지。

【層層侍下 층층시하】《韓》 부모(父母)·조부모(祖父母)가 다 생존(生存)한 시하(侍下)。

◉高層고층 斷層단층 重層중층 地層지층

15 **【履】** 尸 12 고교 **리** | 신 | ㊤上 紙

一 尸 屄 屄 層 履 履 履 履

자원 회의 尸+彳+舟→履-履(尸부)

「履」가 본디 자형(字形)。「尸주검시밑」은 사람의 뜻。「彳」는 길(⇩彳두인변)을 발(⇩夊쇠)로 걸어가다의 뜻。「舟주」는 나막신의 모양을 나타냄。합하여 사람이 신을 신고 길을 가다, 전하여 밟다의 뜻을 나타냄。

뜻 ①**신 리** 신, 신발。「草履초리」②**신을 리** 신을 신음。③**밟을 리** ㉠발을 위에 대고 디딤。㉡걸음。또 족적(足跡)이 미치는 곳, 발로 밟은 바의 땅이라는 뜻으로 영토를 이름。㉢지위에 이름。자리에 나아감。「履祚이조」㉣행함。실천함。또 행하는 바。곧 조행(操行)。「履行이행」㉤겪음。경험함。「履歷이력」㉥실지로 가 조사함。④**복 리** 복록(福祿)。⑤**이괘 리** 육십사괘(六十四卦)의 하나。곧 ☱☰(태하(兌下)、건상(乾上))。밟아 나가는 상(象)。

참고 「履」(履의 생략형)를、신발·신는 것의 의부(意符)로 쓴 글자 ‖「屐극」〈나막신〉·「屣사」〈신〉

【履氷 이빙】 얇은 얼음을 밟는다는 뜻으로、극히 위험함의 비유(譬喩)。

【履行 이행】 ①실제(實際)로 행(行)함。실행함。②품행(品行)。

◉木履목리 絲履사리 草履초리 革履혁리

十八畫

21 **【屬】** 尸 18 고교 ㊀**촉** ㊁**속** | 이을 | ㊀㊁ ㊅入 沃

一 尸 尸 屖 屚 屚 屬 屬 屬

자원 형성 蜀음 尾+蜀→屬(尸부) 〔蜀〕3000년 전

음을 나타내는「蜀촉」은 산누에나 방의 유충(幼蟲)。여기서는 벌레가 잎에 붙음을 나타냄。「尾미」는 동물의 엉덩이·꼬리。여기서는 동물들끼리 꼭 붙음을 나타냄。「屬」은 붙다、따르다의 뜻。또「續속」〈이어지다〉과 음·뜻이 모두 관계가 깊음。

[뜻] [一]①이을촉 연속함。「屬聯촉련」②붙을촉 부착함。③맡길촉 부탁함。위임함。「屬託촉탁」④모을촉、모일촉 한데 모음。한데 모임。⑤돌볼촉 구원하여 도와줌。⑥족할촉 만족함。충족함。⑦따를촉 붙음。⑧맺을촉 원한을 품음。⑨가까울촉 접근함。⑩권할촉 권면함。⑪조심할촉 신중하고 공경하는 모양。[二]①무리속 제배(儕輩)。②아랫벼슬아치속 하료(下僚)。「官屬관속」③살붙이속 혈족。「眷屬권속」「族屬족속」④좇을속 ㉠따름。복종함。「從屬종속」㉡뒤따름。수행함。⑤엮을속 글을 지음。「屬文속문」⑥마침속 때마침。

[참고] 「屬」을 음으로 하는 글자=「囑촉」〈청촉하다〉·「矚촉」〈보다〉

【屬國 속국】독립(獨立)할 능력이 없어서 다른 나라에 붙어 있는 나라。

【屬吏 속리】하급 관리。

【屬地 속지】부속(附屬)되어 있는 땅。통치권(統治權)을 행사(行使)할 수 있는 토지。

【屬託* 촉탁】촉탁(囑託)。

◉ 軍屬군속 附屬부속 所屬소속 隷屬예속

屮部

3【屮】 부수 철 — 풀 — [入]屑

[자원] 상형 屮 2500년전

「屮」은 한 포기의 풀이 싹터 나온 모양을 본뜸。

[뜻] 풀철 초목의 싹。

[주의] 「屮좌」(옛 글자 모양은 𠂇、「左좌」의 옛 글자)는 딴 글자。

3【𡳾】 屮0 左(工部二畫)의 본디 글자。

一畫

4【屯】 屮1 [一]둔 [二]준 — 진칠 — [一][平]元 [二][平]眞

[자원] 회의 一 屮 → 屯(屮부) 2500년전

「屮철」〈풀〉과 땅을 나타내는「一일」로 이루어져 풀의 싹이 간신히 돋아난 모양을 나타냄。어렵다의 뜻。또「邨촌」〈마을〉과 통하여 사람이 모이다→진치다→진(陣)의 뜻으로 쓰이게 됨。

[뜻] [一]①진칠둔 진(陣)쳐 지킴。②진둔 진친 곳。③언덕둔 구릉。[二]①어려울준 고난에 허덕임。②준괘준 육십사괘(六十四卦)의 하나。곧 ☳☵ (진하(震下)감상(坎上))。험난하여 전진하는 데 고생하는 상(象)。

[참고] 「屯」을 음으로 하는 글자=「邨촌」〈마을〉·「萅춘」〈봄〉(「春춘」의 본디 글자)·「頓돈」〈조아리다〉·「鈍둔」〈무디다〉·「純순」〈천진하다〉

【屯防 둔방】진을 치고 방어함。

【屯兵 둔병】주둔한 병정(兵丁)。

【屯所 둔소】군대가 머물러 지키고 있는 곳。주둔한 곳。

【屯守 둔수】군대가 주둔하여 지킴。

◉ 軍屯군둔 邊屯변둔 兵屯병둔 駐屯주둔

山部

3 **【山】** 부수 중학 **산** | 메 | ㊥刪

丨 山 山

자원 상형 (A) (B) 2500년전

「山」은 산의 봉우리가 뾰족뾰족하게 이어지는 모양。 옛 자형(字形)은 「火화」〈불〉와 닮아 옛 사람은 산과 불이 관계가 깊다고 생각한 듯함。

뜻 ①**메산** 산。 「山嶽산악」 ②**산신산** 산의 신령。 ③**능산** 능침(陵寢)。 ④**절산** 사찰(寺刹)의 칭호。 「山門산문」

참고 「山」을 음으로 하는 글자＝「仙선」〈신선〉·「疝산」〈산증〉·「訕산」〈헐뜯다〉

【山間 산간】 산골。

【山谷 산곡】 산(山)골짜기。

【山麓* 산록】 산기슭。

【山寺 산사】 산속에 있는 절。

【山蔘* 산삼】 깊은 산(山)에 저절로 나는 인삼(人蔘)의 뿌리。

【山城 산성】 산 위에 쌓은 성(城)。

【山勢 산세】 산(山)의 기복(起伏)·굴절(屈折)한 형세(形勢)。

【山所 산소】 무덤이 있는 곳。 또 무「덤」。

【山水 산수】 ①산(山)과 물。 산과 내。 산천。 ②산(山)에서 흐르는 물。 ③산과 물이 있는 경치를 그린 그림。 산수도(山水圖)。

【山神 산신】 산(山)을 맡은 신령(神靈)。 산신령(山神靈)。

【山嶽* 산악】 크고 작은 모든 산(山)。

【山野 산야】 ①산(山)과 들。 ②시골。 민간(民間)。

【山紫水明 산자수명】 산은 자주빛이고 물은 맑다는 뜻으로、 산수의 경치가 맑고 아름다움을 이름。

【山莊 산장】 산중(山中)의 별장。

【山賊 산적】 산에서 출몰(出沒)하는 도둑。

【山積 산적】 물건이 산더미처럼 많이 쌓임。 또 산더미처럼 많이 쌓음。

【山戰水戰 산전수전】 《韓》 온갖 경난(經難)의 비유。

【山菜 산채】 산나물。

【山川草木 산천초목】 산천(山川)과 초목(草木)。 전(轉)하여 자연(自然)。

【山海珍味 산해진미】 산(山)과 바다에서 나는 진귀(珍貴)한 음식(飮食)。

◉高山고산 鑛山광산 南山남산 名山명산 深山심산 青山청산 泰山태산 火山화산

四畫

7 **【岐】** 山 4 **기** | 산이름 | ㊥支

자원 형성 山 支음 → 岐(山부) 2500년전

「山산」과 음을 나타내는 「支지」(기는 변음)로 이루어짐。 본디 산의 이름이었으나、 음을 빌어 두 갈래로 갈라지다의 뜻(⇩歧)으로 쓰임。

뜻 ①**산이름기** 섬서성(陝西省) 기산현(岐山縣)에 있는 산。 주왕조(周王朝)의 발상지。 ②**높을기** 산 같은 것이 높음。 ③**갈래질기**、 **갈림길기**

가닥이 짐。 또 옆으로 갈려 나간 길。 岐(止部四畫)와 같은 글자。

【岐路 기로】 갈림길。

◉多岐다기 分岐분기

五 畫

8 **【岸】** 山 5 고교 **안** — 언덕 — 去翰

丨 山 屵 屵 岸 岸 岸

자원 형성 山厂干(음) → 岸(山부)

「山산」과 벼랑을 뜻하는 「厂한」과, 음과 함께 깎다의 뜻(⇩刊간)을 나타내기 위한 「干간」(안은 변음)으로 이루어져、산의 표면(表面)을 깎아지른 듯한 벼랑。 전하여、물가의 깎아지른 땅과 물과의 경계(境界)를 말하고、널리 물가의 뜻이 됨。

뜻 ①**언덕안** ㉠바다나 강가의 높이 언덕진 곳。「海岸해안」 ㉡전(轉)하여 높은 곳。 ②**낭떠러지안** 절벽。「崖岸애안」 ③**층계안** 계단。 ④**뛰어날안** 인물이 뛰어남。 ⑤**옥안** 역참(驛站)에 있는 옥(獄)。

【岸壁 안벽】 벽과 같이 깎아지른 듯한 물가의 언덕。 물가의 낭떠러지。

◉對岸대안 沿岸연안 彼岸피안 海岸해안

8 **【岩】** 山 5 **암** — 바위 — 平咸

자원 회의 山石 → 岩(山부)

「山메산」과 「石석」〈돌〉으로 이루어짐。 바위의 뜻。

뜻 **바위암** 巖(山部二十畫)과 같은 글자。

【岩窟 암굴】 바위에 뚫린 굴(窟)。 석굴(石窟)。

【岩礁 암초】 물 속에 숨어 보이지 않는 바위。

◉奇岩기암 水成岩수성암

8 **【岬】** 山 5 **갑** — 곶 — 入洽

자원 형성 山甲(음) → 岬(山부)

「山산」과 음을 나타내며 동시에 사이에 끼다의 뜻(⇩挾협)을 나타내는 「甲갑」으로 이루어짐。 산과 산 사이의 뜻。 우리 나라에서는 주로 바다로 내민 땅인 갑、곶의 뜻으로 쓰임。

뜻 ①**산허구리갑** 산요(山腰)。 ②**갑갑** 바다로 뾰족하게 내민 땅。 ③**산사이갑** 산과 산 사이。

8 **【岡】** 山 5 **강** — 산등성이 — 平陽 (2500년전)

자원 형성 山网(음)→罓 → 岡(山부)

「山산」과 음을 나타내는 「网망」(網망의 본디 글자。 강은 변음)으로 이루어짐。 「网」이 「罓」으로 쓰여졌음。

뜻 ①**산등성이강** 산등성마루。 ②**언덕강** 구릉。 「岡陵강릉」

주의 ①「崗」은 속자(俗字)。 ②「罔망」〈그물〉은 딴 글자。

참고 「岡」을 음으로 하는 글자=「崗강」〈언덕〉·「綱강」〈벼리〉·「鋼강」〈강철〉·「剛강」〈굳세다〉

8 **【岳】** 山 5 고교 **악** — 큰산 — 入覺

一 ㄏ 厂 斤 丘 乒 岳 岳

자원 회의 山+丘→岳(山부) 2500년전

「岳」은 본래「嶽악」의 옛 글자。산(山) 위에 또 작은 산 또는 언덕이 있는 큰 산의 뜻。

뜻 ①**큰산악** 嶽(山部十四畫)과 같은 글자。「五岳오악」 ②**벼슬이름악** 한 방면(方面)의 제후(諸侯)를 통솔하는 벼슬。전(轉)하여 큰 제후。또는 번진(藩鎭)。

【岳父 악부】 장인(丈人)。

【岳飛 악비】 남송(南宋)의 충신(忠臣)。자(字)는 붕거(鵬擧)。금(金)나라와의 화의(和議)가 일어나 이에 반대하다가 진회(秦檜)의 참소를 당하여 옥중(獄中)에서 살해당했음。

【岳丈 악장】 악부(岳父)。

◉四岳사악 山岳산악 心如山岳심여산악

六畫

9 【峙】 山 6 치 | 우뚝솟을 | ㊤紙

자원 형성 山+寺(음)→峙(山부) 2500년전

「山메산변」과 음을 나타내는 「寺사」(치는 변음)로 이루어짐。

뜻 ①**우뚝솟을치** 흘립(屹立)함。「峙立치립」 ②**언덕치** 높은 언덕。③**쌓을치** 저축함。「峙積치적」

◉對峙대치

9 【峽】 山 6 峽(山部七畫)의 약자(略字)。

【炭】 ⇩火部五畫

七畫

10 【峯】 山 7 고교 봉 | 산봉우리 | ㊥冬

丨 山 山 屮 岁 岁 岁 峯 峯 峯

자원 형성 山+夆(음)→峯(山부) 2500년전

「山산」과 음을 나타내는 동시에 뾰족한 끝의 뜻(⇩芒망)을 가진 「夆봉」으로 이루어짐。산의 뾰족한 꼭대기。전하여、널리 산의 뜻으로 됨。

뜻 ①**산봉우리봉** 산정(山頂)。「峯巒봉만」 ②**메봉** 산。

◉高峯고봉 雲峯운봉 最高峯최고봉

10 【峴】 山 7 현 | 고개 | ㊤銑

자원 형성 山+見(음)→峴(山부)

「山메산변」과 음을 나타내는 「見견」(현은 변음)으로 이루어진 글자。산의 이름。

뜻 ①**산이름현** 호북성(湖北省) 양양(襄陽)에 있는 산。②**고개현** 재。

10 【峽】 山 7 협 | 골짜기 | ㉧洽

자원 형성 山+夾(음)→峽(山부)

「山메산변」과、끼다의 뜻과 함께 음도 나타내는 「夾협」으로 이루어짐。산에 끼인 곳、골짜기。약자는 「峡」

뜻 ①**골짜기협** 험한 산곡(山谷)。「峽谷협곡」 ②**시내협** 산골짜기를 흐르는 시내。③**땅이름협** 양자강(揚子

江」의 상류에 있는 삼협(三峽)의 약칭(略稱)。

【峽谷 협곡】 험(險)하고 좁은 산골짝。

◉山峽산협 地峽지협 海峽해협

10
【島】 山 7 중학 도 — 섬 — ㊤皓

丨 亠 ㇒ 自 鳥 鳥 島 島 島

자원 형성 山 鳥음 ┬ 𡷓 - 嶋 - 島(山부)

2000년전

「島」의 옛 글자체를 「鳥조」와 「山산」을 겹쳐 쓴 까닭은 섬이 바다에서 새가 날개를 쉬는 곳이기 때문이라고 설명되어 왔음。 그러나 음을 나타내는 「鳥」(도는 변음)는 여기에서는 「새」의 뜻이 아니고 물결이 담쟁이덩굴〈蔦조〉처럼 감겨 붙듯하는 곳、 또는 사람이 다다라 이르〈到도〉 듯하는 곳이란 뜻을 나타내는 것으로 생각됨。

뜻 **섬도** 도서(島嶼)。 「島國도국」

주의 「島」·「嶋」는 같은 글자。

【島嶼* 도서】 섬의 총칭。 큰 것을 도(島)、 작은 것을 서(嶼)라 함。

◉無人島무인도 半島반도 列島열도

【岦】 ⇩豆部三畫

八畫

11
【崇】 山 8 중학 숭 — 높을 — ㊥東

丨 山 山 ㅛ 出 岂 岦 崇 崇

자원 형성 山 宗음 ┬ 崇(山부)

2500년전

「山산」과 음을 나타내는 「宗종」(숭은 변음)으로 이루어짐。 높고 큰 산이란 뜻。 음을 빌어 존경하여 우러러보다의 뜻(⇩宗)으로 씀。

뜻 ①**높을숭** ㉠산 같은 것이 높음。 「崇山峻嶺숭산준령」 ㉡고귀(高貴)함。 또 높은 사람。 「崇高숭고」 ②**높일숭** ㉠숭배함。 「崇尙숭상」 「崇神숭신」 ㉡한 높게 함。 존귀하게 함。 ③**모일숭** 한데 모임。 ④**찰숭**、 **채울숭** 가득참。 또 가득차게 함。 ⑤**마칠숭** 종료함。

주의 「祟수」〈빌미내리다〉는 딴 글자。

【崇高 숭고】 존귀(尊貴)하고 고상함。

【崇拜 숭배】 존경하여 절함。

【崇尙 숭상】 높이어 소중하게 여김。

◉謙崇겸숭 信崇신숭 豊崇풍숭 欽崇흠숭

11
【崑】 山 8 곤 — 산이름 — ㊥元

자원 형성 山 昆음 ┬ 崑(山부)

2500년전

「山산」과 음을 나타내는 「昆곤」으로 이루어짐。

뜻 **산이름곤** ㉠「崑崙곤륜」은 서장(西藏)에 있는 산으로서 고래로 미옥(美玉)을 산출함。 ㉡「崑山곤산」은 강소성(江蘇省)에 있는 산。

주의 「崐」은 같은 글자。

11
【崔】 山 8 최 — 높을 — ㊥灰

자원 형성 山 隹음 ┬ 崔(山부)

2500년전

「山산」과 음을 나타내는 「隹추」(최는 변음)로 이루어짐。

뜻 ①**높을최** 높고 큼。 「崔巍최외」 ②**성최** 성씨(姓氏)의 하나。

참고 「崔」를 음으로 하는 글자＝「催

〔三畫部首順〕 ㅁ口土士夂夊夕大女子宀寸小尢尸屮山巛工己巾干幺广廴廾弋弓彐彡彳

최」〈재촉하다〉·「摧최」〈꺾다·멸하다〉

【崔瑩 최영】《韓》 고려말(高麗末)의 장군(將軍)。친원파(親元派)이며 왜구공멸(倭寇攻滅)에도 공(功)이 많음。이성계(李成桂)의 위화도(威化島) 회군(回軍)으로 귀양가서 죽음。

【崔沖 최충】《韓》 고려(高麗) 정종(靖宗)·문종(文宗) 때의 학자(學者)。우리 나라 사학(私學)의 시초(始初)인 구재학당(九齋學堂)을 세움。 해동공자(海東孔子)로 일컬어짐。

【崔致遠 최치원】《韓》 신라(新羅) 말기(末期)의 학자(學者)。 자(字)는 고운(孤雲)。 저서(著書)에 계원필경집(桂苑筆耕集) 등이 있음。

11 【崖】 山 8 애 | 낭떠러지 | ㊥佳

자원 형성 山厓(음)丅崖(山부) 崖 2500년전

「山산」과 음을 나타내며 동시에 낭떠러지의 뜻을 가지는 「厓애」로 이루어짐。 산가의 낭떠러지의 뜻。

뜻 ①낭떠러지애 ㉠현애(懸崖)。「崖壁애벽」 ㉡전(轉)하여 사물의 끝。②모애、모날애 남과 잘 화합하지 않는 일。

주의 「崕」는 같은 글자。

◉斷崖단애 絕崖절애 懸崖현애

11 【崩】 山 8 고교 붕 | 무너질 | ㊥蒸

' 山 屵 岸 岸 崩 崩 崩

자원 형성 山朋(음)丅崩(山부)

「山산」과 음을 나타내는 「朋붕」으로 이루어짐。 산이 무너진다는 뜻。 전하여 널리 무너져 떨어지다의 뜻。

뜻 ①무너질붕 ㉠산 같은 것이 무너짐。「崩潰붕궤」 ㉡멸망함。㉢어지러워짐。 ②죽을붕 천자(天子)가 죽음。「崩殂붕조」

참고 「崩」을 음으로 하는 글자=「繃붕」〈감아싸다〉·「淜붕」〈물결치는 소리〉

【崩壞 붕괴】 무너짐。 허물어짐。

【崩潰* 붕궤】무너짐。 허물어짐。

【崩御 붕어】 천자(天子)가 죽음。 천자의 죽음은 마치 산이 무너지는 것과 같다는 데서 이름。 승하(升遐)。

十四畫

17 【嶺】 山 14 고교 령 | 재 | ㊤梗

자원 형성 山領(음)丅嶺(山부) 2500년전

「山산」과 음을 나타내며 동시에 능선(稜線)의 뜻을 가진 「領령」으로 이루어짐。 잇닿는 산의 능선의 뜻。

뜻 ①재령 산정의 고개。 ②산봉우리령 산봉(山峰)。「嶺嶂영장」 ③연산령 연속한 산악。 ④산맥이름령 호남성(湖南省)과 광동(廣東)·광서(廣西) 두 성의 경계에 있는 산맥。

【嶺南 영남】《韓》 경상도(慶尙道)。

【嶺東 영동】《韓》 강원도(江原道) 대관령(大關嶺) 동쪽의 땅。

【嶺西 영서】《韓》 강원도(江原道) 대관령(大關嶺) 서쪽의 땅。

◉山嶺산령 雪嶺설령 秦嶺진령 疊嶺첩령

17【嶽】山 14 악 | 큰산 | [入]覺

[자원] 형성 山獄[음] ㅜ嶽(山부)

2500년전

「山산」과, 음을 나타내며 동시(同時)에 삐죽삐죽 내밀다의 뜻(⇩确각)을 나타내는 「獄옥」(악은 변음)으로 이루어짐. 큰산을 뜻함.

[뜻] **큰산악** 크고 높은 산. 岳(山部五畫)과 같은 글자. 「五嶽오악」

【嶽母 악모】 아내의 친정 어머니. 장모(丈母).

【嶽父 악부】 아내의 친정 아버지. 악장(嶽丈). 장인(丈人).

◉ 巨嶽거악 山嶽산악 五嶽오악 海嶽해악

17【嶼】山 14 서 | 섬 | [上]語

[자원] 형성 山與[음] ㅜ嶼(山부)

2500년전

「山메산변」에 음을 나타내는 「與여」(서는 변음)를 더하여 이루어짐. 작은 섬의 뜻.

[뜻] **섬서** 작은 섬. 「島嶼도서」

◉ 島嶼도서 洲嶼주서

二十畫

23【巖】山 20 [중학] 암 | 바위 | [平]咸

ㆍ 山 岸 岩 崖 崖 巖 巖 巖 巖

[자원] 형성 山嚴[음] ㅜ巖(山부)

음을 나타내는 「嚴엄」(암은 변음)은 엄숙하다→험하다. 「山산」은 산. 「巖」은 험한 산→바위의 뜻.

[뜻] ①**바위암** 큰 돌. 「巖窟암굴」 ②**가파를암** 험준한 모양. 「嶄巖참암」 ③**석굴암** 암혈(巖穴). 「巖居암거」 ④**언덕암, 낭떠러지암** 애안(崖岸).

[주의] 「岩」과 같은 글자.

巛(川)部

3【巛】부수 川(다음 글자)의 본디 글자.

3【川】巛 0 [중학] 천 | 내 | [平]先

ノ 川 川

[자원] 상형

3000년전

「川」은 양쪽 강기슭 사이를 물이 흐르는 모양→시내·강을 뜻함.

[뜻] ①**내천** 하천. 「川邊천변」 ②**물귀신천** 하백(河伯).

[참고] 「川」을 음으로 하는 글자=「巡순」〈돌다〉·「紃순」〈끈〉·「順순」〈순하다〉·「馴순」〈길들다〉·「釧천」〈팔가락지〉

【川獵* 천렵】 냇물에서 고기잡이를 함.

【川邊 천변】 개천가. 냇가.

◉ 大川대천 山川산천 支川지천 河川하천

三畫

6【州】巛 3 [고교] 주 | 고을 | [平]尤

丶 丿 少 州 州 州

[자원] 상형

3000년전

〔三畫部首順〕 口囗土士夂夊夕大女子宀寸小尢尸屮山巛工己巾干幺广廴廾弋弓彐彡彳

「州」는 시내 안의 사람이 있을 수 있는 곳。자형(字形)은 배〈舟주〉를 물이 둘러싸듯이 모래톱이나 강섬을 물이 에워싸고 흐르는 모양을 나타냄。전(轉)하여、구역 또는 행정 구획(行政區劃)을 뜻함。

뜻 **①고을주** 행정 구역의 이름으로서 고대에 중국 전토를 나누어 「九州구주」 또는 「十二州십이주」로 하였는데 후에는 성(省)같은 것으로 되었음。**②마을주** 읍리(邑里)。주대(周代)에 이천 오백 가(二千五百家)를 이른 말。**③나라주** 국토(國土)。「州國주국」 **④섬주、모래톱주** 洲(水部六畫)와 같은 글자。**⑤모일주**

참고 「州」를 음으로 하는 글자=「洲주」〈모래톱〉·「酬수」〈갚다〉

【州郡 주군】 주(州)와 군(郡)。전(轉)하여 지방(地方)。

【州牧 주목】 주(州)의 장관(長官)。

四畫

7【巡】巛4 고교 순 | 돌 | ㊥眞

巛 巛 巛 巛 巛 巡

자원 형성 巛음 + 辵(辶) 巡 (巛부) 2500년전

길을 가다의 뜻인 「辶책받침」과、돌다의 뜻과 함께 음을 나타내기 위한 「巛천」(순은 변음)으로 이루어짐。돌아다니다의 뜻。

뜻 **돌순** ①시찰 또는 경계를 하기 위하여 순행함。「巡檢순검」 ②여러 곳을 빙 돎。「巡廻순회」

【巡警 순경】 ①순회하여 경계함。또 그 사람。②《韓》경찰관의 최하급。

【巡邏* 순라】 도둑·화재 등을 경계하기 위하여 돌아다님。또 그 사람。

【巡覽 순람】 각처로 돌아다니며 관람(觀覽)함。

【巡禮 순례】 신앙(信仰)으로 인하여 여러 성지(聖地)를 차례로 돌아다님。

【巡撫* 순무】 순회(巡廻)하며 백성을 「위무(慰撫)함。

【巡視 순시】 돌아다니며 시찰함。

【巡遊 순유】 각처로 돌아다니며 놂。

【巡察 순찰】 돌아다니며 살핌。

【巡航 순항】 배로 각지를 돌아다님。

【巡行 순행】 각처(各處)로 돌아다님。

【巡幸 순행】 순수(巡狩)。

【巡廻* 순회】 각처(各處)로 돌아다님。

八畫

11【巢】巛8 소 | 새집 | ㊥肴

자원 상형 3000년전 2500년전

「巢소」는 새(巛)가 나무(木) 위에 얹혀 있는 바구니 모양(𠕁)의 보금자리에 깃들고 있는 모양을 본뜬 것。

뜻 **①새집소** 새의 보금자리。전(轉)하여 벌레·짐승·비적(匪賊) 등의 집의 뜻으로 널리 쓰임。「巢窟소굴」 **②깃들일소** 보금자리를 지음。**③망루소** 망대(望臺)。

참고 「巢」를 음으로 하는 글자=「勦초」〈노곤하다〉·「璪소」〈옥돌〉

【巢窟 소굴】 도둑·비도(匪徒)·악한 등의 근거지。

◉故巢고소 蜂巢봉소 燕巢연소 危巢위소

〔三畫部首順〕 ロ口土士夊夂夕大女子宀寸小尢尸屮山巛工己巾干幺广廴廾弋弓彐彡彳

工部

3 【工】 부수 중학 **공** | 장인 | ㊥東

一 丅 工

자원 상형 工 2500년전

「工공」은 무언가의 도구(道具)의 모양. 본디는 「巨거」와 같은 갈고랑이 모양의자 같고, 그것은 신에게 기도드릴 때 쓰는 것이기도 하였음. 또 석기(石器)에 구멍을 뚫는 연장도 「工」이었음. 「工」은 「孔공」「空공」과 음이 같아서 구멍→구멍을 뚫다→꿰뚫고 빠져 나간다는 뜻도 나타냄. 또 도구→일→관리란 뜻으로도 되었음.

뜻 ①**장인공** 물건을 만드는 사람 「職工직공」 ②**공업공** 기물을 만드는 업。 ③**벼슬아치공** 관리。 ④**악인공** 음악을 연주하는 사람。 ⑤**일공** 하는 일。 「女工여공」 ⑥**교묘할공** 기술이 교묘함。 「工拙공졸」

참고 「工」을 음으로 하는 글자=「功공」〈공〉·「扛강」〈마주 들다〉·「攻공」〈치다〉·「訌홍」〈어지럽다〉·「江강」〈강〉·「缸항」〈항아리〉·「汞홍」〈수은〉·「貢공」〈공물〉·「紅홍」〈붉다〉·「肛항」〈똥구멍〉·「虹홍」〈무지개〉·「項항」〈목덜미〉·「空공」〈하늘〉

【工課 공과】 공부하는 과정(課程)。

【工女 공녀】 길쌈을 하는 여자。 또 여직공(女職工)。

【工力 공력】 ①사려(思慮)와 역량(力量)。 ②공작(工作)의 인부(人夫)。

【工率 공률】 기계(機械)가 단위(單位) 시간마다 하는 일。

【工夫 공부】 ①학문(學問)·기술(技術)을 배움。 ②배운 것을 연습함。

【工部 공부】 육부(六部)의 하나。 영선(營繕)·공사(工事) 등의 일을 맡음。

【工費 공비】 공사(工事)의 비용。

【工事 공사】 ①토목 공사。 공역(工役)。 ②건축·제작 등에 관한 일。

【工役 공역】 토목 공사(土木工事)。

【工藝 공예】 물건을 만드는 재주。 「工」。 제작(製作)의 기술(技術)。

【工人 공인】 직공(職工)。 또 목공(木工)。

【工作 공작】 ①토목(土木)의 공사(工事)。 ②목수 일。 ③계획(計畫)하여 경영(經營)함。

【工匠* 공장】 ①공인(工人)。 ②목수(木手)。

【工錢 공전】 《韓》 장색(匠色)의 품삯。

【工程 공정】 ①작업의 과정。 일의 분량。 ②공률(工率)。

◉加工가공 技工기공 名工명공 木工목공 石工석공 人工인공 拙工졸공 職工직공

二畫

5 【巧】 工 2 고교 **교** | 공교할 | ㊤巧

一 丅 工 工 巧

자원 형성 工 丂 음 ⊢巧 (工부)

기술을 뜻하는 「工공」과 음을 나타내는 「丂교」로 이루어짐。 솜씨의 공교함을 뜻함。

뜻 ①공교할교 ㉠솜씨가 있음。「巧拙교졸」 ㉡말솜씨가 있음。 겉만 번드르하게 꾸밈。「巧言令色교언영색」 ②예쁠교 아름다움。 또 귀염성스러움。 ③약을교 약삭빠름。 ④재주교 기능。 ⑤계교교 책략。 작은 꾀。 ⑥공교히교 교묘하게。

【巧妙 교묘】 썩 잘되고 묘함。

【巧詐 교사】 교묘한 수단으로 남을 속임。

【巧言令色 교언영색】 남의 환심을 사기 위하여 아첨하는 교묘한 말과 보기 좋게 꾸미는 얼굴빛。

◉乞巧걸교 技巧기교 奇巧기교 精巧정교

5 **【巨】** 工 2 중학 **거** — 클 — ㊤語

丨 厂 𠂆 巨 巨

자원 상형 [巨] 2500년전

「巨」는 손잡이(ㄱ)가 달린 큰 자(工)를 본뜸。「矩구」「榘구」의 본디 글자。 전(轉)하여、 크다는 뜻。

뜻 ①**클거** 거대함。「巨物거물」 ②**많을거** 「巨多거다」 ③**어찌거**

참고 「巨」를 음으로 하는 글자=「拒거」〈막다〉·「距거」〈며느리발톱〉·「渠거」〈도랑〉·「炬거」〈홰〉·「矩구」〈곱자〉

【巨家大族 거가대족】 대대(代代)로 번영(繁榮)하는 집안。

【巨金 거금】 큰 돈。 많은 돈。

【巨利 거리】 거액(巨額)의 이익。

【巨物 거물】 ①학문이나 세력 같은 것이 뛰어난 인물。 ②거창한 물건。

【巨富 거부】 엄청난 재산。 큰 부자。

【巨額 거액】 많은 액수(額數)의 돈。

【巨儒 거유】 큰 학자。 대유(大儒)。

【巨人 거인】 ①몸이 큰 사람。 ②위인。

【巨匠* 거장】 위대한 예술가。

【巨刹* 거찰】 큰 절。 대찰(大刹)。

5 **【左】** 工 2 중학 **좌** — 왼 — ①-⑤㊤哿 ⑥㊦箇

一 ナ 𠂇 左 左

자원 형성 工 ナ 음 → 左 (工부)

〔ナ〕〔又〕 3000년전 〔左〕 〔右〕〔左〕 2000년전

左

음을 나타내는 「ナ좌」는 왼손。「工공」은 도구(道具)→일。「左」는 손에 도구를 가지고 일을 도와주다→손→왼손→왼쪽。 나중에 「佐좌」가 돕는다는 전용자(專用字)로 되고 「左」는 왼쪽의 전용자로 됨。

뜻 ①**왼좌、 왼편좌** ㉠왼쪽。 왼편。「左右좌우」 ㉡방위로는 동쪽。 곧 남향하여 왼쪽。「江左강좌」「山左산좌」 ㉢아래。 하위(下位)。 ②**왼쪽으로갈좌** 왼편으로 감。 ③**멀리할좌** 소외(疏外)함。 ④**그를좌** ㉠옳지 아니함。 ㉡일이 잘 되지 아니함。 ⑤**증거좌** 증명할 수 있는 근거。「證左증좌」 ⑥**도울좌** 佐(人部五畫)와 통용。

참고 「左」를 음으로 하는 글자=「佐좌」〈돕다〉·「差차」〈차이〉

【左傾 좌경】 좌익으로 기울어 짐。

【左顧 좌고】 ①왼쪽을 돌아 봄。 ②장자(長者)가 손아랫 사람을 사랑함。

【左顧右眄* 좌고우면】 이쪽저쪽으로 돌아보며 정신을 씀。

【左文右武 좌문우무】 문무를 병용(倂用)함。

【左右 좌우】 ①왼편과 오른편。 ②곁。

엽。③측근자(側近者)。근신(近臣)。

【左右請囑* 좌우청촉】수단을 다하여 여러 곳에 청함。

【左議政 좌의정】《韓》의정부(議政府)의 정일품(正一品) 벼슬。

【左翼 좌익】①왼편 날개。②중군(中軍)의 왼편에 있는 군대。③급진파(急進派)。혁신파(革新派)。

【左傳 좌전】춘추좌씨전(春秋左氏傳)의 준말。춘추(春秋)의 해석서。

【左之右之 좌지우지】①마음대로 처리함。②남에게 대하여 이리 해라 저리 해라 함。

【左遷 좌천】관등(官等)을 떨어뜨림。

【左衝右突 좌충우돌】이리저리 마구 치고 받고 함。

◉如左여좌 證左증좌

【功】⇩力部三畫

【仝】⇩人部三畫

四畫

7 【巫】工 4 **무** | 무당 | ㊥虞

자원 상형 2500년전

「巫무」는 무당이 신에게 제사를 지내어 신이 내리게 하는 나무의 모양을 본뜬 「工공」과 신전(神前)에서 춤 출 때의 양소매의 모양인「从」로 이루어짐。

뜻 **무당무** 여자 무당。

참고 「巫」를 음으로 하는 글자=「誣무」〈꾸미다〉

【巫女 무녀】무당。

【巫卜 무복】무당과 점(占)장이。

【攻】⇩攴部三畫

七畫

10 【差】工 7 고교 ㊀**차** ㊁**치** | 틀릴 | ㊀①-③㊥麻 ④㊥佳 ⑤㊤卦 ⑥㊥支 ㊁①㊥支 ②㊤卦

丷 䒑 𦍌 羊 𢀩 𢀩 差

자원 형성 左(음)・𠂹 ┬ 𢀩 - 差(工부)

「𠂹 ↓ 垂수」는 곡물(穀物)의 이삭이 축 늘어진 모양。「禾화」로 쓰는 자형(字形) (B)도 있음。음을 나타내는「左좌」(차는 변음)는 다르다、엇갈리다의 뜻。「差차」는 엇갈리다、다르다의 뜻。

(A) (B) 2500년전

뜻 ㊀①**틀릴차** 어긋남。「差訛차와」②**틀림차** 상위(相違)。착오。③**가릴차** 선택함。④**사신갈차**、**사신보낼차** 사신(使臣)으로 감。또 사신으로 보냄。「欽差흠차」⑤**나을차** 병이 나음。⑥**차차** ㉠등급。구별。「等差등차」㉡한 수에서 다른 수를 뺀 나머지의 수。㊁①**들쑥날쑥할치** 가지런하지 아니함。②**조금치** 약간。

참고 「差」를 음으로 하는 글자=「嵯차」〈우뚝솟다〉·「槎사」〈떼목〉·「艖차」〈거룻배〉·「蹉차」〈넘어지다〉·「磋차」〈갈다〉·「瘥채」〈낫다〉·「嗟차」〈탄식〉

【差減 차감】비교하여 덜어냄。

【差遣 차견】사람을 보냄。「는 일。

【差度 차도】병(病)이 조금씩 나아가

【差等 차등】차이 나는 등급。등차。

【差別 차별】층등(層等)이 지게 나누어 가름。
【差額 차액】어떤 액수를 감한 나머지의 액수。
【差異 차이】서로 다름。
【差出 차출】벼슬아치를 임명함。
◉落差낙차 大差대차 等差등차 霄壤之差소양지차 誤差오차 參差참치

【貢】⇩貝部三畫

九畫

【項】⇩頁部三畫

己部

3【己】부수 중학 기 | 몸 | ㊤紙

「ㄱㅋ己

자원 상형 (A) (B) 3000년전

〔三畫部首順〕口口土士夂夊夕大女子宀寸小尢尸屮山巛工己巾干幺广廴廾弋弓彐彡彳

「己」는 굽은 것을 바로잡는 모양↓ 일으키는 일。 일으키다의 뜻은 나중에 「起기」로 쓰고 「己」는 천간(天干)의 여섯 번째로 쓰게 되었음。 「己」를 자기 자신의 뜻으로 쓰는 것은 己의 모양이 「㠯→以이」와 닮고 「㠯」의 모양과 음은 「台이」〈나〉와 비슷해서 그것들이 혼용된 듯함。

뜻 ①몸기 ㉠자기 몸。 자아。「自己자기」 ㉡사사。 사욕。 ②여섯째천간기 십간(十干)의 제육위(第六位)。 방위로는 중앙, 오행으로는 토(土)。 ③다스릴기 紀(糸部三畫)와 같은 글자。

주의 「已이」〈이미〉·「巳사」〈뱀〉는 딴 글자。

참고 「己」를 음으로 하는 글자=「記기」〈적다〉·「紀기」〈실마리〉·「起기」〈일어서다〉·「忌기」〈꺼리다〉·「改개」〈고치다〉·「妃비」〈왕비〉

【己卯士禍 기묘사화】《韓》중종(中宗) 십사년(十四年) 기묘년(己卯年)에 일어났던 조광조(趙光祖) 등의 급진적 개혁 정치에 반대하는 심정(沈貞)·남곤(南袞) 등 훈구파(勳舊派)의 모략에 의한 사림(士林)들의 참화 사건。

【己所不欲勿施於人 기소불욕물시어인】자기(自己)가 싫어하는 것은 다른 사람도 역시 싫어하는 것이니 이것을 남에게 시키면 안 된다는 말。

◉克己극기 自己자기 知己지기

3【已】己 0 중학 이 | 말 | ㊤紙 ㊥支

「ㄱㅋ已

자원 상형 2500년전

「已」는 본디 지지(地支)의 「巳사」와 같고 뱀 모양을 본떴으나 그와 구별하여 「已」라 쓰며 그 음을 빌어 이미·그치다·따름 따위의 뜻을 나타냄。

뜻 ①말이、그칠이 그만 둠。 또 끝남。 ②이미이 벌써。「已成이성」 ③버릴이 버려 둠。 ④너무이 대단히。「已甚이심」 ⑤따름이 단정하는 말。「而已이이」 ⑥조금있다가이 그 후

얼마 안되어。⑦써이 以(人部三畫)와 통용。⑧나을이 병이 나음。

주의 「己기」〈몸〉·「巳사」〈뱀〉는 딴 글자。

【已成 이성】이미 이루어짐。

【已往 이왕】이전(以前)。과거(過去)。

◉不得已부득이 死而後已사이후이

3 【巳】己 0 중학 사 | 여섯째지지 | (上)紙

「ㄱ ㄱ 巳」

자원 상형 2500년전

뱀의 모양을 본뜬 것。

뜻 여섯째지지사 십이지(十二支)의 제육위(第六位)。방위로는 동남。시각으로는 오전 아홉시부터 열 한시까지。띠로는 배암。

주의 「己기」〈몸〉·「已이」〈이미〉와는 딴 글자。

一畫

4 【巴】己 1 파 | 땅이름 | (平)麻

자원 상형 3000년전 2500년전

본래 뱀이 또아리를 틀고 있는 모양을 본뜸。소용돌이의 뜻。

뜻 ①땅이름파 사천성(四川省)의 중경(重慶) 지방。②천곡파 천한 가곡(歌曲)。속된 가곡。

참고 「巴」를 음으로 하는 글자=「把파」〈잡다〉·「爬파」〈긁다〉·「杷파」〈발고무래〉·「耙파」〈써레〉·「鈀파」〈쇠스랑〉「芭파」〈파초〉·「琶파」〈비파〉

【巴人 파인】파(巴)지방 사람。전하여 시골 사람。비속한 사람。

【巴蜀 파촉】사천(四川)의 별칭。파(巴)는 지금의 사천성(四川省) 중경(重慶)지방。촉(蜀)은 지금의 사천성 성도(成都)지방。

◉三巴삼파

四畫

【攷】⇩支部三畫

六畫

9 【巷】己 6 고교 항 | 거리 | (去)絳

一 十 卄 丗 龷 共 共 巷 巷

자원 형성 邑-己 ⺊ 巷(己부) 共음 (A) (B) 2500년전

「邑읍」〈고을〉의 생략형 「己」와、음을 나타내며 동시(同時)에 같이 하다의 뜻을 가진 「共공」(항은 변음)으로 이루어짐。고을의 길、전(轉)하여 통로(通路)의 뜻。

뜻 ①거리항 마을 또는 시가 안의 길。「巷街항가」②복도항 궁전 또는 저택의 낭하。③마을항 읍촌(邑村)。④후궁항 주되는 궁전의 뒤쪽에 있는 궁전。⑤집항 거택(居宅)。

주의 「巷」은 속자(俗字)。

참고 「巷」을 음으로 하는 글자。「港항」〈항구〉

【巷間 항간】서민(庶民)들 사이。

【巷談 항담】거리에 떠도는 소문(所聞)。세상(世上)의 풍설(風說)。

◉街巷가항 窮巷궁항 陋巷누항

〔三畫部首順〕 ㅁ口土士夂夊夕大女子宀寸小尢尸屮山巛工己巾干幺广廴廾弋弓彐彡彳

巾部

3 **【巾】** 부수 **건** | 헝겊 | ㊥眞

자원 상형 巾 2500년전

앞치마 모양을 본뜸。「건」의 음은 손을 닦는 것의 뜻(⇩攟근)에서 유래。전(轉)하여、행주의 뜻。한자의 부수(部首)로서는 베·천에 관한 글자의 음부(音符)로 씀。

뜻 ①**헝겊건** 피륙의 조각。②**수건** 「手巾수건」 ③**건건** 두건(頭巾)。④**덮을건** 물건을 덮어 가림。

【巾櫛 건즐】 ①수건(手巾)과 빗。②머리를 빗고 낯을 씻는 일。

◉頭巾두건 帛巾백건 手巾수건 布巾포건

二畫

5 **【市】** 巾 2 중학 **시** | 저자 | ㊤紙

丶 亠 亣 市

자원 형성 冂 之(음) 乁 → 市(巾부) 2000년전

「冂」와 「乁」와 음을 나타내는 「之지」(시는 변음)를 합한 글자。「冂」는 경계의 뜻、「乁」은 「及급」〈미치다〉의 본디 글자、「之」는 가다의 뜻。「市」는 경계 있는 곳으로 가 다다르다→저자·시장。

뜻 ①**저자시** ㉠장。「市井시정」 ㉡전(轉)하여、인가가 많고 상품의 매매가 잘 되는 곳。번화한 곳。시가。도시。「城市성시」 ②**팔시** ③**살시** ④**장사시** 매매。교역。⑤**값시** 가격。

【市街 시가】 집이 많고 번화한 곳。

【市價 시가】 장의 시세(時勢)。

【市有 시유】 시의 소유(所有)。

【市尹* 시윤】 시장(市長)。 「正」。

【市長 시장】 시의 장(長)。 시정(市

【市場 시장】 장수들이 모이어 물건을 팔고 사고 하는 곳。

【市井 시정】 ①저자。장。전(轉)하여 인가(人家)가 많은 곳。②시가에 사는 평민(平民)。민가(民家)。③세간(世間)。속류(俗流)。

【市井輩 시정배】 시정(市井)아치。시정에서 장사에 종사하는 천한 무리。

◉關市관시 交市교시 都市도시 門前成市문전성시 夜市야시 魚市어시

5 **【布】** 巾 2 중학 **포** | 베 | ㊦遇

ノ ナ 𠂇 冇 布

자원 형성 巾 父(음) → 布(巾부) 2500년전

「巾건」〈옷감〉과、음을 나타내며 동시(同時)에 한 집안 전체를 거느리는 가장(家長)을 뜻하는 「父부」(포는 변음)로 이루어짐。넓게 편 천→천을 넓게 펴다의 뜻。

뜻 ①**베포**、**무명포** 면직물。「布帛포백」 ②**돈포** 전화(錢貨)。③**펼포** ㉠널리 알림。또 널리 알리는 서면。

포고문。 ㉡분산함。 ㉢진(陣)을 침。「布陣포진」「布石포석」 ④베풀포 급여함。「布施포시」 ⑤벌일포 ㉠벌여 놓음。 ㉡진열함。

【布施 보시】《佛教》 포시(布施)❷。

【布告 포고】 일반에게 널리 알림。

【布教 포교】 ①종교(宗教)를 널리 폄。 ②교육을 보급시킴。

【布簾* 포렴】 술집이나 복덕방 따위의 문앞에 느린 광목 조각。

【布木 포목】 베와 무명。 또 직물。

【布帛* 포백】 베와 비단。 또 직물。

【布石 포석】 ①바둑 둘 때 처음에 돌을 벌여 놓음。 ②《韓》 일의 장래를 위하여 손을 씀。

【布施 포시】 ①가난한 사람에게 물건을 베풀어 줌。 ②《佛教》 탐욕이 없는 깨끗한 마음으로 중에게 금품을 베풀어 줌。 또 그 금품。 보시(布施)。

【布衣 포의】 ①베옷。 벼슬하지 않은 사람이 입는 옷。 전(轉)하여 ②벼슬하지 않은 사람。 무위무관(無位無官)의 사람。 백의(白衣)。

【布衣之交 포의지교】 ①벼슬을 하지 않던 빈천할 때부터의 사귐。 ②귀천(貴賤)을 떠난 사귐。

【布衣寒士 포의한사】 벼슬이 없는 가난한 선비。

【布陣 포진】 진(陣)을 침。

◉公布공포 麻布마포 綿布면포 毛布모포 分布분포 宣布선포 流布유포

三畫

6 【帆】 巾 3 범 |돛| ㊊咸

자원 형성 巾 凡음 ┬ 帆 (巾부)

헝겊을 뜻하는 「巾수건건변」과、 음을 나타내는 「凡범」으로 이루어짐。 바람을 받기 위한 천→돛。

뜻 ①돛범 배의 돛。「帆竿범간」「出帆출범」 ②돛달범 돛을 달고 배를 가게 함。 출범(出帆)함。

【帆布 범포】 돛을 만드는 두껍고 질긴 무명。

◉孤帆고범 歸帆귀범 白帆백범 出帆출범

【吊】 ⇩口部三畫

四畫

7 【希】 巾 4 중학 희 |바랄| ㊊微

ノ ㄨ 乄 产 肴 希 希

자원 회의 巾 爻 ┬ 希 ─ 希 (巾부)

옷감、 천을 뜻하는 「巾건」과、 교차(交叉)하다의 뜻을 가지는 「爻효」로 이루어짐。 실을 섞어 짠 옷감、 천의 뜻。 나중에 음을 빌어 드물다、 바라다의 뜻으로 쓰임。

뜻 ①드물희 희소함。「希有희유」 ②성길희 사이가 배지 않고 뜸。「希少희소」 ③바랄희 희망함。「希冀희기」

참고 「希」를 음으로 하는 글자=「稀희」〈드물다〉・「唏희」〈훌쩍훌쩍 울다〉

【希求 희구】 바라고 구(求)함。

【希代 희대】 세상에 드묾。

【希臘* 희랍】 유럽의 동남부 발칸반도 남단에 있는 공화국。 그리이스。

【希望 희망】 바람。 소원(所願)。

【希少 희소】 드묾。 또 성김。

〔三畫部首順〕 口囗土士夂夊夕大女子宀寸小尢尸屮山巛工己巾干幺广廴廾弋弓彐彡彳

【希願 희원】 희망(希望)。
【希有 희유】 드물게 있음。

五畫

8【帖】巾5 ㊀첩 ㊁체(韓) ─ 휘장 ─ ㊀入葉

자원 형성 巾 占(음) ─ 帖(巾부)

명주를 뜻하는「巾수건건변」과、음을 나타내는「占점」(첩은 변음)으로 이루어짐。명주에 글자를 써 넣은 것。

뜻 ㊀①**휘장첩** 침소(寢所)의 앞에 치는 휘장。②**표제첩** 표시하는 제목。③**패첩** 게시(揭示)하는 종이나 나무 조각。④**찌첩** 부전(附箋)。⑤**시첩**(試帖)**첩** 당대(唐代)의 과거에서 명경(明經)의 방법。⑥**두루마리첩** 서화의 권축(卷軸)。⑦**탑본첩** 탁본(拓本)。전(轉)하여 습자책。「碑帖비첩」⑧**문서첩** 서류。⑨**장부첩** 부적(簿籍)。「帖子첩자」⑩**주련첩** 세로 써 붙이는 연구(聯句)。⑪**어음첩** 어음。「券帖권첩」⑫**명함첩** 성명을 적은 종이쪽。⑬**편지첩** 서한。⑭**과녁첩** 사적(射的)。⑮**첩첩** 약(藥)한 봉지。⑯**늘어뜨릴첩** 축 처지게 함。⑰**편안할첩** 안심함。안정함。㊁《韓》**체지체**「帖紙체지」는 관청에서 이례(吏隸)를 고용하는 서면。

【帖子 첩자】 장부(帳簿)。
【帖紙 체지】《韓》 뜻풀이 ㊁를 보라。
◉法帖법첩 書帖서첩 手帖수첩 畫帖화첩

8【帙】巾5 질 ─ 책갑 ─ 入質

자원 형성 巾 失(음) ─ 帙(巾부)

천을 뜻하는「巾수건건변」과、음과 함께 덮어 막다의 뜻(⇩窒질)을 보이는「失실」(질은 변음)로 이루어짐。

뜻 ①**책갑질** 서의(書衣)。②**책질** 서책。「書帙서질」

◉卷帙권질 部帙부질 書帙서질。

8【帛】巾5 백 ─ 비단 ─ 入陌

자원 형성 巾 白(음) ─ 帛(巾부)

헝겊을 뜻하는「巾건」과、희다는 뜻과 함께 음을 나타내는「白백」으로 이루어짐。흰 누인 명주。

뜻 **비단백**、**명주백** 견직물。「布帛포백」

【帛巾 백건】 비단 헝겊。「비단。
【帛書 백서】 비단에 쓴 글자。또 그
◉練帛연백 竹帛죽백 幣帛폐백 布帛포백

六畫

9【帥】巾6 고교 ㊀수 ㊁솔 ─ 장수 ─ ㊀去寘 ㊁入質

′ 𠂆 户 户 𠂤 𠂤 𠂤 𠂤 帥

자원 형성 巾 𠂤(음) ─ 帥(巾부)

헝겊을 뜻하는「巾건」과 음을 나타내는 동시에 드리운다는 뜻(⇩垂수)을 보이는「𠂤퇴」(수·솔은 변음)로 이루어짐。허리에 드리우는 수건의 뜻。음을 빌어 거느리다의 뜻(⇩率솔)으로 씀。

뜻 ㊀①**장수수** 군대의 주장(主將)。

「帥長수장」 ⊟①거느릴솔 率(玄部六畫)과 같은 글자。②좇을솔 순종함。③본보기솔 모범。

주의 「師사」〈스승〉는 딴 글자。

【帥先 솔선】앞장서서 인도함。솔선(率先)。

【帥長 수장】군대의 우두머리。대장(大將)。

◉元帥원수 將帥장수 主帥주수 統帥통수

9【帝】巾6 중학 제 | 임금 | ㊄霽

丶 亠 亠 亣 产 产 帝 帝

자원 상형  3000년전  2500년전

「帝」는 하늘에 제사지낼 때 제수를 올려 놓는 제상의 모양을 본뜸。전하여 천신。또 황제의 뜻으로 씀。

뜻 ①하느님제 상천(上天)。조화(造化)。「天帝천제」 ②임금제 천자(天子)。「帝王제왕」

참고 「帝」를 음으로 하는 글자=「啼제」〈울다〉·「禘체」〈큰제사〉·「締체」〈맺다〉·諦「체」〈살피다〉

【帝國 제국】황제(皇帝)가 통치하는 나라。

【帝都 제도】황제(皇帝)가 거처하는 서울。

【帝釋天 제석천】천축(天竺)의 신。자비스러운 형상을 하고 몸에 영락(瓔珞)을 둘렀는데 수미산(須彌山) 꼭대기 도리천(忉利天)의 중앙 희견성(喜見城)에 있어 삼십 삼천(三十三天)의 주(主)임。제석(帝釋)。

【帝室 제실】황제(皇帝)의 집안。황실(皇室)。

【帝業 제업】제왕(帝王)의 사업。천자가 천하를 다스리는 일。

【帝王 제왕】황제。천자。

【帝王韻記 제왕운기】《韓》고려(高麗) 충렬왕(忠烈王) 때 이승휴(李承休)가 지은 역사책。

【帝位 제위】제왕(帝王)의 자리。

【帝政 제정】황제(皇帝)의 정치。

◉上帝상제 先帝선제 女帝여제 天帝천제

七畫

10【師】巾7 중학 사 | 스승 | ㊥支

丿 亻 户 𠂤 𠂤 𠂤 師 師

자원 회의 𠂤+帀→師(巾부) 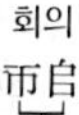 3000년전  2500년전

「𠂤퇴」〈쌓아 올리다·작은 언덕〉와 「帀잡」〈빙 두르다〉로 이루어짐。옛날에는 언덕에 사람이 모여 살고 또 군대가 주둔했으므로 사람이 많다、군대의 뜻이 됨。또 사람의 모범이 되어 남을 이끄는 사람、선생의 뜻이 됨。사람이 많다는 뜻에서 수도(首都)도 「師」라 함。

뜻 ①스승사 ㉠선생「教師교사」 ㉡전문의 기예를 가진 사람。한 기예에 뛰어난 사람。「醫師의사」 ㉢남의 모범이 될 만한 훌륭한 사람。「師表사표」 ②스승으로삼을사 본받음。모범으로 삼음。「師範사범」 ③벼슬아치사 관리。④벼슬사 관직。⑤군사사 ㉠주대(周代)의 군제(軍制)에서 오려(五旅)、곧 이천 오백 명의 일컬음。중화민국의 군제에서는 사단(師團)의 일컬음。㉡군대의 통칭(通稱)。⑥뭇사람사 중서(衆庶)。중인(衆人)。⑦신령사 신(神)。⑧사자사 獅(犬部十畫)와 통용。⑨사패

사 육십사괘(六十四卦)의 하나。곤감하(坎下)、곤상(坤上)。 출사(出師)의 상(象)。

【師團 사단】 군대(軍隊) 편성의 한 단위。군단의 아래。여단의 위。

【師母 사모】 스승의 아내。

【師範 사범】 ①법。 모범。 ②모범이 될 만한 사람。 ③학문、기예 등을 가르치는 사람。

【師父 사부】 ①스승의 존칭(尊稱)。②승과 아버지。

【師恩 사은】 스승의 은혜。

【師表 사표】 남의 모범(模範)이 될 만큼 학덕(學德)이 높은 일。또 그 사람。사범(師範)。

◉敎師교사 軍師군사 大師대사 牧師목사 法師법사 禪師선사 水師수사 出師출사

10 **【席】** 巾 7 [중학] **석** | 자리 | [入]陌

亠 广 户 庐 庐 席 席

[자원] 형성 庶[음]-广 巾 ⊤席(巾부)

3000년전

천을 뜻하는 「巾수건건」과、음을 나타내는 동시에 깐다는 뜻을 보이는 「广」(「庶서」의 생략형)으로 이루어짐。깔개、좌석을 뜻함。

[뜻] ①**자리석** ㉠까는 자리。㉡요나 방석。㉢서거나 앉는 자리「坐席좌석」 ②**깔석** 자리를 깖。 ③**베풀석**、**벌일석** 진열함。④**자뢰할석** 의뢰함。

【席藁待罪* 석고대죄】 거적을 깔고 엎드리어 처벌을 기다림。

【席捲* 석권】 힘들이지 않고 모조리 빼앗음。석권(席卷)。

【席次 석차】 ①자리의 차례。 ②성적의 순서。석순(席順)。

◉末席말석 陪席배석 法席법석 宴席연석 坐席좌석 酒席주석 卽席즉석 着席착석

10 **【帰】** 巾 7 歸(止部十四畫)의 속 자(俗字)。

[八畫]

11 **【帳】** 巾 8 [고교] **장** | 휘장 | [去]漾

丨 冂 巾 帄 帐 帳 帳

[자원] 형성 長[음] 巾 ⊤帳(巾부)

천의 뜻인「巾수건변」과 음을 나타내는 동시에 펴다의 뜻(⇩長장)으로 이루어짐。침대 위에 친 천·장막의 뜻。

[뜻] ①**휘장장**、**장막장**「帷帳유장」②**천막장** 유목민(遊牧民)의 옥사(屋舍)。③**장장** 장막 같은 것을 세는 수사。④**장부장** 치부책。「記帳기장」

【帳幕 장막】 한데에 베풀어서 볕 또는 비를 가리고 사람이 들어 있게 친 물건。

【帳簿 장부】 금품(金品)의 수입·지출 또는 기타의 사항을 기록하는 책。

◉開帳개장 錦帳금장 記帳기장 通帳통장

11 **【帶】** 巾 8 [고교] **대** | 띠 | [去]泰

一 卄 卄 卌 卌 卌 帶 帶 帶

[자원] 상형

2000년전

(A) 2500년전

옛날 지위 높은 사람은 허리에 띠를 매고 그 전체를 「帶」라 일컫고 늘어뜨린 부분만은「紳신」이라 하였음。(A)는「帶」의 옛 자형이라고 함。

뜻 ①띠대 ㉠허리에 띠는 것。「衣帶의대」㉡또 띠같이 물건의 주위를 두르는 것。②근처대 길게 뻗은 것의 근방。③띨대 ㉠띠를 두름。㉡빛깔을 조금 지님。④두를대 위요(圍繞)함。빙 두름。⑤찰대 허리에 참。「帶劍대검」⑥데릴대 데리고 다님。

참고 「帶」를 음으로 하는 글자=「滯체」〈막히다〉·「蔕체」〈꼭지〉

【帶劍 대검】칼을 참。또 그 칼。

【帶同 대동】함께 데리고 감。

【帶方 대방】《韓》평양(平壤) 이남(以南)、한강(漢江) 이북(以北) 땅의 옛 이름。후한(後漢) 건안(建安) 연간(年間)에 대방군(帶方郡)을 두었는데、낙랑군(樂浪郡)이 망(亡)한 뒤에 고구려(高句麗)에 병합됨。

◉冠帶관대 綳帶붕대 地帶지대 携帶휴대

11 【常】 巾 8 중학 상 | 항상 | ㊣陽

丶 丷 ⺌ 𫝀 尚 尚 常 常 常

자원 형성 巾 尙음 ┬ 常(巾부)

「巾건」은 헝겊→옷。「尙상」은 더하다。「常」은 아랫도리에 입는「帬군」〈속바지〉위에 받쳐 입는 긴 치마→길다→오래 계속하다→항상。「常」은 본디는「裳상」과 같은 말이었음。

뜻 ①항상상 ㉠항구。영구。불변。㉡불변의 도(道)。늘 행하여야 할 도。전법(典法)。「五常오상」㉢당연。정당。㉣보통의 상태。상례(常例)。㉤일정。확정。㉥평상시。㉦늘。「常用상용」②범상상 범용(凡庸)。「常人상인」③두길상 척도(尺度)의 단위。심(尋)의 두 배。곧 십육 척(十六尺)。④산앵도나무상 앵도과에 속하는 낙엽 관목。산이스랏나무。⑤일찍상 嘗(口部十一畫)과 통용。

【常軌* 상궤】떳떳하고 바른 길。

【常規 상규】①보통의 일반적인 규정 또는 규칙。②늘 변하지 않는 규칙。상전(常典)。「例)。항례(恒例)。

【常例 상례】보통(普通)의 사례(事

【常綠樹 상록수】잎이 사시(四時)를 두고 늘 푸른 나무。소나무·대나무 따위。

【常務 상무】일상의 업무。

【常民 상민】《韓》보통 백성。상사람。

【常備 상비】늘 준비(準備)하여 둠。

【常事 상사】①보통의 일。일상의 일。②정하여진 일。

【常習 상습】늘 하는 버릇。

【常勝 상승】언제나 이김。늘 승리함。

【常識 상식】보통 사람이 가지고 있는 이해력과 지식(知識)。

【常娥* 상아】달 속에 있다는 선녀。전하여 달의 이칭。항아(姮娥)。

【常用 상용】늘 씀。

【常人 상인】①보통(普通) 사람。②「《韓》상사람。

【常情 상정】①항상 품고 있는 심정。②사람에게 공통(共通)되는 인정。

【常住 상주】①《佛敎》생멸(生滅) 없고 변천(變遷) 없이 늘 존재함。영구 불변임。②늘 삶。항상 거주함。

【常套* 상투】항상 하는 투。

【常平通寶 상평통보】《韓》조선 인조(仁祖)와 숙종(肅宗) 때에 쓰던 엽전。

【常平倉 상평창】미가(米價)의 조절을 위하여 정부에서 설치한 창고。

無常무상 非常비상 異常이상 日常일상

九畫

12【帽】巾 9 모 | 건 | [去]號

[자원] 형성 巾冒[음] ┬ 帽(巾부)

2500 년전

헝겊의 뜻인「巾건」과 음을 나타내는 동시에 덮어 가리다의 뜻을 나타내는「冒모」로 이루어짐。머리를 덮는 헝겊, 곧 쓰개의 뜻。

[뜻] ①건모 두건。「冠帽관모」②두겁모 붓두껍。

[주의]「帽」는 속자(俗字)。

【帽子 모자】건。두건(頭巾)。자(子)는 조자(助字)。

◉禮帽예모 制帽제모 脫帽탈모 學帽학모

12【幅】巾 9 [고교] ㊀폭 | 폭 | ㊀[入]屋 ㊁핍 | | ㊁[入]職

丨 冂 巾 巾一 巾丆 巾戸 巾戸 幅 幅 幅

[자원] 형성 巾畐[음] ┬ 幅(巾부)

「巾수건건변」과 음을 나타내는「畐복」(폭은 변음)으로 이루어짐。옷감의 폭, 너비의 뜻。전하여, 단순(單純)히 폭의 뜻으로 쓰임。

[뜻] ㊀①폭폭 ㉠넓이。「幅員폭원」㉡족자 또는 서간(書簡) 등을 세는 수사(數詞)。②가폭 좌우의 가장자리。「邊幅변폭」③포백폭 직물。④족자폭 서화의 축(軸)。㊁행전핍 무릎 아래에 매는 물건。

◉大幅대폭 滿幅만폭 邊幅변폭 全幅전폭

十一畫

14【幕】巾 11 [고교] 막 | 장막 | [入]藥

丶 十 艹 芇 苩 莒 莫 幕 幕

[자원] 형성 巾莫[음] ┬ 幕(巾부)

3000 년전

음을 나타내는「莫모·막」은 해질녘→덮어 씌우다。「巾건」은 헝겊。「幕」은 덮어 씌우는 헝겊→장막、천막、휘장 따위。옛 모양은 신에게 바치는 술항아리에 덮개를 씌운 모양이고「幕」은 그것을 잘못 써서 생긴 자체(字體)로 생각됨。

[뜻] ①장막막 휘장。천막。②막부막 장군이 군무(軍務)를 보는 군막(軍幕)。중국에서 옛날에 장군을 상치(常置)하지 아니하고 유사시에 특히 임명하였다가 일이 끝나면 해직하였으므로 청사(廳舍)가 없이 장막을 쳐서 집무소로 삼았던 데서 유래함。③덮을막 덮어 가림。④사막막 漠(水部十一畫)과 통용。

【幕僚* 막료】①장군을 보좌하는 참모관。②고문。

【幕舍 막사】임시로 되는 대로 허름하게 지은 집。

◉帷幕유막 帳幕장막 鐵幕철막 黑幕흑막

十二畫

15【幟】巾 12 치 | 표기 | [去]寘

[자원] 형성 巾戠[음] ┬ 幟(巾부)

2500 년전

「巾수건건변」과、음을 나타내는 동시에 똑바로 세우다의 뜻(⇩直직)을 보이는「戠직」(치는 변음)으로 이루어짐。 표시로 세우는 기의 뜻。

뜻 표기치 ㉠표지(標識)가 있는 기。「旗幟기치」 ㉡전(轉)하여 표지。

◉旗幟기치 標幟표치 徽幟휘치

15 **【幣】** 巾12 고교 **폐** | 비단 | (去)霽

자원 형성 巾 / 敝 음 + 幣(巾부) 2500년전

헝겊의 뜻인「巾건」과、음을 나타내는「敝폐」로 이루어짐。 명주의 뜻。 고대는 명주는 돈 대신 썼으므로 화폐의 뜻으로 쓰이어지게 되었음。

뜻 ①**비단폐** 견직물。 ②**폐백폐** 예물로 보내는 비단。 전(轉)하여 널리 예물。「幣物폐물」 ③**돈폐** 전화(錢貨)。「錢幣전폐」 ④**재물폐** 재화。

주의「弊폐」〈해지다〉는 딴 글자。

【幣物 폐물】 ①예물。 ②공물(貢物)。

【幣帛* 폐백】 ①예물(禮物)로서 보내는 비단。 ②재화(財貨)。

◉錢幣전폐 造幣조폐 紙幣지폐 貨幣화폐

干 部

3 **【干】** 부수 중학 **간** | 방패 | (平)寒

一 二 干

자원 상형 (A) (B) 2500년전

「干」은 방패、「戈」는 창인데 (A)는 방패를 쥔 모양이고 (B)는 그것을 약(略)한 모양。「干」을 들고 돌진하므로「침범하다」의 뜻。 또 옛날에는 날짜를 간지(干支)로 헤아렸음。 干은「幹간」〈줄기〉、支는「枝지」〈가지〉이고 干은「竿간」〈장대〉도 됨。 마르다、말리다의 뜻은「乾건」「旱한」과 음이 비슷하기 때문임。

뜻 ①**방패간** 창을 막는 물건。「干戈간과」 ②**막을간** 방어함。 ③**범할간** ㉠법률·도덕에 어긋나는 일을 함。 ㉡저촉(抵觸)함。 촉범(觸犯)함。「干犯간범」 ㉢능모(陵侮)함。 모독(冒瀆)함。 ㉣분한(分限)을 어지럽힘。 ㉤무례한 짓을 함。 ④**구할간** 요구함。 바람。「干請간청」 ⑤**간여할간** 참여함。「干涉간섭」 ⑥**개간** 물건을 세는 수사。 箇(竹部八畫)와 뜻이 같음。「若干약간」 ⑦**산골물간** 澗(水部十二畫)과 통용。 ⑧**물가간** 수변(水邊)。 ⑨**천간간** 십간(十干)。「干支간지」 ⑩**교외간** 성문 밖。 국도(國都) 밖。 ⑪**말릴간** 말리다。 乾(乙部十畫)과 통용함。 ⑫《韓》 **새앙간** 약화제(藥和劑)나 약복지에 생강(生薑)의 뜻으로 쓰는 말。

주의「于우」〈어조사〉는 딴 글자。

【干戈 간과】 ①방패와 창。 전(轉)하여 전쟁에 쓰는 병장기(兵仗器)의 총칭。 ②전쟁。

【干滿 간만】 썰물과 밀물。

【干涉 간섭】 남의 일에 나서서 참견함。

【干城 간성】 방패와 성。 전(轉)하여 국가를 위하여 방패(防牌)가 되고 성(城)이 되어 외적을 막는 군인。

【干潮 간조】 썰물。

【干支 간지】 십간과 십이지의 총칭。

【干拓 간척】 바다 따위를 막고 물을 빼어 육지로 만드는 일。

◉滿干만간 十干십간 若干약간 如干여간

二畫

5 **【平】** 干 2 중학 ㊀**평** ㊁**편** — 편할 — ㊀①-⑪(平)庚 ㊁(平)先

一 丆 六 亚 平

자원 형상 八于平(干부) 2500년전

「于우」는 날붙이의 일종(一種)의 모양。나중에 「干간」으로 변했음。「八팔」은 나누다。「平」은 물건을 공평히 나누다、평평하다의 뜻。

뜻 ㊀ ①**편할평** 평탄함。「平地평지」 ②**바를평** 올바름。 ③**고를평** 균등함。「平均평균」 ④**편안할평** 태평함。「平安평안」 ⑤**쉬울평** 용이함。「平凡평범」 ⑥**화친할평** 화해하고 화목하게 지냄。 ⑦**평정할평** 적을 진압함。 ⑧**평정될평** 평온하게 진정됨。잘 다스려짐。 ⑨**평야평** 들。광원(廣原)。 ⑩**평상평** 심상。보통。 ⑪**평성평** 운(韻)의 이대별(二大別)의 하나。곧 사성(四聲) 중에서 측운(仄韻)이 아닌 것。 ⑫**법관평** 법률을 맡은 벼슬。 ㊁**고루다스려질편**

참고 「平」을 음으로 하는 글자=「坪평」〈들〉·「苹평」〈쑥〉·「評평」〈품평〉

【平均 평균】 ①고름。또 고르게 함。평등(平等)。 ②과불급(過不及)이 없는 정도。 ③동종(同種)의 일정량의 중간치(中間値)를 갖는 수(數)。

【平年 평년】 ①추수가 보통으로 되는 해。 ②윤년이 아닌 해。

【平面 평면】 편편한 겉쪽。

【平民 평민】 양반 아닌 보통 사람。서민(庶民)。

【平凡 평범】 특색이 없이 보통임。

【平服 평복】 (韓) 평상시에 입는 옷。

【平牀* 평상】 나무로 만든 침상(寢床)의 한가지。

【平常 평상】 ①항상。늘。평소(平素)。 ②보통。

【平聲 평성】 사성(四聲)(上·平·去·入)의 하나로 낮고 순평(順平)한 소리임。상평성(上平聲)과 하평성(下平聲)의 둘이 있음。

【平素 평소】 ①평상시(平常時)。 ②과거(過去)。이전。

【平時 평시】 ①평화스러운 때。 ②평상시(平常時)。

【平身低頭 평신저두】 코가 땅에 닿도록 몸을 굽히고 머리를 숙임。

【平安 평안】 무사하여 마음에 걱정이 없음。

【平野 평야】 평평한 들。

【平溫 평온】 평상시의 온도(溫度)。

【平穩* 평온】 고요하고 안온함。

【平原 평원】 평평한 들。

【平易 평이】 까다롭지 않고 쉬움。

【平定 평정】 난리를 진압하여 평온하게 함。또 난리가 진압되어 평온해짐。

【平靜 평정】 평온하고 고요함。

【平準 평준】 ①평균(平均)。 ②물가의 균일·공평을 보존하는 법。또 그 벼슬。한(漢)나라 무제(武帝) 때부터 시작하였음。 ③수준기(水準器)를 써서 수평으로 하는 일。

【平坦* 평탄】 지면이 평평함。또 그 땅。

【平行 평행】 ①무사히 여행함。 ②두 직선이 같은 평면 위에 있어서 서로 만나지 않음。

【平衡* 평형】①절하는 법(法)의 한 가지. 몸을 굽히어 머리와 허리가 저울대처럼 바르게 함. ②바른 저울대. ③평정하여 치우침이 없음.

【平和 평화】①성정이 평온함. ②전쟁이 없이 세상이 잘 다스려짐.

【平滑* 평활】평평하고 미끄러움.

◉公平공평 不平불평 泰平태평 和平화평

【刊】⇩刀部三畫

三畫

6【年】干 3 중학 년|해|㊥先

丿 𠂉 𠂇 𠂉 𠂉 年

자원 형성 禾 人음 年 (干부)

3000년전 2000년전 1800년전

「禾화」는 벼. 음을 나타내는 「人인」 또는 「千천」(년은 변음)은 많음을 나타냄. 「年」은 가을에 많은 수확이 있음↓익다. 나중에 벼가 자라는 기간에서 연월(年月)의 해란 뜻으로 쓰고 익다의 뜻은 「稔임」으로 씀.

뜻 ①해년 ㉠십이 개월. ㉡시대. 때. ㉢오곡(五穀)의 성숙(成熟). ②나이년 연령. 「年齒연치」

【年鑑 연감】어떠한 사항에 관하여 한 해 동안의 경과·통계 등을 수록하여 한 해에 한 번씩 발간하는 책.

【年功 연공】①여러 해 동안 쌓은 공로. ②여러 해 동안 쌓은 숙련.

【年紀 연기】①나이. 연령. ②해. 세월.

【年年歲歲 연년세세】매년. 해마다.

【年代 연대】①경과한 햇수. ②연수(年數)와 시대(時代). 또 시대.

【年頭 연두】한 해의 처음. 연시.

【年來 연래】여러 해 이래(以來).

【年例 연례】연래로 내려오는 전례.

【年老 연로】나이가 많아서 늙음.

【年輪 연륜】나이바퀴. 나이테.

【年晩 연만】나이가 많음. 늙바탕에 듦.

【年輩 연배】나이. 연령(年齡).

【年報 연보】해마다 한 번씩 내는 보고.

【年譜 연보】개인의 한 평생의 지낸 일을 연대순으로 적은 기록(記錄).

【年少 연소】①나이가 젊음. 연장(年長)의 대(對). ②젊은 사람.

【年月 연월】세월.

【年長 연장】자기보다 나이가 많음. 또 그 사람.

【年淺 연천】①나이가 적음. ②시작한 지 몇 해 안됨.

【年初 연초】새해 초승.

【年齒 연치】나이.

【年表 연표】역사의 사실을 연대순으로 기록한 것. 연대표.

【年賀 연하】①신년의 축하. ②노인의 장수(長壽)의 축하.

【年限 연한】작정된 햇수.

【年號 연호】조정의 제정(制定)에 의하여 해에 특별히 붙이는 이름.

◉去年거년 今年금년 來年내년 晩年만년 明年명년 明後年명후년 生年생년 昨年작년 中年중년 豐年풍년 享年향년

五畫

8【幸】干 5 중학 행|다행|㊤梗

一 十 土 去 幸 幸

〔三畫部首順〕 口口土士夂夊夕大女子宀寸小尢尸屮山巛工己巾干幺广廴廾弋弓彐彡彳

자원 회의 夭 屰 → 㚔(屮부) → 幸(干부) [3000년전]

본디「㚔」으로 씀。「夭요」는 일찍 죽는 일。「屰역」은 거역한다는 뜻。곧 일찍 죽는 것을 면함을 좋은 일로 생각하여 다행하다의 뜻으로 씀。

뜻 ①**다행행、행복행** 행복。「幸運행운」②**요행행** 우연의 행복。「僥幸요행」③**다행할행** 운이 좋음。④**다행히행** 운이 좋아。⑤**행복케할행** 행복을 줌。⑥**바랄행** 원함。「幸冀행기」⑦**굄행** 제왕의 총애。「寵幸총행」⑧**괼행** 총애함。또 제왕이 여자를 사랑하여 침석(枕席)에 들게 함。⑨**거둥행** 천자의 행차「行幸행행」

참고「幸」을 음으로 하는 글자＝「倖행」〈다행〉·「悻행」〈성내다〉

【幸福 행복】①좋은 운수。②심신(心身)이 만족감을 느끼는 상태。

【幸臣 행신】총애를 받는 신하。

【幸運 행운】좋은 운수。

【幸運兒 행운아】운수가 좋은 사람。

【幸位 행위】요행으로 얻은 벼슬자리。

◉不幸불행 巡幸순행 天幸천행 行幸행행

十畫

13 **【幹】** 干 10 고교 ㊀**간** ㊁**관** | 몸 | ㊀①-⑦ (去)翰 ⑧ (平)寒 ㊁(上)旱

一 卄 直 卓 𠦝 幹 幹

자원 형성 倝음 木 → 榦(木부) → 幹(干부)

음을 나타내는「倝간」은 기드림↓햇살↓여러 줄기 있는 것。「榦」은 토담을 쌓을 때「栽재」라고 부르는 판자를 받치는 기둥。「干간」에는 막는다는 뜻이 있으므로、후에「榦」을「幹」으로도 쓰고 지주(支柱)란 뜻에서 받침이 되는 중요한 것、나무의 줄기、지선(支線)에 대한 간선(幹線) 따위의 뜻으로 쓰게 되었음。

뜻 ㊀①**몸간** 체구(體軀)。「軀幹구간」②**줄기간** ㉠「枝지」의 대。「幹枝간지」㉡전(轉)하여 줄기 같은 역할을 하는 것。「箭幹전간」③**근본간** 본체(本體)。④**재능간**「才幹재간」⑤**천간간** 십간(十干)。干(部首)과 같은 글자。⑥**우물난간간** ⑦**등뼈간** 척골(脊骨)。⑧**견딜간** 일을 감당하여 냄。㊁**주관할관** 管(竹部八畫)과 통용。

주의「斡알」〈주장하다〉은 딴 글자。

참고「幹」을 음으로 하는 글자＝「澣한」〈씻다〉·「簳간」〈조릿대〉

【幹部 간부】단체의 수뇌부(首腦部)。또 그 임원。「그 사람。

【幹事 간사】일을 맡아서 처리함。또

◉骨幹골간 根幹근간 才幹재간 主幹주간

幺 部

3 **【幺】** 부수 **요** | 작을 | (平)蕭

자원 상형 [3000년전]

「幺」는「糸사」( )의 윗부분 절반의 모양을 본뜸。실의 끝、전하여 세소(細小)、작다를 뜻함。

뜻 ①**작을요** 세소(細小)함。②**어릴요** 나이가 어림。

一畫

4【幻】幺1 환 | 변할 | ㊤諫

자원 상형 2500년전

「幻」은 본래 베를 짤 때 쓰는 「予예」〈북〉를 거꾸로 한 모양을 본뜸。 변하다(⇩化화)、 전하여、 정신(精神)을 어지럽히다의 뜻。 또「眩현」과 통하여 눈을 어찔어찔하게 하다↓환상(幻像)의 뜻。

뜻 ①**변할환** 변화함。②**미혹할환** 홀림。「幻惑환혹」③**요술환** 마술。④**허깨비환** 환상。「幻影환영」「夢幻泡影몽환포영」

주의 「幼유」〈어리다〉는 딴 글자。

【幻覺 환각】 실제는 없는데도 마치 그 사물이 있는 것처럼 느끼는 감각。

【幻滅 환멸】 허깨비와 같이 덧없이 사라짐。 환상(幻想)에서 깨어나 현실(現實)로 돌아옴。

【幻想 환상】 ①실물(實物)이 없는데도 있는 것같이 보이는 허망한 생각。 ②종잡을 수 없이 일어나는 생각。

【幻像 환상】 환영(幻影)。

【幻術 환술】 남의 눈을 속이는 요술。

【幻影 환영】 ①허깨비와 그림자。 덧없는 물건의 비유。 ②환각(幻覺)에 비치는 현상(現象)。

◉夢幻몽환 變幻변환 妖幻요환

二畫

5【幼】幺2 중학 ㊀유 ㊁요 | 어릴 | ㊀㊤宥 ㊁㊤嘯

ㄑ 幺 幺 幻 幼

자원 형성 幺力 음 ㅜ幼 (幺부) 3000년전

「力력」은 팔의 모양↓일을 함。 음을 나타내는 「幺요」(유는 변음)는 누에의 고치에서 갓나온 가느다란 실。「幼」는 꼬아서 실을 만드는 일。그 뜻으로는 나중에 「拗요」로 쓰고 「幼」자는 어리다는 뜻으로 쓰여짐。

뜻 ㊀①**어릴유** 나이가 어림。「幼年유년」②**어릴때유** 어린 시절。③**어린아이유** 유아。④**사랑할유** 어린아이를 사랑함。 ㊁**깊을요** 심원(深遠)함。 오묘(奧妙)함。

주의 「幻환」〈허깨비〉은 딴 글자。

참고 「幼」를 음으로 하는 글자=「拗요」〈꺾다〉·「窈요」〈그윽하다〉

【幼君 유군】 나이가 어린 임금。

【幼少 유소】 나이가 어림。 또 어린아이。 아이。

【幼兒 유아】 어린 아이。

【幼弱 유약】 나이가 어림。 어리고 잔약함。 또 어린 아이。

【幼稚 유치】 ①나이가 어림。②지능·학술·기예 등이 미숙(未熟)함。

◉老幼노유 童幼동유 蒙幼몽유 長幼장유

【幺】 ⇩部首

六畫

9【幽】幺6 고교 유 | 그윽할 | ㊥尤

丨 ㄐ 𢆶 𢆶 𢆶 𢆶 幽 幽

자원 형성 山𢆶 음 ㅜ幽 (幺부)

불의 모양을 본뜬 ㅗ(山은 변한 모양)과, 음을 나타내며 동시에 검은 뜻(⇩黝유)을 나타내기 위한 「𢆶유」로 이루어지며, 불에 그을려 검게 되다, 전하여 어둡다, 희미하다의 뜻。

뜻 ①**그윽할유** ㉠미묘함。심원함。「幽深유심」 ㉡깊고 조용함。「幽宮유궁」 ②**숨을유** 세상을 피하여 삶。「幽隱유은」 ③**어두울유** 밝지 않음。「幽室유실」 ④**가둘유**、**갇힐유** 감금함。감금당함。「幽閉유폐」 ⑤**조용할유** ㉠고요함。㉡정숙함。⑥**귀신유** 신。영혼。⑦**저승유** 황천(黃泉)。⑧**구석유** 모퉁이。⑨**유주유** 십이주(十二州)의 하나。하북성(河北省) 북경(北京) 일대의 지역。⑩**검을유**、**검은빛유** 黝(黑部五畫)와 통용。

【幽靈 유령】 ①죽은 사람의 혼령(魂靈)。②이름뿐이고 실제는 없는 것。

【幽明 유명】 ①내세(來世)와 현세(現世)。저승과 이승。②어두운 것과 밝은 것。어두움과 밝음。③암우(暗愚)와 현명(賢明)。④무형(無形)과 유형(有形)。⑤음(陰)과 양(陽)。⑥암컷과 수컷。⑦숨음과 나타남。

【幽囚 유수】 잡아 가둠。구금(拘禁)。

【幽閉 유폐】 가둠。감금함。

九畫

12 **【幾】** 幺 9 중학 기 — 빌미 — ①-⑨㊀微 ⑩⑪㊤尾

자원 형성 𢆶戍 음 丁.幾(幺부) 2500년전

베짜는 날실을 올렸다 내렸다 하는 잉아(𢇇관)의 모양을 본뜬 「𢆶유」와 음을 나타내는 「戍수」(기는 변음)로 이루어짐。「機기」의 본디 글자。잉아의 움직임이 적은 데서 거의 조짐의 뜻이 됨。

뜻 ①**빌미기** 조짐(兆朕)。전조(前兆)。「幾微기미」 ②**고동기**、**기틀기** 제일 중요한 데。요령。機(木部十二畫)와 통용。③**때기** 시기。期(月部八畫)와 같은 글자。④**위태할기** 위태로움。「幾殆기태」 ⑤**바랄기** 희망함。覬(見部十畫)와 같은 글자。「庶幾서기」 ⑥**거의기** 하마터면。⑦**가까울기** 거의 되려 함。⑧**살필기** 살펴 봄。기찰(譏察)함。譏(言部十二畫)와 통용。⑨**헌걸찰기** 頎(頁部四畫)와 통용。⑩**얼마기** 몇。수의 다과 또는 정도의 고하。「幾何기하」 ⑪**어찌기** 豈(豆部三畫)와 통용。

참고 「幾」를 음으로 하는 글자＝「嘰기」〈쪽잘거리다〉·「畿기」〈경기〉·「機기」〈틀〉·「璣기」〈구슬〉·「磯기」〈물가〉·「禨기」〈상서〉·「蟣기」〈서캐〉

【幾微 기미】 일의 야릇한 기틀。낌새。

【幾至死境 기지사경】 거의 죽게 됨。

【幾何 기하】 ①얼마。기허(幾許)。②기하학(幾何學)의 준말。

◉萬幾만기 無幾무기 未幾미기 庶幾서기

广部

3 **【广】** 부수 엄 — 집 — ㊤琰

자원 상형 广 2500년전

벼랑에 기대어 세운 작고 허름한 집을 본뜸。부수로서 엄호밑이라 하여 작고 허름한 집에 관계되는 것을 나타내는 의부(意符)로 쓰임。

뜻 ①**집엄** 바위에 의지하여 지은 집。②**마룻대엄** 마룻대의 끝。동두(棟頭)。

二畫

5 **【庁】** 广 2 廳(广部二十二畫)의 약자(略字)。

5 **【広】** 广 2 廣(广部十二畫)의 속자(俗字)。

四畫

7 **【序】** 广 4 중학 **서** ― 담 ― ㊤語

丶 亠 广 庀 庁 庈 序

자원 형성 广 + 予 음 → 序 (广부) 2500년전

음을 나타내는 「予여」(서는 변음)는 물건을 밀다 또는 당겨서 펴는 일。「广엄호밑」은 건물。「序」는 집의 동서(東西)로 뻗친 토담→토담을 둘러싼 건물→학교。「緖서」나 「叙서」와 관련되어 실마리→처음이란 뜻이나 말씀 드리다→차례짓다→차례→순서 따위의 뜻으로도 되었음。

뜻 ①**담서** 집의 동서(東西)에 있어 내외를 구별하는 담。「東序동서」「序內서내」 ②**차례서** 순서。「序次서차」 ③**차례매길서** 순서를 정함。「序列서열」 ④**실마리서** 단서。발단(發端)。 ⑤**학교서** 은대(殷代)의 국민 학교의 명칭。「庠序상서」 ⑥**서문서** 머리말。敍(攴部七畫)와 같은 글자。「序跋서발」 ⑦**서술할서** ㉠차례를 따라 진술함。㉡서문을 씀。

【序論 서론】 본론의 머리말이 되는 논설(論說)。서론(緖論)。

【序文 서문】 책(冊)의 머리말。

【序言 서언】 머리말。서문(序文)。

【序列 서열】 차례를 정하여 늘어놓음。

◉順序순서 長幼有序장유유서 秩序질서

7 **【床】** 广 4 고교 **상** ― 평상 ― ㊥陽

丶 亠 广 庀 庁 庄 床

자원 형성 广 + 木 음 → 床 (广부)

집의 뜻인 「广엄호밑」과 음을 나타내는 동시에 한층 더 높다는 뜻(⇩ 昇승)을 나타내는 「牀상」의 생획(省畫)인 「木」으로 이루어짐。집안의 한층 더 높은 곳、마루、또는 침대의 뜻。

뜻 ①**평상상** 나무로 만든 걸상을 겸한 침상(寢牀)。「床几상궤」 ②**마루상** 집의 널조각으로 바닥을 깔아 놓은 데。 ③**우물난간상** 정간(井幹)。

주의 「床」은 牀(爿部四畫)의 속자(俗字)。

【床几* 상궤】 ①침상(寢床)과 안석。②접을 수 있는 일종의 걸상。

◉病床병상 臥床와상 銃床총상 寢床침상

7 **【応】** 广 4 應(心部十三畫)의 속자(俗字)。

五畫

8
【底】
广 5 [고교] **저** | 밑 | ㊤薺

一 广 广 庀 庉 底 底

[자원] 형성 广 氐[음] ┬ 底(广부)

「广엄호밑」은 사람이 사는 곳을 나타냄。 음을 나타내는 「氐저」는 벼랑의 제일 밑。 또 거기까지 도달하다→이르는 일。 또 평평함을 나타냄。「底」는 벼랑 밑의 주거(住居)였으나 나중에 물건의 밑을 나타내는 말로 되었음。

[뜻] ①**밑저** ㉠밑바닥。「底面저면」 ㉡세월의 거의 다 된 때。 세밑 따위。「歲底세저」「月底월저」 ②**바닥저** 그릇·신 같은 것의 밑 부분。 ③**이를저** 도달함。「底止저지」 ④**이룰저** 되게 함。 致(至部三畫)와 뜻이 같음。 ⑤**그칠저** 정지함。 ⑥**어찌저** 의문사。 어찌하여。 또 어떤。 何(人部五畫)와 뜻이 같음。 시(詩) 또는 속어에 쓰임。 ⑦**어조사저** 지시(指示)의 뜻을 나타내는 조사(助辭)。 송인(宋人)의 어록(語錄)에 이 자를 많이 썼음。 的(白部三畫)과 뜻이 같음。 ⑧**초고저** 문서의 원고。「底本저본」 ⑨**숫돌저** 砥(石部五畫)와 통용。

【底面 저면】 밑의 면(面)。

【底邊 저변】 밑의 변(邊)。

◉基底기저 到底도저 心底심저 徹底철저

8
【店】
广 5 [중학] **점** | 전방 | ㊄豔

一 广 广 庐 庐 店 店

[자원] 형성 土 占[음] ┬ 坫 ┤ 店(广부)

음을 나타내는 「占점」은 정한 자리를 잡는 일。「土토」는 흙→봉당。「坫점」은 봉당으로 된 대청의 구석。 또 대청 구석에 놓고 식기를 얹는 받침→선반。 식기를 얹는 받침을 「庋기」라고도 하였음。「店」은 「坫」과 「庋」가 합쳐져 생겼다고 생각되는 속자(俗字)。 나중에 물건을 늘어놓고 파는 가게의 뜻으로 쓰임。

[뜻] **전방점** 가게。 상점。「店鋪점포」

【店頭 점두】 가게 앞。

【店鋪* 점포】 가게。 상점(商店)。

◉賣店매점 商店상점 飮食店음식점

8
【庚】
广 5 [중학] **경** | 일곱째천간 | ㊇庚

丶 一 广 户 户 庐 庚 庚

[자원] 회의 午 廾 ┬ 庚(广부)

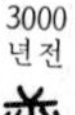

3000년전

2500년전

丫〈=午오=杵저·절굿공이〉와 𠬞〈양손〉으로 이루어짐。 절굿공이로 곡식을 찧는 것을 나타냄。 음을 빌어 천간의 하나(일곱째)로 씀。

[뜻] ①**일곱째천간경** 십간(十干)의 제칠위(第七位)。 방위로는 서쪽、 오행(五行)으로는 금(金)에 속(屬)함。 ②**고칠경** 更(日部三畫)과 같은 글자。 ③**갚을경** 배상함。 ④**단단할경** 씨가 잘 여물어 단단함。 견강함。 ⑤**나이경** 연령。 ⑥**길경** 도로。

8
【府】
广 5 [고교] **부** | 곳집 | ㊤麌

〔三畫部首順〕 口囗土士夂夊夕大女子宀寸小尢尸屮山巛工己巾干幺广廴廾弋弓彐彡彳

亠广广府府府府

府

자원 형성 付음 ┬府(广부) 广 ┘

음을 나타내는 「付부」는 주는 일. 「广엄호밑」은 건물. 「府」는 언제든지 사람에게 내어 줄 수 있도록 물건을 모아 두는 곳. 나중에 문서(文書)를 넣어 두는 곳간→문서를 취급하는 관청의 뜻으로 씀.

뜻 ①**곳집부** 문서 또는 재화를 넣어 두는 창고. 「府庫부고」 ②**마을부** 재화(財貨)를 맡는 관청. 전(轉)하여, 널리 관청. 「泉府천부」 「府寺부사」 ③**도읍부** 사람이 많이 모이는 곳. 전하여, 사물이 많이 모이는 곳. ④**고을부** 행정 구획(區劃)의 하나. 주(州)의 큰 것. ⑤**창자부** 腑(肉部八畫)와 통용. 「藏府장부」 ⑥**구부릴부** 俯(人部八畫)와 통용.

【府庫 부고】 궁정(宮廷)의 문서(文書)·재보(財寶)를 넣어 두는 곳집.

【府尹*부윤】 부(府)의 장관(長官). 한(漢)나라의 경조윤(京兆尹)에서 시작하였음.

◉公府공부 官府관부 軍府군부 都護府도호부 冥府명부 怨府원부 政府정부

9 【**度**】广 6 중학 ㊀**도** 법도 ㊀入遇 ㊁**탁** ㊁去藥

亠广广庐庐庐度度

度

자원 형성 庶음-庐┬度(广부) 又┘

음을 나타내는 「庶서」(도는 변음)는 많은 것→여러 가지 사항. 「又우」는 손→손으로 헤아리는 일. 「度」는 길이를 재는 여러 가지 단위의 총칭.

(B) (A) 2000년전

뜻 ㊀①**법도도** 법칙. 「制度제도」 ②**자도** 장단을 재는 기구. 「尺度척도」 ③**정도도** 알맞은 한도. ④**국량도** 기량(器量). 「度量도량」 ⑤**풍채도** 모습. 「態度태도」 ⑥**번도** 횟수. ⑦**건널도**, **건넬도** 渡(水部九畫)와 같은 글자. ⑧**중될도** 속인(俗人)이 승적(僧籍)에 들어감. 「剃度체도」 「得度득도」 ⑨**도도** ㉠일월성신(日月星辰)의 운행을 재기 위하여 천체(天體)의 전주(全周)를 삼백 육십 등분(三百六十等分)한 새김. ㉡온도(溫度)의 단위. ㉢각도(角度)의 단위. ㉣지구의 표면을 동서 또는 남북으로 각각 삼백 육십 등분한 새김. 「經度경도」 「緯度위도」 ㊁①**잴탁** ㉠길이를 잼. ㉡땅을 잼. 측량함. ②**헤아릴탁** ㉠촌탁함. 추측함. ㉡고려함. ③**물을탁** 문의함. ④**셀탁** 계산함. ⑤**던질탁** 흙을 판대기에 던짐.

참고 「度」를 음으로 하는 글자=「渡도」〈건너다〉·「鍍도」〈올리다〉

【度量 도량】 ①길이를 재는 기구(器具)와 용적(容積)을 재는 기구. 자와 되. ②길이와 용적. ③사물(事物)을 너그럽게 용납(容納)하여 처리(處理)하는 품성(品性).

【度量衡*도량형】 ①도(度)는 길이를 재고 양(量)은 분량(分量)을 되고 형(衡)은 무게를 다는 일. ②자·되·저울의 총칭(總稱).

【度外 도외】 ①법도(法度) 밖。 전(轉)하여 ②생각 밖。 문제 밖。

【度地 탁지】 토지를 측량(測量)함。

【度支部 탁지부】 ①청(淸)나라 말년에 호부(戶部)를 개칭(改稱)한 것。 ②구한국(舊韓國) 때 정부의 재무(財務)를 총할(總轄)하던 관아。

◉角度각도 經度경도 速度속도 溫度온도 程度정도 制度제도 尺度척도 限度한도

七畫

10 【座】 广 7 고교 좌 ― 자리 ― 去箇

亠 广 庂 庂 庍 座 座

자원 형성 广+坐음 → 座(广부)

음을 나타내는 「坐좌」는 봉당에 사람이 마주 앉은 모양。 나중에 걸상 따위에 앉다。 「广엄호밑」은 건물을 나타냄。 「座」는 집 속의 앉는 곳。

〔坐〕 2500년전

뜻 ①자리좌 ㉠까는 자리。 「繡座수좌」 ㉡앉는 자리。 ㉢여러 사람이 앉아 있는 장소。 ㉣지위。 ㉤성수(星宿)。 ②좌좌 안치(安置)하여 놓은 것을 세는 수사(數詞)。

【座談 좌담】 자리 잡고 앉아서 하는 「이야기」。

【座席 좌석】 앉는 자리。

【座右銘 좌우명】 늘 자리 옆에 적어 놓고 자기를 경계하는 말。

【座前 좌전】 편지를 받을 사람의 성명(姓名) 아래에 쓰는 존칭。

【座中 좌중】 ①여러 사람이 모인 자리。 ②자리의 가운데。

【座下 좌하】 좌전(座前)。

◉講座강좌 寶座보좌 上座상좌 星座성좌

10 【庫】 广 7 고교 고 ― 곳집 ― 去遇

亠 广 户 庐 庐 庫

자원 회의 广+車 → 庫(广부)

「車차·거」는 전차(戰車)。 「广엄호밑」은 「宀갓머리」와 마찬가지로 건물을 나타냄。 「庫」는 무기나 거마(車馬)를 넣어 두는 곳。 나중에 책이나 보물을 넣는 곳에도 씀。

뜻 곳집고 무기를 넣어 두는 창고。 후세에는 다른 재화도 저장하는 창고로 널리 쓰임。 「庫藏고장」

◉寶庫보고 書庫서고 倉庫창고 天庫천고

10 【庭】 广 7 중학 정 ― 뜰 ― ①-③ 平靑 ④ 去徑

亠 广 户 庄 庭 庭

자원 형성 广+廷음 → 庭(广부)

「广엄호밑」은 건물을 나타냄。 음을 나타내는 「廷정」은 조정(朝廷)의 안뜰。 옛날엔 지붕이 없는 안뜰에서 의식(儀式)이 거행되었음。 「庭」은 대궐 안의 안뜰이며 본디는 「廷」과 같은 글자였음。 나중에 「庭」은 건물을 가리켰으나, 더 후 건물을 「廳청」, 대궐 안을 「廷」, 여염집의 뜰을 「庭」이라고 하였음。

뜻 ①뜰정 ㉠집안의 마당。 ㉡대청。 ㉢백성을 상대하여 정무(政務)·소송을 취급하는 곳。 「法庭법정」 ㉣궁중(宮中)。 ㉤집안。 가정。 ㉥곳。 장소。 ②조정정 廷(廴部四畫)과 같은

글자。③곧을정 반듯함。④동안뜰정 사이가 멂。또 차이가 큼。 「동산。

【庭球 정구】 테니스。

【庭園 정원】 뜰。집안에 만들어 놓은

◉家庭가정 宮庭궁정 後庭후정

【唐】 ⇩口部七畫

【席】 ⇩巾部七畫

八畫

11 【庵】 广 8 암 ― 암자 ― ㊣覃

자원 형성 广 奄음 ― 庵(广부)

집의 뜻인 「广엄호밑」과、음을 나타내며 동시에 덮다의 뜻(⇩掩엄)으로 이루어짐。초가집、암자(庵子)의 뜻。

뜻 **암자암** ㉠초막。「草庵초암」 ㉡불상(佛像)을 모신 작은 집。

주의 「菴암」은 같은 글자。

【庵室 암실】 중이나 은자의 암자。

◉結庵결암 蓬庵봉암 禪庵선암 草庵초암

11 【庶】 广 8 고교 서 ― 많을 ― ㊀御

丶 亠 广 广 庐 庐 庶 庶 庶

자원 회의 广 炗 ― 庶(广부) 2500년전

본디 「庻서」라고 썼으며 「广엄호밑」〈집〉과 「炗광」(「光광」의 본디 글자)으로 이루어짐。집안에 불빛이 있는 모양。미개시대에 불이 있는 곳에 사람이 모인 것을 나타내서 많다는 뜻이 되고、전하여、서족 또는 서민의 뜻。「奢사」와 통하여 풍성하다의 뜻에 이어 바란다는 뜻으로도 씀。

뜻 ①**많을서** ②**여러서** 여러 가지。갖가지。③**무리서** 많은 백성。서민。④**풍성할서**、**살찔서** 넉넉하고 많음。또 살이 쪄 맛이 있음。비미(肥美)함。⑤**바라건대서** 바라노니。⑥**가까울서** 거의 되려 함。⑦**서자서** 첩의 자식。「庶孼서얼」 ⑧**서족서** 종가(宗家)에서 갈려나간 겨레。지족(支族)。지파(支派)。⑨**제독할서** 고독(蠱毒)을 제거함。

참고 「庶」를 음으로 하는 글자 =「蔗자」〈사탕수수〉

【庶務 서무】 여러 가지 사무(事務)。일반의 사무。

【庶民 서민】 평민(平民)。백성。

【庶子 서자】 첩의 몸에서 난 아들。

【庶政 서정】 모든 정치(政治)。

【庶出 서출】 첩(妾)의 소생(所生)。

◉民庶민서 臣庶신서 億庶억서 衆庶중서

11 【康】 广 8 고교 강 ― 편안할 ― ㊣陽

丶 亠 广 庐 庚 康

자원 회의 广 隶 ― 康(广부) 2500년전 〔庚〕3000년전

「康강」은 「广엄호밑」과 「隶이」를 합한 모양으로 쓰지만 본디는 「庚경」과 「米미」를 합한 모양에서 변한 것。「庚」은 단단히 곡식이 익다。「米」는 곡식의 낟알→벼。「康」은 껍질을 단단히 뒤집어 쓴 벼。또 알맹이를 「穀곡」이라는 데 대하여 벼나 겨를 「康」이라하고 「穅・糠」으로도 씀。건강(健康)의 뜻은 「慷강」 대신 쓴 것。

뜻 ①편안할강 몸 또는 마음이 편안함. 「安康안강」 ②편안히할강 편안하게 함. ③즐거울강. 즐거워할강 마음이 즐거움. 「康樂강락」 ④풍년들강 풍년이 듦. 「康年강년」 ⑤빌강 공허함. ⑥기릴강 칭송함. ⑦오달도강 오달(五達)하는 한길.

참고 「康」을 음으로 하는 글자=「糠강」〈겨〉·「慷강」〈강개하다〉

【康寧 강녕】 건강(健康)하고 편안함.

【康熙字典 강희자전】 청(淸)나라 성조(聖祖) 때에 된 한자(漢字)의 자서(字書).

◉健康건강 小康소강 安康안강 平康평강

11 【庸】 广 8 고교 용 | 쓸 | ㊥冬

· 一 广 广 户 庐 肩 肩 庸

자원 형성 庚 用음 ┬ 庸(广부) [seal] 2500년전

절구공이를 양손에 든 모양의 (庚경)과, 음을 나타내며, 동시에 올리다의 뜻(⇩揚양)을 뜻하는 「用용」으로 이루어짐. 절구공이를 들어 올리다의 뜻. 음을 빌어, 올려 쓰다, 또 일정하고 변치 않다의 뜻.

뜻 ①쓸용 임용함. ②범상할용 보통임. 「庸人용인」 ③어리석을용 우매함. 「庸劣용렬」 ④평소용 「庸行용행」 ⑤공용 공적. 또 공로가 있는 사람. ⑥수고용 애. 노력. ⑦구실용 당대(唐代)의 조세(租稅)의 한 가지. ⑧어찌용 ㉠豈(山部七畫)와 뜻이 같음. ㉡何(人部五畫)와 뜻이 같음. ⑨이에용 乃(ノ部一畫)와 뜻이 같음. ⑩쇠북용 鏞(金部十一畫)과 통용. ⑪작은성용 墉(土部十一畫)과 통용. ⑫고용할용 傭(人部十一畫)과 통용. 「庸保용보」

참고 「庸」을 음으로 하는 글자=「傭용」〈고용하다〉·「墉용」〈담〉·「慵용」〈게으르다〉·「鏞용」〈쇠북〉

【庸劣 용렬】 못생기어 재주가 남만 못함. 어리석음. 또 그 사람.

◉登庸등용 凡庸범용 附庸부용 中庸중용

【庥】 ⇩部首

九畫

12 【庾】 广 9 유 | 곳집 | ㊤麌

자원 형성 广 臾음 ┬ 庾(广부)

집을 뜻하는 「广엄호밑」과, 음을 나타내는 「臾유」로 이루어짐.

뜻 ①곳집유 미곡 창고. 일설에는 들에 있는 지붕이 없는 곳집. ②열엿말유 斞(斗部九畫)와 통용.

주의 「庾」 「廋수」〈숨기다〉는 딴 글자.

十畫

12 【廃】 广 9 廢(广部十二畫)의 약자(略字).

13 【廉】 广 10 고교 렴 | 청렴할 | ㊦鹽

· 一 广 广 户 庐 庐 廉 廉

자원 형성 广 兼음 ┬ 廉(广부) [seal] 2500년전

집의 뜻의 「广엄호밑」과, 음을 나타내는 「兼겸」으로 이루어짐. 집의 굽은 모퉁이의 뜻. 음을 빌어 결백하

〔三畫部首順〕 口囗土士夂夊夕大女子宀寸小尢尸屮山巛工己巾干幺广廴廾弋弓彐彡彳

다는 뜻으로 씀。

뜻 ①청렴할렴 ㉠청렴 결백함。「廉潔염결」 ㉡또 그 사람。 ②검소할렴 검약함。 ③곧을렴 바름。 ④날카로울렴 예리함。「廉利염리」 ⑤쌀렴 값이 쌈。「廉價염가」 ⑥살필렴 살펴봄。 또는 검찰(檢察)함。「廉探염탐」 ⑦모렴 모서리。 능각(稜角)。

참고 「廉」을 음으로 하는 글자＝「溓렴」〈엷다〉·「簾렴」〈발〉

【廉價 염가】 싼 값。 염치(廉直)。

【廉直 염직】 청렴하고 정직함。

【廉恥 염치】 청렴하여 부끄러움을 앎。

【廉探 염탐】 몰래 사정을 조사함。

◉潔廉결렴 謙廉겸렴 精廉정렴 清廉청렴

13 【廊】 广 10 고교 랑 | 곁채 | (平)陽

丶 广 广 庐 庐 庐 廊 廊

자원 형성 郎음＋广─廊(广부) 2500년전

집의 뜻의「广엄호밑」과、 음을 나타내는「郎랑」으로 이루어짐。

뜻 ①곁채랑 몸채 옆의 딴 채。 ②행랑랑 복도(複道)。

◉步廊보랑 回廊회랑

十一畫

14 【廓】 广 11 ㊀확(곽 本) ㊁곽 | 넓을 | ㊀㊁ (入)藥

자원 형성 郭음＋广─廓(广부) 2500년전

집의 뜻인「广엄호밑」과、 음을 나타내며 동시에 크다의 뜻(⇩擴확·광)을 가지는「郭곽」으로 이루어짐。 넓고 큰 집。 전하여、 크다의 뜻。

뜻 ㊀①넓을확、 클확 광대함。 ②휑할확 아무것도 없이 텅 비어 있음。 ③넓힐확 확장함。 개장(開張)함。 ※본음(本音) 곽 ㊁외성곽

주의 「廊랑」〈행랑〉과는 딴 글자。

十二畫

15 【廚】 广 12 주 | 부엌 | (平)虞

자원 형성 尌음＋广─廚(广부) 2500년전

집의 뜻인「广엄호밑」과、 음을 나타내는「尌주」로 이루어짐。

뜻 ①부엌주 주방。 취사장。「廚人주인」 ②함주。 상자주「衣廚의주」

주의 「廚·厨」는 속자(俗字)。

참고 「廚」를 음으로 하는 글자＝「幮주」〈휘장〉·「躕주」〈머뭇거리다〉

【廚房 주방】 부엌。 취사장。

15 【廟】 广 12 고교 묘 | 사당 | (去)嘯

丶 广 广 庐 庐 庐 庿 廟 廟

자원 형성 朝음＋广─廟(广부) 2500년전

집의 뜻인「广엄호밑」과、 음을 나타내는 동시에 조상의 모습이란 뜻(⇩貌모)을 가진「朝조」(묘는 변음)로 이루어짐。 조상을 닮은 모습을 편안하게 모셔 두는 곳。

뜻 ①사당묘 ㉠조상의 신주를 모신 곳。「宗廟종묘」 ㉡신(神)을 제사지내는 곳。 ②묘당묘 나라의 정무(政務)를 청단(聽斷)하는 궁전。 전(轉)하여、 제왕 또는 조정에 관한 말의

접두어(接頭語)。「廟議묘의」 ③빈궁묘 천자(天子)를 매장하기 전에 관을 안치하는 곳。

【廟社 묘사】 종묘와 사직(社稷)。종사(宗社)。

【廟議 묘의】 조정의 회의。조의(朝議)。

◉家廟가묘 祠廟사묘 靈廟영묘 宗廟종묘

15 【廢】 广12 [고교] 폐 | 집쓸릴 | 去 隊

一 广 广 广 庐 庐 庐 廢 廢

[자원] 형성 广 發음 ┤廢(广부) 2500년전

집의 뜻인 「广엄호밑」과、음을 나타내는 동시(同時)에、깨어지다、찢어지다의 뜻을 가지는 「發발」로 이루어짐。망그러진 집의 뜻。전하여、쓸모 없게 되다의 뜻。

[뜻] ①집쓸릴폐 집이 한쪽으로 쏠림。전(轉)하여、널리 쏠림。기욺。②못쓰게될폐 쓰지 못하게 됨。「廢人폐인」 ③폐할폐 ㉠중지함。「廢止폐지」 ㉡파기함。깨뜨림。㉢내침。「廢黜폐출」 ④폐하여질폐 ㉠행하여지지 아니함。또 없어짐。「廢國폐국」 ㉡쇠퇴함。해이함。「廢滅폐멸」 ⑤떨어질폐 밑으로 떨어짐。⑥습복할폐 두려워하여 엎드림。⑦폐질폐 癈(广部十二畫)와 통용。「廢人폐인」

[주의] 「癈폐」〈폐질〉는 딴 글자。

【廢家 폐가】 호주가 죽고 상속인이 없이 절손(絶孫)함。그 집。

【廢刊 폐간】 신문·잡지 등의 간행을 폐지함。

【廢棄 폐기】 버림。

【廢立 폐립】 임금을 폐(廢)하고 새로 다른 임금을 세움。

【廢物 폐물】 못 쓰게 된 물건。

【廢妃 폐비】 왕비(王妃)의 자리를 빼앗아 내쫓음。또 그 왕비。

【廢屋 폐옥】 퇴락한 가옥。

【廢位 폐위】 임금의 자리를 폐(廢)함。

【廢帝 폐제】 폐위(廢位)된 황제。

【廢止 폐지】 행하지 않고 그만둠。

【廢疾 폐질】 고칠 수 없어 병신이 되는 병。또 병신。불구(不具)。

【廢合 폐합】 어느 것을 없애거나 또는 딴 것에 합함。

【廢墟* 폐허】 건물·성곽(城郭) 등이 파괴를 당하여 황폐해진 터。

◉改廢개폐 全廢전폐 存廢존폐 荒廢황폐

15 【廣】 广12 [중학] 광 | 넓을 | ①-③ 上 養 ④⑤ 去 漾

一 广 庐 庐 庐 席 席 廣

[자원] 형성 广 黃음 ┤廣(广부) 2500년전

「广엄호밑」은 지붕→건물。음을 나타내는 「黃황」(광은 변음)은 노란 빛↓빛살처럼 퍼지다。「廣」은 기둥만 있고 벽이 없는 대청↓넓다↓넓게 퍼지다의 뜻。

[뜻] ①넓을광 ㉠면적이 광활함。㉡범위가 넓음。㉢안태(安泰)。㉣해이(解弛)함。②넓힐광 넓게 함。③넓어질광 넓게 됨。④넓이광 ㉠넓은 정도。「廣狹광협」 ㉡병거(兵車) 십오승(十五乘)을 가로 잇댄 넓이。⑤빌광 曠(日部十五畫)과 통용。

[참고] 「廣」을 음으로 하는 글자=「壙광」〈뫼구덩이〉·「曠광」〈밝다·헛되다〉·「鑛광」〈쇳돌〉·「擴확」〈넓히다〉

【廣開土王 광개토왕】 《韓》 고구려(高

〔三畫部首順〕 口囗土士夂夊夕大女子宀寸小尢尸屮山巛工己巾干幺广廴廾弋弓彐彡彳

句麗)의 십구대(十九代) 왕(王)。

【廣告 광고】 세상(世上)에 널리 알림。

【廣求 광구】 널리 구함。

【廣大 광대】 넓고 큼。

【廣漠 광막】 아득하게 넓음。

【廣野 광야】 넓은 들。

【廣義 광의】 범위를 넓게 잡음의 뜻。

【廣場 광장】 넓은 마당。

【廣狹 광협】 넓음과 좁음。넓이。

【廣闊* 광활】 훤하게 넓음。

◉深廣심광 增廣증광 幅廣폭광 弘廣홍광

【慶】 ⇩心部十一畫

二十二畫

25 **【廳】** 广 22 고교 **청** — 마을 — ㊥青

广 广 庐 庐 廊 廊 廳 廳 廳

자원 형성 廳음 广 + 聽(广부) 2500년전

집의 뜻의 「广엄호밑」과, 음을 나타내며 동시(同時)에 듣다의 뜻을 갖는 「聽청」으로 이루어짐。백성의 소리를 듣는 관청(官廳)의 뜻。

뜻 **①마을청** 관아。「官廳관청」 **②대청청** 빈객을 영접하는 데。

【廳舍 청사】 관청。관아。

◉官廳관청 郡廳군청 道廳도청 支廳지청

廴部

3 **【廴】** **인** — 길게걸을 — ㊤軫

자원 지사 2500년전

길을 나타내는 「彳」(彳두인변)의 아래 부분을 늘인 글자。부수(部首)로서는 길에 관한 것을 나타냄。

뜻 **길게걸을인** 발을 길게 떼어 놓고 걸음。

주의 「辶책받침」은 딴 글자。

四畫

7 **【延】** 廴 4 고교 **연** — 끌 — ㊥先

一 丆 下 正 㢟 延 延

자원 형성 延 丿음 + 延(廴부)

길을 가다의 뜻인 「㢟전」과, 음을 나타내며 동시에 멀리 가다의 뜻(⇩遠원)을 가지는 「丿예」(연은 변음)로 이루어짐。멀리까지 이르다→끌다의 뜻。

뜻 **①끌연** ㉠시간을 미룸。「延期연기」 ㉡인도(引導)함。㉢끌어 들임。불러 들임。「延引연인」 **②끌릴연** 지체됨。오래감。**③늘일연** ㉠길게 함。「延年연년」 ㉡늘여 말함。널리 말하여 퍼뜨림。**④미칠연** 파급함。**⑤오랠연、길연** 장구함。**⑥길이연、넓이연** 가로의 넓이。

참고 「延」을 음으로 하는 글자=「涎연」〈침〉・「筵연」〈자리〉

【延期 연기】 기한(期限)을 물림。

【延命 연명】 수명을 늘임。오래 삶。장수(長壽)함。「탐。

【延燒 연소】 불길이 이웃으로 번져서

【延髓* 연수】 뇌수의 한 부분。

【延長 연장】 늘이어 길게 함。
【延着 연착】 일정(一定)한 시각(時刻)보다 늦게 도착함。
◉蔓延만연 遲延지연 遷延천연

7 【廷】廴4 고교 정 — 조정 — ㊉青 ㊈徑

一 二 千 壬 㢟 廷 廷

자원 형성 壬 음 ＋ 廴 → 廷 (廴부)

음을 나타내는 「壬정」은 사람이 땅 위에 선 모양。「廴민책받침」은 걸어가다의 뜻。「廷」은 걸어 나아가서 서는 곳의 뜻으로, 전하여 정사(政事)를 보는 뜰, 궁정(宮廷)·조정(朝廷)의 뜻이 됨。

뜻 ①**조정정** 제왕이 정치를 청단(聽斷)하는 곳。「廷議정의」 ②**마을정** 관아。주로 백성이 출두하여 소송하는 곳을 이름。「法廷법정」 ③**공변될정** 공정함。

참고 「廷」을 음으로 하는 글자=「庭정」〈뜰〉·「艇정」〈거룻배〉·「挺정」〈빼나다〉·「梃정」〈막대기·지레〉。

【廷論 정론】 ①조정(朝廷)의 의견。②조정에서 의론함。
【廷臣 정신】 조정(朝廷)에서 벼슬하는 신하。
◉宮廷궁정 法廷법정 外廷외정 朝廷조정

六畫

9 【建】廴6 중학 건 — 세울 — ①㊈願 ②③㊤阮

㇐ ㇖ 彐 聿 聿 建 建 建

자원 회의 聿 ＋ 廴 → 建 (廴부)  2500년전

「聿율」은 붓을 세워서 글자를 쓰다→사물을 하나 하나 차례를 정하다의 뜻。「廴민책받침」은 행동을 나타냄。「建」은 법을 정하여 나라를 다스리다→물건을 세우다의 뜻。

뜻 ①**세울건** ㉠물건을 꼿꼿이 세움。㉡일으킴。창시(創始)함。「建國건국」 ㉢지음。「建立건립」「建築건축」 ㉣이룩함。수립(樹立)함。「建功건공」 ㉤베풂。②**엎지를건** ③**열쇠건** 鍵(金部九畫)과 통용。

참고 「建」을 음으로 하는 글자=「健건」〈굳세다〉·「腱건」〈힘줄〉·「楗건」〈문빗장〉·「鍵건」〈열쇠〉

【建業 건업】 사업의 기초를 세움。또 사업을 함。
【建元 건원】 창업(創業)한 천자(天子)가 연호(年號)를 정함。
【建議 건의】 ①건백(建白)。②국가 또는 단체에 대하여 자기의 의견을 개진(開陳)함。
【建造 건조】 건축물을 세움。
【建坪* 건평】《韓》건축물(建築物)이 차지한 자리의 평수(坪數)。
◉封建봉건 月建월건

9 【廻】廴6 회 — 돌 — ㊦灰

자원 형성 回 음 ＋ 廴 → 廻 (廴부)  2500년전

음을 나타내며 동시(同時)에 빙빙 돌다의 뜻을 나타내는 「回회」와, 도는 동작(動作)의 뜻을 명시(明示)하기 위한 「廴민책받침」으로 이루어짐。순회(巡回)·회피(回避)의 뜻으로 전용(專用)하게 되었음。

뜻 ①**돌회**、**돌릴회** 빙 돎。또 빙

돌게 함。「廻轉회전」②피할회 회피함。「廻避회피」

【廻禮 회례】돌아다니며 치르는 인사。

【廻避 회피】①피함。②조심함。

◉上廻상회 巡廻순회 下廻하회

廾 部

3【廾】수부 공 — 들 — [上]腫

[자원] 상형 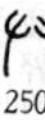 2500년전

양손으로 공손(恭遜)하게 물건을 내민 모양。일설(一說)에「拱공」〈두 손마주잡음〉의 본디 글자。한자(漢字)의 부수(部首)로서는 양손의 뜻을 나타냄。

[뜻] 들공 두 손으로 듦。

[주의]「廿입」〈이십〉은 딴 글자。

二畫

5【弁】廾 2 [一]변 [二]반 — 고깔 — [一][去]霰 [二][平]寒

[자원] 회의 廾+厶→弁(廾부)

 2500년전

「廾공」〈양손〉과 고깔의 모양을 본뜬「厶사·모」로 이루어짐。양손으로 고깔을 쓰는 모습→고깔。

[뜻] [一]①고깔변 주대(周代)의 통상 예복의 관。「皮弁피변」은 무인(武人)의 관。②급할변、서둘변 ③떨변 전율함。④칠변 손으로 침。또 손으로 서로 쳐 승부(勝負)를 다투는 일。
[二]즐거워할반 般(舟部四畫)과 같은 글자。통속적으로「辨변」〈나누다〉·「辯변」〈말 잘하다〉의 약자로 쓰임。

[주의] 통속적으로「辦판」〈힘쓰다〉·「辮변」〈땋다〉을「弁」으로 쓰지 않음。

【弁韓 변한】삼한(三韓)의 하나임。

四畫

7【弄】廾 4 [고교] 롱 — 희롱할 — [去]送

一 丅 干 王 王 弄 弄

[자원] 회의 王+廾→弄(廾부)  2500년전

「王왕」은「玉옥」이고「廾공」(𠬞)은 양손。손에 구슬을 가지고 만지작거린다는 뜻。

[뜻] ①희롱할롱「調弄조롱」②놀롱 ㉠손에 가지고 놂。장난감으로 함。「弄具농구」㉡흥에 겨워하며 놂。③무롱할롱 멋대로 씀。「弄權농권」④업신여길롱「侮弄모롱」⑤탈롱 악기를 타며 즐김。「弄琴농금」⑥곡조롱 악곡。

【弄奸* 농간】속이려는 간사한 짓。

【弄談 농담】실 없는 말。농지거리。

【弄月 농월】달을 보며 즐김。

【弄蕩* 농탕】음탕(淫蕩)하게 놂。

◉侮弄모롱 愚弄우롱 嘲弄조롱 戲弄희롱

十二畫

15【弊】廾 12 [고교] 폐 — 해질 — [去]霽

… 敝 敝 弊

자원 형성 犬-廾 敝음 ┬弊(廾부)

「獘폐」를「弊」로 잘못 쓴 글자。「犬견」〈개〉과、음을 나타내는「敝폐」로 이루어짐。개가 지쳐 쓰러지는 뜻。나중에 개의 뜻이 빠지고 음을 빌어、깨어지다、찢어지다의 뜻。

뜻 ①**해질폐** ㉠해져 떨어짐。「弊衣폐의」 ㉡전(轉)하여、겸사(謙詞)로 쓰임。「弊邦폐방」 ②**곤할폐** 피곤함。피로함。「疲弊피폐」 ③**곤하게할폐** 피곤하게 함。④**피곤폐** 피로。피폐。⑤**폐폐** 해악(害惡)。「弊害폐해」 ⑥**결단할폐** 단정을 내림。판결함。

주의 「幣폐」〈비단·돈〉는 딴 글자。

【弊家 폐가】자기 집의 겸칭(謙稱)。

【弊端 폐단】괴롭고 번거로운 일。또 좋지 못하고 해로운 일。

【弊履 폐리】해진 신。헌 신짝。

【弊習 폐습】폐해가 많은 풍습。나쁜 풍습。폐풍(弊風)。

【弊政 폐정】못된 정치。악정(惡政)。

【弊害 폐해】폐단(弊端)과 손해。

◉宿弊숙폐 遺弊유폐 積弊적폐 疲弊피폐

弋部

【弋】부수 3 익 — 주살 — 入職

자원 상형 2500년전

「弋」은 본래 뾰족하고 작은 가지가 달린 작은 나무(㇂)와、그것을 잘랐음을 표시하는(一)로 이루어져、말뚝의 모양을 본뜬 글자。주살의 뜻으로 차용(借用)됨。

뜻 ①**주살익** ㉠오늬에 줄을 매어 쏘는 화살。「弋繒익증」 ㉡또 주살로 새를 잡음。②**홰익** 횃대。③**검을익** ④**빼앗을익** 탈취함。⑤**뜰익** 물 위에 뜸。

주의 「戈과」〈창〉·「弌일」〈一의 옛 글자〉과는 딴 글자。

참고 「弋」 음으로 하는 글자=「式식」〈법·제도〉·「拭식」〈닦다〉·「代대」〈대신하다〉

◉浮弋부익 游弋유익

二畫

【弍】5 弋 2 二(部首)의 옛 글자。

三畫

【式】6 弋 3 중획 식 — 법 — 入職

一 二 亍 亍 式 式

자원 형성 工 弋음 ┬式(弋부) 2500년전

음을 나타내는「弋익」(식은 변음)은 안표가 되는 나무。「工공」은 도구(道具)。

「式」은 공사(工事)를 하다→손을 보아 다듬다→물건을 사용하다→시도해 보다의 뜻。

뜻 ①**법식** ㉠규칙。제도。「法式법식」 ㉡장정(章程)。㉢본보기。모범。②**꼴식** 일정한 형상。「舊式구식」 ③**식식** ㉠의식。「結婚式결혼식」

「開校式개교식」 ㉡산식(算式)。「代數式대수식」 ④절도식 적당한 정도。 ⑤본뜰식 본보기로 함。 ⑥삼갈식 공경(恭敬)하는 마음을 가짐。 ⑦쓸식 사용함。 ⑧가로지른나무식 수레 위에 설치한 횡목(橫木)。이 나무에 의지하여 경례함。 軾(車部六畫)과 같은 글자。 ⑨절할식 식(軾)에 기대어 경례함。 ⑩발어사(發語辭)식 발언(發言)을 나타내는 말。

참고 「式」을 음으로 하는 글자＝「拭식」〈닦다〉·「試시」〈시험하다〉

【式年 식년】《韓》 자년(子年)·묘년(卯年)·오년(午年)·유년(酉年)。곧 과거 보이는 시기를 정한 해。

【式辭 식사】《韓》 식장(式場)에서 그 식에 대하여 인사(人事)로 하는 말。

【式場 식장】 예식(禮式)을 행하는 곳。

◉格式격식 略式약식 儀式의식 正式정식

五畫

【武】 ⇩止部四畫

九畫

【貳】 ⇩貝部五畫

弓部

3 【弓】 부수 중학 궁 | 활 | (平)東

ㄱ ㄱ 弓

자원 상형 (A) (B) 2500년전

「弓」은 가운데가 불룩하게 굽은 활의 모양을 본뜸。「弓」이 부수(部首)가 되어 글자를 만들 때는 활 또는 화살을 쏘는 동작(動作)과 관계(關係)가 있음을 나타냄。

뜻 ①활궁 화살을 쏘는 무기。「弓矢궁시」 ②여덟자궁 토지의 길이의 단위。지금의 약 오척(五尺)으로서 보(步)와 같음。삼백 육십 궁(三百六十弓)은 삼백 육십 보로서 일리(一里)임。 ③여섯자궁 활 쏘는 데서 과녁까지의 거리의 단위。

참고 「弓」을 음으로 하는 글자＝「躬궁」〈몸〉·「窮궁」〈다하다〉

【弓馬 궁마】 활과 말。또 궁술과 마술。전(轉)하여、무예(武藝)。

【弓手 궁수】 활을 쏘는 사람。궁술(弓術)을 익히는 사람。

【弓術 궁술】 활을 쏘는 기술(技術)。

【弓矢 궁시】 활과 화살。전(轉)하여、무기(武器) 또는 전쟁(戰爭)。

【弓裔*궁예】《韓》 마진(摩震)·태봉(泰封)의 왕(王)。신라(新羅) 헌안왕(憲安王)의 서자(庶子)라고도 함。신라 진성여왕(眞聖女王) 때 송악(松岳)에서 후고구려(後高句麗)를 세우고 뒤에 서울을 철원(鐵原)으로 옮겨 국호를 태봉(泰封)이라 고침。악정을 거듭하여 부하 왕건(王建)에게 자리를 빼앗김。

【弓折矢盡 궁절시진】 활은 부러지고 화살은 다 없어짐。곧 세궁역진(勢窮力盡)하여 어찌할 도리가 없음。

【弓形 궁형】 활의 형상。반월형。

◉強弓강궁 大弓대궁 石弓석궁 雙弓쌍궁

一畫

4 【弔】 弓 1 고교 ㊀조 ㊁적 — 조상할 — ㊀去嘯 ㊁入錫

ㄱ ㄱ 弓 弔

자원 회의 弓 人 丨 弔(弓부) 2500년전

옛날 조상할 때에는 짐승을 막기 위하여 사람이 활을 가지고 갔다고 함。그러므로 「人인」과 「弓궁」으로 이루어져서 조상한다는 뜻이 된 듯。

뜻 ㊀①**조상할조** ㉠남의 상사에 조의(弔意)를 표시함。㉡죽은 사람의 영혼을 위로함。②**위문할조**、**물을조** 재난을 당한 사람을 위로하기 위하여 찾아감。또 안부(安否)를 물음。③**조상조**、**위문조** 이상(以上)의 명사。④**상심할조** 마음 아픔。⑤**불쌍히여길조** 연민함。「弔恤조휼」⑥**매달조** 통속적으로 吊(口部三畫)로 씀。㊁**이를적** 다다름。

주의 「吊조」는 「弔」의 속자(俗字)。우리 나라에서는 「弔」를 조상(弔喪)하다의 뜻。「弔」를 매달다의 뜻으로 가려 쓰고 있음。

【弔歌 조가】 조의(弔意)를 표하는 노래。만가(輓歌)。

【弔旗 조기】 ①조의를 표하는 뜻을 나타내기 위하여 다는 기。②반기(半旗)。

【弔問 조문】 상가(喪家)에 가서 위문(慰問)함。조상하러 감。

【弔辭 조사】 조상하는 글。조사(弔詞)。

【弔喪 조상】 남의 상사에 조의(弔意)를 표함。

【弔意 조의】 죽은 이를 애도(哀悼)하는 마음。

【弔電 조전】 조상의 뜻을 표하여 보내는 전보。

【弔鐘 조종】 죽은 사람에 대하여 슬퍼하는 뜻으로 치는 종。

◉敬弔경조 哀弔애조 惠弔혜조 會弔회조

4 【引】 弓 1 중학 인 — 당길 — ①-⑨上軫 ⑩⑪去震

ㄱ ㄱ 弓 引

자원 회의 弓 丨 引(弓부) 2500년전

「弓궁」〈활〉과 「丨곤」을 합한 글자。「丨」은 나아가다、곧 열다의 뜻。따라서 「引」은 활시위를 켕기다→당기다의 뜻。

뜻 ①**당길인** ㉠활을 당김。㉡끌어당김。「牽引견인」㉢잡아당겨 뺌。②**끌인** ㉠이끎。「引導인도」㉡추천함。「引薦인천」㉢끌어들임。안으로 들어 오게 함。㉣땅바닥에 끎。㉤끌어 냄。증거로 듦。「引例인례」㉥소리를 길게 빼어 노래를 부름。③**늘일인** 신장(伸張)시킴。④**물러갈인** 퇴거함。「引退인퇴」⑤**바로잡을인** 바르게 함。⑥**자살할인** 스스로 자기 목숨을 끊음。「自引자인」⑦**열길인** 십장(十丈)。⑧**노래곡조인** 가곡(歌曲)。⑨**서인** 문체(文體)의 한 가지。서문(序文)。⑩**상여줄인** 상여를 끄는 바。⑪**가슴걸이인**

【引據 인거】 인용하여 증거 또는 전거(典據)로 삼음。

【引見 인견】 불러 들이어 봄。

【引繼 인계】 하던 일을 넘겨 줌。

【引過自責 인과자책】 자기의 허물을

인정(認定)하고 스스로 책(責)함。
【引渡 인도】넘겨 줌。
【引例 인례】끌어 대는 예(例)。또 「예를 듦。
【引上 인상】①끌어올림。②물가·요금·봉급 등을 올림。
【引率 인솔】거느림。
【引受 인수】물건이나 권리를 넘기어 [받음。
【引用 인용】끌어 씀。
【引喩* 인유】끌어 대는 비유。또 비유를 듦。인례(引例)。
【引證 인증】인용(引用)하여 증거(證「據」로 함。
【引致 인치】①끌어 들임。②끌어 올림。③강제로 관청에 연행함。
【引下 인하】①끌어내림。②가격·요금 등을 떨어뜨림。
◉牽引견인 延引연인 誘引유인 遷引천인

二畫

【弘】 5 弓 2 [고교] 홍 넓을 [平]蒸

ㄱ ㅋ 弓 弘 弘

[자원] 형성 弓 広[음] 厶 → 弘(弓부)

2500년전

「弓궁」〈활〉과、음을 나타내는 「広광」의 생획(省畫)인 「厶」(홍은 변음)으로 이루어짐。활시윗소리。또한 「宏」에 통하여、넓다、크다의 뜻으로 쓰여짐。

[뜻] ①**활소리홍** 궁성(弓聲)。②**넓을홍**、**클홍** 광대함。「廣弘광홍」「弘大홍대」③**넓힐홍** 넓게 함。「弘法홍법」

【弘大 홍대】넓고 큼。
【弘文 홍문】문학을 넓힘。학문을 넓 [힘。
【弘文館 홍문관】이조(李朝) 때 경적(經籍)에 관한 일을 맡은 마을。
【弘法 홍법】《佛敎》불도를 널리 폄。
【弘益人間 홍익인간】《韓》널리 인간 세상(人間世上)을 이(利)롭게 함。단군(檀君)의 건국 이념(建國理念)。
【弘濟 홍제】널리 사람을 구제함。
【弘化 홍화】널리 덕화(德化)를 폄。

【弗】 5 弓 2 [고교] 불 아닐 [入]物

ㄱ ㅋ 弓 弗 弗

[자원] 회의

2500년전

끈(ㄹ)으로 매어도、물건이 뒤로 젖히는 모양(八)에 의하여 돌아온다는 뜻을 나타내며 음을 빌어 아니라는 뜻(⇩不불)으로 씀。

[뜻] ①**아닐불** 不(一部三畫)보다 뜻이 강함。②**떨불** 떨어 버림。③**달러불** 미국의 화폐 단위인 달러의 역칭(譯稱)。「弗貨불화」

[참고] 「弗」을 음으로 하는 글자=「佛불」〈부처〉·「沸비·불」〈끓다〉·「彿불」〈비슷하다〉·「髴불」〈비슷하다〉

三畫

【弛】 6 弓 3 [一]이(시[本]) [二]치 느슨할 [一][二] [上]紙

[자원] 형성 弓 也[음] → 弛(弓부)

「弓활궁변」과、음을 나타내는 동시에 구불구불 구불어지다의 뜻을 가진 「也야·이」로 이루어짐。활 줄이 축 늘어지다。전하여、풀리다의 뜻。

[뜻] [一]①**활부릴이** 활시위를 벗김。②**느슨할이** 팽팽하지 않음。전(轉)

하여、 엄하지 않음。 무름。「弛緩이완」③느슨히할이、늦출이 완화(緩和)함。④풀릴이 해이함。⑤폐(廢)하여질이 행하여지지 않게 됨。「弛廢이폐」⑥게으를이 ⑦쉴이 휴식함。⑧방종할이 방당함。⑨부서질이 파손됨。⑩부술이 파괴함。※본음(本音)시 ㊁떨어질치、떨어뜨릴치 낙하함。낙하시킴。

【弛緩 이완】느슨함。전(轉)하여、무름。엄하지 아니함。

◉一張一弛일장일이 解弛해이

四 畫

7 【弟】 弓 4 중학 제 — 아우 — ㊤齊

、 丷 䒑 肖 弟 弟

자원 상형 2500년전

「弟」는 무기에 가죽을 감아 붙이는 모양。차례로 감기 때문에 차례란 뜻으로 쓰며、또 가죽을 위에서 아래로 감아 내려가므로 음이 비슷한「低저」〈낮다〉와 결부됨。차례란 뜻으로 나중에「第제」라 쓰고、「弟」자는 낮다는 데서 형제 중의 손아래→동생을 나타내게 되었음。

뜻 ①아우제 ㉠형(兄)의 대(對)。「兄弟형제」㉡못한 사람。나이 어린 사람。㉢자기의 겸칭(謙稱)。「愚弟우제」。②순할제、공경할제 온순함。형을 공경하여 잘 섬김。悌(心部七畫)과 같은 글자。③다만제 단지。

참고 「弟」를 음으로 하는 글자=「悌제」〈화락하다〉·「涕체」〈눈물〉·「梯제」〈사닥다리〉·「第제」〈차례〉

【弟婦 제부】아우의 아내。

【弟氏 제씨】남의 아우의 존칭(尊稱)。계씨(季氏)。

【弟子 제자】①가르침을 받는 사람。문인(門人)。②나이 어린 사람。연소자。

【弟兄 제형】아우와 형。형제。

◉高弟고제 門弟문제 小弟소제 義兄弟의형제 子弟자제 再從兄弟재종형제

五 畫

8 【弦】 弓 5 고교 현 — 시위 — ㊥先

ㄱ ㄱ 弓 弓 弓 弦 弦

자원 형성 弓玄음 ┬ 弦(弓부) 2500년전

「弓활궁변」과、음을 나타내는「玄현」의 합자(合字)。「玄」은「幺요」와 같이 실을 나타냄。「弦」은 활에 맨 실→활시위의 뜻。

뜻 ①시위현 활의 줄。「弓弦궁현」②초승달현 초승에 뜨는、활같이 보이는 달。③줄현 絃(糸部五畫)과 통용。「弦歌현가」

◉空弦공현 弓弦궁현 上弦상현 下弦하현

8 【弧】 弓 5 호 — 활 — ㊥虞

자원 형성 弓瓜음 ┬ 弧(弓부) 2500년전

「弓활궁변」과、음을 나타내며 동시(同時)에 구부러지다의 뜻(⇩跨과)을 나타내는「瓜과」로 이루어짐。활의 한가운데가 불룩하게 구부러져 있는

일。또 그 부분(部分)。
[뜻] 활호 ㉠목제의 활。㉡기(旗)를 단 활。「弧弓호궁」
◉括弧괄호

七畫

10 【弱】 弓 7 [중학] 약 | 약할 | [人]藥

ㄱ ㄱ 弓 弓 弓' 弓' 弓' 弱 弱

[자원] 회의 弓弓 羽 → 弱(弓부)
「弓궁」〈활〉 두 개와 「羽우」〈보드라운 날개〉를 합하여 활을 구부리다→약하다→젊다의 뜻을 나타냄。

2000년전

[뜻] ①약할약 ㉠강(強)하지 아니함。「弱小약소」 ㉡약한 것。약한 사람。②약하게할약 약하여지게 함。③쇠할약 쇠약함。④날씬할약 허리가 가늚。⑤어릴약、젊을약 연소함。또 연소자。「老弱노약」 ⑥잃을약 상실함。⑦패할약 전패함。⑧침노할약 침범함。

【弱骨 약골】①몸이 약한 사람。약질。②약한 골격。병골(病骨)。
【弱冠 약관】①남자가 스무살에 관례(冠禮)를 행하는 일。전(轉)하여 남자 스무살의 일컬음。②어린 나이。젊은 나이。약년(弱年)。
【弱能制強 약능제강】약한 사람이 도리어 강한 사람을 이김。
【弱小 약소】약(弱)하고 작음。
【弱肉強食 약육강식】약(弱)한 것이 강한 것에게 먹힘。우승열패。
【弱者 약자】약한 사람。무력(無力)한 사람。
【弱點 약점】①남에게 켕기는 점(點)。②결점(缺點)。
【弱卒 약졸】약한 군사。약병(弱兵)。
【弱志 약지】약한 의지(意志)。
【弱質 약질】약한 체질。또 그러한 사람。
【弱行 약행】①실행력이 약함。②절뚝발이。
◉老弱노약 文弱문약 薄弱박약 貧弱빈약 衰弱쇠약 抑強扶弱억강부약 軟弱연약

八畫

11 【張】 弓 8 [고교] [一]장 [二]창 | 활시위얹을 | [一][平]陽 [二][去]漾

ㄱ ㄱ 弓 弓' 弡 弡 張 張 張

[자원] 형성 弓 長[음] → 張(弓부)
음을 나타내는 「長장」은 길다→길게 하다。「張」은 활에 화살을 대어 쏘는 일。나중에 화살에 한하지 않고、당기다→펴다→부풂을 뜻함。

[뜻] [一] ①활시위얹을장 활에 시위를 맴。②당길장 활시위를 당김。③베풀장 차림。④펼장 ㉠벌림。펴 넓힘。㉡강하게 함。㉢왕성(旺盛)하게 함。㉣크게 함。⑤자랑할장 「誇張과장」 ⑥속일장 기만함。⑦어그러질장 괴려(乖戾)함。⑧고칠장 「更張경장」 ⑨벌장 궁노(弓弩)·금슬(琴瑟)·유장(帷帳) 등을 세는 수사(數詞)。⑩별이름장 이십팔수(二十八

宿)의 하나。주작칠수(朱雀七宿)의 다섯째 성수(星宿)로서 별 여섯으로 구성되었음。⑪장막장 帳(巾部八畫)과 통용。㊁배부를창 脹(肉部八畫)과 통용。

참고 「張」을 음으로 하는 글자=「漲장」〈붇다〉

【張保皐＊ 장보고】《韓》 신라 흥덕왕(興德王) 때의 장수。황해와 남해의 해적을 없애고 해상권을 잡았으며 신라와 당의 교역(交易)을 활발하게 하였음。

【張本人 장본인】①악인(惡人)의 괴수(魁首)。②일의 근본이 되는 사람。

【張三李四 장삼이사】장씨의 삼남(三男)과 이씨의 사남(四男)이라는 뜻으로 성명(姓名)이나 신분(身分)이 분명하지 못한 사람들을 이름。

【張良 장량】전한(前漢)의 공신(功臣)。소하(蕭何)·한신(韓信)과 함께 한(漢)나라 삼걸(三傑)。

【張儀 장의】전국 시대(戰國時代)의 유세가(遊說家)。위(魏)나라 사람。

◉開張개장 誇張과장 緊張긴장 主張주장

11 **【強】** 弓 8 중학 **강** | 강할 | ①-④ ㊥陽 ⑤- ⑧ ㊤養 ⑨ ㊦漾

ㄱ コ 弓 弘 弘 弘 弘 強

強

자원 형성 虫 弘음 ┬ 強(弓부)

음을 나타내는 「弘홍」(강은 변음)은 활시윗소리→크다→가운데가 넓다。「強」은 본디 바구미의 뜻이었으나 힘이 세다는 뜻의 「勍경」 또는 활이 세다는 뜻의 「彊강」 따위와 섞여 후에 강하다의 뜻으로 쓰게 되었음。

뜻 ①**강할강** ㉠기력(氣力)이 강함。「強直강직」 ㉡근력이 강함。「強壯강장」 ㉢세력이 강함。「強軍강군」 ㉣또 강한 것。강한 사람。「強弱강약」 ②**강하게할강** 세게 함。③**마흔살강** 사람이 가장 강성한 때의 나이。④**나머지강** 표기(表記)한 수 외에 우수리가 있음을 나타내는 말。⑤**힘쓸강** 힘써 함。「勉強면강」 ⑥**힘쓰게할강** 힘써 하도록 함。⑦**강요할강** 억지로 시킴。⑧**억지로강** 무리하게。「強勸강권」 ⑨**포대기강**

【強姦 강간】강제로 간통(姦通)함。

【強健 강건】체질(體質)이 튼튼하고 건전(健全)함。건강(健康)。

【強硬 강경】강하게 버티어 굽히지 않음。또 그 사람。「강하게 함。

【強國 강국】①강한 나라。②나라를

【強軍 강군】①강한 군대(軍隊)。②강한 경기 단체(競技團體)。

【強勸 강권】억지로 권함。

【強大 강대】세고 큼。

【強盜 강도】폭력·협박 등의 수단을 써서 남의 재물을 빼앗는 도둑。

【強迫 강박】으름。위협(威脅)。협박(脅迫)。

【強兵 강병】①강한 군사(軍士)。②「군사를 강하게 함。

【強壓 강압】세게 억누름。「약한 것。

【強弱 강약】강함과 약함。강한 것과

【強要 강요】강제(強制)로 요구함。

【強者 강자】힘이 센 사람。

【強壯 강장】①강건하고 힘이 셈。②기력(氣力)이 강(強)하고 씩씩함。

나이가 젊어 혈기가 왕성함。

【強將下無弱兵 강장하무약병】강한

〔三畫部首順〕 口口土士夂夊夕大女子宀寸小尢尸屮山巛工己巾干幺广廴廾弋弓彐彡彳

·대장(大將)의 부하(部下)에는 약한 군사(軍士)가 없음。
【強敵 강적】 강(強)한 대적(對敵)。
【強制 강제】 위력(威力)으로 남의 자유 의사를 억제(抑制)함。
【強調 강조】 ①힘차게 고조(高調)함。 ②역설함。 강력히 주장함。
【強直 강직】 마음이 굳세고 곧음。 강직(剛直)。
【強請 강청】 무리하게 청(請)함。
【強化 강화】 강하게 함。 또 강해짐。
◉健強건강 富強부강

九畫

12 **【强】** 弓 9 強(앞 글자)의 속자(俗字)。

12 **【弼】** 弓 9 필 | 도울 | [入]質

[자원] 형성 百[음] 弜 ㅏ弼(弓부) 2500년전
트집간 활을 바로잡는 도지개의 뜻인 「弜강·기」와, 음을 나타내는 동시에 돕다, 짝짓다의 뜻(⇩比비·匹필)을 나타내기 위한 「百백」(필은 변음)으로 이루어짐。 활을 도지개에 거는 일。 전하여、 붙이다、 돕다의 뜻。
[뜻] ①**도울필** ㉠보좌함。 「輔弼보필」 ㉡보좌하는 사람。 ②**어그러질필** 괴려(乖戾)함。 ③**도지개필** 활을 바로잡는 틀。
◉保弼보필 輔弼보필 元弼원필

12 **【弾】** 弓 9 彈(다음 글자)의 약자(略字)。

十二畫

15 **【彈】** 弓 12 [고교] 탄 | 탄알 | ①②[去]翰 ③-⑦[平]寒

ㄱ ㄱ 弓 弓ㅁ 弓ㅁㅁ 弓罒 弓單 彈

[자원] 형성 單[음] 弓 ㅏ彈(弓부) 2500년전
음과 함께 둥근 알을 나타내기 위한 「單단」과、「弓궁」〈활〉으로 이루어짐。 알을 쏘는 활、 튀기는 활의 뜻。
[뜻] ①**활탄** 탄알을 쏘는 활。 ②**탄알탄** 탄자。 ㉠활로 쏘는 탄알。 ㉡총의 탄알。 「砲彈포탄」 ㉢전(轉)하여 탄알같이 작은 것。 ③**쏠탄** 활로 탄알을 쏨。 「彈射탄사」 ④**튀길탄** ㉠·반발(反撥)함。 ㉡튀겨 탊。 ⑤**탈탄** 악기 같은 것을 탐。 「彈琴탄금」 ⑥**칠탄** 두드림。 ⑦**탄핵할탄** 죄를 바로잡음。 「糾彈규탄」
【彈琴* 탄금】 거문고를 탐。
【彈力 탄력】 ①튀기는 힘。 ②탄환(彈丸)의 나가는 힘。
【彈壓 탄압】 남을 억지로 억누름。
【彈雨 탄우】 빗발과 같이 쏟아지는 총탄알。
【彈劾* 탄핵】 관리의 죄과를 조사하여 임금에게 아룀。 탄주(彈奏)。
【彈丸雨飛 탄환우비】 탄알이 빗발치듯이 날아옴。 탄환우주(彈丸雨注)。
【彈痕* 탄흔】 탄알이 맞은 흔적。
◉糾彈규탄 流彈유탄 砲彈포탄 爆彈폭탄

十四畫

17 **【彌】** 弓 14 미 | 활부릴 | ①-⑥[平]支 ⑦[上]紙

[자원] 형성 爾[음] 弓 ㅏ彌(弓부) 2500년전

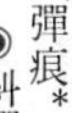

「爾이」(미는 변음)가 음을 나타내며 오래 끈다는 뜻을 지님. 본디는 「璽새」를 덧붙여 「瓕」로 썼음. 본디 뜻은 활시위를 느슨하게 함을 이름.

뜻 ①**활부릴미** 弭(弓部六畫)와 같은 글자. ②**퍼질미** 널리 퍼짐. 두루 미침. 「彌滿미만」 ③**더욱미** 더욱 더욱. ④**걸릴미** 날짜나 시간이 걸림. ⑤**마칠미**、**지낼미** 경과함. ⑥**기울미** 수선함. 「彌縫미봉」 ⑦**그칠미** 쉼. 그만둠.

【彌勒菩薩 미륵보살】 석가모니(釋迦牟尼)의 입멸(入滅) 후 오십 육억 칠천만년을 지나서 이 세상에 나타나 중생(衆生)을 인도한다는 보살(菩薩).

【彌勒寺 미륵사】 《韓》 백제(百濟) 때의 당시(當時) 동양(東洋)에서 가장 큰 절. 전라북도(全羅北道) 익산(益山)에 그 터가 있는데 한국(韓國)에서 가장 오래 된 석탑(石塔)이 남아 있음.

【彌漫 미만】 널리 퍼지어 그득먹함.

【彌滿 미만】 가득 참.

【彌縫 미봉】 ①기움. ②임시 변통으로 꾸려 나감. 「의 약어(略語)。

【彌陀 미타】 아미타여래(阿彌陀如來)

十六畫

【彊】 ⇩田部十四畫

彐(彑·彐)部

3 【彐】 부수 계 | 돼지머리 | 去霽

자원 상형 彑 2500년전

돼지의 머리가 뾰족한 모양을 본뜸. 부수로서 「터진가로왈」로 불림.

뜻 **돼지머리계** 돼지의 머리를 본뜬 글자.

3 【彑】 彐 0 彐(앞글자)와 같은 글자.

一畫

【尹】 ⇩尸部一畫

十畫

13 【彙】 彐 10 휘 | 모을 | 去未

자원 형성 胃음-田丁彙(彐부) 象 2500년전

털이 긴 짐승의 일종(一種). 그 짐승은 무리를 이루어 산다고 함. ⊗는 胃(=胃위)의 생략형(省略形)으로 음을 나타냄.

뜻 ①**고슴도치휘** 蝟(虫部九畫)와 뜻이 같음. ②**무리휘** 동류(同類)。「彙集휘집」 ③**모을휘** 같은 종류의 것을 한데 모음. 「彙報휘보」

◉部彙부휘 語彙어휘 字彙자휘 品彙품휘

彡部

3 【彡】 부수 삼 | 터럭 | 平咸

〔三畫部首順〕 ㅁ口土士夂夊夕大女子宀寸小尢尸屮山巛工己巾干幺广廴廾弋弓彐彡彳

자원 상형 2500년전

털이 가지런히 나 있는 모양。 일설(一說)에 귀얄 자국、 또 머리 장식(裝飾)의 모양。 한자(漢字)의 부수(部首)로서는 「터럭삼、 삐친석삼」이라 하여 아름답게 가지런히 갖추어 장식(裝飾)하는 뜻을 나타냄。

뜻 ①**터럭삼、 긴머리삼** 길게 자란 아름다운 머리。 ②**그릴삼** 붓 같은 것으로 채색함。

참고 「彡」을 음으로 하는 글자=「杉삼」〈삼목〉・「衫삼」〈적삼〉・「參삼・참」〈셋・섞이다〉・「慘참」〈아프다〉・「袗진」〈홑옷〉・「疹진」〈홍역〉・「診진」〈보다〉・「滲삼」〈물이 배다〉・「蔘삼」〈인삼〉

四畫

7 **【形】** 4 彡 중학 **형** 형상 ㊥平青

一 二 于 开 开' 形 形

자원 형성 彡 幵음-开 ┬形 (彡부)

形

「彡터럭삼」은 무늬→모양。 음을 나타내는 「幵견」(형은 변음)은 평평하게 줄짓다→뚜렷하게 하다。 「形」은 물건의 모양이 뚜렷이 눈에 보이게 나타내는 일。

뜻 ①**형상형** 꼴。 「形體형체」 ②**형모형** 용모。 ③**형체형** 몸。 신체。 ④**형세형** 상태。 ⑤**나타낼형** 드러냄。 ⑥**나타날형** 드러남。 ⑦**꼴이룰형** 형상을 이룸。 ⑧**그릇형** 토제(土製)의 식기(食器)。 鉶(金部六畫)과 통용。

【形局 형국】 얼굴・집터・묏자리 등의 생김새。

【形狀 형상】 물체(物體)의 생긴 모양。 모습。 겉으로 나타나는 모양。

【形象 형상】 형상(形狀)。 형태(形態)。

【形色 형색】 형상(形狀)과 빛깔。

【形成 형성】 어떠한 형상을 이룸。

【形聲 형성】 육서(六書)의 하나로 해성(諧聲)이라고도 함。 두 문자가 결합된 한자(漢字)에서 반은 뜻을、 반은 음(音)을 나타내는 것。 곧 「珥이」・「漁어」・「娶취」 같은 자。

【形勢 형세】 ①지세(地勢)。 ②정세(情勢)。 형편。

【形式 형식】 ①일정한 방식。 ②꼴。 모형(模型)。 ③겉모습。 외관(外觀)。

【形言 형언】 형용(形容)하여 말함。

【形影相弔 형영상조】 자기의 몸과 그림자가 서로 불쌍히 여긴다는 뜻으로 매우 외로와 의지할 곳이 없음을 이름。

【形容 형용】 ①모양。 형태。 상태。 ②모습。 용모。 ③꼴。 ④사물(事物)의 어떠함을 설명함。

【形而上 형이상】 무형의 것。 추상적(抽象的)인 것。 곧 도(道)를 이름。

【形而下 형이하】 유형(有形)의 것。 지각(知覺)할 수 있는 것。 기물(器物)을 이름。

【形迹* 형적】 뒤에 남는 흔적。 모습。 형적(形跡)。 흔적(痕跡)。

【形質 형질】 형체와 성질(性質)。 생긴 모양과 그 바탕。 또 몸의 모양。

【形體 형체】 물건(物件)의 형상(形狀)과 그 바탕이 되는 몸。

【形態 형태】 상태(狀態)。 형상(形狀)。

【形骸* 형해】 ①몸。 육체(肉體)。 ②

외형(外形)。

【形形色色 형형색색】 가지각색。 여러 가지。

◉奇形기형 圖形도형 無形무형 方形방형 外形외형 有形유형 人形인형 地形지형

六畫

9【彥】彡 6 언 | 선비 | [去]霰

[자원] 형성 文彡厂[음]┬彥(彡부)  2500년전

무늬의 뜻인 「文문」과, 아름답다는 뜻의 「彡터럭삼」과, 음을 나타내는 「厂엄·한」(언은 변음)으로 이루어짐。 훌륭한 청년의 미칭(美稱)。

[뜻] **선비언** 뛰어난 남자。 또 남자의 미칭(美稱)。 「彥士언사」

[참고] 「彥」을 음으로 하는 글자=「諺언」〈상말〉·「顏안」〈얼굴〉

◉英彥영언 才彥재언 俊彥준언 賢彥현언

八畫

11【彩】彡 8 [고교] 채 | 무늬 | [上]賄

一 ノ ⺈ 爫 乎 采 采 彩 彩

[자원] 형성 彡 采[음]┬彩(彡부)  2500년전

아름답다의 뜻을 나타내는 「彡터럭삼」과, 음을 나타내며 동시(同時)에 겹치다의 뜻(⇩載재)을 가진 「采채」로 이루어짐。 몇개씩이나 색을 겹쳐서 아름답게 하다의 뜻。

[뜻] ①**무늬채** 문채。 ②**채색채** ㉠고운 빛깔。「光彩광채」 ㉡색을 칠하는 일。 ③**빛채** 광휘。 ④**노름채** 도박。

【彩文 채문】 무늬。 문채。

【彩色 채색】 고운 빛。 또 고운 빛을 칠함。

◉光彩광채 奇彩기채 色彩색채

11【彫】彡 8 조 | 새길 | [平]蕭

[자원] 형성 彡 周[음]┬彫(彡부)  2500년전

아름답게 장식(裝飾)하다의 뜻을 가진 「彡터럭삼」과, 음을 나타내는 동시에 칼의 뜻(⇩刀도)을 나타내기 위한 「周주」(조는 변음)로 이루어짐。 칼로 나무를 파서 아름답게 무늬를 새기다의 뜻。

[뜻] ①**새길조** 조각함。 ②**꾸밀조** 수식(修飾)함。 ③**시들조** 凋(冫部八畫)와 통용。 전(轉)하여 쇠잔(衰殘)함。 ④**고미조** 줄의 열매。

【彫刻 조각】 ①파 새김。 ②글씨·그림 또는 물건의 형상 등을 돌·나무 따위에 새김。 또 그 예술(藝術)。

【彫像 조상】 조각한 물상(物像)。 또 물상을 조각함。

【彫塑 조소】 조각(彫刻)과 소상(塑像)。 금·석·목(金石木)에 상(像)을 아로새기는 일과 보드라운 점토(粘土) 따위로 상(像)을 만드는 일。

【彫琢 조탁】 새기고 쫌。 새기고 갊。 조각탁마(彫刻琢磨)。

11【彬】彡 8 ㊀빈 ㊁반 | 빛날 | ㊀[平]眞 ㊁[平]刪

[자원] 형성 彡 棼[음]-林┬彬(彡부)  2500년전

〔三畫部首順〕 口囗土士夊夂夕大女子宀寸小尢尸屮山巛工己巾干幺广廴廾弋弓彐彡彳

아름답다는 뜻을 나타내는 「彡터럭삼」과, 음을 나타내는 동시에 뒤섞이다의 뜻(⇩紛분)을 가진 「棼분」(빈은 변음)의 생략체 「林」으로 이루어짐。 문채와 바탕이 잘 섞이고 조화하여 찬란하다는 뜻。

[뜻] ㊀빛날빈 문채(文彩)와 바탕이 겸비하여 찬란함。 ㊁밝을반 문채가 환함。

九畫

【須】 ⇩頁部三畫

十一畫

14 【彰】 彡 11 창 | 밝을 | [平]陽

[자원] 형성 彡 章[음] ┬彰(彡부)

아름다운 것을 뜻하는 「彡터럭삼」과, 음을 나타내며 동시(同時)에 아름다움, 환하다의 뜻을 가진 「章장」(창은 변음)으로 이루어짐。

[뜻] ①밝을창 뚜렷함。 환함。 「彰明창명」 ②드러날창 저명(著明)하여 짐。 ③드러낼창 저명(著明)하게 함。 「彰德창덕」 ④무늬창 문채。 ◉表彰표창 顯彰현창

十二畫

15 【影】 彡 12 [고교] 영 | 그림자 | [上]梗

冂 日 旦 旦 早 亭 景 景 影

[자원] 형성 彡 景[음] ┬影(彡부)

아름다움을 뜻하는 「彡터럭삼」과, 음을 나타내며 동시(同時)에 일광(日光)의 뜻인 「景경」(영은 변음)으로 이루어짐。 아름다운 일광의 뜻。 나중에 「光광」은 양광(陽光), 「影영」은 음광(陰光)으로 구별(區別)해서 쓰이게 됨。

[뜻] ①그림자영 ㉠광선이 가려서 나타난 검은 형상。 「形影형영」 ㉡거울에 비친 형상。 ㉢해의 그림자。 일영(日影)。 ②빛영 광화(光華)。 ③모습영 자태(姿態)。 ④화상영 초상(肖像)。 「影像영상」

【影堂 영당】 초상(肖像)을 안치(安置)하는 곳。 영정(影幀)을 모셔 두는 사당(祀堂)。

【影印本 영인본】 원본(原本)을 사진이나 기타의 과학적 방법으로 복제(複製)한 책。

【影響 영향】 한 가지 사물(事物)로 인하여 다른 사물에 미치는 결과。

月影월영 人影인영 撮影촬영 幻影환영

彳部

3 【彳】 부수 척 | 조금걸을 | [入]陌

[자원] 상형  2500년전

(도로의 상형=行자)의 왼쪽 절반。 한자(漢字)의 부수로서는 길·걷다 등에 관한 뜻을 나타냄。

[뜻] 조금걸을척 잠시 걸음。 일설(一說)에는 좌보(左步)를 「彳」이라 하

고 우보(右步)를 「亍촉」이라 하여 합하여 행(行)자가 된다고 함。

四畫

7 **【彷】** 彳4 **방** | 배회할 | ①平陽 ②上養

자원 형성 方음 ┬ 彷(彳부)
彳

걷는다는 뜻을 나타내는 「彳두인변」과、음을 나타내는 「方방」으로 이루어짐。

뜻 ①**배회할방** 오르락내리락하여 돌아다님。「彷徨방황」 ②**비슷할방** 근사함。또 흐릿하여 분별하기 어려운 모양。「彷彿방불」

주의 「彷방」〈비슷하다〉은 딴글자이지만 통하여 쓰여짐。

【彷彿 방불】 근사(近似)함。비슷함。또 흐릿하여 분별하기 어려운 모양。

【彷徨 방황】 일정한 방향이나 목적이 없이 이리저리 돌아다님。배회함。

7 **【役】** 彳4 고교 **역** | 수자리 | 入陌

丿 彡 彳 彳 彸 役 役

자원 회의 彳殳 ┬ 役(彳부) 2500년전

「彳두인변」〈길 彳〉과、무기(武器) 또는 대나무 몽둥이를 손에 든 「殳수」〈殳〉로 이루어짐。몽둥이를 들고 빙빙 돌며 걸어다니는 경비(警備)의 뜻。다시 사역(使役)의 뜻이 됨。

뜻 ①**수자리역** 군대로 뽑히어 변방을 지키는 일。②**역사역** 부역。③**일역** ㉠병역·부역 등과 같이 백성을 강제적으로 동원하는 사건。㉡직무。④**일꾼역** 남에게 사역당하는 천한 사람。⑤**부릴역** 사역함。「役使역사」 ⑥**골몰할역** 노력하는 모양。⑦**줄지을역、늘어설역** 벼 이삭이 아름답게 줄지어 늘어선 모양。

【役夫 역부】 ①일꾼。인부。②남을 천히 여겨 부르는 말。놈。

◉苦役고역 免役면역 兵役병역 服役복역 主役주역 懲役징역 現役현역

五畫

8 **【彼】** 彳5 중학 **피** | 저 | 上紙

丿 彡 彳 彳 衍 彼 彼 2500년전

자원 형성 皮음 ┬ 彼(彳부)
彳

「彳두인변」〈도로·길〉과、음을 나타내며 동시(同時)에 원줄기에서 갈라지는 뜻(⇩支지)을 가진 「皮피」로 이루어짐。갈라진 길의 뜻。원줄기에서 갈라져 가는 데서、먼 곳의 물건 또는 사람을 가리킴。

뜻 ①**저피** 이(此)의 대(對)。「彼此피차」 ②**그피** ㉠나(我)의 대。「彼我피아」 ㉡자기에 대한 제삼자。㉢남을 천히 여겨 소외(疏外)하는 호칭。③**저쪽피** 저편。

【彼我 피아】 그와 나。남과 자기。저편과 우리 편。

【彼人予人 피인여인】 그나 나나 마찬가지로 사람이라는 뜻으로、나도 그와 같이 되지 않을 리 없다고 분발(奮發)하는 일。「方」。

【彼此 피차】 저것과 이것。쌍방(雙

〔三畫部首順〕 口囗土士夂夊夕大女子宀寸小尢尸屮山巛工己巾干幺广廴廾弋弓彐彡彳

8【往】彳5 중학 **왕** — 갈 — ①-⑥上養 ⑦去漾

ノ 彡 彳 彳' 彳十 彳主 往

자원 형성 王음 屮 ┤㞷 ┤彳 ┤徃-往(彳부)

풀의 싹 틈을 나타내는 「屮철」과、음을 나타내며 크게 퍼진다는 뜻을 가진 「王왕」으로 이루어짐. 「㞷황·왕」은 초목(草木)이 마구 무성하다→어디까지나 나아가는 일. 「彳두인변」은 간다는 뜻. 「徃」은 본디 「㞷」이라 쓴 것을 더 자세히 한 것. 자형(字形)은 나중에 「徃」「往」으로 변하였으나 「主주」와는 관계가 없음.

뜻 ①**갈왕** ㉠어떤 곳을 향하여 움직임. ㉡가버림. 떠남. ㉢저승으로 감. 죽음. ②**옛왕** 과거. 「往古왕고」 ③**이따금왕** 「往往왕왕」은 가끔. ④**일찍왕** 이전에. ⑤**언제나왕** 어떠한 경우에도. ⑥**보낼왕** 물건을 보내 줌. ⑦**향할왕** 귀향(歸向)함.

【往年 왕년】 지난해.

【往生 왕생】《佛敎》 극락정토(極樂淨土)에서 태어남. 왕생극락(往生極樂).

【往五天竺國傳* 왕오천축국전】《韓》 신라(新羅)의 중 혜초(慧超)가 인도(印度)의 여러 나라를 순례(巡禮)하고 돌아와 지은 여행기(旅行記).

【往往 왕왕】 가끔. 때때로.

◉古往고왕 旣往기왕 乃往내왕 來往내왕

8【徃】彳5 往(앞 글자)의 속자(俗字).

8【征】彳5 고교 **정** — 갈 — 平庚

ノ 彡 彳 彳' 彳丅 彳下 征 征

자원 형성 彳 正음 ┤征(彳부) 2500년전

길의 뜻인 「彳두인변」과、발의 뜻과 함께 음을 나타내기 위한 「正정」(쇼이 본디 글자이며 발을 나타냄)으로 이루어짐. 길을 걸어간다는 뜻.

뜻 ①**갈정** 먼 곳에 여행함. 「征夫정부」 ②**칠정** 군주가 군대를 파견하여 악당을 정벌함. 「征討정토」 ③**취할정** 이익을 얻음. ④**구실받을정** 징세(徵稅)함. 「征稅정세」 ⑤**구실정** 조세. ⑥**축정** 바둑에서 상대방의 돌을 자꾸 단수로 비스듬히 몰아 잡을 수 있게 된 기세(碁勢).

【征途 정도】 ①출정(出征)하는 길. ②여행길.

【征伐 정벌】 군대를 파견하여 죄있는 자를 침.

【征服 정복】 토벌하여 항복시킴.

◉遠征원정 長征장정 出征출정 親征친정

8【径】彳5 徑(彳部七畫)의 속자(俗字).

六畫

9【待】彳6 중학 **대** — 기다릴 — 上賄

ノ 彡 彳 彳' 彳土 彳寺 待 待

자원 형성 之 寸 ┤寺음 彳 ┤待(彳부)

「之지」는 「止지」와 같아 가만히 멎어 있음과 행동함을 나타냄. 「寸촌」은 손. 음을 나타내는 「寺사」(대는

변음)는 손에 물건을 가짐。이 글자도 가만히 멎어 있음과 손으로 무엇인가 함을 나타냄。「彳두인변」은 행동하는 일。「待」는 무엇인가 행동하기 위하여 준비를 갖추고 시기가 오기를 기다리고 있는 일。

뜻 ①기다릴대 ㉠때가 오기를 기다림。「待望대망」 ㉡물품을 미리 준비하여 기다림。대비함。㉢방어의 준비를 하고 적이 쳐 오는 것을 기다림。②대접할대 대우함。「接待접대」 ③용서할대 관대히 보아 줌。

주의 「待시」〈모시다〉와는 딴글자。

【待機】대기 기회가 오기를 기다림。

【待令】대령 명령(命令)을 기다림。

【待望】대망 기다리고 바람。

【待接】대접 대우(待遇)。

◉期待기대 遇待우대 招待초대 厚待후대

9 【徊】 彳6 회 | 노닐 | ㊥灰

자원 형성 回음 ┬徊(彳부) 2500년전

음을 나타내며 동시(同時)에 선회(旋回)하다의 뜻을 가진 「回회」에, 의부(意符) 「彳두인변」〈길〉을 더한 글자。배회(徘徊)하다의 뜻。

뜻 노닐회 한가히 이리저리 왔다 갔다 함。「徘徊배회」

9 【律】 彳6 중학 률 | 법 | ㊁質

彳 … 律

자원 형성 聿음 ┬律(彳부) 2500년전

음을 나타내는 「聿율」은 붓을 손에 잡은 모양。「彳두인변」은 일을 함。「律」은 붓으로 구획을 긋다→잘 기록을 하는 일。나중에 법률이라든가 음률(音律)의 뜻으로 씀。

뜻 ①법률 법령。규칙。「律令율령」 ②가락률 광의(廣義)로는 음악의 가락、곧 음조(音調)의 총칭。협의로는 양(陽)에 속하는 음조의 특칭(特稱)。즉 양에 속하는 가락 여섯을 「六律육률」、음에 속하는 가락 여섯을 「六呂육려」라 하며 합쳐서 「十二律십이율」이라 함。③피리률 음조를 고르게 하는 피리。④율률 ㉠한시(漢詩)의 한 체(體)。오언(五言) 또는 칠언(七言)의 팔구(八句)로 되어 있는데 제삼구(第三句)와 제사구(第四句)、제오구와 제육구가 각각 대구(對句)를 이룸。「律詩율시」 ㉡《佛敎》불법(佛法)의 금계(禁戒)。계율(戒律)。⑤자리률 지위。⑥정도률 한도。⑦본뜰률 본보기로 삼음。⑧빗을률 머리를 빗음。

【律呂*율려】 ①육률(六律)과 육려(六呂)。②음악(音樂)。③음조(音調)。

【律令 율령】 율(律)과 영(令)。대강(大綱)을 율(律)、조분(條分)된 것을 영(令)이라 함。법령(法令)。

【律法 율법】 법。규칙。

【律書 율서】 법률에 관한 서적。

【律詩 율시】 한시(漢詩)의 한 체(體)。뜻풀이 ❹㉠을 보라。

【律學 율학】 형률에 관한 학문(學問)。

◉戒律계율 軍律군율 規律규율 法律법률 音律음률 千篇一律천편일률

9 【後】 彳6 중학 후 | 뒤 | ①㊤有 ②③㊦宥

後

丿 彳 彳' 彳幺 彳夂 後 後

자원 형성 幺(음) 彳夂 ┐後(彳부)

「幺요」가 음을 나타내고, 뜻을 나타내는 「夂」는 「征정」<가다>을 밑으로 향하게 쓴 모양. 가다의 반대(反對), 곧 뒤로 가다의 뜻이 됨.

뜻 ①**뒤후** 「先선·前전」의 대(對). ㉠배면(背面). 「後宮후궁」 ㉡끝. 말미(末尾). 「後尾후미」 ㉢장래. 「後難후난」 ㉣나중. 「後考후고」 ㉤후계(後繼). 후사(後嗣). ㉥후계자. 후보자. 계승자. 「請後청후」 ㉦자손. ②**뒤질후, 뒤떨어질후** ㉠뒤에 처짐. ㉡정시(定時)보다 늦음. ㉢미치지 못함. 낙후(落後)함. ㉣남보다 못함. ③**뒤로미룰후** 나중에 함.

주의 「后후」는 「後」와 통하여 쓰여짐.

【後繼 후계】 뒤를 이음.

【後光 후광】《佛敎》 부처의 몸 뒤에서 비치는 광명(光明). 이것을 상징하여 불상(佛像)의 머리 뒤에 붙인 금빛의 둥근 바퀴. 원광(圓光). 배광(背光).

【後宮 후궁】 ①주되는 궁전의 뒤 쪽에 있는 궁전. 후비(后妃)가 거처함. 전(轉)하여 ②후비(后妃). 후정(後庭).

【後代 후대】 뒤의 세대(世代). 장래의 세상. 후세(後世).

【後來 후래】 ①장래(將來). ②늦게 옴. 나중에 옴.

【後梁 후량】 남조(南朝) 양(梁)나라 때 소살(蕭詧)이 세운 나라. 북량(北梁)이라고도 함. 「國」의 하나.

【後涼 후량】 진대(晉代) 십육국(十六

【後慮 후려】 뒷날의 근심.

【後聯 후련】 율시(律詩)의 제오(第五)와 제육(第六)의 구(句). 삼사(三四)의 구를 전련(前聯)이라 함의 대(對).

【後尾 후미】 끝. 꽁무니.

【後輩 후배】 자기보다 나중에 나온 사람. 또 그 무리. 후진(後進).

【後婦 후부】 후처(後妻).

【後嗣* 후사】 대(代)를 이을 자식.

【後產 후산】《韓》 해산(解產)한 뒤에 태(胎)를 낳음.

【後生可畏 후생가외】 후배(後輩)는 나이 젊어 기력이 왕성하므로 학문을 쌓으면 후에 어떠한 큰 역량을 발휘할는지 모르기 때문에 선배(先輩)는 외경(畏敬)을 품고, 후배(後輩)를 대(對)하여야 한다는 뜻.

【後身 후신】《佛敎》 윤회(輪回)에 의하여 다시 태어난 몸. 전신(前身)의 대(對). 「國」의 하나.

【後燕 후연】 진대(晉代) 십육국(十六

【後葉 후엽】 후대(後代). 말엽(末葉).

【後裔* 후예】 후손(後孫).

【後園 후원】 집 뒤에 있는 작은 동산.

【後援 후원】 ①뒤에 있는 원병(援兵). ②뒤에서 도와 줌.

【後庭 후정】 ①궁중(宮中)의 후비(后妃)가 거처하는 곳. 후궁(後宮). ②뒤뜰.

【後趙* 후조】 오호 십육국(五胡十六國)의 하나.

【後周 후주】 ①북조(北朝)의 하나. ②오대(五代)의 하나.

【後秦* 후진】 오호(五胡) 십육국(十

六國)의 하나。

【後進 후진】 자기보다 나중에 나옴。 또 그 사람。후배(後輩)。

【後天 후천】 하늘에 뒤진다는 뜻으로、천지 자연(天地自然)의 기운(機運)이 나타난 연후에 비로소 그것에 응(應)하여 일을 행함。

【後哲 후철】 후세(後世)의 현인(賢人)。선철(先哲)의 대(對)。

【後娶* 후취】 후처(後妻)를 맞아들이는 장가。또 그 아내。

【後退 후퇴】 뒤로 물러감。

【後學 후학】 ①후진(後進)의 학생。후배(後輩)。②학자(學者)의 겸칭。

【後患 후환】 뒷날의 근심。

【後悔莫及 후회막급】 일이 잘못된 뒤에 뉘우쳐도 미치지 못함。

◉空前絶後공전절후 今後금후 落後낙후 背後배후 死後사후 產後산후 先後선후 午後오후 前後전후 最後최후 向後향후

七畫

10 **【徐】** 彳 7 고교 **서** | 천천할 | (平)魚

ノ 彳 彳 彳 彳 彳 徐 徐 徐

자원 형성 彳 + 余음 ⊤ 徐(彳부)  2500년전

간다는 뜻을 가진「彳두인변」과、음을 나타내는 동시에 느리다는 뜻(⇩舒서)을 가진「余여」(서는 변음)로 이루어짐。천천히 가다의 뜻。

뜻 ①**천천할서** 느림。②**천천히서** 느리게。「徐行서행」 ③**찬찬할서** 침착함。④**고을이름서** 구주(九州)의 하나。지금의 산동(山東)·강소(江蘇)·안휘(安徽) 등 여러 성(省)의 일부에 걸친 땅。⑤**성서** 성(姓)의 하나。

【徐敬德 서경덕】 《韓》 조선(朝鮮) 초기(初期)의 학자(學者)。호(號)는 화담(花潭)。벼슬에 뜻을 두지 않고 도학(道學)에만 전념(專念)하였음。

【徐羅伐 서라벌】 신라의 처음 이름。

【徐徐 서서】 거동이 찬찬한 모양。

【徐行 서행】 천천히 감。

【徐熙 서희】 《韓》 고려 초(高麗初)의 공신(功臣)。글안(契丹)이 침입(侵入)하였을 때 중군사(中軍使)로 적(敵)의 진영(陣營)에 들어가 적장(敵將) 소손녕(蕭遜寧)과 담판(談判)하고 유리(有利)한 강화(講和)를 맺고 돌아옴。

10 **【徑】** 彳 7 고교 **경** | 지름길 | ①-⑦(去)徑 ⑧⑨(平)青

ノ 彳 彳 彳 彳 徑 徑 徑 徑

자원 형성 彳 + 巠음 ⊤ 徑(彳부)

음을 나타내는「巠경」은 세로 곧게 뻗은 줄。「彳두인변」은 간다는 뜻。「徑」은 멀리 도는 한길에 대하여、지름길로 가다→샛길。또 원의 둘레에 대하여 직경。

뜻 ①**지름길경** 질러가는 길。또 소로。「徑路경로」 ②**길경** 방도(方途)。③**지름경** 직경(直徑)。「半徑반경」 ④**간사경** 사곡(邪曲)。⑤**빠를경** 신속함。⑥**곧을경** 바름。정직함。⑦**곧경** 바로。⑧**지날경** 지나감。⑨**마침내경** 竟(立部六畫)과 같은 글자。

주의 ①「逕」은 같은 글자。②약자는

「径」。
【徑路 경로】①소로(小路)。②지름길。
【徑庭 경정】경(徑)은 작은 길이라 좁고、정(庭)은 뜰이라 넓다는 뜻으로 현격한 차이를 이름。
◉半徑반경 直徑직경 捷徑첩경 險徑험경

10 【徒】彳 7 중학 도 | 걸어다닐 | ㊥虞

丿 彳 彳 彳+ 彳+ 往 徉 徒

자원 형성 彳+止+土(음) → 辵+土 → 辻 → 徒(彳부)

「彳두인변」〈가다〉과 「止지」〈발자국의 모양。 걷다。 또 멎다의 뜻〉가 합쳐 이루어진 「辵책받침」〈가다〉에 음을 나타내는 「土토」(도는 변음)〈땅·흙〉를 더한 글자。 「辻=徒」는 수레 따위에 타지 않고 걸어가는 일。

徒 2500년전

뜻 ①걸어다닐도 보행함。「徒步도보」 ②보졸도 보병(步兵)。 ③무리도 ㉠동류。「徒黨도당」 ㉡제자。「生徒생도」 ④종도 하인。「徒隷도례」 ⑤일꾼도 인부。 ⑥맨손도 아무것도 가지지 아니함。「徒手도수」 ⑦징역도 형벌의 하나。「徒刑도형」 ⑧죄수도 징역사는 사람。 ⑨다만도 단지(但只)。
주의 「徙사」〈옮기다〉는 딴 글자。
【徒黨 도당】무리。동류(同類)。
【徒勞無功 도로무공】한갓 애만 쓰고 공을 들인 보람이 없음。
【徒論 도론】무익(無益)한 의론(議論)。
【徒配 도배】《韓》도형(徒刑)에 처한 뒤에 귀양을 보냄。
【徒輩 도배】동아리。
【徒步 도보】걸어 감。보행(步行)。
【徒死 도사】개죽음。무익한 죽음。
【徒手 도수】맨손。
【徒囚 도수】죄수(罪囚)。「놀고 먹음。
【徒食 도식】아무 일도 하지 않고 삶。
【徒刑 도형】오형(五刑)의 하나。 지금의 징역(懲役)。
◉博徒박도 白徒백도 匪徒비도 信徒신도

10 【従】彳 7 從(彳部八畫)의 약자(略字)。

八畫

11 【得】彳 8 중학 ㊀득 ㊁덕 | 얻을 | ㊀㊁ ㉧職

彳 彳 彳口 彳旦 彳旦 得

자원 회의 貝+寸 → 彳 → 得(彳부)

「寸촌」은 손→손에 쥠。「貝패」는 돈이나 물품。「彳두인변」은 동작을 하는 일。「得」은 돈이나 물품을 손에 넣어 갖고 있는 일。 옛 모양은 「貝」와 「又우」(=手수)와를 합한 자형(字形)임。

得 3000년전

뜻 ㊀①얻을득 ㉠손에 넣음。「得喪득상」 ㉡마땅함을 얻음。적의(適宜)함。 ㉢앎。깨달음。 ㉣이룸。성취함。「得功득공」 ㉤잡음。체포함。 ㉥신임을 얻음。서로 뜻이 맞음。상득(相得)함。 의기가 투합(投合)함。「得得득득」 ㉦능함。 ②탐할득 탐냄。 ③만족할득 득의(得意)함。 ④이득득 벌이。소득。 ㊁덕덕、덕으로여길덕 德(彳部十二畫)과 통용。
【得達 득달】목적을 이룸。
【得道 득도】①바른 도(道)를 얻음。

②《佛教》불도(佛道)를 깨달음。③ 깊은 뜻을 체득(體得)함。

【得勢 득세】①세력(勢力)을 얻음。② 형편이 유리하게 됨。

【得勝 득승】싸움에 이김。 「만남。

【得時 득시】때를 얻음。좋은 시기를

【得失 득실】①얻음과 잃음。이익과 손해。이익과 불리。②성공과 실패。③마땅함과 마땅하지 아니함。④장점과 단점。

【得意 득의】①바라던 일이 성취됨。뜻대로 되어 만족함。②마음에 듦。뜻에 맞음。③뜻에 얻은 바가 있음。

【得人心 득인심】인심을 얻음。여러 사람의 마음을 얻음。

【得罪 득죄】①죄를 범함。②무례한 일을 하여 남을 성나게 함。

【得寵* 득총】총애를 받음。

【得脫 득탈】①벗어남。빠져나감。② 불법(佛法)의 참된 이치를 환하게 깨달아 번뇌(煩惱)에서 벗어남。

【得效 득효】효력을 봄。

◉購得구득 納得납득 無所得무소득 所得소득 拾得습득 利得이득 一擧兩得일거양득 獲得획득

11 【徘】彳 8 배 | 노닐 | ㊊灰

자원 형성 彳 非(음) ┬ 徘(彳부) 2500년전

길을 뜻하는 「彳두인변」과 음을 나타내는 「非비」(배는 변음)로 이루어짐。

뜻 노닐배 천천히 이리저리 왔다갔다 함。

주의 「俳배」〈광대〉와는 딴 글자。

【徘徊 배회】노닒。천천히 이리저리 왔다갔다 함。배회(俳佪)。

11 【從】彳 8 중학 종 | 좇을 | ①-⑨㊊冬 ⑩-⑭㊍宋

丿 彳 彳 彸 從 徉 從 從 從

자원 형성 人 人 ┬ 从(음) ┐ 彳 止 ┴ 從(彳부) 3000년전

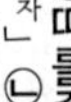

음을 나타내는 「从종」은 사람 뒤에 사람이 따라가는 일。「彳두인변」은 간다는 뜻。「止지」는 발자국의 모양→나아가는 일。「從」은 사람이 잇따라 나아가다→따르는 일。

옛 글자 모양은 사람을 어느쪽을 향하게 하여도 좋아、「人」의 모양을 둘 그려 따른다는 뜻을 나타냈음。나중에 오른쪽을 향한 것은 「比비」、왼쪽을 향한 것은 「从」으로 하였음。彳과 止를 합치면 「辵→辶책받침」이 되므로 「從」을 「辶从」으로도 씀。약자는 「従」。

뜻 ①**좇을종** ㉠따름。복종함。「服從복종」 ㉡배반하지 아니함。거역하지 아니함。㉢하는 대로 내버려 둠。맡김。②**좇게할종** 위의 뜻의 타동사。③**쫓을종** 쫓아감。④**들을종** 남의 말을 들어 줌。「聽從청종」 ⑤**종사할종** 일삼아 함。⑥**부터종** 自(部首)와 같은 뜻。⑦**종용할종** 침착함。⑧**세로종** 縱(糸部十一畫)과 통용。⑨**자취종** 蹤(足部十一畫)과 통용。⑩**따를종** ㉠수행(隨行)함。「從者종자」 ㉡또 그 사람。⑪**거느릴종** 인솔함。⑫**방종할종** 縱(糸部十一畫)과 통용。⑬**놓을종** 縱(糸部十一畫)과 통용。

통용。 ⑭**버금종** 같은 품계(品階)를 두 종류로 나눈 것 중의 낮은 쪽의 일컬음。

주의 「从」는 「從」의 본디 글자。

참고 「從」을 음으로 하는 글자＝「樅종」〈전나무〉·「聳용」〈솟다〉·「慫종」〈놀래다〉·「蹤종」〈자취〉·「縱종」〈늘어지다〉

【從諫如流* 종간여류】 남의 간언(諫言)에 좇음이 마치 물이 흐르는 것과 같다는 뜻으로, 재빨리 순종함을 이름。

【從軍 종군】 출진(出陣)함。 군대(軍隊)를 따라 진지(陣地)에 나감。

【從來 종래】 ①유래(由來)。 ②이전부터 지금까지。

【從犯 종범】 주범(主犯)을 도운 범죄。

【從僕* 종복】 종。 「또 그 사람。

【從事 종사】 ①어떠한 일에 마음과 힘을 다함。 어떠한 일을 일 삼아서 함。 ②모시고 섬김。

【從屬 종속】 딸려 붙음。 또 그 사람。

【從手成 종수성】 손이 움직이는 대로 곧 됨。

【從時俗 종시속】 시속(時俗)을 좇음。 세상의 통속대로 따라감。

【從心 종심】 일흔 살의 별칭(別稱)。

【從心所欲 종심소욕】 마음에 하고 싶은 대로 함。

【從業 종업】 업무(業務)에 종사함。

【從子 종자】 조카。 자매(姉妹)의 아들。 질(姪)。 생(甥)。

【從者 종자】 데리고 다니는 사람。 수종(隨從)하는 사람。

【從姉妹 종자매】 아버지의 형제(兄弟)의 딸。 사촌 자매(四寸姉妹)。

【從自以後 종자이후】 이제부터 뒤。

【從前 종전】 이전。

【從弟 종제】 사촌(四寸) 아우。

【從兄弟 종형제】 아버지의 형제(兄弟)의 아들。 사촌(四寸) 형제。

【從橫 종횡】 가로와 세로。 또 남북(南北)과 동서(東西)。

【從橫家 종횡가】 ①합종(合從) 또는 연횡(連衡)을 주장하여 군주에게 유세(游說)하는 사람。 ②양자(兩者) 사이에서 술책(術策)을 농(弄)하는 책사(策士)。

◉苟從구종 屈從굴종 盲從맹종 服從복종 附從부종 隨從수종 順從순종 侍從시종 正從정종 主從주종 聽從청종 合從합종

11 **【御】** 彳 8 고교 ㊀㊁아어 | 어거할 | ㊀去御 ㊁去禡

ノ 彳 彳 彳 彳 彳 徉 御 御

자원 형성 征 卩 ┐ 午卸(음) ┘ 御(彳부) 3000년전

길을 가는 뜻의 「征정」(征의 생획)과, 무릎을 꿇고 앉은 모양 卩(卩)과, 음을 나타내는 「午오」(어는 변음)로 이루어짐。 무릎을 꿇고 귀인(貴人)의 통행(通行)을 마중하는 뜻。 공손(恭遜)하게 하는 데서부터 전(轉)하여, 경어(敬語)가 됨。

뜻 ㊀①**어거할어** 거느림。 통치함。 「統御통어」 ②**부릴어** 말 같은 것을 부림。 ③**마술**(馬術)**어** 말을 부리는 술법。 ④**마부어** 말을 부리는 사람。 ⑤**모실어** 시종(侍從)함。 ⑥**괼어** 부녀(婦女)를 총애함。 ⑦**드릴어** 웃사람에 올림。 전(轉)하여 천자(天子)에 관한 일의 경칭(敬稱)으로서 御

자를 붙임。「臨御임어」「御製어제」⑧주장할어 맡음。⑨시비(侍妃)어 천자(天子)의 첩。후궁(後宮)。「嬪御빈어」⑩아내어 처(妻)。⑪막을어 禦(示部十一畫)와 같은 글자。㊁맞을아 迓(辵部四畫)와 같은 글자。

참고 「御」를 음으로 하는 글자=「禦어」〈막다〉

【御覽 어람】임금이 봄。

【御名 어명】임금의 이름。어휘(御諱)。

【御命 어명】임금의 명령(命令)。

【御府 어부】임금이 쓰는 물품을 넣어 두는 곳집。

【御史 어사】《韓》지방관(地方官)의 치적(治績) 또는 백성(百姓)의 질고(疾苦)를 살피기 위하여 특파(特派)하는 비밀의 사신(使臣)。

【御史出頭 어사출두】《韓》암행어사(暗行御史)가 중요한 사건을 처리(處理)하기 위해 지방관아(地方官衙)에 가서 개좌(開坐)하는 일。

【御賜花 어사화】《韓》문무과(文武科) 급제자(及第者)에게 하사하는 종이로 만든 꽃。

【御璽* 어새】옥새(玉璽)。

【御所 어소】임금이 있는 곳。궁중。

【御營大將 어영대장】《韓》어영청(御營廳)의 우두머리 장수(將帥)。

【御醫 어의】임금의 시의(侍醫)。

【御前 어전】①존귀한 사람을 옆에서 모심。전(轉)하여 ②임금이 있는 자리。어좌(御座)。

【御製 어제】임금이 지은 시문(詩文)。

【御題 어제】①임금이 친히 쓴 제자(題字)。②임금이 친히 보이는 과거의 글제。

【御座 어좌】①북극성(北極星)。②임금이 있는 자리。옥좌(玉座)。

【御筆 어필】임금의 글씨나 그림。신필(宸筆)。

【御諱* 어휘】어명(御名)。

◉供御공어 貢御공어 登御등어 侍御시어 臣御신어 女御여어 臨御임어 制御제어 進御진어 出御출어 統御통어 還御환어

九畫

12 【復】 彳 9 중학 ㊀부 ㊁복 — 다시 — ㊀㊄宥 ㊁㊇屋

〔三畫部首順〕ㅁ口土士夂夊夕大女子宀寸小尢尸屮山巛工己巾干幺广廴廾弋弓ヨ彡彳

彳 彳 彳 彴 彶 復 復 復

자원 회의 复-复 彳 丅復(彳부) 3000년전

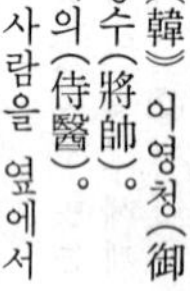

「复복」은 아래 위가 같은 모양이고 중배가 부른 그릇과 발의 모양과를 합한 글자이며 본디 온 길을 다시 돌아 가는 일。「彳두인변」은 가는 일。「復」은 오가는 일。나중에 돌아가다→돌려보내다→거듭하다→다시→또 따위의 뜻으로 씀。옛날엔 「复」이라 써서 「復」의 뜻을 나타냈으나 나중에 「复」은 「腹복」「複복」 따위 다른 글자의 부분에도 쓰이므로 그것들과 구별하여 본디 뜻인 때에는 「復」이라고 쓰게 된 것임。

뜻 ㊀①다시부 또。재차。②덮을부 覆(襾部十二畫)와 통용。㊁①회복할복 「復位복위」②돌아갈복 ㉠먼저 있던 고 원 상ᅦ 반려(返戾)함。④되풀이할복 반복

함。「反復반복」 ⑤대답할복 「復答복답」 ⑥사뢸복 아룀。 ⑦복명할복 명령을 받아 한 것을 상신(上申)함。 반명(反命)함。 ⑧갚을복 ㉠보상(補償)함。 ㉡보은 또는 보복(報復)함。「復讐복수」 ⑨덜복 제거함。 ⑩면할복 면제함。 ⑪고복복 초혼(招魂)。 ⑫복괘복 육십 사괘(六十四卦)의 하나。 곧 ☳☷(진하(震下)、 곤상(坤上))。 기운(機運)이 순환하는 상(象)。 ⑬겹칠복 중복함。 複(衣部九畫)과 통용。

참고 ①「復」을 음으로 하는 글자=「覆복」〈엎어지다〉 ②「复」을 음으로 하는 글자=「愎퍅」〈팩하다〉·「腹복」〈배〉·「複복」〈겹옷〉·「蝮복」〈살무사〉

【復古 복고】 옛날 모양대로 돌아감。 또 옛날 모양대로 돌아가게 함。

【復校 복교】 정학(停學) 또는 휴학(休學)한 학생이 다시 등교하게 됨。

【復舊 복구】 그전 모양으로 돌아감。

【復歸 복귀】 ①먼저 있던 곳으로 되돌아감。 ②다시 전 지위(地位)로 돌아감。

【復命 복명】 사명(使命)을 띤 사람이 그 일을 마치고 돌아와서 아룀。

【復讎* 복수】 원수의 앙갚음。

【復位 복위】 폐위(廢位)가 되었던 제왕(帝王)·후비(后妃)가 다시 그 지위(地位)를 회복함。

【復籍 복적】 혼인(婚姻) 혹은 양자(養子)에 의하여 제적(除籍)되었던 사람이 제 집의 호적(戶籍)으로 다시 돌아감。

【復職 복직】 원 관직(官職) 또는 원 직무(職務)로 돌아감。

【復活 부활】 ①소생(蘇生)함。 ②재흥(再興)함。 「어남。

【復興 부흥】 다시 일으킴。 또 다시 일

◉克復극복 反復반복 報復보복 雪復설복 收復수복 往復왕복 回復회복

12
【循】 彳 9 고교 순 | 좇을 | ㊥眞

彳 彳 彳 彳 彳 循 循 循

자원 형성 彳 盾음 ⊢循(彳부) 循 2500년전

길을 걷는다는 뜻인 「彳두인변」과 음을 나타내는 「盾순」으로 이루어짐。「순」이란 음은 빙빙 돌다의 뜻을 나타냄。「巡순」·「順순」과 통함。

뜻 ①좇을순 ㉠복종함。 순종함。「循俗순속」 ㉡따름。 의(依)함。 ㉢답습함。 ②돌아다닐순 巡(巛部四畫)과 같은 글자。 ③돌순 순환함。 ④어루만질순 ㉠손으로 쓰다듬음。 ㉡위무(慰撫)함。「循撫순무」 ⑤미적미적할순 결단을 내리지 않고 머무적거리는 모양。 ⑥차례있을순 정연함。

【循次 순차】 차례를 좇음。

【循行 순행】 여러 곳으로 돌아다님。 순행(巡行)。

【循環 순환】 ①구르는 고리라는 뜻으로 사물(事物)의 인과왕래(因果往來)가 끝이 없음의 비유。 ②쉬지 않고 자꾸 돎。

十畫

13
【微】 彳 10 고교 미 | 작을 | ㊥微

彳 彳 彳 微 微 微 微 微

〔三畫部首順〕口囗土士夂夊夕大女子宀寸小尢尸屮山巛工己巾干幺广廴廾弋弓彐彡彳

자원 형성 彳 敚(음) ┤微(彳부)  2500년전
간다는 뜻인「彳두인변」과 보일 듯 말 듯할 만큼이란 뜻과 함께 음을 나타내는「敚미」로 이루어짐。 몰래 간다는 뜻。

뜻 ①**작을미**「微物미물」②**정묘할미** 아주 묘함。「微妙미묘」③**천할미** 미천함。「微時미시」④**희미할미** 어슴푸레함。「熹微희미」⑤**은밀할미** 비밀임。⑥**쇠할미** 쇠잔함。⑦**숨길미** 은닉함。⑧**엿볼미** 정찰함。⑨**아닐미** 非(部首)와 뜻이 같음。⑩**없을미** 無(火部八畫)와 뜻이 같음。⑪**조금미、몰래미** 약간、또 비밀히。「微行미행」

참고「微」를 음으로 하는 글자=「薇미」〈고비〉

【微官 미관】낮은 관직(官職)。

【微力 미력】작은 힘。하찮은 수고。전(轉)하여 자기의 힘의 겸칭。

【微妙 미묘】정미(精微)하고 현묘함。

【微微 미미】①보잘것 없이 아주 미약한 모양。②그윽하고 고요한 모양。③작은 모양。

【微細 미세】①미소(微小)。②미천(微賤)。③꼼꼼함。빈틈이 없음。

【微笑 미소】소리 없이 빙긋이 웃음。

【微弱 미약】아무 힘도 없이 아주 약함。극히 무력함。

【微塵* 미진】①작은 티끌。②썩 작음。또 썩 작은 물건。

◉輕微경미 極微극미 機微기미 衰微쇠미 精微정미 至微지미 賤微천미 寒微한미

十一畫

14【徹】彳11 고교 **철** ― 통할 ― ㊄屑

彳 彳 彳' 彳育 ... 徹

자원 회의 攴-攵 ┤散 育 彳 ┤徹(彳부)  2500년전
가다의 뜻인「彳두인변」과、키우다의 뜻인「育육」과、그리고 치다의 뜻을 가진「攵복」의 세글자의 합자(合字)。매질하며、힘을 돋우어 주어 가르치면、무엇이든지 알 수 있게 된다는 뜻에서 꿰뚫다의 뜻이 됨。

뜻 ①**통할철** ㉠통철함。「透徹투철」㉡전달함。②**뚫을철**「穿徹천철」③**구실이름철** 주대(周代)의 전조(田租)의 제도로서 수입의 십분지일의 구실。④**벗길철** 박취(剝取)함。⑤**다스릴철** ⑥**치울철** 거둠。제거함。⑦**버릴철** 기증함。⑧**부술철**

【徹頭徹尾 철두철미】처음부터 끝까지 철저히。

【徹兵 철병】주둔(駐屯)하였던 군대「(軍隊)를 철수함。

【徹底 철저】①물이 맑아 깊은 속까지 환히 비침。②일을 끝까지 관철(貫徹)하는 것。

◉貫徹관철 洞徹통철 通徹통철 透徹투철

十二畫

15【徵】彳12 고교 ㊀**징** ㊁**치** ― 부를 ― ㊀㊥蒸 ㊁㊤紙

彳 彳' 彳山 ... 徵

자원 형성 王(음) 微-𢼸 ┤徵(彳부) 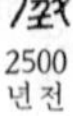 2500년전
희미한 모양의 뜻을 갖는「微미」의 생획(省畫)「𢼸미」와 음을 나타내는

〔三畫部首順〕 ロ口土士夂夊夕大女子宀寸小尢尸屮山巛工己巾干幺广廴廾弋弓彐彡彳

동시에 나타내다의 뜻을 표현하기 위한 「王정」(징은 변음)으로 이루어짐。희미하게 나타내다의 뜻。

뜻 ㊀ ①**부를징** 호출함。「徵召징소」 ②**구할징** 요구함。 ③**거둘징** 구실 같은 것을 거두어 들임。「徵斂징렴」 ④**조짐징** 전조。「徵祥징상」 ⑤**효험징** 효과。 ⑥**증거징** 증명。「徵據징거」 ⑦**이룰징** 성취(成就)함。 ⑧**밝힐징** 명백히 함。 ⑨**징계할징** 懲(心部十五畫)과 통용。 ㊁**음률이름치** 오음(五音)의 하나。이를 합치고 입술을 열어 내는 격렬한 음。

【徵發 징발】①조정(朝廷)에서 부름。②전쟁(戰爭) 또는 사변(事變)이 있을 때 사람이나 말을 뽑아 모으거나 군수품(軍需品)을 거둠。

【徵兵 징병】국가(國家)에서 하는 의무적인 강제 모병。

【徵稅 징세】 조세(租稅)의 징수。

【徵役 징역】불러 공공(公共)의 일을 시킴。

【徵用 징용】나라에서 불러 등용함。

【徵兆 징조】조짐。전조(前兆)。

【徵集 징집】①물품(物品)을 거두어 모음。②징모(徵募)。

◉明徵명징 夢徵몽징 美徵미징 特徵특징

15 **【德】** 彳 12 중학 **덕** ― 덕 ― ㊅職

彳 彳 彳 彳 彳 德 德 德

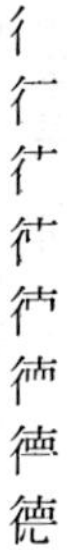

자원 형성 彳 直음 ┐ 心 ┘ 德(彳부) 음을 나타내는 「直직」(덕은 변음)은 바로 보다→옳게 보는 일。「彳두인변」은 행동을 나타냄。「心심」은 정신적인 사항임을 나타냄。「德」은 행실이 바른 일。남이 보나 스스로 생각하나 바람직한 상태에 잘 부합하고 있는 일。본디 글자는 「悳=悳」이었는데 나중에 「德덕」이 대신 쓰여짐。

(A) 3000년전 (B) 2500년전

뜻 ①**덕덕** ㉠도(道)를 행하여 체득(體得)한 품성。㉡또 덕을 갖춘 사람。㉢도덕。정의(正義)。㉣공덕。이익。㉤교화(敎化)。㉥은혜。②**복덕** 행복。③**덕베풀덕** 은혜를 베풂。④**덕으로여길덕** 은덕을 느낌。⑤**별이름덕** 목성(木星)。

【德望 덕망】덕행이 있는 명망(名望)。

【德性 덕성】몸에 덕을 갖춘 바른 성질。사람의 지성(至誠)의 성품。

【德育 덕육】학문을 가르쳐서 지식(知識)을 넓히는 동시에 도덕적(道德的) 의식(意識)을 계발(啓發)하여 지조(志操)를 건전하게 하여서 착한 사람이 되도록 하는 교육。

【德義 덕의】①사람이 행하여야 할 바른 도리。②도덕상의 의무。③덕행(德行)과 의리(義理)。덕행을 닦고 의리를 실행함。

【德人 덕인】유덕(有德)한 사람。덕행이 있는 사람。

【德政 덕정】어진 정치(政治)。인정「(仁政)。

【德風 덕풍】인덕(仁德)으로 사람을 감화(感化)함을 이름。

【德行 덕행】어질고 두터운 행실(行實)。

◉謙德겸덕 功德공덕 大德대덕 道德도덕 美德미덕 薄德박덕 報德보덕 不德부덕 婦德부덕 頌德송덕 有德유덕 遺德유덕 恩德은덕

十四畫

【徽】 17 彳14 **휘** — 아름다울 — ㊥微

자원 형성 糸음 徽-微 ⊤ 徽(彳부) 2500년전

표지(標識)를 뜻하는 「徵징·치」의 생략형(省略形) 「微」과, 음을 나타내는 「糸사」(휘는 변음)로 이루어진 글자。「娓미」<아름답다>와 통용。

뜻 ①**아름다울휘** 선미(善美)함。착함。「徽言휘언」 ②**아름답게할휘** 선미(善美)하게 함。③**탈휘** 거문고를 탐。④**바휘** 굵은 세겹 노。「徽索휘색」 ⑤**표기휘** ㉠표지(標識)를 한 기(旗)。徽(巾部十一畫)와 같은 글자。「徽幟휘치」 ㉡전(轉)하여 기호(記號)의 뜻으로 쓰임。

【徽言 휘언】 아름다운 말。착한 말。

【徽章 휘장】 ①기(旗)의 표지(標識)。기장(旗章)。기치(旗幟)。②의복(衣服)·모자 등에 붙이는 신분(身分)·지위(地位)를 표시하는 표(標)。

心(小·忄)部

〔四畫部首順〕心戈戶手支攴文斗斤方无日曰月木欠止歹殳毋比毛氏气水火爪父爻爿片牙牛犬

4획

【心】 4 부수 중학 **심** — 마음 — ㊥侵

丶 心 心 心

자원 상형 2500년전 2000년전

「心」은 사람의 심장의 모양→마음→물건의 중심。옛날 사람은 심장이 몸의 한가운데 있고 사물을 생각하는 곳으로 알았음。말로서도 「心」은 「身신」<몸>이나 「神신」<정신>과 관계가 깊음。부수로 쓸 때는 「忄심방변」으로 쓰이는 일이 많음。

뜻 ①**마음심** ㉠지정의(知情意)의 본체。의식。정신。「心身심신」 ㉡생각。마음씨。「心術심술」 ㉢뜻。의미。②**염통심** ㉠오장의 하나。「心臟심장」 ㉡심장은 오장 중에서 가장 중요한 것이므로 전(轉)하여 정요(精要)의 뜻으로 쓰임。③**가슴심** 「心腹심복」 ④**가운데심** ㉠중앙。「中心중심」 ㉡또 물건의 중심에 있는 것。「木心목심」 ⑤**근본심** 근원。본성(本性)。⑥**별이름심** 이십 팔수(二十八宿)의 하나。창룡칠수(蒼龍七宿)의 다섯째 성수(星宿)로서 별 셋으로 구성되었음。「心宿심수」

주의 「心」은 글자의 변(扁)이 될 때는 「忄십방변」이 되고 또 밑에 올 때는 「⺗」이 됨。

참고 「心」을 음으로 하는 글자=「沁심」<배다>·「息식」<숨>。

【心悸* 심계】 가슴이 뜀。

【心琴 심금】 외부의 자극을 받아 울리는 마음을 거문고에 비교하여 이르는 말。

【心機 심기】 마음의 기능(機能)。마음의 활동(活動)。

【心德 심덕】 너그럽고 착한 마음。

【心亂 심란】 마음이 산란함。

【心慮 심려】 근심。걱정。

【心力 심력】 ①마음의 작용。②마음과 힘。마음과 근육(筋肉)。정신과

체력(體力)。

【心勞 심로】 걱정。 근심。

【心理 심리】 정신(精神)의 상태(狀態)。 의식(意識)의 현상(現象)。

【心腹 심복】 ①가슴과 배。 전(轉)하여 ②가장 중요한 개소(個所)。 ③성심(誠心)。 진심。 ④심복지인(心腹之人)。

【心算 심산】 속 셈。

【心性 심성】 ①마음。 정신。 ②천성(天性)。

【心術 심술】 마음씨。

【心神 심신】 마음。 정신(精神)。

【心情 심정】 마음과 정(情)。 생각。

【心醉 심취】 마음이 취하여 쏠림。 흠모(欽慕)하는 마음이 우러남。

【心痛 심통】 ①가슴이 아픔。 가슴의 병。 ②근심함。

【心血 심혈】 ①염통의 피。 ②온 정신(精神)。

【心魂 심혼】 정신。 혼。

【心懷 심회】 마음속의 회포(懷抱)。

◉感心감심 苦心고심 老婆心노파심 丹心단심 放心방심 變心변심 喪心상심 誠心성심 細心세심 野心야심 良心양심 以心傳心이심전심 自負心자부심 專心전심 中心중심 眞心진심 天心천심

4 【小】 心 0 心(앞 글자)과 같은 글자。

3 【忄】 心 0 心자가 변에 있을 때의 자체(字體)。 심방변。

一畫

5 【必】 心 1 중학 필 | 반드시 | ㉤質

丶 ソ 必 必 必

자원 형성 弋 八 음 丅必(心부)

「弋익〈말뚝〉과 나누다의 뜻인 「八팔」(필은 변음)로 이루어짐。 경계(境界)를 분명히 하다의 뜻。 나중에 물건을 죄다、 몸을 긴장시키다、 또 반드시의 뜻으로 쓰임。 일설에는 무기(武器)의 손잡이로 쓰는 나뭇가지가 부러지지 않게 바깥쪽에 끈을 꼭 맨 모양을 본뜬 상형글자。 꼭 죄는데서 「반드시」의 뜻이 됨。 이 글자를 자전(字典)에서 「心심」부에 넣는 것은 글자 모양이 비슷하기 때문일 뿐、 뜻은 「心심」과 관계가 없음。

뜻 ①반드시필 꼭。 「必要필요」 ②오로지필 전일(專一)。 ③기필할필 반드시 그렇게 할 줄로 믿음。

참고 「必」을 음으로 하는 글자=「泌비」〈샘물이 줄줄 흐르다〉·「秘비」〈숨기다〉·「閟비」〈닫다〉·「柲비」〈자루〉·「怭필」〈설만하다〉·「苾필」〈향기〉

【必罰 필벌】 반드시 처벌함。

【必死 필사】 죽을 결심을 하고 전력(全力)을 다함。

【必修 필수】 꼭 닦아야 함。 반드시 학습하여야 함。

【必須 필수】 꼭 있어야 함。

【必勝 필승】 반드시 이김。

【必然 필연】 꼭。 반드시。 또 꼭 그러함。

【必要 필요】 꼭 소용(所用)이 됨。

【必至 필지】 반드시 이름。 꼭 옴。

◉期必기필 何必하필

三畫

7 【忌】 心 3 고교 기 | 미워할 | ㉮寘

ㄱ ㅋ 己 己 忌 忌

자원 형성 心己(음)+忌(心부) 2500년전

「心심」〈마음〉과 음을 나타내는 동시에 두려워한다는 뜻(⇩畏외)을 나타내기 위한 「己기」로 이루어짐. 마음속으로 두려워하여 멀리하며 미워하는 일.

뜻 ①**미워할기** 증오함. 「嫌忌혐기」 ②**시기할기** 질투함. 「猜忌시기」 ③**꺼릴기** 외탄(畏憚)함. 「忌避기피」 「忌憚기탄」 ④**공경할기** ⑤**원망할기** 원한을 품음. ⑥**경계할기** 타일러 주의시킴. ⑦**기일기** 부모 또는 조상이 죽은 날. 또 상중. 「忌祭기제」 ⑧**어조사기** 구조(句調)를 고르게 하기 위한 조사(助辭).

【忌祭 기제】 죽은 날에 지내는 제사.

【忌憚* 기탄】 어렵게 여겨서 꺼림.

【忌避 기피】 꺼리어 피(避)함.

◉禁忌금기 猜忌시기 妬忌투기 嫌忌혐기

7 【忍】 心 3 중학 인 | 참을 | ㊤軫

ㄱ 刀 刃 刃 忍 忍 忍

자원 형성 心刃(음)+忍(心부) 2500년전

「心심」과 음을 나타내는 「刃인」으로 이루어짐. 마음에 꾹 참다의 뜻.

뜻 ①**참을인** ㉠견딤. 「忍耐인내」 ㉡용서함. ㉢어려운 것을 참고 힘씀. ②**참을인** 앞의 뜻의 명사. ③**잔인할인** 잔악(殘惡)함. 「殘忍잔인」 ④**차마못할인** 딱하여 참지 못함.

참고 「忍」을 음으로 하는 글자=「認인」〈알다〉

【忍耐 인내】 참고 견딤.

【忍辱 인욕】 욕(辱)되는 것을 참음.

【忍從 인종】 참고 복종(服從)함.

◉堅忍견인 不忍불인 隱忍은인 殘忍잔인

7 【志】 心 3 중학 ㊀지 ㊁치 | 뜻 | ㊀㊁ ㊇寘

一 十 士 士 志 志 志

자원 형성 心之(음)+志(心부) [之] [志] 2500년전

음을 나타내는 「之지」는 땅에서 초목이 싹터 자라는 모양. 「止지」와 결부되어 간다는 뜻을 나타냄. 「志」는 마음이 가다→뜻하다→뜻. 또 음이 비슷한 「識지·식」과 결부되어 표하다→표의 뜻으로도 씀. 「志」를 선비(士사)의 마음(心심)이라고 설명하는 것은 잘못이며 「之」가 변한 부분은 「士」로도 쓰고 「土토」로도 씀.

뜻 ㊀①**뜻지** ㉠의향(意向). ㉡의사 「意思의사」 ㉢본심. 본의. ㉣사의(私意). ㉤감정. ㉥희망. ㉦절개. 「志操지조」 ㉧의사의 표시. ②**뜻할지** 할 마음을 먹음. 바람. 기대함. 「志望지망」 「志願지원」 ③**기억할지** 잊지 아니함. ④**적을지** 기록함. ⑤**기록지** 문서. 「三國志삼국지」 ⑥**문체이름지** 한문의 한 체(體). 사물의 변천·연혁(沿革)을 적은 것. ⑦**살촉지** 화살끝에 박은 쇠. ㊁**기치치** 幟(巾部十二畫)과 통용.

참고 「志」를 음으로 하는 글자=「誌지」〈기록〉·「痣지」〈사마귀〉

【志士 지사】 절의(節義)가 있는 선비. 국가·민족을 위해 몸을 바치는 사

람。

【志操 지조】 지기(志氣)와 조행(操行)。

【志趣 지취】 지향(志向)。

【志學 지학】 ①학문에 뜻을 둠。②나이 십오 세의 일컬음。

◉大志대지 篤志독지 同志동지 微志미지 聖志성지 銳志예지 雄志웅지 遺志유지 意志의지 立志입지 初志초지

7 【忘】 心 3 중학 망 | 잊을 | ㊥陽

丶 亠 亡 亡 忘 忘 忘

자원 형성 心亡음 ┐忘(心부)

「亡망」은 숨다、 없어지다。「忘」은 주의하는 마음이 없어지다→잊다。

뜻 ①잊을망 ㉠기억하지 못함。「忘却망각」「健忘건망」 ㉡염두에 두지 아니함。개의하지 아니함。「忘死生망사생」 ㉢소홀히 함。「忘恩망은」 ②건망증망 잘잊는 병。

주의 ①「忌기」〈미워하다〉는 딴 글자。 ②「㤀」는 옛글자。

【忘却 망각】 잊어버림。

【忘年 망년】 그 해가 가는 것을 잊고 즐거이 놂。

【忘失 망실】 잊어버림。

◉健忘건망 不忘불망 備忘비망 善忘선망 遺忘유망 廢忘폐망 昏忘혼망

6 【忙】 心 3 중학 망 | 바쁠 | ㊥陽

丶 丷 忄 忄 忙 忙

자원 형성 心忄亡음 ┐忙(心부)

「忄심방변」과 음을 나타내는 동시에 여러 방면으로 향한다는 뜻(⇩放방)을 가진 「亡망」으로 이루어짐。 여러 가지 일에 마음이 흩어져 안정되지 않는다는 뜻。

뜻 ①바쁠망 다망함。②빠를망 급속함。③애탈망 초조함。

【忙殺 망살】 대단히 바쁨。

◉多忙다망 煩忙번망 繁忙번망 奔忙분망

四畫

8 【忠】 心 4 중학 충 | 충성할 | ㊥東

丨 口 口 中 中 忠 忠

자원 형성 心中음 ┐忠(心부)

음을 나타내는 「中중」(충은 변음)은 한가운데、 또 속을 채우는 일。「忠」은 충성을 다하다→충성。

뜻 ①충성할충、 충성충 군국(君國)을 위하여 정성을 다함。「忠諫충간」「忠君충군」 ②정성스러울충、 정성충 성실(誠實)함。「忠言충언」「忠僕충복」 ③공변될충、 공평충 사(私)가 없음。

【忠烈 충렬】 충성(忠誠)을 다하여 절의(節義)를 세움。

【忠僕* 충복】 성심(誠心)으로 주인(主人)을 섬기는 종。

【忠臣 충신】 나라를 위하여 충성(忠誠)을 다하는 신하(臣下)。

【忠實 충실】 성실(誠實)하고 참됨。

【忠言逆耳 충언역이】 충고하는 말은 귀에 거슬림。

【忠節 충절】 충성을 다하여 변하지 않는 절개(節介)。

【忠貞 충정】 충성스럽고 곧음。

【忠直 충직】 충실(忠實)하고 정직함。

◉孤忠고충 大忠대충 敦忠돈충 不忠불충 詐忠사충 誠忠성충 盡忠진충

8【念】心 4 [중학] 념 | 생각 | [去] 豔

ノ 𠆢 亼 今 今 念 念 念

[자원] 형성 今[음] ┬ 念(心부) 心

음을 나타내는 「今금」(념은 변음)은 「含함」이나 「吟음」 따위와 공통됨. 포함하다→포함되다란 뜻을 나타냄. 「心심」은 마음. 「念」은 언제나 그 일을 마음 속에 생각하여 잊지 않는 일.

[뜻] ①생각념 사려(思慮). 「雜念잡념」「餘念여념」 ②생각할념 「念願염원」 ③욀념 암송함. 「念佛염불」「念經염경」 ④스물념 음(音)이 「廿입」〈스물〉의 속음(俗音)과 같은 데서 유래(由來)함. 「念日염일」 ⑤잠깐념 불교(佛敎)에서 극히 짧은 시간을 이름.

【念頭 염두】 생각의 시작.

【念佛 염불】 오직 부처를 생각하며 나무아미타불(南無阿彌陀佛)을 부름.

【念願 염원】 내심에 생각하고 바라는 바。 소원(所願)。

◉觀念관념 紀念기념 斷念단념 默念묵념 思念사념 想念상념 信念신념 餘念여념 一念일념 雜念잡념 專念전념 執念집념

8【忽】心 4 [고교] 홀 | 홀연 | [入] 月

ノ 勹 勹 勿 勿 忽 忽 忽

[자원] 형성 勿[음] ┬ 忽(心부) 心

2500년전

「心마음심」과, 음을 나타내는 「勿물」(홀은 변음)로 이루어진 글자。 음을 빌어, 갑자기, 돌연(突然)의 뜻。

[뜻] ①홀연홀 돌연(突然)。「忽焉홀언」「忽地홀지」 ②소홀히할홀 탐탁히 여기지 아니함。 또 경모(輕侮)함。「疎忽소홀」「忽略홀략」 ③잊을홀 망각함。 ④다할홀, 멸할홀 절멸(絶滅)함。 ⑤올홀 누에 입에서 나오는 한 올의 실。 전(轉)하여 극히 작은 수(數)。 곧 일사(一絲)의 십분의 일。

[주의] 「怱총」〈바쁘다〉은 딴글자。

[참고] 도량형(度量衡)에서 척(尺)이하(以下)를 촌(寸) 분(分) (釐)호(毫) 사(絲) 홀(忽)이라고 하고、양(兩) 이하를 전(錢) 분(分) (釐)호(毫) 사(絲) 홀(忽)이라고 함。

【忽然 홀연】 느닷없이 갑자기。

【忽往忽來 홀왕홀래】 얼씬하면 가고 얼씬하면 옴。

◉輕忽경홀 閃忽섬홀 疎忽소홀 荒忽황홀

8【忿】心 4 분 | 성낼 | [上] 吻 [去] 問

[자원] 형성 分[음] ┬ 忿(心부) 心

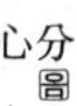
2500년전

「心마음심」과 음을 나타내는 동시에 화내다의 뜻을 나타내기 위한 「分분」으로 이루어짐。 성내다의 뜻。

[뜻] ①성낼분 원망하여 화냄。「忿怒분노」「激忿격분」 ②분분 성。 화。

【忿怒 분노】 화。 성。

【忿心 분심】 성을 낸 마음。

◉激忿격분 愧忿괴분 積忿적분 前忿전분

7【快】心 4 [중학] 쾌 | 쾌할 | [去] 卦

丶 丶 忄 忄 忄 怏 快

〔四畫部首順〕 心戈戶手支攴文斗斤方无日曰月木欠止歹殳毋比毛氏气水火爪父爻爿片牙牛犬

4획

자원 형성 夬(음) 心-忄 ┬ 快 (心부)
음을 나타내는 「夬쾌」는 물건의 일부분이 모자람. 제방의 일부분이 깎여 떨어져 나가 물이 흘러나감을 「決결」이라고 함과 같이 마음에 걸림이 없이 밝고 상쾌한 모양이 「快」임. 「快」와 「決결」은 옛날 음이 비슷하고, 의미도 관계가 있었음.

뜻 ①**쾌할쾌** ㉠상쾌함. 「快樂쾌락」 ㉡몸이 건강함. ②**빠를쾌** 신속함. 「快走쾌주」 ③**방종할쾌** 멋대로 굶.

주의 「怏앙」〈원망하다〉은 딴 글자.

【快感 쾌감】 시원하고 즐거운 느낌.
【快擧 쾌거】 시원스럽게 하는 행위. 통쾌(痛快)한 거사(擧事).
【快男兒 쾌남아】 쾌남자(快男子).
【快諾 쾌락】 쾌(快)히 승낙(承諾)함.
【快聞 쾌문】 시원스러운 소문(所聞).
【快味 쾌미】 쾌감(快感).
【快報 쾌보】 ①듣기에 시원한 기별(寄別). 상쾌한 소식. ②급보(急報).
【快哉 쾌재】 상쾌하고나. 상쾌하도다.
【快適 쾌적】 상쾌하고 즐거움.
【快走 쾌주】 빨리 달림. 질주(疾走).
【快差 쾌차】 병(病)이 아주 나음.
【快活 쾌활】 시원스럽고 활발함.
◉輕快경쾌 慶快경쾌 明快명쾌 不快불쾌 爽快상쾌 愉快유쾌 全快전쾌 痛快통쾌

4 획

五畫

9 **【怒】** 心 5 중학 **노** | 성낼 | (去)遇

ㄑ ㄠ 女 如 奴 奴, 怒 怒 怒

자원 형성 奴(음) 心 ┬ 怒 (心부) 2500년전
「心마음심」과, 음을 나타내며 동시에 울컥 치밀어 오르다의 뜻을 나타내기 위한 「奴노」로 이루어짐. 분격(憤激)한 마음의 뜻.

뜻 ①**성낼노** ㉠화냄. 「憤怒분노」 ㉡분기(奮起)함. ②**곤두설노** 꼿꼿이 거꾸로 섬. ③**세찰노** 기세가 대단함. ④**살질노** 비대함. ⑤**성노** 화. 「發怒발노」 ⑥**기세노** 위세(威勢).

주의 ①「恕서」〈어질다〉는 딴 글자. ②「怓노」〈어지럽다〉는 딴 글자.

【怒氣 노기】 성이 난 얼굴 빛.
【怒氣沖天*노기충천】 성이 잔뜩 남.
【怒濤*노도】 성난 파도. 세찬 파도.
【怒發大發 노발대발】 몹시 성을 냄.
◉激怒격노 大怒대로 發怒발노 忿怒분노 憤怒분노 奮怒분노 震怒진노 喜怒희로

9 **【思】** 心 5 중학 ㊀**사** ㊁**새** | 생각할 | ㊀①② (平)支 ③(去)寘 ㊁(平)灰

丨 ㄇ 冂 田 田 田, 思 思

자원 회의 心 囟 ┬ 思 (心부) 2500년전

思

「囟신」은 골통뼈→머리. 일설(一說)에는 「腦뇌」의 옛글자라고도 일컬어짐. 「心마음심」은 가슴. 「思」는 생각하다. 옛날 사람은 머리나 가슴으로 사물을 생각한다고 여겼음.

뜻 ㊀①**생각할사** ㉠사유(思惟)함. ㉡유의함. ㉢따름. 사모함. ㉣추억함. ㉤사랑함. ㉥근심함. ㉦바람. ②**어조사사** ㉠발어(發語)의 조사. ㉡어말(語末)의 조사. ③**생각사** 「春

思춘사」 ㊁수염많을새 「于思우새」는 수염이 많이 난 모양。
【思慮 사려】 생각。깊은 생각。
【思料 사료】 생각하여 헤아림。
【思慕 사모】 ①그리워함。 ②우러러 받들고 마음으로 따름。
【思想 사상】 ①생각。②판단과 추리를 거쳐서 생긴 의식 내용。③사회 및 인생에 대한 일정한 견해。
【思索 사색】 사물의 이치를 파고들어 생각함。
【思惟 사유】 생각함。
◉近思근사 妙思묘사 相思상사 意思의사 焦思초사 秋思추사 春思춘사

9 **【怠】** 心 5 고교 태 | 게으를 | ㊤ 睻

ㄥ ㄙ 𠙵 台 台 台 台, 怠 怠 怠

자원 형성 心 台음 ┬ 怠(心부)
「心마음심」과、음을 나타내며 동시에 허물어지다의 뜻(⇩頽퇴)을 나타내기 위한 「台태·이」로 이루어짐。마음가짐이 허물어지다→전하여、게으름피우다의 뜻。

뜻 ①게으를태、게을리할태 태만함。태만히 함。②업신여길태 경멸함。③게으름태 나태(懶怠)。④새이름태
【怠慢 태만】 게으르고 느림。
【怠惰* 태타】 게으름。
◉倦怠권태 勤怠근태 懶怠나태 懈怠해태

9 **【急】** 心 5 중학 급 | 급할 | ㊅ 緝

ノ ク 𠂊 刍 刍 刍, 急 急 急

자원 형성 及음-刍 心 ┬ 急(心부) 2500년전
음을 나타내는 「及급」은 남을 쫓아 따라가다。「急」은 쫓아 따라 가려고 (마음) 조급히 굴다→조급히 굶。

뜻 ①급할급 ㉠절박함。위급함。「急迫급박」 ㉡또 절박한 일。사변。재난(災難)。 ㉢긴급함。빨리 하여야 함。중요함。 ㉣또 급한 일。중요한 일。요무(要務)。 ㉤빠름。 ㉥성급함。 ②켕길급 팽팽함。 ③서두를급 급히 굶。 ④재칠급 재촉함。
【急遽* 급거】 ①급함。절박함。 ②급히 서둚。 ③급히 서둘러。갑자기。
【急變 급변】 ①갑자기 일어난 변고(變故)。 ②별안간 달라짐。
【急報 급보】 ①급히 알림。 ②급한 보고。 ③사변(事變)의 보고。
【急使 급사】 급한 사자(使者)。
【急錢 급전】 급히 쓸 돈。
【急轉直下 급전직하】 별안간 형세(形勢)가 변(變)하여 막 내리 밀림。
【急進 급진】 ①급히 나아감。 ②일을 빨리 실현하고자 하여 서둚。
◉救急구급 緊急긴급 不急불급 性急성급 時急시급 危急위급 應急응급 早急조급 至急지급 特急특급 火急화급

9 **【怨】** 心 5 중학 원 | 원망할 | ㊈ 願

ノ ク タ タ𠃌 夗 夗 夗, 怨 怨 怨

자원 형성 心 夗음 ┬ 怨(心부)
「心마음심」과、음을 나타내는 「夗원」으로 이루어짐。

뜻 ①원망할원 ㉠불평을 품고 미워함。적대시함。「怨望원망」 ㉡무정(無情)함을 슬퍼함。 ②원한원 「宿

怨숙원」 ③원수원 「怨讎원수」

【怨望 원망】 마음에 불평(不平)을 품고 미워함。

【怨府 원부】 대중의 원한이 쏠리는 단체나 기관。 「되는 생각。

【怨恨 원한】 원통(冤痛)하고 한(恨)

◉閨怨규원 私怨사원 宿怨숙원 含怨함원

8 【怖】 心 5 포 — 두려워할 — 去遇

자원 형성 布음 心-忄┬怖(心부)

「忄십방변」〈마음〉과, 음을 나타내며 동시에 웅크려 줄어들다의 뜻(⇩句구)을 나타내기 위한 「布포」로 이루어짐。 마음이 움츠러드는 뜻。

뜻 ①**두려워할포** 무서워 함。 「恐怖공포」 「怖畏포외」 ②**떨포** 전율함。 ③**으를포** 협박함。 ④**두려움포** 공포。

【怖畏 포외】 두려워함。

【怖慄 포율】 두려워서 벌벌 떪。

◉驚怖경포 恐怖공포 畏怖외포 危怖위포

8 【性】 心 5 중학 **성** — 성품 — 去敬

丶 忄 忄 忙 忤 性 性 **性**

자원 형성 生음 心-忄┬性(心부)

음을 나타내는 「生생·성」은 풀이나 나무의 싹틈→타고난 모양。 「忄십방변」은 마음의 움직임을 나타냄。 「性」은 사람이 타고난 마음의 경향(傾向)을 일컬음。 ⇩「情정」

뜻 ①**성품성** 사람이 타고난 성질(性質)。 「天性천성」 ②**성질성** 만물이 가지고 있는 본바탕。 「野性야성」 ③**마음성** 심의(心意)。 「性情성정」 ④**목숨성** 수명(壽命)。 ⑤**모습성** 용모。 ⑥**성별성** 남녀의 구별。 「男性남성」

【性格 성격】 각 사람이 가진 특유한 성질。 품성(品性)。

【性理學 성리학】 성명(性命)과 이기(理氣)의 관계를 설명(說明)한 유교 철학(儒敎哲學)。

【性命 성명】 ①천부(天賦)의 성질(性質)。 ②목숨。 생명(生命)。

【性味 성미】 《韓》 성질과 취미(趣味)。

【性癖* 성벽】 선천적으로 가진 버릇。 나면서부터 지닌 편벽된 성질。

【性善說 성선설】 사람의 본성(本性)은 선천적(先天的)으로 착하나 물욕에 가려서 악(惡)하게 된다고 하는 학설。 맹자(孟子)가 주창함。

【性惡說 성악설】 사람에게 이기적(利己的) 정욕(情慾)이 있는 것을 기초(基礎)로 하여 사람의 본성은 악(惡)한 것이라고 하는 학설。

【性慾 성욕】 남녀간에 성교(性交)를 행하고자 하는 욕망。 색욕(色慾)。

【性質 성질】 생물이나 무생물이 본디부터 가지고 있는 바탕。 「格)。

【性稟* 성품】 성질(性質)과 품격(品

◉根性근성 慢性만성 本性본성 酸性산성 屬性속성 習性습성 惡性악성 陽性양성 理性이성 知性지성 天性천성 惰性타성

8 【怪】 心 5 고교 **괴** — 의심할 — 去卦

丶 丶 忄 忆 怄 怪 怪 2500년전

자원 형성 圣음 心-忄┬怪(心부)

「忄십방변」〈마음〉과 음을 나타내는

4획

동시에 어그러지다의 뜻(⇩乖괴)을 나타내기 위한 「圣골·괴」로 이루어짐. 괴이쩍다의 뜻.

[뜻] ①의심할괴 ②의심스러울괴 ③기이할괴 괴상함. 또 진기함. ④도깨비괴, 요괴괴 유령(幽靈). 요망스러운 마귀. 「妖怪요괴」

[주의] 「恠」는 속자(俗字).

【怪傑 괴걸】 괴상한 재주나 힘이 있는 호걸.

【怪奇 괴기】 괴상하고 기이함. 기괴「(奇怪)」.

【怪談 괴담】 괴상한 이야기.

【怪力 괴력】 초인적(超人的)인 큰 힘.

【怪物 괴물】 괴이(怪異)한 물건. 도깨비. 요괴(妖怪).

【怪癖* 괴벽】 괴이한 버릇.

【怪變 괴변】 괴상한 변고(變故).

【怪病 괴병】 괴상한 병(病).

【怪獸 괴수】 괴이한 짐승.

【怪異 괴이】 이상야릇함.

【怪漢 괴한】 행동이 수상한 사나이.

◉奇怪기괴 變怪변괴 妖怪요괴 珍怪진괴

8 【怯】 心 5 겁 | 겁낼 | [入]葉

[자원] 형성 去음 心-忄 ⊤ 怯 (心부)

「忄심방변」〈마음〉에 음을 나타내며 동시에 겁을 먹다의 뜻(⇩脅협)을 나타내기 위한 「去거」(겁은 변음)로 이루어짐. 겁을 내다의 뜻.

[뜻] ①겁낼겁 무서워함. ②겁많을겁 겁을 잘 냄. 「卑怯비겁」 ③겁장이겁 겁 많은 사람.

六畫

10 【恥】 心 6 [고교] 치 | 부끄럼 | [上]紙

一 丅 F F 耳 耳 恥 恥 恥

[자원] 형성 心 耳음 ⊤ 恥 (心부)

2500년전

「心심」〈마음〉과, 음을 나타내며 동시에 붉다의 뜻(⇩赤적)을 나타내기 위한 「耳이」(치는 변음)로 이루어짐. 마음 속으로 생각하여 얼굴이 붉어지다의 뜻.

[뜻] ①부끄럼치 수치. ②욕치 모욕. ③부끄러워할치 수치로 여김. ④욕보일치 모욕함. 치욕을 당하게 함.

[주의] 「耻」는 속자(俗字).

【恥辱 치욕】 수치와 모욕(侮辱).

◉國恥국치 大恥대치 羞恥수치 廉恥염치

10 【恐】 心 6 [고교] 공 | 두려워할 | ①-③[上]腫 ④[去]宋

一 T I 玑 巩 巩 巩 恐 恐

[자원] 형성 心 巩음 ⊤ 恐 (心부)

「心마음심」자와 음과 함께 몸을 지리지게 하다의 뜻을 나타내기 위한 「巩공」으로 이루어짐.

[뜻] ①두려워할공 ㉠무서워함. 「恐怖공포」 ㉡위구함. 염려함. ㉢공구하여 근신함. ②으를공 공갈함. 「恐喝공갈」 ③두려움공 공포. ④아마공 아마도. 반신반의하는 말.

【恐喝* 공갈】 으름. 위협(威脅)함.

【恐怖* 공포】 무서움. 두려움.

【恐慌* 공황】 ①놀라 허둥지둥함. ②경제계가 몹시 침체하여 파산자(破産者)가 많이 생겨 인심이 흉흉하고 질서가 혼란한 경제 상태.

10 【恕】心 6 고교 서 | 어질 | 去御

人 夕 女 如 如 如 如 恕 恕

자원 형성 如(음) 心 ┬ 恕(心부) 2500년전

「心마음심」과、음을 나타내며 동시에 늦추어 푼다는 뜻(⇩紓서)을 나타내기 위한 「如여」(서는 변음)로 이루어짐。마음을 너그럽게 하여 용서(容恕)하다의 뜻。일설(一說)에 남의 마음도 역시 내 마음과 같다고 생각하여 동정(同情)을 한다는 회의자(會意字)라고도 함。

뜻 ①**어질서** 남의 정상을 잘 살펴 동정(同情)함。또 그 마음。어진 마음。동정심。「忠恕충서」「仁恕인서」 ②**용서할서** 관대히 보아줌。

10 【恣】心 6 고교 자 | 방자할 | 去寘

丶 冫 冫 次 次 次 恣 恣

자원 형성 次(음) 心 ┬ 恣(心부) 2500년전

「心마음심」과、음을 나타내며 동시에 오만하다는 뜻(⇩侈치)을 나타내기 위한 「次차·자」로 이루어짐。마음이 오만(傲慢)하여 멋대로 하다의 뜻。

뜻 **방자할자** 방종함。「恣行자행」

【恣行 자행】 제멋대로 행함。또 그 행동(行動)。

◉放恣방자 專恣전자 縱恣종자

10 【恩】心 6 중학 은 | 은혜 | 平元

丨 冂 円 冈 因 因 恩 恩

자원 형성 因(음) 心 ┬ 恩(心부)

음을 나타내는 「因인」(은은 변음)은 의지(依支)하는 일。「恩」은 의지가 되는 마음→사람을 소중(所重)히 다루는 일。본디는 「惠혜」〈자비를 베풀다〉와 같은 뜻。

뜻 ①**은혜은** 혜택。「恩典은전」「謝恩사은」 ②**정은** 인정。 ③**사랑할은** 사랑하여 은혜를 베풂。

【恩功 은공】 은혜(恩惠)와 공로(功勞)。

【恩德 은덕】 은혜(恩惠)。

【恩師 은사】 은혜(恩惠)가 깊은 스승。

【恩人 은인】 은혜를 베풀어 준 사람。

【恩典 은전】 은혜가 두터운 처분(處分)。특전(特典)。전(轉)하여 은혜。

【恩寵* 은총】 은혜와 총애(寵愛)。

【恩惠 은혜】 베풀어 주는 신세。

◉感恩감은 國恩국은 大恩대은 謝恩사은 受恩수은 天恩천은 惠恩혜은

10 【息】心 6 고교 식 | 숨 | 入職

′ 亻 ń 自 自 自 息 息

자원 회의 自 心 ┬ 息(心부)  2500년전

「自자」는 코。「心심」은 가슴。「息」은 코와 가슴과의 사이를 드나들다→숨→쉬다。또 옛 음이 「玆자」(⇩字자)와 관련(關聯)이 있어 붇다→자라다→자식→이식(利息) 따위의 뜻에도 쓰여짐。

뜻 ①**숨식** ㉠호흡。「鼻息비식」 ㉡전(轉)하여、잠시(暫時)의 뜻으로 쓰임。 ②**숨쉴식** 호흡함。「太息태식」「歎息탄식」 ③**쉴식** 휴식(休息)함。

4획

④**그칠식** ㉠중지함。 끝남。「息止식지」 ㉡그만둠。 끊음。 ⑤**살식** 생존함。「棲息서식」 ⑥**자랄식** 생장함。 증가함。 ⑦**번식할식** 증식함。 ⑧**아들식**「子息자식」 ⑨**아이식** 소아。 ⑩**변식** 이자。「利息이식」 ⑪**나라이름식** 주대(周代)의 나라。 초(楚)나라에 멸망당하였음。

참고 「息」을 음으로 하는 글자=「熄식」〈불이 꺼지다〉·「媳식」〈며느리〉

◉消息소식 安息안식 令息영식 利息이식 子息자식 窒息질식 寢息침식 嘆息탄식

10 **【恋】** 心 6 戀(心部十九畫)의 속자(俗字)。

10 **【恭】** 心 6 고교 **공** | 공손할 | ㊥冬

一 十 卄 共 共 共 恭 恭 恭

자원 형성 共음 心-小 ┬ 恭(心부) 2500년전

「心심」의 변한 모양 「小」과、 음을 나타내며 동시에 두 손을 마주잡다의 뜻(⇩拱공)을 가진 「共공」으로 이루어짐。 공손한 마음 가짐의 뜻。

뜻 ①**공손할공** 공경하고 겸손한 태도가 용모나 동작에 나타남。「恭順공순」 ②**공손히할공** 삼감。 근신함。「恭己공기」 ③**공손히공** 장상(長上)에 대한 경어(敬語)로 쓰임。 ④**공손공** 이상(以上)의 명사。 ⑤**받들공** 웃사람의 뜻을 받듦。

【恭待 공대】《韓》 ①공손히 대우함。 ②경어를 씀。

【恭遜* 공손】 공경하고 겸손함。

9 **【恆】** 心 6 중학 ㊀**항** ㊁**긍** | 항구 | ㊀㊥蒸 ㊁㊧徑

丶 忄 忄 忄 忏 怕 恆 恆 恆

자원 형성 亙음 心-忄 ┬ 恆(心부) 2500년전

「忄심방변」과、 음을 나타내며 동시에 언제까지나 변하지 않는다는 뜻을 가진 「亙긍」(항은 변음)으로 이루어짐。 마음이 움직이지 않는다는 뜻。 전하여、 항구불변(恆久不變)의 뜻。

뜻 ㊀①**항구항** 영구(永久)。 불변(不變)。 ②**항구히항** 영구히。 ③**항상항** 언제나。 늘。 ④**항상할항** 늘 변하지 않고 그렇게 함。 ⑤**항괘항** 육십사괘(六十四卦)의 하나。 곧 ☳☴(손하(巽下)、 진상(震上))。 항구불변의 상(象)。 ㊁①**반달긍** ②**두루미칠긍** 빠짐없이 미침。 ③**뻗칠긍、 걸칠긍** 亙(二部四畫)과 통용。

【恆久 항구】 변하지 아니하고 오래 감。 영구(永久)。「이 없는 일。

【恆茶飯 항다반】 늘 있어 신통할 것 없는 일。

【恆常 항상】 ①일정하여 변함이 없는 일。 불변(不變)。 ②《韓》 늘。

【恆星 항성】 한 성군(星群)의 중심(中心)이 되어 그 위치가 변하지 않는 별。 태양(太陽)도 그 중의 하나임。

【恆心 항심】 일정불변한 마음。 사람이 늘 지니고 있는 착한 마음。

9 **【恒】** 心 6 恆(앞글자)의 속자(俗字)。

9 **【恤】** 心 6 **휼** | 근심할 | ㊤質

자원 형성 血음 心-忄 ┬ 恤(心부) 2500년전

「忄심방변」〈마음〉과、 음을 나타내는

4 획

〔四畫部首順〕 心戈戶手支攴文斗斤方无日曰月木欠止歹殳毋比毛氏气水火爪父爻爿片牙牛犬

「血혈」(휼은 변음)로 이루어짐。

뜻 ①**근심할휼** 「憂恤우휼」 ②**기민**(饑民)**먹일휼** 구휼(救恤)함。「賑恤진휼」 ③**사랑할휼** 친애(親愛)함。

【恤民 휼민】 빈민(貧民)·이재민(罹災民)을 구제(救濟)함。

9 【恨】 心 6 중학 **한**—한할—去願

丶 丷 忄 忄 忄 忄 忄 恨 恨 恨

자원 형성 艮음 心·忄 ┬ 恨(心부) 2500년전

「忄십방변」〈마음〉과, 음을 나타내며 동시에 깊이 뿌리 박다의 뜻(⇩根근)을 나타내기 위한 「艮간」(한은 변음)으로 이루어짐。 언제까지나 원한(怨恨)을 품다의 뜻。

뜻 ①**한할한** ㉠원한을 품음。 ㉡유감으로 생각함。 ②**뉘우칠한** 애석히 여겨 후회함。「悔恨회한」「恨事한사」 ③**한한** 원한。 유감。 후회。

【恨歎 한탄】 원통(冤痛)하거나 또는 뉘우치어 탄식함。

◉餘恨여한 怨恨원한 遺恨유한 悔恨회한

七畫

11 【患】 心 7 중학 **환**—근심—去諫

丨 冂 口 吕 吕 串 串 患 患 患

자원 형성 串음 心 ┬ 患(心부)

「心마음심」과, 음을 나타내며 동시에 괴로움의 뜻(⇩艱한)을 나타내기 위한 「串관·천」(환은 변음)으로 이루어짐。 마음 아프게 괴로와하다。 전(轉)하여, 앓다의 뜻。

뜻 ①**근심환** ㉠걱정。「患憂환우」 ㉡고통。 고난。「患苦환고」 ②**재앙환** 화난。「禍患화환」 ③**병환** 질병。「內患내환」 ④**근심할환** 걱정함。 ⑤**앓을환** 병을 앓음。「患者환자」 ⑥**미워할환** 증오함。「患忌환기」

【患難 환난】 근심과 재난。

【患部 환부】 병 또는 상처가 난 곳。

◉外患외환 憂患우환 疾患질환 後患후환

11 【悠】 心 7 고교 **유**—멀—平尤

亻 亻 亻 亻 亻 攸 攸 攸 悠 悠

자원 형성 攸음 心 ┬ 悠(心부) 2500년전

「心심」과, 음을 나타내며 동시(同時)에 근심하다의 뜻(⇩憂우)을 가진 「攸유」로 이루어짐。 근심하다。 또 「遙요」와 음이 비슷하여 아득하다의 뜻으로 쓰임。

뜻 ①**멀유** 아득하도록 멂。「悠久유구」 ②**근심할유** ③**한가할유** 바쁘지 않는 모양。 침착하여 서두르지 않는 모양。「悠然유연」

【悠久 유구】 연대(年代)가 오래 됨。

【悠遠 유원】 ①아득하게 멂。 ②대단히 오램。

11 【悉】 心 7 **실**—갖출—入質

자원 형성 宷-釆음 心 ┬ 悉(心부) 2500년전

「心마음심」과, 음을 나타내며 동시에 자세하다의 뜻을 나타내는 「宷심」(실은 변음)의 생략형 「釆」으로 이

4획

루어짐. 자세히 알다→모두의 뜻.

뜻 ①**갖출실** 구비함. ②**다알실** 모두 상세히 앎. ③**다낼실** 모두 내놓음. 톡털어 놓음. ④**다실** 모두 하나도 빠짐 없이. 「悉皆실개」

참고 「悉」을 음으로 하는 글자=「蟋실」〈귀뚜라미〉

【悉達多 실달다】 석가여래(釋迦如來)의 실달(悉達).

11 **【悪】** 心 7 惡(心部八畫)의 속자(俗字).

10 **【悅】** 心 7 중학 **열** | 기뻐할 | 入屑

자원 형성 兌음 心-忄┬悅(心부) 2500년전

「忄십방변」〈마음〉과, 음을 나타내며 동시에 없애다의 뜻(⇩脫탈·挩세·탈)을 가진 「兌태·탈」(열은 변음)로 이루어짐. 마음의 바르지 않음을 없애다의 뜻. 전하여, 기뻐하다. 일설에 「兌」는 기뻐하다의 본디 글자며, 그것에 「心심」(=忄)을 더하였다 함.

뜻 ①**기뻐할열** ㉠즐거워함. 「悅樂열락」「喜悅희열」 ㉡기뻐하여 복종함. 심복(心服)함. ㉢좋아함. 사랑함. ②**기쁨열** 희열.

【悅樂 열락】 기뻐하고 즐거워함.

◉感悅감열 法悅법열 愉悅유열 喜悅희열

10 **【悌】** 心 7 **제** | 화락할 | ①上薺 ②去霽

자원 형성 弟음 心-忄┬悌(心부)

「忄십방변」〈마음〉과, 음을 나타내며 동시(同時)에 순서(順序)의 뜻을 가진 「弟제」로 이루어짐. 순서를 중히 여기는 마음. 전하여, 손위 사람에게 잘 순종(順從)하다의 뜻.

뜻 ①**화락할제** 「愷悌개제」는 화평하고 즐거움. ②**공경할제** 형 또는 존장을 공손히 잘 섬김. 「孝悌효제」

10 **【悔】** 心 7 고교 **회** | 뉘우칠 | ①去隊 賄

자원 형성 每음 心-忄┬悔(心부) 2500년전

「忄십방변」〈마음〉과, 음을 나타내며 동시(同時)에 걸리다의 뜻을 나타내기 위한 「每매」(회는 변음)로 이루어짐. 단념(斷念)하지 못하고 마음에 걸리다의 뜻.

뜻 ①**뉘우칠회** ㉠후회함. 후회하여 고침. 「悔改회개」 ㉡분하게 생각함. 한(恨)으로 여김. 「悔恨회한」 ②**뉘우침회** ㉠후회(後悔). 후회가 되는 과실. ㉡한(恨).

【悔改 회개】 잘못을 뉘우치고 고침.

【悔悟 회오】 이전(以前)의 잘못을 뉘우치어 깨달음.

【悔恨 회한】 뉘우치고 한탄함.

10 **【悖】** 心 7 ㊀**패** ㊁**발** | 어그러질 | ㊀去隊 ㊁入月

자원 형성 孛음 心-忄┬悖(心부)

「忄십방변」과, 음을 나타내며 동시에 배반(背反)하다의 뜻(⇩背배)을 가진 「孛패」로 이루어짐. 마음으로 거역(拒逆)하다。 전(轉)하여、 사람의 도리(道理)에 어긋나다의 뜻。

뜻 ㊀어그러질패 도리에 거스름。「悖逆패역」「悖亂패란」㊁우쩍일어날발 왕성하게 흥기(興起)하는 모양。勃(力部七畫)과 통용。

【悖德 패덕】 도덕에 어그러진 행위。

【悖倫 패륜】 인륜(人倫)에 어그러짐。

【悖說 패설】 도리에 어그러지는 말。 패담(悖談)。

【悖逆 패역】 패악(悖惡)하여 불순함。 인륜에 어긋나고 나라에 반역함。

◉狂悖광패 驕悖교패 猖悖창패 荒悖황패

10 【悚】 心 7 송 — 두려워할 — ㊤腫

자원 형성 束음 心-忄 ┬ 悚(心부)

「忄심방변」에 음을 나타내는 동시에 잡도리하다의 뜻을 나타내는「束속」(송은 변음)을 더하여 이루어짐。 몸을 긴장시켜 두려워하다의 뜻。

뜻 두려워할송「悚懼송구」「惶悚황송」

10 【悛】 心 7 전 — 고칠 — ㊥先 ㊥眞

자원 형성 夋음 心-忄 ┬ 悛(心부)

「忄심방변」과、 음을 나타내며 동시(同時)에 멎고 돌아가다의 뜻(⇩逡준)을 가진「夋준」(전은 변음)으로 이루어짐。 생각을 고치고 좋은 것으로 옮기다의 뜻。

뜻 ①고칠전 전비(前非)를 뉘우쳐 고침。 회개함。「悛改전개」②이을전 뒤를 이음。 계속함。

◉改悛개전

10 【悩】 心 7 惱(心部九畫)의 약자(略字)。

10 【悟】 心 7 중학 오 — 깨달을 — ㊦遇

丶 忄 忄 忊 忏 悟 悟 悟

자원 형성 吾음 心-忄 ┬ 悟(心부) 2500년전

「忄심방변」〈마음〉과、 음을 나타내며 동시에 분명하다의 뜻(⇩晤오)을 가진「吾오」로 이루어짐。 마음 속에 분명하여지다、 깨닫다의 뜻。

뜻 ①깨달을오 ㉠이치를 알아냄。「悟道오도」「悟覺오각」㉡의심이 풀림。 해탈(解脫)함。 ②깨달음오 위 뜻의 명사。 ③슬기로울오 잘 깨달음。 재주가 있음。「悟性오성」④깨우칠오 계발함。

【悟道 오도】《佛敎》①번뇌(煩惱)를 해탈(解脫)하고 불계(佛界)에 들어갈 수 있는 길。②불도(佛道)를 깨달음。

【悟性 오성】①사물을 잘 깨닫는 성질。 재주。②사물을 이해하는 힘。 이성(理性)과 감성(感性)과의 중간에 위치한 논리적 사유의 능력。

◉覺悟각오 大悟대오 悔悟회오

八畫

12 【悶】 心 8 민(문㊍) — 번민할 — ㊦願

자원 형성 門음 心 ┬ 悶(心부)

「心심」〈마음〉과、 음을 나타내며 동시에 차다의 뜻(⇩滿만)을 나타내기 위한「門문」으로 이루어짐。 풀길 없는 번민이 마음에 꽉 차 괴롭다의 뜻。
[뜻] ①번민할민 근심 걱정으로 마음이 괴롭고 답답함。②번민민 고민。③어두울민「悶悶민민」은 사리(事理)에 어두운 모양。※본음(本音) 문
【悶死 민사】몹시 고민하다가 죽음。
【悶絶 민절】고민 끝에 기절함。
◉渴悶갈민 苦悶고민 煩悶번민

12【悲】心 8 [중학] 비 ― 슬퍼할 ― [平]支

丿 ㅋ 非 非 非 悲 悲

[자원] 형성 心 非[음] ┬ 悲(心부)
「非비」는 새의 날개。여기에서는 어기는 일。또「扉비」〈문짝〉나「排배」〈밀치다〉의 경우와 마찬가지로 억눌렸던 것이 배출구를 찾아 초조해지는 기분을 나타냄。「悲」는 마음대로 안되어 마음에 치밀어 오르는 괴로운 기분→슬픔→슬퍼하는 일。
[뜻] ①슬퍼할비 ㉠상심함。㉡가련하게 여김。㉢회상함。생각함。②슬플비 서러움。③슬픔비 비애。

【悲觀 비관】①사물(事物)을 슬프게 생각하여 실망함。②세상을 괴롭고 악한 것으로만 봄。
【悲劇 비극】①비참(悲慘)한 세상 일을 묘사한 연극(演劇)。전(轉)하여 ②세상에서 일어난 비참한 일。
【悲戀 비련】①슬퍼하며 사모함。②결말이 비참한 연애。
【悲淚 비루】슬퍼하여 흘리는 눈물。
【悲鳴 비명】①슬피 욺。②구슬픈 울음소리。
【悲報 비보】슬픈 소식。슬픈 기별。
【悲憤 비분】슬퍼하고 분개함。
【悲哀 비애】슬픔과 설움。
【悲運 비운】슬픈 운수(運數)。
【悲壯 비장】슬픔 속에 오히려 씩씩한 기운이 있음。
【悲慘 비참】차마 눈으로 볼 수 없이 슬프고 끔찍함。
【悲歎 비탄】슬퍼하며 탄식(歎息)함。
【悲痛 비통】몹시 슬퍼함。
【悲喜劇 비희극】①비극과 희극。②비극의 요소와 희극의 요소가 뒤섞인 연극。

12【惑】心 8 [고교] 혹 ― 미혹할 ― [入]職

一 ㄧ 𠮛 式 或 或 惑 惑

[자원] 형성 心 或[음] ┬ 惑(心부)
「心심」〈마음〉과、음을 나타내며 동시(同時)에 혹시、혹은의 뜻을 가진「或혹」으로 이루어짐。마음에 혹시、혹은 하고 생각하다의 뜻。
[뜻] ①미혹할혹 의심이 나서 정신이 헷갈리고 어지러움。「疑惑의혹」②미혹케할혹 위의 뜻의 타동사。「惑世혹세」③미혹혹 의혹。
【惑星 혹성】유성(游星)。
【惑世誣民* 혹세무민】세상 사람을 미혹(迷惑)하게 하여 속임。
◉迷惑미혹 不惑불혹 誘惑유혹 疑惑의혹

12【惠】心 8 [중학] 혜 ― 은혜 ― [去]霽

一 ㄧ 冖 百 亩 叀 恵 惠

[자원] 회의 心 叀 ┬ 惠(心부)

2500년전

〔四畫部首順〕心戈戶手支攴文斗斤方无日曰月木欠止歹殳毋比毛氏气水火爪父爻爿片牙牛犬
4획

어질고 남을 사랑한다는 뜻。어진 사람은 자기 자신을 삼가고 남을 위함。그러므로 「叀전」〈삼가다〉과 「心심」을 합함。

뜻 ①은혜혜 인애(仁愛)。은덕。「仁惠인혜」 ②베풀혜 ㉠은혜를 베풂。㉡금전 같은 것을 줌。③순할혜 유순함。「惠然혜연」 ④슬기로울혜 慧(心部十一畫)와 통용。⑤꾸밀혜 장식함。⑥세모창혜 날이 세모진 창。

참고 「惠」를 음으로 하는 글자=「蕙혜」〈꽃이름〉·「穗수」〈이삭〉

【惠顧 혜고】은혜를 베풀며 돌보아 줌。

【惠書 혜서】남에게서 온 편지(便紙)의 경칭(敬稱)。

【惠與 혜여】은혜(恩惠)를 베풀어 물건을 줌。또 남이 선물을 보내 주는 일。또는 그 선물(膳物)의 경칭。

【惠澤 혜택】은혜(恩惠)와 덕택(德澤)。은택(恩澤)。

【惠化 혜화】은혜(恩惠)를 베풀어 사람을 교화(敎化)함。또 은덕(恩德)이 두터운 교화(敎化)。

◉恩惠은혜 仁惠인혜 慈惠자혜 寵惠총혜

4획

12 【惡】 心 8 중학 ㊀악 ㊁오 모질 ㊀入藥 ㊁①-③去遇 ④⑤平虞

一 丅 丅 丅 亞 亞 亞 亞 惡 惡

자원 형성 亞음 心 ⊥ 惡(心부) 2500년전

음을 나타내는 「亞아」(악은 변음)는 고대(古代) 중국의 집의 토대나 무덤을 위에서 본 모양。나중에 꼽추의 모양으로 잘 못보아 보기 흉하다→나쁘다의 뜻에 씀。「心심」은 마음。「惡」은 나쁜 마음→미워하다→나쁨。아주 옛날에는 「惡」과 「亞」는 비슷한 음이었음。

뜻 ㊀①모질악 ㉠성품이 악함。「惡人악인」 ㉡또 악한 일。악한 행위。악한 사람。「罪惡죄악」 ②나쁠악 ㉠도의적으로 나쁨。「惡政악정」 ㉡질이 나쁨。「惡食악식」 ㉢불쾌함。「惡臭악취」「惡氣악기」 ㉣불길함。「惡夢악몽」 ③흉년들악 오곡이 잘 여물지 아니함。「惡歲악세」 ④못생길악 용모 같은 것이 보기 흉함。「惡女악녀」 ⑤똥악 대변。㊁①미워할오 증오(憎惡)함。②헐뜯을오 비방함。「毁惡훼오」 ③부끄러워할오 수치를 느낌。④어찌오 반어사(反語辭)。何(人部五畫)와 뜻이 같음。⑤허오 탄식사(嘆息辭)。「嗚呼오호」와 뜻이 같음。

【惡感 악감】나쁜 감정。나쁜 느낌。

【惡鬼 악귀】나쁜 귀신(鬼神)。

【惡談 악담】남을 나쁘게 되라고 저주(咀呪)하는 말。

【惡黨 악당】악(惡)한 도당(徒黨)。

【惡德 악덕】①나쁜 마음。②나쁜 짓。부정한 행위(行爲)。

【惡毒 악독】마음이 흉악(凶惡)하고 독살스러움。

【惡辣* 악랄】매섭고 표독(慓毒)함。

【惡魔* 악마】사람을 괴롭게 하는 마귀(魔鬼)。전(轉)하여、아주 흉악한 사람。

【惡名 악명】①나쁜 이름。좋지 못한 이름。②나쁜 평판(評判)。

【惡夢 악몽】불길(不吉)한 꿈。

【惡事行千里 악사행천리】나쁜 일은 곧 세상에 널리 퍼진다는 뜻。

【惡習 악습】①나쁜 습관。못된 버릇。

②나쁜 풍습。못된 습속(習俗)。

【惡用 악용】잘못 씀。못되게 씀。

【惡意 악의】남을 해치려는 나쁜 마음。

【惡政 악정】나쁜 정치(政治)。

【惡種 악종】《韓》성질(性質)이 흉악(凶惡)한 사람、또는 동물。

【惡疾 악질】①고치기 어려운 병(病)。못된 병。②문둥병。

【惡質 악질】좋지 못한 바탕。못되고 나쁜 성질。또 그 사람。

【惡妻 악처】악한 아내。

【惡臭 악취】나쁜 냄새。물건이 썩는 냄새。

【惡評 악평】①나쁜 평판。②남을 나쁘게 말하는 비평。

【惡漢 악한】못된 놈。악(惡)한 일을 하는 사람。

【惡貨 악화】실질(實質)의 가격(價格)이 법정(法定)의 가격에 비하여 대단히 낮은 화폐(貨幣)。

【惡心 오심】욕지기。토기(吐氣)。

【惡寒 오한】①추위를 미워함。②몹시 오슬오슬 춥고 괴로운 증세。

◉姦惡간악 舊惡구악 勸善懲惡권선징악 極惡극악 善惡선악 罪惡죄악 醜惡추악 好惡호오 凶惡흉악

12 【悳】心 8 德(彳部十二畫)의 옛 글자。

11 【悼】心 8 도 | 슬퍼할 | 去號

자원 형성 心-忄+卓음→悼(心부) 2500년전

「忄심방변」과、음을 나타내며 동시에 쪼다·치다의 뜻(⇩琢탁·椓탁)을 나타내기 위한 「卓탁」(또는 변음)으로 이루어짐。마음에 찔리다→마음이 아프다의 뜻。

뜻 ①슬퍼할도 ㉠죽음을 슬퍼함。「哀悼애도」 ㉡불쌍히 여김。㉢상심함。②떨도 전율함。③어린이도

◉悲悼비도 哀悼애도 憂悼우도 追悼추도

11 【悽】心 8 고교 처 | 슬퍼할 | 平齊

丶 忄 忄一 忄彐 忄妻 悽 悽

자원 형성 心-忄+妻음→悽(心부)

「忄심방변」〈마음〉과、음을 나타내며 동시에 쓸쓸하다의 뜻(⇩淒처)을 나타내기 위한 「妻처」로 이루어짐。마음에 쓸쓸하게 생각하다、아픔을 느끼다의 뜻。

뜻 ①슬퍼할처 비통함。②야윌처 굶주림 또는 질병으로 야윈 모양。

【悽絕 처절】너무 슬퍼하여 기절(氣絕)할 것 같음。몹시 슬픔。

11 【情】心 8 중학 정 | 뜻 | 平庚

丶 忄 忄一 忄生 忄青 情 情 情

자원 형성 心-忄+青음→情(心부) 2500년전

음을 나타내는 「青청·정」은 어떤 물건의 본디의 모양이란 뜻을 나타냄。「忄심방변」은 마음。「情」은 순수한 타고난 성질대로의、사람의 마음。「青」은 「生생」에서 생겨났음。「情」도 본디는 「性성」과 같은 글자였으나、나중에 타고난 성질쪽을 「性」、밖으로부터 자극(刺戟)을 받아 일어나는 마음의 움직임、욕심(慾心)에 연결되는 감정(感情) 쪽을 「情」이라 하여 구별하게 되었음。

뜻 ①뜻정 사물(事物)에 감촉(感

觸)되어 일어나는 마음의 작용。「性성」의 대。「性情성정」「七情칠정」 ②정성정 성심。성의。「情實정실」 ③욕정 욕망。사리(私利)。④인정정 ㉠사람이 선천적(先天的)으로 가지고 있는 마음씨。「奪情탈정」㉡남을 도와주는 갸륵한 마음씨。자애。「情理정리」⑤사랑정 남녀간의 사랑。연모하는 마음。「情火정화」 ⑥심정정 마음의 정황。「情調정조」 ⑦실상정 실제。사실。진상。⑧사정정 형편。상태。「情況정황」「情勢정세」⑨멋정 정취。취미。재미。「風情풍정」「情景정경」⑩이치정 조리(條理)。⑪참으로정 진실로。주로 시(詩)에 많이 쓰임。

【情景 정경】①상태。상황。광경(光景)。②정취(情趣)와 경치。

【情交 정교】①친한 교분。정애(情愛)가 있는 친밀한 교제。②색정(色情)의 사귐。남녀간의 연정。

【情理 정리】인정과 도리(道理)。

【情報 정보】실정(實情)의 보고。

【情夫 정부】유부녀가 몰래 사통하는 남자。샛서방。간부(間夫)。

【情婦 정부】몰래 사통하는 여자。

【情狀 정상】①마음의 안에서 움직이는 정(情)과 마음의 밖에 나타난 상태(狀態)。②상태。정세。정황(情況)。③일이 그렇게 된 사정。

【情緒 정서】①생각。마음이 움직이는 실마리。②인식(認識)에 의하여 일어나는 약간 복잡한 감정。희(喜)·노(怒)·애(哀)·락(樂)·동정·질투 등。

【情勢 정세】사정과 형세。

【情實 정실】정사의 실제。진상。

【情熱 정열】불 일듯 맹렬하게 일어나는 감정。

【情欲 정욕】남녀간의 애정。색정(色情)。

【情誼* 정의】서로 사귀어 친하여진 정。

【情趣 정취】멋。운치(韻致)。

【情表 정표】물건을 보내어 정을 표함。또 그 물건。

◉感情감정 多情다정 同情동정 無情무정 薄情박정 非情비정 性情성정 心情심정 人情인정 眞情진정 陳情진정 春情춘정

11 【惜】 心 8 [중학] 석 | 아낄 | [入]陌

丶 丷 忄 忄一 忄十 忄卄 忄卅 惜 惜

[자원] 형성 昔[음] 心-忄 ┐惜(心부) 2500년전

「忄심방변」과 음을 나타내며 동시에 찔린다는 뜻(⇩刺자·척)을 나타내기 위한 「昔석」으로 이루어짐。마음에 찔리는 아픔。전하여 아끼다의 뜻。

[뜻] ①아낄석 ㉠소중히 여김。「惜陰석음」㉡탐냄。인색함。②아까와할석 ㉠애석하게 여김。㉡버리거나 잃기를 싫어함。③아까울석 이상(以上)의 형용사。또 아깝게도。④애처롭게여길석 가엾이 여김。

【惜別 석별】이별을 섭섭히 여김。

◉哀惜애석 吝惜인석 痛惜통석

11 【惟】 心 8 [고교] 유 | 오직 | [平]支

丶 丷 忄 忄丿 忄亻 忄亻' 忄仁 忄作 惟

[자원] 형성 隹[음] 心-忄 ┐惟(心부) 2500년전

「忄심방변」과 음을 나타내며 동시에 묻다、알아보다의 뜻(⇩推추·

4 획

〔四畫部首順〕 心戈戶手支攴文斗斤方无日曰月木欠止歹殳毋比毛氏气水火爪父爻爿片牙牛犬

誰수)을 나타내기 위한「隹추」(유는 변음)로 이루어짐。마음에 묻다、전하여 생각하다의 뜻。또 음을 빌어 발어(發語)의 어조사로 쓰임。

[뜻] ①오직유 단지。유독。「惟一유일」 ②이유 伊(人部四畫)·是(日部五畫)와 뜻이 같음。③생각할유 사려(思慮)함。「思惟사유」 ④생각컨대유 자기의 의견을 말할 때의 겸사(謙辭)。

【惟獨 유독】 오직 홀로。

【惟靜 유정】《韓》 사명당(四溟堂)의 승명(僧名)。임진 왜란(壬辰倭亂) 때의 승병장(僧兵將)。

11 【慘】 心 8 慘(心部十一畫)의 속자(俗字)。

九畫

13 【愛】 心 9 [중학] 애 | 사랑할 | 去 隊

[자원] 형성 旡+心→㤅[음]+夊→愛 (心부)

「旡기」는 가슴이 막히다→가득차다。「心심」은 마음→가슴 속。음을 나타내는「㤅애」는 가슴이 가득차다→남을 사랑하다→소중히 하다→아끼다。「夊쇠」는 천천히 걷는 일。「㤅=愛」는 갈까 어떻게 할까 하고 망설이는 일。나중에「㤅」대신「愛」를 쓰게 되었음。

[뜻] ①사랑할애 ㉠귀애함。「愛兒애아」 ㉡친밀하게 대함。㉢이성을 그리워함。「戀愛연애」 ㉣위함。소중히 여김。「愛錢애전」 ㉤좋아함。「愛讀애독」 ㉥은혜를 베풂。②사랑애 위의 뜻의 명사。③그리워할애 사모함。「欽愛흠애」 ④아낄애 탐냄。인색함。「愛惜애석」

[참고] 「愛」를 음으로 하는 글자=「僾애」〈어렴풋하다〉·「噯애」〈숨〉·「靉애」〈구름이 끼다〉·「曖애」〈눈이 흐리다〉

【愛敬 애경】 사랑하고 공경함。위하고 존경(尊敬)함。

【愛顧 애고】 사랑하여 돌봄。

【愛國 애국】 나라를 사랑함。자기 나라를 위하여 진력함。

【愛讀 애독】 즐겨 읽음。특별히 좋아하여 읽음。

【愛慕 애모】 사랑하여 그리워함。심복하여 사모함。

【愛撫* 애무】 사랑하여 어루만짐。

【愛誦 애송】 즐기어 송독(誦讀)함。특별히 좋아하여 읽음。애독(愛讀)。

【愛欲 애욕】 사물(事物)을 좋아하여 바라는 마음。또 애정과 욕심。

【愛人 애인】 ①사람을 사랑함。남을 사랑함。②사랑하는 사람。

【愛情 애정】 ①사랑하는 마음。②이성(異性)간에 그리워하는 마음。

【愛憎 애증】 사랑함과 미워함。애정과 증오。

【愛之重之 애지중지】 대단히 사랑하고 소중히 여김。

【愛唱 애창】 노래를 즐기어 부름。또 그 노래。

【愛妻 애처】 사랑하는 아내。

【愛他主義 애타주의】 다른 사람의 행복의 증진을 행위의 기준으로 삼는 주의。

【愛鄕 애향】 고향을 그리워함。

【愛好 애호】 사랑하고 좋아함。 대단히 좋아함。

◉敬愛경애 戀愛연애 友愛우애 自愛자애 寵愛총애 偏愛편애 割愛할애

13 【感】心 9 중학 감 | 감동할 | ①-⑥ ㊤感 ⑦(去)勘

一 厂 后 咸 咸 感 感 感

자원 형성 戌┐咸 음 ┐感(心부) 口┘ 心┘

「戌술」은 무기의 일종인데 통틀어 모두의 뜻도 나타냄。「口구」는 소리。음을 나타내는 「咸함」(감은 변음)은 많은 사람이 소리를 질러 적을 치다→모두·남김 없이의 뜻。「心심」은 사람의 마음。「感」은 많은 사람의 마음을 움직임의 뜻。 〔咸〕3000년 전

뜻 ①감동할감 깊이 느끼어 마음이 움직임。「感泣감읍」 ②감동시킬감 감동하게 함。③감응할감 감촉(感觸)되어 통함。「感通감통」 ④느낄감、깨달을감 느껴 앎。「感覺감각」 ⑤감동감、감응감、느낌감 이상(以上)의 명사。「萬感만감」 ⑥움직일감、흔들감 撼(手部十三畫)과 통용。⑦한할감 원한을 품음。憾(心部十三畫)과 통용。

참고 「感」을 음으로 하는 글자＝「憾감」〈한하다〉·「撼감」〈흔들다·흔들리다〉·「轗감」〈가기 힘들다〉

【感慨 감개】 ①깊이 느끼어 탄식함。②마음 속 깊이 사무치게 느낌。

【感動 감동】 깊이 느끼어 마음이 대단히 움직임。

【感銘 감명】 깊이 느끼어 마음 속에 새기어 둠。감격하여 명심함。

【感謝 감사】 고맙게 여김。또 고맙게 여겨 사의(謝意)를 표함。

【感想 감상】 느끼어 생각함。또 느낀 바。느낀 생각。소감(所感)。

【感傷 감상】 마음에 느끼어 슬퍼함。사물에 느낀 바 있어 마음 아파함。

【感受性 감수성】 외계(外界)의 자극(刺戟)을 느낄 수 있는 힘。곧 직관(直觀)의 능력。 「②병이 옮음。

【感染 감염】 ①악습(惡習)에 물듦。

【感電 감전】 전기에 감응(感應)함。전류(電流)가 전함。

【感情 감정】 ①사물에 느끼어 일어나는 마음。심정(心情)。기분(氣分)。②고(苦)·낙(樂)·미(美)·추(醜) 등에 따른 쾌(快)·불쾌를 느끼는 마음의 작용。 「촉하여 느낌。

【感觸 감촉】 외계(外界)의 자극에 접

【感歎 감탄】 ①감동하여 찬탄함。②느끼어 탄식함。깊이 느낌。

【感懷 감회】 느끼어 생각함。또 느끼어 생각한 바。회포(懷抱)。

◉美感미감 反感반감 悲感비감 所感소감 劣等感열등감 靈感영감 豫感예감 優越感우월감 觸感촉감 快感쾌감

13 【想】心 9 중학 상 | 생각할 | ㊤養

一 十 木 相 相 想 想

자원 형성 相┐음 ┐想(心부) 心┘

「相상」은 상대편을 가만히 보다、마주보는 일。「想」은 상대편에 바라다→생각하다→생각。

4획

뜻 ①생각할상 ㉠바람。사모함。「想望상망」 ㉡추측함。「想像상상」 ㉢추억함。「回想회상」「追想추상」 ②생각상 생각하는 바。 ③생각컨대상 생각하기를。

【想起 상기】 지난 일을 생각하여 냄。

【想到 상도】 생각이 미침。

◉假想가상 感想감상 空想공상 妄想망상 冥想명상 思想사상 聯想연상 豫想예상 理想이상 着想착상 幻想환상 回想회상

13 【愁】 心 9 중학 수 ― 근심할 ― ㊥尤

一 二 千 禾 禾' 秒 秋 愁 愁

자원 형성 心 秋 음 ┬ 愁 (心부)

「心심」〈마음〉과、음을 나타내는 동시에 주름의 뜻(⇩皺추)(수는 변음)을 가진 「秋추」로 이루어짐。 눈살을 찌푸리고 걱정하다의 뜻。

뜻 ①근심할수 우려함。「愁心수심」 ②근심수 우려。수심。

주의 「愀초」〈근심하다〉는 딴 글자。

【愁眉 수미】 근심에 잠긴 눈썹。 전(轉)하여 수심에 잠긴 얼굴。

【愁心 수심】 근심하는 마음。

◉客愁객수 孤愁고수 悲愁비수 哀愁애수 旅愁여수 憂愁우수 離愁이수 鄕愁향수

13 【意】 心 9 중학 ㊀의 ㊁희 ― 뜻 ― ㊀㊤寘 ㊁㊥支

丶 亠 立 产 音 音 意 意

자원 형성 心 音 음 ┬ 意 (心부)

2000년 전

음을 나타내는 「音음」은 깊이 품는 일。「心심」은 심장→마음→기분。「意」는 마음에 깊이 생각하다→가슴이 멤。 나중에 이들 뜻은 「憶억」「臆억」의 글자로 나타내고 「意」는 마음·생각 따위의 뜻에만 쓰게 되었음。

뜻 ㊀①뜻의 ㉠마음의 발동(發動)。「意志의지」「意識의식」 ㉡생각。「如意여의」 ㉢사심(私心)。사욕。 ㉣글이나 말의 의의。「意味의미」「大意대의」 ㉤정취。 ②뜻할의 생각함。 ③의심할의 의심을 둠。 ④헤아릴의 상량(商量)함。추측함。 ⑤생각컨대의 생각해 보건대。「意者의자」 ㊁한숨쉴희 噫(口部十三畫)와 통용。

【意見 의견】 마음에 느낀 바 생각。

【意氣揚揚 의기양양】 득의(得意)한 마음이 얼굴에 나타나는 모양。

【意氣衝天 의기충천】 득의(得意)한 마음이 하늘을 찌를 듯함。

【意味深長 의미심장】 말이나 글의 뜻이 매우 깊음。

【意思 의사】 마음 먹은 생각。

【意譯 의역】 개개의 단어·구절에 너무 구애되지 않고 본문(本文)의 전체의 뜻을 살리는 번역。

【意慾 의욕】 어떤 것을 갖거나 하고자 하는 마음。

【意匠* 의장】 ①생각。연구。궁리。 ②공예품(工藝品) 등의 모양·색채·무늬 등에 대한 고안(考案)。

【意中 의중】 마음 속。

【意志 의지】 ①마음。뜻。 ②사려·선택·결심 등을 하는 마음의 능동적 작용。 지식·감정과 대립되는 정신 작용。 [작용。

【意表 의표】 뜻 밖。의외。

【意向 의향】 마음의 향하는 바。곧 무

엇을 하려는 생각。
◉敬意경의 故意고의 得意득의 飜意번의 本意본의 謝意사의 辭意사의 注意주의 好意호의 厚意후의

13 【愈】 心 9 고교 유 | 나을 | ①-④上 ⑤⑥平虞

丿 人 亽 合 侖 俞 兪 愈 愈

자원 형성 心 兪음 ┬ 愈(心부)

「心심」〈마음〉과、음을 나타내며 동시(同時)에 위로 넘다의 뜻(⇩越월)을 갖는 「兪유」로 이루어짐。마음에 더 낫다→전하여 더 낫다의 뜻。또 음을 빌어 부사(副詞) 점점、드디어의 뜻으로 쓰임。

뜻 ①**나을유** 남보다 우수함。②**나을유** 병이 나음。癒(疒部十三畫)와 통용。「小愈소유」 ③**고칠유** 치유함。癒(疒部十三畫)와 통용。④**더할유** 자꾸 더해짐。⑤**더욱유** 더욱 더욱。⑥**즐길유** 愉(心部九畫)와 통용。

13 【愚】 心 9 고교 우 | 어리석을 | 平虞

丨 冂 日 旦 禺 禺 禺 禺 愚 愚

자원 형성 心 禺음 ┬ 愚(心부)

「心심」〈마음〉과 음을 나타내며 동시에 에둘러 번거롭다의 뜻(⇩迂우)을 가지는 「禺우」로 이루어짐。마음의 움직임이 느림의 뜻。

뜻 ①**어리석을우** ㉠우매함。「愚直우직」 ㉡또 어리석음。어리석은 사람。②**어리석게할우** 지식을 개발하지 아니하고 알리지 아니함。「愚民政策우민정책」 ③**우직할우** 고지식함。④**나우** ㉠자기의 겸칭。「愚見우견」 ㉡또 자기의 의견의 겸칭。

【愚見 우견】 ①어리석은 소견。②자기(自己)의 의견의 겸칭(謙稱)。
【愚鈍 우둔】 어리석고 둔함。「대。
【愚弄 우롱】 어리석다고 깔보아 놀려
【愚民 우민】 ①어리석은 백성(百姓)。②백성을 어리석게 함。
【愚夫愚婦 우부우부】 어리석은 남녀。
【愚息 우식】 자기의 아들의 겸칭。
【愚惡 우악】 《韓》 ①멍청하게 미련함。②우락부락함。
【愚妻 우처】 ①어리석은 아내。②자기의 아내의 겸칭(謙稱)。

13 【惹】 心 9 야 | 이끌 | 上馬

자원 형성 心 若음 ┬ 惹(心부)

「心심」〈마음〉과 음을 나타내는 「若약」으로 이루어짐。마음이 끌리다의 뜻→전하여 끌다의 뜻。

뜻 **이끌야** 끌어 당김。「惹起야기」

【惹起 야기】 끌어 일으킴。

13 【慈】 心 9 慈(心部十畫)의 속자(俗字)。

12 【惰】 心 9 타 | 게으를 | 上哿

자원 형성 隋-㥯음 心-忄 ┬ 惰(心부)

「忄심방변」〈마음〉과、음을 나타내며、동시(同時)에 무너뜨리다의 뜻(⇩墮추)을 가지는 「隋타」(㥯는 생략형)로 이루어짐。기력(氣力)을 무너뜨리고 게으름 피우다의 뜻。

뜻 ①게으를타 ㉠나태함。「惰怠타태」 ㉡소홀히 함。㉢삼가지 아니함。단정하지 아니함。버릇이 없음。②게으름타 나태。③사투리타 방언。

【惰性 타성】오래되어 굳어진 버릇。

12 【惱】心 9 고교 뇌(노㊍) ─괴롭힐─ ㊤皓

丶 忄 忄 忄 忄 惱 惱 惱

자원 형성 心-忄+甾(음)→惱(心부)

「忄십방변」〈마음〉과 함께 어지럽힌다는 뜻을 나타내기 위한 「甾노」로 이루어짐。마음을 어지럽힌다는 뜻。

뜻 ①괴로와할뇌 고민함。「苦惱고뇌」 ②괴롭힐뇌 괴롭게 함。③괴로움뇌 고민。※본음(本音) 노

【惱殺 뇌살·뇌쇄】심히 고민함。또 심히 고민하게 함。살(殺)은 조사(助辭)。

◉苦惱고뇌 百八煩惱백팔번뇌

12 【惻】心 9 측 ─슬퍼할─ ㊇職

자원 형성 心-忄+則(음)→惻(心부) 2500년전

「忄십방변」〈마음〉과 음을 나타내는 「則측」으로 이루어짐。

뜻 슬퍼할측 비통함。「惻隱측은」

【惻隱之心 측은지심】가엾게 여기는 마음。동정심(同情心)。

12 【愉】心 9 ㊀유 ─기뻐할─ ㊀㊥虞 ㊁투 ㊁㊥尤

자원 형성 心-忄+兪(음)→愉(心부) 2500년전

「忄십방변」〈마음〉과 음을 나타내는 동시에 부드러워지다의 뜻을 가진 「兪유」로 이루어짐。마음이 부드러워져 즐겁다의 뜻。

뜻 ㊀기뻐할유 즐거워함。㊁구차할투 偸(人部九畫)와 같은 글자。

【愉快 유쾌】마음이 상쾌(爽快)함。

12 【愕】心 9 악 ─놀랄─ ㊇藥

자원 형성 心-忄+咢(음)→愕(心부)

「忄십방변」〈마음〉과、음을 나타내는 「咢악」으로 이루어진 글자。

뜻 놀랄악 깜짝 놀람。「驚愕경악」

주의 「惰」은 틀린 글자。

【愕然 악연】몹시 놀라는 모양。

十畫

14 【慈】心 10 중학 자 ─사랑할─ ㊥支

丶 亠 玄 玄 兹 兹 慈 慈

자원 형성 心+兹(음)→慈(心부) 2500년전

「心심」〈마음〉과 음을 나타내는 동시에 키운다는 뜻을 가진 「兹자」로 이루어짐。키우는 심정의 뜻。전하여、자애를 베푼다는 뜻。

뜻 ①사랑할자 ㉠은애(恩愛)를 가(加)함。㉡애육(愛育)함。「慈幼자유」 ②사랑자 은애(恩愛)。③어머니자 아버지를 엄(嚴)이라 함의 대(對)。「家慈가자」「慈母자모」 ④자석자 磁(石部十畫)와 통용。

【慈堂 자당】《韓》남의 어머니의 존칭。

〔四畫部首順〕心戈戶手支攴文斗斤方无日曰月木欠止歹殳毋比毛氏气水火爪父爻爿片牙牛犬

【慈母 자모】인자한 어머니。어머니。엄부(嚴父)의 대(對)。

【慈善 자선】①인자하고 착함。②불쌍한 사람을 돈이나 물건으로 도와 줌。

【慈愛 자애】①아랫사람에 대한 도타운 사랑。②귀애함。인정이 많음。

【慈親 자친】①인자한 어버이。②《韓》자기 어머니의 겸칭(謙稱)。

◉家慈가자 大慈대자 仁慈인자 惠慈혜자

14【態】心 10 고교 태 ─ 모양 ─ 去 隊

厶 㠯 𠂤 㣇 能 態

자원 형성 心 能음 ┬ 態(心부)

「心심」과 음을 나타내며, 동시에 여러 가지 일을 할 수 있다의 뜻(⇩耐내)을 가지는 「能능」(태는 변음)으로 이루어짐。여러 가지의 일을 잘 할 수 있는 정신적 능력을 뜻함。재능(才能)、현능(賢能)의 뜻의 본디 글자。나중에 음을 빌어、주로 자태(姿態)의 뜻에 쓰임。

뜻 모양태 ㉠용모。맵시。「姿態자태」 ㉡꼴。형상。「形態형태」

【態度 태도】①몸을 가지는 모양。②속의 뜻이 드러나 보이는 외모(外貌)。③정취(情趣)。

◉嬌態교태 舊態구태 變態변태 世態세태 姿態자태 千狀萬態천상만태 形態형태

13【愧】心 10 고교 괴 ─ 부끄러워할 ─ 去 寘

丶 丷 忄 忄' 忄𠂉 忄⺆ 忄⺆ 愧 愧

자원 형성 心 鬼음 ┬ 愧(心부) 忄 2500년전

「忄심방변」〈마음〉과 음을 나타내는 「鬼귀」(괴는 변음)로 이루어짐。

뜻 부끄러워할괴 수치를 느낌。「羞愧수괴」「愧慙괴참」

주의 「媿」는 같은 글자。

【愧死 괴사】①대단히 부끄러워하여 죽음。②세상에 얼굴을 들고 다닐 수 없을이만큼 대단히 부끄러워함。

◉感愧감괴 羞愧수괴 慙愧참괴 痛愧통괴

13【愼】心 10 고교 신 ─ 삼갈 ─ 去 震

丶 丷 忄 忄' 忄𠂉 忄𠂉 愼 愼 愼

자원 형성 心 眞음 ┬ 愼(心부)

「忄심방변」〈마음〉과 음을 나타내는 동시에 세밀하다는 뜻(⇩纖섬)을 가진 「眞진」으로 이루어짐。마음을 세밀히 쓴다는 뜻。

뜻 ①삼갈신 ㉠신중히 함。과오가 없도록 조심함。「謹愼근신」「愼獨신독」 ㉡소중히 다룸。중히 여김。②삼감신 앞의 뜻의 명사。③삼가신 결코、또는 절대로의 뜻。④진실로신 참으로。

【愼重 신중】삼가고 조심함。

◉敬愼경신 謹愼근신 篤愼독신 肅愼숙신

13【慄】心 10 률 ─ 두려워할 ─ 入 質

자원 형성 心 栗음 ┬ 慄(心부) 2500년전

「忄심방변」〈마음〉과 음을 나타내는 동시에 난알의 뜻(⇩粒립)을 가진 「栗률」로 이루어짐。살갗에 소름이 끼침을 느끼다의 뜻。

뜻 ①두려워할률 두려워하여 떪。「戰慄전율」 ②떨률 벌벌 떪。 ③슬퍼할률 비통(悲痛)함。

13 【慌】心 10 황 — 황홀할 — ㊤養

자원 형성 荒음 心-忄 ┤ 慌(心부)

「忄심방변」〈마음〉과, 음을 나타내며 동시(同時)에 동요(動搖)하다의 뜻(⇩徨황)을 나타내는 「荒황」으로 이루어짐。 마음이 동요하고 허겁지겁하는 뜻。

뜻 ①황홀할황 恍(心部六畫)과 같은 글자。 ②허겁지겁할황 몹시 바빠서 어찌할 바를 모름。「慌忙황망」

주의 「慌」은 속자(俗字)。

【慌忙 황망】 바빠서 허겁지겁하여 어찌할 줄을 모름。

十一畫

15 【慶】心 11 중학 경 — 경사 — ㊦敬

丶 亠 广 户 庐 庐 声 廖 慶

자원 회의 心 声 夂 ┤ 慶(心부)

「心심」〈마음〉과 「夂치」〈가다〉와 「鹿록」〈사슴〉의 생략된 자체를 합한 글자。 남의 경사에 가서 축하하는 일。 옛날 경사스러운 일에 녹비(鹿皮)를 바친 데서 「鹿」자를 더하여 경사스러운 일의 뜻을 나타냄。 전하여, 좋다→기쁘다→복지(福祉) 따위의 뜻으로 씀。

뜻 ①경사경 축하할 만한 일。「慶弔경조」 ②상경 상사(賞賜)。「慶賞경상」 ③선행경 착한 행위。 ④복경 행복。「餘慶여경」 ⑤하례할경 경사를 축하함。 ⑥어조사경 발어사(發語辭)。

【慶節 경절】 경축하는 날。

【慶弔相問 경조상문】 경사를 서로 축하하고 흉사(凶事)를 서로 위문함。

【慶賀 경하】 경사를 치하(致賀)함。

◉ 嘉慶가경 具慶구경 吉慶길경 大慶대경

15 【憂】心 11 중학 우 — 근심 — ㊥尤

一 丆 丙 百 百 頁 惪 憂 憂

자원 형성 頁 心 ┤ 㥑음 夂 ┤ 憂(心부) 2500년전

발을 뜻하는 「夂치」와 음을 나타내는 동시에 천천히의 뜻(⇩悠유)을 가진 「㥑우」로 이루어짐。 천천히 걷는다는 뜻。「㥑」가 근심한다는 뜻의 본디 글자였으나 나중에 「憂」를 오로지 근심한다는 뜻으로 빌어 씀。

뜻 ①근심우 ㉠걱정。 ㉡환난(患難)。 ②병우 질병(疾病)。 ③친상우 부모의 상(喪)。 ④근심할우 걱정함。 ⑤앓을우 병을 앓음。 ⑥고생할우 궁하여 괴로와함。 ⑦가엾게여길우 불쌍히 여김。

【憂國 우국】 나라 일을 근심함。

【憂慮 우려】 걱정함。 근심함。

【憂愁 우수】 근심。

【憂鬱* 우울】 마음이 상쾌(爽快)하지 않고 답답함。

【憂患 우환】 ①근심。 걱정。 ②질병。

◉ 杞憂기우 大憂대우 一喜一憂일희일우

15【慙】心 11 고교 참 | 부끄러워할 | ㊥覃

一 厂 百 亘 車 斬 斬 慙 慙

자원 형성 心 斬음 ㅜ 慙(心부) 2500년전

「心심」〈마음〉과, 음을 나타내는 「斬참」으로 이루어진 글자。

뜻 ①부끄러워할참 양심에 가책을 느껴 남을 대할 면목이 없음。「慙愧참괴」 ②부끄러울참 수치。

주의 「慚」은 같은 글자。

【慙悔 참회】 부끄러워하며 뉘우침。

15【慧】心 11 고교 혜 | 슬기로울 | ㊋霽

一 二 丰 丰丰 彗 彗 彗 慧 慧

자원 형성 心 彗음 ㅜ 慧(心부) 2500년전

「心심」〈마음〉과, 음을 나타내는 동시에 날카롭다의 뜻(⇩銳예)을 가지는 「彗혜」로 이루어짐。마음이 날카롭다의 뜻。

뜻 ①슬기로울혜 총명함。②슬기혜 「智慧지혜」

【慧眼 혜안】 사물(事物)을 명찰(明察)하는 눈。예민한 안식(眼識)。

【慧超 혜초】 (韓) 신라 때의 고승。

◉明慧명혜 敏慧민혜 俊慧준혜 智慧지혜

15【慮】心 11 고교 ㊀려 ㊁록 | 생각할 | ㊀㊋御 ㊁㊇屋

丨 卜 卢 广 虍 虍 虐 虑 慮

자원 형성 心 虑음 ㅜ 慮(心부) 2500년전

「心심」〈마음〉과, 음을 나타내는 동시에 빙빙 돈다는 뜻(⇩轤로)을 가진 「盧로」의 생략형 「虑」로 이루어짐。마음으로 두루 생각한다는 뜻。

뜻 ㊀①생각할려 사려함。「考慮고려」 ②걱정할려 근심함。「念慮염려」 ③꾀할려 모책을 세움。④생각려 사유(思惟)。「遠慮원려」 ⑤근심려 걱정。우환。⑥의심려 의려(疑慮)。의혹。⑦꾀려 모책。⑧기려 「慮無여무」는 척후(斥候)가 들고 다니는 기(旗)。㊁사실할록 조사함。錄(金部八畫)과 같은 글자。

◉考慮고려 配慮배려 思慮사려 淺慮천려

15【慰】心 11 고교 위 | 위로할 | ㊋未

ㄱ ㅋ 尸 尸 尉 尉 尉 慰 慰

자원 형성 心 尉음 ㅜ 慰(心부) 2500년전

「心심」〈마음〉과, 음을 나타내며, 동시(同時)에 부드럽게 조용하게 하다의 뜻(⇩易이)을 가지는 「尉위」로 이루어짐。마음을 부드럽게 진정시키다의 뜻。

뜻 ①위로할위 남의 근심을 풂。「慰問위문」 ②위안할위 마음을 즐겁게 함。자기의 근심을 풂。③위로위 ④위안위 마음을 편하게 하고 즐겁게 하는 일。

【慰勞 위로】 ①수고를 치사(致謝)하여 마음을 즐겁게 함。②괴로움이나 슬픔을 잊게 함。

【慰藉 위자】 위로하여 도와줌。

◉勞慰노위 賞慰상위 安慰안위 弔慰조위

15【慾】心 11 고교 욕 | 욕심 | ㊇沃

〔四畫部首順〕心戈戶手支攴文斗斤方无日曰月木欠止歹殳毋比毛氏气水火爪父爻爿片牙牛犬

4획

丷 𠆢 仌 谷 谷 谷 欲 欲 慾 慾

자원 회의 欲+心 → 慾(心부)

갖고 싶다、하려고 하다의 뜻을 갖는「欲욕」에다「心심」〈마음〉을 더한 글자。

뜻 **탐낼욕、욕심욕** 탐함。또 그 마음。「嗜慾기욕」「貪慾탐욕」

주의 본래「欲」의 속자(俗字)。

【慾望 욕망】무엇을 하거나 가지고자 함。또 그 마음。

◉多慾다욕 無慾무욕 色慾색욕 食慾식욕

15 【慕】心 11 고교 **모** | 사모할 | 去 遇

一 十 艹 芇 苜 荁 莫 莫 慕 慕

자원 형성 莫음 心-⺗ → 慕(心부) 2500년전

「心심」〈마음〉의 변형「⺗」과、음을 나타내는 동시에 모습·모양의 뜻(⇩模모)을 가지는「莫막·모」로 이루어짐。마음에 모습을 회상한다는 뜻。

뜻 **사모할모** ㉠그리워함。「戀慕연모」 ㉡우러러 받들고 본받음。

◉敬慕경모 思慕사모 仰慕앙모 愛慕애모 戀慕연모 追慕추모 欣慕흔모

14 【慘】心 11 고교 **참** | 아플 | 上 感

丶 忄 忙 恀 恀 惨 慘 慘

자원 형성 參음 心-忄 → 慘(心부)

「忄심방변」〈마음〉과、음을 나타내는 동시에 깨뜨리다、상처를 내다의 뜻(⇩殘잔)을 갖는「參참·삼」으로 이루어져 마음을 상하게 하다、불쌍한 것。전하여、참혹(慘酷)하다의 뜻。

뜻 ①**아플참** 통증을 느낌。②**근심할참** 걱정함。③**혹독할참** 가혹함。④**비통할참** 몹시 슬픔。⑤**손상할참** 상하게 함。⑥**추울참** 몹시 참。

【慘殺 참살】참혹하게 죽임。

【慘狀 참상】참혹한 상태。참혹한 정상(情狀)。

【慘敗 참패】참혹하게 패함。

【慘酷*참혹】끔찍하게 불쌍함。끔찍하게 비참함。

◉悲慘비참 酸慘산참 傷慘상참 悽慘처참

14 【慢】心 11 고교 **만** | 게으를 | 去 諫

丶 忄 忄 怛 悍 悍 慢 慢

자원 형성 曼음 心-忄 → 慢(心부)

「忄심방변」〈마음〉과、음을 나타내며 동시에 완만하다는 뜻(⇩漫만)을 가진「曼만」으로 이루어짐。게을리하다、깔보다의 뜻。

뜻 ①**게으를만** 나태함。「怠慢태만」②**게을리할만** 소홀히함。③**거만할만** 오만함。「驕慢교만」「傲慢오만」④**느릴만** 더딤。「緩慢완만」⑤**느슨할만** 해이함。엄하지 아니함。⑥**방자할만** 방종함。「放慢방만」⑦**업신여길만** 모멸함。「侮慢모만」「輕慢경만」

【慢心 만심】자신을 지나치게 보고 자랑하며 남을 업신여기는 마음。자기가 잘난 줄 믿고 거드럭거리는 마음。

【慢然 만연】①맺힌 데가 없이 헤벌어진 모양。②정신을 차리지 않은

모양。③오만한 모양。

◉驕慢교만 欺慢기만 傲慢오만 怠慢태만

14【慣】心11 고교 관 | 익숙할 | 去諫

忄 忄 忄 怛 怛 怛 慣 慣

자원 형성 貫음 辵-辶┐遺-慣(心부)

음을 나타내는 「貫관」은 꿰뚫는 일。「辶책받침」은 나아가는 일。「遺관」은 오랜 시일을 통하여 이루어진 습관。처음엔 「貫」이라 쓰고 습관의 뜻을 나타내었는데 나중에 손재주의 습관을 「摜관」、행실의 습관을 「遺」으로 달리 썼음。「慣」은 나중에 생긴 글자로 「忄심방변」〈마음〉을 더하여 마음에 익혀 깨닫는 일。

뜻 **익숙할관** ㉠貫(貝部四畫)과 같은 글자。「慣用관용」「慣習관습」 ㉡또 익숙하여진 것。 버릇。 관례。「習慣습관」「舊慣구관」

【慣例 관례】 습관이 된 전례(前例)。

【慣習 관습】 ①익숙함。 ②버릇。 습관。 ③풍습(風習)。

4획

◉舊慣구관 習慣습관

14【慨】心11 고교 개 | 분개할 | 去隊

忄 忄 忄 忄 忄 忄 慨 慨

자원 형성 旣음 心-忄┐慨(心부) 2500년전

「忄십방변」과、음을 나타내는 동시에 한숨의 뜻(⇩喟위)을 나타내기 위한 「旣기」(개는 변음)로 이루어짐。 한숨을 터뜨리고 탄식한다는 뜻。

뜻 ①**분개할개** 비분하여 개탄함。「慨世개세」 ②**슬퍼할개** 비탄함。 ③**분개개**

【慨世 개세】 세상 또는 나라의 되어가는 형편을 염려하여 개탄함。

【慨歎 개탄】 개연(慨然)히 탄식함。 분개하여 한숨쉼。

◉感慨감개 憤慨분개 悲憤慷慨비분강개

14【慚】心11 慙(心部十一畫)과 같은 글자。

十二畫

16【憲】心12 고교 헌 | 법 | 去願

丶 宀 宔 宔 害 害 憲 憲

자원 형성 目 宔음 ┐害 心┐憲(心부) 2500년전

음을 나타내는 「害해」의 생획 「宔해」(헌은 변음)와、「目목」〈눈〉과、「心심」〈마음〉의 합자(合字)。 눈과 마음을 같이 사용(使用)해서 재빠르게 알아차리다。 헌법(憲法)의 뜻으로 사용되는 것은、그 음을 빌어 쓴 것。

뜻 ①**법헌** 법도。「憲法헌법」「國憲국헌」 ②**모범헌** 본보기。 ③**상관헌** 윗자리의 관리。 ④**본뜰헌** 본받음。「憲章헌장」 ⑤**민첩할헌** ⑥**고시할헌** 법(法)을 기록하여 보임。 ⑦**성할헌** 흥성함。

주의 「憲」은 속자(俗字)。

【憲章 헌장】 ①법(法)。 법도(法度)。 ②본받아 밝힘。

【憲政 헌정】 헌법에 의하여 행하는 정치。 입헌 정치。

◉官憲관헌 國憲국헌 法憲법헌 違憲위헌

16【憩】心 12 고교 게 | 쉴 | 去霽

一 二 千 千 舌 舌' 䑛 䑛 憩 憩

자원 형성 舌(음) 息 ┬ 憩(心부)

숨을 쉰다는 뜻의 「息식」과, 음을 나타내는 동시에 머물다의 뜻(⇩稽계)을 나타내기 위한 「舌설」(게는 변음)로 이루어짐. 머물러 숨을 쉰다는 뜻.

뜻 **쉴게** 휴식함. 「休憩휴게」

주의 「憇」는 속자(俗字).

【憩息 게식】쉼. 휴식(休息).

◉ 小憩소게 休憩휴게

16【憑】心 12 빙 | 기댈 | 平蒸

자원 형성 馮(음) 心 ┬ 憑(心부)

「心심」〈마음〉과, 음을 나타내는 동시에 기댄다는 뜻(⇩凭빙)을 가진 「馮빙」으로 이루어짐. 마음의 지주(支柱)로 삼다, 의지하다의 뜻.

뜻 ①**기댈빙** 물건에 의지함. ②**의지할빙** 의뢰함. 의탁함. 「憑依빙의」 ③**의거할빙** ㉠전거(典據)로 삼음. 「憑據빙거」 ㉡또 의거할 데. ④**붙을빙** 귀신이 붙음. ⑤**건널빙** 걸어서 강 따위를 건넘. 「憑河빙하」 ⑥**클빙** 대단함. ⑦**증거빙** 증서 같은 것.

【憑公營私 빙공영사】공사(公事)를 빙자하여 사리(私利)를 도모함.

【憑藉 빙자】①남의 세력(勢力)에 의지함. ②핑계함.

15【憎】心 12 고교 증 | 미워할 | 平蒸

丶 丶 忄 忄 忄 忄 忄 憎 憎

자원 형성 曾(음) 心-忄 ┬ 憎(心부) 2500년전

「忄심방변」〈마음〉과 음을 나타내며, 상처를 내다의 뜻(⇩傷상)을 나타내기 위한 「曾증」으로 이루어짐. 상대방을 상처내고 싶다고 생각하는 마음을 뜻함.

뜻 ①**미워할증** 증오함. 「憎惡증오」 ②**미움받을증** 증오를 당함. ③**미움증** 증오. 「愛憎애증」

【憎惡 증오】미워함.

【憎怨 증원】미워하고 원망(怨望)함.

◉ 面目可憎면목가증 愛憎애증 怨憎원증

15【憐】心 12 고교 련 | 불쌍히여길 | 平先

丶 忄 忄 忄 忄 忄 忄 憐

자원 형성 粦(음) 心-忄 ┬ 憐(心부) 2500년전

「忄심방변」〈마음〉과 음을 나타내는 「粦린」(련은 변음)으로 이루어짐.

뜻 ①**어여삐여길련** 귀애함. ②**불쌍히여길련** 가련하게 생각함.

【憐憫 연민】불쌍하게 여김. 가련하게 여김.

◉ 可憐가련 同病相憐동병상련 哀憐애련

15【憤】心 12 고교 분 | 결낼 | 上吻

丶 忄 忄 忄 忄 忄 憤 憤 憤

자원 형성 賁(음) 心-忄 ┬ 憤(心부) 2500년전

「忄심방변」〈마음〉과 음을 나타내는

동시에 솟아오른다는 뜻(⇩噴분)을 가진 「賁분」으로 이루어짐。 마음속에 뭉쳐 있는 것이 일시(一時)에 솟아오른다는 뜻。

뜻 ①결낼분 ㉠분노함。 「憤慨분개」 ㉡분발함。 ②결분 앞의 뜻의 명사。

【憤慨 분개】 격분하여 개탄함。 몹시 분하게 여김。

【憤激 분격】 매우 분하여 격동(激動)함。

【憤怒 분노】 분하여 성냄。

【憤發 분발】 가라앉았던 마음과 힘을 돋우어 일으킴。

【憤痛 분통】 몹시 분하여 마음이 쓰리고 아픔。

【憤敗 분패】 이길 수 있는 기회를 놓치고 분하게 짐。

◉激憤격분 發憤발분 悲憤비분 雪憤설분 鬱憤울분 義憤의분 痛憤통분

15

【憫】 心 12 고교 민 | 불쌍히여길 | ㊤軫

丶 忄 忄 忄 忄 忄 憫 憫 憫

자원 형성 心 閔음 ┬ 憫(心부) 가엾이 여긴다는 뜻과 함께 음을 나타내는 「閔민」에 다시 「忄심방변」〈마음〉을 더한 글자。

뜻 ①불쌍히여길민 가련하게 여김。 「憐憫연민」 ②근심할민 우려함。 「憂憫우민」

【憫惘*민망】 딱하여 걱정스러움。

15

【憚】 心 12 탄 | 꺼릴 | ㊦翰

자원 형성 心 單음 ┬ 憚(心부) 「忄심방변」〈마음〉과、음과 함께 곤란(困難)의 뜻(⇩難난)을 나타내기 위한 「單단」으로 이루어짐。 어렵게 생각하다、삼가다。

뜻 ①꺼릴탄 ㉠두려워함。 「畏憚외탄」 ㉡싫어함。 미워함。 ㉢주저함。 ㉣삼감。 ②고달플탄、수고할탄 피로함。 또는 고생함。

◉敬憚경탄 驚憚경탄 忌憚기탄

十三畫

17

【應】 心 13 중학 응 | 응당 | ①㊥蒸 ②-④㊦徑

丶 亠 广 广 庐 府 府 府 應 應

2500년전

자원 형성 心 䧹음 ┬ 應(心부) 음을 나타내는 「䧹응」은 「鷹응」과 같아 사냥에 쓰기 위하여 길들인 매로서、「人인」〈사람〉이 매를 꼭 잡고 있는 모양。 「應」은 마음속에 확실히 무엇인가 느끼다→상대편 소리에 맞추다→받아서 멈추게 하다의 뜻。

뜻 ①응당응 생각하건대 마땅히。 「應須응수」·「應合응합」도 같은 뜻임。 ②당할응 닥쳐오는 일을 감당함。 「臨機應變임기응변」 ③응할응 ㉠대답함。 「應答응답」 ㉡감통(感通)함。 「感應감응」 ㉢따름。 응종(應從)함。 「響應향응」 ㉣승낙함。 ④악기이름응 ㉠옛 악기의 하나。 ㉡작은 북。 응고(應鼓)。

주의 「応」은 약자(略字)。

【應諾 응낙】 ①대답함。 ②승낙함。

【應募 응모】 모집(募集)에 응함。

【應援 응원】 도와줌。 후원(後援)함。

【應戰 응전】 싸움에 응(應)함。

【應接 응접】①맞이하여 접대함。②대답함。③호응(呼應)함。④취급함。
◉感應감응 對應대응 相應상응 順應순응 再應재응 適應적응 呼應호응

17 【懇】心 13 [고교] 간 ─ 정성 ─ [上]阮

丿 𠂊 ⺈ 豸 豸 貇 貇 懇 懇

[자원] 형성 心+貇[음] ─ 懇(心부)

「心심」〈마음〉과, 음을 나타내며 동시에 일한다는 뜻을 나타내기 위한 「貇간」으로 이루어짐。정성을 다하여 일한다는 뜻。

[뜻] ①정성간 성심。「懇誠간성」②간절할간 성의가 두터움。③간절히간

【懇願 간원】간절히 원(願)함。
【懇切 간절】지성스럽고 절실함。
【懇請 간청】간절히 청(請)함。

16 【憶】心 13 [중학] 억 ─ 기억할 ─ [入]職

丶 忄 忄 忄 愔 憶 憶 憶

[자원] 형성 心+意[음] ─ 憶(心부)

「忄십방변」〈마음〉과, 음을 나타내는 동시에 단단히 누른다는 뜻(⇩抑억)을 가진 「意의·억」으로 이루어짐。마음에 단단히 새겨 외다의 뜻。

[뜻] ①기억할억 마음 속에 간직하여 잊지 아니함。②생각할억 잊지 않고 생각함。「憶念억념」③기억억 ④생각억

【憶念 억념】잊지 않고 생각함。
◉記憶기억 追憶추억

十五畫

19 【懲】心 15 [고교] 징 ─ 징계할 ─ [平]蒸

彳 彳 ⺔ 徨 徨 徵 徵 懲 懲

[자원] 형성 心+徵[음] ─ 懲(心부)

2500년전

「心심」〈마음〉과, 음을 나타내며 동시(同時)에 때리다의 뜻(⇩打타)을 갖는 「徵징」으로 이루어짐。마음에 타격(打擊)을 받다, 또는 주다。

[뜻] ①징계할징 ㉠기왕지사를 돌아보아 후회하여 장래를 삼감。㉡장래에 삼가도록 하기 위하여 제재를 가함。「膺懲응징」②징계징

【懲戒 징계】①자기 스스로 과거에 당한 일을 돌아보아 뉘우치고 경계함。②남을 장래에 삼가도록 하기 위하여 제재를 가함。
【懲罰 징벌】장래를 경계(警戒)하는 뜻으로 벌(罰)을 줌。「계함。
【懲惡 징악】못된 마음이나 행위를 징계함。
◉科懲과징 勸懲권징 罰懲벌징 膺懲응징

十六畫

20 【懸】心 16 [고교] 현 ─ 달 ─ [平]先

冂 目 県 県 縣 縣 懸 懸

[자원] 형성 心+縣[음] ─ 懸(心부)

「心심」〈마음〉과, 음을 나타내며 동시(同時)에 걸다의 뜻을 가지는 「縣현」으로 이루어짐。마음에 걸리다의 뜻。본디 「縣」과 똑같이 쓰이다가 나중에 「縣」이 군·현(郡·縣)의 뜻으로 사용되자, 오로지 걸다의

뜻만 나타내게 됨。

뜻 ①달현 매닮。「懸垂현수」 ②달릴현 매달림。 ③걸현 ㉠손쉽게 벗길 수 있도록 매닮。 게시(揭示)함。「懸磬현경」 ㉡현상금을 걸고 목적물을 구함。 ④현격할현 서로 동떨어짐。「懸絕현절」「懸隔현격」 ⑤멀리현 멀리 떨어져서。 ⑥빗현 부채。

【懸隔* 현격】 썩 동떨어짐。

【懸案 현안】 아직 해결짓지 못한 안건(案件)。

【懸崖* 현애】 낭떠러지。

【懸牛首賣馬肉 현우수매마육】 가게 앞에 소대가리를 걸어 쇠고기를 파는 것처럼 차려 놓고서 실제로는 말고기를 팖。 표리 부동함을 이름。 현양두매마육(懸羊頭賣馬肉)。

【懸板 현판】 글씨·그림을 새겨서 다는 널조각。

19 【懷】 心 16 고교 회 | 품을 | (平)佳

자원 형성 褱음 心-忄-懷(心부) 2500년전

「忄심방변」〈마음〉과、 음을 나타내며 동시(同時)에 되풀이하다의 뜻을 가지는 「褱회」로 이루어짐。 마음에 돌이켜 생각하다의 뜻。

뜻 ①품을회 ㉠생각을 품음。「懷春회춘」 ㉡물건을 품음。 ㉢애를 뱀。「懷姙회임」 ②따를회 그리워하여 붙좇음。「懷慕회모」 ③올회 이리로 옴。 ④편안할회 ⑤편안히할회 어루만져 편안하게 함。「懷柔회유」 ⑥쌀회 둘러쌈。 포위함。 ⑦위로할회 위안함。 ⑧품회 가슴。「懷襟회금」「懷中회중」 ⑨마음회 생각。

【懷古 회고】 지나간 옛 일을 돌이켜 생각함。

【懷柔 회유】 어루만지어 달램。

【懷疑 회의】 ①의심을 품음。 ②인식(認識)을 부정(否定)하고 진리(眞理)의 존재를 의심함。

【懷中 회중】 품 속。

【懷抱 회포】 ①품에 안음。 ②부모의 품。 ③마음 속에 품은 생각。

◉孤懷고회 本懷본회 所懷소회 包懷포회

十七畫

20 【懺】 心 17 참 | 뉘우칠 | (去)陷

자원 형성 韱음 心-忄-懺(心부)

「忄심방변」〈마음〉과、 음을 나타내는 동시에 죄의 뜻(⇩辛신)을 나타내기 위한 「韱섬」으로 이루어짐。 마음에 죄를 뉘우치다의 뜻。

뜻 뉘우칠참 전비(前非)를 깨달아 고백하고 고침。「懺悔참회」

주의 「懴」은 속자(俗字)。

【懺悔 참회】 과거의 죄를 뉘우쳐 고백함。 뉘우치고 회개(悔改)함。

十八畫

21 【懼】 心 18 고교 구 | 두려워할 | (去)遇

자원 형성 瞿음 心-忄-懼(心부) 2500년전

「忄심방변」〈마음〉과、 음을 나타내는 동시에 눈을 크게 뜨고 두려워 한다는 뜻을 갖는 「瞿구」로 이루어짐。

뜻 ①두려워할구 ㉠공포를 느낌。무서워함。「恐懼공구」 ㉡걱정함。「危懼위구」 ㉢경계함。삼감。 ㉣어려워함。 ②으를구 위협함。 ③두려움구

◉恐懼공구 畏懼외구 危懼위구 疑懼의구

十九畫

23 **【戀】** 心 19 고교 **련** — 그리워할 — 去霰

言 言 言 信 絹 結 䜌 戀 戀

자원 형성 心 + 䜌(련) → 戀(心부)

「心심」〈마음〉과、음을 나타내며 동시에 끌린다는 뜻(⇩牽견)을 가진 「䜌련」으로 이루어짐。마음이 끌리다、전하여、사랑하여 그리워한다는 뜻。

뜻 ①**그리워할련** 사모(思慕)함。「戀愛연애」 ②**그리움련** 그리워하는 마음。사모하는 정。

【戀戀 연련】 사모(思慕)하여서 잊지 못하는 모양。

【戀慕 연모】 ①사랑하여 그리워함。②공경하여 사모함。

◉悲戀비련 邪戀사련 失戀실연 愛戀애련

〔四畫部首順〕心戈戶手支攴文斗斤方无日曰月木欠止歹殳毋比毛氏气水火爪父爻爿片牙牛犬

戈部

4 **【戈】** 부수 고교 **과** — 창 — 平歌

一 七 戈 戈

자원 상형 戈 2500년전

나무로 된 자루에 끝이 뾰족한 쇠붙이를 달고、손잡이가 있음을 나타낸 모양。한자(漢字)의 부수(部首)로서는 무사(武事)에 관계(關係)되는 뜻을 나타냄。

뜻 **창과** ㉠무기의 한 가지。한두 개의 가지가 있는 창。「戈矛과모」 ㉡전(轉)하여、전쟁의 뜻으로 쓰임。「干戈간과」

주의 「弋주살익」은 딴 글자。

◉干戈간과 鋒戈봉과

一畫

5 **【戊】** 戈 1 중학 **무** — 다섯째천간 — 去宥

一 厂 戊 戊 戊

자원 상형 戊 2500년전

본디 도끼 모양의 무기(武器)를 본뜸。「矛모」〈창〉의 옛 글자。음을 빌어 천간(天干)의 다섯째로 씀。

뜻 **다섯째천간무** 십간(十干)의 제 오위(第五位)。오행설(五行說)에서 토(土)에 속하며 방위로는 중앙(中央)、시각으로는 오전 세 시부터 다섯 시까지임。「戊夜무야」

【戊午士禍 무오사화】《韓》 조선(朝鮮) 때의 사대사화(四大士禍)의 하나。연산군(燕山君) 사년(四年) 즉(卽) 무오년(戊午年)에 일어났던 훈구파(勳舊派)의 유자광(柳子光) 등이 사림파(士林派)의 김일손(金馹孫) 등을 사초문제(史草問題)로 몰아낸 사림(士林)의 참화(慘禍) 사건。

二畫

6 **【戌】** 戈2 중학 **술** — 열한째지지 — 入質

丿 厂 F 戌 戌 戌

자원 상형 2500년전

옛날엔 「戉월」〈도끼〉과 같은 글자。
지지의 열 한째에 차용(借用)되어
음과 모양이 변했음。

뜻 **열한째지지술** 십이지(十二支)의
하나。시각으로는 오후 일곱 시부터
아홉 시까지、방위로는 서북방。띠
로는 개임。

주의 「戉월」〈도끼〉·「戊무」〈다섯째천
간〉·「戍수」〈지키다〉와는 딴 글자。

6 **【戍】** 戈2 **수** — 지킬 — 去遇

자원 회의 人+戈 → 戍(戈부) 2500년전

「人인」〈사람〉과 창의 뜻인 「戈과」로
이루어짐。무기를 들고 사람을 지
키다의 뜻。

뜻 ①**지킬수** 무기를 가지고 변방을
지킴。「戍邊수변」 ②**수자리수** ㉠변
방을 지키는 일。㉡변방을 지키는
군사。③**둔영수** 수비하는 군사가
주둔하고 있는 군영(軍營)。

주의 「戌술」〈열한째지지〉·「戎융」〈병장
기〉은 딴 글자。

【戍樓 수루】 적군(敵軍)의 동정(動
靜)을 망보기 위하여 성(城) 위에
만든 누각(樓閣)。성의 망루(望樓)。

6 **【戎】** 戈2 **융** — 병장기 — 平東

자원 회의 甲·ナ + 戈 → 戎(戈부) 2500년전

본디 「戈창과」와 갑옷의 뜻인 「甲갑」
(十·ㄱ)으로 이루어짐。병기(兵器)
를 총칭(總稱)함。또 음을 빌어 오
랑캐의 이름으로 씀。

뜻 ①**병장기융** 군기(軍器)。「戎馬
융마」 ②**싸움수레융** 병거(兵車)。③
군사융 병정。④**싸움융** 전쟁。투쟁。
⑤**오랑캐융** 주로 서방의 만족。전
(轉)하여、널리 만족을 이름。「西戎
서융」 ⑥**클융** 거대함。⑦**도울융** 보
좌함。⑧**너융** 자네。

주의 「戌술」〈열한째지지〉·「戒계」〈경계
하다〉는 딴 글자。

참고 「戎」을 음으로 하는 글자=「絨
융」〈융〉·「毧융」〈솜털〉

【戎馬 융마】 ①전쟁에 쓰는 말。군마
(軍馬)。②병거(兵車)와 병마(兵
馬)。전(轉)하여、군대(軍隊)。③전
쟁(戰爭)。군사(軍事)。

【戎服 융복】 군복(軍服)。

三畫

7 **【成】** 戈3 중학 **성** — 이룰 — 平庚

丿 厂 F 万 成 成 成

자원 형성 丁(음) + 戊 → 成(戈부) 3000년전 2500년전

음을 나타내는 「丁정」(성은 변음)
은 나중에 변한 모양이며 본디는
「十십」〈모이다〉·「午오」〈다지다〉·「甲

갑」〈덮다〉이라 썼음. 「戊무」는 무기、도구(道具)의 뜻을 나타냄. 「成」은 도구를 써서 사물(事物)을 만들다→완성되다→이루어지다.

뜻 ①이루어질성 ㉠성취됨. ㉡됨. ㉢성숙함. ㉣생김. ②이룰성 위의 뜻의 타동사. 「成功성공」「完成완성」 ③우거질성 무성해짐. ④다스릴성 평정함. ⑤살질성 비대함. ⑥가지런할성 정돈됨. 정비됨. ⑦고르게할성 균평하게 함. ⑧끝날성 완료함. ⑨화해할성 사화함. ⑩화해성 화목. ⑪층성 층계나 집 따위의 층. ⑫십리성 사방 십리의 땅. ⑬종계성 종합한 계산.

주의 「成」의 「丁」을 두 획으로 셈.

참고 「成」을 음으로 하는 글자=「城성」〈성〉·「誠성」〈정성〉·「盛성」〈그릇〉

【成家 성가】①따로 한 집을 이룸. ②학문(學問)이나 기술(技術)이 뛰어나 한 파(派)나 한 체계(體系)를 이룸. ③결혼함. ④부자(富者)가 됨.

【成功 성공】목적(目的)을 이룸. 뜻을 이룸. 공을 이룸.

【成果 성과】일이 이루어진 결과.

【成句 성구】①글귀를 이룸. ②하나의 뭉뚱그려진 뜻을 나타내는 글귀. ③옛 사람이 만들어 널리 세상에 알려진 시문의 구(句). 이미 만들어진 구절.

【成均館 성균관】《韓》 이조(李朝) 때 유교(儒敎)의 교회(敎誨)를 맡은 관부.

【成吉思汗 성길사한】원(元)나라의 태조(太祖). 유명(幼名)은 철목진(鐵木眞). 내외몽고(內外蒙古)를 통일하고 그 후 금(金)나라·서하(西夏) 및 구라파 방면에 원정하여 대제국(大帝國)을 건설하였음. 징기스칸.

【成年 성년】①만 이십세가 되는 나이. ②성인(成人).

【成道 성도】①수양하여 덕(德)을 성취함. ②수양하여 성취한 덕. 도를 닦아 완전한 경지에 이름. 도통(道通)함. ③《佛敎》 불도(佛道)를 깨달음. 오도(悟道).

【成禮 성례】혼인(婚姻) 예식을 지냄.

【成文律 성문율】문자로 표현되고 문서의 형식을 갖추어 성립된 법률.

【成否 성부】됨과 안됨.

【成不成 성불성】이룸과 못 이룸.

【成事 성사】①일을 이룸. ②이미 결정된 일. 결정한 일. ③성취한 일.

【成三問 성삼문】《韓》 조선(朝鮮) 세종(世宗) 때의 학자(學者). 집현전(集賢殿) 학사(學士)로 훈민정음(訓民正音) 창제(創製)에 공(功)이 큼. 사육신(死六臣)의 한 사람.

【成熟 성숙】①초목의 열매가 익음. ②생물이 완전히 발육함. ③사물이 충분히 발달하여 적당한 때에 다다름. 전성기(全盛期)에 들어감.

【成市 성시】저자를 이룸. 사람과 물건이 많이 모임의 비유.

【成案 성안】①안을 꾸며서 이룸. ②성립된 고안(考案), 또는 문안.

【成語 성어】①숙어(熟語). ②고인(古人)이 만들어 널리 세상에서 쓰여지는 말.

【成就 성취】이룸. 또 이루어짐.

【成湯 성탕】은(殷)나라 제일대(第一代)의 왕(王). 이름은 이(履). 하

(夏)나라의 걸왕(桀王)을 치고 이를 대신하여 왕위(王位)에 올랐음。

【成婚 성혼】 혼인을 함。 결혼(結婚)。

【成渾*성혼】《韓》 조선(朝鮮) 명종(明宗) 때의 유학자(儒學者)。 호(號)는 우계(牛溪)。 기호학파(畿湖學派)의 이론적(理論的) 근거(根據)를 만들었음。

◉構成구성 達成달성 大器晩成대기만성 大成대성 不成불성 養成양성 完成완성 育成육성 作成작성 助成조성 造成조성 集大成집대성 贊成찬성 天成천성

7【我】戈 3 [중학] 아 | 나 | ㊤哿

丿 二 千 手 找 我 我

[자원] 회의

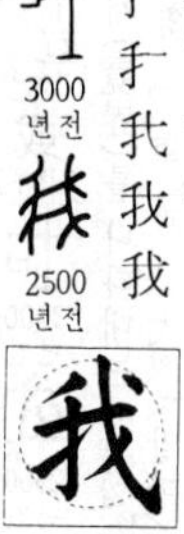

「我」는 나중에 「手」와 「戈과」를 합한 글자라고 생각하였으나 옛 모양은 톱니 모양의 날이 붙은 무기인 듯。 나중에 발음이 같으므로 「나」「자기」의 뜻으로 쓰게 되었음。

[뜻] ①나아 ㉠자신。「自我자아」 ㉡전(轉)하여、 자국(自國) 또는 이편。 내편。「彼」의 대。「彼我피아」 ②나의아 ㉠자기의 소속임을 나타내는 말。「我國아국」 ㉡특히 친밀한 뜻을 나타내는 말。 ③아집부릴아 소아(小我)에 집착하여 자기만을 내세움。

[참고] 「我」를 음으로 하는 글자=「俄아」〈잠시〉・「峨아」〈높다〉・「娥아」〈예쁘다〉・「蛾아」〈나방〉・「餓아」〈굶주리다〉・「鵞아」〈거위〉

【我田引水 아전인수】 자기 논에 물댄다는 뜻으로、 자기에게 이(利)로운 대로만 함을 이름。

【我執 아집】《佛敎》 자기의 편협한 의견에 집착(執着)함。

◉大我대아 無我무아 小我소아 自我자아

7【戒】戈 3 [고교] 계 | 경계할 | [去]卦

一 二 于 开 戒 戒 戒

[자원] 회의 戈+廾→戒(戈부)

「戈과」〈창〉와 「廾공」〈양 손〉으로 이루어짐。 창을 가지고 경비하다。 전하여、 경계한다는 뜻。

[뜻] ①경계할계 ㉠주의함。「戒終계종」 ㉡삼감。「戒飮계음」 ㉢타이름。「糾戒규계」 ㉣방비함。 ②경계계 전항의 명사。 ③재계할계 심신을 깨끗이 하여 부정한 일에 가까이하지 아니함。 ④고할계 알림。 ⑤계계 ㉠한문의 한 체(體)。 경계의 뜻을 진술한 글。 ㉡《佛敎》 중이 지키는 행검(行檢)。「五戒오계」 ⑥지경계 界(田部四畫)와 같은 글자。

[주의] 「戎융」〈병장기〉은 딴 글자。

[참고] 「戒」를 음으로 하는 글자=「械계」〈형틀〉・「誡계」〈경계하다〉・「駭해」〈북을 치다〉

【戒告 계고】 경계하여 고함。 알려 주의하도록 함。

【戒名 계명】《佛敎》 ①중이 계(戒)를 받은 후에 스승한테서 받은 이름。 ②죽은 사람에게 지어주는 이름。

【戒律 계율】《佛敎》 계(戒)와 율(律)。 곧 중이 지켜야 할 율법(律法)。

◉警戒경계 法戒법계 十戒십계 嚴戒엄계 女戒여계 懲戒징계 訓戒훈계

四畫

8【或】戈 4 중학 혹 | 혹 | ㊀職

一 𠃌 𠮛 𠮛 𠮛 式 或 或

자원 회의 戈 畺-㠭 ─ 或(戈부) 古文 3000년전 篆 2500년전

밭의 경계(境界)를 나타내는 「畺강」의 생략형 「㠭」과, 「弋익」〈말뚝〉(戈과는 그것의 잘못 변형된 것)으로 이루어져 말뚝을 박아서 경계를 표한 땅. 「域역」의 본디 글자. 또 그 음을 빌어 혹은의 뜻으로 쓰임.

뜻 ①**혹혹** ㉠혹은. ㉡혹시. 상상 또는 추측(推測)의 말. 「或者혹자」 ②**혹이혹** 어떤 사람이. 「或間혹간」 ③**괴이쩍어할혹** 이상하게 여김. 의혹함. 惑(心部八畫)과 통용. ④**있을혹** 존재함.

【或是 혹시】 어떠한 경우(境遇)에.

【或曰 혹왈】 혹자(或者)가 말하기를.

【或者 혹자】 ①어떠한 사람. ②혹시(或是).

◉問或간혹 說或설혹

五畫

9【战】戈 5 戰(戈部十二畫)의 속자(俗字).

【哉】⇨口部六畫

【威】⇨女部六畫

【咸】⇨口部六畫

七畫

11【戚】戈 7 고교 ㊀척 ㊁촉 | 슬퍼할 | ㊀㊀錫 ㊁㊀沃

丿 厂 厂 𠂆 庂 戚 戚

자원 형성 戉 尗(음) ─ 戚(戈부) 篆 2500년전

뜻을 나타내는 「戉월」〈도끼〉과, 음을 나타내는 「尗숙」(척은 변음)으로 이루어져, 도끼의 이름. 또 그 음을 빌어 친척(親戚)의 뜻에 쓰임.

뜻 ㊀①**슬퍼할척** 서러워함. 「哀戚애척」 ②**근심할척** 우려함. 「憂戚우척」 ③**성낼척** 분노함. ④**친할척** 친근히 지냄. ⑤**괴롭힐척** 괴롭게 함. 걱정을 끼침. ⑥**겨레척** 친척. 「姻戚인척」 ⑦**도끼척** 무악(舞樂)·의식(儀式) 등에 쓰는 도끼. ㊁**재촉할촉** 促(人部七畫)과 같은 글자.

【戚臣 척신】 임금의 외척이 되는 신하.

【戚誼* 척의】 인척간의 정의(情誼).

【戚族 척족】 친척(親戚).

◉外戚외척 姻戚인척 宗戚종척 親戚친척

八畫

12【戟】戈 8 극 | 미늘창 | ㊀陌

자원 회의 戈 榦-倝 ─ 戟(戈부) 篆 2500년전

「戈과」〈창〉와 「榦간」〈가지〉의 생략체 「倝」으로 이루어져 끝이 가닥진 창의 뜻을 나타냄.

뜻 ①**미늘창극** 끝이 좌우로 가닥진 창. ②**찌를극** 뾰족한 것으로 들이 밂.

◉刺戟자극

【幾】 ⇩幺部九畫

九畫

13【戦】戈 9 戰(戈部十二畫)의 약자(略字)。

【載】 ⇩車部六畫

十畫

14【截】戈 10 **절** | 끊을 | ㊇屑

자원 형성 雀 戈 음 ┬ 截(戈부) 2500년전

본래, 「雀작」과, 「戈과」로 이루어졌다고 되어 있지만 사실은 「隹추」〈새〉와, 음을 나타내며 동시(同時)에 자르다의 뜻(⇩裁재)을 가지는 「𢦏재」(𢦏·𢦏 가 원모양。𢦏는 그 변한 모양。절은 변음)로 이루어진 글자。새의 목을 자르다, 전하여, 칼로 자르다의 뜻을 나타냄。

뜻 ①**끊을절** ㉠절단함。「斷截단절」 ㉡막음。차단함。「遮截차절」 ②**말잘할절** 언변이 좋은 모양。

【截長補短 절장보단】 잘 되거나 넉넉한 것에서 못되거나 부족한 것을 보충함。

十二畫

15【戮】戈 11 **륙** | 죽일 | ㊇屋

자원 형성 翏 戈 음 ┬ 戮(戈부)

「戈과」〈창〉와 음을 나타내는 「翏료」(륙은 변음)로 이루어져, 죽이다의 뜻。

뜻 ①**죽일륙** 살해함。「殺戮살륙」 ②**육시할륙** 이미 죽은 사람을 참형(斬刑)에 처함。 ③**죽음륙** 사형(死刑)。 ④**욕보일륙** 치욕을 당하게 함。 ⑤**욕륙** 치욕。 ⑥**죄줄륙** 형벌에 처함。 ⑦**죄륙** 형벌。「刑戮형륙」 ⑧**합할륙** 힘을 합함。

◉ 殺戮살륙 討戮토륙 刑戮형륙

15【戲】戈 11 戲(戈部十三畫)의 속자(俗字)。

十二畫

16【戰】戈 12 중학 **전** | 싸움 | ㊆霰

丨 ㄇ ㅁ 吅 門 單 單 戰 戰

자원 형성 單 戈 음 ┬ 戰(戈부) 3000년전

「戈과」는 무기。음을 나타내는 「單단·선」(전은 변음)은 깃발의 모양。「戰」은 무기와 깃발이 뒤섞여 혼란한 전쟁의 모양。옛 글자는 적과 아군의 기가 뒤섞여서 싸우는 모양을 나타내고 있음。「战」은 속자。

뜻 ①**싸움전** 전쟁。「大戰대전」 ②**싸울전** 전쟁을 함。「善戰선전」 ③**두려워할전** 「戰戰兢兢전전긍긍」 ④**떨전** 무서워서 떪。 ⑤**흔들릴전** 요동함。

【戰鼓 전고】 싸움 싸울 때 울리는 북。

【戰功 전공】 싸움에 이겨서 이룬 공로。「쟁의 성과(成果)」。

【戰果 전과】 전쟁의 결과(結果)。

【戰局 전국】 전쟁(戰爭)이 벌어지고 있는 국면(局面)。전쟁의 판국。

【戰國 전국】 ①교전중(交戰中)의 나라。또 싸움이 그칠 사이 없는 나

라。②어지러운 세상。난세(亂世)。③주(周)나라 위열왕(威烈王) 때부터 진(秦)나라 시황(始皇)의 천하통일까지 이백사년간(二百四年間)의 일컬음。전국시대(戰國時代)。

【戰國策 전국책】춘추(春秋) 이후 초한(楚漢)이 일어나기까지의 이백 사십 오년간에 걸쳐 전국(戰國) 유사(遊士)가 제국(諸國)을 다니며 유세한 책모(策謀)를 나라별로 모은 책。저자는 미상(未詳)。

【戰國七雄 전국칠웅】전국(戰國)시대의 일곱 강국(強國)。곧 제(齊)·초(楚)·연(燕)·한(韓)·조(趙)·위(魏)·진(秦)。

【戰記 전기】전쟁(戰爭)의 기록。

【戰端 전단】전쟁의 단서(端緖)。

【戰亂 전란】전쟁의 난리(亂離)。 전쟁의 혼란。병란(兵亂)。

【戰略 전략】전쟁(戰爭)의 방략(方略)。작전 계획(作戰計劃)。

【戰力 전력】싸우는 힘。전투의 능력。

【戰歿* 전몰】전사(戰死)。

【戰法 전법】싸움을 싸우는 방법。

【戰史 전사】전쟁(戰爭)의 역사。

【戰死 전사】싸움을 싸우다가 죽음。

【戰傷 전상】전쟁에서 상처를 입음。또 그 상처。

【戰線 전선】전쟁 때 적전(敵前)에 배치된 전투 부대의 배치선。「戰術)。

【戰術 전술】전쟁의 방법。작전술(作

【戰勝 전승】싸움에 이김。승전(勝戰)。

【戰時 전시】전쟁(戰爭)이 벌어진 때。

【戰雲 전운】전쟁이 벌어지려는 살기(殺氣) 띤 형세。

【戰慄* 전율】두려워 하여 떪。전율(戰

【戰意 전의】싸움을 할 생각。「栗)。

【戰場 전장】싸움터。전쟁(戰爭)이 일

【戰跡 전적】싸움한 자취。「어난 곳。

【戰地 전지】전쟁(戰爭)을 하는 땅。

【戰陣 전진】①싸우기 위하여 벌여 친 진。②전장(戰場)。

【戰塵* 전진】싸움터의 풍진(風塵)。전(轉)하여、전쟁의 소란。

【戰鬪 전투】싸움。교전(交戰)。

【戰禍 전화】전쟁(戰爭)으로 말미암은 재화(災禍)。

【戰況 전황】전쟁(戰爭)의 상황。

【戰後 전후】전쟁(戰爭)이 끝난 뒤。

◉激戰격전 決勝戰결승전 決戰결전 苦戰고전 空中戰공중전 大戰대전 挑戰도전 奮戰분전 勝戰승전 市街戰시가전 實戰실전 惡戰악전 野戰야전 歷戰역전 熱戰열전 勇戰용전 陸戰육전 接戰접전 停戰정전 終戰종전 出戰출전

16 【戲】 戈 12 戲(다음 글자)의 속자(俗字)。

十三畫

17 【戲】 戈 13 [고교]

㊀희 ㊁호 ㊂휘 — 놀 — ㊀[去]寘 ㊁[平]虞 ㊂[平]支

ㅏ 卢 广 庐 虐 虛 虛 戲 戲

[자원] 형성 戈 虛 [음] ┬ 戲 (戈부)

2500년전

「戈과」〈무기〉와、음을 나타냄과 동시에 위의(威儀)를 지키는 뜻(⇩儀의)을 갖는 「虛희」로 이루어지며、본래 무위(武威)를 보이는 것을 뜻하였지만、「嬉희」와 통하여、희롱(戲弄)의 뜻으로 쓰임。

[뜻] ㈠①**놀희** 재미 있게 놂。「遊戲유희」②**희롱할희** 희학질함。「戲談희담」③**놀이할희** 연극·기악 등을 함。④**놀이희** 연극·기악·씨름 등。「戲場희장」㈡**서럽다할호** ㈢**기휘** 麾(麻部四畫)와 같은 글자。

【戲曲 희곡】 연극의 각본(脚本)。

【戲劇 희극】 ①익살을 부려 웃기는 장면이 많은 연극。②희학질함。

【戲弄 희롱】 실없이 놀리는 짓。

◉惡戲악희 言戲언희 遊戲유희 作戲작희

17 【戴】 戈 13 대 — 일 — 去隊

[자원] 형성 戈 + 異 [음] → 戴(戈부) 2500년전

귀신이 탈을 머리 위에 이는 모양을 본뜬 「異이」와 음을 나타내는 「𢦏재」로 이루어짐。 머리에 이다↓받들다의 뜻。

[뜻] ①**일대** 머리 위에 임。②**받들대** ㉠떠받듦。공경하여 모심。「推戴추대」㉡하사(下賜)한 것을 받음。

【戴冠式 대관식】 구라파(歐羅巴) 각국에서 제왕(帝王)이 즉위(即位)할 때 제왕이 관(冠)을 쓰는 의식。

◉奉戴봉대 負戴부대 推戴추대

戶 部

4 【戶】 부수 [중학] 호 — 지게 — 上虞

一 ㄱ ㅋ 戶

[자원] 상형 2500년전 2000년전

「戶」는 「門문」이라는 글자의 반쪽。「護호」와 음이 같으므로, 입구(入口)를 수호(守護)하는 것으로 설명(說明)됨。

[뜻] ①**지게호** 지게문。전(轉)하여、문짝。또 집이나 방의 출입구。②**방호** 거처하는 간。③**집호** ㉠가옥。「戶數호수」㉡집의 수。「戶口호구」㉢집마다。④**구멍호** 공혈(孔穴)。⑤**주량호** 술을 마시는 양。「小戶소호」⑥**막을호** 방해하여 못하게 함。⑦**지킬호** 호위함。

[참고] 「戶」를 음으로 하는 글자=「雇고」〈품사다〉·「顧고」〈돌아보다〉·「扈호」〈뒤따르다〉·「炉로」〈화로·爐의 속자〉·「所소」〈곳〉

【戶別 호별】 집집마다。매호(每戶)。

【戶外 호외】 집 밖。

【戶籍 호적】 ①호수(戶數)·식구(食口)를 기록한 장부。②한 집안의 가족관계(家族關係) 및 각 가족의 성명·생년월일 등을 기록한 국가(國家)의 공인(公認)한 문서。

【戶曹*호조】 육조(六曹)의 하나。고려(高麗)말 및 이조(李朝) 때의 호구(戶口)·공부(貢賦)·전량(田糧)·금화(金貨) 등에 관한 사무를 맡아보던 마을。

◉酒戶주호 門戶문호 破落戶파락호

[四畫]

8 【戾】 戶 4 려 — 어그러질 — 上霽

자원 회의 戶丅犬 戾(戶부) 2500 년전

「戶호」〈집〉와 「犬견」〈개〉으로 이루어짐。개가 집 밑으로 몸을 굽혀 빠져 나가다의 뜻。음을 빌어 어그러지다의 뜻으로 씀。

뜻 ①**어그러질려** 위배(違背)함。「悖戾패려」②**사나울려** 흉포함。③**이를려** 도착함。④**안정할려** 편안히 좌정함。⑤**거셀려** 격렬함。⑤**허물려** 죄。

참고 「戾」를 음으로 하는 글자=「捩렬」〈비틀다〉·「淚루」〈눈물〉

◉乖戾괴려 背戾배려 悖戾패려

8 **【房】** 戶 4 중학 **방** | 곁방 | ㊥陽

一 ㄱ ㅋ 戶 戶 戶 房 房 房

자원 형성 戶丅方(음) 房(戶부) 2500 년전

방을 뜻하는 「戶호」와 음을 나타내는 동시에 곁의 뜻(⇩傍방)을 가진 「方방」으로 이루어짐。당집 옆의 작은 방。

뜻 ①**곁방방** 집의 정실(正室)의 옆에 있는 방。②**집방** ㉠가옥。㉡벌집 같은 것。③**전동방** 화살 넣는 통。 전실(箭室)。④**송이방** 열매·꽃 같은 것의 한 덩이。⑤**별이름방** 이십팔수(二十八宿)의 하나。창룡 칠수(蒼龍七宿)의 네째 성수(星宿)로서 별 넷으로 구성되어 있음。

【房事 방사】 남녀(男女)가 교합(交合)하는 일。

【房室 방실】 방(房)。

◉空房공방 閨房규방 煖房난방 冷房냉방 茶房다방 獨房독방 新房신방 阿房아방 廚房주방

8 **【所】** 戶 4 중학 **소** | 바 | ㊤語

一 ㄱ ㅋ 戶 戶 所 所 所

자원 형성 戶斤(음) 所(戶부) 2500 년전

「斤근」은 나무를 베는 도끼→베다。「戶호」(소는 변음)는 딱딱한 느낌을 나타내는 소리로 여기서는 톱 소리。「所」는 나무를 베는 소리를 일컬은 것이었으나 나중에 「處처」〈곳〉 대신 씀。「居거」·「處」·「所」의 옛 음은 모두 관련이 있었음。

뜻 ①**바소** 방법 또는 일이라는 뜻을 나타내는 어사(語辭)。②**곳소** ㉠거처。㉡위치。㉢경우。㉣토지。고향。㉤자리。지위。「適材適所적재적소」㉥마을。관아(官衙)。③**쯤소** 얼마쯤。④**얼마소** 수량의 정도。⑤**어조사소** 무의미의 어조사(語助辭)。

【所感 소감】 마음에 느낀 바。또 그 생각。

【所見 소견】 ①눈으로 본 바。②사물을 보고 살피어 가지는 생각。의견。

【所管 소관】 맡아 다스리는 바。

【所期 소기】 기대(期待)하는 바。

【所得 소득】 ①얻은 바。수입(收入)。②생산의 관계자가 일정한 기간 동안에 받는 보수나 재화(財貨)。

【所論 소론】 논하는 바。

【所望 소망】 바라는 바。기대하는 바。

【所聞 소문】 전하여 들리는 말。

【所產 소산】 생기어나는 바。또 그 물건。소산물(所產物)。

【所生 소생】 ①부모。양친(兩親)。②자기(自己)가 낳은 자녀。

【所屬 소속】 딸려 있음。 붙어 있음。 또 그것。

【所信 소신】 믿어 의심하지 않는 바。 자기가 확실하다고 굳게 생각하는 바。

【所要 소요】 요구되는 바。 필요한 바。

【所用 소용】 쓰이는 바。 쓸 데。

【所謂 소위】 이른 바。 세상(世上)에서 말하는 바。 「한의。 모든。

【所有 소유】 ①가지고 있음。 ②있는

【所藏 소장】 간직하여 둔 물건。

【所在 소재】 있는 바。 있는 곳。

【所致 소치】 그렇게 된 까닭。

【所轄* 소할】 관할하는 바。 「(所爲)。

【所行 소행】 행한 바。 행한 일。 소위

◉急所급소 名所명소 便所변소 住所주소

五畫

9 【扁】 戶 5 **편** | 납작할 | ①-③(上)銑 ④(平)先

자원 회의 戶+冊 → 扁(戶부)

「戶지게호」〈문짝〉와、 글자를 쓰는 죽간(竹簡)을 나타내는 「冊」(=册책)으로 이루어짐。 문에 거는 대나무패의 뜻。

뜻 ①**납작할편** 편평하고 얇음。 「扁平편평」 ②**낮을편** 얕음。 ③**현판편** 편액。 「扁額편액」 ④**거룻배편**

참고 「扁」을 음으로 하는 글자=「偏편」〈치우치다〉·「徧편」〈두루 미치다〉·「編편」〈엮다〉·「篇편」〈책〉·「翩편」〈나부끼다〉·「蝙편」〈박쥐〉

【扁額 편액】 그림 또는 글씨를 써서 방안이나 또는 문위에 걸어놓는 널조각。

【扁舟 편주】 작은 배。 거룻배。

【扁平 편평】 납작함。

六畫

10 【扇】 戶 6 **선** | 부채 | (去)霰

자원 회의 戶+羽 → 扇(戶부)

문짝의 뜻인 「戶호」와 날개의 뜻인 「羽우」로 이루어져、 문짝이 문의 양쪽에 있어、 새의 날개처럼 열림을 나타냄。

뜻 ①**문짝선** 문비(門扉)。 「門扇문선」 ②**부채선** 단선(團扇)。 「扇子선자」 ③**부채질할선** ㉠부채를 부침。 ㉡선동함。 煽(火部十畫)과 같은 글자。

참고 「扇」을 음으로 하는 글자=「煽선」〈불부치다〉

【扇動 선동】 부채질함。 남을 꾀어서 부추김。

【扇形 선형】 ①부채의 모양。 ②원호(圓弧)와 그 양끝을 통하는 두 반경(半徑)으로 둘린 형상。 부채꼴。

八畫

12 【扉】 戶 8 **비** | 문짝 | (平)微

자원 형성 戶+非(음) → 扉(戶부)

「戶호」〈문〉와、 음을 나타내며 동시에 밀쳐 열다의 뜻(⇩排배)을 나타내기 위한 「非비」로 이루어져 문짝의 뜻。

뜻 ①**문짝비** 문선(門扇)。 「柴扉시비」 ②**집비** 가옥。 거실(居室)。

【雇】⇩隹部四畫

手(扌)部

4【手】수 부 중학 수 | 손 ㊤有

一 二 三 手

자원 상형 2500년전

「手」는 손의 모양. 마찬가지로 손의 모양에서 생긴 글자는 「又우」〈또〉·「寸촌」〈치〉 따위가 있음. 「手」는 「投투」〈던지다〉·「招초」〈부르다〉 따위 다른 글자의 부분이 되면 「扌재방변」으로 쓰는 일이 많음.

뜻 ①손수 ㉠상지(上肢). 「手足수족」 ㉡손목. ㉢손바닥. ㉣손가락. ㉤도움. 돌봐주는 일. ㉥기술. ㉦손잡이. 「把手파수」 ②쥘수 손으로 잡음. ③칠수 손으로 침. ④손수 자기 자신이. 「手墨수묵」

【手工 수공】손으로 하는 공예(工藝).

【手交 수교】손수 내어 줌. 「손재주.

【手記 수기】손수 적음.

【手段 수단】일을 꾸미거나 처리하기 위하여 묘안(妙案)을 만들어내는 솜씨와 꾀.

【手法 수법】예술품을 만드는 솜씨.

【手書 수서】①손수 씀. 또 그 쓴 것. ②수찰(手札).

【手續 수속】일을 하는 절차(節次).

【手藝 수예】손으로 하는 기예(技藝). 손재주.

【手腕* 수완】①손회목. ②일을 꾸미거나 치러 나가는 재간(才幹). 「의 비유.

【手淫 수음】용두질.

【手足 수족】①손과 발. ②형제(兄弟)

【手中 수중】①손의 안. ②자기가 권력을 부릴 수 있는 가능한 범위.

【手札* 수찰】손수 쓴 편지.

【手下 수하】손아래. 부하(部下).

◉擧手거수 旗手기수 騎手기수 名手명수 妙手묘수 先手선수 選手선수 敵手적수 助手조수 祝手축수 投手투수 捕手포수

3【才】재 手 0 중학 재 | 재주 ㊥灰

一 十 才

자원 상형 3000년전 2500년전

「才」는 시내에 쌓은 둑의 모양↓흐름을 막다↓끊다↓바탕. 재능(才能)의 뜻을 나타내는 것은, 「材재」 대신 쓴 것.

뜻 ①재주재 ㉠재능. 「才藝재예」 ㉡재능이 있는 사람. ②바탕재 성질. ③겨우재 ④결단할재

참고 「才」를 음으로 하는 글자=「材재」〈재목〉·「財재」〈재물〉·「豺시」〈승냥이〉·「哉재」〈어조사〉·「栽재」〈심다〉·「裁재」〈마름질하다〉·「載재」〈싣다〉(𢦏는 정확하게는 𢦏)

【才幹 재간】재능(才能)과 국량(局量).

【才女 재녀】재주가 있는 여자(女子).

【才能 재능】재주와 능력(能力).

【才談 재담】재치 있게 하는 재미스러운 말.

【才德兼備 재덕겸비】 재주와 덕(德)을 다 갖춤。
【才士 재사】 재주가 많은 선비。
【才色 재색】 여자(女子)의 재주와 얼굴 모양。
【才媛* 재원】 문재(文才)가 있는 부인。
【才智 재지】 재주와 슬기。
【才質 재질】 재주와 성질(性質)。
◉奇才기재 秀才수재 英才영재 天才천재

二畫

5【打】手 2 중학 타 ─ 칠 ─ ㊤馬

一 十 扌 扌 打

자원 형성 丁음 木 ┌ 朾 ─ 打(手부)

「丁정」(타는 변음)은 여기에서는 음을 나타냄。 옛날、나무를 자르는 소리、비오는 소리、악기의 소리 등을 「丁丁정정」이라고 하였음。「朾정」은 나무를 치는 소리를 나타냄。 나중에 치는 것은 손의 동작이므로 「扌재방변」으로 바꿔 쓰고 발음도 변하여 「타」라고 읽게 되었음。

뜻 ①칠타 ㉠두드림。「打擊타격」 ㉡공격함。 ②및타 及(又部二畫)과 뜻이 같음。 ③관사타 동작을 나타내는 관사(冠詞)。「打算타산」 ④타타 물품 열두 개를 한 묶음으로 하여 세는 말。 영어 다즌(dozen)의 역어。

【打開 타개】 막힌 일을 잘 처리하여 나갈 길을 엶。
【打擊 타격】 ①때림。 침。 ②기운을 꺾을 만한 악영향(惡影響)。
【打倒 타도】 때리어 거꾸러뜨림。 때리어 부수어 버림。
【打殺 타살】 때려 죽임。
【打電 타전】 전보(電報)를 침。
【打診 타진】 ①의사(醫師)가 손가락 끝으로 가슴이나 등을 두드려서 증세를 살핌。 ②남의 마음 속을 살펴봄。
【打破 타파】 깨뜨려버림。
◉毆打구타 本壘打본루타 安打안타

5【払】手 2 拂(手部五畫)의 속자(俗字)。

三畫

6【托】手 3 고교 탁 ─ 떡국 ─ ㊂藥

一 十 扌 扌 扌 托

자원 형성 乇음 手 ─ 扌 ┌ 托(手부)

「扌재방변」〈손〉과、음을 나타내는 「乇책·탁」으로 이루어짐。

뜻 ①떡국탁 ②맡길탁 위탁함。「囑托촉탁」 託(言部三畫)과 같은 글자。 ③열탁 拓(手部五畫)과 같은 글자。

四畫

8【承】手 4 중학 ㊀승 ㊁증 ─ 받들 ─ ㊀㊥蒸 ㊁㊤迥

一 了 子 手 手 承 承 承

자원 형성 手 丞음 ┌ 承(手부)

「手수」〈손〉와 음을 나타내며 동시에 올리다의 뜻을 나타내기 위한 「丞승」으로 이루어짐。 물건을 손 위에 올리다의 뜻。 전하여、 받들다。

뜻 ㊀①받을승 ㉠봉승(奉承)함. 「承奉승봉」 ㉡밑을 잘 들어 올림. 「承捧승봉」 ②이을승 계승함. 「承統승통」 ③받들승 주는 것을 가짐. ④도울승 보좌함. 丞(一部五畫)과 같은 글자. ⑤장가들승 성취(成娶)함. ⑥후계승 뒤를 잇는 일. ⑦도움승 보좌. ⑧차례승 순차(順次). ㊁건질증 구제함. 拯(手部六畫)과 같은 글자.

【承繼 승계】 뒤를 이음. 계승함.

【承句 승구】 한시(漢詩)에서 절구(絕句)의 제이구(第二句) 또는 율시(律詩)의 제삼구(第三句) 및 제사구.

【承諾 승낙】 청하는 바를 들어 줌.

【承命 승명】 임금이나 어버이의 명령(命令)을 받듦.

【承服 승복】 죄를 자복함. 복죄함.

【承奉 승봉】 웃어른의 뜻을 받아 섬김.

【承捧 승봉】 받아 쳐듦. 받듦.

【承允 승윤】 임금의 윤허를 받음.

【承認 승인】 일정한 사실을 인정함.

【承前 승전】 전문(前文)을 이음. 앞의 계속.

【承政院 승정원】 《韓》 조선(朝鮮) 때 왕명(王命)의 출납(出納)을 맡아보는 왕(王)의 비서기관(秘書機關). 장관(長官)은 도승지(都承旨).

【承旨* 승지】 ①분부를 받자옴. ②《韓》 고려·이조 때의 관직(官職). 왕명(王命)의 출납을 맡았음.

【承統 승통】 제위(帝位)를 이음.

◉繼承계승 奉承봉승 不承불승

7 【扮】 手 4 분③ ― 섞을 ― ①②㊤吻
반㊍ ― ③㊦諫

자원 형성 手扌+分㊐ → 扮(手부)

「扌재방변」〈손〉과, 음을 나타내는 「分분」으로 이루어짐.

뜻 ①섞을분 혼합함. ②아우를분 합병함. ③꾸밀분 화장하거나 변장함. 「扮裝분장」 ※❸은 본음(本音) 반

【扮飾 분식】 치장(治裝)함.

【扮裝 분장】 모양을 꾸밈.

7 【扱】 手 4 ㊀흡㊁삽 ― 거두어 ― ㊀㊇緝
㊂급㊙ ― 가질 ― ㊁㊇洽

자원 형성 手扌+及㊐ → 扱(手부)

「扌재방변」〈손〉과, 음을 나타내며 동시에 거두어들이다의 뜻(⇩收수·吸흡)을 나타내기 위한 「及급」으로 이루어짐. 거두어들이다→널리 다루다, 취급하다의 뜻.

뜻 ㊀거두어가질흡 염취(斂取)함. ㊁①짚을삽 손을 땅에 짚고 절함. ②끼울삽 삽입함. 插(手部九畫)과 통용. ③걷을삽 옷 같은 것을 걷음. ㊂《韓》①취급할급 사물을 다룸. ②훑을급 곡식을 훑음.

◉取扱취급

7 【扶】 手 4 중학 ㊀부 ㊁포 ― 도울 ― ㊀㊁㊥虞

一 亅 扌 扌 扌 扶 扶

2500년전

자원 형성 手扌+夫㊐ → 扶(手부)

「扌재방변」〈손〉과 음을 나타내는 동시에 더한다는 뜻(⇩附부)을 가진 「夫부」로 이루어짐. 일손을 돕는다는 뜻.

뜻 ㊀①도울부 ㉠조력함. 「扶助부조」 ㉡구원함. ②붙들부 넘어지지 않도

록 붙듦。 부축함。 ③곁부 옆。 ㊁길포 匍(勹部七畫)와 같은 글자。

【扶桑 부상】 ①동(東)쪽 바다의 해 돋는 곳에 있다는 신목(神木)。 ②일본(日本)。 또 그 신목이 있는 곳。

【扶植 부식】 ①심음。 지반(地盤)을 굳게 함。 ②도와서 세움。

【扶腋* 부액】 곁부축。 부조(扶助)。

【扶養 부양】 도와 기름。 자활(自活)·할 힘이 없는 사람을 생활하게 함。

【扶餘 부여】 상고시대(上古時代) 단군 조선(檀君朝鮮) 이후(以後) 삼국시대(三國時代) 이전(以前)에 송화강(松花江)을 중심(中心)으로 하여 만주(滿洲)에 있던 나라。

【扶助 부조】 도와 줌。 조력함。

7 **【批】** 手 4 고교 ㊀**비** | 칠 | ㊀①-⑤ ㊤紙
㊁**별** | 칠 | ⑥ ㊥支 ㊁ ㊇屑

一 扌 扌 扎 扎 批

자원 형성 手-扌┬批-批(手부) 比음

음을 나타내는 「比비」는 물건이 몇 개가 있거나 일을 정중하게 다루는 일。「批비」는 손바닥을 뒤집어치는 일。 거문고나 비파(琵琶)를 타는 법의 한가지。

「批」는 「批」의 약체(略體)이며 밀어 젖히다、 좋고 나쁜 것을 가리다 따위의 뜻으로 씀。

뜻 ㊀①**칠비** 손으로 침。 ②**밀비**、 **굴릴비** 떼밂。 또는 굴러가게 함。 ③**깎을비** 깎아 얇게 함。 ④**찌붙일비** 부전(附箋)을 달아 의견 또는 가부를 적음。 ⑤**비답비**、 **비답할비** 신하의 상주문(上奏文)의 끝에 적는 임금의 대답。 또 그 대답을 내림。 ⑥**비파비** 琵(玉部八畫)와 통용。 ㊁**칠별** 때림。 떼밀며 침。

【批難 비난】 결점이나 과실을 힐책(詰責)함。

【批點 비점】 시문(詩文)의 잘된 곳에 찍는 둥근 점(點)。

【批准* 비준】 ①신하(臣下)의 상주(上奏)에 대하여 군주(君主)가 허가·결재하는 일。 ②전권위원(全權委員)이 서명(署名) 조인(調印)한 국제조약을 국가가 확인하는 절차。

【批判 비판】 비평(批評)하여 판단함。

【批評 비평】 시비(是非)·선악(善惡)·우열(優劣)을 평론(評論)함。

7 **【技】** 手 4 중학 **기** | 재주 | ㊤紙

一 扌 扌 扌 抆 技

자원 형성 手-扌┬技(手부) 支음

「扌재방변」은 손→손을 움직이는 일。 음을 나타내는 「支지」는 「枝지」〈나뭇가지〉나 「岐기」〈갈림길〉와 같이 자잘하게 나누어지는 일。 「技」는 잔손이 많이 가는 일。

뜻 ①**재주기** 예능(藝能)。 「技術기술」 ②**재능기** 능력。

【技巧 기교】 ①교묘한 손재주。 ②문예·미술 등의 표현이나 제작에 대한 솜씨。

【技能 기능】 기술상(技術上)의 재능。

【技術 기술】 공예(工藝)의 재주。

【技藝 기예】 솜씨。 손재주。

◉球技구기 妙技묘기 演技연기 雜技잡기 長技장기 才技재기 鬪技투기 特技특기

7 **【抄】** 手 4 고교 초 | 노략질할 | ㊥肴

一 十 扌 扎 扎 抄 抄

자원 형성 少음 手-扌 ┬ 抄(手부)

「扌재방변」〈손〉과, 음을 나타내며 동시(同時)에, 떠내다의 뜻(⇩勺작)을 가지는 「少소」로 이루어져, 손으로 떠내는 일。음을 빌어, 닮게 하다의 뜻(⇩象상)에 쓰이고, 전하여, 문서(文書)를 똑같이 옮겨쓰다, 뽑아쓰기의 뜻。

뜻 ①**노략질할초** 약탈(掠奪)함。「抄略초략」 ②**베낄초**, **초할초** 글을 베낌。또 중요한 것만 추려 베낌。「抄錄초록」 ③**뜰초** ㉠숟갈로 음식 같은 것을 뜸。㉡종이를 만듦。④**거를초** 액체를 체 따위로 거름。⑤**초초** 등사(謄寫)。발록(拔錄)。

【抄錄 초록】 소용(所用)되는 것만을 뽑아서 기록(記錄)함。

【抄本 초본】 추려 베낀 문서。

【抄筆 초필】 잔 글씨를 쓰는 작은 붓。

7 **【把】** 手 4 파 | 잡을 | ㊤馬

자원 형성 巴음 手-扌 ┬ 把(手부) 2500년전

「扌재방변」〈손〉과, 음을 나타내는 「巴파」로 이루어진 글자。

뜻 ①**잡을파**, **쥘파** ㉠손으로 움켜쥠。「把持파지」㉡결점을 집어냄。②**자루파**, **손잡이파** 그릇·연장 따위의 자루나 손잡이。「刀把도파」 ③**움큼파** 한 줌에 움켜 쥐는 일。또 그 분량。「把握파악」 ④**묶음파** 묶어 놓은 덩이·다발 따위。⑤(韓)**발파** 두 팔을 펴서 벌린 길이。

【把守 파수】 경계(警戒)하여 지킴。

【把握 파악】 움켜쥠。또 움켜쥘 만한 크기。한 움큼。

7 **【抑】** 手 4 고교 억 | 누를 | ㊧職

一 十 扌 扌 扛 扣 抑

자원 형성 印-卬음 手-扌 ┬ 抑(手부) 2500년전

옛날엔 로 썼는데, 「印인」을 뒤집은 것으로서 도장을 누름을 나타냄。나중에 「扌재방변」〈손〉을 더하여 누르는 뜻이 됨。「印인」(억은 변음)이 음을 나타냄。

뜻 ①**누를억** ㉠힘으로 내리 밂。㉡힘을 못 쓰게 함。㉢막음。㉣겸양(謙讓)함。「抑讓억양」 ②**굽힐억** 숙임。③**문득억** 발어사(發語辭)。④**또한억** 전의사(轉意辭)。

주의 「柳류」〈버드나무〉는 딴 글자。

【抑留 억류】 억지로 머무르게 함。억지로 자유를 구속함。

【抑塞 억색】 눌러 막음。

【抑壓 억압】 억지로 누름。압제함。

【抑揚 억양】 ①혹은 누르고 혹은 올림。②혹은 헐어 말하고 혹은 찬양함。③음조(音調)의 고저와 강약。

【抑鬱* 억울】 ①죄(罪)가 없이 누명(陋名)을 씀。②억제를 당하여 마음이 답답함。

【抑制 억제】 내리 눌러서 제어함。

【抑奪 억탈】 억지로 빼앗음。

【抑何心腸 억하심장】 대체 무슨 생각인지 그 마음을 알기 어렵다는 뜻。

〔四畫部首順〕心戈戶手支攴文斗斤方无日曰月木欠止歹殳毋比毛氏气水火爪父爻爿片牙牛犬

7 【投】 手 4 중학 ㊀투 ㊁두 — 던질 — ㊀㊥尤 ㊁㊤宥

一 扌 扌 扌 扚 投 投

자원 형성 殳음 手-扌 | 投 (手부)

「扌재방변」〈손〉과、음을 나타내며 동시에 치다의 뜻을 가지는 「殳수」(투는 변음)로 이루어짐。손으로 던지다의 뜻。일설에는 「殳」를 긴 손잡이가 달린 양쪽에 날을 세운 창 같은 무기로 보아 던지다의 뜻의 회의문자(會意文字)로도 해석함。

뜻 ㊀①던질투 ㉠내던짐。「投擲투척」「投石투석」 ㉡몸을 내던짐。㉢내버림。㉣추방함。②줄투 증여함。③의탁할투 의탁하여 머무름。「投宿투숙」 ④맞을투 합치함。「意氣投合의기투합」 ⑤들일투 받아들임。⑥떨칠투 세게 흔듦。㊁①머무를두 ②구두두 讀(言部十五畫)와 통용。

【投稿 투고】 신문·잡지 등에 실을 원고(原稿)를 보냄。

【投賣 투매】 손해를 무릅쓰고 상품을 내던져 버리듯 마구 싸게 팖。

【投錨* 투묘】 배의 닻을 내림。선박을 정박(碇泊)시킴。

【投石 투석】 돌을 던짐。

【投宿 투숙】 머무름。여관에서 잠。

【投身 투신】 ①강·바다 등에 몸을 던지어 죽음。②《韓》어떤 일에 몸을 던져 관계함。

【投影 투영】 ①물체가 비치는 그림자。사영(射影)。②물체를 어떤 정점(定點)에서 본 형상(形狀)의 평면도。

【投獄 투옥】 옥(獄)에 가둠。

【投入 투입】 던져 넣음。

【投資 투자】 이익(利益)을 얻을 목적으로 밑천을 댐。출자(出資)함。

【投擲* 투척】 던짐。

【投下 투하】 아래로 내던짐。

【投函* 투함】 우체통 따위에 편지를 넣음。

【投合 투합】 서로 맞음。일치함。

【投降 투항】 적에게 가서 항복함。

7 【抗】 手 4 고교 항 — 겨룰 — ㊤漾

一 扌 扌 扩 扩 抗

자원 형성 亢음 手-扌 | 抗 (手부)

2500년전

「扌재방변」〈손〉과 음을 나타내며 동시(同時)에 높다의 뜻을 가지는 「亢항」으로 이루어짐。본래는 손으로 높이 올림을 나타냈지만 나중에 경쟁(競爭)하다、다투다의 뜻이 됨。

뜻 ①들항 들어 올림。②막을항 방어함。③겨룰항 대항함。「抗敵항적」 ④높을항

【抗拒 항거】 대항(對抗)함。버팀。

【抗告 항고】 관청(官廳)의 결정·명령 또는 처분(處分)에 대하여 그 상급 관청에 번복(飜覆)을 상신(上申)함。

【抗論 항론】 항변(抗辯)。

【抗辯 항변】 대항하여 변론함。

【抗議 항의】 반대(反對)의 의견을 주장함。이의(異議)를 제기함。

【抗爭 항쟁】 대항하여 다툼。

【抗敵 항적】 겨룸。대항함。대적함。

【抗戰 항전】 적과 대항하여 전쟁함。

◉對抗대항 反抗반항 抵抗저항

7 【折】 手 4 고교 ㊀절 ㊁제 — 꺾을 — ㊀㊇屑 ㊁㊥齊

〔四畫部首順〕 心戈戶手支攴文斗斤方无日曰月木欠止歹殳毋比毛氏气水火爪父爻爿片牙牛犬

一 ナ 扌 扌 扩 折 折

折

자원 회의 斤 艸-扌 ┬ 折(手부)

「斤근」은 날붙이→자르는 일。「折」의 옛 모양은 풀이나 나무를 자르는 모양이었으나 나중에 모양이 닮았기 때문에 「扌재방변」으로 쓰고 뜻도 손으로 꺾는다는 것으로 변하였음。

2500년전

뜻 一 ①**꺾을절** ㉠부러뜨림。「折枝절지」 ㉡굽힘。 ㉢찢음。 ㉣기를 꺾음。「折伏절복」 ㉤힐난함。 ②**꺾일절** ㉠부러짐。 ㉡굽음。 ③**결단할절** 판단함。 단정함。 ④**깎을절** 값을 낮춤。「折價절가」 ⑤**일찍죽을절** 요사함。「夭折요절」 二 **천천할제** 안서(安徐)한 모양。

주의 「析석」〈가르다〉·「拆탁」〈터지다〉은 딴 글자。

【折衷* 절충】 한편으로 치우치지 아니하고 이것과 저것을 가려서 알맞은 것을 얻음。

【折衝 절충】 ①쳐들어 오는 적(敵)의 예봉(銳鋒)을 꺾음。 외교상(外交上)의 담판(談判)。

◉曲折곡절 九折구절 夭折요절 挫折좌절

7 【択】 手 4 擇(手部十三畫)의 약자(略字)。

五畫

9 【拜】 手 5 중학 배 | 절 | ㊀卦

一 = 三 手 手 手 手 拜 拜

자원 회의 手 手 丅 拜(手부)

2500년전

몸을 굽히고 절하는 일。 그러므로 양손과 丅(下하의 옛 글자)를 합하여 그 뜻을 나타냄。 옛날엔 구배(九拜)라 하여 절에도 여러 가지 하는 방법이 있었음。 그 중에서 양손을 내려뜨리고 목을 손 가까이까지 내리는 절을 「拜」라 하였음。 또 모든 절도 보통은 「拜」라 하였음。

뜻 ①**절배** 배례。「禮拜예배」 ②**절할배** 배례를 함。 전(轉)하여、 경의(敬意)를 표하는 말로 쓰임。「拜辭배사」 ③**받을배** 사여(賜與)를 받음。 ④**벼슬줄배** 관작을 수여함。 ⑤**굽힐배** 굽게 함。 휨。

【拜見 배견】 ①배알(拜謁)。 ②남의 글 같은 것을 삼가 봄。

【拜啓 배계】 절하고 아뢴다는 뜻으로、 편지 첫머리에 쓰는 말。

【拜讀 배독】 남의 편지(便紙) 같은 것을 공경(恭敬)하는 마음으로 읽음。

【拜禮 배례】 절을 하는 예(禮)。

【拜命 배명】 ①삼가 명령을 받자옴。 ②배관(拜官)。

【拜伏 배복】 엎드려 절함。

【拜復 배복】 삼가 회답함。 답장(答狀)할 때에 첫머리에 쓰는 말。

【拜受 배수】 공경하여 삼가 받음。

【拜顔 배안】 삼가 얼굴을 뵘。 만나 뵘。

【拜謁 배알】 절하고 뵘。

◉謹拜근배 答拜답배 崇拜숭배 禮拜예배

9 【拏】 手 5 나 | 잡을 | ㊁麻

자원 형성 手 奴음 ┬ 拏(手부)

2500년전

「手수」〈손〉와 음을 나타내는 「奴노」

로 이루어짐。

뜻 ①**맞당길나** 서로 끌어당김。 ②**잡을나** 체포함。「拏捕나포」

【拏捕 나포】 ①붙잡아 가둠。 붙잡아 자유를 구속함。 ②교전국의 군함이 정당한 포획(捕獲)의 이유가 있다고 인정한 적국 또는 중립국의 선박을 바다 위에서 붙들고 자기의 권력 아래에 두는 행위。

8 【**披**】 手 5 | 피 | 열 | ①-⑤(平)支 ⑥⑦(上)紙

자원 형성 皮음 手-扌ㅏ披(手부)

「扌재방변」〈손〉과 음을 나타내며 동시(同時)에 째다의 뜻(⇩疈벽)을 가지는 「皮피」로 이루어짐。 손으로 열다의 뜻。 또 음을 빌어 덮어 쓰다의 뜻(⇩被피)으로 쓰임。

뜻 ①**헤칠피** 속에 있는 것을 드러나게 함。「披拂피불」 ②**열피** 개척(開拓)함。 ③**펼피** 책장 따위를 폄。「披讀피독」 ④**나눌피** 나누어 줌。 ⑤**입을피** 옷을 걸침。「披服피복」 ⑥**찢어질피**、**찢을피** 파열함。 ⑦**쓰러질피** 쓸리어 넘어짐。

【披瀝 피력】 마음속에 먹은 바를 털어놓고 말함。

【披露 피로】 피력(披瀝)。

8 【**抱**】 手 5 중학 | 포 | 안을 | ①-③(上)皓 (去)號 ④(平)肴

一 扌 扌 扚 抅 抅 抱

자원 형성 包음 手-扌ㅏ抱(手부)

「扌재방변」〈손〉과 음을 나타내며 싸다의 뜻을 가지는 「包포」로 이루어져 손으로 싸안는다의 뜻。

뜻 ①**안을포**、**품을포** ㉠끼어 안음。「抱擁포옹」 ㉡지킴。 ㉢가짐。 ㉣짐。 ㉤둘러쌈。「抱圍포위」 ㉥갖춤。 ㉦마음속에 가짐。「抱志포지」「抱懷포회」 ②**가슴포** ㉠흉부。 ㉡마음。 생각。 ③**아름포** 팔을 벌리어 껴안은 둘레。 ④**던질포** 抛(手部五畫)와 통용。

【抱負 포부】 ①손에 안고 등에 짐。 휴대함。 ②마음속에 품은 자신(自信)이나 계획(計畫)。

【抱薪救火* 포신구화】 땔나무를 가지고 불을 끈다는 뜻으로、해(害)를 없앤다는 것이 도리어 더욱 해(害)롭게 함을 이름。

【抱擁* 포옹】 품안에 껴안음。

【抱圍 포위】 둘러쌈。 에워쌈。

◉懷抱회포

8 【**抵**】 手 5 고교 | ㊀저 ㊁지 | 닥뜨릴 | ㊀(上)薺 ㊁(上)紙

一 扌 扌 扩 扺 扺 抵 抵

자원 형성 氐음 手-扌ㅏ抵(手부)

「扌재방변」〈손〉과 음을 나타내는 「氐저」로 이루어짐。 손으로 밀어 젖히다의 뜻。

뜻 ㊀①**닥뜨릴저** 저촉함。 또 거역함。 ②**겨룰저** 대항함。「抵抗저항」 ③**다다를저** 이름。 ④**당할저** 해당함。 ⑤**던질저** 내던짐。 ⑥**대컨저** 무릇。「大抵대저」 ㊁**칠지** 손으로 침。

주의 「抵지」〈손 을 치다〉와는 딴 글자。

【抵當 저당】 ①마음。 방어함。 ②부동

산이나 동산을 담보로 잡히고 돈을 꿈。 또 그 물건。 담보물(擔保物)。

【抵死 저사】 죽기를 작정(作定)하고 저항(抵抗)함。

【抵觸 저촉】 ①서로 닥뜨림。 ②양자(兩者)가 서로 모순(矛盾)함。

【抵抗 저항】 ①대항(對抗)함。 반항함。 ②견디어냄。 지탱하여 냄。

◉大抵대저

8 **【抹】** 5 手 말 ─ 지울 ─ [入]曷

[자원] 형성 末[음] 手-扌 ┬ 抹(手부)

「扌재방변」〈손〉과 음을 나타내며 동시에 문지르다의 뜻(⇩磨마)을 나타내기 위한 「末말」로 이루어짐。 손으로 문지르다→지우다의 뜻。

[뜻] ①**바를말** 칠함。「塗抹도말」 ②**지울말** 형적을 없앰。「抹消말소」 ③**문지를말** 비빔。 또 현악기(絃樂器)의 줄을 살짝 대고 누름。 ④**닦을말** 씻음。 ⑤**쓸말** 쓸어 없앰。

【抹殺 말살】 지워 없앰。 문질러 없앰。 아주 없애버림。

【抹消 말소】 지워 없애버림。

8 **【抽】** 5 手 [고교] 추 ─ 뺄 ─ [平]尤

一 十 扌 扌 扣 抽 抽 抽

[자원] 형성 由[음] 手-扌 ┬ 抽(手부)

「扌재방변」〈손〉과、 음을 나타내는 「由유」(추는 변음)로 이루어짐。 손으로 빼내다의 뜻。

[뜻] ①**뺄추** 뽑음。「抽籤추첨」 ②**당길추** 끌어 당김。 ③**거둘추** 거두어 들임。 ④**싹틀추** 싹이 나옴。

【抽象 추상】 낱낱의 다른 구체적(具體的) 관념(觀念) 속에서 공통(共通)되는 부분을 빼내어 이를 종합 통일(綜合統一)하여 다시 한 관념을 만드는 일。

8 **【押】** 5 手 [一]압 [二]갑 ─ 수결 ─ [一][二] [入]洽

[자원] 형성 甲[음] 手-扌 ┬ 押(手부)

「扌재방변」〈손〉과 음을 나타내는 「甲갑」으로 이루어짐。 손으로 누르다。

[뜻] [一]①**수결압** 도장 대신 쓰는 자형(字形)。「花押화압」 ②**주관할압** 관리함。「押班압반」 ③**찍을압** 도장을 찍음。「押捺압날」 ④**누를압** 내리누름。 ⑤**운자찍을압** 운자(韻字)를 맞춤。「押韻압운」 ⑥**잡을압** 체포함。「押送압송」 [二]①**단속할갑** 검속(檢束)함。 ②**겹칠갑** 중첩(重疊)함。

【押送 압송】 죄인(罪人)을 잡아 보냄。

8 **【拂】** 5 手 [고교] [一]불 [二]필 ─ 털 ─ [一][入]物 [二][入]質

一 十 扌 扌 扫 拐 拂 拂

[자원] 형성 弗[음] 手-扌 ┬ 拂(手부)

「扌재방변」〈손〉과 음을 나타내는 동시에 털다의 뜻(⇩祓발)을 가진 「弗불」로 이루어짐。 손으로 털다의 뜻。

[뜻] [一]①**털불** ㉠먼지를 텂。「拂塵불진」 ㉡사악(邪惡)을 제거함。 ②**떨칠불** 힘있게 흔듦。 ③**닦을불** 씻음。 ④**거스를불** 어김。「拂戾불려」 ⑤**먼지떨이불** 「拂塵불진」 [二]**도울필**

〔四畫部首順〕心戈戶手支攴文斗斤方无日曰月木欠止歹殳毋比毛氏气水火爪父爻爿片牙牛犬

【拂拭* 불식】 깨끗이 털고 훔침。

8 【担】 手 5 ㊀걸 ㊁담 | 들 | ㊀[入]屑 ㊁[上]旱

[자원] 형성 旦[음] 手–扌┤担(手부)

「扌재방변」〈손〉과、 음을 나타내는 「旦단」(걸은 변음)으로 이루어짐。 들어 올리다의 뜻。 또 음을 빌어 「擔담」의 속자(俗字)로 쓰임。

[뜻] ㊀들걸 들어 올림。 ㊁멜담 擔(手部十三畫)의 속자(俗字)。

8 【拇】 手 5 무 | 엄지손가락 | [上]有 [上]麌

[자원] 형성 母[음] 手–扌┤拇(手부)

「扌재방변」과、 음을 나타내는 동시에 크다의 뜻을 나타내는 「母모」로 이루어짐。 큰손가락→엄지손가락의 뜻。

[뜻] 엄지손가락무 대지(大指)。 「拇指무지」

【拇印 무인】 엄지손가락으로 찍는 지장(指章)。

【拇指 무지】 엄지손가락。

8 【拉】 手 5 랍 | 꺾을 | [入]合

[자원] 형성 立[음] 手–扌┤拉(手부) 2500년전

「扌재방변」〈손〉과、 음을 나타내는 「立립」(랍은 변음)으로 이루어짐。

[뜻] ①꺾을랍 부러뜨림。 「拉殺납살」 ②끌랍 이끎。

【拉致 납치】 강제로 붙들어 감。

8 【拋】 手 5 포 | 버릴 | [平]肴

[자원] 형성 尥[음] 手–扌┤拋(手부) 2500년전

「扌재방변」〈손〉과、 음을 나타내는 「尥역」(포는 변음)으로 이루어진 글자。 내던지다의 뜻。

[뜻] ①버릴포 내버림。 「拋棄포기」 ②던질포 내던짐。 「拋擲포척」

【拋棄 포기】 ①내버림。 ②자기의 권리를 버리고 행사하지 아니함。

8 【拍】 手 5 [고교] 박 | 칠 | [入]陌

一 十 扌 扌' 扚 拍 拍 拍

[자원] 형성 白[음] 手–扌┤拍(手부)

「扌재방변」〈손〉과、 손뼉을 쳤을 때의 소리를 나타내는 「白백」(박은 변음)으로 이루어짐。 손바닥을 서로 부딪치게 하다→박수하다의 뜻。

[뜻] ①칠박 두드림。 「拍手박수」 ②박자박 음악의 가락을 조절하는 소리。 ③어깻죽지박 膊(肉部十畫)과 같은 글자。

【拍手喝采* 박수갈채】 손뼉을 치며 칭찬함。

【拍掌大笑 박장대소】 손바닥을 치며 껄껄 웃음。

8 【拒】 手 5 [고교] ㊀거 ㊁구 | 막을 | ㊀[上]語 ㊁[上]麌

一 十 扌 扌 扩 拒 拒 拒

[자원] 형성 巨[음] 手–扌┤拒(手부)

「扌재방변」〈손〉과、 음을 나타내며 막다의 뜻(⇩禦어)을 나타내기 위한 「巨거」로 이루어짐。 손으로 막다→전하여、 거절하다의 뜻。

[뜻] ㊀①막을거 ㉠거절함。 「拒否거

부」 ㉡방어함。「拒扞거한」 ②겨룰거 저항함。 ③어길거 좇지 아니함。「拒逆거역」 ④방어거 막는 일。 또 그 설비。 ㊁방진구 방형(方形)의 진(陣)。

【拒逆 거역】 명령을 거스름。

8 【拓】 手 5 고교 ㊀척 ㊁탁 | 넓힐 | ㊀①㊇藥 ②③㊇陌 ㊁㊇藥

一 丨 扌 扌 扌 扩 扩 拓 拓

자원 형성 石음 手-扌 ┬ 拓(手부)

「扌재방변」〈손〉과、음을 나타내며 동시(同時)에 사방(四方)으로 흩어지게 한다는 뜻(⇩釋석)을 가지는 「石석」(척은 변음)으로 이루어짐。 토지를 고르게 개척(開拓)하다의 뜻。

뜻 ㊀①넓힐척 개척함。「開拓개척」 ②주울척 떨어진 것을 주움。 ③꺾을척 부러뜨림。 ㊁①밀칠탁 손으로 밂。 ②박을탁 비문(碑文) 등을 종이에 대고 박아냄。「拓本탁본」

【拓本 탁본】 금석(金石)에 새긴 글씨나 그림을 종이를 대고 박아 냄。 또 그 박은 종이。 탑본(搨本)。

◉開拓개척 落拓낙탁

8 【拔】 手 5 고교 ㊀발 ㊁패 | 뺄 | ㊀①②㊇黠 ③-⑥㊇曷 ㊁㊈泰

一 丨 扌 扌 扌 扌 扐 抜 拔

자원 형성 犮음 手-扌 ┬ 拔(手부)

「扌재방변」〈손〉과、음을 나타내는 동시에 바깥에 끌어낸다는 뜻(⇩發발)을 가진 「犮발」로 이루어짐。 손으로 끌어내다、잡아빼다의 뜻。

뜻 ㊀①뺄발 ㉠뽑음。「拔去발거」 ㉡공략(攻略)함。 쳐 빼앗음。 ②가릴발 가려 뽑음。「拔擢발탁」 ③빼를발 속함。 ④오늬발 화살의 시위에 끼우게 된 부분。 ⑤덜어버릴발 제거함。 ⑥빼어날발 특출함。「拔群발군」 ㊁성할패 지엽이 무성한 모양。

【拔劍 발검】 칼을 빼냄。 칼을 뽑음。

【拔群 발군】 여럿 중에서 훨씬 뛰어 [남。

【拔根 발근】 뿌리째 뽑음。

【拔刀 발도】 칼을 빼냄。 칼을 뽑음。

【拔本 발본】 근본(根本)을 뽑아 버림。

【拔本塞源 발본색원】 폐해(弊害) 같은 것의 근원(根源)을 아주 뽑아서 없애 버림。

【拔萃* 발췌】 ①여럿 속에서 훨씬 뛰어남。 ②여럿 중에서 필요한 것을 추려냄。

【拔擢* 발탁】 사람을 뽑아 올려 씀。

◉奇拔기발 不拔불발 選拔선발 海拔해발

8 【拘】 手 5 고교 구 | 잡을 | ①-③㊥虞 ④-⑥㊥尤

一 丨 扌 扌 扚 扚 拘 拘

자원 형성 句음 手-扌 ┬ 拘(手부)

「扌재방변」〈손〉과、 음을 나타내는 「句구」로 이루어짐。 손으로 멋게 하다의 뜻。 전하여、 잡다의 뜻。

뜻 ①잡을구 체포함。「拘束구속」 ②잡힐구 체포당함。 또 잡히는 일。 또 그 사람。 ③거리낄구 구애함。「拘泥구니」 ④껴안을구 두 팔로 끼어 안음。 ⑤취할구 가짐。 쥠。 ⑥굽을구 굴곡함。

【拘禁 구금】신체에 구속을 가하여 일정한 곳에 가두어 둠。

【拘留 구류】①잡아 머물러 둠。②형사 피고인(刑事被告人)이나 피의자(被疑者)를 잡아 가둠。

8 【拙】手 5 고교 졸 | 졸할 | ㊀屑

一 十 扌 扎 抖 抖 拙 拙

자원 형성 出음 手-扌┬拙(手부) 2500년전

「扌재방변」〈손〉과、음과 함께 서툴다는 뜻을 나타내기 위한 「出출」(졸은 변음)로 이루어짐。손재주가 남보다 서툴다는 뜻。

뜻 **졸할졸** ㉠서툶。「巧拙교졸」「拙劣졸렬」㉡옹졸함。또 옹졸한 일。전(轉)하여、자기 또는 자기의 사물의 겸칭(謙稱)으로 쓰임。「拙稿졸고」

【拙劣 졸렬】서투름。

【拙速 졸속】서투르나 빠름。

【拙作 졸작】①보잘 것 없는 작품。②자기(自己)의 작품(作品)의 겸칭。

【拙著 졸저】자기의 저서의 겸칭。

8 【招】手 5 중학 ㊀초 ㊁교 ㊂소 | 부를 | ㊉㊀㊁㊂蕭

一 十 扌 扣 扨 招 招

자원 형성 召음 手-扌┬招(手부)

음을 나타내는 「召소」(초는 변음)는 신령(神靈)을 부르다→사람을 부르는 일。「招」는 손짓으로 사람을 불러 오게 하는 일。본디 「召」와 「招」는 같은 글자였으나 나중에 나누어 쓰게 되었음。

뜻 ㊀①**부를초** ㉠손짓하여 부름。전(轉)하여、불러 옴。㉡초래함。「招災초재」②**구할초** 요구함。③**묶을초** 결박함。④**과녁초** 사적(射的)。㊁①**들교** 초듦。②**걸교** 지적함。사실을 끌어 말함。㊂**별이름소** 「招搖소요」는 북두칠성(北斗七星)의 일곱째 별。

【招待 초대】청(請)하여 대접함。

【招來 초래】불러 옴。

【招聘 초빙】예(禮)로서 사람을 맞아 옴。예를 갖추어 불러 옴。

【招請 초청】청(請)하여 부름。

【招致 초치】불러 들임。

【招魂 초혼】죽은 사람의 혼을 불러 돌아오게 함。전(轉)하여、죽은 사람의 혼을 제사지내어 위안함。

◉自招자초

8 【抛】手 5 㩑(手部十三畫)의 속자(俗字)。

8 【拡】手 5 擴(手部十五畫)의 약자(略字)。

六畫

10 【拳】手 6 고교 권 | 주먹 | ①-⑥㊉先 ⑦㊉元 ⑧㊤阮

丶 丷 䒑 兰 关 叁 叁 叁 拳

자원 형성 𠔉음 手┬拳(手부) 2500년전

「手수」〈손〉와、음을 나타내며 동시에 둥글게 하다의 뜻(⇩卷권)을 가진 「𠔉권」으로 이루어짐。손을 쥔 모양。주먹의 뜻。

뜻 ①**주먹권** 오그려 쥔 손。「空拳공권」 ②**주먹질권** 주먹을 쥠。 ③**권법권** 수박(手搏)과 같은 것으로 권투의 한 가지。 ④**근심할권** 근심하는 모양。일설(一說)에는 사랑하는 모양。 ⑤**충근할권** 충실하고 부지런한 모양。 ⑥**정성껏지킬권** ⑦**힘권** 여력(膂力)。 ⑧**쇠뇌활권**

◉強拳강권 巨拳거권 空拳공권 鐵拳철권

10 **【拿】** 手 6 拏(手部五畫)의 속자(俗字)。

9 **【括】** 手 6 괄 | 묶을 | (入)曷

자원 형성 舌음 手-扌┬括(手부) 2500년전

「扌재방변」〈손〉과、음을 나타내며 동시에 묶어서 졸라매다의 뜻을 나타내는 「舌설」(옛음이 결)로 이루어짐。손으로 묶다의 뜻。

뜻 ①**묶을괄** ㉠결속(結束)함。「括結괄결」 ㉡머리를 동임。 ㉢단속함。검속(檢束)함。 ②**묶음괄** 묶는 일。또 묶은 것。 ③**담을괄**、**쌀괄** 속에 넣고 두름。「包括포괄」 ④**이를괄** 다다름。 ⑤**모일괄** 회합함。 ⑥**궁구할괄** 구명(究明)함。 ⑦**오늬괄** 筈(竹部六畫)과 통용。

◉概括개괄 結括결괄 總括총괄 包括포괄

9 **【拭】** 手 6 식 | 닦을 | (入)職

자원 형성 式음 手-扌┬拭(手부) 2500년전

「扌재방변」〈손〉과、음을 나타내는 「式식」으로 이루어짐。손으로 닦아 깨끗하게 하다의 뜻。

뜻 **닦을식** 씻음。「拂拭불식」

9 **【拷】** 手 6 고 | 칠 | ㊤皓

자원 형성 考음 手-扌┬拷(手부)

「扌재방변」〈손〉과、음을 나타내는 동시에 몽둥이로 때리다의 뜻(⇨攻공)을 나타내는 「考고」로 이루어짐。

뜻 **칠고** 죄상을 자백하게 하기 위하여 매질함。「拷問고문」

【拷問 고문】 죄인(罪人)의 몸에 고통(苦痛)을 주어가며 죄상(罪狀)을 심문(審問)함。

9 **【拾】** 手 6 중학 ㊀**습** ㊁**십** ㊂**섭** ㊃**겁** | 주울 | ㊀㊁(入)緝 ㊂㊃(入)葉

一 十 扌 扌 扌 拎 拾 拾

拾

자원 형성 合음 手-扌┬拾(手부)

음을 나타내는 「合합」(습은 변음)은 모으는 일。「拾」은 손으로 주워 모으는 일。또 몇 개인가의 물건을 모아서 손으로 잡는 일。더구나 「十십」과 같은 음이므로 숫자(數字)의 「十」 대신에도 씀。

뜻 ㊀①**주울습** 습득함。 ②**팔찌습** 활쏠 때 왼팔 소매를 걷어 매는 띠。 ㊁**열십** 十(部首)과 통용。 ㊂**오를섭** ㊃**번갈아겁** 교체하여。

참고 공문서(公文書)나 금전 증서(金錢證書) 등에서는 흔히 「十」에 대신(代身)해서 쓰임。

【拾得 습득】 남이 잃은 물건을 주움。

【拾遺 습유】 ①남은 것이나 떨어뜨린 것을 주움。 ②빠진 것을 보충함。
◉收拾수습

9 【持】 手 6 중학 지 — 가질 — ㊉支

一 扌 扌 拧 挂 持 持

자원 형성 寺음 ┬持(手부) 手-扌┘

음을 나타내는 「寺사·시」(지는 변음)는 물건을 가지는 일。 나중에 「손(手)으로…」란 뜻을 뚜렷하게 하기 위하여 「扌재방변」을 붙여 「持」라고 씀。

뜻 ①가질지 ㉠손으로 잡음。 ㉡유대함。 ②지닐지 ㉠보존함。 고집함。 「保持보지」 ㉡견딤。 견디어냄。 「持續지속」 「持久지구」 ③버틸지 ㉠지탱함。 ㉡대항함。 ④도울지 부조(扶助)함。 ⑤믿을지 마음으로 의지함。 ⑥빅수지 승부가 없음。

【持久戰 지구전】 오랫동안 끌어 가며 하는 싸움。

【持論 지론】 항상 주장하는 이론。 꼭 잡아 지켜 굽히지 않는 이론。

【持病 지병】 오랫동안 낫지 않아 늘 지니고 있는 병。 고질(痼疾)。

【持說 지설】 지론(持論)。

【持續 지속】 계속하여 지녀 나감。

◉堅持견지 扶持부지 維持유지 支持지지

9 【指】 手 6 중학 지 — 손발가락 — ㊤紙

一 扌 扌 扌 扌 指 指

자원 형성 旨음 ┬指(手부) 手-扌┘

음을 나타내는 「旨지」는 신이 사람에게 주는 계시(啓示)→가리키는 일。 「手수」는 손。 「指」는 손가락으로 가리키다→손가락。

뜻 ①손발가락지 손가락 또는 발가락。 「指爪지조」 ②가리킬지 ㉠손가락질함。 ㉡지시함。 ㉢지휘함。 「指示지시」 ③곧두설지 직립함。 ④아름다울지 화미(華美)함。 ⑤뜻지 旨(日部一畫)와 같은 글자。 「指意지의」

【指南 지남】 ①방향(方向)을 가리키는 기구。 나침반(羅針盤)。 ②가리키켜 인도함。

【指南石 지남석】 지남철(指南鐵)。

【指南鐵 지남철】 쇠를 끌어 당기는 성질(性質)이 있는 쇠。 자석(磁石)。

【指令 지령】 ①품의(稟議) 또는 원서(願書)에 대하여 내리는 관청의 통지(通知)、 또는 명령(命令)。 ②하급 관청에 대하여 감독 관청이 시달하는 사무상의 지휘 명령。

【指名 지명】 여러 사람 가운데 누구의 이름을 꼭 지정하여 가리킴。

【指目 지목】 가리키며 봄。 눈여겨 봄。 주목(注目)함。

【指事 지사】 ①사물을 가리킴。 ②육서(六書)의 하나。 그 글자의 모양이 바로 그 뜻을 나타내는 글자。 「上」·「下」 따위。

【指示 지시】 ①손가락질하여 보임。 가리켜 보임。 ②가리켜 시킴。 명령함。

【指章 지장】 손가락으로 도장 대신 찍는 인(印)。

【指摘 지적】 ①가리키어 들추어 냄。 ②손끝으로 긁음。 할퀌。

【指定 지정】 ①어찌어찌하라고 가리

켜 정(定)함。②여럿 가운데서 하나만을 가려내어 정함。

【指針 지침】①나침반(羅針盤)의 바늘。②사물을 지시하는 장치의 바늘。③가리켜 인도(引導)할 만한 사물。

【指彈 지탄】①손가락을 튀김。전(轉)하여 ②부정한 사람을 지적하여 규탄함。

【指向 지향】뜻하여 향함。

【指呼 지호】손가락질하며 부름。

【指環 지환】가락지。

【指揮 지휘】지시하여 행하게 함。

◉屈指굴지 大指대지 無名指무명지 食指식지 藥指약지 彈指탄지

9 **【按】** 手 6 ㊀안 ㊁알 | 누를 | ㊀㊄翰 ㊁㊅曷

자원 형성 安(음) 手-扌ㅏ按(手부)

「扌재방변」〈손〉과、음을 나타내며 동시(同時)에 누르다의 뜻(⇩壓압)을 가지는「安안」으로 이루어지며、손으로 누르다의 뜻。

뜻 ㊀①**누를안** ㉠억누름。내리 누름。㉡꼼짝 못하게 함。②**어루만질안** 손으로 쓰다듬음。「按絃안현」③**당길안** 끌어당김。④**생각할안** 사고함。「考按고안」⑤**살필안** 죄과를 규찰하거나 사정을 순찰함。「督按독안」⑥**안험할안** 조사하여 증거를 세움。㊁**막을알** 저지함。

【按堵 안도】사는 곳에서 평안히 지냄。

【按摩 안마】몸을 누르고 주물러서 피가 잘 돌게 함。

【按撫 안무】민정(民情)을 살피어서 위무함。

【按撫使 안무사】《韓》지방에 변란이나 재난이 있을 때 왕명(王命)으로 파견되어 인민(人民)을 안무(按撫)하는 임시(臨時) 벼슬。

【按察 안찰】자세히 조사하여 살핌。

【按察使 안찰사】지방 군현(郡縣)의 치적(治績) 및 비법(非法)의 검찰(檢察)을 맡은 관직(官職)。

◉考按고안 巡按순안 奏按주안 劾按핵안

9 **【挑】** 手 6 고교 ㊀도 ㊁조 | 돋울 | ㊀①②㊤篠 ③㊥豪 ㊁㊥蕭

一 扌 扌 扌 扌 挑 挑 挑

자원 형성 兆(음) 手-扌ㅏ挑(手부) 2500년전

「扌재방변」〈손〉과、음을 나타내는「兆조」(도는 변음)로 이루어짐。싸움을 건다는 뜻。

뜻 ㊀①**돋울도** 싸움을 걸거나 화를 나게 함。「挑發도발」②**꾈도** 유인함。③**뛸도** 도약함。일설(一說)에는 왕래(往來)함。「挑達도달」㊁①**멜조** 어깨에 멤。②**돋울조** 심지를 끌어올림。③**후빌조** 도려 파냄。④**칠조** 준설(浚渫)함。⑤**가릴조** 선택함。가려 씀。「挑選조선」⑥**가벼울조**

【挑發 도발】부추김。충동(衝動)함。

【挑戰 도전】싸움을 걺。

10 **【拳】** 手 6 擧(臼部十一畫)의 약자(略字)。

七畫

10 **【挫】** 手 7 좌 | 꺾을 | ㊄箇

자원 형성 坐(음) 手-扌ㅏ挫(手부) 2500년전

「扌재방변」〈손〉과, 음과 함께 꺾다의 뜻(⇩摧최)을 나타내기 위한 「坐좌」로 이루어지며, 부러뜨리다. 전하여, 욕보이다, 기세를 꺾다의 뜻.

뜻 ①**꺾을좌** 부러뜨림. 전(轉)하여, 기세를 꺾음. 「挫折좌절」 ②**꺾일좌** 앞의 뜻의 자동사.

【挫折 좌절】 ①꺾음. ②꺾임. ③어떤 계획이나 운동이 실패로 돌아감.

10 **【振】** 手 7 고교 **진** ─ 떨칠 ─ ①-⑧ 去 震 ⑨ 平 眞

一 十 扌 扌 扩 扩 扩 振 振 振

자원 형성 辰음 手-扌┬振(手부)

「扌재방변」〈손〉과, 음을 나타내며 동시(同時)에 떨며 움직이다의 뜻(⇩震진)을 가지는 「辰진」으로 이루어지며 손을 떨며 움직이는 뜻. 전하여, 원기왕성(元氣旺盛)하게 하다의 뜻으로도 쓰임.

뜻 ①**떨칠진** ㉠위세를 일으킴. 분기함. 「士氣大振사기대진」 ㉡힘있게 움직임. 「振筆書之진필서지」 ㉢힘있게 흔들어 먼지 따위를 텀. ②**움직일진** ③**떨진** 전율함. 「振怖진포」 ④**거둘진** 수용함. ⑤**건질진** 구호함. 구휼함. 賑(貝部七畫)과 통용. 「振恤진휼」 ⑥**정돈할진** 정제(整齊)함. 정리함. 「振旅진여」 ⑦**열진** 열어서 내놓음. ⑧**떼지어날진** 군비(群飛)함. 일설(一說)에는 빠름. 신속함. ⑨**무던할진** 인후(仁厚)함.

【振古 진고】 태고(太古).

【振動 진동】 흔들리어 움직임.

【振作 진작】 진기(振起).

【振天 진천】 명성(名聲)이 천하(天下)에 떨침.

【振興 진흥】 ①떨치어 일으킴. ②정신(精神)을 가다듬고 일어남.

◉金聲玉振금성옥진 奮振분진 刷振쇄진 嚴振엄진 弘振홍진

10 **【挺】** 手 7 **정** ─ 빨 ─ 上 迥

자원 형성 廷음 手-扌┬挺(手부)

「扌재방변」〈손〉과, 음을 나타내며 동시(同時)에 높이 올리다의 뜻(⇩提제)을 가지는 「廷정」으로 이루어지며 한결 높이 빼어나다의 뜻.

뜻 ①**뺄정, 뽑을정** ㉠빼냄. ㉡인재를 뽑음. 기용함. 「挺秀才정수재」 ②**빼날정** 쑥 솟아나옴. 전(轉)하여, 훨씬 뛰어남. 「挺出정출」 ③**빼낼정** 자유롭지 못한 몸을 빼냄. 탈신함. 「挺身정신」 ④**곧을정** 굽지 아니함. ⑤**너그러울정** 관대함. 또 관대히 함. ⑥**달릴정** 빨리 감.

【挺身 정신】 ①솔선함. 앞장 섬. 앞으로 나감. ②빠져나감. 탈출함.

10 **【挽】** 手 7 **만** ─ 당길 ─ 上 阮

자원 형성 免음 手-扌┬挽(手부)

「扌재방변」〈손〉과, 음을 나타내는 「免면」(만은 변음)으로 이루어짐. 손으로 끌어당기다의 뜻.

뜻 ①**당길만** 잡아당김. 「挽弓만궁」 ②**말릴만** 끌어당겨 못하게 함. 「挽留만류」 ③**끌만** 輓(車部七畫)과 같은 글자. 「挽歌만가」

【挽歌 만가】 ①상여를 메고 갈 때 하

는 노래。②죽은 사람을 슬퍼하는
가사(歌詞)。
【挽留 만류】붙들고 말림。
【挽回 만회】바로잡아 돌이킴。

10 【捉】手 7 고교 착 | 잡을 | 入覺

一 十 扌 扣 扣 扣 扣 捉 捉 捉

자원 형성 足음 ┬ 捉(手부) 手-扌┘
「扌재방변」〈손〉과、음을 나타내며 동시에 연결(連結)되다의 뜻(⇩續속)을 나타내기 위한 「足족」(착은 변음)으로 이루어져 손을 뻗히고 따라 붙다의 뜻。
뜻 잡을착 ㉠쥠。「捉鼻착비」 ㉡붙잡음。체포함。「捕捉포착」

10 【捐】手 7 연 | 버릴 | 平先

자원 형성 肙음 ┬ 捐(手부) 手-扌┘
「扌재방변」〈손〉과 음을 나타내는 「肙연」으로 이루어진 글자。
뜻 ①버릴연 ㉠내버림。「捐忘연망」 ㉡희생함。㉢냄。지출함。또 기부함。「義捐의연」「出捐출연」②덜연 없앰。제거함。③기부연 헌납。또 부과·징발 등의 뜻으로도 쓰임。
【捐金 연금】돈을 버림。돈을 기부함。또 기부한 돈。

10 【捕】手 7 고교 포 | 잡을 | 去遇

一 十 扌 扌 扌 扌 捐 捕 捕 捕

자원 형성 甫음 ┬ 捕(手부) 手-扌┘
뜻을 나타내는 「扌재방변」〈손〉과、음과 함께 묶는다의 뜻을 나타내기 위한 「甫보」(포는 변음)로 이루어져 손으로 꼭 쥐고 놓지 않는 것。붙잡다의 뜻。
뜻 잡을포 사로잡음。체포함。
【捕盜大將 포도대장】《韓》포도청(捕盜廳)의 주장(主將)。
【捕盜廳 포도청】《韓》이조(李朝) 중기 이후 도둑 기타 범죄자(犯罪者)를 잡는 일을 맡은 마을。
【捕虜* 포로】사로잡은 적의 군사。
【捕縛* 포박】잡아 묶음。
【捕繩* 포승】죄인(罪人)을 포박(捕縛)하는 노끈。
【捕捉 포착】붙잡음。
【捕獲 포획】①적병(敵兵)을 사로잡음。②짐승이나 물고기 등을 잡음。
◉擊捕격포 生捕생포 追捕추포 逮捕체포 討捕토포

10 【挿】手 7 插(手部九畫)의 속자(俗字)。

八畫

12 【掌】手 8 고교 장 | 손바닥 | 上養

′ ″ ″′ 尚 尚 尚 堂 堂 掌

자원 형성 尙음 ┬ 掌(手부) 手 ┘
「手수」〈손〉와 음을 나타내는 동시에 위의 뜻(⇩上상)을 가진 「尙상」(장은 변음)으로 이루어지며、손을 위로 향하게 한 윗부분 곧 손바닥의 뜻。
뜻 ①손바닥장 수장(手掌)。「掌中장중」 ②맡을장 주관함。「管掌관장」

【掌理 장리】 일을 맡아 처리함。
【掌紋* 장문】 손바닥의 무늬。
【掌握* 장악】 ①손에 쥠。 자기 물건으로 함。 ②한 줌。 한 줌의 양(量)。

11 **【捨】** 手 8 고교 **사** — 버릴 — ㊤馬

一 扌 扌 扌 扌 扲 拎 捨 捨 捨

자원 형성 舍음 手-扌┬捨(手부)
음을 나타내는 「舍사」는 떼어버리다→내리는 일。 「捨」는 손에서 물건을 내리다→버리는 일。

뜻 ①**버릴사** ㉠내버림。 또 사용하지 않고 버려둠。 「取捨취사」 ㉡잊음。 ②**베풀사** 베풀어 줌。 시여(施與)함。 「喜捨희사」

◉取捨취사 喜捨희사

11 **【据】** 手 8 **거** — 일할 — ①㊥魚 ②㊦御

자원 형성 居음 手-扌┬据(手부)
「扌재방변」〈손〉과、 음을 나타내는 「居거」로 이루어짐。 어떤 장소를 차지하여 자리잡다의 뜻。 우리 나라에서는 줄 것을 아니 주고 그대로 놓아 두다의 뜻으로 쓰임。

뜻 ①**일할거** 「拮据길거」는 힘써 일하는 모양。 ②**의거할거** 據(手部十三畫)와 통용。 ③《韓》 **둘거** 그대로 둠。 「据置거치」

【据置 거치】 지불(支拂)할 것을 어떤 기간(期間) 동안 그대로 둠。

11 **【捲】** 手 8 **권** — 말 — ①㊦霰 ②③㊥先

자원 형성 卷음 手-扌┬捲(手부)
「扌재방변」〈손〉과、 음을 나타내는 동시에 말다의 뜻을 나타내는 「卷권」으로 이루어짐。 손으로 말다의 뜻。 또 「拳권」〈주먹〉과 통하여、 주먹의 뜻。

뜻 ①**말권** 卷(卩部六畫)과 같은 글자。 「席捲석권」 ②**주먹권** 拳(手部六畫)과 같은 글자。 ③**힘쓸권** 힘써 일하는 모양。

【捲土重來 권토중래】 땅을 마는 것 같은 세력으로 다시 온다는 뜻으로 한번 쇠약하여진 세력을 회복하여 다시 쳐들어옴을 이름。

◉席捲석권

11 **【捷】** 手 8 **첩** — 이길 — ㊇葉

자원 형성 疌음 手-扌┬捷(手부)
「扌재방변」〈손〉과、 음을 나타내는 「疌섭·접」(첩은 변음)으로 이루어짐。 음을 빌어 이기다의 뜻(⇩勝승)에 쓰임。

뜻 ①**이길첩** 승전함。 「戰捷전첩」 ②**빠를첩** 민첩함。 「輕捷경첩」 ③**빨리첩** 속히。 ④**노획물첩** 전리품。

【捷徑 첩경】 ①지름길。 ②어떠한 일에 이르기 쉬운 방법。
【捷報 첩보】 싸움에 이긴 보고(報告)。

◉大捷대첩 猛捷맹첩 敏捷민첩 戰捷전첩

11 **【捺】** 手 8 **날** — 누를 — ㊇曷

자원 형성 奈음 手-扌┬捺(手부)

〔四畫部首順〕 心戈戶手支攴文斗斤方无日曰月木欠止歹殳毋比毛氏气水火爪父爻爿片牙牛犬

「扌재방변」〈손〉과, 음을 나타내는 「奈나·내」(날은 변음)로 이루어짐。 손으로 누르다의 뜻。

뜻 ①**누를날** 도장 같은 것을 누름。「捺印날인」 ②**삐침날** 서법(書法)의 하나。「大대」·「人인」 등의 「㇏」。

【捺印 날인】 도장을 찍음。 인을 침。

11 **【掃】** 手 8 고교 **소** | 쓸 | (上)晧 (去)號

一 扌 扌 扫 扫 扫 掃 掃 掃

자원 형성 手·扌 + 帚(음) → 掃(手부)

「扌재방변」〈손〉과, 음을 나타내는 동시에 닦아서 깨끗이 하다의 뜻(⇩修수)을 가진 「帚추」(소는 변음)로 이루어짐。 손으로 닦아서 깨끗이 하다의 뜻。

뜻 ①**쓸소** ㉠소제함。「淸掃청소」 ㉡제거함。 ②**칠할소** 바름。

【掃除 소제】 깨끗이 쓸고 닦음。

【掃地 소지】 ①땅바닥을 깨끗이 함。 전(轉)하여 ②흔적도 없이 됨。

【掃蕩* 소탕】 쓸어 없애버림。

◉刷掃쇄소 淨掃정소

11 **【授】** 手 8 중학 **수** | 줄 | (上)有

一 扌 扌 扩 扠 授 授

자원 형성 手·扌 + 受(음) → 授(手부)

음을 나타내는 「受수」는 물건을 주고 받고 하는 것이며, 본디는 받는 것도 주는 것도 「受」였으나 나중에 구별하여, 준다는 뜻의 경우에는 다시 「扌재방변」〈손〉을 더하여 「授」라 하였음。

뜻 **줄수** ㉠수여함。「授受수수」 ㉡수교(手交)함。 ㉢가르침。「授業수업」 ㉣임명함。「授爵수작」

【授受 수수】 주고 받음。

【授業 수업】 학문·기술을 가르쳐 줌。

【授與 수여】 줌。

◉敎授교수 拜授배수 傳授전수 天授천수

11 **【排】** 手 8 고교 **배** | 물리칠 | ①-④ (平)佳 ⑤ (去)卦

一 扌 扌 打 扫 扫 排 排

자원 형성 手·扌 + 非(음) → 排(手부)

「扌재방변」〈손〉과, 음을 나타내는 동시에 열다의 뜻(⇩披피)을 나타내기 위한 「非비」(배는 변음)로 이루어짐。 손으로 밀어 열다의 뜻。 전하여, 밀치다의 뜻。

뜻 ①**밀칠배** 밀어 젖힘。 밀어 엶。 ②**물리칠배** 배척함。「排除배제」 ③**늘어설배** 차례로 섬。「排列배열」 ④**줄배** 늘어선 줄。 ⑤**풀무배**

【排擊 배격】 ①물리치어 침。 ②힐난(詰難)함。

【排氣 배기】 속에 있는 공기를 뽑아 버림。

【排水 배수】 ①안에 있는 물을 밖으로 내보냄。 ②물고를 터놓음。

【排列 배열】 죽 벌리어 열을 지음。

【排除 배제】 물리쳐 덜어버림。 배척하여 제거함。

【排斥 배척】 물리치어 내침。

【排出 배출】 ①밀어 내보냄。 ②배설(排泄)。

【排置 배치】 벌여 놓음。

11 **【掘】** 手 8 ㊀**굴** ㊁**궐** | 팔 | ㊀①-③ (入)物 ④ (入)月 ㊁ (入)月

[자원] 형성 屈[음] 手-扌┤掘 (手부)
「扌재방변」〈손〉과, 음을 나타내는 동시에 구멍의 뜻(⇩窟굴)을 나타내는 「屈굴」로 이루어짐. 손으로 구멍을 파다의 뜻.
[뜻] [一] ①팔굴 ㉠우묵하게 팜. 「掘井굴정」 ㉡파냄. 땅 속의 매장물을 캐냄. 「採掘채굴」 ②우뚝솟을굴 崛(山部八畫)과 통용. ③다할굴 다 들임. ④암굴굴, 구멍굴 窟(穴部八畫)과 통용. [二] 뚫을궐 구멍을 뚫음.
◉ 露天掘노천굴 發掘발굴 試掘시굴

11 **【掛】** 手 8 [고교] **괘** | 걸 | [去]卦

一 十 扌 扌 扗 挂 挂 掛 掛

[자원] 형성 卦[음] 手-扌┤掛 (手부)
「扌재방변」〈손〉과 음을 나타내는 「卦괘」로 이루어짐. 손으로 건다는 뜻.
[뜻] **걸괘** 걸쳐 놓음. 「掛軸괘축」
【掛冠 괘관】 벼슬을 내놓음. 사직함.
【掛念 괘념】 마음에 두고 잊지 아니함.
【掛曆 괘력】 벽에 걸어 놓고 보는 일력(日曆)이나 달력.
【掛鐘 괘종】 걸어 두고 보는 시계.

11 **【掠】** 手 8 [고교] **략**(②량[本]) | 노략질할 | ①[入]藥 ②[去]漾

一 十 扌 扩 扩 拧 拧 掠 掠

[자원] 형성 京[음] 手-扌┤掠 (手부)
「扌재방변」〈손〉과, 음을 나타내는 「京경」(략은 변음)으로 이루어짐.
[뜻] ①**노략질할략** 탈취함. 「掠奪약탈」 ②**볼기칠략, 매질할략** 죄인을 매질함. ※❷는 본음(本音) **량**
【掠盜 약도】 노략질함.
【掠奪 약탈】 폭력을 써서 억지로 빼앗음.
◉ 劫掠겁략 虜掠노략 侵掠침략 奪掠탈략

11 **【採】** 手 8 [중학] **채** | 캘 | [上]賄

一 十 扌 扌 扌 採 採

[자원] 형성 木┤采[음] 爪┘ 手-扌┤採 (手부)

(A)는 「爪조」와 「木목」. (B)는 「爪」와 「果과」. 「爪」는 손을 나타냄. 음을 나타내는 「采채」는 나무 열매를 따다→물건을 모으다→가리는 일. 나중에 모으다는 뜻은, 손의 작용(作用)을 나타내는 「扌재방변」〈손〉을 붙여 「採」로 함.

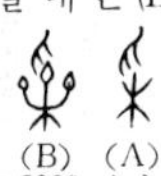

[뜻] ①**캘채, 딸채** 채굴하거나 적취(摘取)함. 「採鑛채광」 「採摘채적」 ②**가릴채** 골라 씀. 「採擇채택」 ③**나무꾼채** 초부(樵夫).
[주의] 옛날에는 「采」는 같은 글자.
【採鑛 채광】 광물(鑛物)을 캐어 냄.
【採掘* 채굴】 땅 속에 있는 물건을 캐어 냄.
【採算 채산】 수지(收支)가 맞고 안 맞는 셈.
【採用 채용】 사람을 뽑아 씀.
【採點 채점】 점수(點數)를 매김.
【採集 채집】 잡거나 따거나 캐거나 하여 모음.
【採取 채취】 ①캐어 냄. ②풀이나 나뭇가지 같은 것을 베어 냄.
【採擇 채택】 가려 뽑음.

◉伐探벌채

11【探】手 8 [중학] 탐 | 더듬을 | [平]覃

一 十 扌 扩 挖 挖 探

[자원] 형성 穴[음] 手-扌┐揬(手부)-探

探

음을 나타내는 「穾심」은 속깊이 사람이 들어가는 모양。「扌재방변」은 손의 동작을 나타냄。「探탐」은 속깊이 들어가 물건을 찾는 일。

[뜻] ①**더듬을탐** ㉠찾음。「探索탐색」 ㉡밝히려고 함。구명(究明)함。㉢엿봄。염탐함。「探偵탐정」 ②**찾을탐** 가 봄。방문함。「探友탐우」

【探求 탐구】더듬어서 구(求)함。

【探究 탐구】더듬어서 연구(研究)함。

【探聞 탐문】더듬어 캐어 들음。

【探訪 탐방】①탐문(探問)하여 찾아봄。②기자 등이 기사 재료를 얻기 위하여 그 목적 인물을 찾아감。

【探査 탐사】더듬어 조사(調査)함。

【探索 탐색】실상(實狀)을 더듬어서 찾음。

【探勝 탐승】경치 좋은 곳을 찾아 다님。

【探偵*탐정】①비밀의 사실을 몰래 염탐함。또 그 사람。②죄인을 찾음。또 그 사람。형사(刑事)。

【探情 탐정】남의 의향(意向)을 넌지시 살핌。

【探照 탐조】더듬어 찾으려고 멀리 내비춤。

【探知 탐지】더듬어 알아 냄。

【探春 탐춘】봄의 경치를 찾아 구경함。

【探險 탐험】위험(危險)을 무릅쓰고 찾아다니며 살핌。

◉內探내탐 密探밀탐 搜探수탐 偵探정탐

11【接】手 8 [중학] 접 | 사귈 | [入]葉

一 十 扌 扩 护 接 接

[자원] 형성 辛┐妾[음] 女┘ 手-扌┐接(手부)

接

3000년전

「辛신」은 바늘의 모양。음을 나타내는 「妾첩」(접은 변음)은 바늘로 자자(刺字)된 여자 종。나중에 종이 아니라도 남자의 신변을 돌보는 여자를 「妾」이라 함。「扌재방변」은 손→손을 접하다→사귀는 일。「接」은 남을 돌보아 주기 위하여 곁에 다가오다→가까이 하는 일。

[뜻] ①**사귈접** 교차함。「交接교접」 ②**모일접, 모을접** 회합함。회합하게 함。③**이을접** ㉠이어 맞춤。「接合접합」「接骨접골」 ㉡이어 받음。계승함。㉢연함。잇닮。「接續접속」 ㉣계속함。「接踵접종」 ④**접할접** 이어서 닿음。인접(鄰接)함。⑤**가까이할접** 가까이 감。「接近접근」 ⑥**대접할접** 대우함。「接待접대」「接客접객」 ⑦**접붙일접** 나무에 접을 붙임。「接木접목」

【接客 접객】손을 대접함。

【接見 접견】맞아들여 봄。

【接境 접경】경계가 서로 닿음。또 그 곳。

【接骨 접골】뼈를 이어 맞춤。

【接近 접근】①가까이 함。②거리가 가까와짐。

【接待 접대】①손을 맞아 대접함。②《佛敎》사람에게 음식을 줌。

【接木 접목】나무를 접(接)붙임。또 그 나무。

【接續 접속】연속함。이음。
【接收 접수】받아서 거둠。
【接受 접수】서류(書類)를 받아들임。
【接戰 접전】서로 어울려 싸움。
【接踵* 접종】①사람이 끊이지 않고 계속하여 왕래함。②사물(事物)이 연해 뒤를 이어 일어남。
【接觸 접촉】①맞붙어서 닿음。②사귐。
【接合 접합】①한데 닿아 붙음。②한데 대어 붙임。
◉間接간접 近接근접 待接대접 面接면접 密接밀접 連接연접 迎接영접 鄰接인접

11 【控】 手 8 ㊀공 ─ 당길 ─ ㊀㊈去送 ㊁강 ─ ㊁㊉平江

자원 형성 空음 ─ 手·扌┬控(手부)

「扌재방변」〈손〉과, 음을 나타내는 동시에 당기다(⇩牽견)의 뜻을 나타내기 위한 「空공」으로 이루어짐。손으로 당기다→당겨 제어하다의 뜻。

뜻 ㊀①당길공 ㉠잡아당김。「控弦공현」 ㉡당겨 못 가게 하거나 못하게 함。「控馬공마」「控壓공압」 ②고할공 아룀。「控訴공소」 ③던질공 투척함。㊁칠강 때림。「控捲강권」

【控訴 공소】제일심(第一審)의 판결에 불복하여 상급법원에 복심(覆審)을 청구함。항소(抗訴)의 구칭。
【控除 공제】빼놓음。빼어 버림。

11 【推】 手 8 중학 ㊀추 ─ 옮을 ─ ㊀㊉平支 ㊁퇴(추㊛俗) ─ ㊁㊉平灰

一 † 扌 扌' 扌' 扌'' 推

자원 형성 隹음 ─ 手·扌┬推(手부)

음을 나타내는 「隹추」는 본디 뜻은 새이었으나 여기에서는 「椎추」〈나무방망이〉·「錐추」〈송곳〉·「碓대」〈디딜방아〉 따위와 공통(共通)되어 치는 듯한 거동을 나타냄。「推」는 손으로 밀다→밀어 젖히다→밀어 치우다→밀어 나아감。또 옮기다→집작하다 따위의 뜻으로 씀。

뜻 ㊀①옮을추 천이(遷移)함。「推移추이」 ②밀추 ㉠밀어 올림。가려 뽑음。「推薦추천」 ㉡숭배하여 높이 받듦。추앙함。「推戴추대」 ㉢밀어 올라가 캐어냄。연유를 캐어냄。궁구함。「推窮추궁」 ㊁①밀퇴 ㉠뒤에서 밂。「推輓퇴만」 ㉡옮김。㉢밀어서 줌。양여함。②밀어젖힐퇴 밀어 엶。또는 배제함。※속음(俗音) 추

주의 「椎추」〈방망이〉는 딴 글자。

【推考 추고】①도리(道理)。또는 사정을 미루어 생각함。②《韓》관원(官員)의 허물을 추문(推問)하여 고찰(考察)함。
【推敲* 추고】퇴고(推敲)。
【推究 추구】근본을 캐어 들어가며 연구함。
【推窮 추궁】어디까지나 캐어 따짐。끝까지 따지어 밝힘。
【推斷 추단】①추측(推測)하여 판단(判斷)함。②죄상(罪狀)을 심문하여 처단(處斷)함。
【推戴* 추대】떠받듦。
【推量 추량】미루어 헤아림。
【推論 추론】사리를 미루어 논급함。
【推理 추리】이치(理致)를 미루어 생각함。
【推算 추산】미루어 셈함。
【推想 추상】미루어 생각함。또 그 생각。

【推尋 추심】 찾아내어 가져 감。
【推仰 추앙】 높이 받들어 우러러봄。
【推移 추이】 변하여 옮김。
【推奬 추장】 추천(推薦)하여 칭찬함。
【推定 추정】 미루어 생각하여 판정(判定)함。 추측하여 정함。
【推知 추지】 미루어 앎。
【推進 추진】 밀어 나아감。
【推察 추찰】 미루어 살핌。
【推薦 추천】 사람을 천거(薦擧)함。
【推測 추측】 미루어 생각함。
【推敲* 퇴고】 시문(詩文)의 자구(字句)를 여러 번 고침。 당(唐)나라 시인 가도(賈島)가 승고월하문(僧敲月下門)이라는 시를 쓸 때에 밀퇴(推)자를 쓸까 두드릴고(敲)자를 쓸까 하고 생각에 잠겼다가 마침 지나가던 경조윤(京兆尹) 한퇴지(韓退之)의 행차하는 행렬에 부딛쳐 고(敲)자로 하라는 지도를 받았다는 고사에서 나온 말。
◉類推 유추

11 【掩】 手 8 엄 ─ 가릴 ─ ㊤琰

자원 형성 奄(음) 手-扌 ┤掩 (手부) 2500년전

「扌재방변」〈손〉과、 음을 나타내며 동시(同時)에 어둡다의 뜻(⇩暗암)을 나타내는 「奄엄」으로 이루어지며、 손으로 어두운 그림자를 만드는 것처럼 덮어씌우는 뜻。

뜻 ①**가릴엄** 안 보이게 하거나 막음。「掩蔽엄폐」 ②**숨길엄** 감쌈。 ③**닫을엄** 문을 닫음。 ④**엄습할엄** 불의에 침。「掩擊엄격」 ⑤**비호할엄** 뒤덮어서 보호함。「掩護엄호」

【掩蔽 엄폐】 보이지 않도록 가리어 숨김。 또 그 물건。
【掩護 엄호】 ①비호(庇護)함。 ②적을 막아 자기 편을 가려 보호함。

11 【措】 手 8 ㊀조 ㊁책 ㊂착 ─ ㊀놓을 ─ ㊀㊤遇 ㊁㊇陌 ㊂㊇藥

자원 형성 昔(음) 手-扌 ┤措 (手부)

「扌재방변」〈손〉과、 음을 나타내는 동시에 풀어서 자유롭게 하다의 뜻(⇩釋석)을 갖는 「昔석」으로 이루어지며、 손을 놓다、 그대로 놔두다의 뜻。

뜻 ㊀①**놓을조** ㉠둠。「措置조치」 ㉡하던 것을 놓고 하지 아니함。 ②**베풀조** 시행함。 ③**쓸조** 사용함。 ④**처리할조** 처치함。 조처함。「措置조치」「措大조대」 ⑤**거조조** 행동거지。 ㊁**잡을책** 추포(追捕)함。 쫓아가 잡음。 ㊂**섞을착、 섞일착** 錯(金部八畫)과 같은 글자。

【措處 조처】 조치(措置)❷。
【措置 조치】 ①쌓아 둠。 ②일을 처리함。

九畫

12 【揆】 手 9 규 ─ 헤아릴 ─ ㊤紙

자원 형성 癸(음) 手-扌 ┤揆 (手부) 2500년전

「扌재방변」〈손〉과 음을 나타내는 「癸규」로 이루어짐。 미리 만들어 놓은 거푸집·틀에 맞는지 안 맞는지를 헤아려 생각해 보다의 뜻。

뜻 ①**헤아릴규** 상량(商量)함。「揆度규탁」 ②**법도규** 법칙。 도(道)。「揆一규일」 ③**꾀규** 계략。「揆策규책」

④벼슬규, 벼슬아치규 관직, 또는 관리。 ⑤재상규 대신。

12 【描】 手 9 묘 | 그릴 | (平)蕭

자원 형성 苗(음) 手-扌┬描(手부)

「扌재방변」〈손〉과 음을 나타내며, 베껴 그리다의 뜻(⇩模모)을 나타내기 위한 「苗묘」로 이루어짐。 손으로 그리다의 뜻。

뜻 그릴묘 묘사함。 「描畫묘화」

【描寫 묘사】 사물(事物)을 있는 그대로 그림。

12 【提】 手 9 고교 ㊀제 ㊁시 | 끌 | ㊀①-⑤ (平)齊 ⑥-⑦ (上)薺 ㊁ (平)支

一 扌 扌冂 担 捍 捍 提

자원 형성 是(음) 手-扌┬提(手부)

음을 나타내는 「是시」는 바로 나아가다→물건을 나르는 일。 또 먹을 것을 퍼내거나 퍼넣거나 하는 도구(道具)。 「提」는 물건을 손으로 들어 올리는 일。 옛 자형(字形)에는 「是」와 「又우」〈손〉와를 합한 것도 있음。

뜻 ㊀①끌제 손으로 끎。 끌고 감。 ②들제 손에 가짐。 ③걸제 게시(揭示)함。 ④거느릴제 통솔함。 「提督제독」 ⑤점잖이걸을제 ⑥던질제 투척함。 ⑦끊을제 단절함。 ㊁떼지어 날시

【提供 제공】 바치어 이바지함。

【提起 제기】 ①들어 올림。 ②말을 꺼냄。 ③제출(提出)。

【提示 제시】 어떠한 의사를 드러내어 보임。

【提案 제안】 의안(議案)을 제출(提出)함。 또 그 의안。

【提要 제요】 요점을 듦。 요령(要領)을 제시함。

【提議 제의】 의론(議論)을 제출함。

【提唱 제창】 ①처음으로 주장함。 제시하여 창도(唱道)함。 ②《佛敎》 종지(宗旨)의 대강(大綱)을 들어서 그 의의를 설명함。

【提出 제출】 의견(意見)이나 안건(案件)을 내어놓음。

【提携 제휴】 ①서로 손을 끎。 ②서로 도와 줌。 ③주의·의견이 같은 사람들이 연합함。

◉菩提보리 前提전제

12 【插】 手 9 삽 | 꽂을 | (入)洽

2500년전

자원 형성 臿(음) 手-扌┬插(手부)

「扌재방변」〈손〉에 음을 나타내는 동시에 끼우다·꽂다의 뜻을 가진 「臿삽」을 더하여 이루어짐。 꽂다의 뜻。

뜻 ①꽂을삽 ㉠꼭 끼워 있게 함。 「插入삽입」 ㉡박아 세움。 ②가래삽

【插入 삽입】 끼워 넣음。

【插畫 삽화】 설명(說明)을 똑똑히 하기 위하여 서적·잡지·신문 등에 끼워 넣는 그림。

【插話 삽화】 문장·담화 가운데에 끼워 넣은, 본줄거리와는 직접 관련이 없는 이야기。 에피소우드。

12 【揖】 手 9 ㊀읍 ㊁집 | 읍할 | ㊀㊁ (入)緝

자원 형성 咠(음) 手-扌┬揖(手부)

「扌재방변」<손>과 음을 나타내는 동시에 모으다의 뜻(⇩輯집)을 가진 「咠즙」(읍·집은 변음)으로 이루어짐。 손을 앞에 합장하여 하는 절。 또 음을 빌어 모으다의 뜻으로 씀。

뜻 一 ①**읍할읍** 공수(拱手)하고 절함。「揖讓읍양」 ②**사양할읍** 사퇴함。 二 **모일집** 한데 모임。 輯(車部九畫)과 통용。

12 **【揚】** 手 9 중학 **양** ─ 오를 ─ ㊥陽

자원 형성 昜음 手-扌┬揚(手부) 2500년전

「扌재방변」<손>과、음을 나타내는 동시에 위의 뜻(⇩上상)을 가진 「昜양」으로 이루어짐。 손으로 위로 올리다의 뜻。

뜻 ①**오를양** 위로 떠오름。「飛揚비양」「浮揚부양」 ②**날양** ㉠하늘을 낢。 ㉡바람에 흩날림。 ③**날릴양** 날게 함。 전(轉)하여 이름 따위를 드날림。 ④**나타날양** 드러남。 ⑤**나타낼양** 드러냄。「顯揚현양」「宣揚선양」 ⑥**칭찬할양** 찬양함。「稱揚칭양」「褒揚포양」 ⑦**도끼양** ⑧**땅이름양** 구주(九州)의 하나。 북쪽은 회수(淮水)를 경계로 하고 남쪽은 바다에 이르는 지역。 곧 지금의 절강(浙江)·강서(江西)·복건(福建)의 제성(諸省)。

주의 「楊양」<버드나무>과는 딴 글자。

【揚揚 양양】 뜻을 이루어 만족한 모양。 득의(得意)한 모양。

【揚揚自得 양양자득】 뜻을 이루어 뽐내는 모양。

【揚言 양언】 소리를 높여 말함。 공언(公言)함。

◉激揚격양 發揚발양 浮揚부양 宣揚선양 昂揚앙양 抑揚억양 止揚지양 贊揚찬양 稱揚칭양 褒揚포양 顯揚현양

12 **【換】** 手 9 고교 **환** ─ 바꿀 ─ ㊤翰

一 十 扌 扌 扌 扌 扌 換 換

자원 형성 奐음 手-扌┬換(手부) 2500년전

「扌재방변」<손>과、음을 나타내며 동시(同時)에 바꾸다의 뜻을 가지는 「奐환」으로 이루어지며、손을 서로 어긋나게 바꾸는 뜻。 전하여、바꿔다의 뜻。

뜻 ①**바꿀환** 교환함。「換易환역」 ②**갈환** 교체함。「換衣환의」 ③**바뀔환**、**갈릴환** 교체됨。 변이(變移)함。「換局환국」 ④**고칠환** 변경함。「變換변환」

【換穀 환곡】 곡식을 서로 바꿈。

【換骨奪胎* 환골탈태】 고인(古人)의 시문(詩文)의 뜻을 따고 그 어구만 고치어 자기의 시문으로 하는 일。

【換氣 환기】 공기(空氣)를 바꾸어 넣음。

【換名 환명】 남의 성명으로 행세함。

【換父易祖 환부역조】 문벌(門閥)을 높이기 위하여 부정(不正)한 수단으로 절손(絶孫)된 양반의 집을 이어 자기의 조상을 바꾸는 일。

【換算 환산】 단위(單位)가 다른 수량으로 고치어 계산함。

【換言 환언】 바꾸어 말함。

【換錢 환전】 서로 종류가 다른 화폐와 화폐 또는 화폐와 지금(地金)을 교환하는 일。

【換節 환절】계절이 바뀜。

【換品 환품】물품을 다른 물품과 바꿈。

◉交換교환 變換변환 轉換전환 兌換태환

12 【握】 手 9 악 — 쥘 — ㊅覺

자원 형성 屋(음)┬握(手부)  2500년전

「扌재방변」〈손〉과、음을 나타내며 동시에 심하게 조르다의 뜻(⇩約약)을 나타내기 위한 「屋옥」으로 이루어진 글자。

뜻 ①쥘악 ㉠주먹을 쥠。㉡손에 쥠。「掌握장악」 ㉢잡음。점유(占有)함。②줌악 주먹으로 쥘 만한 분량。또는 그만한 크기。한움큼。③주먹악 ④손아귀악 수중。⑤손잡이악 쥐는 곳。⑥장막악、휘장악

【握力 악력】물건을 쥐는 힘。

【握齪 악착】악착(齷齪)과 같음。

◉一握일악 掌握장악 把握파악

12 【揭】 手 9 게(계本) — 들 — ㊄霽

자원 형성 曷(음)┬揭(手부) 2500년전

「扌재방변」〈손〉과、음을 나타내는 동시에 높이 들어 올리다의 뜻(⇩擧거)을 나타내기 위한 「曷갈」(게는 변음)로 이루어짐。

뜻 ①들게 높이 듦。「揭揚게양」 ②걸게 게시함。「揭示게시」 ③질게 등에 짐。④걷을게 옷의 아랫도리를 걷음。※본음(本音) 계

【揭示 게시】여러 사람에게 알리기 위하여 써서 붙이거나 내어 걸어 두고 보게 함。

【揭揚 게양】높이 걺。

【揭載 게재】글이나 그림을 신문(新聞)·잡지(雜誌)에 실음。

12 【揮】 手 9 고교 휘 — 휘두를 — ㊁微

扌 扌 扩 扩 扻 揎 揮

자원 형성 軍(음)┬揮(手부)

「扌재방변」〈손〉과、음을 나타내며 동시에 원(圓)을 그리다의 뜻(⇩規·콤파스)을 나타내기 위한 「軍군」(휘는 변음)과를 합친 글자。손을 휘두르다의 뜻에서 지시(指示)하며 시킴의 뜻으로도 쓰임。

뜻 ①휘두를휘 ㉠휘휘 돌리며 움직임。㉡서화를 쓰거나 그림。「揮毫휘호」「揮筆휘필」 ②뿌릴휘 액체를 뿌림。③지휘할휘 지시함。「指揮지휘」 ④대장기휘 지휘하는 기(旗)。

【揮淚斬馬謖* 휘루참마속】제갈양(諸葛亮)의 장수 마속(馬謖)이 양(亮)의 명령을 거슬려 가정(街亭)의 싸움에 패하였으므로 양(亮)이 눈물을 머금고 속(謖)을 베어 그 죄를 다스린 고사(故事)에서、정(情)에 흐르지 않고 법대로 벌할 것은 벌함을 이름。

【揮毫 휘호】붓을 휘둘러서 글씨를 쓰거나 그림을 그림。

◉發揮발휘 指揮지휘

12 【援】 手 9 고교 원 — 구원할 — ①-③㊁元 ④⑤㊄霰

一 十 扌 扌 扩 扩 护 援 援

자원 형성 爰(음)┬援(手부)  2500년전

「扌재방변」〈손〉과 음을 나타내며 동시에 잡아 끌어 구하다의 뜻을 가지는 「援원」의 본디 글자 「爰원」으로 이루어져 떠맡다, 돕다의 뜻.

뜻 ①당길원 ㉠끌어 당김. 잡아 당김. ㉡먼뎃 것을 당겨 손에 쥠. 「援筆원필」 ㉢가까이 끌어 씀. ㉣끌어 증거로 삼음. 「援例원례」 ②매달릴원 도와 달라고 붙들고 늘어짐. ③뽑을원 발취(拔取)함. ④구원할원 구조함. 「援助원조」 ⑤도움원 구원.

【援軍 원군】 구원하는 군대(軍隊).

【援助 원조】 도와 줌. 구하여 줌.

【援護 원호】 구원하여 보호(保護)함. 도와주며 보살핌.

◉救援구원 聲援성원 應援응원 後援후원

十畫

13 【損】 手 10 고교 손 | 덜 | ㊤阮

一 亅 扌 扌口 捐 捐 損 損

자원 형성 員음 手·扌 ┬ 損(手부)

음을 나타내는 「員원·운」(손은 변음)은 물건의 수, 혹은 둥근 것을 나타내는데 여기에서는 「隕운」〈떨어지다〉·「殞운」〈죽다〉 따위와 관련이 있다고 생각됨. 「扌재방변」은 손의 동작(動作)→…하다의 뜻을 나타냄.

뜻 ①덜손 감소함. 또는 삭감함. ②잃을손 상실함. 손해를 봄. 「損失손실」 ③낮출손 낮게 함. 「貶損폄손」 ④상할손 잔상(殘傷)함. ⑤손괘손 육십 사괘(六十四卦)의 하나. 곤 ☱☶(태하(兌下)、간상(艮上))。 아래를 덜고 위를 보태는 상(象).

【損減 손감】 삭감함. 또 감소함.

【損金 손금】 손해(損害)난 돈.

【損耗* 손모】 손실(損失).

【損傷 손상】 ①떨어지고 상(傷)함. ②상처를 입음.

【損失 손실】 덜리어 잃어짐. 축나서 잃어버림.

【損友 손우】 이롭지 않은 벗.

【損益 손익】 ①손해(損害)와 이익(利益). ②증감(增減).

◉減損감손 缺損결손 破損파손 毀損훼손

13 【搔】 手 10 소 | 긁을 | ㊥豪

자원 형성 蚤음 手·扌 ┬ 搔(手부)

「扌재방변」〈손〉과, 음을 나타내며 손톱의 뜻(⇩爪)을 나타내는 「蚤조」(손은 변음)로 이루어짐. 손톱으로 긁다의 뜻.

뜻 ①긁을소 손톱·따위로 긁음. ②떠들소 騷(馬部十畫)와 통용.

13 【搖】 手 10 고교 요 | 흔들 | ㊥蕭 ㊦嘯

一 亅 扌 扌ク 扌夕 搖 搖 搖 搖 (2500년 전)

자원 형성 䍃음 手·扌 ┬ 搖(手부)

뜻을 나타내는 「扌재방변」〈손〉과, 음을 나타내며 동시에 흔들어 움직이게 하다의 뜻을 나타내기 위한 「䍃요」로 이루어지며, 흔들어 움직이게 하다의 뜻으로 쓰임.

뜻 ①흔들릴요 ㉠요동함. 「動搖동요」 ㉡인심이 흔들려 떠들썩함. ②흔들요 요동시킴. ③움직일요 이동함。장소를 옮김。

【搖動 요동】 흔들림。 또 흔듦。 동요(動搖)。

【搖籃 요람】 젖먹이 어린애를 누이거나 앉히고 흔드는 작은 채롱。 전(轉)하여 사물이 발달하기 시작한 처소。 또는 그 시기。

◉動搖동요 消搖소요 震搖진요

13 **【搜】** 手 10 ㊀수 ㊁소 | 찾을 | ㊀㊥尤 ㊁㊤巧

자원 형성 叟음 手-扌 ㅏ搜(手부)

「扌재방변」〈손〉과、음을 나타내는 동시에 손으로 더듬어 찾다의 뜻을 갖는 「叟수」로 이루어짐。「叟」는 본디 「叜」로 썼는데、「宀」는 집、「火화」는 등불、「又우」는 손을 나타내어、등불을 들고 집안을 찾다의 뜻。

뜻 ㊀**찾을수** ㉠수색함。「搜査수사」 ㉡구(求)함。 ㊁**어지러울소** 난잡함。

【搜査 수사】 찾아 조사함。

【搜索 수색】 수사하여 탐색함。 찾아 구함。

【搜集 수집】 찾아 모음。

13 **【搬】** 手 10 반 | 옮길 | ㊥寒

자원 형성 般음 手-扌 ㅏ搬(手부)

「扌재방변」〈손〉과、음을 나타내는 동시에 옮기다의 뜻을 가진 「般반」으로 이루어짐。 손으로 물건의 위치를 옮기다의 뜻。

뜻 **옮길반** ㉠운반함。 ㉡이사함。

◉運搬운반

13 **【搾】** 手 10 착(자㊍) | 짤 | ㊦禡

자원 형성 窄음 手-扌 ㅏ搾(手부)

「扌재방변」〈손〉과、음을 나타내며、동시(同時)에、눌러서 줄어들게 하다의 뜻(⇩縮축)을 가지는 「窄책」(착은 변음)으로 이루어지며、손으로 눌러 줄어들게 하는 뜻。 전하여 쥐어짜다의 뜻。

뜻 **짤착** 짜냄。 榨(木部十畫)의 속자(俗字)。 ※본음(本音) **자**

【搾取 착취】 ①꼭 누르거나 비틀어서 즙(汁)을 짜냄。 ②자본가(資本家)가 노동자(勞動者)를 임금에 상당한 시간 이상(以上)으로 부려서 생기는 과잉생산물을 자기 소유로 함。

◉壓搾압착

13 **【携】** 手 10 고교 휴 | 끌 | ㊥齊

一 扌 扌 扌 扌 扌 推 携 携

자원 형성 巂-隽음 手-扌 ㅏ携(手부)

정자는 「攜휴」로、 뜻을 나타내는 「扌재방변」〈손〉과、음을 나타내며 동시에 매다、동여매다(⇩繫계)의 뜻을 나타내기 위한 「巂휴」로 이루어지며、손을 매어 잡다의 뜻。

뜻 휴 ①**끌휴** 이끎。 이끌고 감。 ②**들휴** 손에 가짐。「携帶휴대」 ③**떨어질휴** 분리함。 ④**연할휴** 이음。

주의 「攜」가 정자(正字)。「擕」·「攜」는 속자(俗字)。

【携帶 휴대】 몸에 가짐。 몸에 지니고 다님。

◉提携제휴 必携필휴 解携해휴

13【**摂**】手 10 攝(手部十八畫)의 약자。

十一畫

15【**摩**】手 11 **마** | 갈 | ㊥歌

자원 형성 手 麻음 ┤摩(手부)

「手수」〈손〉와 음을 나타내며 동시에 문지르다의 뜻(⇩撫무)을 나타내기 위한 「麻마」로 이루어짐。손으로 쓰다듬다→갈다의 뜻。

뜻 ①**갈마** 닳게 하기 위하여 문지름。「硏摩연마」 ②**비빌마** 문지름。「摩擦마찰」 ③**만질마** 쓰다듬음。또 어루만짐。「撫摩무마」 ④**가까이할마** 가까이 감。접근함。전(轉)하여 필적(匹敵)·근사(近似)의 뜻으로 쓰임。⑤**헤아릴마** 상량(商量)함。

【**摩滅** 마멸】닳아서 없어짐。

【**摩擦** 마찰】두 물건이 서로 닿아서 비빔。

◉按摩안마 硏摩연마 編摩편마

15【**摯**】手 11 **지** | 잡을 | ㊤寘

자원 형성 手 執음 ┤摯(手부)

「手수」〈손〉와、음을 나타내며 동시(同時)에 쥐다의 뜻을 가지는 「執집」으로 이루어지며、손에 쥐는 뜻。또 음을 빌어、진실(眞實)·진심(眞心)의 뜻에 쓰임。

뜻 ①**잡을지** 손에 쥠。②**이를지** 옴。③**올릴지** 진언(進言)함。④**지극할지** 정의(情意) 같은 것이 극진함。「眞摯진지」 ⑤**사나울지** ⑥**폐백지**

14【**摘**】手 11 고교 **적** | 딸 | ㊁錫

一 十 扌 扌 扩 扩 摘 摘 摘 摘

자원 형성 商음 手-扌┤摘(手부)

「扌재방변」〈손〉과、음을 나타내며 동시에 엄지와 인지가 마주 닿는다는 뜻을 나타내기 위한 「啇적」으로 이루어짐。손가락으로 집다의 뜻。

뜻 ①**딸적** 잡아 뗌。「摘掇적철」 ②**들추어낼적** 지적함。적발함。「摘奸적간」 ③**손가락질할적** 손가락으로 가리킴。④**움직일적** 움직여 가게 함。

【**摘錄** 적록】요점(要點)을 추려 적은 기록(記錄)。

【**摘發** 적발】숨은 일을 들추어 냄。

【**摘要** 적요】요점(要點)을 추려 적음。또 그 문서(文書)。

◉指摘지적

14【**摸**】手 11 **모**(①막 ㊭) | 더듬을 | ①㊁藥 ②㊥虞

자원 형성 莫음 手-扌┤摸(手부)

「扌재방변」〈손〉과、음을 나타내는 「莫막·모」로 이루어짐。손으로 더듬다의 뜻。또、「摹모」와 통용하나、지금은 「摹」는 거의 쓰이지 않고、「摸」가 그 뜻을 겸함。

뜻 ①**더듬을모** 손으로 더듬어 찾음。※본음(本音) 막 ②**본뜰모**

주의 「摹」는 같은 글자。

【**摸倣** 모방】흉내를 냄。본을 뜸。

【**摸造** 모조】흉내내어 만듦

14 【撤】手 11 철 | 거둘 | [入]屑

[자원] 형성 手 㪔[음] 手-扌┤撤(手부)

「扌재방변」〈손〉과, 음을 나타내며 동시에 제거(除去)하다의 뜻을 나타내는 「徹철」의 생략체(省略體) 「㪔」로 이루어짐.

[뜻] **거둘철, 치울철** ㉠제거함. 「撤去철거」 ㉡그만둠. 폐(廢)함.

【撤去 철거】 거두어 치워버림.

【撤頭撤尾 철두철미】 처음부터 끝까지 투철(透撤)함.

【撤兵 철병】 주둔(駐屯)하였던 군대(軍隊)를 거두어 들임.

【撤退 철퇴】 거두어 가지고 물러감.

【撤廢 철폐】 거두어 치워 그만둠. 마련했던 일을 폐지함. 「돌려 들임。

【撤回 철회】 내거나 보낸 것을 도로

十二畫

15 【撈】手 12 로 | 잡을 | [平]豪

[자원] 형성 手 勞[음] 手-扌┤撈(手부)

「扌재방변」〈손〉과, 음을 나타내는 「勞로」로 이루어짐. 물속의 물건을 잡다의 뜻.

[뜻] ①**잡을로** 물속에 들어가 채취함. 또는 물속의 물건을 잡음. ②《韓》 **끙게로** 씨를 뿌린 뒤에 씨앗이 흙에 덮이게 하는 농구.

◉漁撈어로

15 【撒】手 12 살 | 흩을 | [入]曷

[자원] 형성 手 散[음] 手-扌┤撒(手부)

2500년전

「扌재방변」〈손〉에, 음을 나타내는 동시에 흩다의 뜻을 가진 「散산」을 더하여 이루어짐. 손으로 흩뿌리다의 뜻.

[뜻] ①**놓을살** 방치(放置)함. ②**흩을살** 흩어지게 함. 「撒壞살괴」 ③**뿌릴살** 물 같은 것을 뿌림. 「撒水살수」

【撒水 살수】 물을 뿌림.

【撒布 살포】 뿌림.

15 【撞】手 12 당 | 부딪칠 | [平]江

[자원] 형성 手 童[음] 手-扌┤撞(手부)

「扌재방변」〈손〉과, 음을 나타내며 동시에 쳐서 부딪치게 하다의 뜻(⇩衝충)을 나타내기 위한 「童동」으로 이루어짐. 손을 치다→부딪치다의 뜻.

[뜻] ①**부딪칠당** 충돌함. 「撞突당돌」 ②**칠당** 두드림.

【撞着 당착】 ①서로 맞부딪침. ②앞뒤가 맞지 아니함.

15 【撫】手 12 무 | 어루만질 | [上]虞

[자원] 형성 手 無[음] 手-扌┤撫(手부)

2500년전

「扌재방변」〈손〉과, 음을 나타내는 동시에 표면을 문지르다의 뜻(⇩摩마)을 나타내는 「無무」로 이루어짐. 손으로 쓰다듬다→위안하다의 뜻.

[뜻] ①**어루만질무** ㉠쓰다듬음. ㉡애무함. ㉢위로함. 위안함. 「慰撫위무」 ②**좇을무** 따름. ③**누를무** 손

으로 누름。④**기댈무** 의지함。⑤**칠무** 두드림。
【撫摩 무마】손으로 어루만짐。사람의 마음을 잘 타일러 위로(慰勞)함。
【撫育 무육】어루만져 기름。
【撫恤 무휼】백성을 어루만져 위로하며 물질로써 은혜를 베풂。
◉宣撫선무 巡撫순무 愛撫애무 鎭撫진무

15【**播**】手 12 [고교] **파** — 뿌릴 — [去]箇

亅 扌 扌 扌 扌 扌 播 播 播 播

[자원] 형성 番[음] 手·扌 ┤播(手부)
음을 나타내는 「番번」(파는 변음)이 밭에 씨를 뿌리는 뜻의 본디 글자。나중에 원뜻이 쓰이지 않게 되었으므로 「扌재방변」〈손〉을 보태어 「播」를 만들고, 뿌리다의 뜻의 글자로 하였음。
[뜻] ①**뿌릴파** 씨를 뿌림。「播種파종」②**펼파** 널리 퍼뜨림。「傳播전파」③**베풀파** 널리 시행함。널리 미치게 함。④**헤칠파** 흩뜨림。⑤**버릴파** 내버림。방기(放棄)함。⑥**달아날파** 도망함。또 방랑함。「播遷파천」⑦**까불파**
【播種 파종】씨앗을 뿌림。
【播遷 파천】①먼 나라를 유랑(流浪)함。②임금이 도성(都城)을 떠나 난리를 피(避)함。
◉揚播양파 傳播전파 種播종파 弘播홍파

15【**撮**】手 12 **촬** — 집을 — [入]曷

[자원] 형성 最[음] 手·扌 ┤撮(手부)

2500년전

「扌재방변」〈손〉과, 음을 나타내며 동시(同時)에 세 개의 손가락으로 집다의 뜻을 가지는 「最최」(촬은 변음)로 이루어지며, 손끝으로 한줌 집어들다의 뜻。일설(一說)에 「最」는 곤란(困難)을 무릅쓰고 취하다의 뜻(⇩取취)을 나타낸다고 함。
[뜻] ①**집을촬** ㉠손가락 끝으로 집음。㉡요점을 집음。요점을 추림。「撮要촬요」②**모을촬** 한데 모음。③**자밤촬** 손가락 끝으로 집을 만한 분량。「一撮土일촬토」④**양이름촬** 양(量)의 단위。규(圭)의 네 배(倍)。규(圭)는 기장 예순 네 알의 양。
【撮影 촬영】《韓》사진을 찍음。

15【**撰**】手 12 ㊀**찬** ㊁**선** — 지을 — ㊀[上]潸 ㊁[上]銑

[자원] 형성 巽[음] 手·扌 ┤撰(手부)
「扌재방변」〈손〉과, 음을 나타내는 「巽손·선」으로 이루어지며, 글자를 벌이어 쓰다의 뜻。또 음을 빌어 가리다의 뜻(⇩選선)에 쓰임。
[뜻] ㊀①**지을찬** 시문 따위를 지음。「撰述찬술」②**적을찬** 기록함。③**가질찬** 쥠。④**일찬** 사항。⑤**저술찬** 저작。㊁**가릴선** 選(辵部十二畫)과 같은 글자。
【撰錄 찬록】글을 지어 기록함。또 그 기록。
【撰述 찬술】책을 지음。저술(著述)。
【撰著 찬저】찬술(撰述)。
【撰集 찬집】사실을 수집(收集)하여 기록함。
◉杜撰두찬 修撰수찬 新撰신찬 自撰자찬

15 【撲】 手 12 ㊀박 ㊁복 —칠— ㊀㊇覺 ㊁㊇屋

자원 형성 手 業(음) 手-扌┬撲(手부) 2500년전

「扌재방변」〈손〉과, 쳤을 때 나는 음을 나타내는 「業복」으로 이루어짐. 손으로 때리다의 뜻.

뜻 ㊀①**칠박** 두드림. 「撲殺박살」. ②**찌를박** 자극함. ③**엎드러질박** 넘어짐. ㊁①**종아리채복** ②**길들이지않을복** 아직 조련(調練)이 되지 아니함.

【撲滅 박멸】 짓두드려서 아주 없애버림.

【撲殺 박살】 때려 죽임.

十三畫

17 【擊】 手 13 고교 격 —칠— ㊇錫

一 𠃊 亘 車 𨊠 軎 毄 墼 擊

자원 형성 手 毄(음) ┬擊(手부)

「手수」〈손〉와, 음을 나타내는 동시에 친다는 뜻(⇩殳구)을 가진 「毄격」으로 이루어짐. 손으로 치다의 뜻. 전하여 치다의 뜻.

뜻 ①**칠격** ㉠두드림. 「擊鼓격고」 ㉡공격함. 「擊退격퇴」 ㉢다툼. 싸움. ②**부딪칠격** 충돌함. ③**죽일격** 쳐죽임. ④**마주칠격** 눈으로 봄.

【擊滅 격멸】 쳐서 멸(滅)함.

【擊蒙 격몽】 몽매(蒙昧)한 아동의 지혜를 계몽하여 주는 일. 전하여 교육(敎育).

【擊殺 격살】 쳐 죽임.

【擊攘* 격양】 쳐 물리침.

【擊墜* 격추】 비행기를 쳐서 떨어뜨림.

【擊沈 격침】 배를 쳐서 침몰시킴.

【擊退 격퇴】 적군을 쳐서 물리침.

【擊破 격파】 쳐서 깨뜨림.

◉ 攻擊공격 突擊돌격 目擊목격 射擊사격 襲擊습격 電擊전격 進擊진격 追擊추격 衝擊충격 打擊타격 砲擊포격

16 【擁】 手 13 옹 —낄— ①-③㊤腫 ④㊥冬

자원 형성 手 雍(음) 手-扌┬擁(手부)

「扌재방변」〈손〉과, 음을 나타내며 동시에 덮다의 뜻을 나타내기 위한 「雍옹」으로 이루어짐. 손으로 덮어 가리고 꼭 껴안다의 뜻. 전하여 지키다의 뜻.

뜻 ①**낄옹** ㉠겨드랑이에 낌. ㉡가짐. 소유함. ㉢호위함. 「擁護옹호」 ②**안을옹** 품에 안음. 「抱擁포옹」 ③**들옹** 손에 가짐. ④**가릴옹, 막을옹**

【擁立 옹립】 옹호(擁護)하여 세움.

【擁護 옹호】 부축하여 보호(保護)함.

16 【擅】 手 13 천 —천단— ㊋霰

자원 형성 手 亶(음) 手-扌┬擅(手부) 2500년전

「扌재방변」〈손〉과, 음을 나타내며 동시(同時)에 독점(獨占)하다의 뜻(⇩占점)을 가지는 「亶단」(천은 변음)으로 이루어지며, 손 안에 독점하다의 뜻.

뜻 ①**천단천** 제멋대로 하는 일. 전횡(專橫). ②**천단할천** 제멋대로 함. ③**멋대로천** 제 마음대로.

주의 「擅단」〈단〉은 딴 글자.

〔四畫部首順〕 心戈戶手支攴文斗斤方无日曰月木欠止歹殳毋比毛氏气水火爪父爻爿片牙牛犬

16 **【擇】** 手 13 고교 | **택** | 가릴 | ㊀陌

자원 형성 睪음 手-扌┬擇(手부)

「扌재방변」〈손〉과, 음을 나타내며 동시(同時)에 나누다의 뜻(⇩拆탁)을 가지는 「睪택」으로 이루어지며, 손으로 가려 뽑다의 뜻.

뜻 **가릴택** ㉠고름. 선택함. 「選擇선택」 ㉡구별함. 차별함.

【擇善 택선】 선(善)을 택(擇)함.

【擇人 택인】 인재(人材)를 고름.

【擇日 택일】 좋은 날짜를 고름.

◉選擇선택 收擇수택 採擇채택

16 **【操】** 手 13 고교 | **조** | 잡을 | ①②㊥豪 ③-⑤㊤號

자원 형성 喿음 手-扌┬操(手부)

음을 나타내는 「喿소·조」는 많은 새들이 나무 위에 떼지어 시끄럽게 지저귀는 일. 여기에서는 많은 자잘한 일을 나타냄. 「扌재방변」은 손→가지는 일. 「操」는 이것저것을 솜씨 좋게 다루다→손에 꼭 쥐다→굳게 지키다. 지조.

뜻 ①**잡을조** 쥠. ②**부릴조** 사역(使役)함. 「操縱조종」 ③**지조조** 절개. 「志操지조」 ④**풍치조** 운치. ⑤**곡조조** 금곡(琴曲). 또 금곡의 이름.

【操心 조심】 삼가 주의함.

【操業 조업】 ①절개(節介)와 업적. ②작업을 실시함.

【操縱 조종】 마음대로 다룸. 자유(自由)로 부림.

◉烈操열조 節操절조 貞操정조 志操지조

16 **【擔】** 手 13 고교 | **담** | 멜 | ①②㊥覃 ③㊤勘

자원 형성 詹음 人-亻┬儋─擔(手부) 2500년전

음을 나타내는 「詹첨·담」은 수다스럽게 지껄이는 일. 또 여러가지 물건을 내려다보는 일. 「儋담」은 물건을 정리하여 어깨에 메는 일. 메는 것은 손의 동작(動作)이므로 나중에 「扌재방변」을 붙여 「擔」이라 씀.

뜻 ①**멜담** 짐을 어깨에 멤. 「擔銃담총」 ②**맡을담** 부담함. 인수함. 「擔任담임」 ③**짐담** 하물. 부담한 일.

【擔當 담당】 일을 맡아 함.

【擔保 담보】 ①맡아서 보증(保證)함. ②채권(債權)을 보전하기 위하여 제공(提供)된 보증.

【擔任 담임】 책임(責任)을 지고 일을 맡아 봄.

◉加擔가담 負擔부담 分擔분담 重擔중담

16 **【據】** 手 13 고교 | **거** | 의거할 | ㊤御

자원 형성 豦음 手-扌┬據(手부)

「扌재방변」〈손〉과, 음을 나타내며 동시에 지팡이에 기대다의 뜻을 나타내기 위한 「豦거」로 이루어져 손으로 매어달린다는 뜻. 전하여 기대다·의지하다의 뜻.

뜻 ①의거할거 ㉠증거로 삼음。「據實거실」 ㉡의지함。 ㉢의탁함。 ②웅거할거 땅을 차지하고 막아 지킴。「據守거수」 ③누를거 억누름。 ④의거거 의지할 데。

주의 「拠」는 속자(俗字)。

【據點 거점】 근거가 되는 점。

◉群雄割據군웅할거 根據근거 論據논거 雄據웅거 依據의거 占據점거 證據증거

十四畫

17 【擡】 手 14 대 | 들 | ㊥灰

자원 형성 臺음 手-扌┬擡(手부)

「扌재방변」〈손〉과、음을 나타내며 동시에 높다의 뜻을 가진 「臺대」로 이루어짐。

뜻 들대 들어 올림。「擡擧대거」

주의 「抬」는 속자(俗字)。

【擡頭 대두】 ①머리를 듦。전(轉)하여 ②일어남。

17 【擢】 手 14 탁 | 뽑을 | ㊀覺 2500년전

자원 형성 翟음 手-扌┬擢(手부)

「扌재방변」〈손〉과、음과 함께 유난히 튀어 나오다의 뜻(⇩卓탁)을 나타내기 위한 「翟적·탁」으로 이루어짐。 많은 가운데서 하나만 높게 빼나다의 뜻。

뜻 ①뽑을탁 ㉠뽑아 버림。 ㉡선발함。「拔擢발탁」 ②빼낼탁 솟음。 또 특출함。「擢秀탁수」

【擢拔 탁발】 선발함。 발탁(拔擢)。

【擢用 탁용】 발탁(拔擢)하여 등용함。

◉擧擢거탁 拔擢발탁 薦擢천탁

17 【擦】 手 14 찰 | 비빌 | ㊀黠 2500년전

자원 형성 察음 手-扌┬擦(手부)

「扌재방변」〈손〉과、음을 나타내며 동시에 비비다의 뜻(⇩㕞쇄)을 나타내기 위한 「察찰」로 이루어짐。

뜻 비빌찰 되게 문지름。「摩擦마찰」

【擦過傷 찰과상】 스치거나 문질려서 벗어진 상처。 찰상(擦傷)。

◉摩擦마찰

17 【擬】 手 14 의 | 헤아릴 | ㊤紙

자원 형성 疑음 手-扌┬擬(手부)

「扌재방변」〈손〉과 음을 나타내는 동시에 닮게 하다의 뜻을 가진 「疑의」로 이루어짐。 손으로 흉내내어 닮게 만들다의 뜻。 전(轉)하여 흉내내다·본뜨다의 뜻。

뜻 ①헤아릴의 상량(商量)함。 ②비길의 ㉠흉내냄。 본뜸。 ㉡견줌。

【擬古 의고】 옛날 시문(詩文)의 체(體)를 본뜸。

【擬人 의인】 물건을 사람에 비김。 무정한 물체를 유정한 사람처럼 취급함。

【擬制 의제】 견주어 만듦。 견주어 제정함。

【擬態 의태】 곤충(昆蟲)이 자신의 위험을 방어하기 위하여 그 자신의 모양을 다른 물건과 비슷하게 하는 현상。

◉模擬모의 比擬비의 注擬주의 準擬준의

【擧】⇨臼部十一畫

十五畫

19 **【攀】** 手 15 **반** | 더위잡고오를 | ㊥刪

자원 형성 手 樊음 ┬攀(手부)

「手수」〈손〉와 음을 나타내는 동시에 끈의 뜻을 가진 「樊번」(반은 변음)으로 이루어짐. 끈에 매어달려 기어오르다의 뜻.

뜻 ①**더위잡고오를반** 나무를 타거나 산 같은 것을 기어 오름. 「攀登반등」 ②**당길반** 끌어 당김.

◉登攀등반

18 **【擲】** 手 15 **척** | 던질 | ㊇陌

자원 형성 手 鄭음 ┬擲(手부)

「扌재방변」〈손〉과 음을 나타내는 「鄭정」(척은 변음)으로 이루어진 글자.

뜻 **던질척** ㉠내던짐. 투척함. 「投擲투척」 ㉡내버림. 방기함.

◉坤乾一擲곤건일척 放擲방척 投擲투척

18 **【擴】** 手 15 고교 **확** | 넓힐 | ㊇藥

一 扌 扩 扩 扩 擴 擴 擴

자원 형성 手 廣음 ┬擴(手부)

「扌재방변」은 본래 손(手)의 뜻이지마는, 손만이 아니라 …하다의 뜻도 나타냄. 음을 나타내는 「廣광」(확은 변음)은 넓다의 뜻이며, 「擴」은 넓게 하다·넓히다의 뜻.

뜻 **넓힐확** 확대함. 「擴張확장」

【擴大 확대】 늘이어서 크게 함.

【擴大鏡 확대경】 몇 갑절이나 늘이어서 비춰 보는 거울. 볼록렌즈·현미경(顯微鏡) 따위.

【擴張 확장】 늘이어서 넓게 함.

【擴充 확충】 넓히어 충실(充實)하게 함.

18 **【擾】** 手 15 **요** | 길들일 | ㊤篠

자원 형성 手 憂음 ┬擾(手부)

「扌재방변」〈손〉과, 음을 나타내는 「憂우」(요는 변음)로 이루어짐. 손이 날뛰어 움직이다의 뜻에서 전(轉)하여 어지럽히다의 뜻.

뜻 ①**길들일요** ㉠짐승 같은 것을 길들임. 「擾柔요유」 ㉡전(轉)하여 가축. ②**순할요** 유순함. ③**어지러울요, 어지럽힐요** ㉠난잡함. 난잡하게 함. ㉡소란함. 소란하게 함. 「擾亂요란」 ④**편안히할요** 안일(安逸)하게 함.

【擾亂 요란】 소란함. 또 소란하게 함.

◉煩擾번요 紛擾분요 騷擾소요

十八畫

21 **【攜】** 手 18 携(手部十畫)의 본디 글자.

21 **【攝】** 手 18 ㊀**섭** ㊁**녑** | 당길 | ㊇葉 ㊀㊁

자원 형성 手 聶음 ┬攝(手부)

「扌재방변」과 음을 나타내는 동시에

모으다의 뜻(⇩聚취)을 나타내는 「聶섭」으로 이루어짐。손으로 옷자락을 걷어 올려 잡다의 뜻。널리 한 손으로 휘몰아 일을 처리하다↓잡다↓겸하다의 뜻을 나타냄。

뜻 ㊀①**당길섭** 끌어당김。②**잡을섭** 잡음。③**가질섭** 소유함。④**걷을섭** 걷어 올림。⑤**도울섭** 보좌함。⑥**거느릴섭** 관할(管轄)함。⑦**겸할섭** 겸무함。「兼攝겸섭」 ⑧**성낼섭** 성내어 봄。⑨**빌섭** 남의 물건을 빌어 씀。⑩**추포할섭** 쫓아가 잡음。⑪**대신할섭** 남을 대신함。또 대리(代理)。⑫**낄섭** 양쪽 사이에 낌。⑬**다스릴섭** 양생함。⑭**잡맬섭** 고결(固結)함。⑮**두려워할섭** 무서워함。⑯**이를섭** 위압함。㊁**고요할녑** 조용함。

【攝理 섭리】 ①대리하여 다스림。②신(神)이 이 세상의 모든 일을 다스리는 일。

【攝生 섭생】 양생(養生)함。

【攝政 섭정】 임금을 대리하여 정사(政事)를 맡아 봄。

【攝取 섭취】 양분을 빨아 들임。

支部

【支】 4 부수 중학 **지** | 가지 | ㊥支

一 十 ち 支

자원 회의 个+又→支(부수)

「个개」는 「竹죽」〈대나무〉의 하나하나。여기에서는 하나하나의 물건(⇩箇개)을 나타냄。「又우」는 손→가지다의 뜻。「支」는 하나하나의 물건을 갖다→버티다의 뜻。또 「本근본본·幹줄기간」에 대하여 「枝가지지」에 해당하는 것을 「支」라 일컫고, 「岐기」「技기」「枝지」 따위의 글자는 모두 「支」를 근본으로 하여 생겼음。

뜻 ①**가지지** ㉠초목의 가지。枝(木部四畫)와 같은 글자。㉡종파(宗派)에서 갈린 지파(支派)。②**팔다리지** 두 팔과 두 다리。肢(肉部四畫)와 같은 글자。「支體지체」 ③**갈릴지**、**가를지** 분리함。분리시킴。④**헤아릴지** 계산함。⑤**버틸지** ㉠쓰러지지 않게 가눔。㉡의지하게 함。괌。㉢맞서서 겨룸。㉣배겨냄。⑥**지출지** 지불。⑦**지급지** 급여。⑧**지지지** 십이지(十二支)。「干支간지」

주의 「攴복」〈치다〉과는 딴글자。

참고 「支」를 음으로 하는 글자=「忮기」〈해치다〉·「技기」〈재주〉·「肢지」〈팔다리〉·「伎기」〈재주〉·「枝지·기」〈가지〉·「岐기」〈갈래지다〉

【支那 지나】 중국(中國)。한토(漢土)。진(秦)의 전와(轉訛)라 함。

【支流 지류】 ①물의 원 줄기에서 갈려 흐르는 물줄기。②지파(支派)。

【支離 지리】 ①이리저리 흩어짐。지리멸렬함。②형체가 완전하지 못함。병신임。③곱사등이。④옛날의 백정(白丁)의 이름。⑤진(陣)의 이름。

【支離滅裂 지리멸렬】 여지(餘地)없이 흩어지어 갈피를 잡을 수 없음。

【支配 지배】 ①사무를 구분하여 처리함。전(轉)하여 ②맡아 다스림。

【支屬 지속】 지족(支族).
【支障 지장】 일을 하는 데에 거치적거림. 장애(障礙).
【支柱 지주】 버티는 기둥. 버팀목.
【支持 지지】 ①지탱함. 버팀. ②찬동하여 뒷받침함.
【支體 지체】 몸. 지체(肢體).
◉干支간지 氣管支기관지 收支수지 十二支십이지 度支탁지 地支지지

攴(攵)部

4 【攴】 부수 복 ― 칠 ― [入]屋

[자원] 형성 卜[음] 手-又 ┬ 攴(부수)  3000년전

손을 본딴「又우」와, 음을 나타내며 동시(同時)에 작은 나무의 뜻을 가진「卜복」으로 이루어짐. 작은 나무로 치다의 뜻. 부수(部首·등글월문방)로서는 치는 것, 강제(強制)하는 뜻에 관계(關係)되는 뜻을 나타냄. 변으로 쓰일 때는「攵」으로도 씀.

[뜻] **칠복** 가볍게 똑똑 두드림.

[주의] 「支지」〈가지〉와는 딴글자.

[참고] 「攴」을 음으로 하는 글자=「牧목」〈목장〉

4 【攵】 攴 0 攴(앞 글자)와 같은 글자.

二畫

6 【收】 攴 2 [중학] 수 ― 거둘 ― [平]尤

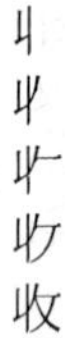

[자원] 형성 攴-攵 丩[음] ┬ 收(攴부)  2000년전

음을 나타내는「丩구」(수는 변음)는 모으다→세게 졸라 매다→매다. 「攵복」은 거동을 하다. 「收」는 잡다→거두어들이다.

[뜻] ①**거둘수** 한데 모아 들임. 「收穫수확」 ②**길을수** 물을 길음. ③**쇠할수** 쇠잔함. ④**가질수** 소지함. ⑤**잡을수** 체포함. 「收捕수포」 ⑥**쉴수** 그만둠. 그침. ⑦**가든히할수** 정제함. 「收斂수렴」 ⑧**쓸수** 등용함. 「收採수채」 ⑨**뒤턱가로나무수** 수레 뒤의 횡목(橫木).

【收監 수감】 체포하여 옥에 가둠. 입뢰(入牢). 하옥(下獄). 투옥(投獄).
【收納 수납】 거두어 들여서 바침.
【收錄 수록】 모아서 기록(記錄)함. 또 그 문서.
【收復 수복】 회복함.
【收拾 수습】 ①흩어진 물건을 주워 거둠. ②치움. 정리함. 정돈함.
【收用 수용】 ①거두어 들여 씀. ②공공(公共)의 이익을 위하여 본인의 의사를 묻지 않고 강제적으로 재산권을 취득(取得)하여 국가나 제삼자의 소유로 옮김.
【收容 수용】 ①데려다 넣어 둠. ②거두어 넣어 둠. ③범죄자를 형무소에 가둠.
【收益 수익】 이익(利益)을 거두어 들임. 또 그 이익.
【收入 수입】 곡물 또는 금전 등을 거두어 들임. 또 그 물건이나 금액.

【收藏 수장】거두어서 깊이 간직함。
【收支 수지】수입(收入)과 지출(支出)。
【收集 수집】거두어 모음。수집(收輯)。
【收縮 수축】오그라듦。또 오그라들게 함。
【收穫 수확】곡식을 거두어 들임。또 「그 곡식。
【收賄*수회】뇌물(賂物)을 받음。
◉減收감수 農收농수 買收매수 沒收몰수 未收미수 領收영수 月收월수 日收일수 撤收철수 秋收추수 還收환수 回收회수

6 【攷】攴 2 考(老部二畫)의 옛 글자。

三畫

7 【斈】攴 3 學(子部十三畫)의 속자(俗字)。

7 【改】攴 3 중학 개 | 고칠 | ㊤ 賄

ㄱ ㄱ 己 己' 己' 改 改

자원 형성 攴-攵 ┐ 己음 ┘ 改-改(攴부)

음을 나타내는 「己기」(개는 변음)는 굽은 것이 바로 펴지려고 하는 일。후세의 「起기」〈일어나다〉와 같은 글자。「攵복」은 손이나 몸으로 동작하는 일。「改」는 굽은 것을 바로잡다→태도를 고치다→개선(改善)하다의 뜻。

뜻 ①고칠개 ㉠바로잡음。「改革개혁」 ㉡변경함。「改名개명」 ②고쳐질개 윗 뜻의 자동사。

【改嫁*개가】과부(寡婦) 또는 이혼(離婚)한 여자가 다른 남자에게로 시집감。재가(再嫁)。재혼(再婚)。
【改過遷善 개과천선】허물을 고치고 착하게 됨。
【改備 개비】갈아 내고 다시 장만함。
【改善 개선】나쁜 것을 고치어 좋게 함。개량(改良)。
【改選 개선】새로 선거(選擧)함。고쳐 뽑음。
【改修 개수】고쳐 닦음。몸을 닦아 나쁜 점을 고침。
【改新 개신】고치어 새롭게 함。
【改心 개심】마음을 고침。
【改易 개역】①고침。변경함。②딴 것으로 바꿈。
【改議 개의】①고치어 의논(議論)함。②회의(會議)에서 다른 사람의 동의(動議)를 고침。
【改作 개작】고치어 다시 지음。또 고치어 다시 만듦。
【改悛*개전】잘못을 뉘우쳐 고침。마음을 바로 먹음。
【改正 개정】고치어 바르게 함。옳게 고침。
【改定 개정】고치어 다시 정(定)함。
【改訂 개정】문장 등의 틀린 곳을 고침。정정(訂正)。
【改造 개조】고치어 다시 만듦。
【改宗 개종】①다른 종교(宗敎)나 종지(宗旨)를 믿음。전(轉)하여 ②주의를 바꿈。
【改築 개축】고치어 건축(建築)함。
【改稱 개칭】고치어 일컬음。이름이나 호칭을 고침。
【改編 개편】①책 따위를 고쳐 다시 엮음。②군대·단체의 조직을 다시 편성함。
【改廢 개폐】고치거나 폐지(廢止)함。개정과 폐지。
【改革 개혁】새롭게 뜯어 고침。
◉變改변개 修改수개 朝令暮改조령모개

朝變夕改조변석개 遷改천개 悔改회개

7 【攻】攴 3 고교 **공** | 칠 | (平)東

一 丅 工 工' 工ᐟ 功 攻

자원 형성 工음 + 攴-攵 → 攻(攴부) 2500년전

친다는 뜻을 나타내는 「攵복」과, 음을 나타내는 「工공」으로 이루어짐. 무기를 들고 치다의 뜻.

뜻 ①**칠공** ㉠공격함. 「攻守공수」 ㉡책망함. 「攻駁공박」 ㉢괴롭힘. ②**다스릴공** ㉠정돈함. ㉡병을 다스림. ③**닦을공** ㉠학문을 연구함. ㉡문질러 윤기를 냄. 옥 같은 것을 갊. ④**지을공** 만듦. ⑤**굳을공** 견고함. ⑥**불깔공** 거세함.

【攻擊 공격】①나아가 적을 침. 공벌(攻伐). ②엄하게 논박함. 몹시 꾸짖음.

【攻略 공략】공탈(攻奪).

【攻駁* 공박】남의 잘못을 논박하고 공격함.

【攻伐 공벌】죄 있는 무리를 침. 토벌(討伐). 정벌(征伐).

【攻勢 공세】공격을 하는 태세.

【攻奪 공탈】공격하여 빼앗음.

【攻破 공파】공격하여 깨뜨림.

◉群攻군공 難攻난공 先攻선공 水攻수공 遠交近攻원교근공 專攻전공 侵攻침공

四畫

8 【放】攴 4 중학 **방** | 내칠 | ①-⑪(去)漾 ⑫-⑭(上)養

亠 方 方 方' 於 放 放

자원 형성 方음 + 攴-攵 → 放(攴부)

「攵복」은 손으로 무엇인가 하다→무리하게 무엇인가 시키다의 뜻. 음을 나타내는 「方방」은 좌우로 퍼지다→중앙으로부터 떨어지다의 뜻. 「放」은 나쁜 사람을 중앙으로부터 쫓아내는 형벌(刑罰). 나중에 내놓다→내버려두다→살짝 물건을 놓다 따위의 뜻에 씀. 또 일설(一說)에는 「方」은 십자가에 못 박은 모양이며, 「放」은 십자가에 못 박는 일. 나중에 추방(追放)하는 형벌로 변하였다고 함.

뜻 ①**내칠방** 추방함. 「放逐방축」 ②**놓을방** ㉠둠. 하지 아니함. ㉡석방함. 「放免방면」 ㉢불을 지름. ㉣발사(發射)함. ③**놓일방** 석방됨. ④**내놓을방** 동물 같은 것을 내놓아 기름. 「放牧방목」 ⑤**내걸방** 게시(揭示)함. ⑥**낼방** 빛을 발함. ⑦**버릴방** 내버림. ⑧**꾸어줄방** 대여함. 또 빚놓이함. ⑨**필방** 꽃이 핌. ⑩**방자할방** 방종함. ⑪**멋대로할방** 거리낌 없이 함. 「放言방언」 ⑫**이를방** 다다름. ⑬**의할방** 의지함. ⑭**본받을방** 모방함.

【放課 방과】그날 학과(學課)를 끝냄.

【放談 방담】①생각나는 대로 거리낌 없이 말함. 또 그 이야기. ②되는 대로 마구 지껄임.

【放浪 방랑】정처 없이 떠돌아 다님.

【放論 방론】거리낌 없이 논함.

【放流 방류】①추방당하여 유랑(流浪)함. ②귀양 보냄.

【放賣 방매】물건을 내 팖.

【放免 방면】용서하여 놓아줌.

【放牧 방목】소·말·양(羊) 따위를 놓

아서 기름。방사(放飼)。

【放射 방사】①내쏨。②바퀴살 모양으로 한 곳에서 그 주위(周圍)에 각각 직선(直線)으로 내뻗침。

【放散 방산】①흩뜨림。또 흩어짐。②방자(放恣)。

【放送 방송】①놓아 보냄。②라디오・텔레비전을 통하여 뉴우스・강연・연예 따위를 보냄。

【放心 방심】①마음을 다잡지 아니하고 풀어 놓아버림。②잃어버린 양심。③방자한 마음。

【放言 방언】①조금도 거리낌 없이 말함。②세무(世務)를 말하지 아니함。

【放任 방임】제대로 되어가게 내버려 둠。

【放恣 방자】꺼리는 것이 없이 멋대로 굶。기탄 없이 행동함。

【放縱 방종】방자(放恣)。

【放逐 방축】①쫓아냄。②방축향리(放逐鄕里)의 약어(略語)。

【放出 방출】한꺼번에 내어 놓음。

【放置 방치】그대로 내버려둠。

【放蕩* 방탕】①방자(放恣)。②칠칠찮음。③주색(酒色)에 빠짐。

【放火 방화】①일부러 불을 놓음。불을 지름。②등불을 켬。

◉ 開放개방 奔放분방 釋放석방 疏放소방 雄放웅방 追放추방 解放해방 豪放호방

五畫

9 **【政】** 攴 5 중학 **정** — 정사 — ①-⑤去敬 ⑥⑦平庚

一 丅 下 正 正 政

자원 형성 攴-攵 正음 + 政 (攴부)

2500년전

〔攴〕 3000년전

「攵복」은 막대기를 손에 쥐다→물건을 치는 일。「攵」이 붙는 한자는 「…하다」「…시키다」의 뜻을 나타냄。음을 나타내는 「正정」은 「征정」과 통하여 적을 치는 일。「政」은 무력으로 상대방을 지배하는 일。나중에 「正」은 바른 일、「政」은 부정(不正)한 것을 바로 잡는 일이라고 생각하여 정치는 부정을 바로잡고 정치가는 먼저 몸을 바로 가지면 세상도 자연히 다스려진다고 설명함。

뜻 ①**정사정** ㉠정치。「政敎정교」 ㉡전(轉)하여 널리 사물을 다스리는 일。「財政재정」「家政가정」 ②**법정** 법제。금령(禁令)。③**구실정** 이무(吏務)。④**부역정** 국가의 노역(勞役)。⑤**바로잡을정** 바르게 함。⑥**구실정** 조세。⑦**칠정** 정벌(征伐)。

【政綱 정강】정치의 강령(綱領)。

【政見 정견】정치상의 의견이나 식견。

【政局 정국】정치의 국면(局面)。

【政權 정권】①정치에 참여(參與)하는 권리(權利)。②정치를 행하는 권력(權力)。정병(政柄)。

【政黨 정당】정견(政見)을 같이하는 사람들이 정치 권력에의 참여를 목적으로 조직하는 단체。정사(政社)。

【政略 정략】①정치상(政治上)의 책략(策略)。②지모(智謀)와 방략(方略)。

【政令 정령】①정전(政典)。②정치상(政治上)의 명령(命令)。

【政論 정론】정치상의 언론。정치에 관한 의론。정담(政談)。

〔四畫部首順〕 心戈戶手支攴文斗斤方无日曰月木欠止歹殳毋比毛氏气水火爪父爻爿片牙牛犬

【政務 정무】정치에 관한 사무。
【政房 정방】《韓》고려(高麗) 고종(高宗) 때에 최 이(崔怡)가 처음으로 베푼 사설 정치기관(私設政治機關)。
【政變 정변】정계(政界)의 큰 변동。
【政府 정부】국가(國家)의 정무(政務)를 행사(行使)하는 기관(機關)。
【政事 정사】①정치상(政治上)의 일。②정치(政治)。
【政典 정전】정치상의 법도(法度)와 규칙。
【政策 정책】시정자(施政者)의 방책(方策)。
【政體 정체】①정치를 하는 방식。②국가가 주권을 운용하는 형식。
【政治 정치】국가의 주권자가 그 영토(領土) 및 인민(人民)을 다스림。
◉國政국정 軍政군정 惡政악정 王政왕정 爲政위정 財政재정 帝政제정 憲政헌정 酷政혹정

9 【故】 攴 5 중학 고 | 일 | ㉤遇

一 十 古 古' 古' 故 故

자원 형성 攴-攵 古음 ⊤ 故 (攴부) 故 2500년 전

「攵복」은 행동하는 일을 나타내는 「古고」는 오래 되다、뜻。「故」는 옛날로부터의 습관에 따라 일을 하다。「古」와 마찬가지로 오래 되었다는 뜻으로도 많이 쓰임。

뜻 ①일고 ㉠사건。사항。㉡사변。「事故사고」 ②예고 ㉠옛날。「今故금고」 ㉡옛일。「典故전고」「溫故而知新온고이지신」 ㉢오래 됨。「故址고지」「故國고국」 ③옛벗고 옛친구。「敬故경고」 ④본디고 본래。⑤옛부터고 옛날부터。오래 전부터。구래(舊來)。⑥옛날에고 이전에。「故居고거」 ⑦죽을고 「物故물고」「故人고인」 ⑧짐짓고 일부러。「故意고의」 ⑨연고 이유。까닭。⑩훈고고 주석。주해。⑪고로고 그런고로。

【故家 고가】여러 대(代)를 벼슬이 떨어지지 않고 잘 살아 오는 집안。
【故國 고국】①건국(建國)한 지 오래 된 나라。②고향。③본국(本國)。
【故記 고기】옛날의 기록。
【故都 고도】옛 도읍。구도(舊都)。
【故老 고로】①연로하고 유덕(有德)한 사람。②노인。
【故事 고사】①옛날부터 전해 내려오는 유래(由來) 있는 일。②옛 일。
【故意 고의】①일부러 하는 마음。짐짓 하는 마음。②고인(故人)의 정의(情意)。
【故人 고인】①고구(故舊)。②죽은 사람。③벗에 대하여 자기를 일컫는 말。
【故障 고장】사고로 말미암은 탈。
【故制 고제】옛날의 제도。
【故址* 고지】옛날의 성터나 집터。
【故志 고지】①이전부터 품은 뜻。②옛날의 기록(記錄)。
【故宅 고택】옛날에 살던 집。
【故土 고토】①옛날에 놀던 땅。②고향。
【故鄕 고향】자기가 나서 자란 곳。
【故墟* 고허】고지(故址)。
◉舊故구고 無故무고 物故물고 變故변고 事故사고 喪故상고 世故세고 然故연고 緣故연고 有故유고 典故전고 親故친고

六畫

10【效】攴6 중학 효 | 본받을 | ㊀去效

ㅡ ㅗ 六 交 交 交攵 效 效

자원 형성 攴-攵 交음 ┬效(攴부) 2500년전

적극적(積極的)으로 무엇인가 하는 것을 뜻하는 「攵복」과, 음을 나타내며 동시(同時)에 교차(交差)하다의 뜻을 가진 「交교」로 이루어짐。노력(努力)해서 배우는 일。그 결과(結果)가 보람→효과(效果)가 됨。

뜻 ①**본받을효** 본받아 배움。「放效방효」②**힘쓸효** 힘써 함。「效忠효충」③**드릴효** 바침。④**나타낼효** 드러냄。「效徵효징」⑤**줄효** 수여함。⑥**공효** 공적。「效勞효로」⑦**보람효** 효험。「效果효과」

【效果 효과】①보람。②좋은 결과。성과(成果)。

【效能 효능】①보람。효험(效驗)。②「능률(能律)」。

【效力 효력】보람。효험(效驗)。

【效用 효용】①보람。효험(效驗)。②힘써 일을 함。

【效驗 효험】보람。

◉時效시효 實效실효 藥效약효 良效양효 靈效영효 卽效즉효 忠效충효 驗效험효

【致】⇩至部四畫

七畫

11【敍】攴7 고교 서 | 차례 | ㊤語

ㅅ 스 亼 今 余 余 余攵 敍 敍

자원 형성 余음 攴 ┬敍(攴부) 2500년전

회초리를 손에 들고 강제(強制)하는 모양을 나타낸 「攴복」과, 음을 나타내는 동시에 두다의 뜻(⇩舍사)을 나타내기 위한 「余여」로 이루어짐。정해진 위치에 두다의 뜻。널리 차례를 정하다의 뜻。또 「抒서」와 통(通)하여 베풀다의 뜻。

뜻 ①**차례서** ㉠순차。급。「敍次서차」㉡등급。②**차례매길서** 순서를 정함。③**차례정해질서** 순서가 정하여짐。④**늘어설서** 차례로 섬。⑤**서문서** 머리말。序(广部四畫)와 같은 글자。⑥**서지을서** 서문을 지음。⑦**줄서** 관작을 줌。「敍爵서작」·「敍擢서탁」⑧**베풀서** 진술함。「敍懷서회」

【敍事詩 서사시】작가 자신의 감상(感想)을 섞지 않고 주로 사실(事實)을 서술(敍述)하는 시(詩)。

【敍述 서술】차례(次例)를 따라 말함。

【敍任 서임】관위(官位)를 수여함。

【敍勳*서훈】훈장(勳章)을 내림。

◉論敍논서 等敍등서 班敍반서 封敍봉서 述敍술서 昇敍승서 列敍열서 位敍위서

11【敏】攴7 고교 민 | 민첩할 | ㊤軫

ノ ㅅ 仁 有 有 每 每 每攵 敏

자원 형성 每음 攴-攵 ┬敏(攴부) 2500년전

강제(強制)를 뜻하는 (‖攴 등글월문)과, 음을 나타내는 「每매」(민은 변음)로 이루어짐。강제로 일하게 하다의 뜻。전(轉)하여 재빨

리 시키다→재빠르다의 뜻。

뜻 ①민첩할민 ㉠행동이 재빠름。「敏速민속」 ㉡총명하여 정체함이 없음。「穎敏영민」 ②공손할민 공근(恭謹)함。「恭敏공민」 ③힘쓸민 힘써 함。④엄지발가락민 장지(將指)。

【敏感】 민감 감각이 예민함。

【敏速】 민속 날쌤。재빠름。

【敏腕】 민완 민첩한 수완。

【敏捷*】 민첩 재빠름。

【敏活】 민활 민첩하고 활발함。

◉機敏기민 明敏명민 不敏불민 銳敏예민 叡敏예민 聰敏총민 慧敏혜민

11 【救】 攴 7 중학 구 ─구원할─ 去宥

一 寸 寸 求 求 求 救

자원 형성 攴-攵 求 음 ┬救(攴부)

「攵복」은 손의 동작(動作)。음을 나타내는 「求구」는 정리하다→모으는 일。「救」는 손으로 말리다→구원하는 일。

뜻 ①구원할구 건짐。구조함。「救命구명」「救護구호」 ②도울구 조력함。③막을구 못하게 함。방어함。「救禦구어」 ④구원구、도움구 구조。조력。

【救國】 구국 나라를 환란에서 건짐。

【救急】 구급 위급한 것을 구원함。

【救難】 구난 ①어려운 지경에서 건져 줌。②병난(兵難)을 진압함。

【救療*】 구료 병(病)을 구(救)하여 고치어 줌。요구(療救)。

【救命】 구명 목숨을 건져 줌。

【救貧】 구빈 빈민을 구제함。

【救世濟民】 구세제민 세상 사람을 구제함。

【救世主】 구세주 ①세상 사람을 구제하는 사람。②그리스도의 별칭(別稱)。

【救藥】 구약 구료(救療)。

【救援】 구원 도와 건져 줌。

【救濟】 구제 사람을 구원하여 건져 줌。

【救助】 구조 어려운 지경에 있는 사람을 도와 건져 줌。

【救出】 구출 구(救)하여 냄。

【救護】 구호 구제(救濟)하고 보호(保護)함。원조하고 보호하여 위난(危難)에서 면하게 함。

【救火投薪*】 구화투신 불을 끄려고 섶나무를 던짐。곧 오히려 해(害)를 더 크게 함을 이름。

【救荒】 구황 흉년(凶年)이 들어 기근(饑饉)에 허덕이는 빈민을 구조함。

【救恤*】 구휼 물품(物品)을 베풀어 곤궁(困窮)한 사람을 도와줌。

◉匡救광구 營救영구 外救외구 援救원구 濟救제구

11 【敎】 攴 7 중학 교 ─가르침─ 去效

ノ メ ⺍ 㐅 歺 斈 孝 敎

자원 형성 攴-攵 子 爻 음 ┬敎(攴부) 3000년전

「爻효」는 하나하나 짜 맞추는 일。음을 나타내는 「斈교」는 사물을 배워 익히는 일。「攵복」은 동작(動作)하는 일을 나타냄。「敎」는 가르치는 일。「教」는 쓰기 쉽게 한 모양。

뜻 ①가르칠교 ㉠학문。도덕。㉡교육。훈계。지도。㉢덕화。㉣종교。②교령교 왕·제후의 명령。「敎令

교령」 ③가르칠교 알게 함。「教授
교수」 ④하여금교 …로 하여금 …하게 함。「令」과 연용하기도 함。

【教科 교과】 가르치는 과목(科目)。

【教官 교관】 ①교화(教化)를 맡은 벼슬아치。 ②교수의 직무를 맡은 관원。

【教權 교권】 ①스승으로서의 권위。 ②종교상의 권력。

【教團 교단】 같은 종지(宗旨)를 믿는 사람의 단체。

【教壇 교단】 교실(教室)에서 선생(先生)이 강의하는 곳。

【教徒 교도】 신도(信徒)。

【教導 교도】 가르치고 지도(指導)함。

【教鍊 교련】 군사(軍士)를 훈련함。

【教令 교령】 제후나 왕의 명령。

【教理 교리】 종교상의 이치(理致)。

【教務 교무】 교수(教授)에 관한 사무。

【教範 교범】 교수(教授)의 법식(法式)。 교정(教程)。

【教父 교부】 천주교의 성자(聖者)。

【教士 교사】 가르쳐 잘 훈련된 병사。

【教師 교사】 학문(學問)·기예(技藝)를 가르치는 사람。 스승。

【教唆* 교사】 남을 선동(煽動)하여 못된 일을 하게 함。

【教書 교서】 ①영국에서 국왕으로부터 의회에 발하거나、의회의 한 원(院)으로부터 다른 원(院)에 발하는 서면(書面)。 ②미국에서 대통령 또는 주지사가 국회 또는 주의회(州議會)에 사무를 보고하는、입법상(立法上)의 주의를 촉구하기 위하여 발하는 서면。

【教勢 교세】 종교의 형세。

【教授 교수】 도덕·학예를 생도에게 가르침。

【教習 교습】 가르쳐 익히게 함。

【教示 교시】 ①가르쳐 보임。 ②가르침。

【教室 교실】 학교에서 수업하는 방。

【教案 교안】 교수상(教授上) 필요한 사항(事項)、곧 모든 학과(學科)의 교수(教授)의 목적·순서·방법 등을 적은 교수초안(教授草案)。

【教養 교양】 ①가르치어 기름。 교육(教育)。 ②학식을 바탕으로 하여 닦은 수양(修養)。

【教友 교우】 같은 교(教)를 믿는 사람。

【教員 교원】 교육 기관에서 학생을 직접 지도 교육하는 사람。

【教諭* 교유】 가르치어 깨우침。

【教育 교육】 가르쳐 기름。 사람을 가르치어 지덕(智德)을 성취(成就)하게 함。

【教義 교의】 ①교육의 본지(本旨)。 ②종교상(宗教上)의 종지(宗旨)。

【教人 교인】 《韓》 교(教)를 믿는 사람。

【教場 교장】 ①교실。 ②교련(教練)하는 곳。

【教材 교재】 교수(教授)에 쓰는 재료。

【教典 교전】 ①교화(教化)의 법。 ②종교의 근거가 되는 법전(法典)。

【教程 교정】 ①교수(教授)의 방법 및 형식。 ②교수하는 사항의 정도。 ③교수의 과정。

【教定都監 교정도감】 《韓》 고려(高麗) 최 충헌(崔忠獻)이 무단 정치(武斷政治)를 할 때에 국가(國家)의 모든 일을 처리(處理)하던 최고(最高)의 정치기관(政治機關)。

【教祖 교조】 교주(教主)。

【教條 교조】 ①교훈의 조목(條目)。 ②종교상의 신조(信條)。

【敎宗 교종】《佛敎》 불교의 두 파 중의 하나로서 교리를 중심으로 하여 세운 종파。 선종(禪宗)의 대(對)。
【敎主 교주】 종교를 창시한 사람。
【敎旨* 교지】 ①종교의 취지。 ②교육의 취지。 ③《韓》 이조 때 사품(四品) 이상의 벼슬의 사령(辭令)。
【敎職 교직】 학생(學生)을 가르치는 직무(職務)。
【敎則 교칙】 교수상의 규칙。
【敎派 교파】 종교(宗敎)의 갈래。
【敎鞭* 교편】 교사(敎師)가 생도(生徒)를 가르칠 때 가지는 회초리。
【敎化 교화】 교육(敎育)하여 감화(感化)시킴。 가르치어 착한 사람이 되게 함。
【敎會 교회】 ①종교단체(宗敎團體)의 신도의 모임。 ②예배당(禮拜堂)。
【敎誨* 교회】 가르치어 타이름。
【敎訓 교훈】 훈계함。
◉監理敎감리교 舊敎구교 國敎국교 基督敎기독교 文敎문교 宣敎선교 善敎선교 禪敎선교 說敎설교 新敎신교 儒敎유교 遺敎유교 助敎조교 宗敎종교 天主敎천주교 布敎포교 回敎회교

11 【敗】 攴 7 중학 패 |패할| ㊤卦

丨 冂 貝 貝 貝⺊ 敗 敗

자원 형성 貝음 攴-攵 ┬敗(攴부)

「攵칠복」은 손에 막대기를 들고 치는 것을 나타내며、「貝패」는 돈이나 물품(物品)。 물건을 평등(平等)하게 나누는 일이나、 규정(規定)、 규칙(規則)을 「則칙」이라고 하는데、「敗」는 칙(則)의 반대(反對)에 들어맞는 말로서 법칙(法則)을 때려 부수다、 사물을 못쓰게 만들다。 나중에 적(敵)에게 지는 것을 나타냄。

뜻 ①**패할패** ㉠짐。「勝敗승패」 ㉡실패(失敗)함。「成敗성패」 ②**패하게할패** 앞의 뜻의 타동사。 ③**무너질패、부서질패** 퇴락함。 또 파손함。「頹敗퇴패」 ④**무너뜨릴패、부술패** 깨뜨림。 손상을 입힘。 ⑤**해질패** 떨어짐。「敗絮패서」 ⑥**썩을패** 부패함。「腐敗부패」 ⑦**기근패** 흉년。 ⑧**재앙패** 재화。

【敗家亡身 패가망신】 가산(家産)을 탕진(蕩盡)하고 몸을 망(亡)침。
【敗軍 패군】 싸움에 진 군대。
【敗軍之將 패군지장】 싸움에 진 장수。
【敗亡 패망】 패(敗)하여 망(亡)함。
【敗滅 패멸】 패(敗)하여 멸망(滅亡)함。
【敗北 패배】 싸움에 져 달아남。 싸움에 짐。
【敗兵 패병】 전쟁에 진 군사。
【敗報 패보】 싸움에 진 통보(通報)。
【敗死 패사】 패전(敗戰)하여 죽음。
【敗散 패산】 패(敗)하여 흩어짐。
【敗勢 패세】 패(敗)할 형세(形勢)。
【敗訴 패소】 송사(訟事)에 짐。
【敗業 패업】 실패한 일。 또 일을 실패함。
【敗運 패운】 쇠(衰)하거나 패할 운수。
【敗殘 패잔】 패하여 쇠잔한 나머지。
【敗將 패장】 패군지장(敗軍之將)。
【敗敵 패적】 싸움에 진 적(敵)。
【敗戰 패전】 싸움에 짐。
【敗卒 패졸】 전쟁에 진 군사。
【敗走 패주】 패(敗)하여 달아남。
【敗退 패퇴】 싸움에 패하여 물러감。

패가(敗却)。

◉寡敗과패 潰敗궤패 大敗대패 散敗산패 惜敗석패 成敗성패 勝敗승패 失敗실패 零敗영패 慘敗참패 興敗흥패

11 【敕】攴 7 勅(力部七畫)과 같은 글자。

【赦】⇨赤部四畫

八畫

12 【敢】攴 8 중학 **감** ―군셀― ㊤感

一 ㄒ エ 干 𠀠 𠭥 𠭥 敢 敢

자원 형성 古음 ┐敢―敢(攴부) 3000년전

양 손으로 잡는 것을 나타내는 (受표)와, 음을 나타내는 「古고」(감은 변음)로 이루어짐。 나아가서 잡다의 뜻。 전하여, 감히 …하다의 뜻。 옛 글자 「敢감」이 변하여 「敢」으로 씀。

뜻 ①**굳셀감** 용맹스러움。「勇敢용감」 ②**결단성있을감** 「敢然감연」 ③**감히할감** 감행(敢行)함。 ④**감히감** ㉠과단성 있게。「敢行감행」 ㉡송구함을 무릅쓰고。 ㉢함부로。

【敢不生心 감불생심】 감히 하려고 마음 먹지 못함。

【敢行 감행】 과감하게 행함。

◉果敢과감 勇敢용감

12 【散】攴 8 중학 **산** ―헤어질― ①-⑦㊤旱 ⑧⑨㊥寒

一 艹 卝 昔 昔 散 散

자원 형성 攴-攵 ┐㪔음 ┐散(攴부) 林 肉-月

散

「攵복」은 …하다, …시키다의 뜻을 나타냄。「林배」는 삼〈麻마〉。「㪔산」은 삼을 산산히 흩다→물건을 분산(分散)시키는 일。「肉육」은 고기。「散」은 토막고기。 나중에 흩어지다、흩어지게 하다의 뜻에도 씀。

뜻 ①**헤어질산** 흩어짐。 이산함。「散亂산란」 ②**헤칠산** 흩뜨림。 ③**내칠산** 추방함。 ④**쓸모없을산** 「散材산재」 ⑤**한산할산** 한가함。「散官산관」 ⑥**한산산** 한가。 겨를。 ⑦**가루약산** 「散藥산약」「胃散위산」 ⑧**금곡산** 거문고의 가곡。 ⑨**절룩거릴산** 蹣(足部五畫)과 같은 글자。

참고 「散」을 음으로 하는 글자=「撒살」〈놓다〉·「繖산」〈우산〉·「霰산」〈싸라기눈〉

【散見 산견】 여기저기 보임。

【散缺 산결】 흩어져 없어져 모자람。

【散亂 산란】 ①정신(精神)이 어수선함。 ②흩어져 어지러움。

【散漫 산만】 어수선하게 흩어져 퍼져 있음。

【散賣 산매】 (韓) 물건을 낱으로 팖。

【散文 산문】 자수(字數)의 제한 또는 운율(韻律)의 규정이 없는 보통의 글。 운문(韻文)의 대。

【散髮 산발】 머리를 풀어 헤침。

【散兵 산병】 병정(兵丁)을 일정한 거리를 격(隔)하여 흩어 놓음。 또 그 병정。

【散藥 산약】 가루 약。

【散熱 산열】 열을 방산(放散)함。

【散逸 산일】 ①흩어져 없어짐。 ②한가。 한산(閒散)。 ③마음이 어수선함。 마음이 전일(專一)하지 아니함。

【散在 산재】 여기저기 흩어져 있음。

【散財 산재】 재산을 나누어 줌。

【散秩 산질】 질(秩)이 차지 않는 책。

【散策 산책】 한가히 거닒。

【散布 산포】 흩어 폄。흩뜨림。

【散華 산화】《佛敎》부처에게 공양(供養)하고 꽃을 흩뜨림。

【散會 산회】 회(會)가 끝나고 사람이 흩어져 돌아감。

◉霧散무산 發散발산 分散분산 飛散비산 消散소산 流散유산 離散이산 集散집산 閑散한산 解散해산

12 【敦】 攴 8 고교

㊀돈 ㊁퇴 ㊂대 ㊃단 ㊄조 ㊅도 | 도타울 | ㊀(平)元 ㊁(平)灰 ㊂(去)隊 ㊃(平)寒 ㊄(平)蕭 ㊅(去)號

亠 亠 古 亯 享 享 享 敦 敦

자원 형성 𦎫(음)-享 + 攴-攵 → 敦(攴부) 2500년전

「𦎫攴」이 옛글자체。「攵등글월문」과 음을 나타내는 「享」(𦎫순)으로 이루어짐。화내어 치다의 뜻。음을 빌어 두텁다의 뜻(⇩惇돈)으로 씀。

뜻 ㊀①도타울돈 독후(篤厚)함。「敦厚돈후」 ②진칠돈 진(陣)을 침。③힘쓸돈 노력함。④동독할돈 감독함。⑤세울돈 직립하게 함。「敦杖돈장」 ㊁①다스릴퇴 「敦商之旅퇴상지려」 ②혼자잘퇴 쓸쓸히 혼자 유숙(留宿)하는 모양。③던질퇴 투척함。던져 줌。④정할퇴 단정(斷定)함。㊂①제기대 서직(黍稷)을 담는 제기。②쟁반대 남을 대접하는 데 쓰는 쟁반。㊃①모일단 떼지어 모이는 모양。②외주렁주렁달린단 외가 주렁주렁 많이 달린 모양。㊄아로새길조 조각함。㊅덮을도

【敦篤 돈독】 인정이 두터움。

【敦穆* 돈목】 인정이 두텁고 화목함。

【敦厚 돈후】 ①인정(人情)이 많음。심덕(心德)이 두터움。②사물(事物)에 정성을 들임。

九畫

【鼓】 ⇩部首

13 【敬】 攴 9 중학

경 | 공경 | (去)敬

一 十 艹 艹 芍 苟 苟 敬 敬

자원 회의 苟 + 攴-攵 → 敬(攴부) 2500년전

「攵등글월문」과 「苟혀」의 합자(合字)。「攴」은 급박하여 다가 온다는 뜻。「苟」은 엄격하게 격려한다는 뜻으로 말을 삼가는 뜻이 있는 데 다시 「攴」자를 더하여 「敬」은 한층더 게을리하지 않음을 뜻함。삼가다、조심하다의 뜻。

뜻 ①공경경 존경。②공경할경 「敬仰경앙」 ③삼감경 조심。근신。④삼갈경 경계하여 조심함。「敬愼경신」

참고 「敬」을 음으로 하는 글자＝「儆경」〈경계하다〉·「擎경」〈높이 들다〉·「檠경」〈등경걸이〉·「警경」〈경계하다〉·「驚경」〈놀라다〉

【敬虔* 경건】 공경하는 마음으로 깊이 삼감。

【敬恭 경공】 공경(恭敬)과 같음。

【敬禮 경례】 ①경의(敬意)를 표하여 인사함。또 그 인사。②존경함。

【敬老 경로】 노인을 공경(恭敬)함。
【敬慕 경모】 존경하고 사모(思慕)함。
【敬拜 경배】 공경하여 절함。
【敬白 경백】 공경하여 사룀。 보통 편지 끝에 씀。
【敬服 경복】 존경하여 복종(服從)함。
【敬復 경복】 공경하여 답장(答狀)한다는 뜻으로、 편지의 서두(書頭)에 쓰는 말。
【敬順 경순】 삼가 순종함。
【敬順王 경순왕】 《韓》 신라(新羅) 제오십육대(第五十六代) 마지막 왕(王)。 고려(高麗) 왕건(王建)에게 항복(降伏)했음。
【敬愼 경신】 삼감。 조심함。 근신함。
【敬仰 경앙】 공경하고 우러러봄。
【敬愛 경애】 공경하고 사랑함。
【敬語 경어】 공경하는 뜻의 말。
【敬畏 경외】 삼가고 두려워함。
【敬遠 경원】 공경하기는 하되 가까이 하지 아니함。
【敬意 경의】 공경하는 뜻。
【敬天 경천】 하느님을 공경함。
【敬聽 경청】 삼가 들음。 근청(謹聽)。
【敬稱 경칭】 공경하여 부르는 칭호。
【敬憚* 경탄】 공경하고 어려워함。
【敬歎 경탄】 존경하고 탄복함。
◉謙敬겸경 恭敬공경 謹敬근경 拜敬배경 不敬불경 畏敬외경 尊敬존경 忠敬충경

13 【数】 攴 9 數(攴部十一畫)의 속자(俗字)。

十一畫

15 【敵】 攴 11 중학 적 | 원수 | ⓐ錫

亠 亣 产 商 商 啇 敵

자원 형성 攴-攵 ┐ 商 음 ┘ 敵 (攴부)

음을 나타내는 「商적」과、 손으로 무엇인가 하다↓…하다의 뜻을 가진 「攵복」으로 이루어짐。 「敵」은 이것저것 있는 중에서 하나를 정하여 맞서다↓부딪치다↓상대。 나중에 상대방↓원수라는 뜻으로 변하여 쓰게 되었음。

(A) (B) 2500년전

뜻 ①원수적 구수(仇讎)。 「仇敵구적」 ②짝적 상대。 적수。 「匹敵필적」 ③적적 대항 또는 전쟁의 상대방。 「強敵강적」 ④필적할적 대등함。 ⑤겨룰적 대항함。 저항함。

【敵愾心* 적개심】 의분을 느껴 적과 싸우고자 하는 성낸 마음。
【敵國 적국】 자기 나라와 싸우는 나라。 또 원수의 나라。
【敵軍 적군】 적국(敵國)의 군대。
【敵機 적기】 적국(敵國)의 항공기。
【敵對視 적대시】 적(敵)으로 여겨 봄。
【敵兵 적병】 적국(敵國)의 병사。
【敵產 적산】 적이 소유한 재산。
【敵船 적선】 적국(敵國)의 선박。
【敵手 적수】 ①재주나 힘이 맞서는 사람。 ②원수。
【敵讐* 적수】 원수。
【敵視 적시】 적대시(敵對視)。
【敵意 적의】 적대시하는 마음。
【敵情 적정】 적군(敵軍)의 형편。
【敵地 적지】 적군(敵軍)의 땅。
【敵彈 적탄】 적군이 쏜 총포의 탄환。
【敵艦* 적함】 적군의 군함。
◉強敵강적 公敵공적 仇敵구적 國敵국적 大敵대적 對敵대적 無敵무적 小敵소적 弱敵약적 雄敵웅적 怨敵원적 鄰敵인적

〔四畫部首順〕 心戈戶手支攴文斗斤方无日曰月木欠止歹殳毋比毛氏气水火爪父爻爿片 牙牛犬

衆寡不敵중과부적 匹敵필적

15 【敷】攴 11 부 | 펼 | [上]虞

[자원] 형성 攴-攵 ┬敷(攴부) 旉음

2500년전

치다를 뜻하는 「攵등글월문」과、음을 나타내며 동시에 펴다의 뜻을 가진 「旉부」로 이루어짐。쳐서 펴다의 뜻。

[뜻] ①펼부 ㉠베풂。「敷政부정」㉡넓게 깖。②퍼질부 널리 미침。「敷廣부광」③나눌부 분할함。④두루부、널리부 너르게。「敷宣부선」

【敷設부설】펴서 베풀어 놓음。깔아서 설치함。

【敷衍부연】①알기 쉽게 자세히 늘어 놓아 설명함。②널리 퍼지게 함。

15 【數】攴 11 [중학] [一]수 [二]삭 [三]촉 | 셈 | [一][上]虞 [二][入]覺 [三][入]沃

丨 冂 日 昌 畕 婁 婁 婁 數

[자원] 형성 攴-攵 ┬數(攴부) 婁음

2000년전

음을 나타내는 「婁루」(수는 변음)는 여자가 머리위에 「貴귀」〈물건을 넣은 자루〉를 이어 나르는 모양→물건이 겹쳐지는 일。「攴복」은 손으로 거동을 하는 일。「數」는 몇번이나 손으로 무엇인가를 하다→여러 개 세다→세다→수。약자는 「数」。

[뜻] [一]①셈수 ㉠수량。「量數양수」㉡계산。산법(算法)。「算數산수」②이치수 도리。「理數이수」③운수수 운명。「命數명수」④꾀수 권모(權謀)。「權數권수」⑤정세수 형편。⑥등급수 품등(品等)。⑦재주수 기술。⑧셈할수 ㉠계산함。㉡셈에 넣음。들어 말함。⑨헤아릴수 추측함。살핌。⑩책할수 죄목을 일일이 세어 책망함。「數罪수죄」⑪서너너덧수、대여섯수 삼사의。사오의。오륙의。「數年수년」[二]①자주삭 여러 번。「頻數빈삭」②자주할삭 여러 번 함。③빨리할삭 급히 함。[三]촘촘할촉 구멍이 썩 잚。

[참고] 「數」를 음으로 하는 글자=「藪수」〈수풀〉·「籔수」〈조리〉

【數量수량】수(數)와 분량(分量)。

【數理수리】수의 이치。

【數罪수죄】범죄 행위(犯罪行爲)를 일일이 책망함。

【數次수차】자주。대여섯 차례。

【數學수학】수·양 및 공간에 관하여 연구하는 학문。

【數回수회】수차(數次)。

【數爻*수효】수(數)。

◉假數가수 計數계수 係數계수 公倍數공배수 公約數공약수 被除數피제수 函數함수 虛數허수 回數회수

十二畫

16 【整】攴 12 [고교] 정 | 가지런할 | [上]梗

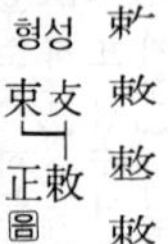

市 朿 敕 敕 整 整 整

[자원] 형성 攴-攵 ┬敕 正음 ┴整(攴부)

「攴복」은 일을 한다는 뜻。「束속」은 묶다→긴장시킴。「敕칙」은 몸을 긴장시켜 주의깊게 함。옛 모양에서는 「敕」의 왼쪽을 「朿자」〈나무의 가

시〉나「栞간」〈골라서 나누다〉이라고 쓴 것도 있음。 음을 나타내는「正정」은 바로 잡다의 뜻。「整」은 일을 가지런히 하다→다스리다→정돈하는 일。

뜻 ①가지런할정 정돈됨。「整齊정제」 ②가지런히할정 정돈함。

【整頓*정돈】 가지런히 함。

【整列 정렬】 가지런히 벌여 섬。

【整理 정리】 가지런히 바로잡아 다스림。

【整然 정연】 질서 있는 모양。

【整地 정지】 땅을 고르게 만듦。

◉謹整근정 端整단정 修整수정 嚴整엄정 完整완정 威整위정 裁整재정 精整정정 齊整제정 調整조정 平整평정

十九畫

【變】 ⇩言部十六畫

文 部

4 **【文】** 부수 중화 문 글월 ①-⑧㊥文 ⑨⑩㊤問

丶 亠 ナ 文

자원 상형  3000년전 2500년전

「文」(부수)은 사람 몸에 ×모양이나「心심」자 꼴의 문신(文身)을 한 모양。 입묵(入墨=살갗에 바늘로 찔러 먹물이나 물감으로 글씨·그림·무늬를 들이는 것)을 문신이라 하고 형벌(刑罰)로서 하는 수도 있지만 축하(祝賀)하는 표로도 하였음。 나중에 무늬→글자→학문→문화(文化) 따위의 뜻에 씀。

뜻 ①글월문 ㉠어구。 ㉡문장。「文筆문필」 ㉢산문(散文)。 시(詩)의 대(對)。 ㉣학문·예술。 무(武)의 대。「文武문무」 ㉤서책。 기록。 ②글자문 「文字문자」 ③문채문 ㉠무늬。「文繡문수」 ㉡채색。 ㉢아름다운 외관。「文質문질」 ㉣예악·제도 등 국가 사회를 빛나게 하는 것。「文物문물」「文明문명」 ④법문 법률。「舞文무문」 ⑤결문 나무·돌·피부 등의 결。「文理문리」 ⑥엽전문 네모진 구멍이 있는 둥근 돈。 또 돈을 세는 수사(數詞)。「一文일문」 ⑦아름다울문 선미(善美)함。「文曜문요」 ⑧빛날문 화려함。 ⑨꾸밀문 ㉠모양이 나도록 함。「文竿문간」 ㉡참이 아닌 것을 그럴 듯하게 만듦。「文過문과」 ⑩자자할문 입묵(入墨)함。「文面문면」

참고 「文」을 음으로 하는 글자=「汶문」〈강이름〉·「蚊문」〈모기〉·「紋문」〈무늬〉·「紊문」〈어지럽다·어지럽히다〉·「閔민」〈근심하다〉·「憫민」〈불쌍히 여기다〉·「旻민」〈하늘〉

【文庫 문고】 ①책을 쌓아 두는 곳집。 서고。 ②서적·문서를 담는 상자。

【文科 문과】《韓》①문관(文官)을 시험하여 뽑던 과거(科擧)。 ②대학(大學)의 한 분과(分科)。 문학에 관한 학문을 연구하는 과목。

【文官 문관】 문사(文事)로써 섬기는 벼슬아치。 무관 이외의 관원(官員)。

【文敎 문교】 ①문치(文治)로 백성을 교화(敎化)함。 ②문화에 관한 교육。

【文具 문구】 ①오로지 율령(律令)을 존중히 여겨 법문(法文)이 구비됨. ②문방구(文房具).

【文券 문권】 토지(土地)·가옥(家屋) 등의 권리를 양도하는 증권(證券).

【文壇 문단】 문인(文人)의 사회(社會). 문학계(文學界).

【文談 문담】 문장 또는 문학에 관한 이야기.

【文德 문덕】 학문(學問)의 덕(德).

【文例 문례】 문장을 쓰는 법의 실례.

【文理 문리】 ①문채(文彩)의 조리. ②나무·피부 등의 결. ③문맥(文脈). 문장(文章).

【文望 문망】 학문상(學問上)의 명망(名望).

【文脈 문맥】 글의 맥락(脈絡).

【文盲 문맹】 무식하여 글자를 읽지 못함. 또 그 사람. 까막눈이.

【文面 문면】 ①얼굴에 입묵(入墨)함. 또 그 얼굴. ②글에 나타난 뜻.

【文名 문명】 시문을 잘 짓는다는 명성. 글을 잘 한다는 명예(名譽).

【文明 문명】 학술(學術)·교화(敎化)가 진보하고 풍속(風俗)이 미화(美化)하여진 상태(狀態).

【文廟 문묘】 공자묘(孔子廟).

【文武兼全 문무겸전】 문식(文識)과 무략(武略)을 다 갖춤.

【文武百官 문무백관】 모든 문관(文官)과 무관(武官).

【文武王 문무왕】 《韓》 신라(新羅) 제삼십대 왕(第三十代王). 당(唐)과 합세하여 고구려(高句麗)를 멸망(滅亡)시켰음.

【文武之道 문무지도】 주(周)나라의 문왕(文王)과 무왕(武王)의 도(道). 곧 성인(聖人)의 도.

【文物 문물】 문화에 관한 사물. 곧 예악(禮樂)·제도(制度) 따위.

【文房四友 문방사우】 종이·붓·먹·벼루. 지(紙)·필(筆)·묵(墨)·연(硯).

【文房諸具 문방제구】 종이·붓·먹·벼루 및 글 쓰는데 필요한 모든 기구(器具).

【文範 문범】 모범이 될 만한 문장. 또 그런 문장을 모아 엮은 책.

【文法 문법】 ①법(法). 법률. ②문장의 구성에 관한 법칙(法則).

【文部 문부】 학문·교육을 맡은 관아(官衙). 이부(吏部).

【文簿 문부】 문서(文書)와 장부(帳簿).

【文士 문사】 ①문필에 종사(從事)하는 사람. ②소설·희곡 등의 작가.

【文詞 문사】 ①글에 쓰인 말. ②문장과 사구(辭句). 문사(文辭).

【文書 문서】 글을 쓴 것의 총칭(總稱). 서적(書籍)·서류 따위.

【文石 문석】 빛 또는 무늬가 화려한 돌. 마노(瑪瑙) 따위.

【文選 문선】 ①명문(名文)을 가려 뽑아 모은 책. ②인쇄소(印刷所)에서 원고(原稿)대로 활자(活字)를 고르는 일. 채자(採字). ③주대(周代) 이후 양대(梁代)까지의 시문(詩文)을 모은 책. 삼십 권(卷).

【文勢 문세】 글의 힘.

【文臣 문신】 문관(文官)인 신하.

【文身 문신】 피부에 바늘로 찔러서 먹물 따위를 들임. 또 그 글씨·그림·무늬. 자자(刺字). 입묵(入墨).

【文雅 문아】 ①풍치(風致)가 있고 아담(雅澹)함. 우아(優雅)함. ②문장(文章)과 풍아(風雅).

【文案 문안】①문장의 초고(草稿)。②책상。궤안(几案)。

【文弱 문약】①문학만 숭상(崇尙)하여 약함。②우아(優雅)하고 유순함。

【文語 문어】글과 말。문장과 언어。

【文藝 문예】①학문과 기예。②문학과 미술。곧 시가(詩歌)·소설(小說)·그림·조각(彫刻) 등의 총칭。

【文藝復興 문예부흥】십사세기(十四世紀)부터 십육세기(十六世紀)까지에 걸쳐서 구라파(歐羅巴)에 일어난 예술상·문화상의 혁신 운동。

【文王 문왕】주(周)나라 무왕(武王)의 아버지。

【文友 문우】글 벗。글로서 친한 벗。

【文運 문운】학문(學問)과 예술(藝術)이 크게 일어나는 운수。문화가 흥성(興盛)하는 기세(氣勢)。

【文苑* 문원】①문단(文壇)。②시문을 모은 것。시문집(詩文集)。③조선(朝鮮)의 홍문관(弘文館) 또는 예문관(藝文館)의 별칭(別稱)。

【文義 문의】글의 뜻。문의(文意)。

【文益漸 문익점】《韓》고려(高麗) 공민왕(恭愍王) 때 원(元) 나라에서 목화씨를 들여와서 목면을 편 사람。

【文人 문인】①문덕(文德)이 있는 사람。사람을 교화하는 덕이 있는 사람。②시문을 짓는 사람。문필에 종사하는 사람。문사(文士)。

【文章 문장】①글。글월。②예악(禮樂)·제도(制度) 등 한 나라의 문명을 형성(形成)하는 것。

【文章絕唱 문장절창】세상에 드문 명문(名文)。

【文才 문재】문필의 재능。

【文典 문전】문법(文法)·어법(語法)을 설명한 책(册)。

【文政 문정】문치(文治)。

【文情 문정】글 속에 풍기는 정취(情趣)。글의 운치。문치(文致)。

【文集 문집】한 사람의 시문(詩文)을 모은 책(册)。

【文采* 문채】①아름다운 광채(光彩)。②무늬。

【文體 문체】문장의 체재(體裁)。

【文治 문치】문덕(文德)에 의하여 정치(政治)를 행함。무단(武斷)의 대。

【文套* 문투】글을 짓는 격식(格式)。

【文筆 문필】①시문(詩文)을 짓는 재주。②육조시대(六朝時代)에 운문(韻文)을 문(文)、산문을 필(筆)이라 하였음。시문(詩文)。

【文學 문학】①학문(學問)。②자연과학 및 정치·법률·경제 등에 관한 이외의 학문의 총칭。곧 순문학(純文學)·사학(史學)·철학(哲學) 등。③사상·감정을 상상의 힘에 의하여 말 또는 글로 나타낸 예술 작품。

【文翰家* 문한가】대대(代代)로 뛰어난 문필가(文筆家)가 난 집안。

【文獻 문헌】①전적(典籍)과 현자(賢者)。②옛날의 문물(文物)과 제도(制度)의 연구 자료가 되는 책(册)。

【文豪 문호】크게 뛰어난 문학가。

【文化 문화】①학문이 진보하여 세상이 개화(開化)함。②위력(威力)이나 형벌을 쓰지 않고 백성을 가르쳐 인도함。문덕(文德)으로 교화함。③자연을 이용하여 인류의 이상을 실현시켜 나아가는 정신 활동。

【文華 문화】①문화(文化)의 빛。개·화(開化)의 아름다움。②문장과 재화(才華)。

〔四畫部首順〕心戈戶手支攴文斗斤方无日曰月木欠止歹殳毋比毛氏气水火爪父爻爿片牙牛犬

【文化生活 문화생활】 현대 문명의 성과를 충분히 이용하는 생활。

◉公文공문 國文국문 博文박문 本文본문 不文불문 祕文비문 諺文언문 麗文여문 戀文연문 英文영문 祭文제문 弔文조문 條文조문 左文좌문 漢文한문 現代文현대문 好文호문 和文화문 華文화문 畫文화문 戲文희문

三畫

7 【斈】 文 3 學(子部十三畫)의 속자(俗字)。

【吝】 ⇩口部四畫

四畫

8 【斉】 文 4 齊(部首)의 속자(俗字)。

七畫

11 【斎】 文 7 齋(齊部三畫)의 속자(俗字)。

八畫

12 【斑】 文 8 반 — 얼룩 — ㊥平 刪

자원 형성 文 辡(음) ⊤辬—斑 (文부)

무늬의 뜻을 가진「文글월문방」과、음을 나타내는「辡변」(반은 변음)으로 이루어진「辬」이 본디글자。「斑」은 본디 속자(俗字)。 빛깔이 얼룩얼룩하다의 뜻。

뜻 **얼룩반** 여러 빛깔이 섞여 얼룩얼룩함。또 그 무늬。「斑點반점」

주의 「班반」〈나누다〉은 딴 글자。

【斑紋 반문】 얼룩얼룩한 무늬。아롱진 무늬。

【斑白 반백】 흰 것과 검은 것이 반씩 섞인 머리털。또 그런 노인。

【斑然 반연】 얼룩얼룩한 모양。

【斑點 반점】 얼룩얼룩하게 박힌 점。

斗部

4 【斗】 부수 중학 두 — 말 — ㊤有

、 ⺀ 斗

자원 상형 2500년전

「斗」는 물건의 양(量)을 재는 자루가 달린 국자의 모양을 본뜸。

뜻 ①**말두** ㉠용량의 단위。열 되들이。「斗糧두량」 ㉡위의 용량을 되는 용기。전(轉)하여、널리 용량을 되는 용기、곧 양기(量器)의 뜻으로 쓰임。②**구기두** 술을 푸는、자루가 긴 연모。③**별이름두** 남북극에 보이는 성수(星宿)의 이름。북에 있는 일곱 별을「北斗북두」、남에 있는 여섯 별을「南斗남두」라 함。④**조두(刁斗)두** 군중(軍中)에서 치는 징(鉦)의 일종。낮에는 밥을 짓는 데 쓰고 밤에는 야경을 돌 때 침。⑤**갑자기두** 홀연(忽然)히。

주의 「斗」를「鬪투」〈싸우다〉의 대신(代身) 쓰는 것은 잘못。

참고 「斗」를 음으로 하는 글자 ‖「斛

두」〈올챙이〉·「抖두」〈떨다〉

【斗量 두량】 말로 곡식(穀食)을 됨。 전(轉)하여、말로 될 만큼 많음。

【斗糧 두량】 한 말의 양식。 전(轉)하여、얼마 안 되는 양식。

【斗星 두성】 북두성(北斗星)의 별칭。

【斗屋 두옥】 오두막집。

【斗酒 두주】 ①말 술。 ②많은 술。

【斗護 두호】 뒤덮어 보호함。 두둔함。

◉泰斗태두 泰山北斗태산북두

五畫

【科】 ⇩禾部四畫

六畫

10 **【料】** 斗 6 중학 료 | 되질할 | ①-④(平)蕭 ⑤⑥(去)嘯

丷 米 米 粁 料

자원 회의 米斗 料(斗부)

「斗두」는 말→양을 재는 일。「米미」는 쌀。「料」는 쌀을 되는 일。 나중에 쌀에 한하지 않고 물건의 양을 재는 것이나 물건의 부피를 나타냄。

뜻 ①**되질할료** 용량을 됨。「料量요량」 ②**셀료** 수를 셈。 ③**헤아릴료** 요량함。 추측함。「料度요탁」 ④**잡아당길료** 잡아 끎。 ⑤**거리료** 감。「材料재료」 ⑥**녹료** 급료。 봉급。

주의 「科과」〈품등〉는 딴 글자。

【料量 요량】 ①앞 일에 대하여 잘 생각함。 ②양기(量器)로 됨。 되질함。 ③회계(會計)。

【料理 요리】 ①일의 처리를 함。 ②《韓》음식을 조리함。 또 그 음식。

【料外 요외】 뜻 밖。 생각 밖。

◉給料급료 肥料비료 飼料사료 染料염료 原料원료 飲料음료 資料자료 材料재료

七畫

11 **【斜】** 斗 7 고교 ㊀사 ㊁야 | 비낄 | ㊀㊁(平)麻

丿 𠆢 亼 余 斜

자원 형성 余음 斗 斜(斗부) 2500년전

국자의 뜻을 가진 「斗두」와、음을 나타내며 동시에 떠내다의 뜻(⇩抒서)을 지니게 하는 「余여」(사는 변음)로 이루어짐。 떠내다의 뜻。 음을 빌어 비스듬하다의 뜻(⇩衺사)으로 씀。

뜻 ㊀①**비낄사** 비스듬함。「斜面사면」 ②**기울사** 해나 달이 서쪽으로 기욺。「日斜일사」 ㊁**골짜기이름야** 섬서성(陝西省)의 골짜기 이름。「斜谷사곡」

【斜傾 사경】 비스듬히 기욺。 경사짐。

【斜面 사면】 경사진 면。 비스듬한 표면。 수평면(水平面)에 대하여 이름。

【斜視 사시】 ①곁눈질함。 ②사팔눈。

【斜眼 사안】 사팔눈。「사안(斜眼)。

【斜陽 사양】 사일(斜日)。

【斜日 사일】 지는 해。 석양(夕陽)。

◉傾斜경사 盤斜반사 橫斜횡사

十畫

14 **【斡】** 斗 10 ㊀간 ㊁알 | 주장할 | ㊀(上)旱 ㊁(入)曷

자원 형성 斗 倝음 斡(斗부)

국자의 뜻을 가진 「斗말두」와、음을 나타내는 「斡간」으로 이루어짐。국자의 자루의 뜻。

뜻 ㊀주장할간 주관함。幹(干部十畫)과 같은 글자。㊁돌알 선전(旋轉)함。「斡運알운」

【斡旋 알선】①돎。선전(旋轉)함。또 돌림。돌게 함。②남의 일을 주선(周旋)하여 줌。돌봄。③문세(文勢)를 전(轉)하여 국면을 새롭게 함。

斤部

4 【斤】 수 부 고교 근 | 근 | 人文

一 ㄏ 斤 斤

자원 상형 [2500년전 자형]

「斤」의 가로획은 도끼의 머리를 본뜨고、세로획은 자루를 본뜸。그 밑에 있는 것은 빼갠 나무를 본뜸。나무를 베는 도끼。또 음을 빌어 무게의 단위(單位)로 함。

뜻 ①근근 중량의 단위。열 여섯 냥。②도끼근、자귀근 나무를 찍고 패고 깎는 연장。「斤斧근부」③벨근 나무를 벰。④살필근 명찰(明察)하는 모양。⑤삼갈근 근신하는 모양。

주의 「斥척」〈물리치다〉은 딴 글자。

참고 「斤」을 음으로 하는 글자=「忻흔」〈기뻐하다〉·「欣흔」〈기뻐하다〉·「炘흔」〈화끈거리다〉·「近근」〈가깝다〉·「昕흔」〈새벽〉·「芹근」〈미나리〉

【斤量 근량】①무게。중량(重量)。②저울로 무게를 닮。「는 큰 저울。

【斤稱 근칭】백근(百斤)까지 달 수 있는 큰 저울。

一畫

5 【斥】 斤 1 고교 척 | 물리칠 | 人文

一 ㄏ 斤 斤 斥

자원 형성 广 屰음 ┤庐─斥(斤부)

「广엄호밑」〈집〉과、음을 나타내며 동시(同時)에 물리치다의 뜻(⇩卻각)을 가진 「屰역」(척은 변음)으로 이루어짐。집을 제거(除去)하다의 뜻。전(轉)하여、물리치다의 뜻。「斥」은 본래 「庐」의 속자(俗字)。

뜻 ①물리칠척 배척함。「斥黜척출」②가리킬척 손가락질함。「斥言척언」③나타날척 나와서 눈에 띔。④엿볼척 몰래 살핌。염탐함。「斥候척후」⑤넓힐척 개척함。「斥地척지」⑥개펄척 염분이 많은 해변의 땅。

주의 「斤근」은 딴 글자。

참고 「斥」을 음으로 하는 글자=「坼탁」〈터지다〉·「柝탁」〈딱다기〉·「訴소」〈아뢰다〉

【斥兵 척병】적병(敵兵)을 염탐하는 군사。척후병(斥候兵)。

【斥逐 척축】쫓아냄。몰아냄。

【斥和 척화】화의(和議)를 배척함。

【斥和碑 척화비】《韓》대원군(大院君)이 쇄국 정책(鎖國政策)을 쓸때 양이(洋夷)를 막을 것을 선양(宣揚)하기 위하여 서울 종로(鍾路)와 지방(地方) 각처(各處)에 세우게 한 비。

〔四畫部首順〕心戈戶手支攴文斗 斤方无日曰月木欠止歹殳毋比毛氏气水火爪父爻爿片 牙牛犬

【斥候 척후】 적군(敵軍)의 형편을 엿봄. 또 그 군사. 척후병(斥候兵).
◉排斥배척 疎斥소척 指斥지척 退斥퇴척

四畫

【欣】 ⇩欠部四畫

【所】 ⇩戶部四畫

七畫

11 【斬】 斤 7 참 — 벨 — [上]豏

[자원] 회의 車斤 ㅏ斬 (斤부) 2500년전

자르는 뜻을 가진 「斤근」과, 「車거·차」〈수레〉로 이루어짐. 수레로 찢는 형벌(刑罰)의 하나. 전하여, 잘라 버리다의 뜻.

[뜻] ①**벨참** 베어 죽임. 「斬首참수」 ②**끊어질참** 다함. 없어짐. ③**도련하지않은상복참** 자락의 끝 둘레를 접어 꿰매지 않은 상복. 「斬衰참최」

[참고] 「斬」을 음으로 하는 글자=「慚참」〈부끄러워하다〉·「慙참」〈부끄러워하다〉·「暫잠」〈잠시〉·「蹔잠」〈잠깐〉·「塹참」〈해자〉·「漸점」〈차츰차츰〉

【斬馬劍 참마검】 말을 베어 두 동강 낼 수 있는 예리한 칼.

【斬殺 참살】 목을 베어 죽임.

【斬首 참수】 목을 벰. 단두(斷頭).

【斬新 참신】 가장 새로움. 참(斬)은 조사(助辭). 「嶄新」은 속용임.

【斬罪 참죄】 참형에 해당하는 죄(罪).

【斬刑 참형】 목을 베는 형벌.

八畫

11 【断】 斤 7 斷(斤部十四畫)의 속자(俗字).

12 【斯】 斤 8 ㊀사 ㊁시 — 찍을 — ㊀㊁ [平]支

一 卄 廾 其 其 其 斯 斯 斯

[자원] 형성 其斤 [음] ㅏ斯 (斤부) 2500년전

「斤근」과, 음을 나타내는 「其기」(사는 변음)로 이루어짐. 「斤」〈도끼〉으로 잘라 버리다의 뜻. 음이 「此차」와 통하여, 지시대명사로 빌어 씀.

[뜻] ㊀①**찍을사** 찍어 쪼갬. ②**이사** 此(止部二畫)와 뜻이 같음. 「斯道사도」 ③**어조사사** 무의미의 조자(助字). ④**떠날사, 떨어질사** ⑤**힐사** 하얌. ㊁**천할시** 비천(卑賤)함. 廝(广部十二畫)와 통용.

[참고] 「斯」를 음으로 하는 글자=「凘시」〈석얼음〉·「撕시」〈끌다〉·「澌시」〈다하다〉·「嘶시」〈말이 울다〉

【斯界 사계】 이 계통(系統)의 사회. 어떠한 일에 관계되는 그 사회(社會). 그 전문(專門) 방면.

【斯學 사학】 이 학문(學問). 그 학문.

◉如斯여사 瓦斯와사 波斯파사

九畫

13 【新】 斤 9 [중학] 신 — 새 — [入]眞

亠 立 立 辛 新 新 新

[자원] 형성 辛木 [음] ㅏ亲 ㅏ新 (斤부)

〔四畫部首順〕 心戈戶手支攴文斗 斤方无日曰月木欠止歹殳毋比毛氏气水火爪父爻爿片牙牛犬

음을 나타내는 「辛신」〈바늘〉과, 「木목」〈나무〉으로 이루어진 「亲진」(「榛」〈개암나무〉의 옛글자, 또 잡목숲을 「榛」이라 함)에 「斤근」〈나무를 베는 도끼〉을 더한 글자. 「新」은 나무를 베어 땔나무로 하는 일. 나중에 나무를 하다→땔나무의 뜻은 초목을 나타내는 「艹초두밑」을 더하여 「薪신」이라 쓰고, 「新」은 베다→새롭다→새롭게 하다의 뜻으로 씀.

뜻 ①**새신** ㉠새로움. 「新舊신구」 ㉡새로운 사물. 새로 안 사람. ②**새롭게할신** 혁신함. ③**새로신** 처음으로. ④**나라이름신** 왕망(王莽)이 한(漢)나라를 찬탈하여 세운 왕조. (八~二三)

【新刊 신간】 책을 새로 간행함. 또 그 책. 신간 서적.
【新墾* 신간】 토지(土地)를 새로 개간(開墾)함. 또 그 토지.
【新曲 신곡】 ①새로 지은 가곡(歌曲). ②유행가(流行歌).
【新穀 신곡】 햇곡식.
【新教 신교】 ①새 종교. ②십육세기(十六世紀) 경 독일(獨逸)의 종교 개혁자(宗教改革者) 루터가 로마 구교(舊教) 곧 가톨릭교의 잘못된 것을 반대하고 새로 설립(設立)한 교파(教派). 프로테스탄트.
【新舊 신구】 새로움과 묵음. 새 것과 묵은 것.
【新局面 신국면】 새로 전개(展開)되는 국면(局面).
【新鬼 신귀】 근자에 죽은 사람의 혼령.
【新規 신규】 새로운 규칙(規則).
【新奇 신기】 새롭고 기이(奇異)함. 진부(陳腐)의 대(對).
【新記錄 신기록】 종래에 없던 새로운 기록.
【新紀元 신기원】 ①새로운 기원(紀元). ②획기적으로 새로운 방향으로 나아가게 된 새로운 시대.
【新機軸* 신기축】 전에 있던 것과 판이(判異)한 새로운 방법 또는 체제.
【新年 신년】 새해. 설.
【新大陸 신대륙】 남북 아메리카 대륙.
【新都 신도】 새로 정한 도읍.
【新稻 신도】 ①새로 심은 볏모. ②새로 베어 거둔 벼.
【新羅 신라】 우리 나라 삼국 시대의 한 나라. 시조는 박혁거세(朴赫居世).
【新郞 신랑】 ①새로 장가간 사람. 새서방. ②새로 급제한 진사(進士).
【新來 신래】 ①새로 옴. 또 그 사람. ②《韓》 새로 문과(文科)에 급제(及第)한 사람.
【新涼 신량】 첫가을의 서늘한 기운. 초량(初涼).
【新曆 신력】 ①새 책력. ②양력(陽曆).
【新綠 신록】 새 잎의 푸른 빛. 또 새 잎.
【新聞 신문】 새로운 소식(消息). 새로운 견문(見聞).
【新房 신방】 신혼 부부(新婚夫婦)가 같이 자는 방.
【新兵 신병】 새로 뽑은 군사(軍士).
【新報 신보】 새로운 보도(報道). 새로운 소식.
【新婦 신부】 ①며느리. 자부(子婦). ②처음으로 시집간 여자. 새색씨.
【新思想 신사상】 새로운 사상.
【新山 신산】 《韓》 새로 쓴 산소(山所).
【新生 신생】 ①새로 생겨남. ②신앙에 의하여 새로운 생활로 들어감.
【新生面 신생면】 새로운 방면. 신기축(新機軸).

【新選 신선】새로 가려서 뽑음。

【新鮮 신선】새롭고 산뜻함。새로움。

【新設 신설】새로 설치함。

【新說 신설】①새로 세운 학설이나 의견。②처음으로 듣는 이야기。새로운 이야기。

【新歲 신세】새해。

【新小說 신소설】《韓》갑오경장(甲午更張) 이후의 개화 시대를 배경으로 창작된 일군(一群)의 소설。곧 고대 소설과 현대 소설 간의 과도기적 소설로서 옛 제도의 타파、새 문화 생활에의 지향 등이 그 주제임。

【新式 신식】새로운 형식。

【新新 신신】차차로 새로와짐。

【新樂 신악】새로운 음악。곧 서양 음악。

【新案 신안】새로운 고안(考案)이나 제안(提案)。

【新藥 신약】①새로 발명한 약。②양약(洋藥)。

【新陽 신양】신춘(新春)。

【新銳 신예】새롭고 기세가 날카로움。

【新意 신의】새 뜻。신의(新義)。

【新異 신이】신기(新奇)하고 이상함。

【新人 신인】①새로 결혼한 사람。신랑 또는 신부。②사회에 나온지 얼마 안되어 아직 이름이 알려지지 아니한 사람。③사회에 새로 알려진 사람。④새로운 사상을 가진 사람。

【新任 신임】새로 임명(任命)됨。

【新入 신입】새로 들어옴。

【新作 신작】새로 지음。또 그 작품이나 저술。

【新粧 신장】새로 한 단장(丹粧)。

【新裝 신장】새로운 복장(服裝)。

【新著 신저】새로 지은 책(册)。

【新情 신정】새로 사귄 정。새로 든 정。

【新制 신제】①새로운 제도(制度)。②새로운 체제(體制)。

【新製 신제】새로 지음。또 그 물건。

【新造 신조】새로 만듦。

【新條 신조】새로 나온 법률。

【新調 신조】신곡(新曲)。

【新注 신주】①새로 주(註)를 닮。②경학(經學)에서 송(宋)나라 이후의 학자의 주석을 이름。

【新知 신지】①새로 앎。②서로 안지 얼마 안되는 사람。

【新進 신진】①어떤 사회에 새로 나옴。또 그 사람。②새로 벼슬에 오른 이。

【新陳代謝 신진대사】①묵은 것은 차례로 갈고 새 것으로 이에 대신(代身)함。②생물체(生物體)에서 영양물을 섭취(攝取)·배설(排泄)하는 작용。

【新撰 신찬】새로 책(册)을 편찬함。또 그 책。

【新參 신참】새로 들어옴。또 그 사람。

【新築 신축】새로 지음。또 그 집。

【新春 신춘】초봄。

【新特 신특】갓 시집온 아내。새색시。

【新派 신파】새로 나온 유파(流派)。

【新版 신판】새로 나온 출판(出版)。또 새로 출판된 책。

【新編 신편】새로 편집함。또 그 책。

【新品 신품】새로운 물품。

【新戶 신호】새로 살림을 차린 집。

【新婚 신혼】새로 혼인함。갓 결혼함。

【新興 신흥】새로 일어남。

◉改新개신 更新경신 白頭如新백두여신 送舊迎新송구영신 刷新쇄신 迎新영신 溫故知新온고지신 維新유신 一新일신

十四畫

18 【斷】 斤14 고교 **단** ─ 끊을 ─ ①-③㊤旱 ④-⑧㊦翰

자원 회의 㡭+斤→斷(斤부) 2000년 전

「㡭절」은 실이 끊어짐。이 글자를 좌우(左右)로 뒤집어서 쓴 「㡭계」는 실을 이음。자형(字形)이 닮았으므로 나중에 끊어지는 쪽은 「絕절」、잇는 쪽은 「繼계」라고 씀。「斤근」은 날붙이→끊는 일。「斷」은 나무나 쇠붙이를 끊다→일을 해결함。「段단」과 옛 음이 같아서 뜻도 관계가 깊음。나중에 쓰기 쉽게 하여 「斷」으로 했음。

뜻 ①**끊을단** ㉠절단함。「斷絕단절」 ㉡그만둠。폐지함。「斷食단식」 ㉢거절함。②**끊어질단** 계속되지 아니함。「斷續단속」 ③**조각단** 한 조각。④**결단할단** 결정하거나 재결함。「斷定단정」 ⑤**결단단** 결단력。과단성。⑥**단연단** 단연히。⑦**나눌단、나누일단** ⑧**한결같을단** 전일(專一)하여 변하지 않는 모양。성실하고 전일한 모양。

【斷簡 단간】 여러 조각이 난 문서。문서의 단편。
【斷決 단결】 재단(裁斷)하여 결정함。
【斷交 단교】 교제(交際)를 끊음。
【斷棄 단기】 절교하여 돌아보지 않음。
【斷念 단념】 생각을 끊어 버림。염두에 전혀 두지 아니함。
【斷斷 단단】 성실하고 전일(專一)한 모양。전일하여 변하지 않는 모양。
【斷頭 단두】 목을 벰。
【斷頭臺 단두대】 죄인(罪人)의 목을 베는 대(臺)。
【斷末魔 단말마】 죽을 때。임종(臨終)。또 그 때의 고통。
【斷面 단면】 베어낸 면。 「그 머리。
【斷髮 단발】 머리털을 짧게 자름。또
【斷房 단방】 남편(男便)이 아내와 같이 자지 아니함。
【斷峯 단봉】 험준한 산봉우리。
【斷產 단산】 아이를 낳는 것을 끊음。

【斷線 단선】 ①실이 끊어짐。또 끊어진 실。②전선이 끊어져 전기가 통하지 않음。
【斷續 단속】 끊어졌다 이어졌다 함。
【斷送 단송】 헛되이 보냄。
【斷水 단수】 ①물이 나오지 아니함。②수도의 급수(給水)를 끊음。
【斷食 단식】 식사(食事)를 끊음。
【斷岸 단안】 단애(斷崖)。
【斷案 단안】 판단(判斷)。
【斷崖* 단애】 깎아지른 듯한 낭떠러지。절벽(絕壁)。
【斷言 단언】 딱 잘라 말함。
【斷然 단연】 단호(斷乎)。 「리함。
【斷獄 단옥】 죄를 다스림。죄인을 처
【斷雲 단운】 조각조각 끊어진 구름。조각구름。
【斷飮 단음】 술을 끊음。
【斷章 단장】 시문 중의 한 토막。
【斷腸 단장】 몹시 슬퍼서 창자가 끊어지는 듯함。
【斷折 단절】 꺾음。부러뜨림。
【斷絕 단절】 ①끊음。또 끊어짐。②절손(絕孫)함。
【斷截* 단절】 끊음。

【斷定 단정】결단을 내려 정함。

【斷情 단정】사랑을 끊음。정을 끊음。

【斷鐘 단종】띄엄띄엄 들리는 종소리。

【斷罪 단죄】죄를 처단(處斷)함。

【斷指 단지】①자기의 결심(決心)이 굳은 것을 나타내기 위하여 손가락을 자르는 일。②부모(父母)의 병환(病患)이 위중(危重)할 때 손가락을 잘라 그 피를 먹게 하는 일。

【斷綻* 단탄】옷이 타짐。또 타진 데。

【斷片 단편】여러 조각을 낸 중의 한 조각。토막。

【斷編 단편】여러 조각이 나서 완전하지 못한 글이나 책。

【斷限 단한】기한을 정함。

【斷行 단행】딱 결단을 내려 실행함。

【斷絃 단현】①현악기(絃樂器)의 줄이 끊어짐。또 그 줄。②아내의 죽음의 비유。

【斷乎 단호】일단 결심한 것을 과단성 있게 행하는 모양。

【斷魂 단혼】단장(斷腸)。

◉決斷결단 禁斷금단 英斷영단 勇斷용단 優柔不斷우유부단 中斷중단 遮斷차단

方部

【方】4 부수 중학 방 모질 (平)陽

' 亠 亐 方

자원 상형 3000년전

「方」은 양쪽에 손잡이가 달린 쟁기의 모양。두 사람이 가지고 갈기 때문에 좌우、한 줄로 늘어 놓다、비교하다란 뜻。다시 방향·방위·방법 등 여러 가지 뜻으로 변하였음。「方」자의 기원은 통나무배 두 척을 나란히 한 모양이라고도 하며、또 십자가에 못박은 모양이라고도 일컬어짐。그러나 하여간 「方」과 万이 붙는 글자와의 뜻에는 좌우로 넓어진다는 점이 닮음。

뜻 ①**모질방、모방** ㉠네모짐。또 그 형상。「正方形정방형」 ㉡전하여 품행이 방정함。또 땅。대지(大地)。땅은 네모지다 하여 이른 말。②**방위방** 방향。「四方사방」 ③**이제방** 지금。④**길방** 방법。「方途방도」 ⑤**떳떳할방** 일정함。변하지 않음。⑥**견줄방** 비교함。⑦**바야흐로방** 이제 한창。⑧**가질방** 소유함。⑨**배나란히세울방** 선박을 병렬(並列)시킴。⑩**당할방** 때를 당함。⑪**향할방** 대(對)함。⑫**거스를방** 거역함。⑬**나눌방** 구별함。⑭**널조각방** 목판(木版)。⑮**술법방** 신선술(神仙術)。⑯**의술방** 의학。⑰**나라방** 국가。국토。⑱**성방** 성(姓)의 하나。

참고 「方」을 음으로 하는 글자＝「仿방」〈비슷하다〉·「彷방」〈배회하다〉·「昉방」〈밝다〉·「枋방」〈나무이름〉·「舫방」〈방주〉·「芳방」〈향내나다〉·「放방」〈내치다〉·「訪방」〈찾다〉·「髣방」〈비슷하다〉·「坊방」〈동네〉·「妨방」〈거리끼다〉·「防방」〈둑〉·「房방」〈곁방〉·「肪방」〈살찌다〉·「旁방」〈옆〉·「紡방」〈실을 잣다〉

【方角 방각】동서남북의 향방(向方)。

【方客 방객】신선(神仙)의 술법(術法)을 닦는 사람。도사(道士)。

【方內 방내】①나라 안。②지경 안。③사람이 사는 이 세상。

【方途 방도】일을 치러 갈 길。

【方冬 방동】음력(陰曆) 시월(十月)의 별칭(別稱)。초동(初冬)。

【方面 방면】①네모 반듯한 얼굴。②어떤 방향의 지방。③전문적으로 나아가는 쪽。

【方聞 방문】행실이 방정하고 학문이 「넓음。

【方物 방물】①지방(地方)의 산물。②다른 물건을 따로따로 나누어 이름을 지음。나눔。구별함。

【方法 방법】일정한 목적을 이루기 위하여 취하는 솜씨。수단。

【方相 방상】역귀를 쫓는 신(神)。

【方書 방서】①사방(四方)의 책。②방술(方術)의 책。

【方俗 방속】지방의 풍속。

【方式 방식】일정한 형식(形式)。

【方雅 방아】방정(方正)하고 우아함。

【方案 방안】방법(方法)의 고안。

【方羊 방양】①노고(勞苦)하는 모양。②이리저리 거닒。배회함。방양(彷 「徉)。

【方言 방언】사투리。

【方枘圓鑿* 방예원조】네모진 자루와 둥근 구멍이란 뜻으로 서로 맞지 않는 것의 비유。

【方外 방외】①언행(言行)을 바르게 함。②지경(地境) 밖。③이역(異域)。이적(夷狄)의 땅。④세속(世俗) 사람의 테두리 밖。

【方外學 방외학】유교(儒教)에서 도교·불교를 이르는 말。

【方圓 방원】모진 것과 둥근 것。방형(方形)과 원형(圓形)。

【方位 방위】방각(方角)과 위치(位置)。동서남북을 기준으로 십육 방위(十六方位)·삼십 이 방위(三十二方位) 등으로 나눔。

【方任 방임】사방을 지킬 임무를 띤 사람。태수(太守) 따위。

【方長不折 방장부절】①자라는 초목(草木)을 꺾지 아니함。②앞길에 바랄 것이 있는 사람이나 일에 대하여 헤살을 놓지 아니함。

【方底而圓蓋 방저이원개】아래가 네모진 것에 둥근 뚜껑의 뜻。서로 맞지 않음의 비유。

【方田 방전】정방형의 전지(田地)。또 전지의 종횡의 길이를 똑 같이 함。균전(均田)。 「천정。

【方井 방정】정간(井間)을 맞추어 짠

【方正 방정】①언행이 바르고 점잖음。②한대(漢代)의 과거(科擧) 과목。

【方劑* 방제】조제(調劑)한 약。

【方舟 방주】배를 나란히 함。또 나란히 가는 두 척의 배。

【方重 방중】방정하고 진중(鎭重)함。

【方志 방지】①바른 마음。②한 지방에 관한 사항을 적은 기록。

【方陣 방진】방형(方形)의 진(陣)。

【方鎭 방진】한 지방을 진수(鎭戍)하는 벼슬。당(唐)나라의 절도사(節度使) 같은 것。

【方策 방책】꾀。계책。

【方礎 방초】네모진 주춧돌。

【方寸 방촌】①마음。②사방(四方) 한 치。③근소(僅少)한 면적(面積)。

【方錐* 방추】네모진 송곳。

【方針 방침】①앞으로 나아갈 일정한

방향(方向)과 계획(計畫)。②나침반(羅針盤)의 방위(方位)를 가리키는 자석(磁石)으로 만든 바늘。

【方便 방편】《佛敎》 편의에 따라 사람을 인도하는 방법。②임기응변(臨機應變)의 처리。

【方解石 방해석】 차돌。

【方行 방행】 ①널리 보급됨。②제 마음대로 행동함。횡행(橫行)。

【方向 방향】 향하는 쪽。방위(方位)。

【方形 방형】 네모진 형상(形狀)。

◉間方간방 多方다방 萬方만방 百方백방 朔方삭방 上方상방 尙方상방 西方서방 先方선방 時方시방 雙方쌍방 藥局方약국방 外方외방 遠方원방 醫方의방 異方이방 離方이방 立方입방 正方정방 八方팔방 平方평방 下方하방 漢方한방 後方후방

四畫

8 **【於】** 方 4 중학 ㊀어 ㊁오 | 어조사 | ㊀(平)魚 ㊁(平)虞

丶 亠 方 方 扵 於 於

자원 상형 2500년전

「烏오」〈까마귀〉의 옛 글자의 약체(略體)。까마귀의 모양을 본뜸。음을 빌어 감탄사·관계·비교를 나타내는 어조사(語助辭)로 씀。

뜻 ㊀①**어조사어** 전후 자구(字句)의 관계를 나타내는 말。于(二部一畫)와 뜻이 같음。②**기댈어** 의거함。의지함。③**있을어** 在(土部三畫)와 뜻이 같음。㊁①**오흡다할오** 감탄사。아아。②**땅이름오** 지명(地名)。「商於상오」 ③**까마귀오** 烏(火部六畫)의 옛 글자。

【於是乎 어시호】 이에 있어서。이제야。

【於焉間 어언간】 어느덧。어느 사이에。

【於乎 오호】 아아。감탄하는 소리。

◉甚至於심지어

【放】 ⇨攴部四畫

五畫

9 **【施】** 方 5 중학 ㊀시 ㊁이 | 베풀 | ㊀①-⑥(平)支⑦(上)紙⑧(去)寘⑨⑩ ㊁(去)寘

丶 亠 亍 方 扩 扩 斻 斾 施

자원 형성 扩언 也음 ┐施(方부) 2500년전

깃발을 뜻하는 「扩언」과 음을 나타내는 「也야」(시는 변음)로 이루어짐。깃발이 흔들거린다는 뜻。음을 빌어 베푼다는 뜻으로 씀。

뜻 ㊀①**베풀시** ㉠차림。「施設시설」 ㉡시행함。「施政시정」 ㉢은혜를 베풂。②**전할시** 전달됨。③**기시(棄市)할시** 시체를 버려 뭇 사람에게 보임。④**자랑할시** 뽐냄。⑤**기뻐할시** ⑥**곱사등이시** 꼽추。「施戚시척」 ⑦**은혜시** ⑧**공로시** ⑨**버릴시** 유기(遺棄)함。⑩**느슨할시、늦출시** ㊁①**옮을이、옮길이** 移(禾部六畫)와 뜻이 같음。②**뻗을이** 연장됨。미침。③**미칠이** 어느 한도에 이름。④**기울이** 비스듬함。

【施療* 시료】 무료로 치료해 줌。

【施米 시미】 시여(施與)하는 쌀。

【施肥 시비】 논밭에 거름을 줌。

【施賞 시상】 상품(賞品)을 줌。

【施設 시설】 베풀어서 설비(設備)함。

【施與 시여】 남에게 물건을 줌。

【施政 시정】 정무(政務)를 시행함。

【施主 시주】《佛教》 ①부처 또는 중에게 물건을 주는 사람。 ②장례·법사(法事) 등을 행하는 주인공。

【施策 시책】 계책(計策)을 베풂。

【施行 시행】 ①실지로 베풀어 행함。 ②중·빈민 등에게 재물을 줌。

◉博施박시 布施보시 普施보시 報施보시 西施서시 實施실시

六畫

10 【旅】 方 6 중학 려 나그네 ㊤語

亠 方 方 扩 旅 旅 旅

자원 회의 从+旅(方부) 3000년전 2500년전

「从종」은 따르는 많은 사람들。「㫃언」은 기드림으로 된 군기(軍旗)。「旅」는 깃발 밑에 모여 있는 군대。옛날엔 다섯 사람을「伍오」、오백 명을「旅」、다섯 개「旅」를「師사」、다섯 개의「師」를「軍군」이라 하였음。옛 모양에는 전차(戰車)의 모양을 써 붙인 것도 있음。나중에「旅」는 여행(旅行)의 뜻으로 쓰여짐。

뜻 ①**나그네려** ㉠객지에 기류하는 일。 ㉡여인(旅人)。 ②**여행할려** 멀리 감。 ③**무리려** 다수의 사람。「旅力여력」 ④**군사려** 오백 명의 군사。전하여 군대。「師旅사려」 ⑤**여괘려** 육십 사 괘(六十四卦)의 하나。곧 ☲☶(간하(艮下) 이상(離上))。머무른 곳을 떠나지 않는 상(象)。 ⑥**벌여놓을려、늘어설려** 진열함。또 줄지어 섬。 ⑦**산신제지낼려** ⑧**등뼈려**

【旅客 여객】 나그네。

【旅館 여관】 나그네를 묵게 하는 집。

【旅券 여권】 해외 여행(海外旅行) 때 허가(許可)하여 주는 문서(文書)。여행권(旅行券)。

【旅力 여력】 ①뭇 사람의 힘。 ②등뼈의 힘。손의 힘。완력。여력(膂力)。

【旅路 여로】 나그네의 길。

【旅費 여비】 여행하는 데 드는 돈。

【旅舍 여사】 여관(旅館)。

【旅思 여사】 여행 중의 심정。객정(客情)。

【旅愁 여수】 객지(客地)에서의 수심。나그네의 수심。객수(客愁)。

【旅宿 여숙】 ①여관。 ②여차(旅次)。

【旅心 여심】 여행(旅行)할 때 마음에 우러나는 회포(懷抱)。

【旅裝 여장】 여행하는 몸、차림。

【旅情 여정】 여사(旅思)。

【旅程 여정】 여행하는 노정(路程)。

【旅中 여중】 객지(客地)에 있는 동안。

【旅進旅退 여진여퇴】 여러 사람과 진퇴(進退)를 같이함。식견(識見)이나 지조(志操)가 없음의 비유。

【旅次 여차】 여행 중의 숙박(宿泊)。타향에서의 우거(寓居)。

【旅窓 여창】 나그네가 거처하는 방。

【旅體 여체】 객지(客地)에 있는 몸。객체(客體)。

【旅行 여행】 먼 길을 감。

◉客旅객려 軍旅군려 征旅정려 行旅행려

10 **【旁】** 方 6 ㊀**방** ㊁**팽** — 곁 — ㊀①-③平陽 ④去漾 ㊁平庚

자원 형성 方음 ⊢ 旁(方부) 3000년전

담틀의 널빤지를 나타내는 「ㅂ」와 음을 나타내는 「方방」으로 이루어짐. 널빤지의 양쪽의 뜻. 전하여 널리 곁의 뜻.

뜻 ㊀①**곁방** 옆. 傍(人部十畫)과 같은 글자. 「兩旁양방」 ②**널리방** 너르게. 두루. 「旁求방구」 ③**방방** 한자(漢字)의 우방(右方)의 일컬음. ④**기댈방** 의지함. ㊁**달릴팽** 말이 쉬지 않고 달리는 모양.

주의 「㫄」은 정자(正字).

참고 「旁」을 음으로 하는 글자=「傍방」〈곁〉·「徬방」〈곁〉·「滂방」〈죽 죽 퍼붓다〉·「榜방」〈패〉·「膀방」〈오줌통〉·「蒡방」〈우엉〉·「謗방」〈헐뜯다〉

【旁系 방계】 갈려서 나누인 계통.

【旁觀 방관】 방관(傍觀).

【旁若無人 방약무인】 언행을 기탄없이 함.

【旁注 방주】 본문의 옆의 주해.

【旁牌 방패】 전쟁 때 화살·창·돌 따위를 막는 무기. 보병용의 장형(長形)과 기병용의 원형(圓形)이 있음.

七畫

11 **【旋】** 方 7 고교 **선** — 돌릴 — 平先

자원 회의 㫃 疋 ⊢ 旋(方부)

「㫃언」〈깃발〉과 「疋소」〈발〉로 이루어짐. 본디 뜻은 주선(周旋)의 「旋」이며, 지휘관이 정기(旌旗)로 지휘하면 군대가 이에 따라 모든 행동을 하는 일. 그러므로 「㫃」과 「疋」를 합쳐 그 뜻을 나타냄. 전하여, 널리 돌다의 뜻으로 함.

뜻 ①**돌릴선** ㉠돌게 함. 「旋轉선전」 ㉡방향을 돌림. 돌아섬. ②**돌선** 회전함. 「旋回선회」 ③**돌아올선** 도로 옴. 「凱旋개선」 ④**빠를선** 동안이 짧음. 「旋興旋廢선흥선폐」 ⑤**조금선** 좀. ⑥**오줌선** 소변. ⑦**두를선** 빙 두름.

【旋曲 선곡】 돌아 굽음.

【旋流 선류】 돌아 흐름.

【旋毛 선모】 소용돌이 모양으로 난 머리털. 가마.

【旋渦* 선와】 소용돌이침. 또 소용돌림.

【旋轉 선전】 빙빙 돌아감. 또 빙빙 돌림.

【旋風 선풍】 회오리바람.

【旋回 선회】 돎. 또 돌림.

◉凱旋개선 斡旋알선 渦旋와선 周旋주선

11 **【族】** 方 7 중학 ㊀**족** ㊁**주** — 겨레 — ㊀入屋 ㊁去宥

자원 회의 㫃 矢 ⊢ 族(方부) 3000년전

「㫃언」〈깃발〉과 「矢시」〈화살〉를 합한 글자. 본 뜻은 화살촉. 나중에 많은 화살이 모이는 모양에서 전하여, 떼짓다의 뜻으로 삼고, 다시 일가친척의 뜻이 되었는데, 화살촉에는 「鏃족·촉」을 쓰고 떼짓다에는 「簇족」을 씀.

뜻 ㊀①겨레족 ㉠일가。집안。「族人족인」 ㉡인종(人種)의 유별(類別)。②백집족 백가(百家)。③무리족 동류(同類)。④성족 성씨(姓氏)。⑤족멸할족 씨를 멸함。⑥떼질족 한데 모임。「族居족거」 ㊁풍류가락주 奏(大部六畫)와 통용。

참고 「族」을 음으로 하는 글자＝「蔟족」〈섶〉·「簇족」〈모이다〉·「鏃족·촉」〈살족〉·「嗾수·주」〈추기다〉

【族系 족계】가계(家系)。

【族類 족류】동족(同族)。

【族滅 족멸】멸족(滅族)함。

【族譜 족보】씨족(氏族)의 계보(系譜)。

【族父 족부】아버지의 재종형제(再從兄弟)。재당숙(再堂叔)。

【族生 족생】떼지어 남。족생(簇生)。

【族屬 족속】겨레붙이。

【族緣 족연】친족의 인연。

【族人 족인】동종(同宗)인 사람。

【族子 족자】①동종(同宗)의 아들。②형제의 아들。조카。③삼종형제(三從兄弟)의 아들。

【族長 족장】한 겨레의 장(長)。

【族祖父 족조부】조부의 종형제。재종조부(再從祖父)。

【族戚 족척】친척(親戚)。

【族稱 족칭】백성의 신분。계급의 별칭。

【族兄弟 족형제】삼종형제(三從兄弟)。

◉家族가족 甲族갑족 巨族거족 擧族거족 系族계족 高族고족 官族관족 九族구족 同族동족 名族명족 苗族묘족 門族문족 部族부족 士族사족 庶族서족 姓族성족 世族세족 氏族씨족 魚族어족 語族어족 王族왕족 姻族인족 一族일족 宗族종족 種族종족 戚族척족 賤族천족 親族친족 血族혈족 豪族호족 華族화족 皇族황족

十畫

14 【旗】 方 10 고교 기 기 ㊥支

자원 형성 其(음) + 㫃(方부) → 旗

음을 나타내는 「其기」는 구분하다↓표적。「㫃언」은 기가 휘날리는 모양이며 「族족」「旅려」 따위는 이 글자에서 생겼음。「旗」는 군기(軍旗)이며 나중에는 여러 가지 기가 있어 각각 다른 글자를 써서 곰이나 호랑이의 그림을 그린 대장의 기를 「旗」라 일컫기로 하였음。

뜻 ①기기 곰과 범을 그린 기。또 널리 기의 총칭。「旌旗정기」 ②표기 표지(表識)。③군대기 청조시대(淸朝時代)의 군대의 일컬음。「八旗팔기」 ④별이름기 성수(星宿)의 하나。

【旗鼓 기고】전쟁에 쓰는 기와 북。

【旗手 기수】기를 드는 사람。

【旗章 기장】기의 표지(標識)。기치(旗幟)。

【旗亭 기정】술집。주점。전(轉)하여 요릿집。여관。

【旗幟* 기치】①군기(軍旗)。②기의 표지(標識)。전하여 거취(去就)·찬부(贊否)의 태도。

【旗幟鮮明* 기치선명】①기의 빛이 선명함。②주의·방침·태도 등이 명확함。

【旗標 기표】기장(旗章)。

【旗下 기하】휘하(麾下)。

【旗艦 기함】사령관이 타고 있는 군함。

◉校旗교기 國旗국기 軍旗군기 軍艦旗

군함기 反旗반기 叛旗반기 白旗백기 兵旗병기 社旗사기 船旗선기 聯隊旗연대기 龍旗용기 優勝旗우승기 赤旗적기 弔旗조기 太極旗태극기 降旗항기

无部

【无】 4 부수 **무** | 없을 | (平)虞

자원 미상(未詳)。「无」음(音)이「無무」와 통하므로、없다의 뜻으로 쓰임。

뜻 **없을무** 毋(部首)·無(火部八畫)와 같은 글자。역경(易經)과 노자(老子)에는 이 자를 썼음。

五畫

9 **【旣】** 无 5 旣(다음 글자)의 속자(俗字)。

七畫

11 **【旣】** 无 7 중학 ㊀**기** ㊁**희** | 이미 | ㊀㊁ (去)未

旣

자원 형성 皀+旡(음) → 旣 (无부) 2500년전

먹을 것을 수북히 담은 모양인 皀(⇩皀흡)와 배불리 먹고 옆을 보고 있는 모양인 旡(⇩旡기)으로 이루어짐。실컷 먹었다는 뜻。전하여、끝났음을 뜻하는「이미」의 뜻이 되었음。「旡」는 음을 나타냄。

뜻 ㊀①**이미기** ㉠벌써。「旣已기이」㉡원래。②**다할기** ㉠다 마침。㉡다 없어짐。㉢다 없앰。㊁**쌀희、녹미희** 餼(食部十畫)와 통용。

주의「旣」는 속자(俗字)。

참고「旣」를 음으로 하는 글자 =「曁기」〈그 밖에 또〉·「慨개」〈분개하다〉·「嘅개」〈탄식하다〉·「槪개」〈평목〉·「漑개」〈물을 대다〉

【旣決 기결】이미 된 결정(決定)。

【旣得權 기득권】정당(正當)한 수단에 의하여 이미 얻은 권리(權利)。

【旣設 기설】이미 차리어 놓음。미리 베풀어 놓음。

【旣成 기성】이미 이루어짐。

【旣往 기왕】이전。

【旣爲 기위】《韓》이미。벌써。

【旣已 기이】이미。벌써。

【旣以 기이】기이(旣已)。이(以)는 이(已)와 통용。

【旣定 기정】이미 결정함。

【旣知 기지】이미 앎。

【旣婚 기혼】이미 혼인을 하였음。

◉皆旣개기 蝕旣식기

日部

【日】 4 부수 중학 **일** | 해 | (入)質

丨 冂 日 日

자원 상형 ⊟ (A) 3000년전 ⊙ (B) 2500년전

「日」은 태양을 그린 것。 단단한 재료(材料)에 칼로 새겼기 때문에 네모꼴로 보이지만 본디는 둥글게 쓰려던 것인 듯。 (B)처럼 햇살을 붙인 모양은 한자(漢字)로서는 극히 드묾。

뜻 ①**해일** ㉠태양。「日月일월」 ㉡낮의 길이。 ②**날일** ㉠하루。「一日일일」 ㉡때。 시기。 ③**낮일** 밤의 대(對)。 ④**나날일** 나날이。 매일。「日改月化일개월화」 ⑤**접때일** 이왕에。「日者일자」

주의 「曰왈」〈가로되〉은 딴 글자。

【日間 일간】 며칠되지 아니한 동안。

【日改月化 일개월화】 나날이 변천함。

【日居月諸 일거월저】 일월(日月)。

【日計 일계】 날마다 계산(計算)함。 또 그 계산。

【日工 일공】 ①날마다 공전을 받으며 하는 일。 날품팔이。 ②하루의 공전。

【日課 일과】 날마다 하는 일、 또는 과정(課程)。

【日光 일광】 햇빛。

【日光浴 일광욕】 햇빛에 쬐어 건강(健康)을 증진(增進)하는 일。

【日久月深 일구월심】 날이 오래고 달이 깊어짐。

【日勤 일근】 날마다 근무(勤務)함。

【日給 일급】 ①품삯을 날마다 줌。 ②하루의 급료(給料)。

【日氣 일기】 그 날의 천기。 날씨。

【日記 일기】 날마다 일어난 사실(事實)을 적은 기록(記錄)。

【日暖風和 일난풍화】 일기(日氣)가 따뜻하고 바람이 화창(和暢)함。

【日落西山 일락서산】 해가 서산에 짐。

【日曆 일력】 ①일기(日記)。 ②날마다 한 장씩 젖히어 보는 괘력(掛曆)。

【日輪 일륜】 해。

【日暮 일모】 해가 질 때。 해질머리。

【日暮道遠 일모도원】 해는 저물고 갈 길은 멂。 나이는 먹어 이미 늙었으나 할 일이 많음의 비유。

【日沒 일몰】 해가 짐。

【日薄西山 일박서산】 해질녘임。 전하여 늙어서 여명(餘命)이 얼마 남지 아니한 뜻으로 쓰임。

【日邊 일변】 ①해의 가。 일제(日際)。 ②대궐(大闕) 부근。

【日復日 일부일】 날마다。 나날이。

【日射病 일사병】 혹렬한 일광의 직사(直射)를 받아서 발생하는 질환。

【日常 일상】 늘。 항상(恆常)。

【日常茶飯事 일상다반사】 항용 있는 일。 항다반(恆茶飯)。

【日夕 일석】 ①낮과 밤。 ②저녁。

【日星 일성】 해와 별。

【日數 일수】 ①그 날의 운수(運數)。 ②날의 수효(數爻)。

【日食 일식】 일식(日蝕)。

【日蝕 일식】 달이 태양과 지구 사이에 와서 해를 가리는 현상。 일식(日食)。

【日新 일신】 날마다 새로와짐。

【日新月盛 일신월성】 나날이 새로와지고 다달이 왕성하여짐。

【日夜 일야】 ①주야(晝夜)。 ②항상。

【日語 일어】 일본(日本) 말。 일본어。

【日域 일역】 ①해뜨는 곳。 ②해가 비추는 곳。 천하(天下)。

【日亦不足 일역부족】 종일(終日) 하

여도 시간이 모자람.

【日影 일영】 해의 그림자. 일영(日景)。

【日曜 일요】 칠요의 하나. 일요일.

【日用 일용】 날마다 드는 씀씀이.

【日用品 일용품】 날마다 쓰는 물품.

【日月 일월】 ①해와 달. ②시일(時日)의 경과(經過)。 ②광음(光陰)。

【日月無私照 일월무사조】 일월(日月)은 공평(公平)하게 비춘다는 뜻으로 지공무사(至公無私)함의 비유.

【日月如流 일월여류】 세월은 유수(流水)와 같이 쉬지 않고 흘러 어느덧 달이 바뀌고 해가 감.

【日益 일익】 나날이 더욱.

【日人 일인】 일본(日本) 사람.

【日日 일일】 날마다. 매일.

【日日新又日新 일일신우일신】 날마다 자꾸 진보(進步)함.

【日字 일자】 날짜.

【日前 일전】 지나간 날. 며칠 전(前).

【日程 일정】 그날에 할 일, 또는 분량·순서.

【日際 일제】 일변(日邊).

【日中 일중】 오정(午正) 때. 한낮.

【日增月加 일증월가】 날로 달로 증가함. 나날이 늘어감.

【日誌 일지】 일기(日記).

【日直 일직】 ①매일의 당직(當直). ②주간(晝間)의 당직.

【日辰 일진】 날의 간지(干支).

【日進 일진】 나날이 진보함.

【日進月步 일진월보】 날이 가고 달이 바뀜에 따라 자꾸 진보함.

【日淺 일천】 시작한 뒤로 날짜가 많지 아니함.

【日出 일출】 ①해가 뜸. ②나날이 나옴.

【日就月將 일취월장】 학문(學問)이 날로 달로 진보(進步)함.

【日下 일하】 ①해가 비추는 아래. ②해가 뜨는 동쪽 나라. ③서울. 도읍. ④천하(天下). 세계.

【日魂 일혼】 해의 신(神).

【日和 일화】 일광(日光)이 화창함.

【日華 일화】 햇빛.

【日暈* 일훈】 햇무리.

【日興 일흥】 ①매일 흥겨워함. ②매일 흥겨워하는 일. 매일 즐거워하는 일.

◉隔日격일 近日근일 今日금일 忌日기일 吉日길일 落日낙일 納日납일 來日내일 當日당일 冬日동일 同日동일 每日매일 明日명일 白日백일 百日백일 不日불일 生日생일 夕日석일 昔日석일 先日선일 數日수일 旬日순일 時日시일 連日연일 永日영일 往日왕일 元日원일 月日월일 一日일일 昨日작일 殘日잔일 再昨日재작일 積日적일 前日전일 朝日조일 終日종일 主日주일 週日주일 卽日즉일 天日천일 祝日축일 他日타일 擇日택일 平日평일 後日후일 休日휴일

一畫

5 **【旦】** 日 1 고교 **단** | 아침 | 去翰

ㅣ ㄇ 日 日 旦

자원 회의 日+一→旦 (日부) ⊖ 2500년전

태양(日일)이 지평선(一일) 위에 나타났음을 나타냄.

뜻 ①**아침단** 해돋을 무렵. 「旦夕단석」 ②**밝을단** 밤이 샘. ③**밤새울단** 철야함.

주의 「且차」〈또〉는 딴 글자。

참고 「旦」을 음으로 하는 글자=「但단」〈단지〉·「坦탄」〈평평하다〉·「怛달」〈놀라다〉·「担걸·담」〈들어 올리다〉·「胆담」〈쓸개〉·「疸달」〈달병〉

【旦來 단래】 아침부터。 조래(朝來)。

【旦明 단명】 새벽。 해뜰녘。

【旦暮 단모】 ①아침 저녁。 조석(朝夕)。 ②절박(切迫)함。

【旦夕 단석】 단모(旦暮)。

【旦晝 단주】 ①아침과 낮。 ②낮。

【旦昏 단혼】 아침 저녁。 단모(旦暮)。

◉吉旦길단 歲旦세단 晨旦신단 元旦원단 月旦월단 一旦일단 正旦정단 早旦조단

5 【旧】 日 1 舊(臼部十二畫)의 속자(俗字)。

二畫

6 【早】 日 2 중학 조 새벽 ㊤皓

丨 冂 冃 日 旦 早

자원 회의 甲+十→早(日부)

2500년전

여러 가지 설(說)이 있어 어느 것으로도 정하기 곤란함。

〔첫째설〕「甲갑」은 물건의 기원。 「早」는、 해가 뜨기 시작하는 아침→아침 일찍→이름。

〔둘째설〕「早」는 도토리 같은 나무 열매의 모양。 검은 물감을 이 나무 열매에서 따므로 검다→어둡다는 뜻으로 쓰며、 어둡다→아침이 이르다→물건의 기원으로 되었음。

〔셋째설〕「草초」자의 옛 모양은 풀숲 속에 「早」라 쓴 것이 있으며 풀숲 저쪽에서 해가 솟아 오르는 아침을 나타냄。 나중에 약(略)하여 「早」로 하였음。 이에 대하여 풀숲 속에 「日일」이라고 쓴 글자 「莫막→暮모」는 해짐을 나타냄。

뜻 ①새벽조 이른 아침。 ②이를조 ㉠아침이 이름。 ㉡때가 아직 오지 아니함。 ㉢급속함。 ③일찍조 ㉠먼저。 서둘러。 ㉡급히。

주의 「皁조」〈검다〉·「旱한」〈가물다〉은 딴 글자。

참고 「早」를 음으로 하는 글자=「皁조」〈검다〉·「草초」〈풀〉

【早計 조계】 너무 급히 서두름。

【早急 조급】 급히 서두름。

【早年 조년】 젊은 나이。 만년(晩年)의 대(對)。

【早達 조달】 ①나이 젊어서 높은 지위에 오름。 또 빠른 출세。 ②어려도 어른같이 보임。 숙성함。

【早稻 조도】 올벼。

【早老 조로】 나이에 비하여 일찍 늙음。

【早漏 조루】 교합(交合)할 때 사정작용(射精作用)이 너무 빠름。

【早晩 조만】 ①이름과 늦음。 ②아침과 저녁。 ③이르든지 늦든지。 어느 때든。 ④가까운 장래에。

【早死 조사】 일찍 죽음。

【早產 조산】 달이 차기 전에 낳음。

【早成 조성】 숙성(夙成)함。

【早世 조세】 일찍 죽음。

【早熟 조숙】 일찍 익음。

【早朝 조조】 이른 아침。 새벽。

【早潮 조조】 아침에 밀려왔다가 나가는 조수(潮水)。

【早秋 조추】 이른 가을。 초추(初秋)。

【早春 조춘】이른봄。초춘(初春)。
【早出暮入 조출모입】아침 일찍 나가서 해가 져서 돌아옴。
【早退 조퇴】정각 이전에 물러감。
【早慧 조혜】나이가 어려서부터 슬기가 있음。숙성함。
【早婚 조혼】나이가 어려서 혼인함。
◉尙早상조

6 【旭】日 2 욱 | 아침해 | [入]沃

[자원] 형성 日 九[음] ⊤ 旭(日부)
「日일」〈해〉과 음을 나타내는 「九구」(욱은 변음)로 이루어짐。
[뜻] ①아침해욱 아침에 떠오르는 해。「旭光욱광」「旭日욱일」 ②해뜰욱 아침에 해가 뜨는 모양。③교만할욱 거만한 모양。또 만족한 모양。
【旭光 욱광】솟아 오르는 햇빛。
【旭旦 욱단】아침 해뜰 녘。
【旭日 욱일】아침 해。조양(朝陽)。

6 【旨】日 2 지 | 맛 | [上]紙

[자원] 회의 匕 口-日 ⊤ 旨(日부)  2500년전
「匕비」〈숟갈〉와 「口구」〈입·나중에 日로 변함〉로 이루어지며, 숟갈로 떠서 입으로 핥는 뜻。전하여, 맛있다의 뜻。또, 빌어서, 취지(趣旨)의 뜻으로 쓰임。
[뜻] ①맛지 음식의 맛。또 맛 있는 음식。②맛있을지 ③아름다울지 선미(善美)함。④뜻지 ㉠의향。「高旨고지」 ㉡의의。「旨義지의」 ㉢천자(天子)의 뜻。성지(聖旨)。
[참고] 「旨」를 음으로 하는 글자=「指지」〈손발가락〉·「耆기」〈예순살이 되다〉·「脂지」〈비계〉·「鮨지」〈젓〉·「詣예」〈이르다〉
【旨意 지의】뜻。생각。의향(意向)。
【旨義 지의】뜻。의의(意義)。
【旨趣 지취】지의(旨意)。
◉高旨고지 內旨내지 密旨밀지 本旨본지 上旨상지 宣旨선지 聖旨성지 宸旨신지 令旨영지 遠旨원지 宗旨종지 趣旨취지

6 【旬】日 2 [고교] 순 | 열흘 | [平]眞

ノ 勹 勺 旬 旬 旬

[자원] 회의 日 勹 ⊤ 旬(日부)  2500년전
「勹포」〈包포。싸다〉와 「日일」의 합자(合字)。열흘을 일컬음。하나에서 열까지를 한 바퀴로 하여, 이것에 「日」을 더하여 열흘의 뜻으로 함。전하여, 두루 미치다의 뜻。
[뜻] ①열흘순 십일。「旬朔순삭」 ②열번순 십회。③두루미칠순 골고루 미침。④고를순 균일함。⑤찰순 제돐이 꼭 참。「旬月순월」
[참고] 「旬」을 음으로 하는 글자=「徇순」〈돌자〉·「殉순」〈따라 죽다〉·「恂순」〈미덥다〉·「荀순」〈풀이름〉·「筍순」〈댓순〉·「詢순」〈문의하다〉
【旬年 순년】십년(十年)。
【旬歲 순세】만 일년(滿一年)。
【旬餘 순여】십여일(十餘日)。
【旬月 순월】만 일개월。
【旬日 순일】열흘。열흘간。
【旬葬 순장】죽은 지 십일(十日)만에 지내는 장사(葬事)。

【旬前 순전】 음력(陰曆) 초열흘 전。
◉上旬상순 一旬일순 中旬중순 初旬초순

三畫

7 【旱】 日 3 고교 **한** | 가물 | 去翰

丨 冂 日 日 旦 旦 旱

자원 형성 日 干음 ⊥ 旱(日부) 2500년전

해를 나타내는 「日일」〈해〉과、음을 나타내며 동시(同時)에 마른다는 뜻(⇩乾건)을 나타내는 「干간」(한은 변음)으로 이루어지며、해가 쨍쨍 내리 쪼이고 마른다는 뜻。

뜻 **가물한** 비가 오래 오지 아니함。「旱災한재」

주의 「早조」〈새벽〉·「旰간」〈해가 지다〉은 딴 글자。

참고 「旱」을 음으로 하는 글자=「悍한」〈사납다〉·「駻한」〈사나운말〉·「捍한」〈막다〉·「桿간」〈쓰러진 나무〉·「稈간」〈짚〉·「趕간」〈급히 달려가다〉

【旱稻 한도】 육도(陸稻)。밭벼。
【旱雷 한뢰】 가문 날에 나는 우뢰。
【旱魃* 한발】 가물。
【旱熱 한열】 날이 가물고 더움。
【旱炎 한염】 불꽃 같은 더위。
【旱災 한재】 가물로 생기는 재앙。
【旱祭 한제】 기우제(祈雨祭)。
【旱天 한천】 가문 하늘。또 여름의 하늘。
【旱害 한해】 가물의 피해。
【旱凶 한흉】 가뭄으로 흉년이 듦。
◉枯旱고한 大旱대한 炎旱염한

【更】 ⇩日部三畫

四畫

8 【昌】 日 4 중학 **창** | 창성할 | 平陽

丨 冂 日 日 昌 昌 昌 昌

자원 회의 日 日 ⊥ 昌(日부) (A) (B) 2500년전

「日일」〈해〉을 둘 겹쳐서 햇빛이 밝게 빛남을 나타냄。전하여、널리 사물(事物)이 창성한다는 뜻。

뜻 **①창성할창** 번성함。「昌運창운」 **②착할창** 선미(善美)함。 **③아름다울창** 용모가 고움。일설(一說)에는 장건(壯健)함。 **④물건창** **⑤창포창** 菖(艸部八畫)과 통용。「昌本창본」「菖창」〈창포〉

참고 「昌」을 음으로 하는 글자=「倡창」〈여자 광대〉·「唱창」〈노래부르다〉·「娼창」〈갈보〉·「猖창」〈미치다〉·

【昌盛 창성】 성(盛)함。번창(繁昌)함。
【昌世 창세】 잘 다스려 번영하는 세상。
【昌昌 창창】 창성한 모양。
【昌平 창평】 나라가 창성(昌盛)하고 세상(世上)이 태평(泰平)함。
◉繁昌번창 盛昌성창 壽昌수창 隆昌융창

8 【昇】 日 4 고교 **승** | 오를 | 平蒸

丨 冂 日 日 旦 早 昇 昇

자원 형성 日 升음 ⊥ 昇(日부) 2500년전

「日일」〈해〉과、음을 나타내는 동시에 오른다는 뜻(⇩登등)을 가진「升승」으로 이루어지며 해가 떠오른다

는 뜻。전하여、널리 오른다는 뜻。

[뜻] ①오를승 ㉠해가 떠오름。㉡위로 올라감。㉢승진함。②올릴승 올라가게 함。「昇級승급」

【昇降 승강】오르고 내림。

【昇給 승급】봉급(俸給)이 오름。

【昇敍 승서】벼슬을 올림。

【昇進 승진】벼슬이나 지위가 오름。

【昇天 승천】①하늘에 올라감。②하늘에 올라가 신선(神仙)이 됨。③기독교에서 신자(信者)가 죽음。

【昇天入地 승천입지】하늘에 오르고 땅에 들어감。

【昇平 승평】태평(泰平)한 세상(世上)。승평(升平)。

【昇華 승화】고체(固體)에 열(熱)을 가할 때 액체(液體)가 되는 일이 없이 직접 기체(氣體)로 되는 현상。

◉上昇상승 提昇제승

8 【昊】 日 4 호 | 하늘 | ㊤皓

[자원] 형성 日 夰[음] ┬昦─昊(日부)

본래는 「昦」로 쓰여졌으며、「日일」〈해〉과、음을 나타내며 동시(同時)에 넓다의 뜻(⇩浩호)을 가지는 「夰호」로 이루어지며、태양(太陽)이 반짝이며 빛나는 하늘의 뜻。「夰」가 「天천」으로 변했음。

[뜻] 하늘호 여름 하늘。또 널리 하늘의 범칭(汎稱)으로 쓰임。

[주의] 「旻민」〈가을하늘〉은 딴 글자。

8 【易】 日 4 [중학] [一]역 [二]이 | 바꿀 | [一][入]陌 [二][去]寘

丨 冂 日 月 昜 昜 易

[자원] 상형  3000년전  2500년전 

「易」은 반짝반짝 껍질이 빛나는 도마뱀의 모양이란 설(說)과 햇볕이 구름사이로 비치는 모양이란 설 따위가 있음。도마뱀은 아주 쉽게 옮겨 다니므로 바꾸다、쉽다는 뜻으로 되고 햇볕도 흐렸다 개였다 바꾸며 햇살은 어디나 비치므로 쉽다는 뜻이 됨。

[뜻] [一]①바꿀역 교환함。「交易교역」②고칠역 변개함。「變易변역」③바뀔역 달라짐。④바꿈역 변화。⑤점역 괘효(卦爻)의 변화에 의하여 길흉화복을 아는 법。⑥주역역 오경(五經)의 하나。「易經역경」 [二]①쉬울이 ㉠용이함。「難易난이」㉡하기 쉬움。②간략할이、간략히할이 간편함。간편하게 함。「簡易간이」③소홀하게여길이 경시함。「輕易경이」④소홀히할이 경솔하게 함。⑤다스릴이 가다듬어 보살핌。⑥평평할이 평탄함。

[주의] 「昜양」〈양기〉은 딴 글자。

[참고] 「易」를 음으로 하는 글자=「蜴척」〈도마뱀〉·「剔척」〈뼈를 발라내다〉·「惕척」〈두려워하다〉·「踢척」〈발로 차다〉·「錫석」〈주석〉·「裼석」〈웃통을 벗다〉·「賜사」〈하사하다〉

【易理 역리】역(易)의 이치。

【易象 역상】역의 괘(卦)에 나타나는 현상。

【易書 역서】점(占)에 관한 일을 기록한 책。

【易聖 역성】역리(易理)에 환한 사람。

【易數 역수】역의 이치、또는 변화。

【易者 역자】 점치는 사람。점장이。
【易地皆然 역지개연】 사람은 입장을 바꾸어 같은 처지에 있게 되면 모두 같은 행위를 함。
◉簡易간이 改易개역 輕易경이 難易난이 萬世不易만세불역 貿易무역 變易변역 順易순이 安易안이 容易용이 周易주역

8【明】日4 중학 명 밝을 ㊉庚

丨 П 日 日 明 明 明 明

자원 회의 月+日→明(日부)

3000년전

「明」은 「日날일변」〈해〉과 「月월」〈달〉과를 합친 모양이지만 따로 「囧경」〈창문〉과 「月」과를 합한 모양도 있어 나중에 하나로 된 것임。「日」과 「月」 쪽은 어느쪽이나 밝다는 것이고 「囧」과 「月」쪽은 창문으로 비치는 달빛이 방을 밝게 비치는 것임。거기서 밝다→환함→날이 새다 따위의 뜻을 나타내게 되었음。

뜻 ①**밝을명** ㉠환히 비침。「明月명월」 ㉡사리에 밝음。「明哲명철」 ㉢눈이 밝음。㉣현명함。「聰明총명」 ㉤현명한 사람。어진 이。㉥날이 밝음。②**밝힐명** ㉠밝게 함。㉡증거를 댐。「證明증명」 ③**밝게명** 환하게。판연(判然)하게。「明斷명단」 ④**나타날명** 명료함。「著明저명」 ⑤**휠명** 하얌。⑥**빛명** 광채。⑦**낮명** 주간。「晦明회명」 ⑧**새벽명** 이튿날 새벽。전(轉)하여、이튿날을 「明日명일」이라함。⑨**이승명** 이 세상。「幽明유명」 ⑩**신령명** 귀신。「神明신명」 ⑪**시력명** 안력。⑫**일월명** 해와 달。⑬**명나라명** 주원장(朱元璋)이 원(元)나라를 이어 세운 왕조(王朝)。수도(首都)는 처음에 금릉(金陵)에 정하였다가 삼대 성조(成祖)때 북경(北京)으로 옮김。이자성(李自成)에게 멸망당하였음。(一三六八~一六四四)

주의 「朋붕」〈벗〉은 딴 글자。

참고 「明」을 음으로 하는 글자=「盟맹」〈맹세하다〉

【明鑑 명감】 ①맑은 거울。②높은 식견(識見)。③귀감(龜鑑)。
【明決 명결】 명단(明斷)。
【明鏡 명경】 ①맑은 거울。②명백히 함。
【明鏡止水 명경지수】 맑은 거울과 잔잔한 물이란 뜻으로、마음의 본체(本體)의 허명(虛明)함을 비유。
【明官 명관】 《韓》 선정(善政)을 베푸는 수령(守令)。
【明光 명광】 밝은 빛。
【明教 명교】 인륜(人倫)의 명분(名分)을 밝히는 교훈。
【明君 명군】 명철한 군주。
【明記 명기】 분명히 기록함。밝히어 적음。
【明年 명년】 이듬해。내년(來年)。
【明斷 명단】 판단을 밝게 내림。
【明達 명달】 지혜(智慧)가 밝아서 사리(事理)에 통달(通達)함。
【明答 명답】 분명(分明)한 대답。
【明堂 명당】 ①천자(天子)가 제후(諸侯)를 인견(引見)하는 궁전。②천자가 정사(政事)를 보는 궁전。③《韓》 썩 좋은 묏자리。
【明渡 명도】 성(城)이나 혹은 집을 비어서 남에게 넘겨 줌。
【明道 명도】 밝은 도(道)。또 도(道)를 밝힘。

〔四畫部首順〕心戈戶手支攴文斗斤方无日曰月木欠止歹殳毋比毛氏气水火爪父爻爿片牙牛犬

【明卵 명란】《韓》 명태(明太)의 알.
【明朗 명랑】맑고도 밝음.
【明瞭* 명료】분명(分明)함.
【明滅 명멸】불이 켜졌다 꺼졌다 함.
【明明白白 명명백백】아주 명백함.
【明眸* 명모】맑은 눈동자.
【明文 명문】명백히 기입된 조문.
【明媚* 명미】아름답고 고움.
【明敏 명민】총명하고 민첩함.
【明礬* 명반】황산 알미늄과 황산칼륨과의 복염(複鹽). 맛이 시고 무색투명하며 약제 또는 매염제(媒染劑)로 씀.
【明白 명백】아주 분명(分明)함.
【明辯 명변】명백한 변설(辯舌).
【明分 명분】당연히 지켜야 할 분수.
【明師 명사】현명한 스승.
【明夕 명석】내일(來日) 저녁.
【明宣 명선】분명하게 베풂. 명시(明示)함.
【明星 명성】샛별.
【明細 명세】분명하고 자세함.
【明水 명수】신(神)에게 올리는 물. 정화수(井華水).
【明秀 명수】사리(事理)에 밝고 재주가 뛰어남.
【明視 명시】①똑똑히 봄. ②똑똑히 보임.
【明識 명식】환히 앎. 또 밝은 식견.
【明暗 명암】밝음과 어두움.
【明夜 명야】내일(來日) 밤.
【明若觀火 명약관화】불을 보는 듯이 환하게 살필 수가 있음.
【明言 명언】분명(分明)히 말함.
【明悟 명오】①환히 깨달음. ②총명하고 민첩함.
【明月 명월】①밝은 달. ②보름달. 만월(滿月). ③새달. 내월(來月). ④명월지주(明月之珠).
【明日 명일】내일(來日).
【明淨 명정】맑고 깨끗함.
【明正其罪 명정기죄】명백하게 죄명(罪名)을 집어내어 바로 잡음.
【明朝 명조】①내일 아침. ②활자(活字)의 한 체(體). 명조체(明朝體).
【明紬* 명주】《韓》 견사(絹絲)로 무늬 없이 짠 피륙.
【明證 명증】명백한 증거(證據). 또 명백하게 증명함.
【明察 명찰】환히 살핌. 똑똑히 살핌.
【明暢 명창】소리가 맑고 유창함.
【明窓淨几* 명창정궤】밝은 창 밑에 놓은 깨끗한 책상. 곧 잘 정돈된 서재(書齋)의 형용.
【明天子 명천자】현명한 천자.
【明哲 명철】사리에 밝음. 또 그 사람.
【明哲保身 명철보신】사태와 사리에 환하게 밝아서 자기의 신명(身命)을 위험한 자리에나 욕된 곳에 빠뜨리지 아니하고 잘 보전함.
【明淸 명청】①맑고 깨끗함. ②명(明)나라와 청(淸)나라.
【明燭 명촉】밝은 햇불. 또 햇불을 밝게 함.
【明秋 명추】내년(來年) 가을.
【明春 명춘】내년(來年) 봄.
【明解 명해】명백(明白)한 해석.
【明驗 명험】현저한 효험(效驗).
【明確 명확】명백하고 확실함.
【明曉 명효】환히 깨달음. 분명히 앎.
◉講明강명 公明공명 光明광명 旗幟鮮明기치선명 大明대명 燈明등명 文明문명 微明미명 發明발명 辨明변명 分明분명 不明불명 山紫水明산자수명 聲明성명 昭明소명 神明신명 失明실명

黎明여명 自明자명 證明증명 清明청명
聰明총명 透明투명 平明평명 賢明현명

8 【旺】日 4 왕 | 고울 | ㊤漾

자원 형성 日 王음 ┬ 旺 (日부)

「日날일변」〈해〉과, 음을 나타내는 동시에 왕성하다의 뜻을 가진 「王왕」으로 이루어져 빛이 아름답고 왕성하다의 뜻。

뜻 ①고울왕 아름다움。 ②성할왕 왕성함。「旺運왕운」「興旺흥왕」

【旺盛 왕성】 사물이 성(盛)함。

◉盛旺성왕 興旺흥왕

8 【昏】日 4 고교 혼 | 날저물 | ㊥元

一 ㄷ 𠂉 氏 氏 昏 昏 昏

자원 회의 日 氐-氏 ┬ 昏 (日부) 2500년전

「日일」〈해〉과, 「氐저」의 생획(省畫)인 「氏」의 합자(合字)。「氏」는 드리우다, 떨어지다의 뜻。「昏」은 해가 떨어지다, 어두워지다의 뜻。

뜻 ①날저물혼 해가 지고 어둑어둑해짐。또 그 때。황혼。 ②어두울혼 ㉠잘 보이지 아니함。「昏暗혼암」 ㉡어리석음。「昏愚혼우」 ③일찍죽을혼 요사함。 ④어지러울혼, 어지럽힐혼 혼란함。또 혼란하게 함。 ⑤장가들혼 婚(女部八畫)과 통용。

주의 「昬」은 옛 글자。

참고 「昏」을 음으로 하는 글자＝「婚혼」〈혼인하다〉·「惛혼」〈마음이 흐리다〉·「涽혼」〈흐리다〉·「閽혼」〈문지기〉

【昏亂 혼란】 어둡고 어지러움。

【昏忘 혼망】 정신(精神)이 흐려서 잘 보이지 않음。

【昏夢 혼몽】 흐린 꿈。「흐리멍덩함。

【昏迷 혼미】 마음이 미혹(迷惑)하고

【昏睡 혼수】 ①정신(精神)이 혼혼(昏昏)하여 잠이 듦。 ②의식(意識)이 없어서 인사불성(人事不省)이 됨。

◉老昏노혼 昭昏소혼 幽昏유혼 黃昏황혼

8 【昔】日 4 중학 석 | 옛 | ㊅陌

一 十 廾 卄 丗 昔 昔 昔

자원 회의 日 巛-巛 ┬ 昝-昔 (日부) 2500년전

巛은 고깃점의 모양。햇볕에 말린 고기이므로 「日일」자를 곁들임。건포。또 모양이 포개어 쌓아올린 것 같으므로 날을 거듭하다, 날이 쌓이다의 뜻。전하여, 지난 옛날의 뜻。

뜻 ①예석 옛날。「古昔고석」 ②접때석 어제 또는 이삼일 이전, 또는 단지 기왕(旣往)의 뜻으로 쓰임。 ③저녁석, 밤석 夕(部首)과 같은 글자。 ④오랠석 오래됨。

참고 「昔」을 음으로하는 글자＝「惜석」〈아끼다〉·「踖적」〈밟다〉·「耤자」〈빌다〉·「借차」〈빌다〉·「碏작」〈사람 이름〉·「鵲작」〈까치〉·「醋초·작」〈초〉·「錯착」〈꾸미다〉·「齰색」〈깨물다〉

【昔年 석년】 왕년(往年)。

【昔時 석시】 옛적。

【昔人 석인】 옛날 사람。

【昔日 석일】 ①옛적。 ②어제。또는 사「오일 전。

◉古昔고석 宿昔숙석 往昔왕석

〔四畫部首順〕 心戈戶手支攴文斗斤方无日曰月木欠止歹殳毋比毛氏气水火爪父爻爿片牙牛犬

【果】⇩木部四畫

【東】⇩木部四畫

五畫

9 【**星**】日5 중학 **성** | 별 | (平)青

ㅣ 冂 日 尸 旦 早 星

자원 형성 日+生(음)→星(日부)

2500년전 2000년전

「日일」은 별성자의 옛 모양에서는 해 셋 또는 ○을 셋 써서 별 빛을 나타내고 있는 것으로 생각됨。 셋 씀은 많음을 나타냄。 음을 나타내는 「生생」은 나타나는 일。 또 「星」의 발음을 명확히 하기 위하여 붙어 있음。

뜻 ①**별성** ㉠하늘의 작은 천체。「恆星항성」 ㉡또 별은 일년에 하늘을 일주(一週)한다 하여 세월·광음의 뜻으로 씀。「星霜성상」 ②**별이름성** 이십팔수(二十八宿)의 하나。 주조칠수(朱鳥七宿)의 네째 성수(星宿)로 서 남방에 속하며 별 일곱으로 이룸。「星宿성수」 ③**희뜩희뜩할성** 백발이 희뜩희뜩한 모양。

참고 「星」을 음으로 하는 글자＝「惺성」〈깨닫다〉·「醒성」〈술이 깨다〉·「猩성」〈성성이〉·「腥성」〈날고기〉

【星官 성관】천문(天文)을 맡은 벼슬아치。

【星光 성광】별의 빛。

【星群 성군】별 떼。

【星斗 성두】별。

【星算 성산】천문역수(天文歷數)。

【星象 성상】별에 나타난 형상(形象)。

【星霜 성상】세월(歲月)。

【星星 성성】머리털이 희뜩희뜩한 모양。

【星宿 성수】①이십팔수(二十八宿)의 하나。 뜻풀이 ❷를 보라。 ②성좌(星座)。

【星數 성수】사람의 운수(運數)。

【星術 성술】천문으로 치는 점(占)。 점성술(占星術)。

【星辰 성신】별。

【星夜 성야】별이 뜬 밤。

【星雨 성우】운성(隕星)。

【星雲 성운】은하(銀河)의 군데군데에 구름이나 안개같이 많이 모여 있는 별들。

【星占 성점】별의 빛과 위치 등으로 치는 점(占)。

【星座 성좌】별의 자리를 보기 위하여 하늘을 몇 부분으로 나눈 구역。

【星火 성화】①아주 작은 숯불。 ②유성(流星)의 빛。 전(轉)하여、일이 대단히 급(急)함의 비유。

◉金星금성 老人星노인성 大熊星대웅성 明星명성 木星목성 北斗七星북두칠성 水星수성 衛星위성 流星유성 將星장성 太白星태백성 土星토성 彗星혜성 或星혹성 火星화성 曉星효성

9 【**是**】日5 중학 **시** | 이 | (上)紙

冂 日 旦 早 早 昰 是

자원 회의 日+正→是(日부)

(A) (B) (C) 2500년전

「是」는 「日일」〈해〉과、「正정」〈바르다〉을 합한 모양이며 바르다、곧다는 뜻을 나타냄。 처음엔 「是」와 「正」은 뜻도 발음도 극히 가까운 것으로 자형(字形)도 조금 변경시킨것 뿐이며 둘다

모두 목표를 향하여 똑바로 나아감을 나타낸 것이라 생각됨。 또 먹을 것을 떠 내거나 세차게 찌르거나 하는 평범한 것도 「是」라 하였음。 옛모양 Ⓑ의 「早조」는 아침해로도 해석되지만 숟가락의 모양이란 사람도 있음。 옛모양 Ⓒ의 「又우」는 손의 모양이며 물건을 들어올림을 나타냄。

뜻 ①이시 ㉠지시(指示)하는 말。 「是日시일」 ㉡도구법(倒句法)으로서 사용하는 말。 ㉢여기。 이곳。 ②**옳을시** 바름。 ③**바로잡을시** 바르게 함。 ④**옳게여길시** 「是認시인」 ⑤**대저시** 夫(大部一畫)와 뜻이 같음。

주의 「昰」는 옛 글자。

참고 「是」를 음으로 하는 글자=「堤제」〈둑〉·「提제」〈끌다〉·「堤제」〈둑〉·「鞮제」〈가죽신〉·「題제」〈표제〉

【是非 시비】 ①옳음과 그름。 선악(善惡)。 ②시시비비(是是非非)。

【是非曲直 시비곡직】 옳고 그르고 굽고 곧음。

【是認 시인】 옳다고 인정함。

【是正 시정】 잘못 된 것을 바로 잡음。

◉國是국시 先是선시 若是약시 於是어시 如是여시 由是유시 有是유시 以是이시

9 **【昂】** 日 5 앙 | 밝을 | (平)陽

자원 형성 日 卬(음) ㅏ昂(日부) 2500년전

「日일」과、 음을 나타내며 동시(同時)에 높다의뜻(⇩高고)을 가지는 「卬앙」으로 이루어지며、 해가 높이 뜨다의 뜻。

뜻 ①**밝을앙** 환한 모양。 ②**들앙** 머리를 듦。 ③**높을앙** 「저(低)」의 대(對)。 ④**오를앙** 높이 오름。 「昂騰앙등」 ⑤**뜻높을앙** 뜻이 높고 뛰어남。 「軒昂헌앙」 ⑥**말이저벅저벅걸을앙** 준마(駿馬)가 머리를 쳐들고 기운차게 달아나는 모양。

주의 ①「昻」은 속자(俗字)。 ②「昴」는 딴 글자。

【昂騰* 앙등】 물건 값이 뛰어 오름。

【昂然 앙연】 거드럭거리는 모양。 자부(自負)하는 모양。

◉激昂격앙 左低右昂좌저우앙 軒昂헌앙

9 **【映】** 日 5 고교 영 | 비칠 | (去)敬

丨 ㄇ 日 日 日ㄇ 日央 映

자원 형성 日 央(음) ㅏ映(日부)

映

「日날일변」과、 음과 함께 되돌아오다의 뜻(⇩應응)을 나타내기 위한 「央앙」(영은 변음)으로 이루어져、 햇빛이 되쬐임의 뜻。 전하여、 비치다、 빛나다의 뜻。

뜻 ①**비칠영** 광선이 반사함。 「映射영사」 ②**미시영** 지금의 오후 두 시경。

주의 「暎」은 같은 글자。

【映寫 영사】 환등(幻燈)이나 영화를 상영(上映)함。

【映彩 영채】 환하게 빛나는 채색(彩色)。

【映畫 영화】 활동사진(活動寫眞)。

◉光映광영 反映반영 寫映사영 上映상영

9 **【昧】** 日 5 매 | 어두울 | (去)隊

자원 형성 日 未(음) ㅏ昧(日부) 2500년전

「日날일변」에 음을 나타내는 동시에 어둡다의 뜻(⇩冥명)을 나타내기 위한 「未미」를 더한 글자。날이 어둡다→새벽의 뜻。

뜻 ①어두울매 ㉠어둠침침함。「昧昧매매」 ㉡어리석음。「愚昧우매」 ㉢눈이 밝지 아니함。 ②어둑새벽매 밤이 샐 무렵。「昧爽매상」 ③탐할매 탐냄。 ④무릅쓸매 冒(冂部七畫)와 뜻이 같음。「昧死매사」

주의 「昧말」〈작은 별〉은 딴 글자。

◉冥昧명매 蒙昧몽매 迷昧미매 三昧삼매 深昧심매 暗昧암매 曖昧애매 頑昧완매 愚昧우매 虛靈不昧허령불매 昏昧혼매

9 【昨】 日 5 중학 작 어제 (入)藥

丨 ∏ 日 日' 旷 昨 昨

자원 형성 日 乍음 ┬昨(日부)

음을 나타내는 「乍작」은 동작하다↓바쁘게 일하다→다가 오다의 뜻。「昨」은 전날과 다음날이 다구쳐 계속되는 뜻→전날。

뜻 ①어제작 작일。「昨今작금」 ②옛작 과거。

【昨今 작금】 어제와 이제。 근래(近來)。

【昨年 작년】 지난 해。

【昨冬 작동】 지난 해 겨울。

【昨非 작비】 지금까지의 그름。 또 이전의 과실。 과거의 잘못。

【昨夜 작야】 어젯밤。

【昨日 작일】 어제。

【昨春 작춘】 지난 봄。

◉一昨일작 再昨재작

9 【昭】 日 5 고교 소 밝을 (平)蕭

丨 ∏ 日 日ヿ 日刀 昭 昭

자원 형성 日 召음 ┬昭(日부)

음을 나타내는 「召소」는 손짓으로 부름→흔들리는 느낌을 나타냄。「昭」는 일광(日光)이 흔들리듯이 빛나는 일。「照조」는 같은 글자인데 나중에 「昭」는 명백하다↓빛나다、「照」는 빛을 비추다로 구별되게 되었음。

뜻 ①밝을소 ㉠환히 빛남。「昭光소광」 ㉡환히 나타남。「昭著소저」 ②밝힐소 환히 나타나게 함。 ③밝게소 환히。 명백히。 ④신주차례소 종묘·사당의 신주의 서차(序次)에서 목(穆)의 위。「昭穆소목」

【昭代 소대】 ①밝게 다스려진 세상。 태평한 세상。 ②당대(當代)의 미칭。

【昭名 소명】 환히 드러난 명성(名聲)。

【昭明 소명】 밝음。 환함。

【昭詳 소상】 분명하고 자세함。

【昭雪 소설】 누명(陋名)을 씻음。

【昭昭 소소】 ①밝은 모양。 ②빛나는 모양。

【昭示 소시】 명시(明示)함。

【昭憲 소헌】 밝은 법。 훌륭한 법。

【昭和 소화】 세상이 태평하고 군민(君民)이 일치(一致)함。

◉明昭명소 宣昭선소 布昭포소 顯昭현소

9 【昼】 日 5 晝(日部七畫)의 약자(略字)。

9 【昶】 日 5 창 해길 ① (上)養 ② (去)漾

자원 회의 日 永┬昶(日부)

「日일」〈해·날〉과、「永영」〈길다〉으로、이루어지며、날이 긴 뜻。또、늘어나다의 뜻(⇩暢창)에 빌어 쓰임。

뜻 ①**해길창** 해가 길。②**통할창、화창할창** 暢(日部十畫)과 같은 글자。

주의 「昹애」〈별이름〉는 딴 글자。

9 **【春】** 日 5 중학 춘 | 봄 | ㊉眞

一 二 三 夫 夫 春 春 春 春

자원 형성 屯음 艸-艹 日 ─ 萅 - 春(日부)

(A) (B) (C) 3000년전 (D) 2000년전

「屯둔·준」(춘은 변음)은 싹 틈→사물이 움직이기 시작하는 일。「艸초」는 풀。「日일」은 태양。「春」은 「艸」와 「屯」과 「日」을 합한 모양 (D)가 기원이라고 생각하여 왔으나 사실은 옛 모양 (C)로부터 변하여 그것을 닮은 자형(字形)을 대용(代用)시킨 것임。본디 옛모양 (A)는 나무의 싹틈을 나타내며 그것에 「口구」 또는 「甘감」〈口와 같음〉을 덧붙인 모양 (B)(C)는 나무나 농작물이 자라기를 비는 것을 나타냄。

「春」은 「秋」와 함께 일년을 둘로 나눈 때를 나타내었지만 나중에 춘하추동(春夏秋冬)의 사계절(四季節)의 하나로 삼게 되었음。

뜻 ①**봄춘** ㉠사시(四時)의 첫째。「春秋춘추」 ㉡젊은 시대。㉢남녀의 연정。「春機춘기」 ②**술춘** 술(酒)의 별칭。

주의 ①「舂용」〈찧다〉은 딴 글자。②「萅춘」은 전문(篆文)인 (萅)에서 온 옛 글자。

참고 「春」을 음으로 하는 글자=「惷준」〈어수선하다〉·「踳춘」〈실망한 모양〉·「鰆춘」〈삼치〉·「蠢준」〈꿈틀거리다〉·「椿춘」〈참죽나무〉

【春江 춘강】 봄철의 강물。

【春耕 춘경】 봄에 하는 논밭 갈이。

【春景 춘경】 봄철의 경치。

【春季 춘계】 봄의 계절。

【春困 춘곤】 봄철에 고달픈 기운。

【春光 춘광】 봄 경치。

【春宮 춘궁】 태자(太子)가 거처하는 궁전。전하여、태자。동궁(東宮)。

【春窮 춘궁】《韓》 농가(農家)에서 묵은 곡식은 떨어지고 보리는 아직 여물지 않아 끼니를 잇기 어려운 때。곧 음력 삼사월경。보릿고개。

【春機發動期 춘기발동기】 춘정(春情)이 발작하는 시기(時期)。남자는 십오륙세경、여자는 십삼세경。

【春暖 춘난】 봄철의 따뜻한 기운。

【春蘭 춘란】 ①봄의 난초。②난초의 한 가지。

【春梅 춘매】 봄에 피는 매화나무。

【春眠 춘면】 봄철의 노곤한 졸음。

【春夢 춘몽】 봄의 짧은 밤에 꾸는 꿈。전(轉)하여、덧없는 세상 일。

【春分 춘분】 이십사절기(二十四節氣)의 하나。경칩(驚蟄)과 청명(淸明) 사이에 있는 절기。태양이 적도(赤道)위에 직사(直射)하여 주야의 장단이 같은 때。곧 양력 삼월 이십일·이일경。

【春色 춘색】 봄 경치。

【春雪 춘설】 봄에 오는 눈。

【春愁 춘수】 봄의 수심。 봄철에 일어나는 뒤숭숭한 생각。

【春心 춘심】 ①남녀의 정욕。 ②봄에 느끼는 정서(情緖)。

【春藥 춘약】 춘정(春情)을 도와 일으키는 약제(藥劑)。

【春陽 춘양】 봄 볕。 전(轉)하여、봄의 계절。

【春餘 춘여】 봄의 끝。 얼마 남지 않은 봄。

【春雨 춘우】 봄에 오는 비。 봄비。

【春月 춘월】 봄 밤의 달。

【春遊 춘유】 봄놀이。

【春蠶 춘잠】 봄에 치는 누에。

【春裝 춘장】 봄 차림。

【春節 춘절】 봄철。

【春情 춘정】 ①남녀(男女)의 정욕(情慾)。 ②춘의(春意)。

【春酒 춘주】 봄에 담가 겨울에 익는 술。

【春秋 춘추】 ①봄과 가을。 ②어른의 나이。 ③공자(孔子)가 저술한 노(魯)나라의 역사。

【春秋高 춘추고】 늙음。 고령(高齡)임。

【春秋館 춘추관】 《韓》 조선(朝鮮) 때 시정(時政)의 기록(記錄)을 맡은 관아(官衙)。 오늘의 국사편찬위원회(國史編纂委員會)에 해당함。

【春秋富 춘추부】 연소(年少)함。

【春秋時代 춘추시대】 춘추(春秋)에 기재되어 있는 시대。 주(周)나라 평왕(平王)의 동천(東遷)부터 위열왕(威列王)까지의 이백 팔십년간。

【春秋戰國 춘추전국】 주(周)나라 평왕 이후를 춘추시대(春秋時代)라 하고 위열왕(威烈王) 이후부터 진(秦)나라 시황(始皇)의 통일까지를 전국(戰國)이라 함。

【春秋筆法 춘추필법】 춘추(春秋)와 같이 엄정한 필법。

【春風 춘풍】 봄바람。

【春風秋雨 춘풍추우】 봄바람과 가을비。 지난 세월(歲月)을 이르는 말。

【春風和氣 춘풍화기】 봄날의 화창(和暢)한 기운。

【春寒 춘한】 봄 추위。

【春花 춘화】 봄에 피는 꽃。

【春畫 춘화】 남녀(男女)가 교합(交合)하는 광경을 그린 그림。

◉晩春만춘 孟春맹춘 暮春모춘 思春사춘 新春신춘 陽春양춘 早春조춘 仲春중춘 青春청춘 初春초춘 回春회춘 懷春회춘

六畫

10 **【時】** 日 6 중학 시 ― 때 ― ㊥支

冂 日一 日十 日土 日圭 時 時

자원 형성 日 之(음) ┬ 峕 ― 時 (日부)

「之지」(시는 변음)는 나아가다↓감。 「日날일변」은 2500년전 태양。 하루 하루。 「峕시」는 날짜가 지남。 사시(四時) 곧 춘하추동과 날짜가 지나가다。 나중에 「日」과、음을 나타내는 「寺사·시」를 합쳐 쓰는데 「寺」는 「之」로부터 생긴 글자이고 음도 뜻도 거의 같으며 일이 진행됨을 나타냄。

뜻 ①**때시** ㉠세월。 「時日시일」 ㉡연대。 ㉢기회。 「時機시기」 ㉣운명。 ㉤당시。 그 때。 「時人시인」 ㉥적당한 시기。 ②**철시** 사철。 ③**시시** 하루의 십이분지 일。 또는 이십사분지 일。

「午時오시」 ④때맞출시 시기에 알맞음。적기(適期)임。⑤때에시 그 때。⑥엿볼시 적당한 때를 엿봄。⑦때로시 가끔。또 기회 있을 때마다。⑧좋을시 훌륭함。⑨이시 是(日部五畫)와 같은 글자。「時日시일」

【時價 시가】 그 때의 값。현재의 시세(時勢)。

【時刻 시각】 ①시간의 한 점。짧은 「시간。②시간。

【時間 시간】 ①때。②때와 때의 사이。③과거(過去)·현재(現在)·미래(未來)의 무한한 연속。

【時局 시국】 당면한 국내 및 국제 정 「세。

【時急 시급】 때가 임박(臨迫)함。

【時期 시기】 정(定)한 때。

【時機 시기】 기회(機會)。

【時代 시대】 시간을 역사적으로 구분한 한 기간。

【時代錯誤 시대착오】 시대(時代)의 추세(趨勢)를 따르지 아니하는 착오。

【時論 시론】 그 시대의 여론(輿論)。

【時流 시류】 당시(當時)의 풍조。

【時報 시보】 ①때때로 알리는 보도。②때를 알리는 보도(報道)。

【時歲 시세】 때。시간。

【時勢 시세】 ①그 때의 물건 값。②그 때의 형세(形勢)。

【時俗 시속】 ①시대의 풍속。②세상 사람。세인(世人)。

【時速 시속】 한 시간의 속력。

【時習 시습】 ①때때로 복습함。②시속(時俗)。

【時時刻刻 시시각각】 시간이 흐름에 따라。시각마다。

【時雨 시우】 철에 맞추어 오는 비。

【時運 시운】 시대(時代)의 운수。

【時宜 시의】 그 때의 사정에 맞음。

【時人 시인】 그 때의 사람。

【時日 시일】 ①때와 날。②좋은 날。길일(吉日)。③때。세월。④이 날。시일(是日)。

【時節 시절】 ①철。②사람의 일생을 「구분한 한 동안。

【時差 시차】 태양시(太陽時)와 평균시(平均時)와의 차(差)。

【時體 시체】 그 시대의 풍속·습관。

【時評 시평】 그때 사람들의 비평。

【時弊 시폐】 그 당시의 폐단(弊端)。

【時下 시하】 요새。이때。

【時好 시호】 유행(流行)。

【時和年豐 시화연풍】 나라가 태평(泰平)하고 곡식이 잘 됨。

【時效 시효】 일정한 기간의 경과에 의해 권리가 발생 또는 소멸하는 일。

【時候 시후】 기후(氣候)。

◉近時근시 農時농시 當時당시 同時동시 不時불시 四時사시 常時상시 盛時성시 隨時수시 瞬時순시 往時왕시 異時이시 一時일시 臨時임시 暫時잠시 卽時즉시 天時천시 寸時촌시 此一時차일시

【耆】 ⇩老部四畫

七畫

11【晨】日 7 고교 신 | 새벽 | (平)眞

자원 형성 日 辰음 → 晨(日부)

「晶정」(=星성)〈별〉의 생략형 「日일」과, 음을 나타내는 「辰진·신」으로 이루어짐。별의 이름。이 별은 농사를

알리는 별이라고 함。 셋째 글자는 양손을 나타내며、 전(轉)하여、일을 하다는 뜻의 臼와 음을 나타내는 「辰」으로 이루어짐。 일하다의 뜻。 아침의 뜻은 음을 빌어 이르다의 뜻(⇩夙숙)으로 쓴 전의(轉義)。

[뜻] ①새벽신 샐녘。「晨旦신단」 ②새벽알릴신 닭이 울어 새벽을 알림。 ③별이름신 이십팔수(二十八宿)의 하나인 방성(房星)의 이칭(異稱)。

【晨光 신광】 아침 햇빛。

【晨旦 신단】 아침。

【晨明 신명】 샐녘。 새벽。 여명(黎明)。

【晨暮 신모】 신혼(晨昏)。

【晨夕 신석】 새벽과 저녁。 아침저녁。

【晨朝 신조】 신단(晨旦)。

【晨鐘 신종】 새벽에 치는 종。

【晨昏 신혼】 아침 저녁。 밤낮。 조석(朝夕)。

11 【晚】 日 7 [중학] 만 | 저물 | [上]阮

日 日 旷 昀 昤 晗 晚 晚

[자원] 형성 日┬免[음] 晚(日부)

음을 나타내는「免면」(만은 변음)은 애를 낳다。 여기에서는「俛면·부」〈엎드리다→머리를 숙이다〉의 뜻이 있음。「晚」은 해가 지는 해질녘。

[뜻] ①저물만、해질만 해가 저묾。 해가 서산에 짐。 ②늦을만 ㉠때가 늦음。「晚時之歎만시지탄」 ㉡중년 이후임。「晚學만학」 ㉢끝임。「晚唐만당」 ③저녁만 해질 무렵。「晚餐만찬」

【晚景 만경】 ①저녁 경치(景致)。 ②저녁 햇빛。

【晚交 만교】 늙바탕의 친구。 늦게 사귄 친구。

【晚年 만년】 늙바탕。 노후(老後)。

【晚得 만득】 늦게 자식을 낳음。

【晚來 만래】 ①저녁 때。 ②노래(老來)。

【晚福 만복】 늙바탕에 트인 복。

【晚成 만성】 늦게 성취함。 늦게야 이루어짐。

【晚時 만시】 때가 늦음。

【晚潮 만조】 저녁때에 밀려 들어왔다가 나가는 바닷물。 석수(汐水)。

【晚鐘 만종】 저녁에 치는 종소리。

【晚餐* 만찬】 저녁 식사。

【晚秋 만추】 늦가을。 곧 음력(陰曆) 구월。

【晚春 만춘】 늦봄。 곧 음력 삼월。

【晚就 만취】 만성(晚成)。

【晚學 만학】 중년 이후의 수학(修學)。

【晚婚 만혼】 중년(中年) 이후의 결혼。

【晚花 만화】 늦게 피는 꽃。

◉今晚금만 明晚명만 歲晚세만 早晚조만

11 【晝】 日 7 [중학] 주 | 낮 | [去]宥

一 ⺕ ⺕ 聿 聿 聿 書 書 晝

[자원] 회의 日┬畫 晝(日부)

2000년전

「日일」과「畫획」의 생획(省畫)으로 이루어짐。「畫」은 구분짓는 일。「晝」는 해가 뜨고 짐에 따라 낮과 밤을 구별하다→날이 밝다→낮。

[뜻] 낮주 밤의 대(對)。「晝夜주야」

【晝間 주간】 낮 동안。

【晝耕夜誦 주경야송】 낮에는 농사(農事)일을 하고 밤에는 글을 읽음。

【晝想夜夢 주상야몽】 낮에 생각하던 것을 밤에 꿈꿈。

【晝食 주식】 낮에 먹는 밥。 점심。

【晝夜 주야】 밤과 낮。 밤낮。

【晝日 주일】 ①낮。 ②해。 태양(太陽)。

【晝學 주학】낮에 배우는 공부。
◉白晝백주 殘晝잔주 正晝정주 晴晝청주

八畫

12【晶】日 8 정 | 맑을 | ㊥庚

자원 회의 日日日 ⊢ 晶(日부) 2500년전

「日일」〈해〉를 세개 합쳐서、빛이 빛나는 밝은 뜻을 나타냄。

뜻 ①맑을정 투명함。②수정정 투명한 석영(石英)。

【晶光 정광】번쩍번쩍하는 빛。
◉結晶결정 光晶광정 水晶수정 玉晶옥정

12【景】日 8 중학 ㊀경 ㊁영 | 빛 | ㊤梗 ㊀㊁

冂 日 旦 旦 昌 景 景

자원 형성 京(음) 日 ⊢ 景(日부)

「日일」은 태양。음을 나타내는 「京경」은 인공(人工)의 언덕→높은 대(臺)。「景」은 높은 대 위에 태양이 빛나다→태양의 빛。또 빛에 비치어 선(線)이나 색이 뚜렷해지다→물건의 그늘→빛에 비치는 경치。

〔四畫部首順〕心戈戶手支攴文斗斤方无日曰月木欠止歹殳毋比毛氏气水火爪父爻爿片牙牛犬

뜻 ㊀①빛경 햇빛。②볕경 양지。③밝을경 환히 밝음。④클경「景命경명」⑤우러러볼경 사모함。「景慕경모」⑥경치경 풍경。「景色경색」⑦남풍경 남쪽에서 부는 바람。㊁그림자영 影(彡部十二畫)과 같은 글자。

참고 「景」을 음으로 하는 글자=「憬경」〈멀다〉·「影영」〈그림자〉

【景觀 경관】경치(景致)。
【景光 경광】①상서로운 빛。서광(瑞光)。②세월。광음(光陰)。
【景慕 경모】우러러 사모함。
【景物 경물】풍물(風物)。경치。
【景福 경복】큰 복。
【景象 경상】그림자의 형태(形態)。
【景色 경색】경치(景致)。
【景勝 경승】경치가 좋음。또 그 곳。
【景趣 경취】경치(景致)。
【景致 경치】산천수륙(山川水陸)의 아름다운 현상(現象)。
【景況 경황】상황(狀況)。
◉佳景가경 光景광경 近景근경 背景배경 山景산경 殺風景살풍경 雪景설경 照景조경 秋景추경 春景춘경 八景팔경 風景풍경 好景호경 後景후경

【量】⇩里部五畫

12【晴】日 8 중학 청 | 갤 | ㊥庚

冂 日 日 旪 旪 晴 晴 晴 晴

자원 형성 靑(음) 日 ⊢ 晴(日부)

「日날일변」과、음을 나타내며 동시에 푸른 하늘의 뜻을 가진 「靑청」으로 이루어짐。구름이 걷히어 해가 보이다의 뜻。

뜻 갤청 비가 그치고 하늘이 맑음。「晴天청천」

참고 본래 「개다」에는 ①「姓청」〈밤비가 그치고 달이 보이다〉。②「晵계」〈비가 그치고 해가 보이다〉。③「霽제」〈개다〉로 구별되었으나 나중에 「晴」으로 모두를 일컫게 되었음。

【晴空 청공】맑게 갠 하늘。청천(晴

天)。「맑음。

【晴朗 청랑】 하늘이 깨끗이 개어서 맑음。

【晴明 청명】 ①하늘이 개어 맑음。②이십사절기(二十四節氣)의 하나。춘분(春分)과 곡우(穀雨)사이로서 양력 사월 오륙일경。

【晴雨 청우】 하늘이 맑음과 비가 옴。청천(晴天)과 우천(雨天)。

【晴陰 청음】 하늘이 맑음과 비가 옴。

【晴天 청천】 맑게 갠 하늘。

【晴天白日 청천백일】 ①맑게 갠 날씨。②조금도 뒤가 구린 구석이 없음。③무죄 판결(無罪判決)을 받음。

【晴天霹靂* 청천벽력】 맑은 하늘에 날벼락이라는 뜻으로, 갑자기 일어난 변동(變動)。

【晴和 청화】 맑게 개어 날씨가 화창(和暢)함。

◉陰晴음청 秋晴추청 春晴춘청 快晴쾌청

12 **【普】** 日 8 고교 **보** | 넓을 | ㊤麌

丶 丷 䒑 亣 並 並 並 並 普 普

자원 형성 日 竝(음) ┬普─普(日부)  2500년전

옛날에는 普로 씀。「日일」〈해〉과、음을 나타내는 「竝병」〈가지런하다〉으로 이루어짐。해 위에 구름이 널리 덮여 햇빛이 약하다는 뜻。「溥부」〈넓다·두루 미치다〉를 빌어 두루 넓다의 뜻。

뜻 ①**넓을보** 두루 넓음。②**나라이름보** 프러시아、곧 보로사(普魯士)의 약칭(略稱)。

주의 ①「晋진」〈나아가다〉은 딴 글자。②「普보」는 같은 글자。

참고 「普」를 음으로 하는 글자=「譜보」〈순서·계통을 따라 열기하다〉

【普告 보고】 널리 알림。포고(布告)。

【普及 보급】 널리 퍼짐。또 널리 퍼뜨림。보담(普覃)。

【普恩 보은】 두루 은혜를 베풂。또 두루 베푸는 은혜(恩惠)。

【普通 보통】 ①통상(通常)。②일반(一般)。

【普遍 보편】 두루 미침。

12 **【智】** 日 8 고교 **지** | 슬기 | ㊄寘

丿 𠂉 午 矢 矢 知 知 知 智 智

자원 형성 日 知(음) ┬智(日부)

음을 나타내며、동시(同時)에 신(神)의 말씀의 뜻을 나타내기 위한 「知지」와、그것을 넣어 두는 것을 뜻하는 「日일」로 이루어짐。지식(知識)이 있다의 뜻。「知」와 통함。

뜻 ①**슬기지** ㉠지혜。「智力지력」 ㉡꾀。모략。또 슬기가 있는 사람。②**슬기로울지** 「智謀지모」

【智見 지견】 지혜(智慧)와 식견。

【智能 지능】 슬기의 작용(作用)。지력(智力)。

【智德 지덕】 지혜와 덕행(德行)。

【智力 지력】 슬기의 힘。지혜(智慧)의 작용。

【智謀 지모】 슬기있는 꾀。

【智識 지식】 지혜와 견식(見識)。

【智勇 지용】 재지(才智)와 용기。

【智育 지육】 지능(智能)의 계발(啓發)을 목적으로 하는 교육(敎育)。

【智仁勇 지인용】 슬기와 어짊과 날램。지혜와 인자(仁慈)와 용기。

【智者 지자】 슬기가 있는 사람。

【智者一失 지자일실】 슬기로운 사람

도 많은 생각 가운데에는 간혹 실
【智齒 지치】 사랑니。「책이 있음。
【智慧 지혜】 슬기。지의(智意)。
◉奸智간지 巧智교지 奇智기지 機智기지
明智명지 無智무지 民智민지 上智상지
聖智성지 世智세지 心智심지 靈智영지
銳智예지 叡智예지 仁義禮智인의예지
才智재지 全智전지 聰智총지 慧智혜지

12 【暁】 日 8 暁(日部十二畫)의 약자(略字)。

九畫

13 【暈】 日 9 훈(운本) 무리 去問

자원 형성 日 軍 음 ㅜ 暈(日부)
「日일」〈해〉와 음과 함께 둘러치다의 뜻(⇩運운)을 나타내기 위한 「軍군」(훈은 변음)으로 이루어짐。해나 달의 주위(周圍)를 둘러싼 무리。

뜻 ①무리훈 ㉠햇무리。혹은 달무리。「暈輪훈륜」 ㉡등불이나 촛불의 둘레에 보이는 그리 밝지 않은 빛。등화(燈火)의 외염(外焰)。②현기증날훈 눈이 아찔하여 어지러움。
※본음(本音)운
◉船暈선훈 月暈월훈 日暈일훈 眩暈현훈

13 【暑】 日 9 중학 서 더울 上語

자원 형성 日 者 음 ㅜ 暑(日부) 2500년전
음을 나타내는 「者자」는 옛 음이 닮았던 「煮자」〈삶다〉나 「庶서」〈자원은 불타다〉와 뜻이 통함。「暑」는 햇볕에 쬐어 무더운 일。나중에 「熱열」과 견주어 「熱」은 냉(冷)의 반대、「暑」는 차다(寒한)의 반대로 삼고、또 「熱」은 인공(人工)의 더위、「暑」는 외기(外氣)의 더위로 구별하여 쓰임。약자는 「暑」

뜻 ①더울서 열이 많음。「暑氣서기」 ②더위서「暑退서퇴」 ③여름서
【暑氣 서기】 더운 기운。여름의 더위。
【暑伏 서복】 여름의 대단히 더운 때。삼복(三伏)때。
【暑熱 서열】 더움。또 더위。
【暑炎 서염】 대단한 더위。
【暑節 서절】 더운 시절。삼복때。
【暑天 서천】 여름 하늘。
【暑退 서퇴】 더위가 물러감。
◉大暑대서 炎暑염서 殘暑잔서 蒸暑증서
暴暑폭서 避暑피서 寒暑한서 酷暑혹서

13 【暇】 日 9 고교 가 겨를 去禡

자원 형성 日 叚 음 ㅜ 暇(日부)
「日날일변」에 음과 함께 있다는 뜻(⇩居거)을 나타내기 위한 「叚가」로 이루어짐。하루 편안히 집에 있다의 뜻。

뜻 ①겨를가 틈。②한가할가 한적함。「暇逸가일」
【暇隙* 가극】 겨를。틈。여가(餘暇)。
【暇日 가일】 틈이 있는 날。한가(閒
【暇逸 가일】 한가히 놂。「暇」한 날。
◉公暇공가 餘暇여가 應接不暇응접불가
請暇청가 寸暇촌가 閑暇한가 休暇휴가

13 【暖】 日 9 중학 ㊀난 ㊁훤 | 따뜻할 | ㊀㊤旱 ㊁㊥元

𠃍 冂 日 日ㄏ 日爫 日乎 日爰 暖

자원 형성 爰음 火 ㄱ 煖-暖(日부)

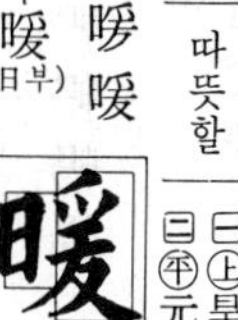

음을 나타내는 「爰원」은 직접이 아니고 사이에 무엇인가를 사용하여 남의 손을 끄는 일。 여기에서는 「援원」·「緩완」 따위와 함께 한가롭다는 뜻을 나타냄。 「煖난」은 불에 데운 미지근한 물과 같이 따뜻한 것。 옛날에는 「火불화변」과 「日날일변」이 같이 다루어졌기 때문에 이 글자도 나중에 「暖」으로 씀。

뜻 ㊀①**따뜻할난** 온난함。 「暖風난풍」 ②**따뜻이할난** 온난하게 함。 「暖房난방」 ㊁**부드러울훤** 유화(柔和)한 모양。 「暖暖훤훤」

【暖帶 난대】 열대(熱帶)와 온대(溫帶) 중간에 있는 지대(地帶)。

【暖爐 난로】 ①화로。 ②스토우브。

【暖流 난류】 온도가 높은 해류(海流)。

【暖房 난방】 ①뜨뜻하게 하여 놓은 방。 또 방을 따뜻하게 함。 ②이사(移徙)한 것을 축하하여 이웃 사람들이 돈을 거출하여 베푸는 잔치。

【暖熱 난열】 따뜻함。

【暖衣 난의】 ①옷을 충분히 입어 몸을 따뜻하게 함。 ②또 따뜻한 옷。

【暖飽 난포】 옷을 따뜻하게 입고 밥을 배불리 먹음。 의식(衣食)에 아무 걱정없이 넉넉하게 삶。

【暖風 난풍】 따뜻한 바람。

◉溫暖온난 春暖춘난 飽暖포난 寒暖한난

13 【暗】 日 9 중학 암 | 어두울 | ㊋勘

𠃍 冂 日 日ㄧ 日亠 日立 暗 暗

자원 형성 音음 日 ㄱ 暗(日부)

음을 나타내는 「音음」(암은 변음)은 아주 옛날에는 그늘의 뜻인 「陰음」과 닮은 발음으로서 어둡다는 뜻에 관계가 있었음。 「日날일변」은 태양。 「暗」은 해가 가리어져서 어두움。

뜻 ①**어두울암** ㉠빛이 밝지 않음。 「明暗명암」 ㉡어리석음。 「昏暗혼암」 ㉢눈이 어두움。 ㉣개명(開明)되지 않음。 ㉤보이지 않음。 숨어 있음。 「暗礁암초」 ②**밤암** 낮의 대(對)。 ③**몰래암** 남이 알지 못하게。 「暗殺암살」 ④**월암** 諳(言部九畫)과 통용。 「暗誦암송」

【暗計 암계】 비밀의 꾀。 암모(暗謀)。

【暗記 암기】 마음 속에 기억(記憶)하여 잊지 아니함。 욈。

【暗淚 암루】 남 몰래 흘리는 눈물。

【暗流 암류】 ①겉에 나타나지 아니하고 땅 속으로 흐르는 물。 ②표면에 나타나지 아니하는 알력(軋轢)。

【暗賣 암매】 물건을 남몰래 팖。

【暗殺 암살】 사람을 몰래 죽임。

【暗誦 암송】 책을 보지 않고 욈。

【暗數 암수】 남을 속여 넘기는 꾀。

【暗示 암시】 넌지시 알림。

【暗室 암실】 광선이 들어오지 아니하는 어두운 방(房)。

【暗暗裏 암암리】 아무도 모르는 사이。 남이 모르는 사이。

【暗雲 암운】 검은 구름。 전(轉)하여、 불온(不穩)한 형세(形勢)。

〔四畫部首順〕 心戈戶手支攴文斗斤方无日曰月木欠止歹殳毋比毛氏气水火爪父爻爿片牙牛犬

【暗中模索 암중모색】 어두운 가운데에서 물건을 더듬어 찾음. 전(轉)하여, 어림으로 일을 추측함.
【暗礁* 암초】 물 속에 숨어있는 바위.
【暗鬪 암투】 암암리에 다툼.
【暗行御史 암행어사】 《韓》 조선(朝鮮) 때 방백(方伯)의 치적(治績)을 살피고 백성(百姓)의 질고(疾苦)를 실지(實地)로 조사(調査)하기 위하여 왕명(王命)으로 파견(派遣)되는 특사(特使).
【暗號 암호】 비밀(秘密)한 신호.
【暗黑 암흑】 ①어두컴컴함. ②공명정대하지 아니함. ③세상이 어지러움.
◉明暗명암 白暗백암 幽暗유암 隱暗은암

十畫

14 【暢】 日10 [고교] 창 | 통할 | [去]漾

冂 日 申 … 暢 暢

[자원] 형성 昜[음]┬暢(日부) 申┘

펴다의 뜻의 「申신」(⇩伸신)과, 음을 나타내며 동시(同時)에 길다의 뜻(⇩長장)을 가진 「昜양」(창은 변음)으로 이루어짐. 길게 펴다의 뜻.

[뜻] ①**통할창** 통달함. 「通暢통창」 ②**자랄창** 성장함. ③**화창할창** 날씨나 마음씨가 부드럽고 맑음. 또 화락(和樂)함. 「暢適창적」 ④**펼창** 진술함. 「暢敍창서」

【暢達 창달】 ①자람. 성장함. ②통달(通達)함.
【暢茂 창무】 무성(茂盛)하게 자람.
【暢暢 창창】 화락(和樂)한 모양.
【暢快 창쾌】 마음이 시원하고 유쾌함.
◉朗暢낭창 茂暢무창 流暢유창 和暢화창

【嘗】 ⇩口部十一畫

十一畫

15 【暴】 日11 [중학] ㊀포(폭[俗]) ㊁폭 | 사나울 | ㊀[去]號 ㊁[入]屋

冂 日 旦 早 昱 暴 暴 暴 暴

[자원] 회의 日┐出┤廾┤米(水)┘暴(日부)

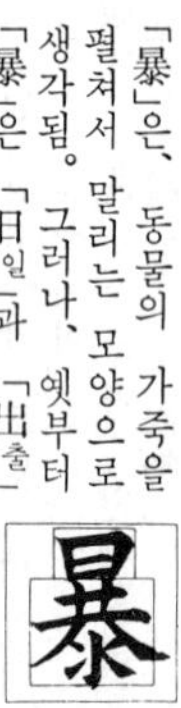

(A) (B) (C) 2000년전

「暴」은, 동물의 가죽을 펼쳐서 말리는 모양으로 생각됨. 그러나, 옛부터 「暴」은 「日일」과 「出출」과 「廾공」〈양손〉과 「米미」를 합친 모양. 볕이 나서 쌀을 양손으로 쬐는 것이라고 전함. 또 옛 모양 (A)는 쬐다 (B)는 갑자기 화내다, 거칠어지다를 나타내는 별개의 글자였으나, 나중에 「暴」이라 쓰는 한 글자로 합쳐진 것으로 생각됨. 또 옛모양 (C)는 「戒계」와 「虎호」〈범〉를 합친 글자모양이지마는, 「暴」과 같은 글자.

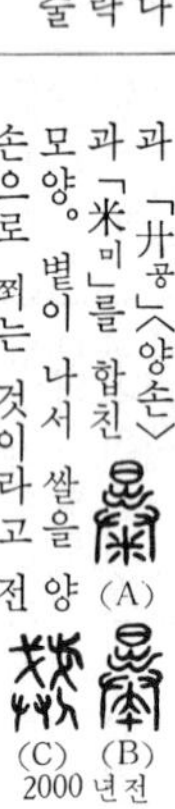

[뜻] ㊀①**사나울포** ㉠난포함. 「暴惡포악」 ㉡격렬함. 「暴風雨폭풍우」 ②**사나울포** 난포. 또 난포한 짓. 폭행. 또 난포한 사람. 무뢰함. ③**급할포** 돌연(突然)함. ④**갑자기포** 급작스럽게. ⑤**모질게굴포** 학대함. ⑥**맨손으로칠포** ⑦**불끈일어날포** 갑자기 일어나거나, 또는 솟아나오는 모양. ※속음(俗音) 폭 ㊁①**쬘폭** 햇

빛에 쬠。 ②나타날폭 드러남。 ③나타낼폭 드러냄。 「暴露폭로」

참고 「暴」을 음으로 하는 글자＝「爆폭」〈터지다〉·「瀑포」〈소나기〉·「曝폭」〈쬐다〉

【暴惡 포악】 사납고 악함。

【暴虐* 포학】 횡포하고 잔인함。 또 몹시 학대(虐待)함。 모질게 굶。

【暴擧 폭거】 난포한 거조(擧措)。

【暴君 폭군】 사나운 임금。

【暴徒 폭도】 폭동을 일으키는 무리。

【暴動 폭동】 뭇사람이 함부로 소란을 일으키어 사회의 안녕을 해치는 일。

【暴騰* 폭등】 물가(物價)가 갑자기 뛰어오름。

【暴落 폭락】 물가(物價)가 갑자기 무척 떨어짐。

【暴力 폭력】 무법(無法)한 완력。

【暴露 폭로】 ①비밀 같은 것이 드러남。 또는 드러나게 함。 ②들에서 지내어 비바람을 맞음。 ③물건이 드러나서 풍설·우로(雨露)에 바래짐。

【暴利 폭리】 부당한 큰 이익(利益)。

【暴書 폭서】 책을 좀이 먹지 않게 하기 위하여 햇볕에 쬠。

【暴食 폭식】 음식(飮食)을 함부로 많이 먹음。

【暴言 폭언】 난포하게 하는 말。

【暴飮 폭음】 술을 함부로 많이 마심。

【暴政 폭정】 난포한 정사(政事)。

【暴醉 폭취】 술이 갑자기 취(醉)함。

【暴風 폭풍】 몹시 세게 부는 바람。

【暴寒 폭한】 별안간 몹시 추운 추위。

【暴漢 폭한】 함부로 사나운 짓을 하는 사람。

【暴行 폭행】 난포한 행동。

◉亂暴난포 猛暴맹포 橫暴횡포 凶暴흉포

15 【暫】 日 11 고교 잠 | 잠깐 | 去 勘

一 亘 亘 亘 車 斬 斬 暫 暫

자원 형성 日 斬음 ↓ 暫(日부) 2500년전

시간을 뜻하는 「日일」에, 음과 함께 조금의 뜻(⇩纔재·삼)을 나타내기 위한 「斬참·삼」으로 이루어짐。 약간의 시간。

뜻 ①잠깐잠 잠시。 「暫定잠정」 ②별안간잠 창졸간。 졸지에。

【暫別 잠별】 잠시 이별(離別)함。

【暫逢 잠봉】 잠깐 만남。

【暫時 잠시】 오래지 않은 동안。 조금 동안。 잠간。

【暫定 잠정】 잠시 정함。 잠깐 임시로 정함。

15 【暮】 日 11 중학 모 | 저물 | 去 遇

一 十 艹 芇 苜 苴 莫 暮 暮

자원 회의 莫 日 ↓ 暮(日부) 2500년전

해가 풀숲(艹)에 숨은 모양을 나타내며 해질녘을 뜻하는 「莫막」이 없다의 뜻으로 빌어 쓰이게 되자 나중에 「日일」을 더하여 「暮」를 해질녘의 전용(專用) 글자로 하였음。

뜻 ①저물모、해질모 해가 저묾。 해가 짐。 ②늦을모 ㉠끝에 가까움。 「暮春모춘」 ㉡때에 늦음。 뒤늦음。 ㉢나이 먹음。 연로함。 「暮年모년」 ③밤모 낮의 대(對)。 「暮夜모야」

【暮改 모개】 아침에 정한 것을 저녁에 고침。

【暮景 모경】 ①저녁 때의 경치。 ②모경(暮境)。

【暮境 모경】 늙바탕。 노경(老境)。

【暮思 모사】 저녁 때의 슬픈 생각。
【暮色 모색】 저물어 가는 어스레한 빛。
【暮歲 모세】 ①연말(年末)。세모(歲暮)。②노년(老年)。
【暮雨 모우】 저녁 때 오는 비。
【暮雲 모운】 저녁 때 낀 구름。
【暮鐘 모종】 저녁 때 치는 종。 만종(晩鐘)。
【暮天 모천】 해질녘의 하늘。
◉晩暮만모 薄暮박모 夕暮석모 衰暮쇠모

十二畫

16 【曇】 日 12 담 ｜ 구름낄 ｜ ㊥覃

자원 회의 日雲 ┬曇(日부)
해(⇩日일) 아래에 구름(⇩雲운)이 있어 날씨가 흐리다의 뜻。

뜻 ①구름낄담 「曇天담천」 ②구름담 하늘에 낀 구름。

참고 「曇」을 음으로 하는 글자＝「壜담」〈술단지〉·「罎담」〈술병〉

【曇徵 담징】《韓》 고구려(高句麗)의 중、화가(畫家)。영양왕(嬰陽王) 때 백제(百濟)를 거쳐서 일본(日本)으로 건너가 나라(奈良) 호오류우지(法隆寺) 금당(金堂)에 사불정토도(四佛淨土圖)를 그렸음。
【曇天 담천】 구름이 낀 하늘。

16 【曉】 日 12 고교 효 ｜ 새벽 ｜ ㊤篠

丨 日 日 旷 旷 昈 暁 曉

자원 형성 日 堯음 ┬曉(日부)
「日날일변」〈해〉에 음과 함께 환한 뜻을 나타내기 위한 「堯요」(효는 변음)로 이루어짐。 환해지는 시각(時刻)의 뜻。

뜻 ①새벽효 날이 밝을 녘。「曉起효기」 ②밝을효 환함。 ③깨달을효 환히 앎。「通曉통효」 ④타이를효 「曉諭효유」 ⑤사뢸효 아룀。

【曉光 효광】 새벽의 날 새는 빛。서광(曙光)。
【曉旦 효단】 새벽。
【曉頭 효두】 꼭두새벽。 먼동이 트기 전인 이른 새벽。
【曉了 효료】 깨달음。 요해(了解)함。
【曉霜 효상】 새벽의 서리。
【曉色 효색】 ①새벽의 밝은 빛。 ②새벽의 경치。
【曉夕 효석】 아침 저녁。 조석(朝夕)。
【曉星 효성】 ①새벽에 보이는 별。 ②샛별。
【曉示 효시】 타이름。 유시。
【曉天 효천】 ①새벽 하늘。 ②밝을 녘。 새벽。
【曉風 효풍】 새벽에 부는 바람。
◉達曉달효 拂曉불효 洞曉통효 通曉통효

16 【曆】 日 12 고교 력 ｜ 책력 ｜ ㊇錫

一 厂 厂 厂 厤 厤 厤 曆 曆

자원 형성 日 厤음 ┬曆(日부) 曆 2500년전
「日일」과、음을 나타내는 동시에 줄지어 가지런히 하다는 뜻을 가진 「厤력」으로 이루어짐。 일자(日字)를 잇달아 세는 데서 달력의 뜻。

뜻 ①책력력 역법(曆法)。 또는 역서(曆書)。 전(轉)하여、연대·수명·운명 등의 뜻으로 쓰임。「曆數역수」 ②수력、셈력 수효。 계수(計數)。 ③일기력 일지(日誌)。

[주의] 「厤」은 청조(淸朝) 때 천자(天子)의 휘(諱)를 피(避)하여 만든 약자(略字)。

【曆年 역년】 ①세월(歲月)。②책력에 정한 일년(一年)。「命」。운명。

【曆命 역명】 역수(曆數)와 천명(天

【曆法 역법】 천체(天體)의 운행(運行)을 추산(推算)하여 세시(歲時)를 정하는 방법。책력을 만드는 방법。

【曆象 역상】 ①책력을 추산(推算)하여 천문(天文)을 봄。②일월성신(日月星辰)의 일컬음。

【曆書 역서】 책력(册曆)。역본(曆本)。

【曆數 역수】 ①운명。운수。②책력。

【曆日 역일】 ①책력。②책력에 정한 날。또 세월(歲月)。

◉新曆신력 陽曆양력 月曆월력 陰曆음력 日曆일력 太陽曆태양력 太陰曆태음력

十四畫

18 【曙】 日 14 서 | 새벽 | [去]御

[자원] 형성 日 署[음] ┬ 曙(日부)

2500년전

「日날일변」〈해〉에、음을 나타내며 동시에 처음의 뜻(⇩緖서)을 나타내기 위한 「署서」를 더하여 이루어짐。새벽의 뜻。

[뜻] ①새벽서 날이 샌 때。「曙鐘서종」②밝을서 날이 샘。

【曙光 서광】 ①새벽의 날 새는 빛。동틀 때 비추는 빛。②암흑(暗黑)속의 광명。좋은 일이 일어나려는 조짐。

【曙色 서색】 ①동틀 때의 밝은 빛 ②동틀 때의 경치。

【曙天 서천】 ①새벽하늘。②새벽。

18 【曜】 日 14 요 | 빛 | [去]嘯

[자원] 형성 日 翟[음] ┬ 曜(日부)

2500년전

「日날일변」〈해〉에、음과 함께 비치다의 뜻(⇩照조)을 나타내기 위한 「翟적」(요는 변음)으로 이루어짐。해가 환하게 비치다의 뜻。

[뜻] ①빛요 광휘。②빛날요 광휘를 발함。「曜曜요요」③일월성신요 일월(日月)을 「兩曜양요」라 하고 이에 목·화·토·금·수의 오성(五星)을 합쳐 「七曜칠요」라 함。

◉景曜경요 兩曜양요 榮曜영요 靈曜영요 日曜일요 照曜조요 七曜칠요 顯曜현요

曰 部

4 【曰】 부수 [중학] [一]왈(월[本]) [二]월 | 가로되 | [一][二] [入]月

丨 冂 冃 曰

[자원] 지사

2500년전

「口구」〈입〉와、입에서 나오는 말을 나타내는 기호(記號)「ㄴ」로 이루어짐。입을 벌리고 말함을 나타냄。

[뜻] [一]①가로되왈 말하되。말하기를。②이를왈 일컬음。…라 말함。※이상(以上) 본음(本音) 월 [二]말낼월 발어사(發語辭)。

[주의] 「日일」〈날〉은 딴 글자。

二畫

【曳】 曰 2 **예** | 끌 | [去]霽

[자원] 형성 丿[음] 申 ㇆ 曳(曰부)

2500년전

양손으로 절굿공이를 들어 올리는 모양의 「申신」과, 음을 나타내는 「丿예」로 이루어짐. 전(轉)하여, 잡아당기다. 끌다의 뜻.

[뜻] ①**끌예** ㉠땅에 늘어뜨리고 감. ㉡끌어당김. 「曳仆예부」 ㉢끌고 다님. 짚음. ②**끌릴예** 윗뜻의 피동사. ③**고달플예** 피로함.

[참고] 「曳」를 음으로 하는 글자=「拽예」〈끌다〉·「洩예·설」〈훨훨 날다·새다〉·「栧예」〈배를 젓는 막대기〉

【曲】 曰 2 [중학] **곡** | 굽을 | [入]沃

[자원] 상형

2500년전

2000년전

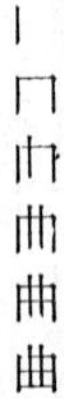

「曲」은 ㄴ匚凵와 같은 모양을 한 도구나 그릇→굽히다→굽다→작은 변화가 있는 일.

[뜻] ①**굽을곡** ㉠굽음. 휨. 「曲線곡선」 ㉡마음이 굽음. ②**굽힐곡** 윗뜻의 타동사. 「曲筆곡필」 ③**곡진할곡** 간절함. 정성을 다함. ④**자세할곡** 상세함. 「委曲위곡」 ⑤**자세히곡** 상세하게. 「曲盡곡진」 ⑥**간사곡** 사벽(邪辟). 「曲私곡사」 ⑦**구석곡** 변우(邊隅). ⑧**잠박곡** 누에를 기르는 제구. ⑨**가락곡** 곡조. 「歌曲가곡」 ⑩**마을곡** 부락. 「部曲부곡」「鄕曲향곡」

【曲境 곡경】 몹시 어려운 지경. 곤경.
【曲論 곡론】 이치(理致)에 어그러진 의론(議論). 「굽이쳐 흐르는 물.
【曲流 곡류】 꾸불꾸불 흘러가는 물.
【曲眉 곡미】 초승달처럼 가늘고 굽은 눈썹. 미인(美人)의 눈썹의 형용.
【曲法 곡법】 법을 굽힘. 법을 어김.
【曲辯 곡변】 그른 것을 옳다고 하는 변설(辯舌).
【曲屛 곡병】 머릿 병풍(屛風).
【曲譜 곡보】 악보(樂譜).
【曲線美 곡선미】 ①곡선을 써서 나타낸 미(美). ②미인(美人)의 육체의 곡선의 미. 「이론(理論).
【曲說 곡설】 편벽되어 바르지 아니한
【曲水 곡수】 굽이굽이 흐르는 물.
【曲宴 곡연】 궁중(宮中)에서 베푸는 작은 연회(宴會).
【曲藝 곡예】 하찮은 기예(技藝).
【曲折 곡절】 ①꼬불꼬불함. ②자세한 사정. 복잡한 내막. ③문장 같은 것이 변화가 많음. 평범치 않음.
【曲調 곡조】 가사(歌詞)·음악(音樂)의 가락. 「름. ②굽음과 곧음.
【曲直 곡직】 ①이치(理致)의 옳고 그
【曲盡 곡진】 ①마음과 힘을 다함. 「문. ②자세히 설명함.
【曲學 곡학】 정도(正道)에 벗어난 학
【曲解 곡해】 잘못 해석함. 곱새김.
【曲形 곡형】 굽은 형상(形狀).

◉歌曲가곡 歌謠曲가요곡 交響曲교향곡 小夜曲소야곡 俗曲속곡 新曲신곡 樂曲악곡 夜曲야곡 歪曲왜곡 圓舞曲원무곡 委曲위곡 音曲음곡 作曲작곡 淸曲청곡 協奏曲협주곡 戱曲희곡

三畫

7 **【更】** 曰 3 중학 ㊀경 ㊁갱 — 고칠 — ㊀㊥庚 ㊁㊤敬

一 丅 丆 戸 亘 更 更

자원 형성 攴 丙음 ┬ 㪅-更(曰부) 2500년전

매를 손에 들고 강제(強制)를 뜻하는 「攴복」과, 음을 나타내며 동시에 분명하다의 뜻(⇩炳병)을 가리키는 「丙병」(경은 변음)으로 이루어짐。분명한 쪽으로 향하게 하다의 뜻。전(轉)하여, 새롭다。다시의 뜻。

뜻 ㊀①**고칠경** 변개함。「變更변경」②**바꿀경** 교대함。「更代경대」③**고쳐질경**, **바뀔경** 이상의 피동사。④**갚을경** 배상함。⑤**이을경** 연속함。⑥**겪을경** 겪어 지내옴。또 일을 많이 겪은 사람。경험이 많은 사람。⑦**지날경** 통과함。⑧**시각경** 해질녘부터 새벽까지 오등분한 야간의 시각。「五更오경」⑨**번갈아경** 서로 갈마들어。㊁**다시갱** 재차。「更生갱생」

참고 「更」을 음으로 하는 글자=「硬경」〈단단하다〉·「哽경」〈목메다〉·「梗경」〈가시나무〉·「粳경」〈메벼〉·「綆경」〈두레박줄〉·「骾경」〈가시가 목구멍에 걸리다〉·「鯁경」〈물고기의 뼈〉

【更起 갱기】 다시 일어남。

【更生 갱생】 ①죽을 지경에서 다시 살아남。②못쓰게 된 것을 다시 손을 대어 쓰게 만듦。

【更新 갱신】 다시 새로와짐。

【更改 경개】 고침。

【更始 경시】 고쳐 다시 함。

【更新 경신】 고치어 새롭게 함。

【更張 경장】 ①거문고 줄을 고쳐 맴。전(轉)하여 ②해이(解弛)한 사물을 고치어 긴장하게 함。③사회적(社會的)·정치적(政治的)으로 부패(腐敗)한 제도(制度)를 고치어 새롭게 함。

【更正 경정】 개정(改正)함。

【更訂 경정】 개정(改訂)함。

【更造 경조】 고쳐 만듦。

【更紙 갱지】 좀 거친 양지(洋紙)의 한가지 신문 인쇄 등에 쓰임。

【更迭* 경질】 교대함。교체(交遞)함。

【更化 경화】 고쳐 교화(教化)함。고쳐 새롭게 함。

◉ 變更변경 四更사경 三更삼경 五更오경

六畫

10 **【書】** 曰 6 중학 서 — 글 — ㊥魚

ㄱ ㅋ 聿 聿 聿 書 書 書

書

자원 형성 聿 者음 ┬ 書(曰부) 2500년전

「聿율」은 붓을 바로 세운 모양→쓰는 일。음을 나타내는 「者자」(서는 변음)는 일을 구별함→명확하게 함→글로 써서 나타냄。「書」는 이것저것 구별하여 명확하게 글로 써서 나타내는 일→쓴 것。옛 글자체는 「聿」과 「曰왈」을 합한 모양。지금은 「聿」을 「𦘒」로 씀。

뜻 ①**글서** ㉠문장。기록。㉡책「書冊서책」②**편지서** 서한。「書翰서한」③**장부서** 기록하는 책。「簿書부서」④**서경서** 육경의 하나。곧 상서(尙

書)。「詩書시서」⑤글자서 문자。⑥글씨서 ㉠필법。㉡필적。⑦쓸서 글씨를 씀。문자로 적음。「書紳서신」

【書架 서가】책(冊)을 얹어 두는 시렁。

【書家 서가】글씨를 잘 쓰는 사람。

【書簡 서간】편지(便紙)。

【書經 서경】중국 최고(最高)의 경서(經書)。오경(五經) 또는 십삼경(十三經)의 하나로 우(虞)·하(夏)·상(商)·주(周) 사대(四代)의 사실(史實)·사상(思想) 등을 기록하여 백편(百編)으로 된 것을 공자(孔子)가 산정(刪正)하였다고 함。서(書) 또는 상서(尙書)라고도 함。

【書契 서계】①중국의 태고의 글자。②문자(文字)를 나무에 새겨 약속의 표지로 한 부서(符書)。③《韓》우리나라에서 옛날에 일본 정부(日本政府)와 왕래하던 문서。

【書庫 서고】책(冊)을 넣어 두는 곳집。

【書館 서관】책사(冊肆)。

【書卷 서권】서책(書冊)。

【書堂 서당】①서재(書齋)。②글방。

【書頭 서두】글의 첫머리。

【書吏 서리】문서·기록을 맡은 벼슬아치。서기(書記)。

【書面 서면】①글의 겉면에 나타난 대강。문면(文面)。②편지。문서(文書)。

【書名 서명】책의 이름。

【書目 서목】책의 목록。도서 목록。

【書法 서법】글씨 쓰는 법。

【書士 서사】《韓》대서(代書)를 업으로 하는 사람。

【書寫 서사】글씨를 베낌。

【書生 서생】학업(學業)을 닦는 젊은이。

【書室 서실】서재(書齋)。

【書院 서원】①당(唐)나라 이후의 학교(學校)의 일컬음。②서재(書齋)。③《韓》조선(朝鮮) 때 선비들이 모여서 학문을 강론하고 석학(碩學) 또는 충절(忠節)로 죽은 사람들을 제사지내던 곳。중종(中宗) 때에 주세붕(周世鵬)이 풍기(豊基)에 백운동 서원(白雲洞書院)을 이룩한 데서 시작함。

【書齋* 서재】책을 쌓아 두고 글을 읽고 쓰고 하는 방。서실(書室)。

【書籍 서적】책。서책(書冊)。

【書典 서전】책。서적。경전(經典)。

【書傳 서전】①고인(古人)이 저술한 책。②서경(書經)을 주석(註釋)한 책。

【書店 서점】책방。책사(冊肆)。

【書鎭 서진】문진(文鎭)。

【書札* 서찰】편지(便紙)。

【書冊 서책】책。서적(書籍)。

【書體 서체】①글씨의 모양。글씨의 체재(體裁)。②글씨 체。곧 해서(楷書)·행서(行書)·초서(草書) 등。

【書標 서표】책장의 읽던 곳을 찾기 쉽도록 끼워 두는 종이 오리。

【書翰* 서한】편지(便紙)。

【書函* 서함】편지(便紙)。또 편지를 넣는 통。

【書畫 서화】글씨와 그림。

◉經書경서 古書고서 答書답서 唐書당서 大書대서 代書대서 圖書도서 讀書독서 文書문서 密書밀서 兵書병서 史書사서 上書상서 聖書성서 詩書시서 新書신서 惡書악서 原書원서 願書원서 遺書유서 字書자서 藏書장서 著書저서 全書전서 正書정서 淨書정서 精書정서 詔書조서 調書조서 草書초서 叢書총서 勅書칙서 七書칠서 投書투서 特筆大書특필대서

10【曺】曰 6 曺(다음 글자)와 같은 글자。우리 나라에서 성(姓)으로는 주로 이 글자를 씀。

七畫

11【曹】曰 7 조 | 무리 | ㊥豪

자원 형성 曰 𣗥!曲 음 ┬曹 (曰부) 2500년전

이야기하다의 뜻인 「曰가로왈」과、함께 싸우다의 뜻(⇩爭쟁)을 나타내기 위한 「𣗥조」로 이루어짐。원고(原告) 피고(被告)의 싸움에 판결(判決)을 내리는 뜻。전(轉)하여 재판관(裁判官)、법정(法廷)의 뜻。

뜻 ①**무리조** ㉠떼。㉡동류。「我曹아조」「爾曹이조」 ②**짝조** 자기와 상대되는 자。재판소에서 원고와 피고를 병칭하여 「兩曹양조」라 함。③**마을조** 관청。「曹司조사」 ④**방조** 실내(室內)。⑤**조나라조** 춘추시대(春秋時代)의 제후(諸侯)의 나라。지금의 산동성(山東省) 안에 있었음。⑥**성조** 성(姓)의 하나。

참고 「曹」를 음으로 하는 글자=「遭조」〈우연히 만나다〉·「嘈조」〈들레다〉·「漕조」〈배를 젓다〉·「槽조」〈구유〉·「糟조」〈지게미〉

【曹植* 조식】《韓》조선(朝鮮) 명종(明宗) 때의 학자(學者)。호(號)는 남명(南溟)。두류산(頭流山)에 숨어 성리학(性理學)을 연구하였음。

【曹操* 조조】후한(後漢) 사람。자(字)는 맹덕(孟德)。권모(權謀)에 능하고 시(詩)를 잘하였음。헌제(獻帝) 때 재상(宰相)이 되고 위왕(魏王)으로 봉(封)함을 받았음。그의 아들 비(丕)가 제위(帝位)에 올라 무제(武帝)라 추존(追尊)하였음。

◉卿曹경조 功曹공조 法曹법조 六曹육조

八畫

12【最】曰 8 중학 최 | 가장 | ㊦泰

冂 冃 冃 冐 冐 最 最

자원 회의 冃取 ┬最-最 (曰부)

最

취(取)하다의 뜻인 「取취」와 덮다·덮치다의 뜻인 (=冃모)로 이루어짐。「最」는 덮쳐 취하다→모두 취하다→모두→모든 것 중에서 가장 뛰어난 것。

뜻 ①**가장최** 제일。「最高최고」 ②**모두최** 모조리。③**우두머리최** 수위(首位)。관리의 치적(治績)이나 공적의 일등。「功最공최」 ④**모일최、모을최** 한 군데 모이거나 모음。

주의 「最」가 정자(正字)。「最」는 본래 속자(俗字)。

참고 「最최」를 음으로 하는 글자=「嘬최」〈깨물다〉·「蕞최」〈작은 모양〉·「撮촬」〈손 끝으로 집다〉

【最貴 최귀】가장 귀(貴)함。

【最急 최급】썩 급함。가장 급함。

【最短 최단】가장 짧음。

【最良 최량】아주 좋음。

【最晩 최만】아주 늦음。

【最先 최선】맨 먼저。

【最善 최선】가장 좋음。가장 훌륭함。

【最少 최소】①가장 적음。②가장 젊음。

【最新 최신】가장 새로움。

【最惡 최악】가장 못됨. 가장 나쁨.
【最長 최장】①가장 긺. ②가장 나이가 많음. ③가장 우수함.
【最低 최저】가장 낮음.
【最適 최적】가장 적당하거나 적합함.
【最終 최종】맨 끝. 맨 나중.
【最初 최초】맨 처음.
【最惠國 최혜국】통상 조약국 가운데 가장 유리한 조약을 맺은 나라.
【最後 최후】맨 뒤. 맨 나중.

12
【曾】
曰 8 중학 ㊀증 ㊁층 일찍 ㊀㊁ ㊥平蒸

ノ 八 仈 仒 仒 㑹 㑹 㑹 曾

자원 상형 2500년전

물을 담은 밑바닥 부분(ㅂ)과 구멍이 뚫린 깔개(⊕)와 김이 오르는 모양(八)으로 이루어지며, 시루를 본뜸. 「甑증」〈시루〉의 본디 글자. 빌어 겹치다(⇨層), 또는 일찌기의 뜻으로 씀.

뜻 ㊀①**일찍증** 일찌기. 이전에. 지금까지. 「未曾有미증유」 ②**이에증** 乃(ノ部一畫)와 뜻이 같음. ③**거듭증** 다시 덧포개어. ④**거듭할증** 한 것을 또 함. 「曾孫증손」 ⑤**더할증** ㊁**층층** 層(尸部十二畫)과 같은 글자.

주의 「曽증」은 속자(俗字).

참고 「曾」을 음으로 하는 글자=「僧승」〈중〉·「層층」〈층집〉·「憎증」〈미워하다〉·「贈증」〈주다〉·「增증」〈붇다〉·「繒증」〈명주·비단〉·「甑증」〈시루〉

【曾經 증경】일찌기. 이전에.
【曾參 증삼】증자(曾子).
【曾孫 증손】아들의 손자.
【曾孫女 증손녀】아들의 손녀(孫女). 손자의 딸.
【曾往 증왕】일찌기. 지나간 적.
【曾遊 증유】전에 논 일이 있음.
【曾子 증자】공자(孔子)의 제자(弟子)로 이름은 삼(參), 자(字)는 자여(子輿). 효행(孝行)으로 유명함.
【曾祖 증조】증조부(曾祖父).
【曾祖母 증조모】아버지의 할머니. 할아버지의 어머니.
【曾祖父 증조부】할아버지의 아버지. 증조(曾祖).

12
【替】
曰 8 고교 체 폐할 ㊧去霽

一 二 夫 夫 夫夫 㚘 替 替 替

자원 형성 竝曰 竝-扶음 ┬ 替(曰부)

「竝병」과 「曰왈」로 이루어져 「竝」(체는 변음)이 음을 나타냄. 필요(必要)없게 되다의 뜻. 음을 빌어 갈다의 뜻(⇨代대)으로 쓰임.

뜻 ①**폐할체** ㉠폐기(廢棄)함. 폐지함. 「替懈체해」 ㉡폐기당함. ②**멸할체**, **쇠할체** 절멸함. 또 쇠퇴함. 「替衰체쇠」 ③**갈체**, **바꿀체** 교환함. ④**갈마들체** 교대함. 「替代체대」

【替代 체대】서로 번갈아 대신함. 교체함.
【替番 체번】번갈아 듦.
◉交替교체 代替대체 對替대체 廢替폐체

九畫

13
【會】
曰 9 중학 회 모일 ㊧去泰

〔四畫部首順〕心戈戶手支攴文斗斤方无日曰月木欠止歹殳毋比毛氏气水火爪父爻爿片牙牛犬

人 亼 亽 合 侖 侖 侖 會 會

자원 회의 人+曾→會(曰부) 2500년전

쌀을 찌는 도구(甑증)에 뚜껑(亼)을 하는 뜻。 그것이 오직 뚜껑의 뜻이 되어 나중에는 상하(上下)가 합(合)치는 데서부터 만나다、모이다의 뜻이 됨。 나중에 「人인」〈사람〉과 「曾증」(=增증)〈불리다〉의 합자(合字)로 생각하게 됨。

뜻 ①**모일회** ㉠회합함。「會同회동」 ㉡하나가 됨。 일치함。 ②**모을회** 모이게 함。 ③**모임회** 회합。「詩會시회」 ④**반드시회** 꼭。 필연。 ⑤**마침회** 때마침。「會遇회우」 ⑥**기회회** 적당한 시기。 ⑦**셈회** 계산。 월계(月計)를 요(要)、 세계(歲計)를 「會회」라 함。 ⑧**깨달을회** 이해함。「會得회득」 ⑨**그림회** 繪(糸部十三畫)와 통용。

참고 「會」를 음으로 하는 글자=「繪회」〈그림〉·「澮회」〈봇도랑〉·「檜회」〈노송나무〉·「獪회」〈교활하다〉·「膾회」〈회〉

【會見 회견】 서로 만나 봄。

【會計 회계】 ①모아 셈함。 합산(合算)。 ②금전이나 물품의 출납(出納)의 계산。

【會稽之恥* 회계지치】 패전(敗戰)하여 받은 잊을 수 없는 수치。

【會館 회관】 집회(集會)하는 데 쓰는 건물。

【會期 회기】 ①회합하는 시기。 ②개회로부터 폐회까지의 기간。

【會談 회담】 한 곳에 모이어 이야기함。

【會堂 회당】 ①종교 단체의 집회소(集會所)。 예배당。 ②회관(會館)。

【會報 회보】 회에 관한 일을 회원에게 보고하는 문서。

【會費 회비】 회의 경비(經費)에 충당하기 위하여 회원이 부담하는 돈。

【會社 회사】 《韓》 영리 사업을 목적으로 하는 사단법인(社團法人)。 합명(合名)·합자(合資)·주식(株式)회사의 구별(區別)이 있음。

【會所 회소】 여러 사람이 모이는 처소。 집회하는 장소。

【會食 회식】 여러 사람이 모이어 같이 음식(飮食)을 먹음。

【會心 회심】 마음에 듦。 마음에 맞음。

【會議 회의】 ①여러 사람이 모이어 의론함。 ②어떤 사항을 평의(評議)하는 기관。 합의체의 기관。

【會長 회장】 회(會)를 대표하는 사람。

【會場 회장】 회의(會議)를 하는 곳。

【會中 회중】 ①회를 하는 도중。 ②《佛敎》 설법(說法)을 하는 도중。

【會衆 회중】 많이 모인 군중。

【會則 회칙】 회의 규칙(規則)。

【會合 회합】 여러 사람이 모임。

【會話 회화】 마주 대하여 이야기함。 서로 만나서 이야기함。

◉ 嘉會가회 講習會강습회 開會개회 公聽會공청회 敎會교회 國民會국민회 國會국회 機會기회 茶菓會다과회 大會대회 都會도회 洞會동회 面會면회 密會밀회 博覽會박람회 婦人會부인회 分會분회 司會사회 社會사회 散會산회 續會속회 宴會연회 議會의회 入會입회 再會재회 朝會조회 照會조회 宗會종회 座談會좌담회 集會집회 參會참회 總會총회 親睦會친목회 閉會폐회

月部

4 **【月】** 부수 중학 월 — 달 — ㊀月

丿 冂 月 月

자원 상형 (A) (B) 3000년전

「月」은 언제나 둥근 「日일」〈해〉에 비하여 차고 이지러짐이 있으므로 초생달 혹은 반달의 모양을 글자로 삼음。

뜻 ①**달월** ㉠지구의 위성。태음(太陰)。「月光월광」 ㉡한 해의 십이분의 일。「年月연월」 ㉢달을 세는 수사(數詞)。 ②**세월월** 광음。 ③**다달이월** 달마다。매월。

주의 「肉육」의 글자 모양이 변(變)한 「月육달월」은 속의 두 선이 오른쪽에 접(接)하고、일월(日月)의 「月달월」은 떨어지고、「舟주」〈배〉의 변체(變體)인 경우(境遇)는 「月」로 써서 구별(區別)함。

【月刊 월간】 매달 한 번씩 간행함。

【月經 월경】 달거리。경도(經度)。

【月計 월계】 한 달의 계산(計算)。다달의 회계(會計)。

【月桂 월계】 ①달 속에 있다는 계수나무。②달빛。월광(月光)。③과거(科擧)의 급제。등과(登科)。④월계수(月桂樹)。

【月桂冠 월계관】 ①옛날 그리이스에서 경기(競技)에 우승(優勝)한 사람에게 씌우던 월계(月桂)잎으로 장식한 관(冠)。②우승의 영예。

【月光 월광】 달빛。

【月球 월구】 달。태음(太陰)。

【月宮 월궁】 달 속에 있는 항아(姮娥)가 산다는 궁전。월세계(月世界)。

【月琴 월금】 모양이 비파(琵琶)와 같고 줄이 넷인 악기。

【月給 월급】 다달이 받는 급료(給料)。

【月內 월내】 한 달 안。

【月旦 월단】 ①매달 첫 날。초하루。삭일(朔日)。②인물평(人物評)。월단평(月旦評)。 「이래。

【月來 월래】 일이 개월 이래。수개월

【月曆 월력】 달력。

【月令 월령】 매년 행하여야 할 정령(政令)을 십이 개월에 할당하여 규정한 것。전(轉)하여 철、시후(時候)。

【月齡* 월령】 신월(新月)을 영(零)으로 하여 기산(起算)하는 날수。

【月露 월로】 달밤의 이슬。

【月面 월면】 ①달의 표면(表面)。②달과 같이 생긴 아름다운 얼굴。

【月明 월명】 ①달빛이 밝음。②월광。

【月魄* 월백】 월혼(月魂)。

【月白風淸 월백풍청】 달은 밝고 바람은 선선함。달이 밝은 가을 밤의 경치를 형용한 말。 「글。

【月報 월보】 다달이 내는 보고。또 그

【月俸 월봉】 월급(月給)。

【月賦 월부】 물건값 또는 빚 등을 다달이 나누어 지불함。

【月費 월비】 다달이 쓰는 비용。

【月世界 월세계】 달의 세계(世界)。

【月收 월수】 ①다달이 들어오는 돈。

매월의 수입。②《韓》본전(本錢)에 변리(邊利)를 얹어서 다달이 갚아 가는 빚。

【月蝕* 월식】 지구(地球)가 해와 달 사이에 와서 햇빛을 가리기 때문에 달의 전부 또는 일부가 어두워 안 보이는 현상。

【月額 월액】 매월(每月)의 정액(定額)。달마다 정한 액수(額數)。

【月餘 월여】 한 달 남짓。

【月前 월전】 한 달쯤 전。달포 전。

【月定 월정】 달로 정함。

【月精寺 월정사】《韓》강원도(江原道) 평원군(平原郡) 오대산(五臺山)에 있는 절。신라(新羅) 때 자장(慈藏)이 이곳에 암자(庵子)를 지은 것이 시초(始初)라 함。지금은 고려(高麗) 때의 팔각 구층탑(八角九層塔)이 남아 있을 뿐임。

【月中 월중】 ①달이 밝은 때。②달 가운데。

【月次 월차】 ①달의 하늘에 있는 위치。②매월(每月)。

【月兎 월토】 달(月)의 별칭(別稱)。달 속에 토끼가 산다는 전설(傳說)에서 나온 말。

【月波 월파】 달빛이 비치는 물결。

【月下老人 월하 노인】 남녀의 인연을 맺어주는 신(神)。혼인 중매의 신。

【月下氷人 월하 빙인】 월하 노인(月下老人)과 빙상인(氷上人)。모두 혼인을 중매하는 신(神)。전(轉)하여 혼인을 중매하는 사람。중매장이。

【月形 월형】 달의 형상。

【月華 월화】 달빛。월광(月光)。

◉佳月가월 各月각월 隔月격월 今月금월 來月내월 滿月만월 明月명월 半月반월 霜月상월 雪月설월 歲月세월 素月소월 新月신월 心月심월 閏月윤월 日月일월 前月전월 淸月청월 秋月추월 寒月한월

二畫

6 **【有】** 月 2 중학 ㊀유 ― 있을 ― ㊀㊤有 ㊁우 ― ㊁㊦宥

ノ ナ 𠂇 冇 有 有

有

자원 형성 月 又(음) ┬有(月부)

「又우·유」는 손→가지다→손을 보다→그 위에 더하다→또…하다。「有」는 달이 숨었다가 다시 나오다、월식(月蝕)→보통 없던 일이 일어나다→있다→가지고 있음。

뜻 ㊀①**있을유** ㉠존재함。「有無유무」 ㉡생김。일어남。㉢가지고 있음。②**가질유** 보유함。보지(保持)함。「所有소유」 ③**소유유** 가진 물건。④**고을유** 州(川部三畫)와 뜻이 같음。⑤**또유** 又(部首)와 뜻이 같음。「十有二年십유이년」 ㊁**또우** 又(部首)와 같은 글자。

참고 ①「又또우」부(部)에 있어야 할 글자。설문(說文)에서 육달월을 달월로 잘못 보아 「月달월」부(部)에 넣었음。②「有」를 음으로 하는 글자∥「侑유」〈돕다〉·「宥유」〈용서하다〉

【有故 유고】 사고(事故)가 있음。

【有功 유공】 공로(功勞)가 있음。

【有口皆碑 유구개비】 여러 사람이 모두 칭송함。

【有給 유급】 급료(給料)가 있음。

【有期 유기】 일정한 기한이 있음。

【有機 유기】 생활 기능을 가지고 있음。

【有能 유능】 재능이 있음。

【有能有不能 유능유불능】 사람은 저마다 장점(長點)과 단점(短點)이 있음。 사람마다 재능(才能)이 다름。

【有德 유덕】 덕행(德行)이 있음。 또 그 사람。

【有德者必有言 유덕자필유언】 덕(德)이 있는 사람은 반드시 본받을 만한 훌륭한 말을 함。

【有道 유도】 ①도덕을 몸에 갖추고 있음。 또 그 사람。 ②도덕이 행하여지고 있음。 ③한대(漢代)의 과거(科擧)의 한 가지。

【有毒 유독】 독기(毒氣)가 있음。

【有力 유력】 ①힘이 있음。 ②세력이 있음。

【有利 유리】 이익이 있음。 이로움。

【有望 유망】 앞으로 잘될 듯함。 희망(希望)이 있음。

【有名無實 유명무실】 이름만 있고 실상(實狀)은 없음。 이름만 훌륭하고 그 실적이 없음。

【有無 유무】 ①있음과 없음。 ②있는 물건과 없는 물건。 ③있는지 없는지 잘 분간할 수 없음。 ④혹은 나타나고 혹은 자취를 감춤。 ⑤《佛教》 유법(有法)과 무법(無法)。

【有無相通 유무상통】 있고 없는 것을 서로 융통함。

【有別 유별】 차별(差別)이 있음。 다름。

【有病 유병】 병(病)이 있음。

【有福 유복】 복이 있음。

【有服親 유복친】 상복(喪服)을 입는 가까운 친척。

【有夫 유부】 남편이 있음。

【有夫女 유부녀】 남편이 있는 부녀。

【有史 유사】 역사가 시작됨。 역사가 있기 비롯함。

【有事 유사】 ①일이 있음。 ②사건이 있음。 사변(事變)이 있음。

【有産階級 유산계급】 자본가·지주 등의 재산이 많아 노동하지 않고서도 풍족한 생활을 할 수 있는 계급。

【有償 유상】 어떤 행위의 결과에 대하여 보상(報償)이 있는 일。 곧 일방(一方)에서 얻은 이익에 대하여 다른 일방의 보상이 있는 일。

【有象無象 유상무상】 ①천지간(天地間)에 있는 모든 물체(物體)。 만물(萬物)。 삼라만상(森羅萬象)。 ②어중이 떠중이。

【有耶無耶 유야무야】 어물어물함。 흐리멍덩함。

【有餘 유여】 남음이 있음。 여유가 있음。

【有要 유요】 필요가 있음。 소중함。

【有用 유용】 이용(利用)할 수 있음。 소용(所用)이 있음。

【有爲 유위】 ①큰 일을 할 능력이 있음。 쓸모가 있음。 ②일이 있음。 업무가 있음。 ③《佛教》 여러 가지 인연(因緣)에 의하여 생긴 현상(現象)。

【有爲之才 유위지재】 큰 일을 할 수 있는 재능。

【有益 유익】 이익이 있음。 이로움。

【有子生女 유자생녀】 아들 딸을 많이 낳음。

【有情 유정】 ①인정(人情)이 있음。 ②풍치(風致)가 있음。 ③《佛教》 일체의 생물(生物)。

【有足 유족】 모자람이 없이 넉넉함。

【有終之美 유종지미】 끝까지 잘 하여 일의 결과가 훌륭하게 됨을 이름。

【有罪 유죄】죄(罪)가 있음。
【有志 유지】①뜻이 있음。또 그 사람。②남달리 세상 일을 근심함。또 그 사람。
【有進無退 유진무퇴】앞으로 나아가기만 하고 뒤로 물러나지 아니함。
【有表 유표】여럿 속에서 특별(特別)히 두드러짐。
【有何面目 유하면목】무슨 면목으로。사람을 대할 낯이 없음을 이름。
【有限 유한】일정한 한도가 있음。
【有閑 유한】①겨를이 있음。시간의 여유가 있음。한가함。②재산이 넉넉하여 생활에 여유가 있어 틈이 많음。
【有害 유해】해(害)가 있음。해가 됨。
【有害無益 유해무익】해(害)는 있되 이익은 없음。
【有形無跡 유형무적】혐의는 있으나 증거가 드러나지 않음。
【有形無形 유형무형】①유형(有形)과 무형(無形)。②형체(形體)의 유무(有無)가 분명하지 아니함。
◉兼有겸유 固有고유 公有공유 共有공유 官有관유 國有국유 未曾有미증유 保有보유 私有사유 所有소유 稀有희유

四畫

8 【朋】 月 4 중학 붕 | 벗 | (平)蒸

丿 刀 月 月 刖 朋 朋 朋

자원 상형 고대(古代)에 보배로운 재물로 삼은 조개를 한 쌍으로 나란히 늘어뜨린 모양을 본뜸。나란히 계속되는 데서 벗·한패의 뜻으로 됨。

뜻 ①벗붕 ㉠친구。「朋友붕우」 ㉡동문 수학하는 사람。②떼붕 무리。「朋溺붕닉」 ③쌍붕 한쌍。④쌍조개붕 전화(錢貨)로 사용하는 한 쌍의 조개。

주의 「明명」〈밝다〉은 딴 글자。

참고 「朋」을 음으로 하는 글자=「崩붕」〈무너지다〉·「棚붕」〈시렁〉·「硼붕·평」〈붕산·돌소리〉·「鵬붕」〈붕새〉·「萌맹」〈싹트다〉

【朋黨 붕당】이해나 주의(主義) 등이 같은 사람끼리 모여 당외(黨外) 사람들을 배척하는 단체。
【朋徒 붕도】한 동아리。한 패。
【朋僚* 붕료】동료(同僚)。
【朋輩 붕배】신분·연령 등이 비슷한 벗。
【朋飛 붕비】떼지어 낢。
【朋友 붕우】①친구(親舊)。벗。②동문 수학하는 벗。
【朋友有信 붕우유신】오륜(五倫)의 하나。벗 사이에는 신의(信義)가 있어야 함。
◉舊朋구붕 面朋면붕 文朋문붕 百朋백붕 良朋양붕 僚朋요붕 友朋우붕 親朋친붕

8 【服】 月 4 중학 복 | 옷 | (入)屋

丿 刀 月 月 肌 服 服 服

자원 형성 卩+又→艮(음)+舟→月→服

「又우」는 손。「卩절」은 사람이 조심스럽게 하는 모양。음을 나타내는 「艮복」은 손을 대어 사람을

3000년전

무릎꿇게 하는 모양→항복하다→복종하다→일함。「舟주=月」는 배를 나타내지만 여기에서는 일을 보다、쓸모가 있다란 뜻을 나타냄。「服」은 일보기、또 물건을 둘러싸서 쓸모 있게 함。배의 가장자리、수레 양쪽의 버팀나무、사람의 몸에 걸치는 옷 따위。모두 「服」임。

뜻 ①**옷복** 의복。「被服피복」②**말복** 네 마리가 끄는 마차에서 멍에를 끼고 달리는 안쪽의 두 말。바깥쪽의 두 마리의 말은 「驂참」이라 함。③**직책복** 맡은 직무。④**일복** 처리하여야 할 일。⑤**구역복** 주대(周代)에 왕기(王畿)의 밖 주위에서부터 오백 리마다 설정(設定)한 구역。「九服구복」⑥**복복** 복제(服制)。또 상복(喪服)。「喪服상복」⑦**입을복** 옷을 입음。⑧**잡을복** 쥠。⑨**찰복** 칼 따위를 참。⑩**좇을복** ㉠따름。「服從복종」㉡복죄(伏罪)함。「服罪복죄」⑪**행할복** 수행함。「服行복행」⑫**쓸복** 사용함。채용함。⑬**생각할복** 「服念복념」⑭**다스릴복** 바로잡아 처리함。⑮**익을복** 익숙해짐。⑯**먹을복** 약 같은 것을 먹음。「服藥복약」⑰**탈복** 탈것에 탐。⑱**전동복** ⑲**올빼미복** ⑳**길복** 箙(勹部九畫)과 통용。

참고 「服」을 음으로 하는 글자=「菔복」〈무우〉·「箙복」〈전동〉

【服馬 복마】말 네 마리가 끄는 마차에서 안쪽의 두 마리의 말。

【服務 복무】직무(職務)에 힘씀。

【服飾 복식】①옷의 장식。제복(制服)에 다는 장식。②옷과 장식。

【服藥 복약】약(藥)을 먹음。

【服役 복역】①공역(公役)에 복무함。②남의 밑에서 지휘를 받아 일을 함。③징역(懲役)을 삶。

【服用 복용】①약(藥)을 먹음。②옷을 입음。③몸에 지니고 씀。

【服人 복인】《韓》기년(朞年) 이하의 복(服)을 입는 사람。

【服裝 복장】옷차림。

【服制 복제】①상복(喪服)의 제도(制度)。②신분·직업 등의 상하에 따른 의복의 제도。

【服從 복종】남의 명령 또는 의사에 따름。

【服罪 복죄】죄(罪)에 대한 형벌(刑罰)에 복종(服從)하여 받음。

【服中 복중】복(服)을 입는 동안。

◉感服감복 敬服경복 公服공복 校服교복 軍服군복 屈服굴복 歸服귀복 克服극복 忌服기복 奇服기복 內服내복 大禮服대례복 冬服동복 綿服면복 美服미복 微服미복 法服법복 私服사복 常服상복 喪服상복 順服순복 承服승복 僧服승복 臣服신복 信服신복 心服심복 野服야복 洋服양복 衣服의복 儀服의복 正服정복 征服정복 制服제복 除服제복 祭服제복 朝服조복 春秋服춘추복 歎服탄복 脫服탈복 通常服통상복 平服평복 被服피복 夏服하복 寒服한복 韓服한복 降服항복

五畫

【前】⇨刀部七畫

六畫

10【朕】月6 짐 | 나 | ㊤寢

자원 상 미 月 ⊤ 朕(月부)  3000년전

옛날에는 일반적으로 「나」의 뜻으로 쓰였지만 진시황(秦始皇) 이십육년 이래(以來) 천자(天子)의 자칭(自稱)이 됨。

뜻 ①나짐 원래 일반의 자칭(自稱)이었으나 진시황(秦始皇) 이후로 천자의 자칭으로만 쓰이게 되었음。 ②조짐짐 전조。「朕兆짐조」

주의 「眹진」〈눈동자〉은 딴 글자。

참고 「朕」을 음으로 하는 글자=「媵잉」〈건네어주다〉·「賸잉」〈남다〉·「塍승」〈밭두둑〉·「勝승」〈이기다〉·「縢등」〈봉하다〉·「謄등」〈베끼다〉·「騰등」〈오르다〉

10 **【朔】** 月 6 고교 **삭** — 초하루 — ⓐ入 覺

丶 丷 ㅛ 屰 屰 朔 朔 朔

자원 형성 月 屰음 ⊤ 朔(月부)  2500년전

「月월」〈달〉과 음을 나타내는 「屰역」(삭은 변음)으로 이루어짐。 달이 되살아난다는 뜻에서 「초하루」。

뜻 ①**초하루삭** 음력의 매월 첫날。「朔望삭망」 ②**처음삭** 시초。 ③**북녘삭** 북방。「朔風삭풍」 ④**정삭삭** 고대(古代)에 천자(天子)가 연말(年末)에 이듬해의 달력을 제후(諸侯)에게 나누어 주고 겸하여 정령(政令)을 내린 일。

참고 「朔」을 음으로 하는 글자=「槊삭」〈창〉·「塑소」〈토우〉·「愬수」〈하소연하다〉·「溯소」〈거슬러 올라가다〉·「遡소」〈거슬러 올라가다〉

【朔旦 삭단】 초하룻날 아침。

【朔旦冬至 삭단동지】 음력 십일 월 초하루에 드는 동지。 이십 년에 한 번 있는데 고래(古來)로 이날을 축하했음。

【朔東 삭동】 내몽고(內蒙古)의 고비 사막(沙漠)의 동쪽。

【朔漠 삭막】 북방의 사막。 곧 고비 사막。

【朔望奠* 삭망전】 상가(喪家)에서 다달이 초하루와 보름에 지내는 제사。

【朔方 삭방】 북(北)쪽。 북방。

【朔北 삭북】 북(北)쪽。 북쪽 오랑캐의 땅。

【朔月 삭월】 삭일(朔日)。

【朔月貰* 삭월세】 《韓》 다달이 일정한 돈을 주고 남의 집을 빌어 사는 세。

【朔日 삭일】 음력 매 달의 초하루。

【朔風 삭풍】 북쪽에서 부는 바람。 북풍(北風)。

◉ 告朔고삭 邊朔변삭 北朔북삭 月朔월삭

七畫

11 **【望】** 月 7 중학 **망** — 바라볼 — ⓐ去 漾 ⓟ平 陽

丶 亠 亡 切 切 望 望 望 望

자원 형성 臣 ⊤ 月 ⊤ 亡음 ⊤ (月부) 壬 ⊥ 𦣠 ⊥ 朢

 〔𦣠〕 3000년전  2500년전

「臣신」은 내려다보는 일。「壬정」은 사람이 바로 서다→바로 자라는 일。「𦣠망」은 높은 곳에서 훨씬 먼 곳을 바로 바라보는 일。「朢망」은 달이 해와 멀리 마주 보는 만월(滿月)

때。「望」은 朢과 같은 글자이나 발음을 똑똑히 나타내는 「亡망」을 글자의 부분으로 삼은 것임。나중에 「朢」은 만월。「望」은 바라보는 일이라고 나누어 생각하였음。

뜻 ①바라볼망 ㉠먼 데를 봄。「眺望조망」 ㉡마주 대함。②바랄망 기대함。「希望희망」 ③원망할망 못마땅하게 여겨 책함。「責望책망」 ④엿볼망 몰래 봄。⑤우러러볼망 앙모함。「望慕망모」 ⑥조망망 바라보는 바。⑦소망망 바라는 바。⑧앙망망 앙모하는 바。⑨원망망 원한。⑩이름망 명성。「名望명망」 ⑪망제망 산천에 지내는 제사。또 그 제사를 지냄。⑫보름망 음력 보름날의 밤。

【望見 망견】 멀리 바라봄。

【望哭 망곡】 먼 곳에서 임금·부모(父母)의 상(喪)을 당하고 요배(遙拜)하며 슬프게 욺。

【望九 망구】 아흔 살을 바라다보는 나이。곧 여든 한 살。

【望臺 망대】 먼 곳을 조망(眺望)하거나 적군(敵軍)의 동정(動靜)을 망(望)보는 누대(樓臺)。

【望樓 망루】 망대(望臺)。

【望六 망륙】 예순 살을 바라보는 나이。곧 쉰 한 살。

【望慕 망모】 우러러 사모함。앙모(仰慕)。

【望拜 망배】 멀리 바라보고 절함。

【望百 망백】 백 살을 바라보는 나이。곧 아흔 한 살。

【望夫石 망부석】 무창(武昌)의 북산(北山)에 있는 돌의 이름。정부(貞婦)가 전쟁에 나가는 남편을 전송(餞送)하고 멀어져 가는 그의 뒷모습을 바라보다가 선 채로 돌로 화해 버렸다는 전설이 있음。

【望外 망외】 바라던 것보다 지나침。기대한 이상。

【望雲之情 망운지정】 객지에서 고향에 있는 부모를 생각하는 마음。

【望遠鏡 망원경】 먼 곳에 있는 물체를 보는 데 쓰는 안경의 일종。

【望月 망월】 ①음력(陰曆) 보름날 밤의 달。보름달。만월(滿月)。②달을 바라봄。

【望柱石 망주석】 《韓》 무덤 앞에 세우는 한 쌍(雙)의 돌기둥。

【望七 망칠】 일흔 살을 바라보는 나이。곧 예순 한 살。

【望八 망팔】 여든 살을 바라보는 나이。곧 일흔 한 살。

【望鄕 망향】 고향(故鄕)을 바라보고 그리워함。

◉可望가망 渴望갈망 觀望관망 德望덕망 名望명망 失望실망 仰望앙망 野望야망 欲望욕망 展望전망 希望희망

11 **【朗】** 月 7 고교 **랑** | 밝을 | ㊤養

ㄱ ㅋ 自 良 良 朗 朗 朗

자원 형성 月良음 ┬朖─朗(月부)

음을 나타내는 「良량·랑」은 맑게 환히 비쳐보이듯이 아름다움。「朖랑」은 아름답고 맑게 밝음。나중에 좌우를 바꾸어서 「朗」이라고 씀。

뜻 **밝을랑** 환하고 맑음。「朗月낭월」

【朗讀 낭독】 소리를 높이어 읽음。

【朗朗 낭랑】 ①소리가 명랑한 모양。②밝은 모양。

【朗誦 낭송】 소리를 높이어 읽거나

욈。

【朗詠 낭영】 명랑하게 소리를 높여 시가(詩歌)를 읊음。

【朗悟 낭오】 지혜가 밝아 빨리 깨달음。

【朗月 낭월】 밝은 달。 명월(明月)。

◉明朗명랑 爽朗상랑 昭朗소랑 疏朗소랑 英朗영랑 淸朗청랑 晴朗청랑 聰朗총랑

八畫

12 【朝】 月 8 중학 조 ｜아침｜ ㊥蕭

一 十 十 古 古 直 卓 朝 朝

자원 형성 舟(음) 倝 → 𠦝舟 → 朝(月부)

2500년전 3000년전

「朝」는 「倝간」(⇩幹간)과 음을 나타내는 「舟주」〈배〉(조는 변음)와를 합한 자형(字形)이 변한 것이라고 설명되어 왔으나 사실상 더 옛모양은 「𠦝」와 「水수」 또는 「川천」을 합한 것。「𠦝」는 풀숲 저 멀리서 해가 올라오는 모양。또 그 쪽을 향한다는 뜻을 가지며 「水」 또는 「川」과 합하여 시내의 흐름이 바다로 향함을 일컬은 것인 듯。 나중에 흐름과 관계가 있고 또 자형이 닮았으므로 「舟」를 부분으로 하는 「𠦝舟조」란 자형으로 쓰고 다시 「朝」로 변하였음。

뜻 ①**아침조** ㉠새벽부터 조반 때까지。㉡새벽부터 정오 때까지。「朝夕조석」 ㉢널리 날·시간 등의 뜻으로 쓰임。②**조정조** ㉠제왕이 정사를 재결하는 곳。「朝廷조정」 ㉡한 임금이 재위하는 기간。「列聖朝열성조」 ③**마을조** 관아。④**뵐조** ㉠신하가 조정에 나아가 임금을 배알함。「朝見조견」 ㉡고대(古代)에는 아들이 부모를 뵙거나 존경하는 사람을 찾아가 뵙는 데도 썼음。⑤**조회받을조** 제왕이 정사(政事)를 봄。⑥**부를조** 호출함。⑦**모일조** 회합함。⑧**흐를조** 흘러들어감。⑨**왕조조** 한 왕조(王朝)의 통치 기간。「淸朝청조」

주의 「晁」는 옛 글자。

참고 「朝」를 음으로 하는 글자＝「嘲조」〈비웃다〉・「潮조」〈조수〉・「廟묘」〈사당〉

【朝歌夜絃 조가야현】 아침에는 노래하고 저녁에는 거문고를 탄다는 뜻으로, 종일 즐거이 놂을 이름。

【朝刊 조간】 아침에 발행함。또 그 신문。

【朝哭 조곡】 소상(小喪)까지 날마다 이른 아침에 궤연(几筵) 앞에서 곡하는 일。

【朝貢 조공】 제후(諸侯)나 속국의 사신이 내조(來朝)하여 공물을 바치는 일。

【朝官 조관】 조신(朝臣)。

【朝堂 조당】 조정(朝廷)。

【朝得暮失 조득모실】 아침에 얻었다가 저녁에 잃는다는 뜻으로, 얻은 지 얼마 안되어서 잃어버리는 것을 이름。

【朝令 조령】 ①아침에 명령을 내림。②조정에서 내리는 명령。

【朝令暮改 조령모개】 아침에 영(令)을 내렸다가 저녁에 고친다는 뜻으로, 법령이 자주 변경됨을 이름。

【朝露 조로】 ①아침 이슬。②덧없는

사물의 비유。 조균(朝菌)。

【朝命 조명】 조정(朝廷)의 명령。 천자의 명령。 군명(君命)。

【朝聞夕改 조문석개】 아침에 잘못한 일을 들으면 저녁에 고친다는 뜻으로, 자기의 과실을 알면 주저하지 않고 바로 고침을 이름。

【朝變夕改 조변석개】 아침 저녁으로 뜯어 고친다는 뜻으로, 일을 자주 변경함을 이름。

【朝服 조복】 조신(朝臣)이 조정에 나갈 때 입는 예복。 조의(朝衣)。

【朝不食夕不食 조불식석불식】 아침밥도 못 먹고 저녁밥도 못 먹는다는 뜻으로, 생활이 아주 구차하여 끼니를 항상 굶음。

【朝三暮四 조삼모사】 송(宋)나라 저공(狙公)이 여러 원숭이에게 상수리를 아침에 세 개, 저녁에 네 개씩 주겠다고 하니 원숭이들이 노하므로 그러면 아침에 네 개, 저녁에 세 개씩 주겠노라 한즉 원숭이들이 기뻐하였다는 고사(故事)에서 나온 말로, 눈앞에 당장 보이는 차이만을 알고 결과가 똑 같은 것을 모르거나, 간사한 꾀로 남을 농락(弄絡)함을 이르는 말。

【朝夕 조석】 ①아침과 저녁。 ②아침의 근무(勤務)와 저녁의 근무。 ③아침 저녁으로 문안을 드림。 ④날마다。 항상。

【朝鮮 조선】 상고 때부터 써 내려오던 우리 나라의 이름。 처음에 단군(檀君)이 다스리던 때를 고조선(古朝鮮)、 이성계(李成桂)가 고려(高麗)를 이어 세운 나라를 이씨 조선(李氏朝鮮) 또는 근세 조선(近世朝鮮)이라 함。 다만 삼한(三韓)·삼국(三國)·고려(高麗) 때와 대한 제국(大韓帝國) 이후에는 각각 특별한 이름으로 고치어 썼음。

【朝鮮通寶 조선통보】《韓》 조선(朝鮮) 세종(世宗) 오년(五年)에 발행(發行)된 엽전(葉錢)。

【朝鮮王朝實錄 조선왕조실록】《韓》 조선 스물 일곱 임금의 실록(實錄)。

【朝臣 조신】 조정에 출사(出仕)하는 신하。 조관(朝官)。

【朝謁 조알】 조정에서 군주에게 알현(謁見)함。

【朝野 조야】 조정(朝廷)과 재야(在野)。 정부(政府)와 민간(民間)。

【朝議 조의】 조정의 의론(議論)。 묘의(廟議)。

【朝廷 조정】 나라의 정치(政治)를 의론·집행하는 곳。

【朝秦暮楚 *조진모초】 아침에는 진(秦)나라에 있다가 저녁에는 초(楚)나라에 간다는 뜻으로, 주소(住所)가 일정하지 않음을 이름。

【朝次 조차】 조정에 있어서의 백관(百官)의 석차。 조열(朝列)。

【朝餐* 조찬】 조반(朝飯)。

【朝出暮歸 조출모귀】 ①아침에 일찍 나오고 저녁에 늦게 들어가므로 늘 집에 없음。 ②사물(事物)이 쉬지 않고 변천함을 이름。

【朝會 조회】 ①백관(百官)이 조현(朝見)하기 위하여 조정에 모임。 ②학교 같은 데서 아침에 모이는 회。

◉ 國朝국조 南北朝남북조 南朝남조 明朝명조 北朝북조 聖朝성조 王朝왕조 元朝원조 一朝일조 入朝입조 早朝조조

參朝참조 天朝천조 清朝청조

12 **【期】** 月 8 중학 **기** — 때 — ㊥支

一 廾 甘 其 朞 期 期

자원 형성 月 其음 ↣ 期(月부)
음을 나타내는「其기」는 구분하거나 골라서 꺼내는 일 ⇩基기。「月월」은 달。「期」는 달이 한바퀴 도는 기간→한 달。또 일년。나중에 일정한 시간。

뜻 ①**때기** 시기。「期間기간」②**한기** 한정。「期限기한」③**돐기** ㉠만 일주야。㉡만 일 주년。=「朞」와 같은 글자。「期年기년」④**백년기** 백년간。「期頤기이」⑤**바랄기** 희망을 가짐。요망함。「期待기대」⑥**기약할기** 약속함。「期約기약」⑦**기다릴기** ⑧**모일기** 회합함。⑨**정할기** 결정함。⑩**말더듬거릴기**

주의 「朞」는 같은 글자。

【期間 기간】 미리 정한 일정한 동안。
【期期 기기】 말을 더듬는 모양。
【期內 기내】 기한 내。 「(朞年)」。
【期年 기년】 만 일년。 일주년。 기년
【期待 기대】 희망을 가지고 기다림。
【期圖 기도】 기대하고 도모함。
【期望 기망】 기대(期待)。
【期服 기복】 기년(期年)의 복(服)。곧 조부모·백숙부모(伯叔父母)·적손(嫡孫)·형제 등의 복(服)。기복(朞服)。
【期成 기성】 이루어지기를 기약함。
【期約 기약】 때를 작정(作定)하여 약조(約條)함。
【期日 기일】 작정(作定)한 날짜。
【期必 기필】 확정(確定)하여 틀림이 없음。꼭 되기로 작정(作定)함。
【期限 기한】 미리 정한 시기。
【期會 기회】 ①미리 시일을 정하고 모임。②때。기회。③일년간의 회계。

◉農繁期농번기 短期단기 滿期만기 末期말기 半減期반감기 思春期사춘기 所期소기 延期연기 豫期예기 次期차기 初期초기 學期학기 婚期혼기

【勝】 ⇩力部十畫

十四畫

18 **【朦】** 月 14 **몽** — 흐릴 — ㊥東

騰 2500년전

자원 형성 月 蒙음 ↣ 朦(月부)
「月달월변」과、음을 나타내며 동시에 어둡다의 뜻을 가진「蒙몽」으로 이루어짐。달빛이 흐려 어둡다의 뜻。

뜻 **흐릴몽** 달빛 같은 것이 흐린 모양。「朦朦몽몽」

【朦朧 몽롱】 ①달빛이 흐린 모양。②사물이 분명하지 아니한 모양。③정신이 흐리멍덩한 모양。의식이 확실하지 아니한 모양。

十六畫

20 **【朧】** 月 16 **롱** — 흐릴 — ㊥東

2500년전

자원 형성 月 龍음 ↣ 朧(月부)
「月달월변」과、음을 나타내는「龍룡」으로 이루어짐。

뜻 **흐릴롱** 달빛 같은 것이 흐린 모양。「朦朧몽롱」

木部

4 【木】 부수 중학 목 — 나무 — 入屋

一 十 才 木

자원 상형 3000년전 木

「木목」은 나무의 모양임에는 틀림이 없으나 가지·줄기·뿌리를 나타낸다고 보는 설(說)과 줄기가 위로 향하고 아래로 향하고 한 가지라고 하는 설이 있음。

뜻 ①**나무목** ㉠선 나무。수목(樹木)。「灌木관목」 ㉡벤 나무。재목(材木)。㉢나무를 재료로 하여 제작한 것。「木像목상」 ㉣오행의 첫째。방위로는 동쪽、사계(四季)로는 봄、간지(干支)로는 갑(甲)·을(乙)에 해당함。②**관목** 목재의 관곽。「入木입목」 ③**목제악기목** 나무로 만든 악기。팔음(八音)의 하나임。「石·金·土·革·絲·木·匏·竹석·금·토·혁·사·목·포·죽」 ④**질박할목** 순박함。⑤《韓》**무명목** 면포(綿布)。

주의 「朩빈」〈삼을 째다〉은 딴 글자。

참고 「木」을 음으로 하는 글자=「沐목」〈머리를 감다〉·「霂목」〈가랑비〉

【木刻 목각】 나무 쪽에 서화(書畫)를 새김。

【木工 목공】 나무로 물건을 만드는 장색(匠色)。목수。

【木公 목공】 소나무(松)의 별칭。

【木棺* 목관】 나무로 만든 관(棺)。

【木橋 목교】 나무로 놓은 다리。나무다리。

【木槿* 목근】 무궁화(無窮花)나무。

【木蓮 목련】 ①목련과(木蓮科)에 속하는 낙엽 교목(落葉喬木)。꽃은 백색 또는 암자색(色)임。목란(木蘭)。②목부용(木芙蓉)의 별칭(別稱)。

【木理 목리】 나뭇결。연륜(年輪)。

【木馬 목마】 나무로 만든 말。

【木母 목모】 매화나무(梅)의 별칭。

【木紋* 목문】 나무의 무늬。

【木本 목본】 목질(木質)의 식물。곧 나무。초본(草本)의 대(對)。

【木佛 목불】 나무로 만든 불상(佛像)。

【木像 목상】 나무로 만든 우상(偶像)。목우(木偶)。

【木石 목석】 ①나무와 돌。목재(木材)와 석재(石材)。②감정이 둔하거나 인정이 통 없는 사람의 비유。

【木石漢 목석한】 인정이 없고 감정이 둔한 사나이。

【木姓 목성】 《韓》술가(術家)에서 오행(五行) 중 목(木)에 속하는 성(姓)을 이름。곧 김(金)·박(朴)·고(高)·최(崔)·유(劉)·차(車) 등。

【木星 목성】 태양(太陽)에서 다섯째로 가까운 최대 혹성(惑星)。체적(體積)은 지구(地球)의 약 일천 삼백 십팔 배(倍)。

【木魚 목어】 《佛敎》 불경(佛經)을 읽을 때에 두드리는 제구。

【木旺之節 목왕지절】 오행(五行)의 목(木)이 성하는 계절。곧 봄철。

【木偶 목우】 나무로 만든 사람。목상(木像)。목경(木梗)。목인(木人)。

【木牛流馬 목우유마】 소나 말 모양으로 된 기계 장치를 한 수레。 제갈양(諸葛亮)이 만들어 군량(軍糧)을 운반하는 데 썼다 함。

【木人石心 목인석심】 나무 같은 사람으로 돌 같은 마음을 가졌다는 뜻。 감정(感情)이 무딘 사람을 이름。

【木匠* 목장】 목공(木工)。

【木材 목재】 재목(材木)。

【木柵* 목책】 말뚝을 박아 만든 울。 울짱。

【木鐸* 목탁】 ①추를 나무로 만든 큰 방울。 고대(古代)에 문사(文事) 및 법령(法令) 등에 관한 교령(敎令)을 발(發)할 때 쳤음。 금탁(金鐸)의 대(對)。 전(轉)하여、②세상 사람을 가르쳐 인도하는 사람。 세인(世人)을 지도할 만한 사람。 ③(韓) 목어(木魚)。

【木炭 목탄】 ①숯。 ②그림을 그리는 숯。

【木桶* 목통】 나무로 만든 통。 나무통。

【木版 목판】 나무에 새긴 책판(冊版)。

【木筆 목필】 ①목제(木製)의 붓。 ②연필(鉛筆)。 ③신이(辛夷) 곧 백목련(白木蓮)의 별칭。

◉巨木 거목 古木 고목 枯木 고목 灌木 관목 大木 대목 名木 명목 苗木 묘목 伐木 벌목 副木 부목 山川草木 산천초목 樹木 수목 植木 식목 林木 입목 雜木 잡목 材木 재목 接木 접목 珍木 진목 草木 초목 土木 토목 香木 향목

一畫

【本】 5 木 1 중학 본 밑 ㊤阮

一十才木本

자원 지사 (2500년전)

「木목」〈나무〉아래쪽에 표를 붙여 나무의 뿌리 밑을 나타냄。 나중에 나무에 한하지 않고 사물의 근본이란 뜻으로 씀。

뜻 ①**밑본** 나무의 밑동。 전(轉)하여、 줄기。「本支본지」 ②**근원본** 시작。 원시(原始)。 ③**근본본** ㉠기본。「本義본의」 ㉡조상。 부모。 ㉢종가(宗家)。 ㉣고향。 본국。 ㉤천품。 성질。 ④**농사본** 농업。 ⑤**본전본** 이자에 대한 본전。 ⑥**바탕본** 소지(素地)。 밑절미。 ⑦**옛본** 왕석(往昔)。「本俗본속」 ⑧**첩본** 서첩 또는 화첩。 ⑨**책본** 전적(典籍)。 ⑩**본디본** 원래。 ⑪**근본으로할본** 기본으로 삼음。 ⑫**이본** 此(止部二畫)와 뜻이 같음。「本年본년」 ⑬**본본** 초목 등을 세는 수사(數詞)。

참고 「本」을 음으로 하는 글자＝「笨분」〈거칠다〉·「鉢발」〈바리때〉

【本家 본가】 ①본집。 ②친정(親庭)。

【本幹 본간】 근간(根幹)。

【本據 본거】 근거(根據)。

【本貫 본관】 ①시조(始祖)가 난 땅。 관향(貫鄕)。 ②본적(本籍)。

【本局 본국】 ①분국(分局)에 대하여 그 근본이 되는 국。 ②딴 국에 대하여 자기가 있는 국。

【本國 본국】 타국(他國)에 대하여 자기 나라。 곧 자기의 국적(國籍)이 있는 나라。

【本紀 본기】 기전체(紀傳體)의 사서(史書)에서 임금의 일생의 사적(事

績)을 기록한 전기(傳紀)。
【本能 본능】태어날 때부터 가지고 있는 성능(性能)。
【本隊 본대】 ①본부(本部)의 군대。②딴 부대에 대한 자기 소속의 대。
【本宅 본댁】상주(常住)하는 집。본집。본저(本邸)。
【本來 본래】①사물이 전하여 내려온 그 처음。본디。②처음부터。본디。
【本領 본령】본래부터 갖추고 있는 특성(特性)。특질(特質)。
【本論 본론】언론(言論)·저서(著書)의 주되는 의론(議論)。
【本壘* 본루】①본거(本據)가 되는 곳。②야구장의 타자가 공을 치는 자리。
【本末 본말】①일의 처음과 나중。②물건의 처음과 끝。
【本文 본문】주석·번역 등의 원문장。
【本俸* 본봉】주(主)가 되는 봉급。
【本部 본부】어떤 기관(機關)이나 단체의 중심이 되는 조직。
【本分 본분】①사람마다 갖추고 있는 분수(分數)。②의무(義務)로 행하여야 할 책임。
【本社 본사】①사(社)의 본부(本部)。②딴 회사에 대하여 자기가 근무(勤務)하는 회사。당사(當社)。
【本線 본선】간선(幹線)。
【本始 본시】시초(始初)。
【本室 본실】정실(正室)。본처(本妻)。
【本業 본업】①근본(根本)되는 직업。②농업(農業)。
【本然 본연】본디 그대로의 자연(自然)이나 상태。
【本營 본영】주장(主將)이 있는 군영(軍營)。본진(本陣)。
【本源 본원】①근원(根源)。②근원에 기본을 둠。
【本意 본의】①근본의 뜻。②본정(本情)。
【本籍 본적】본관(本貫)의 호적(戶籍)。또 그 호적이 소재하는 곳。
【本錢 본전】①사업하는 밑천이 되는 돈。②변리가 붙지 않은 밑돈。
【本旨* 본지】①근본(根本)되는 취지(趣旨)。②본디의 뜻。본 뜻。
【本職 본직】겸직(兼職)·부업(副業)이 아닌 근본되는 직업 또는 직무。
【本陣 본진】본영(本營)。
【本質 본질】①본바탕。②본래부터 갖추고 있는 사물 독자(獨自)의 성질。
【本妻 본처】본아내。정실(正室)。
【本體論 본체론】우주(宇宙)의 본체(本體)에 대하여 연구하는 철학。
【本初子午線 본초자오선】지구(地球)상의 경도(經度)를 측정(測定)하는 기준이 되는 자오선。
【本草學 본초학】식물(植物) 및 약물(藥物)을 연구하는 학문。
【本土 본토】①자기(自己)가 사는 땅。②고향(故鄕)。③속지(屬地)에 대하여 주되는 땅。본국(本國)。④섬에 대하여 그 소속된 육지。⑤《佛敎》부처가 사는 나라。정토(淨土)。
【本鄕 본향】자기가 사는 시골。
【本會 본회】딴 회에 대하여 자기가 속하는 회。이 회。
【本懷 본회】본래 품은 생각 또는 소원。본마음。
【本會議 본회의】①각 분과 회의(分科會議)에 대한 주장되는 회의。②이번의 회의。이 회의。
◉刻本각본 脚本각본 刊行本간행본 古本고본 敎本교본 校閱本교열본 劇本

극본 單行本단행본 大本대본 貸本대본 臺本대본 謄本등본 副本부본 資本자본 正本정본 製本제본 珍本진본 眞本진본 抄本초본 拓本탁본 板刻本판각본 版本판본 標本표본

5 【札】 木 1 찰 | 패 | [入]黠

[자원] 형성 木乙-乚[음] ┬札(木부)  2500년전

「木나무목변」과, 음을 나타내는「乚」=乙을)로 이루어지며, 엷고 짧은 나무, 패。 종이가 없었던 시대(時代)에는 이것에 글자를 썼으므로 전하여, 문서(文書)의 뜻이 됨。

[뜻] ①패찰 ㉠얇고 작은 나뭇조각。 ㉡글씨를 쓰는 조그마한 나뭇조각。 ②**편지찰**「書札서찰」 ③**미늘찰** 갑옷의 미늘。 ④**일찍죽을찰** 요사(夭死)함。 ⑤**돌림병찰** 전염병。

【札記 찰기】조목(條目)으로 나누어 기술하는 일。 또 그 기술。 찰기(劄記)。

◉鑑札감찰 改札개찰 開札개찰 落札낙찰 名札명찰 入札입찰

5 【未】 木 1 [중학] 미 | 여덟째지지 | [去]未

一 二 キ 未 未

[자원] 상형  3000년전 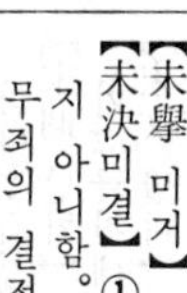

「未」는 나무끝의 가느다란 작은 가지。 나중에 분명하지 않다→희미한 모양→아직…하지 않다란 뜻에 씀。 지지(地支)의 여덟째 글자로도 씀。

[뜻] ①**여덟째지지미** 십이지(十二支)의 제팔위(第八位)。 시간으로는 오후 한 시부터 세 시까지, 방위로는 서남방, 달로는 유월, 때로는 양에 해당함。 ②**아닐미** ㉠부정(否定)의 말。 ㉡아직…하지 아니함。 「未知미지」 ③**미래미** 장래。

[주의] 「末말」〈끝〉은 딴 글자。

[참고] 「未」를 음으로 하는 글자=「味미」〈맛〉·「魅매」〈도깨비〉·「寐매」〈자다〉·「妹매」〈손아랫누이〉·「昧매」〈어둡다〉·「眛매」〈눈이 어둡다〉

【未開 미개】①아직 민도가 낮고 문명하지 못한 상태。 ②꽃이 아직 피지 않음。 ③토지가 아직 개간되지 않음。

【未擧 미거】《韓》철이 아니 나서 아둔함。

【未決 미결】①아직 결정(決定)이 나지 아니함。 ②법정(法廷)에서 유죄 무죄의 결정이 나지 아니함。

【未久 미구】동안이 오래지 않음。

【未及 미급】아직 미치지 못함。

【未納 미납】아직 바치지 아니하거나 못함。

【未達 미달】어떤 한도에 이르지 못함。

【未來 미래】①아직 오지 않은 때。 장래(將來)。 ②《佛敎》세상(世上)의 하나。 죽은 뒤의 세상。 내세(來世)。

【未來永劫* 미래영겁】영원(永遠)。

【未練 미련】①익숙하지 못함。 ②단념(斷念)할 수 없음。

【未滿 미만】일정한 수에 차지 아니함。

【未亡人 미망인】남편이 죽은 부녀(婦女)。 과부(寡婦)。 남편이 죽으면 따라서 함께 죽어야 할 것인데 아직 죽지 아니한 사람이라는 뜻。

【未明 미명】날이 아직 밝기 전(前)。

날샐 녘。

【未分明 미분명】 분명하지 못함。

【未備 미비】 아직 다 갖추지 못함。 완전하지 못함。

【未詳 미상】 아직 자세하지 아니함。

【未嘗不 미상불】 과연。 아닌게 아니라。

【未成年 미성년】 아직 만 이십 세(二十歲)가 되지 아니함。 또 그 사람。

【未遂犯 미수범】 범죄 행위를 착수한 뒤에 그 목적(目的)을 이루지 못한 행위。 또 그 사람。

【未熟 미숙】 ①과실(果實)이 아직 익지 아니함。 ②음식이 덜 익음。 ③일에 익숙하지 못함。 ④경험이 부족함。

【未安 미안】 ①마음이 편(便)하지 못하고 거북함。 ②남에게 대하여 겸연쩍은 마음이 있음。

【未然 미연】 아직 그렇게 되지 아니함。 아직 일이 일어나지 아니함。

【未完 미완】 아직 완결(完結)하지 못함。 아직 끝이 아니 남。

【未定 미정】 아직 결정하지 못함。 아직 정하여지지 아니함。

【未定稿 미정고】 아직 퇴고(推敲)하지 아니한 초고(草稿)。

【未濟 미제】 미료(未了)。

【未製品 미제품】 아직 완전히 되지 아니한 물품。

【未曾有 미증유】 지금까지 아직 한 번도 있어 본 적이 없음。

【未知 미지】 알지 못함。

【未盡 미진】 아직 다하지 못함。

【未畢 미필】 아직 끝내지 못함。

【未婚 미혼】 아직 혼인을 하지 아니함。

【未洽 미흡】 흡족하지 못함。

◉己未 기미

5 【末】 木 1 중학 **말** — 끝 — ㊇曷

一 ニ キ 末 末

자원 지사 2500년전

「末」은 나무의 위쪽에 표적을 붙여 나무의 가지 끝을 나타냄。 나중에 나무에 한하지 않고 사물의 「끝」이란 뜻으로 씀。

뜻 ①**끝말** ㉠나무 끝。 ㉡첨단(尖端)。 ㉢하위(下位)。 「末席말석」 ㉣종말。 「末日말일」 ㉤중요하지 아니한 부분。 ㉥신하。 백성。 ②**꼭대기말** 정상(頂上)。 ③**사지말** 수족(手足)。 「四末사말」 ④**장사말** 상업。 ⑤**말세말** 난세。 ⑥**가루말** 「粉末분말」 ⑦**천할말** 미천함。 ⑧**늙을말** 나이 먹음。 ⑨**가벼울말** 경(輕)함。 ⑩**지울말** 抹(手部五畫)과 통용。 ⑪**없을말** 無(火部八畫)와 뜻이 같음。 ⑫**말말** 勿(勹部二畫)과 뜻이 같음。 ⑬**마침내말** 드디어。 기어이。

주의 「未미」〈여섯째지지〉는 딴 글자。

참고 「末」을 음으로 하는 글자=「妹말」〈계집이름〉·「抹말」〈칠하다〉·「沫말」〈거품〉·「茉말」〈말리〉·「秣말」〈말먹이〉·「靺말」〈오랑캐이름〉

【末期 말기】 ①노쇠하거나 쇠약한 시기。 끝장에 가까운 동안。 ②《佛敎》 임종(臨終)。

【末女 말녀】 막내 딸。

【末年 말년】 ①일생의 말기。 늘그막。 ②말세(末世)。

【末端 말단】 맨 끄트머리。 끝。

【末路 말로】①행로(行路)의 종점。②사람의 살아가는 끝장。말년(末年)。노후(老後)。③일이 망해 가는 길。쇠(衰)하여진 끝。

【末流 말류】①혈통의 끝。곧 자손(子孫)。말예(末裔)。②하류(下流)。③말세(末世)。④낮은 지위(地位)。또 그 지위에 있는 사람。말배(末輩)。

【末尾 말미】끝。말단(末端)。

【末伏 말복】삼복(三伏) 중의 마지막 복。입추(立秋) 후의 첫째 경일(庚日)。

【末殺 말살】지워 없앰。뭉개어 없앰。말살(抹殺)。

【末席 말석】①맨 끝자리。맨 끝의 좌석。②지위의 맨 끝。수석(首席)의 대(對)。

【末世 말세】①정치·도덕·풍속 따위가 아주 쇠퇴한 시대。망해가는 세상。②늙바탕。만년(晩年)。노경(老境)。

【末葉 말엽】①말세(末世)。②말예(末裔)。

【末運 말운】막다른 운수。

【末日 말일】그 달의 마지막 날。그믐날。

【末職 말직】맨 끝 자리의 벼슬。

◉結末결말 木末목말 本末본말 粉末분말 始末시말 年末연말 月末월말 顚末전말 終末종말 週末주말 學期末학기말

二畫

6 【朴】木 2 고교 박 | 나무껍질 | (入)覺

一 十 才 木 木丨 朴

자원 형성 木 卜(음) 朴(木부)

「木나무목변」과、음을 나타내는 동시에 가리다의 뜻(⇩冒모)을 나타내기 위한 「卜복」(박은 변음)으로 이루어지며 나무의 표면(表面)을 가리는 껍질을 뜻함。

뜻 ①**나무껍질박** 목피(木皮)。②**팽나무박** 느릅나무과(科)에 속하는 낙엽 교목(落葉喬木)。담황색 꽃이 피며 황적색의 열매는 단맛이 있음。목재는 단단하여 기구재로 쓰임。③**순박할박** 질박함。「素朴소박」 ④**성박** 성씨(姓氏)의 하나。

【朴堧*박연】《韓》조선(朝鮮) 세종(世宗) 때의 음률가(音律家)。우리 나라 삼대악성(三大樂聖)의 한 사람。호(號)는 난계(蘭溪)。

【朴淵*박연】《韓》조선(朝鮮) 인조(仁祖) 때의 전술 교관(戰術敎官)。본디 네덜란드 사람으로 본명(本名)은 벨테브레(Weltevree)。인조 육년(六年)에 표류(漂流)하여 귀화(歸化)한 후 훈련도감(訓練都監)에서 전술을 가르치고 왕명으로 대포(大砲)를 만들었음。

【朴齊家 박제가】《韓》조선(朝鮮) 후기(後期)의 정치가(政治家)·서화가(書畫家)。호(號)는 초정(楚亭)。사신(使臣)으로 여러번 중국(中國)에 가서 조청(朝淸) 문화교류(文化交流)에 크게 공헌하였음。저서(著書)에 북학의(北學議) 등이 있음。

【朴趾源*박지원】《韓》조선(朝鮮) 정조(正祖) 때의 실학(實學)의 대가(大家)。호(號)는 연암(燕岩)。청(淸)나라에 다녀 와서 지은 기행문 열하일기(熱河日記)로 알려짐。

【朴彭年*박팽년】《韓》조선(朝鮮) 세

종(世宗) 때의 집현전(集賢殿) 학자。사육신(死六臣)의 한 사람。

◉素朴소박 醇朴순박 質朴질박 厚朴후박

6
【朽】 木2 ㊀후 ㊁추 — 썩을 — ㊀㊁ ㊤有

자원 형성 丂음 木 丂 朽(木부)

「木나무목변」과, 음을 나타내는 「丂교」(후·추는 변음)로 이루어짐。

뜻 ㊀**썩을후** ㉠부패함。「腐朽부후」 ㉡폐(廢)하여 전하지 아니함。㉢늙어 폐인이 됨。㊁**썩은냄새추**

【朽骨 후골】 썩은 뼈。

【朽滅 후멸】 썩어 없어짐。

【朽腐 후부】 썩음。부패함。

◉老朽노후 腐朽부후 不朽불후

6
【朱】 木2 중학 주 — 붉을 — ㊥虞

丿 𠂉 ⺧ 牛 朱 朱

자원 지사 3000년전 2500년전

「朱」는 나무 가운데에 표(·)를 붙여 어떤 수목(樹木)의 중심부(中心部)를 나타내고 중심부가 붉은 것을 나타내었음。

뜻 ①**붉을주、붉은빛주** ㉠적색(赤色)「朱肉주육」 ㉡또 적색의 물건。②**연지주** 화장품의 하나。③**난장이주** ④**성주** 성씨(姓氏)의 하나。

참고 「朱」를 음으로 하는 글자=「侏주」〈난장이〉·「咮주」〈부리〉·「姝주」〈아름답다〉·「株주」〈뿌리〉·「殊수」〈베어죽이다〉·「珠주」〈구슬〉·「茱주」〈수유나무〉·「硃주」〈주사〉·「銖수」〈무게의 단위〉·「蛛주」〈거미〉·「誅주」〈죄인을 죽이다〉

【朱欄 주란】 붉은 칠을 한 난간。

【朱鷺* 주로】 따오기。

【朱樓畫閣 주루화각】 화려(華麗)한 누각(樓閣)。

【朱墨 주묵】 ①주홍빛의 먹。②붉은 먹과 검은 먹으로 이동(異同)을 구별하거나 첨삭(添削)을 가함。③붉은 먹과 검은 먹으로 장부에 지출(支出)과 수입(收入)을 적음。

【朱門 주문】 ①붉은 칠을 한 문(門)。②지위(地位)가 높은 사람이나 부호(富豪)의 집。

【朱色 주색】 붉은 빛。

【朱書 주서】 주묵(朱墨)으로 글씨를 씀。또 그 글씨。

【朱錫* 주석】 놋쇠。

【朱脣皓齒* 주순호치】 붉은 입술과 흰 이라는 뜻으로、미인(美人)을 형용하는 말。

【朱子學 주자학】 남송(南宋)의 주희(朱熹)가 주장한 유학(儒學)。

【朱雀* 주작】 이십 팔 수(二十八宿) 중 남방(南方)에 있는 정(井)·귀(鬼)·유(柳)·성(星)·장(張)·익(翼)·진(軫)의 일곱 성수의 총칭。사신(四神)의 하나로서 남쪽 하늘을 맡은 신령(神靈)。붉은 봉황(鳳凰)의 형상으로 상징함。전(轉)하여、남방·남쪽。주조(朱鳥)。

【朱全忠 주전충】 오대(五代) 때의 양(梁)나라의 태조(太祖)。

【朱筆 주필】 ①주묵(朱墨)을 찍어 글씨를 쓰는 붓。②주서(朱書)。

【朱晦庵* 주회암】 주희(朱熹)。

【朱熹* 주희】 남송(南宋)의 대유학

자。자(字)는 원회(元晦) 또는 중회(仲晦)。호(號)는 회암(晦庵)·회옹(晦翁)·고정(考亭)。경학(經學)에 정통하여 송학(宋學)을 대성(大成)하였는데 그 학(學)을 주자학(朱子學)이라 일컬으며 우리나라 이조(李朝) 시대의 유학(儒學)에 큰 영향을 미쳤음。저서로는 시집전(詩集傳)·논어맹자집주(論語孟子集註)·근사록(近思錄)·통감강목(通鑑綱目) 등이 있음。

◉ 丹朱단주 印朱인주

三畫

7
【李】 木 3 고교 **리** | 오얏나무 | ㊤紙

一 十 才 木 本 李 李

자원 형성 子(음)┬李(木부) 2500년전
木

「木목」〈나무〉과、음을 나타내는 「子자」(리는 변음)로 이루어짐。

뜻 ①**오얏나무리** 앵도과(科)에 속하는 낙엽교목(落葉喬木)。자도나무。②**오얏리** 오얏나무의 열매。③**다스릴리** 理(玉部七畫)와 통용。④**성리** 성씨(姓氏)의 하나。

주의 「季계」〈어리다〉는 딴 글자。

【李塏* 이개】《韓》조선(朝鮮) 단종(端宗) 때의 사육신(死六臣)의 한 사람。시문(詩文)이 청절(淸絕)함。

【李奎報 이규보】《韓》고려(高麗) 고종(高宗) 때의 문장가(文章家)。호(號)는 백운거사(白雲居士)。문집(文集)으로 동국이상국집(東國李相國集)이 전(傳)하고 작품(作品)으로 백운소설(白雲小說)·국선생전(麴先生傳) 등(等)이 있음。

【李德懋* 이덕무】《韓》조선(朝鮮) 정조(正祖) 때의 학자(學者)。호(號)는 형암(炯菴)。근세(近世) 사대가(四大家)의 한 사람。

【李杜* 이두】이백(李白)과 두보(杜甫)。

【李白 이백】성당(盛唐) 때의 대시인(大詩人)。자(字)는 태백(太白)。호(號)는 청련(靑蓮)。

【李成桂 이성계】《韓》조선(朝鮮)의 태조(太祖)。위화도(威化島)의 회군(回軍)으로 정권(政權)을 잡음。

【李穡* 이색】《韓》여말(麗末)의 학자(學者)。호(號)는 목은(牧隱)。여말 삼은(三隱)의 한 사람。저서(著書)로는 목은집(牧隱集)과 죽부인전(竹夫人傳)이 있음。

【李舜臣* 이순신】조선(朝鮮) 선조(宣祖) 때의 무장(武將)。임진왜란(壬辰倭亂)·정유재침(丁酉再侵)에 수군통제사(水軍統制使)로서 거북선을 만들어 왜군(倭軍)을 무찌름。시호는 충무(忠武)。

【李嵒* 이암】《韓》고려(高麗) 중기(中期)의 서화가(書畫家)。동국(東國)의 조자앙(趙子昂)이라 일컬음。

【李浣* 이완】《韓》조선(朝鮮) 현종(顯宗) 때의 상신(相臣)。호(號)는 매죽헌(梅竹軒)。효종(孝宗) 때의 훈련대장(訓練大將)。송시열(宋時烈)과 함께 북벌(北伐)의 대업(大業)을 도모(圖謀)하였음。

【李元翼 이원익】《韓》조선(朝鮮) 선조(宣祖) 및 인조(仁祖) 때의 상신(相臣)。호(號)는 오리(梧里)。대

동법(大同法) 실시를 주장。

【李耳 이이】①주(周)나라의 노담(老聃)。곧 노자(老子)의 이름。②범(虎)의 이칭(異稱)。

【李下不整冠 이하부정관】열매가 열린 오얏나무 밑에서는 갓을 고쳐 쓰지 아니한다는 뜻으로、남에게 의심 살 일은 조심해서 피하여야 한다는 말。

【李珥* 이이】《韓》조선(朝鮮) 선조(宣朝) 때의 유현(儒賢)。호(號)는 율곡(栗谷)。동서당쟁(東西黨爭)의 조정에 힘쓰며 격몽요결(擊蒙要訣)을 지어 후진(後進)을 가르침。

【李瀷* 이익】《韓》조선(朝鮮) 영조(英祖) 때의 학자(學者)。호는 성호(星湖)。경학(經學)과 실학파(實學派)의 대가(大家)。

【李廷龜* 이정구】《韓》조선(朝鮮) 인조(仁祖) 때의 대신(大臣)。호(號)는 월사(月沙)。좌의정(左議政)에 오름。

【李齊賢 이제현】《韓》고려(高麗) 충선왕(忠宣王) 때의 학자(學者)。저서(著書)로 역옹패설(櫟翁稗說)·익재난고(益齋亂藁)가 있음。

【李之菡* 이지함】《韓》조선(朝鮮) 선조(宣祖) 때의 이인(異人)。호(號)는 토정(土亭)。토정비결(土亭祕訣)은 그의 저(著)라 함。

【李鴻章 이홍장】청말(淸末)의 정치가。자(字)는 소전(小荃)。

【李花 이화】오얏꽃。

【李滉* 이황】《韓》조선(朝鮮) 중기(中期)의 유학자(儒學者)。호(號)는 퇴계(退溪)。주자(朱子)의 학설(學說)을 주로 한 이기(理氣)의 이원론(二元論)을 주장하였음。

7 【杏】木 3 행 | 살구나무 | (上)梗

자원 형성 木向(음)-口 ⼁杏(木부) 2500년전

「木나무목」과、음을 나타내는「向향」의 생략형(省略形)「口」(행은 변음)으로 이루어짐。

뜻 ①살구나무행 앵도과(科)에 속하는 낙엽교목(落葉喬木)。씨는 행인(杏仁)이라 하여 약재로 씀。②살구행 살구나무의 열매。「杏仁행인」

【杏林 행림】①살구나무 숲。②의사(醫師)의 미칭(美稱)。

【杏仁 행인】살구씨의 알맹이。

◉銀杏은행

7 【杆】木 3 간 | 쓰러진나무 | (去)翰

자원 형성 木干(음) ⼁杆(木부)

「木나무목변」에 음을 나타내는「干간」을 곁들인 글자。

뜻 ①쓰러진나무간 ②몽둥이간 ③방패간 창·칼·화살 따위를 막아 내는 무기。④난간간 통속적(通俗的)으로「欄干난간」을「欄杆난간」으로 씀。⑤지레간 지렛대。「槓杆공간」

주의 「桿」은 속자(俗字)。

7 【材】木 3 중학 재 | 재목 | (平)灰

자원 형성 木才(음) ⼁材(木부)

一 十 才 木 朩 村 材

材

음을 나타내는 「才재」는 잘라 내는 일。「材」는 「樹수」〈서 있는 나무〉를 자른 재목(材木)。 건물이나 도구(道具)의 재료가 되므로 사람의 소질(素質)이나 재능도 「材」라 함。

뜻 ①**재목재** ㉠건축·기구 등의 재료로 쓰이는 나무。「材木재목」 ㉡전(轉)하여、 널리 딴 천연 재료의 뜻으로 쓰임。「石材석재」 ②**자품재** 성질。「材質재질」 ③**재주재** 지능。才(手部)와 같은 글자。 ④**헤아릴재** 裁(衣部六畫)와 통용。 ⑤**쓸재** 사용함。

주의 「村촌」〈마을〉은 딴 글자。

【材幹 재간】 ①재주와 간능(幹能)。 ②재목(材木)。
【材器 재기】 재주와 국량(局量)。
【材能 재능】 재주와 능력。
【材料 재료】 물건을 만드는 감。
【材士 재사】 힘이 센 사람。
◉教材교재 木材목재 詩材시재 藥材약재 人材인재

7 【村】 木 3 중학 **촌** | 마을 | (平)元

一 十 才 木 朩 村 村

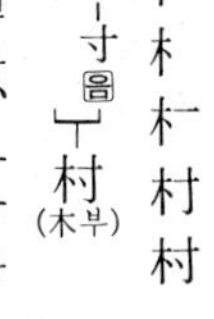

〔杻〕 2000년전

자원 형성 木丑-寸음 → 村(木부)
「木나무목변」과、 음을 나타내는 「寸촌」으로 이루어지며、 나무의 이름。 음을 빌어、「邨촌」의 뜻으로 쓰임。「邨」은 마을의 뜻인 「邑읍」(⇩阝)과 음을 나타내며 동시(同時)에 모이다의 뜻을 가지는 「屯둔·준」으로 이루어짐。 사람이 모이는 마을의 뜻。

뜻 **마을촌** 시골。「村落촌락」

주의 ①「材재」〈재목〉는 딴 글자。 ②본래 「杶춘」〈참죽나무〉과 같은 글자。

【村家 촌가】 촌집。
【村童 촌동】 시골 아이。
【村落 촌락】 촌。 마을。
【村老 촌로】 촌에 사는 노인(老人)。
【村里 촌리】 마을。
【村民 촌민】 촌에서 사는 백성。 촌맹(村氓)。
【村婦 촌부】 촌에서 사는 여자。
◉江村강촌 孤村고촌 農村농촌 模範村모범촌 僻村벽촌 山村산촌 鄉村향촌

7 【杓】 木 3 ㊀**표** ㊁**작** | 북두자루 | ㊀(平)蕭 ㊁(入)藥

자원 형성 木勺음 → 杓(木부)
「木나무목변」과、 음을 나타내며 동시(同時)에 국자의 뜻을 가지는 「勺작」(표는 변음)으로 이루어지며、 나무로 만든 국자의 뜻。

뜻 ㊀①**북두자루표** 북두칠성의 자루를 이룬 부분。 ②**당길표** 끌어당김。 ③**맬표** 잡아맴。 ㊁**구기작** 술 같은 것을 뜨는 국자 비슷한 것。

주의 「杓」는 속자(俗字)。

7 【杖】 木 3 **장** | 지팡이 | ①-⑥(上)養 ⑦⑧(去)漾

자원 형성 木丈음 → 杖(木부)
「木나무목변」과、 음을 나타내며 동시(同時)에 들다、 가지다의 뜻(⇩持지)을 가지는 「丈장」으로 이루어지며、 손에 드는 나무、 지팡이를 뜻함。

뜻 ①**지팡이장** 걸을 때에 손에 짚는 막대기。「几杖궤장」 ②**몽둥이장**

길고 굵은 막대기。③**짚을장** 지팡이 같은 것을 짚음。「杖劍장검」④**때릴장** 지팡이·몽둥이 등으로 때림。「杖罰장벌」⑤**장형**(杖刑)**장** 오형(五刑)의 하나。곤장으로 때리는 형벌。⑥**창자루장** 창의 자루。⑦**잡을장** 쥠。⑧**의지할장** 의뢰함。

주의 「杖」와 「杕체」〈우뚝서다〉와는 딴 글자。

【杖毒 장독】 곤장(棍杖)을 맞은 상처(傷處)에 나는 독(毒)。

【杖刑 장형】 오형(五刑)의 하나。곤장(棍杖)으로 볼기를 때리는 형벌。

◉曲杖곡장 鐵杖철장 鞭杖편장

7 **【杜】** 木 3 두 ｜팥배나무｜ ㊤麌

자원 형성 木＋土음 → 杜(木부)

「木나무목변」과、음을 나타내는 「土토」로 이루어짐。나무의 이름。또 음이 「遮차」〈가로막다〉와 통하므로 그 뜻을 빌어 막다의 뜻으로 쓰이게 됨。

뜻 ①**팥배나무두** 능금나무과에 속하는 낙엽교목(落葉喬木)。흰 꽃이 피고 열매는 시월에 익음。감당(甘棠)。당리(棠梨)。②**막을두** 틀어 막음。「杜塞두색」

【杜門不出 두문불출】 집 속에만 들어 있고 밖에 나가지 아니함。

【杜甫 두보】 성당(盛唐) 때의 대시인(大詩人)。자(字)는 자미(子美)。호(號)는 소릉(少陵)。이백(李白)과 함께 그 이름을 나란히 하여 이두(李杜)라고 불림。

【杜絶 두절】 교통(交通)·통신(通信) 등이 끊어져 막힘。

7 **【束】** 木 3 고교 속 ｜묶을｜ ㊅沃

一 𠃌 冂 百 申 東 束

자원 회의 口＋木 → 束(木부) 2500년전

「木나무목」과 둘둘 감은 모양을 나타낸 「口에운담몸」으로 이루어짐。나무를 묶은 모양。

뜻 ①**묶을속** ㉠단으로 동여맴。㉡결박함。②**맬속** 잡아맴。③**단속할속** 잡도리를 단단히 함。④**묶음속**、**단속** 한 묶음。⑤**다섯필속** 포백(布帛) 다섯 필(疋)。⑥**열조각속** 포(脯) 열 매(枚)。⑦**쉰개속** 화살 오십 본(五十本)。⑧**약속할속** 「約束약속」

주의 「朿자」〈나무가시〉와는 딴 글자。

참고 「束」을 음으로 하는 글자=「速속」〈빠르다〉·「嗽수」〈기침〉·「悚송」〈두려워하다〉·「竦송」〈공경하다〉·「勅칙」〈신칙하다〉

【束縛 속박】 ①묶음。얽어맴。②자유를 구속함。

【束手 속수】 ①팔짱을 끼고 아무 것도 하지 아니함。②저항하지 아니하고 귀순(歸順)함。

【束手無策 속수무책】 어찌할 도리가 없음。

◉檢束검속 結束결속 拘束구속 約束약속

7 **【来】** 木 3 來(人部六畫)의 속자(俗字)。

7 **【条】** 木 3 條(木部七畫)의 속자(俗字)。

【床】 ⇩广部四畫

四畫

8 **【林】** 木4 중학 **림** | 수풀 | (平)侵

一 十 才 木 朩 村 林

자원 회의 木+木→林(木부) 3000년전

「林」은 평지에 나무가 꽉 서 있는 곳。또 산지의 경우나、대나무밭이라도 모두「林」으로 나타냄。나무가 꽉 서 있는 모양은「森삼」이고 그런 장소는「林」이라 일컬음。

뜻 ①**수풀림** ㉠숲。「山林산림」 ㉡전(轉)하여 사물이 많이 모이는 곳。「藝林예림」「儒林유림」 ②**많을림** 중다(衆多)한 모양。 ③**들림** 야외(野外)。 ④**성림** 성씨(姓氏)의 하나。

참고 「林」을 음으로 하는 글자＝「淋림」〈물을 뿌리다〉·「琳림」〈옥의 한 가지〉·「痳림」〈임질〉·「霖림」〈장마〉·「婪람·림」〈탐하다·차다〉·「禁금」〈금하다〉

【林產 임산】 산림(山林)의 산물(產物)。

【林野 임야】 나무가 무성한 들。

【林業 임업】 산림(山林)을 경영(經營)하는 사업。

【林中不賣薪* 임중불매신】 사물(事物)은 필요한 장소가 아니면 찾는 사람이 없음을 이르는 말。

◉枯林고림 綠林녹림 密林밀림 山林산림 森林삼림 樹林수림 原始林원시림 處女林처녀림

8 **【杳】** 木4 **묘**(요本) | 어두울 | (上)篠

자원 회의 木+日→杳(木부) 2500년전

나무(⇩木목) 밑에 해(⇩日일)가 가려져 있음을 나타내어、해 뜨기 전、해 진 뒤의 어둑함을 뜻함。

뜻 ①**어두울묘** 어둠침침함。 ②**깊을묘** 깊고 넓은 모양。

주의 「杳」「杏행」〈살구나무〉과는 딴 글자。

【杳然 묘연】 ①그윽하고 먼 모양。 ②오래 되어 정신(精神)이 알쏭달쏭한 모양。

8 **【杯】** 木4 중학 **배** | 잔 | (平)灰

一 十 才 木 朩 杒 杯 杯

자원 형성 木+不(음)→杯(木부)

「木나무목변」과、음을 나타내는「不불」(배는 변음)로 이루어짐。

뜻 ①**잔배** 술잔。「杯酒배주」 ②**대접배** 국을 담는 대접。

주의 ①「桮」와「杯」는 같은 글자。 ②「盃」와「桮」는 속자(俗字)。 ③「抔부」〈움켜쥐다〉는 딴 글자。

◉乾杯건배 金杯금배 返杯반배 一杯일배

8 **【松】** 木4 중학 **송** | 소나무 | (平)冬

一 十 才 木 朩 朳 松 松

자원 형성 木+公(음)→松(木부) 2500년전

「木나무목변」과、음을 나타내며 동시에 변치 않는다는 뜻(⇩常상)을 가진「公공」(송은 변음)으로 이루어짐。잎의 색깔이 언제나 변치 않는 상록수(常綠樹)의 뜻。소나무를 그 대표적인 것으로 삼았음。

뜻 **소나무송** 소나무과에 속하는 상록교목(常綠喬木). 솔. 「松竹송죽」

주의 「枀송」은 같은 글자.

참고 「松송」을 음으로 하는 글자=「淞송」〈강이름〉·「崧송」〈우뚝 솟다〉·「鬆송」〈헝클어지다〉

【松露 송로】①소나무 잎에 앉은 이슬. ②버섯의 일종. 갓과 자루의 구분이 없고 맛이 좋음.

【松林 송림】소나무의 숲.

【松明 송명】관솔불. 송거(松炬).

【松栢 송백】①소나무와 측백나무. 모두 상록수(常綠樹)이므로, 굳은 절개(節槪)를 비유하여 이름. ②장수(長壽)를 비유하여 이름.

【松栢之操 송백지조】송백이 사시(四時)에 그 빛을 변하지 않음과 같은 굳은 절개.

【松嶽 송악】《韓》경기도(京畿道) 개성(開城)의 옛 이름. 후고구려(後高句麗)의 궁예(弓裔)가 웅거(雄據)하던 곳이며, 고려 시대의 도읍지.

【松子 송자】솔방울.

【松田 송전】솔밭.

【松竹 송죽】소나무와 대나무.

【松花 송화】소나무의 꽃가루.

◉古松고송 落葉松낙엽송 五葉松오엽송 老松노송 赤松적송 蒼松창송

8 **【板】** 木 4 고교 **판** | 널조각 | ㊤潸

一 十 木 木 杇 朷 板

자원 형성 木 反음 ⊢板(木부)

「木나무목변」과, 음을 나타내며 동시(同時)에 얇고 넓적하다의 뜻을 가지는 「反반」(판은 변음)으로 이루어지며 넓적한 나무의 뜻. 판자.

뜻 ①**널조각판** ㉠판자. 「板榜판방」 ㉡전(轉)하여 널리 나무 이외의 것에도 쓰임. 「鐵板철판」「銅板동판」 ②**판목판** 글자나 그림을 새긴 나무. 「出板출판」 ③**조서판** 조칙(詔勅)을 쓴 것을 「詔板조판」이라 함. ④**딱다기판** 시각을 알리거나 경계하느라고 치는 나뭇조각. ⑤**직첩판** 사령서(辭令書). 고신(告身). ⑥**글판** 문장. 서독(書牘). ⑦**홀판** 조현(朝見)할 때 오른손에 쥐는 패. 「手板수판」 ⑧**길판** 열 자 또는 여덟 자의 길이. ⑨**배반할판** 反(又部二畫)과 뜻이 같음.

【板刻 판각】그림이나 글씨를 나뭇조각에 새김.

【板本 판본】목판으로 인쇄한 책.

【板屋 판옥】판자로 벽을 한 집.

◉看板간판 甲板갑판 乾板건판 珠板주판

8 **【析】** 木 4 고교 **석** | 가를 | ㊅錫

一 十 木 木 朾 析 析

자원 회의 木 斤 ⊢析(木부)

「木나무목변」과 「斧부」〈도끼〉를 뜻하는 「斤근」으로 이루어지며 도끼로 나무를 쪼갠다는 뜻.

뜻 ①**가를석** ㉠해부함. ㉡분석함. ②**쪼갤석** 조각이 나게 함. ③**나누일석** 갈라짐.

주의 「柝탁」〈딱다기〉·「折절」〈꺾다〉은 딴 글자.

【析出 석출】분석(分析)하여 냄.

〔四畫部首順〕心戈戶手支攴文斗斤方无日曰月木欠止歹殳毋比毛氏气水火爪父爻爿片牙牛犬

◉剖析부석 分析분석 綜析종석 解析해석

8 【枕】木 4 고교 침 ― 베개 ― ①-③ ㊤寢 ④ ㊦沁

一 十 才 木 朩 朾 枕 枕

자원 형성 木 冘(음) ┬ 枕 (木부)

「木나무목변」과, 음과 함께 밑에 까는 뜻(⇩薦천)을 나타내기 위한 「冘유」(침은 변음)로 이루어지며, 머리 밑에 까는 것, 즉 베개。옛날의 베개는 나무로 만들었음。

뜻 ①**베개침** 잘 때 베고 자는 물건。「枕席침석」 ②**벨침** 베개를 벰。③**임**(臨)**할침** 내려다봄。④**말뚝침** 소를 매는 말뚝。

【枕流漱石*침류수석】 진(晉)나라의 손초(孫楚)가 「돌을 베개 베고 흐르는 물로 양치질한다」고 하려는 것이 말이 잘못 나와 「흐르는 물을 베개 베고 돌로 양치질한다」고 하니 이 말을 들은 왕제(王濟)가 「그런 말이 어디 있느냐」고 하니까 「흐르는 물을 베 벰은 귀를 씻기 위함이요, 돌로 양치질함은 이를 닦기 위함이라」고 받아 넘긴 고사(故事)로서, 호승지벽(好勝之癖)이 강함을 이름。수석침류(漱石枕流)。

【枕木 침목】 ①물건 밑을 괴어 놓는 나무 토막。②선로(線路)를 받치는 나무 토막。

【枕席 침석】 ①베개와 자리。②잠자리。

8 【枚】木 4 매 ― 낱 ― ㊥灰

자원 형성 木 攴-攵(음) ┬ 枚 (木부)

3000년전

「木나무목변」에, 음을 나타내는 동시에 나무를 손에 들고 치다의 뜻을 나타내는 「攴·攵복」을 더한 글자。몽둥이로 사용할 만한 나무→나무 줄기의 뜻。또 음을 빌어, 「낱낱」의 뜻으로 쓰임。

뜻 ①**낱매** 셀 수 있게 된 물건의 하나 하나。「枚數매수」 ②**낱낱이매** 일일이。하나 하나。「枚擧매거」 ③**줄기매** 나무 줄기。④**채찍매** 말의 채찍。마편(馬鞭)。⑤**하무매** 군인이 떠들지 못하도록 입에 물리는 나무 막대。⑥**점매** 복서(卜筮)。⑦**널리매** 광범(廣範)히。

【枚擧 매거】 낱낱이 들어 말함。

8 【枝】木 4 중학 ㊀**지** ― 가지 ― ㊀㊁ ㊁**기** ㊥支

一 十 才 木 朩 朾 枝 枝

자원 형성 木支(음) ┬ 枝 (木부)

2500년전

「木나무목변」과, 음을 나타내는 동시에 갈려 나온다는 뜻을 가진 「支지」로 이루어지며, 나무 줄기에서 갈려 나온 가지의 뜻。

뜻 ㊀①**가지지** ㉠초목의 가지。「枝幹지간」 ㉡전(轉)하여 본근(本根)에서 갈려 나온 것。「枝族지족」 ②**팔다리지** 肢(肉部四畫)와 같은 글자。③**지지지** 십이지(十二支)。「幹枝간지」 ④**가지칠지** 가지가 나옴。⑤**흩어질지** 분산함。⑥**버틸지** 붙들어 굄。지지(支持)함。「枝梧지오」 ⑦**버팀목지** 지주(支柱)。㊁**육손이기** 손가락의 수가 여섯 있는 불구。「枝指기지」

주의 「枚매」〈낱〉와는 딴 글자。

【枝葉 지엽】①가지와 잎。②중요하지 아니한 부분。③자손(子孫)。

【枝節 지절】①나무의 가지와 마디。②곡절이 많은 사단(事端)의 비유。

【枝族 지족】지파(支派)의 겨레。

◉連理枝연리지 連枝연지

8 【東】 4 木 중학 **동** 동녘 ㊥東

一 冂 冃 百 亘 東 東

자원 상형 (A) (B) 3000년전 (C) 2000년전

「東」의 옛 모양 (A)(B)는 전대에 물건을 채워 아래 위를 묶은 모양。 나중에 방향(方向)의 동(東)으로 삼은 것은 해가 떠오르는(⇩登등) 쪽의 방향이 「동」이므로 같은 음의 말을 빈 것이지만, 왜 자루의 뜻인 「東」자를 썼는지는 아직 잘 알지 못하고 있음。 옛 사람은 「東」은 「動동」〈움직이다〉과 같은 음이며 「動」은 봄에 만물이 움직이기 시작하고 「春춘」〈봄〉은 동녘과 관계가 깊다고 결부시켰던 것임。

「東」의 자형(字形)은 한대(漢代) 이래 「木목」과 「日일」이 합쳐진 모양(C)이라 생각하고 해 뜨기 전의 어둠을 「杳묘」、해가 뜨는 동녘을 「東」、밝음을 「杲호」라 쓴다고 뭉뚱그려서 설명하여 왔거니와、최근에 와서 「東」의 자원(字源)을 전대로 보고 있음。 따라서 이 글자를 「木部」(목부)에 넣는 것은 잘못임。

뜻 ①**동녘동** 동방。「東西동서」②**동녘으로갈동** 동쪽으로 향하여 감。③**봄동** 오행설(五行說)에서 동쪽은 봄에 해당하므로 이름。「東風동풍」

주의 「柬간」〈가리다〉은 딴 글자。

참고 「東」을 음으로 하는 글자=「凍동」〈얼다〉·「棟동」〈마룻대〉

【東家丘 동가구】대인물(大人物)도 동향(同鄕) 사람에게는 평범(平凡)히 보임을 이름。

【東家食西家宿 동가식서가숙】먹을 것과 잘 곳이 없이 떠돌아다님을 이름。

【東京 동경】①낙양(洛陽)。 서경(西京)、곧 장안(長安)에 대하여 일컫는 말。 동도(東都)。②고려시대(高麗時代)의 경주(慶州)의 이름。

【東國 동국】조선(朝鮮)의 별칭。

【東國文獻備考 동국문헌비고】《韓》조선(朝鮮) 영조(英祖)의 명을 받아 홍봉한(洪鳳漢) 등이 중국의 문헌통고(文獻通考)를 본따 편찬(編纂)한 책。 조선 고금(古今)의 문물제도(文物制度)를 수록(蒐錄)하였음。

【東國輿地勝覽 동국여지승람】《韓》조선(朝鮮) 성종(成宗)의 명(命)을 받아 노사신(盧思愼)·강희맹(姜希孟) 등이 중국(中國)의 대명일통지(大明一統志)를 본받아 편찬(編纂)한 오십권(五十卷)의 지리서(地理書)。

【東國通鑑 동국통감】《韓》조선(朝鮮) 성종(成宗) 때 서거정(徐居正) 등에 명하여 중국의 자치통감(資治通鑑)을 본따서 편찬(編纂)케 한 삼국시대(三國時代)와 고려시대(高麗時代)의 역사책。

【東宮 동궁】 ①황태자(皇太子) 또는 왕세자(王世子)의 궁전。 ②황태자 또는 왕세자。 청궁(靑宮)。

【東流 동류】 ①동쪽으로 흐름。 ②강(江)의 별칭(別稱)。

【東盟 동맹】《韓》 고구려(高句麗) 때 해마다 시월에 지내던 일종의 추수 감사절(秋收感謝節)。

【東問西答 동문서답】 묻는 말에 대하여 엉뚱한 소리로 하는 대답。

【東班 동반】 ①문관(文官)의 반열(班列)。 ②문관(文官)。

【東半球 동반구】 지구(地球)의 동쪽 부분。

【東奔西走 동분서주】 사방(四方)으로 바쁘게 다님。

【東史綱目 동사강목】《韓》 조선(朝鮮) 영조(英祖) 때 안정복(安鼎福)이 만든 역사책(歷史册)。 기자시대(箕子時代)부터 고려(高麗)에 이르기까지의 교과용(敎科用)의 국사책。

【東床 동상】 사위。

【東西 동서】 ①동쪽과 서쪽。 ②동양과 서양。 ③마음대로 부림。 ④이리저리 돌아다님。 ⑤방위。

【東序 동서】 ①하대(夏代)의 대학。 왕궁(王宮)의 동쪽에 있었으므로 이름。 ②동쪽 편의 방。

【東西不辨 동서불변】 동과 서를 분별하지 못함。 곧 아무 것도 모름。

【東西洋 동서양】 동양과 서양。

【東洋 동양】 서양(西洋)에 대하여 동쪽의 아세아(亞細亞)를 일컫는 말。

【東濊 동예】《韓》 상고(上古) 시대(時代)의 한 부족국가(部族國家)。 지역(地域)은 지금 강원도(江原道) 북부와 함경남도(咸鏡南道) 남부。

【東雲 동운】 동쪽에 뜬 구름。

【東醫寶鑑 동의보감】《韓》 조선(朝鮮) 선조(宣祖) 때 의관(醫官) 허준(許浚)이 왕명(王命)으로 편찬(編纂)한 의서(醫書)。

【東夷 동이】 중국의 동쪽 나라의 족속。

【東人 동인】 ①동국(東國)의 사람。 ②《韓》사색당파(四色黨派)의 하나로 조선 명종(明宗) 때의 김효원(金孝元)의 일파(一派)。

【東作 동작】 봄의 경작(耕作)。 농작。

【東漸 동점】 점차 동쪽으로 옮김。

【東征西伐 동정서벌】 여러 나라를 이리 저리 정벌(征伐)함。

【東窓 동창】 동쪽에 있는 창(窓)。

【東天 동천】 동쪽 하늘。 또 밝을녘의 하늘。

【東遷 동천】 ①동쪽으로 옮김。 ②주(周)나라 평왕(平王)이 도읍을 풍호(豊鎬) 지방에서 동쪽에 있는 낙양(洛陽)으로 옮긴 일。

【東取西貸 동취서대】 여러 곳에 빚을 짐。

【東敗西喪 동패서상】 가는 곳마다 실패(失敗)함。

【東風 동풍】 동쪽에서 불어오는 비바람。 또 봄바람。

【東風吹馬耳 동풍취마이】 마이동풍(馬耳東風)。

【東學 동학】《韓》 ①서울 사학(四學)의 하나。 ②서학(西學)인 천주교(天主敎)에 반대(反對)하여 최제우(崔濟愚)가 창도(唱導)한 일종(一種)의 민족 종교(民族宗敎)。 유교(儒敎)·불교(佛敎)·도교(道敎)를 절충(折衷)한 것임。

【東海 동해】 동쪽 바다。

【東行西走 동행서주】 동분서주(東奔西走)。

〔四畫部首順〕 心戈戶手支攴文斗斤方无日曰月木欠止歹殳毋比毛氏气水火爪父爻爿片牙牛犬

【東向 동향】 동쪽으로 향함。
【東胡 동호】 흉노(匈奴)의 동쪽에 부락을 이루어 살던 몽고족(蒙古族)。
【東皇 동황】 ①봄의 신(神)。②봄。
◉江東강동 關東관동 近東근동 南東남동 大東대동 遼東요동 海東해동

8 【果】 木 4 중학 과 | 실과 | ㊤哿

丨 ㄇ 日 旦 甲 果 果 果 　果

자원 상형

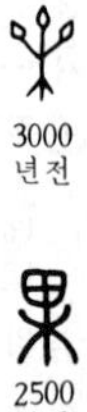

3000년전 2500년전

「果」는 나무의 열매、과일이 열려 있는 모양。또 열매를 맺는다는 데서 일의 결과나、혹은 과감히 함을 뜻하게 되었음。

뜻 ①실과과 ㉠나무 열매。「果實과실」 전(轉)하여 ㉡결말。사물의 귀결(歸結)。「結果결과」 ②날랠과 용감함。③과단성있을과 ④해낼과 수행(遂行)함。⑤과연과 ㉠정말。「果然과연」 ㉡의심하여 다짐하는 말。⑥마침내과 필경。

참고 「果」를 음으로 하는 글자＝「菓과」〈실과〉·「窠과」〈구멍〉·「夥과」〈많다〉·「裹과」〈싸다〉·「課과」〈시험하다〉·「踝과」〈복사뼈〉·「顆과」〈낟알〉·「裸라」〈벌거숭이〉

【果敢 과감】 과단성(果斷性)이 있게 일을 함。용감하게 실행함。
【果斷 과단】 용기(勇氣)있게 결단함。
【果報 과보】 인과응보(因果應報)。
【果樹 과수】 과목(果木)。
【果是 과시】 과연(果然)。
【果實 과실】 먹을 수 있는 나무의 열매。
【果然 과연】 진실로 그러함。
【果園 과원】 과목(果木)을 심은 동산。
◉甘果감과 結果결과 奇果기과 茶果다과 名果명과 實果실과 因果인과 效果효과

8 【枢】 木 4 樞(木部十一畫)의 약자(略字)。

【來】 ⇩人部六畫

五畫

9 【查】 木 5 고교 사 | 사실할 | ㊥麻

一 十 才 木 杏 杳 查 　查

자원 형성 木 + 且음 → 查(木부)

옛 글자 「相사＝樝사」는 명자나무라고 하는 가시가 있는 식물。옛음은 살핀다는 뜻의 「察찰」과 관계가 깊으므로 번잡한 사항을 조사하는 것을 「查」라고 일컫게 되었음。

뜻 ①사실할사 조사함。「檢查검사」「審查심사」 ②떼사 뗏목。③풀명자나무사 「山查산사」 ④찌끼사 ⑤(韓)사돈사

참고 「查」를 음으로 하는 글자＝「楂사」〈뗏목〉·「渣사」〈찌끼〉

【查問 사문】 조사(調查)하여 물어 봄。
【查受 사수】 조사하여 받음。
【查定 사정】 조사하여 결정함。
◉監查감사 檢查검사 內查내사 踏查답사 搜查수사 審查심사 調查조사 探查탐사

9 【枯】 木 5 고교 고 | 마를 | ㊥虞

一 十 才 木 朩 朩 枯 枯

자원 형성 木古(음)┬枯(木부) 枯 2500년전

「木나무목변」과, 음을 나타내며 동시에 바싹 말라버린다는 뜻을 나타내기 위한 「古고」로 이루어짐。 나무가 바싹 말라버린다는 뜻。

뜻 **①마를고** ㉠초목이 마름。 「枯木고목」 ㉡겨울에 초목의 잎이 말라 떨어짐。 ㉢물이 마름。 「枯渴고갈」 ㉣야위어 뼈만 남음。 ㉤살이 썩어 없어지고 마른 뼈만 남음。 「枯骨고골」 **②말릴고** 마르게 함。 **③마른나무고** 말라서 죽은 나무。

【枯渴 고갈】 물이 바짝 마름。

【枯骨 고골】 송장의 살이 썩어 없어진 뼈。

【枯木死灰 고목사회】 말라 죽은 나무와 불이 꺼진 재。 사람이 욕심이 없거나 생기가 없는 형용。

【枯木生花 고목생화】 말라 죽은 나무에서 꽃이 핀다는 뜻으로, 쇠(衰)한 사람이 다시 일어남을 이름。

【枯死 고사】 말라 죽음。

【枯魚 고어】 건어(乾魚)。

9 **【柄】** 木 5 **병** | 자루 | 去 敬

자원 형성 木丙(음)┬柄(木부)

「木나무목변」과, 음을 나타내며 동시에 쥐어잡는다는 뜻(⇩秉병)을 나타내기 위한 「丙병」으로 이루어짐。 나무로 된 기물(器物)의 손잡이。

뜻 **①자루병** 기구(器具)의 손잡이。 「斗柄두병」 **②근본병** 밑절미。 **③권세병** 권력。 「權柄권병」

9 **【柏】** 木 5 고교 ㊀**백** ㊁**박** | 나무이름 | ㊀㊁ 入 陌

一 十 才 木 木' 村 柏 柏 柏

자원 형성 木白(음)┬柏(木부)

「木나무목변」과 음을 나타내는 「白백」으로 이루어짐。

뜻 ㊀**①나무이름백** 측백나무 곧 「側柏측백」과, 노송나무 곧 「扁柏편백」의 총칭。 「柏葉酒백엽주」 ②《韓》 **잣나무백, 잣백** 소나무과에 속하는 상록 교목。 또 그 열매。 ㊁**닥칠박** 迫(辵部五畫)과 통용。

주의 「栢」은 속자(俗字)。

【柏臺 백대】 ①한대(漢代)의 어사대(御史臺)의 이칭(異稱)。 울안에 측백(側柏)을 심은 데서 이름。 ②청대(淸代)의 안찰사(按察使)의 이칭。

◉ 石柏석백 松柏송백 側柏측백 香柏향백

9 **【柑】** 木 5 ㊀**감** ㊁**겸** | 홍귤나무 | ㊀平 覃 ㊁平 鹽

자원 형성 木甘(음)┬柑(木부)

「木나무목변」에, 음을 나타내는 동시에 속에 포함하다의 뜻(⇩含함)을 나타내는 「甘감」을 더한 글자。 두꺼운 껍질 속에 열매를 포함하고 있는 나무→귤 따위。

뜻 ㊀**홍귤나무감** 운향과(芸香科)에 속하는 상록 교목(常綠喬木)。 과수(果樹)임。 감자나무。 ㊁**①재갈먹일겸** 입에 재갈을 물림。 **②다물겸** 입을 다묾。

金柑금감 蜜柑밀감 黃柑황감

9 **【柩】** 木5 **구** | 널 | ㊀宥

자원 형성 木 匚음 ↱柩(木부) 柩 2500년전

「木나무목변」과、음을 나타내는 동시에 오래다의 뜻(⇩久구)을 나타내기 위한 「匚구」(「柩」와 통용)로 이루어짐。시체를 언제까지나 간직해 두는 나무 상자의 뜻。

뜻 **널구** 관(棺)。「柩車구차」

◉靈柩영구

9 **【柱】** 木5 고교 **주** | 기둥 | ①②㊤麌 ③-⑤㊀遇

一 十 才 木 木' 朴 柱 柱

자원 형성 木 主음 ↱柱(木부) 柱

「木나무목변」과、음을 나타내며 동시(同時)에 중심(中心)의 뜻을 가지는 「主주」로 이루어짐。중심이 되어 떠받치는 나무의 뜻。

뜻 ①**기둥주** ㉠보·도리 따위를 받치는 나무。「柱石주석」 ㉡전(轉)하여 널리 괴어 버티는 물건의 뜻으로 쓰임。②**기러기발주** 현악기의 줄을 고르는 데 쓰는 제구。줄 밑에 괴어 소리를 조절함。안족(雁足)。「雁柱안주」 ③**버틸주** 굄。④**비방할주** ⑤**막을주** 통하지 못하게 함。

주의 「枉왕」〈굽다〉은 딴 글자。

【柱梁 주량】 기둥과 대들보。

【柱石 주석】 기둥과 주추。전하여 국가의 중임을 진 사람의 비유。

【柱石之臣 주석지신】 나라에 아주 중요(重要)한 신하(臣下)。

【柱礎 주초】 기둥 아래에 받치어 놓는 돌。주춧돌。

◉氷柱빙주 石柱석주 電柱전주 支柱지주

9 **【柳】** 木5 중학 **류** | 버드나무 | ㊤有

一 十 才 木 木' 杧 杩 柳 柳 柳

자원 형성 木 丣음 ↱柳(木부)

「木나무목변」과、음을 나타내며 동시에 흐르다의 뜻(⇩流류)을 나타내기 위한 「丣류」로 이루어짐。가지나 잎이 바람에 나부끼는 나무、곧 버드나무。

뜻 ①**버드나무류** 버들과에 속하는 낙엽교목(落葉喬木)。가늘고 긴 가지가 죽죽 늘어짐。버들。「柳腰유요」 「柳態花容유태화용」 ②**별이름류** 이십팔수(二十八宿)의 하나。주작칠수(朱雀七宿)의 세째 성수(星宿)로 별 여덟 개로 구성됨。「柳宿유수」

주의 ①「桺」가 정자(正字)。②「栁」는 속자(俗字)。

【柳綠花紅 유록화홍】 버들은 푸르고 꽃은 분홍빛임。곧 인공을 가하지 않은 자연 그대로의 상태를 이름。

【柳眉 유미】 버들잎 모양의 아름다운 눈썹。곧 미인의 눈썹의 형용。

【柳絲 유사】 버드나무 가지。

【柳成龍 유성룡】 《韓》조선(朝鮮) 선조(宣祖) 때의 명상(名相)。호(號)는 서애(西厓)。임진왜란(壬辰倭亂) 때 도체찰사(都體察使)로서 명(明)나라 장군(將軍)들과 같이 국난(國難)을 처리(處理)하였음。저서(著書)로 징비록(懲毖錄) 등이 있음。

【柳誠源 유성원】《韓》 조선(朝鮮) 세종(世宗) 때의 집현전(集賢殿) 학사。 사육신(死六臣)의 한 사람。

【柳葉 유엽】 버드나무 잎。 버들잎。

【柳營 유영】 장군(將軍)의 진영。 막부(幕府)。 또 장군(將軍)。

【柳腰 유요】 ①버드나무 가지의 가늘고 부드러움의 형용。 ②버드나무 가지와 같은 아리따운 미인(美人)의 허리。

【柳陰 유음】 버드나무의 그늘。

【柳宗元 유종원】 당대(唐代)의 문호(文豪)。 자(字)는 자후(子厚)。 당송팔대가(唐宋八大家)의 한 사람으로 문장은 한유(韓愈)와 겨루며 시(詩)는 왕유(王維)·맹호연(孟浩然)에 다음간다 함。

【柳態 유태】 버드나무 가지와 같은 고운 맵시。 곧 미인(美人)의 자태。

【柳態花容 유태화용】 미인의 자태。

【柳巷花街 유항화가】 화류가(花柳街)。

【柳馨遠 유형원】《韓》 조선(朝鮮) 효종(孝宗) 때의 실학자(實學者)。 호는 반계(磻溪)。 옛날 정전제(井田制)의 부활(復活)을 주장하였음。 저서(著書)는 반계수록(磻溪隨錄)。

◉折柳절류 堤柳제류 青柳청류 花柳화류

9 **【栅】** 木 5 책 | 울짱 | [入]陌

[자원] 형성 木 冊 [음] ┬ 栅 (木부)

「木나무목변」과, 음을 나타내며 동시에 다발로 묶다의 뜻(⇩束속)을 갖는 「冊책」으로 이루어짐。 나무를 다발로 묶어서 만든 울타리의 뜻。

[뜻] ①**울짱책** 목책(木栅)。「柴栅시책」 ②**성채책** 작은 성。 ③**잔교책** 높이 걸쳐 놓은 다리。

◉木栅목책 城栅성책 竹栅죽책 鐵栅철책

9 **【柵】** 木 5 栅(앞 글자)과 같은 글자。

9 **【架】** 木 5 [고교] 가 | 시렁 | [去]禡

ㄱ カ 力 加 加 加 架 架 架

[자원] 형성 木 加 [음] ┬ 架 (木부)

「木목」〈나무〉과, 음을 나타내며 동시에 물건을 얹다의 뜻을 갖는 「加가」로 이루어짐。 나무로 만든 대(臺)·시렁。

[뜻] ①**시렁가** 물건을 얹어 놓게 된 장치。「書架서가」 ②**횃대가** 물건을 거는 용구。「衣架의가」 ③**말뚝가** 땅에 박는 몽둥이。 ④**건너지를가** 가설함。「架空가공」 ⑤**얽을가** 얽어 만듦。「架屋가옥」 ⑥**능가할가** 훨씬 뛰어남。

[주의] 「枷가」〈도리깨〉와는 딴 글자。

【架空 가공】 ①공중(空中)에 건너지름。 ②터무니·근거(根據)가 없음。

【架橋 가교】 다리를 놓음。 교량(橋梁)을 가설(架設)함。

【架設 가설】 건너지르는 공사를 함。

◉擔架담가 書架서가 十字架십자가

9 **【某】** 木 5 [고교] [一]모 [二]매 | 아무 | [一][上]虞 [二][平]灰

一 十 廿 甘 甘 甘 苜 某 某

[자원] 형성 木 母 [음] ┬ 甘 ┬ 某 (木부)

2500년전

「木목」〈나무〉과, 음을 나타내는「母모」의 변형「甘」로 이루어짐. 매화나무(⇩梅매)가 본디 뜻. 음을 빌어 누구라고 정할 수 없다는 뜻(⇩未미), 아무의 뜻으로 씀.

뜻 一 **아무모** ㉠성명을 알 수 없는 사람. ㉡어떠한 일. 어떠한 물건. ㉢일부러 이름을 밝히지 아니할 때 씀. ㉣자기의 겸칭. 二 **매화나무매** 梅(木部七畫)의 옛 글자.

참고 「某」를 음으로 하는 글자=「楳매」〈매화나무〉·「媒매」〈매개〉·「煤매」〈그을음〉·「謀모」〈꾀하다〉

【某年 모년】어떤 해. 아무 해.
【某某 모모】아무아무.
【某氏 모씨】아무개. 아무 양반.
【某月 모월】어느 달. 아무 달.
【某人 모인】아무개. 어떤 사람.
【某日 모일】어떤 날. 아무날.
【某種 모종】어떤 종류(種類).
【某處 모처】어떤 곳. 아무 곳.

9 **【染】** 木 5 고교 **염** | 물들일 | ㊤琰 ㊦豔

자원 회의 木 九 水→氵 → 染(木부)

「木목」〈나무〉과, 즙을 뜻하는「氵삼수변」 및 수많음을 나타내는「九구」를 합(合)친 글자. 옷감을 물들이기 위해, 나무즙에 몇 번씩이나 되풀이 넣음을 나타냄.

뜻 ①**물들일염** 염색함. 「染料염료」 ②**적실염** 액체에 젖게 함. 「染筆염필」 ③**물들염** ㉠염색이 됨. ㉡감화되어 몸에 배임. 「感染감염」 ④**옮을염** 병 같은 것이 옮음. 「傳染전염」 ⑤**더러울염, 더러워질염** 때묻음. 또 더럽혀짐. ⑥**더럽힐염** 더럽게 함.

주의 「染」은 잘못 쓴 글자.

【染料 염료】물감. 「또 들인 물.
【染色 염색】피륙 따위에 물을 들임.
◉感染감염 心染심염 汚染오염 傳染전염

9 **【柔】** 木 5 중학 **유** | 부드러울 | ㊥尤

자원 형성 木 矛 음 → 柔(木부) 2500년전

「木목」〈나무〉과, 음을 나타내는「矛모」(유는 변음)를 합한 글자. 나무를 폈다 굽혔다 하는 일.

뜻 ①**부드러울유** ㉠유연함. 「柔毛유모」 ㉡초목의 싹이 나온 지 얼마 안 됨. ㉢온순함. 「和柔화유」 ㉣약함. ②**편안히할유** 심신을 편안하게 함. ③**복종할유** 좇음.

참고 「柔」를 음으로 하는 글자=「揉유」〈주무르다〉·「蹂유」〈밟다〉

【柔能制剛 유능제강】약한 자가 도리어 강한 자를 이김. 약한 것을 보이고 적(敵)의 허술한 기회를 타 능히 강한 것을 제압함.
【柔順 유순】온화하고 공순(恭順)함.
【柔軟 유연】부드럽고 연함.
【柔和 유화】유순하고 온화함.
◉剛柔강유 溫柔온유 優柔우유 懷柔회유

9 **【柴】** 木 5 ㊀**시**(재㊍) ㊁**채** | 섶 | ㊀㊥佳 ㊁㊦卦

자원 형성 木 此 음 → 柴(木부)

「木목」〈나무〉과, 음을 나타내며 동시에 쪼개다의 뜻을 나타내기 위한 「此차」(시·채는 변음)로 이루어짐。쪼갠 나무의 뜻。

뜻 ㊀①**섶시** 땔나무。 또는 잡목。「柴草시초」 ②**시제사시, 시제사지낼시** 섶을 불살라 천제(天帝)에게 지내는 제사。또 그 제사를 지냄。③**지킬시** 호위함。④**막을시** 틀어막음。※본음(本音) **재** ㊁**울짱채** 목책(木柵)。「鹿柴녹채」

【柴木 시목】 땔나무。

【柴扉 시비】 사립짝。사립문。

【柴炭 시탄】 땔나무와 숯。연료。

9 **【栄】** 木 5 榮(木部十畫)의 속자(俗字)。

【相】 ⇩目部四畫

六畫

10 **【栓】** 木 6 **전** | 나무못 | ㊥先

자원 형성 木全(음) ⊤栓(木부)

「木나무목변」과, 음을 나타내며 동시(同時)에 찔러 넣다의 뜻(⇩穿천)을 가지는 「全전」으로 이루어짐。구멍에 끼워 넣는 나무의 뜻。

뜻 ①**나무못전** 목정(木釘)。②**마개전** 통속적으로 병마개의 뜻으로 씀。

10 **【校】** 木 6 고교 **교** | 학교 | ㊤效

一 十 木 木' 杧 杧 校 校

자원 형성 木交(음) ⊤校(木부)

음을 나타내는 「交교」는 교차(交叉)하다→죄다。「校」는 죄인의 손발에 끼우는 나무로 된 질곡(桎梏)→진을 친 곳에 설치한 나무나 대나무의 울타리→진을 친 곳에 있는 지휘관(指揮官)→장교。또 「交」는 「爻효」「教교」「學학」 따위와 관계가 깊은 글자로서, 뒤섞인 것을 이것저것 비교하는 데서 「較교」「校」는 비교하다→재다→생각하다의 뜻으로 됨。

뜻 ①**학교교** 「學校학교」 ②**질곡교** 차꼬와 수갑·칼 등의 총칭。③**부대교** 군대(軍隊)의 구분。④**장교교** 부대를 지휘 호령하는 사람。⑤**끊을교** 고사(考査)함。⑥**셀교** 계산함。⑦**사실할교** 조사함。「檢校검교」 ⑧**교정할교** 「校書교서」 ⑨**갚을교** ⑩**빠를교** 신속함。

【校了 교료】 교정(校正)을 끝냄。교정의 종료(終了)。

【校理 교리】 책을 조사 정리함。

【校比 교비】 비교하여 조사함。

【校書 교서】 ①책을 비교·대조하여 이동정오(異同正誤)를 조사함。또 그 사람。②학자의 천칭(賤稱)。

【校書如掃塵* 교서여소진】 문서를 몇 번 교정하여도 그 때마다 틀린 곳이 있으니, 마치 쓸어도 곧 또 쌓이는 먼지를 쓰는 것과 같음。

【校閱* 교열】 교정하고 검열(檢閱)함。

【校正 교정】 사본(寫本) 또는 인쇄물을 원본과 대조하여 그 잘못된 곳을 고침。

【校定 교정】 대조하여 고침。

【校訂 교정】 교정(校正)。

【校風 교풍】학교의 기풍(氣風)。
【校合 교합】교정(校正)。
◉登校등교 母校모교 分校분교 入校입교 將校장교 再校재교 廢校폐교 鄕校향교

10 【株】木 6 고교 주 | 뿌리 | ㊣虞

一 十 木 朩 杧 杵 株

자원 형성 木 + 朱음 → 株(木부)

「木나무목변」과, 음을 나타내며 동시에 단단히 서다의 뜻을 나타내기 위한 「朱주」로 이루어짐。 나무의 움직이지 않는 뿌리의 뜻。

뜻 ①뿌리주 나무 뿌리。 ②줄기주 나무 줄기。 ③그루주 나무를 세는 수사(數詞)。 ④《韓》주식주 은행·회사 등의 출자자 등이 갖는 권리。 「株式주식」 「株主주주」

【株券 주권】주식의 증권(證券)。
【株守 주수】어리석어서 변동할 줄을 모르고 고수(固守)하기만 함。
【株式 주식】주식 회사(會社)의 자본(資本)의 단위(單位)。
【株主 주주】주권(株券)을 가지고 있는 사람。
◉枯株고주 舊株구주 老株노주 新株신주

10 【核】木 6 고교 핵 | 씨 | ㊇陌

一 十 木 朩 杧 杧 核 核

자원 형성 木 + 亥음 → 核(木부)

「木나무목변」과, 음을 나타내는 「亥해」(핵은 변음)를 합(合)친 글자。 씨앗이 싹트려고 하는 일。 씨앗의 뜻에서 중심(中心)의 뜻이 됨。

뜻 ①씨핵 단단한 알맹이로 된 씨。 「核果핵과」 ②핵심핵 사물의 가장 요긴한 곳。 「核心핵심」 ③실과핵 밤·용안(龍眼) 같은 과실。 ④각삭할핵, 엄할핵 ⑤확실할핵 틀림 없음。 ⑥사실할핵, 궁구할핵 깊이 조사함。 ⑦바를핵 올바름。

【核果 핵과】살 속의 씨가 단단한 핵으로 변한 실과。 살구·복숭아 등。
【核心 핵심】사물(事物)의 중심이 되는 가장 요긴(要緊)한 부분。
◉實核실핵 精核정핵

10 【根】木 6 중학 근 | 뿌리 | ㊣元

十 木 朩 杊 桹 根 根

자원 형성 木 + 艮음 → 根(木부)

음을 나타내는 「艮간·흔」(근은 변음)은 가만히 머무름。 「根」은 나무를 가만히 머무르게 하여 두는 곳→뿌리。

뜻 ①뿌리근 식물의 땅 속에 있는 부분。 「木根목근」 ②근본근 사물의 본원(本源)。 「根元근원」 ③밑동근 하부。 「山根산근」 ④뿌리박을근 ㉠뿌리가 생김。 ㉡근원이 됨。 ⑤뿌리뽑을근 뿌리째 없앰。 「根絶근절」 ⑥근근 수학(數學)에서 평방 또는 입방을 개평(開平) 또는 개립(開立)하여 얻은 수(數)。

【根幹 근간】①뿌리와 줄기。 ②근본。
【根據 근거】①사물의 토대。 ②이론·의견 등의 그 근본이 되는 의거(依據)。
【根耕 근경】《韓》그루갈이。 〔據〕。

【根氣 근기】《韓》 사물(事物)을 감당(堪當)할 만한 정력(精力)。 일을 참아 견디는 정력。

【根本 근본】 사물(事物)의 생겨나는 본바탕。

【根性 근성】《佛敎》 사람의 타고난 「성질。

【根元 근원】 근본(根本)。

【根源 근원】 나무뿌리와 물이 흘러나오는 곳。 전(轉)하여、 근본(根本)。

【根絶 근절】 뿌리째 없애버림。

【根治 근치】 ①근본부터 고쳐 다스림。 ②병을 근본부터 고침。

◉ 球根구근 無根무근 病根병근 禍根화근

10 【格】 木 6 고교 ㊀격 ─ 이를 ─ ㊀入陌 ㊁각 ─ ㊁入藥

一 十 木 朩 杦 柊 格 格 格

자원 형성 木 + 各음 → 格(木부)

음을 나타내는 「各각」은 곧장 다다르는 일。 「格」은 똑바로 자란 높은 나무란 뜻에서 바르다→바로잡다→규칙→뼈대 따위의 뜻으로 되었음。 또 「各」과 같이 다다르다·다하다란 뜻으로도 썼음。

뜻 ㊀①이를격 ㉠다다름。 미침。 ㉡감동(感動)하여 통함。 ②올격 이리로 옴。 「來格내격」 ③바로잡을격 바르게 함。 「格心격심」 ④궁구할격 연구함。 「格物致知격물치지」 ⑤겨룰격 저항함。 대적(對敵)함。 「格虜격로」 ⑥칠격 때림。 「格鬪격투」 ⑦법격 법식。 표준。 「格式격식」 ⑧자리격 지위。 품등。 「合格합격」 ⑨시렁격 물건을 얹어 놓는 장치。 「書格서격」 ⑩자리격 인품。 「人格인격」 「資格자격」 ⑪가지격 나무의 긴 가지。 ⑫격자격 선(線)을 종횡(縱橫)으로 방형(方形)이 되게 한 것。 ㊁①그칠각 중지함。 ②막을각 저지함。

【格例 격례】 일정한 전례(前例)。

【格物 격물】 사물(事物)의 이치(理致)를 연구함。

【格言 격언】 사리에 적당하여 본보기가 될 만한 묘하게 된 짧은 말。

【格外 격외】 규정(規定)밖。 파격(破格)。

【格調 격조】 ①시가(詩歌)의 품격과 성조(聲調)。 ②품격。 인격。

【格鬪 격투】 서로 맞닥뜨리어 치고 받고 하는 싸움。

◉ 家格가격 歌格가격 價格가격 降格강격 綱格강격 古格고격 骨格골격 句格구격 同格동격 凡格범격 變格변격 別格별격 本格본격 寺格사격 詞格사격 相格상격 常格상격 賞格상격 書格서격 性格성격 俗格속격 昇格승격 嚴格엄격 令格영격 人格인격 逸格일격 字格자격 姿格자격 資格자격 絶格절격 正格정격 定格정격 破格파격 標格표격 品格품격 風格풍격 筆格필격 合格합격 形格형격

10 【桂】 木 6 고교 계 ─ 계수나무 ─ ㊀去霽

一 十 木 木 朩 杜 桂 桂 桂

자원 형성 木 + 圭음 → 桂(木부) 2500년전

「木나무목변」과、 음을 나타내는 「圭규」(계는 변음)로 이루어짐。

뜻 계수나무계 녹나무과(科)의 상록교목(常綠喬木)。 껍질은 계피(桂皮)。 「桂樹계수」

주의 「柱주」〈기둥〉는 딴 글자。

【桂林一枝 계림일지】 ①진사(進士)(과거(科擧))에 급제한 일의 겸칭(謙稱)。 진(晉)나라 극선(郄詵)이 겨우 계수나무의 가지 하나를 꺾은 데 불과하다고 말한 고사(故事)에서 나옴。 ②청귀(淸貴)하고 출중(出衆)한 인품(人品)의 비유。

【桂玉之艱* 계옥지간】 ①타국(他國)에서 계수나무보다 비싼 장작을 때고 옥보다도 귀한 음식을 먹고 사는 고생。 전(轉)하여 ②물가(物價)가 비싼 도회에서 고학함을 이름。

【桂苑筆耕 계원필경】 《韓》 신라말(新羅末) 고운(孤雲) 최치원(崔致遠)의 문집(文集)。

【桂月 계월】 달(月)의 이칭(異稱)。 달 속에 계수나무가 있다는 전설(傳說)에서 나온 말。 계륜(桂輪)。 계백(桂魄)。 계섬(桂蟾)。 「재로 씀。

【桂枝 계지】 계수나무의 잔 가지。 약재로 씀。

【桂秋 계추】 계수나무 꽃이 피는 계절。 가을의 계절。 가을 철。 「로 씀。

【桂皮 계피】 계수나무의 껍질。 약재

10 **【桃】** 木 6 고교 **도** | 복숭아 | ㊥豪

一 十 木 札 札 杉 杉 桃 桃

자원 형성 木 兆 음 → 桃 (木부)

「木나무목변」과、 음을 나타내는 「兆조」(도는 변음)로 이루어짐。

뜻 **복숭아나무도、 복숭아도** 앵도과(科)에 속하는 낙엽교목(落葉喬木)。 또 그 열매。 「桃花도화」

【桃李 도리】 ①복숭아나무와 오얏나무。 ②복숭아와 오얏。 ③자기가 천거(薦擧)한 현사(賢士)。 또 자기가 시험에서 채용한 문인(門人)。 ④미인(美人)의 자색(姿色)의 비유。

【桃三李四 도삼이사】 복숭아 꽃은 심은 지 삼년 만에 열매를 맺고、 오얏은 사년(四年) 만에 맺음。

【桃源 도원】 선경(仙境)。 별천지(別天地)。 도연명(陶淵明)의 도화원기(桃花源記)에서 나온 말。

【桃紅李白 도홍이백】 복숭아꽃은 다홍빛이고 오얏꽃은 흼。 전(轉)하여 미인(美人)들의 아리따운 가지가지 [모습。

【桃花 도화】 복숭아 꽃。

◉蟠桃반도 仙桃선도 櫻桃앵도 天桃천도 扁桃편도 夾竹桃협죽도 胡桃호도

10 **【桐】** 木 6 고교 **동** | 오동나무 | ㊥東

一 十 木 札 机 桐 桐 桐 桐

자원 형성 木 同 음 → 桐 (木부)

「木나무목변」과、 음을 나타내는 동시에 바로 통하는 뜻(⇩通통)을 가진 「同동」으로 이루어짐。 나뭇결이 바른 나무의 뜻。

뜻 ①**오동나무동** 오동과(科)에 속하는 낙엽교목(落葉喬木)。 「梧桐오동」 ②**거문고동**

◉白桐백동 梧桐오동 油桐유동 紫桐자동

10 **【梳】** 木 6 **소** | 빗 | ㊥魚

자원 형성 木 疏-㐬 음 → 梳 (木부)

「木나무목변」에、 음을 나타내며 동시

에 트이게 하다、빗질하다의 뜻을 가진「疏소」의 생략체「㐬」를 더하여 이루어짐。빗질하는 도구→빗→빗다의 뜻。

뜻 ①빗소 얼레빗。②빗을소 머리를 빗음。

【梳沐 소목】머리를 빗고 몸을 씻음。
【梳髮 소발】머리를 빗음。
【梳洗 소세】머리를 빗고 낯을 씻음。
【梳櫛 소즐】빗질함。

10【栢】木 6 柏(木部五畫)의 속자(俗字)。

10【栽】木 6 중학 재 ―심을― (平)灰

一 十 土 丰 丰 耒 栽 栽 栽

자원 형성 木 𢦏(음) → 栽(木부)

「木목」〈나무〉과、음을 나타내는「𢦏재」로 이루어짐。나무 뿌리에 흙을 북돋아 재배(栽培)한다는 뜻。

뜻 ①심을재 초목을 심음。「栽培재배」②묘목재 모나무。③담틀재 담을 쌓는 데 쓰는 긴 널 조각。

주의「裁재」〈마름질하다〉는 딴 글자。

【栽培 재배】초목(草木)을 심어 가꿈。초목을 북돋아 기름。
【栽植 재식】심음。

10【栗】木 6 고교 률 ―밤나무― (入)質

一 丆 冂 襾 襾 覀 覀 栗 栗 栗

자원 형성 木 西(음)―襾 → 栗(木부) 2500년전

「木목」〈나무〉과、음을 나타내는 동시에 떨어져 나가다、갈리다의 뜻을 가진「西서」(률은 변음)로 이루어짐。밤송이 속에 열매가 둘이나 셋으로 나누어져 있는 나무의 뜻。일설(一說)에 열매가 탁 쪼개져 터지는 데서 률(⇩裂렬)이라고 이름 붙였다 함。

뜻 ①밤나무률 ②밤률 밤나무의 열매。③단단할률 견실함。④공손할률 공근(恭謹)함。⑤엄할률 위엄이 있음。⑥떨률 전율함。⑦추울률 ⑧여물률 곡식이 잘 익어 단단함。⑨건널률 건너 뜀。넘음。

참고「栗」을 음으로 하는 글자＝「溧률」〈춥다〉·「慄률」〈두려워하다〉

10【案】木 6 중학 안 ―안석― (去)翰

宀 宀 安 安 安 案 案 案

자원 형성 安(음) 木 → 案(木부)

음을 나타내는「安안」은 안정(安定)시키는 일。「木목」은 재목(材木)。「案」은 나무로 만들어 단단히 안정시켜놓은 것→책상。책상에서 글을 쓰거나 생각하므로「案」을 문서나 생각 따위의 뜻으로 씀。

뜻 ①안석안 앉을 때 몸을 기대는 물건。「案席안석」②책상안 서안(書案)。「案頭안두」③소반안 밥상。④주발안 식기。⑤지경안 경계。⑥초안안 초고。「議案의안」⑦안건안 조사·논증(論證)을 요하는 사건。⑧상고할안 생각함。⑨어루만질안「案撫안무」⑩볼안 자세히 봄。

【案件 안건】토의(討議)하거나 취조

할 사건(事件)。

【案內 안내】《韓》①인도하여 일러 줌。②주인에게 데려다 줌。③안내서。안내인。

【案撫* 안무】어루만져 위로함。

【案文 안문】초잡은 문서。「문(按問)。

【案問 안문】죄를 신문(訊問)함。안

【案山 안산】《韓》집터나 묏자리 맞은편에 있는 산。

【案山子 안산자】사람 형상을 만들어 헌 삿갓 같은 것을 씌워서 논밭에 세워 놓는 것。허수아비。

【案上 안상】책상 위。

【案席 안석】사람이 앉을 때에 몸을 기대는 기구(器具)。

【案出 안출】생각하여 냄。

◉改訂案개정안 建議案건의안 決議案결의안 考案고안 公案공안 敎案교안 起案기안 斷案단안 答案답안 圖案도안 名案명안 文案문안 飜案번안 法律案법률안 腹案복안 私案사안 査定案사정안 書案서안 成案성안 愚案우안 原案원안 議案의안 立案입안 提案제안 草案초안 懸案현안

10 【桑】木 6 고교 상 | 뽕나무 | (平)陽

자원 상형 2500년 전

누에를 기르는 데 쓰는 뽕나무의 모양을 본뜸。

뜻 ①뽕나무상 ②뽕잎딸상 ③뽕나무심을상 뽕나무를 재배하여 누에를 침。또 그 업(業)。양잠(養蠶)。「農桑농상」

주의 「桒」은 속자(俗字)。

【桑年 상년】사십팔세(四十八歲)의 일컬음。상(桑)의 속자(俗字)「桒」은 「十」넷과 「八」하나로 된 글자이므로 이름。

【桑婦 상부】뽕 따는 부녀(婦女)。

【桑葉 상엽】뽕잎。뽕。

【桑田 상전】뽕나무 밭。

【桑田碧海 상전벽해】뽕나무 밭이 변하여 푸른 바다가 된다는 뜻으로、시세(時勢)의 변천이 심함을 이름。

【桑海 상해】상전벽해(桑田碧海)。

◉耕桑경상 農桑농상 扶桑부상 蠶桑잠상

10 【桜】木 6 櫻(木部十七畫)의 약자(略字)。

七畫

11 【桶】木 7 ㊀통 | 통 | ㊀(上)董 ㊁용 | ㊁(上)腫

자원 형성 木 甬(음) 桶(木부)

「木나무목변」과、음을 나타내며 동시(同時)에 속이 비다의 뜻을 가지는 「甬용」으로 이루어짐。속이 비어 물 따위를 넣게 되어 있는 나무 그릇。

뜻 ㊀통통 나무로 만든 원형의 용기。「水桶수통」 ㊁되용 곡식 같은 것의 분량을 되는 네모진 그릇。

주의 「桷각」〈서까래〉은 딴 글자。

◉水桶수통 貯水桶저수통 漆桶칠통

11 【梅】木 7 고교 매 | 매화나무 | (平)灰

자원 형성 木 每(음) ┬梅(木부)
「木나무목변」과、음을 나타내는 「每매」로 이루어짐。

뜻 ①매화나무매 「梅實매실」 ②매우매 매화나무 열매가 익을 무렵에 오는 장마。

주의 「某」·「楳」·「𣏓」·「槑」는 옛 글자。

【梅毒 매독】 화류병(花柳病)의 한 가지。 창병(瘡病)。

【梅實 매실】 매화나무의 열매。 식용·약용함。

【梅雨 매우】 매실(梅實)이 익을 무렵에 오는 긴 장마。

【梅天 매천】 매우(梅雨)가 올 때의 흐린 하늘。

【梅花 매화】 매화나무의 꽃。

◉落梅낙매 斷梅단매 白梅백매 松竹梅송죽매 寒梅한매 黃梅황매

11【梧】木 7 고교 오 | 벽오동나무 | ①-④ 平 虞 ⑤ 去 遇

一 十 木 木一 杠 枆 梧 梧 梧

자원 형성 木 吾(음) ┬梧(木부)
「木나무목변」과、음을 나타내는 「吾오」로 이루어진 글자。

뜻 ①벽오동나무오 「梧桐오동」 ②책상오 서안(書案)。「梧右오우」 ③거문고오 ④버틸오 맞서서 겨룸。또는 쓰러지지 않게 가눔。「枝梧지오」 ⑤장대할오 장대(壯大)한 모양。「魁梧괴오」

【梧桐 오동】 ①벽오동나무。 청동(靑桐)。 ②새의 이름。 길이 예닐곱치、몸빛은 회색이고 날개는 검으며 꽁지는 짧음。

【梧桐一葉 오동일엽】 벽오동나무의 잎이 하나 떨어지는 것을 보고 가을이 온 것을 안다는 말。

【梧右 오우】 책상 오른 쪽이라는 뜻으로 편지에서 수신인(受信人)의 이름 밑에 쓰는 말。

【梧下 오하】 책상 아래라는 뜻으로、편지에서 수신인(受信人) 이름 밑에 쓰는 경어(敬語)。

11【梯】木 7 제 | 사닥다리 | 平 齊

자원 형성 木 弟(음) ┬梯(木부)
「木나무목변」과、음을 나타내는 동시에 차례·순서의 뜻을 가진 「弟제」로 이루어짐。 한 단 한 단씩 밟고 올라가다의 뜻。 사닥다리。

뜻 ①사닥다리제 ㉠사다리。「梯階제계」 ㉡전(轉)하여、사물이 차차로 올라가거나 진행하는 경로。「階梯계제」 ②기댈제 의지함。

【梯形 제형】 상대하는 두 변만이 서로 평행되는 사변형。 사다리꼴。

◉階梯계제 突梯돌제 飛梯비제 雲梯운제

11【械】木 7 고교 계 | 형틀 | 去 卦

一 十 木 木一 杧 械 械 械

자원 형성 木 戒(음) ┬械(木부)
음을 나타내는 「戒계」는 두 손 또는 두 사람이 「戈과」〈창〉를 가진 모양→엄하게 경계하다。「械」는 나무로 만들어 죄인의 손이나 발을 졸라매어 두는 수갑·차꼬。 나중에 주로 기계의 뜻으로 씀。 〔戒〕2500년전

뜻 ①형틀계 차꼬·수갑·칼 따위。

②**형틀채울계** 형틀을 채워 자유를 구속함。 ③**기구계** 용기(用器)。 ④**병장기계** 군기(軍器)。 ⑤**틀계** 기교를 베푼 장치。

◉器械기계 機械기계

11 **【桿】** 木 7 杆(木部三畫)의 속자(俗字)。

11 **【梁】** 木 7 고교 **량** ― 들보 ― ㊥陽

氵 氵刀 氵刃 氵刅 氵刅木 梁 梁

자원 형성 刅음 木 水-氵 ┼ 梁(木부) 2500년전

「氵삼수변」과、「木목」〈나무〉및 음을 나타내며 동시에 건너다의 뜻을 나타내기 위한 「刅창」(량은 변음)으로 이루어짐。 물 위에 놓는 다리。 전(轉)하여、 들보。 또、 「漁」와 통하여 물고기를 잡는 발담의 뜻。

뜻 ①**들보량** 옥량(屋梁)。 ②**나무다리량** 나무로 만든 교량。 ③**징검돌량** 징검다리로 놓는 돌。 ④**발담량** 물을 막아 고기를 잡는 설비。 어량(魚梁)。 ⑤**관(冠)골량、 양량** 관의 앞이마에서 뒤로 골이 지게 한 것。 ⑥**양나라량** ㉠전국시대(戰國時代)의 위(魏)나라가 대량(大梁)에 천도(遷都)한 이후의 칭호。 (B.C.四○三~B.C.二二五) ㉡남조(南朝)의 하나。 소연(蕭衍)이 제(齊)나라의 선위(禪位)를 받아 세운 왕조(王朝)。 건강(建康)에 도읍。 (五○二~五五七) ㉢오대(五代)의 하나。 주전충(朱全忠)이 당(唐)나라의 선위(禪位)를 받아 세운 왕조。 대량(大梁)에 도읍。 후량(後梁)。 (九○七~九二三) ⑦**양주량** 우공구주(禹貢九州)의 하나。 지금의 사천성(四川省)의 대부분과 섬서(陝西)·감숙(甘肅) 두 성(省)의 일부분。 ⑧**성량** 성(姓)의 하나。

주의 「梁」은 속자(俗字)。

【梁山泊 양산박】 산동성(山東省)의 지명。 수호전(水滸傳)의 송강(宋江)·임충(林沖)·주귀(朱貴) 등이 이곳에 모여 조정에 반항하였으므로、 호걸·야심가(野心家)의 소굴(巢窟)의 뜻으로 쓰임。

【梁上君子 양상군자】 도적(盜賊)의 이칭(異稱)。 후한(後漢) 사람 진식(陳寔)이 밤에 들보 위에 있는 도둑을 발견하고 자손들을 불러 「사람은 본래부터 악한 것이 아니라 나쁜 습관 때문에 악인(惡人)이 되는 법이니 저 들보 위의 군자가 곧 그러니라」 하며 들보 위의 도둑을 가리키니、 그 도둑이 크게 놀라 사죄하고 간 고사(故事)에서 나온 말。

◉橋梁교량 跳梁도량 棟梁동량 脊梁척량

11 **【棄】** 木 7 고교 **기** ― 버릴 ― ㊤寘

一 亠 亣 弃 奋 㚔 奔 棄

자원 회의 𠫓-去 華 廾 ┼ 棄(木부) 2500년전

「廾공」〈(𠬞) 양손〉과 「華필」〈청소 도구〉및 「𠫓‖去돌」로 이루어짐。 청소 도구를 양 손으로 밀고 감을 나타냄。 「𠫓」은 거꾸로 난 아이인데、 이것을 華에 더하여 상서럽지 못한

〔四畫部首順〕 心戈戶手支攴文斗斤方无日曰月木 欠止歹殳毋比毛氏气水火爪父 爻爿 片牙牛犬

아이를 버린다는 뜻。 해서(楷書)의 「木목」은 잘못 쓴 것。

뜻 버릴기 ㉠내버림。「放棄방기」 ㉡돌보지 아니함。 ㉢잊어버림。 ㉣물리침。 배척함。

【棄却 기각】 버림。 내버림。「아니함。

【棄權 기권】 권리를 버리고 행사하지

【棄世 기세】 ①세상을 초월하여 인사(人事)를 돌아보지 아니함。 세상과의 관계를 끊음。 ②별세(別世)。

【棄市 기시】 죄인의 목을 베어 죽이고 그 시체를 시가(市街)에 버려 둠。

【棄兒 기아】 내버린 아이。

◉放棄방기 揚棄양기 自暴自棄자포자기 唾棄타기 投棄투기 廢棄폐기

11 【梨】 木 7 고교 리 ― 배나무 ― ㊥支

ノ 千 禾 利 利 梨 梨 梨 梨

자원 형성 木利 음 ┬梨(木부)

「木목」〈나무〉과 음을 나타내는 「利리」로 이루어짐。

뜻 ①배나무리 「梨花이화」 ②배리 배나무의 열매。「梨棗이조」

주의 「梨」가 정자。「梨」는 속자(俗字)。

【梨園 이원】 ①배나무를 심은 동산。 ②당(唐)나라 현종(玄宗)이 속악(俗樂)을 익히게 하던 곳。 전(轉)하여 ③배우(俳優)의 사회。 연극계(演劇界)。

【梨花 이화】 배나무꽃。 배꽃。

11 【條】 木 7 고교 조 ― 가지 ― ㊥蕭

ノ 亻 亻 攸 攸 攸 條 條

자원 형성 木攸 음 ┬條(木부)

음을 나타내는 「攸유」(조는 변음)는 쭉쭉 뻗은 모양。「修수」〈가지런히 하다〉와 뜻이 통함。「條」는 쭉쭉 뻗은 새 가지→줄기→한 갈래 한 갈래로 나눈 물건이나 일。

뜻 ①가지조 곁가지。「枝條지조」 ②유자나무조 ③조리조 맥락。 ④끈조 노·줄 따위。 ⑤줄조 가늘고 긴 물건을 세는 수사(數詞)。 ⑥법규조 「條規조규」 ⑦조목조 ⑧조목으로나눌조 조목별로 함。 ⑨길조 짧지 않음。 ⑩통할조 통달함。 ⑪휘파람불조 휘파람을 부는 모양。 ⑫가지칠조 가지를 절단함。 ⑬동북풍조 동북에서 부는 바람。

참고 「條」를 음으로 하는 글자=「篠소」〈조릿대〉·「滌척」〈씻다〉

【條件 조건】 ①사건의 조목(條目)。 ②규정(規定)한 사항。 규약한 일。

【條款* 조관】 ①조규(條規)。 ②조목(條目)。

【條規 조규】 조문(條文)으로 된 규정。

【條例 조례】 조목 조목 나눈 규례。

【條理 조리】 사물의 가닥、 또는 경로。 맥락(脈絡)。

【條目 조목】 여러 가닥으로 나눈 항목。 「글。

【條文 조문】 조목으로 나누어 적은

【條約 조약】 ①조문(條文)으로 된 약속。 ②나라와 나라와의 합의(合議)에 의하여 국제간의 권리와 의무를 설정하는 계약。 또는 그 조문。

◉箇條개조 金科玉條금과옥조 禁條금조 信條신조 前條전조 鐵條철조 逐條축조

【彬】⇩彡部八畫

八畫

12 【森】木 8 고교 **삼** | 나무빽빽할 | ㊥侵

一 十 才 木 杢 森 森

자원 회의 木木木 ┼ 森(木부)

「森」은 나무가 많이 나 있는 모양→무성하다→으쓱함。많이 있는 것은 셋 쓰는 것이 한자(漢字)를 만드는 원칙(原則)이지만 옛 자형(字形)(B)에서는 나무가 넷 쓰이어 있어 나무가 무성하다는 뜻을 나타내고 있음。

(A) (B) 3000년전

뜻 ①**나무빽빽할삼** 「森羅삼라」 ②**성할삼** 무성한 모양。또는 왕성한 모양。③**으쓱할삼** 무섭거나 차가와 움츠러지는 모양。④**늘어설삼** 벌이어 섬。「森列삼렬」

【森羅萬象 삼라만상】우주 사이에 벌여 있는 일체(一切)의 현상。

【森列 삼렬】죽 늘어섬。

【森林 삼림】나무가 많이 난 곳。숲。

12 【棉】木 8 **면** | 목화 | ㊥先

자원 회의 木 ┼ 帛 → 棉(木부) 2500년전

「木나무목변」에 비단의 뜻인 「帛백」으로 이루어짐。무명의 재료가 되는 나무의 뜻。

「면」의 음(音)은 거두어 들인 재료를 자아 연결하여 실로 만든다는 뜻에서、「連련」〈잇다〉에 유래함。

뜻 **목화면** 「木棉목면」

【棉花 면화】솜。

◉木棉목면 米棉미면 印棉인면

12 【棒】木 8 **봉**(방㊍) | 몽둥이 | ㊤講

자원 형성 木 奉음 ┼ 棒(木부)

「木나무목변」과、음을 나타내는 동시에 때리다의 뜻(⇩攴복)을 가진 「奉봉」으로 이루어짐。때리기 위한 나무의 뜻。

뜻 ①**몽둥이봉** 「棍棒곤봉」 ②**칠봉** 몽둥이로 침。※본음(本音) **방**

◉棍棒곤봉 突棒돌봉 杖棒장봉 鐵棒철봉

12 【棚】木 8 **붕** | 시렁 | ㊥庚

자원 형성 木 朋음 ┼ 棚(木부)

「木나무목변」과、음을 나타내는 「朋붕」으로 이루어짐。

뜻 ①**시렁붕** 물건을 얹는 두개의 장나무。②**잔교붕** 나무를 건너질러 놓은 다리。③**누각붕** 관람하기 위하여 세운 바라크식(式)의 건물。

12 【棟】木 8 **동** | 마룻대 | ㊦送

자원 형성 木 東음 ┼ 棟(木부) 2500년전

「木나무목변」과、음을 나타내는 동시에 제일 위의 뜻(⇩上상)을 나타내기 위한 「東동」으로 이루어짐。집의 맨 꼭대기의 나무의 뜻。마룻대。

뜻 ①**마룻대동** ㉠집의 용마루 밑에

서까래가 걸치게 된 나무。「上棟상동」 ㉡전(轉)하여、중요한 인물의 비유。「棟梁동량」 ②용마루동

주의 「楝련」〈멀구슬나무〉은 딴 글자。

【棟梁 동량】 ①마룻대와 들보。②중임(重任)을 맡은 사람。 국가의 중신(重臣)。한 파(派)의 영수(領袖)。③중임(重任)。양동(梁棟)。

【棟梁之材 동량지재】 마룻대와 들보가 되는 재목이란 뜻으로、중임(重任)을 맡을 만한 인재(人材)。

◉巨棟거동 高棟고동 病棟병동

12 【棧】木 8 ㊀잔 ㊁전 ─ 잔교 ─ ㊀㊤潸 ㊁(平)眞

뜻 형성 木戔(음) ┬棧(木부)

「木나무목변」과、음을 나타내며 동시(同時)에 이쪽에서 저쪽으로 건네다의 뜻(⇩傳전)을 가지는 「戔잔」으로 이루어지며、나무로 건너 질러 놓은 다리의 뜻。

뜻 ㊀①**잔교잔** 험한 골짜기에 나무로 건너질러 놓은 다리。②**창고잔** 화물 창고。「貨棧화잔」 ③**주막잔** 여인숙。여관。「棧房잔방」 ④**우리잔** 짐승을 기르는 곳。울。⑤**장강틀잔** 관(棺)을 메는 틀。⑥**쇠북잔** 음악용의 작은 종。㊁**성할전** 물건이 많아 성(盛)한 모양。

【棧橋 잔교】 ①잔도(棧道)。②부두(埠頭)에서 선박에 걸쳐 놓아 오르내리게 한 다리。

◉劍棧검잔 曲棧곡잔 斷棧단잔 飛棧비잔 石棧석잔 羊棧양잔 梁棧양잔 危棧위잔

12 【棲】木 8 서 ─ 깃들일 ─ (平)齊

자원 형성 木妻(음) ┬棲(木부)

「木나무목변」과、음을 나타내는 동시에 붙잡다의 뜻(⇩執집)을 나타내기 위한 「妻처」(서는 변음)로 이루어짐。

새가 앉을 때 붙잡는 나무、곧 횃대의 뜻→보금자리、집의 뜻。

뜻 ①**깃들일서** 보금자리에서 삶。②**살서** 머물러 삶。「棲息서식」 ③**쉴서** 휴식함。④**집서** 주거(住居)。⑤**보금자리서** 새집。

주의 「栖」와 같은 글자。

【棲息 서식】 ①동물(動物)이 어떤 곳에 삶。②삶。생존함。

【棲止 서지】 삶。머무름。

◉高棲고서 同棲동서 山棲산서 水棲수서 宿棲숙서 幽棲유서

12 【棺】木 8 관 ─ 널 ─ ①(平)寒 ②(去)諫

자원 형성 木官(음) ┬棺(木부)

「木나무목변」과、음을 나타내며 동시에 둘레를 싸서 닫다의 뜻(⇩關관)을 나타내기 위한 「官관」으로 이루어짐。나무로 시체의 둘레를 빈틈없이 둘러싼 물건、곧 관의 뜻。

뜻 ①**널관** 관。「棺槨관곽」 ②**입관할관** 시체를 관에 넣음。

【棺槨 관곽】 속널과 겉널。

【棺材 관재】 관곽(棺槨)을 만드는 재목(材木)。

【棺板 관판】 관재(棺材)。

◉空棺공관 石棺석관 入棺입관 出棺출관

12【植】木 8 중학 ㊀식 ㊁치 | 심을 | ㊀入職 ㊁去寘

一 十 木 杧 栯 植 植

자원 형성 木直(음) ⊤植(木부)

음을 나타내는 「直직」(식·치는 변음)은 곧다→곧게 하는 일。「植식」은 문을 밖에서 닫고 쇠사슬을 거는 바로 세운 막대기。 나중에 통틀어 바로 세우는 일。 또 나무를 심는 일。

뜻 ㊀①심을식 ㉠재배함。「植樹식수」 ㉡전(轉)하여、초목의 총칭。「動植동식」 ㉢그 곳에 근거를 두게 함。「植民식민」「植字식자」 ②세울식 수립(樹立)함。 ㊁①감독치 공사의 감독관。 ②둘치 置(网部八畫)와 통용。

주의 「植식」은 약자(略字)。

【植木 식목】 나무를 심음。 심은 나무。
【植物 식물】 초목(草木)의 총칭。
【植民 식민】 국민의 일부분을 국외(國外)에 영주(永住)를 목적으로 이주시킴。
【植樹 식수】 식목(植木)。
【植字 식자】 인쇄소에서 활자(活字)를 가지고 원고대로 판(版)을 짬。
◉扶植부식 誤植오식 移植이식 播植파식

12【棋】木 8 기 | 바둑 | ㊥支

자원 형성 木其(음) ⊤棋(木부)

「木나무목변」과、음을 나타내며 동시에 작다(⇩子자)의 뜻을 나타내기 위한 「其기」로 이루어짐。「棋」는 작게 자른 나무쪽의 뜻으로 장기의 말을 말함。

뜻 ①바둑기 놀이의 한 가지。「棋譜기보」 ②말기 장기·윷 따위의 군사로 쓰는 물건。

주의 「棊」는 같은 글자。

【棋盤 기반】 바둑판。
【棋譜 기보】 바둑 두는 법을 적은 책。
【棋聖 기성】 바둑의 명인(名人)。
【棋子 기자】 바둑돌。
【棋戰 기전】 바둑을 둠。
◉國棋국기 根棋근기 博棋박기 將棋장기

12【検】木 8 檢(木部十三畫)의 약자(略字)。

【渠】 ⇩水部九畫

【集】 ⇩隹部四畫

九畫

13【楚】木 9 초 | 가시나무 | ㊤語

자원 형성 林疋(음) ⊤楚(木부)

옛 모양은、도끼로 작은 나무를 베고 있는 모양을 나타냄。「楚」는 많은 나무를 뜻하는 「林림」과、음을 나타내며 동시에 많은 뜻(⇩叢총)을 가지는 「疋필」로 이루어지며、잘라 모아진 작은 나무의 뜻。

뜻 ①가시나무초 가시가 있는 잡목。「荊楚형초」 ②모형(牡荊)초 마편초과에 속하는 낙엽관목(落葉灌木)。 잎은 이뇨(利尿)의 약제로 쓰임。 인삼목(人蔘木)。 ③매초 매질하는 회초리。 ④매질할초 「楚撻

초달」 ⑤**줄지을초** 줄지어 늘어섬。 ⑥**아플초** 고통을 느낌。 또 가슴 아픔。「痛楚통초」 ⑦**고울초** 선명한 모양。 ⑧**우거질초** 가시나무 같은 것이 무성한 모양。 ⑨**초나라초** ㉠춘추전국시대(春秋戰國時代)의 나라。 도읍은 영(郢)。 진(秦)나라에 망하였음。(B.C.?~B.C.二二三) ㉡오대(五代)의 십국(十國)의 하나。 마은(馬殷)이 호남(湖南) 지방에 세운 나라。 도읍은 장사(長沙)。 남당(南唐)에게 멸망당하였음。(九〇七~九五一) ⑩**땅이름초** 호남·호북 두 성(省)의 통칭。

참고 「楚」를 음으로 하는 글자=「礎초」〈주춧돌〉

【楚囚 초수】 ①타국에 사로잡힌 초나라 사람。 ②타국에 사로잡힌 자。 ③타향에서 고향 생각이 절실히 나는 사람。 ④불우(不遇)하여 고생하는 사람。

【楚王失弓楚人得之 초왕실궁초인득지】 활을 잃어버린 사람은 초(楚)나라 임금이고 이것을 주운 사람은 초(楚)나라 사람인 고로、 대국적으로 보면 손실(損失)이 없다는 말。

【楚王好細腰宮中多餓死 초왕호세요궁중다아사】 초(楚)나라 영왕(靈王)이 허리 가는 궁녀(宮女)를 사랑하기 때문에 궁녀(宮女)들이 허리를 가늘게 하기 위하여 굶어서 아사하는 자(者)가 많았다는 옛일에서 나온 말로、 웃사람이 좋아하는 것이 편벽되면 아랫사람이 이것을 따르느라고 폐단이 많이 생김을 이름。

【楚腰 초요】 미인(美人)의 가는 허리。 전항(前項)을 참조。

【楚材晉用 초재진용】 딴 사람의 것을 자기가 이용함。 또는 타국의 인재를 이용함。

【楚楚 초초】 ①가시나무가 우거진 모양。 ②선명(鮮明)한 모양。 ③고통을 견디지 못하는 모양。

◉苦楚고초 三楚삼초 清楚청초 痛楚통초

13 **【楊】** 木 9 고교 **양** ― 버들 ― ㊀陽

一 十 木 … 楊 楊

자원 형성 木 + 昜음 → 楊(木부) 2500년전

「木나무목변」과、 음을 나타내며 동시(同時)에 흔들흔들 흔들리는 뜻(⇩蕩탕)을 가지는 「昜양」으로 이루어짐。 버드나무 가지가、 언제나 바람에 나부껴 흔들리고 있는 데서 이 이름이 붙었음。

뜻 ①**버들양** 버들과에 속하는 낙엽교목(落葉喬木)。 냇버들。 ②**성양** 성(姓)의 하나。

【楊貴妃 양귀비】 양태진(楊太眞)。

【楊柳 양류】 버들。 버드나무。

【楊萬春 양만춘】《韓》 고구려(高句麗) 때의 장군(將軍)。 안시성주(安市城主)로 있을 때 당태종(唐太宗)의 내침(來侵)을 받아 격전(激戰) 끝에 적군(敵軍)을 패퇴(敗退)시켰는데 태종(太宗)도 양만춘의 활에 맞아 한 눈이 멀었다 함。

【楊士彥* 양사언】《韓》 조선(朝鮮) 중기(中期)의 서가(書家)。 호(號)는 봉래(蓬萊)。

【楊太眞 양태진】 당(唐)나라 현종(玄

宗)의 비(妃)。재색(才色)이 뛰어나 현종의 총애를 오로지하다가, 안녹산(安祿山)이 난을 일으키매 현종과 함께 피난하여 마외역(馬嵬驛)에 이르러 관군(官軍)에게 책망당하고 목매어 죽었음。양귀비(楊貴妃)。

◉白楊백양 黃楊황양

13 【楓】木 9 중학 **풍** — 단풍나무 — ㊥平東

一 十 木 杋 机 机 楓 楓 楓

자원 형성 風 음 ㅏ 楓(木부) 2500년 전

음을 나타내는 「風풍」과 「木나무목변」으로 이루어짐。단풍나무의 뜻。

뜻 **단풍나무풍** 단풍과에 속하는 낙엽교목(落葉喬木)。「丹楓단풍」

【楓菊 풍국】 단풍나무와 국화。

13 【極】木 9 중학 **극** — 용마루 — ㊀入職

一 十 木 朾 朽 柯 極 極 極

자원 형성 亟 음 ㅏ 極(木부)

음을 나타내는 「亟극」은 아래 위가 한정된 곳에 〔亟〕2500년 전 사람을 가둔 모양과 입이나 손으로 사람에게 강제적으로 무엇인가를 시키는 뜻인 듯함。거기에서 강제로 시키다→말단(末端)→극단(極端)→극점(極點)에 이른다는 뜻이 됨。「極」은 나무로된 집의 용마루→마룻대의 뜻이지만 나중에는 「亟」의 뜻인 극점에 달하다는 뜻이 됨。

뜻 ①**용마루극** 옥척(屋脊)。②**극처극** ㉠사물의 최상 최종의 곳。㉡사물의 지극히 미묘한 곳。㉢진선(眞善) 또는 도덕의 근본。㉣극악(極惡)。지흉(至凶)。㉤우주의 끝。「四極사극」「南極남극」 ③**극극** ㉠전극(電極)。㉡자석(磁石)에서 자력이 가장 센 두 끝。㉢구(球)의 대원(大圓) 및 소원의 평면에 수직되는 직경의 양 끝。④**별이름극** 북극성。「極星극성」 ⑤**임금자리극** 제위(帝位)。「登極등극」 ⑥**멀극** 거리가 멂。⑦**빠를극** ⑧**다할극** ㉠없어짐。㉡다들임。⑨**마칠극** 끝남。⑩**그칠극** 멈춤。⑪**이를극** 다다름。⑫**극진할극** 극도에 이름。⑬**극히극** 지극히。

주의 「拯증」〈도우다〉은 딴 글자。

【極奸* 극간】 몹시 간악(奸惡)함。

【極諫* 극간】 힘껏 간(諫)함。극력(極力) 간함。

【極光 극광】 지구의 남북 양극에 가까운 지방의 공중에 때때로 나타나는 아름다운 빛의 현상。오로라。

【極口發明 극구발명】 온갖 말을 다하여 변명함。

【極口讚頌 극구찬송】 온갖 말로·칭찬함。

【極難 극난】 몹시 어려움。

【極端 극단】 ①맨 끝。②중용(中庸)을 벗어나 한쪽으로 아주 치우침。

【極度 극도】 궁극(窮極)한 정도。

【極東 극동】 ①동쪽 끝。②동양의 가장 동쪽 부분。곧 우리나라·중국·비율빈·일본 등의 총칭。

【極樂 극락】 ①극진히 즐거워함。또 더할 나위 없는 환락。②《佛敎》 극락세계(極樂世界)。

【極力 극력】 있는 힘을 다함。조금도 힘을 아끼지 아니함。

【極論 극론】 충분히 의론함。 끝까지 캐어 논(論)함。
【極流 극류】 지구의 남북극 방면에서 적도(赤道) 방면으로 흘러 내려오는 한류(寒流)。
【極北 극북】 북쪽 끝。
【極貧 극빈】 지극히 가난함。「최상。
【極上 극상】 제일 좋음。 제일 높음。
【極暑 극서】 극심한 더위。
【極星 극성】 북극성(北極星)。 또 남극성(南極星)。
【極盛 극성】 ①몹시 왕성함。 ②《韓》 성질이 지악스럽고 과격(過激)함。
【極甚 극심】 아주 심함。
【極惡 극악】 극히 악함。
【極言 극언】 극단적으로 말함。
【極右 극우】 극단의 우익사상。
【極左 극좌】 극단의 좌익사상。
【極致 극치】 극단에 이른 경지(境地)。
【極限 극한】 궁극(窮極)의 한계。
【極寒 극한】 극심한 추위。
【極刑 극형】 사형(死刑)。
◉究極구극 窮極궁극 南極남극 登極등극 北極북극 四極사극 三極삼극 兩極양극 陽極양극 太極태극 八極팔극 至極지극

13 【楼】 木 9 樓(木部十一畫)의 속자(俗字)。

13 【業】 木 9 중학 업 | 업 | ㉧葉

자원 상형 2500년전 2000년전

「業」은 글자 전체가 옛날 악기인 종이나 북을 거는 도구(道具)의 모양을 본뜬 것。 특히 그 윗 부분의 가로 판자를 일컬으며 나중에 큰 널빤지→기록하는 널빤지→문서→일의 뜻으로 되었음。

뜻 ①**종다는널업** 종·북 등을 거는 가로 댄 나무를 씌우는 큰 장식널。 ②**업업** ㉠일。 근무。「業務업무」 ㉡학습。「學業학업」 ㉢생계。「生業생업」 ㉣기초。 기업(基業)。 ㉤불교에서의 인(因)을 과(果)로 하게 하는 소행。 ③**공업** 공적。「功業공업」 ④**업으로삼을업** 일을 경영함。 ⑤**이미업** 벌써。「業已업이」 ⑥**위태할업** 위태한 모양。 ⑦**시작할업** 처음으로 함。

【業苦 업고】《佛敎》 악업(惡業)의 응보(應報)로 받는 고통。
【業果 업과】 업보(業報)。
【業務 업무】 생업(生業)의 일。
【業報 업보】 업인(業因)의 응보。
【業績 업적】 공업(功業)。 공적。
【業次 업차】 업무의 순서。
【業火 업화】《佛敎》 ①불같이 성내는 마음。 ②악업(惡業)의 고보(苦報)인 지옥(地獄)의 맹화(猛火)。
◉家業가업 開業개업 兼業겸업 經國大業경국대업 苦業고업 工業공업 功業공업 課業과업 企業기업 農業농업 大業대업 同業동업 本業본업 事業사업 產業산업 常業상업 商業상업 生業생업 修業수업 授業수업 失業실업 惡業악업 漁業어업 王業왕업 林業임업 作業작업 雜業잡업 專業전업 傳業전업 轉業전업 正業정업 操業조업 卒業졸업 從業종업 終業종업 罪業죄업 創業창업 天業천업 賤業천업 就業취업 怠業태업 罷業파업 學業학업 興業흥업

13 【楽】 木 9 樂(木部十一畫)의 속자(俗字)。

十畫

14 【榜】 木 10 방 | 패 | ①-④ ㊤養 ⑤⑥ ㊋漾

자원 형성 木+旁음→榜(木부)

「木나무목변」과、음을 나타내며 동시에 표지하다의 뜻(⇩表표)을 나타내기 위한 「旁방」으로 이루어짐。표지하는 나무패의 뜻。

뜻 ①**패방** 문자를 적어 표지(標識)로 하는 목패(木牌)。②**방목방** 과거 급제자의 성명을 공시(公示)하는 패、또는 발표서。「放榜방방」③**방써붙일방** 써서 게시함。표시(標示)함。④**매질할방** 매로 때림。「榜掠방략」⑤**노방** 배젓는 막대기。⑥**배저을방** 노로 배를 저음。

【榜目 방목】 과거(科擧)에 급제(及第)한 사람의 이름을 기록한 책。

【榜文 방문】 여러 사람에게 알리기 위하여 길거리에 써 붙이는 글。

◉放榜방방 賞榜상방 試榜시방 標榜표방

14 【構】 木 10 고교 구 | 얽을 | ㊋宥

木 杧 柑 栱 栱 構 構 構 構 構

자원 형성 木+冓음→構(木부)

〔冓〕3000년전

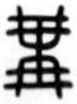
〔冓〕2500년전

음을 나타내는 「冓구」의 옛모양은 대바구니 「篝구」인지 모르겠으나 나중에는 재목(材木)을 쌓아 올린 모양으로 보아 재목을 짜 맞추다→만드는 일로 함。나중에 나무임을 명확히 하기 위하여 「木나무목변」을 붙여 「構」라 씀。

뜻 ①**얽을구** ㉠집 등을 얽어 만듦。「構造구조」㉡생각을 얽어 짬。「構想구상」㉢없는 사실을 꾸며 해침。「構誣구무」「構陷구함」㉣합침。②**맺을구** 결성(結成)함。인연을 맺음。③**이룰구** 이루어짐。④**경영구** 사업。⑤**서까래구**

주의 「搆구」〈끌다〉는 딴글자。

【構內 구내】 주위(周圍)를 둘러 싼 그 안。관공서나 큰 구조물(構造物) 같은 데에 딸린 울안。

【構思 구사】 구상(構想)함。

【構思十年 구사십년】 진(晉)나라의 좌사(左思)가 십년간 구상하여 삼도(三都)(위도(魏都)·촉도(蜀都)·오도(吳都))의 부(賦)를 지은 고사。

【構想 구상】 ①구성(構成)한 사상(思想)。②사상(思想)을 얽어 놓음。③예술 작품을 창작하기 위하여 그 내용·형식 등을 생각함。

【構成 구성】 얽어 만듦。

【構造 구조】 ①얽어 만듦。②만든 본새。

【構築 구축】 얽어 만들어 쌓아 올림。

【構陷 구함】 없는 사실을 꾸미어 남을 모함(謀陷)함。

◉結構결구 機構기구 功構공구 宏構굉구 造構조구 天構천구 築構축구 虛構허구

14 【槌】 木 10 ㊀추 ㊁퇴 | 망치 | ㊀㊥支 ㊁㊥灰

자원 형성 木+追음→槌(木부)

〔四畫部首順〕心戈戶手支攴文斗斤方无日曰月木欠止歹殳毋比毛氏气水火爪父爻爿片牙牛犬

「木나무목변」과、 음을 나타내는 「追추」로 이루어지며、 잠박(蠶箔)의 섶을 매어다는 기둥의 뜻。음을 빌어 망치의 뜻(⇩椎추)에 쓰임。

뜻 ㊀①**망치추** 짧은 몽둥이。「槌鑿추착」 ②**칠추** 망치 따위로 침。 ㊁**망치퇴、 칠퇴** ㊀과 뜻이 같음。

◉金槌금퇴 木槌목퇴 研槌연추 鐵槌철퇴

14 **【槍】** 木 10 **창** | 창 | ㊥陽

자원 형성 木 倉(음) ┬ 槍(木부)

「木나무목변」과、 음과 함께 찌르다의 뜻(⇩衝충)을 나타내기 위한 「倉창」으로 이루어짐。나무 자루가 달린 찌르는 무기(武器)。

뜻 ①**창창** 무기의 하나。「槍劍창검」 ②**다다를창** 이름。

주의 「鎗쟁」〈금석 소리〉은 딴 글자이지만 같은 뜻으로 쓰임。

【槍劍 창검】 창과 칼。

【槍術 창술】 창을 다루어 쓰는 법。

◉亂槍난창 短槍단창 刀槍도창 長槍장창 竹槍죽창 鐵槍철창

14 **【槐】** 木 10 **괴** | 홰나무 | ㊥灰 (2500년전)

자원 형성 木 鬼(음) ┬ 槐(木부)

「木나무목변」과、 음을 나타내는 「鬼귀」(괴는 변음)로 이루어짐。

뜻 **홰나무괴** 콩과에 속하는 낙엽교목(落葉喬木)。회화나무。주대(周代)에 조정(朝廷)에 이 나무를 세 그루 심어서 삼공(三公)의 좌석의 표지(標識)로 하였으므로 「三槐삼괴」를 삼공(三公)의 위계(位階)의 뜻으로 씀。

【槐木 괴목】 홰나무。회화나무。

【槐宸 괴신】 궁전(宮殿)。

【槐位 괴위】 삼공(三公)의 지위。

【槐庭 괴정】 조정(朝廷)의 이칭(異稱)。

【槐花 괴화】 홰나무의 꽃。

◉公槐공괴 老槐노괴 大槐대괴 三槐삼괴

14 **【榮】** 木 10 중학 **영** | 비침 | ㊥庚

火 炏 炏 𤇾 榮

자원 형성 木 𤇾(음) ┬ 榮(木부) (2500년전)

「𤇾형」의 생획(省畫)인 「炏」은 음을 나타내는 동시에 등불의 둘레↓ 무엇이든지 둥글게 에워싸는 모양。「榮」은 꽃이 만발한 벽오동。또 옛날엔 식물(植物)을 나무와 풀로 나누어 나무에 꽃이 많이 피는 것을 「榮」이라 하고、 풀에 피는 것을 「華화」라 하였음。약자는 「栄영」。

뜻 ①**비첨영** 양쪽 끝이 번쩍 들린 처마。비우(飛宇)。②**꽃영** 풀의 꽃。③**영화영** 영달。「榮辱영욕」 ④**빛영** ㉠광명。㉡윤택。윤。⑤**피영** 혈액。⑥**필영** 꽃이 핌。⑦**성할영** ㉠무성함。「榮茂영무」 ㉡창성함。⑧**번영할영** 번성하고 영화로움。⑨**나타날영** 이름이 나타남。

참고 「榮」을 음으로 하는 글자=「蠑영」〈영원〉·「嶸영」〈가파르다〉

【榮枯 영고】 ①무성함과 시듦。②성(盛)함과 쇠(衰)함。성쇠(盛衰)。

【榮枯盛衰 영고성쇠】 성함과 쇠함。개인이나 사회 등의 성쇠(盛衰)가

일정치 않음을 이름。

【榮光 영광】 영화스러운 현상。 빛나는 명예。 광영(光榮)。 서기(瑞氣)。

【榮達 영달】 영귀(榮貴)。

【榮落 영락】 영고(榮枯)。

【榮祿 영록】 영질(榮秩)。

【榮利 영리】 영달(榮達)과 이익。

【榮名 영명】 좋은 명예。 영예(榮譽)。 영명(令名)。

【榮養 영양】 입신양명하여 미복(美服)·감지(甘旨)로 부모를 봉양함。

【榮譽 영예】 영광(榮光)스러운 명예。

【榮辱 영욕】 영화(榮華)와 치욕。

【榮爵 영작】 높고 귀(貴)한 작위。

【榮轉 영전】 좋은 지위(地位)나 높은 지위로 옮김。

【榮進 영진】 관등(官等)이 오름。

【榮秩* 영질】 높은 관직(官職)。 또 그 녹봉(祿俸)。

【榮寵* 영총】 임금의 은총(恩寵)。

【榮顯 영현】 영달(榮達)하여 명망(名望)이 나타남。

【榮華 영화】 ①초목이 무성함。 ②몸이 귀(貴)하게 되어서 이름이 남。

◉枯木發榮 고목발영 枯榮 고영 光榮 광영 美榮 미영 繁榮 번영 勢榮 세영 安榮 안영 虛榮 허영 淸榮 청영 華榮 화영 歡榮 환영

十一畫

15 【槪】 木 11 고교 개 | 평미레 | 去 隊

木 朩 杚 枦 柏 梍 梎 槪

자원 형성 木 旣 음 ⊢槪 (木부)

「木나무목변」과、음을 나타내며 동시에 깎는다는 뜻(⇩刮괄)을 나타내기 위한 「旣기」(개는 변음)로 이루어짐。 미레질하는 평미레。 밀어서 고른다는 뜻에서 전(轉)하여 대개의 뜻。

뜻 ①**평미레개** 평목(平木)。 ②**대개** 개 대강。「槪要개요」 ③**절개개** 절조。「節槪절개」 ④**풍채개** 풍도。 ⑤**풍치** 개 경치。 ⑥**느낄개** 감동(感動)함。 ⑦**개탄할개** 慨(心部十一畫)와 통용。 ⑧**물댈개**、**씻을개** 漑(水部十一畫)와 통용。

주의 「槩」는 같은 글자。

【槪括* 개괄】 개요(槪要)를 잡아 한데 뭉뚱그림。

【槪念 개념】 많은 관념(觀念) 속에서 공통되는 요소를 추상(抽象)하여 종합한 하나의 관념。

【槪略 개략】 대략(大略)。

【槪論 개론】 개요(槪要)의 논설。

【槪說 개설】 대개의 설명。

【槪要 개요】 개략(槪略)의 요지。

◉感槪 감개 景槪 경개 氣槪 기개 大槪 대개 一槪 일개 節槪 절개 淸槪 청개 忠槪 충개

15 【槽】 木 11 조 | 구유 | 平 豪

자원 형성 木 曹 음 ⊢槽 (木부)

「木나무목변」과、음과 함께 풀의 뜻(⇩草초)을 나타내기 위한 「曹조」로 이루어짐。 가축류(家畜類)를 기르기 위하여 풀 따위의 사료(飼料)를 주는 나무로 만든 구유。

뜻 ①**구유조** 마소의 먹이를 담는 통。 ②**술통조** 술을 저장해 두는 그릇。 ③**물통조** 물을 저장해 두는 그

룻。④홈통조 널로 만든 통수로(通水路)。⑤비파바탕조 현악기·비파의 줄을 매는 몸체。⑥절구조 곡식 같은 것을 빻는 제구。
◉浴槽욕조 齒槽치조

15 **【槿】** 木 11 **근** | 무궁화나무 | ㊤吻

자원 형성 木+堇음 → 槿(木부)

「木나무목변」에 음을 나타내며 동시에 근소하다의 뜻(⇩僅근)을 나타내는 「堇근」으로 이루어짐。무궁화꽃이 아침에 피었다가 저녁에 시든다 하여、수명이 짧은 나무란 뜻으로 무궁화 나무를 가리킴。

뜻 **무궁화나무근** 아욱과에 속하는 낙엽관목(落葉灌木)。꽃은 한국의 국화(國花)임。

【槿域 근역】한국(韓國)의 별칭。
【槿花 근화】무궁화(無窮花)。
【槿花一日榮 근화일일영】무궁화는 아침에 피었다가 저녁에 시든다는 뜻으로、잠시의 영화 또는 사람의 영화의 덧없음을 비유하는 말。
◉木槿목근 芳槿방근 朝槿조근

15 **【樓】** 木 11 고교 **루** | 다락 | ㊥尤

2500년전

자원 형성 木+婁음 → 樓(木부)

「木나무목변」과、음을 나타내는 동시에 짜서 꾸며낸다는 뜻을 나타내기 위한 「婁루」로 이루어짐。나무를 짜서 높이 세운 망루의 뜻。

뜻 ①**다락루** 다락집。층집。「樓閣누각」②**망루루** 높이 지어 적을 정찰하거나 먼 곳을 바라보는 건물。「樓觀누관」

【樓閣 누각】다락집。
【樓車 누거】망루(望樓)가 있는 수레。
【樓觀 누관】망루(望樓)。
【樓臺 누대】누각(樓閣)。
【樓門 누문】누궐(樓闕)。
【樓上 누상】①누각(樓閣)의 위。②망루(望樓)의 위。
【樓子 누자】다락집。이층집。
◉摩天樓마천루 望樓망루 門樓문루 城樓성루 水樓수루 蜃氣樓신기루 玉樓옥루 鍾樓종루 重樓중루 靑樓청루 紅樓홍루 畫樓화루 黃鶴樓황학루

15 **【標】** 木 11 고교 **표** | 나무끝 | ㊥蕭

자원 형성 木+票음 → 標(木부)

「木나무목변」과、음을 나타내며 동시에 불티가 너울거리며 올라가는 것처럼 물건이 높이 올라감을 뜻하는 「票표」로 이루어짐。커다란 나무끝의 매우 연약한 부분을 뜻함。나중에、높이 내건 안표(眼標)의 뜻으로 쓰임。

뜻 ①**나무끝표** 나무의 끝。②**가지표** 높은 데 있는 나뭇가지。③**표표** ㉠표적 또는 표시。「標識표지」㉡목표。준적(準的)。「標準표준」④**표할표** 표를 하여 나타냄。「標示표시」⑤**나타날표、나타낼표** 드러남。눈에 뜨임。또 표현(表現)함。「標空표공」

적을표 기록함。

【標高 표고】바다의 수준면(水準面)에서의 높이。해발(海拔)。

【標記 표기】표가 되는 기록이나 부호。

【標旗 표기】목표로 세우는 기。

【標抹* 표말】표목(標木)。

【標木 표목】표로 박아 세운 말뚝。

【標榜* 표방】①남의 선행(善行)을 칭송하기 위하여 그 사실을 패에 적어 문 같은 데 걺。②명목(名目)을 붙여 칭송함。③주의·주장 같은 것을 어떠한 명목을 붙여 내세움。

【標本 표본】하나를 보여서 다른 한 종류의 물건의 표준을 삼는 물건。

【標示 표시】표를 하여 나타내 보임。

【標語 표어】주의(主義)·강령(綱領)·이념을 간명하게 표현한 짧은 어구。

【標的 표적】목적으로 삼는 사물。

【標題 표제】표기(表記)의 제목。

【標準 표준】①목표(目標)。②규범(規範)이 되는 준칙(準則)。

【標識 표지】사물을 나타내는 표시。

【標札* 표찰】문패(門牌)。

◉名標명표 目標목표 里程標이정표

15 【樞】木 11 ㊀추 ㊁우 | 지도리 | ㊀(平)虞 ㊁(平)尤

자원 형성 木區음 ㅏ樞(木부)

「木나무목변」과、음을 나타내며 동시에 집어넣다의 뜻(⇩收수)을 가지는 「區구」(추는 변음)로 이루어짐。문짝이 회전(回轉)할 때의 굴대를 받는 구멍。그 곳은 문짝의 개폐(開閉)에 중요(重要)한 곳이므로、전하여、중요의 뜻이 됨。

뜻 ㊀①지도리추 문의 지도리。「戶樞호추」②고동추 ㉠운전 활동을 맡은 장치。㉡가장 중요한 점。「樞機추기」③별이름추 북두칠성(北斗七星)의 첫째 별。「樞星추성」㊁나무이름우 느릅나무의 일종。

【樞機 추기】①사물의 긴하고 중요한 데。중요한 기관。②중요한 정무(政務)。국가의 대정(大政)。

【樞密 추밀】군사나 정무에 관한 비밀을 요하는 중요한 사항。

【樞要 추요】가장 요긴하고 중요함。

【樞軸 추축】①문의 지도리와 수레의 굴대。 전하여 사물의 가장 중요한 부분。②권력이나 정치의 중심。

◉機樞기추 道樞도추 萬樞만추 門樞문추

朩 朩 朩 朩 栉 栉 槽 槿 模

15 【模】木 11 고교 모 | 법 | (平)虞

자원 형성 木莫음 ㅏ模(木부)

음을 나타내는 「莫막·모」는 해질녘。여기에서는 물건이 보이지 않게 되다、위로부터 뒤집어 씌운다는 뜻을 나타냄。「模」는 나무테로 찰흙을 둘러 싸아 질그릇을 만드는 것。나중에 무엇이든 물건을 만드는 표준으로 하는 것→본이란 뜻으로 씀。「본으로 하다」와 같이 동사로 쓰일 때는 본디 「摸모」라고 썼으나 지금은 그 뜻인 매도 「模」라 씀。

뜻 ①법모 법식。규범。②본모 본보기。「模範모범」③무늬모 어룽진 문채。④거푸집모 주형(鑄型)。⑤본뜰모 본보기로 함。

【模倣 모방】본받음。본뜸。흉내를

냄。

【模範 모범】 배워서 본받을 만함。 또 「그 사물。 본보기。

【模寫 모사】 본떠 그대로 그림。

【模擬* 모의】 본떠서 함。 모방。

【模造 모조】 본떠 만듦。 모방하여 만 「듦。

◉宏模굉모 軌模궤모 規模규모 德模덕모

15 【樣】 木 11 [고교] [一]양 [二]상 — 본 — [一][去]漾 [二][上]養

一 十 木 杧 栏 样 样 椁 樣

[자원] 형성 木 羕[음] → 樣(木부)

「木나무목변」과、 음을 나타내며 동시에 담다의 뜻(⇩象상)을 나타내기 위한 「羕양」으로 이루어져、 본래 나무의 이름。 양태(樣態)、 양식(樣式) 등에 쓰이는 것은 「象상」의 뜻을 빌어 쓴 것。

[뜻] [一]①본양 본보기。 양식。 「樣制양제」 ②모양양 형상。 「同樣동양」 ③무늬양 어룽진 문채(文彩)。 「繡樣수양」 [二]상수리나무상 橡(木部十二畫)과 같은 글자。

【樣相 양상】 생김새。 모습。 모양。

【樣式 양식】 ①꼴。 모양。 형상。 ②일정한 형식。

◉各樣각양 多樣다양 圖樣도양 模樣모양

15 【權】 木 11 權(木部十八畫)의 속자(俗字)。

15 【樂】 木 11 [중학] [一]악 [二]락 [三]요 — 풍류 — [一][入]覺 [二][入]藥 [三][去]效

白 白 伯 絈 𢆶 𢆶 樂

[자원] 회의 木 幺幺 白 → 樂(木부)

(A) 3000 년전

(B) 2500 년전

「樂」의 옛모양 (A)는 「幺幺」〈실〉와 「木목」으로 현악기를 나타낸 듯함。 후세의 모양 (B)는 신을 모시는 춤을 출 때 손에 가지는 방울과 같기도 하지만 북따위의 타악기라고도 일컬어져 왔음。 여하간 「樂」은 악기를 나타내는 말로서 나중에 음악의 뜻인 때는 「악」 그것을 듣고 즐긴다는 뜻인 때는 「락」이라 읽음。 약자는 「楽」。

[뜻] [一]①풍류악 음악。 「樂隊악대」 ②아뢸악 음악을 연주함。 [二]①즐길락 기뻐함。 쾌하게 여김。 ②즐거울락 쾌락。 「苦樂고락」 ③즐거울락 쾌함。 ④즐겁게할락 [三]좋아할요 마음에 들어 바람。 좋아하는 바。 바라는 바。

[참고] 「樂」을 음으로 하는 글자=「藥약」〈약〉·「櫟력」〈상수리나무〉·「礫력」〈자갈〉·「轢력」〈비걱거리다〉·「擽략」〈치다〉·「鑠삭」〈녹이다〉

【樂觀 낙관】 ①즐겁게 봄。 재미 있게 봄。 ②일을 쉽게 봄。 ③인생(人生)을 즐겁게 봄。

【樂浪 낙랑】 전한(前漢)의 무제(武帝)가 조선(朝鮮)의 위우거(衛右渠)를 치고 그 지방에 둔 사군(四郡)의 하나。 지금의 평양(平壤) 부근。

【樂園 낙원】 ①살기 좋은 즐거운 장소。 ②천국(天國)。

【樂天 낙천】 ①천명(天命)을 즐김。 ②당대(唐代)의 시인(詩人) 백거이(白居易)의 호(號)。

【樂土 낙토】 즐거운 장소。

【樂鄕 낙향】 낙토(樂土)。

【樂曲 악곡】 음악의 곡조。

〔四畫部首順〕 心戈戶手支攴文斗斤方无日曰月木欠止歹殳毋比毛氏气水火爪父爻爿片牙牛犬

〔四畫部首順〕 心戈戶手支攴文斗斤方无日曰月木欠止歹殳毋比毛氏气水火爪父爻爿片牙牛犬

【樂官 악관】 조정(朝廷)에서 음악을 연주하는 벼슬아치。

【樂劇 악극】 음악을 극의 내용의 표현에 합치시킨 연극(演劇)。

【樂隊 악대】 음악을 연주하는 단체。

【樂譜 악보】 음악의 곡조를 일정한 문자 또는 기호로써 적은 곡보(曲譜)。

【樂章 악장】 음악에 쓰는 노래。

【樂典 악전】 음악의 법식을 설명한 문서。

【樂學軌範 악학궤범】《韓》 조선 성종(成宗) 때에 성현(成俔)·유자광(柳子光) 등이 임금의 명(命)을 받아 편찬한 조선 음악에 관한 지침서。

【樂山樂水 요산요수】 산수를 좋아함。

◉苦樂고락 管樂관악 極樂극락 器樂기악 道樂도락 同苦樂동고락 同樂동락 武樂무악 雅樂아악 聲樂성악 安樂안락 哀樂애락 娛樂오락 遊樂유락 音樂음악 奏樂주악 快樂쾌락 歡樂환락

十二畫

16 **【樹】** 木 12 중학 수 ─ 나무 ─ ①-③ 去 遇 ④⑤ 上 虞

자원 형성 壴 寸 ┐尌(음) 木 ┘樹 (木부)

〔壴〕 〔尌〕 2500년전

「壴주」는 북을 받침 위에 세워 놓은 모양。「寸촌」〈又우〉은 손。음을 나타내는 「尌수」는 세우는 일。「樹」는 서 있는 나무→심다→세우는 일。

뜻 ①**나무수** 서 있는 산 나무。「樹木수목」 ②**초목수** 식물의 총칭。③**담수** 병장(屛障)。④**심을수** 식물을 심음。「樹藝수예」 ⑤**세울수** 서게 함。「樹立수립」「樹勳수훈」

【樹間 수간】 수목(樹木)의 사이。나무 사이。

【樹齡* 수령】 나무의 나이。

【樹林 수림】 나무가 우거진 수풀。

【樹立 수립】 굳게 섬。또 굳게 세움。

【樹木 수목】 산 나무。

【樹液* 수액】 나무에서 흘러 나오는 액체。

【樹影 수영】 나무의 그림자。

【樹陰 수음】 나무 그늘。

【樹脂* 수지】 나무의 진。

【樹皮 수피】 나무의 껍질。

【樹勳* 수훈】 공을 세움。

◉街路樹가로수 巨樹거수 枯樹고수 果樹과수 落葉樹낙엽수 綠樹녹수 菩提樹보리수 常綠樹상록수 針葉樹침엽수

16 **【橋】** 木 12 중학 ㊀교 ㊁고 ─ 다리 ─ ㊀平 蕭 ㊁平 豪

자원 형성 喬(음) 木 ┘橋 (木부)

음을 나타내는 「喬교」는 무지개꼴로 생긴 모양。「木목」은 나무로 만들어졌음。「橋교」는 수면에서 높게 세운 무지개 다리。

뜻 ㊀①**다리교** 교량。「橋頭교두」 ②**시렁교** 나무를 가로질러 물건을 얹어두게 한 것。③**어그러질교** 이치에 어그러짐。④**업신여길교** 깔봄。⑤**가로나무교** 두레박틀의 가로 댄 나무。⑥**가마교** 轎(車部十二畫)와 같은 글자。⑦**나무이름교** 나무의 하나。㊁**셀고** 세찬 모양。

【橋脚 교각】 교체(橋體)를 받치는 기둥。

【橋頭 교두】 다릿가。교변(橋邊)。

【橋梁 교량】 다리。
◉架橋가교 可動橋가동교 踏橋답교 跳開橋도개교 獨木橋독목교 木橋목교 浮橋부교 石橋석교 船橋선교 陸橋육교 棧橋잔교 吊橋적교 鐵橋철교 板橋판교

16 **【橘】** 木 12 **귤** ―귤나무― ㊀質

자원 형성 木 矞음 ↓ 橘(木부) 2500년전

「木나무목변」과, 음을 나타내는 「矞율·휼」로 이루어짐。

뜻 **귤나무귤**、**귤귤** 운향과에 속하는 작은 상록 교목(常綠喬木)。 또 그 열매。「橘顆귤과」

【橘井 귤정】 의사(醫師)·의생(醫生)의 별칭。 진(晉)나라의 소선공(蘇仙公)이 귤을 심고 우물을 파서 환자에게 그 귤나무 잎을 먹이고 물을 마시게 하여 병을 고쳤다는 신선전에 나오는 고사에서 유래함。
◉甘橘감귤 柑橘감귤 金橘금귤 香橘향귤

16 **【機】** 木 12 고교 **기** ―틀― ㊥微

자원 형성 木 幾음 ↓ 機(木부)

음을 나타내는 「幾기」는 약한 움직임。「機」는 베틀을 움직이는 자잘한 장치→석궁(石弓)을 발사(發射)시키는 장치→기틀。

뜻 ①**틀기** 기계。「機關기관」 ②**재치기** 기교(技巧)。「機巧기교」 ③**거짓기** 허위。 또 나쁜 책략(策略)。「機心기심」 ④**베틀기** 베짜는 틀。 ⑤**계기기** 동인(動因)。 ⑥**기틀기** 고동。 ⑦**때기** ㉠시기。 ㉡기회。「乘機승기」 ⑧**실마리기** 단서(端緖)。 ⑨**권세기** 권병(權柄)。 ⑩**별이름기** 북두칠성의 세째 별。

【機械 기계】 ①기교(機巧)。 ②허위。 ③여러 가지 기관이 조직적으로 장치되어 어느 다른 힘을 받아 움직이어 자동적으로 일을 하는 장치。

【機關 기관】 ①장치。 ②어떤 에네르기를 기계력으로 변화시키는 장치。 ③어떤 목적을 달성하기 위한 시설。

【機巧 기교】 ①기계의 장치。 ②교사(巧詐)。 ③임기응변하여 재치있게 활동함。

【機構 기구】 얽어잡은 구조。

【機能 기능】 활동。 작용(作用)。

【機略 기략】 임기응변의 계략。

【機密 기밀】 ①중요하고 비밀한 일。 ②비밀에 붙여 발설하지 아니함。

【機先 기선】 ①사단(事端)이 일어나기 전。 일이 일어나려고 하는 바로 그 전(前)。 ②남이 하기 전에 약삭빠르게 먼저 시작함。

【機運 기운】 기회와 시운(時運)。

【機智 기지】 임기응변하는 슬기。

【機軸* 기축】 ①기관(機關) 또는 차륜(車輪)의 축(軸)。 전하여 ②국정(國政)의 중요한 중심。

【機會 기회】 어떤 일을 해나가는 데 꼭 알맞은 고비。 좋은 때。

【機畫 기획】 꾀。 책략。

◉軍機군기 待機대기 動機동기 無機무기 兵機병기 時機시기 失機실기 心機심기 危機위기 有機유기 天機천기 投機투기 航空機항공기 好機호기

16 **【橫】** 木 12 고교 **횡** — 가로 — ①-⑥ ㊥平更 ⑦㊦去敬

一 十 木 村 栏 栏 栏 構 構 橫

자원 형성 木 黃 음 ┬ 橫(木부)

「木나무목변」과, 음을 나타내며 동시에 지키다, 방어(防禦)하다의 뜻(⇩坑항)을 가지는 「黃황」(횡은 변음)으로 이루어지며, 문이 열리는 것을 막기 위한 나무. 빗장을 뜻함. 빗장은 옆으로 끼우므로, 가로의 뜻이 됨.

뜻 ①**가로횡** 세로의 대(對). 동서 또는 좌우의 방향. 「縱橫종횡」 ②**옆횡** 곁. 측면. 「橫眸횡모」 ③**가로놓을횡** ④**가로지를횡** 횡단함. 「橫過횡과」 ⑤**방자할횡** 방일함. 「橫恣횡자」「橫暴횡포」 ⑥**연횡횡** 전국시대(戰國時代)에 관동(關東)의 육국(六國)을 연합하여 관서(關西)의 진(秦)나라를 복종시키려고 한 정책. ⑦**거스를횡** 상리에 어그러짐. 도덕에 어긋남.

【橫斷 횡단】 가로 끊음. 가로 지름.

【橫領 횡령】 ①남의 물건을 불법하게 빼앗음. ②남에게 부탁받은 것을 가로챔.

【橫流 횡류】 물이 멋대로 흐름. 범람(氾濫)함.

【橫聞 횡문】 똑 바로 듣지 못하고 그릇 들음.

【橫步 횡보】 모로 걷는 걸음.

【橫死 횡사】 비명(非命)의 죽음. 변사.

【橫產 횡산】 아이를 가로 낳음. 곧 태아의 팔부터 낳음.

【橫書 횡서】 가로 글씨.

【橫線 횡선】 가로 줄.

【橫說竪說* 횡설수설】 ①자유자재로 설명함. ②조리(條理)가 없는 말을 함부로 지껄임.

【橫財 횡재】 뜻밖에 얻은 재물(財物).

【橫奪 횡탈】 무법하게 가로채어 빼앗음.

【橫暴 횡포】 제멋대로 굴며 몹시 난폭함.

【橫行 횡행】 ①모로 감. ②거리낌 없이 마음대로 다님. ③멋대로 행함.

◉連橫연횡 專橫전횡 從橫종횡 縱橫종횡

十三畫

17 **【檀】** 木 13 고교 **단** — 박달나무 — ㊥平寒

一 十 木 杧 梓 檀 檀 檀

자원 형성 木 亶 음 ┬ 檀(木부)

「木나무목변」과, 음을 나타내는 「亶단」으로 이루어짐.

뜻 ①**박달나무단** 자작나무과에 속하는 낙엽교목(落葉喬木). ②**단향목단** 자단(紫檀)·백단(白檀) 등의 향나무의 총칭.

【檀君 단군】 우리나라의 시조(始祖)로 조선(朝鮮)을 개국(開國)하였다함. 이름은 왕검(王儉).

◉白檀백단 紫檀자단 黑檀흑단

17 **【檢】** 木 13 고교 **검** — 봉함 — ㊤上琰

一 十 木 朴 枪 梌 檢 檢

자원 형성 木 僉 음 ┬ 檢(木부)

음을 나타내는 「僉첨」(검은 변음)은 모으다→고르는 일. 「木나무목변」은 나무나 대나무를 나타냄。「檢」은 나무나 대나무의 패에 글자를 쓴 서류를 정리하여 구별의 표를 하다↓조사하는 일。「検」은 약자。

[뜻] ①**봉함검** 문서의 비밀을 보지하기 위하여 봉한 곳에 글자를 쓰거나 표시하는 일。②**금제할검** 검속(檢束)함。단속함。③**조사할검** 사실(査實)함。「檢査검사」④**법검** 법식。⑤**행검검** 조행。⑥**초고검** 초안(草案)。⑦**본검** 모형。

【檢擧 검거】①범죄·범칙 등의 자취를 살피며 그 증거를 걷어 모음。②범죄의 용의자를 잡아 감。

【檢問 검문】관헌(官憲)이 미심한 사람을 조사하여 물어봄。

【檢事 검사】①일을 조사함。②죄인을 기소하는 사법 행정관。

【檢査 검사】실상을 조사하여 시비·우열 등을 판정함。

【檢算 검산】계산의 정부(正否)의 검사。

【檢索 검색】검사(檢査)하여 찾음。

【檢束 검속】자유 행동을 못하게 단속함。억제하여 방종하지 않도록 함。

【檢屍 검시】변사체를 검증함。

【檢視 검시】조사하여 자세히 봄。

【檢疫 검역】전염병의 유무를 조사함。

【檢閱* 검열】조사하여 봄。

【檢印 검인】서류(書類)나 물건을 검사(檢査)하고 찍는 도장。

【檢字 검자】한자(漢字) 색인(索引)의 한 법。글자를 총획순(總畫順)으로 배열하고 소속된 부수(部首)나 페이지 등을 적은 것。

【檢定 검정】검사하여 자격의 유무、조건의 적부(適否) 등을 판정함。

【檢證 검증】①검사하여 증명함。②판사가 증거할 사물을 임검(臨檢)함。

【檢診 검진】검사하기 위하여 하는 진찰(診察)。

【檢察 검찰】①점검(點檢)하여 살핌。②범죄 증거를 살핌。

【檢討 검토】내용을 검사하면서 토구(討究)함。

◉收檢수검 受檢수검 臨檢임검 點檢점검

十五畫

19 【櫛】木 15 즐 — 빗 — [入]質

[자원] 형성 木 櫛[음] 丅 櫛(木부)

「木나무목변」과、음을 나타내며、동시에、가르다의 뜻(⇩切)을 가지는 「節절」(즐은 변음)로 이루어지며、머리털을 가르는 도구、빗의 뜻。

[뜻] ①**빗즐** 머리를 빗는 제구。「梳櫛소즐」②**빗을즐** 빗질함。「櫛沐즐목」③**늘어설즐** 빗의 살처럼 죽 늘어섬。「櫛櫛즐즐」④**긁을즐** 긁어냄。

【櫛比 즐비】빗살과 같이 촘촘히 죽 늘어섬。

【櫛梳 즐소】머리를 빗음。

十七畫

21 【櫻】木 17 앵 — 앵도나무 — [平]庚

[자원] 형성 木 嬰[음] 丅 櫻(木부)

「木나무목변」과、음을 나타내는 「嬰영」(앵은 변음)으로 이루어짐。

[뜻] **앵도나무앵** 앵도과에 속하는 낙엽교목(落葉喬木)。함도(含桃)。「櫻桃앵도」

【櫻桃 앵도】①앵도나무。②앵도나무

〔四畫部首順〕心戈戶手支攴文斗斤方无日曰月木欠止歹殳毋比毛氏气水火爪父爻爿片牙牛犬

의 열매。③앵순(櫻脣)。

【櫻脣 앵순】 앵도 같은 입술이라는 뜻으로、미인(美人)의 입술을 이름。

◉梅櫻매앵 山櫻산앵 朱櫻주앵 春櫻춘앵

21 **【欄】** 木 17 고교 **란** ─ 난간 ─ ㊥寒

자원 형성 木 闌음 ┬欄(木부)

「木나무목변」과、간막이의 뜻과 더불어 음을 나타내는 「闌란」으로 이루어짐。밖으로 나가지 못하게 간을 막은 나무의 뜻。전하여 문서 따위가 선(線)에 둘러싸인 구획의 뜻。

뜻 ①**난간란** 「欄干난간」「句欄구란」 ②**울간란** 짐승을 기르는 곳。전하여 ③**난란** 지면(紙面)에 설정한 부분의 계선(界線)。또는 그 경계선의 안。「家庭欄가정란」「欄外난외」

【欄干 난간】 누각이나 층계나 다리의 가장자리를 막은 물건。

【欄內 난내】 서적(書籍) 등의 가장자리에 있는 줄 안。난(欄)의 안。

【欄外 난외】 ①난간 밖。②서적의 가장자리에 있는 줄 밖。난(欄)의 밖。

◉空欄공란 句欄구란 玉欄옥란 危欄위란

十八畫

22 **【權】** 木 18 중학 ㊀**권** ㊁**관** ─ 권세 ─ ㊀㊥先 ㊁㊦翰

자원 형성 木 雚음 ┬權(木부)

「木나무목변」과、음을 나타내는 「雚관」(권은 변음)으로 이루어짐。본디 나무이름。음을 빌어 걸다의 뜻。전하여 저울추를 뜻하게 되었음。또 저울추는 경중(輕重)을 지배(支配)하는 것이므로 전하여 권세의 뜻。

뜻 ㊀①**저울추권** 저울의 추。일설(一說)에는 저울의 대。②**저울권** 중량을 다는 용기。③**꾀권** ㉠모책。㉡기지(機智)。수단。「權謀術數권모술수」 ④**저울질할권** ㉠저울에 닮。㉡경중·대소를 분별함。⑤**꾀할권** 모책을 씀。⑥**고르게할권** 편파(偏頗)하지 않게 함。⑦**권도권** ㉠수단은 정도(正道)에 맞지 아니하나 결과는 정도에 맞는 일。㉡임기 응변의 방도(方途)。⑧**권세권** 권력。「權柄권병」 ⑨**권섭권、권섭할권** 임시로 직무를 대리하여 봄。「權攝권섭」 ⑩**구차할권** 구차스러움。⑪**무궁화권** 목근(木槿)。⑫**시초권** 사물의 시초。「權輿권여」 ⑬**광대뼈권** ㊁**봉화관**

주의 「権」은 속자(俗字)。

【權官 권관】 ①권력이 있는 벼슬。②겸섭(兼攝)하는 관직。겸관(兼官)。

【權敎 권교】 《佛敎》 대승(大乘)에 들어가는 계제(階梯)의 방편인 교(敎)。실교(實敎)의 대(對)。

【權貴 권귀】 권세 있고 지위가 높음。또 그 사람。

【權近 권근】 《韓》 조선(朝鮮) 태조(太祖)·태종(太宗) 때의 학자(學者)。저서(著書)로서 양촌집(陽村集) 등이 있음。

【權能 권능】 권리를 주장하여 행사할 수 있는 능력。

【權力 권력】 ①남을 강제하여 복종시

키는 힘。②치자(治者)가 피치자(被治者)에게 복종을 강요하는 힘。

【權利 권리】①권세와 이익。이권。②세력을 떨침。③수단을 써서 이익을 꾀함。④부귀한 사람。⑤특정한 이익을 주장하며 또는 향수(享受)할 수 있는 법률상의 능력。

【權謀 권모】임기응변의 꾀。

【權謀術數 권모술수】사람을 속이는 임기응변의 꾀와 수단。

【權門勢家 권문세가】권세 있는 집안。

【權柄* 권병】권력을 가지고 마음대로 사람을 좌우할 수 있는 힘。

【權勢 권세】권력(權力)。

【權臣 권신】권력 있는 신하。

【權威 권위】①권력(權力)과 위엄(威嚴)。②대가(大家)。태두(泰斗)。

【權益 권익】권리와 이익(利益)。

【權限 권한】권능(權能)의 범위。

【權化 권화】《佛敎》부처·보살이 중생을 제도(濟度)하기 위하여 이 세상에 나타나는 일。또 그 화신。

◉公民權공민권 國權국권 棄權기권 民權민권 發言權발언권 司法權사법권 選擧權선거권 所有權소유권 實權실권 利權이권 著作權저작권 政權정권 執權집권 債權채권 親權친권 特權특권 版權판권 霸權패권

22 【欌】木 18 장㊥ ― 장롱 ―

자원 형성 木 藏 음 ㅏ欌 (木부)

「木나무목변」과 음을 나타내는 동시에 속에 넣어 두다의 뜻을 가진 「藏장」으로 이루어져 장롱의 뜻。

뜻 《韓》장롱장 옷장이나 책장 따위와 같이 무엇을 넣어 두는 세간。「衣欌의장」「饌欌찬장」「冊欌책장」

二十二畫

26 【欝】木 22 鬱(鬯部十九畫)의 속자(俗字)。

欠部

4 【欠】부수 흠(검本) ― 하품 ― (去)豔

자원 상형 2500년전

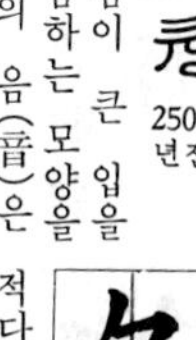

「欠」은 사람이 큰 입을 벌리고 하품하는 모양을 본뜸。「흠」의 음(音)은 적다의 뜻을 가지는 「歉겸」에서 왔음。정신력이 약해져서 입을 벌리고 하품하다의 뜻。

뜻 ①하품흠 저절로 입이 벌려지면서 나오는 호흡。②하품할흠 ③모자랄흠 부족함。④빚흠 부채。또 공세(貢稅)의 미납(未納)。※본음(本音)검

주의 「缺결」〈이지러지다〉은 본디 딴 글자。통속적으로 약자(略字)로 씀。「夬쾌」〈터놓다〉는 딴 글자。

【欠缺 흠결】일정(一定)한 수에 부족(不足)이 생김。흠축(欠縮)。

二畫

6 【次】欠 2 중학 차 ― 버금 ― (去)寘

〔四畫部首順〕 心戈戶手支攴文斗斤方无日曰月木欠止歹殳毋比毛氏气水火爪父爻爿片牙牛犬

一 ㇀ ㇀ 𠂊 𠂊 次

자원 형성 二+欠 음 丅次(欠부)

2500년전

음을 나타내는 「二이」(차는 변음)는 둘→그 다음。 나중에 「二」를 「冫이수변」으로 쓴 것。 「欠흠·검」은 숨을 쉬다→쉬는 일。 「次차」는 행군(行軍)하다가 지쳐서 머무는 일→계속하여 잇닿는 일→차례。

뜻 ①**버금차** 둘째。 「次將차장」 ②**이을차** 계승함。 뒤를 이음。 ③**차례차** 순서。 등급。 위치。 「次序차서」 ④**매길차** 순서를 정함。 ⑤**사처차** 숙사(宿舍)。 ⑥**머무를차** 유숙함。 군대에서는 이틀 이상 유숙함을 이름。 ⑦**진영차** 영사(營舍)。 ⑧**성좌차** 천체의 성수(星宿)。 ⑨**번차** 횟수。 「兩次양차」 ⑩**이를차** 도달함。 ⑪**안차** 속。 ※汝(水部四畫)은 딴 글자。

참고 「次」를 음으로 하는 글자=「茨자」〈이다〉·「姿자」〈맵시〉·「恣자」〈방자하다〉·「粢자」〈기장〉·「咨자」〈묻다〉·「諮자」〈묻다〉·「瓷자」〈오지 그릇〉

【次期 차기】 다음의 시기。
【次男 차남】 둘째 아들。
【次女 차녀】 둘째 딸。
【次代 차대】 ①다음 대(代)。 ②다음 시대(時代)。
【次例 차례】 순서。
【次序 차서】 순서。 차례(次例)。
【次席 차석】 다음 자리。
【次位 차위】 ①다음가는 자리。 또 그 사람。 ②순서。 차례。
【次子 차자】 차남(次男)。
【次點 차점】 득점 또는 득표 수가 다음가는 점수나 표수。
【次號 차호】 ①다음 번호。 ②간행물의 다음 호。

◉今次금차 路次노차 屢次누차 目次목차 順次순차 信次신차 語次어차 年次연차 連次연차 列次열차 越次월차 位次위차 類次유차 一次일차 漸次점차

四畫

8 【欣】 欠 4 흔 기뻐할 (平)文

자원 형성 斤+欠 음 丅欣(欠부)

2500년전

입을 여는 뜻의 「欠하품흠방」과, 음을 나타내며 동시에 함께 웃음 소리를 나타내기 위한 「斤근」으로 이루어지며, 입을 열고 웃으며 즐거워하는 뜻。

뜻 ①**기뻐할흔** 기쁘게 여김。 「欣快흔쾌」 「欣喜흔희」 ②**기쁨흔** 앞에 뜻의 명사。

【欣慕 흔모】 기쁜 마음으로 사모함。
【欣然 흔연】 기뻐하는 모양。 흔흔(欣欣)。
【欣快 흔쾌】 기쁘고 상쾌함。
【欣喜 흔희】 기뻐함。

◉樂欣낙흔 悅欣열흔 幽欣유흔 含欣함흔

8 【欧】 欠 4 歐(欠部十一畫)의 속자(俗字)。

七畫

11 【欲】 欠 7 중학 욕 하고자할 (入)沃

ハ 仌 谷 谷 谷' 欲 欲

자원 형성 谷+欠 음 丅欲(欠부)

「欠흠」은 입을 벌린 사람의 모양이며 「欠」이 붙는 글자 〈歌가·飮음 따

위〉는 모두 입으로 무엇인가 함을 나타냄。「谷곡·욕」은 음을 나타냄。후세에 「心심」을 더하여 「慾욕」이라 쓰고 보통 주로 「慾」은 명사、「欲」은 동사로 씀。「欲」은 먹을 것을 더욱더 하고자 하는 일→먹을 것에 한하지 않고 무엇인가 하고자 하는 일。

뜻 ①**하고자할욕** 하려 함。②**바랄욕** ㉠원함。㉡…하여야 함。…함을 요함。③**하려할욕** 장차 …려 함。「欲雨욕우」(비가 오려 함)。④**욕욕** 칠정(七情)의 하나。욕심。「情欲정욕」 ⑤**순할욕** 온순한 모양。

【欲求 욕구】 바람。구(求)함。탐냄。

【欲望 욕망】 ①바람。원함。탐냄。②부족을 느껴 이를 채우려하는 마음。

【欲死無地 욕사무지】 죽으려고 하여도 죽을 만한 곳이 없음。아주 분(憤)하고 원통(寃痛)함을 이름。

【欲速不達 욕속부달】 일을 속히 하고자 하여 도리어 이루지 못함。

【欲心 욕심】 ①탐내는 마음。②정욕。

【欲情 욕정】 ①욕망(欲望)。욕심。②애욕(愛慾)의 마음。색정(色情)。

【欲火 욕화】《佛敎》불 같은 욕심。

◉名欲명욕 私欲사욕 色欲색욕 食欲식욕 愛欲애욕 肉欲육욕 人欲인욕 財欲재욕 情欲정욕 制欲제욕

八畫

12 【欺】 欠 8 고교 기 | 속일 | ㊥支

一 十 卄 廿 甘 其 其 欺 欺

자원 형성 其음 ┬欺(欠부) 欠 2500년전

하품을 한다는 뜻인 「欠하품흠방」과、음을 나타내는 「其기」로 이루어짐。기력을 잃고 하품을 한다는 뜻。음을 빌어 속인다는 뜻(⇩詒태)으로 쓰여짐。

뜻 ①**속일기** 기만함。「詐欺사기」 ②**거짓기** 기만。허위。

【欺君罔上* 기군망상】 임금을 속임。

【欺詐 기사】 속임。

【欺世 기세】 세상을 속임。

【欺心 기심】 자기의 양심을 속임。

【欺惑 기혹】 속여 미혹하게 함。

◉誣欺무기 詐欺사기 誕欺탄기

12 【款】 欠 8 관 | 정성 | ㊤旱

자원 형성 欠 𣏂음 ┬款 2500년전

하품을 하다의 뜻인 「欠하품흠방」과、음을 나타내며 동시에 움푹 패다의 뜻(⇩坎감)을 나타내기 위한 「𣏂관」으로 이루어짐。하품을 하여 입안이 비다의 뜻에서、전하여、가슴 속을 드러낸 정성의 뜻으로 쓰임。

뜻 ①**정성관** 성의。「款誠관성」「披款피관」 ②**정의관** 친근한 정。「通款통관」 ③**사랑할관** ④**두드릴관** 문을 열어 달라고 두드림。⑤**이를관** 도달함。⑥**머무를관** 두류(逗留)함。⑦**음자(陰字)관** 금석(金石)에 음각(陰刻)한 문자。전(轉)하여、널리 서화가 등의 인장의 뜻으로도 쓰임。「落款낙관」 ⑧**항목관** 계약서·장부 등의 조목。「款項目관항목」 전(轉)하여 경비。「借款차관」 ⑨**빌관** 공허함。⑩**느릴관** 완만함。「款款관관」

주의 ①「欵」은 속자(俗字)。 ②「欸애」〈한숨쉬다〉는 딴 글자。

【款待 관대】 정성(精誠)껏 대우함。 후하게 대접함。

【款冬 관동】 엉거시과에 속하는 다년초。 새 순은 껍질을 벗기어 나물을 무쳐 먹음。 머위。

【款服 관복】 진심으로 복종함。 심복(心服)。

【款誠 관성】 정성。 성의。

【款項 관항】 ①대별(大別)과 중별(中別)。 ②경비。 비용。

◉ 懇款간관 交款교관 舊款구관 落款낙관

九畫

【飮】 ⇨食部四畫

十畫

14 【歌】 欠 10 중학 가 ─노래─ (平)歌

一 ㅁ 可 可 哥 哥 哥 歌 歌

자원 형성 可[欠]哥음 ┬歌(欠부)

「可가」는 입에서 숨을 냄。「口」을 나타내는「哥가」는 소리를 길게 빼서 노래함。「欠하품흠방」은 입을 벌리고 무엇인가 함。「歌」는 본디「哥」가 나타내는 말의 다른 글자。

뜻 ①노래가 ㉠곡조를 붙이어 부르는 소리。 협의(狹義)로는 음악이 따르는 것을「歌가」, 음악이 없는 것을「謠요」라 함。「詩歌시가」「歌謠가요」 ㉡한시의 한 체(體)。 악부(樂府)에 연원(淵源)하며 고시에 속함。 ②노래할가 ㉠노래를 부름。 ㉡음악에 맞추어 노래를 부름。 ㉢새가 지저귐。 ③노래지을가 노래를 지음。

주의 「謌가」는 같은 글자。

【歌客 가객】 노래를 잘 부르는 사람。

【歌曲 가곡】 노래의 가락。 성악의 곡보(曲譜)。

【歌劇 가극】 음악과 가무를 섞어서 하는 연극。

【歌妓* 가기】 노래를 잘 부르는 기생。

【歌舞 가무】 ①노래와 춤。 ②노래하고 춤춤。

【歌詞 가사】 ①노래의 내용이 되는 글。 ②조선 때 시가의 한 형식。 사조(四四調)를 바탕으로 한 일종의 장편 산문시。

【歌手 가수】 노래 부르는 것을 업으로 삼는 사람。

【歌謠 가요】 노래。 또 노래를 부름。

【歌唱 가창】 노래를 부름。 또 노래。

【歌行 가행】 한시(漢詩)의 한 체(體)。 악부(樂府)·고시(古詩)와 같이 가(歌)와 행(行)을 겸한 것。

◉ 凱歌개가 古歌고가 校歌교가 軍歌군가 短歌단가 道歌도가 童歌동가 挽歌만가 名歌명가 牧歌목가 悲歌비가 聖歌성가 俗歌속가 頌歌송가 詩歌시가 樂歌악가 唱歌창가 行歌행가 鄕歌향가

十一畫

15 【歎】 欠 11 고교 탄 ─한숨쉴─ (去)翰 (平)寒

一 艹 艹 芇 苩 莒 莫 歎 歎

자원 형성 欠[堇]음 ┬歎(欠부)

2500년전

「欠하품흠방」〈크게 숨쉬다〉과、 음을 나타내며、 동시에 가만히 참는다의 뜻(⇨耐내)을 가지는「堇난」(難난의 생획·탄은 변음)으로 이루어지며、

크게 숨쉬고 정신상의 커다란 자극을 참는다는 뜻。한숨쉬다、근심하며 슬퍼하다의 뜻에서 널리 감탄하다의 뜻이 됨。

뜻 ①한숨쉴탄 탄식함。「歎傷탄상」 ②칭찬할탄 찬탄함。「歎賞탄상」 ③화답할탄 남의 시가(詩歌)에 응하여 대답함。④한숨탄 탄식。

주의 숙어(熟語)는 嘆(口部十畫)을 참조(參照)할 것。

【歎哭 탄곡】 탄식하며 욺。

【歎美 탄미】 탄상(歎賞)。

【歎伏 탄복】 탄복(歎服)。

【歎服 탄복】 감탄하여 심복함。

【歎辭 탄사】 감탄하여 하는 말。

【歎賞 탄상】 감탄(感歎)하여 칭찬함。

【歎聲 탄성】 ①탄식하는 소리。②감탄하는 소리。

【歎息 탄식】 ①한숨을 쉬며 한탄함。「②감탄함。

【歎願 탄원】 사정을 말하여 도와주기를 몹시 바람。

◉感歎감탄 慨歎개탄 敬歎경탄 驚歎경탄 憤歎분탄 悲歎비탄 哀歎애탄 永歎영탄 詠歎영탄 讚歎찬탄 痛歎통탄 恨歎한탄

15 **【歐】** 欠 11 구 — 토할 — ①②㊤有 ③㊥尤

자원 형성 欠 + 區 음 → 歐 (欠부)

입을 크게 벌려 하품하다의 뜻인 「欠하품흠방」과、음을 나타내는 동시에 게우다의 뜻(⇩嘔)을 나타내기 위한 「區구」로 이루어짐。또 「區」는 음식을 토할 때 구역질하는 소리도 나타냄。

뜻 ①토할구 뱉음。「歐吐구토」 ②칠구 구타함。毆(殳部十一畫)와 같은 글자。「歐打구타」 ③구라파구 유럽(Europe)의 약칭(略稱)。

【歐羅巴洲 구라파주】 육대주(六大洲)의 하나。유럽주。

【歐美 구미】 유럽주와 아메리카주。

【歐亞 구아】 구라파주와 아세아주。서양(西洋)과 동양(東洋)。

【歐陽修 구양수】 송(宋)나라의 학자。자(字)는 영숙(永叔)。호(號)는 취옹(醉翁) 또는 육일거사(六一居士)。시문(詩文)으로 천하에 이름을 날려 당송팔대가(唐宋八大家)의 한 사람으로 꼽힘。

【歐逆 구역】 ①구토(嘔吐)。②욕지기。

【歐洲 구주】 구라파주(歐羅巴洲)。

【歐打 구타】 침。구타(毆打)。

【歐吐 구토】 뱃속에 있는 음식을 게움。구설(歐泄)。

◉南歐남구 東歐동구 北歐북구 西歐서구

15 **【歈】** 欠 11 歡(다음 글자)의 속자(俗字)。

十八畫

22 **【歡】** 欠 18 중학 환 — 기뻐할 — ㊥寒

자원 형성 雚 음 + 欠 → 歡 (欠부) 〔雚〕3000년전

「欠하품흠방」과 음을 나타내는 「雚환」으로 이루어짐。「欠」(㔾)은 사람이 앉아서 입을 크게 벌리고 있는 모양。「歡」은 음식(飮食) 앞에 앉아서 입을 벌리고 있는 뜻으로 음식을 먹는 일은 즐거운 일이므로 기뻐하는 뜻으로 쓰임。

뜻 ①**기뻐할환** 즐거워함。「歡迎환영」 ②**기쁨환** 희열。즐거움。

【歡客 환객】 반가운 손。가객(佳客)。

【歡媾 환구】 좋은 혼처(婚處)。좋은 배필(配匹)。

【歡待 환대】 환영하여 대접함。정성껏 후하게 대접함。

【歡樂 환락】 즐거워함。또 즐거움。

【歡樂極兮哀情多 환락극혜애정다】 환락이 극도에 이르면 비애(悲哀)가 많이 생김。

【歡聲 환성】 기뻐하는 소리。

【歡心 환심】 기뻐하는 마음。즐거워하는 마음。

【歡天喜地 환천희지】 대단히 기뻐함。

【歡迎 환영】 기쁜 마음으로 맞음。

【歡呼 환호】 기뻐서 고함을 지름。

【歡喜 환희】 대단히 기뻐함。또 큰 기쁨。

◉ 交歡교환 極歡극환 樂歡낙환 至歡지환

止部

【止】 4 부수 중학 지 | 그칠 | ㊤紙

丨 ⺊ 𣥂 止

자원 상형

(A) 3000년 전

(B)

2500년 전

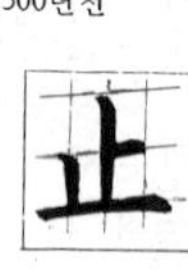

「止」는 사람 발자국의 모양。발을 멈추고 그 자리에 있다의 뜻과 발을 움직여 나아간다는 뜻의 두 가지로 썼으나、나중에는 주로 머문다는 뜻으로 씀。

뜻 ①**발지** 趾(足部四畫)와 같은 글자。②**거동지** 행동거지。범절。「擧止거지」「容止용지」 ③**그칠지** ㉠정지함。「止水지수」「行止행지」 ㉡멈추게 함。「中止중지」 ④**머무를지** ㉠발을 멈춤。㉡일정한 곳에 있음。㉢유숙함。「止宿지숙」 ⑤**살지** 거주함。「居止거지」 ⑥**족할지** 만족함。충분함。⑦**이를지** 옴。도달함。⑧**조용할지** 고요함。⑨**막을지** ㉠금함。「禁止금지」 ㉡막아 못가게 함。⑩**사로잡을지** 생포함。⑪**사로잡힐지** 생포당함。⑫**겨우지** 오직。⑬**어조사지** 무의미의 조사(助辭)。

참고 「止」를 음으로 하는 글자=「沚지」〈물가〉・「祉지」〈행복〉・「趾지」〈발〉・「芷지」〈어수리〉・「齒치」〈이〉・「寺사」〈절〉

【止渴之計 지갈지계】 위(魏)나라 무제(武帝)가 목마른 군사들에게 전방(前方)에 매화나무 숲이 있으니 그곳까지 가면 갈증을 풀 수 있다고 호령하고 전진하게 한 고사(故事)。전(轉)하여、임기응변(臨機應變)의 계책、방편의 뜻으로 쓰임。

【止戈 지과】 전쟁을 그만둠。

【止水 지수】 ①흐르지 않고 괴어 있는 물。②조용하여 움직이지 않는 마음의 비유。

【止宿 지숙】 유숙함。머무름。

【止於止處 지어지처】 ①일정한 숙소가 없이 어디든지 이르는 곳에서 머물러 잠。②사리에 맞추어 그쳐야 옳을 자리에서 그침。

◉ 禁止금지 抑止억지 停止정지 制止제지 中止중지 廢止폐지 休止휴지

一畫

5 **【正】** 止1 중학 **정** — 바를 — ①-⑯ 去 敬 ⑰-⑲ 平 庚

正

一 丅 下 正 正

자원 회의 口+一+止→正 (止부)

(A) (B) 3000년 전

「口」는 여기에서는 목표를 나타냄. 나중에 一로 씀. 「止」는 발자국의 모양. 「正」은 목표에 향하여 바로 나아가다→바름. ⇩是시.

뜻 ①**바를정** ㉠도리에 맞음. 「邪사」의 대(對). 「廉正염정」 ㉡비뚤어지지 않고 곧음. 「傾경」의 대. ㉢틀리지 아니함. 「譌와」의 대. ㉣또 바름. 바른 일. 바른 도(道). ㉤또 바른 이. 바른 사람. 군자(君子). ②**바로잡을정** ㉠바르게 함. 곧게 함. ㉡개선(改善)함. ㉢정제(整齊)함. ㉣죄를 다스림. 취조함. ③**정할정** 결정함. ④**질정할정** 모르는 것을 물어 바로 앎. ⑤**순수할정** 섞임이 없음. 「正白정백」 「正赤정적」 ⑥**미리작정할정** 예기(豫期)함. ⑦**바로정** ㉠바르게. 「正告天下정고천하」 ㉡틀림없이. 확실히. ⑧**단지정** 다만. ⑨**네모정** 방형(方形). ⑩**가운데정** 한가운데. ⑪**상도정** 떳떳한 도리. 「奇正기정」 ⑫**정정** 위계의 상하를 나타내는 말로 「從종」의 대. 「正一品정일품」 ⑬**본정** 사물에 관하여 주가 되는 것. 「副부」의 대. 「正本정본」 ⑭**맏아들정** 적장자(嫡長子). ⑮**장관정** 벼슬의 장관. 「樂正악정」 ⑯**첫정** 세수(歲首). 「正月정월」 ⑰**정사정** 政(攴部五畫)과 같은 글자. ⑱**과녁정** 과녁의 한 가운데. 「正鵠정곡」 ⑲**구실정** 征(彳部五畫)과 통용.

참고 「正」을 음으로 하는 글자=「政정」〈정사〉·「征정」〈가다〉·「整정」〈가지런하다〉·「症증」〈증세〉·「証정·증」〈간하다〉·「鉦정」〈징〉

【正價 정가】 정당(正當)한 값.

【正刻 정각】 작정(作定)한 바로 그 시각(時刻).

【正鵠* 정곡】 과녁의 한가운데에 있는 점(點). 정(正)은 포제(布製), 곡(鵠)은 혁제(革製)의 과녁의 점.

【正攻 정공】 기계(奇計)를 쓰지 않고 정정당당히 공격함. 또 정면(正面)에서 공격함.

【正規 정규】 바른 규칙. 정식의 규정.

【正氣 정기】 ①만물(萬物)의 근원이 되는 기(氣). 지공(至公)·지대(至大)·지정(至正)한 천지의 원기. ②바른 기상(氣象). 「연함.

【正當 정당】 옳고 당연함. 이치에 당

【正大 정대】 바르고 큼. 정정당당함.

【正道 정도】 바른 도(道). 사람이 행하여야 할 바른 길. 「바르게 함.

【正論 정론】 바른 의론. 또 의론을

【正立 정립】 똑바로 섬.

【正脈 정맥】 바른 계통. 정계(正系).

【正面 정면】 바로 마주 보이는 면.

【正門 정문】 정면에 있는 문.

【正方 정방】 ①방향을 바로잡음. ②바름. 방정(方正)함.

【正兵 정병】 기책(奇策)을 쓰지 않고 정정당당히 싸우는 군대. 기병(奇兵)의 대(對).

【正本 정본】 원본(原本)。 부본(副本)·등본(謄本) 등의 대(對)。

【正否 정부】 바름과 바르지 못함。 옳고 그름。 정사(正邪)。 시비(是非)。

【正副 정부】 ①주장과 버금。 ②정본(正本)과 부본(副本)。

【正史 정사】 ①기전체(紀傳體)의 역사。 사기(史記)·한서(漢書) 따위。 ②정식의 역사。 적확한 역사。 잡사(雜史)·패사(稗史)의 대(對)。

【正邪 정사】 ①정직함과 간사함。 시비(是非)。 곡직(曲直)。 ②정직한 사람과 간사한 사람。 ③간사한 것을 바로 잡음。

【正使 정사】 ①으뜸의 사신(使臣)。 부사(副使)의 대(對)。 ②사(使)라 일컫는 관사(官司)의 장관(長官)。

【正常 정상】 바르고 떳떳함。

【正色 정색】 ①안색을 바로잡아 엄정하게 가짐。 ②섞인 것이 없는 순수한 빛。 곧 청(靑)·적(赤)·황(黃)·백(白)·흑(黑)의 오색(五色)。 ③원래의 빛。 변하지 아니한 원 빛。

【正書 정서】 서체(書體)의 하나。 해서(楷書)와 같음。

【正俗 정속】 바른 풍속。

【正續 정속】 서적·문장 등의 정편(正篇)과 속편(續篇)。

【正視 정시】 똑바로 봄。

【正式 정식】 ①정당한 방법。 ②바른 격식。 규정에 맞는 격식。

【正室 정실】 ①본처。 측실(側室)의 대(對)。 ②맏아들。 장자(長子)。

【正陽 정양】 ①정오(正午)。 ②음력 정월(正月)의 별칭(別稱)。

【正午 정오】 한낮。 낮 열두 시。 오정(午正)。

【正誤 정오】 ①틀린 것을 고침。 ②바름과 틀림。 바른 것과 틀린 것。

【正音 정음】 ①글자의 바른 음。 ②《韓》 훈민정음。

【正音廳 정음청】《韓》 조선(朝鮮) 세종(世宗) 때 훈민정음(訓民正音)의 창제(創製)를 위하여 궁중(宮中)에 설치(設置)한 기관(機關)。 불경 국역(佛經國譯)도 맡아 보았음。 언문청(諺文廳)。

【正義 정의】 ①바른 도의。 사람으로서 지켜야 할 올바른 도리。 정도(正道)。 ②바른 뜻 또는 해석。

【正字 정자】 ①자획이 바른 글자。 속자(俗字)·와자(譌字)·약자(略字) 등의 대(對)。 ②서적의 문자를 교정하는 벼슬。 ③조선(朝鮮) 때 홍문관(弘文館)·승문원(承文院)·교서관(校書館)의 정구품(正九品) 벼슬。

【正殿* 정전】 조회(朝會)·의식(儀式)을 행하는 궁전。 노침(路寢)。

【正正堂堂 정정당당】 ①정정지기당당지진(正正之旗堂堂之陣)의 준말。 ②태도가 훌륭한 모양。 정면에서 사내답게 행하는 태도를 형용한 말。

【正宗 정종】 바른 종통(宗統)。

【正坐 정좌】 반듯이 앉음。 단정하게 앉음。

【正直 정직】 마음이 바르고 곧음。

【正察 정찰】 바르게 살핌。

【正體 정체】 본래의 형체。 정식의 체재(體裁)。

【正則 정칙】 바른 규칙。 변칙(變則)의 대(對)。

【正統 정통】 ①바른 계통。 ②바른 혈통。 특히 천자(天子)의 바른 혈통을 이름。

【正風 정풍】 바른 국풍(國風)의 시

(詩)。시경(詩經)의 주남(周南)·소남(召南) 등 이십 오편의 일컬음。변풍(變風)의 대(對)。

【正解 정해】 바른 해석。

【正確 정확】 바르고 확실함。

◉改正개정 檢正검정 更正경정 公正공정 匡正광정 校正교정 矯正교정 歸正귀정 規正규정 謹正근정 反正반정 方正방정 不正부정 査正사정 修正수정 肅正숙정 宗正종정 判正판정 平正평경 賀正하정

二畫

6 【此】 止 2 중학 차 | 이 | ㊤紙

丨 ト 屮 止 止' 此

자원 형성 匕(음) 止 + 此 (止부) 2500년전

발자국의 뜻인 「止그칠지변」과 음을 나타내는 동시에 줄짓다의 뜻(⇩比비)을 가진 「匕비」(차는 변음)로 이루어지며 잇단 발자국。전하여、지시사(指示詞)인 여기、이의란 뜻。

뜻 ①이차 ㉠가장 가까운 사물을 가리키는 말。이것。「彼此피차」 ㉡가장 가까운 장소를 가리키는 말。이곳。②이에차 발어사(發語辭)。玆(玄部五畫)와 뜻이 같음。

참고 「此」를 음으로 하는 글자=「玼자」〈옥의티〉·「疵자」〈흉터〉·「眥제」〈눈초리〉·「紫자」〈자주빛〉·「雌자」〈암컷〉·「髭자」〈윗수염〉·「觜자」〈별이름〉

【此等 차등】 이들。이것들。

【此項 차항】 이 종류。이 항목。

【此回 차회】 이번。금번。

【此後 차후】 이 다음。

◉去彼取此거피취차 如此여차 彼此피차

【企】 ⇩人部四畫

三畫

7 【步】 止 3 중학 보 | 걸음 | ㊋遇

丨 ト 屮 止 屮 步 步

자원 회의 止 + 止 → 步 (止부) (A) (B) 3000년전

「止지」는 발의 모양。옛 자형(字形)은 오른쪽을 향한 것이나 왼쪽을 향한 것이 같았음。「步」는 「止」를 포갠것으로 한걸음 한걸음 걸어가는 일。옛날엔 큰 길을 나타내는 「行행」을 붙여서 쓰는 자체(字體)Ⓑ도 있었음。

뜻 ①걸음보 발걸음。「行步행보」 ②걸을보 ㉠보행함。「步行보행」。㉡천천히 걸음。③걸릴보 걸어가게 함。끌고 감。④보병보 걷는 군사。⑤처할보 처세함。⑥행위보 행동。⑦운수보 운명。「天步천보」 ⑧천자의자리보 제위(帝位)。⑨나루보 나루터。⑩여섯자보 지적(地積)의 단위。곧 사방 육척(六尺)。

【步軍 보군】 보병(步兵)。

【步騎 보기】 보병(步兵)과 기병(騎兵)。

【步道 보도】 사람이 걸어 다니는 길。

【步武 보무】 ①얼마 안되는 상거(相距)。보(步)는 육척、무(武)는 그 절반。②걸음걸이。

【步兵 보병】 도보로 전투하는 병정。

【步步 보보】 걸을 때마다。일보일보(一步一步)。

【步調 보조】 걸음걸이의 속도。걸음걸이。

【步哨* 보초】 초병(哨兵)。 경계·감시의 임무를 맡은 보병。 부대의 경계를 맡은 직책。 또 그 병사。

【步測 보측】 걸음 수로 거리를 잼。

【步行 보행】 걸어감。

◉驅步구보 急行無善步급행무선보 徒步도보 獨步독보 漫步만보 武步무보 散步산보 速步속보 五十步百步오십보백보 日進月步일진월보 進步진보 初步초보 寸步촌보 橫步횡보

四畫

8【武】4 止 중학 무 | 굳셀 | ㊤麌

一 二 千 千 正 武 武

자원 회의 戈+止→武(止부) 「戈과」〈창〉와 「止지」로 이루어짐。 본뜻은 창 따위의 무기로 병란(兵亂)을 미리 막는다는 뜻。

3000년전

뜻 ①굳셀무 강건함。 무용(武勇)이 있음。 「武猛무맹」 ②군용(軍容)무 병위(兵威)。 「耀武요무」 ③병법무 전술。 「講武강무」 ④병장기무 병기。 무기。 「武庫무고」 ⑤무인무 무사(武士)。 ⑥무사무 군사(軍事)에 관계되는 일。 「文」의 대(對)。 「文武문무」 ⑦무악이름무 주무왕(周武王)이 지은 무악(舞樂)。 ⑧악기이름무 금속의 악기。 곧 종 같은 것。 ⑨발자취무 족적。 「接武접무」 ⑩자취무 유업(遺業)。 ⑪이을무 계승함。 ⑫반걸음무 한 발짝의 거리。 곧 석자。

참고 「武」를 음으로 하는 글자=「賦부」〈조세〉·「鵡무」〈앵무새〉

【武經 무경】 병법(兵法)에 관한 글、 또는 책。

【武經七書 무경칠서】 칠서(七書)❷와 같음。

【武庫 무고】 ①무기를 넣어두는 곳집。 군기고(軍器庫)。 ②박학다식(博學多識)한 사람의 비유。

【武功 무공】 전쟁에서 세운 공(功)。

【武科 무과】 무예(武藝)와 병서(兵書)에 통(通)한 사람을 시취(試取)하는 과거(科擧)。

【武官 무관】 ①군사(軍事)에 관한 일을 맡은 벼슬아치。 ②무과(武科) 출신(出身)의 벼슬아치。

【武具 무구】 무기(武器)。

【武技 무기】 무사(武事)에 관한 재주。

【武氣 무기】 무인(武人)의 기상(氣象)。

【武器 무기】 전쟁에 쓰이는 기구。 병기(兵器)。

【武斷 무단】 무력(武力)으로 억압하여 다스림。 문치(文治)의 대(對)。

【武德 무덕】 무사(武事)의 위덕(威德)。 문덕(文德)의 대(對)。

【武道 무도】 ①무인이 닦아야 할 도(道)。 ②무기(武技)。

【武力 무력】 군대의 힘。 군사상(軍事上)의 힘。

【武名 무명】 무인으로서의 명성。

【武廟 무묘】 관제묘(關帝廟)、 또는 관악묘(關岳廟)의 별칭(別稱)。

【武弁* 무변】 ①한대(漢代)에 무관이 쓰던 관(冠)。 ②무사(武士)。

【武夫 무부】 무사(武士)。

【武士 무사】 군사。 군인。

【武事 무사】 무인(武人)에 관계되는 일。 전쟁·무예에 관한 일。 문사(文事)의 대(對)。

【武術 무술】 무도。 무기(武技)。
【武臣 무신】 무관(武官)인 신하。
【武烈 무열】 무공(武功)。
【武藝 무예】 무기(武技)。
【武藝十八事 무예십팔사】 열 여덟 가지 무예。 십팔반무예(十八般武藝)。
【武王 무왕】 주(周)나라의 임금。 문왕(文王)의 아들。 아우 주공(周公) 단(旦)과 협력하여 은(殷)나라를 멸하고 태공망(太公望)을 사사(師事)하여 선정을 베풀었음。
【武勇 무용】 무예(武藝)에 뛰어나고 용감함。 또 그 사람。
【武運 무운】 ①무사(武事)·무인(武人)의 운수。 ②전쟁의 승패의 운수。
【武威 무위】 ①무력(武力)의 위세(威勢)。 ②굳세고 위엄이 있음。
【武人 무인】 ①무사(武士)。 ②무위(武威)를 자행(恣行)하는 사람。
【武將 무장】 군대의 장수。 무사(武事)에 뛰어난 장수。
【武裝 무장】 ①전쟁 때에 하는 군인의 몸차림。 ②전쟁 준비로 하는 장비。
【武后 무후】 당(唐)나라 고종(高宗)의 황후 무씨(武氏)。 칙천무후(則天武后)라고도 함。
【武勳*무훈】 무공(武功)。
◉講武강무 乃文乃武내문내무 文武문무 步武보무 上文右武상문우무 尙武상무 演武연무 練武연무 右文左武우문좌무 硏武연무 閱武열무 英武영무 威武위무 允文允武윤문윤무 玄武현무

【肯】 ⇩肉部四畫

五畫

9 【歪】 止 5 ㊀왜 ㊁의 ㊂외 | 비뚤 | ㊀㊁㊂ 平佳

자원 회의 不+正→歪(止부)
부정을 나타내는 「不불」과 「正정」으로 이루어짐。 바르지 아니함의 뜻。
뜻 비뚤왜, 비뚤의, 비뚤외 바르지 아니함。
【歪曲 왜곡】 외곡(歪曲)。
【歪曲 외곡】 의곡(歪曲)。
【歪曲 의곡】 비뚤게 함。 굽혀 바르지 않게 함。

九畫

13 【歲】 止 9 중학 세 | 목성 | 去霽

자원 형성 步 戌-戊음 → 歲(止부) 2500년전
본디 「戉월」〈큰도끼〉과 비슷한 무기 戉로 수확 때마다(=해마다) 희생물을 죽여 제사지내는 뜻을 나타내었는데 나중에 戉(戉·戌술은 변한 모양。 세는 변음)이 음을 나타내고 이것에 돌아 다닌다는 뜻의 「步보」를 더하여 순환하는 한 해의 뜻을 나타내게 되었음。
뜻 ①목성세 태양계의 다섯째 유성(遊星)。 「歲星세성」 ②해세 ㉠일년。 「歲入세입」 ㉡곡식이 잘 여무는 해。 풍년。 ㉢세월。 광음。 「歲時세시」 ③해마다 매년。 「歲幣세폐」 ④나이세 ㉠연령。 ㉡일생。
참고 「歲」를 음으로 하는 글자=「濊예」〈깊다〉·「穢예」〈거칠다〉

【歲貢 세공】 속국(屬國) 등에서 해마다 바치는 공물(貢物)。

【歲末 세말】 섣달 그믐께。 세밑。 연말(年末)。

【歲暮 세모】 세말(歲末)。

【歲米 세미】 세초(歲初)에 정부(政府)에서 노인(老人)에게 주던 쌀。

【歲拜 세배】 섣달 그믐이나 정초(正初)에 웃어른에게 하는 인사。 세알(歲謁)。

【歲費 세비】 일년간의 비용。 세용(歲用)。

【歲序 세서】 세월(歲月)。 세월의 추이(推移)하는 순서라는 뜻。

【歲歲 세세】 해마다。 매년。

【歲首 세수】 세초(歲初)。

【歲時 세시】 ①세월(歲月)。 ②해와 사철。 세성(歲星)의 운행과 사시(四時)의 순환。 ③연중의 때때。

【歲時記 세시기】 일년 중에 계절에 따른 사물·행사 등을 열기(列記)한 책。

【歲用 세용】 일년간의 비용。 세비(歲費)。

【歲月如流 세월여류】 세월이 물과 같이 빨리 흘러감。

【歲入 세입】 회계 연도(會計年度)의 한 해 동안의 수입(收入)。

【歲次 세차】 ①세성(歲星)、 곧 목성(木星)이 머무는 위치。 목성은 그 궤도(軌道)가 십이차(十二次)로 되었으며 십년에 궤도를 일주함。 ②해를 간지(干支)를 좇아 정한 차례。

【歲饌* 세찬】 《韓》 ①세밑에 선사하는 물건。 ②세배(歲拜) 온 사람에게 대접(待接)하는 음식(飮食)。

【歲出 세출】 회계 연도(會計年度)의 한 해 동안의 지출(支出)。

【歲寒三友 세한삼우】 겨울철 관상용(觀賞用)의 세 가지 나무。 곧 소나무·대나무·매화(梅花)나무。

【歲寒松柏 세한송백】 추운 겨울철에도 잎이 푸른 소나무와 측백나무。 역경(逆境)에서도 지조(志操)를 굳게 지키는 사람의 비유。

◉來歲내세 萬歲만세 歷歲역세 年歲연세 千萬歲천만세 千歲천세 千秋萬歲천추만세 太歲태세 豐歲풍세 凶歲흉세

十二畫

【齒】 ⇨部首

十二畫

16 【歷】 止 12 중학 력 | 지낼 | ㊀錫

一 厂 厈 厈 厤 厤 歷 歷 歷

자원 형성 秝음-厤 止 ├ 歷(止부) (A) 3000년전

음을 나타내는 「秝력」은 곡식이 나란히 심어져 있는 모양。「止지」는 발자국의 모양→걷다→진행(進行)함。「秝」과 「止」를 합친 글자체 (A)는 차례차례로 걸어가다→여러 곳을 두루 돌아 다니다→지나감。 나중에 「秝」 대신에 「厤력」〈갈다·다스리다〉자를 써서 「歷」이라 씀。 시간이 지나는 데는 「曆력」이란 글자가 따로 있지만 「歷」은 장소(場所)를 지나간다는 데는 물론 「曆」의 뜻으로도 쓰이어짐。

뜻 ①**지낼력** 겪음。 세월을 보냄。「經歷경력」 ②**다닐력** 감。「橫歷天下횡력천하」 ③**넘을력** 지나침。 유월(踰越)함。 ④**매길력** 차례를 정함。 ⑤

어지러울력 문란함。 혼란함。 ⑥**다할력** 하나도 빠지 아니함。 모조리 함。 ⑦**엇걸력** 교착(交錯)시킴。 ⑧**성길력** 촘촘하지 아니함。 ⑨**두루력** 빠짐 없이 널리。 ⑩**가마력** 가마솥。 ⑪**달력력** 曆(日部十二畫)과 통용。

참고 「歷」을 음으로 하는 글자=「瀝력」〈물방울〉·「櫪력」〈마판〉·「癧력」〈연주창〉·「靂력」〈천둥〉

【歷年 역년】 ①세월을 지냄 해를 겪음。 또 그 겪은 해。 지낸 햇수。 ②여러 해。 누년(累年)。

【歷代 역대】 여러 대。 대대(代代)。 누대(累代)。

【歷覽 역람】 일일이 봄。 두루 봄。

【歷歷 역력】 ①뚜렷한 모양。 ②분명한 모양。 똑똑한 모양。 ③사물이 질서 정연하게 늘어선 모양。

【歷訪 역방】 여러 사람을 차례로 방문함。

【歷史 역사】 ①인류 사회의 변천(變遷)·흥망(興亡)의 과정 또는 기록。 ②어떤 사물의 오늘 날에 이르는 동안 겪어온 자취。 내력(來歷)。

【歷史小說 역사 소설】 역사의 사실(事實)을 주제(主題)로 한 소설。

【歷世 역세】 역대(歷代)。

【歷然 역연】 역력(歷歷)。

【歷遊 역유】 두루 유람함。

【歷任 역임】 여러 벼슬을 차례로 지냄。

【歷朝 역조】 ①역대(歷代)의 조정(朝廷)。 ②역대의 천자(天子)。 대대의 임금。

【歷齒 역치】 성긴 이。

◉經歷경력 來歷내력 巡歷순력 遊歷유력 履歷이력 遍歷편력 學歷학력 行歷행력

十四畫

18 【歸】 止 14 중학 귀 | 돌아갈 | ㊊微

자원 형성 追-𠂤(음) ┐歸(止부) / 婦-帚 ┘

음을 나타내는 「𠂤추」(귀는 변음)는 따라간다는 뜻。 「帚」는 「婦부」의 생략형。 고대(古代)에는 처가(妻家)에서 일정 기간의 노동을 한 후 새색시를 자기 집으로 데리고 돌아온데서 돌아오다의 뜻이 되고 전(轉)하여 시집가다의 뜻으로 되었음。

뜻 ①**돌아갈귀**、**돌아올귀** 온 길을 감。 간 길을 옴。 「回歸회귀」 ②**돌려보낼귀** ㉠온 길을 도로 가게 함。 ㉡반환함。 ③**보낼귀** 물건을 줌。 ④**시집갈귀** ⑤**붙좇을귀** 따름。 「歸依귀의」 ⑥**편들귀** 한 편이 됨。 ⑦**맡길귀** 위임함。 ⑧**맞을귀** 틀리지 않음。 ⑨**마칠귀** 끝냄。 ⑩**뜻귀** 지취(旨趣)。

【歸家 귀가】 집으로 돌아감。

【歸去來 귀거래】 귀거(歸去)。 돌아감。 내(來)는 조사(助辭)。

【歸結 귀결】 끝을 맺음。 또 그 결과。

【歸國 귀국】 제 나라로 돌아감。

【歸納 귀납】 많은 사실의 일치점(一致點)을 구(求)하여 일반적 원리(原理)를 알아내는 추리。 연역(演繹)의 대(對)。

【歸農 귀농】 ①다른 직업을 버리고 다시 농사하러 돌아감。 ②노는 사람을 권(勸)하여 농사를 짓게 함。

【歸途 귀도】 귀로(歸路)。

【歸老 귀로】 벼슬을 그만두고 고향으

로 돌아가 노후(老後)를 보냄。
【歸路 귀로】 돌아가는 길。
【歸省 귀성】 부모를 뵈러 고향으로 돌아감。 고향에 가서 부모를 뵘。
【歸屬 귀속】 돌아가 어느 소속이 됨。
【歸宿 귀숙】 ①돌아가 잠。 숙사로 돌아감。 ②귀착(歸着)❷。
【歸順 귀순】 ①사모하여 따름。 ②또 반항심(反抗心)을 버리고 순종(順從)함。 귀복(歸服)。
【歸心 귀심】 ①마음을 둠。 사모하여 진심으로 붙좇음。 ②집 또는 고향(故鄕)으로 돌아가고자 하는 마음。
【歸依 귀의】 ①돌아가 의지함。 ②《佛敎》 부처를 믿고 구호시교(救護示敎)를 받는 일。
【歸一 귀일】 한군데로 귀착(歸着)함。
【歸任 귀임】 임지로 돌아감。
【歸正 귀정】 바른 길로 돌아옴。
【歸朝 귀조】 ①사신(使臣)이 외국(外國)에서 본국(本國)으로 돌아옴。 ②귀국(歸國)。
【歸着 귀착】 ①돌아가 닿음。 ②낙착(落着)됨。
【歸趨* 귀추】 낙착하는 곳。 귀착점(歸着點)。 귀취(歸趨)。
【歸降 귀항】 귀복(歸服)。
【歸航 귀항】 배로 돌아감。 또 돌아가는 배。 돌아가는 항해。
【歸鄕 귀향】 고향(故鄕)으로 돌아감。
【歸化 귀화】 ①덕(德)에 감화되어 붙좇음。 ②어떠한 나라 인민(人民)이 그 나라의 국적(國籍)을 버리고 다른 나라의 국적을 얻음。
【歸還 귀환】 돌아감。 돌아옴。
◉凱歸개귀 告歸고귀 來歸내귀 暮歸모귀 復歸복귀 依歸의귀 回歸회귀 懷歸회귀

歹(歺)部

4 【歹】 부수 알 ─ 앙상한뼈 ─ (入)曷

자원 상형 3000년전

본래 뼈(冎·骨)의 일부(一部)를 깎아낸 모양을 본뜨고, 남은 뼈를 뜻함。 한자(漢字)의 부수(部首)로서는 죽음, 뼈에 관계(關係)가 있는 뜻을 나타냄。

뜻 **앙상한뼈알** 살을 발라낸 뼈。

주의 「歺」·「𣦵」은 같은 글자。

二畫

6 【死】 歹 2 중학 **사** ─ 죽을 ─ ㊤紙

一 厂 歹 歹 歹 死

자원 회의 歺-歹┬人 → 死(歹부) 2500년전

「歹알」은 뼈가 산산이 흩어지는 일。 「死」는 사람이 죽어 「魂혼」〈영혼〉과 「魄백」〈육체의 생명력〉이 흩어지는 일。 「死」의 오른쪽을 본뜨는 「人인」이라 썼는데 나중에 「匕비」라 쓴 것은 「化화」〈변하다〉↓뼈로 변화하다란 기분을 나타내기 위하여서일 것임。

뜻 ①**죽을사** ㉠생명이 없어짐。 「死亡사망」 ㉡서인(庶人)이 죽음。 ㉢붕(崩)·훙(薨)·졸(卒)의 대(對)。

망함。 또 전(轉)하여 효력이 없거나 실제로 행하여지지 아니함의 비유로 쓰임。「死法사법」「死語사어」②**죽일사** 살육함。③**말라죽을사** 고사(枯死)함。④**다할사** 다 없어짐。⑤**죽음사** 사망。「生死생사」

【死去 사거】사망(死亡)。

【死境 사경】죽게 된 경우(境遇)。 살아날 길이 없을 때、또는 장소。

【死句 사구】시문(詩文) 중에서 뜻이 얕아 남을 감동시키지 못하는 구。활구(活句)의 대(對)。

【死期 사기】죽을 때。임종(臨終)。

【死力 사력】죽을 힘。결사적으로 쓰는 힘。

【死亡 사망】사람이 죽음。

【死滅 사멸】죽어 없어짐。

【死命 사명】죽는 목숨。목숨。

【死文 사문】쓸 데 없는 문장。

【死物 사물】생명이 없는 것。활동하지 아니하는 것。

【死別 사별】죽어서 이별(離別)함。

【死相 사상】①죽은 사람의 얼굴。②얼마 안 되어 죽을 것 같은 얼굴。죽을 상。

【死傷 사상】죽음과 다침。 또 죽은 사「람과 다친 사람。

【死生 사생】죽음과 삶。

【死生關頭 사생관두】죽고 사는 것이 달린 위험(危險)한 경우(境遇)。

【死生有命 사생유명】죽고 사는 것은 명(命)이 있어 인력(人力)으로 어찌할 도리가 없음。

【死線 사선】죽을 고비。

【死勢 사세】죽을 형세。

【死守 사수】죽기를 한(限)하고 지킴。결사적으로 지킴。

【死語 사어】현대에 쓰이지 않는 말。죽은 말。폐어(廢語)。

【死友 사우】①죽을 때까지 교분(交分)을 변(變)하지 아니하는 친구(親舊)。②죽은 벗。

【死而後已 사이후이】죽어야 그만둠。죽을 때까지 쉬지 않고 함。

【死因 사인】죽은 원인(原因)。

【死藏 사장】활용(活用)하지 않고 감추어 둠。

【死節 사절】절개(節概)를 지켜 죽음。

【死罪 사죄】①죽어 마땅한 죄(罪)。죽을 죄。②임금에게 상주(上奏)할 때 황공(惶恐)한 뜻을 나타내는 말。

【死中求活 사중구활】죽을 곳에서 도망할 길을 찾음。궁경(窮境)에 빠져서도 만회책을 강구함。

【死地 사지】①도망하여 피할 수 없는 땅。위험한 곳。②생명을 버리는 곳。죽을 곳。

【死志 사지】결사의 각오。

【死體 사체】죽은 몸。시체(屍體)。

【死胎* 사태】뱃속에서 죽은 태아。

【死鬪 사투】죽도록 싸움。결사적으로 싸움。

【死刑 사형】죄인의 목숨을 끊는 형벌。사죄(死罪)。

【死火 사화】꺼진 불。

【死活 사활】죽음과 삶。죽느냐 사느냐의 갈림。생사(生死)。

【死後 사후】죽은 뒤。

◉假死가사 客死객사 枯死고사 急死급사 凍死동사 沒死몰사 半死반사 病死병사 憤死분사 不老不死불로불사 戰死전사 情死정사 慘死참사 醉生夢死취생몽사 致死치사 必死필사 橫死횡사

四畫

8 【歿】 歹 4 몰 | 죽을 | ㊀入月

자원 형성 歹 + 殳(음) → 歿(歹부)

죽다의 뜻인 「歹사」와 음을 나타내는 동시에 없어지다의 뜻(⇩無무·勿물)을 나타내는 「殳몰」로 이루어짐。 죽다、끝나다의 뜻。

뜻 **죽을몰** 沒(水部四畫)과 같은 글자。「戰歿전몰」

五畫

9 【殃】 歹 5 고교 앙 | 재앙 | ㊥平陽

一 ㄏ 歹 歹 歹冂 歹冂 歹口 殃 殃

자원 형성 歹 + 央(음) → 殃(歹부)

죽음의 뜻을 가지는 「歹죽을사변」과、음을 나타내는 「央앙」으로 이루어져、신의 꾸중。 전(轉)하여 재화(災禍)의 뜻。

뜻 **재앙앙** 주로 하늘이나 신명(神明)이 내리는 재화(災禍)。「殃禍앙화」 ②**해칠앙** 해를 끼침。

【殃罰 앙벌】 하늘이 내리는 벌。

【殃災 앙재】 재앙(災殃)。 「앙。

【殃禍 앙화】 죄악의 과보로 받는 재

◉餘殃여앙 災殃재앙

9 【殆】 歹 5 고교 태 | 위태할 | ㊤賄

一 ㄏ 歹 歹 歹厶 歹厶 歹台 殆 殆

자원 형성 歹 + 台(음) → 殆(歹부) 𣧍 2500년전

죽음의 뜻인 「歹죽을사변」과 음을 나타내며 동시에 재난(災難)의 뜻을 나타내기 위한 「台태·이」로 이루어져、위태함을 뜻함。 또 「似사」에 통하여 가깝다·거의의 뜻을 나타냄。

뜻 ①**위태할태** 위험함。「殆危태위」 ②**위태로와할태** 위태롭게 여김。 ③**해칠태** 해를 끼침。 ④**가까이할태** 접근함。 ⑤**가까울태** 비슷함。 ⑥**거의태** 아마。 ⑦**처음태** 시초에。

【殆無 태무】 거의 없음。

六畫

10 【殉】 歹 6 고교 순 | 따라죽음 | ㊄去震

一 ㄏ 歹 歹 歹勹 殉 殉 殉 殉

자원 형성 歹 + 旬(음) → 殉(歹부)

죽음을 뜻하는 「歹죽을사변」과、음을 나타내는 동시에 뒤를 쫓는다는 뜻(⇩徇순)을 가진 「旬순」으로 이루어지며 사자(死者)에 따라 죽는다는 뜻을 나타냄。

뜻 ①**따라죽을순** 죽은 사람을 따라 죽음。「殉死순사」 ②**바칠순** 목숨을 바침。「殉難순난」 ③**구할순** 바라찾음。 ④**경영할순** 영위함。

【殉教 순교】 자기의 믿는 종교(宗教)를 위하여 목숨을 바침。

【殉國 순국】 국난을 건지기 위하여 목숨을 바침。

【殉難 순난】 순국(殉國)。 「바침。

【殉道 순도】 인도를 위하여 목숨을

【殉名 순명】 명예를 위하여 목숨을

버림。명예를 손상시키지 않기 위하여 죽음。

【殉死 순사】 임금이나 남편 등의 죽음을 따라 자살함。

【殉節 순절】 순사(殉死)。「숨을 버림。

【殉職 순직】 직무(職務)를 위하여 목

10 【殊】 歹 6 고교 수 ─ 뛰어날 ─ ㊥虞

一 ア 歹 歹 歹 歹' 歼 殀 殊

자원 형성 朱 음 ┬ 殊(歹부) / 歹

죽음의 뜻인「歹죽을사변」과、음을 나타내는「朱주」(수는 변음)로 이루어짐。

뜻 ①**벨수** 베어 죽임。②**결심할수** 각오함。③**끊어질수** 단절됨。④**거의죽을수** 중상을 입었으나 아직 목숨이 끊어지지 않음。⑤**다를수** 틀림。⑥**지날수** 넘음。⑦**뛰어날수** 특이(特異)함。「殊恩수은」⑧**특히수** 유달리。특별히。

【殊功 수공】 특별히 뛰어난 공훈。

【殊怪 수괴】 아주 괴이(怪異)함。

【殊常 수상】 ①보통과 다르게 뛰어남。②보통과 달라 이상함。

【殊勝 수승】 ①특별히 뛰어남。②《佛教》 기특(奇特)함。

【殊遇 수우】 특별한 대우。

【殊優 수우】 특별히 뛰어남。

【殊勳* 수훈】 특별히 뛰어난 훈공。

◉等殊등수 優殊우수 卓殊탁수 特殊특수

10 【残】 歹 6 殘(歹部八畫)의 속자(俗字)。

八畫

12 【殖】 歹 8 식 ─ 심을 ─ ㊁職

자원 형성 直 음 ┬ 殖(歹부) / 歹

죽다의 뜻인「歹죽을사변」에 음을 나타내는 동시에 벌레먹다의 뜻(⇩蝕식)을 나타내기 위한「直직」(식은 변음)을 더하여 이루어짐。육체(肉體)의 기름、지방(脂肪)이 썩다의 뜻。「植식」「穡색」과 통하여 심다→붇다의 뜻으로 차용(借用)됨。

뜻 ①**심을식** 식물을 심음。②**세울식** 건립함。③**자랄식** 성장함。④**번성할식** 무성함。⑤**불을식** ㉠수효 또는 이자 같은 것이 늚。㉡번식함。⑥**불릴식** 앞 뜻의 타동사。「殖利식리」

【殖利 식리】 이익(利益)을 늘림。

【殖民 식민】 국외의 미개지에 국내의 인민을 이주시켜 영주하게 하는 일。또 그 이민(移民)。식민(植民)。

【殖產 식산】 ①식재(殖財)。②생산을 늘림。

【殖財 식재】 재산을 늘림。

【殖貨 식화】 식재(殖財)。

◉墾殖간식 耕殖경식 繁殖번식 富殖부식 生殖생식 利殖이식 播殖파식 學殖학식

12 【殘】 歹 8 고교 잔 ─ 해칠 ─ ㊥寒

一 ア 歹 歹 歹 歹' 歹戈 殘 殘

자원 형성 戈 ┬ 戔 음 ┬ 殘(歹부) / 戈 ┘ 歹 〔歹〕 3000년전

「戈과」는 날붙이。음을 나타내는「戔잔·전」은 날붙이로 물건을 해치는 일。「歹알」은 맞아서 상한 뼈。「殘」은 심하게 해치는 일。또 대부분이 해쳐

진 그나머지 부분→남다의 뜻도 나타냄。

뜻 ①해칠잔 ②죽일잔 살해함。③멸할잔 멸망시킴。④잔인할잔、사나울잔 모짊。포악함。또 그러한 사람。「殘酷잔혹」 ⑤쇠잔할잔 쇠하여 약함。퇴폐함。또 멸망함。「殘民잔민」 ⑥남을잔 잔존함。「殘餘잔여」 ⑦턱찌끼잔 먹다 남은 찌끼。⑧재앙잔 해독。⑨삶은고기잔

【殘金 잔금】 남은 돈。

【殘年 잔년】 잔생(殘生)。

【殘黨 잔당】 치고 남은 무리。남은 도당(徒黨)。

【殘徒 잔도】 잔당(殘黨)。

【殘燈 잔등】 꺼지려고 하는 등불。

【殘淚 잔루】 눈물 자국。

【殘留 잔류】 남아서 처져 있음。

【殘亡 잔망】 ①패하여 망함。②패하여 도망함。③잔멸(殘滅)。

【殘梅 잔매】 제 철이 지난 뒤에 피는 매화나무。

【殘滅 잔멸】 잔해(殘害)하여 멸망(滅亡)시킴。

【殘命 잔명】 잔생(殘生)。

【殘夢 잔몽】 아직 다 꾸지 않은 꿈。

【殘務 잔무】 남은 사무(事務)。아직 다 처리 못한 사무。

【殘兵 잔병】 싸움에 패한 뒤의 살아남은 군사(軍士)。패잔병。

【殘病 잔병】 불구자가 되는 중한 병。폐질(癈疾)。또 그 병을 앓음。

【殘部 잔부】 ①남은 부곡(部曲)。②남은 부분。

【殘殺 잔살】 잔인하게 죽임。

【殘生 잔생】 얼마 남지 않은 목숨。여생(餘生)。

【殘暑 잔서】 늦여름의 더위。또 여름이 지나고도 아직 남은 더위。

【殘雪 잔설】 녹다가 남은 눈。

【殘惡 잔악】 잔인(殘忍)하고 악독함。

【殘額 잔액】 남은 금액。잔금(殘金)。

【殘陽 잔양】 석양(夕陽)。잔일(殘日)。

【殘餘 잔여】 처져 있는 나머지。

【殘熱 잔열】 잔서(殘暑)。

【殘炎 잔염】 ①잔서(殘暑)。②잔염(殘燄)。

【殘雨 잔우】 거의 다 오고 얼마 안 있다가 그칠 비。

【殘月 잔월】 날이 밝을 때까지 남아 있는 달。새벽달。

【殘忍 잔인】 차마 할 수 없는 무자비한 행위를 거리낌 없이 함。

【殘日 잔일】 ①석양(夕陽)。②남은 일수(日數)。여일(餘日)。

【殘滓* 잔재】 찌끼。

【殘賊 잔적】 ①잔해(殘害)。②인의(仁義)를 손상함。또 그 사람。아직 다 잡지 못하여 남아 있는 도둑。

【殘敵 잔적】 패하고 남은 적군。아직 다 쳐무찌르지 못해 남아 있는 적。

【殘存 잔존】 남아서 처져 있음。

【殘暴 잔포】 잔인(殘忍)하고 포악함。

【殘品 잔품】 남은 물품。

【殘風 잔풍】 한참 불고 난 뒤에 쉬그칠 바람。

【殘夏 잔하】 얼마 남지 않은 여름。늦여름。만하(晩夏)。

【殘虐* 잔학】 잔인(殘忍)하고 포학함。

【殘寒 잔한】 입춘 뒤의 추위。

【殘害 잔해】 ①해침。②죽임。

【殘鄕 잔향】 쇠잔한 시골。퇴폐한 시골。

【殘酷* 잔혹】 잔인하고 가혹함。

◉老殘노잔 相殘상잔 衰殘쇠잔 侵殘침잔 敗殘패잔 荒殘황잔

十七畫

21【殲】歹17 섬 | 멸할 | ㉲鹽

자원 형성 韱음 + 歹 → 殲(歹부) 2500년전

「歹죽을사변」에 음을 나타내는 동시에 없어지다의 뜻(⇩盡진)을 나타내기 위한 「韱섬」을 더하여 이루어짐. 모조리 죽이다의 뜻.

뜻 ①**멸할섬** 모두 죽음. 섬멸당함. ②**섬멸할섬** 모조리 죽임.

주의 「殱」은 속자(俗字).

【殲滅 섬멸】 남김없이 모두 무찔러 멸망(滅亡)시킴. 또 여지없이 멸망함.

殳部

4【殳】부수 수 | 몽둥이 | ㉲虞

자원 회의 几 + 又 → 殳(부수) 2500년전

본래 둥근 혹이 있는 막대기(ㄱ·几는 변한 모양)를 손에 가지고(ㄡ又) 던지는 모양이며, 사람을 죽이는 뜻을 나타냄. 또 「杸수」〈지팡이 모양의 무기〉와 통용(通用)함. 한자(漢字)의 부수(部首)로서는 던지다, 때리는 동작(動作)과 관계있는 뜻을 나타냄.

뜻 **몽둥이수** 길이 일장 이척(一丈二尺)의 여덟모진 몽둥이.

주의 「𠬛몰」〈가라앉다〉과는 딴 글자.

참고 「殳」를 음으로 하는 글자=「投투」〈던지다〉·「杸수」〈팔모진창〉

四畫

8【殴】殳4 毆(殳部十一畫)의 약자(略字).

五畫

9【段】殳5 고교 단 | 조각 | ㊀翰

段

자원 형성 耑음 + 殳 → 段(殳부) (A) (B) 2500년전 2000년전

「殳수」는 손의 움직임을 나타냄. 음을 나타내는 「耑단」은 물건을 망치로 치는 일. 「𠂤」은 「耑」의 생략형. 「段」은 물건을 치는 일. 또 옛음은 「斷단」과 같아서 한 구획, 형겊의 길이, 계단 따위의 뜻에 씀. 옛 자형 (A)는 앞의 설(說)에 맞고, 물건을 치는 석기(石器)를 「碫단」, 쇠붙이를 불에 달구어 두드리는 것을 「鍛단」이란 것도 그것을 증명하는 것임. 그러나 옛 모양 (B)는 「叚가」를 닮음. 「段」은 「假가」「暇가」자의 근본이 되어 있는 자형(字形)으로서 언덕에 발딛는 곳을 만들어 한단 한단 올라감. 「段」자의 기본도 이것과 관계가 있는 것인 듯.

뜻 ①**조각단** 단편. 「片段편단」 ②**갈림단** 구분. 「段落단락」 ③**가지단** 종

류。④포목단 직물。⑤반필단 포목 한필의 반。⑥포단 육포(肉脯)。⑦칠단 몽치로 때림。⑧나눌단 분할함。

[참고] 「段」을 음으로 하는 글자＝「鍛단」〈두드리다〉·「碫단」〈숫돌〉·「緞단」〈비단〉

【段階 단계】①층계。②계단(階段)。등급(等級)。순서。

【段落 단락】①문장의 큰 부분。②일이 다된 끝。결말。

◉階段계단 分段분단

六畫

10【殷】殳 6 [一]은 성할 [一][平]文[上]吻 [二]안 [二][平]刪

[자원] 형성 身음-月 ┬ 殷(殳부) 殳  2500년전

본디 무기를 손에 들다의 뜻인 「殳수」와 음을 나타내며 동시에 떨치다의 뜻(⇩震진)을 나타내기 위한 「身신」(ㄹ·月은 身을 뒤집은 모양。은은 변음)으로 이루어짐。무기를 들고 성대하게 춤추다。전하여、성하다의 뜻。

[뜻] [一]①성할은 은성함。「殷昌은창」②많을은 ③클은 ④당할은 해당함。⑤근심할은 근심하는 모양。⑥바로잡을은 바르게함。⑦가운데은 중앙。⑧은나라은 탕왕(湯王)이 하(夏)나라를 멸하고 세운 왕조。원래는 상(商)나라라고 하였는데 반경(盤庚)이 도읍을 은(殷)(지금의 하남성 언사현(河南省偃師縣))으로 옮긴 뒤에 은(殷)나라로 개칭(改稱)하였음。제이십 팔대 주왕(紂王)에 이르러 주무왕(周武王)에게 멸망당하였음。(B.C.一七六六 B.C.一一二三) ⑨천둥소리은 뇌성。[二]검붉은빛안 적흑색。

【殷勤 은근】①친절함。공손함。②남녀간의 애정。은근(慇懃)。

【殷富 은부】재물이 넉넉하고 번영함。

【殷盛 은성】번성함。번창함。

【殷實 은실】인구가 많고 재물이 넉넉함。

10【殺】殳 6 殺(다음 글자)의 와자(譌字)。

【般】⇩舟部四畫

七畫

11【殺】殳 7 [중학] [一]살 [二]쇄 죽음 [一][入]黠 [二][去]卦

ノ 乂 㐅 杀 杀 杀 杀 殺 殺

[자원] 형성 殳 杀-杀음 ┬ 殺(殳부)  3000년전  2000년전

「殳수」는 치는 일。음을 나타내는 「杀살」은 돼지의 일종인 「希이」의 모양이 변한 것。「殺」은 때려죽이다→죽이는 일。

[뜻] [一]①죽일살 살해함。「殺戮살륙」②지울살 문대어 없앰。③어조사살 어세(語勢)를 강하게 하는 조사(助辭)。「愁殺수살」[二]①덜쇄 감삭(減削)함。「減殺감쇄」②빠를쇄 신속함。③매우쇄 심히。대단히。

【殺菌 살균】병균을 죽임。

【殺氣 살기】①추동(秋冬)의 한기(寒氣)。②소름이 끼치도록 무시무시한 기운。

〔四畫部首順〕心戈戶手支攴文斗斤方无日曰月木欠止歹殳毋比毛氏气水火爪父爻爿片牙牛犬

【殺氣衝天 살기충천】 살기(殺氣)가 하늘을 찌르는 듯함。
【殺年 살년】 대단히 흉년이 든 해。
【殺戮* 살륙】 사람을 무찔러 죽임。
【殺伐 살벌】 ①살해(殺害)。 ②거칠고 무시무시한 짓。
【殺傷 살상】 죽임과 부상을 입힘。 또 죽이고 상처(傷處)를 입힘。
【殺生 살생】 ①죽임과 살림。 생살(生殺)。 ②《佛教》 십악(十惡)의 하나。 산 목숨을 죽이는 일。
【殺身成人 살신성인】 자기 몸을 희생하여 인(仁)을 이룸。 세상을 위하여 생명을 바침。
【殺意 살의】 사람을 죽이려는 생각。
【殺人者死 살인자사】 사람을 죽인 자는 죽임。
【殺蟲 살충】 벌레를 죽임。
【殺風景 살풍경】 매몰하고 흥취가 없음。 너무 비속(鄙俗)하여 흥이 깨짐。
【殺害 살해】 사람을 죽임。
【殺到 쇄도】 한꺼번에 와 몰려듦。
◉ 減殺감쇄 格殺격살 擊殺격살 惱殺뇌쇄 屠殺도살 毒殺독살 抹殺말살 撲殺박살 射殺사살 相殺상쇄 斬殺참살 刺殺척살 打殺타살 被殺피살 虐殺학살 刑殺형살

八畫

12 【殼】 殳 8 각 | 껍질 | [入]覺

〔殼〕 2500년전

[자원] 형성 殳 壳[음] ┬ 殼 (殳부)
치다의 뜻인 「殳갖은등글월문방」과 쳤을 때 나는 소리를 나타내는 「壳각」으로 이루어지며 본디 때리다의 뜻을 나타내었는데 나중에 전하여、「壳각」〈껍질〉의 뜻으로 쓰임。
[뜻] ①껍질각 ㉠조개·알 등의 껍데기。「卵殼난각」 ㉡과실 등의 두꺼운 껍질。 ㉢탈피한 껍질。 허물。「脫皮殼탈피각」 ㉣둘러 싼 굳은 외피(外皮)。 ②칠각 내리침。
[참고] 「殼」을 음으로 하는 글자=「觳곡」〈뿔잔〉·「穀곡」〈곡식〉·「穀곡」(穀의 속자)「縠곡」〈명주〉·「轂곡」〈바퀴통〉
【殼果 각과】 견과(堅果)。
【殼斗 각두】 참나무·떡갈나무 등의 열매의 민받침。 깍정이。
◉ 介殼개각 堅殼견각 卵殼난각 地殼지각

九畫

13 【殿】 殳 9 전 | 큰집 | [去]霰

2500년전

[자원] 형성 殳 屍-展[음] ┬ 殿 (殳부)
때리는 뜻의 「殳수」와、 음을 나타내며 동시(同時)에、 궁둥이의 뜻을 가지는 「屍둔」(展은 변한 모양)으로 이루어지며、 본래 궁둥이를 때리는 뜻을 나타냈음。 나중에 「墩돈」과 통하여 토대(土台)가 있는 높고 큰 당(堂)을 뜻하게 되었음。
[뜻] ①큰집전 고대(高大)하고 장엄한 당우(堂宇)。 궁성·불각(佛閣) 따위。「殿閣전각」 ②후군전 ㉠후진(後陣)의 군대。 ㉡최후까지 남아서 적을 방어하는 일。 ③하공전 치적(治績)의 하등。「最최」의 대(對)。 ④진정(鎭定)할전 진압하여 안정하

게 함。

[참고] 「殿」을 음으로 하는 글자=「臀둔」〈궁둥이〉·「澱전」〈찌꺼기〉

【殿閣 전각】 궁전(宮殿)。

【殿堂 전당】 전우(殿宇)。

【殿上 전상】 궁전의 위。

【殿試 전시】 ①천자(天子)가 친히 진사(進士)의 시험을 행함。 또 그 시험。 ②이조(李朝) 때 임금이 참석하여 행하던 과거(科擧)의 마지막 시험。

【殿中 전중】 궁전 안。 궁중(宮中)。

【殿下 전하】 ①궁전 아래。 ②한(漢)나라 이전에는 제후(諸侯)의 존칭。 그 이후에는 황태자(皇太子)·제왕(諸王)의 존칭。

◉宮殿궁전 禁殿금전 內殿내전 別殿별전 寶殿보전 伏魔殿복마전 佛殿불전 上殿상전 神殿신전 御殿어전 正殿정전 寢殿침전 太極殿태극전

13 【毀】 殳 9 [고교] 훼 | 헐 | ㊤紙

[자원] 형성 土 毇-毀[음] ┬毀(殳부)

2500년전

「土토」와 음을 나타내며 동시에 쌀을 찧어 정백(精白)하는 뜻을 가지는 「毇훼」의 약체인 「毀」로 이루어짐。 본래 쌀을 찧을 때 쓰는 토사(土砂)를 뜻했으나 「虧휴」와 통하여 망그러지다의 뜻으로 쓰임。

[뜻] ①헐훼 ㉠무너뜨림。 「毀破훼파」 ㉡험담을 함。 「訾毀자훼」 ②무너질훼 헐어짐。 「毀墜훼추」 ③이갈훼 소아가 배냇니를 갊。 ④양재(禳災)할훼 기도를 들여 재앙을 물리침。 ⑤야윌훼 수척해짐。

[주의] 「毁」는 잘못된 글자。

【毀謗* 훼방】 헐어 말함。 헐뜯음。 비방함。 또 비방。

【毀傷 훼상】 몸에 상처(傷處)를 냄。

【毀損 훼손】 ①헐어서 못쓰게 함。 ②체면(體面)을 손상함。

【毀譽 훼예】 비방(誹謗)함과 칭찬함。 비방과 칭찬。 비난과 명예。

【毀屋 훼옥】 ①퇴락한 집。 무너진 집。 ②집을 부숨。

【毀節 훼절】 절개를 깨뜨림。 변절함。

◉誹毀비훼 積毀적훼 頹毀퇴훼

十一畫

15 【毅】 殳 11 의 | 굳셀 | ㊄未

[자원] 형성 殳 豙[음] ┬毅(殳부)

치다의 뜻인 「殳수」와、 음을 나타내는 「豙의」로 이루어짐。 본디 쓰러뜨린다는 뜻을 나타내었으나 「仡흘」·「劼할」과 통하여 사납다의 뜻으로 쓰임。

[뜻] ①굳셀의 의지가 강함。 과감(果敢)함。 「剛毅강의」 ②성발끈낼의 함부로 화냄。

【毅然 의연】 의지가 강하여 사물에 동하지 않는 모양。 용감하고 굳센 모양。

◉強毅강의 剛毅강의 英毅영의 勇毅용의

15 【毆】 殳 11 구 | 칠 | ㊤有

[자원] 형성 殳 區[음] ┬毆(殳부)

던지다、때리다의 뜻인「殳수」와、음을 나타내는「區구」로 이루어짐。

뜻 칠구 때림。「毆打구타」

【毆打 구타】 때림。두들김。

十二畫

【轂】 ⇩米部十畫

毋 部

4 【毋】 부수 ㊀무 ㊁모 — 없을 — ㊀(平)虞 ㊁(平)尤

자원 회의 女+一→毋(부수) 2500년전

「女녀」〈여자〉와「一일」〈막다〉로 이루어짐。겁탈당하는 여자가 절개를 지켜서 꿋꿋이 막는다는 뜻。

뜻 ㊀①없을무 無(火部八畫)와 같은 글자。②말무 금지의 말。㊁관 이름모「毋追모추」는 하대(夏代)의 치포관(緇布冠)。

4 【毌】 毋 0 貫(貝部四畫)과 같은 글자。

一畫

5 【母】 毋 1 중학 모 — 어미 — (上)麌

자원 상형 ㄴ 口 口 母 母 3000년전

「母」는 젖통 있는 곳을 강조한 여자의 모습→어머니。

뜻 ①어미모 ㉠모친。「父母부모」 ㉡전(轉)하여、어머니 뻘의 여자。「叔母숙모」「姑母고모」 ㉢또 유모(乳母)。㉣또 같은 물건 중에 크거나 무거운 것은「母」、작거나 가벼운 것은「子자」라 함。「子母環자모환」 ㉤또 소생(所生)의 근원 또는 근본의 뜻으로 쓰임。「母財모재」「母音모음」「有名萬物之母유명만물지모」 ②할미모 나이 먹은 여자。③암컷모 금수의 암놈。

주의「毌관」〈꿰뚫다〉·「毋무」〈없다〉와는 딴 글자。

참고「母」를 음으로 하는 글자=「姆모」〈젖어머니〉·「拇무」〈엄지손가락〉

【母系 모계】 어머니 쪽의 계통(系統)。

【母校 모교】 자기가 졸업한 학교。

【母敎 모교】 어머니의 교훈(敎訓)。

【母國 모국】 외국(外國)에 있어서 자기의 본국(本國)을 가리키는 말。

【母女 모녀】 어머니와 딸。

【母範 모범】 어머니로서의 의범(儀範)。

【母喪 모상】 어머니의 상사(喪事)。

【母先亡 모선망】 어머니가 아버지보다 먼저 세상을 떠남。

【母性愛 모성애】 어머니의 자식에 대한 깊은 애정。

【母氏 모씨】 어머니。

【母語 모어】 ①어머니로부터 배운 기틀이 되는 말。②제 나라 말。모국어。

【母韻 모운】 모음(母音)。

【母乳 모유】 난 어머니의 젖。

【母音 모음】 성대의 진동을 받은 소리가 마찰을 받지 않고 나는 유성음(有聲音)。홀소리。

【母子 모자】 ①어머니와 아들。「금과 이자。②원

【母字 모자】 반절(反切)의 둘째글자。

【母姊 모자】 어머니와 누나。
【母體 모체】 어머니의 몸。 어머니。
【母親 모친】 어머니。
【母胎* 모태】 어머니의 태(胎) 안。
【母后* 모후】 황태후(皇太后)。
◉繼母계모 伯母백모 保母보모 生母생모 庶母서모 叔母숙모 媤母시모 養母양모 姊母자모 親母친모 賢母현모

[三畫]

7 【每】 毋 3 [중학] 매 ―매양― ㊤賄

丿 𠂉 仁 毎 毎 每 每

[자원] 상형  3000년전

「每」는 머리장식을 붙인 주부(主婦)→모친。 나중에 자형(字形)을 잘못 보아 풀이 무성하게 자라는 일이라고 생각하였음。 또 어미가 애를 낳듯이 사물이 붇다、 몇 번이고、 항상、 그 때마다의 뜻으로 쓰임。

[뜻] ①매양매 늘。 항상。 「每每매매」 ②마다매 그 때에는 늘。 「每日매일」 ③비록매 아무리 그렇다 하나。 ④탐낼매 탐(貪)함。 ⑤풀우거질매 풀이 무성한 모양。

[참고] 「每」를 음으로 하는 글자=「梅매」〈매화나무〉·「海해」〈바다〉·「晦회」〈그믐〉·「誨회」〈가르치다〉·「悔회」〈뉘우치다〉

【每卷 매권】 권마다。 각권。
【每期 매기】 일정(一定)한 시기 또는 기한마다。
【每年 매년】 해마다。
【每每 매매】 ①항상。 늘。 언제나。 ②초목이 무성한 모양。 일설(一說)에는 밭이 아름다운 모양。 ③어지러워 어두운 모양。 혼란한 모양。
【每番 매번】 번번이。
【每事不成 매사불성】 일마다 실패함。
【每事盡善 매사진선】 무슨 일이고 다 잘 함。
【每朔 매삭】 달마다。 다달이。
【每樣 매양】 《韓》 항상 그 모양으로。
【每月 매월】 매달。 달마다。
【每人 매인】 사람마다。
【每朝 매조】 아침마다。 매일 아침。
【每週* 매주】 각주 또는 주간마다。
【每回 매회】 번번이。 매차(每次)。

[四畫]

8 【毒】 毋 4 [고교] 독 ―독― ①-⑧ ㊅沃 ⑨ ㊅屋

一 十 丰 圭 毒 毒 毒

[자원] 회의 屮+毐(毋부)

풀을 나타내는 「屮철」과 행실이 난잡한 사람의 뜻을 가진 「毐애·기」로 이루어짐。 사람을 해치는 풀의 뜻。 해독·고통을 이름。  2000년전

[뜻] ①독독 건강을 해쳐 생명을 위험케 하는 성분。 전(轉)하여、 해독·고통을 이름。 「害毒해독」 ②유독하게할독 독약을 사용하여 해를 끼침。 ③해칠독 해롭게 함。 ④괴로와할독、 괴롭게할독 고통을 느낌。 고통을 줌。 ⑤근심할독 우려함。 ⑥미워할독、 한탄할독 미워하여 한탄함。 또 원망함。 ⑦다스릴독 정돈하여 처리함。 ⑧자랄독、 기를독 생장함。 양육함。 ⑨나라이름독 「天毒천독」·

〔四畫部首順〕 心戈戶手支攴文斗斤方无日曰月木欠止歹殳毋比毛氏气水火爪父爻爿片牙牛犬

「身毒신독」은 후세의 천축(天竺)、 지금의 인도(印度)。

주의 「毐애」〈음란한 사람〉는 딴 글자。 「毒」은 속자(俗字)。

참고 「毒」을 음으로 하는 글자＝「瑇대」〈바다거북〉

【毒氣 독기】 독(毒)이 있는 기운。 해독이 되는 성분(成分)。

【毒物 독물】 독이 있는 물질(物質)。

【毒婦 독부】 악독(惡毒)한 계집。

【毒蛇 독사】 독아(毒牙)가 있어서 물 때에 독액(毒液)을 분비하는 뱀。

【毒殺 독살】 독약을 먹이어 죽임。

【毒舌 독설】 악랄하게 혀를 놀려 남을 해치는 말。 신랄한 욕。

【毒性 독성】 독기(毒氣)가 있는 성분。

【毒素 독소】 유기물질(有機物質)、 특히 고기·단백질(蛋白質) 등이 썩어서 생기는 독(毒)이 있는 화합물。

【毒手 독수】 ①남을 해치는 흉악한 자의 손。 흉수(兇手)。 ②얄미운 악한 꾀。 남을 해치는 악랄한 수단。

【毒獸 독수】 독한 짐승。

【毒矢 독시】 살촉에 독약(毒藥)을 바른 화살。

【毒心 독심】 악독한 마음。

【毒牙 독아】 ①물 때에 독액(毒液)을 내 보내는 어금니。 곧 독사(毒蛇) 같은 것의 어금니。 ②독수(毒手)❷。

【毒液* 독액】 독이 있는 액체。

【毒藥 독약】 독이 있는 약(藥)。

【毒言 독언】 남을 해치는 말。 욕。

【毒種 독종】 성미가 악독한 사람이나 짐승의 종자。

【毒酒 독주】 독약(毒藥)을 탄 술。 또 독한 술。

【毒草 독초】 독이 있는 풀。

【毒蟲 독충】 독이 있는 벌레。

【毒筆 독필】 남을 비방(誹謗)하여 쓰는 글。

【毒害 독해】 ①해침。 잔해(殘害)。 ②독약(毒藥)을 먹여 죽임。 독살(毒殺)。

【毒血 독혈】 독이 있는 악혈。

◉丹毒단독 梅毒매독 消毒소독 餘毒여독 煙毒연독 鉛毒연독 中毒중독 胎毒태독 害毒해독 解毒해독 酷毒혹독

七畫

【貫】 ⇨貝部四畫

比部

4 **【比】** 부수 중학 비 | 견줄 | ①-③ 上紙 ④-⑦ 平支 ⑩-⑯ 去寘

자원 회의 3000년전

「比비」는 사람이 따라가는 모양。 옛날에는 왼쪽으로 향하게도、 오른쪽으로 향하게도 써서 같은 글자였으나、 나중에 왼쪽으로 향한 「从종↓從종」〈복종하다〉과、 오른쪽으로 향한 「比」〈친하다、 나란히 하다〉로 나누어짐。

뜻 ①**견줄비** ㉠비교함。 「比較비교」 ㉡겨눔。 ②**무리비** 동류(同類)。 ③**엮을비** 편집함。 ④**도울비** 보좌함。 ⑤**아첨할비** 아유함。 ⑥**다스릴비** ⑦

전례비 선례(先例)。⑧**따를비** 좇음。⑨**친할비** 친밀함。「親比친비」⑩**미칠비** 及(又部二畫)과 뜻이 같음。⑪**이마적비** 근래。작금。「比來비래」⑫**자주비** 여러 번。⑬**나란할비、나란히할비** 늘어섬。「櫛比즐비」⑭**오늬비** 화살의 시위에 끼게 된 부분。⑮**비괘비** 육십사괘(六十四卦)의 하나。곧 ☷☵(곤하(坤下)、감상(坎上))으로서 천하가 한 사람을 우러러보는 상(象)。⑯**이웃비** 인근。「比郡비군」

참고 「比」를 음으로 하는 글자=「妣비」〈어머니〉·「批비」〈치다〉·「屁비」〈방귀〉·「秕비」〈쭉정이〉·「粃비」〈쭉정이〉·「砒비」〈비소〉·「毘비」〈돕다〉·「琵비」〈비파〉·「枇비」〈비파나무〉

【比肩 비견】①어깨를 나란히 함。나란히 섬。②서로 비슷함。

【比較 비교】견줌。

【比丘 비구】《佛敎》불교에 귀의(歸依)하여 구족계(具足戒)를 받은 남자 중。

【比丘尼* 비구니】《佛敎》불교에 귀의하여 구족계(具足戒)를 받은 여자 중。

【比等 비등】서로 비슷함。

【比類 비류】①겨눔。비슷함。②비슷한 종류。

【比倫 비륜】비류(比類)。

【比喩* 비유】사물의 설명에 있어서 그와 비슷한 다른 사물을 빌어 표현함。

【比率 비율】①비교하여 셈。서로 비교함。②어떤 수나 양의 다른 수나 양에 대한 비(比)。

◉對比대비 等比등비 無比무비 櫛比즐비

五畫

【皆】⇩白部四畫

八畫

【琵】⇩玉部八畫

毛部

4 【毛】 부수 중학 모 | 털 | (平)豪

一 二 三 毛

자원 상형 2500년전 毛

「毛」는 사람의 눈썹이나 머리털이나 짐승의 털 모양。본디는 깃털의 모양이라고도 하지마는、「老로」의 옛 자형(字形)의 머리털을 나타내는 부분과 닮았다고 함。

뜻 ①**털모** ㉠사람 또는 짐승의 털。「羽毛우모」㉡수염 또는 머리카락。㉢물건의 거죽에 생기는 실 모양의 것。㉣지극히 가벼운 것의 비유。②**짐승모** 길짐승。③**희생모** 털이 순색(純色)인 희생(犧牲)。④**모피모** 털이 붙은 가죽。⑤**털뜯을모** 털을 없애버림。⑥**나이차례모** 모발의 흑백 곧 연령의 고하로 석차를 정하는 일。⑦**풀모** 자라는 풀。⑧**풀자랄모** 유용(有用) 식물이 자람。⑨**근소모** 약간。⑩**성모** 성(姓)의 하나。

참고 「毛」를 음으로 하는 글자=「芼모」〈뽑다〉·「眊모」〈눈이 흐리다〉·「旄

모」·〈기〉「耄모」〈늙다〉·「秏모」〈벼〉·「秏모」〈벼〉

【毛骨 모골】 터럭과 뼈。

【毛孔 모공】 피부에서 털이 나오는 아주 작은 구멍。 털구멍。

【毛根 모근】 터럭이 모공 속에 박힌 부분。

【毛類 모류】 짐승。 모족(毛族)。「간。

【毛髮 모발】 ①머리카락。 ②근소。 약

【毛絲 모사】 털실。

【毛詩 모시】 한(漢)나라 사람 모형(毛亨)과 모장(毛萇)이 전한 중국 고대의 시。 곧 지금의 시경(詩經)。

【毛羽 모우】 털과 깃。 짐승의 털과 새의 털。 전(轉)하여 짐승과 새。

【毛衣 모의】 모피로 만든 옷。

【毛皮 모피】 털이 붙은 짐승의 가죽。

【毛筆 모필】 붓。

◉九牛一毛구우일모 不毛불모 純毛순모

三畫

【尾】⇩尸部四畫

六畫

【秏】⇩耒部四畫

七畫

11【毫】毛 7 고교 **호** | 잔털 | ㊥豪

一 亠 亣 亩 声 亯 亭 毫 毫

자원 형성 毛 高 ─高┬毫(毛부)

「毛터럭모」와 음을 나타내는 「高고」의 생획(省畫)인 「亠」(호는 변음)로 이루어짐。 길고 뾰족한 가는 털의 뜻。 전(轉)하여 가늘고 작다의 뜻。 또는 붓。

뜻 ①**잔털호** 길고 뾰족한 가는 털。 ②**조금호** 근소。「毫末호말」 ③**붓호** 모필。「揮毫휘호」 ④**호호** 척도(尺度) 또는 분량의 단위。 일리(一釐)의 십분지 일。

주의 「亳박」〈은나라 탕왕이 도읍한 곳〉과는 딴 글자。

【毫末 호말】 터럭 끝。 전(轉)하여, 아주 작거나 적은 것。 또 근소。 약간。

【毫毛 호모】 가는 털。 또 근소。 약간。

【毫無 호무】 조금도 없음。

【毫髮 호발】 가는 털과 모발(毛髮)。 전(轉)하여 근소。 약간。

◉白毫백호 一毫일호 秋毫추호 揮毫휘호

氏部

4【氏】부수 중학 ㊀**씨**(시㊥) ㊁**지** | ㊤紙 ㊀㊁

一 𠂆 𠂉 氏

자원 상형 3000년전

「氏」는 금방이라도 무너져 떨어질 듯이 내민 언덕의 모양→제방。「氏」를「氏族씨족·姓氏성씨」의 뜻으로 쓰는 것은「氏」와「是시」〈구별하는 일〉、「氏」와「師사」〈집단(集團)〉를 결부시켜서 생각하였기 때문인 듯。

뜻 ㊀**씨씨** ㉠한 성(姓) 중에서 계통의 종별(種別)을 표시하는 칭호。

㉡후세에는 성(姓)과 구별하지 않고 혼용함. ㉢왕조(王朝) 또는 제후(諸侯)의 봉지(封地)에 붙여 쓰는 칭호. 「伏羲氏복희씨」 ㉣관직에 붙여 쓰는 칭호. 세습(世襲)의 제도에서 생긴 것임. 「太史氏태사씨」 ㉤사람을 지칭하는 데 붙여 쓰는 칭호. 「伯氏백씨」「仲氏중씨」 ㉥시집간 여자의 친가의 성에 붙여 쓰는 칭호. 「某氏모씨」 ※본음(本音) **시** ㊁ **나라이름지** 「大月氏대월지」는 기원전 오 세기 중엽에 중앙 아시아의 아무강(江) 유역에 티어키 계통의 민족이 세운 나라. 또 그 민족.

참고 「氏」를 음으로 하는 글자=「祇기」〈땅귀신〉·「紙지」〈종이〉·「舐지」〈핥다〉

【氏名 씨명】 성명(姓名).

【氏譜 씨보】 씨족의 계보(系譜). 족보.

【氏族 씨족】 ①겨레. 종족. ②원시의 혈족.

一畫

5 【民】 氏 1 중학 **민** 백성 ㊉眞

ㄱ ㄱ ㄕ ㄕ 民

자원 상형 2500년전

「民」은 눈을 날카로운 날붙이로 찌른 모양이며 눈을 상처낸 사람↓장님. 눈이 보이지 않는 데서 무지(無知), 무교육인 사람↓일반 사람이란 뜻. 먼 옛날에는 사람을 신에게 바치는 희생으로 하거나 신의 노예(奴隷)로 삼았음. 그것이 「民」이었다고도 함.

뜻 **백성민** ㉠뭇사람. 인류. ㉡국가의 통치를 받는 사람. 신민. ㉢벼슬하지 않은 사람. 평민. ㉣자기 이외의 뭇사람.

참고 「民」을 음으로 하는 글자=「眠면」〈잠〉·「泯민」〈멸하다〉·「岷민」〈산이름〉·「愍민」〈근심하다〉

【民家 민가】 백성의 집.

【民間 민간】 백성들의 사회.

【民國 민국】 주권(主權)이 인민에게 있는 나라.

【民權 민권】 ①하늘이 인민에게 내린 자위·독립 등의 권리. ②백성이 정치에 참여하는 권리.

【民權主義 민권주의】 민권(民權)의 신장(伸長)을 주장하는 주의. 삼민주의(三民主義)의 하나.

【民團 민단】 지방의 인민이 서로 단결하여 군사 훈련을 하며 도적을 방비하는 단체.

【民度 민도】 백성의 빈부(貧富)와 문화의 정도.

【民亂 민란】 백성이 떠들고 일어나는 소요. 민요(民擾).

【民法 민법】 ①백성이 지켜야 할 법. ②사권(私權)의 통칙(通則)을 규정한 법률.

【民變 민변】 폭동. 혁명.

【民兵 민병】 백성이 스스로 편제(編制)한 의용병. 민군(民軍).

【民事 민사】 ①백성의 일. ②백성에 관한 일. 정사(政事). 정치. ③부역(賦役). ④사권(私權)에 관한 재판 또는 소송 사건.

【民生 민생】 ①백성의 생활. 백성의 생계(生計). ②사람의 천성(天性).

【民生主義 민생주의】 백성의 생활을 풍부히 하는 주의. 삼민주의(三民

主義)의 하나。
【民聲 민성】 백성의 소리。 민간의 여론(輿論)。
【民俗 민속】 백성의 풍속。 민간의 풍습。
【民心 민심】 백성의 마음。
【民心無常 민심무상】 백성의 마음은 일정하지 않아 군주가 선정(善政)을 베풀면 사모하고 악정(惡政)을 하면 앙심을 품음。
【民營 민영】 민간의 경영。 관영(官營)·공영(公營)의 대(對)。
【民謠 민요】 민간에 널리 퍼진 유행가。
【民用 민용】 ①백성의 이용(利用)。 ②백성의 재화(財貨)。 ③백성의 기구(器具)。
【民怨 민원】 백성의 원망(怨望)。
【民有 민유】 민간의 소유(所有)。 국유(國有)·공유(公有)의 대(對)。
【民意 민의】 백성의 뜻。 인민의 의사。
【民籍 민적】 ①일반 백성의 호적。 ②그 나라 인민으로서의 호적(戶籍)。
【民政 민정】 백성의 안녕(安寧)·행복(幸福)을 도모(圖謀)하는 정치。
【民情 민정】 ①백성의 정상(情狀)。 백성의 사정과 형편。 ②민심(民心)。
【民族性 민족성】 그 민족(民族)의 특유(特有)한 성질。
【民主 민주】 ①군주(君主)。 ②국가의 주권이 인민에게 속함。
【民衆 민중】 백성의 무리。 민간의 일반 사람들。
【民弊 민폐】 인민(人民)에게 폐단이 되는 일。
◉公民공민 國民국민 農民농민 牧民목민 移民이민 平民평민

[四畫]

【昏】 ⇩日部四畫

气部

4 【气】 수 부 ㊀기 ㊁걸 | 기운 | ㊀[去]未 ㊁[入]物

[자원] 상형 2500년전 구름이 위로 올라가는 모양을 본뜸。 한자(漢字)의 부수(部首)로서는 「기운기밑」이라 하여 운기(雲氣)를 뜻함。

[뜻] ㊀기운 기 氣(气部六畫)와 같은 글자。 ㊁빌 걸 乞(乙部二畫)과 같은 글자。

[참고] 「气」를 음으로 하는 글자 ‖ 「汽기」〈김〉·「氣기」〈기운〉

[二畫]

6 【気】 气 2 氣(다음 글자)의 약자(略字)。

[六畫]

10 【氣】 气 6 [중학] 기 | 기운 | [去]未

丿 𠂉 气 气 気 氣 氣 氣

[자원] 형성 气[음] 米 ┬ 氣(气부) 〔气〕 2500년전 음을 나타내는 「气기」는 공중에 올라가 구름이 되는 것。 굴곡(屈曲)하여 올라가는 수증기(水蒸氣)。 목에 막히어 나오는 숨。 「米미」는 쌀。

「氣」는 김을 올려서 밥을 짓다→손님을 위한 맛있는 음식. 나중에 「气」 대신 쓰는 일이 많음. 약자는 「気」.

뜻 ①**기운기** ㉠만물 생성(生成)의 근원. 만유(萬有)의 근원. ㉡심신(心神)의 세력. 원기. ㉢세력. 힘. 기세. 「氣銳기예」 「氣蓋世기개세」 ㉣풍·우·회(晦)·명(明)·한·서 등의 자연의 현상. ㉤수증기·연기 등의 공중에 올라가 보이는 현상. ㉥냄새·빛·열 같은 감각으로 그 존재를 아는 현상. ㉦풍취(風趣). 「氣味기미」 ②**공기기** 땅을 포위한 유동체. ③**숨기** 호흡. 「氣息기식」 ④**기질기** 성질. ⑤**마음기** 의사. ⑥**기후기** 시후(時候). ⑦**절후기** 음력에서 일년을 이십사분한 기간. 절기. ⑧**맡을기** 냄새를 맡음.

주의 「气」는 옛 글자.

【氣骨 기골】 기혈(氣血)과 골격. 의기(意氣)와 지조. 옹졸하게 굽히지 않는 의기(意氣). 기개(氣槪).

【氣孔 기공】 ①식물의 잎·줄기·가지 등에 있어 체중(體中)의 수증기를 발산하는 작은 구멍. 숨구멍. ②곤충류(昆蟲類)의 몸 옆쪽에 있어 호흡작용을 하는 구멍.

【氣管 기관】 호흡기의 일부. 호흡이 통하는 길.

【氣球 기구】 가벼운 기체(氣體)를 넣어 공중(空中)으로 높이 올라가게 하는 둥근 주머니. 풍선(風船).

【氣圈* 기권】 대기(大氣)가 지구(地球)를 싸고 있는 구역.

【氣根 기근】 ①일을 감내(堪耐)하는 체력과 의지. 근기(根氣). 정력(精力). ②지상(地上)에 있어 공중의 수분(水分)을 섭취하는 뿌리.

【氣力 기력】 ①심신(心身)의 작용. 원기. 근기. 체력. ②압착 공기의 힘.

【氣流 기류】 대기(大氣)의 유동.

【氣脈 기맥】 혈맥(血脈). 전(轉)하여 쌍방의 감정·의사 등의 소통(疏通). 상호간의 연락.

【氣味 기미】 ①냄새와 맛. ②정취.

【氣魄* 기백】 씩씩한 기상(氣象)과 진취성(進就性)이 있는 정신.

【氣分 기분】 ①성품(性稟). ②쾌·불쾌를 느끼는 마음의 상태.

【氣象 기상】 ①기품(氣稟)의 겉으로 드러난 상태. ②경치(景致). ③풍(風)·우(雨)·음(陰)·청(晴)·한(寒)·서(暑) 등과 같은 자연계(自然界)의 변화. 공중에서 일어나는 현상.

【氣象臺 기상대】 기상(氣象)을 관측(觀測)하는 높은 대(臺).

【氣色 기색】 ①태도와 안색(顏色). ②힘. 기세. ③천기(天氣)와 경치.

【氣勢 기세】 의기(意氣)가 장(壯)한 형세.

【氣息 기식】 숨. 호흡(呼吸).

【氣壓 기압】 대기(大氣)가 지구의 표면에 미치는 압력(壓力).

【氣焰* 기염】 대단한 기세.

【氣銳 기예】 의기가 날카롭고 왕성함.

【氣溫 기온】 대기(大氣)의 온도.

【氣運 기운】 ①운수(運數). ②시세(時勢)의 돌아가는 형편. 시운(時運).

【氣絶 기절】 ①숨이 끊어짐. 죽음. ②한 때 정신을 잃고 숨이 막힘.

【氣節 기절】①기개(氣槩)와 절개。②기후(氣候)。

【氣志 기지】마음씨。

【氣盡脈盡 기진맥진】기력(氣力)이 죄다 없어짐。

【氣質 기질】기품(氣稟)。

【氣泡* 기포】거품。

【氣品 기품】품격(品格)。

【氣稟* 기품】타고난 성질과 품격。

【氣風 기풍】기상과 풍도(風度)。

【氣虛 기허】기력(氣力)이 허약함。

【氣血 기혈】원기(元氣)와 혈액。

【氣化 기화】①물질이 변하여 딴 종류의 것이 됨。②액체가 기체로 변함。

【氣候 기후】①일년간을 구획한 기간의 일컬음。곧 오일(五日)을 일후(一候)、십오일(十五日)을 일기(一氣)로 하고 일년을 이십사기(二十四氣)、칠십이후(七十二候)로 나눔。②대기의 변동과 수륙의 형세에 따라서 생기는 조습(燥濕)·청우(晴雨)·한서(寒暑) 등의 현상。

◉感氣감기 狂氣광기 怒氣노기 磁氣자기 才氣재기 節氣절기 浩然之氣호연지기

水(氵)部

4 【水】 부수 중학 수 물 ㊤紙

亅 ㇇ 水 水

자원 회의 (A) (B) 3000년전

「水」는 시내의 흐름의 모양→물。본디「水」는 시내의 뜻이었음。부수(部首)로 쓸 때는「氵삼수변」으로 쓰는 일이 많음。

뜻 ①물수 ㉠산소와 수소로 이루어진 액체。「水火수화」㉡물이 흐르거나 괸 곳。곧 내·호수·바다 등。㉢물의 범람。곧 홍수。㉣오행(五行)의 하나。고대에 우주를 구성하는 원소(原素)로 생각되었음。계절로는 겨울、방위로는 북(北)、오성(五星)으로는 진성(辰星)、오음(五音)으로는 우(羽)、십간(十干)으로는 임계(壬癸)에 배당함。②물일수 물을 긷거나 물을 사용하여 하는 일。③수성수 혹성(惑星) 중에서 가장 작고 태양에 가장 가까운 별。진성(辰星)。

【水瓜 수과】수박。

【水軍 수군】배를 타고 싸우는 군대。해군(海軍)。

【水克火 수극화】오행설(五行說)에서 물은 불을 이긴다는 말。

【水禽 수금】물새。

【水難 수난】①수해(水害)。②익사(溺死)·파선(破船)·침몰 등 물로 말미암아 일어나는 재난。

【水道 수도】①뱃길。물길。항로(航路)。수로(水路)。②물이 흐르는 통로。③음료수·사용수(使用水) 등을 공급하는 설비。상수도(上水道)。

【水稻 수도】논에 심는 벼。

【水量 수량】물의 분량。

【水力 수력】물의 힘。물이 흐르는 힘。

【水路 수로】①뱃길。물길。②물이 흐르는 통로。

【水陸 수륙】①물과 뭍。하해(河海)

와 육지。②하해와 육지에서 나는 식물(食物)。③수로와 육로(陸路)。

【水陸並進 수륙병진】 바다 또는 강과 육지에서 군대가 아울러 나아감。

【水陸珍味 수륙진미】 수륙에서 나는 맛있는 음식。산해진미(山海珍味)。

【水利 수리】 물의 편리。곧 물이 많아서 관개(灌漑)·음료(飮料)의 공급·선박의 왕래 등에 편리한 일。

【水理 수리】 땅 속에 흐르는 물의 줄기。수맥(水脈)。

【水脈 수맥】 ①땅 속에 흐르는 물의 줄기。②뱃길。항로。수로(水路)。

【水面 수면】 물의 표면。

【水墨 수묵】 ①그림을 그리는 데 쓰는 진하지 않은 먹。②수묵화(水墨畫)。

【水墨畫 수묵화】 당(唐)나라 중엽부터 시작된 동양화의 하나。채색(彩色)을 쓰지 아니하고 수묵(水墨)의 짙고 옅은 조화로써 초자연적 표현을 주로 하는 그림。묵화(墨畫)。

【水門 수문】 저수지나 수로(水路)에 설치하여 물의 유통(流通)을 조절하는 문。물문。

【水紋* 수문】 수면(水面)의 물결이 이룬 무늬。

【水兵 수병】 수군(水軍)에 소속된 군사。해군의 병사。

【水師 수사】 ①해군(海軍)。수군(水軍)。②뱃사공。수수(水手)。

【水產 수산】 물 속에서 생산되는 물건。곧 어개류(魚介類)·해조류(海藻類) 따위。수산물(水產物)。

【水蔘* 수삼】 말리지 않은 인삼。생삼(生蔘)。건삼(乾蔘)의 대(對)。

【水上 수상】 ①물가。수애(水涯)。②물 위。수면(水面)。③상류(上流)。

【水色 수색】 ①물빛。연한 남빛。②물의 경치。

【水生木 수생목】 오행설(五行說)에서 물은 나무를 낳는다는 말。

【水石 수석】 ①물과 돌。②물과 돌로 이루어진 경치。곧 산골짜기에서 흐르는 물의 경치。천석(泉石)。

【水仙 수선】 ①물 속에서 사는 신선(神仙)。②수선화과에 속하는 다년초(多年草)。관상용으로 심음。수선화(水仙花)。

【水勢 수세】 물이 흐르는 기세。

【水宿 수수】 이십팔수(二十八宿) 중의 북방(北方)의 일곱 성수(星宿)。현무칠수(玄武七宿)。

【水神 수신】 ①물귀신。하백(河伯)。

【水心 수심】 물의 중앙。연못 또는 하천 등의 중심。

【水深 수심】 물의 깊이。

【水壓 수압】 물의 압력(壓力)。

【水魚之交 수어지교】 지극히 친밀한 교제。

【水煙 수연】 물 위에 낀 안개。

【水玉 수옥】 ①수정(水晶)의 별칭(別稱)。②파리(玻璃)의 별칭。

【水溫 수온】 물의 온도。

【水浴 수욕】 목욕。냉수욕(冷水浴)。

【水牛 수우】 물소。

【水雲 수운】 ①물과 구름。②흐르는 물과 떠도는 구름 사이를 방랑함。

【水運 수운】 배로 화물을 운반하는 일。수로(水路)에 의한 운송。

【水源 수원】 물이 흘러 나오는 근원。

【水位 수위】 강·바다·호수 등의 수량(水量)의 높이。

【水葬 수장】 시체를 물속에 장사지냄。

【水底 수저】물이 실린 바닥。물 밑。

【水戰 수전】바다나 강 같은 물 위에서의 싸움。수상(水上)의 전쟁。

【水晶* 수정】육방정계(六方晶系)의 결정(結晶)을 이룬 무색 투명의 석영(石英)。인재(印材)·장식품 등으로 쓰임。육방석(六方石)。

【水準 수준】①평면(平面)이 수평(水平)이 졌나 안 졌나를 조사하는 기구。수준기(水準器)。②표준(標準)。

【水蒸氣 수증기】물이 증발한 김。

【水質 수질】물의 물리학적·화학적·세균학적 품질。

【水彩 수채】채료(彩料)를 물에 녹여 그림을 그리는 일。

【水泉 수천】샘。

【水天一碧 수천일벽】구름 한 점이 없어 바다의 물이나 하늘이 한결같이 푸르게 보임。

【水淸無大魚 수청무대어】물이 너무 맑으면 물고기가 몸을 감출 데가 없어 살지 않는다는 뜻으로서、사람도 너무 결백하면 남이 따르지 않음을 이름。

【水草 수초】①물 또는 물가에서 나는 풀。②물과 풀。

【水平 수평】①중력(重力)의 방향과 직각을 이룬 상태。잔잔한 수면처럼 평평한 상태。②수준(水準)❶。

【水平線 수평선】정지한 물의 평면에 평행하는 직선。지평선(地平線)。

【水泡* 수포】①물거품。②덧 없는 인생의 비유。③헛된 수고의 비유。

【水害 수해】홍수로 인한 재해。수재。

【水滸傳* 수호전】원(元)나라의 시내암(施耐庵)이 지은 소설。칠십일회(七十一回) 이후는 나관중(羅貫中)이 지었다고도 전함。중국 소설의 사대기서(四大奇書)의 하나。

【水火 수화】①물과 불。②일상 생활에 없어서는 안 될 물건。③성질이 정반대 되는 지극히 나쁜 사이의 비유。④익은 음식。⑤재난。익사·화상 등의 큰 고통、또는 대단히 위험한 것의 비유。⑥물과 불 같은 맹렬한 기세의 비유。

◉ 渴不飮盜泉水 갈불음도천수 渴水 갈수 硬水 경수 溪水 계수 冷水 냉수 潭水 담수 排水 배수 碧水 벽수 噴水 분수 山水 산수 藥水 약수 流水 유수 一衣帶水 일의대수 治水 치수 風水 풍수 下水 하수 湖水 호수 洪水 홍수

3 【氵】水 0 水(앞 글자)가 글자의 변(邊)으로 올 때에 약(略)하여 쓰는 글자체(體)。

一畫

5 【氷】水 1 중학 빙 | 얼음 ㊤蒸

丨 亅 氵 氺 氷

자원 회의 水 仌-冫-冰-氷 (水부) 2000년전

「仌 빙」은 얼음이 얼어서 금이 간 모양。「冰 빙」은 물이 얼다→얼음。얼다、얼음이란 뜻으로는 처음에 「仌」자를 쓰고 나중에 「水 수」를 더하여 「冰」으로 하였음。「仌」은 다른 글자의 부분이 될 때 「冫 이수」로 함。「氷」은 「冰」자를 빨리 쓴 약자。

뜻 ①**얼음 빙** 물이 얼어 굳어진 것。「氷山 빙산」②**얼 빙** 물이 얾。「氷結

빙결」③식힐빙 서늘하게 함。냉각(冷却)함。④기름빙 지방。⑤전동뚜껑빙 시통(矢筩)의 뚜껑。

【氷結 빙결】얼음이 얾。

【氷庫 빙고】얼음 창고。

【氷塊 빙괴】얼음덩이。

【氷囊* 빙낭】얼음 찜질에 쓰는 얼음을 담는 주머니。

【氷糖 빙당】빙사탕(氷砂糖)。

【氷凍 빙동】얼음。 「살결。

【氷膚 빙부】얼음같이 희고 아름다운

【氷山 빙산】①얼음의 산。바다에 뜨는 산 같은 얼음덩이。②믿을 수 없는 사물의 비유。

【氷霜 빙상】얼음과 서리。굳은 절개의 비유로 쓰임。

【氷雪 빙설】①얼음과 눈。②총명한 슬기의 비유。③깨끗한 마음의 비유。④희고 아름다운 것의 비유。

【氷水 빙수】얼음 물。 「곳。얼음 창고。

【氷室 빙실】얼음을 저장하여 두는

【氷人 빙인】혼인 중매하는 사람。월하 빙인(月下氷人)。

【氷點 빙점】물이 얼기 시작하는 온도。섭씨(攝氏)로는 영도、화씨(華氏)로는 삼십 이 도。

【氷晶石* 빙정석】알루미늄을 만드는

【氷柱 빙주】고드름。 「광석。

【氷炭 빙탄】얼음과 숯불。

【氷炭不相容 빙탄불상용】얼음과 숯불과 같이 성질이 정반대이어서 서로 용납 못함。

【氷河 빙하】①얼음이 얼어 붙은 강。②높은 산에서 응고(凝固)한 만년설(萬年雪)이 얼음이 되어 서서히 흘러 내리는 것。

【氷海 빙해】가가 얼어붙은 바다。

【氷滑* 빙활】얼음 지치기。스케이팅。

◉堅氷견빙 結氷결빙 薄氷박빙 雨氷우빙 製氷제빙 採氷채빙 春氷춘빙 寒氷한빙

5 【永】 水 1 중학 영 | 길 | ㊤梗

丶 亅 ⺢ 永 永

자원 상형 (3000년전) (2500년전) 「永」은 시내의 흐름이 갈려 가는 모양→물이 어디까지나 흐르듯이 길다는 뜻。

뜻 ①길영 ㉠강 같은 것의 흐름이 긺。㉡시간이 긺。오램。「永久영구」 ②멀영 요원함。③깊을영 얕지 아니함。④길게할영 길게 늘임。⑤길이영 오래도록。영구히。「永住영주」

참고 「永」을 음으로 하는 글자=「泳영」〈헤엄치다〉·「咏영」〈읊다〉·「詠영」〈읊다〉

【永劫* 영겁】《佛教》지극히 긴 세월。영원한 세월。 「별(死別)。

【永訣* 영결】영원의 이별(離別)。사

【永久 영구】길고 오램。세월이 한없이 계속됨。 「나는 이。

【永久齒 영구치】배냇니가 빠진 뒤에

【永年 영년】①오랜 세월。②장수(長壽)。영생(永生)。 「음。

【永代 영대】영세(永世)。

【永眠 영면】영원히 잠을 잠。곧 죽

【永生 영생】①장수(長壽)。장생(長生)。②영원히 생존함。③《佛教》번뇌를 벗어나 진리를 깨닫는 일。열반(涅槃)。④《佛教》미타(彌陀)의 정토(淨土)。

〔四畫部首順〕心戈戶手支攴文斗斤方无日曰月木欠止歹殳毋比毛氏气水火爪父爻爿片牙牛犬

【永逝* 영서】 영구히 감. 곧 죽음. 영면(永眠). 장서(長逝).

【永世中立 영세중립】 국제법상(國際法上) 영구히 중립을 지키는 대신, 그 독립과 영토의 보전이 다른 나라들로부터 보존을 받는 일.

【永嘯* 영소】 소리를 길게 빼어 읊음.

【永續 영속】 오래 계속함. 영구히 계속함.

【永遠 영원】 영구(永久).

【永字八法 영자팔법】 길영자(永) 한 자로써 나타낸 모든 글자를 쓰는 데 공통(共通)한 여덟 가지 운필법(運筆法).

【永絶 영절】 아주 끊어져 없어짐.

【永存 영존】 영원히 존재함.

【永住 영주】 일정한 곳에 오래 삶.

二畫

7 【求】 水 2 중학 구 | 구할 | ㊥尤

一 十 寸 才 求 求 求

자원 상형 (A) (B) 3000년전

「求」 자는 자형(字形)이 닮았기 때문에 물수부에 넣지만 뜻은 「가죽옷」이고 Ⓐ는 후세의 「裘구」, Ⓑ는 후세의 「求」자임. 「求」는 짐승의 가죽으로 만든 옷→몸에 감다→정리하다→모으다→구하다의 뜻.

뜻 ①구할구 ㉠바람. 「欲求욕구」 ㉡찾음. 「索求색구」 ㉢초래함. ②빌구 구걸함. ③탐낼구 탐함. ④책할구 책망함.

참고 「求」를 음으로 하는 글자=「球구」〈아름다운 옥〉·「毬구」〈공〉·「逑구」〈짝〉·「裘구」〈가죽 옷〉

【求乞* 구걸】 남에게 돈·곡식(穀食) 등을 거저 달라고 청함.

【求道 구도】 ①바른 도(道)를 찾음. ②《佛教》 안심입명(安心立命)의 도(道)를 찾음.

【求仕 구사】 벼슬을 구(求)함.

【求師 구사】 스승을 구함.

【求嗣* 구사】 자식(子息)을 보려고 첩(妾)을 둠.

【求償 구상】 배상(賠償) 또는 상환(償還)을 요구함.

【求心力 구심력】 원운동(圓運動)하는 물체를 원의 중심으로 끌어 당기는 힘. 원심력(遠心力)의 대(對).

【求愛 구애】 사랑을 받기를 바람.

【求雨 구우】 기우(祈雨).

【求全 구전】 완전하기를 바람.

【求職 구직】 직업(職業)을 구(求)함.

【求學 구학】 배움의 길을 찾음.

【求刑 구형】 형벌(刑罰)주기를 요구함.

【求婚 구혼】 혼처(婚處)를 구함.

◉ 渴求갈구 同類相求동류상구 要求요구 欲求욕구 請求청구 追求추구 探求탐구

5 【氾】 水 2 범 | 넘칠 | ㊀陷

자원 형성 水·氵+㔾음 → 氾(水부) 2500년전

「氵삼수변」〈물〉과, 음과 함께 범하다의 뜻(⇩犯범)을 나타내기 위한 「㔾범」으로 이루어져, 물이 넘치다의 뜻. 전(轉)하여, 넓어지다의 뜻.

뜻 ①넘칠범 물이 넘침. ②넓을범 광대함. 汎(水部三畫)과 같은 글자. 「氾博범박」 ③뜰범 물에 떠서 불안정한 모양. ④물이름범 하남성(河南省)을 북류(北流)하는 황하의 지

류(支流)。사수(氾水)라고도 함。
주의 「氾사」〈지류〉와는 딴 글자。

【氾濫 범람】 ①물이 넘쳐 흐름。②널리 미침。

【氾論 범론】 ①널리 논함。②대체에 관한 이론。통론(通論)。

【氾溢 범일】 물이 넘쳐 벌창함。

◉廣氾광범 博氾박범 普氾보범

5 **【汁】** 水 2 ㊀**즙** | 즙 | ㊀(入)緝 ㊁**협** | ㊁(入)葉

자원 형성 水-氵+十(음)→汁(水부)
「氵삼수변」〈물〉과 음을 나타내는 「十십」(즙은 변음)으로 이루어짐。음식의 국물의 뜻。

뜻 ㊀①**즙즙** ㉠진액(津液)。「果汁과즙」 ㉡물질을 혼합한 액체。「墨汁묵즙」 ②**국물즙** ㉠국의 국물。㉡남의 덕으로 얻는 공리(功利)。③**진눈깨비즙** 비가 섞인 눈。㊁**맞을협**、**화합할협** 協(十部六畫)과 통용。

◉膽汁담즙 墨汁묵즙 乳汁유즙 肉汁육즙

三 畫

6 **【汎】** 水 3 고교 **범** | 뜰 | (去)陷

、 氵 氵 汎 汎

자원 형성 水-氵+凡(음)→汎(水부)
「氵삼수변」〈물〉과 음을 나타내는 「凡범」으로 이루어짐。물에 뜨는 모양。

뜻 ①**뜰범** 물 위에 둥둥 뜨는 모양。「浮汎부범」 ②**넓을범** ㉠광대함。㉡보편적임。

【汎濫 범람】 ①물이 넘쳐 흐름。②학문에 널리 통함。범섭(汎涉)。

【汎說 범설】 종합적으로 설명함。또 그 설명。총설(總說)。

【汎神論 범신론】 만유(萬有)는 곧 신(神)이요 신(神)은 곧 만유(萬有)라고 하는 종교관 내지 철학관。

【汎心論 범심론】 만물에 다 마음이 있다고 하는 학설。

6 **【汐】** 水 3 **석** | 석수 | (入)陌

자원 형성 水-氵+夕(음)→汐(水부) 2500년전
「氵삼수변」〈물〉과、음을 나타내며 동시에 저녁의 뜻인 「夕석」으로 이루어짐。저녁에 밀물·썰물 현상이 나타나는 바닷물의 뜻。

뜻 **석수석** 저녁 때에 밀려 들어왔다가 나가는 바닷물。「潮汐조석」

6 **【汚】** 水 3 고교 ㊀**오** ㊁**와** | 괸물 | ㊀①-⑤(平)虞 ⑥(去)遇 ㊁(平)麻

、 氵 氵 汚 汚

자원 형성 水-氵+于-亐(음)→汚(水부)
「氵삼수변」〈물〉에 음과 함께 막히다의 뜻(⇩鬱울)을 나타내기 위한 「于우」(오는 변음·亐는 于의 변형)로 이루어짐。괸 물、괴어서 더러워진 물의 뜻。전하여、더러워지다의 뜻。

뜻 ㊀①**괸물오** 정지한 물。②**낮을오** ㉠하등(下等)임。「埤汚비오」 ㉡땅이 낮음。「隆륭」의 대。「汚隆오륭」 ③**더러울오** ㉠불결함。「汚濁오탁」 ㉡마음이나、행실이 더러움。「汚吏오리」 ④더럽힐오 더럽게 함。「汚損오손」「汚名오명」 ⑤굽힐오 뜻을 굽힘。 ⑥빨오 더러운 것을 빪。 ㊁팔와 움푹 들어가게 팜。

주의 「汗한」〈땀〉은 딴글자。

【汚吏 오리】 청렴(淸廉)하지 못한 벼슬아치。

【汚名 오명】 더러워진 이름。 나쁜 평판(評判)。

【汚物 오물】 더러운 물건。

【汚世 오세】 더러운 세상。

【汚損 오손】 더럽힘。 더럽게 함。

【汚染 오염】 더럽힘。 또 더러워짐。

【汚穢* 오예】 ①더러움。 또 더러운 것。 ②더럽힘。 ③더러운 일。 부정(不淨)。

【汚辱 오욕】 ①더럽히고 욕되게 함。 ②수치。 치욕。

【汚點 오점】 ①때。 ②흠。 결점。

【汚濁 오탁】 더럽고 흐림。

6 【汗】 水 3 고교 한 ― 땀 ― 去翰

、 ⺀ 氵 汀 汗 汗

자원 형성 干(음) 水-氵-汗(水부) 2500년전

「氵삼수변」〈물〉과, 음을 나타내며 동시(同時)에 침입(侵入)하다의 뜻을 가진 「干간」(한은 변음)으로 이루어짐。 땀이 피부(皮膚)를 뚫고 나오는 기분을 나타냄。

뜻 ①땀한 피부에서 나오는 액체。 ②땀날한 땀이 나옴。 또 땀은 한 번 나오면 다시 들어가지 않으므로 나왔다 다시 들어가지 않음의 비유로 쓰임。「渙汗환한」

주의 「汙오」〈괸물〉는 딴글자。

【汗衫* 한삼】 여름 옷의 한 가지。 땀받이。 한의(汗衣)。

【汗顔 한안】 ①두렵거나 부끄러워 얼굴에 땀을 흘림。 ②힘들여 일을 하여 얼굴에 땀을 흘림。

【汗疹* 한진】 땀띠。

◉驚汗경한 冷汗냉한 淚汗누한 盜汗도한 發汗발한 羞汗수한 血汗혈한

6 【汝】 水 3 중학 여 ― 너 ― 上語

、 ⺀ 氵 汄 汝 汝

자원 형성 女(음) 水-氵-汝(水부) 2500년전

시내를 뜻하는 「氵삼수변」과, 음을 나타내는 「女녀」로 이루어짐。 음을 빌어 이인칭(二人稱)의 대명사로 씀。

뜻 ①너여 대등 이하의 사람에 대한 호칭。「汝輩여배」 ②물이름여 하남성(河南省)을 흘러 회수(淮水)로 들어가는 강。「汝水여수」

6 【江】 水 3 중학 강 ― 물이름 ― 平江

、 ⺀ 氵 汀 江 江

자원 형성 工(음) 水-氵-江(水부)

시내를 뜻하는 「氵삼수변」에, 음과 함께 크다는 뜻을 나타내기 위한 「工공」(강은 변음)으로 이루어짐。 큰 시내 곧 강의 뜻。 본디 양자강(揚子江)을 가리킴。

뜻 물이름강 양자강(揚子江)을 예전에는 단지 「江강」이라 하였음。 하(河) 곧 황하(黃河)와 병칭하여 「江河강하」라 함。 속칭을 「大江대강」·「長江장강」이라 함。 전(轉)하여 큰

강의 통칭(通稱)으로 쓰임。
【江流 강류】 ①양자강(揚子江)의 흐름。 ②강의 흐름。 하류(河流)。
【江邊 강변】 강가。 강반(江畔)。 강두(江頭)。
【江山 강산】 강과 산。 산천(山川)。
【江上 강상】 강(江)。
【江水 강수】 강(江)물。
【江煙 강연】 강 위에 낀 안개。
【江月 강월】 강물에 비치는 달의 그림자。
【江中 강중】 강(江)의 가운데。
【江村 강촌】 강(江)가의 마을。 강향(江鄕)。
【江風 강풍】 강(江)바람。
【江鄕 강향】 강촌(江村)。
【江湖 강호】 ①강(江)과 호수(湖水)。 ②삼강(三江)과 오호(五湖)。 곧 옛날의 오(吳)나라와 월(越)나라의 요처(要處)。 ③세상。 속세(俗世)。 ④관직을 떠나 은거(隱居)해 있는 시골。 또는 시인묵객(詩人墨客)이 파묻혀 있는 시골。
【江湖之氣 강호지기】 민간인의 기풍。 은거하고 싶어하는 마음。
【江湖之人 강호지인】 민간(民間)에 있는 사람。 벼슬하지 않은 사람。
◉曲江곡강 大江대강 渡江도강 碧江벽강 遡江소강 長江장강 淸江청강 河江하강

6 【池】 水 3 고교 지 | 못 | ㉲支

、 ⺀ 氵 汃 氿 池

자원 형성 也음 水-氵┤池(水부)
「氵삼수변」〈물〉에、 음과 함께 둘러싸다의 뜻(⇩圍위)을 나타내기 위한 「也야」로 이루어짐。 둘러싸인 물。 못。
뜻 ①못지 물이 괸 넓고 깊은 곳。 「池沼지소」 ②해자지 성(城) 밖을 둘러판 못。 「城池성지」 ③성지 성(姓)의 하나。
【池塘* 지당】 못의 둑。
【池蓮 지련】 못에 심은 연(蓮)。
【池面 지면】 못의 표면。
【池畔* 지반】 못가。
【池錫永* 지석영】《韓》 조선말기(朝鮮末期)의 학자(學者)。 일본에 가 종두(種痘) 제조법(製造法)을 배워오고 광무(光武) 삼년(三年) 의학교(醫學校)를 세움。
【池沼* 지소】 못。
【池苑* 지원】 연못과 동산。
【池亭 지정】 못가에 있는 정자。
◉枯池고지 蓮池연지 園池원지 貯水池저수지 電池전지 天池천지 湯池탕지

四畫

7 【汰】 水 4 태 | 지날 | ㊀泰

자원 형성 太음 水-氵┤汰(水부)
「氵삼수변」〈물〉과、 음을 나타내는 「太태」로 이루어짐。 물로 씻고 골라내는 뜻。 또 음을 빌어 도(度)를 넘기는 뜻(⇩太)으로 쓰임。
뜻 ①지날태 통과함。 ②일태 물에 일어 추려냄。 「淘汰도태」 ③씻을태 세탁함。 ④사치할태 호사스럽게 지냄。 「汰侈태치」 ⑤흐릴태 혼탁(混濁)함。 ⑥미끄러질태 실족함。
주의 「汏」는 같은 글자。
◉淘汰도태 沙汰사태 人爲淘汰인위도태

7 **【汶】** 水 4 **문** | 물이름 | ①去問 ②平元

자원 형성 文音 水-氵┬汶(水부)

「氵삼수변」〈물〉과、 음을 나타내는 「文문」으로 이루어짐。 강의 이름。 또 「紛분」과 통하여 어지러움→수치의 뜻으로도 쓰임。

뜻 ①**물이름문** 산동성(山東省)에 있는 강(江)。 셋이 있어 이를 합쳐 삼문(三汶)이라 함。 ②**수치문** 치욕。

7 **【決】** 水 4 중학 **결** | 터질 | 入屑

、 丶 氵 汀 江 沪 決

자원 형성 夬音-夬 水-氵┬決(水부)

음을 나타내는 「夬」은 「쾌」 또는 「결」이라 읽고 「又=手수」〈손〉에 무엇인가를 가진 모양。 무엇인가 속에 박힌 것을 도려내는 일인 듯함。 나중에 「抉결」로 씀。 「氵삼수변」은 「물」、 「決」은 둑의 일부가 끊어지는 일。 질그릇이 깨어졌다는 「缺결」、 마음이 상쾌하다는 「快쾌」 따위와 같이 「夬」이 붙는 글자는 일부분이 끊어지다의 뜻이 공통됨。

뜻 ①**터질결** 제방 같은 것이 무너져 물이 흘러나옴。 「決潰결궤」 ②**터뜨릴결** 위의 뜻의 타동사。 「決河之勢결하지세」 ③**끊을결** 이로 끊음。 「齒決치결」 ④**판단할결** 판별함。 「判決판결」 ⑤**결정할결** 결단함。 「決心결심」 ⑥**이별할결** 訣(言部四畫)과 같은 글자。 ⑦**결코결** 결단코。 ⑧**깍지결** 활 쏠 때 오른쪽 엄지손가락에 끼는 기구。 「決拾결습」 ⑨**틈결** 缺(缶部四畫)과 같은 글자。

주의 「决」은 속자(俗字)。

【決潰＊결궤】 ①둑이 터져 무너짐。 또 둑을 무너뜨려 물을 터 놓음。 ②썩어 문드러짐。

【決斷 결단】 ①단호히 정함。 ②송사(訟事)를 판결함。

【決裂 결렬】 ①갈라 나눔。 재할(裁割)。 ②부숨。 파괴함。

【決死 결사】 죽기를 각오함。

【決算 결산】 일정한 기간 안의 수지(收支)의 총계산。

【決選 결선】 최후에 결정하는 선거。

【決勝 결승】 최후의 승부(勝負)를 결정함。

【決心 결심】 마음을 결정함。 또 결정 「한 마음」。 결의。

【決然 결연】 ①단호히。 ②급히。

【決議 결의】 평의(評議)하여 결정함。

【決戰 결전】 승부를 결정하기 위한 싸움。

【決定 결정】 결단(決斷)하여 작정함。

【決河之勢 결하지세】 둑을 터뜨려 강물이 맹렬히 흐르는 것 같은 형세。 맹렬한 형세。

【決行 결행】 단호히 행함。 단행함。

◉速決속결 議決의결 自決자결 裁決재결 專決전결 卽決즉결 判決판결 解決해결

7 **【汽】** 水 4 ㊀**기** ㊁**흘** | 김 | ㊀去未 ㊁入物

자원 형성 气音 水-氵┬汽(水부)

「氵삼수변」〈물〉과、 음을 나타내며 동시에 증기(蒸氣)의 뜻을 나타내는

「气기」로 이루어짐。 수증기의 뜻。

뜻 ㊀**김기** 수증기。「汽車기차」 ㊁**거의흘** 거반。 汔(水部三畫)과 같은 글자。

【汽罐 기관】 불을 때어 물을 끓여 증기(蒸氣)를 일으키는 큰 가마。

【汽船 기선】 증기기관(蒸氣機關)의 작용으로 다니는 배。 화륜선(火輪船)。

【汽笛 기적】 기차·기선 따위의 증기의 힘으로 내는 고동。

【汽車 기차】 증기기관(蒸氣機關)의 작용(作用)으로 궤도 위를 다니는 수레。 화차(火車)。

7 **【沃】** 水 4 **옥** | 물댈 | ㊇沃

자원 형성 夭음 水-氵┬沃(水부)

「氵삼수변」〈물〉과、 음을 나타내는 동시에 물을 뿌려 끼얹다의 뜻을 가진 「夭요」(옥은 변음)로 이루어짐。 물대다의 뜻。

뜻 ①**물댈옥** 관개함。 전(轉)하여 계발(啓發)함。 ②**성할옥** 무성함。 또는 장성함。 ③**부드러울옥** 유연함。 ④**기름질옥** 걸찲。「沃野옥야」 ⑤**장마옥** 임우(霖雨)。

【沃度 옥도】 할로겐족(族)에 속하는 원소(元素)의 한가지。

【沃素 옥소】 원소(元素)의 하나。 금속 광택이 있는 흑자색의 결정。 취기(臭氣)가 있음。

【沃野 옥야】 기름진 들。

【沃土 옥토】 기름진 땅。 옥지(沃地)。

◉肥沃비옥

7 **【沈】** 水 4 고교 ㊀**침** ㊁**심** | 가라앉을 | ㊀㊇侵 ㊁㊤寢

、 冫 氵 氵 沙 沈

자원 형성 冘음 水-氵┬沈(水부)

「氵삼수변」〈물〉과、 음을 나타내며 동시(同時)에 깊이 아래로 늘어뜨리다의 뜻을 가진 「冘유」(침은 변음)로 이루어짐。 수중(水中)에 가라앉다의 뜻。

뜻 ㊀①**가라앉을침** ㉠물속에 가라앉음。 잠김。 빠짐。「浮沈부침」 ㉡마음이 가라앉음。 침착함。「沈重침중」 ②**빠질침** 탐닉함。「沈溺침닉」 ③**가라앉힐침** 가라앉게 함。「沈舟침주」 ④**진흙침** 이토(泥土)。 ⑤**호수침** 호소(湖沼)。 ㊁①**즙심** 즙액(汁液)。 瀋(水部十五畫)과 같은 글자。 ②**성심** 성(姓)의 하나。

주의 「沉」은 같은 글자。

【沈慮 침려】 생각에 잠김。 깊이 생각함。 침사(沈思)。

【沈沒 침몰】 물속에 가라앉음。 물 속에 빠져 들어감。 「잠잠함。

【沈默 침묵】 말이 없이 가만히 있음。

【沈澱* 침전】 액체(液體)속에 섞인 물건이 밑바닥에 가라앉음。 또 그 가라앉은 앙금。

【沈着 침착】 ①가라앉음。 침몰(沈沒)。 ②성질(性質)이 가라앉고 착실함。

【沈滯* 침체】 ①가라앉아 머묾。 ②벼슬이 오르지 아니함。 ③일이 잘 되어 나가지 아니함。

【沈痛 침통】 마음에 깊이 감동됨。

◉擊沈격침 浮沈부침 深沈심침 湮沈인침

7 【沐】水 4 고교 목 ―머리감을― ㊀屋

丶 丷 氵 汁 汴 沐 沐

자원 형성 木음 水-氵┬沐(水부) 2500년전

「氵삼수변」〈물〉과, 음을 나타내는 동시에 물을 끼얹는다는 뜻을 나타내기 위한 「木목」으로 이루어짐。 물을 끼얹어 머리를 감다의 뜻。

뜻 ①머리감을목 ㉠머리를 감음。 ㉡전(轉)하여 윤택(潤澤)하게 하는 뜻으로 쓰임。 ②다스릴목

【沐浴 목욕】 ①머리를 감고 몸을 씻음。 ②은혜를 입음。 목은(沐恩)。

【沐恩 목은】 은혜를 입음。

◉雨沐우목 櫛沐즐목 湯沐탕목 薰沐훈목

7 【沒】水 4 고교 몰 ―빠질― ㊀月

丶 丷 氵 氵 汐 沒 沒

자원 형성 殳음 水-氵┬沒(水부) 2500년전

「氵삼수변」〈물〉과, 음을 나타내는 동시에 없어지다의 뜻을 가진 「殳몰」로 이루어짐。 물속에 가라앉아 없어지다의 뜻。

뜻 ①빠질몰 가라앉음。「沈沒침몰」 ②다할몰 다 없어짐。 ③마칠몰 끝마침。 ④지나칠몰 정도를 넘음。 ⑤숨을몰 은닉함。 ⑥죽을몰 사망함。「沒年몰년」 ⑦탐할몰 탐냄。 ⑧없을몰 「沒常識몰상식」 ⑨빼앗을몰 몰수함。 「官沒관몰」 ⑩들어갈몰

【沒却 몰각】 ①없애버림。 ②무시(無視)함。 잊음。

【沒年 몰년】 ①죽은 해。 ②죽은 나이。

【沒頭 몰두】 일에 열중함。

【沒落 몰락】 ①영락(零落)함。 ②멸망함。

【沒死 몰사】 ①죽어 사죄(謝罪)함。 ②죄다 죽음。

【沒殺 몰살】 죄다 죽임。

【沒常識 몰상식】 상식(常識)이 없음。

【沒收 몰수】 백성이 소유한 물건을 관아에서 거두어 들임。 몰입(沒入)。

【沒人情 몰인정】 인정(人情)이 없음。

【沒入 몰입】 ①백성의 물건을 관아에서 거두어 들임。 ②어떠한 데에 깊이 빠짐。

【沒趣味 몰취미】 취미가 없음。

【沒敗 몰패】 아주 패(敗)함。

【沒風致 몰풍치】 풍치가 없음。

【沒後 몰후】 죽은 뒤。

◉埋沒매몰 滅沒멸몰 病沒병몰 覆沒복몰 神出鬼沒신출귀몰 隱沒은몰 溺沒익몰 日沒일몰 潛沒잠몰 陣沒진몰 出沒출몰 沈沒침몰 敗沒패몰 陷沒함몰

7 【没】水 4 沒(앞 글자)의 와자(譌字)。

7 【沙】水 4 고교 사 ―모래― ㊥麻

丶 丷 氵 汌 沙 沙

자원 형성 少음 水-氵┬沙(水부) (A) (B) 2500년전

음을 나타내는 「少소」(사는 변음)는 본디 「小소」와 같은 글자이며 모래알의 모양을 나타내었음。 「水수」는 시내。 「沙」는 넓은 강가에 흩어진 돌→모래。 또 곡식의 낟알도 「沙」라 하였음。 「散산」〈흩어지다〉은 말·음·뜻이 관계가 깊음。 「砂」는 나중에 생긴 속자(俗

字)。

뜻 ①모래사 돌의 부스러기。「沙石사석」 ②물가사 물가의 모래 땅。③사막사 넓은 모래 벌판。④모래일사 모래가 일어남。⑤일사 쌀 같은 것을 읾。「沙汰사태」

참고 「沙」를 음으로 하는 글자=「娑사」〈춤추다〉·「鯊사」〈문절망둑〉

【沙工 사공】 뱃사공。

【沙丘 사구】 모래로 이룬 언덕。

【沙金 사금】 모래 흙속에 섞인 금。

【沙禽 사금】 물가의 모래 위에 사는 물새。

【沙器 사기】 백토(白土)로 구워 만든 「그릇。 사기 그릇。

【沙漠 사막】 모래만 깔리고 초목(草木)이 나지 않는 넓은 들。

【沙鉢* 사발】 사기로 된 밥그릇。

【沙防 사방】 ①흙·모래·돌 등으로 쌓은 방축(防築)。②《韓》 사태(沙汰를 방지함。

【沙石 사석】 모래와 돌。

【沙場 사장】 ①모래톱。②사막(沙漠)。③전쟁터。 전장(戰場)。「래톱。

【沙洲 사주】 해안에 저절로 생기는 모

【沙塵* 사진】 모래가 섞인 먼지。

【沙汰* 사태】 ①쌀을 일어 모래를 가려냄。②사람 또는 물건을 가림。③시비 곡직(是非曲直)을 바로 잡음。선악을 가림。④《韓》 산 비탈 같은 것이 무너지는 현상。

【沙土 사토】 모래가 많은 흙。

◉白沙백사 土沙토사 堆沙퇴사 風沙풍사

五畫

7 【沢】 水 4

澤(水部十三畫)의 속자(俗字)。

9 【泉】 水 5 중학 천 — 샘 — ㊉先

丶 宀 白 白 宁 宇 宇 泉 泉

자원 상형 3000년전

「泉」은 본디 전체가 수원(水源)의 모양을 나타낸 글자인데 나중에 글자 모양을 갖추기 위하여 「泉」으로 썼으며 「白」과 「水」로 이루어진 것은 아님。

뜻 ①샘천 수원(水源)。②돈천 고대에 금전을「泉천」이라 하였음。샘처럼 유통(流通)하기 때문에 이른 말。「貨泉화천」

참고 「泉」을 음으로 하는 글자=「腺선」〈샘〉·「線선」〈실〉

【泉石 천석】 샘과 돌。 산과 물。전(轉)하여 산수의 경치。수석(水石)。

【泉水 천수】 샘물。

【泉源 천원】 샘물의 근원(根源)。물이 흐르는 근원。수원(水源)。

◉甘泉감천 溪泉계천 鑛泉광천 噴泉분천 巖泉암천 淵泉연천 鹽泉염천 黃泉황천

10 【泰】 水 5 중학 태 — 클 — ㊈泰

一 三 夫 夫 夫 夫 泰 泰 泰 泰

자원 형성 大음 水 ─ 泰 2500년전

물(水·氺)과 양손(𠬞)과 「大대」로 이루어지며、「大」가 음을 나타냄。손을 물에 적시는 뜻。음을 빌어、편안한 모양의 뜻。또 「太대」에 통하여 크다、거만떨다의 뜻。

뜻 ①클태 太(大部一畫)와 같은 글

〔四畫部首順〕 心戈戶手支攴文斗斤方无日曰月木欠止歹殳毋比毛氏气水火爪父爻爿片牙牛犬

자。②통(通)할태 ③너그러울태 성품이 너그럽고 침착함。④교만할태 거만함。뽐냄。「泰侈태치」 ⑤심히태 대단히。⑥술동이태 술을 담는 질그릇。⑦태괘태 육십사괘(六十四卦)의 하나。곧 ☷☰(건하(乾下)、곤상(坤上))으로서、음양(陰陽)이 조화되어 사물이 통리(通利)하는 상(象)。

주의 옛날에는 「泰」・「太태」는 통하여 쓰여졌음。

【泰東 태동】 ①동쪽 끝。극동(極東)。②동양(東洋)。

【泰斗 태두】 ①태산북두(泰山北斗)의 약어(略語)。②그 방면에서 썩 권위가 있는 사람。

【泰封 태봉】 《韓》 신라(新羅) 효공왕(孝恭王) 오년(五年)에 궁예(弓裔)가 송악(松嶽)에서 세운 나라。신라 경명왕(景明王) 이년(二年)에 왕건(王建)에게 망함。

【泰山 태산】 ①오악(五嶽)의 하나。산동성(山東省) 봉안현(奉安縣)에 있는 명산(名山)。②장인(丈人)。태산에 장인봉(丈人峰)이 있는 데서 나온 말。③끄떡 없음의 비유。

【泰山北斗 태산북두】 ①태산(泰山)과 북두성(北斗星)。②세상(世上)에 존앙(尊仰)을 받는 사람의 비유(譬喩)。

【泰山峻嶺* 태산준령】 큰 산(山)과 험(險)한 재。

【泰山鴻毛 태산홍모】 아주 무거운 것과 아주 가벼운 것의 비유。

【泰西 태서】 서양(西洋)。

【泰安 태안】 태평(泰平)。

【泰然自若 태연자약】 침착하여 조금도 마음이 동요되지 않는 모양。

【泰初 태초】 천지(天地)의 시초(始初)。태초(太初)。

【泰平 태평】 나라가 잘 다스려져 편안함。태평(太平)。

◉奢泰사태 安泰안태 寧泰영태 靜泰정태

8 【沮】 水 5 저 | 그칠 | ①-⑤上語 ⑥去御 ⑦平魚

자원 형성 水|氵+且음 → 沮(水부)

강을 뜻하는 「氵삼수변」과、음을 나타내는 「且차·저」로 이루어짐。본래 강의 이름。「阻조」에 통하여、막다、방해하다의 뜻。

뜻 ①그칠저 그만둠。②막을저 저지함。방해를 함。「沮格저격」 ③꺾일저 기가 꺾임。「沮喪저상」 ④샐저 틈에서 흘러 나옴。⑤적실저、담글저 물에 적심。또는 물속에 담금。⑥습한땅저 습지(濕地)。⑦물이름저 섬서성(陝西省)을 흐르는 위수(渭水)의 지류(支流)。의군수(宜君水)라고도 함。

【沮喪 저상】 기가 꺾임。

【沮止 저지】 막아서 못하게 함。방지(防止)함。

【沮害 저해】 방해하여 해침。

8 【河】 水 5 중학 하 | 물이름 | 平歌

丶 氵 汀 沂 沔 河 河

자원 형성 水|氵+可음 → 河(水부)

음을 나타내는 「可가」(하는 변음)는 입으로부터 숨이 세게 나오는 일。「河」는 물이 시원스럽지 못하게 나가다가 세차게 흐르는 일。중국에서는 황하(黃河)를 예로부터 「河」라 일컫고 그 신(神)을 하신(河神)이라 하여 소중히 여겼음。

뜻 ①물이름하 황하(黃河)를 옛날에는 단지 「河하」라 하였음。양자강(揚子江)과 병칭하여 「江河강하」라 함。또 널리 강의 뜻으로도 쓰임。②운하하 개착(開鑿)한 수로(水路)。③은하하 천한(天漢)。④성하 성(姓)의 하나。

【河口 하구】 바다·호수 등으로 들어가는 강의 어귀。

【河流 하류】 강(江)의 흐름。강。

【河畔* 하반】 강가。강변。하변(河邊)。

【河伯 하백】 물귀신。수신(水神)。

【河邊 하변】 강가。강변。

【河上 하상】 ①강 위。②강가。강변。하변(河邊)。

【河床 하상】 하천 밑의 지반(地盤)。

【河心 하심】 강물이 흘러가는 한 복판。강의 중심。

【河岸 하안】 하천(河川) 양쪽의 둔덕。

【河緯地 하위지】《韓》 조선(朝鮮) 세종(世宗) 때의 정치가。사육신(死六臣)의 한 사람。집현전(集賢殿) 학사(學士)로 「역대병요(歷代兵要)」를 편찬하였음。

◉大河대하 氷河빙하 山河산하 運河운하 銀河은하 天河천하 黃河황하

8 【沸】 水 5 ㊀비 ㊁불 | 끓을 | ㊀(去)未 ㊁(入)物

자원 형성 水-氵┬沸(水부) 弗

「氵삼수변」〈물〉과、물이 팔팔 끓을 때에 나는 음을 나타내는 「弗불」로 이루어짐。

뜻 ㊀①끓을비 ㉠물이 끓음。「沸湯비탕」 ㉡전(轉)하여 물끓듯이 일어남。②끓일비 앞 뜻의 타동사。③끓는물비 열탕(熱湯)。㊁용솟음할불 물이 솟아 오름。

【沸沫 불말】 자꾸 이는 거품。

【沸騰 비등】 ①끓음。끓어 오름。②떠들썩함。의론 등이 물 끓듯 함。

8 【油】 水 5 중학 유 | 기름 | (平)尤

油

丶 冫 氵 汩 沺 油

자원 형성 水-氵┬油(水부) 由

「由유」는 음을 나타내는 동시에 끝이 오므라진 단지→천천히 계속하여 나오는 모양。「油」는 물이 계속하여 흐르는 모양。훨씬 나중에 끈적끈적한 액체(液體)→기름을 나타냄。

뜻 ①기름유 지방(脂肪)의 액체。또 가연성(可燃性)의 액체。「膏油고유」 「石油석유」 ②구름일유 구름이 뭉게뭉게 일어나는 모양。③나가지못할유 잘 전진하지 못하는 모양。

【油雲 유운】 비가 내릴 듯한 구름。우기(雨氣)를 품은 구름。

【油紙 유지】 ①기름 먹인 종이。②기름과 종이。

【油畫 유화】 기름기 있는 채색(彩色)으로 그린 서양식(西洋式)의 그림。

◉肝油간유 食油식유 原油원유 精油정유

8 【治】 水 5 중학 치 | 다스릴 | (去)寘

氵 氵厶 氵厶 氵台 治 治

자원 형성 台(음)+水·氵→治(水부)
음을 나타내는 「台태·이」(치는 변음)와 시내를 뜻하는 「氵삼수변」〈물〉으로 이루어지며, 본디 산동성(山東省)에 있는 시내 이름. 나중에 음을 빌어 다스린다는 뜻으로 씀.

뜻 ①**다스릴치** ㉠정돈함. ㉡바로잡음. ㉢편안하게 함. ㉣만듦. ㉤감독함. ㉥죄를 다스림. 「治罪치죄」 ㉦나라 등을 다스림. 「治家치가」「治國치국」 ㉧수리함. 「繕治선치」 ㉨병을 다스림. 「治療치료」 ②**다스려질치** 앞 뜻의 자동사. ③**익힐치** 배워 익힘. ④**견줄치** 비교함. ⑤**빌치** 구걸함. ⑥**정사치** 정령(政令). ⑦**공치** 공적. ⑧**감영치** 지방 장관의 정청(政廳)의 소재지. 「縣治현치」

【治家 치가】 집안 일을 처리(處理)함. 살림살이.
【治國 치국】 ①나라를 다스림. ②잘 다스려진 나라.
【治國平天下 치국평천하】 나라를 다스리고 세상(世上)을 편안하게 함.
【治道 치도】 길을 닦음.
【治亂 치란】 ①잘 다스려짐과 어지러움. ②혼란한 세상을 다스림.
【治療* 치료】 병을 다스려 낫게 함.
【治理 치리】 다스림. 다스려짐. 또 다스리는 일. 정사(政事). 정치.
【治木 치목】 재목(材木)을 다듬음.
【治病 치병】 치료(治療).
【治山 치산】 ①산소(山所)를 매만져서 다듬음. ②산(山)을 잘 다스림.
【治產 치산】 살림살이를 경리(經理)함. 생업을 다스려 수입을 늘림.
【治世 치세】 ①태평(太平)한 세상(世上). 잘 다스려진 세상. ②세상(世上)을 다스림. ③그 군주(君主)의 재위(在位)하는 동안.
【治水 치수】 물을 잘 다스리어 그 피해를 막음.
【治安 치안】 ①나라가 잘 다스려져 편안(便安)함. 치강(治康). ②나라를 잘 다스려 편안하게 함.
【治熱 치열】 병의 열기를 다스림.
【治外法權 치외법권】 남의 나라의 국토 안에 있으면서도 그 나라의 법률을 좇지 않는 국제법상의 권리.
【治癒* 치유】 병이 나음.
【治育 치육】 다스려 기름.
【治者 치자】 한 나라를 통치(統治)하는 사람. 통치자.
【治粧 치장】 잘 매만져서 꾸밈. 곱게 모양을 냄.
【治績 치적】 정치상의 공적(功績).
【治罪 치죄】 죄(罪)를 다스림.
【治天下 치천하】 천하를 통치함.
【治下 치하】 다스리는 범위(範圍)의 안. 지배하. 통치하(統治下).
◉官治관치 德治덕치 民治민치 法治법치 不治불치 完治완치 自治자치 統治통치

8 【沼】 水 5 소 | 늪 | ㊤篠

자원 형성 召(음)+水·氵→沼(水부)
2500년전
「氵삼수변」〈물〉과, 음을 나타내는 「召소」로 이루어짐. 늪의 뜻.

뜻 **늪소** 못. 둥근 것을 「池지」, 굽은 것을 「沼」라 함.

【沼池 소지】 늪. 못.
【沼澤 소택】 늪. 못.

8 **【沿】** 水 5 고교 **연** | 물따라내려갈 | (平)先

氵 氵 氵 沿 沿 沿 沿 沿

[자원] 형성 水(氵)+㕣음→沿(水부)

강(江)의 흐름을 뜻하는 「氵삼수변」 〈물〉과, 음을 나타내며 동시(同時)에 가장자리의 뜻(⇩緣연)을 가지는 「㕣연」으로 이루어져, 강가를 따라 내려가다의 뜻. 전하여 떨어지지 않고 잇닿다, 따라가다의 뜻.

[뜻] ①**물따라내려갈연** 수류(水流)를 좇아 내려감. 전(轉)하여 널리 해안·도로 등에도 쓰임. 「沿海연해」 「沿道연도」 ②**좇을연** 따름. 인(因)함. 「沿襲연습」

【沿道 연도】 큰 길가에 있는 지역.

【沿路 연로】 연도(沿道). 「한 지역.

【沿邊 연변】 국경·강·도로 등에 인접

【沿線 연선】 철도 선로를 따라서 인접하여 있는 지역.

【沿岸 연안】 강물이나 바닷가를 따라서 인접하여 있는 일대의 지방.

【沿海 연해】 ①바닷가에 있는 일대(一帶)의 땅. ②육지에 가까운 바다.

【沿革 연혁】 변천(變遷)되어 온 내력.

8 **【況】** 水 5 고교 **황** | 비유할 | (去)漾

丶 冫 氵 氵 汀 沪 沪 況

[자원] 형성 水(氵)+兄음→況(水부)

음을 나타내는 「兄형」(황은 변음)과 한수(寒水)의 뜻을 가지는 「氵삼수변」으로 이루어지며, 한수의 뜻. 나중에 발어(發語)의 조자(助字)로서 하물며의 뜻. 또 「境경」에 통하여, 모양·상태·취지 등의 뜻으로 쓰임.

[뜻] ①**비유할황** 비유를 끌어대어 설명함. ②**견줄황** 겨눔. ③**더할황** 자심해짐. ④**더욱황** 더욱더. ⑤**줄황** 貺(貝部五畫)과 같은 글자. ⑥**이에황** 자(玆)에. ⑦**모양황** 형편. 「狀況상황」 ⑧**하물며황** 황차.

[주의] 「况」은 속자(俗字).

【況且 황차】 하물며.

◉ 近況근황 狀況상황 情況정황

8 **【泄】** 水 5 ㊀**설** ㊁**예** | 샐 | ㊀(入)屑 ㊁(去)霽

[자원] 형성 水(氵)+世음→泄(水부)

「氵삼수변」 〈물〉에 음을 나타내는 「世세」(설은 변음)를 더하여 이루어짐. 본디 강의 이름. 「洩예·설」과 통하여 새다의 뜻으로 쓰임.

[뜻] ㊀①**샐설** 틈에서 흘러나옴. 전(轉)하여 비밀 따위가 드러남. 「漏泄누설」 ②**섞을설** 한데 섞음. ③**없앨설** 제거함. ④**일어날설** 발생함. 흥기(興起)함. ⑤**설사할설** 「泄痢설리」 ⑥**업신여길설** 깔봄. ㊁①**많을예** ②**날개칠예**

[주의] 「洩예·설」과 통하여 쓰여짐.

【泄瀉 설사】 배탈이 났을 때에 누는 물찌똥.

8 **【泊】** 水 5 고교 **박** | 배댈 | (入)藥

丶 冫 氵 氵 氵 泊 泊 泊

[자원] 형성 水(氵)+白음→泊(水부)

「氵삼수변」〈물〉과、음을 나타내는 동시에 두다의 뜻을 나타내기 위한 「白백」(박은 변음)으로 이루어지며 물 위에 배를 머물게 한다는 뜻。

[뜻] ①배댈박 배를 물가에 대어 정지시킴。「泊船박선」②머무를박 ㉠정지함。㉡유숙함。묵음。「宿泊숙박」㉢또 머무는 곳。③머물게할박 정지시킴。④조용할박 정묵(靜默)함。「澹泊담박」⑤엷을박 薄(艸部十三畫)과 같은 글자。⑥흐를박 물이 흐르는 모양。

◉淡泊담박 宿泊숙박 停泊정박 駐泊주박

8 【泌】水 5 ㊀비 — 스밀 — ㊀㊄寘 ㊁필 — ㊁[入]質

[자원] 형성 必[음] 水－氵 ┬ 泌(水부)

「氵삼수변」〈물〉과、 음을 나타내는 「必필」로 이루어짐。

[뜻] ①샘물졸졸흐를비、샘물졸졸흐를필 ②스밀비、스밀필 스며 나옴。「分泌분비」

【泌尿器 비뇨기】 소변을 배출하는 기관(器官)。

8 【法】水 5 [중학] 법 — 법 — [入]洽

丶 氵 氵 汁 汁 注 法 法

[자원] 회의 去 廌 水－氵 ┬ 灋－法(水부)

2500년전

「法」은 「灋법」의 지금 글자이며 그약체(略體)。「灋」은 「廌채」〈일종의 성스러운 짐승。성질이 죄를 알기 때문에 닿게 하면 곧 죄를 앎〉와 「水수」〈수평 곧 공평의 뜻〉와 「去거」의 합자。즉 공평하고 바르게 죄를 조사해 옳지 못한 자를 제거한다는 뜻을 나타냄。

[뜻] ①법법 ㉠형벌。「法律법률」㉡제도。㉢상경(常經)。㉣예의。㉤모범。본보기。㉥준칙(準則)。㉦방법。「戰法전법」㉧도의(道義)。㉨가르침。종교。「佛法불법」「法門법문」②골법 모형(模型)。③본받을법 모범으로 삼음。「天下法之천하법지」④법국법 프랑스의 약칭(略稱)。「法國법국」

【法科 법과】①법률。②법률의 학과。
【法官 법관】재판관。사법관(司法官)。
【法國 법국】프랑스。불란서(佛蘭西)。
【法權 법권】법률의 권한。
【法規 법규】법률상의 규정。법(法)。
【法禁 법금】법률로써 금하는 일。금제(禁制)。
【法紀 법기】法綱(법강)。
【法堂 법당】《佛教》불상(佛像)을 안치(安置)하고 또 설법(說法)도 하는 절의 정당(正堂)。법전(法殿)。
【法度 법도】법(法)。법률과 제도。
【法燈 법등】《佛教》①불전에 올리는 등불。②불법(佛法)을 어두운 데를 밝히는 등불에 비유하여 이른 말。
【法例 법례】①법(法)。②모든 법령에 통하는 규칙。③법률상의 관습 또는 관례。
【法律 법률】백성이 지켜야 할 나라의 율령(律令)。법。국법(國法)。
【法吏 법리】법관(法官)。
【法理 법리】법률의 원리。
【法網* 법망】법의 그물。법률。범죄자가 법률의 제재를 벗어날 수 없음을 물고기나 새가 그물을 벗어날 수

없는 데 비유한 말。

【法務 법무】①법률상의 사무。②《佛敎》불법(佛法)에 관한 사무。

【法文 법문】①법률의 조문(條文)。법령의 문장。②프랑스의 어문。프랑스어。③불법(佛法)의 문장。곧 경(經)·논(論)·석(釋) 등의 문장。

【法服 법복】①제정된 정직(正式)의 의복。제복(制服)。②법정에서 판사·검사·변호사 등이 입는 옷。③《佛敎》법의(法衣)。

【法書 법서】법률에 관한 책。

【法式 법식】①법。법도(法度)。②《佛敎》불사(佛事)에 관한 예절과 의식(儀式)。

【法案 법안】법률의 안건。법률의 초안(草案)。

【法人 법인】자연인(自然人)이 아니고 법률상으로 인정받아서 권리 의무의 행사의 능력을 부여(賦與) 받은 주체(主體)。

【法典 법전】법(法)。법률。법령(法令)。또 그 책。

【法定 법정】법률로 정함。

【法庭 법정】송사(訟事)를 재판하는 곳。

【法制 법제】①법(法)。법령。②법률과 제도。또 법률상의 제도。

【法條 법조】①법。법규。②법률의 조문。법규의 조항。

【法曹* 법조】법관(法官)。

【法住寺 법주사】《韓》충청 북도(忠淸北道) 보은군(報恩郡) 속리산(俗離山)에 있는 삼십 일 본산(三十一本山)의 하나。신라(新羅) 진흥왕(眞興王) 때의 의신(義信)이 창건(創建)하였다 함。석등(石燈)·팔상전(捌相殿) 등의 국보(國寶)가 있음。

【法治 법치】법률(法律)에 의하여 나라를 다스림。

【法則 법칙】법(法)。제령(制令)。

【法學 법학】법률(法律)의 원리(原理) 및 그 적용(適用)을 연구하는 학문。

【法憲 법헌】법。법규。

【法興王 법흥왕】《韓》신라(新羅)의 이십 삼대(二十三代) 임금。이 왕(王) 때에 신라에 정식으로 불교(佛敎)가 들어오고, 연호(年號)를 처음으로 썼음。

◉軍法군법 文法문법 犯法범법 兵法병법 說法설법 禮法예법 律法율법 遵法준법

8 【泡】水 5 포 | 거품 | ㊥肴

자원 형성 包음 水-氵┬泡(水부) 2500년전

「氵삼수변」〈물〉과, 음을 나타내며 동시(同時)에, 둥글게 부푼 것을 뜻하는 「包포」로 이루어진 글자。

뜻 ①거품포 물거품。「水泡수포」②성할포 왕성함。「泡溲포수」

【泡沫 포말】물거품。덧없는 세상의 비유。

8 【波】水 5 중학 ㊀파 | 물결 | ㊀㊥歌 ㊁피 ㊁㊥支

丶 冫 氵 汀 沪 波

자원 형성 皮음 水-氵┬波(水부)

「氵삼수변」은 물。음을 나타내는 「皮피」(파는 변음)는 동물(動物)로 부터 벗긴 껍질。여기서는 「披피」·「破파」의 뜻을 받고 있음。「波」는 강이나 바다 등의 물이 올라갔다

〔四畫部首順〕心戈戶手支攴文斗斤方无日曰月木欠止歹殳毋比毛氏气水火爪父爻爿片牙牛犬

내려갔다 하며 움직이다의 뜻。전(轉)하여、파도(波濤)·파도가 일다·움직이다의 뜻。

뜻 ㊀①물결파 ㉠파도。「波紋파문」㉡흐름。수류(水流)。「波流파류」㉢어수선한 사단(事端)。㉣주름。㉤매체(媒體) 안에서 각 부분에 진동(振動)이 점차로 전파하는 현상。「電波전파」②물결일파 파도가 일어남。③움직일파 동요함。④눈영채파 안광(眼光)。「秋波추파」㊁방죽피

【波及 파급】 영향(影響)이나 여파(餘波)가 차차 전하여 먼 데까지 미침。

【波動 파동】 ①물결이 움직임。②물질의 한 부분에 변위(變位)가 생겼을 때 그것에 인접한 부분에 차례로 같은 성질의 변위가 생기는 현상。

【波瀾* 파란】 ①물결。파도(波濤)。②어수선한 사단(事端)。③문장(文章)의 변화(變化)·생동(生動)。

【波瀾萬丈* 파란만장】 사건이 복잡하여 변화가 대단히 심함을 이름。

【波紋* 파문】 물결의 무늬。

【波狀 파상】 물결과 같은 형상(形狀)。

◉短波단파 餘波여파 電波전파 秋波추파

8 【泣】 水 5 중학 읍 | 울 | ㊀緝

丶 冫 氵 汁 汁 泣 泣 泣

자원 형성 立음 水·氵+泣(水부) 2500년전

음을 나타내는 「立립」(읍은 변음)은 물건이 몇 개나 줄지어 서 있는 일。여기서는 세로 줄을 그어 흐르는 모양을 나타내는 음으로 쓰여지고 있음。「水수」는 액체、여기서는 큰 소리를 내어 우는 것을 「哭곡」이라는데 대하여 「泣」은 소리 없이 눈물을 여러 줄기 흘리는 일。

뜻 ①울읍 소리는 내지 않고 눈물만 흘리며 욺。「泣涕읍체」②울음읍 우는 일。③눈물읍

◉感泣감읍 哭泣곡읍 悲泣비읍 號泣호읍

8 【泥】 水 5 고교 니 | 진흙 | ①-⑤㊥齊 ⑥⑦㊤薺 ⑧㊦霽

丶 冫 氵 氵 汀 沪 沪 泥

자원 형성 尼음 水·氵+泥(水部)

「氵삼수변」〈물〉과、음을 나타내며 동시에 곤죽같이 진득진득하다는 뜻(⇩膩이)을 가진 「泥니」로 이루어짐。

뜻 ①진흙니 ㉠이토(泥土)。「泥濘이녕」㉡전하여、진흙 비슷한 것。「金泥금니」②진창니 땅이 곤죽같이 진 곳。「泥行이행」③흐릴니 흙탕물이 됨。④붙일니 풀로 붙임。⑤벌레이름니 동해(東海)에서 난다는 뼈 없는 벌레。물이 있으면 살고 물이 없으면 진흙같이 된다고 함。「泥醉이취」⑥이슬질을니 이슬이 많이 내린 모양。⑦야드르르할니 잎이 야드르르한 모양。⑧막힐니、거리낄니 정체(停滯)함。구애함。「拘泥구니」

【泥炭 이탄】 토탄(土炭)。

【泥土 이토】 진흙。

8 【注】 水 5 중학 주 | 흐를 | ①-⑭㊦遇 ⑮㊦宥

丶 冫 氵 氵 汁 汁 注 注

〔四畫部首順〕心戈戶手支攴文斗斤方无日曰月木欠止歹殳毋比毛氏气水火爪父爻片爿牙牛犬

자원 형성 主음 水氵ㅏ注(水부) 음을 나타내는 「主주」는 등불의 중심(中心)。 물건이 한군데 집중(集中)하는 것을 나타냄。「注」는 물이 한군데로 흐르는 일。 또 물을 붓듯이 어려운 말을 쉽게 설명하는 일。 나중에 써 놓다・설명하다의 뜻에는 「註주」라고도 썼으나 지금은 그 뜻에도 「注」를 씀。

뜻 ①**흐를주** 물이 흐름。「流注유주」 ②**흐름주** 수류(水流)。 ③**물댈주** 물을 끌어 댐。「灌注관주」 ④**부을주** 물을 따라 넣음。「傾注경주」 ⑤**비올주** 비가 내림。 ⑥**뜻둘주** 마음을 둠。「注意주의」 ⑦**끼울주** 화살을 활 시위에 끼움。 ⑧**모을주** 한데 모임。 ⑨**붙을주** 부착함。 ⑩**칠주** 때림。 ⑪**걸주** 도박에 걺。「孤注고주」 ⑫**적을주** 기록함。「注記주기」 ⑬**주낼주** 주석을 함。 ⑭**주주** 주해。 주석。 註(言部五畫)와 통용。「注疏주소」 ⑮**부리주** 咮(口部六畫)와 통용。

【注脚 주각】 주석(注釋)。 본문의 사이에 써 넣은 것을 주(注)、아래에 써 넣은 것을 각(脚)이라 함。
【注記 주기】 ①적음。 기록함。 ②《佛敎》 절에서 논의할 때 논제(論題)를 읽는 것을 맡은 중。
【注連 주련】 물을 뿌려 깨끗이 하여 집의 입구에 쳐 놓은 새끼。
【注文 주문】 주석(注釋)한 글。
【注釋 주석】 서적의 본문(本文)의 해설(解說)。 주해(注解)。
【注疏 주소】 서적의 본문(本文)의 해설(解說)。 소(疏)는 주(注)를 기초로 하여 더욱 자세히 설명을 가한 것。
【注視 주시】 눈독 들여 봄。
【注意 주의】 ①마음에 둠。 유의(留意)함。 ②경계(警戒)함。 조심함。
【注入 주입】 ①쏟아 넣음。 부어 넣음。 ②기억과 암송(暗誦)을 주로 하여 아동이나 학생에게 지식을 넣어 줌。
【注解 주해】 주석(注釋)。
◉ 脚注각주 傾注경주 四注사주 散注산주

8 【泳】 水 5 고교 **영** | 무자맥질할 | 去 敬

氵 氵 汀 汸 泳 泳

자원 형성 永음 水氵ㅏ泳(水부) 「氵삼수변」〈물〉과、음을 나타내는 「永영」으로 이루어짐。 본래는 물 속에 잠겨 들어가다의 뜻。 전(轉)하여、헤엄치다의 뜻。 3000년전 2500년전

뜻 ①**무자맥질할영** 물 속을 잠행(潛行)함。 헤엄침。 ②**헤엄영** 수영。
◉ 水泳수영 浴泳욕영 游泳유영

六畫

9 【洋】 水 6 중학 **양** | 큰바다 | 平 陽

氵 氵 氵 氵 氵 洋

자원 형성 羊음 水氵ㅏ洋(水부) 음을 나타내는 「羊양」은 양。 아주 옛날 신에게 바치는 희생의 짐승 중에서도 양은 가장 소중히 취급되었으므로 훌륭함・성하다는 뜻으로 「羊」

자를 썼음。「水수=氵」는 시내。「洋」은 시냇물이 가득하여 장한 모양。나중에 큰 바다의 뜻으로 쓰이고 이에서 변하여 동양(東洋)·서양(西洋) 따위의 말이 생겼음。

뜻 ①**큰바다양** 대해(大海)。「大洋대양」「海洋해양」 ②**큰물결양** 대파(大波)。③**서양양** 서양(西洋)의 약칭(略稱)。「洋式양식」「洋樂양악」 ④**넓을양、클양、성할양** 광대한 모양。성대한 모양。「洋洋양양」 ⑤**넘칠양** 충만하여 퍼짐。「洋普양보」

【洋琴 양금】 악기의 한가지。 피아노。

【洋傘* 양산】 박쥐 우산。

【洋書 양서】 서양의 서적。

【洋式 양식】 서양식(西洋式)。

【洋藥 양약】 ①서양 의술에 의하여 만든 약(藥)。②서양에서 수입한 약。

【洋洋 양양】 ①물이 세차게 흐르는 모양。②한없이 넓은 모양。 끝이 보이지 않는 모양。③광대한 모양。

【洋擾* 양요】 《韓》 서양 사람 때문에 일어난 난리。 조선 고종(高宗) 삼년에 프랑스 군함이 강화도(江華島)를 포격한 난리와 고종 팔년에 미국 군함이 강화도에 침입한 난리。

【洋銀 양은】 구리·아연·니켈의 합금。

【洋裝 양장】 ①복색(服色)을 서양식으로 차림。②책을 서양식으로 꾸밈。

【洋酒 양주】 서양산(產)의 술。

【洋紙 양지】 서양식(西洋式)의 종이。

【洋鐵 양철】 얇은 쇠에 주석을 도금(鍍金)한 것。생철。

【洋燭 양촉】 양초。

【洋行 양행】 ①중국(中國)에 있는 서양 사람의 큰 상점。②《韓》서양(西洋)으로 감。

【洋靴* 양화】 구두。

【洋畫 양화】 서양식(西洋式)의 그림。

【洋灰 양회】 건축 재료의 접합제(接合劑)로 쓰는 고운 가루。 시멘트。

◉南洋남양 內洋내양 大洋대양 東洋동양 北洋북양 西洋서양 外洋외양

9
【洗】
水 6 중학 ㊀세 ㊁선 | 씻을 | ㊀㊤薺 ㊁㊤銑

洗

자원 형성 水-氵 先 음 ┬ 洗(水부)

음을 나타내는 「先세」는 발을 내디더 앞으로 나아가는 일이지마는、여기서는 발의 뜻을 나타냄。「洗」는 물로 발을 씻다→물건을 씻는 일。

뜻 ㊀①**씻을세** 닦음。 깨끗이 함。②**그릇세** 낯·손 등을 씻은 물을 버리는 그릇。 ㊁①**씻을선** 발을 닦음。「洗足선족」 ②**조촐할선** 깨끗함。

【洗練 세련】 ①씻고 불림。 전(轉)하여、손질하여 완성함。②사상·시문(詩文) 등을 잘 다듬음。③수양에 의하여 인격이 원만하고 고상하게 됨。

【洗禮 세례】 기독교의 의식(儀式)의 하나。 지금까지의 죄악을 씻어 버리고 새 사람이 된다는 표로 새로 입교(入敎)하려는 사람의 머리에 점수(點水)하는 예(禮)。

【洗眼 세안】 ①눈을 씻음。 ②주의하여 봄。

【洗浴 세욕】 목욕을 함。

【洗淨 세정】 씻어 깨끗하게 함。

【洗滌* 세척】 깨끗이 씻음。

【洗濯 세탁】 세척(洗滌)。

【洗汰* 세태】 씻어 버림。

〔四畫部首順〕心戈戶手支攴文斗斤方无日曰月木欠止歹殳毋比毛氏气水火爪父爻爿片牙牛犬

9 **【洙】** 水 6 **수** | 물이름 | [平]虞

[자원] 형성 朱[음] 水·氵┬洙(水부)
「氵삼수변」〈물〉과, 음을 나타내는 「朱주·수」로 이루어짐. 강의 이름.

[뜻] **물이름수** 사수(泗水)의 지류(支流)로서 둘이 있는데 하나는 산동성(山東省) 곡부현(曲阜縣)에서 발원(發源)하여 기수(沂水)와 합쳐 사수(泗水)로 흘러 들어가고, 하나는 산동성 비현(費縣)에서 발원하여 서쪽으로 흘러 사수로 들어감.

9 **【洛】** 水 6 [고교] **락** | 물이름 | [入]藥

、 ⺀ 氵 氵 汐 汷 洛 洛 洛

[자원] 형성 各[음] 水·氵┬洛(水부)  2500년전
시내를 뜻하는 「氵삼수변」과, 음을 나타내는 「各각」(락은 변음)으로 이루어짐.

[뜻] ①**물이름락** 황하(黃河)의 지류(支流)로서 둘이 있는데 하나는 섬서성(陝西省) 낙남현(雒南縣)에서 발원(發源)하여 이수(伊水)와 합쳐 황하로 흘러 들어감. 옛날에는 「雒락」으로도 썼음. 「伊洛이락」 하나는 섬서성 정변현(定邊縣)에서 발원(發源)하여 위수(渭水)와 합쳐 황하로 흘러 들어감. ②**서울이름락** 낙수(洛水)의 북쪽에 위치하여 동주(東周)가 이 곳에 도읍을 정하였고 그 후 후한(後漢)·서진(西晉)·후위(後魏)·수(隋)·오대(五代) 등도 이 곳을 수도로 했음. 곧 낙양(洛陽).

【洛陽 낙양】 하남성(河南省)의 수도(首都). 낙수(洛水)의 북방(北方)에 있음. 뜻풀이 ❷를 보라.

【洛陽紙價貴 낙양지가귀】 ①진(晉)나라 사람 좌사(左思)가 제도부(齊都賦)와 삼도부(三都賦)를 지었을 때 낙양(洛陽) 사람들이 다투어서 전사(傳寫)하였기 때문에 낙양(洛陽)의 종이 값이 비싸진 옛일. 전(轉)하여 ②저서(著書)가 많이 팔리는 것을 이름.

【洛花 낙화】 모란(牧丹)의 별칭(別稱).

9 **【洞】** 水 6 [중학] ㊀**동** ㊁**통**(동[本]) | 골 | ㊀㊁ [去]送

、 ⺀ 氵 氵 汀 汩 洞 洞 洞 洞

[자원] 형성 同[음] 水·氵┬洞(水부)
「氵삼수변」과, 음을 나타내며 동시에 속이 비었다는 뜻(⇩筒통)을 가진 「同동」으로 이루어짐. 물로 패어진 동굴의 뜻.

[뜻] ㊀①**골동** ㉠깊은 구멍. 굴. 「洞穴동혈」 ㉡깊은 골짜기. 구렁. 「洞壑동학」 ②**연할동** 연통(連通)함. ③**깊을동** ④**빌동** 공허함. ⑤**진실할동** 질박하고 성실함. ⑥**빠를동** 물의 흐름이 빠름. ⑦《韓》**동네동** 부락. 「洞里동리」 ㊁**꿰뚫을통** ㉠관통함. 「洞貫통관」 ㉡통달함. 「洞徹통철」

※본음(本音) 동

[주의] 「泂형」〈멀다〉은 딴 글자.

【洞口 동구】 《韓》 동네로 들어가는 어귀.

【洞窟* 동굴】 굴. 깊고 넓은 굴.

【洞房 동방】 ①깊숙한 데 있는 방. 전(轉)하여 ②부인의 방. ③침방.

【洞房花燭 동방화촉】 침방(寢房)에 비치는 환한 촛불。 전(轉)하여、신방에 켠 환한 촛불。 또는 결혼 잔치。

【洞穴 동혈】 동굴(洞窟)。

【洞達 통달】 꿰뚫음。 달통(達通)함。

【洞察 통찰】 온통 밝히어 살핌。

【洞燭 통촉】 아랫사람의 사정을 깊이 헤아리어 살핌。

【洞曉 통효】 환하게 깨달아서 앎。

◉空洞공동 白鹿洞백록동 鍾乳洞종유동

9 【津】 水 6 진 | 나루 | (平)眞

자원 형성 聿음 水-氵ㅏ津(水부) 2500년전

강을 뜻하는 「氵삼수변」과、 음과 함께 나아가다의 뜻(⇩進진)을 나타내기 위한 「聿율」(𦘒의 생략)로 이루어짐。 강의 배가 떠나는 곳의 뜻。 나루터。

뜻 ①나루진 ㉠도선장(渡船場)。「津渡진도」 ㉡또 배가 발착하는 곳。 포구·항구。「津驛진역」 ②언덕진 변애(邊崖)。 ③연줄진 인연(夤緣)。 ④길진 경로(徑路)。 ⑤진액진 생물의 몸 안에서 생겨나는 액체。「松津송진」 ⑥침진 입 속의 액체。「津唾진타」 ⑦윤택할진 「津潤진윤」 ⑧넘칠진 넘쳐 흐르는 모양。「興味津津흥미진진」

【津液 진액】 ①생물체 내에서 생겨나는 액체。 진。 ②진타(津唾)。

9 【洩】 水 6 ㊀예 ㊁설 | 훨훨날 | ㊀(去)霽 ㊁(入)屑

자원 형성 曳음 水-氵ㅏ洩(水부)

「氵삼수변」〈물〉과、 음을 나타내는 「曳예」로 이루어짐。「失실」·「泄설」과 통(通)하여 새다의 뜻。 또 훨훨 나는 모양을 뜻함。

뜻 ㊀①훨훨날예 비상(飛翔)하는 모양。 ②바람따를예 바람을 따르는 모양。 ㊁①샐설 泄(水部五畫)과 같은 글자。「洩漏설루」 ②줄설、덜설 감소함。 감함。

【洩漏 설루】 ①물이 샘。 또 물이 새게 함。 ②비밀이 알려짐。 또 비밀이 새어 나가게 함。 누설(漏洩)。

9 【洪】 水 6 고교 홍 | 큰물 | (平)東

丶 冫 氵 汁 汫 泄 洪 洪

자원 형성 共음 水-氵ㅏ洪(水부)

「氵삼수변」〈물〉과、 음을 나타내며 동시(同時)에 원기 왕성(元氣旺盛)하고、 크다의 뜻(⇩光광)을 가진 「共공」(홍은 변음)으로 이루어짐。 큰물·홍수(洪水)의 뜻。

뜻 ①큰물홍 대수(大水)。 ②클홍

【洪水 홍수】 큰물。

【洪業 홍업】 큰 사업。 또 제왕의 사업。

【洪恩 홍은】 큰 은혜。

9 【洲】 水 6 고교 주 | 섬 | (平)尤

丶 冫 氵 氵 沙 沙 洲 洲 洲

자원 형성 州음 水-氵ㅏ洲(水부)

물에 둘러싸인 섬。 하천(河川) 가운데 사주(沙洲)의 모양을 본뜬 「州주」에 다시 강을 뜻하는 「氵삼수변」

을 더한 글자。「州」가 음을 나타냄。

뜻 ①**섬주**、 **모래톱주** 사주(沙洲)。 작은 섬。「洲島주도」 ②**뭍주** 대륙。「五大洲오대주」

주의 숙어(熟語)는 「州주」(巛部三畫)도 참조(參照)할 것。

【洲島 주도】 섬。

◉滿洲만주 沙洲사주 神洲신주

9【活】水6 중학 ㊀**활** ㊁**괄** ― 살 ― ㊀㊁ 入曷

氵 氵 汘 汘 汘 活 活 活

活

자원 형성 昏음-舌 水-氵 ┬活(水부)

음을 나타내는「昏괄」(활은 변음)은 입구(入口)를 동여매는 것。 또는 하나로 합치는 것。 모양이 닮아 나중에 「舌설」로 썼으나、 입 안의 혀는 아님。「活」은 물이 바위에 부딪치며 물결이 합치고 하여 소리를 내면서 힘차게 흘러가는 것。 전하여、 힘차게 활동(活動)하는 일。

뜻 ㊀①**살활** ㉠생존함。「活物활물」 ㉡살아나감。 목숨을 이음。 ㉢소생함。 ㉣활발함。 ㉤생동(生動)함。「活潑활발」「活句활구」 ②**살릴활** 앞의 뜻의 타동사。 ③**살림활** 생계。 호구(餬口)。 ㊁**물콸콸흐를괄** 물이 콸콸 흐르는 소리。

【活氣 활기】 활발한 생기。

【活路 활로】 살아날 길。

【活舞臺 활무대】 자기 힘을 충분히 발휘하여 활동(活動)할 수 있는 무대。

【活潑* 활발】 생기(生氣)가 있음。

【活佛 활불】 ①덕이 높은 중의 존칭。 ②나마교(喇嘛教)의 교주(教主)의 속칭(俗稱)。

【活用 활용】 ①잘 응용함。 유용하게 씀。 ②어미(語尾)의 변화(變化)。

【活人劍 활인검】 사람을 살리는 칼。 칼은 사람을 살상하는 연장이지만、 쓰는 방도 여하에 따라서는 사람을 살리는 연장이 될 수 있음을 이름。 살인검(殺人劍)의 대(對)。

【活人畫 활인화】 배경을 적당하게 꾸미고 분장(扮裝)한 사람이 그 속에 들어가서 그림 속의 사람처럼 꾸미는 구경거리。

【活版 활판】 식자(植字)하여 만든 인쇄판(印刷版)。

【活火山 활화산】 현재 불을 뿜고 있는 산。 분화(噴火)하는 산。

◉復活부활 死中求活사중구활 死活사활

9【派】水6 고교 **파** ― 갈라질 ― 去卦

氵 氵 氵 汇 汇 派 派 派

派

자원 형성 水-氵 𠂢음 ┬派(水부) 3000년전

「氵삼수변」〈물〉은 뜻을 나타내고、「𠂢파」가 음을 나타냄。 글자의 오른쪽 부분은 물이 길게 이어지는 뜻의 「永영」을 뒤집은 모양으로、 강(江)의 본류(本流)에서 지류(支流)가 갈라지는 모양。 거기에서 갈라지다의 뜻이 됨。

뜻 ①**갈라질파** 갈라져 흐름。 갈라져 나옴。 분기(分岐)함。 ②**갈래파** ㉠갈라져 나온 물。 ㉡갈라져 나온 계통。「黨派당파」「學派학파」 ③**가를파** 나눔。 분배함。「派遣파견」

【派別 파별】 갈래를 나누어 가름。

【派生 파생】 근본에서 갈리어 나와 생김. 또 그것.
◉黨派당파 分派분파 流派유파 宗派종파

9 **【流】** 水 6 중학 **류** | 흐를 | ㊥尤

流

丶 氵 汁 汴 浐 浐 流

자원 형성 㐬(음) 水-氵|-流(水부)　2000년 전

물을 뜻하는 「氵삼수변」과, 음과 함께 아이가 태어나다의 뜻(⇩ 㐬 ‖ 㐬 아이가 모래집물(‖ 川)과 함께 태어나는 모양을 본뜸)을 나타내기 위한 「㐬류」로 이루어짐. 물이 흘러나오다의 뜻.

뜻 ①**흐를류** ㉠액체가 내려감. 「流水유수」 ㉡떠내려감. ㉢쏠림. 지나침. ㉣세월이 감. ㉤별·총탄·화살 등이 날아 지나감. 「流丸유환」 ㉥번져 퍼짐. 「流布유포」 ㉦옮겨감. ㉧미침. 이름. ㉨빙빙 돎. 주전(周轉)함. ㉩방랑함. 「流浪유랑」 ㉪절제(節制)를 잃음. 「流慢유만」 ㉫근원없이 일어남 「流聞유문」 ㉬결눈질함. 「流眄유면」 ②**흐르게할류, 흘릴류** 앞의 뜻의 타동사. 「流涕유체」 ③**흐름류** ㉠흐르는 물. 「激流격류」 ㉡흐르는 방향. ㉢유전(流傳)하는 바. ④**내릴류** 강하(降下)함. ⑤**내칠류, 귀양보낼류** 추방함. 유배(流配)함. ⑥**구할류** 찾아 얻음. 바람. ⑦**달아날류** 도주함. ⑧**펼류** 늘어놓음. ⑨**갈래류** 분파(分派). ⑩**핏줄류** 혈통. ⑪**품위류** 등급. 「上流상류」 ⑫**유(類)류, 무리류** 비류(比類). 동류.

【流年 유년】 ①흐르는 세월(歲月). ②한 사람의 일 년간의 운명.
【流動 유동】 흘러 움직임.
【流頭 유두】 《韓》 명절(名節)의 하나. 음력(陰曆) 유월 보름날.
【流浪 유랑】 이리저리 방랑함.
【流麗 유려】 글이나 말이 유창(流暢)하고 아름다움.
【流民 유민】 고향(故鄕)을 떠나 유랑(流浪)하는 백성.
【流配 유배】 죄인(罪人)을 귀양 보냄.
【流産 유산】 태아(胎兒)가 달이 차기 전(前)에 죽어 나옴.
【流散 유산】 유랑(流浪)하여 흩어짐.
【流星 유성】 ①별안간 공중(空中)에 나타나서 빠르게 지나가는 광체(光體). 별똥. ②봉화(烽火).
【流俗 유속】 ①옛날부터 전(傳)해 오는 풍속(風俗). ②세상. 세상 사람.
【流言 유언】 근거(根據)가 없는 소문.
【流言蜚語* 유언비어】 유언(流言).
【流域 유역】 강가의 지역(地域).
【流用 유용】 융통(融通)하여 씀.
【流傳 유전】 널리 퍼짐. 널리 전파됨.
【流轉 유전】 ①빙빙 돎. ②변천함. ③널리 퍼짐. 또 널리 세상에 전함.
【流暢 유창】 하는 말이나 글 읽는 것이 조금도 거침이 없음.
【流出 유출】 흘러 나감. 또 흘러 나가게 함.
【流彈 유탄】 빗나간 탄환(彈丸).
【流派 유파】 ①지류(支流). ②어떠한 파(派)에서 갈려 나온 파. 분파.
【流布 유포】 세상에 널리 퍼짐. 또 세상에 널리 퍼뜨림.
【流血 유혈】 ①피를 흘림. 또 피가 흐름. ②흐르는 피.
【流刑 유형】 죄인(罪人)을 먼 곳으로

추방하여 그곳에 있게 하는 형벌。
◉激流격류 交流교류 暖流난류 本流본류 逆流역류 一流일류 潮流조류 合流합류

9 【浅】水 6 浅(水部八畫)의 속자(俗字)。

七畫

10 【浚】水 7 준 | 깊을 | ㊀震

자원 형성 夋음 水-氵┬浚(水부)
강을 뜻하는 「氵삼수변」과、음을 나타내는 「夋준」으로 이루어짐。본디 강의 이름。

뜻 ①깊을준 물이 깊음。②칠준 준설함。「浚井준정」 ③기다릴준 대망함。④빼앗을준 탐내어 탈취함。

【浚渫 준설】우물이나 개울의 진흙 또는 강바닥의 모래를 침。

10 【消】水 7 중학 소 | 사라질 | ㊥蕭

丶 冫 氵 氵' 氵" 氵ᐱ 消 消 消 消

자원 형성 肖음 水-氵┬消(水부)

2500년전

음을 나타내는 「肖소」는 작다(⇩小소)→적어지다(⇩少소)→작아짐(⇩削삭)。「消」는 물이 줄다→물건이 없어지다→사라지는 일。

뜻 ①사라질소 ㉠없어짐。멸망함。「消滅소멸」 ㉡녹아 없어짐。㉢닳아 없어짐。또 흩어짐。「消耗소모」 ㉣다함。다 없어짐。소진(消盡)함。②사라지게할소 앞의 뜻의 타동사。「消却소각」 ③쓸소 속어(俗語)로서 사용함。또 가(可)하다는 뜻으로 쓰임。「不消言說불소언설」

【消却 소각】①꺼 물리침。사라지게 함。②써 없앰。소비(消費)함。
【消渴 소갈】목이 마르며 소변이 자꾸 나오는 병。당뇨병(糖尿病) 같은 것。
【消滅 소멸】사라져 없어짐。
【消耗* 소모】써서 없어짐。또 써서 줄게 함。써서 닳게 함。
【消費 소비】써서 없앰。「없앰。
【消散 소산】흩어져 없어짐。또 흩어 없앰。
【消息 소식】①없어짐과 생김。줆과 불음。②변화(變化)。③왕래(往來)。④동정(動靜)。안부(安否)。⑤편지。음신(音信)。통신(通信)。
【消失 소실】사라져 없어짐。없어짐。
【消遙 소요】이리저리 거닐어 다님。
【消日 소일】세월을 보냄。
【消長 소장】쇠하여 줄어감과 성하여 늘어감。영고 성쇠(榮枯盛衰)。
【消滯* 소체】체한 음식을 소화시킴。
【消沈 소침】마음이 사그라지고 활기(活氣)가 없어짐。
【消蕩* 소탕】없앰。
【消夏 소하】더위를 사라지게 함。피서(避暑)。소하(銷夏)。
【消火 소화】불을 끔。
【消化 소화】①사물(事物)이 소멸하여 변화함。지금까지 지닌 형태가 없어지고 새로운 형태로 변함。②먹은 것을 삭히어서 내림。③《韓》듣거나 읽은 것을 잘 이해함。

◉抹消말소

10 【浦】水 7 고교 포 | 개 | ㊤虞

丶 冫 氵 氵一 汀 汀 洧 浦 浦 浦

자원 형성 甫음 水-氵┬浦(水부)

2500년전

「氵삼수변」〈물〉과、음을 나타내며 동시에 잇달다의 뜻(⇩附부)을 나타내기 위한 「甫보」(포는 변음)로 이루어짐。물가에 잇달은 곳。

뜻 개포 개펄。

10 **【浩】** 水 7 고교 **호** ｜넓을｜ ㊤皓

、 ⺀ 氵 氵 汁 汼 浩 浩 浩

자원 형성 告음 水-氵┤浩(水부)

「氵삼수변」〈물〉과、음을 나타내며 동시에 크다의 뜻(⇩宏굉·횡)을 나타내기 위한 「告고」(호는 변음)로 이루어짐。큰 물의 뜻。전(轉)하여、넓다、크다의 뜻。

뜻 ①**넓을호** ㉠큰 물이 넓게 흐르는 모양。㉡광대한 모양。②**넉넉할호** 풍부함。

【浩大 호대】 넓고 큼。

【浩洋 호양】 물이 광대(廣大)한 모양。

【浩然之氣 호연지기】 널리 천지간(天地間)에 유통하는 정대한 원기。또 사람의 마음에 차 있는 정대한 기운。

【浩蕩* 호탕】 ①호양(浩洋)。②뜻이 분방(奔放)한 모양。

10 **【浪】** 水 7 중학 **랑** ｜물결｜ (去)漾 2500년전

、 ⺀ 氵 氵 氵 氵 沪 浪 浪

자원 형성 良음 水-氵┤浪(水부)

「氵삼수변」〈물〉과、음을 나타내며 동시에 붕긋이 솟구침을 나타내기 위한 「良량·랑」으로 이루어짐。물이 구불거리어 산 같이 된 것의 뜻。

뜻 ①**물결랑** 파도。「波浪파랑」②**물결일랑** 파도가 일어남。③**표랑할랑** 방유랑함。「放浪방랑」④**방자할랑** 방종함。「浪士낭사」⑤**눈물흐를랑** 눈물이 흐르는 모양。⑥**함부로랑** 마구。「浪費낭비」

주의 「浪은」〈강의 이름〉은 딴 글자。

【浪費 낭비】 재물을 함부로 씀。

【浪說 낭설】 터무니 없는 소문。

【浪人 낭인】 일정한 주소가 없는 사람。방랑하는 사람。또 일정한 직업이 없이 노는 사람。

◉ 激浪격랑 樂浪낙랑 放浪방랑 浮浪부랑 逆浪역랑 流浪유랑 滄浪창랑 風浪 랑

10 **【浮】** 水 7 중학 **부** ｜뜰｜ (平)尤 2500년전

、 ⺀ 氵 氵 氵 氵 浮 浮 浮

자원 형성 孚음 水-氵┤浮(水부)

「氵삼수변」〈물〉과、음을 나타내는 「孚부」로 이루어짐。물에 뜨다의 뜻。

뜻 ①**뜰부** ㉠물위에 뜸。「浮游부유」㉡공중에 뜸。「浮雲부운」㉢배·떼를 타고 물 위를 감。㉣흐름을 따라 내려감。㉤근거가 없음。「浮辭부사」㉥들뜸。침착하지 아니함。경솔함。「浮薄부박」㉦불안정함。덧없음。②**띄울부** 뜨게 함。③**찌부** 낚시찌。④**부낭부** 사람이 가라앉지 않기 위하여 몸에 지니는 용구(用具)。⑤**가벼울부** 무겁지 아니함。⑥**앞설부** 앞에 나섬。⑦**지날부** 초과함。지나침。⑧**넘칠부** 넘쳐 흐름。⑨**벌주부** 벌로 마시게 하는 술。벌배。

【浮橋 부교】 배와 배를 잇대어 잡아

매고 널빤지를 그 위에 깐 다리。배다리。

【浮氣 부기】①아지랑이。②《韓》부증(浮症)。

【浮動 부동】①떠서 움직임。②《韓》마음이 진득하지 못하고 이랬다 저랬다 함。

【浮浪 부랑】일정한 직업·주소 없이 이리저리 떠돌아 다님。또 그 사람。

【浮名 부명】실제보다 지나친 뜬 이름。허황(虛荒)한 명성(名聲)。

【浮木 부목】물 위에 떠 있는 나무。

【浮文 부문】부박(浮薄)한 문장。실제에 소용 없는 문장。내용이 없는 형식적(形式的)인 문장。

【浮民 부민】떠돌아 다니는 백성。일정한 주소가 없는 백성。직업이 없이 빈둥빈둥 노는 백성。

【浮薄 부박】마음이 들뜨고 경솔함。경박함。

【浮石寺 부석사】《韓》경상북도(慶尙北道) 영주(榮州)에 있는 절。신라(新羅) 문무왕(文武王) 때에 의상(義湘)이 지었다고 함。

【浮生 부생】덧없는 인생(人生)。

【浮生若夢 부생약몽】인생은 꿈같이 덧없음。

【浮說 부설】근거없는 소문。뜬소문。

【浮世 부세】덧없는 세상。

【浮雲 부운】①떠다니는 구름。뜬구름。전(轉)하여 ②덧없는 인생 또는 세상 일의 비유。뜬구름。

【浮雲之志 부운지지】뜬구름 같은 불의(不義)의 부귀를 증오하는 마음。

【浮游* 부유】①물 위나 공중에 뜸。②떠돌아다님。사방을 돌아다님。주류(周流)。③하루살이。부유(蜉蝣)。

【浮沈 부침】①물위에 뜸과 물속으로 가라앉음。전(轉)하여 ②영고 성쇠(榮枯盛衰)。③세속을 따름。종시속(從時俗)함。

【浮萍* 부평】①논이나 연못에 나는 다년생 수초(水草)。개구리밥。물위에 뜸。전(轉)하여 ②일정한 주거없이 떠돌아다니는 사람의 비유。

【浮標 부표】물 위에 띄워 암초 등의 소재나 항로 등을 나타내는 표지。

【浮華 부화】천박하고 화려함。겉만 꾸미고 성실하지 아니함。

【浮黃 부황】오래 굶어 살이 누렇게 붓는 병。

10 【浴】 水 7 중학 욕 | 미역감을 | ㊀沃

、 氵 氵 氵 浴 浴

자원 형성 谷음 水·氵 ┬ 浴(水부)

음을 나타내는 「谷곡·욕」은 산속의 골짜기。여기에서는 물이 끊임없이 흐르는 모양을 나타냄。「浴」은 몇 번이고 물을 몸에 끼얹어 씻는 일。

뜻 ①**미역감을욕**、**목욕할욕** 「浴客욕객」 ②**미역감길욕** 위의 뜻의 타동사。③**미역욕**、**목욕욕** 「海水浴해수욕」 ④**입을욕** 받음。「浴化욕화」

【浴客 욕객】①목욕하는 사람。②목욕하러 오는 손。

【浴室 욕실】목욕통(沐浴桶)의 설비가 있는 방。

【浴衣 욕의】목욕할 때 입는 옷。

【浴湯 욕탕】목욕탕(沐浴湯)。

◉冷浴냉욕 沐浴목욕 溫浴온욕 入浴입욕

10 【海】 水 7 중학 해 | 바다 | ㊤賄

、 氵 氵 汇 海 海 海 海

海

【자원】 형성 每음 水-氵┬海(水부)
음을 나타내는 「每매」(해는 변음)는 「母모」와 같아서 애를 낳는 사람。 출산(出產)이나 결혼(結婚)은 어두운 때와 관계가 있어 「每」는 어둡다는 뜻도 나타냄。 또 중국 북방(北方)의 사람이 볼 수 있었던 바다는 검고 크고 어두운 것이었음。 그래서 「水수‖氵」와 「每」로 「海」자를 이루었음。

【뜻】 ①바다해 ㉠해양。「海陸해륙」 ㉡전(轉)하여、사물(事物)이 모이는 곳。「學海학해」「文海문해」 ㉢또 광대(廣大)한 모양。「海容해용」 ②바닷물해 해수(海水)。

【海關 해관】 연해(沿海)에 설치한 세관(稅關)。

【海狗 해구】 북태평양에 사는 바다 짐승。 물개。

【海寇* 해구】 바다에서 노략질하거나 바다로부터 침입하는 구적(寇賊)。

【海鷗 해구】 바다 위를 나는 갈매기。

【海內 해내】 사해(四海)의 안이라는 뜻으로 국내(國內) 또는 천하(天下)를 이름。

【海圖 해도】 바다의 심천(深淺)·암초(岩礁)의 위치·조류의 방향·항로표지(航路標識) 등을 기록한 지도。

【海東 해동】 한국(韓國)의 별칭(別稱)。 발해(渤海)의 동쪽에 있는 나라라는 뜻임。

【海東高僧傳 해동고승전】 《韓》 고려(高麗) 고종(高宗) 때 각훈(覺訓)이 지은 우리 나라 역대(歷代)의 고승(高僧)들의 전기(傳記)。

【海東繹史* 해동역사】 《韓》 조선(朝鮮) 영조(英祖) 때의 학자 한치윤(韓致奫)이 중국과 일본의 사서(史書)에서 단군(檀君)에서 고려(高麗)까지의 기록(記錄)을 뽑아 엮은 책。

【海路 해로】 바다의 배가 다니는 길。

【海流 해류】 일정한 방향으로 흐르는 바닷물。

【海灣* 해만】 바다의 후미진 곳。

【海面 해면】 바닷물의 표면。

【海霧 해무】 바다 위에 끼는 안개。

【海防 해방】 연해(沿海)의 방비。

【海邊 해변】 바닷가。

【海濱* 해빈】 바닷가。 해변(海邊)。

【海事 해사】 ①해상(海上)에서 하는 일。 ②바다에 관한 모든 일。

【海產物 해산물】 바다에서 나는 물건。 어개(魚介)·조류(藻類) 등。

【海蔘* 해삼】 바닷 속에서 사는 극피동물(棘皮動物)의 한가지。 맛이 좋음。 해서(海鼠)。

【海色 해색】 바다의 경치。

【海水 해수】 바닷물。

【海獸 해수】 바닷 속에서 사는 포유동물。 고래·바닷개·물개·강치 등。 바다짐승。

【海水浴 해수욕】 바닷물에 목욕(沐浴)하는 일。

【海神 해신】 바다의 신。 바다 귀신。

【海心 해심】 바다의 한가운데。

【海岸 해안】 바닷가의 언덕。 바닷가。

【海洋 해양】 바다。

【海燕 해연】 ①제비。 ②떼새。 물떼새。 ③바다제비。

【海外 해외】 사해(四海)의 밖이라는 뜻으로 외국(外國)을 이름。

【海運 해운】 ①해수(海水)의 움직임。 ②해상(海上)의 조운(漕運)。

【海員 해원】 선박(船舶)의 선장(船長) 이외의 승무원.
【海印 해인】《佛敎》 불타(佛陀)의 슬기.
【海溢* 해일】 바닷물이 불시(不時)에 일어나서 맹렬한 물결이 육지로 넘치어 들어오는 일.
【海底 해저】 바다의 밑바닥.
【海賊 해적】 해상(海上)에서 배를 습격(襲擊)하여 재물(財物)을 빼앗는 강도(強盜).
【海戰 해전】 해상(海上)에서 하는 전쟁.
【海潮 해조】 ①바닷물. 해수(海水). ②바다의 조수(潮水)의 흐름.
【海潮音 해조음】 여러 중이 경을 읽는 소리. 멀리 들리는 웅장(雄壯)한 해조(海潮)의 소리에 비유한 말.
【海中孤魂 해중고혼】 바닷속에 빠지어 죽은 외로운 물귀신(鬼神).
【海苔* 해태】 ①해조(海藻). ②해조(海藻)를 원료로 하여 만든 식료. 김·청태(靑苔) 따위.
【海風·해풍】 바다에서 불어 오는 바람.
【海港 해항】 해변에 있는 항구.
【海峽* 해협】 육지와 육지 사이에 끼어 있는 바다의 좁은 부분.
◉苦海고해 公海공해 南海남해 大海대해 東海동해 碧海벽해 領海영해 外海외해 臨海임해 學海학해 航海항해 黃海황해

10 【浸】 水 7 고교 침 | 잠글 | 去沁

氵 氵 氵 氵 浔 浔 浔 浸

자원 형성 水·氵+㑴 음 → 浸(水부)
「氵삼수변」〈물〉과, 음을 나타내며 동시(同時)에 담그다·적시다의 뜻(⇩漬지)을 가진 「㑴침」(寖침의 생략)으로 이루어짐. 물에 적시다의 뜻. 전하여, 배어들어가다의 뜻.

뜻 ①**잠글침**, **담글침**, **적실침** 「浸漬침지」 ②**잠길침**, **젖을침** 위의 뜻의 피동사. 「浸水침수」 ③**물댈침** 물을 대어 윤택하게 함. ④**밸침** 스미어 들어감. 「浸染침염」 ⑤**번질침**, **나아갈침** 점진(漸進)함. ⑥**차츰차츰침** 점차로. 「浸漸침점」 ⑦**좀침** 약간. ⑧**큰물침** 홍수.

주의 「寖침」은 같은 글자.

【浸水 침수】 물에 잠김.
【浸蝕* 침식】 빗물 또는 흐르는 물이 지각(地殼)·암석(岩石) 등을 차츰차츰 개먹어 들어감.
【浸染 침염】 차츰차츰 물듦. 점차로 감화됨.
【浸潤 침윤】 점점 배어 들어감.
【浸透 침투】 스미어 젖어서 속속들이 들어감.

10 【涉】 水 7 고교 섭 | 건널 | 入葉

氵 氵 汁 汢 涉 涉 涉 涉

자원 회의 水·氵+步 → 涉(水부) 篆 2500년전
시내를 뜻하는 「氵삼수변」과, 걷다의 뜻을 나타내는 「步보」로 이루어짐. 시내를 걸어서 건너다의 뜻.

뜻 ①**건널섭** ㉠도보로 물을 건넘. 「徒涉도섭」 ㉡또 건너는 일. 건너는 곳. ②**겪을섭**, **거칠섭** 경과함. 지냄. 「歷涉역섭」 「經涉경섭」 ③**거닐섭** 돌아다님. ④**통할섭** 널리 통함. 「精涉정섭」 ⑤**관계할섭** 관계를 가짐. 「交涉교섭」 「干涉간섭」

【涉獵 섭렵】①여러 가지 책(册)을 널리 읽음。②여러 가지 물건을 구하려고 널리 돌아다님。

【涉水 섭수】물을 건넘。

【涉于春氷 섭우춘빙】봄철의 얼음을 건넘。매우 위험함의 비유。

◉干涉간섭 關涉관섭 交涉교섭 徒涉도섭

10【浜】水7 濱(水部十四畫)의 속자(俗字)。

八畫

11【涯】水8 고교 애 | 물가 | ㊥佳

丶 氵 氵厂 沂 沂 涯 涯 涯

자원 형성 厓음 水-氵┬涯(水부)

「氵삼수변」〈물〉과 음을 나타내며 동시(同時)에 깎아 세운 듯한 벼랑을 뜻하는 「厓애」로 이루어지며 물가의 뜻。

뜻 ①**물가 애** 수변(水邊)。「水涯수애」②**끝 애** 맨 끝。한계。「涯限애한」

◉生涯생애 際涯제애 天涯천애

11【液】水8 ㊀액 ㊁석 | 즙 | ㊀㊁入陌

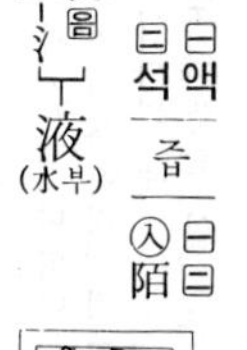

자원 형성 夜음 水-氵┬液(水부)

「氵삼수변」과 음을 나타내는 「夜야」(액은 변음)로 이루어진 글자。

뜻 ㊀①**즙액、진액** 즙액(汁液)。진액。「津液진액」②**곁액** 掖(手部八畫)과 통용。㊁①**담글석** 액체 속에 넣음。「浸液침석」②**흩을석** 흩어지게 함。해산(解散)함。

【液體 액체】체적(體積)은 있으나 유동(流動)하는 물체。물·기름 따위。

【液化 액화】기체(氣體) 또는 고체(固體)가 액체(液體)로 변함。

◉甘液감액 粘液점액 精液정액 唾液타액

11【涵】水8 함 | 담글 | ㊥覃

자원 형성 函음 水-氵┬涵(水부) 2500년전

「氵삼수변」〈물〉과、음을 나타내며 동시(同時)에 떨어뜨려 넣다의 뜻(⇩陷함)을 가지는 「函함」으로 이루어지며 물속에 담그다의 뜻。

뜻 ①**담글함、적실함** 물에 담금 또는 물에 적심。「沈涵침함」②**넣을함** 안에 넣음。③**들일함** 받아 들임。용납함。④**가라앉을함** 침몰함。

【涵養 함양】①은덕을 베풀어서 기름。②학식을 넓히어서 심성(心性)을 닦음。함육(涵育)。

11【涼】水8 중학 량 | 서늘할 | ㊥陽

丶 冫 氵 氵亠 汁 泞 涼 涼 涼

자원 형성 京음 水-氵┬涼(水부) 2500년전

「氵삼수변」〈물〉과、음을 나타내는 동시에 서늘하다의 뜻(⇩冷랭)을 나타내기 위한 「京경」(량은 변음)으로 이루어지고 찬물의 뜻。전하여 서늘하다의 뜻。후세에 약자로 「凉」(冫이수변)이라고 씀。

뜻 ①**서늘할량** 약간 추움。「涼秋양추」②**서늘한바람량** 양풍。또 서늘한 기운。③**맑을량** 깨끗함。④**엷을량** 두텁지 못함。⑤**슬퍼할량** 상

심함。⑥**쐴량** 바람에 쐼。⑦**맑은술**
량 醇(酉部八畫)과 같은 글자。⑧**도**
울량 보좌함。⑨**진실로량** 참으로。
[주의]「凉」은 속자(俗字)。
【涼月 양월】가을 밤의 달。
【涼秋 양추】서늘한 가을。음력 구월「경。
【涼風 양풍】①서늘한 바람。선들바
람。②북풍(北風)。③서남풍(西南風)。
【涼夏 양하】서늘한 여름。
◉納涼납량 微涼미량 炎涼염량 凄涼처량
淸涼청량 秋涼추량 寒涼한량 荒涼황량

11 【淑】水 8 [중학] 숙 ─ 착할 ─ [入]屋

氵 氵 汢 洔 洔 洣 淑 淑

[자원] 형성 水 叔[음] 水┤氵┬淑(水부)

2500년전

「氵삼수변」〈물〉과 음을 나타내는 동
시에 맑다의 뜻(⇩潚축·숙)을 가진
「叔숙」으로 이루어지고 맑게 가득
찬 물의 뜻。음을 빌어 좋다는 뜻
(⇩俶숙)으로 통하여 씀。
[뜻] ①**착할숙** 선량함。정숙함。주로
부인의 미덕(美德)을 이름。「淑女
숙녀」②**맑을숙**。③**사모할숙** 경모
(敬慕)함。④**잘숙** 좋게。「淑問숙문」
⑤**비로소숙** 俶(人部八畫)과 통용。
【淑女 숙녀】정숙한 여자。덕행(德行)
을 구비(具備)한 부녀(婦女)。
【淑德 숙덕】숙녀의 덕행(德行)。부
인(婦人)의 미덕(美德)。
【淑人 숙인】①착한 사람。선량하고
덕이 있는 사람。②송(宋)나라의 제
도(制度)에서 상서(尙書) 이상의 벼
슬아치의 부인에게 주던 칭호。또
명(明)·청(淸) 시대의 제도에서 삼
품(三品) 지위의 부인에게 주던 칭호。
【淑行 숙행】선량한 행위。
◉明淑명숙 私淑사숙 貞淑정숙 賢淑현숙

11 【淘】水 8 도 ─ 일 ─ [平]豪

[자원] 형성 水 匋[음] 水┤氵┬淘(水부)

「氵삼수변」과 음을 나타내는「淘도」
〈질그릇〉로 이루어짐。질그릇에 넣
어 물로 일다의 뜻。
[뜻] ①**일도** ㉠쌀을 읾。물건을 읾。
전(轉)하여、가려냄。「淘汰도태」②
칠도 준설(浚渫)함。③**개통할도** 유
통하게 함。④**씻을도** 세정(洗淨)함。
【淘汰* 도태】①물로 일어서 못쓸 것
을 가려냄。②많은 것 가운데에서
필요하지 않은 부분을 가려내어 버
림。③깨끗이 씻음。

11 【淚】水 8 [고교] 루 ─ 눈물 ─ [去]寘

氵 氵 汀 沪 沪 淚 淚 淚

[자원] 형성 水 戾[음] 水┤氵┬淚(水부)

「氵삼수변」〈물〉과、음을 나타내며 동
시에 겹치다의 뜻(⇩累루)을 나타내
기 위한「戾려」(루는 변음)로 이루
어지고 눈에 괸 물의 뜻。
[뜻] ①**눈물루**「揮淚휘루」②**울루** 눈
물을 흘리며 욺。
◉感淚감루 落淚낙루 悲淚비루 愁淚수루
暗淚암루 熱淚열루 血淚혈루 紅淚홍루

11 【淡】水 8 [고교] [一]담 ─ 싱거울 ─ [一][平]咸
[二]염 ─ [二][上]琰

자원 형성 炎음 水-氵┬淡(水부)

국물을 뜻하는「氵삼수변」〈물〉과、음을 나타내며 동시에 적다의 뜻(⇩籤섬)을 나타내기 위한「炎염·담」으로 이루어지며、맛이 적은 국물의 뜻。전하여 담담하다의 뜻。

뜻 ㊀①**싱거울담** ㉠맛이 심심함。또 맛이 없음。「淡味담미」㉡또 싱거운 음식。맛없는 음식。조식(粗食)。②**엷을담** 빛 같은 것이 짙지 아니함。「淡色담색」「淡雲담운」③**담박할담** ㉠집착(執著)이 없음。욕심이 없음。「淡如담여」㉡또 그러한 일。담박。㊁**질펀히흐를염** 물이 질펀하게 흐르는 모양。

【淡淡 담담】①욕심이 없고 마음이 깨끗한 모양。담박한 모양。담여(淡如)。② 염염(淡淡)。

【淡墨 담묵】진하지 아니한 먹물。

【淡泊 담박】욕심(慾心)이 없고 깨끗함。집착(執著)이 없음。

【淡色 담색】진하지 아니한 빛。

【淡水 담수】짠 맛이 없는 맑은 물。

【淡彩 담채】엷은 채색。산뜻한 채색。

【淡黃 담황】엷은 황색(黃色)。

◉ 枯淡고담 冷淡냉담 濃淡농담

11 **【淨】** 水 8 중학 **정** | 깨끗할 | ㊣敬

자원 형성 爭음 水-氵┬淨(水부) 2500년전

「氵삼수변」〈물〉과、음을 나타내는 동시에 맑다의 뜻(⇩淸청)을 가진「爭쟁」(정은 변음)으로 이루어지며 물이 맑아지다의 뜻。전하여 널리 맑고 더럽지 않다의 뜻으로 되었음。

뜻 ①**깨끗할정** ㉠정함。「淸淨청정」㉡사념(邪念)이 없음。②**깨끗이할정** ③**악역정** 악인역(惡人役)。

【淨書 정서】초잡은 글씨를 새로 바르게 씀。청서(淸書)。

【淨水 정수】①깨끗한 물。②손을 씻는 물。

【淨財 정재】깨끗한 재물(財物)이라는 뜻으로 자선(慈善)을 위하여 내는 의연금이나 절에 내는 기부금。

【淨土 정토】《佛敎》번뇌의 속박을 떠난 아주 깨끗한 세상。불(佛)·보살(菩薩)이 있는 국토。예토(穢土)의 대(對)。

【淨化 정화】깨끗하게 함。

◉ 潔淨결정 明淨명정 不淨부정 淸淨청정

11 **【淫】** 水 8 고교 **음** | 담글 | ㊥侵

자원 형성 㸒음 水-氵┬淫(水부)

「氵삼수변」〈물〉과、음을 나타내며 동시에 물속에 담그다의 뜻(⇩浸침)을 나타내기 위한「㸒음」으로 이루어지며 물에 축축하게 적시다의 뜻。전하여 물에 담그다、도(度)를 지나치다의 뜻。

뜻 ①**담글음** 물에 담금。「沈淫침음」②**방탕할음** 방종함。「淫佚음일」③**음란할음** 음탕함。「淫行음행」④**탐할음** 탐냄。⑤**넘칠음** 넘쳐 흐름。⑥**과할음** 정도에 지나침。「淫樂음락」

⑦**심할음** 우심함。 ⑧**클음** 대단함。 「淫夷음이」 ⑨**오랠음** 장구함。 ⑩**미혹할음** 혹란(惑亂)하게 함。 ⑪**윤택할음、윤택하게할음**

【淫女 음녀】 음탕한 계집。 색욕(色慾)이 많은 여자。

【淫溺* 음닉】 과도(過度)하게 탐닉함。

【淫亂 음란】 음탕하고 난잡(亂雜)함。

【淫婦 음부】 음란한 부인。 음녀。

【淫奔 음분】 ①남녀가 야합(野合)함。 ②음탕(淫蕩)한 행동을 함。

【淫事 음사】 ①음란한 일。 ②성교(性交)。

【淫習 음습】 ①음풍(淫風)。 ②음탕한 버릇。

【淫心 음심】 음탕한 마음。

【淫慾 음욕】 음탕(淫蕩)한 욕심。 호색(好色)하는 마음。 남녀의 정욕。

【淫蕩* 음탕】 ①주색(酒色)에 빠짐。 ②행동을 음란(淫亂)하게 함。

【淫風 음풍】 음란한 풍속(風俗)。

【淫虐* 음학】 음란하고 잔학(殘虐)함。

【淫行 음행】 음란(淫亂)한 행실。

◉樂而不淫낙이불음 書淫서음 荒淫황음

11 【深】 水 8 중학 **심** ─ 깊을 ─ ㊊侵

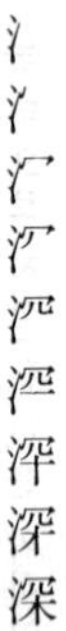

자원 형성 穴┬罙음┬深(水부) 火┘ 水─氵┘

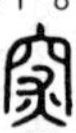

〔罙〕 2000년전

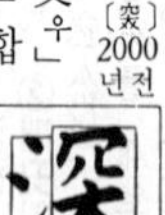

「穴혈」은 구멍↓사람의 주거(住居)。 「火」는 「又우」〈손〉와 「火화」〈불〉를 합한 모양。 음을 나타내는 「罙심」은 불을 손에 들고 속 깊숙이 사람이 들어가는 모습。 「罙=深」은 물의 밑바닥이 깊은 것을 일컬음。

뜻 ①**깊을심** ㉠얕지 아니함。 「淺천」의 대(對)。 「深海심해」 ㉡깊숙함。 「深奧심오」 ㉢정미(精微)함。 ㉣심함。 「深愁심수」 ㉤멂。 「深智심지」 「深圖심도」 ㉥중(重)함。 「深痼심고」 ㉦후함。 「深厚심후」 ㉧경박하지 아니함。 「深重심중」 ㉨엄함。 잔인함。 「深文심문」 ㉩한창임。 성(盛)함。 「深夜심야」 ②**깊게할심** ㉠깊이 파냄。 준설(浚渫)함。 「深溝심구」 ㉡깊이 숨김。 감춤。 ㉢깊게 함。 ③**깊이심** ㉠깊게。 심(甚)히。 「深思熟考심사숙고」 ㉡깊은 정도。 「深淺심천」

【深刻 심각】 ①깊이 새김。 ②대단히 엄함。 무자비함。 ③속에 깊은 생각을 간직함。 아주 깊고 절실함。

【深耕 심경】 깊이 갊。

【深谷 심곡】 깊은 산골짜기。

【深閨 심규】 여자가 거처하는 깊숙한 방。 내실(內室)。

【深慮 심려】 깊은 생각。

【深謀 심모】 깊이 꾀함。 또 깊은 꾀。

【深妙 심묘】 이치가 깊어 알기 어려움。 오묘함。

【深思 심사】 깊이 생각함。 곰곰 생각함。 또 그 생각。

【深謝 심사】 ①깊이 사례함。 성심으로 사례함。 ②깊이 사죄함。 성심으로 사죄함。

【深山幽谷 심산유곡】 깊은 산과 으슥한 골짜기。

【深甚 심심】 매우 심함。

【深夜 심야】 깊은 밤。 한밤중。

【深淵薄氷* 심연박빙】 깊은 못에 언 얇은 얼음을 밟음。 곧 대단히 위험한 장소나 처지에 있음의 비유。

【深奧* 심오】 깊고 오묘(奧妙)함。

【深怨 심원】깊은 원한。심한(深恨)。
【深遠 심원】①깊고 멂。전(轉)하여 ②심장(深長)하고 원대함。
【深長 심장】깊고 깊음。의미가 깊음。
【深重 심중】①침착하고 묵중함。②깊이 겹침。
【深察 심찰】깊이 살핌。근본까지 캐어 자세히 조사함。
【深淺 심천】①깊음과 얕음。②깊이。
【深海 심해】깊은 바다。
【深紅 심홍】진한 다홍빛。
【深懷 심회】깊은 회포。또 깊이 생각함。
◉水深수심 幽深유심 淸深청심

11 【淳】水 8 순 ─ 순박할 ─ (平)眞

자원 형성 𦎫(음)-享 水-氵 ┬淳(水부)

2500년전

옛 글자 「𣽃순」은 「氵삼수변」〈물〉에 음을 나타내는 「𦎫순」(나중에 「享」으로 변함)으로 이루어짐。물을 뿌리다의 뜻。나중에 「醇순」·「惇돈」·「純순」과 통(通)하여 도탑다·순박하다·깨끗하다의 뜻으로 쓰임。

뜻 ①**순박할순** 순진하고 질박함。「忠淳충순」②**깨끗할순、맑을순** 청정(淸淨)함。「淳白순백」③**뿌릴순** 물을 뿌려 깨끗이 함。④**클순** ⑤**짤순** 염분이 있음。⑥**폭순** 직물의 폭。
【淳潔 순결】순박하고 결백함。
【淳良 순량】순박하고 선량함。
【淳朴 순박】온순하고 질박(質樸)함。
【淳粹 순수】깨끗하고 순수(純粹)함。
【淳實 순실】순박(淳朴)하고 진실함。
【淳風 순풍】순박한 풍속(風俗)。
【淳化 순화】①두터운 은혜。②순박하게 함。또 순박해짐。
【淳和 순화】순박하고 온화함。
【淳厚 순후】순박하고 인정이 두터움。
◉眞淳진순 淸淳청순 忠淳충순

11 【混】水 8 중학 ㊀혼 ㊁곤 ─ 섞일 ─ ㊀(上)阮 ㊁(平)元

자원 형성 昆(음) 水-氵 ┬混(水부)

「氵삼수변」〈물〉과、음을 나타내며 동시(同時)에 치솟아 흐르다의 뜻(⇩滾곤)을 가지는 「昆곤」(혼은 변음)으로 이루어지며 본래는 지중(地中)으로부터 물이 소용돌이치며 솟아 나오는 뜻。나중에 섞다의 뜻으로 빌어쓰임。

뜻 ㊀①**섞일혼、섞을혼** 혼잡함。또 혼합함。「混淆혼효」「混合혼합」②**합할혼、합칠혼** 합동함。또 합동하게 함。「混壹혼일」③**흐릴혼** 혼탁함。④**흐를혼** 많이 흐르는 모양。세차게 흐르는 모양。⑤**클혼** ⑥**덩어리질혼** 나뉘어지지 않고 한데 엉기어 있음。㊁**오랑캐이름곤** 서이(西夷)의 하나。昆(日部四畫)과 통용。
주의 「渾혼」〈흐리다〉과 통하여 쓰임。
【混同 혼동】①합쳐 하나로 함。또 모여듦。②뒤섞음。혼합(混合)함。
【混亂 혼란】뒤섞이어 어지러움。뒤죽박죽이 됨。
【混成 혼성】섞여 이루어짐。또 섞어 만듦。
【混食 혼식】밥에 잡곡(雜穀)을 섞어 넣어 먹음。
【混然 혼연】뒤섞어 구별할 수 없는 모양。

【混浴 혼욕】 남녀가 한데 섞여 목욕함。

【混用 혼용】 섞어 씀。

【混入 혼입】 섞여 들어감。 또 넣어 섞음。

【混雜 혼잡】 뒤섞임。 또 뒤섞음。

【混戰 혼전】 서로 뒤섞여 싸움。 한데 서로 어울려 싸움。

【混濁 혼탁】 흐림。 맑지 아니함。

【混合 혼합】 뒤섞여 한데 합함。 또 뒤섞어 한데 합침。

【混血兒 혼혈아】 트기。

11 【清】 水 8 중학 청 ― 맑을 ― ㊣庚

、 氵 氵一 汁 洼 淸 清 清 清

자원 형성 青음 水→氵 ┐清(水부) 2500년전

음을 나타내는 「青청」은 푸른 색깔↓깨끗이 맑아져 있는 일。 「清」은 물이 깨끗이 맑다↓맑은 물。 또 맑다、 깨끗이 하다、 상쾌하다 따위 여러 가지 뜻으로 씀。

뜻 ①맑을청 ㉠물이 맑음。 「清水청수」 ㉡하늘이 맑음。 「清夜청야」 ㉢눈동자가 맑음。 ㉣소리가 맑음。 「清音청음」 ㉤향기가 맑고 깨끗함。 「清香청향」 ㉥성품이 깨끗함。 또 욕심이 없음。 「清廉청렴」 ㉦밝음。 「清鑒청감」 ㉧간절하고 혼란하지 아니함。 「清省청성」 ㉨고귀(高貴)함。 「清顯청현」 ㉩조용함。 평온함。 「清時청시」 ②맑아질청 맑게 됨。 ③깨끗할청 청결함。 「清淨청정」 ④맑게할청、 깨끗이할청 「清宮청궁」 ⑤시원할청 선선함。 「清切청절」 ⑥맑은술청 약주。 ⑦마실것청 음료(飮料)。 ⑧눈아래청 사람의 눈의 하부。 ⑨뒷간청 변소。 ⑩청나라청 만주족(滿州族)인 누르하치(奴兒哈赤)가 명(明)나라를 멸하고 세운 왕조(王朝)。 수도(首都)는 처음에는 심양(瀋陽)、 나중에는 북경(北京)。 신해혁명(辛亥革命)으로 망하였음(一六一六~一九一二)。

주의 「凊정」〈서늘하다〉은 딴 글자。

【清江 청강】 물이 맑은 강。

【清潔 청결】 ①청렴하고 결백함。 청백(清白)。 ②《韓》 깨끗함。 불결(不潔)의 대(對)。

【清溪 청계】 물이 맑은 시내。

【清高 청고】 ①청렴하고 고상함。 ②깨끗하고 높음。

【清談 청담】 속(俗)되지 아니한 이야기。 청아(清雅)한 이야기。

【清涼 청량】 맑고 시원함。

【清廉 청렴】 마음이 깨끗하고 욕심이 없음。

【清明 청명】 ①깨끗하고 밝은 마음。 ②잘 다스려져 평온함。 ③이십사기(二十四氣)의 하나。 춘분(春分)의 다음。 양력 사월 오륙일경。

【清白 청백】 청렴하고 결백함。

【清白吏 청백리】 ①청렴결백한 관리。 ②《韓》 의정부(議政府)·육조(六曹)·경조(京兆)의 이품(二品) 이상의 당상관(堂上官)과 사헌부(司憲府) 대사간(大司諫)이 추천하여 선정한 청렴한 벼슬아치。

【清貧 청빈】 청백(清白)하여 가난함。

【清士 청사】 마음이 깨끗한 선비。 청렴한 인물。

【清書 청서】 정서(淨書)함。 또 그것。

【清掃 청소】 깨끗이 소제함。

【清水 청수】 맑은 물。

【淸純 청순】청렴하고 조금도 사심(私心)이 없음。

【淸新 청신】산뜻하고 새로움。 진부(陳腐)하지 아니함。

【淸節 청절】깨끗한 절개。 변하지 않는 굳은 지조(志操)。 청조(淸操)。

【淸淨 청정】①깨끗함。 정함。 ②속세(俗世)의 번거로운 일을 떠나 마음을 깨끗하게 가짐。 ③《佛敎》마음이 깨끗하여 번뇌(煩惱)와 사욕(私欲)이 없음。

【淸朝 청조】①청신(淸晨)。 ②청명(淸明)한 조정(朝廷)이라는 뜻으로 당대(當代)의 왕조(王朝)의 미칭(美稱)。 ③청(淸)나라의 조정。 청왕조(淸王朝)。

【淸酒 청주】맑은 술。 약주(藥酒)。 탁주(濁酒)의 대(對)。

【淸淸 청청】①맑은 모양。 ②서늘한 모양。

【淸楚* 청초】깨끗하고 산뜻함。 산뜻하고 고움。

【淸秋 청추】①공기가 맑은 가을。 음력 팔월의 별칭(別稱)。 ②맑은 가을 하늘。

【淸濁 청탁】①맑음과 흐림。 전(轉)하여 치란(治亂)·선악(善惡)·정사(正邪)·착한 사람과 악한 사람 등의 비유로 쓰임。 ②청음(淸音)과 탁음(濁音)。 ③청주(淸酒)와 탁주。

【淸濁倂呑* 청탁병탄】도량(度量)이 커서 선인(善人)이나 악인이나를 모두 가릴 것 없이 적당히 사귐。

【淸風 청풍】맑은 바람。 솔솔 부는 바람。 시원한 바람。

【淸海鎭 청해진】《韓》신라(新羅) 흥덕왕(興德王) 때 당(唐) 나라에서 돌아온 장보고(張保皐)가 해적 퇴치를 위해 지금의 완도(莞島)에 설치(設置)하였던 진(鎭)。

11 【清】水 8 淸(앞 글자)의 속자(俗字)。

11 【淺】水 8 중학 천 | 얕을 | ㊤銑

자원 형성 戔음 水-氵┬淺(水부)

음을 나타내는 「戔전」(천은 변음)은 본디 날붙이로 상처내는 일(⇩殘잔)。 그러나 「錢전」이나 「綫‖線」 따위 「戔」이 붙는 글자는 작다、적다의 뜻이 공통되어 있음。 「淺」은 물이 적다→얕음。

뜻 ①얕을천 ㉠물이 깊지 아니함。 「淺瀨천뢰」 ㉡소견·지식·학문 등이 깊지 아니함。「淺薄천박」「淺學천학」 ㉢적음。「淺鮮천선」 ②얕아질천 얕게 됨。 ③얕이천 조금。 ④엷을천 ㉠얇음。 ㉡짙지 아니함。「淺紅천홍」

【淺見 천견】①얕은 생각。 천박한 소견。 ②자기 소견의 겸칭(謙稱)。

【淺慮 천려】얕은 생각。

【淺薄 천박】생각·학문 같은 것이 얕음。

【淺深 천심】얕음과 깊음。「얕은 꾀。

【淺才 천재】얕은 재주。 얕은 슬기。

【淺學非才* 천학비재】학문이 넉넉지 못하고 재주가 변변치 못함。

【淺海 천해】얕은 바다。

◉微淺미천 淨淺정천 卑淺비천 鄙淺비천

11 【添】水 8 고교 첨 | 더할 | ㊥鹽

氵 氵 汀 汗 沃 沃 添 添 添 添

자원 형성 忝음 水-氵 ┬ 添(水부)

「氵삼수변」〈물〉과 음을 나타내는 「忝첨」으로 이루어지며, 축축하게 적시다의 뜻인 「沾첨」의 속자(俗字)。축축하게 적시다의 뜻으로는 주로 「沾」을 쓰고, 「添」은 더하다, 증가(增加)하다의 뜻으로 쓰임。

뜻 ①더할첨 보탬。「添加첨가」 ②안주첨 주효(酒肴)。

【添加 첨가】 덧붙임。보탬。

【添附 첨부】 첨가하여 붙임。

【添削 첨삭】 문자를 보태거나 뺌。시문(詩文) 같은 것을 고침。

【添酌 첨작】 종헌(終獻)드린 잔에 다시 술을 가득 채움。

◉別添별첨

11 【済】 水 8 濟(水部十四畫)의 속자(俗字)。

11 【港】 水 8 港(다음 글자)의 속자(俗字)。

九畫

12 【港】 水 9 고교 ㊀항 ㊁홍(강本) | 분류 | ㊀(上)講 ㊁(去)送

氵 氵 汁 汫 泄 洪 洪 洪 港 港

자원 형성 共음 邑 ┬ 巷음 水-氵 ┬ 港(水부) 〔A〕 〔B〕 2500년전

「氵삼수변」〈물〉과 음을 나타내는 「巷항」으로 이루어진 글자。「共공」은 함께라는 뜻을 나타내지만 또 물건이 잘게 나뉜다는 뜻도 나타냄。「邑읍」은 고을。「巷」은 고을을 통하여 몇 개로 나뉘어진 골목。「港」은 고을의 골목처럼 나뉘어진 수로(水路)、항구(港口)의 뜻。

뜻 ㊀①분류항 본류(本流)에서 갈라져 흐르는 물줄기。②뱃길항 배가 다니는 길。③항구항 배가 정박하는 곳。「港灣항만」 ※본음(本音) 강 ㊁통할홍 「港洞홍통」은 상통(相通)함。또 그 모양。

【港口 항구】 배가 정박하는 곳의 출입구。항구의 출입구。

【港灣* 항만】 해안의 만곡(灣曲)한 곳에 방파제·부두·잔교(棧橋)·창고·기중기 등의 시설을 한 수역(水域)。

◉空港공항 軍港군항 良港양항 要港요항

12 【淵】 水 9 연 | 못 | (平)先

자원 형성 𣶒음 水-氵 ┬ 淵(水부) 2500년전

음을 나타내며 깊은 못에서 물이 돌고 있는 모양을 본뜬 「𣶒연」에 다시 「氵삼수변」〈물〉을 더한 글자。

뜻 ①못연、웅덩이연 ㉠물이 깊이 괸 곳。「積水成淵적수성연」 ㉡전(轉)하여 사물(事物)이 많이 모이는 곳。「淵藪연수」 ②깊을연 「淵博연박」 ③조용할연 고요함。

주의 「渕」은 속자(俗字)。

【淵蓋蘇文 연개소문】《韓》 고구려(高句麗)의 대막리지(大莫離支)。보장왕 사년(四年) 요동(遼東)을 쳐들어온 당군(唐軍)을 안시성(安市城)에서 격파함。

〔四畫部首順〕 心戈戶手支攴文斗斤方无日曰月木欠止歹殳毋比毛氏气水火爪父爻爿片牙牛犬

【淵沼 연소】깊은 못。
【淵源 연원】사물(事物)의 근원。
◉廣淵광연 潭淵담연 深淵심연

12 【減】水 9 중학 **감** | 덜릴 | ㊤豏

氵 汇 沂 沥 減 減 減

자원 형성 咸음 水·氵┬減(水부)
음을 나타내는 「咸함」(감은 변음)은 봉하는 일。「減」은 물의 흐름을 막다→물의 양이 줄다→적어짐。

뜻 ①**덜릴감** 수량이 적어짐。줆。「減少감소」②**덜감** ㉠적게 함。양을 줄임。「減半감반」㉡뺌。수를 줄임。③**빼기감** 감산。뺄셈。「加減가감」

주의 「減」은 속자(俗字)。

【減價 감가】①값을 내림。②평판을 떨어뜨림。가치가 떨어짐。
【減軍 감군】군대의 수효를 줄임。
【減免 감면】감하여 면제함。
【減俸 감봉】월급을 줄임。
【減削 감삭】덜고 깎음。삭감함。
【減算 감산】빼는 계산。빼기。뺄셈。
【減殺 감쇄】줆。또 줄임。감각(減却)。
【減衰 감쇠】힘이 줄어서 쇠약하여짐。
【減收 감수】수확 또는 수입이 줆。
【減壽 감수】수명이 줄어짐。
【減員 감원】인원을 줄임。
【減刑 감형】형벌을 가볍게 함。
◉加減가감 輕減경감 半減반감 削減삭감

12 【渠】水 9 **거** | 도랑 | ①-④㊥魚 ⑤㊦御 ㊤語

자원 형성 榘음 水·氵┬渠(水부)
「氵삼수변」〈물〉과、음을 나타내며 동시에 사면 팔방으로 통한 길의 뜻(⇩衢구)을 나타내는 「榘구」의 생략체 「巨」로 이루어짐。물을 통하게 한 길의 뜻。음을 빌어 대명사 그、의문사 어찌의 뜻으로도 쓰임。

뜻 ①**도랑거** 개통(開通)한 수로(水路)。「暗渠암거」②**클거** ③**우두머리거** 두목。④**그거** 그 사람。⑤**어찌거** 「何渠하거」「寧渠영거」로 연용(連用)하기도 함。
◉溝渠구거 船渠선거 暗渠암거

12 【渡】水 9 고교 **도** | 건널 | ㊦遇

氵 氵 汼 泞 浐 浐 渡 渡 — 渡 2500년전

자원 형성 度음 水·氵┬渡(水부)
「氵삼수변」〈물〉과、음을 나타내며 동시에 건넌다는 뜻을 가진 「度도」로 이루어지며、물을 건넌다는 뜻。

뜻 ①**건널도** ㉠물을 건너감。「渡來도래」㉡지나감。통과함。「渡海도해」②**건넬도** ㉠건너게 함。㉡가설(架設)함。㉢줌。교부함。③**나루도** 선장(渡船場)。「渡津도진」

【渡頭 도두】나루。진두(津頭)。
【渡來 도래】①물을 건너 옴。②외국에서 배를 타고 옴。
【渡世 도세】세상을 살아감。
【渡航 도항】배로 물을 건넘。
◉過渡과도 讓渡양도 津渡진도

12 【渣】水 9 **사** | 찌끼 | ㊥麻

자원 상형 査음 水·氵┬渣(水부)

「氵삼수변」〈물〉과 음을 나타내는 「査사」로 이루어짐. 찌끼의 뜻.

뜻 **찌끼사** 침전물. 「渣滓사재」

12 【**渦**】水 9 **와** | 소용돌이 | ㊥歌

자원 형성 咼음 水·氵+渦(水부)

「氵삼수변」〈물〉과, 음을 나타내며 동시에 우묵해지다·구멍의 뜻을 나타내기 위한 「咼와」로 이루어짐. 물이 빙빙 돌며 흘러 속이 우묵해진 것의 뜻.

뜻 ①**소용돌이와** 빙빙 돌며 흘러가는 물. 또 그 형상. 「渦中와중」 ②**소용돌이칠와** 빙빙 돌며 흐름.

【渦中 와중】 ①소용돌이치며 흘러가는 물결 가운데. 전(轉)하여 ②분란(紛亂)한 사건의 가운데.

12 【**渫**】水 9 ㊀**설** ㊁**접** | 칠 | ㊀入屑 ㊁入葉

자원 형성 枼음 水·氵+渫(水부)

「氵삼수변」〈물〉과, 음을 나타내는 「枼엽」(설은 변음)으로 이루어짐. 물밑의 가라앉은 것을 쳐내다의 뜻.

뜻 ㊀①**칠설** 물밑의 토사(土砂)를 쳐냄. 「浚渫준설」 ②**흩을설** 분산시킴. 「淸渫청설」 ③**그칠설** 쉼. ④**샐설** 洩(水部六畫)과 같은 글자. ⑤**더러울설** ⑥**업신여길설** 멸시함. ㊁①**통철할접** 통효(通曉)함. ②**출렁출렁할접** 「浹渫협접」은 물결이 연하는 모양. 출렁출렁하는 모양.

12 【**測**】水 9 고교 **측** | 잴 | 入職

자원 형성 則음 水·氵+測(水부)

氵 氵 汩 泪 浿 浿 測

「氵삼수변」〈물〉과, 음을 나타내는 「則측」(측은 변음)으로 이루어져 물 깊이를 재는 뜻. 전하여 재다의 뜻.

뜻 ①**잴측** ㉠물 같은 것의 깊이를 잼. 「測水측수」 ㉡광협·장단·원근·고저 등을 계량(計量)함. ㉢헤아림. 추측함. ②**재어질측** 위의 뜻의 피동사. ③**맑을측** 깨끗함.

【測量 측량】 ①지면(地面)·하해(河海)의 장단·고저·심천(深淺) 등을 잼. ②남의 마음을 추측함.

【測定 측정】 재어 정함. 기계(器械) 같은 것으로 잼. 「잼.

【測地 측지】 토지의 광협·고저 등을

【測候 측후】 천문(天文)·기상(氣象)을 관측함.

◉計測계측 觀測관측 豫測예측 推測추측

12 【**渴**】水 9 중학 **갈**(④ 걸本) | 목마를 | ①-③入曷 ④入屑

자원 형성 曷음 水·氵+渴(水부)

氵 氵 沪 沪 渴 渴 渴 渴

「氵삼수변」〈물〉과, 음을 나타내는 「曷갈」로 됨. 물이 마르다의 뜻.

뜻 ①**목마를갈** 갈증이 남. 목이 마르면 대단히 물을 마시고 싶어 하므로 전(轉)하여, 마음이 비상히 한 쪽으로 쏠림을 이름. 「渴望갈망」 ②**갈증갈** 목이 마른 일. ③**서두를갈** 급히 함. ④**마를갈** 물이 마름. 고갈함. ※ 본음(本音) **걸**

【渴求 갈구】 대단히 애써 구함。

【渴望 갈망】 몹시 바람。 간절히 바람。

【渴水 갈수】 가뭄으로 물이 마름。

【渴而穿井 갈이천정】 이미 때가 늦은 비유。 임갈굴정(臨渴掘井)。

◉ 窮渴궁갈 飢渴기갈 酒渴주갈

12 **【湖】** 水 9 중학 **호** | 호수 (平)虞

氵 汁 沽 湖 湖 湖

자원 형성 胡음 水-氵┬湖(水부)

「氵삼수변」〈물〉과、 음을 나타내며 동시에 크다의 뜻(⇩巨거)을 가지는 「胡호」로 이루어짐。 둑을 둘러 쳐서 관개용(灌漑用)으로 물을 모아둔 곳、 호수(湖水)의 뜻。 「沼소」는 꾸불꾸불한 모양의 호수지만、 「湖」는 「壺호」〈단지〉와 같은 장원형(長圓形)의 것을 말함。

뜻 **호수호** 육지가 우묵하게 패어 물이 괸 곳。 못이나 늪보다 큼。

【湖畔 호반】 호수 가。

【湖沼 호소】 호수와 늪。

【湖心 호심】 호수의 한가운데。 호수의 중심。

◉ 江湖강호 大湖대호 五湖오호

12 **【湯】** 水 9 고교 ㊀**탕** ㊁**상** ㊂**양** | 끓인 물 | ㊀①-⑥(平)陽 ⑦(去)漾 ㊁㊂(平)陽

氵 汩 沪 湜 渴 湯

자원 형성 昜음 水-氵┬湯(水부)

「氵삼수변」〈물〉과、 음을 나타내며 동시에 뜨겁다의 뜻(⇩煬석)을 나타내기 위한 「昜양」으로 이루어짐。 뜨거운 물의 뜻。 또 음이 통하는 「蕩탕」의 뜻을 빌어、 물이 하나 가득인 모양을 나타냄。

(A) (B) 2500년전

뜻 ㊀①**끓인물탕** 가열한 물。 「微溫湯미온탕」 ②**온천탕** 뜨뜻한 물이 솟구쳐 나오는 샘。 ③**목욕간탕** 욕실(浴室)。 ④**끓일탕** 물을 끓임。 ⑤**탕약탕** 끓인 물약。 「藥湯약탕」 ⑥**사람이름탕** 은왕조(殷王朝)의 시조(始祖)。 ⑦**방탕할탕** ㊁**세차게흐를상** 물이 세차게 흐르는 모양。 또 물결이 이는 모양。 ㊂**해돋이양**

【湯液 탕액】 달여 우려낸 액채。

【湯藥 탕약】 ①달여 먹는 약。 ②온천(溫泉) 치료와 복약(服藥)。 전(轉)하여、 치료(治療)。

【湯劑 탕제】 달여 먹는 약。 탕약(湯藥)。

【湯池 탕지】 ①끓는 못이라는 뜻으로、 깊고 넓게 파서 적(敵)이 감히 건너올 수 없는 해자(垓字) 곧 요해(要害)의 성지(城池)를 이름。 ②온천(溫泉)。

【湯泉 탕천】 온천(溫泉)。 탕정(湯井)。

◉ 藥湯약탕 熱湯열탕 溫湯온탕 浴湯욕탕

12 **【温】** 水 9 溫(水部十畫)의 속자(俗字)。

12 **【湾】** 水 9 灣(水部二十二畫)의 속자(俗字)。

12 **【満】** 水 9 滿(水部十一畫)의 속자(俗字)。

12 **【湿】** 水 9 濕(水部十四畫)의 속자(俗字)。

十畫

13【**溫**】水10 중학 온 | 따뜻할 | ①-⑦ ㊥元 ⑧ ㊤問

氵 氵 氵冂 氵四 氵四 氵囚 氵𥁕 溫 溫

자원 형성 𥁕음 ┐水·氵┘溫(水부) (A) (B) 〔𥁕〕 2500년 전

음을 나타내는 「𥁕온」은 접시에 먹을 것을 담은 모양→따뜻함. 「溫」은 물이 따뜻하다→따뜻하다의 뜻. 나중에 「囚수」〈죄수〉와 「皿명」〈접시〉의 모양에서 죄수에게 먹을 것을 주듯 하는 따뜻한 마음이 글자의 기원이라고 해석하기도 하고, 온수(溫水)라는 강 이름이라고 생각하는 설(說)도 있음. 「温」은 속자(俗字).

뜻 ①**따뜻할온** 온난함. 「溫氣온기」 ②**따뜻해질온** ③**따뜻이할온** ④**부드러울온** 온화함. 유순함. 「溫色온색」 ⑤**순수할온** 잡된 것이 섞이지 아니함. ⑥**익힐온** 과거의 일을 연구함. 또 복습함. 「溫習온습」 ⑦**온천온** 더운 물이 나오는 샘. ⑧**쌓을온** 蘊(艸部十六畫)과 같은 글자.

【溫故知新 온고지신】 옛것을 익히고 나아가 새것을 앎. 전에 배운 것을 연구하여 새로운 이치를 발명함.

【溫暖 온난】 따뜻함. 또 따뜻한 날씨.

【溫度 온도】 덥고 추운 정도. 온도계에 나타난 도수.

【溫冷 온랭】 따뜻함과 참.

【溫水 온수】 따뜻한 물.

【溫順 온순】 온화하고 공순(恭順)함.

【溫雅 온아】 온화하고 아담함.

【溫顔 온안】 온화한 안색. 화기가 도는 얼굴.

【溫柔 온유】 온후(溫厚)하고 유순함.

【溫慈 온자】 온화하고 자애심이 많음.

【溫井 온정】 온천(溫泉). 탕정(湯井).

【溫情 온정】 따뜻한 마음. 깊은 인정.

【溫存 온존】 ①친절히 위문(慰問)함. ②소중히 보관함.

【溫湯 온탕】 ①온천(溫泉). ②따뜻한 물.

【溫和 온화】 ①마음이 따뜻하고 화기가 있음. 온순하고 인자(仁慈)함. ②따뜻함.

【溫厚 온후】 ①온화하고 돈후함. ②따뜻하고 조용함.

◉高溫고온 氣溫기온 微溫미온 低溫저온 體溫체온 平溫평온 寒溫한온

13【**源**】水10 고교 원 | 수원 | ㊥元

氵 氵 汇 沥 沥 洏 源 源 源

자원 형성 泉┐原음 厂┘ ┐水·氵┘源(水부)

오른쪽 부분의 「原원」이 본디 글자. 「原」은 「厂민엄호밑」〈낭떠러지〉과, 「泉천」〈샘〉을 합친 글자로 샘이 바위 사이에서 솟아나오는 모양. 전하여, 원천(源泉), 시작, 발생의 뜻. 나중에, 다시 「氵삼수변」을 더했음.

뜻 ①**수원원** 물이 흐르는 근원. 수근(水根). ②**근원원** 사물이 발생하는 근본. 「源委원위」

【源流 원류】 수원(水源)의 흐름. 수원. 원천(源泉).

【源泉 원천】 물이 흐르는 근원. 원류(源流). 수원(水源). 전(轉)하여, 사물이 생기는 근원. 천원(泉源).

◉根源근원 起源기원 本源본원 水源수원

13 【準】 水 10 [고교] ㊀준 ㊁절 | 수준기 | ㊀[上]軫 ㊁[入]屑

氵 氵 氵 氵 氵 準 準

[자원] 형성 隼[음]┬準(水부) 準 2500년전 準

뜻을 나타내는 「氵삼수변」과, 음을 나타내며 동시에 평균(平均)의 뜻을 나타내기 위한 「隼준」으로 이루어짐. 수면(水面)의 평균을 뜻함.

[뜻] ㊀①**수준기준** 수평(水平)을 재는 기계(器械). 「準繩준승」 ②**법도준** 표준. 모범. 「準則준칙」 ③**평평할준** 수평(水平)함. 「平準평준」 ④**고를준** 균등(均等)함. ⑤**고르게할준** 평균하게 함. ⑥**바로잡을준** 바르게 함. 「準人준인」 ⑦**본받을준** 모범으로 삼음. 본뜸. 「準據준거」 ㊁**콧마루절** 비량(鼻梁). 「準頭절두」

[주의] 「準」·「准」은 속자(俗字).

【準據 준거】 ①본받음. 표준으로 삼아 좇음. ②모범. 표준.

【準度 준도】 법도. 본보기. 모범.

【準備 준비】 미리 마련함. 미리 갖춤.

【準用 준용】 준거(準據)하여 적용(適用)함. 표준으로 삼아 적용함.

【準則 준칙】 ①본받음. 표준으로 삼음. ②표준을 삼아 따라야 할 규칙.

【準行 준행】 준거(遵據)하여 행함.

◉規準규준 水準수준 平準평준 標準표준

13 【溝】 水 10 구 | 봇도랑 | [平]尤

[자원] 형성 冓[음]┬溝(水부)

「氵삼수변」과, 음을 나타내는 동시에 어긋매끼다의 뜻을 나타내는 「冓구」〈재목을 어긋매껴 쌓다〉로 이루어짐. 물을 가로세로 어긋매끼게 흐르도록 만든 도랑의 뜻.

[뜻] ①**봇도랑구** 전답 사이의 수로(水路). ②**도랑구** 땅을 판 통수로. 「溝渠구거」 ③**시내구** 골짜기를 흐르는 물. ④**해자구** 성을 빙 둘러 판 호(濠). ⑤**홈통구** 물을 이끄는 물건. ⑥**도랑팔구** 도랑을 팜.

◉排水溝배수구 城溝성구

13 【溢】 水 10 일 | 찰 | [入]質 溢 2500년전

[자원] 형성 益[음]┬溢(水부)

「氵삼수변」과, 음을 나타내는 동시에 접시에 물이 넘치는 모양의 「益익」(益·일은 변음)으로 이루어짐. 물이 넘쳐 흐르다의 뜻. 「益」이 넘치다의 뜻의 본디 글자인데, 더하다의 뜻(⇨增증)으로 전용되었기 때문에, 넘치다의 뜻을 나타내기 위해 「氵」을 더한 「溢」자를 만들었음.

[뜻] ①**찰일** 가득 참. ②**넘칠일** 넘쳐 흐름. ③**지나칠일** 정도를 지나침. 「溢美일미」 ④**교만할일** 거만함. ⑤**타이를일** 경계함. ⑥**큰물일** 홍수. ⑦**한움큼일** ⑧**스물넉냥쭝일**

◉放溢방일 富溢부일 充溢충일 海溢해일

13 【溪】 水 10 [중학] 계 | 시내 | [平]齊

氵 氵 溪 溪 溪 溪 溪

[자원] 형성 奚[음]┬溪(水부)

〔四畫部首順〕心戈戶手支攴文斗斤方无日曰月木欠止歹殳毋比毛氏气水火爪父爻爿片牙牛犬

내를 뜻하는「氵삼수변」과 함께 산골짜기의 뜻을 나타내기 위한「奚혜」(계는 변음)로 이루어짐。 개울의 뜻。

[뜻] 시내계

【溪谷 계곡】 산골짜기。

◉綠溪녹계 碧溪벽계

13 【溯】水 10 소 | 거슬러올라갈 | [去]遇

[자원] 형성 朔[음] 水-氵 ┬ 溯(水부)

「氵삼수변」에、음을 나타내며 동시에 흐름에 거스르다의 뜻(⇩泝소)을 나타내기 위한「朔삭」(소는 변음)을 더하여 이루어짐。 흐름에 거슬러 올라가다의 뜻。

[뜻] 거슬러올라갈소 「溯源소원」

【溯源 소원】 ①물의 근원을 찾아 거슬러 올라감。 ②사물의 근원을 구명(究明)함。

【溯航 소항】 배를 타고 상류(上流)로 거슬러 올라감。

【溯行 소행】 상류(上流)로 거슬러 올라감。

13 【溶】水 10 용 | 질펀히흐를 | [平]冬

2500년전

[자원] 형성 容[음] 水-氵 ┬ 溶(水부)

「氵삼수변」과、음을 나타내는 동시에 녹다의 뜻(⇩鎔용·溶용)을 가진「容용」으로 이루어짐。 물에 녹다의 뜻。

[뜻] ①질펀히흐를용 물이 도도히 흐르는 모양。 ②안한할용 마음이 편하고 한가로운 모양。 또 마음이 침착하고 여유가 있는 모양。 ③녹을용、녹일용 용해함。 또 용해시킴。

【溶解 용해】 녹음。 또 녹임。

13 【溺】水 10 [一]닉 [二]뇨 | 빠질 | [一][入]錫 [二][去]嘯

[자원] 형성 弱[음] 水-氵 ┬ 溺(水부)

「氵삼수변」과、음을 나타내는「弱약」(닉·뇨는 변음)으로 이루어짐。 강의 이름。 물에 약(弱)하다는 뜻에서 물에 빠지다의 뜻。 또 변음「뇨」가 음이 통하여 오줌(⇩尿뇨)의 뜻을 나타냄。

[뜻] [一]①빠질닉 ㉠물에 빠짐。 ㉡물에 빠진 것처럼 대단히 고생함。 ㉢침면(沈湎)함。「耽溺탐닉」 ②빠뜨릴닉 위의 뜻의 타동사。 [二]오줌뇨、오줌눌뇨 소변。 또 소변을 봄。

【溺死 익사】 물 속에 빠져 죽음。

【溺愛 익애】 사랑에 빠짐。 지나치게 사랑함。

◉沒溺몰닉 淫溺음닉 耽溺탐닉 惑溺혹닉

13 【滄】水 10 [고교] 창 | 찰 | [平]陽

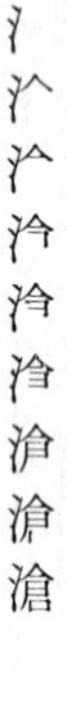

[자원] 형성 倉[음] 水-氵 ┬ 滄(水부)

「氵삼수변」과、음을 나타내는「倉창」으로 이루어짐。「蒼창」과 통하여 푸르다、푸른 바다의 뜻。

[뜻] ①찰창 한랭함。「滄滄창창」 ②큰바다창 대해(大海)。「滄溟창명」。

【滄浪 창랑】 ①푸른 물 빛。 ②한수(漢水)의 하류(下流)를 이름。

【滄海 창해】 ①큰 바다。 대해(大海)。 ②신선(神仙)이 산다는 곳。

【滄海一粟 창해일속】 대해(大海) 중에 있는 한 알의 좁쌀. 곧 지극히 큰 것 중에 있는 지극히 작은 것이라는 뜻. 천지간(天地間)에 있는 인간이 지극히 작고 덧없는 존재임을 비유한 말.

13 **【滅】** 水 10 [고교] **멸** | 멸망할 | [入]屑

氵 氵 汇 沪 涙 滅 滅 滅

[자원] 형성 水戚[음] 水-氵┬滅(水부) 2500년전

「氵삼수변」과, 음을 나타내는 동시에 없어지다의 뜻을 가진 「戚멸」로 이루어짐. 물이 다하여 없어지다의 뜻. 전하여, 멸망하다의 뜻.

[뜻] ①**멸망할멸**, **다할멸** 망하여 없어짐. 또 다 없어짐. ②**멸할멸** 없애버림. 「殲滅섬멸」 ③**죽을멸** 사망함. 「寂滅적멸」 ④**꺼질멸** 불이 꺼짐. 「明滅명멸」 ⑤**빠질멸** 침몰함.

【滅却 멸각】 멸절(滅絶).

【滅裂 멸렬】 산산조각이 남.

【滅亡 멸망】 망하여 없어짐.

【滅門之患 멸문지환】 한 집안이 모두 살륙당하는 큰 재앙.

【滅敵 멸적】 적을 멸함.

【滅族 멸족】 한 겨레를 멸함.

【滅種 멸종】 씨가 없어짐. 한 종류가 다 없어짐.

◉ 擊滅격멸 摩滅마멸 絶滅절멸 破滅파멸

13 **【滋】** 水 10 **자** | 불을 | [平]支

[자원] 형성 水茲[음] 水-氵┬滋(水부) 2500년전

「氵삼수변」과, 음을 나타내며 동시에 양육(養育)하다의 뜻(⇩孳자)을 가지는 「茲자」로 이루어짐. 농작물을 키우는 비, 물의 뜻. 전(轉)하여, 우거지다, 붇다의 뜻.

[뜻] ①**불을자** 늚. 증가함. 「滋殖자식」 ②**우거질자** 무성함. ③**번식할자** 동물이 늘어서 퍼짐. ④**자랄자** 생장함. ⑤**심을자** 초목을 심음. ⑥**흐릴자** 혼탁함. ⑦**잦을자** 빈번함. ⑧**더욱자** 한층 더. ⑨**맛있을자** ⑩**맛있는음식자** ⑪**진자** 진액(津液).

【滋養 자양】 ①기름. 양육함. ②몸의 영양이 됨. 또 그 음식.

13 **【滑】** 水 10 ㊀**활** ㊁**골** | 반드러울 | ㊀[入]黠 ㊁[入]月

[자원] 형성 水骨[음] 水-氵┬滑(水부) 2500년전

「氵삼수변」과, 음을 나타내는 「骨골」로 이루어짐. 물이 미끄러지듯 흐르다의 뜻.

[뜻] ㊀①**반드러울활** 미끄러움. 「圓滑원활」 ②**미끄러질활** 미끄러운 곳에서 밀려 나가거나 넘어짐. ③**미끄럽게할활** 반드럽게 함. ④**교활할활** ㊁①**어지러울골** 혼란함. ②**흐릴골**, **흐리게할골** 혼탁함. 또 혼탁하게 함. ③**다스릴골** ④**흐를골** 물이 흐르는 모양.

【滑氷 활빙】 얼음지치기. 스케이팅.

【滑走 활주】 ①미끄러져 달아남. ②비행기가 땅 위나 물 위를 내달음.

【滑車 활차】 도르래.

【滑滑 활활】 반들반들한 모양. 매끄러운 모양.

◉ 圓滑원활 潤滑윤활 淸滑청활

13 【滓】 水 10 재 | 찌끼 | [上]紙

[자원] 형성 宰[음] 水-氵┬滓(水부)

「氵삼수변」과, 음을 나타내는 「宰재」로 이루어짐. 물 속에 가라앉은 찌꺼기의 뜻.

[뜻] ①찌끼재 ㉠침전물. ㉡허섭쓰레기. ②때재 더러운 것. ③때낄재

◉渣滓사재 泥滓이재 殘滓잔재 沈滓침재

十一畫

14 【滌】 水 11 척 | 닦을 | [入]錫

[자원] 형성 條[음] 水-氵┬滌(水부)

「氵삼수변」과, 음을 나타내며 동시에 부정을 떨다의 뜻(⇩掃소)을 가지는 「條조」(척은 변음)로 이루어짐. 물을 끼얹어 씻다의 뜻.

[뜻] ①**닦을척, 씻을척** 「洗滌세척」 ②**청소할척** 소제함. ③**우리척** 희생(犧牲)을 기르는 우리.

14 【滯】 水 11 체 | 막힐 | [去]霽

[자원] 형성 帶[음] 水-氵┬滯(水부)

「氵삼수변」과, 음을 나타내며 동시에 멎다, 묵다의 뜻(⇩停정)을 나타내는 「帶대」(체는 변음)로 이루어짐. 물이 멎어 흐르지 않다의 뜻.

[뜻] ①**막힐체** ㉠막혀 통하지 아니함. ㉡말이 잘 나오지 아니함. 일이 잘 진척되지 아니함. ②**쌓일체** 묵어 쌓임. 「滯貨체화」 ③**남을체** ㉠빠져 남음. 잔류(殘留)함. 또 등용되지 않고 빠져 남은 어진 사람. 유현(遺賢). ㉡팔리지 않아 남음. ④**엉길체** 한 가지 일에 열중함. 집착함. ⑤**머무를체** 체재함.

【滯京 체경】 서울에 체류함.

【滯納 체납】 납세(納稅)를 지체함.

【滯留 체류】 머물러 있음. 타향(他鄕)에 가서 오래 있음.

【滯在 체재】 체류(滯留).

【滯貨 체화】 ①운송이 잘 되지 못하여 밀려 쌓인 짐. ②상품이 잘 팔리지 않아 생산업자 또는 상인(商人)의 손에 남아 있어 창고에 쌓여 있는 화물(貨物).

◉留滯유체 遲滯지체

14 【滲】 水 11 삼 | 밸 | [去]沁

[자원] 형성 參[음] 水-氵┬滲(水부)

「氵삼수변」에 음을 나타내는 동시에 머금다의 뜻(⇩含함)을 나타내기 위한 「參삼」을 더하여 이루어짐. 물을 머금다→배다의 뜻.

[뜻] ①**밸삼** 물이 뱀. 물이 스며 들어감. ②**샐삼** 조금씩 흘러 나옴.

【滲出 삼출】 스미어 나옴.

【滲透 삼투】 스며 들어감. 뱀.

14 【滴】 水 11 [고교] 적 | 물방울 | [入]錫

氵 氵 浐 渧 渧 滴 滴 滴

[자원] 형성 商[음] 水-氵┬滴(水부)

「氵삼수변」과, 물이 뚝뚝 떨어질 때

〔四畫部首順〕 心戈戶手支攴文斗斤方无日曰月木欠止歹殳毋比毛氏气水火爪父爻爿片牙牛犬

의 소리를 나타내는 「啇적」으로 이루어짐。

뜻 ①물방울적。「雨滴우적」 ②물방울떨어질적。「點滴점적」「硯滴연적」

14 【滿】 水 11 중학 만 | 찰 | ㊤旱

氵 氵 汁 汫 洪 湍 滿 滿 滿

자원 형성 水-氵+㒼(음)→滿(水부)

2000년전

음을 나타내는 「㒼만」은 좌우가 같은 모양이며 평평함, 물건이 많음을 나타냄。「滿」은 물이 구석구석에 가득하다→가득하다。약자는 「満」。

뜻 ①찰만 ㉠가득참。「充滿충만」 ㉡풍족함。충분함。㉢기한이 참。②채울만 위의 뜻의 타동사。③교만할만 거만함。④땅이름만 만주(滿洲)의 약칭。⑤성낼만 ⑥속일만

【滿干 만간】 밀물과 썰물。만조(滿潮)와 간조(干潮)。간만(干滿)。

【滿腔* 만강】 온 몸。만신(滿身)。

【滿期 만기】 기한이 참。일정한 기간이 다 됨。

【滿喫* 만끽】 ①충분히 먹음。충분히 마심。②욕망을 마음껏 충족시킴。

【滿堂 만당】 온 당(堂) 안。온 방안。또 온 방안에 가득 참。

【滿了 만료】 다 끝남。완료(完了)。

【滿面愁色 만면수색】 온 얼굴에 가득 찬 수심의 빛。

【滿發 만발】 만개(萬開)。

【滿腹 만복】 배에 가득함。배 부름。또 가득 찬 배。

【滿山 만산】 ①온 산。산 전체。②(佛敎) 온 절。절 전체。

【滿身瘡痍* 만신창이】 온 몸이 흠집투성이임。

【滿員 만원】 정원(定員)에 참。

【滿月 만월】 ①보름달。②만삭(萬朔)。③아이가 낳은 지 만 일 개월이 됨。

【滿場 만장】 회장(會場) 또는 강당(講堂)에 가득 참。또 그 곳에 모인 사람 전부。

【滿載 만재】 ①하나 가득 실음。②기사(記事)를 온 지면(紙面)에 실음。

【滿點 만점】 규정한 최고 점수에 달함。

【滿庭 만정】 뜰 전체。온 뜰。

【滿朝 만조】 온 조정(朝廷)。조정의 벼슬아치 전부。

【滿潮 만조】 밀물。

【滿足 만족】 ①족함。충분함。②소망이 충분히 채워져서 불평이 없음。

【滿座 만좌】 ①온 좌석。온 자리。그 자리에 있는 사람 전부。②온 좌석에 가득 참。

【滿洲 만주】 원래는 종족(種族)의 이름。만주(滿珠)라고도 함。후(後)에 그 종족이 사는 지방의 지명(地名)으로 쓰임。곧 중국 동북 지방의 대부분。

【滿天下 만천하】 온 천하。천하 전부。

◉圓滿원만 脹滿창만 淸滿청만 充滿충만

14 【漁】 水 11 중학 어 | 고기 잡을 | ㊥魚

氵 氵 汋 洎 渔 漁 漁

漁

자원 형성 水-氵+魚(음)→漁(水부)

「魚어」는 물고기。「氵삼수변」은 물。「漁」는 물 속의 물고기를 잡는 일。(A)는 물고기와 낚시줄과 손。

(A) (B) (C)
3000년전

Ⓑ는 물고기와 그물과 손. Ⓒ는 물고기와 물.

뜻 ①고기잡을어 물고기를 잡음. 「漁網어망」 ②낚을어 약탈함. 선악을 가리지 않고 탐내어 취함. 「漁奪어탈」 ③고기잡이어 ㉠고기를 잡는 일. 「漁獵어렵」 ㉡어부(漁夫).

주의 「漁」는 약자(略字).

【漁期 어기】 고기잡는 시기(時期).

【漁獵* 어렵】 고기잡이와 사냥.

【漁撈* 어로】 수산물을 포획(捕獲)·채취하는 일.

【漁網 어망】 물고기를 잡는 그물.

【漁父 어부】 고기잡이. 어부(漁夫).

【漁父之利 어부지리】 두 사람이 싸우는 사이에 제삼자(第三者)가 이(利)를 가로채는 것을 이름. 도요새가 무명조개의 속살을 먹으려고 부리를 조가비 안에 넣는 순간 무명조개가 껍질를 꼭 다물고 서로 싸우는 데에 어부(漁父)가 와서 손쉽게 다 잡아갔다는 고사(故事)에서 나온 말.

【漁船 어선】 고기잡이 하는 배.

【漁業 어업】 고기잡이를 하거나 기르는 직업.

【漁翁 어옹】 고기잡이 하는 늙은이.

【漁場 어장】 고기잡이를 하는 곳.

【漁村 어촌】 어부(漁夫)가 사는 촌락(村落). 「우는 불.

【漁火 어화】 고기를 잡기 위하여 피

【漁獲 어획】 어로(漁撈).

◉禁漁금어 大漁대어 出漁출어 豊漁어

14 【漂】 水 11 고교 표 | 떠다닐 | ①-⑤ (平)蕭 ⑥ (去)嘯

氵 氵 汀 沂 洒 洒 漂 漂 漂

자원 형성 票음 水-氵ㅏ漂(水부) 2500년전

「氵삼수변」과, 음을 나타내며 동시에 뜨다의 뜻(⇩萍평=수초)을 나타내기 위한 「票표」로 이루어짐. 물 위를 떠서 떠돌다의 뜻.

뜻 ①떠다닐표 ㉠풍파에 따라 이리저리 떠다님. 「漂流표류」 ㉡정처 없이 유랑함. 「漂寓표우」 ②떠다니게 할표. ③나부낄표 ④움직일표 위치를 변경시킴. ⑤능가할표 훨씬 뛰어남. ⑥바랠표, 빨래할표 세탁함. 「漂白표백」

【漂客 표객】 방랑하는 사람.

【漂女 표녀】 빨래하는 여자.

【漂浪 표랑】 정처 없이 떠돌아다님. 방랑함. 유랑(流浪).

【漂流 표류】 ①물에 떠서 흘러감. ②물 위에 둥둥 떠내려감. 정처 없이 떠돌아다님. 표랑(漂浪).

【漂母 표모】 빨래하는 노파(老婆).

【漂泊 표박】 표류(漂流)❷.

【漂白 표백】 ①빨아서 희게 함. 바램. ②화학약품을 써서 탈색(脫色)하여 희게 함. 「에 당음.

【漂着 표착】 표류(漂流)하다가 물가

14 【漆】 水 11 고교 ㊀칠 ㊁철 | 옻나무 | ㊀(入)質 ㊁(入)屑

氵 氵 汁 汢 泬 泬 漆 漆 漆

자원 형성 桼음 水-氵ㅏ漆(水부)

강을 뜻하는 「氵삼수변」과, 음을 나타내는 「桼칠」로 이루어짐. 본래 강의 이름. 「桼」은 「木목」〈나무〉과 「水수」〈물〉로 이루어져, 나무에서 나오는 물의 뜻으로、옻나무의 뜻의 본디 글자。나중에 「桼」이 쓰이지 않게 되어、「漆」을 옻나무의 뜻으로 빌어 쓰게 됨。

뜻 ㊀①**옻나무칠** 옻나무과에 속하는 낙엽교목(落葉喬木)。진(津)은 유독(有毒)하며 칠에 씀。②**옻칠칠** 옻나무의 진(津)。③**검을칠** 흑색。④**옻칠할칠** ㊁**전심할칠** 한 가지 일에 마음을 기울여 쏟는 모양。

【漆器 칠기】옻칠한 그릇。

【漆細工 칠세공】그릇에 옻칠을 한 여러 가지 세공(細工)。

【漆夜 칠야】깜깜한 밤。

【漆函* 칠함】옻칠한 함(函)。「맘。

【漆黑 칠흑】옻칠과 같이 검음。세까

14 **【漏】** 水 11 고교 루 ─ 샐 ─ ㊀去 宥

氵 氵 氵 沪 沪 涓 涓 漏 漏

자원 형성 屚음 水-氵┬漏(水부)

「氵삼수변」과、음을 나타내는 「屚루」로 이루어짐。물이 새다의 뜻。

뜻 ①**샐루** ㉠틈으로 흘러 나오거나 비쳐 나옴。「漏水누수」 ㉡비밀이 탄로됨。「漏泄누설」 ②**틈날루** 틈이 생김。구멍이 뚫림。③**빠뜨릴루** 유실(遺失)함。④**구멍루** ⑤**누수기루** 물시계。「漏刻누각」 ⑥**서북모퉁이루** 방(房)의 서북 모퉁이의 가장 어두운 곳。⑦**병이름루** ⑧《佛敎》**번뇌루** 번뇌(煩惱)의 이칭(異稱)。

【漏斗 누두】깔때기。

【漏落 누락】적바림에서 빠짐。

【漏泄* 누설】①물이 샘。또 물을 새게 함。②비밀이 샘。또 비밀을 새게 함。

【漏洩* 누설】누설(漏泄)。

【漏水 누수】①새는 물。또 물을 새게 함。②물시계의 물。

【漏濕 누습】습기가 스며 나옴。

【漏屋 누옥】비가 새는 집。

◉刻漏각루 滲漏삼루 遺漏유루 脫漏탈루

14 **【演】** 水 11 고교 연 ─ 흐를 ─ ㊤銑

氵 氵 氵 泞 泞 湾 渖 演

자원 형성 寅음 水-氵┬演(水부)

3000년전 〔寅〕2500년전

음을 나타내는 「寅인」(연은 변음)은 화살의 모양、또는 화살에 양손을 댄 모양인데 「引인」「伸신」 따위와 음·뜻 모두 관계가 깊으며、바로 펴는 일이었던 듯。나중에 지지(地支)의 세째로 쓰이어 우리 나라에서는 「범」이라 일컬음。「演」은 물을 끌다↓통하게 하다↓물이 먼 곳까지 흐르다↓사물(事物)을 당겨 늘이는 일。

뜻 ①**흐를연** 길게 흐름。먼 곳으로 흘러감。②**윤택할연** 물이 흘러 윤택함。③**펼연** 널리 폄。「廣演광연」 ④**당길연** 잡아당김。⑤**부연할연** 알기 쉽게 설명함。「演義연의」 ⑥**헤아릴연** 추측함。⑦**행할연** 「演武연무」 ⑧**무자맥질할연** 헤엄침。물 속을 잠행함。

【演劇 연극】배우(俳優)가 각본(脚本)에 의하여 여러 가지 치장을 하고 무대(舞臺) 위에서 언행을 하는 일。또 그 예술。

【演技 연기】 기예(技藝)를 행함。 또 그 기예。

【演壇 연단】 연설이나 강연을 하는 사람이 서는 단。

【演武 연무】 무예(武藝)를 행함。 무예를 연습(鍊習)함。

【演習 연습】 ①배워 익힘。 ②학문의 실제에 관하여 배워 익히는 연구。 ③군대가 행하는 실전(實戰)의 연습(練習)。

【演藝 연예】 공중(公衆) 앞에서 연극·음악·무용·만담 따위를 보임。 또 그 재주。

【演題 연제】 연설(演說)·강연(講演) 등의 제목(題目)。

【演奏* 연주】 음악(音樂)을 아룀。 주악(奏樂)。

【演出 연출】 각본(脚本)을 상연함。

◉公演공연 上演상연

14 【漠】 水 11 [고교] 막 | 사막 | [入]藥

氵 氵 汁 汻 浐 浩 漕 漠 漠

[자원] 형성 莫[음] 水-氵 ┬ 漠(水부) 「氵삼수변」〈물〉과, 음을 나타내는 동시에 없다는 뜻을 가진 「莫막」으로 이루어짐。 물이 없는 곳의 뜻。

[뜻] ①사막막 넓은 모래 벌판。 「沙漠사막」 ②넓을막 「廣漠광막」 ③어두울막 「漠漠막막」 ④조용할막 고요함。 「幽漠유막」 ⑤쓸쓸할막 寞(宀部十一畫)과 같은 글자。 「漠然막연」

【漠漠 막막】 ①아주 넓어 끝이 없는 모양。 ②펴 늘어 놓은 모양。

【漠然 막연】 ①아득하여 분명(分明)하지 않은 모양。 몽롱(朦朧)하여 뚜렷하지 않은 모양。 ②쓸쓸한 모양。 적막한 모양。

◉空漠공막 落漠낙막 沙漠사막 索漠삭막 幽漠유막 寂漠적막 玄漠현막 荒漠황막

14 【漢】 水 11 [중학] 한 | 한수 | [去]翰

氵 氵 汁 汁 浐 浐 漢 漢 漢  2500년전

[자원] 형성 堇-𦰩[음] 水-氵 ┬ 漢(水부) 음을 나타내는 「難난」의 생획(省畫) 「𦰩난」(한은 변음)과, 「氵삼수변」의 합자(合字)。 본뜻은 양자강(揚子江)의 지류(支流)인 한수(漢水)。 중국의 강은 동서(東西)로 흐르는데 한수만은 희귀하게도 남북(南北)으로 흐름。 은하수도 남북으로 흐르는 듯이 놓여 있으므로 그 뜻으로도 씀。

[뜻] ①물이름한 ㉠섬서성(陝西省) 영강현(寧羌縣)에서 발원하여 호북성(湖北省)을 관류(貫流)하는 양자강(揚子江)의 지류。 「漢水한수」。 ㉡또 이 강의 유역(流域)。 섬서(陝西)·호북(湖北) 두 성(省)을 「漢中한중」이라 하며, 약(略)하여 「漢한」이라고도 함。 ②은하수한 「銀漢은한」 「天漢천한」 ③한민족한 중국 본토의 민족。 또 중국 본토의 뜻으로도 쓰임。 ④한나라한 ㉠유방(劉邦)이 진(秦)나라를 멸하고 세운 나라。 서울은 장안(長安)。 「西漢서한」 또는 「前漢전한」이라 함。 왕망(王莽)에게 찬탈(簒奪)됨。 (B.C.二〇二~A.D.八) ㉡유수(劉秀)가 왕망(王莽)의 신(新)을 토평하고 한실(漢室)을 중흥(中興)하여 세운 나라。 서울은 낙양(洛陽)。 「東漢동한」 또는 「後漢후한」이라

함。위(魏)나라에게 찬탈(簒奪)됨。유(二五~二二〇) ㉢삼국(三國)의 하나。유비(劉備)가 위(魏)·오(吳)와 정립(鼎立)하여 중국 서남부에 세운 나라。서울은 성도(成都)。「蜀漢촉한」이라 함。㉣서진(西晉) 때 오호 십육국(五胡十六國)의 하나。흉노족(匈奴族)의 유연(劉淵)이 산서(山西)에 의거하여 세운 나라。뒤에 국호(國號)를 조(趙)로 고치었으므로、역사상(歷史上) 전조(前趙)로 일컬어짐。석늑(石勒)에게 망하였음。(三〇四~三二九) ㉤서진(西晉) 때 오호 십육국(五胡十六國)의 하나。저족(氐族)의 이웅(李雄)이 성도(成都)에 의거하여 칭제(稱帝)하고 세운 나라。처음에 국호를 성(成)이라 하였으나、뒤에 한(漢)으로 고쳤음。역사상 「成漢성한」 또는 「後蜀후촉」으로 일컬어짐。동진(東晉)에 망하였음。(三〇二~三四七) ㉥오대(五代) 때의 십국(十國)의 하나。유은(劉隱)이 칭제(稱帝)하고 광동(廣東) 및 광서(廣西) 남부 지방에 세운 나라。처음 국호(國號)는 대월(大越)。「南漢남한」으로 일컬어짐。송(宋)나라에 망하였음。(九〇九~九七一) ㉦오대(五代) 때의 십국(十國)의 하나。사타부(沙陀部)의 유지원(劉知遠)이 후진(後晉)에 갈음하여 칭제(稱帝)하고 하남(河南) 지역에 세운 나라。서울은 변(汴)。역사상 「後漢후한」으로 일컬어짐。후주(後周)에 망하였음。(九四七~九五〇) ㉧오대(五代) 때 십국(十國)의 하나。후한(後漢)의 은제(隱帝)가 시해(弑害)되자 그의 숙부(叔父) 유승(劉崇)이가 자립(自立)하여 세운 나라。역사상 「北漢북한」 또는 「東漢동한」으로 일컬어짐。송(宋)나라에 망하였음。(九五一~九七九) ⑤**사내한** 남자의 천칭。「村漢촌한」

【漢高祖 한고조】 한(漢)나라의 시조(始祖)。성은 유(劉)、이름은 방(邦)。초(楚)나라의 항우(項羽)를 해하(垓下)에서 격파하고 제위(帝位)에 오름。

【漢武帝 한무제】 전한(前漢) 제칠대의 임금。경제(景帝)의 아들。이름은 철(徹)。대학을 일으키고 유교(儒敎)를 숭상하였으며 외이(外夷)를 쳐서 판도(版圖)를 넓혔음。

【漢文 한문】 ①한문제(漢文帝)。②한대(漢代)의 문장。③《韓》중국의 문장。또 한자(漢字)만으로 쓴 문장。

【漢文帝 한문제】 전한(前漢) 제오대의 임금。고조(高祖)의 아들。이름은 항(恒)。재위 이십 삼 년。

【漢文學 한문학】《韓》한자(漢字)·한시(漢詩)·한문(漢文) 등을 연구하는 학문。한학(漢學)。

【漢方 한방】《韓》중국에서 전래(傳來)한 의술(醫術)。「한의(漢醫)」。

【漢方醫 한방의】 한방(漢方)의 의원。

【漢書 한서】 전한(前漢) 십이세(十二世) 이백 사십 년간의 기전체(紀傳體)의 사서(史書)。반고(班固)가 완성하였음。

【漢城府 한성부】《韓》조선(朝鮮) 때 수도인 한성을 다스리던 관청。

【漢城 한성】《韓》①백제(百濟)의 두번째 도읍지(都邑地)였던 지금의 광주구읍(廣州舊邑) 및 남한산성(南

漢山城)。②서울의 구칭。

【漢詩 한시】①한대(漢代)의 시(詩)。②《韓》중국의 시。한문으로 된 시。

【漢語 한어】중국 본토의 언어(言語)。

【漢音 한음】《韓》한자의 중국음。

【漢醫 한의】《韓》한방의(漢方醫)。

【漢字 한자】《韓》중국의 글자。태고(太古)에 창힐(蒼頡)이라는 사람이 창제하였다고 하는 문자。

【漢籍 한적】①한대(漢代)의 서적。②《韓》중국의 서적。한문의 서적。

【漢土 한토】중국 본토。

【漢學 한학】①한대(漢代)에 행하여진 경전(經典)을 연구하는 학문。한대의 경학(經學)。②《韓》한문학(漢文學)。

◉羅漢나한 無賴漢무뢰한 門外漢문외한 西漢서한 惡漢악한 兩漢양한 銀漢은한 癡漢치한 風漢풍한 天漢천한 村漢촌한 醉漢취한 韓漢한한 好漢호한

14 【漫】 水 11 고교 만 | 질펀할 | ①-⑧去翰 ⑨平寒

氵 氵 氵冂 氵冃 氵冃 氵曰 氵昌 漫 漫

자원 형성 水-氵┬漫(水부)
　　　　　曼 음

「氵삼수변」〈물〉과、음을 나타내는 동시에 널리 퍼진다는 뜻(⇩蔓만)을 가진「曼만」으로 이루어짐。물이 끝없이 퍼진다는 뜻。전하여、함부로란 뜻。

뜻 ①질펀할만 땅이 넓고 평평한 모양。②넓을만 수면(水面)이 아득하게 넓은 모양。「渺漫묘만」③멀만 유원(悠遠)함。④방종할만 멋대로 굶。「放漫방만」⑤더러울만、더럽힐만 ⑥흩어질만 난잡함。「散漫산만」「混漫혼만」⑦넘칠만 범람함。⑧함부로만 ㉠멋대로。㉡무리하게。⑨찰만 가득 참。

【漫錄 만록】붓이 돌아가는 대로 쓴 글。만필(漫筆)。

【漫文 만문】①수필(隨筆)。②사물의 특징을 우습고 재미있고 경묘(輕妙)하게 쓴 글。

【漫步 만보】한가히 거니는 걸음。산책(散策)。

【漫然 만연】이렇다 할 특별한 이유 없이。막연히。

【漫遊 만유】마음이 내키는 대로 각처를 구경하며 돌아다님。

【漫筆 만필】붓이 돌아가는 대로 씀。또 그 글。수필(隨筆)。

◉爛漫난만 漠漫막만 靡漫미만 散漫산만

14 【漸】 水 11 고교 ㊀점 ㊁참 | 차차 | ㊀①-④上琰 ⑤-⑧上鹽 ㊁平咸

氵 氵 氵亘 氵車 氵車 漸 漸 漸

자원 형성 水-氵┬漸(水부)
　　　　　斬 음

시내를 뜻하는「氵삼수변」과、음을 나타내는「斬참」으로 이루어짐。본디 강 이름。음을 빌어 조금씩 나아간다는 뜻으로 쓰며、전하여、겨우의 뜻으로 되었음。

뜻 ㊀①차차점 점점。차츰차츰。「漸進점진」②차례점 순차。순서。③흐를점 흘러 들어감。④물들점、물들일점 감화함。또 감화시킴。⑤자랄점 보리 같은 것이 잘 자라는 모양。⑥적실점、젖을점 물에 적심。또는 물에 젖음。⑦나아갈점 차츰차츰 나

감。⑧점괘점 육십 사 괘(六十四卦)의 하나。곧 ☶☷(간하(艮下)、손상(巽上))。점차로 나가는 상(象)。二험할참 바위가 높고 험한 모양。

【漸入佳境 점입가경】 경치가 점점 좋아짐。또는 문장이 점점 재미가 남。

【漸進 점진】 차차 나아감。점차로 진보함。

【漸次 점차】 차차。차츰차츰。점점。

◉南頓北漸남돈북점 東漸동점

十二畫

15 【潔】 水 12 중학 결 | 깨끗할 | ㊇屑

氵 氵 洼 洯 潔 潔

자원 형성 糸 㓞音 ┬ 絜音 ┬ 潔(水부) 水-氵

「㓞갈」은 「割할」과 비슷한 말로서 끊는 일。음을 나타내는 「絜결」은 뒤섞이기 쉬운 삼의 묶음을 가지런히 하여 깨끗이 자른 횡단면→완전히 가지런히 되어 있는 일。「潔」은 물이 맑고 깨끗함→깨끗이 함。

뜻 ①깨끗할결 ㉠더럽지 아니함。「淸潔청결」 ㉡품행이 바름。청렴함。「潔白결백」 ②깨끗이할결 스스로 몸을 닦아 결백하게 함。「修潔수결」

【潔白 결백】 ①깨끗하고 흼。②마음이 깨끗하고 사욕(邪欲)이 없음。

【潔癖* 결벽】 ①부정한 것을 극단적으로 미워하는 성질。②유달리 깨끗함을 좋아하는 성벽。

◉簡潔간결 不潔불결 純潔순결 淳潔순결 廉潔염결 完潔완결 精潔정결 淸潔청결

15 【潛】 水 12 고교 잠 | 무자맥질할 | ㊥鹽 ㊤豔

氵 氵 汗 沣 涔 潸 潛 潛

자원 형성 朁音 水-氵 ┬ 潛(水부)

「氵삼수변」〈물〉과、음과 함께 꿰뚫다는 뜻(⇩穿천)을 나타내기 위한 「朁참」(잠은 변음)으로 이루어짐。물속을 꿰뚫고 간다는 뜻。전하여、물속에 들어가다、잠기다의 뜻。

뜻 ①무자맥질할잠 물 속에 잠행함。②숨을잠 몸을 감춤。「潛伏잠복」 ③숨길잠 감춤。④몰래잠 은밀히。「潛入잠입」 ⑤가라앉을잠 마음이 침착함。⑥깊을잠 ⑦섶잠 물고기를 모이게 하기 위하여 물 속에 쌓은 섶。⑧물이름잠 한수(漢水)의 이칭。

주의 「潛」은 틀린 글자。

【潛伏 잠복】 깊이 숨음。또 깊이 숨김。

【潛水 잠수】 물 속에 들어감。

【潛入 잠입】 몰래 들어옴。

【潛在 잠재】 속에 숨어 있음。

【潛跡 잠적】 종적을 숨김。

【潛航 잠항】 물 속으로 몰래 항행(航行)함。

【潛行 잠행】 ①남몰래 다님。②물 밑이나 땅 밑으로 다님。

【潛幸 잠행】 몰래 하는 행행(行幸)。

15 【潜】 水 12 潛(앞 글자)의 속자(俗字)。

15 【潟】 水 12 석 | 개펄 | ㊇陌

자원 형성 舃音 水-氵 ┬ 潟(水부)

「氵삼수변」과、음을 나타내며 동시에 염분이 많은 땅의 뜻을 가진 「舃석」

으로 이루어짐。 염분이 많은 해안의 땅↓개펄의 뜻。

뜻 **개펄석** 조수가 드나들어 염분이 많이 섞인 땅。 척로(斥鹵)。「瀉滷석로」

15 **【潤】** 水 12 고교 **윤** | 젖을 | (去)震

氵 氵 汈 汩 泗 淍 潤 潤 潤

자원 형성 閏음 水-氵 ┬潤(水부) 2500년전

「氵삼수변」〈물〉과、음을 나타내며 동시(同時)에 넘칠 정도로 많은 모양의 뜻(⇩淳순)을 갖는 「閏윤」으로 이루어짐。 충분히 물에 젖다의 뜻。

뜻 ①**젖을윤** 물기가 있음。 습함。「潤濕윤습」 ②**윤택할윤** 번지르르함。 또 번영함。 ③**적실윤** 물에 적심。 또 습하게 함。 ④**윤택하게할윤** ㉠이익 또는 덕을 베풂。 ㉡꾸밈。 수식함。「潤色윤색」 ⑤**더할윤** 보탬。 ⑥**물기윤** 수분。 ⑦**은혜윤** 은덕。 ⑧**이득윤**「利潤이윤」 ⑨**부드러울윤** 온화함。 ⑩**윤윤** 광택。「光潤광윤」

【潤色 윤색】 윤을 내어 꾸밈。 매만져 곱게 함。 문채(文采)를 가(加)함。

【潤澤 윤택】 ①적심。 또 젖음。 ②은혜를 베풂。 또 은혜。 ③윤이 남。 아름답고 빛이 남。 또 윤이 나게 함。 또 윤。 광택。 ④이득。 이윤。 ⑤많음。 풍부함。

【潤筆 윤필】 글씨를 쓰거나 그림을 그림。 또 그 보수。

【潤滑* 윤활】 윤이 나고 반질반질함。 또 기름기가 있어 매끄러움。

◉光潤광윤 濕潤습윤 利潤이윤 浸潤침윤

15 **【潭】** 水 12 고교 ㊀**담** ㊁**심** | 깊을 | ㊀(平)覃 ㊁(平)侵

氵 氵 汀 沂 洒 洒 潭 潭 潭

자원 형성 覃음 水-氵 ┬潭(水부)

「氵삼수변」〈물〉과、음을 나타내는 동시에 깊다는 뜻(⇩深심)을 가진「覃담」으로 이루어짐。 깊은 물을 가득히 채운 곳이란 뜻。

뜻 ㊀①**깊을담**「潭深담심」 ②**소담** 물이 괸 깊은 곳。「碧澗清潭벽간청담」 ㊁**물가심** 수애(水涯)의 깊은 곳。

◉綠潭녹담 碧潭벽담 池潭지담 清潭청담

15 **【潮】** 水 12 고교 **조** | 조수 | (平)蕭

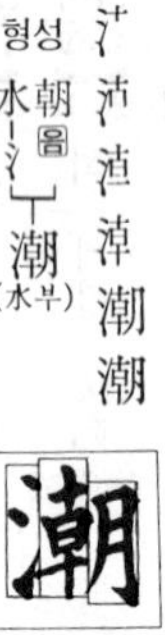

氵 氵 沽 涬 淖 潮 潮

자원 형성 朝음 水-氵 ┬潮(水부)

음을 나타내는 「朝조」는 여기에서는 향하여 간다는 뜻을 나타냄。「潮」는 시내의 흐름이 바다로 향하는 일。 나중에 물의 흐름↓큰 파도↓조수가 들어온다는 데 씀。

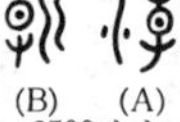

옛날「朝」자를「潮」의 뜻으로 썼으나 나중에 조석(朝夕)의「朝」와 구별하여「氵삼수변」을 붙여서 쓰게 되고 또 아침 조수를「潮」、 저녁 조수를「汐석」이라고 따로 쓰게 되었음。 옛모양 (A)(B)는「𠦝」와「水수」 또는「川천」과를 합한 모양。「𠦝」는「朝」자의 옛모양。

(A) (B) 2500년전

뜻 ①**조수조** ㉠밀려 들어왔다 나갔

다 하는 바닷물。「潮候조후」ⓛ아침에 일어나는 조수。「潮汐조석」②밀물조 밀려 들어오는 조수(潮水)。③밀물들어올조 ④나타날조 빛이 나타남。징후(徵候)가 나타남。⑤바닷물조 해수(海水)。⑥고을이름조 광동성(廣東省)에 있는 주(州)。

【潮流 조류】①조수(潮水)의 유동(流動)。바닷물의 유동。②시세(時勢)의 취향(趣向)。

【潮水 조수】바닷물。해수(海水)。

◉思潮사조 晨潮신조 早潮조조

15 **【潰】** 水 12 궤 | 무너질 | 去隊

자원 형성 貴음 水-氵」潰(水부)

「氵삼수변」과 음을 나타내는 동시에 부서지다의 뜻(⇩壞괴·決결)을 나타내기 위한「貴귀」로 이루어짐。물이 넘쳐 둑이 무너지다→무너지다→어지러워지다의 뜻。

뜻 ①무너질궤 ㉠제방 따위가 무너져 물이 쏟아져 나옴。「決潰결궤」ⓛ패전하여 진(陣)이 무너져 군사들이 도망함。「潰走궤주」②무너뜨릴궤 앞의 뜻의 타동사。③문드러질궤 부란(腐爛)함。「潰爛궤란」④어지러울궤 혼란한 모양。⑤이룰궤 성취함。⑥성낼궤 화냄。

【潰滅 궤멸】적(賊)을 무너뜨려 멸망시킴。또 적이 패하여 멸망함。

【潰走 궤주】패하여 흩어져 달아남。

◉決潰결궤 亂潰난궤 奔潰분궤 殲潰섬궤

十三畫

16 **【澤】** 水 13 고교 ㊀택 ㊁석 | 윤 | ㊀㊁入陌

氵 氵 泗 泗 泙 浬 澤 澤 澤

자원 형성 睪음 水-氵」澤(水부)

「氵삼수변」〈물〉과 음을 나타내는「睪역·택」으로 이루어짐。물이 축축하게 젖어 빛나는 것。자비(慈悲)를 베푸는 것。지금은 수초(水草)가 돋아나 있는 못의 뜻으로도 쓰임。

뜻 ㊀①윤택 광윤(光潤)。「光澤광택」②윤날택 윤이 나서 아름다움。③윤낼택 마찰하여 광택이 나게 함。④못택 얕은 소택(沼澤)。「山澤산택」⑤진펄택 습하고 풀이 무성한 곳。「澤鹵택로」⑥윤택하게할택 ㉠비를 내려 초목 같은 것을 번드르르하게 함。ⓛ은덕을 베풂。⑦우로택 비와 이슬。⑧은덕택「德澤덕택」⑨유풍택 여운(餘韻)。⑩기름택 향기로운 기름。「膏澤고택」⑪녹택 녹봉。봉급。⑫사정택 활을 쏘는 곳。⑬잠방이택 짧은 홑고의。㊁풀릴석、풀석 釋(采部十三畫)과 같은 글자。

◉光澤광택 德澤덕택 山澤산택 色澤색택 聖澤성택 潤澤윤택 恩澤은택 仁澤인택

16 **【激】** 水 13 고교 격 | 부딪칠 | 入錫

氵 氵 泊 湟 湧 滂 滂 澈 激

자원 형성 敫음 水-氵」激(水부)

「氵삼수변」〈물〉과 음을 나타내는 동시에 갑자기 뻗는다는 뜻을 나타내기 위한「敫야 격」으로 이루어짐。물

이 바위 따위에 부딪쳐 물보라를 튀긴다는 뜻。 전하여 맹렬하다는 뜻。

[뜻] ①**부딪칠격** 물결이 바위 같은 데 부딪침。 ②**빠를격** 세차고 빠름。「激流격류」 ③**과격할격** 언론이 지나치게 곧음。「激論격론」 ④**분발할격** 감분(感奮)함。「激揚격양」 ⑤**격려할격** 분기시킴。「激發격발」 ⑥**떨칠격** 발양(發揚)함。 ⑦**맑은소리격**「激楚격초」

【激怒 격노】 몹시 노(怒)함。 대단히 성냄。

【激動 격동】 ①급격(急激)하게 움직임。 ②대단히 감동함。

【激浪 격랑】 센 물결。 거센 파도。

【激勵 격려】 격동(激動)하여 힘씀。 또 격동하여 권면함。

【激烈 격렬】 지극히 맹렬(猛烈)함。

【激論 격론】 격렬한 논쟁。 또 격렬히 논쟁함。

【激流 격류】 대단히 세차게 흐르는 물。

【激發 격발】 ①소리를 높이 지름。 ②격동(激動)하여 권면함。 격려(激勵)함。 ③기교(奇矯)한 언행을 하여 세상을 놀라게 함。

【激變 격변】 급격한 변화。

【激憤 격분】 대단히 분개함。

【激甚 격심】 과격하게 심(甚)함。 대단히 심함。

【激昂* 격앙】 감정이 격발(激發)하여 높아짐。

【激戰 격전】 격렬하게 싸움。 또 격렬한 싸움。

【激增 격증】 급격하게 늚。 또 급격한 증가。

【激痛 격통】 몹시 아픔。 또 격렬한 통증。

【激鬪 격투】 격렬(激烈)하게 싸움。 또 격렬한 전투。

【激化 격화】 격렬하게 됨。

◉感激감격 急激급격 噴激분격 衝激충격

16 【濁】 水 13 [고교] 탁 | 흐릴 | [入]覺

氵 氵冖 氵罒 氵罒 濁 濁 濁 濁

[자원] 형성 蜀[음] 水-氵┤濁(水부)

강을 뜻하는 「氵삼수변」과 음을 나타내는 「蜀촉」(탁은 변음)으로 이루어진 글자。 본래 강의 이름。 또 음이 「黷독」〈더럽다·더럽히다〉과 통하여 물이 더럽다는 뜻으로 됨。

[뜻] ①**흐릴탁** ㉠물이 맑지 아니함。「濁流탁류」 ㉡혼란함。「濁亂탁란」 ㉢곱지 아니함。 선명하지 아니함。 ㉣더러움。「濁汗탁한」 ②**흐리게할탁** 앞의 뜻의 타동사。

【濁浪 탁랑】 흐린 물결。

【濁流 탁류】 ①흐르는 흙탕물。 ②불량한 무리。 결백하지 않은 사람들。

【濁世 탁세】 풍교(風敎)가 문란(紊亂)한 세상。 어지러운 세상。 난세(亂世)。

【濁酒 탁주】 막걸리。

◉內清外濁내청외탁 五濁오탁 清濁청탁

16 【濃】 水 13 [고교] 농 | 짙을 | [平]冬

氵 氵冖 氵曲 氵曲 氵農 濃 濃 濃

[자원] 형성 農[음] 水-氵┤濃(水부)

「氵삼수변」과 음을 나타내는 「農농」으로 이루어짐。 본디 이슬이 많이 내린다는 뜻。「醲농」〈진한 술〉과 통하여 맛이 진하다는 뜻。 전하여、 진하다는 뜻으로 쓰였음。

[뜻] ①**짙을농** ㉠색이 진함。「濃淡농담」 ㉡음식이 진하고 맛이 있음。

「濃味농미」 ㉢안개 같은 것이 깊음。「濃霧농무」 ㉣이슬이 많음。「濃露농로」 ②두터울농 정의가 두터움。

【濃淡 농담】 진함과 묽음。

【濃度 농도】 용액(溶液)의 농담(濃淡)의 정도。

【濃霧 농무】 짙은 안개。

【濃厚 농후】 ①짙음。②진함。

十四畫

17 【濕】 水 14 [고교] 습 | 축축할 | [入]緝

[자원] 형성 㬎[음] 水·氵 | 濕 (水부)

시내를 뜻하는 「氵삼수변」〈물〉과 음을 나타내는 「㬎합」(습은 변음)으로 이루어짐。시내 이름。습기찬다는 뜻(⇩溼습)으로 빌어 쓰여졌음。

[뜻] ①**축축할습** 습기가 있음。「濕潤습윤」 ②**습기습** 물기。「濕度습도」

【濕氣 습기】 축축한 기운。

【濕度 습도】 공기 중의 습기의 정도。

【濕潤 습윤】 축축함。또 축축하게 함。또 축축한 기운。습기(濕氣)。

【濕地 습지】 습기가 많은 땅。

◉多濕다습 潤濕윤습 上漏下濕상루하습

17 【濟】 水 14 [고교] 제 | 건널 | ①-⑩ [去]霽 ⑪⑫ [上]薺

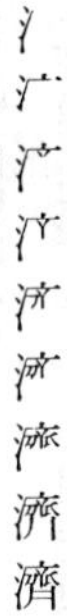

[자원] 형성 齊[음] 水·氵 | 濟 (水부)

음을 나타내는 「齊제」는 물건이 많이 가지런한 일。또 「濟」는 물이 가득 있는 강인데、「濟水제수」란 중국의 사대하천(四大河川)의 하나。그 근처에 옛날 「齊」라고 하는 큰 나라가 있었음。더우기 「齊」는 다스리다→가지런하여지는 일이므로、「濟」란 강을 건너게 하다→구제하다란 뜻으로도 됨。

[뜻] ①**건널제** 물을 건넘。②**나루제** 도선장(渡船場)。③**이룰제** 성취함。「濟美제미」 ④**건질제** 구제함。「濟世제세」「濟民제민」 ⑤**이루어질제** 성취됨。⑥**그칠제** 그만둠。⑦**더할제** 증가함。⑧**쓸제** 사용함。⑨**도울제** 원조함。⑩**밀칠제** 배제(排擠)함。⑪**많을제** 재주 있는 사람이 많은 모양。「濟濟多士제제다사」 ⑫**물이름제** 연수(沇水)의 하류(下流)。

【濟世 제세】 세상(世上)을 잘 다스려 백성을 구제함。

【濟生 제생】 생명을 건짐。

【濟世之材 제세지재】 세상을 잘 다스려 백성을 구제할 만한 인재(人材)。

【濟濟多士 제제다사】 재주 있는 여러 사람。

【濟衆 제중】 모든 사람을 구제함。

◉經濟경제 共濟공제 光濟광제 救濟구제 旣濟기제 未濟미제 返濟반제 辨濟변제

17 【濤】 水 14 도 | 물결 | [平]豪

[자원] 형성 壽[음] 水·氵 | 濤 (水부)

2500년전

「氵삼수변」〈물〉과 음을 나타내며 동시에 밭두둑(⇩疇주)의 뜻을 나타내기 위한 「壽수」(도는 변음)로 이루어짐。두둑처럼 불룩 솟은 큰 물

결의 뜻。

뜻 ①물결도 큰 물결。「波濤파도」②물결일도 큰 파도가 일어남。

◉狂濤광도 怒濤노도 銀濤은도 波濤파도

17 【濫】 水 14 고교 ㊀람 ㊁함 | 넘칠 | ㊀㊁ 去勘

자원 형성 監음 水-氵 ┬ 濫(水부)

「氵삼수변」과、음과 함께 범한다는 뜻을 나타내기 위한 「監감」(람·함은 변음)으로 이루어져 물이 넘쳐 퍼진다는 뜻。 전하여 넘친다는 뜻。

뜻 ㊀①넘칠람 물이 넘침。「氾濫범람」②뜰람、띄울람 물 위에 뜸。또 뜨게 함。③담글람 물 속에 담금。④훔칠람 도둑질함。⑤탐할람 탐냄。⑥외람할람 분수에 넘치는 일을 하여 도덕이나 예의에 어그러짐。「僭濫참람」⑦함부로람 마구。「濫伐남벌」「濫用남용」⑧뜬말람 허언(虛言)。㊁①샘함 바로 밑에서 솟는 샘。②목욕통함 욕기(浴器)。③동이함 아가리가 큰 질그릇。

【濫讀 남독】 함부로 읽음。

【濫發 남발】 함부로 발행(發行)함。

【濫伐 남벌】 나무를 함부로 벰。 마구 벌채함。

【濫費 남비】 함부로 소비(消費)함。「낭비(浪費)」

【濫用 남용】 함부로 씀。

【濫製 남제】 남조(濫造)。

【濫造 남조】 마구 제조함。

【濫獲 남획】 금수·어류를 함부로 포획(捕獲)함。

◉氾濫범람 越濫월람 淫濫음람 僭濫참람

17 【濬】 水 14 준 | 칠 | 去震

자원 회의 睿음 水-氵 ┬ 濬(水부)

「濬」이 변한 글자。 강의 뜻인 「氵삼수변」〈물〉과 산골짜기를 파는 뜻에서、강줄을 파는 뜻을 나타내는 「睿예」로 이루어지며、강을 파서 깊게 하는 뜻。 전하여 깊다의 뜻。

뜻 ①칠준 토사(土沙)를 쳐내고 수저(水底)를 깊이하여 물을 잘 흐르게 함。②깊을준 ㉠얕지 않음。「濬池준지」㉡심원함。유심(幽深)함。

17 【濯】 水 14 고교 탁 | 빨 | 入覺

자원 형성 翟음 水-氵 ┬ 濯(水부)

「氵삼수변」〈물〉과、음과 함께 두드리는 뜻(⇩椓탁)을 나타내기 위한 「翟탁」으로 이루어지며、물에 적시어、이것을 막대기로 두려서、더러워진 곳을 빠는 세탁법(洗濯法)을 말함。 넓게는 씻다의 뜻。

뜻 ①빨탁、씻을탁 ㉠세척(洗滌)함。「洗濯세탁」㉡심정·언행을 결백하게 함。②클탁 ③빛날탁 번쩍번쩍 빛나는 모양。④민둥민둥할탁 산에 나무가 없는 모양。⑤살질탁 살쪄 번드르한 모양。일설(一說)에는 즐거이 노는 모양。

【濯魚雨 탁어우】 우기(雨氣)를 품은 구름。

【濯足 탁족】 발을 씻음。

◉洗濯세탁

17【濱】水 14 빈 | 물가 | (平)眞

자원 형성 水賓음 水-氵┬濱(水부)

「氵삼수변」〈물〉과 음을 나타내는 동시에 가의 뜻(⇩邊변)을 가진「賓빈」으로 이루어져 물가의 뜻。

뜻 ①**물가빈** 수애(水涯)。②**끝빈** 땅이 맨 가 쪽 부분。③**가까울빈** 물 가까이 있음。연(沿)함。④**임박할빈** 절박함。「濱死빈사」

◉水濱수빈 海濱해빈

17【濶】水 14 闊(門部九畫)의 속자(俗字)。

【鴻】⇩鳥部六畫

十五畫

18【瀅】水 15 형 | 맑을 | (去)徑

자원 형성 水瑩음 水-氵┬瀅(水부)

「氵삼수변」〈물〉과 음을 나타내며 동시(同時)에 맑다의 뜻을 가지는「瑩형·영」으로 이루어지며、물이 맑다는 뜻。

뜻 **맑을형**

18【瀆】水 15 ㊀독 ㊁두 | 도랑 | ㊀(入)屋 ㊁(去)宥

자원 형성 水賣음 水-氵┬瀆(水부)

「氵삼수변」〈물〉에 음을 나타내는 동시에 통하다의 뜻(⇩通통)을 나타내기 위한「賣육」(독은 변음)을 더한 글자。물줄기와 물줄기 사이를 통하는 도랑의 뜻。또、「黷독」과 통하여 더럽히다의 뜻으로 쓰임。

뜻 ㊀①**도랑독** 전답 사이와 마을 사이를 통하는 수로(水路)。②**큰강독** 작은 내의 물을 합쳐 바다로 흐르는 강。③**더러울독**「褻瀆설독」④**더럽힐독**「瀆職독직」⑤**업신여길독** ㉠깔봄。버릇없이 굶。「瀆慢독만」㉡가볍게 여겨 지키지 아니함。㊁**구멍두**

【瀆職 독직】직분을 더럽힘。관공리가 직위를 남용하여 비행을 저지름。

18【瀑】水 15 ㊀포 ㊁폭 ㊂팍 | 폭포 | ㊀(去)號 ㊁(入)屋 ㊂(入)覺

자원 형성 水暴음 水-氵┬瀑(水부)

「氵삼수변」〈물〉과 음을 나타내는「暴폭」으로 이루어짐。

뜻 ㊀①**소나기포** 퍼붓는 비。②**거품포** 물거품。포말(泡沫)。㊁**폭포폭** 폭포수。「飛瀑비폭」㊂①**물결일팍** 파도가 이는 모양。②**용솟음할팍** 물이 솟아나는 모양。또 그 소리。

【瀑沫 포말】물거품。포말(泡沫)。

【瀑泉 폭천】폭포(瀑布)。

【瀑布 폭포】높은 절벽(絶壁)에서 쏟아져 떨어지는 물。

十九畫

22【灘】水 19 탄 | 여울 | (平)寒 (上)旱

자원 형성 水難음 水-氵┬灘(水부)

〔四畫部首順〕 心戈戶手支攴文斗斤方无日曰月木欠止歹殳毋比毛氏气水火爪父爻爿片牙牛犬

「氵삼수변」〈물〉과 음을 나타내는 「難난」(탄은 변음)으로 이루어지며, 「湍단」과 같이 빠른 흐름의 뜻。

뜻 **여울탄** 물이 빨리 흐르고 돌이 많아 배가 다니기에 위험한 곳。

二十二畫

25 **【灣】** 水22 **만** | 물굽이 | ㊥刪

자원 형성 彎음 水·氵+彎 (水부)

「氵삼수변」〈물〉과, 음을 나타내는 동시에 굽는다는 뜻을 가진 「彎만」으로 이루어지고 바닷물이 육지에 굽어 들어가 있는 곳의 뜻。약자는 「湾」。

뜻 **물굽이만** 물이 육지에 굽어 들어온 곳。「海灣해만」

【灣府 만부】《韓》의주(義州)의 별칭。

【灣然 만연】 물이 활처럼 굽은 모양。

【灣入 만입】 바닷물이나 강물 같은 것이 활처럼 뭍으로 휘어 들어감。

◉ 濤灣도만 深灣심만 港灣항만 海灣해만

火 部

4 **【火】** 부수 중학 **화** | 불 | ㊤哿

자원 상형 (A) (B) 3000년전 2500년전

「火」(부수)는 불이 타오르는 모양。화산(火山)이 불을 뿜는 모양이라고도 일컬어짐。나중에는 「火」가 「化화」와 같은 음이므로 물건의 모양을 변경시키거나 없애는 것이라고 설명(說明)하지만, 아주 옛날엔 「毁훼」〈태워서 없애 버리다〉와 음이 비슷하였던 듯。

뜻 ①**불화** ㉠물체의 연소。「火光화광」 ㉡불의 이용。주로 음식의 조리。「禁火금화」 ㉢등불。㉣횃불。㉤화재。㉥빛을 발하는 것。「鬼火귀화」 ㉦작열(灼熱)한 물체。「鐵火철화」 ㉧아주 격렬한 것의 형용。「舌端吐火설단토화」 ㉨오행(五行)의 하나。시기(時氣)로는 여름, 방위로는 남방, 오성(五星)으로는 형혹(熒惑), 십간(十干)으로는 병정(丙丁)에 해당됨。㉩《佛敎》사대(四大)의 하나。②**화화** 심기(心氣)의 흥분。「欲火욕화」 ③**불날화** 탐。④**불사를화** 태움。⑤**화성화** 심수(心宿)에 있는 항성(恆星) 이름。⑥**편오화** 군대의 편오(編伍)。당대(唐代)의 병제(兵制)에서 군사 십명으로 이룬 대오(隊伍)의 일컬음。전(轉)하여 동반자(同伴者)。「火伴화반」

【火攻 화공】 불을 지르며 공격함。

【火光 화광】 불빛。

【火光衝天 화광충천】 불길이 맹렬하게 일어남。

【火急 화급】 썩 급(急)함。지급(至急)。

【火氣 화기】 불의 뜨거운 기운。

【火器 화기】 ①화약을 사용하는 무기。총(銃)·대포 같은 것。②불을 담는 그릇。화로 같은 것。

【火毒 화독】 불의 독기。

【火力 화력】 ①불의 힘。②총포 등의 위력。
【火爐 화로】 불을 담아 놓는 그릇。
【火輪 화륜】 ①태양(太陽)의 별칭(別稱)。②화륜거(火輪車)·화륜선(火輪船)의 준말。
【火輪車 화륜거】 기차(汽車)。
【火輪船 화륜선】 기선(汽船)。
【火木 화목】 땔나무。
【火病 화병】 화(火)로 일어나는 병。울화병(鬱火病)。
【火傷 화상】 불에 덴 상해(傷害)。
【火石 화석】 부싯돌。
【火繩* 화승】 총에 화약을 재고 불을 붙게 하는 데 쓰는 노끈。화약 심지。
【火食 화식】 불에 익힌 음식(飮食)을 먹음。
【火炎 화염】 화염(火焰)。
【火焰* 화염】 불꽃。
【火雲 화운】 여름철의 구름。
【火印 화인】 불에 달구어 찍는 쇠로 만든 도장。낙인(烙印)。
【火葬 화장】 시체(屍體)를 불에 살라 장사(葬事)지냄。
【火災 화재】 불이 나는 재앙。불로 인한 재난。
【火賊 화적】 《韓》 떼를 지어 돌아다니는 강도。불한당。명화적(明火賊)。
【火田 화전】 ①밭。수전(水田)의 대(對)。②밭의 잡초를 불사름。③들의 풀을 태우고 사냥을 함。④《韓》 초목(草木)에 불을 지르고 파 일구어 농사(農事)를 짓는 밭。
【火田民 화전민】 《韓》 화전(火田)에 농사(農事)를 지어먹고 사는 백성。
【火酒 화주】 ①소주(燒酎)。②알코올。주정(酒精)。
【火車 화차】 화공(火攻)하는 데 쓰는 병거(兵車)。②기차(汽車)。
【火宅僧 화택승】 대처승(帶妻僧)。
【火刑 화형】 불살라 죽이는 형벌。
◉炬火거화 擧火거화 刦火겁화 見煙知火견연지화 鬼火귀화 近火근화 禁火금화 大火대화 燈火등화 猛火맹화 明火명화 武火무화 文火문화 發火발화 兵火병화 烽火봉화 噴火분화 石火석화

4【灬】火 0 火(앞 글자)가 각(脚)、곧 받침이 될 때의 글자체。

二畫

6【灯】火 2 등 | 열화 | ㉠青

자원 형성 火丁음→灯(火부)

「火불화변」과 음을 나타내는 동시에 왕성하다는 뜻을 가진 「丁정」(등은 변음)으로 이루어짐。맹렬한 불。

뜻 **열화등** 맹렬한 불。※통속적으로 燈(火部十二畫)의 약자(略字)。

6【灰】火 2 고교 회 | 재 | ㉠灰

一 ナ 尢 尢 灰 灰

자원 형성 手-又음→火→灰(火부) 2500년전

「灰」는 손으로 불타다 남은 찌꺼기를 그러모으는 모양。옛 음은 「煤매」〈그을음〉와 비슷하고 「黑흑」의 옛 음이나 뜻과도 관계가 깊음。

뜻 ①**재회** ㉠타고 남은 분말。「灰塵회진」 ㉡전하여 활기를 아주 잃은

사물의 비유。②재로만들회 태워 없앰。③재로될회 재가 되어 없어짐。「灰滅회멸」

참고 「灰」를 음으로 하는 글자＝「恢회」〈마음이 넓다〉·「詼회」〈농지거리하다〉

【灰燼* 회신】①불탄 나머지。재。②멸망하여 형체가 없어짐。

【灰塵* 회진】재와 먼지。 재와 먼지처럼 형적을 찾아볼 수 없이 멸망해 버림의 비유。

◉劫灰겁회 冷灰냉회 死灰사회 石灰석회

三畫

7 【災】 火 3 고교 재 — 화재 — ㊊灰

〈 《 巛 巛 巛 災 災

자원 형성 巛음 + 火 → 災(火부) (A) 3000년전 (B) 〔巛〕

(A)는 홍수(洪水)。(B)는 물의 흐름에 둑을 만든 모양。 음을 나타내는 「巛재」는 물의 흐름을 막다→지장이 생기다→재난。「災」는 화재。 나중에 불에 한하지 않고 재앙의 뜻을 나타냄。

뜻 ①화재재 화난(火難)。②재앙재 재난。「災禍재화」

주의 「灾」는 같은 글자。 「烖」는 옛 글자。

【災難 재난】천재지이(天災地異) 등으로 인하여 뜻밖에 일어난 불행한 일。

【災年 재년】①천변지이(天變地異)가 심한 해。②흉년(凶年)。

【災變 재변】재이(災異)。

【災殃 재앙】천변지이(天變地異)의 온갖 변고(變故)。

【災厄 재액】재앙과 액운(厄運)。

【災異 재이】천재와 지이(地異)。

【災害 재해】재앙(災殃)으로 인하여 받은 해(害)。

【災禍 재화】재앙(災殃)과 화난(禍難)。

◉三災삼재 水災수재 息災식재 天災천재

7 【灵】 火 3 靈(雨部十六畫)의 속자(俗字)。

四畫

8 【炎】 火 4 중학 ㊀염 ㊁담 — 탈 — ㊀㊊鹽 ㊁㊊覃

丶 丷 ⺌ 火 火 炏 炏 炎

자원 회의 火+火→炎(火부) 3000년전

「火화」〈불〉 겹쳐서 불길이 활활 타오르고 있음을 뜻함。

뜻 ㊀①탈염 불탐。「炎上염상」②태울염 불사름。③더울염 뜨거움。「炎天염천」④불꽃염 焰(火部八畫)과 같은 글자。㊁아름다울담 아름답고 성(盛)한 모양。

참고 「炎」을 음으로 하는 글자＝「剡염」〈날카롭다〉·「燄염」〈화염〉·「啖담」〈먹다〉·「淡담」〈심심하다〉·「談담」〈이야기〉

【炎毒 염독】대단한 더위의 괴로움。

【炎涼 염량】①더움과 서늘함。 더위와 서늘하기。②세력이 성(盛)함과 약(弱)함。③인정이 후함과 박함。

【炎涼世態 염량세태】권세가 있을 때는 아첨하여 좇고 권세가 없어지면 푸대접하는 세속(世俗)의 상태。

【炎上 염상】 불을 이름。
【炎暑 염서】 혹렬한 더위。
【炎陽 염양】 ①여름(夏)의 별칭(別稱)。 염절(炎節)。 염서(炎序)。 ②여름날。 또 여름의 시후(時候)。
【炎熱 염열】 염서(炎暑)。
【炎威 염위】 혹렬한 여름의 더위。
【炎帝 염제】 ①여름을 맡은 신(神)。 ②고대(古代)의 천자(天子) 신농씨(神農氏)의 이름。
【炎天 염천】 ①여름의 더운 하늘。 ②「남쪽 하늘。
◉光炎광염 涼炎양염 陽炎양염 火炎화염

8 【炊】 火 4 취 | 불땔 | (平)支

자원 형성 火吹(음)-欠 ┬ 炊(火부)

「火불화변」〈불〉과 음을 나타냄과 더불어 공기(空氣)를 뿜어내는 뜻인 「吹취」를 생략한 「欠」로 이루어짐。 끓여 증기(蒸氣)를 뿜어내게 하는 뜻、 곧 짓다(밥을)를 뜻함。

뜻 ①**불땔취** 밥을 지음。 또 밥을 짓는 일。 취사(炊事)。 ②**불취** 吹(口部四畫)와 같은 글자。
【炊飯 취반】 밥을 지음。 또 지은 밥。
【炊事 취사】 밥짓는 일。 곧 부엌일。 전하여 밥지을 땔나무를 하는 일。
一炊일취 自炊자취

8 【炉】 火 4 爐(火部十六畫)의 속자(俗字)。

8 【炙】 火 4 ㊀자 ㊁적 | 구울 | ㊀(去)禡 ㊁(入)陌

자원 회의 火 肉-夕 ┬ 炙(火부) 2500년전

「火화」〈불〉와 고기를 뜻하는 「夕」(肉육과 같은 글자)로 이루어지며 고기를 불에 올려 놓고 굽는다는 뜻。

뜻 ㊀①**구울자** ㉠불 위에 놓고 구움、 「燔炙반적」 ㉡전(轉)하여 태워 죽임。 ②**고기구이자** 구운 고기。 ③**가까이할자** 친근히 함。 ㊁**구울적 고기구이적 가까이할적**
【炙鐵 적철】 적쇠。
燒炙소자 蒸炙증자 脯炙포자

五畫

9 【炬】 火 5 거 | 홰 | ㊤語

자원 형성 火巨(음) ┬ 炬(火부)

「火불화변」과 음을 나타내는 동시에 들어 올리다의 뜻(⇩擧거)을 나타내기 위한 「巨거」로 이루어짐。 밝게 하기 위하여 높이 드는 불의 뜻。

뜻 ①**홰거** 싸리·갈대 같은 것을 묶어서 길을 밝히거나 화톳불을 놓는 물건。 「炬火거화」 ②**사를거** 태움。
【炬火 거화】 횃불。

9 【炯】 火 5 형 | 밝을 | ㊤迥

자원 형성 火同(음) ┬ 炯(火부)

「火불화변」과 음을 나타내며 동시(同時)에 멀다의 뜻을 가지는 「冋경」(형은 변음)으로 이루어지며、 멀리서부터 보이는 불의 뜻。

뜻 **밝을형** 빛남。 환함。 「炯眼형안」
주의 「烱」은 속자(俗字)。
【炯眼 형안】 예리한 눈。

9 **【炳】** 火 5 **병** | 빛날 | (上)梗

자원 형성 火 丙(음) ┬ 炳(火부)

「火불화변」과 음을 나타내는 「丙병」으로 이루어짐。

뜻 **빛날병, 밝을병** 빛이 환히 나서 밝음。「炳然병연」

「昞」「昺」은 같은 글자。

9 **【炸】** 火 5 **작** | 터질 | (入)藥

자원 형성 火 乍(음) ┬ 炸(火부)

「火불화변」과 음을 나타내는 「乍사·작」으로 이루어짐。

뜻 **터질작** 폭발함。「炸裂작렬」

【炸裂 작렬】 폭발하여 터짐。

9 **【炭】** 火 5 고교 **탄** | 숯 | (去)翰

丨 山 山 屵 屵 炭

자원 형성 火 屵(음) ┬ 炭(火부)

「火화」〈불〉와 음을 나타내며, 동시(同時)에 본디 자리로 돌리다의 뜻(⇩反반)을 나타내기 위한 「屵안」(탄은 변음)으로 이루어지며, 일단(一旦) 끄고, 또 다시 불로 되돌아가는 것。뜬숯을 일컬음。자형(字形)을 「山산」과 「灰회」로 쓰는 것은 잘못임。

뜻 **①숯탄** 목탄。「炭火탄화」 **②숯불탄 ③재탄** 불타고 남은 분말。 **④탄소탄, 석탄탄** 탄소 또는 석탄의 약칭。「炭坑탄갱」

【炭坑* 탄갱】 석탄을 파내는 구덩이。

【炭鑛 탄광】 석탄을 파내는 광산。

【炭山 탄산】 석탄이 나는 산。

【炭酸 탄산】 탄산가스가 물에 녹아서 되는 묽은 산。

【炭素 탄소】 무색(無色) 무취(無臭)의 고체。

【炭水化物 탄수화물】 탄소와 수소의 화합물。

【炭田 탄전】 석탄(石炭)이 묻히어 있는 땅。

【炭化 탄화】 ①탄소(炭素)와 화합(化合)함。 ②탄소로 화(化)함。

【炭化水素 탄화수소】 탄소와 수소의 화합물。

◉ 褐炭갈탄 塗炭도탄 木炭목탄 氷炭빙탄 石炭석탄 玉炭옥탄 泥炭이탄 黑炭흑탄

9 **【点】** 火 5 點(黑部五畫)의 속자(俗字)。

六畫

10 **【烟】** 火 6 **연** | 연기 | (平)先

자원 형성 火 因(음) ┬ 烟(火부)

「火불화변」과 음을 나타내는 「因인」(연은 변음)으로 이루어진 글자。

뜻 **연기연** 煙(火部九畫)과 같은 글자。

10 **【烈】** 火 6 중학 **렬** | 세찰 | (入)屑

一 ア 歹 歹 列 列 列 列 烈

자원 형성 火 列(음) 灬 ┬ 烈(火부) 2500년전

「灬화」와 음을 나타내는 동시에 찢

는다는 뜻(⇩裂렬)을 가진「列렬」로 이루어짐。불이 타서 튀긴다는 뜻。전하여 맹렬하다는 뜻이 되었음。

뜻 ①**세찰렬** 화세(火勢)가 강함。전(轉)하여 기세가 대단함。「猛烈맹렬」 ②**사나울렬** 포악함。③**굳셀렬** 곧고 강함。「烈操열조」 ④**불사를렬** 태움。⑤**빛날렬** ⑥**밝을렬** ⑦**아름다울렬** 미덕(美德)。⑧**사업렬** 큰 사업 또는 공덕。「功烈공렬」 ⑨**나머지렬** 잔여。뒤。⑩**편오렬** 다섯 명으로 이룬 군대의 대오。

【烈女 열녀】 정조(貞操)를 굳게 지키는 여자。

【烈士 열사】 절의(節義)를 굳게 지키는 선비。

【烈風 열풍】 사나운 바람。세차게 부는 바람。

【烈火 열화】 맹렬한 불。전(轉)하여 맹렬한 태도의 비유。

◉猛烈맹렬 先烈선열 熱烈열렬 壯烈장렬 忠烈충렬 熾烈치열 寒烈한렬 酷烈혹렬

10

【烏】 火 6 중학 오 ― 까마귀 ― ㊥平 虞

丶 ⺁ 户 户 乌 乌 烏 烏

자원 상형 2500년전

까마귀는 몸이 검어서 눈이 어디 있는지 알 수 없기 때문에「鳥조」〈새〉의 눈 부분의 한 획을 생략한 글자。따라서「鳥새조」부(部)에 들 글자임。그러나 예로부터 내려온 관례(慣例)에 의해 부수(部首)는「灬불화」에 포함시키고 있음。음을 빌어 감탄사(⇩嗚오)、또 의문·반어(反語)로 씀。

뜻 ①**까마귀오** 몸이 온통 검은 새。「烏之雌雄오지자웅」 ②**검을오** 흑색。「烏髮오발」 ③**아오** 탄식하는 소리。「烏乎오호」 ④**어찌오** 어찌하여。

참고 「烏」를 음으로 하는 글자＝「嗚오」〈오호라〉·「塢오」〈마을〉。

【烏金 오금】 ①철(鐵)의 별칭(別稱)。②적동(赤銅)의 별칭(別稱)。

【烏鷺* 오로】 ①까마귀와 백로(白鷺) ②흑과 백。③바둑의 별칭(別稱)。

【烏輪 오륜】 태양(太陽)의 별칭(別稱)。금오(金烏)。

【烏髮 오발】 검은 머리。흑발(黑髮)。

【烏飛梨落 오비이락】「까마귀 날자 배 떨어진다」는 말로서、일이 공교롭게 같이 일어나 남의 의심을 받게 됨을 이르는 말。

【烏飛兎走 오비토주】 세월이 빠름을 이름。

【烏夜 오야】 캄캄한 밤。암야(暗夜)。

【烏有 오유】 어찌있으랴의 뜻으로 아무 것도 없음을 이름。개무(皆無)。

【烏有先生 오유선생】 세상에 실재하지 않은 가상적인 인물。

【烏鵲* 오작】 까막까치。

【烏之雌雄 오지자웅】 까마귀의 암놈과 수놈은 분별하기 어려우므로、시비(是非)·선악(善惡)을 분별하기 어려운 사물(事物)의 비유로 쓰임。

【烏合之卒 오합지졸】 ①임시(臨時)로 모은 훈련(訓練)이 부족하고 규율(規律)이 없는 병졸(兵卒)。전(轉)하여 ②어중이떠중이。

◉金烏금오 慈烏자오 寒烏한오 曉烏효오

10

【烛】 火 6

燭(火部十三畫)의 속자。

【馬】⇩部首

七畫

11 **【焉】** 火 7 고교 **언** | 어찌 | (平)先

一 丅 下 正 正 正 焉 焉

자원 상형 (2500년전)

본래는 새의 이름. 그러므로 「鳥새조」부(部)에 속(屬)할 글자. 그러나 예로부터 내려온 관례(慣例)에 의해 부수(部首)는 「灬불화」에 포함시키고 있음. 음을 빌어, 의문(疑問)의 말이나, 구말(句末)의 어조사(語助辭)로 쓰임.

뜻 ①**어찌언** ㉠의문의 말. ㉡반어(反語)의 말. ②**이에언** 이리하여. ③**이언** 是(日部五畫)와 뜻이 같음. ④**어조사언** ㉠무의미의 조사. ㉡지정(指定)의 뜻을 나타내는 조사(助辭). ⑤**형용어사언** 형용의 어사(語辭)로 쓰임. 「忽焉홀언」「勃焉발언」

【魚】⇩部首
【鳥】⇩部首

八畫

12 **【焰】** 火 8 **염** | 불꽃 | (去)豔

자원 형성 臽(함)+火 → 焰(火부)

「火불화변」과, 음과 함께 불꽃의 뜻(⇩炎염)을 나타내기 위한 「臽함」(염은 변음)으로 이루어짐.

뜻 **불꽃염** 「火焰화염」

◉氣焰기염 勢焰세염 陽焰양염 火焰화염

12 **【焚】** 火 8 **분** | 불사를 | ①-③(平)文 ④(去)問

자원 회의 林+火 → 焚(火부)

「火화」〈불〉와 「林림」〈숲〉으로 이루어짐. 숲을 불태워 사냥한다는 뜻을 나타냄. 전하여 태우다, 불사르다의 뜻.

뜻 ①**탈분** 불탐. 「玉石俱焚옥석구분」 ②**태울분, 불사를분** 「焚殺분살」 ③**불살라사냥할분** 원야(原野)·산림을 불사르고 사냥함. ④**넘어질분, 넘어뜨릴분**

【焚死 분사】 타 죽음. 소사(燒死).

【焚書坑儒 분서갱유】 진시황(秦始皇)이 학자들의 정치 비평을 금지하기 위해, 민간(民間)의 의약(醫藥)·복서(卜筮) 이외의 서적(書籍)을 모아 불살라 버리고, 선비들을 구덩이에 묻어 죽인 일.

【焚香 분향】 향(香)불을 피움.

【焚火 분화】 불을 사름.

◉燒焚소분 玉石俱焚옥석구분

12 **【無】** 火 8 중학 **무** | 없을 | (平)虞

𠂉 𠂉 ⺧ 無 無 無 無 無

자원 상형 (A) (A) 3000년전 (B) (C) 2000년전

(A)는 사람이 나무가지나 횃불 따위를 가지고 기우(祈雨) 따위의 제사에서 춤추는 모습. 나중에 「舞

무」라고 쓴 본디 모양。(B)는 초목(草木) 따위가 우거져 짙음。 나중에 「蕪무」라고 쓴 본디 모양。(C)는 유무(有無)의 「無」〈없다〉를 나타내는 옛글자。먼 옛날엔 「有」와 「無」를 「又우」와 「亡망」과 같이 썼음。음이 같은 「舞무」와 결합하여 (C)의 자체(字體)로 되었음。그 것을 쓰기 쉽게 한 것이 지금의 자체 「無」임。

뜻 ①**없을무** ㉠있지 아니함。「無一物무일물」「仁者無敵인자무적」 ㉡공허함。또 공허。「虛無허무」 ②**아닐무** 부정하는 말。③**말무** 금지의 말。

참고 「無」를 음으로 하는 글자=「廡무」〈결채〉·「撫무」〈어루만지다〉·「蕪무」〈거치다〉

【無可奈何* 무가내하】 어찌할 수가 없이 됨。「귀중(貴重)한 보배。

【無價寶 무가보】 값을 칠 수가 없는

【無間 무간】 서로 막힘이 없이 사이가 가까움。

【無感覺 무감각】 감각이 없음。

【無據 무거】 근거가 없음。 터무니가 없음。

【無故 무고】 ①다른 연고(緣故)가 없음。 ②아무 탈이 없이 평안함。

【無辜* 무고】 죄가 없음。 또 그 사람。

【無功 무공】 공로(功勞)가 없음。

【無冠 무관】 지위가 없음。

【無關係 무관계】 관계(關係)가 없음。

【無關心 무관심】 관심이 없음。 흥미가 없음。 「쩍지 아니함。

【無怪 무괴】 괴이한 것이 없음。 괴이

【無垢* 무구】 깨끗함。 때가 묻지 아니함。

【無窮無盡 무궁무진】 한(限)이 없음。

【無軌道* 무궤도】 ①궤도(軌道)가 없음。 전(轉)하여 ②제멋대로 굶。

【無根之說 무근지설】 근거 없는 뜬 소문。

【無期 무기】 ①기한이 없음。 ②미리 기한을 작정하지 아니함。

【無氣力 무기력】 기운이 없음。

【無記名 무기명】 성명(姓名)을 기록하지 아니함。

【無機物 무기물】 생활의 기능이 없는 물질。 곧 물·공기·광물 등。

【無難 무난】 《韓》 어렵지 아니함。

【無男獨女 무남독녀】 아들이 없는 사람의 외딸。

【無念無想 무념무상】 《佛敎》 모든 생각을 떠남。 아무 망념(妄念)이 없이 자기를 잊음。

【無能 무능】 아무 재능(才能)이 없음。

【無斷 무단】 결단력이 없음。

【無道 무도】 인도(人道)에 어긋남。 인도에 어긋난 행위。 또 그 사람。

【無毒 무독】 독기(毒氣)가 없음。

【無頭無尾 무두무미】 머리도 꼬리도 없음。 밑도 끝도 없음。 「無得)。

【無得無失 무득무실】 무해무득(無害

【無量 무량】 한량(限量)이 없음。 무한량(無限量)。

【無慮 무려】 모두。 거의 대략(大略)。

【無力 무력】 힘이 없음。

【無禮 무례】 예의(禮儀)가 없음。 예의를 모름。

【無論 무론】 말할 것도 없음。 물론。

【無漏 무루】 빠짐 없이。

【無類 무류】 견줄 만한 것이 없음。무비(無比)。

【無理 무리】①이치(理致)에 맞지 아니함。②억지로 우겨댐。

【無望 무망】예기(豫期)하지 아니함。

【無名 무명】세상에 알려지지 아니함。

【無名小卒 무명소졸】 세상(世上)에 이름이 나지 아니한 사람。

【無名指 무명지】약 손가락。가운뎃손가락과 새끼손가락 사이에 있는 손가락。

【無謀 무모】꾀가 없음。분별이 없음。

【無味 무미】①맛이 없음。②재미가 없음。

【無妨 무방】《韓》 방해될 것이 없음。지장이 없음。

【無法天地 무법천지】《韓》 법이 없는 세상。무질서하고 난폭한 사회。

【無邊 무변】끝이 닿은 데가 없음。무한(無限)。

【無邊大海 무변대해】끝이 없는 넓은 바다。

【無病 무병】병(病)이 없음。

【無分別 무분별】분별이 없음。

【無不干涉 무불간섭】무슨 일에나 간섭함。

【無比 무비】견줄 만한 것이 없음。

【無私 무사】이기심(利己心)이 없음。

【無事 무사】①아무 일이 없음。한가함。②탈 없이 편안함。무고(無故)。

【無事奔走 무사분주】 쓸 데 없이 공연히 바쁘게 돌아다님。

【無產 무산】 ①재산(財產)이 없음。②직업이 없음。

【無上 무상】 그 위에 더할 수 없이 나음。극상(極上)。최상(最上)。

【無常 무상】①인생이 덧없음。②일정하지 아니함。변함。

【無償 무상】《韓》 아무런 보상이 없음。

【無常時 무상시】일정한 때가 없음。

【無常出入 무상출입】아무 때나 드나듦。

【無誠意 무성의】성의가 없음。

【無所得 무소득】아무 얻는 바가 없음。

【無所不知 무소부지】모르는 것이 없음。

【無所不能 무소불능】무엇이든지 능통(能通)하지 않는 것이 없음。

【無所不爲 무소불위】하지 않는 것이 없음。선악을 가리지 않고 무슨 일이고 함。

【無所屬 무소속】어느 단체에도 속하지 아니함。

【無所畏 무소외】두려워하는 바가 없음。무서운 사람이 없음。

【無數 무수】①이루 셀 수가 없을 만큼 많음。무산(無算)。②일정한 수가 없음。

【無宿 무숙】①일정한 숙소가 없음。또 그 사람。②호적(戶籍)이 없음。또 그 사람。

【無順 무순】순서(順序)가 없음。

【無始 무시】①처음이 없음。②한없이 먼 옛적。태초(太初)。

【無視 무시】없신여김。

【無始無終 무시무종】시초도 없고 끝도 없음。항상 변하지 아니함。

【無識 무식】학식(學識)이 없음。

【無信 무신】신용(信用)이 없음。

【無神經 무신경】①감각(感覺)이 둔함。전(轉)하여 ②염치가 없음。뻔뻔스러움。

【無實 무실】 ①실질(實質)이 없음。②사실이 없음。실제로 없음。

【無心 무심】 ①고의(故意)가 아님。자연임。②생각이 없음。본심이 없음。③사욕(私欲)이 없는 마음。

【無雙 무쌍】서로 견줄 만한 짝이 없

음。둘도 없음。

【無我 무아】①이기심이 없음。 나라는 생각이 없음。 사욕(私慾)이 없음。②자기를 잊음。③《佛敎》일체(一切)의 존재는 무상(無常)하므로 자기의 존재도 없다고 부정하는 일。

【無我境 무아경】마음이 한 곳에 온통 쏠려 자기를 잊고 있는 경지(境地)。

【無顔 무안】남을 대할 면목(面目)이 없음。

【無涯 무애】끝이 없음。무한(無限)。

【無言不答 무언부답】대답을 못할 말이 없음。

【無嚴 무엄】삼가고 어려워하는 마음이 없음。

【無欲 무욕】무욕(無慾)。

【無慾 무욕】욕심(慾心)이 없음。

【無用之物 무용지물】아무 데도 쓸데 없는 물건。

【無爲 무위】①아무 일도 하지 아니함。②자연 그대로이며 인위(人爲)를 보탬이 없음。 ③《佛敎》조용하고 공허(空虛)함。

【無音 무음】편지를 하지 아니함。 소식을 전하지 아니함。

【無義無信 무의무신】 신의(信義)가 없음。

【無依無託* 무의무탁】몸을 의탁할 데가 없음。 몹시 고독함。

【無意味 무의미】아무 뜻이 없음。

【無意識 무의식】①의식(意識)이 없음。 ②정신을 잃음。

【無二 무이】①둘도 없음。 견줄 만한 것이 없음。 무비(無比)。 ②의심이 없음。 이심(二心)이 없음。

【無益 무익】유익할 것이 없음。

【無人絶島 무인절도】사람이 살지 않는 외딴 섬。

【無人之境 무인지경】 아무도 없는 땅。 사람이라곤 찾아볼 수 없는 지경(地境)。

【無任 무임】맡은 일이 없음。

【無慈悲 무자비】자비심이 없음。

【無將之卒 무장지졸】①장수(將帥)가 없는 군사(軍士)。 ②단체(團體)에 두목(頭目)이 없는 것을 가리키는 말。

【無才 무재】재주가 없음。

【無抵抗 무저항】저항이 없음。

【無敵 무적】대적(對敵)할 사람이 없음。 겨룰 만한 적(敵)이 없음。

【無籍 무적】국적 또는 호적이 없음。

【無錢取食 무전취식】돈 없이 남의 파는 음식(飮食)을 먹음。

【無節操 무절조】절조(節操)가 없음。

【無制限 무제한】제한(制限)이 없음。

【無條件 무조건】아무 조건이 없음。

【無知 무지】①아는 것이 없음。학문이 없음。②슬기가 없음。 미련함。 무지(無智)。

【無知莫知 무지막지】《韓》 무식(無識)하고 우악스러움。

【無知沒覺 무지몰각】지각이 없음。

【無職 무직】직업(職業)이 없음。

【無盡藏 무진장】①물건이 한없이 많이 있음。 암만 써도 없어지지 아니함。 ②《佛敎》암만 닦아도 한이 없는 법의(法義)。

【無差別 무차별】차별(差別)이 없음。

【無責任 무책임】①책임이 없음。 ②책임 관념(觀念)이 없음。

【無風 무풍】바람이 불지 아니함。

【無何 무하】①얼마 안 되어。②아무 죄도 없음。

【無何有 무하유】 아무 것도 없음。 공허함。

【無何有之鄕 무하유지향】 아무 것도 없는 시골이라는 뜻으로、세상의 번거로운 일이 없는 허무 자연의 낙토(樂土)를 이름。

【無限 무한】 한이 없음。 끝이 없음。

【無限量 무한량】 한량(限量)이 없음。

【無限定 무한정】 한정이 없음。

【無恒產者無恒心 무항산자무항심】 일정한 재산 또는 생업(生業)이 없어 생활이 안정하지 아니하면 착한 마음도 흔들림。

【無害 무해】 해로울 것이 없음。

【無害無得 무해무득】 해로운 것도 없고 이로운 것도 없음。

【無形無迹* 무형무적】 드러난 형적(形迹)이 없음。

【無效 무효】 보람이 없음。 효과(效果)가 없음。

【無後 무후】 대(代)를 이을 자손(子孫)이 없음。

◉皆無개무 有無유무 絕無절무 虛無허무

12 【焦】 火 8 초 그스릴 ㊥蕭

자원 형성 火-灬┐雥(음)-隹┘焦(火부)

「灬화」〈불〉와、음을 나타내며 동시(同時)에 상처내다의 뜻(⇩創창)을 가지는 「雥잡」(隹는 생략형。 초는 변음)으로 이루어짐。 불에 타서 상처나다의 뜻。

뜻 ①그슬릴초、그을초 불에 태워 검게 함。 또 불에 타서 검게 됨。 ②탈초 ㉠마음이 탐。 애탐。 ㉡말라 뜨거워짐。 입술같은 것이 탐。 ㉢시들어 까매짐。 얼굴 같은 것이 탐。 ③태울초 윗뜻의 타동사。 ④탄내날초 불에 타는 냄새가 남。

참고 「焦」를 음으로 하는 글자=「僬초」〈파리하다〉·「顦초」〈야위다〉·「樵초」〈땔나무〉·「燋초」〈그슬리다〉·「蕉초」〈파초〉·「礁초」〈숨은바윗돌〉

【焦眉之急 초미지급】 눈썹에 불이 붙는 것과 같이 썩 위급한 경우를 이르는 말。

【焦燥 초조】 애를 태워서 마음을 졸임。

【焦土 초토】 ①불에 탄 검은 흙。 ②화재(火災)가 나서 타고 난 뒤에 남은 흙。

12 【然】 火 8 중학 연 사를 ㊥先

然

ノ ク タ 夕 夕犬 肰 然

자원 형성 肉┐犬┘肰(음)┐火-灬┘然(火부)

음을 나타내는 「肰연」은 개고기。 옛날엔 개를 식용(食用)으로 삼았음。 「然」은 고기를 굽다→불타는 일。 나중에 그러함、…와 같다、그리하여 따위 여러 가지 뜻으로 쓰이게 되자 불탄다는 뜻에는 따로 「燃연」이란 글자를 만들었음。

뜻 ①사를연 燃(火部十二畫)과 같은 글자。 ②허락할연 마음을 허락함。 ③그럴연 ㉠그러함。 ㉡그리하여서。 ④그러면연 그렇게 하면。 ⑤그렇게여길연 그렇다고 생각함。 이치에 맞는다고 생각함。 ⑥그러나연 그렇기는 하나。 ⑦형용어사연 如(女部三畫)·焉(火部七畫)과 같이 사물을 형용하는 데 붙이는 어사(語辭)。 「浩然호연」 ⑧어조사연 焉(火部七

畫) 등과 같이 어말(語末)에 붙이는 조사(助辭)。

참고 「然」을 음으로 하는 글자 =「燃연」〈타다〉·「撚년」〈꼬다〉

【然諾 연낙】 승낙(承諾)함。

【然否 연부】 그러함과 그렇지 아니함。

【然而 연이】 그러나。

◉決然결연 公然공연 果然과연 漠然막연 茫然망연 未然미연 勃然발연 宛然완연 偶然우연 隱然은연 依然의연 毅然의연 天然천연 超然초연 欣然흔연

12 【焼】 火 8 燒(火部十二畫)의 약자。

【黒】 ⇩部首

【爲】 ⇩爪部八畫

九畫

13 【煉】 火 9 련 | 달굴 | ㊀霰

자원 형성 火 柬 음 ┬ 煉(火부)

「火불화변」과、음과 함께 부드럽게 하여 모양을 흩뜨리다의 뜻을 나타내기 위한 「柬간」(련은 변음)으로 이루어짐。 불로 달구어 녹여 이기다의 뜻。

뜻 달굴련、 이길련 鍊(金部九畫)과 같은 글자。

【煉乳 연유】 달이어서 진하게 만든 우유。

【煉炭 연탄】 석탄·코우크스·목탄 등에 피치·흙 같은 것을 섞어 굳히어 만든 연료(燃料)。

13 【煖】 火 9 ㊀난 ㊁훤 | 따스할 | ㊀㊤旱 ㊁㊥元

자원 형성 火 爰 음 ┬ 煖(火부)

「火불화변」과、음을 나타내는 동시에 따뜻하게 하다의 뜻(⇩燠)을 나타내는 「爰원」으로 이루어짐。

뜻 ㊀따뜻할난、 따뜻이할난 暖(日部九畫)과 같은 글자。 ㊁따뜻할훤

【煖爐 난로】 방(房) 안에 놓고 불을 때어 방안을 덥게 하는 기구。

【煖房 난방】 난방(暖房)과 같음。

◉寒煖한난

13 【煙】 火 9 중학 연 | 연기 | ㊥先

2500년전

자원 형성 火 垔 음 ┬ 煙(火부)

「火불화변」과、음을 나타내는 동시에 막힌다는 뜻(⇩蘊온)을 가진 「垔인」(연은 변음)으로 이루어짐。 불이 타서 자욱이 퍼진다는 뜻。 연기。

뜻 ①연기연 ㉠물건이 탈 때 일어나는 기체。「火煙화연」 ㉡전하여 먼지·구름·안개 등이 자욱이 끼어 오르는 기운。「煙霧연무」「塵煙진연」 ②연기낄연 연기가 낌。 ③그을음연 유연(油煙)。「煤煙매연」 ④담배연 연초。「喫煙끽연」

주의 「烟」은 같은 글자。

【煙霧 연무】 연기와 안개。

【煙雨 연우】 이슬비。

【煙雲 연운】 ①연기와 구름。 ②구름처럼 뭉게뭉게 오르는 연기。

【煙月 연월】 안개 같은 것이 끼어 흐

릿하게 보이는 달。

【煙波 연파】 안개 같은 것이 끼어 부옇게 보이는 물결。

◉禁煙금연 喫煙끽연 煤煙매연 吸煙흡연

13 【煤】 火 9 매 ― 그을음 ― ㊥灰

자원 형성 火＋某음→煤(火부)

「火불화변」과, 음을 나타내는 동시에 매연(煤煙)의 뜻(⇩炱태)을 나타내기 위한 「某매·모」로 이루어짐。 그을음의 뜻。 또 석탄(石炭)의 뜻으로 차용(借用)함。

뜻 ①그을음매 유연(油煙)。「煤煙매연」 ②먹매 유연(油煙)으로 만든 먹。 ③석탄매 「煤炭매탄」

【煤氣 매기】 ①그을음이 섞인 연기。 매연(煤煙)。 ②석탄 가스。

【煤煙 매연】 그을음이 섞인 연기。

【煤油 매유】 석유(石油)。

13 【煥】 火 9 환 ― 빛날 ― ㊤翰

자원 형성 火＋奐음→煥(火부)

2500년전

「火불화변」과, 음을 나타내며 동시(同時)에 흩어지다의 뜻을 가지는 「奐환」으로 이루어짐。 불빛을 사방(四方)으로 흩어지게 하는 뜻。

뜻 빛날환 광휘를 발하는 모양。 광명(光明)한 모양。

【煥發 환발】 환히 빛남。 환히 나타남。

◉明煥명환 炳煥병환 昭煥소환 照煥조환

13 【煩】 火 9 고교 번 ― 번열증날 ― ㊥元

丶 丷 火 火 灯 灯 炘 焰 煩

자원 회의 火＋頁→煩(火부)

2500년전

「火불화변」과, 「頁혈」〈머리〉을 합하여 머리에 열이 있어 아프다→번열증 나다의 뜻。

뜻 ①번열증날번 신열이 나고 가슴이 답답함。 ②번민할번 번뇌함。「煩悶번민」 ③번거로울번 ㉠번잡하여 까다로움。「煩務번무」「禮煩則亂예번즉란」 ㉡귀찮음。「煩厭번염」 ④번거롭게할번 폐를 끼침。 ⑤바쁠번 일이 많아 겨를이 없음。「煩劇번극」 ⑥어지러울번 문란함。 ⑦시끄러울번 떠들썩함。「煩費번비」

【煩惱 번뇌】 욕정(慾情) 때문에 심신(心神)이 시달림을 받아서 괴로움。

【煩文 번문】 번잡한 문장。「로와함。

【煩悶 번민】 마음이 몹시 답답하여 괴

【煩瑣* 번쇄】 너더분하고 좀스러움。

【煩熱 번열】 ①무더움。 무더위。 ②《韓》 신열이 나서 가슴 속이 답답하고 괴로움。

【煩雜 번잡】 번거롭고 복잡함。

◉劇煩극번 累煩누번 迷煩미번 頻煩빈번

13 【熙】 火 9 고교 희 ― 빛날 ― ㊥支

一 丆 丂 丂 丂 臣 臣 巸 熙

자원 형성 火－灬＋配음→熙(火부)

「灬불화」와, 음을 나타내는 「配희」로 이루어지며, 빛나다의 뜻。 음을 빌어 좋아하다의 뜻(⇩喜희)에 쓰임。

뜻 ①빛날희 광휘를 발함。 ②넓을희, 넓어질희 광대함。 또 광대하여짐。 ③넓힐희 홍대(弘大)하게 함。

④**화락할희** 화목하게 즐김。⑤**일어날희** 흥기(興起)함。⑥**아아희** 탄식하는 소리。⑦**복희** 禧(示部十二畫)와 통용。⑧**기뻐할희** 嬉(女部十二畫)와 같은 글자。「熙笑희소」

주의 「凞」는 속자(俗字)。

◉光熙광희 榮熙영희

13 **【照】** 火 9 고교 **조** ㅣ비칠ㅣ ㊀嘯

丨 П 日 日ㄱ 昭 昭 昭 照

자원 형성 昭음 火-灬 ⊤照(火부)

음을 나타내는 「昭소」(조는 변음)는 햇빛이 빛나서 밝은 일。옛날엔 「日일」과 「火화」와는 글자로 쓸 때 같이 취급하였기 때문에 「昭」는 햇빛·불이 밝다의 뜻으로 썼음。나중에 「灬=火」를 더하여 「照」라고 써 역시 해와 불의 양쪽 뜻을 나타냄。또 구별할 때는 「昭」를 밝다〈형용사〉、「照」를 비치다〈동사〉로 씀。

뜻 ①**비칠조** 빛남。②**비출조** ㉠빛을 보냄。㉡전(轉)하여 해의 뜻으로 쓰임。「夕照석조」「晩照만조」。㉢그림자를 비추어 봄。㉣맞대어 봄。「對照대조」㉤비추어 인도함。효유(曉諭)함。㉥환히 앎。③**빛조** 광명。④**영상조** 비치는 그림자。또는 사진 따위。「小照소조」「寫照사조」⑤**증서조** 증권。⑥**거울조** 형상을 비추어 보는 물건。

【照明 조명】①밝게 비춤。환히 비춤。②무대에 빛추는 일。

【照査 조사】대조하여 조사함。

【照射 조사】빛남。광휘를 발함。

【照準 조준】겨냥을 보는 표준。

【照會 조회】무엇을 묻거나 또는 알리기 위하여 공문을 보냄。또 그 공문。공문서。

◉落照낙조 對照대조 夕照석조 參照참조

十畫

14 **【煽】** 火 10 **선** ㅣ일ㅣ ㊀霰

2500년전

자원 형성 扇음 火 ⊤煽(火부)

「火불화변」에、음을 나타내며 동시에 부채로 부치다의 뜻을 나타내는 「扇선」을 더하여 이루어짐。불을 부치다→널리、부채질하다의 뜻。

뜻 ①**일선** 불이 성(盛)하여 짐。②**붙일선** 불을 붙임。③**부채질할선** 부추김。「煽動선동」④**성(盛)할선** 세력이 성대함。「煽熾선치」

【煽動 선동】부추김。

14 **【熔】** 火 10 鎔(金部十畫)의 속자(俗字)。

【熔岩 용암】화산(火山)에서 분출(噴出)한 바위。

【熔解 용해】고체(固體)가 불에 녹음。

14 **【熊】** 火 10 **웅** ㅣ곰ㅣ ㊉東

3000년전

자원 형성 能음 火-灬 ⊤熊(火부)

「灬불화변」과、음과 함께 활활 타오르는 불길의 뜻(⇩炎염)을 나타내기 위한 「能능」(웅은 변음)으로 이루어짐。불빛이 곱게 빛나다의 뜻。음을 빌어 동물의 「곰」의 뜻으로 씀。곰의 본디 글자는 「能」임。

뜻 ①곰웅 맹수(猛獸)의 하나。쓸개는 약용으로 함。「熊膽웅담」 ②빛날웅 고운 빛이 나는 모양。광택이 고운 모양。

【熊膽 웅담】곰 쓸개。약(藥)에 씀。

【熊女 웅녀】《韓》단군신화(檀君神話)에서 환웅(桓雄)과 결혼하여 단군(檀君)을 낳았다는 여성(女性)。

【熊津 웅진】《韓》공주(公州)의 옛 이름。곰나루。

【熊掌 웅장】곰의 발바닥。팔진미(八珍味)의 하나。

【榮】⇨木部十畫

十一畫

15 【熟】火 11 고교 숙 | 익을 | 入屋

亠 亩 享 享 享 孰 孰 孰 熟

자원 형성 亯+丮→孰음 + 火-灬 → 熟(火부)

「亯향」은 신에게 바치는 일。「羊양」은 양。「丮극」은 일을 함。음을 나타내는 「孰숙」은 亯과 「羊」과 「丮」을 합한 글자이며 잘 삶다→익숙하여짐。나중에 글씨 쓰기 쉽게 「享」과 「丸환」을 합한 모양으로 쓰게 됨。「孰」은 누구、어느의 한 뜻으로도 쓰게 되었으므로 본디의 잘 삶는다는뜻은 「灬불화」를 덧붙여 「熟」이라 씀。 〔孰〕 〔篆〕 2000년전

뜻 ①익을숙 ㉠날것이 익음。「半熟반숙」 ㉡곡식・과실 등이 익음。「豊熟풍숙」 ㉢익숙함。「熟達숙달」「熟練숙련」 ②익힐숙 익게 함。「熟食숙식」 ③무를숙 열로 물러짐。 ④익히숙 깊이。곰곰이。「熟考숙고」

【熟考 숙고】곰곰히 생각함。숙려(熟慮)。

【熟果 숙과】익은 과일。

【熟達 숙달】익숙하여 통달(通達)함。

【熟讀 숙독】익숙하도록 읽음。

【熟卵 숙란】삶은 달걀。

【熟慮 숙려】곰곰히 생각함。

【熟練 숙련】익숙함。

【熟馬 숙마】잘 길든 말。

【熟面 숙면】익숙하게 아는 사람。

【熟成 숙성】충분히 이루어짐。잘 됨。

【熟睡 숙수】깊이 잠이 듦。잘 잠。

【熟語 숙어】둘 이상의 단어를 합하여 한 뜻을 나타내는 말。

【熟議 숙의】충분히 의론함。심의(深議)。

【熟知 숙지】잘 앎。익숙하게 앎。

【熟親 숙친】정분이 아주 가까움。또 그 친분(親分)。

◉爛熟난숙 未熟미숙 半熟반숙 圓熟원숙

15 【熱】火 11 중학 열 | 열 | 入屑

一 + 圥 坴 埶 埶 熱

자원 형성 埶음 + 火-灬 → 熱(火부)

음을 나타내는 「埶예・세」(열은 변음)는 나무가 성장(成長)하다→기력이 좋다。「熱」은 불기운이 세다。「열」이란 말은 「燃연」〈불타다〉과 관계가 깊음。

뜻 ①열열 ㉠더운 감각을 일으키는 본원(本原)。 ㉡체온(體溫)。「平熱평열」 ㉢높아지는 체온。또 체온이 높아지는 병。「煩熱번열」 ②더위열 여름철의 더운 기운。 ③몸달열 초

조하여 애태움。④**바쁠열** 일이 바쁜 동시에 권세가 있음。⑤**더울열** ⑥**태울열** 불태움。「灼熱작열」

【熱狂 열광】 미친 듯이 열중함。 또 너무 좋아서 미친 듯이 날뜀。

【熱氣 열기】 뜨거운 기운。

【熱烈 열렬】 ①권세가 대단함。 ②열의 정도가 맹렬함。

【熱望 열망】 열심히 바람。 열렬히 바람。

【熱辯 열변】 열렬한 변설(辯舌)。

【熱性 열성】 걸핏하면 격앙(激昂)하는 성질(性質)。

【熱誠 열성】 열렬한 정성。

【熱愛 열애】 열렬히 사랑함。

【熱情 열정】 ①열렬(熱烈)한 애정。 두터운 은정。 ②열중하는 마음。

【熱中 열중】 ①초조하여 몸닮。 또 번민(煩悶)함。 ②정신(精神)을 한 곳으로 집중(集中)시킴。

【熱湯 열탕】 끓는 물。

【熱河日記 열하일기】 《韓》 연암(燕岩) 박지원(朴趾源)이 지은 책(册)。 청(淸)나라에의 사신(使臣)을 따라 열하까지 갔을 때의 기행문(紀行文)。

【熱血 열혈】 ①뜨거운 피。 ②열정(熱情)으로 인하여 끓는 피。 정열(情熱)。 열성(熱誠)。

【熱血漢 열혈한】 ①정열적(情熱的)인 사람。 정의의 피가 끓는 사람。 ②화를 잘 내는 사람。

【熱火 열화】 뜨거운 불。

◉高熱고열 暖熱난열 發熱발열 煩熱번열 身熱신열 炎熱염열 溫熱온열 電熱전열 平熱평열 解熱해열 向學熱향학열

十二畫

16 **【熾】** 火 12 치 | 성할 | 去寘

자원 형성 火 + 戠(음) → 熾(火부) 2500년전

「火불화변」과, 음과 함께 오르다의 뜻(⇩陟척)을 나타내기 위한 「戠직」(치는 변음)으로 이루어짐。 불이 활활 잘 타올라가는 뜻。

뜻 **성할치** ①㉠불이 활활 탐。 불기운이 성함。 ㉡세력이 강성함。 ②**사를치** 불을 부쳐 활활 타게 함。

【熾烈 치열】 ①불길이 매우 세거나 햇볕이 대단히 뜨거움。 ②세력이 강성함。

16 **【燃】** 火 12 고교 연 | 탈 | 平先

자원 형성 火 + 然(음) → 燃(火부)

타다의 뜻을 가지는 본디 글자인 「然연」이 다른 뜻으로 전용(轉用)되었기 때문에, 다시 「火불화변」을 더하여 타다의 뜻의 전용자(專用字)로 했음。 「然」이 음을 나타냄。

뜻 **탈연**、**사를연** 불에 탐。 불사름。 불을 땜。 「燃燒연소」「燃料연료」

주의 「燃」은 본래 「然연」의 속자(俗字)。

【燃料 연료】 불을 때는 재료(材料)。 곧 신탄(薪炭)·석탄·석유(石油) 따위。

【燃燒 연소】 탐。 불탐。

◉可燃가연 不燃불연 再燃재연

16 **【燈】** 火 12 중학 등 | 등 | 平蒸

火 灯 灯 燈 燈 燈 燈

燈

자원 형성 登음 ┬鐙-燈(火부) 金

음을 나타내는「登등」은 위에 올라가다、위에 얹는 일。여기서는 고기 따위를 소복이 담아 신에게 바치는 도구(道具)인「豆두」대신 썼음。그 도구가 금속제인 것을「鐙등」또는「錠정」이라 하였음。나중에 불을 켜는 촛대의 모양이 이것과 닮았기 때문에「鐙」을 촛대의 뜻으로도 썼음。촛대는 불을 켜는 것이기 때문에「燈」이라고 쓰는 속체(俗體)가 생겼음。「燈등」을「灯」이라 쓰는 사람도 많지만 아직 정식으로 인정되지 않고 있으며、「灯」은 당·송(唐·宋) 때 불 또는 괄 불의 뜻으로 쓰인 글자이지만 그 후에「燈」자 대신 중국에서도 사용됨。

뜻 ①**등등**、**등잔등**「燈火등화」②**초등** 심지를 한가운데 박은、불을 켜는 물건。초의 심지를 짧게 자름。③**등불등**、**촛불등**「燈影등영」④《佛敎》**불법등** 불교의 도(道)。불교。「法燈법등」

【燈光 등광】등불 빛。

【燈臺 등대】해안이나 섬에서 밤에 불을 켜 놓아 뱃길의 목표나 위험한 곳을 알리는 대(臺)。

【燈明 등명】불을 켬。또 그 불。

【燈心 등심】심지。

【燈影 등영】등잔불 또는 촛불의 빛。또 그 그림자。

【燈油 등유】등불을 켜는 데 쓰는 기름。

【燈盞* 등잔】기름·석유(石油)를 담아서 불을 켜는 데 쓰는 그릇。

【燈皮 등피】《韓》남포의 불을 밝게 하기 위하여 쓰는 유리로 만든 기구(器具)。

【燈下不明 등하불명】등잔 밑이 어두움。

【燈火 등화】등불。등잔불。촛불。

【燈花 등화】불심지 끝이 타서 맺힌 불똥。

【燈火可親 등화가친】가을 밤은 서늘하여 불 밑에서 글을 읽기 좋다는 말。

◉街燈가등 瓦斯燈와사등 點燈점등 走馬燈주마등 風前燈풍전등 獻燈헌등 紅燈홍등

16 【燐】火 12 **린** ─ 인 ─ (去)震 (平)眞

자원 형성 粦음 ┬粦-粦 火┬燐(火부) 炎

본디 글자는 粦。「炎염」과 음을 나타내는 동시에 작다는 뜻을 나타내기 위한「舛천」(린은 변음)으로 이루어짐。본디 인마(人馬)의 죽은 몸에서 발(發)하는 일종의 도깨비불。「粦」이「粦」으로 쓰여지고、다시「火화」가 더하여져서「燐」으로 되었음。

뜻 ①**인린** 비금속(非金屬) 원소의 하나。「赤燐적린」「黃燐황린」②**도깨비불린** 인(燐)에서 나는 불。귀화(鬼火)。③**반딧불린** 형화(螢火)。

【燐光 인광】황린(黃燐)을 공기 중에 방치(放置)할 때 저절로 생기는 푸른 빛。

【燐火 인화】①도깨비불。귀화(鬼火)。②반딧불。

◉鬼燐귀린 白燐백린 赤燐적린 黃燐황린

16 **【燒】** 火 12 고교 **소** | 불사를 | ①-③ ㊥蕭 ④⑤ ㊎嘯

丶 火 火一 火十 火圭 火垚 燒 燒 燒

자원 형성 火 堯음 ┬ 燒(火부)

음을 나타내는 「堯요」(소는 변음)는 높이 올라가다, 또 많다의 뜻. 「燒」는 땔나무가 활활 타오르다의 뜻。

뜻 ①**불사를소** 태움。「燒却소각」 ②**탈소** 불탐。「燒失소실」 ③**익힐소** 불에 익게 함。 ④**불날소** 화재가 일어남。 야화(野火)가 일어남。 ⑤**야화(野火)소** 들에서 타는 불。

【燒滅 소멸】 소실(燒失)。

【燒死 소사】 불에 타서 죽음。

【燒失 소실】 불에 타서 없어짐。

【燒酒 소주】 증류(蒸溜)하여 만든 무색 투명한 독(毒)한 술。

【燒盡 소진】 모두 타버림。

【燒香 소향】 향을 피움。

◉延燒연소 全燒전소

16 **【燕】** 火 12 고교 **연** | 제비 | ㊥先

一 廿 廿 廿 廿 莳 莳 燕 燕

자원 상형 2500년전 · 3000년전

「燕」은 제비가 나는 모양을 본뜸。 음을 빌어 주연(酒宴) 또는 쉬다(⇩安안)의 뜻으로 쓰임。

뜻 ①**제비연** 현조(玄鳥)。「燕巢연소」 ②**잔치연, 잔치할연** 주연(酒宴)。 주연을 베풂。「燕遊연유」 ③**편안할연, 편안히할연** 한가하여 심신이 편안함。 또 심신을 편안하게 함。「燕居연거」 「燕息연식」 ④**연나라연** 주(周)나라의 제후국(諸侯國)의 하나。 소공(召公) 석(奭)이 시조(始祖)이며 전국칠웅(戰國七雄)의 하나로서 진(秦)나라에 멸망당하였음。 그 영토가 하북성(河北省) 지방이었으므로 전하여 그 지방의 별칭(別稱)으로 되었음。

참고 「燕」을 음으로 하는 글자=「嚥연」〈삼키다〉·「臙연」〈연지〉·「讌연」〈이야기하다〉

【燕京 연경】 북경(北京)의 별칭(別稱)。 춘추시대(春秋時代)의 연(燕)나라의 영토이었으므로 이름。

【燕樂 연락】 ①주연(酒宴)을 베풀고 즐거이 놂。

【燕麥 연맥】 귀리。

【燕尾 연미】 ①제비의 꼬리。 또 그 모양을 한 것。 ②가위。

【燕遊 연유】 ①잔치를 베풀고 놂。 ②한가로이 놂。

【燕雀* 연작】 ①제비와 참새。 전(轉)하여 ②작은 새。 또 그릇이 작은 사람。 소인(小人)。

【燕雀不生鳳* 연작불생봉】 제비와 참새는 봉황을 낳을 수 없다는 뜻으로, 불초한 사람은 어진 아들을 낳을 수 없음을 비유하는 말。

十三畫

17 **【營】** 火 13 고교 ㊀**영** ㊁**형** | 경영할 | ㊀㊥庚 ㊁㊥靑

丶 火 火火 𤇾 營 營 營 營

자원 형성 呂 𤇾음 ┬ 營(火부)

집을 뜻하는 「呂려」(옛모양은 吕)와

음을 나타내며 둘러싸다의 뜻(⇩圍위)을 갖는「𤇾영·형」(熒의 생획)으로 이루어짐. 사방(四方)을 둘러싼 주거(住居)의 뜻. 전하여 집을 만들고 영위(營爲)하다의 뜻.

[뜻] [一]①**경영할영** ㉠가업(家業)을 영위함. ㉡맡아 함. ②**지을영** 집 같은 것을 지음. 「營造영조」 ③**꾀할영** 계획함. 「營私영사」 ④**다스릴영** ㉠나라를 다스림. ㉡병을 다스림. ⑤**경영영** 영위(營爲)하는 바. ⑥**진영영** 군루(軍壘). 「兵營병영」 ⑦**집영** 주택. 「營室영실」 ⑧**갈영** 경작함. ⑨**두려워할영** 황공(惶恐)함. ⑩**오락가락할영** 왕래하는 모양. ⑪**잴영** 측량함. ⑫**현혹할영, 현혹하게할영** 혹란(惑亂)함. 또 혹란하게 함. ⑬**별이름영** 절한(絶漢)은 은하수를 건너감. ⑭**고을이름영** 순(舜)임금 때의 십이주(十二州)의 하나. 지금의 산동성(山東省)의 북부. [二]**변명할형** 변해함.

【營內 영내】 진영(陣營)의 안. 병영(兵營)의 안.

【營利 영리】 돈벌이.

【營繕* 영선】 집을 새로 건축하거나 수리함.

【營養 영양】 생물이 양분(養分)을 섭취하여 생명을 유지하는 일.

【營業 영업】 생활과 영리를 위하여 사업을 함. 또 그 사업.

【營爲 영위】 경영함.

◉經營경영 軍營군영 兵營병영 本營본영 野營야영 運營운영 造營조영 陣營진영

17 【燮】 火 13 섭 | 화할 | [入]葉

[자원] 회의 炎辛又 ─ 燮─燮(火부)

옛글자「燮섭」은 횃불(⇩辛신)을 손(⇩又우)에 들고 환하게 밝히는(⇩火화+火) 모양을 본뜬 것. 음이 비슷한「熟숙」과 통하여 불에 익히다의 뜻으로 쓰게 되고,「辛」이「言언」으로 바뀌어, 화하다, 조화하다의 뜻이 됨.

[뜻] ①**화할섭** 조화(調和)함. 「燮理섭리」 ②**불에익힐섭**

[참고] 통속적으로 불꽃섭으로 훈(訓)함.

◉調燮조섭

17 【燥】 火 13 [고교] 조 | 마를 | [去]號 [上]晧

[자원] 형성 火 喿(음) ─ 燥(火부)

2500년전

「火불화변」과, 음을 나타내는 동시에 없앤다는 뜻을 나타내기 위한「喿소·조」로 이루어짐. 불로 습기를 없애다의 뜻.

[뜻] ①**마를조** 건조함. ②**말릴조** 건조시킴.

【燥渴 조갈】 목이 타는 듯이 마름.

◉乾燥건조 焦燥초조 風燥풍조

17 【燦】 火 13 찬 | 빛날 | [去]翰

[자원] 형성 火 粲(음) ─ 燦(火부)

2500년전

「火불화변」과, 음을 나타내며 동시에 교차(交叉)하다의 뜻(⇩參삼·참)을 가지는「粲찬」으로 이루어짐.

〔四畫部首順〕 心戈戶手支攴文斗斤方无日曰月木欠止歹殳毋比毛氏气水火爪父爻爿片牙牛犬

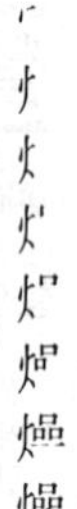

불빛이 교차하며 빛나다의 뜻。

뜻 **빛날찬** 광휘가 번쩍이는 모양。

【燦爛 찬란】 ①빛이 번쩍번쩍하는 모양。②눈부시게 아름다운 모양。화려하게 고운 모양。

【燦然 찬연】 번쩍 빛나는 모양。

17 【燭】 火 13 고교 촉 | 초 | ㊀入沃

丶 火 灬 炉 炉 烱 燭 燭 燭

자원 형성 火 蜀 음 ㅏ燭(火부)

「火불화변」과, 음을 나타내며 동시에 손에 닿다의 뜻(⇩觸촉)을 나타내기 위한 「蜀촉」으로 이루어짐。손으로 드는 등불의 뜻。

뜻 ①**조촉** 심지를 한가운데에 박은 불을 켜는 물건。②**촛불촉、등불촉** 「燈燭등촉」 ③**비칠촉、비출촉**

【燭光 촉광】 촛불 빛。등잔불의 빛。

【燭臺 촉대】 촛대。촉가(燭架)。

【燭淚 촉루】 촛농。촉농(燭膿)。

【燭心 촉심】 초의 심지。

◉光燭광촉 玉燭옥촉 銀燭은촉 華燭화촉

十五畫

19 【爆】 火 15 고교 ㊀폭(포本) ㊁박 | 터질 | ㊀去效 ㊁入覺

丶 火 炉 炉 焊 焊 煤 爆 爆

자원 형성 火 暴 음 ㅏ爆(火부)

「火불화변」과, 음을 나타내며 동시에 찢어지다、터지다의 뜻을 나타내기 위한 「暴포」로 이루어짐。불에 의해서 물건이 찢어지는 소리。

뜻 ㊀**터질폭** 화력으로 갈라짐。또는 폭발함。「爆裂폭렬」 ※본음(本音) 포 ㊁**지질박** 불로 지짐。

【爆擊 폭격】 비행기에서 폭탄을 떨어뜨려 적의 진 또는 중요 시설을 파괴하거나 태워버림。

【爆發 폭발】 ①화력(火力)으로 인하여 갑자기 터짐。전(轉)하여 ②사물(事物)이 갑자기 일어남。

【爆死 폭사】 폭발물의 폭발로 인하여 죽음。

【爆音 폭음】 ①폭발(爆發)하는 소리。②휘발유가 발동기 안에서 기화(氣化)하는 소리。

【爆竹 폭죽】 가는 대롱에 불을 지르거나 화약을 재어 터뜨려서 소리가 나게 하는 일종의 딱총。

【爆破 폭파】 폭발(爆發)시키어 부숨。

◉盲爆맹폭 猛爆맹폭 水爆수폭 自爆자폭

十六畫

20 【爐】 火 16 고교 로 | 화로 | ㊥平虞

火 火 炉 炉 炉 爐 爐 爐 爐

자원 형성 火 盧 음 ㅏ爐(火부)

「火불화변」과, 음을 나타내며 동시에 모으다의 뜻을 나타내기 위한 「盧려」(로는 변음)로 이루어짐。불을 모아두는 곳의 뜻。

뜻 **화로로** 불을 사르거나 또는 담아 놓는 그릇。「香爐향로」

【爐邊 노변】 화롯가。

【爐煙 노연】 향로(香爐)의 연기。

【爐肉 노육】 구운 돼지고기。

◉煖爐난로 風爐풍로 香爐향로 火爐화로

〔四畫部首順〕心戈戶手支攴文斗斤方无日曰月木欠止歹殳毋比毛氏气水火爪父爻爿片牙牛犬

十七畫

21 **【爛】** 火 17 고교 **란** | 문드러질 | ㊀去 翰

火 灯 灯 灯 炟 燗 燗 爛 爛

자원 형성 火 + 闌(음) → 爛 (火부)

「火불화변」과, 음을 나타내며 동시에 쭈굴쭈굴해지다의 뜻을 나타내기 위한 「闌란」으로 이루어짐。

뜻 ①**문드러질란** ㉠화상(火傷)을 입어 살결이 문드러짐。「爛死난사」 ㉡썩어 문드러짐。「腐爛부란」 ㉢너무 익어 문드러짐。무르녹음。 ㉣부서짐。궤파(潰破)함。 ㉤고민하고 애통함。 ②**문드러지게할란** 위의 뜻의 타동사。 ③**고울란** 선명한 모양。 ④**빛날란** 빛이 번쩍번쩍하는 모양。

【爛漫 난만】 ①물건이 충만하여 넘치는 모양。 ②광채(光彩)가 발산하는 모양。 ③흩어져 사라지는 모양。 ④밝게 나타나 보이는 모양。 ⑤잘 자는 모양。 ⑥꽃이 만발한 모양。

【爛發 난발】 꽃이 한창 만발함。

【爛商 난상】 잘 의논(議論)함。

【爛熟 난숙】 ①무르녹게 잘 익음。무르익음。 ②잘 통달(通達)함。

◉潰爛궤란 腐爛부란 燦爛찬란 絢爛현란

爪部

4 **【爪】** 부수 **조** | 손톱 | ㊤巧

ノ 厂 爪 爪

자원 상형  2500년전

손으로 가리고, 물건을 잡아쥐는 모양을 본뜸。「抓조」〈움켜쥐다〉의 본디 글자。부수(部首)로서는 손으로 다루다의 뜻을 나타냄。손톱의 본디 글자는 「叉조」(손‖丶끝에 ⺀을 더하여 손톱을 나타낸 글자)。음이 통하여, 「爪」를 손톱의 뜻에 빌어씀。

뜻 ①**손톱조** ㉠손가락 끝의 각질부(角質部)。「爪牙조아」 ㉡또 기구(器具)의 끝에 달려 물건을 달거나 긁는 소용을 하는 것。 ②**깍지조** 손가락에 끼는 물건。 ③**긁을조、할퀼조** 손톱으로 긁거나 할퀴。

주의 「瓜과」〈오이〉는 딴 글자。

【爪牙 조아】 ①손톱과 엄니。전(轉)하여 ②자기를 수호하고 보좌하는 사람。 ③자기의 당여(黨與)。

4 **【爫】** 爪 0 「爪」가 글자 머리로 올 때의 자체(字體)。

四畫

8 **【爭】** 爪 4 중학 **쟁** | 다툴 | ㊥平 庚

ノ ⺁ ⺈ ⺈ 乎 乎 爭 爭

자원 상형 手 + 叉 → 手-爫 + 力 → 爭 (爪부)  2500년전

「叉우」나 「爪조」나 모두 손의 모양。「力력」은 쟁기 같은 농구(農具)。「爭」은 「力」의 양쪽에서 손이 나와 서로 끌어 당기고 있는 모양→서로

잡아 끌다→다투다。

뜻 ①**다툴쟁** ㉠우열·승패를 겨룸。 ㉡앞을 다툼。 ㉢옳고 그름을 말하여 싸움。 말다툼함。「爭議쟁의」 ㉣서로 빼앗음。 ㉤하소연함。 소송함。 ②**간할쟁**「爭臣쟁신」 ③**다투게할쟁** ④**다툼쟁** ⑤**어찌쟁** 어찌하여。 반어(反語)로서 속어(俗語)。

참고 「爭」을 음으로 하는 글자=「崢쟁」〈가파르다〉·「掙쟁」〈찌르다〉·「狰쟁」〈상상상의 짐승의 이름〉·「諍쟁」〈간하다〉·「錚쟁」〈쇳소리〉·「箏」〈현악기의 이름〉·「淨정」〈깨끗하다〉

【爭臣 쟁신】 임금의 잘못에 대하여 바른 말로 꿋꿋하게 간(諫)하는 신하。

【爭議 쟁의】 서로 다른 의견(意見)을 주장(主張)하여 다툼。

【爭奪 쟁탈】 다투어 빼앗음。 서로 빼앗으려고 다툼。

【爭鬪 쟁투】 완력(腕力)으로 서로 다툼。 싸움。

◉競爭경쟁 論爭논쟁 紛爭분쟁 鬪爭투쟁

【受】 ⇩又部六畫

八畫

12 **【爲】** 爪 8 중학 위 | 할 | ①-⑨(平)支 ⑩-⑬(去)寘

자원 상형 爲 爪-爫┬爲(爪부) 2500년전

원숭이(爲⇩猴후)가 발톱(⇩爪조)을 쳐들고 할퀴려는 모양을 본뜸。 전하여、 하다·이루다·만들다·다스리다의 뜻으로 삼고 다시 전하여、 남을 위하다、 나라를 위하다 따위의 뜻으로 씀。

뜻 ①**할위** ㉠행함。「爲政위정」 ㉡…라 이름。 ②**만들위**、 **지을위** ㉠제작함。 ㉡시문(詩文)을 지음。 ③**다스릴위** ㉠백성·나라를 다스림。 ㉡병을 다스림。 ④**배울위** 학습함。 ⑤**생각할위** …라고 생각함。 ⑥**삼을위** 간주(看做)함。 ⑦**체할위** 가장함。 ⑧**행위위** 동작。 ⑨**될위** ㉠일정한 형태가 이루어짐。 ㉡당함。 ⑩**위할위** …을 위하여。「爲國위국」 ⑪**위하여할위** 위하여 꾀함。 위하여 행함。 ⑫**도울위** 보좌함。 ⑬**더불어위** …와 더불어。

참고 「爲」를 음으로 하는 글자=「僞위」〈거짓〉·「譌와」〈잘못되다〉

【爲雞口無爲牛後 위계구무위우후】 작은 닭의 입이 될지언정 큰 소의 꼬리는 되지 말라。 작더라도 사람 위에 설 것이며 크더라도 사람의 뒤에는 붙지 말라는 뜻。

【爲始 위시】 시작(始作)함。 비롯함。

【爲我 위아】 자기의 이익만을 꾀하는 일。 전국시대(戰國時代)의 양주(楊朱)의 학설。

【爲人 위인】 사람된 품。

【爲政 위정】 정치(政治)를 행함。

【爲政者 위정자】 정치를 행하는 사람。

【爲主 위주】 주장(主張)을 삼음。

◉當爲당위 無爲무위 所爲소위 營爲영위 云爲운위 有爲유위 作爲작위 行爲행위

九畫

【愛】 ⇩心部九畫

十四畫

18 **【爵】** 爪 14 고교 **작** | 참새 | ㊀藥

자원 상형 3000년전 2500년전

「爵」은 「鬯창」〈제사에 쓰는 옻기장 술〉과 손(ヨ)과 술잔의 모양을 합한 글자。 그 술잔의 모양이 「雀작」〈참새〉과 비슷하였으므로 「작」이라 하였음。

뜻 ①**참새작** 雀(隹部三畫)과 통용。 ②**잔작** 참새 부리 모양을 한 술잔。 전(轉)하여, 술잔의 범칭(泛稱)。 ③**벼슬작** 신분의 계급。 「爵位작위」 ④**벼슬줄작** 위계(位階)를 수여함。

【爵位 작위】 ①위계(位階)。 ②작(爵)의 계급。

【爵號 작호】 작위(爵位)의 칭호。 곧 공(公)·후(侯)·백(伯)·자(子)·남(男)。

◉公爵공작 伯爵백작 襲爵습작 侯爵후작

父部

4 **【父】** 수 부 중학 ㊀**부** ㊁**보** | 아비 | ㊀㊁ ㊤麌

ノ ハ ク 父

자원 회의 又 丨 父(부수) 3000년전

「丨」은 여기에서는 도끼와 같은 무기의 모양。 「又우」는 손。 「父」는 한 집을 이끄는 가장(家長)。 옛날도끼 같은 무기가 가장임을 나타내는 표로 쓰여졌다고 생각됨。

뜻 ㊀**아비부** ㉠아버지。 「嚴父엄부」 ㉡전(轉)하여, 남성인 연장자의 일컬음。 「父老부로」 「漁父어부」 ㊁**자(字)보** 남자(男子)에 대한 미칭(美稱)。 甫(用部二畫)와 통용。 「尼父이보」 「尙父상보」 「壬父임보」

참고 「父」를 음으로 하는 글자=「斧부」〈도끼〉·「釜부」〈가마솥〉

【父系 부계】 아버지의 계통(系統)。

【父君 부군】 자기 부친의 경칭(敬稱)。

【父女 부녀】 아버지와 딸。

【父老 부로】 ①노인。 ②한 마을에서 한 중심 인물이 되는 노인。

【父母 부모】 ①아버지와 어머니。 전(轉)하여, 부모 같은 사람。 존경하고 친애하는 웃어른。 ②근본(根本)。

【父父子子 부부자자】 아버지는 아버지 노릇하고 아들은 아들 노릇함。 아버지는 아버지의 본분을 지키고 아들은 아들의 본분을 지킴。

【父事之 부사지】 아버지와 같이 섬김。 어버이처럼 대접(待接)함。

【父子 부자】 아버지와 아들。

【父子有親 부자유친】 오륜(五倫)의 하나。 부자(父子)의 도(道)는 친밀(親密)에 있음。

【父傳子傳 부전자전】 대대(代代)로 아버지가 아들에게 전(轉)함。

【父祖 부조】 ①아버지와 할아버지。 ②조상。 선조(先祖)。

【父親 부친】 아버지。

【父兄 부형】 아버지와 형(兄)。
◉家父가부 繼父계부 乃父내부 老父노부 大父대부 伯父백부 尙父상부 叔父숙부 嶽父악부 養父양부 嚴父엄부 義父의부 慈父자부 祖父조부 尊父존부 親父친부

六畫

【釜】 ⇩金部二畫

爻部

4【爻】 수 부 효 — 사귈 — ㊥肴 ㊤効

자원 지사

「爻」는, 교차(交叉)하는 표인 「×」를 겹쳐서, 열십(十)자(字)로 교차하다의 뜻을 나타냄。

뜻 ①**사귈효** 교착함。 ②**육효효** 역(易)의 괘(卦)를 이룬 여섯 개의 가로 그은 획。「一」는 양(陽)이고、「--」는 음(陰)임。

참고 「爻」를 음으로 하는 글자=「肴효」〈안주〉·「淆효」〈흐리다〉
◉卦爻괘효 上爻상효 六爻육효 下爻하효

七畫

11【爽】 爻 7 상 — 시원할 — ㊤養 ㊥陽

자원 회의 大+㸚 → 爽 (爻부)

창살의 모양을 본뜬 「㸚리」〈밝다〉와 「大대」〈크다〉로 이루어짐。 창살을 통해 들어오는 빛이 크게 밝다의 뜻。 전하여、상쾌하다의 뜻。

뜻 ①**시원할상** 기분이 시원함。「爽快상쾌」 ②**밝을상** ㉠밤이 새어 밝음。 ㉡넓어 밝음。 ㉢빛나서 밝음。 ㉣정신이 밝음。「精爽정상」 ③**굳셀상** 장건(壯健)함。 ④**어그러질상** 사리에 어그러짐。 ⑤**상할상** 썩음。

주의 「夾협」〈끼우다〉은 딴 글자。

【爽快 상쾌】 기분이 시원하고 유쾌함。

十畫

14【爾】 爻 10 이 — 너 — ㊤紙

자원 상형 2500년전

「爾」는 실을 가락옷에 자아 감을 때 쓰는 물레를 본뜸。「尒·尔」는 그 위 부분만의 약자。 음을 빌어 대명사·어조사(語助辭) 따위에 씀。

뜻 ①**너이** 이인칭 대명사。「爾汝이여」 ②**같이이** 이와 같이。 ③**그러할이** 然(火部八畫)과 뜻이 같음。「爾則이즉」「不爾불이」 ④**그이** 其(八部六畫)와 뜻이 같음。「爾時이시」 ⑤**이이** 此(止部二畫)와 뜻이 같음。 ⑥**가까울이** ⑦**뿐이** 단지 이에 그친다는 뜻。 耳(部首)와 뜻이 같음。 ⑧**어조사이** 然(火部八畫)·如(女部三畫) 등과 같이 형용의 어조사(語助辭)로 쓰임。

참고 「爾」를 음으로 하는 글자=「璽새」〈옥새〉·「邇이」〈가까이오다〉·「禰

녜」〈아버지사당〉

【爾來 이래】 ①그 후。 그 때부터 지금까지。②요사이。 근래(近來)。

【爾後 이후】 그 후。 이후(以後)。

爿 部

4 **【爿】** 부수 **장** | 조각 | ㊥陽

자원 상형 3000년전 2500년전

「」(=木)을 둘로 나눈 왼쪽 절반을 나타냄。 일설(一說)에 「牀상」〈평상〉의 본디 글자로, 물건을 올려놓는 큰 받침을 본뜬 상형자(象形字)라고 함。 부수로서는, 나무 조각의 뜻을 나타냄。

뜻 **조각장** 나무를 두 조각으로 나눈 왼쪽 조각。

참고 「爿」을 음으로 하는 글자=「牀상」〈평상〉·「壯장」〈씩씩하다〉·「將장」〈장수〉·「牆장」〈담장〉·「狀상」〈모양〉

三畫

【壯】 ⇩士部四畫

四畫

8 **【牀】** 爿 4 床(广部四畫)의 정자(正字)。

【狀】 ⇩犬部四畫

七畫

【將】 ⇩寸部八畫

十三畫

17 **【牆】** 爿 13 고교 **장** | 담 | ㊥陽

자원 형성 爿 嗇(음) ⊢牆 (爿부)

나뭇조각을 뜻하는 「爿장」과, 음을 나타내는 동시에 세우다의 뜻(⇩植식)을 가진 「嗇색」(장은 변음)으로 이루어짐。 나무를 늘어세워서 가로막은 것。

뜻 ①**담장** 집을 흙이나 돌 같은 것으로 둘러막은 것。「牆垣장원」②**경계장** 계한(界限)。③**관**(棺)**옆널장** 관(棺)의 방판(傍板)。

주의 「墻」은 속자(俗字)。

【牆壁 장벽】 담。 토담。

片 部

4 **【片】** 부수 중학 **편** | 조각 | ㊧霰

丿 丿 片 片

자원 상형 3000년전

「片」은, 나무를 쪼갠 모양。「木목」을 둘로 나누면 오른쪽은 「片」, 왼쪽은 「爿장」이 된다고 생각했음。 그런데 옛날에는 글자를 우향(右向) 좌향(左向) 어느 쪽으로 써도 같은 경우가 많음。 따라서 「片」도

「爿」과 같아 침상(寢床)이나 나무 널빤지의 모양을 나타낸 것일 것임。나중에 두 개로 나눈 한쪽의 뜻으로 됨。

뜻 ①**조각편** 나무를 두 조각으로 나눈 오른쪽 조각。전(轉)하여、널리 사물(事物)의 반쪽이나 떼어 낸 일부분을 이름。「片言편언」「斷片단편」 ②**꽃잎편** 화판(花瓣)。

【片鱗*편린】①한 조각의 비늘。전(轉)하여 ②극히 작은 부분。

【片言 편언】한 마디의 말。짤막한 말。

【片影 편영】조그마한 그림자。

【片雲 편운】한 조각의 구름。

【片月 편월】조각달。

【片土 편토】작은 토지(土地)。

【片片 편편】①가볍게 나는 모양。②여러 조각이 된 모양。

◉斷片단편 碎片쇄편 一片일편 紙片지편

四畫

8 【版】片 4 고교 **판** | 널 | ㊤潸

丿 𠂆 片 片 片 版 版 版

자원 형성 片 反음 ┬ 版(片부)

음을 나타내는「反반」(판은 변음)은、우(右)에 대하여 좌(左)、앞에 대하여 뒤와 같이、거꾸로 되어 있는 것。「片편」은 나무를 둘로 쪼갠 한쪽。「版」은 나무를 쪼개 만든 판자。글자를 써서 서류(書類)와 같이 쓴 판자도、공사(工事)에 쓰는 판자도、다「版」이라고 했음。뒤에 판목(版木)에 글자를 파서 인쇄(印刷)를 하였으므로 출판(出版)·판화(版畫) 등의 말이 생겼음。

뜻 ①**널판** 널빤지。板(木部四畫)과 같은 글자。②**담틀판** 성(城)·담 같은 것을 쌓을 때 흙을 양쪽에서 끼는 널。③**여덟자판** 팔척(八尺)의 길이。일설(一說)에는 일장(一丈)의 길이。④**호적**(戶籍)**판** 「版圖판도」 ⑤**책판** 서적。⑥**판목판** 도서의 인쇄판(印刷板)。「版本판본」 ⑦**홀**(笏)**판** 벼슬아치가 손에 쥐는 물건。

【版權 판권】저작물을 인쇄·발행하는 권리。

【版圖 판도】어느 한 국가의 통치하에 있는 영토。

【版木 판목】인쇄하기 위해서 글자나 그림을 새긴 나무(板木)。

【版本 판본】판목에서 새긴 인쇄한 책。판본(板本)。

◉銅版동판 木版목판 鉛版연판 出版출판

八畫

12 【牌】片 8 **패** | 패 | ㊥佳

자원 형성 片 卑음 ┬ 牌(片부)

나무쪽을 뜻하는「片조각편변」과、음을 나타내는「卑비」(패는 변음)로 이루어진 글자。

뜻 ①**패패** ㉠글자를 써서 게시하는 나뭇조각。「門牌문패」㉡죽은 사람의 직함·법명(法名) 등을 적은 나뭇조각。「位牌위패」㉢노름에 쓰는 나뭇조각。「骨牌골패」②**간판패** 광고판。③**방패패** 화살을 막는 물건。

⊙肯牌골패 馬牌마패 門牌문패 位牌위패

九畫

【牒】13 片 9 첩 — 서찰 — [入]葉

[자원] 형성 片+枼[음] → 牒(片부)

2500년전

나뭇조각을 뜻하는 「片조각편변」과, 음을 나타내며 동시(同時)에 얇고 작은 뜻(⇩葉엽)을 가지는 「枼엽」(첩은 변음)으로 이루어짐. 작고 얇은 나뭇조각의 뜻.

[뜻] ①서찰첩 글씨를 쓴 나뭇조각. 「簡牒간첩」 ②계보첩 계통의 표기. ③조회첩 관문서의 한 가지. 「通牒통첩」「移牒이첩」 ④사령첩 임명장. ⑤송사(訟辭)첩 소장(訴狀). 「牒狀첩장」 ⑥증서첩 증신(證信). ⑦장부(帳簿)첩 ⑧명부(名簿)첩 ⑨문서(文書)첩 ⑩널첩 널빤지.

[주의] 「牒첩」〈평상널판〉과는 딴 글자.

【牒報 첩보】 상부에 서면으로 보고함.

⊙簡牒간첩 書牒서첩 請牒청첩 通牒통첩

牙部

〔四畫部首順〕 心戈戶手支攴文斗斤方无日曰月木欠止歹殳毋比毛氏气水火爪父爻爿片牙牛犬

【牙】4 부수 [고교] 아 — 엄니 — [平]麻

一 ㄷ 牙 牙

[자원] 상형

2500년전

상하(上下) 서로 물고 있는 모양을 나타냄. 송곳니도 아래위 교차(交叉)해서 서로 물고 있는 데서 「牙」를 송곳니의 뜻으로 빌어 씀. 전하여 엄니의 뜻.

[뜻] ①엄니아 ㉠「牙齒아치」 ㉡전하여 엄니같이 생긴 물건. ㉢또 자기 몸을 수호하는 것. ②깨물아 ③대장기아 ㉠대장이 세우는 기(旗). 깃대 위에 상아(象牙)로 장식하였으므로 이름. ㉡전하여 본영(本營). ④중매장이아 ⑤싹아 芽(艸部四畫)와 통용.

[참고] 「牙」를 음으로 하는 글자=「芽아」〈싹〉·「呀하」〈입딱벌리다〉·「訝아」〈맞다〉·「雅아」〈바르다〉·「邪사」〈간사하다〉

【牙城 아성】 아기(牙旗)를 세운 성. 성(城)의 내곽(內廓). 대장(大將)이 거처하는 성.

⊙大牙대아 爪牙조아 齒牙치아

三畫

【邪】 ⇩邑部四畫

八畫

【雅】 ⇩隹部四畫

牛部

【牛】4 부수 [중학] 우 — 소 — [平]尤

ノ 𠂉 ⺧ 牛

牛

자원 상형 (A) (B) 3000년전
「牛」는 뿔을 강조하여 「羊양」과 구별한 글자 모양。옛날 중국에서는 소나 양을 신에게 빌 때의 희생의 짐승으로 삼고 신성한 것이라 생각하였기 때문에 글자도 상징적(象徵的)이며 단순한 동물의 모양은 아님。Ⓑ는 소를 매어 놓은 모양。

뜻 ①**소우** 농경(農耕)에 사용하는 가축。②**별이름우** 이십팔수(二十八宿)의 하나。견우성(牽牛星)。

주의 「午오」〈일곱째지지〉는 딴 글자。

【牛角 우각】①쇠뿔。②소의 양쪽 뿔의 길이가 똑같은 것처럼、역량이나 기량(技量)의 우열(優劣)이 없는 일。호각(互角)。
【牛耕 우경】소를 부려 밭을 갊。
【牛馬 우마】소와 말。
【牛毛 우모】쇠털。많은 수의 비유。
【牛毛麟角* 우모인각】배우는 사람은 쇠털같이 많으나 성공하는 사람은 기린의 뿔같이 아주 드묾。
【牛步 우보】소걸음。느린 걸음。
【牛心 우심】소의 심장。소의 염통。
【牛乳 우유】암소에서 짜낸 젖。쇠젖。
【牛飮 우음】소가 물을 마시듯이 술을 많이 마심。대음(大飮)。
【牛耳誦經 우이송경】쇠귀에 경읽기。
【牛車 우차】소가 끄는 수레。
【牛漢 우한】은하(銀河)。
◉牽牛견우 耕牛경우 水牛수우 野牛야우

二畫

6 【牝】牛 2 빈 | 암컷 | ㊤軫

자원 형성 匕음 牛+匕→牝
「牛소우변」〈소〉과、음을 나타내며 동시에 배우자의 뜻(⇩匹필)을 나타내는 「匕비」(빈은 변음)로 이루어짐。「⿰羊匕」·「⿰豸匕」·「⿰馬匕」 따위는 각각 그 동물의 암컷을 나타내더니、후에 쓰이지 않게 되고 「牝」이 널리 동물의 암컷을 나타내는 글자로 남았음。

뜻 ①**암컷빈** 동물의 여성。「牝牡빈모」 ②**자물쇠빈** 여닫는 물건을 잠그는 쇠。또 자물쇠의 열쇠가 들어가는 구멍。③**골짜기빈** 계곡。

【牝牡 빈모】암컷과 수컷。

三畫

7 【牡】牛 3 모(무㊍) | 수컷 | ㊤有

자원 회의 牛+土→牡(牛부)
소의 뜻인 「牛우」와 수컷의 성기(性器)를 본뜬 「⊥」의 변형 「土토」로 이루어짐。「⿰羊土」「⿰犭土」「⿸鹿土」 등은 각각 양·개·사슴의 수컷을 나타내는 글자였으나、뒤에 쓰이지 않게 되고、「牡」가 일반적으로 동물의 수컷을 나타내게 되었음。

뜻 ①**수컷모** 동물의 남성。「牝牡빈모」 ②**열쇠모** 여닫는 물건 중의 여는 쇠。※본음(本音) **무**

【牡丹 모란】작약과에 속하는 낙엽 관목(落葉灌木)。목단(牧丹)。
【牡牛 모우】수소。황소。
◉牝牡빈모

四畫

8 【牧】 牛 4 고교 목 | 목장 | ㉧屋

丿 𠂉 牛 牜 牞 牧

(A) (B) 3000년전

자원 형성 牛 攵(음)-攵 丁 牧(牛부)

음을 나타내는 「攵복」(목은 변음)은 회초리를 손에 든 모양。「牧」은 소를 모는 모양→마소 치는 사람。옛 모양에는 소를 모는 모양(A) 외에 「羊양」을 모는 모양(B)도 있음。또 백성을 다스리는 지방 장관도 「牧」이라 함。

뜻 ①**목장목** 짐승을 방사(放飼)하는 곳。②**마소치는사람목** 목축(牧畜)하는 사람。③**기를목、칠목** ㉠짐승을 방사함。㉡전(轉)하여、널리 양육·수양하는 뜻으로 쓰임。④**성밖목** 교외(郊外)。⑤**다스릴목** ⑥**벼슬이름목** ㉠지방의 장관。㉡전답의 관리。㉢배를 맡은 관리。

【牧歌 목가】 목축(牧畜)하는 사람이 부르는 노래。

【牧童 목동】 마소를 치는 아이。

【牧民 목민】 백성(百姓)을 다스림。

【牧民心書 목민심서】《韓》 조선(朝鮮) 순조(純祖) 때 정약용(丁若鏞)이 관리(官吏)의 바른 길을 계몽하려고 사례(史例)를 들어 설명한 책。

【牧使 목사】《韓》 주자(州字)가 든 고을、예컨대 공주(公州)·광주(廣州) 등을 맡아 다스리던 정삼품(正三品)의 수령(守令)。

【牧師 목사】 ①목장(牧場)을 맡은 벼슬아치。②기독교의 교회(敎會)의 교직(敎職)의 하나。

【牧羊 목양】 양(羊)을 침。

【牧養 목양】 ①기름。먹여 살림。②목축(牧畜)。

【牧人 목인】 목축하는 사람。

【牧者 목자】 ①목축(牧畜)을 업(業)으로 삼는 사람。②기독(基督)의 별칭(別稱)。③기독교의 목사(牧師)의 별칭。

【牧場 목장】 말·소·양 등을 놓아 기르는 곳。

【牧畜 목축】 소·양·말 등을 목장 또는 들에 놓아 먹여 기름。

◉農牧농목 放牧방목 司牧사목 遊牧유목

8 【物】 牛 4 중학 물 | 만물 | ㉧物

丿 𠂉 牛 牜 牞 物 物

자원 형성 牛 勿(음) 丁 物(牛부) 3000년전

「勿물」은 기(旗)。천자(天子)나 대장의 기는 아니고 보통 무사(武士)가 세우는 색이 섞여 있는 것。여기에서는 색이 섞여 있음을 나타냄。「物」은 얼룩소。나중에 여러 가지 물건이란 뜻을 나타냄。그러나 옛 모양은 흙을 갈아 엎고 있는 쟁기의 모양과 「牛우」〈소〉로 이루어져 밭을 가는 소를 나타내었던 것으로 생각됨。나중에 모양이 닮은 「勿」이란 자형(字形)을 쓰게 된 것。

뜻 ①**만물물、물건물** 천지 사이에 존재하는 온갖 물건。「物品물품」「萬物만물」 ②**일물** 사실。사물。사항

(事項)。「格物致知격물치지」 ③무리물 종류。④재물물 재화。⑤상볼물 인상(人相)·지세를 살펴보아 판단함。⑥견줄물 비교함。

【物價 물가】 물건의 값。

【物力 물력】 ①물건을 생산하는 힘。생산력。②재력(財力)。③조세(租稅) 이외에 백성의 전답·가옥·거마(車馬)·저축의 다과(多寡)에 의하여 금전을 거두는 일。

【物理 물리】 ①만물(萬物)의 이치(理致)。②물리학(物理學)。

【物望 물망】 여러 사람이 우러러보는 명망(名望)。

【物務 물무】 사무(事務)。

【物物交換 물물교환】 물건과 물건을 화폐의 매개를 통하지 않고 직접 교환하는 경제 상태。

【物産 물산】 그 땅에서 나는 물품。방「물(方物)。

【物象 물상】 ①유형물(有形物)의 형상。물형(物形)。②자연의 풍경。③물리학(物理學)·화학(化學)의 총칭。

【物色 물색】 ①물건의 빛。②인상(人相)에 의하여 그 사람을 찾음。③어떤 일에 쓸 만한 사람이나 물건을 듣보아 고름。

【物心 물심】 물질과 정신。

【物我 물아】 ①남과 나。②물건과 나。물질계와 정신계。객관과 주관。

【物外 물외】 세상 밖。세상 일에 관계하지 않는 일。

【物慾 물욕】 물건을 탐내는 마음。물질에 대한 욕망(欲望)。

【物議 물의】 여러 사람의 평판(評判)。세상 사람의 비난。

【物資 물자】 여러 가지의 물건을 만드는 바탕。재료(材料)。

【物情 물정】 ①사물(事物)의 본질。사물의 상태。②세상 형편。세상의 정세。세인(世人)의 심정(心情)。

【物體 물체】 ①물건의 형체(形體)。②감각(感覺)·정신이 없는 유형물。

【物品 물품】 쓰일 가치가 있는 물건。

◉古物고물 鑛物광물 怪物괴물 動物동물 萬物만물 文物문물 寶物보물 事物사물 産物산물 生物생물 植物식물 禮物예물 人物인물 廢物폐물 貨物화물

五畫

9 【牲】 牛 5 생 | 희생 | [平]庚

2500년전

[자원] 형성 牛 生[음] ┬牲(牛부)

「牛소우변」〈소〉과, 음을 나타내는 동시에 올리다의 뜻(⇩進진)을 나타내기 위한 「生생」으로 이루어짐。

[뜻] 희생생 신에게 희생으로 올린 산 소의 뜻。제사에 쓰이는 짐승。

◉犧牲희생

六畫

10 【特】 牛 6 [중학] 특 | 수소 | [入]職

ノ 𠂉 牜 牜一 牜十 牜土 特

[자원] 형성 牛 寺[음] ┬特(牛부)

「牛소우변」은 소。음을 나타내는「寺사·시」는 여기에서는, 옛 음이 가까운 관계(關係)에 있었던「直직」대

신 쓴 것。「直」은、 똑바로 서다、 독립(獨立)하다、 상대방(相對方)에 대(對)하여 맞서다 따위의 뜻을 가짐。「特」은 「犆특」을 바꿔 쓴 것으로서、수소、종우(種牛)를 나타냄。 또 결혼(結婚)하지 않은 남자(男子) 등、사람에 대해서나、 물건에 대해서나、단독(單獨)의 것을 「特」이라고 하고、그것뿐、특히 우수한 것、전하여、특히의 뜻이 됨。

[뜻] ①수소특 소의 수컷。 「用特용특」 ②수컷특 동물의 남성。 ③한사람특、하나특 단독。 「特行특행」 ④짝특 배필。 ⑤유다를특 ㉠특별함。「獨特독특」 ㉡유다른 사람。 특별히 뛰어난 사람。 ⑥일일이특 하나씩。 모조리。 ⑦특히특 특별히。 ⑧다만특 단지。

【特價 특가】 특별히 싸게 매긴 값。

【特權 특권】 어떠한 사람에게 한하여 특별히 주어지는 우월한 지위나 권리。

【特勤 특근】 근무(勤務)시간 밖에 더 하는 근무。

【特給 특급】 특별히 줌。

【特技 특기】 남보다 뛰어난 특별한 기술。

【特待 특대】 특별한 대우(待遇)。

【特等 특등】 특별한 등급(等級)。

【特例 특례】 특별한 전례(前例)。

【特命 특명】 특별한 명령(命令)。 또는 특별한 임명(任命)。

【特別 특별】 보통보다 훨씬 뛰어나게 다름。

【特使 특사】 특별히 보내는 사신(使臣)。

【特色 특색】 보통 것보다 다른 점(點)。

【特書 특서】 특별히 씀。

【特選 특선】 특별히 골라 뽑음。

【特設 특설】 특별히 설치(設置)함。

【特性 특성】 그것에만 있는 특이(特異)한 성질(性質)。

【特殊 특수】 특별히 다름。 보통과 다름。

【特約 특약】 특별한 약속(約束)。

【特有 특유】 그것만이 특별히 가지고 있음。

【特異 특이】 특별히 다름。

【特典 특전】 특별한 은전(恩典)。

【特定 특정】 특별한 지정(指定)。

【特製 특제】 특별한 제조(製造)。 또 그 제품(製品)。

【特進 특진】 ①한대(漢代)에 공덕(功德)이 많은 제후(諸侯)에게 내린 명예의 칭호。 ②일정한 진급 기간 안에 특별한 공로로써 되는 진급。

【特質 특질】 특성(特性)。

【特徵 특징】 특별히 눈에 뜨이는 표적(表迹)。

【特出 특출】 특별히 뛰어남。

【特派 특파】 특별한 파견。

【特筆 특필】 두드러진 일을 특별(特別)히 적음。 또 그 글。

【特效 특효】 특별한 효험(效驗)。

◉奇特기특 獨特독특 殊特수특 英特영특

[七畫]

11 【牽】 牛 7 견 끌 [平]先 [去]霰

[자원] 형성 牛 冖 玄음 ― 牽(牛부)

2500년전

「牛우」〈소〉와 쇠코뚜레를 본뜬 「冖멱」 및 음을 나타내며 동시에 끌다(⇩引인)의 뜻을 나타내기 위한 「玄현」(견은 변음)으로 이루어짐。 쇠코뚜레를 끌어 앞으로 나아가게 함。

[뜻] ①끌견 ㉠끌어당김。 「牽引견인」

㉡끌고감。㉢강제함。 강제로 시킴。 ②이끌견 거느림。③거리낄견 구애함。④줄견 물건을 매어 끌어당기는 밧줄·노·끈 따위。⑤끌려가는동물견 소·말·양·돼지 등。또 희생(犧牲)。⑥별이름견 「牽牛견우」

【牽強 견강】 말을 억지로 끌어다가 그럴듯하게 꾸며댐。

【牽強附會 견강부회】 견강(牽強)。

【牽牛 견우】 은하수 동쪽 가에 있는 별 이름。견우성(牽牛星)。

【牽引 견인】 끎。서로 끌어당기어 켕김。

八畫

【犀】 12 牛 8 서 | 무소 | ㊥齊

자원 형성 牛尾음 ┬犀(牛부)

소와 같이 뿔이 있는 동물을 뜻하는「牛소우변」과、음을 나타내는「尾미」(=屖·서는 변음)로 이루어짐。무소의 뜻。

뜻 ①**무소서** 물소와 비슷한 맹수。코뿔소。②**무소뿔서** 서각(犀角)。③**굳을서** 무기(武器) 등이 견고함。④**박씨서** 박 속의 씨。

【犀角 서각】 ①무소의 뿔。②이마가 융기(隆起)한 귀상(貴相)。

◉角犀각서 木犀목서 野犀야서

十六畫

【犧】 20 牛 16 ㊀희 ㊁사 | 희생 | ㊀㊥支 ㊁㊥歌

자원 형성 羲음 牛┤牛┬犧(牛부)

「牛소우변」과、음을 나타내며 동시에 훌륭한 자태(姿態)의 뜻(⇩儀의)을 나타내기 위한「羲희」로 이루어짐。신(神)에게 바치는 곱게 장식(裝飾)한 훌륭한 소의 뜻。

뜻 ㊀①**희생희** 종묘(宗廟) 등의 제사에 쓰는 짐승。②**술그릇희** 소의 형상으로 만들거나 소 형상에 두세 개를 장치하거나 또는 옆면에 소 그림을 새긴 제사 때 쓰는 술 그릇。
㊁**술그릇사** 「犧尊사준」은 비취(翡翠)의 깃으로 장식한 술 그릇。

【犧牲 희생】 ①천지(天地)·종묘(宗廟)에 제물(祭物)로 쓰는 짐승。②남을 위하여 목숨이나 재물 혹은 권리 등을 버리거나 빼앗기는 일。

犬(犭)部

【犬】 4 부수 중학 견 | 개 | ㊤銑

一ナ大犬

자원 상형 (A) (B) 3000년전

「犬」은 개의 모양。한자는 그것의 제일 두드러진 곳을 강조함。소·양은 뿔을、말은 갈기를、개는 짖는 입을 각각 특징으로 본뜬 자형(字形)임。「犬」은 다른 글자의 변이 되면「犭」으로 씀。「개사슴록변」이라고 일컬음。

뜻 **개견** 가축의 하나。「犬馬견마」

[참고] 「犬」을 음으로 하는 글자=「畎견」〈밭도랑〉

【犬馬 견마】①개와 말。 전(轉)하여 짐승。 ③자기(自己)의 겸칭(謙稱)。

【犬馬之勞 견마지로】 군주(君主) 또는 타인을 위하여 애쓰는 자기의 노력의 겸칭(謙稱)。

【犬馬之心 견마지심】 신하가 군주에게 충성을 다하고자 하는 마음。

【犬猫* 견묘】 개와 고양이。

◉軍犬군견 猛犬맹견 獵犬엽견 鬪犬투견

3 【犭】 犬 0 犬(앞 글자)이 변(邊)으로 될 때의 자체(字體)。

二畫

5 【犯】 犬 2 [고교] **범** | 범할 | ㊤豏

丿 犭 犭 犯 犯

[자원] 형성 㔾[음] 犬-犭+㔾→犯(犬부) 2500년 전 「犭개사슴록변」과, 음을 나타내며 동시에 해(害)치다의 뜻을 가진 「㔾범」으로 이루어짐。 개가 사람을 해치다의 뜻。 전하여 널리 해쳐 범하다의 뜻。

[뜻] ①**범할범** ㉠죄를 저지름。「犯罪범죄」 ㉡저촉함。 ㉢거스름。 거역함。 ㉣무시함。 짓밟음。「淩犯능범」 ②**침범할범** ㉠침노함。 ㉡해침。 ③**범죄범** 죄를 범하는 일。 범한 죄。 ④**범인범** 죄수。

【犯法 범법】 법을 범함。 법에 어그러지는 짓을 함。

【犯人 범인】 죄(罪)를 범(犯)한 사람。

【犯罪 범죄】 죄(罪)를 저질러서 범(犯)함。 또 그 죄。

【犯則 범칙】 법칙 또는 규칙을 어김。

◉輕犯경범 共犯공범 累犯누범 防犯방범 主犯주범 侵犯침범 現行犯현행범

三畫

7 【状】 犬 3 狀(다음 글자)의 속자(俗字)。

四畫

8 【狀】 犬 4 [고교] ㊀**상**(장[本]) ㊁**장** | 모양 | ㊀㊁ ㊄漾

丨 丬 丬 爿 爿 壯 狀 狀

[자원] 형성 犬 爿[음] ╋狀(犬부) 「犬견」〈개〉은 옛날 신이나 죽은 사람에게 희생(犧牲)으로서 바치며、 또 사람을 도와 일을 하는 동물이었음。 음을 나타내는 「爿장」은 여기에서는 「壯장」〈훌륭하다〉과 뜻이 통하여 모습·모양이란 뜻을 나타내고 있음。「狀」은 훌륭한 개의 모양↓사람이나 물건의 말쑥한 모습↓정상↓일의 형상을 뜻함。

[뜻] ㊀①**모양상** ㉠꼴。「形狀형상」 ㉡정형。「狀況상황」 ②**형용할상** 형상·정상을 형용함。「難狀난상」 ※본음(本音) 장 ㊁①**문서장** 「訴狀소장」 ②**편지장** 서간。「書狀서장」

【狀態 상태】 모양。 형편。 「모양。

【狀況 상황】 일이 되어가는 형편이나

【狀啓 장계】《韓》감사(監司) 또는 왕명(王命)을 받고 지방에 파견된 관

원(官員)이 서면(書面)으로 임금에게 보고하는 계본(啓本)。

【狀元 장원】과거(科擧)에 수석(首席)으로 급제함。또 그 사람。

◉賞狀상장 令狀영장 異狀이상 情狀정상 請牒狀청첩장 招請狀초청장 形狀형상

7 【狂】犬 4 광 ─ 미칠 ─ ㊥陽

자원 형성 王음 犬-犭┬狂(犬부) 2500년전

「犭개사슴록변」과、음을 나타내며 동시에 함부로 날뛰다의 뜻을 나타내는 「㞷광」의 생략체 「王」으로 이루어짐。개가 함부로 뛰어 돌아다니다→미친 개。널리 미치다의 뜻。

뜻 **미칠광** ㉠정신 이상이 됨。「狂生광생」 ㉡마음이 미혹(迷惑)하여 도리·시비를 분간 못함。 ㉢뜻이 커서 상규(常規)를 벗어난 일을 함。「狂狷광견」 ②**경망할광** 경솔하고 조급함。「疎狂소광」 ③**사나울광** 기세가 맹렬함。「狂風광풍」 ④**광병광** 미친 병。「發狂발광」 ⑤**광인광** 미친 사람。

참고 「狂」을 음으로 하는 글자＝「俇광」〈허둥지둥하다〉·「誑광」〈속이다〉

【狂犬 광견】미친 개。미친 듯이 사납게 날뛰는 개。

【狂氣 광기】①미친 증세(症勢)。②뜻이 커서 상규(常規)에 구애하지 않는 기상(氣象)。

【狂濤 광도】사나운 물결。

【狂亂 광란】미친 듯이 날뜀。

【狂奔 광분】①미쳐 달림。②대단히 분주하게 돌아다님。

【狂言 광언】도(道)에 벗어난 말。미친 사람의 말。광담(狂談)。

【狂炎 광염】맹렬히 타오르는 불꽃、또는 정열(情熱)。

【狂人 광인】미친 사람。정신(精神)에 이상(異常)이 생긴 사람。

【狂症 광증】정신(精神)에 이상(異常)이 생기는 병(病)의 증세。

【狂態 광태】미친 듯한 태도。

【狂暴 광포】미친 듯이 행동이 난포함。

【狂風 광풍】맹렬하게 부는 바람。

【狂喜 광희】미친듯이 기뻐함。

◉發狂발광 詩狂시광 熱狂열광 醉狂취광

五畫

8 【狐】犬 5 호 ─ 여우 ─ ㊥虞

자원 형성 瓜음 犬-犭┬狐(犬부) 2500년전

짐승을 뜻하는 「犭개사슴록변」과、음을 나타내는 「瓜과」(호는 변음)로 이루어짐。

뜻 ①**여우호** 「狐狸호리」 ②**여우털옷호**

【狐假虎威 호가호위】여우가 범의 위력(威力)을 빌어 다른 짐승을 위협한다는 뜻으로、남의 권세(權勢)를 빌어 위세를 부림。또 그 사람。

【狐疑 호의】여우처럼 의심이 많아 결심이 안 섬。

◉九尾狐구미호 白狐백호 妖狐요호

8 【狗】犬 5 고교 구 ─ 개 ─ ㊤有

자원 형성 句음 犬-犭┬狗(犬부)

「犭개사슴록변」과, 음을 나타내는 「句구」로 이루어짐。

뜻 **개구** 가축의 하나。 일설에 「犬견」은 큰 개, 「狗」는 작은 개라 함。

【狗盜 구도】 개처럼 몰래 들어가 훔치는 도둑。 좀도둑。

◉喪家之狗상가지구 走狗주구 海狗해구

8 【狙】犬 5 **저** | 노릴 | 去御 平魚

자원 형성 且음 犬-犭 ┬ 狙(犬부) 2500년전

짐승을 뜻하는 「犭개사슴록변」과, 음을 나타내는 「且차」(저는 변음)로 이루어짐。

뜻 ①**긴팔원숭이저** 원숭이의 일종。 「猿狙원저」 ②**엿볼저** 틈을 엿봄。 기회를 노림。 「狙伺저사」 ③**노릴저** 겨눔。 ④**찾을저** 웃어른을 찾아 안부를 물음。 사후(伺候)함。 ⑤**교활할저** 간사한 꾀가 많음。 간교함。

【狙擊 저격】 노려 쏨。

六畫

9 【狡】犬 6 **교** | 간교할 | 上巧

자원 형성 交음 犬-犭 ┬ 狡(犬부) 2500년전

「犭개사슴록변」과, 음을 나타내는 「交교」로 이루어짐。 본디, 작은 개의 뜻。 작은 개는 민첩하므로 전(轉)하여, 교활하다의 뜻으로 쓰임。

뜻 ①**간교할교** 교활함。 얼굴은 예쁘나 마음은 비뚤어짐。 ②**미칠교**, **어지러울교** 광란(狂亂)함。 ③**재빠를교** 민첩함。 ④**해칠교** 해(害)함。

【狡詐 교사】 교활하여 남을 잘 속임。

【狡猾 교활】 간사한 꾀가 많음。

9 【狩】犬 6 **수** | 사냥 | 去宥

자원 형성 守음 犬-犭 ┬ 狩(犬부) 2500년전

짐승의 뜻을 나타내는 「犭개사슴록변」에, 음을 나타내며 동시에 짐승의 뜻(⇩獸수)을 나타내는 「守수」로 이루어짐。 짐승을 사냥하다의 뜻。

뜻 ①**사냥수** 겨울에 몰이를 하여 하는 사냥。 전(轉)하여 불을 놓고 포위하여 잡는 사냥。 또 널리 조수(鳥獸)를 포획하는 뜻으로 쓰임。 「狩獵수렵」 ②**사냥할수** ③**임소수** 임지(任地)。 「巡狩순수」 ④**순행수** 천자(天子)의 순찰(巡察)。

【狩獵 수렵】 사냥。

◉巡狩순수 岳狩악수 田狩전수

9 【独】犬 6 獨(犬部十三畫)의 속자(俗字)。

9 【狭】犬 6 狹(다음글자)의 약자(略字)。

七畫

10 【狹】犬 7 **협** | 좁을 | 入洽

자원 형성 夾음 犬-犭 ┬ 狹(犬부)

본디 「峽협」·「陜협」과 같은 글자였으나 잘못하여 「狹」으로 쓰게 되었다고 함。 「峽」은 「山메산변」과, 음을 나타내며 동시에 끼이다의 뜻을 가진 「夾협」으로 이루어짐。 산에 끼인 좁은 골짜기의 뜻。 전(轉)하여、좁다는 뜻으로 되어「狹」을 그 전용자(專用字)로 함。 약자는「狭」。

뜻 ①좁을협 ㉠넓지 아니함。「廣狹광협」 ㉡많지 아니함。 ②좁아질협、좁힐협 좁게 됨。 좁게 함。

【狹量 협량】 도량(度量)이 좁음。

【狹路 협로】 좁은 길。

【狹小 협소】 좁고 작음。

【狹隘 협애】 ①지대(地帶)가 좁고 험함。 ②마음이 좁고 작음。

【狹義 협의】 범위를 좁게 한정하여 본 의의(意義)。

【狹窄 협착】 좁음。

10 【狼】 犬 7 랑 | 이리 | ㊥陽

자원 형성 良음 犬-犭|狼(犬부) 2500년전

짐승을 뜻하는「犭개사슴록변」과、음을 나타내는「良량」으로 이루어짐。

뜻 ①이리랑 ㉠개과에 속하는 산짐승。 성질이 사나와 인축(人畜)을 해침。「虎狼호랑」 ㉡전(轉)하여、이리와 같이 욕심이 많거나 잔인무도한 사람의 비유로 쓰임。「狼心낭심」 ②어지러울랑 산란함。「狼藉낭자」 ③별이름랑

주의 「狠한」〈개 싸우는 소리〉은 딴 글자。

【狼藉 낭자】 여기저기 흩어져 어지러움。

【狼疾 낭질】 마음이 어지러워 사리를 분별할 줄 모르는 병。

【狼狽 낭패】 ①허둥지둥 어찌할줄 모름。 ②넘어짐。 거꾸러짐。 ③실패함。

◉豺狼시랑 虎狼호랑 狐狼호랑

八畫

11 【猛】 犬 8 고교 맹 | 사나울 | ㊤梗

丿 犭 犭 犷 犸 犸 猛 猛 猛

자원 형성 孟음 犬-犭|猛(犬부) 2500년전

「犭개사슴록변」과、음을 나타내는「孟맹」으로 이루어짐。 힘센 개의 뜻。 전(轉)하여 사납다는 뜻。

뜻 ①날랠맹 용감함。「猛將맹장」 ②엄할맹 너그럽지 아니함。 ③사나울맹 ㉠흉포함。「猛惡맹악」 ㉡맹렬함。

【猛犬 맹견】 사나운 개。

【猛禽 맹금】 사나운 새。

【猛烈 맹렬】 기세가 사납고 세참。

【猛省 맹성】 깊이 반성(反省)함。

【猛獸 맹수】 사나운 육식류(肉食類)의 짐승。

【猛襲 맹습】 맹렬한 습격(襲擊)。

【猛威 맹위】 맹렬한 위세(威勢)。

【猛將 맹장】 용감한 장수。

【猛打 맹타】 몹시 때림。

【猛爆* 맹폭】 맹렬한 폭격(爆擊)。

【猛風 맹풍】 맹렬히 부는 바람。

【猛火 맹화】 기세가 맹렬한 불。

◉勇猛용맹 威而不猛위이불맹 壯猛장맹

11 【猜】 犬 8 시 | 시새울 | ㊥灰

자원 형성 青음 犬-犭|猜(犬부) 2500년전

「犭개사슴록변」과、음을 나타내는「靑청」(시는 변음)으로 이루어짐。 시새우다의 뜻。

뜻 ①시새울시 투기함。「猜忌시기」

②의심할시 의구함。「猜阻시조」③시기시、의심시 이상(以上)의 명사。

【猜忌 시기】 새암。

【猜疑 시의】 시기하고 의심함。

11 【猻】 犬 8 獵(犬部十五畫)의 약자(略字)。

九畫

13 【献】 犬 9 獻(犬部十六畫)의 속자(俗字)。

12 【猥】 犬 9 외 | 함부로 | ㊤賄

자원 형성 畏음 犬-犭┬猥(犬부) 2500년전

「犭개사슴록변」〈개〉과、음을 나타내는 「畏외」로 이루어짐。「猥猥」라고 겹쳐서 개짖는 소리를 나타냄。뒤에 음을 빌어 더럽다의 뜻이 됨。

뜻 ①뒤섞일외 난잡함。혼잡함。「猥雜외잡」②더러울외 ㉠야비함。상스러움。㉡추잡함。③성(盛)할외 왕성함。④많을외 ⑤쌓을외 축적함。⑥함부로외 아무 생각 없이 마구。⑦외람될외 외람되이。분수에 넘치게。스스로 겸손하는 말。

【猥濫 외람】 하는 짓이 분수에 넘침。

【猥褻 외설】 남녀간의 색정에 관하여 언어·행동이 추잡함。

12 【猶】 犬 9 중학 ㊀유 ㊁요 | 원숭이 | ㊀(平)尤 ㊁(平)蕭

자원 형성 酋음 犬-犭┬猶(犬부)

짐승을 뜻하는 「犭개사슴록변」과、음을 나타내는 「酋유」로 이루어짐。원숭이의 일종으로 의심많은 성질이 있음。전하여、의심·망설임의 뜻。

뜻 ㊀①원숭이유 원숭이의 일종。의심이 많으며 나무를 잘 탐。②망설일유 주저함。의심하여 결단을 못내림。「猶豫유예」③같을유 ㉠유사함。㉡똑 같음。④가히유 조동사의 「可」와 뜻이 같음。⑤오히려유 ㉠도리어 좀。더욱 더。㉡아직도 좀。㉢여전히。계속하여。⑥꾀유、꾀할유 ⑦말미암을유 由(田部一畫)과 같은 글자。㊁움직일요

【猶豫 유예】 의심하여 결정하지 않는 모양。할까 말까 망설이는 모양。

【猶太教 유태교】 모세의 율법을 교지(敎旨)로 하는 일신교(一神敎)。

12 【猪】 犬 9 저 | 돼지 | (平)魚

자원 형성 者음 犭┬猪(犬부)

짐승을 뜻하는 「犭개사슴록변」과、음을 나타내는 「者자」(저는 변음)로 이루어짐。

뜻 ①돼지저 豬(豕部九畫)의 속자(俗字)。②웅덩이저、괼저

【猪突 저돌】 산돼지처럼 앞뒤 생각이 없이 앞으로만 돌진함。

◉山猪산저 野猪야저 豪猪호저

12 【猫】 犬 9 묘 | 고양이 | (平)蕭

자원 형성 苗음 犬-犭┬猫(犬부)

짐승의 뜻인 「犭개사슴록변」과、음을 나타내며 동시에 고양이의 울음 소

〔四畫部首順〕心戈戶手支攴文斗斤方无日曰月木欠止歹殳毋比毛氏气水火爪父爻爿片牙牛犬

리를 나타내는 「苗묘」로 이루어짐。「야옹」하고 우는 짐승→고양이。

[뜻] ①**고양이묘** 貓(豸部九畫)와 같은 글자。 ②**닻묘** 錨(金部九畫)와 통용。

十畫

【獄】 14 犬 10 [고교] **옥** | 옥 | [入]沃

丿 犭 犭 犾 狺 狺 獄 獄

2500 년전

[자원] 회의 犭 犬 言 ┼ 獄(犬부)

두마리의 개와 「言언」〈말〉으로 이루어짐。「犭개사슴록변」도 개의 뜻。두 마리의 개가 서로 짖는 것을 뜻함。전(轉)하여、원고(原告)와 피고(被告)의 입싸움。 또한 「确각」과 통하여 굳게 문을 닫고 나오지 못하게 가두어 두는 곳。 옥의 뜻。

[뜻] ①**옥옥** 감옥。「獄舍옥사」 ②**송사옥** 소송。「訟獄송옥」「折獄절옥」 ③**판결옥** 재판。 ④**법옥** 율령(律令)。 ⑤**죄옥** 죄악。 죄상。

[참고] 「獄」을 음으로 하는 글자＝「嶽악」〈큰 산〉

【獄吏 옥리】 옥(獄)에 갇힌 죄수(罪囚)를 맡은 벼슬아치。

【獄死 옥사】 죄인이 옥(獄)에서 죽음。

【獄舍 옥사】 감옥。

【獄事 옥사】 반역(叛逆)·살인(殺人) 등 중대한 범죄를 다스리는 일。

◉監獄감옥 疑獄의옥 地獄지옥 脫獄탈옥

【猿】 13 犬 10 **원** | 원숭이 | [平]元

[자원] 형성 犬-犭 袁[음] ┼ 猿(犬부)

짐승을 뜻하는 「犭개사슴록변」과、음을 나타내는 「袁원」으로 이루어짐。

[뜻] **원숭이원** 긴팔원숭이。 전(轉)하여 널리 원숭이의 뜻으로 쓰임。

[주의] 「猨」이 정자(正字)。「猿」은 속자(俗字)。

【獅】 13 犬 10 **사** | 사자 | [平]支

[자원] 형성 犬-犭 師[음] ┼ 獅(犬부)

짐승의 뜻인 「犭개사슴록변」과、음을 나타내는 「師사」로 이뤄짐。 사자。

[뜻] **사자사** 고양이과에 속하는 맹수。「獅子사자」

【獅子舞 사자무】 사자같이 가장(假裝)하여 추는 춤。

【獅子吼 사자후】 ①사자가 한 번 소리를 지르면 짐승이 다 습복(慴伏)함과 같이、부처님이 설법하면 악마가 모두 항복함의 비유。 ②질투하는 아내가 그 남편에게 발악하는 소리의 비유。 ③웅변(雄辯)。

十一畫

【獄】 ⇩犬部十畫

十二畫

【獸】 16 犬 12 獸(犬部十五畫)의 약자(略字)。

十三畫

【默】 ⇩黑部四畫

16 **【獨】** 犬 13 중학 **독** | 홀로 | 入屋

丿 犭 犭 犭 犭 犭 獨 獨 獨

자원 형성 蜀음 犬-犭丁獨(犬부)

「犭개사슴록변」과, 음을 나타내는「蜀촉」〈독은 변음〉으로 이루어짐. 개가 싸우다의 뜻. 개는 모이면 싸우므로 한 마리씩 떼어 놓은데서 「홀로」의 뜻이 됨.

뜻 **홀로독** ㉠독신으로 의지할 곳 없는 사람. ㉡자기 혼자임. 「單獨단독」 ㉢남의 힘을 빌지 아니하고 혼자서. ㉣여럿 가운데 홀로. 「唯獨유독」

【獨居 독거】 ①혼자 삶. ②과부(寡婦)로 삶.

【獨斷 독단】 ①남과 의논하지 않고 자기 혼자의 의견대로 결단함. ②주관적 편견(偏見)으로 판단함.

【獨擔 독담】 자기 혼자서 담당함.

【獨力 독력】 혼자의 힘. 자력(自力).

【獨立 독립】 ①혼자 섬. ②자기 일을 자기 마음대로 처리함. ③남의 힘을 빌지 않고 해나감. ④나라가 완전히 주권(主權)을 행사(行使)함.

【獨舞臺 독무대】 독장(獨場)치는 판.

【獨白 독백】 연극에서 혼자 하는 말.

【獨步 독보】 ①혼자 걸어감. ②독장침. 남이 따를 수 없이 뛰어남.

【獨床 독상】 외 상(床). 「함.

【獨善 독선】 자기 혼자만 착한 일을

【獨宿空房 독숙공방】 흔히 여자가 남편 없이 혼자 지냄을 이름.

【獨習 독습】 스승이 없이 혼자서 익힘. 독수(獨修).

【獨身 독신】 ①형제·자매가 없는 사람. ②배우자가 없는 사람. ③단신(單身).

【獨語 독어】 ①혼잣말. ②독일어.

【獨子 독자】 외아들.

【獨自性 독자성】 자기의 독특한 성질.

【獨酌 독작】 혼자 술을 마심.

【獨掌難鳴 독장난명】 외손바닥으로는 소리가 안난다는 뜻으로, 혼자 힘으로는 일을 하기 어렵다는 것.

【獨裁 독재】 주권자(主權者)가 자기 마음대로 정무(政務)를 처단함.

【獨占 독점】 혼자 차지함. 「주함.

【獨奏* 독주】 혼자 연

【獨唱 독창】 혼자서 노래를 부름.

【獨創 독창】 자기의 독력(獨力)으로 한 창조 또는 창안(創案).

【獨特 독특】 특별(特別)히 다름.

【獨學孤陋* 독학고루】 독학하였기 때문에 견문이 고루함.

◉孤獨고독 單獨단독 愼獨신독 唯獨유독

十四畫

17 **【獲】** 犬 14 고교 ㊀**획** ㊁**확** | 얻을 | ㊀入陌 ㊁入藥

丿 犭 犭 犭 犭 犭 犭 獲 獲

자원 형성 蒦음 犬-犭丁獲(犬부)

「犭개사슴록변」과, 음을 나타내며 동시(同時)에 붙잡다의 뜻(⇩攫확)을 나타내는「蒦확」(획은 변음)으로 이루어짐. 개를 풀어 새나 짐승을 잡다. 또는 잡은 것.

뜻 ㊀①**얻을획** ㉠사냥 또는 전쟁을 하여 얻음. 「捕獲포획」 또 그 물건.

㉡손에 넣음。「獲得획득」 ㉢신용을 얻음。인정을 받음。㉣죄를 얻음。죄를 짐。㉤마땅함을 얻음。적의함。㉥성취함。결과를 얻음。②**맞힐획** 쏘아 맞힘。③**종획** 계집종。㊁**실심할확** 낙심함。낙담함。

【獲得 획득】①손에 넣음。얻어서 가짐。②잡음。포착(捕捉)함。

【獲利 획리】이익을 얻음。득리(得利)。

◉殺獲살획 漁獲어획 探獲탐획 捕獲포획

17 【獵】犭14 獵(犬部十五畫)의 속자(俗字)。

十五畫

19 【獸】犬15 [고교] 수 — 짐승 — [去]有

口 吅 門 門 留 留 嘼 獸 獸

[자원] 형성 犬 嘼[음] 獸(犬부)

2500년전

「犬견」〈개〉과、짐승을 잡는 도구(道具)、전(轉)하여、사냥의 뜻(⇩狩수)을 가진 동시에 음을 나타내는 「嘼축」(수는 변음)으로 이루어짐。「狩」와 같은 뜻。짐승의 뜻。전(轉)하여、사냥에서 잡힌 것、짐승의 뜻。

[뜻] ①**짐승수** 네 발이 달리고 전신에 털이 있는 동물。「禽獸금수」 ②**포수** 말린 고기。

【獸慾 수욕】짐승과 같은 음란(淫亂)한 욕심。

【獸醫 수의】가축(家畜)의 병을 고치는 의사(醫師)。

【獸行 수행】짐승과 같은 행실。

◉怪獸괴수 禽獸금수 猛獸맹수 野獸야수

18 【獵】犬15 렵 — 사냥 — [入]葉

[자원] 형성 犬+巤[음] 獵(犬부)

「犭개사슴록변」과、음을 나타내는 「巤렵」으로 이루어짐。사냥개의 종류의 이름。전하여 사냥개를 부려서 하는 사냥의 뜻。

[뜻] ①**사냥렵** 수렵。「獵犬엽견」 ②**사냥할렵** 「不狩不獵불수불렵」 ③**찾을렵** 찾아 구함。「涉獵섭렵」 ④**쥘렵** 손으로 잡음。⑤**지날렵** 통과함。⑥**넘을렵** 躐(足部十五畫)과 통용。⑦**불렵** 바람이 부는 모양。또 그 소리。⑧**휘날릴렵** 바람에 휘날리는 모양。

[주의] ①「猎」은 속자(俗字)。②「猟」은 약자(略字)。

【獵犬 엽견】사냥개。

【獵官 엽관】관직을 얻으려고 서로 다툼。

【獵奇 엽기】기이한 사물을 즐겨서 쫓아다님。

【獵師 엽사】사냥꾼。

【獵色 엽색】여색(女色)을 탐함。

【獵銃 엽총】사냥하는 데 쓰는 총(銃)。

◉禁獵금렵 涉獵섭렵 狩獵수렵 漁獵어렵

十六畫

20 【獻】犬16 [고교] ㊀헌 ㊁사 — 드릴 — ㊀[去]願 ㊁[平]歌

卜 广 虍 虐 鬳 鬳 獻

[자원] 형성 犬 鬳[음] 獻(犬부)

「犬견」〈개〉과 음을 나타내며 동시에 「鼎정」〈세발솥〉의 일종을 뜻하는 「鬳권」(헌은 변음)으로 이루어짐。옛날에는 이것에 개고기를 담아서 종묘(宗廟)에 바쳤음。때문에 「鬳」

과「犬」을 합쳐, 바치다·존장에게 진상하다·드리다의 뜻으로 씀。

뜻 ㊀①**드릴헌** ㉠금품을 바침。 또 그 금품。「獻金헌금」 ㉡아뢰어 드림。「獻策헌책」 ②**권할헌** 술을 권함。「獻酬헌수」 ③**어진이헌** 성현。「文獻문헌」 ㊁**술통사** 술동이。

【獻納 헌납】 ①충성된 말을 아룀。 ②무엇을 바침。

【獻上 헌상】 바침。 드림。 헌정(獻呈)。

【獻壽 헌수】 환갑 잔치 같은 때 장수(長壽)하기를 비는 뜻으로 잔에 술을 부어서 드림。

【獻身 헌신】 몸을 바쳐 전력을 다함。

【獻策 헌책】 계책(計策)을 올림。

◉貢獻공헌 文獻문헌 奉獻봉헌 進獻진헌

5 획

〔五畫部首順〕 玄玉瓜瓦甘生用田疋疒癶白皮皿目矛矢石示禸禾穴立

玄 部

5 **【玄】** 부수 고교 **현** ― 검을 ― ㊀先

丶 亠 𠫓 玄 玄

자원 회의 亠幺玄(부수) 2500년전

「幺요」와 「亠두」의 합자(合字)로서 유원(幽遠)의 뜻을 나타냄。 전(轉)하여 검은 빛·하늘 등의 뜻。

뜻 ①**검을현** 붉은 빛을 띤 검은 빛。 하늘의 빛。 북방의 빛。 ②**하늘현** 상천(上天)。「上玄상현」 ③**오묘할현** 미묘 유심(幽深)함。 전(轉)하여 노장(老莊)의 도덕。「三玄삼현」 ④**깊을현** 그윽함。 으늑함。 ⑤**고요할현** 청정(淸靜)함。 ⑥**현손현** 증손의 아들。 ⑦**빛날현** ⑧**성현** 성(姓)의 하나。

참고 「玄」을 음으로 하는 글자＝「弦현」〈시위〉·「絃현」〈줄〉·「絃현」〈빛나다〉·「眩현」〈어지럽다〉·「眩현」〈뱃전〉·「衒현」〈자랑하다〉·「牽견」〈끌다〉

【玄敎 현교】 현묘(玄妙)한 가르침。 노자(老子)의 교(敎)。 도교(道敎)。

【玄琴 현금】 거문고。

【玄米 현미】 껍질만 벗기고 쓿지 아니한 쌀。

【玄孫 현손】 증손(曾孫)의 아들。 손자의 손자。

【玄室 현실】 ①무덤。 묘(墓)。 ②캄캄한 방(房)。

【玄義 현의】 심오(深奧)한 뜻。

【玄黃 현황】 ①하늘 빛과 땅 빛。 ②하늘과 땅。 천지(天地)。

◉妙玄묘현 深玄심현 淵玄연현 幽玄유현

五畫

10 **【玆】** 玄 5 고교 **자** ― 이에 ― ㊀支

丶 亠 𠫓 玄 玄' 玄𠃊 玆 玆 玆

자원 회의 玄玄 玆(玄부) 2500년전

「玄현」을 둘 합하여 검다는 뜻을 나타냄。「艸초두밑」부 六획(畫)의 「玆자」와는 다른 글자인데 지금은 혼동하여 씀。

뜻 ①**검을자**, **흐릴자** 빛이 검고 흐림。 ②**이자** 가까운 사물을 가리키는 관용사。 ③**이곳자** 여기。 ④**이때자** 지금。 ⑤**이에자** 발어사(發語辭)。 ⑥**해자** 일년(一年)。「今玆금자」

【畜】 ⇩田部五畫

六畫

11 【率】 玄 6 [고교] [一]솔 [二]률 [三]수 | 거느릴 | [一][二] [入]質 [三] [去]寘

亠 亠 玄 玄 玆 玆 率

3000년전

[자원] 상형 十 𢆶 丅 率 (玄부)

「率」은 「玄현」〈밧줄〉 여러 개를 꼬아 놓은 모양。「十십」은 모으는 일。「率」은 모든 것을 뭉뚱그리다→사람을 인도하는 일。또 수를 집계(集計)하다→대강→비율의 뜻。이 경우는 「률」이라 읽음。

[뜻] [一]①**거느릴솔** 인솔함。「統率통솔」 ②**좇을솔** ㉠준봉(遵奉)함。「率循솔순」 ㉡따름。의거함。㉢복종함。「率服솔복」 ㉣행함。실행함。③**대강솔** 대략。「大率대솔」 ④**소탈할솔** 예법 등에 구애하지 아니함。「坦率탄솔」 ⑤**꾸밈없을솔** 솔직함。「眞率진솔」 ⑥**가벼울솔** 경망함。「輕率경솔」 ⑦**거칠솔** 조잡함。「粗率조솔」 [二]①**율률** 수(數) 등의 비례。「比率비율」 ②**제한률** 한도。[三]**우두머리수、장수수** 帥(巾部六畫)와 같은 글자。

【率家 솔가】《韓》 객지(客地)에 살면서 온 집안 식구를 데려가 삶。

【率去 솔거】 거느리고 감。

【率居 솔거】《韓》 신라(新羅) 진흥왕(眞興王) 때의 화가(畫家)。

【率先 솔선】 남보다 앞서 함。앞장섬。

【率直 솔직】 꾸밈 없고 정직함。

【率土之濱* 솔토지빈】 온 천하。

◉輕率경솔 比率비율 利率이율 統率통솔

【牽】 ⇩牛部七畫

玉(王)部

5 【玉】 부수 [중학] 옥 | 옥 | [入]沃

一 丅 干 王 玉

3000년전

王

2500년전

[자원] 상형

「玉」은 중국 서북에서 나는 보석。처음에는 「、」을 더하여 「王」으로 썼으나 나중에 「王왕」과 구별함。

[뜻] ①**옥옥** ㉠아름다운 돌。「寶玉보옥」「珠玉주옥」 ㉡전하여、사물의 미칭(美稱)。「玉顔옥안」「玉樓옥루」 ②**사랑할옥** 옥같이 소중히 여김。애지중지함。③**이룰옥** 옥같이 아름다운 물건이 되게 함。

【玉鏡 옥경】 ①옥으로 만든 거울。②달의 이칭(異稱)。

【玉稿 옥고】 남의 원고(原稿)의 경칭。

【玉女 옥녀】 ①미녀(美女)。②남의 딸의 경칭。③선녀(仙女)。

【玉堂 옥당】 ①화려한 전당(殿堂)。②여관(女官)이 사는 방。③한대(漢代)에 문사(文士)가 출사(出仕)하던 곳。전하여 송대(宋代)부터 한림원(翰林院)의 별칭。④《韓》 홍문관(弘文館)의 부제학(副提學) 이하 실무에 당하는 관원의 총칭。

【玉童 옥동】 옥경(玉京)에 있다는 깨끗한 모양을 한 동자(童子)。

【玉蘭 옥란】 백목련(白木蓮)。

〔五畫部首順〕 玄玉瓜瓦甘生用田疋疒癶白皮皿目矛矢石示禸禾穴立

【玉樓 옥루】①지극히 화려한 누각(樓閣)。②신선이 사는 집。③도가(道家)의 말로서 좌우의 어깨。

【玉輪 옥륜】달의 별칭。

【玉貌 옥모】①옥과 같은 예쁜 용모。②남의 용모의 미칭。

【玉門 옥문】①대궐。궁궐(宮闕)。②음문(陰門)。「②달의 별칭。

【玉盤 옥반】①옥으로 장식한 쟁반。

【玉魄* 옥백】달의 별칭。「결음。

【玉步 옥보】부인 또는 귀인(貴人)의

【玉不磨不光 옥불마불광】학문을 닦지 않으면 빛을 못냄의 비유。

【玉璽* 옥새】임금의 도장(圖章)。

【玉石俱焚* 옥석구분】나쁜 사람이나 좋은 사람이나 같이 재액(災厄)을 당함을 이름。

【玉石混淆* 옥석혼효】선악이 뒤섞여 구별할 수 없음을 이름。

【玉屑* 옥설】①옥 가루。약재로 씀。②썩 잘 지은 글귀。미사여구(美辭麗句)。③눈(雪)의 미칭。

【玉碎* 옥쇄】공(功)을 세우고 명예롭게 죽거나 깨끗이 죽음을 이름。

【玉手 옥수】①옥과 같이 아름다운 손。②미인(美人)의 손。

【玉顔 옥안】①옥과 같이 아름다운 얼굴。②남의 얼굴의 경칭(敬稱)。

【玉音 옥음】①임금의 말。②훌륭한 말。③거문고 등의 맑은 소리。④남의 음신(音信)의 미칭。「옥비녀。

【玉簪* 옥잠】옥(玉)으로 만든 비녀。

【玉座 옥좌】임금이 앉는 자리。보좌(寶座)。

【玉札* 옥찰】남의 편지의 경칭。

【玉體 옥체】①임금 또는 귀인(貴人)의 몸의 존칭。②미인의 몸。

【玉兎 옥토】①달 속에 있다는 토끼。전(轉)하여 ②달의 별칭。

【玉篇 옥편】①양(梁)나라 고야왕(顧野王)이 엮은 한자 자전(字典)。②《韓》한자 자전(字典)의 범칭(凡稱)。

【玉函* 옥함】옥(玉)으로 만든 함(函)。

【玉皇 옥황】도가(道家)에서 하느님을 일컫는 말。옥황상제(玉皇上帝)。

◉曲玉곡옥 美玉미옥 白玉백옥 寶玉보옥

4 【王】 玉 0 중학 왕 | 임금 | ①-③㊥陽 ④-⑥㊀漾

一 丅 干 王

자원 상형

王 (A) 　 王 (B) 　 王 (C) 3000년전

王 (D) 　 王 (E) 　 王 (F) 2500년전

「王」의 옛 모양은 여러 가지 있음。아주 옛날의 신앙(信仰)의 대상(對象)의 모양、불빛 또는 땅속의 불이 세차게 타는 모양에서 생겼다고도 볼 수 있고、훌륭한 사람의 뜻으로 「大대」「夫부」에서 생겼다고도 생각됨。「王」의 옛 음(音)은 「光광」·「廣광」과 비슷하고 크게 퍼진다는 뜻에서 공통점을 가짐。또 「王」과 「皇황」은 본디 같음。

뜻 ①**임금왕** ㉠군주。천자(天子)「帝王제왕」㉡큰 제후(諸侯)의 칭호。②**왕왕** ㉠같은 종류 중에서의 우두머리。「王蜂왕봉」㉡황족 남자의 칭호。㉢혈통상(血統上) 웃대(代)의 일컬음。㉣형체가 특히 거대한 것。

③왕노릇할왕 임금 노릇을 함。④왕으로삼을왕 ⑤왕성할왕 ⑥갈왕 往(彳部五畫)과 통용。

주의 정확하게는 가운데 획(畫)을 위로 치붙여 「王」이라고 씀。

참고 「王」을 음으로 하는 글자=「汪왕」〈물이 넓다〉·「旺왕」〈왕성〉·「皇황」〈임금〉

【王家 왕가】 ①제왕。②제왕의 집안。왕실(王室)。

【王建 왕건】 ①당(唐)나라의 시인(詩人)。자(字)는 중초(仲初)。문집에 왕사마집(王司馬集)이 있음。②《韓》 고려(高麗) 태조(太祖)의 이름。

【王儉 왕검】 《韓》 단군(檀君)。

【王考 왕고】 ①돌아간 할아버지。②돌아간 아버지。

【王公 왕공】 왕(王)과 공(公)。신분이 고귀한 사람。

【王公大人 왕공대인】 신분이 고귀한 사람。

【王冠 왕관】 임금이 쓰는 관。

【王宮 왕궁】 ①임금의 궁전。②해를 제사지내는 단(壇)。

【王權 왕권】 제왕이 지닌 권력。

【王女 왕녀】 제왕(帝王)의 딸。

【王黨 왕당】 왕을 위해 충성을 다하는 파。

【王都 왕도】 제왕이 있는 서울。왕성(王城)。

【王道 왕도】 ①제왕이 마땅히 행하여야 할 길。②왕자(王者)가 어진 덕으로 인민을 다스리는 공평무사한 정치。패도(霸道)의 대(對)。

【王陵 왕릉】 왕의 능。

【王命 왕명】 제왕(帝王)의 명령(命令)。

【王母 왕모】 ①할머니。②제왕의 어머니。③서왕모(西王母)의 약칭。

【王蜂 왕봉】 여왕(女王)벌。장수벌。

【王父 왕부】 할아버지。조부(祖父)。

【王妃 왕비】 왕(王)의 아내。

【王師 왕사】 제왕(帝王)의 군사。

【王世孫 왕세손】 왕세자의 맏아들。

【王世子 왕세자】 왕위(王位)를 이을 왕자(王子)。

【王孫 왕손】 제왕(帝王)의 자손。

【王守仁 왕수인】 명(明)나라의 유학자。호(號)는 양명(陽明)。

【王室 왕실】 ①제왕의 집안。②국가。

【王安石 왕안석】 송(宋)나라의 정치가·학자。

【王業 왕업】 제왕이 나라를 다스리는 대업。

【王位 왕위】 제왕의 자리。

【王威 왕위】 제왕의 위엄。

【王維 왕유】 성당(盛唐) 시대의 대표적 자연시인(自然詩人)。자(字)는 마힐(摩詰)。

【王仁 왕인】 《韓》 백제(百濟)의 박사(博士)。천자문(千字文)과 논어(論語) 십권(十卷)을 가지고 일본으로 건너가 태자를 가르침。

【王子 왕자】 제왕의 아들。

【王者 왕자】 ①임금。제왕。②왕도(王道)로 천하를 다스리는 임금。

【王丈 왕장】 남의 할아버지의 존칭。

【王朝 왕조】 ①제왕의 조정(朝廷)。②왕자(王者)의 조정。

【王座 왕좌】 임금이 앉는 자리。용상(龍床)이 있는 자리。

【王澤 왕택】 제왕의 은택(恩澤)。

【王統 왕통】 제왕의 혈통。

【王化 왕화】 제왕(帝王)의 덕화。

【王后* 왕후】 ①제왕의 아내。②천자의 아내。황후(皇后)。③왕(王)의 아내。왕비(王妃)。

【王侯 왕후】 제왕과 제후(諸侯)。
【王侯將相 왕후장상】 제왕(帝王)·제후(諸侯)·장수(將帥)·재상(宰相)。
【王羲之* 왕희지】 동진(東晉)의 서가(書家)。 자(字)는 일소(逸少)。
◉國王국왕 君王군왕 大王대왕 名王명왕 先王선왕 聖王성왕 女王여왕 帝王제왕

4 【玊】 玉 0 玉(앞앞의 글자)이 글자의 변(邊)으로 올 때의 자체。

二畫

【匡】 ⇨匚部四畫

【全】 ⇨八部四畫

三畫

8 【宝】 玉 3 寶(宀部十七畫)의 속자(俗字)。

【弄】 ⇨廾部四畫

四畫

8 【珏】 玉 4 玨(玉部五畫)과 같은 글자。

8 【玟】 玉 4 **민** | 옥돌 | (平)眞

자원 형성 文음 玉-王 ⊤ 玟(玉부)

「王구슬옥변」과、음을 나타내며 동시에 곱다는 뜻을 가진 「文문·민」으로 이루어짐。 옥(玉) 다음으로 아름다운 돌의 뜻。

뜻 **옥돌민** 珉(玉部五畫)과 같은 글자。

8 【玩】 玉 4 **완** | 장난할 | (去)翰

자원 형성 元음 玉-王 ⊤ 玩(玉부)

「王구슬옥변」에、음과 함께 둥글다의 뜻을 보이기 위한 「元원」(완은 변음)으로 됨。 둥근 구슬의 뜻。 전하여、둥근 구슬을 손바닥에 가지고 놀다、만지작거리다의 뜻。

뜻 ①**장난할완** 심심풀이를 함。「玩弄완롱」 ②**익힐완** 익숙해짐。 ③**사랑할완** ④**장난감완** 애완(愛玩)하는 물건。 노리개。「珍玩진완」

【玩具 완구】 장난감。
【玩賞 완상】 취미로 구경함。
【玩月 완월】 달을 구경하며 즐김。
◉弄玩농완 愛玩애완 賞玩상완 戲玩희완

五畫

9 【玲】 玉 5 **령** | 금옥소리 | (平)靑

자원 형성 令음 玉-王 ⊤ 玲(玉부)

「王구슬옥변」과、옥이 아름답게 울리는 소리를 나타내는 「令령」으로 이루어짐。 옥이 울리는 소리。

뜻 ①**금옥소리령** 금옥(金玉) 또는 옥이 울리는 소리。 ②**고울령**、**투명할령** 곱고 투명한 모양。「玲瓏영롱」

【玲瓏 영롱】 ①금옥(金玉)이 울리는 소리。 ②곱고 투명한 모양。

9 【珊】 玉 5 **산** | 산호 | (平)寒

자원 형성 刪-冊음 玉-王 ⊤ 珊(玉부)

옥돌의 뜻인 「王구슬옥변」에、음을 나

타내는「刪산」의 생략체「册」을 더하여 이루어짐。산호(珊瑚)의 뜻。

뜻 ①산호산「珊瑚산호」는 산호충(珊瑚蟲)의 골격이 모여 나뭇가지 모양을 이룬 것。②패옥소리산 허리에 찬 옥이 울리는 소리。

9 **【珍】** 玉 5 고교 **진** — 보배 — ㊥眞

자원 형성 㐱음 玉-王 ㅜ 珍(玉부) 2500년전

「王구슬옥변」과、음과 함께 적다의 뜻(⇩𠰛선)을 나타내기 위한「㐱진」으로 이루어짐。좀처럼 없는 구슬의 뜻。

뜻 ①**보배진** 귀중한 재화。②**맛있는음식진**「五味八珍오미팔진」③**희귀할진** 드물어 귀중함。「珍貴진귀」④**진귀히여길진**

주의「珎」·「珎」은 속자(俗字)。

【珍貴 진귀】 보배롭고 귀중(貴重)함。

【珍奇 진기】 희귀하고 기이(奇異)함。

【珍妙 진묘】 진귀하고 절묘(絶妙)함。

【珍書 진서】 진귀한 책。보배로운 책。

【珍羞盛饌* 진수성찬】 맛이 좋고 많이 차린 음식。

【珍重 진중】 ①진귀하게 여겨 소중히 함。②존숭하여 찬미함。③서간문(書簡文)의 용어(用語)로 자중자애(自重自愛)하라는 말。보중(保重)。

9 **【玨】** 玉 5 **각** — 쌍옥 — ㊀覺

자원 회의 玉玉 玉-王 ㅜ 玨(玉부)

「玉옥」자를 두 개 겹쳐 쌍옥의 뜻을 나타냄。

뜻 **쌍옥각** 한 쌍의 옥。珏(玉部四畫)과 같은 글자。

9 **【珊】** 玉 5 珊(玉部五畫)과 같은 글자。

六畫

10 **【珠】** 玉 6 **주** — 구슬 — ㊥虞

자원 형성 朱음 玉-王 ㅜ 珠(玉부) 2500년전

「王구슬옥변」과、음을 나타내며 동시(同時)에 작다의 뜻(⇩侏주)을 가지는「朱주」로 이루어짐。작은 구슬의 뜻。

뜻 **구슬주** ㉠바다에서 산출되는 진주(眞珠)。또는 원형의 옥(玉)。㉡전(轉)하여、원형(圓形)으로 된 구슬같은 물건。「淚珠누주」㉢또 전(轉)하여、사물의 미칭(美稱)。

【珠簾* 주렴】 구슬을 꿰어 만든 발。

【珠玉 주옥】 ①구슬과 옥(玉)。②아름다운 용자(容姿)의 비유。③귀중한 사물의 비유。

◉明珠명주 美珠미주 念珠염주 眞珠진주

10 **【班】** 玉 6 고교 **반** — 나눌 — ㊥刪

자원 회의 玨刀 -刂 ㅜ 班(玉부) 2500년전

「刀도」는 칼→끊어 둘로 나누다。「玨각」은 두 개의 옥。「班」은 천자(天子)가 제후(諸侯)에게 증표의 옥을 나누어 주다→물건을 구분하여 나누다。 나중에 나누어진 것→짝의 뜻。

뜻 ①나눌반 분배함。 ②이별할반 별리(別離)함。 ③돌아갈반、돌아올반 귀환함。 ④차례반 차서。 「班次반차」 ⑤자리반 지위。 위계。 「班資반자」 ⑥줄반 행렬。 「班列반열」 ⑦아롱질반 斑(文部八畫)과 통용。 ⑧갈을반 한가지임。 ⑨서성거릴반

【班固 반고】 후한(後漢) 초기의 역사가·학자。 한서(漢書)를 완성함。

【班白 반백】 머리털의 흑백(黑白)이 서로 반씩 섞임。 또 그 노인(老人)。

【班閥 반벌】 《韓》 양반의 문벌(門閥)。

【班列 반열】 ①신분(身分)·계급(階級)의 차례。 ②줄。

【班位 반위】 ①지위(地位)。 ②같은 지위에 있음。

【班資 반자】 지위와 봉록(俸祿)。

【班次 반차】 지위·계급 등의 차례。

【班鄕 반향】 《韓》 양반이 많이 사는 시골。

◉洞班동반 武班무반 文班문반 兩班양반

10 【琉】 玉 6 류 —유리— ㊥尤

자원 형성 玉-王 + 㐬음 → 琉(玉부)

「王구슬옥변」과、 음을 나타내는 「㐬류」로 이루어짐。 옥 이름。

뜻 유리류

주의 「瑠」는 같은 글자。

【琉璃 유리】 단단하나 깨어지기 쉬운 투명(透明)한 물질(物質)。 석영(石英)·탄산 소오다·석회암을 원료로 만듦。 초자(硝子)。

七畫

11 【現】 玉 7 중학 현 —나타날— ㊤霰

一 丅 王 玎 玥 珼 現

자원 형성 玉-王 + 見음 → 現(玉부)

본디는 음을 나타내는 「見견·현」만으로 나타난다는 뜻으로 썼으나 「玉옥」을 갈아서 빛이 난다는 데서 「王구슬옥변」과 「見」을 합하여 「現」자를 만들었음。

뜻 ①나타날현 출현함。 「現象현상」 ②나타낼현 나타나게 함。 ③실재현 실제의 존재。 ④지금현 현재。

【現今 현금】 지금。 이제。

【現夢 현몽】 죽은 사람이나 또는 신령(神靈)이 꿈에 나타남。

【現狀 현상】 현재(現在)의 상태(狀態)。

【現象 현상】 ①보이는 사물(事物)의 형상(形狀)이 나타남。 형상。 ②형상을 나타냄。 ③상태(狀態)。 ④사람의 감각으로 지각되는 사물。

【現生 현생】 《佛敎》 이 세상의 생애。

【現世 현세】 ①지금 세상。 현재의 세상。 현대(現代)。 ②《佛敎》 삼세(三世)의 하나。 이승。 금생(今生)。

【現時 현시】 지금。 이 때。

【現實 현실】 ①지금 존재함。 현재 사실로써 나타나 있음。 ②실제의 사실 또는 상태。 이상(理想)의 대(對)。

【現役 현역】 현재 군무(軍務)에 종사하고 있는 병역(兵役)。 「그 사람。

【現任 현임】 현재 그 직위에 있음。 또

【現存 현존】 지금 있음。 현재 존재함。

【現住 현주】 ①지금 머물러 삶。 ②지금의 주소。 현주소(現住所)。

【現地 현지】 어떤 일이 발생한 바로 그 곳。
【現職 현직】 현재의 직업 또는 관직。
【現下 현하】 지금。 이 때。
【現行 현행】 현재(現在)에 행(行)함。 또는 행하고 있음。
【現況 현황】 현재(現在)의 정황(情況)。 지금 상황(狀況)。
◉權現권현 發現발현 普現보현 出現출현

11 【球】 玉 7 고교 구 | 옥 | ㊥尤

一 T 王 玎 玗 球

자원 형성 求음 玉-王 丅球(玉부) 琜 2500년전

「王구슬옥변」은 옥(玉)。 음을 나타내는 「求구」는 정리하다、 둥글게 하다의 뜻。 「球」는 둥근 옥→둥근 것→구슬。

뜻 ①옥구 아름다운 옥。 ②둥근물체구 원형의 물체。 공 따위。 ③옥경쇠구 옥으로 만든 경쇠。

【球狀 구상】 공과 같이 둥근 형상。
◉電球전구 地球지구 蹴球축구 血球혈구

5획

11 【理】 玉 7 중학 리 | 다스릴 | ㊤紙

一 T 王 玎 珂 理

자원 형성 里음 玉-王 丅理(玉부)

음을 나타내는 「里리」는 길이 가로 세로로 통하고 사람이 살고 있는 마을。 뜻이 갈라져서 사리(事理)가 바르다→규칙바르다의 뜻과 속→속에 숨어 있다의 두 가지 뜻을 나타냄。 「王옥」은 중국의 서북에서 나는 보석。 「理」는 옥의 원석(原石) 속에 숨어 있는 고운 결을 갈아내는 일。 나중에 옥에 한하지 않고 일을 다스리다→사리 따위의 뜻에 씀。

뜻 ①다스릴리 ㉠옥을 다스림。 옥을 갊。 ㉡일을 다스림。 「整理정리」 「處理처리」 ㉢재판을 함。 ㉣기움。 수선함。 「修理수리」 ㉤장식함。 꾸밈。 ②다스려질리 잘 다스려짐。 ③도리리 사람이 지켜야 할 길。 「天理천리」 「倫理윤리」 ④이치리 사리。 「條理조리」 「理論이론」 ⑤결리 나무·살 등의 잔금。 「木理목리」 ⑥재판관리 송사를 맡은 벼슬아치。 「大理대리」 ⑦매개리 중개(仲介)。 ⑧사자리 사명을 전하는 사람。 「行理행리」 ⑨거동리 용지(容止)。 ⑩의뢰할리

【理氣 이기】 ①호흡을 조절함。 ②음양가(陰陽家)에서 방위와 성상(星象) 등을 보고 길흉(吉凶)을 정하는 일。 ③이(理)와 기(氣)。 본체계(本體界)와 현상계(現象界)。
【理念 이념】 이성(理性)에 의하여 얻은 최고의 개념으로、 온 경험을 통제하는 주체(主體)。
【理論 이론】 실험에 의하지 아니하고 추리(推理)에 의하여 세운 논의(論議)。 실험(實驗)의 대(對)。
【理想 이상】 이성(理性)에 의하여 생각할 수 있는 최선의 상태。 향상 도달을 바라는 종국(終局)의 목표。
【理性 이성】 ①본성(本性)을 다스림。 ②사람의 본디 타고난 지능(智能)。 ③본능·충동·감각적 욕구에 대한 합리적 사유능력(思惟能力)。 ④《佛敎》 만유(萬有)의 본성(本性)。

【理財 이재】 재화를 유리하게 운용(運用)함。 「理)。

【理致 이치】 사물의 정당한 조리(條

【理學 이학】 ①성리학(性理學)의 약칭(略稱)。 ②물리학(物理學)의 약칭。 ③물리·화학·천문학 등 일반의 자연과학。

【理會 이회】 깨달아 앎。 이해(理解)。

◉管理관리 窮理궁리 論理논리 妙理묘리 攝理섭리 審理심리 眞理진리 推理추리

八畫

12 【琴】 玉 8 [고교] 금 | 거문고 | [平]侵

一 丅 王 王一 玨 玨 珡 琴

[자원] 상형  2500년전

「琴」은 본디 珡이라 씀。 (玨=주감이)은 현(弦)을 감는 것。 ㅅ(人→今금)은 거문고의 몸통을 자른 면을 본떠서 거문고의 모양을 나타냄。

[뜻] 거문고금 현악기의 한 가지。 옛날에 오현(五絃)이었으나 후에 칠현(七絃)으로 되었음。 「琴書금서」

【琴狀 금상】 거문고를 받치는 도구。

【琴線 금선】 ①거문고 줄。 전(轉)하여 ②감동하기 쉬운 마음。 깊게 감동하여 공명(共鳴)하는 마음。

【琴瑟* 금슬】 ①거문고와 큰 거문고。 전(轉)하여 ②부부。 부부의 사이。

【琴瑟相和* 금슬상화】 ①거문고와 큰 거문고 소리가 잘 조화됨。 ②부부간에 화합함。 ③형제간에 우애가 있음。 ④붕우간에 사이가 좋음。

【琴心 금심】 마음을 거문고 소리에 부침。 전(轉)하여、 부인(婦人)에 대한 애모(愛慕)의 마음。

◉大琴대금 木琴목금 風琴풍금

12 【琵】 玉 8 비 | 탈 | [平]支

[자원] 형성 比[음] 琴-玨 ⼁琵 (玉부)  2500년전

현악기를 뜻하는 「玨각」〈주감이〉과 음을 나타내는 「比비」로 이루어짐。

[뜻] ①탈비 현악기의 줄을 위에서부터 차례로 탐。 ②비파비 「琵琶비파」는 현악기의 한 가지。

【琵琶記* 비파기】 원(元)나라의 남곡(南曲)의 각본(脚本)。 고칙성(高則誠)의 작(作)。 변화 곡절이 많아 서상기(西廂記)와 함께 중국 희곡의 쌍벽(雙璧)이라 함。

12 【琶】 玉 8 파 | 탈 | [平]麻

[자원] 형성 巴[음] 玨 ⼁琶 (玉부)  2500년전

현악기(弦樂器)를 뜻하는 「玨각」〈주감이〉와 음을 나타내는 「巴파」로 이루어진 글자。

[뜻] ①탈파 현악기의 줄을 아래서부터 거꾸로 탐。 ②비파파 「琵琶비파」

12 【琢】 玉 8 [고교] 탁 | 쫄 | [入]覺

一 丅 Ŧ 玎 玡 琢 琢 琢 琢

[자원] 형성 豖[음] 玉-王 ⼁琢 (玉부)  2500년전

「王구슬옥변」과、 옥(玉)을 끌로 새길

5획

〔五畫部首順〕 玄玉瓜瓦甘生用田疋疒癶白皮皿目矛矢石示禸禾穴立

매 나는 소리를 뜻하며 동시(同時)에 음을 나타내는 「豖축·축」(탁은 변음)으로 이루어진 글자。

뜻 ①쫄탁 옥을 쪼아 모양을 냄。「彫琢조탁」「如琢如磨여탁여마」 ②닦을탁 학문 같은 것을 닦음。「琢磨탁마」 ③가릴탁 선택함。

【琢磨 탁마】 ①옥석(玉石)을 쪼고 갊。②학문과 도덕(道德)을 닦음。

【斑】 ⇩文部八畫

九畫

13 **【瑟】** 玉 9 슬 | 큰거문고 | ㊀質

자원 형성 必(음) 珡-玨 ┬ 瑟(玉부) 2500년전

현악기의 모양을 본뜬 「珡금」의 생략체 「玨각」과 음을 나타내는 「必필」(슬은 변음)로 이루어짐。큰 거문고의 뜻。

뜻 ①큰거문고슬 현악기의 하나。모양은 거문고 같으나 크며 줄이 열다섯·열 아홉·스물 다섯·스물 일곱 줄로 된 것 등의 여러 종류가 있음。②많을슬 물건이 많은 모양。③엄숙할슬 장엄하고 정숙한 모양。④고울슬 깨끗하고 선명한 모양。또 치밀한 모양。⑤쓸쓸할슬 적막한 모양。「瑟居슬거」

【瑟琴 슬금】 큰 거문고와 거문고。전하여、부부。부부 사이。금슬。

◉膠瑟교슬 膠柱鼓瑟교주고슬 琴瑟금슬

13 **【瑚】** 玉 9 호 | 산호 | ㊁虞

자원 형성 胡(음) 玉-王 ┬ 瑚(玉부) 2500년전

「王구슬옥변」과 음을 나타내는 「胡호」로 이루어짐。

뜻 ①산호호 「珊瑚산호」 ②호련호 은(殷)나라 때의 종묘에서 서직(黍稷)을 담던 제기(祭器)。「瑚璉호련」

13 **【瑞】** 玉 9 서 | 상서 | ㊃寘

자원 형성 揣-耑(음) 玉-王 ┬ 瑞(玉부) 2500년전

「王구슬옥변」과 음을 나타내는 「揣췌·취」의 생략체 「耑」(서는 변음)로 이루어짐。신표(信標)로 쓰이는 옥돌의 뜻。

뜻 ①상서서 길조(吉兆)。「太平瑞태평서」 ②홀서 천자(天子)가 제후를 봉할 때 신표(信標)로서 주는 옥으로 만든 홀(圭)。「圭瑞규서」 ③부절서 부신(符信)。「符瑞부서」 ④경사스러울서 「瑞兆서조」

【瑞氣 서기】 상서로운 기운。

【瑞夢 서몽】 길몽(吉夢)。꿈。「참조。

【瑞白 서백】 눈의 별칭。서설(瑞雪)

【瑞相 서상】 ①상서로운 상(相)。복상(福相)。②상서로운 조짐。길조(吉兆)。

【瑞祥 서상】 상서로운 조짐。

【瑞雪 서설】 상서로운 눈。눈은 풍년들 조짐이라 하므로 이름。

【瑞雲 서운】 상서로운 구름。

【瑞運 서운】 상서로운 운수(運數)。

【瑞應 서응】 임금의 어진 정치가 하늘에 감응되어 나타나는 길한 조짐。

【瑞兆 서조】 상서로운 조짐。

【瑞鳥 서조】 상서로운 새。

◉奇瑞기서 吉瑞길서 祥瑞상서

十畫

14 **【瑤】** 玉 10 **요** | 옥돌 | ㊥蕭

자원 형성 䍃음 玉-王ㅜ瑤(玉부) 2500년전

「王구슬옥변」과 음을 나타내는 「䍃요」로 이루어짐。 아름다운 옥의 이름。

뜻 **옥돌요** 옥 비슷한 아름다운 돌의 한 가지。 전(轉)하여、 사물의 미칭(美稱)。「瑤札요찰」

【瑤臺 요대】 ①옥의 집。 훌륭한 궁전。 ②신선이 사는 곳。

【瑤草 요초】 아름다운 풀。

十三畫

18 **【璧】** 玉 13 **벽** | 옥 | ㊀陌

자원 형성 辟음 玉ㅜ璧(玉부) 2500년전

「玉구슬옥」과、 음을 나타내는 「辟벽」으로 이루어짐。 고리 모양의 옥。

뜻 **옥벽** 환상(環狀)의 옥。 그 구멍을 호(好)、 고리를 육(肉)이라 함。 후세에 널리 옥(玉)의 통칭(通稱)으로 쓰이며、 전(轉)하여、 아름다운 사물(事物)의 비유로 쓰임。

주의 「壁벽」〈벽〉은 딴 글자。

【璧玉 벽옥】 옥。 평면(平面)인 것을 벽(璧)、 둥근 것을 옥(玉)이라 함。

◉雙璧쌍벽 完璧완벽 和氏之璧화씨지벽

17 **【環】** 玉 13 고교 **환** | 옥 | ㊥刪

一 丅 王 王ㄇ 王罒 王罒 王罒口 璟 環 環

자원 형성 睘음 玉-王ㅜ環(玉부)

「王구슬옥변」은 구슬。「睘경」(환은 변음)이 음을 나타내며 둥글게 되어 있다는 뜻(⇩圜환)을 나타냄。 둥글게 되어 있는 구슬。

뜻 ①**옥환** 고리 모양의 옥。「佩環패환」 ②**고리환** 기름한 물건을 휘어서 맞붙이어 만든 물건。「耳環이환」 ③**두를환** 위요함。「環坐환좌」 ④**돌환** ㉠선회함。「環旋환선」 ㉡순찰함。

【環境 환경】 ①빙 둘러싼 구역。 ②사람의 주위의 사물(事物)。 사위(四圍)의 사정。

【環刀 환도】 《韓》 옛 군복(軍服)에 갖추어 차던 군도(軍刀)。

【環狀 환상】 고리처럼 둥글게 생긴 형상(形狀)。

【環視 환시】 여러 사람이 빙 둘러싸고 봄。 많은 사람이 주목하고 있음。

【環坐 환좌】 여러 사람이 원형(圓形)을 지어 앉음。 빙 둘러 앉음。

【環幅 환폭】 가로와 세로、 또는 길이와 넓이가 같음。

【環海 환해】 ①나라의 사방을 둘러싼 바다。 ②사해(四海)。 해내(海內)。

【環形 환형】 고리같이 둥근 형상。

◉金環금환 循環순환 指環지환 花環화환

十四畫

19 **【璽】** 玉 14 **새**(사本) | 인장 | ㊤紙

자원 형성 爾음 玉ㅜ璽(玉부) 2500년전

「玉구슬옥」〈옥돌〉과 음을 나타내는 「爾이」(새는 변음)로 이루어짐。 옥돌로 만든 도장의 뜻。

뜻 ①**인장새** 도장。「璽書새서」 ②**옥**

새새 진한(秦漢) 이전에는 널리 도장의 뜻으로 쓰이다가 진한(秦漢) 이후에는 천자(天子)의 도장의 특칭(特稱)으로 되었음。「御璽어새」

※본음(本音) 사

주의 「壐」는 속자(俗字)。

◉國璽국새 寶璽보새 玉璽옥새

瓜部

5 【瓜】 부수 고교 과 ― 오이 ― ㊥麻

一 厂 兀 瓜 瓜

자원 상형 2500년전

「瓜」는 박의 덩굴 ㅅ 에 열매 ㆁ 가 열려 있는 모양을 본뜸。

뜻 **오이과** 박과(科)에 속하는 일년생 만초(蔓草)로서 열매를 식용으로 하는 것의 총칭(總稱)。곧 오이·참외·호박·수박 따위。

주의 「爪조」〈손톱〉는 딴 글자。

참고 「瓜」를 음으로 하는 글자=「呱고」〈갓난 아이가 우는 소리〉·「狐호」〈여우〉·「弧호」〈활〉·「柧고」〈모서리〉·「觚고」〈술잔〉

【瓜年 과년】①벼슬의 임기가 다한 해。②여자의 십 오륙 세된 나이。

【瓜田不納履 과전불납리】오이밭에서는 신이 벗어져도 엎드려 신을 다시 신지 아니함。곧 혐의 받을 일은 애초부터 하지 않음을 이름。

【瓜限 과한】벼슬의 임기가 찬 때。과기(瓜期)。

十一畫

16 【瓢】 瓜 11 표 ― 바가지 ― ㊥蕭

자원 형성 瓜 票음 ┬ 瓢(瓜부) 2500년전

「瓜오이과」와 음을 나타내며 동시(同時)에 호리병박의 뜻(⇩匏포)을 가지는 「票표」로 이루어진 글자。

뜻 **바가지표** 박으로 만든 그릇。

【瓢飮 표음】바가지에 담은 음료。

【瓢子 표자】표주박。

瓦部

5 【瓦】 부수 중학 와 ― 기와 ― ㊤馬

一 丆 兀 瓦 瓦

자원 상형 2500년전

토기(土器)의 굽은 모양을 본뜬 것이라고도 하고, 또 기와가 겹쳐 있는 모양을 본뜬 것이라고도 함。약한 불에 구운 흙의 뜻。부수(部首)로서 토기에 관한 글자의 뜻으로 씀。

뜻 ①**기와와** 흙 같은 것으로 구워 지붕을 이는 물건。「瓦屋와옥」②**질그릇와** 진흙만으로 구워 만든 그릇。「瓦釜와부」③**실패와** 실을 감는 물건。④**방패등와** 방패의 등의 부분。⑤미터법의 무게의 단위 **그램**의 약기(略記)。

【瓦家 와가】 기와집。
【瓦礫* 와력】 기와와 조약돌。 전(轉)하여、 쓸모 없는 물건。
【瓦石 와석】 ①기와와 돌。 전(轉)하여 ②가치가 없는 것의 비유。
【瓦屋 와옥】 기와집。
【瓦解 와해】 기와가 산산조각이 나듯이、 사물(事物)이 뿔뿔이 헤어짐。
◉古瓦고와 陶瓦도와 銅瓦동와 碧瓦벽와

六畫

11 【瓶】 瓦 6 병 | 병 | ㊥青

자원 형성 瓦 幷(음) ┬ 瓶 (瓦부)
「瓦와」〈질 그릇〉와 음을 나타내는 「幷병」으로 이루어짐。 단지의 뜻。
뜻 ①병병、 단지병 술·물 같은 것을 담는 그릇。 「酒瓶주병」 ②두레박병 물 긷는 그릇。 ③시루병 떡 같은 것을 찌는 그릇。

11 【瓷】 瓦 6 자 | 오지 그릇 | ㊥支

자원 형성 瓦 次(음) ┬ 瓷 (瓦부)
「瓦와」〈질 그릇〉와、 음을 나타내는 「次차」(자는 변음)로 이루어짐。 단단하게 구운 토기(土器)의 뜻。
뜻 오지그릇자 결이 곱고 견고한 오지 그릇。
【瓷器 자기】 오지 그릇。 도기(陶器)。
◉綠瓷녹자 素瓷소자 紫瓷자자 青瓷청자

十三畫

18 【甕】 瓦 13 옹 | 항아리 | ㊤送 ㊥東

자원 형성 瓦 雍(음) ┬ 甕 (瓦부)
「瓦와」〈질 그릇〉와、 음을 나타내는 「雍옹」으로 이루어짐。
뜻 항아리옹 도자기의 한 가지。 술이나 물을 담는 질그릇。
【甕器 옹기】 《韓》 질그릇。
【甕天 옹천】 항아리의 안을 천지(天地)로 한다는 뜻으로、 견문이 좁음의 비유。 정중와(井中蛙)。

甘部

5 【甘】 부수 중학 감 | 달 | ㊥覃

一 十 廿 廿 甘

자원 지사 (2500년전)
「甘」〈입(ㅂ)〉속에 물건(一)을 물고 있음을 나타내며 입속에 머금고 맛봄을 뜻함。 「감」의 음은 머금다의 뜻(⇨含함)을 나타냄。 나아가서 맛있다、 달다의 뜻。
뜻 ①달감 감미가 있음。 ②맛날감 맛이 좋음。 ③달콤할감 들어서 기분이 좋음。 「甘言감언」 ④달게여길감 ㉠맛 있게 먹거나 마심。 ㉡만족함。 ⑤단것감 단 음식 또는 맛 있는 음식。 ⑥느슨할감 늘어짐。
참고 「甘」을 음으로 하는 글자=「坩

감」〈도가니〉·「拑겸」〈재갈먹이다〉·「邯한」〈조나라서울〉·「柑감」〈홍귤나무〉·「疳감」〈감질〉·「酣감」〈즐기다〉·「紺감」〈감색〉·「甚심」〈심하다〉

【甘苦 감고】①단맛과 쓴맛。②즐거움과 괴로움。고락(苦樂)。

【甘瓜 감과】참외。

【甘堝* 감과】도가니。

【甘藍 감람】양배추。

【甘露 감로】①단 이슬。천하 태평의 조짐(兆朕)으로서 하늘에서 내린다 함。②좋은 이슬。맛이 있는 이슬。

【甘味 감미】①단 맛。좋은 맛。또 달게 먹음。맛 있게 먹음。②단 음식。단 것。

【甘美 감미】달고 맛이 있음。맛이 좋음。

【甘酸 감산】①달고 심。단맛과 신맛。②즐거움과 괴로움。고락(苦樂)。감고(甘苦)。

【甘受 감수】달게 받음。쾌히 받음。

【甘食 감식】①맛 있는 음식。미식(美食)。②맛 있게 먹음。

【甘心 감심】①마음에 만족함。달갑게 여김。②자기 마음대로 함。

【甘言利說 감언이설】남의 비위를 맞추는 달콤한 말과 이로운 조건을 내세워 꾀는 말。

【甘雨 감우】때에 알맞게 내리는 비。시우(時雨)。자우(慈雨)。

【甘藷* 감저】고구마。감서(甘薯)。

【甘泉 감천】맛이 좋은 샘。

【甘草 감초】콩과에 속하는 다년초(多年草)。약재(藥材)로 널리 씀。

四畫

9 【甚】 甘 4 중학 심 — 심할 — ㊤沁 ㊤寢

一 十 廾 卄 甘 甘 其 甚 甚

자원 형성 甘(음)匹 → 甚(甘부) 2500년전

부부를 뜻하는 「匹필」과、음을 나타내며 동시에 즐거움의 뜻을 가진 「甘감」(심은 변음)으로 이루어짐。부부의 즐거움의 뜻。매우 즐거움에서 전하여 심하다는 뜻。

뜻 ①**심할심** 정도에 지남。「藉甚자심」 ②**심히심** 대단히 심하게。「甚深심심」 ③**무엇심** 속어(俗語)에서 何(人部五畫)와 같은 뜻。

참고 「甚」을 음으로 하는 글자=「斟짐」〈술따르다〉·「諶심」〈참〉·「湛잠」〈물이 괴다〉·「碪침」〈다듬잇돌〉·「勘감」〈살피다〉

【甚大 심대】몹시 큼。대단히 큼。

【甚惡 심악】성정(性情)이나 하는 짓이 몹시 악함。

◉劇甚극심 已甚이심 太甚태심 幸甚행심

【某】 ⇩木部五畫

八畫

13 【甞】 8 甘 嘗(口部十一畫)과 같은 글자。

生部

5 【生】 부수 중학 생 — 날 — ㊥庚

5획

〔五畫部首順〕玄玉瓜瓦甘生用田疋疒癶白皮皿目矛矢石示禸禾穴立

生

ノ 𠂉 𠂇 牛 生

자원 상형  2500년 전

「生」은 풀이나 나무가 싹트는 모양 ↓생기다↓태어나다↓만듦.

뜻 ①**날생** 출생함. 「生日생일」 ②**낳을생** 분만함. 「生子생자」 ③**살생** 생존함. 「生佛생불」 ④**살릴생** 죽이지 아니함. 「生殺생살」 ⑤**산채로생** 죽이지 아니하고. 「生擒생금」 ⑥**저절로생** 나면서부터. 선천적으로. ⑦**산것생** 생물. 「群生군생」 ⑧**산이생** 산 사람. 「衆生중생」 ⑨**목숨생** 생명. ⑩**생계생** 활계(活計). 생업(生業). 또 산업. 「民生민생」 ⑪**생길생** 일어남. ⑫**만들생** 조작(造作)함. ⑬**나올생** 솟아 나옴. ⑭**자랄생** 생장함. ⑮**불생**, **불릴생** 증식(增殖)함. ⑯**설생** 익숙하지 아니함. 「生硬생경」 ⑰**날생** 익지 아니함. 「生肉생육」 ⑱**백성생** 인민. 「蒼生창생」 ⑲**서생생** 독서인. 「儒生유생」 ⑳**나생** 자기의 겸칭. ㉑**선생생** 남의 존칭. ㉒**어조사생** 접두(接頭) 또는 접미(接尾)의 어조사(語助辭).

참고 「生」을 음으로 하는 글자=「姓성」〈성씨〉·「性성」〈성품〉·「星성」〈별〉·「牲생」〈희생〉·「旌정」〈기〉·「眚생」〈눈이 흐리다〉·「甥생」〈생질〉·「笙생」〈생황〉

【生家 생가】 자기가 출생한 집.

【生硬 생경】 ①언행(言行)이 거칢. ②예의 범절이 없음. 조야(粗野). ②시문(詩文) 같은 것이 세련되지 아니함.

【生計 생계】 생활을 유지(維持)하는 방법. 살아갈 꾀.

【生寡婦 생과부】《韓》 남편이 살아 있으면서도 떨어져 있거나 소박을 맞은 여자.

【生光 생광】 빛이 남. 전(轉)하여, 영광스러움.

【生國 생국】 출생한 본국(本國). 고국(故國).

【生擒* 생금】 산 채로 잡음. 사로잡음. 생포(生捕).

【生氣 생기】 ①싱싱하고 활발한 기운. ②만물을 발육 생장케 하는 힘.

【生年 생년】 ①출생한 해. 난 해. ②살아 있는 동안. 일생(一生).

【生來 생래】 ①출생한 이후. 나면서부터. ②타고난 성질. 천성(天性).

【生靈 생령】 ①생민(生民). 생물의 영장(靈長)이라는 뜻임. ②생명. /

【生路 생로】 ①살 길. 달아날 길. 활로(活路). ②선 길. 처음 가는 길. 숙로(熟路)의 대(對).

【生理 생리】 ①생활하는 도리(道理). ②직업. 영업. 상업. ③생물(生物)의 생활하는 원리(原理). ④생리학(生理學)의 약칭(略稱).

【生命 생명】 ①목숨. 수명(壽命). ②살아 가는 원동력(原動力). ③사물(事物)의 유지(維持)하는 기한(期限). ④사물의 요소(要所). 사물의 중요한 부분.

【生命樹 생명수】 기독교에서 선악과(善惡果)가 열었다고 하는 나무.

【生母 생모】 자기를 낳은 어머니. 친(親)어머니.

【生木 생목】 생나무.

【生物 생물】 ①산 것. ②생활을 하고 있는 물건. 곧 동물·식물 등의 총칭.

【生民 생민】 백성. 창생(蒼生). 인민(人民).

【生父 생부】 자기를 낳은 아버지。
【生不如死 생불여사】 살아 있으나 죽은 이만 같지 못하다는 뜻으로、극도로 곤란을 당하고 있음을 이름。
【生產 생산】 ①생업(生業)。②자연에 인공을 가하여 재화(財貨)를 만들어 내는 일。③《韓》아이를 낳음。
【生殺 생살】 살리는 일과 죽이는 일。살리고 죽임。활살(活殺)。
【生色 생색】 ①활기(活氣)가 있는 안색。②얼굴에 나타남。안색에 나타남。③《韓》낯이 남。
【生成 생성】 생겨남。또 생겨나게 함。
【生疎 생소】 ①친하지 아니함。②익숙하지 못함。서투름。
【生水 생수】 샘에서 나오는 물。샘물。
【生時 생시】 ①난 때。②살아 있을 때。③깨어 있을 때。
【生食 생식】 날것으로 먹음。
【生殖* 생식】 낳아 번식함。
【生辰 생신】 생일(生日)。
【生心 생심】 하려는 마음을 냄。마음먹음。생의(生意)。
【生涯* 생애】 살아 있는 동안。일생 동안。일평생。종생(終生)。
【生育 생육】 생장(生長)。
【生離別 생이별】 산 채로 멀리 이별함。생별(生別)。
【生而知之 생이지지】 나면서부터 앎。배우지 않고 앎。
【生者必滅 생자필멸】《佛敎》생명이 있는 것은 반드시 죽음。
【生長 생장】 나서 자람。
【生前 생전】 죽기 전。살아 있는 동안。
【生存競爭 생존경쟁】 생물이 그 생존을 유지하기 위하여 서로 경쟁하는 일。그 결과로 적자(適者)는 잔존(殘存)하고 부적자는 도태당함。
【生知 생지】 나면서부터 앎。배우지 않고 앎。또 그 사람。곧 성인(聖人)。
【生態 생태】 생물의 생활 형태。
【生捕 생포】 산 채로 잡음。
【生還 생환】 살아 돌아옴。
【生活 생활】 ①살아서 활동함。삶。②살림。생계(生計)。③살림。목숨을 건져 줌。
◉更生갱생 白面書生백면서생 殺生살생 儒生유생 一切衆生일체중생 衆生중생 誕生탄생 胎生태생

六畫

11 【產】 生 6 중학 산 | 낳을 | ㊤潸

亠 亣 文 产 产 产 産

자원 형성 彥→产 음 ┐產(生부) 生 ┘ 음을 나타내는 「彥언」의 생략형 「产」(산은 변음)은 미남자。여기에서는 두드러지다→나타나다의 뜻。「生생」은 움틈→돋아나는 일。「產」은 아기가 태어나다→만물이 돋아나는 일

뜻 ①**낳을산**、**낼산** 해산함。또 생산함。「產婦산부」 ②**자랄산**、**날산** 생산함。또 발생함。「產地산지」 ③**출생산** 그 토지의 출신。④**산물산** 산출하는 물자。⑤**업산** 생업(生業)。「有恆產者유항산자」 ⑥**자산산** 재산。자재(資財)。「家產가산」
【產故 산고】《韓》아기를 낳는 일。
【產卵 산란】 알을 낳음。
【產母 산모】 아기를 낳은 어머니。해

5획

산 어미。

【產物 산물】 그 지방에서 생산되는 물건。

【產室 산실】 해산하는 방(房)。

【產兒 산아】 낳은 아이。 또 아이를 낳음。

【產業 산업】 ①살아가기 위하여 하는 일。 생업(生業)。 ②생산의 사업(事業)。 농업·공업·어업 등。

【產前 산전】 해산하기 전。 아이를 낳기 전。

【產地 산지】 ①사람이 출생한 곳。 출생지。 생지(生地)。 ②산물이 나온 곳。

【產出 산출】 ①산물이 나옴。 ②생산하여 냄。

【產後 산후】 아이를 낳은 뒤。

◉家產가산 國產국산 助產조산 畜產축산 出產출산 破產파산

11 【産】 6 生 産(앞 글자)의 약자(略字)。

用 部

5 【用】 부수 중학 용 쓸 (去)宋

5획

丿 冂 月 月 用

자원 상형 3000년 전

「用」은 감옥이나 집 따위를 둘러싸는 나무 울타리의 모양 같으나 「卜복」〈점〉과 「中중」〈맞다〉을 합한 모양이라느니 화살을 그릇에 넣는 모습이라느니 하는 여러 가지 설이 있음。 하여간 물건을 속에 넣는다는 뜻에서 꿰뚫고 나가다(⇩通통)、 물건을 쓰다、 일이 진행되다의 뜻을 나타냄。

뜻 ①**쓸용** ㉠부림。「使用사용」 ㉡인물을 끌어 씀。「登用등용」「任用임용」 ㉢남의 말을 들어줌。「用言용언」 ㉣행함。「用刑용형」 ㉤행동함。 ②**쓰일용** 전항의 피동사。 ③**씀씀이용** 경비。「費用비용」 ④**쓸데용** 용도。 ⑤**작용용**、**효용용** 영향을 미치는 힘。 공능(功能)。「運用운용」 ⑥**재물용** 재화。 자력(資力)。「財用재용」 ⑦**그릇용** 도구。「器用기용」 ⑧**써용** 以(人部三畫)와 같은 뜻。

〔五畫部首順〕 玄玉瓜瓦甘生用田疋疒癶白皮皿目矛矢石示禸禾穴立

참고 「用」을 음으로 하는 글자＝「甬용」〈길〉·「庸용」〈임용하다〉

【用具 용구】 쓰는 용기(用器)。

【用器 용기】 기구(器具)를 사용함。 사용하는 그릇。 소용되는 기구。

【用度 용도】 쓰는 비용。 씀씀이。

【用途 용도】 쓰이는 길。 쓰이는 곳。

【用力 용력】 힘을 씀。

【用務 용무】 볼일。

【用法 용법】 쓰는 법。

【用兵 용병】 무기(武器)를 사용함。 전쟁을 함。 또 군사(軍士)를 부림。 군대를 조종(操縱)함。

【用水 용수】 물을 사용함。

【用心 용심】 마음을 씀。

【用意 용의】 마음을 씀。 정신을 차림。

【用材 용재】 사용하는 재목。 사용하는 재료。

【用紙 용지】 어떤 일에 쓰는 종이。

【用處 용처】 쓸 곳。 쓰이는 방면。

【用筆 용필】 ①붓을 쓰는 방법。 운필(運筆)。 ②붓을 씀。 ③쓰는 붓。

◉軍用군용 登用등용 服用복용 惡用악용 任用임용 適用적용 徵用징용 効用효용

二畫

7 【甫】 用 2 보 | 겨우 | ㊤麌

2500년전

자원 회의 屮+用→甫(用부)

「田전」〈밭〉에 「屮철」〈艸·풀〉을 심은 모양을 본떠 채소밭을 뜻함。「圃포」의 본디 글자。 음이 「夫부·父부」와 통하므로 남자의 미칭(美稱)으로 빌어 씀。

뜻 ①겨우보 근근히。 ②비로소보 처음으로。 ③씨보 남자의 미칭(美稱)。 공자(孔子)를 「尼甫이보」라 하는 따위。 ④자보 남의 자(字)를 물을 때 「台甫태보」라 함。 ⑤클보 ⑥많을보 많은 모양。 또 큰 모양。

참고 「甫」를 음으로 하는 글자=「匍포」〈기어가다〉·「哺포」〈먹다〉·「圃포」〈남새밭〉·「捕포」〈사로잡다〉·「痡부」〈앓다〉·「輔보」〈돕다〉·「鋪포」〈가게〉·「簠보」〈보〉·「葡포」〈포도나무〉

十畫

15 【鋪】 用 10 鋪(金部七畫)의 속자(俗字)。

田部

5 【田】 부수 중학 전 | 밭 | ㊥先

丨 冂 田 田 田

자원 상형 田(A) 田(B) (C) (D) 3000년전

「田」의 옛 모양 (A)(B)는 농경지(農耕地)를 위에서 본 모양。 (D)는 그 안에 농작물(農作物)을 그린 모양이며 나중에 「囿유」〈마당〉라고 쓴 글자임。 중국의 고대국가인 은(殷)나라 때 벌써 인분(人糞)을 비료로 하여 상당히 진보된 농사를 짓고 있었음。 (C)는 그것을 나타내는 글자라 함。 「田」은 본디 농경지나 사냥터를 나타냈지만 우리 나라에서는 特히 논은 「畓답」、 밭은 「田」으로 구별함。

뜻 ①밭전、 논전 ㉠농작물을 심는 전지。 「桑田상전」 ㉡밭의 모양을 한 것。 「鹽田염전」 ㉢또 전(轉)하여 생업(生業)을 영위하는 사물에도 이름。 「紙田지전」 ②밭갈전 전지를 경작함。 ③사냥할전 수렵을 함。

참고 「田」을 음으로 하는 글자=「佃전」〈밭갈다〉·「甸전」〈경기〉·「畋전」〈밭갈다〉·「男남」〈남자〉

【田功 전공】 백성을 잘 다스린 공。 일설(一說)에는 농정(農政)。

【田民 전민】 농민。 「야인(野人)」。

【田夫 전부】 ①농부。 ②시골 사람。

【田野 전야】 ①논밭。 전답(田畓)。 들。 ②시골。 촌。

【田園 전원】 ①논밭。 전지。 전야(田野)。 ②시골。 교외(郊外)。

【田地 전지】 경작하는 땅。 논밭。

◉耕田경전 公田공전 均田균전 屯田둔전 職田직전 滄海桑田창해상전

5 【甲】 田 0 중학 ㊀갑 ㊁압 | 첫째천간 | ㊀㊁ (入)洽

5획

丨 冂 冃 日 甲

자원 상형 2500년전 ⊞·⊕ 3000년전 ⊞·⊕은 씨의 껍질(○)이 벌어진 모양(+)。 은 싹터서 아직 겉껍질을 쓰고 있는 모양을 본뜸。 싹이 나기 시작한다는 뜻。 전하여 처음·제일을 뜻함。 또 씨의 겉껍질、단단한 껍데기에서 전하여 갑옷의 뜻이 되고、음을 빌어 천간(天干)의 첫째 글자로 씀。

뜻 一 **①첫째천간갑** 십간(十干)의 제일위(第一位)。「甲子갑자」 **②첫째갑** ㉠제일위。 또 최상(最上)。「甲富갑부」 ㉡둘 이상 있는 것 중에서 처음 것을 나타내는 대명사。 곧 순번의 첫째。 **③첫째갈갑** 제일위임。 또 최상이 됨。 **④시작할갑** **⑤껍질갑** 초목·과실 등의 싹을 싸고 있는 얇은 껍질。 **⑥껍데기갑** 거북·게 등의 등에 있는 단단한 껍질。「甲殼갑각」「龜甲귀갑」 **⑦갑옷갑** ㉠전쟁 때 화살을 막기 위하여 입는 옷。「甲冑갑주」 ㉡갑옷을 입은 군사。「伏甲복갑」 **⑧손톱갑** 「爪甲조갑」 **⑨등갑** 배면(背面)。「手甲수갑」 **⑩반갑** 송대(宋代)에 십호(十戶)를 한 조(組)로 한 자치단체。「保甲보갑」 **⑪아무갑** 이름의 대용으로 쓰는 말。 二 **친압할압**

참고 「甲」을 음으로 하는 글자＝「匣갑」〈갑〉·「柙합」〈나무이름〉·「呷합」〈오리가 우는 소리〉·「岬갑」〈산허리구〉·「狎압」〈친하다〉·「胛갑」〈어깨뼈〉·「閘갑」〈물문〉·「押압」〈누르다〉·「鴨압」〈오리〉

【甲殼* 갑각】 게·새우 등의 피부가 석회질(石灰質)로 말미암아 단단하게 된 등딱지。

【甲科 갑과】 과거(科擧)의 최고의 과목。 또 이 과거에 첫째로 급제하는 일。 장원(壯元)。 「환갑의 해。

【甲年 갑년】《韓》 예순 한 살되는 해。

【甲兵 갑병】 ①갑사(甲士)。 ②갑옷과 무기。 전(轉)하여 ③전쟁(戰爭)。

【甲富 갑부】 첫째 가는 부자。 일류의 부호。

【甲士 갑사】 갑옷을 입는 군사。 무장(武裝)한 군사。 군사는 대개 갑옷을 입으므로 전(轉)하여 일반적으로 군사를 이름。

【甲午更張 갑오경장】《韓》 조선(朝鮮) 고종(高宗) 십삼년(十三年) 갑오년(年)에 정치제도(政治制度)를 근대식(近代式)으로 고친 일。

【甲乙 갑을】 ①십간(十干) 중의 갑(甲)과 을(乙)。 ②낫고 못함。 우열(優劣)。 ③아무개와 아무개。 아무아무。 모모(某某)。

【甲子 갑자】 ①십간(十干)과 십이지(十二支)。 간지(干支)。 ②육십갑자(六十甲子)의 첫째。 ③연월(年月)。 나이。 연령(年齡)。

【甲子士禍 갑자사화】《韓》 조선(朝鮮) 때의 사대사화(四大士禍)의 하나。 연산군(燕山君) 십년(十年) 갑자년(甲子年)에 임사홍(任士洪) 일파(一派)가 구신(舊臣)들을 축출(逐出)하기 위해 연산군(燕山君) 생모(生母)인 윤씨 폐출사사사건(尹氏廢黜賜死事件)을 들추어 일어난 사림(士林)의 대참살사건(大慘殺事件)。

【甲板 갑판】배 위의 나무 판자 또는 철판(鐵板)을 깐 높고 평평한 바닥。

◉堅甲견갑 龜甲귀갑 同甲동갑 遁甲둔갑 保甲보갑 手甲수갑 鐵甲철갑 回甲회갑

5 **【申】** 田 0 중학 **신** | 아뢸 | ㉭眞

ㅣ 口 日 曰 申

자원 상형 3000년전

「申」의 옛 모양은 번갯불의 형상이며、번갯불이 줄을 긋듯하므로「申」을 뻗히다→펴다→아뢰다의 뜻으로 쓰고 본디의 번갯불의 뜻은「電전」으로 쓰게 됨。「申」은「引인」〈끌다〉과 음·뜻이 모두 관계가 깊음。

뜻 ①**아홉째지지신** 십이지(十二支)의 제구위。시각으로는 오후 세시부터 다섯시까지。방위로는 서남서(西南西)。띠로는 원숭이。②**거듭할신** 되풀이함。「申諭신유」③**이야기할신** 말함。진술함。「申令신령」④**아뢸신** 사룀。「申奏신주」⑤**펼신** 伸(人部五畫)과 같은 글자。⑥**기지개결신** 伸(人部五畫)과 같은 글자。⑦**보낼신** 문서를 보냄。송치(送致)함。⑧**환할신** 명확함。

참고 「申」을 음으로 하는 글자=「伸신」〈펴다〉·「呻신」〈끙끙거리다〉·「神신」〈귀신〉·「紳신」〈큰띠〉

【申叔舟 신숙주】《韓》조선(朝鮮) 세조(世祖) 때의 명신(名臣)。집현전(集賢殿) 학사(學士)로서 훈민정음(訓民正音) 제정(制定)에 공(功)이 많음。단종(端宗) 손위(遜位) 때는 수양대군(首陽大君)을 도왔음。

【申告 신고】관청에 보고함。

【申報 신보】알림。또 통지。

【申師任堂 신사임당】《韓》조선(朝鮮) 때의 유학자(儒學者) 율곡(栗谷)의 어머니。자수(刺繡)와 서화(書畫)에 능(能)하였음。

【申申付託 신신부탁】몇 번이고 연거푸 간절히 하는 부탁。

【申請 신청】신고하여 청구함。

【申飭* 신칙】알아듣도록 거듭 타이름。되풀이하여 훈계함。

◉屈申굴신 上申상신

5 **【由】** 田 0 중학 **유** | 말미암을 | ㉭尤

ㅣ 冂 巾 由 由

자원 상형 3000년전

「由」는「卤초」〈초목의 열매가 주렁주렁 달리다〉·「卣유」〈끝이 오므라진 단지〉·「甹유」〈나무의 그루터기의 싹이 틈〉따위의 글자가 나중에 합쳐져서 하나의 글자체로 된 것으로 생각됨。어떻든지 뜻은 나오다、내밀다란 것을 나타내고 있음。

뜻 ①**말미암을유** ㉠겪어 지내옴。경력함。㉡인연을 얻음。㉢말미암아。인하여。②**좇을유** 따름。본받음。「率由솔유」③**부터유** 기점(起點)을 나타내는 말。自(部首)·從(彳部八畫)과 뜻이 같음。④**쓸유** ㉠사용함。㉡등용함。⑤**행할유** 실행함。⑥**자득할유** 스스로 흡족하게 여기는 모양。⑦**까닭유** 이유。「由來유래」「原由원유」⑧**오히려유** 猶(犬部九畫)와 같은 글자。⑨**움유** 초목의 싹。

참고 「由」를 음으로 하는 글자＝「油유」〈기름〉·「柚유」〈유자나무〉·「釉유」〈광택〉·「鼬유」〈족제비〉·「袖수」〈옷소매〉·「宙주」〈집〉·「抽추」〈빼다〉·「冑주」〈맏아들〉·「紬주」〈명주〉·「迪적」〈나아가다〉·「笛적」〈피리〉

【由來 유래】①사물(事物)의 내력(來歷)。②본디。전부터。원래(元來)。

【由緖 유서】내력(來歷)。유래(由來)。

◉經由경유 事由사유 所由소유 緣由연유

二畫

7 【男】 田 2 중학 남 | 사내 | ㊥覃

丨 冂 日 田 田 男 男

자원 회의 田+力→男(田부) 3000년전 2500년전

「田전」은 논밭。「力력」은 농기구의 모양。「男」은 논이나 밭을 가는 사람→남자。

뜻 ①사내남 ㉠남자。「男女남녀」 ㉡정부(情夫)。②젊은이남 장정。「丁男정남」 ③아들남 자식。④남작남 오등작(五等爵)의 최하급。「公侯伯子男공후백자남」

【男系 남계】남자쪽의 혈통。

【男根 남근】자지。곧 음경의 별칭。

【男女 남녀】남자(男子)와 여자(女子)。

【男女老少 남녀노소】남자와 여자와 늙은이와 젊은이。모든 사람。

【男女有別 남녀유별】남녀(男女) 사이에는 분별(分別)이 있음。

【男聲 남성】남자(男子)의 음성。

【男兒 남아】①사내 아이。②사내。

【男子 남자】①사내 아이。②사내。③대장부(大丈夫)。

【男爵 남작】오등작(五等爵)의 맨 끝 「작위。

【男裝 남장】여자(女子)가 남복(男服)을 입고 남자 모양으로 꾸밈。

【男尊女卑 남존여비】사회상의 권리(權利)·지위(地位)에 있어서 남자(男子)는 높고 여자는 낮음。

【男左女右 남좌여우】음양설(陰陽說)에서 왼쪽은 양(陽)이고 오른쪽은 음(陰)이므로 남자는 왼쪽을 숭상하고 여자는 오른쪽을 숭상한다는 말。

◉童男동남 美男미남 丁男정남 快男쾌남

7 【町】 田 2 정 | 밭두둑 | ㊥靑 ㊤迥

자원 형성 田+丁음→町(田부)

「田밭전」과、음을 나타내며 동시에 똑바로 통하다의 뜻(⇩廷정·通통)을 나타내기 위한 「丁정」으로 이루어짐。밭사이를 똑바로 통하는 길、논두렁길의 뜻。전(轉)하여、우리 나라에서는 면적(面積)의 단위(單位)로 쓰이며、삼천평(三千坪)을 일정(一町)으로 하고 약(約) 九九·三아아르。

뜻 ①밭두둑정 밭의 둔덕。「町畦정휴」 ②경계정 구역。

三畫

8 【画】 田 3 畫(田部七畫)와 같은 글자。

四畫

9 【界】 田 4 중학 계 | 지경 | ㊥卦

5획 〔五畫部首順〕玄玉瓜瓦甘生用田疋疒癶白皮皿目矛矢石示内禾穴立

丨 冂 冂 冂 田 甼 界

자원 형성 田 介(음) ┬ 界 (田부)

〔介〕3000년전

음을 나타내는 「介개」(계는 변음)는 사람의 앞뒤에 무언가 표를 부친 모양으로 사람과 사람 사이에 간격이 있는 일↓구분한다는 뜻。또는 갑옷을 입은 모양이라고도 일컬어짐。「界」는 밭이나 논을 구획하는 데서 경계↓간막이란 뜻으로 되었음。

뜻 ①**지경계** 토지의 경계。「疆界강계」 ②**한계계** ㉠한정。「界限계한」 ㉡전(轉)하여、장소。범위。「學界학계」「社交界사교계」 ③**경계삼을계** 경계를 삼음。또 경계를 접함。④**이간할계** 사이를 떼어 놓음。

주의 「畍」는 같은 글자。「堺」는 속자。

◉境界경계 國界국계 法界법계 斯界사계 眼界안계 幽界유계 淨界정계 限界한계

9 **【畏】** 田 4 고교 **외** ―두려워할― ㊀未

丨 冂 冂 冂 田 田 甲 畏 畏

자원 회의 由 化 ┬ 由·田 ┬ 畏 (田부)

2500년전

「由불」〈귀신머리〉과 「化화」의 합자(合字)。「由」은 죽은 사람의 머리、「化」는 죽음을 뜻함。둘다、음산(陰散)하고 싫어하고、무서워하는 것。따라서 무서워하다의 뜻。전(轉)하여、무서워하며 조심하다、황공(惶恐)스럽게 여기다의 뜻。

뜻 ①**두려워할외** ㉠경외(敬畏)함。㉡무서워함。「畏服외복」「畏敬외경」 ㉢삼가고 조심함。「畏愼외신」 ㉣꺼려함。「畏忌외기」 ②**두려움외** 앞 뜻의 명사。

참고 「畏」를 음으로 하는 글자=「渨외」〈빠지다〉·「隈외」〈후미진 곳〉·「猥외」〈뒤섞이다〉·「煨외」〈묻은 불〉

【畏敬 외경】 어려워하고 공경함。

【畏友 외우】 존경하는 벗。

◉後生可畏후생가외

9 **【畓】** 田 4 고교 **답** ㊥韓 ―논―

丿 才 水 水 杏 沓 沓 畓

자원 회의 水 田 ┬ 畓 (田부)

「水수」〈물〉와 「田전」〈밭〉으로 이루어짐。물이 담긴 논의 뜻。

뜻 《韓》**논답** 수전。「田畓전답」

◉奉畓봉답 水畓수답 玉畓옥답 田畓전답

【思】 ⇩心部四畫

【胃】 ⇩肉部五畫

五畫

10 **【畔】** 田 5 **반** ―두둑― ㊀翰

자원 형성 田 半(음) ┬ 畔 (田부)

2500년전

「田발전」과、음을 나타내는 동시에 나눈다는 뜻(⇩判판)을 가진 「半반」으로 이루어져 밭과 밭을 나누는 지경의 뜻。

뜻 ①**두둑반** 밭의 지경을 이룬 두둑。「畦畔휴반」 ②**지경반** 경계。③**물가반** 수애(水涯)。전(轉)하여、모든

5획

물건의 가。「澤畔택반」 ④떨어질반 분리(分離)함。⑤배반할반 叛(又部七畫)과 같은 글자。「畔逆반역」

【畔界 반계】 ①밭두둑。②경계。

◉水畔수반 岸畔안반 河畔하반 湖畔호반

10【畝】 田 5 **묘**(무㊍) | 이랑 | ㊤有

자원 형성 田久음 十ㅗ ┤畝(田부) 2500년전

논밭의 뜻인「田전」과 구획을 나타내는「十십」(ㅗ는 그 변형) 및 음을 나타내며 흙을 쌓아 놓은 무더기의 뜻(⇩丘)을 나타내기 위한「久구」(묘는 변음)로 이루어짐。논밭의 흙을 쌓아 이룬 두둑의 뜻。일설(一說)에는「夂」는 걷는 모양을 나타내어、열(⇩十) 발짝 넓이의 논밭의 뜻이라고도 함。

뜻 ①**이랑묘** 지적(地積)의 단위。육척사방(六尺四方)을 일보(步)라 하고 백보를「一畝일묘」라 함。진(秦)나라 이후에는 이백사십보임。②**두둑묘** 밭의 두둑。전(轉)하여、전답。「田畝전묘」 ※본음(本音) **무**

주의「畮」가 정자(正字)。「畂」는 옛 글자。「畆」는 속자(俗字)。

10【留】 田 5 중학 **류** | 머무를 | ㊦尤

자원 형성 田卯음 ┤留(田부) (A) (B) 2000년전

「田전」〈논밭〉과、음을 나타내는「卯」(「卯묘」가 아니고「丣류」임)로 이루어짐。논밭이 있으면 그 곳에 머물러 경작에 종사하게 되므로 전하여、널리 머무르다의 뜻을 나타냄。

뜻 ①**머무를류** 정지함。체류함。「逗留두류」 ②**뒤질류** 늦음。지체함。③**오랠류** ④**엿볼류** 기회를 엿봄。

주의「畱」는 정자(正字)。「留」는 본래 속자(俗字)。

참고「留」를 음으로 하는 글자＝「溜류」〈떨어지다〉·「榴류」〈석류나무〉·「瑠류」〈유리〉·「瘤류」〈혹〉·「霤류」〈낙수물〉·「鎦류」〈뜸들다〉·「騮류」〈절따말〉

【留保 유보】 멈추어 두고 보존함。보류(保留)。

【留守 유수】 ①집을 지킴。②천자(天子)가 출정(出征) 또는 행행(行幸) 중에 대신하여 경사(京師)를 지키는 벼슬。③《韓》이조(李朝) 때 개성(開城)·강화(江華)·광주(廣州)·수원(水原)·춘천(春川) 등 요긴한 곳을 맡아 다스리던 정종이품(正從二品)의 경관직。

【留宿 유숙】 남의 집에 머물러 묵음。

【留意 유의】 마음에 둠。

【留任 유임】 임기(任期)가 찬 후에도 갈리지 않고 그냥 그 자리에 머물러 있음。연임(連任)함。

【留陣 유진】 한 곳에 머물러 진(陣)을 침。

【留滯* 유체】 머물러 쌓임。

【留置 유치】 ①맡아 둠。보관하여 둠。②《韓》일정한 곳에 잡아 가둠。

【留後 유후】 절도사(節度使)가 임지(任地)를 떠났을 때 그 대리를 보는 벼슬。

◉居留거류 繫留계류 須留수류 押留압류 抑留억류 遺留유류 停留정류 駐留주류 滯留체류

10 **【畜】** 田 5 고교 **축** | 쌓을 | 入屋

丶 亠 ㄠ 玄 玄 斉 斉 畜 畜

자원 회의 田 茲-玄 ┬ 畜(田부) 2500년전

「玄현」은 「茲자」를 약(略)한 것으로서, 붇게 하다의 뜻을 나타냄. 「田전」은 밭. 밭의 작물(作物)을 키워 붇게 하는 것. 가축(家畜)의 뜻으로 빌어 쓰여짐.

뜻 ①**쌓을축** 저축함. 「貯畜저축」「畜積축적」 ②**저축축** 축적(畜積). 「餘畜여축」 ③**붙들축** 가지 못하게 만류함. ④**기를축** ㉠옆에 놓고 먹여 살림. 「畜妾축첩」 ㉡짐승을 사육함. 또 그 짐승. 「畜牛축우」 「家畜가축」 「六畜육축」 ⑤**일어날축** 흥기함. ⑥**따를축** 순종함. ⑦**받아들일축** 용납함.

참고 「畜」을 음으로 하는 글자=「蓄축」〈쌓다〉·「慉휵」〈기르다〉·「稸축」〈쌓다〉

【畜類 축류】 ①집에서 기르는 짐승. 가축(家畜). ②짐승.

【畜生 축생】 짐승. 금수(禽獸).

【畜獸 축수】 집에서 기르는 짐승.

【畜積 축적】 저축함. 또 저축.

【畜妾 축첩】 첩을 둠.

◉家畜가축 耕畜경축 牧畜목축 有畜유축

六畫

11 **【畢】** 田 6 고교 **필** | 마칠 | 入質

丨 ㄇ 日 田 甲 畀 畢 畢 畢

자원 형성 𠦒 由-田 음 ┬ 畢(田부) 2500년전

짐승을 잡는 자루가 달린 그물 모양을 나타내는 「𠦒」( )와, 음을 나타내는 「由불」(필은 변음·「田」은 변한 모양)로 이루어지며 자루가 달린 그물의 모양. 음을 빌어, 남김 없이, 모두의 뜻(⇩𢿌필)으로 쓰임.

뜻 ①**그물필**, **그물질할필** 새 또는 토끼를 사냥할 때 쓰는 긴 자루가 달린 작은 그물. 또 이 그물로 덮어 잡음. ②**마칠필** 끝남. 끝냄. 「畢生필생」 ③**다필** 모두. ④**다할필** 남기지 아니함. 「畢力필력」 ⑤**별이름필** 이십팔수(二十八宿)의 하나. 서방(西方)에 있음. ⑥**간찰필** 글씨를 쓰는 댓조각.

참고 「畢」을 음으로 하는 글자=「𢿌필」〈빨리 불러오라 하다〉·「篳필」〈사립짝〉·「蹕필」〈벽제〉·「韠필」〈슬갑〉

【畢竟 필경】 마침내. 결국. 구경(究竟).

【畢力 필력】 힘을 다함.

【畢生 필생】 일평생(一平生).

【畢業 필업】 업(業)을 마침. 학업을 마침. 졸업(卒業).

11 **【異】** 田 6 중학 **이** | 다를 | 去寘

丨 ㄇ 日 田 甲 畀 異

자원 상형 異(田부)-異 3000년전 2000년전

옛 자형(字形)은 양손을 벌린 사람의 모양이며, 두

부(頭部)는 귀신의 탈을 쓴 모양이라든가 바구니를 올려놓은 모양이라고도 생각됨。 나중에 「田전」과 「共공」과를 합한 글자로 잘못 보아 지금 자형으로 되었음。「異」는 양편으로 나누어지다↓또 한편의↓다름。「翼익」·「翌익」과 음도 뜻도 관계가 깊음。「異」는 약자。

뜻 ①**다를이** ㉠같지 아니함。「異同이동」 ㉡한 사람이 아님。「異日이일」 ㉢남달리 뛰어남。 걸출함。「異等이등」 ②**괴이할이** 괴상함。「奇異기이」 ③**달리할이** ㉠다르게 함。 ㉡따로따로 떨어짐。 ④**이상히여길이** ㉠기이하게 여김。 ㉡의심함。 ⑤**재앙이** 요재(妖災)。 괴변。

참고 「異」를 음으로 하는 글자＝「冀기」〈바라다〉·「翼익」〈날개〉

【異境 이경】 ①다른 나라。 타국。 외국。 ②다른 토지。 타향(他鄕)。

【異曲同工 이곡동공】 방법은 다르나 결과는 같음。 동공이곡(同工異曲)。

【異口同音 이구동음】 ①여러 사람이 다 같은 소리를 함。 ②여러 사람의 설(說)이 일치함。 이구동성。

【異端 이단】 ①성인(聖人)의 도(道)가 아닌 도。 사악(邪惡)한 도。 ②자기가 신봉(信奉)하는 이외의 도。

【異同 이동】 ①다름。 같지 아니함。 동(同)은 무의미의 조자(助字)。 ②《韓》 다름과 같음。

【異例 이례】 ①전례(前例)에 없는 특별한 일。 ②병(病)。

【異論 이론】 남과 다른 의론。

【異類 이류】 ①종족(種族)이나 정교(政敎)가 다른 사람들。 ②인류(人類)와 다른 것。 조수(鳥獸)·요괴(妖怪) 따위。

【異母 이모】 아버지는 같고 어머니는 다름。 배가 다름。

【異母兄 이모형】 배가 다른 형。 이복형(異腹兄)。

【異聞 이문】 ①이상한 이야기。 ②딴 사람과 달리 들은 일。 별다른 소문。

【異邦 이방】 외국。 이국(異國)。

【異變 이변】 괴이한 변고(變故)。 보통과는 다른 일。

【異腹 이복】 아버지는 같은데 어머니가 다름。 배가 다름。

【異本 이본】 ①세상의 보통 책과는 다른 진귀한 책。 진본(珍本)。 ②동종(同種)의 책으로서 내용이 다소 다른 것。 일본(一本)。 타본(他本)。

【異色 이색】 ①다른 빛。 ②다른 태(態)。

【異書 이서】 이본(異本)。

【異說 이설】 ①남과 다른 설(說)。 보통과 다른 설。 ②진기(珍奇)한 설。 진설(珍說)。 ③각양각색(各樣各色)의 의견。

【異姓 이성】 다른 성。 타성(他姓)。 동성(同姓)의 대(對)。

【異心 이심】 딴 마음。 모반(謀叛)하고자 하는 마음。 이심(貳心)。

【異域 이역】 외국。 이국(異國)。

【異議 이의】 ①보통과 다른 의론。 ②남과 다른 의견。 이론(異論)。

【異人 이인】 ①특이한 사람。 뛰어난 사람。 비범한 사람。 ②이상한 사람。 신인(神人)·신선(神仙) 따위。 ③딴 사람。 별인(別人)。

【異才 이재】 남다른 재능。 또 그 재능을 가진 사람。 이능(異能)。

【異蹟 이적】 사람의 힘으로는 할 수 없는 불가사의한 일。 기적(奇蹟)。

【異次頓* 이차돈】《韓》 신라(新羅) 법흥왕(法興王) 때 불교(佛敎)를 일으키기 위해 순교(殉敎)한 사람。

【異彩 이채】 ①다른 빛깔。 ②특별한 광채。

【異體 이체】 ①형체를 달리함。 형상이 다름。 ②다른 몸。 딴 신체。 ③이풍(異風)。

【異體同心 이체동심】 몸은 다르나 마음은 같음。 서로 의기(意氣)가 상투(相投)함을 이름。

【異趣 이취】 ①정취(情趣)가 다름。 또 다른 정취。 ②취미가 다름。 또 다른 취미。

【異稱 이칭】 보통과 다르게 부르는 칭호。 별칭(別稱)。

【異鄕 이향】 딴 토지。 타향(他鄕)。

◉敬異경이 驚異경이 奇異기이 大同小異대동소이 變異변이 特異특이 判異판이

11 【略】 田 6 고교 략 — 다스릴 — 入藥

冂 冂 冂 冂 冂 略

자원 형성 田各음 ┬略(田부) 2500년전

음을 나타내는 「各각」(략은 변음)은 목적지에 이르는 일→곧 바로 줄을 그어서 구분하는 일。 「田전」은 세로·가로로 구분된 땅。 「略」은 땅을 구분하여 경영하는 일。 그러나、 올바른 방법으로 하는 것이 아니고 일시적 혹은 힘으로 억지로 강제하는 방법을 일컫는 말이었기 때문에 땅이나 물건을 강제로 빼앗다→빼앗는 일 혹은 손쉽게 하다→대략 따위의 뜻으로도 쓰이게 되었음。

뜻 ①**다스릴략** 방침을 세워 다스림。 경영(經營)함。 ②**돌략** 순행(巡行)함。 ③**간략할략** 자세하지 아니함。 「略字약자」 ④**간략히할략** 약(略)함。 「省略생략」 ⑤**덜략** 뺌。 감소시킴。 ⑥**노략질할략** 약탈함。 掠(手部八畫)과 같은 글자。 「略奪약탈」 ⑦**범할략** 침범함。 ⑧**날카로울략** 예리함。 ⑨**꾀략** 모계(謀計)。 「計略계략」 「方略방략」 ⑩**길략** ㉠도(道)。 ㉡경로(經路)。 ⑪**지경략** 경계。 ⑫**대강략** ㉠대략(大略)。 ㉡대충대충 추리어。 「略述약술」 ⑬**거의략** 얼추。 거진。

주의 「畧」은 속자(俗字)。

【略歷 약력】 간단하게 적은 이력。

【略論 약론】 대강 논(論)함。 또 그 문서。 개요(槪要)를 논술한 문서。

【略說 약설】 약해(略解)。

【略述 약술】 대강 진술함。 약진(略陳)。

【略言 약언】 대강 말함。

【略傳 약전】 간략하게 적은 전기。

【略取 약취】 약탈하여 가짐。

【略稱 약칭】 생략하여 일컬음。 또 그 명칭。

【略奪 약탈】 폭력을 써서 빼앗음。

【略筆 약필】 생략하여 씀。 대충 씀。

【略解 약해】 대강의 뜻을 해설(解說)함。 간략하게 풀이함。 또 그 문서。

◉簡略간략 攻略공략 膽略담략 謀略모략 六韜三略육도삼략 才略재략 智略지략

【累】 ⇩糸部五畫

七畫

12 【畫】 田 7 중학 ㊀화 — 그림 — ㊀去卦 ㊁획 — ㊁入陌

ㄱ ㅋ 聿 聿 書 書 書 書 畫

5 획

자원 형성 聿-聿(음)丅畫(田부) 畫-畕 2500년전

밭의 경계선을 뜻하는 「畫화」(⇩畕)와, 음을 나타내며 동시에 쓰는 뜻을 가지는 「聿붓율」(손=ㅋ에, 붓=⺈을 든 모양·화는 변음)로 이루어져, 밭의 경계선을 긋는 뜻. 나중에 「畫」는 그림, 그리다의 뜻으로도 쓰임。

뜻 ㊀ ①**그림화** 「圖畫도화」「名畫명화」 ②**그릴화** 그림을 그림。㊁ ①**가를획** ㉠나눔。구분함。㉡한계를 지음。「區畫구획」 ②**꾀할획** 계책을 세움。「畫策획책」 ③**꾀획** 계책。「計畫계획」 ④**획획** 자획(字畫)。「點畫점획」

주의 ①「晝주」〈낮〉는 딴 글자。②「畵」는 속자(俗字)。

참고 「畫」을 음으로 하는 글자=「劃획」〈쪼개다〉

【畫架 화가】 그림을 그릴 때 화포(畫布)를 받치는 삼각(三脚)의 틀。

【畫工 화공】 그림을 그리는 것을 업(業)으로 삼는 사람。화사(畫師)。

【畫壇 화단】 ①그림의 진열장(陳列場)。②화가의 사회。

【畫廊 화랑】 ①회화(繪畫)를 진열(陳列)하여 놓는 곳。②그림을 그려 아름답게 꾸민 낭하(廊下)。

【畫龍點睛* 화룡점정】 장승요(張僧繇)라는 명화가(名畫家)가 용을 그린 뒤에 마지막으로 눈동자를 그려 넣었더니 그 용이 홀연(忽然)히 구름을 타고 하늘로 올라갔다는 수형기(水衡記)에 실린 고사(故事)에서 나온 말로서, 사물의 안목(眼目)이 되는 곳, 또는 약간의 어구(語句)나 사물을 첨가하여 전체가 활기를 띠는 일, 또는 일을 완전히 성취(成就)함을 이름。

【畫眉 화미】 눈썹먹으로 눈썹을 그림。전(轉)하여 미인을 이름。

【畫法 화법】 그림을 그리는 법。

【畫癖* 화벽】 그림을 좋아하는 버릇。

【畫屛 화병】 그림을 그린 병풍。

【畫譜 화보】 ①화가의 전통(傳統)。②화조산수(花鳥山水) 등의 그림을 유별(類別)하여 모은 화첩(畫帖)。

【畫師 화사】 화가(畫家)。

【畫蛇添足 화사첨족】 사족(蛇足)과 같음。

【畫像 화상】 초상화(肖像畫)。

【畫仙 화선】 화성(畫聖)。

【畫仙紙 화선지】 글씨를 쓰거나 그림을 그리는 데 쓰는 종이의 이름。백지(白紙)보다 두껍고 큼。

【畫聖 화성】 극히 뛰어난 화가。

【畫室 화실】 ①그림을 새겨 장식한 방。화당(畫堂)。②그림을 그리는 방。또 그림을 진열(陳列)한 방。

【畫意 화의】 그림 속에 나타난 정취(情趣)。

【畫人 화인】 화가(畫家)。

【畫題 화제】 ①그림의 제목。그림의 이름。②그림 위에 쓰는 시문。

【畫讚 화찬】 그림 위에 쓰는 찬사(讚詞)。

【畫彩 화채】 그림의 채색。그림의 빛깔。

【畫帖* 화첩】 ①그림을 모아 엮은 책。②그림을 그리기 위하여 화선지(畫仙紙) 같은 것의 여러 장을 한데 모아 만든 책。③그림본。

【畫布 화포】 유화(油畫)를 그리는 데 쓰는 베。캔버스。

【畫幅 화폭】 그림을 그린 족자(簇子)。

【畫筆 화필】 그림을 그릴 때 쓰는 붓。
【畫數 획수】 자획(字畫)의 수。
【畫順 획순】 자획(字畫)의 순서。
【畫引 획인】 획수에 따라 찾는 한자(漢字)의 색인。 「책략을 꾸밈。
【畫策 획책】 계획。 또 계획을 세움。
◉計畫계획 古畫고화 企畫기획 墨畫묵화 壁畫벽화 揷畫삽화 書畫서화 水彩畫수채화 油畫유화 肖像畫초상화 版畫판화 繪畫회화

12 【番】 田 7 중학 ㊀번 ㊁반 ㊂파 | 번 | ㊀平元 ㊁平寒 ㊂平歌

一 ⺈ 平 采 番 番 番

자원 상형 (2500년전) (2000년전)
「番」의 자형(字形)의 기원은 짐승의 발자국의 모양(⇩蹯번) 또는 손으로 씨를 뿌리는 모양(⇩播파)이라고도 일컬어짐。 또 「幡번」〈표기〉이나 「蕃번」〈우거지다〉 따위 「番」을 부분으로 하는 글자도 함께 생각하면 이들에는 넓어진다는 뜻이 공통(共通)되어 있었음。 나중에 넓어지다→넓히다→한 번 건넘→한 번(⇩遍편)으로 변하여 횟수나 순번을 나타내게 되었음。

뜻 ㊀①번번 ㉠순서。 순번。 「頭番두번」 ㉡횟수。 ㉢차례로 임무를 맡는 일。 「交番교번」 ②장번 맷수。 ③짝번 대우(對偶)。 ㊁땅이름반 「番禺반우」는 광동성 광주부(廣州府)에 있는 지명。 ㊂①날랠파 「番番파파」는 용맹한 모양。 ②땅이름파 「番吾파오」는 옛날의 조(趙)나라의 지명。 지금의 하북성(河北省) 평산현(平山縣)에 있었음。

참고 「番」을 음으로 하는 글자=「幡번」〈표기〉·「潘반」〈뜨물〉·「燔번」〈불사르다〉·「繙번」〈불다〉·「蹯번」〈발바닥〉·「飜번」〈나부끼다〉·「翻번」〈날다〉·「播파」〈뿌리다〉

【番地 번지】 ①외국。 이역(異域)。 번지(蕃地)。 ②《韓》 번호(番號)를 매겨서 나눈 땅。 또 그 번호。
【番號 번호】 차례를 나타내는 호수。
◉交番교번 當番당번 上番상번 輪番윤번

八畫

13 【畵】 田 8 畫(田部七畫)의 속자(俗字)。

13 【當】 田 8 중학 당 | 당할 | ①-⑧平陽 ⑨-⑩去漾

丨 丷 ⺌ 尚 尚 當 當

자원 형성 八 向 ┬ 尙(음) ┬ 當(부) 田 (2500년전)
음을 나타내는 「尙상」(당은 변음)은 높은 창문에서 연기가 나가는 모양→위。 여기에서는 「掌장」「賞상」「常상」 따위와 공통(共通)되는, 위에 더하다→충당하다란 뜻을 나타냄。 「田전」은 논밭。 「當당」은 이 밭과 저 밭이 서로 포개어 맞추듯이 꼭 들어 맞는 일。 약자는 「当」。

뜻 ①당할당 ㉠당해 냄。 감당함。 ㉡맞섬。 대적함。 ㉢일을 만남。 「當事당사」 ㉣숙직함。 ㉤지킴。 방어함。 ②당하게할당 앞의 뜻의 타동사。 ③

대할당 마주 대함。④**마땅할당** 적당함。상당함。⑤**맡을당** 주관함。「當國당국」⑥**맞을당** ㉠어떠한 일에 바로 맞음。「該當해당」㉡어떠한 죄가 법률의 어느 조문에 해당함。「當死당사」⑦**덮을당** 위를 덮어 가림。⑧**이당、그당** 이것·저것·지금 등을 나타냄。「當時당시」「當人당인」⑨**마땅히당** 의당…하여야 함。「宜當의당」⑩**밑당** 물건의 밑바탕。⑪**저당당** 담보。「當店당점」

참고 「當」을 음으로 하는 글자＝「璫당」〈귀엣고리옥〉·「礑당」〈밑바닥〉·「襠당」〈배자〉·「蟷당」〈사마귀〉·「鐺당」〈종고소리〉

【當家 당가】①이 집。그 집。②자기의 가업(家業)을 맡아 함。③집안일을 하는 하인(下人)。④아내가 남에 대하여 자기 남편을 이름。

【當故 당고】《韓》부모(父母)의 상사(喪事)를 당함。조간(遭艱)。

【當局 당국】①바둑을 둠。대국(對局)。②어떤 지위에 있어 어떤 일을 담당함。또 그 곳。

【當局者 당국자】①바둑을 두는 사람。대국자(對局者)。②어떤 지위에 있어 어떤 일을 맡은 사람。

【當歸 당귀】왜당귀。또 그 뿌리。뿌리는 보혈약에 씀。승검초。

【當今 당금】지금。이때。현금(現今)。

【當代 당대】①그 시대。②그 대(代)。

【當到 당도】어떤 곳이나 일에 닿아서 이름。

【當路 당로】①도로(道路) 중의 요지(要地)에 있음。②중요한 지위에 있음。요로(要路)에 있음。

【當面 당면】①얼굴을 댐。또 얼굴에 닿음。②얼굴을 대(對)함。대면(對面)。③일이 바로 눈앞에 닥침。

【當方 당방】①그 방면。②이쪽。

【當百錢 당백전】엽전(葉錢) 한 푼이 백 푼을 당(當)하는 돈。

【當番 당번】번(番)드는 차례에 당함。또 그 사람。

【當否 당부】마땅함과 마땅하지 아니함。정당함과 부정당함。시비(是非)。

【當事 당사】일에 당함。

【當朔 당삭】《韓》①그 달。②잉태(孕胎)한 부녀가 해산(解産)할 달을 당함。또 그 달。

【當選 당선】선거(選擧)에 뽑힘。

【當世 당세】①이 세상。금세(今世)。현대(現代)。②《韓》그 시대(時代)의 세상(世上)。

【當時 당시】①이 때。지금。②그 때。

【當夜 당야】그날 밤。

【當然 당연】이치에 당함。마땅히 그러함。

【當人 당인】그 사람。본인(本人)。

【當日 당일】①일이 생긴 바로 그날。②이 날。금일(今日)。

【當場 당장】《韓》당하(當下)。그 자리。

【當節 당절】지금。당시(當時)。

【當地 당지】그 곳。이 곳。

【當直 당직】근무하는 곳에서 일직·숙직 따위의 차례가 됨。

【當讖* 당참】예언(豫言)이 들어맞음。

【當籤* 당첨】제비 뽑기에 뽑힘。

【當初 당초】그 맨 처음。

【當下事 당하사】당면(當面)의 일。바로 할 일。

【當該 당해】①그 계(係)。②그것。그 사항。그 담당。

◉堪當감당 過當과당 擔當담당 配當배당

不當부당 抵當저당 適當적당 典當전당
該當해당

十畫

15 【畿】田 10 고교 기 —경기— 去微

자원 형성 田 幾음 ┬ 畿(田부) 2500년전

「田밭전」과, 음을 나타내며 동시에 가깝다는 뜻(⇩近근)을 가진 「幾기」(幾의 생략형)로 이루어지고 수도(首都)에 가까운 전지(田地)의 뜻。

뜻 ①경기기 왕도(王都) 주위의 오백 리 이내의 땅。「畿內기내」「京畿경기」 ②지경기 경계。 ③서울기 국도(國都)。 ④뜰기 문 안의 마당。 ⑤문지방기 문한(門限)。

【畿疆* 기강】경계。강계(疆界)。

【畿內 기내】서울을 중심(中心)으로 하여 사방(四方) 오백리(五百里) 이내의 땅。천자(天子) 직할의 지역임。

◉京畿경기 近畿근기 邦畿방기 王畿왕기

十三畫

【壘】⇩土部十五畫

十四畫

19 【疇】田 14 주 —두둑— 去尤

자원 형성 田 壽음 ┬ 疇(田부) 2500년전

「田밭전」과, 음을 나타내며 동시에 밭이랑이 구불구불 구부러진 뜻인 「壽수」(𠃬)로 이루어지며, 밭이랑을 뜻함。전(轉)하여, 지경의 뜻。

뜻 ①두둑주 밭의 경계。 ②삼밭주 삼을 심는 밭。 ③밭주 경작하는 전지。 ④누구주 어느 사람。誰(言部八畫)와 뜻이 같음。 ⑤접때주 이전。 ⑥세습주 가업(家業)을 세습(世襲)하는 일。지금은 오로지 천문학자에게 쓰임。 ⑦무리주 ㉠부류(部類)。분류된 항목。㉡제배(儕輩)。 ⑧짝주 배필。 ⑨같을주 동등함。 ⑩북돋을주 배토(培土)함。

【疇昔之夜 주석지야】어젯밤。작야。

◉範疇범주 田疇전주 洪範九疇홍범구주

19 【疆】田 14 강 —지경— 平陽

자원 형성 土 彊음 ┬ 疆(田부)

「土토」〈흙〉와, 음을 나타내며 동시에 경계의 뜻(⇩境경)을 가진 「彊강」으로 이루어짐。토지의 경계의 뜻。

뜻 ①지경강 경계。「疆界강계」 ②끝강 제한(際限)。「萬壽無疆만수무강」 ③두둑강 전답의 경계를 이룬 둔덕。 ④나라강 국토。 ⑤경계삼을강

주의 ①「彊강」〈강하다〉은 딴 글자。 ②「畺」은 옛 글자。

【疆界 강계】경계(境界)。국경(國境)。

【疆內 강내】나라의 경계의 안。

【疆吏 강리】국경을 지키는 벼슬아치。

【疆域 강역】강토(疆土)의 구역。국경(國境)。

【疆土 강토】①경계。국경(國境)。②국토(國土)。영토(領土)。

◉無疆무강 邊疆변강 封疆봉강 侵疆침강

十七畫

22 **【疊】** 田 17 **첩** | 겹쳐질 | ㊀葉 2500년전

자원 형성 晶-晶(음)┬疊(田부) 宜-宜┘

제사(祭祀)의 이름을 뜻하는 「宜의」(宜는 생략체)와, 음을 나타내며, 동시에 겹치다의 뜻(⇩重중)을 가지는 「晶정」(晶은 잘못 쓴 글자·첩은 변음)으로 이루어지며, 제사가 겹치는 뜻. 전하여 겹쳐 쌓다의 뜻.

뜻 ①**겹쳐질첩, 포개질첩** 여러 겹이 됨. 「重疊중첩」 ②**겹칠첩, 포갤첩** 겹쳐 놓음. ③**두려워할첩** 공구함. ④**무명첩** 면포.

주의 「曡」은 같은 글자. 「曡」은 속자(俗字).

【疊用 첩용】 같은 어구(語句)를 겹쳐 씀.

【疊韻 첩운】 ①같은 운(韻)을 써서 시를 지음. 화운(和韻). ②두 자로 된 숙어(熟語)에서 두 자가 모두 같은 운(韻)인 것. 요조(窈窕)·우유(優游) 따위. 「첩첩(疊疊)」 따위.

【疊字 첩자】 겹친 글자. 망망(茫茫)·「속.

【疊疊 첩첩】 겹친 모양. 중첩(重疊)한 모양.

【疊疊山中 첩첩산중】 중첩(重疊)한 산

【疊疊愁心 첩첩수심】 중첩(重疊)한 근심.

【疊出 첩출】 같은 사물(事物)이 거듭 「나옴.

◉積疊적첩 重疊중첩 層疊층첩

疋部

5 **【疋】** 수 부 ㊀**소** ㊁**필** | 발 | ㊀㊥魚 ㊁㊀質

자원 상형 2500년전

「疋」는, 다리의 무릎 ◯ 으로부터 밑의 부분(部分)(ㅏ는 발바닥의 모양 ㅂ→ㅏ)을 나타내고 있음.

뜻 ㊀**발소** 다리 끝의 발. ㊁**필필** 匹(匚部二畫)과 같은 글자. 「馬疋마필」

참고 「疋」를 음으로 하는 글자=「疏소」〈트이다〉·「楚초」〈가시나무〉

◉馬疋마필

四畫

【胥】 ⇩肉部五畫

六畫

11 **【疏】** 疋 6 **소** | 트일 | ①-⑮㊥魚 ⑯⑰㊤御 2500년전

자원 형성 㐬 疋(음)┬疏(疋부)

물의 흐름을 뜻하는 「㐬류」와 음을 나타내는 「疋소」로 이루어지며, 물이 잘 흐르게 한다는 뜻. 전(轉)하여 잘 통하다의 뜻.

뜻 ①**트일소, 틀소** 막힌 것이 통함. 또 막힌 것을 치워 통하게 함. 「疏通소통」 ②**나누일소, 나눌소** 갈라짐. 가름. ③**멀소** ㉠가깝지 않음. ㉡친하지 않음. 「親疏친소」 ④**멀리할소** 가까이 하지 아니함. 「疏外소외」 ⑤

〔五畫部首順〕 玄玉瓜瓦甘生用 疋疒癶白皮皿目矛矢石示内禾穴立

멀어질소 소원하여짐. ⑥드물소 성김. 「疏密소밀」 ⑦거칠소 정하지 아니함. 「疏惡소악」 ⑧길소 장대(長大)함. ⑨새길소 조각함. ⑩그릴소 그림을 그림. ⑪치울소 철거시킴. ⑫깔소 밑에 깖. ⑬맨발소 도선(徒跣). 벗은 발. ⑭채소소 蔬(艸部十一畫)와 통용. ⑮빗질소 梳(木部六畫)와 통용. ⑯주소 주석. 「註疏주소」「疏解소해」 ⑰상소할소, 상소소 조목별로 써서 군주에게 아룀. 또 그 글.

주의 「梳」·「疎」는 본래 같은 글자.

【疏隔 소격】 ①탐탁하게 여기지 않아 멀리함. ②정분(情分)이 성기어 멂. 소원(疏遠).

【疏略 소략】 소홀하고 간략함. 꼼꼼하지 못하고 거칢. 정밀(精密)하지 아니함.

【疏漏 소루】 차근차근하지 못함.

【疏密 소밀】 성김과 고움. 엉성함과 촘촘함.

【疏薄 소박】 탐탁하게 여기지 아니하여 박대함.

【疏水 소수】 땅을 파거나 뚫어서 물을 통하게 함. 또 그 수로(水路).

【疏外 소외】 배척하여 멀리함.

【疏遠 소원】 ①탐탁히 여기지 아니하여 멀리함. 소격(疏隔). ②정분(情分)이 성기어 멂. ③오래 만나지 아니함. 소활(疏闊).

【疏注 소주】 상세한 주석(注釋). 주소(注疏).

【疏通 소통】 ①막힘 없이 통함. ②조리가 정연(整然)함. 해설(解說)하여 밝힘.

◉簡疏간소 寬疏관소 密疏밀소 上疏상소 義疏의소 奏疏주소 親疏친소 稀疏희소

七畫

12 【疎】 疋 7 고교 소 — 트일 — ①-⑮㊥魚 ⑯⑰㊤御

ㄱ 了 子 𤴓 正 䟽 踈 踈 疎

자원 형성 疋 束(음) ┬ 疎(疋부)

본디 「疏소」와 같은 글자. 「疏」의 「㐬류」가 「束속」으로 잘못 쓰인 것.

주의 疏(앞 글자)와 같은 글자. 단(但), 「疏」의 뜻풀이 ❶⑭⑮⑯⑰은 관습상(慣習上) 이 자(字)를 쓰지 아니함. 뜻풀이와 숙어(熟語)는 「疏소」를 보라.

【疎外 소외】 물리쳐 멀리함.

【疎忽 소홀】 데면데면하여 찬찬하지 않음.

◉去者日疎거자일소 空疎공소 比疎비소

九畫

14 【疑】 疋 9 고교 ㊀의 ㊁응 — 의심할 — ㊀㊥支 ㊁㊥蒸

疑

자원 형성 疋 𠤕(음) ┬ 疑(疋부)

3000년전 2500년전 2000년전

가 예 모양으로, 사람이 지팡이를 짚고, 어느 쪽으로 갈까 하고 망설이고 있는 모양을 나타내는 상형자(象形字). 전하여 의심하다의 뜻이 됨. 는 어린이가 멈추어서는 뜻의 (辵로 쓰여졌음)와, 멈추어서 가지 못하고 있는 모양과 함께 음을 나타내는 (𠤕로 쓰여졌음)로 이루어짐. 어린이가 걸

을 수 없어서 멈추어서 비틀비틀하고 있다는 뜻。 음을 빌어、 의심하다의 뜻으로 쓰임。

뜻 一①**의심할의** ㉠알지 못해 의혹함。「疑問의문」㉡이상하게 여김。혐의를 둠。 ②**의심스러울의** 확실하지 아니함。「疑獄의옥」③**의심컨대의** 의심하노니。 ④**의심의** 이상(以上)의 명사。「宿疑숙의」⑤**두려워할의** 공구함。 ⑥**싫어할의** 미워함。「嫌疑혐의」⑦**헤아릴의** 촌탁함。 ⑧**비길의** 擬(手部十四畫)와 통용。 二**안정할응** 한 장소에 안정함。

주의 「疑」를 음으로 하는 글자=「擬의」〈헤아리다〉·「凝응」〈얼음이 얼다〉·「礙애」〈막다〉·「癡치」〈어리석다〉

【疑懼 의구】 의심을 품고 두려워함。

【疑念 의념】 의심(疑心)。

【疑問 의문】 ①의심하여 물음。 ②의심스러운 일。

【疑似 의사】 비슷하여 분간하기 어려움。 분간할 수 없을 정도로 비슷함。

【疑心 의심】 미심쩍게 여기는 마음。 믿지 못하여 이상하게 여기는 마음。

【疑心生暗鬼 의심생암귀】 마음에 의심하는 바가 있으면 여러 가지 무서운 망상(妄想)이 생김。

【疑獄 의옥】 사건이 복잡하여 진상(眞相)이 확실하지 아니한 옥사(獄事)。 범죄 사실이 의심스러운 옥사。

【疑點 의점】 의심이 나는 곳。

◉半信半疑반신반의 質疑질의 懷疑회의

疒部

5 【疒】 부수 녁 | 병들어누울 | ㉧陌

자원 회의 2000년전 3000년전

본래、 침대(寢臺)의 뜻인 「爿상」(牀상의 본디글자)과、 그 위에 누운 ⺊ 사람으로 이루어짐。 사람이 병으로 눕는 뜻을 나타냄。 부수(部首·병질밑)로서는、 병 또는 신체적 이상에 관한 뜻을 나타냄。

뜻 **병들어누울녁** 병으로 누움。

四畫

9 【疫】 疒4 고교 역 | 돌림병 | ㉧陌

丶 亠 广 广 疒 疒 疒 疫 疫

자원 형성 疒+役-殳음 → 疫(疒부) 2500년전

「疒병질밑」과、 음을 나타내며 동시에 재난(災難)의 뜻(⇨厄액)을 나타내기 위한 「役역」의 생략형(省略形)인 「殳」으로 이루어져、 유행병(流行病)의 뜻을 나타냄。

뜻 ①**돌림병역** 전염병。 ②**역귀역** 돌림병을 퍼뜨리는 귀신。

【疫痢 역리】 악성(惡性)이고 급성인 적리(赤痢)。 주로 소아가 걸림。

【疫病 역병】 전염성의 열병。

◉防疫방역 惡疫악역 災疫재역 疾疫질역

五畫

10 【疲】 疒5 고교 피 | 고달플 | ㉾支

丶 亠 广 广 疒 疒 疒 疒 疲 疲

자원 형성 疒皮(음)丁疲(疒부) [seal] 2500년전

「疒병질밑」과, 음을 나타내며 동시에 지치다의 뜻(⇩罷파)을 나타내기 위한 「皮피」로 이루어져, 병들어 지치다의 뜻.

뜻 ①고달플피 ㉠신체가 피로함. 「疲倦피권」 ㉡시량(柴糧) 같은 것이 떨어져 고생함. ②고달프게할피 위의 뜻의 타동사. ③고달픔피 피로. 고생. 「民疲민피」 ④느른할피 기력이 쇠함. ⑤야윌피 수척함.

【疲困 피곤】 몹시 지쳐서 곤(困)함.

【疲勞 피로】 지쳐서 몸이 나른함.

【疲弊 피폐】 피로하여 쇠약해짐.

10 【疵】 疒5 자 | 흉 | ㊥支

자원 형성 疒此(음)丁疵(疒부)

「疒병질밑」과, 음을 나타내며 동시에 찢어지다를 뜻하는 「此차」(자는 변음)로 이루어짐. 흉터.

뜻 ①흉자 ㉠흉터. ㉡흠. 결점. 「瑕疵하자」 ②흉볼자 헐뜯음.

◉無疵무자 吹毛求疵취모구자 瑕疵하자

10 【疹】 疒5 진 | 홍역 | ①㊤軫 ②㊦震

자원 형성 疒㐱(음)丁疹(疒부)

「疒병질밑」과, 음을 나타내는 「㐱진」으로 이루어짐. 병명(病名).

뜻 ①홍역진 ㉠전염병의 한 가지. 「痲疹마진」 ㉡전(轉)하여 널리 좁쌀 같은 부스럼이 많이 돋는 병의 일컬음. 「濕疹습진」 ②앓을진 병을 앓음.

◉痲疹마진 水泡疹수포진 濕疹습진

10 【疾】 疒5 고교 질 | 병 | ㊇質

丶 亠 广 广 疒 疒 疒 疾 疾

자원 형성 疒矢(음)丁疾(疒부) [seal] 2500년전

「疒병질밑」과, 화살의 뜻을 나타내는 동시에, 음을 나타내는 「矢시」(질은 변음)로 이루어지며, 본래 화살 상처를 뜻하였지만, 전하여, 넓은 뜻의 앓다, 미워하다의 뜻으로 쓰이고, 또 음을 빌어, 재빠르다의 뜻으로 쓰임.

뜻 ①병질 ㉠질병. 「疾患질환」 ㉡불구(不具). ㉢버릇. 성벽. ㉣결점. 흠. ㉤해독을 끼치는 것. ②괴로움질 고통. 「疾苦질고」 ③앓을질 병을 앓음. ④괴로와할질 고통을 느낌. 고생함. ⑤근심할질 걱정함. ⑥미워할질 싫어함. 「疾視질시」 ⑦빠를질 ㉠급속함. 「疾風질풍」 ㉡민첩함. 「捷疾첩질」 ⑧빨리질 신속히. 바로. ⑨힘쓸질 힘써 함. ⑩투기할질 시기함. 嫉(女部十畫)과 같은 글자.

【疾苦 질고】 고통.

【疾驅 질구】 빨리 달림.

【疾病 질병】 ①병. ②병이 위중함.

【疾視 질시】 흘겨 봄.

【疾疫 질역】 유행병.

【疾走 질주】 빨리 달림.

【疾風 질풍】 센 바람.

【疾風迅雷* 질풍신뢰】 폭풍과 요란한 「천둥」.

【疾患 질환】 질병(疾病)。
◉輕疾경질 痼疾고질 眼疾안질 罪疾죄질

10【病】疒 5 [중학] 병 ─ 병 ─ 去敬

丶 亠 广 疒 疒 疔 病 病

[자원] 형성 疒 丙[음] ┬ 病 (疒부)
음을 나타내  (A) 3000년전  (B) 2000년전
는「丙병」〈분명하여지다〉과「疒병질밀」으로 이루어짐。「疒」은 사람이 침대에 드러누운 모양。옛 자형(字形)Ⓐ Ⓑ가 나중에「疒」이란 자형으로 되었음。「病」은「疾질」〈상처·병〉이 중하여지는 일。

[뜻] ①**병병** ㉠질환。「疾病질병」 ㉡성벽。나쁜 버릇。「病癖병벽」 ㉢흠。병통。②**근심병** 걱정。또 고통。③**앓을병** 병을 앓음。「毋病모병」 ④**더칠병** 병이 중해짐。⑤**근심할병** 걱정함。⑥**괴로와할병** 고통을 느낌。⑦**원망할병** 원한을 품음。⑧**피로할병** 피곤해짐。⑨**헐뜯을병** 비방함。⑩**욕보일병** 부끄러움을 당하게 함。⑪**괴롭힐병** 고통을 줌。

【病假 병가】 병이 나서 휴가를 얻음。가(假)는 가(暇)。
【病苦 병고】 병(病)의 괴로움。
【病軀* 병구】 병든 몸。
【病菌 병균】 병을 퍼뜨리는 미균(微菌)。
【病根 병근】 ①병의 근원。병의 뿌리。②폐해의 근원。③마음에 밴 나쁜 버릇。고치기 어려운 악습(惡習)。
【病毒 병독】 병의 근원이 되는 독기。
【病理 병리】 병의 원인·상태의 원리。
【病魔* 병마】 병을 일으키는 마귀。
【病歿* 병몰】 병사(病死)。
【病床 병상】 병자(病者)의 침상(寢床)。환자가 누워 있는 자리。
【病狀 병상】 병의 상태。병의 증세。
【病色 병색】 병든 사람 같은 얼굴 빛。
【病席 병석】 환자가 누워 있는 자리。
【病勢 병세】 병의 형세。
【病身 병신】 늘 앓아서 성하지 못한 몸。병든 몸。병구(病軀)。
【病弱 병약】 병에 시달려 몸이 약함。
【病臥 병와】 병으로 누워 있음。
【病源 병원】 병의 근원(根源)。
【病的 병적】 사물(事物)이 불건전하여 상태(常態)를 벗어난 것。
【病症 병증】 병의 증세(症勢)。
【病體 병체】 병든 몸。병구(病軀)。
【病患 병환】 ①병。질병(疾病)。②《韓》웃어른의 병의 존칭。
【病後 병후】 병을 앓고 난 뒤。
◉內病내병 老病노병 多病다병 詐病사병 熱病열병 臥病와병 殘病잔병 疾病질병

10【症】疒 5 [고교] 증 ─ 증세 ─ 去敬

丶 亠 广 疒 疒 疔 疔 症 症

[자원] 형성 疒 正[음] ┬ 症 (疒부)
「疒병질밀」과、음을 나타내는 동시(同時)에 성질(性質)·소질(素質)의 뜻(⇩性성)을 가지는「正정」으로 이루어지며、병의 성질의 뜻。

[뜻] **증세증** 병의 성질。證(言部十二畫)의 속자(俗字)。「症狀증상」

[주의] 옛날에는「證증」〈증명하다〉의 속자(俗字)。

【症狀 증상】 증세(症勢)。「의 모양。
【症勢 증세】 병으로 앓는 여러 가지
【症候 증후】 증세(症勢)。
◉渴症갈증 病症병증 不姙症불임증 炎症염증 重症중증 痛症통증

六畫

11 **【痍】** 疒 6 이 ― 상처 ― ㊥支 　 2500년전

자원 형성 疒 夷음 ┬痍(疒부)
육체적 이상을 뜻하는 「疒병질밀」과 음을 나타내는 「夷」로 이루어짐。
뜻 ①**상처이** 다친 데。「瘡痍창이」 ②**다칠이** 부상함。「傷痍상이」
◉傷痍상이 創痍창이

11 **【痕】** 疒 6 흔 ― 흉 ― ㊥元

자원 형성 疒 艮음 ┬痕(疒부)
「疒병질밀」과、음을 나타내며 동시(同時)에 자국의 뜻(⇩跟근)을 나타내는 「艮간·흔」으로 이루어짐。 상처 자국、전하여 자국을 뜻함。
뜻 ①**흉흔** 상처의 자국。 ②**자취흔** 남은 형적。「痕迹흔적」
【痕迹 흔적】 남은 형적(形迹)。 뒤에 남은 자국。 자취。
◉淚痕누흔 刀痕도흔 殘痕잔흔 粧痕장흔

七畫

12 **【痘】** 疒 7 두 ― 마마 ― ㊤宥

자원 형성 疒 豆음 ┬痘(疒부)
「疒병질밀」에 음을 나타내며 동시에 콩의 뜻인 「豆두」를 더하여 된 글자。 피부에 콩알 모양의 물집이 잡히는 병의 뜻。
뜻 **마마두** 천연두。「痘瘡두창」
【痘疫 두역】 두창(痘瘡)。
【痘瘡 두창】 마마。 손님。 천연두(天然痘)。
【痘痕 두흔】 마마의 헌뎃자국。 곧 얽은 자국。
◉牛痘우두 種痘종두 天然痘천연두

12 **【痛】** 疒 7 고교 통 ― 아파할 ― ㊤送

丶 亠 广 疒 疒 疒 疔 痟 痛 痛 　 2500년전

자원 형성 疒 甬음 ┬痛(疒부)
「疒병질밀」과、음을 나타냄과 동시에 찌르다의 뜻(⇩撞당)을 나타내기 위한 「甬용」(통은 변음)으로 이루어져、바늘로 찌르듯 아픈 병。 신경통(神經痛)。 나중에 넓은 뜻의 아픔의 뜻으로 쓰임。
뜻 ①**아파할통** ㉠몸에 괴로움을 느낌。 ㉡마음 아파함。 ②**아플통** 위의 뜻의 형용사。 ③**아프게할통** 이상(以上)의 타동사。 ④**슬퍼할통** 비탄함。 ⑤**원망할통** 원한을 품음。 ⑥**몹시통** 대단히。「痛惜통석」 ⑦**힘껏통** 힘이 자라는 대로。
【痛感 통감】 몹시 느낌。 마음에 사무치게 느낌。
【痛擊 통격】 몹시 나무람。 통렬히 공격함。
【痛苦 통고】 괴로움。 고통(苦痛)。
【痛哭 통곡】 소리를 내어 슬피 욺。
【痛罵* 통매】 통렬(痛烈)히 꾸짖음。
【痛憤 통분】 몹시 분개함。

【痛惜 통석】 대단히 애처롭게 여김。

【痛痒* 통양】 아픔과 가려움。 자기에게 직접 관계되는 이해의 비유。

【痛飮 통음】 술을 대단히 많이 마심。

【痛切 통절】 ①매우 간절함。 ②아주 절실(切實)함。

【痛快 통쾌】 마음이 썩 상쾌(爽快)함。 대단히 기분이 좋음。

【痛歎 통탄】 대단히 탄식(歎息)함。

◉苦痛고통 頭痛두통 腹痛복통 心痛심통 哀痛애통 切痛절통 陣痛진통 沈痛침통

12 【痢】 疒 7 리 | 설사 | ㊎寘

자원 형성 疒＋利음 → 痢(疒부)

「疒병질밑」과, 음을 나타내는 「利리」로 이루어짐。

뜻 **설사리** 묽은 똥을 누는 배탈。 또 설사한 오물(汚物)。

◉疫痢역리 赤痢적리 下痢하리

八畫

13 【痰】 疒 8 담 | 가래 | ㊉覃

자원 형성 疒＋炎음 → 痰(疒부)

「疒병질밑」과, 음을 나타내는 「炎염·담」으로 이루어짐。

뜻 **가래담** 담。 「喀痰객담」

◉喀痰객담

13 【痲】 疒 8 마 | 저릴 | ㊉麻

자원 형성 疒＋𣏟음 → 痲(疒부)

「疒병질밑」에 음을 나타내는 「𣏟파·패」(마는 변음)를 더하여 이루어짐。

뜻 ①**저릴마、마비할마** 신체의 감각 작용을 잃음。 또 그 현상。 「痲痺마비」 ②**홍역마** 소아 전염병의 한 가지。 「痲疹마진」

주의 「痳림」〈임질〉은 딴 글자。

【痲痺 마비】 신경이나 심줄이 그 기능이 정지되거나 소멸되어서 나타나는 병。

【痲藥 마약】 마취약(痲醉藥)。

【痲疹 마진】 홍역(紅疫)。

【痲醉 마취】 동물에게 약 등을 써서 일시적으로 그 기능을 빼앗는 일。

13 【痴】 疒 8 치 | 어리석을 | ㊉支

자원 형성 疒＋知음 → 痴(疒부)

「疒병질밑」과, 음을 나타내며 동시(同時)에 자라나지 못함의 뜻(⇩稚치)인 「知지」로 이루어지며、앓다、머무르다、침체하다의 뜻을 나타냄。

뜻 ①**어리석을치** 미련함。 「白痴백치」 ②**미칠치** 어떤 일에 열중하게 됨。

주의 「癡」(疒部十四畫)가 본디 글자。

◉白痴백치 書痴서치

13 【痺】 疒 8 비 | 저릴 | ㊎寘

자원 형성 疒＋卑음 → 痺(疒부)

「疒병질밑」과, 음을 나타내는 「卑비」로 이루어짐。

뜻 **저릴비、마비할비** 신체의 감각 작용을 잃음。 또 그 현상。

주의 본디는 암메추리의 뜻이지만 「痹비」〈저리다〉와 모양이 비슷하여 저

리다의 뜻으로 잘못 쓰여지고 있음。
◉冷痺냉비 痲痺마비 坐痺좌비 風痺풍비

13 【痼】 疒 8 고 | 고질 | [去]遇

[자원] 형성 疒 固[음] ┬ 痼 (疒부)
「疒병질밀」에 음을 나타내는 동시에 단단하다의 뜻을 나타내는 「固고」로 이루어짐。 단단히 들어서 쉽게 낫지 않는 완고한 병의 뜻。
[뜻] **고질고** 오래 낫지 않는 병。
[주의] 「痁」는 같은 글자。
【痼疾 고질】 고치기 어려운 병。 숙질。

九畫

14 【瘍】 疒 9 양 | 두창 | [平]陽

[자원] 형성 疒 昜[음] ┬ 瘍 (疒부)
「疒병질밀」과、 음을 나타내는 동시에 부어서 막히다의 뜻(⇩壅옹)을 나타내기 위한 「昜양」으로 이루어지며、 부스럼을 뜻함。
[뜻] ①**두창양** 머리의 부스럼。 ②**부스럼양** 종기。 ③**상처양** 다친 데。
◉潰瘍궤양 腫瘍종양

十二畫

17 【療】 疒 12 료 | 고칠 | [去]嘯

[자원] 형성 疒 尞[음] ┬ 療 (疒부)
「疒병질밀」과、 음을 나타내는 동시에 다스린다는 뜻을 나타내기 위한 「尞료」로 이루어져 병을 고치다의 뜻을 나타냄。
[뜻] ①**고칠료** 병을 고침。 ②**면할료** 고통을 면함。 「療饑요기」
【療飢 요기】 음식을 먹어 시장기를 면함。
【療法 요법】 치료하는 방법。
【療養 요양】 병(病)을 조섭(調攝)함。
【療治 요치】 병을 고침。 요병(療病)。
◉救療구료 施療시료 醫療의료 治療치료

17 【癌】 疒 12 암 | 암 | [平]咸

[자원] 형성 疒 嵒[음] ┬ 癌 (疒부)
「疒병질밀」〈병〉과、 음을 나타내는 동시(同時)에 삐죽삐죽 내밀다의 뜻을 나타내는 「嵒암」으로 이루어짐。 몸안에 생기는 굳은 종기의 뜻。
[뜻] **암암** 악성 종양(腫瘍)의 하나。
【癌腫 암종】 암(癌)。
◉舌癌설암 胃癌위암 子宮癌자궁암

十三畫

18 【瘉】 疒 13 유 | 나을 | [上]虞

[자원] 형성 疒 愈[음] ┬ 瘉 (疒부)
「疒병질밀」과、 음을 나타내는 동시에 낫다의 뜻인 「愈유」로 이루어짐。
[뜻] **나을유** 병이 나음。 「平瘉평유」
◉治瘉치유 快瘉쾌유 平瘉평유

18 【癖】 疒 13 벽 | 버릇 | [入]陌 [入]錫

[자원] 형성 疒 辟[음] ┬ 癖 (疒부)
「疒병질밀」과、 음을 나타내는 「辟벽」으로 이루어짐。 본디 병명(病名)。

기울어지다의 뜻인 「僻벽」과 통하며 전(轉)하여 기호(嗜好) 따위의 치우침、버릇의 뜻으로 되었음。

뜻 ①적취벽 구체(久滯)의 한 가지。적병(積病)。「癖痼벽고」 ②버릇벽 성벽。「惡癖악벽」

◉潔癖결벽 性癖성벽 惡癖악벽 酒癖주벽

十四畫

19 【癡】 疒 14 痴(疒部八畫)의 본디 글자。

癶 部

5 【癶】 부수 발—걸음 ㊅曷

자원 회의  2500년전

「癶」은 두 발을 좌우(左右)로 벌린 모양을 본뜸。벌리다、등지다의 뜻。

뜻 ①걸을발 두 발을 벌리고 가는 것을 본뜬 글자。②등질발 사이가 틀어짐。

주의 「癶」(「祭제」의 윗부분)는 딴 글자。

四畫

4 【癶】 癶 0 癶(앞글자)과 같은 글자。

9 【癸】 癶 4 중학 계(규㊍)—열째천간 ㊤紙

자원 회의 癶+矢—癸(癶부)  3000년전 2500년전

「癶필발밑」〈걷다〉과 「矢시」〈화살〉로 이루어짐。발로 길이를 재다。화살은 자와 같이 곧기 때문에 곡직(曲直)을 재는 데 씀。나중에 음을 빌어 천간(天干)의 하나로 씀。

뜻 ①열째천간계 십간(十干)의 끝。철로는 겨울、방위로는 북(北)、오행(五行)으로는 물에 해당함。②경도계 월경。※본음(本音) 규

참고 「癸」를 음으로 하는 글자=「揆규」〈헤아리다〉·「葵규」〈해바라기〉

9 【発】 癶 4 發(癶部七畫)의 속자(俗字)。

七畫

12 【登】 癶 7 중학 ㊀등 ㊁득—오를 ㊀㊥蒸 ㊁㊅職

자원 형성 廾+豆—𢍚(음)—𢍚+癶—登(癶부)

「豆두」는 고기를 담는 식기。「廾공」은 두 손。음을 나타내는 「𢍚」

〔𤼷〕 〔𢍚〕 3000년전

은 고기 그릇을 두 손으로 신에게 바치다。여기에서는 위에 얹다、위로 올라가다의 뜻을 나타냄。「癶필발밑」은 발자국을 가지런히 쓴 모양→발로 딛고 나아가는 일。「𤼷등」은 발로 위로 올라가는 일。「登」은 「𤼷」의 약자。

「登」을 「癶」과 「豆」가 합친 모양이라 보고 「豆」는 발판의 모양이며

〔五畫部首順〕 玄玉瓜瓦甘生用田疋疒癶白皮皿目矛矢石示内禾穴立

발판을 발로 밟고 수레에 타는 것이 「登」일 것이란 설(說)은 잘못임。

[뜻] [一] ①**오를등** 높은 데 오름。「登山등산」「登壇등단」「登極등극」「登輦등련」 ②**올릴등** ㉠위로 올림。 ㉡물건을 드림。 바침。 ㉢장부에 실림。「登錄등록」「登記등기」 ㉣사람을 끌어올려 씀。 ㉤보탬。 ③**높일등** 존숭함。 ④**높을등** ⑤**이룰등** 성취함。 ⑥**정할등** 일정하게 함。 ⑦**익을등** 성숙(成熟)함。 여묾。 ⑧**바로등** 즉시。 [三]**얻을득** 得(彳部八畫)과 같은 글자。

[참고] 「登」을 음으로 하는 글자=「鐙등」〈등자〉·「橙등」〈등자나무〉·「燈등」〈등잔〉·「瞪징」〈똑바로 보다〉·「澄징」〈맑다〉·「證증」〈증명하다〉

【登高自卑 등고자비】 ①높은 곳에 오르려면 낮은 곳에서부터 오른다는 뜻으로、 일을 함에는 반드시 순서를 밟아야 한다는 말。 ②지위(地位)가 높아질수록 스스로를 낮춤。

【登科 등과】 과거에 급제함。

【登極 등극】 천자의 지위에 오름。 극(極)은 북극(北極)으로、 뭇별이 향하는 곳。 즉위(卽位)。

【登記 등기】 기록에 올림。

【登壇 등단】 ①장상(將相)을 임명하는 단(壇)에 올라감。 전(轉)하여、 장상이 됨。 ②연단(演壇)에 올라감。

【登錄 등록】 대장(臺帳)에 올림。

【登龍門 등룡문】 용문(龍門)은 황하(黃河) 상류의 물결이 센 곳으로 잉어가 거기에 올라가면 용이 된다는 전설에서 입신출세(立身出世)하는 곳으로 비유함。

【登樓 등루】 ①누각에 올라감。 ②창루(娼樓)에 놀러 감。

【登攀* 등반】 높은 곳에 기어 올라감。

【登仙 등선】 ①신선이 되어 하늘로 올라감。 ②귀인(貴人)의 죽음의 경칭(敬稱)。

【登用 등용】 인재를 끌어 올려 씀。

【登場 등장】 ①무슨 사건(事件)에 어떠한 인물(人物)이 나타남。 ②무대(舞臺)에 배우(俳優)가 나옴。

【登載 등재】 실림。 기재(記載)함。

【登程 등정】 길을 떠남。

【登廳 등청】 관청에 출근함。

12
【發】 癶 7 [중학] **발** — 쏠 — [入]月

フ ㇇ ㇇' 癶 癶 癸 發 發 發

[자원] 형성 癶┐癹[음]┐發(癶부) 弓┘

「癶필발밑」은 발을 좌우로 벌리다→벌리는 일。「殳수」는 치는 일。 음을 나타내는 「癹발」은、나중에 풀을 밟아 죽이는 것이라고 일컬어지지만、본디는 물건을 치거나 튀기거나 하는 일 혹은 그 음을 나타내는 것이라 생각됨。「發」은 옛 모양 Ⓐ로부터 Ⓑ로 모양을 잘못 전하였기 때문에 「癹발」과 「弓궁」을 합한 자형(字形)이라 생각되게 되었으나、본디 모양 Ⓐ는 「伐벌」과 「弓」「矢시」를 합친 것。「伐」은 음을 나타냄。 약자는 「発」。

(A) 2500년전

(B) 2000년전

[뜻] ①**쏠발** 활 따위를 쏨。「百發百中백발백중」 ②**떠날발** 출발함。「先發선발」 ③**보낼발** 떠나 보냄。 또 파견함。 ④**일어날발** ㉠생김。「發生발생」

㉡입신(立身)함。⑤일으킬발 ㉠입신(立身)시킴。「發身발신」 ㉡일을 벌임。⑥필발 꽃이 핌。「滿發만발」 ⑦헤질발 흩어짐。⑧비로소발 시작함。「開春發歲개춘발세」 ⑨열발 닫힌 것을 엶。⑩밝힐발 분명히 함。「啓發계발」 ⑪행할발 실행함。⑫나타날발、드러날발 노현(露顯)함。「發現발현」「發覺발각」 ⑬드러낼발 ㉠공표함。「發表발표」㉡파냄。「發掘발굴」 ⑭들출발 폭로함。「摘發적발」

주의 「癸계」〈열째천간〉는 딴 글자。

참고 「發」을 음으로 하는 글자=「撥발」〈다스리다〉·「潑발」〈뿌리다〉·「廢폐」〈집이 한쪽으로 쏠리다〉

【發覺 발각】비행(非行)·비밀(秘密) 같은 것이 드러남。

【發刊 발간】인쇄(印刷)하여 세상에 내 놓음。

【發光 발광】빛을 냄。

【發狂* 발광】미침。

【發掘 발굴】땅속에 묻힌 물건을 파냄。

【發起 발기】①무슨 일을 하는 데 먼저 안을 냄。②생각해 냄。

【發端 발단】일의 첫머리가 시작됨。또 일의 첫머리를 시작함。전(轉)하여 시초(始初)。

【發動 발동】①일이 일어나 움직임。②활동(活動)을 개시함。③동력(動力)을 일으킴。

【發頭人 발두인】주모자。장본인(張本人)。

【發令 발령】①명령(命令)을 냄。②법령이나 사령(辭令)을 발포(發布)함。

【發賣 발매】물건을 팖。

【發病 발병】병(病)이 남。

【發福 발복】운(運)이 트이어 복이 닥침。

【發憤 발분】①분개(憤慨)함。②분발(奮發)함。

【發憤忘食 발분망식】분발하여 먹는 것까지 잊음。

【發射 발사】총이나 활을 쏨。

【發散 발산】나와서 퍼지고 흩어짐。밖으로 나와 헤짐。또 밖으로 내어 흩음。

【發祥 발상】①천명(天命)을 받아 천자가 될 길조(吉兆)가 나타남。②나라를 세울 임금이 출생(出生)함。③큰 사업이 처음 일어남。

【發喪 발상】초상(初喪)난 것을 발표함。

【發生 발생】①생겨남。태어남。②처음 일어남。③봄(春)。

【發說 발설】말을 내어 남이 알게 함。

【發送 발송】①물건을 보냄。②사신(使臣)을 내어 전송(餞送)함。

【發穗 발수】이삭이 나옴。

【發身 발신】몸을 일으킴。출세(出世)함。출신(出身)。

【發信 발신】편지 또는 전보를 보냄。

【發心 발심】①무슨 일을 하겠다는 마음을 먹음。②보리심(菩提心)을 일으키어 불법에 귀의(歸依)함。

【發芽 발아】싹이 나옴。

【發惡 발악】《韓》시비(是非)·곡직(曲直)을 가리지 않고 언짢은 짓이나 소리를 함부로 함。

【發案 발안】①고안(考案)을 생각하여 냄。②의안(議案)을 내어 발론(發論)함。

【發言 발언】말을 꺼냄。또 그 말。

【發熱 발열】①물체가 열을 냄。②체온(體溫)이 높아짐。

【發源 발원】①물이 처음 흐름。또 그 곳。수원(水源)。②사물의 근원。

【發願 발원】《佛敎》부처에 소원이

성취(成就)되기를 빎。
【發育 발육】①키움。 성장하게 함。 ②자람。 성장(成長)함。
【發意 발의】①의견을 꺼냄。 ②무슨 일을 생각해 냄。
【發議 발의】①의견 또는 이의(異議)를 냄。 ②의안(議案)을 제출함。
【發作 발작】①일어남。 ②병이나 증세가 갑자기 일어남。
【發展 발전】①펴짐。 널리 뻗음。 ②번영하여 감。
【發情 발정】①생각을 일으킴。 ②춘정(春情)이 일어남。 정욕을 일으킴。
【發程 발정】길을 떠남。
【發車 발차】기차·자동차 등이 떠남。
【發着 발착】 출발(出發)과 도착(到着)。 떠나고 닿는 일。
【發布 발포】세상(世上)에 널리 폄。
【發砲* 발포】포탄(砲彈)을 내 쏨。
【發表 발표】세상에 널리 알림。
【發汗 발한】땀이 남。 또 땀을 냄。
【發行 발행】①발정(發程)。 ②세상에 널리 내놓음。 ②서적 등을 출판함。
【發向 발향】향하여 떠남。 출발함。
【發現 발현】①나타남。 출현(出現)。 ②나타냄。 드러냄。
【發火 발화】불이 일어남。 또 불을 냄。 불이 일어나게 함。
【發揮 발휘】떨치어 나타냄。 실력 따위를 외부에 드러냄。
◉開發개발 啓發계발 奮發분발 不發불발 連發연발 摘發적발 徵發징발 出發출발

白部

5 【白】 부수 중학 백 — 흰빛 — (入)陌

′ ′ 冂 白 白

자원 상형 3000년 전

「白」은 달이 비치는 모양(⇩魄백·覇패)→희다→환하다→명백하다。

뜻 ①**흰빛백** 백색。 오색(五色)의 하나。 서방(西方)의 빛。 가을의 빛。 「黑白흑백」 ②**흴백** ㉠색이 흼。 「白衣백의」「白髮三千丈백발삼천장」 ㉡채색하지 아니함。 장식이 없음。 ㉢무구(無垢)함。 더럽히지 아니함。 공명정대함。 ㉣없는 것을 뜻함。 「白徒백도」는 갑옷을 입지 아니한 군사 또는 군사(軍事)의 소양이 없는 곧 훈련을 받지 아니한 군사。 「白民백민」은 관작이 없는 곧 벼슬하지 아니한 백성。 「白癡백치」는 판단의 능력이 아주 없는 천치。 ③**희어질백**、**희게할백** 백색이 됨。 또 백색이 되게 함。 ④**밝을백** ㉠환함。 「明白명백」 ㉡날이 밝음。 ⑤**밝게할백** 명백하게 함。 ⑥**깨끗할백** 청백함。 「潔白결백」 ⑦**맑은술백** 청주。 ⑧**잔백** 술잔。 「太白태백」 ⑨**은백** 광물의 하나。 ⑩**흘겨볼백** 흰 자위를 나타내어 노려봄。 ⑪**사뢸백** ㉠상진(上陳)함。 「告白고백」 ㉡결백함을 증명함。 ⑫**해백** 불교에서 일년간을 이름。 ⑬**성백** 성(姓)의 하나。

참고 「白」을 음으로 하는 글자=「伯백」〈맏형〉·「帛백」〈비단〉·「拍박」〈치다〉·「泊박」〈배를 대다〉·「迫박」〈닥치

다〉·「柏백」〈나무이름〉·「珀박」〈호박〉·「粕박」〈지게미〉·「舶박」〈배〉·「魄백」〈넋〉·「百백」〈일백〉·「碧벽」〈옥돌〉

【白居易 백거이】 당(唐)나라의 시인。 태원(太原) 사람。 자(字)는 낙천(樂天)。 호(號)는 향산거사(香山居士)。

【白骨 백골】 살이 다 썩어 희어진 뼈。 고골(枯骨)。

【白骨難忘 백골난망】 죽어 백골이 되어도 깊은 은덕은 잊을 수 없음。

【白鷗 백구】 깃이 흰 갈매기。

【白旗 백기】 ①흰 기。 ②항복의 표시로 쓰는 흰기。

【白樂天 백낙천】 백거이(白居易)。

【白頭 백두】 ①허옇게 센 머리。 ②《韓》무위무관(無位無官)의 양반。 민머리。

【白頭山 백두산】 함경북도·함경남도와 만주의 국경 사이에 있는 한국에서 제일 높은 산。 중국에서는 장백산(長白山)이라 함。

【白頭翁 백두옹】 머리가 센 노인。

【白浪 백랑】 희게 이는 물결。

【白蓮 백련】 ①흰 연꽃。 ②백목련(白木蓮)。

【白露 백로】 ①흰 이슬。 이슬。 ②이십사절기(二十四節氣)의 하나。 처서(處暑)의 다음이고 추분(秋分)의 앞으로서 양력 구월 팔일경。

【白鷺 백로】 물새의 하나。 해오라기。

【白鹿洞 백록동】 당(唐)나라 사람 이발(李渤)·이섭(李涉) 형제가 은거한 동네。 그들이 흰 사슴을 길렀으므로 이름 지은 것임。

【白馬 백마】 흰 말。 부루말。

【白馬非馬 백마비마】 전국시대(戰國時代)의 말기(末期)에 공손용자(公孫龍子)가 주장한 논리(論理)의 하나。 흰말은 말이 아니라는 궤변。

【白馬寺 백마사】 후한(後漢)의 명제(明帝) 영평십년(永平十年)에 섭마등(攝摩騰)·축법란(竺法蘭)의 두 중이 대월지국(大月氏國)에서 불상(佛像)과 불경을 흰 말에 싣고 내조(來朝)하여 이듬해에 낙양(洛陽) 교외에 세운 중국 최초의 절。

【白梅 백매】 흰 매화나무。

【白面 백면】 연소하여 빛이 흰 얼굴。 연소하여 경험이 없음。

【白面書生 백면서생】 얼굴이 흰 서생。 전(轉)하여 나이가 젊고 경험이 적은 서생。 풋나기。

【白文 백문】 ①인장(印章)의 음각(陰刻)한 흰 글자。 ②본문(本文)만 있고 주석(註釋)이 없는 한문。

【白眉 백미】 여럿 가운데 가장 뛰어난 것을 이름。

【白民 백민】 무위무관(無位無官)의 사람。 평민(平民)。

【白髮 백발】 하얗게 센 머리털。

【白放 백방】 《韓》무죄로 판명되어 놓아 줌。

【白壁 백벽】 흰 바람벽。

【白兵 백병】 칼집에서 뺀 칼。 시퍼런 칼。 백인(白刃)。

【白沙 백사】 흰 모래。

【白書 백서】 ①빛이 흰 데 쓴 글자。 ②흰 글자。 백색의 문자。 ③정부가 발표하는 공식적인 실정(實情) 보고서。

【白石 백석】 흰 돌。

【白雪 백설】 흰 눈。

【白松 백송】 소나무의 한가지。 껍질이 흼。

【白水 백수】 흰 물。 맑은 물。

【白首 백수】 흰 머리。 허옇게 센 머리。 호수(皓首)。 백두(白頭)。

【白堊* 백악】하얀 흙。백토(白土)。석회(石灰)로 칠한 흰 벽。
【白眼 백안】①눈알의 흰자위。②흘기는 눈。노려 보는 눈。
【白夜 백야】달이 밝은 밤。
【白玉樓 백옥루】문사(文士)가 죽어서 올라간다고 하는 천상(天上)의 고루(高樓)。
【白羽 백우】흰 새의 깃。흰 깃。
【白雲 백운】흰 구름。
【白雲洞書院 백운동서원】《韓》조선(朝鮮) 중종(中宗) 때 풍기군수(豊基郡守) 주세붕(周世鵬)이 고려(高麗)의 명유(名儒) 안향(安珦)의 구거지(舊居地)인 백운동(지금의 영주군(榮州郡) 순흥면(順興面))에 세운 서원(書院)。우리 나라 서원의 시초(始初)임。
【白衣 백의】①흰 옷。소의(素衣)。②무위무관(無位無官)의 사람。③관아(官衙)의 사환(使喚)。④속인(俗人)이 입은 옷。전하여 속인。
【白衣宰相* 백의재상】관위(官位)가 없으면서 국정(國政)에 참여하여 재상의 대우를 받는 사람。
【白刃 백인】시퍼런 칼날。
【白日 백일】①쨍쨍 비치는 해。②대낮。백주(白晝)。③구름이 안 낀 날。혐의(嫌疑)가 풀림의 비유。
【白日夢 백일몽】엉뚱한 공상(空想)。
【白日場 백일장】《韓》유생(儒生)의 학업(學業)을 장려하기 위하여 각 지방에서 베풀던 시문(詩文)을 짓는 시험。
【白丁 백정】소·돼지 같은 것을 잡거나 고리를 겯는 일을 업으로 삼는 사람。백장。
【白鳥 백조】①흰 새。②오리과에 속하는 물새。온 몸이 희고 목이 긺。고니。천아(天鵝)。황곡(黃鵠)。
【白晝 백주】대낮。백일(白日)。
【白紙 백지】①흰 종이。흰 빛깔의 종이。②아무 것도 쓰거나 그리지 않은 종이。③질(質)이 얇고 흰 당지(唐紙)。④주의나 주장 같은 것이 전연 없음。
【白痴* 백치】바보。천치(天痴)。
【白波 백파】①희게 이는 물결。백랑(白浪)。②도적(盜賊)의 별칭。
【白布 백포】흰 포목。
【白狐 백호】늙어서 털이 흰 여우。
【白話體 백화체】구어체(口語體)。언문일치체(言文一致體)。
【白黑 백흑】①흼과 검음。백색과 흑색。흰 것과 검은 것。②선악(善惡)·사정(邪正)의 비유。흑백(黑白)。③흰 쌀과 검은 기장。
◉潔白결백 明白명백 精白정백 蒼白창백 太白태백 黑白흑백

一畫

6 【百】 白 1 중학 ㊀백 ㊁맥 | 일백 | ㊀㊁入陌

一 丆 丆 丙 百 百

자원 형성 白음＋一→百(白부)

「一일」과 음을 나타내는 「白백」으로 이루어짐。일백의 뜻。옛 모양 (A)는 백。(B)는 삼백。

(A) (B) 3000년전

뜻 ㊀①일백 백 ㉠열의 열 배。「百年백

년」 ㉡모든 또는 다수의 뜻으로 쓰임。「百姓백성」 ㉢확실함의 뜻으로 쓰임。②백번백 백회。여러 번。또 함。㊁힘쓸맥 힘써 함。

참고 「百」을 음으로 하는 글자=「佰백」〈백사람어른〉·「帕말」〈머리띠〉·「陌백」〈길〉·「栢백」〈나무이름〉·「貊맥」〈오랑캐〉

【百家 백가】①많은 학자。②유가(儒家)의 정계(正系) 이외에 일가(一家)의 설(說)을 세운 많은 사람들。

【百景 백경】①많은 경치。여러 경치。②여러 모양으로 변하는 경치。때에 따라 변화가 많은 경치。

【百計 백계】갖은 계략。온갖 꾀。

【百計無策 백계무책】있는 꾀를 다 써 보아도 아무 소용 없음。

【百穀 백곡】온갖 곡식。

【百科 백과】각종의 학과。

【百官 백관】모든 벼슬아치。많은 관리。

【百鬼夜行 백귀야행】온갖 잡귀(雜鬼)가 밤에 다닌다는 뜻으로、괴상한 자나 간악한 자들이 때를 만나 활개를 치고 다님을 이름。

【百年 백년】①백의 해。②일평생。일생。③늙은이。노인。

【百年偕老* 백년해로】의좋은 부부가 함께 늙음。

【百代 백대】백의 세대(世代)。전(轉)하여、영구。영원。

【百代之過客 백대지과객】영구히 쉬지 않고 길을 가는 나그네。광음(光陰)을 이름。

【百僚 백료】백관(百官)。

【百無一失 백무일실】백 중에 하나도 실수나 틀린 것이 없음。

【百聞不如一見 백문불여일견】백 번 듣는 것이 한 번 보는 것만 못함。곧 무슨 일이든지 자기가 실지로 보는 것이 더 확실함。

【百味 백미】온갖 음식。

【百般 백반】갖가지。각종(各種)。

【百發百中 백발백중】쏘는 쪽쪽 다 맞춤。전하여、계획 같은 것이 모두 들어맞음。

【百方 백방】①갖은 방법。온갖 방책。②사방의 모든 나라。

【百拜 백배】여러 번 절함。

【百不失一 백불실일】백에 하나도 틀리지 아니함。

【百事 백사】모든 일。만사(萬事)。

【百死一生 백사일생】구사일생(九死一生)과 같음。

【百姓 백성】①백관(百官)。옛날에는 벼슬을 하는 귀족 계급만이 성을 가졌으므로 이름。②많은 일반 국민。인민(人民)。

【百世 백세】백 세대(世代)。많은 세대。전(轉)하여 영구。영원。

【百世之師 백세지사】백대(百代) 후까지도 존앙(尊仰)받을 사람。

【百歲之後 백세지후】백년 후。사람의 사후(死後)를 이름。

【百藥 백약】많은 약。갖가지 약。

【百藥無效 백약무효】병이 중하여 갖가지 약을 다 써도 효험이 없음。

【百藥之長 백약지장】제일 가는 약이라는 뜻으로、술(酒)의 별칭。

【百忍 백인】힘든 일을 꾹 참는 일。

【百戰老卒 백전노졸】세상의 온갖 풍파를 겪은 사람。경난꾼(經難—)。

【百戰百勝 백전백승】백 번 싸워 백 번 이김。싸워 진 일이 없음。

【百折不屈 백절불굴】백절불요(不撓)。

【百濟 백제】우리 나라 삼국 시대(三國時代)에 한반도의 서남에 위치하여 고구려(高句麗)·신라(新羅)와 정립(鼎立)한 나라。고구려의 왕족(王族) 온조(溫祚)가 건국하고 의자왕(義慈王) 이십 일년에 망하였음。도읍은 한산(漢山)(지금의 광주(廣州))에서 웅진(熊津)(지금의 공주(公州))으로, 다시 사자(泗沘)(지금의 부여(扶餘))로 옮겼음。(B.C.一八~A.D.六六〇)

【百足 백족】지네。백족충(百足蟲)。

【百種 백종】①백 가지。여러 가지。②《佛教》백중(百中)。

【百中 백중】《佛教》음력 칠월 보름날。

【百尺竿頭進一步 백척간두진일보】백척이나 되는 긴 장대 위에 있어서 다시 한 걸음 더 나간다는 뜻으로, 다시 더욱 분발하여 향상함을 이름。

【百千 백천】수가 백 또는 천이 됨。전(轉)하여, 수효가 대단히 많음。

【百千萬劫 백천만겁】무한한 햇수。

【百草 백초】갖가지 풀。온갖 풀。

【百出 백출】여러 가지로 나옴。

【百態 백태】여러 상태(狀態)。

【百八煩惱 백팔번뇌】《佛教》인간의 과거·현재·미래의 삼세(三世)에 걸쳐 있다는 백 여덟 가지 번뇌。

【百八念珠 백팔염주】《佛教》구슬 백 여덟 개로 만든 염주。이것을 돌리며 염불을 하면 백팔번뇌를 물리친다 함。

【百弊 백폐】많은 폐단、온갖 폐해。

【百合 백합】나리。

【百害無益 백해무익】해롭기만 하고 조금도 이로운 것이 없음。

【百行 백행】온갖 행위。

【百花 백화】갖가지 꽃。모든 꽃。

【百貨 백화】온갖 상품。

【百花爛漫 백화난만】온갖 꽃이 한꺼번에 만발하여 아름답게 흐무러짐。

【百花王 백화왕】모란(牡丹)의 별칭。

◉一當百일당백

三畫

8 【的】 白 3 중학 **적** 과녁 ㉧錫

丿 亻 白 白 白' 的 的 的

자원 형성 勺(음) 日 → 旳 → 的(白부)

음을 나타내는「勺작」(적은 변음)은 떼어내는 일。또 명확하다→밝다→힘。「旳작」은 해가 밝은 일。「的」은「旳」의 속자(俗字)이며 명확하다는 뜻→적중(的中)·적확(的確)의 뜻。

뜻 ①**과녁적** 활을 쏘는 목표。「射的사적」 ②**목표적** 표준。「目的목적」 ③**참적** 진실。 ④**밝을적** 환히 나타나는 모양。 ⑤**고울적** 선명한 모양。「的歷적력」 ⑥**적실할적** 꼭 그러함。확실함。「的確적확」 ⑦**꼭적** 틀림 없이。확실히。 ⑧**의적** 속어(俗語)에서 형용 조사(助辭)로 쓰임。「美的미적」

【的例 적례】꼭 들어맞는 선례(先例)。

【的實 적실】틀림이 없음。꼭 그러함。

【的中 적중】①과녁에 들어맞음。명중(命中)。②꼭 들어맞음。적중(適中)。

◉端的단적 全的전적 質的질적 標的표적

【帛】⇩巾部五畫

四畫

9【**皇**】白 4 중학 **황** — 임금 — ㊥陽

′ 丨′ 冂 白 白 皁 皇

자원 상형 (A) (B) 2500년 전 皇

「皇」은 왕(王)의 상징(象徵)인 커다란 관(冠)이 받침 위에 놓여 있는 모양。

뜻 ①**임금황** 황제。「三皇五帝삼황오제」 ②**클황** 아주 큼。「皇天황천」 ③**훌륭할황** 썩 아름다움。④**바를황**、**바로잡을황** ⑤**엄숙할황** 장엄함。⑥**관황** 상부(上部)에 깃의 장식이 있는 관(冠)。⑦**벽없는방황** ⑧**춤황** 오색(五色)의 깃을 가지고 추는 춤。⑨**겨를황** ⑩**봉황황** 凰(几部九畫)과 같은 글자。

참고 「皇」을 음으로 하는 글자＝「偟황」〈노닐다〉·「徨황」〈배회하다〉·「惶황」〈두려워하다〉·「煌황」〈빛나다〉·「篁황」〈대이름〉·「蝗황」〈누리〉·「凰황」〈봉새〉

【**皇考** 황고】①돌아간 아버지의 경칭(敬稱)。제사 때 씀。②증조(曾祖)。

【**皇姑** 황고】①조부의 자매。대고모(大姑母)。②선고(先姑)의 경칭(敬稱)。돌아간 시어머니。

【**皇極** 황극】①한 쪽에 치우치지 않은 중정(中正)의 도(道)。또 사방의 만민(萬民)의 범칙(範則)으로 하기 위하여 제왕이 정한 대도(大道)。②하늘。상천(上天)。③황위(皇位)。

【**皇基** 황기】황실(皇室)의 기초。국가의 기초。

【**皇都** 황도】천자의 도읍(都邑)。

【**皇圖** 황도】①천자(天子)의 판도(版圖)。②황유(皇猷)。

【**皇龍寺** 황룡사】《韓》경상북도(慶尙北道) 경주(慶州)에 있던 절。신라(新羅) 진흥왕(眞興王) 때에 창건(創建)됨。지금은 터만 남아 있음。

【**皇陵** 황릉】천자(天子)의 능(陵)。

【**皇嗣*** 황사】황저(皇儲)。

【**皇城** 황성】①대궐(大闕)。②서울。경사(京師)。

【**皇孫** 황손】천자(天子)의 손자。또 천자의 자손。

【**皇室** 황실】황제(皇帝)의 집안。

【**皇恩** 황은】황제의 은택。

【**皇子** 황자】천자(天子)의 아들。

【**皇儲** 황저】천자의 후사(後嗣)。

【**皇帝** 황제】①천자(天子)。②삼황오제(三皇五帝)의 약칭(略稱)。

【**皇祚*** 황조】제위(帝位)。

【**皇祖** 황조】천자의 선조(先祖)。

【**皇祖考** 황조고】돌아간 조부(祖父)의 경칭(敬稱)。제사 때 씀。

【**皇族** 황족】황제의 친족(親族)。

【**皇太孫** 황태손】제위(帝位)를 계승하게 된 황손(皇孫)。

【**皇太子** 황태자】제위(帝位)를 계승하게 된 황자(皇子)。

【**皇太后*** 황태후】천자(天子)의 적모(嫡母)。

【**皇統** 황통】천자(天子)의 혈통。

【**皇后*** 황후】①천자。②진한(秦漢) 후에는 천자의 정실(正室)。

◉ 敎皇교황 三皇삼황 上皇상황 玉皇옥황

9【**皆**】白 4 중학 **개** — 다 — ㊥佳

ㅣ ㅏ ㅏ' 比 比 比 毕 毕 皆 皆

자원 회의 比+白→皆(白부) 2500년전

사람이 줄을 짓는다는 뜻의 「比비」와 말함을 뜻하는 「白백」으로 이루어짐。 모두 같이 말하다의 뜻。 전하여 죄다 또는 함께의 뜻。

뜻 ①**다개** 모두。「悉皆슬개」 ②**두루미칠개** 골고루 미침。

참고 「皆」를 음으로 하는 글자＝「偕해」〈함께〉·「喈개」〈새소리〉·「揩개」〈닦는 일〉·「階계」〈섬돌〉·「楷해」〈본보기〉·「稭갈」〈짚〉·「諧해」〈고르다〉

【皆勤 개근】 일정한 기한(期限) 동안 하루도 빠지지 않고 출근함。

【皆既蝕 개기식】 일식(日蝕) 또는 월식(月蝕)에서 해 또는 달이 전부 가려져서 암흑(暗黑)이 되는 현상。

◉擧皆거개 悉皆슬개

七畫

12 【皓】 白 7 호 휠 ㊤皓

자원 형성 日+告음→晧→皓(白부)

「日일」〈태양〉과, 음을 나타내는 「告고」(호는 변음)로 이루어짐。 태양(太陽)의 빛나는 모양。 전하여, 희다의 뜻。 나중에 「日」을 「白흰백변」으로 고쳐 씀。

뜻 ①**휠호, 깨끗할호** 희고 깨끗함。「皓齒호치」 ②**밝을호** 달빛 같은 것이 희게 빛나 밝음。「皓月호월」 ③**하늘호** 昊(日部四畫)와 통용。

【皓白 호백】 아주 흼。

【皓天 호천】 하늘。 호천(昊天)。

【皓齒 호치】 희고 깨끗한 이。 미인(美人)의 이。

【皓皓白髮 호호백발】 온통 하얗게 센 머리。

十畫

【魄】 ⇩鬼部五畫

皮部

5 【皮】 부수 중학 피 가죽 ㊥支

ノ 厂 广 皮 皮

자원 회의 2500년전 2000년전

皮

「皮」는 짐승의 가죽을 「又우」〈손〉로 벗기는 모양。 「革혁」과 자형(字形)이 비슷한데, 나중에는 「皮」는 짐승으로부터 벗긴 채로의 가죽, 「革」은 털을 뽑아 만든 가죽, 「韋위」는 다시 가공(加工)한 무두질한 가죽으로 구별(區別)하고 있음。

뜻 ①**가죽피** 동물의 표피。「皮膚피부」「皮革피혁」 ②**껍질피** 식물의 표피。「果皮과피」 ③**겉피** ㉠거죽。「地皮지피」 ㉡전(轉)하여, 얇은 것의 형용。「銅皮동피」 ④**과녁피** 거죽을 가죽으로 싼 과녁。 ⑤**껍질벗길피** 껍질을 벗겨냄。

참고 「皮」를 음으로 하는 글자＝「彼피」〈저〉·「披피」〈헤치다〉·「被피」〈이불〉·「疲피」〈고달프다〉·「波파」〈물결〉·「坡파」〈비탈〉·「陂피」〈못〉·「玻

파」〈유리〉·「破파」〈깨지다〉·「跛파」〈절뚝발〉·「頗파」〈치우치다〉

【皮膚 피부】 살갗。

【皮相 피상】 ①겉。 표면。 ②겉만 보고 내정(內情)은 잘 알지 못하는 일。 수박 겉 핥기로 아는 일。

【皮革 피혁】 털이 붙은 가죽과 털을 뽑고 가공한 가죽。

◉外皮외피 鐵面皮철면피 虎皮호피

皿部

5 【皿】부수 명 | 그릇 | ㊤梗

자원 상형 2500년전

납작한 접시를 옆에서 본 모양을 본뜸。

뜻 그릇명 기명(器皿)。「金皿금명」

三畫

【盂】⇩子部五畫

四畫

9 【盃】皿 4 杯(木部四畫)의 속자(俗字)。

9 【盆】皿 4 분 | 동이 | ㊥元

자원 형성 皿分음 ┬盆(皿부) 2500년전

「皿 그릇명받침」과, 음을 나타내는 동시에 크다의 뜻을 나타내기 위한 「分분」으로 이루어짐。물·술 따위를 넣는 큰 질그릇을 뜻함。

뜻 동이분 물·술 같은 것을 담는 질그릇。「傾盆경분」

【盆地 분지】 산(山)이나 높은 지형(地形)으로 둘러싸인 평지(平地)。

◉覆水不歸盆복수불귀분 花盆화분

五畫

10 【益】皿 5 중학 익 | 더할 | ㊇陌

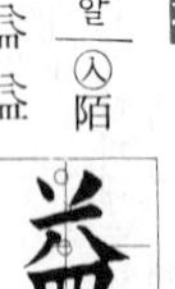

자원 회의 水皿 ┬益(皿부) 3000년전 2500년전 2000년전

「益」은 그릇(皿명)에 물(水수)을 가득 채운 모양 →넘치다→분게 하다。

뜻 ①더할익 보탬。「增益증익」 ②더해질익 많아짐。 ③이로울익 도움이 됨。 유익함。「無益무익」「益友익우」 ④많을익 넉넉함。「饒益요익」 ⑤이익 이득。「損益손익」「利益이익」 ⑥더욱익 더욱더。「愈益유익」 ⑦익괘익 육십 사괘(六十四卦)의 하나。곧 ☳☴(진하(震下)、손상(巽上))。

【益加 익가】 증가(增加)함。

【益壽 익수】 장수(長壽)함。

【益友 익우】 사귀어 유익한 벗。

【益者三樂 익자삼요】 사람이 좋아하여 유익한 것 세 가지。곧 예락(禮樂)을 적당히 좋아하는 것과 사람의 착함을 좋아하는 것과 착한 벗이 많음을 좋아하는 것。

【益者三友 익자삼우】 사귀어 자기에게 유익한 세 벗。곧 정직(正直)한 사람、신의(信義)가 있는 사람、지

식(知識)이 있는 사람。
【益鳥 익조】 사람에게 유익한 조류(鳥類)。
【益蟲 익충】 사람에게 유익한 곤충。누에·꿀벌 등。
◉損益손익 實益실익 有益유익 利益이익

七畫

12 【盛】 皿 7 중학 **성** | 성할 | ①②㊥庚 ③-⑥㊤敬

丿 厂 𠂆 𠂆 成 成 盛 盛 盛

자원 형성 皿成음┬盛(皿부) 盛 2500년전

「皿그릇명받침」과 음을 나타내는 동시에 쌓아올리다의 뜻(⇩城성)을 가진 「成성」으로 이루어짐。접시에 신에게 바치는 음식을 높게 괴다。전하여, 성함을 뜻함。

뜻 **①그릇성** 물건을 담는 그릇。**②담을성** 물건을 그릇에 담음。또 그릇에 담아 제사지내는 서직(黍稷) 따위。**③성할성** ㉠문화가 한창 발달하고 세상이 잘 다스려진 모양。「盛世성세」 ㉡광대(廣大)한 모양。「盛德성덕」 ㉢한창인 모양。강장(強壯)한 모양。「鼎盛정성」「盛年성년」 ㉣번영하는 모양。「繁盛번성」「隆盛융성」 ㉤많은 모양。「衆盛중성」 ㉥초목이 우거진 모양。「茂盛무성」 **④성하게할성** 앞의 뜻의 타동사。**⑤성하여질성** 성하게 됨。번성하여짐。**⑥장하게여길성** 탄미함。

【盛觀 성관】 굉장하고 볼 만한 경관(景觀)。장관(壯觀)。
【盛年 성년】 청춘(靑春) 시절。한창 때。
【盛唐 성당】 시학상(詩學上) 현종(玄宗)의 개원년간(開元年間)부터 대종(代宗)의 대력(大歷) 무렵까지의 사이。당대(唐代)를 넷으로 구분한 것의 둘째 시기。곧 이백(李白)·두보(杜甫) 등 유명한 시인(詩人)을 배출(輩出)하여 시풍(詩風)이 가장 성하던 때임。
【盛大 성대】 성(盛)하고 큼。
【盛德 성덕】 ①성대한 덕。②천지(天地)의 왕성한 원기。
【盛名 성명】 큰 명성。굉장한 명예。
【盛衰 성쇠】 성(盛)함과 쇠(衰)함。
【盛時 성시】 ①나라가 융성한 때。②나이가 젊은 때。한창 때。
【盛業 성업】 성대한 사업。
【盛炎 성염】 한더위。성서(盛暑)。
【盛運 성운】 ①세상이 창성할 기운(氣運)。②행운(幸運)。
【盛者必衰 성자필쇠】 왕성하면 반드시 쇠함。
【盛裝 성장】 훌륭하게 옷을 차림。또 화려한 옷차림。
【盛典 성전】 성대한 식전(式典)。
【盛饌* 성찬】 풍성하게 차린 음식。
【盛昌 성창】 왕성함。
【盛夏 성하】 한여름。
【盛行 성행】 많이 유행(流行)함。
【盛況 성황】 성대한 상황。
◉茂盛무성 繁盛번성 隆盛융성 全盛전성

12 【盜】 皿 7 고교 **도** | 훔칠 | ㊤號

丶 冫 氵 汁 汸 次 次 盗 盗 盜

자원 회의 皿次┬盜(皿부) 2500년전

「皿그릇명받침」과 부러워하여 군침을 흘린다는 뜻의 「次연」으로 이루어짐。접시 속의 것을 먹고 싶어 군침을 흘리다。전하여、훔치다의 뜻。

뜻 ①**훔칠도** ㉠도둑질함。「盜用도용」 ㉡부당한 수단을 써서 분수에 넘치는 것을 탐내어 얻음。「盜名도명」 ②**도둑질도** 훔치는 일。③**도둑도** 물건을 훔치는 사람。「強盜강도」 ④**도적도** ㉠비적(匪賊)。㉡사리를 꾀하는 간악한 자。

【盜難 도난】《韓》도둑을 맞는 재난(災難)。

【盜掠 도략】약탈(掠奪)함。

【盜名 도명】부당한 수단으로 자기 분수에 넘치는 명성·명예를 얻음。

【盜伐 도벌】남의 산의 나무를 몰래 벰。

【盜犯 도범】절도 또는 강도의 범죄。

【盜癖* 도벽】걸핏하면 남의 물건을 훔치려 드는 버릇。

【盜用 도용】훔쳐서 씀。

【盜賊 도적】남의 물건을 훔치는 사람。도둑。

【盜泉 도천】①산동성(山東省) 사수현(泗水縣)에 있었던 샘。②이름이 나쁘므로 불의(不義)의 뜻으로 쓰임。

【盜汗 도한】잘 때에 저절로 나는 땀。

◉巨盜거도 大盜대도 殘盜잔도 賊盜적도

八畫

13 【**盞**】皿 8 **잔** 잔 ㊤潸

자원 형성 戔음 + 皿 → 盞(皿부)

「皿그릇명받침」과、음을 나타내는 동시(同時)에 얕다의 뜻(⇩淺천)을 가지는 「戔잔」으로 이루어짐。얕고 작은 그릇、술잔의 뜻。

뜻 **잔잔** 작은 술잔。「酒盞주잔」

◉滿盞만잔 玉盞옥잔 酒盞주잔

13 【**盟**】皿 8 고교 **맹** (명㊍) 맹세 ①②㊥庚 ㊤梗 ③㊦敬

자원 형성 明음 + 血·皿 → 盟(皿부)

음을 나타내는 「明명」(맹은 변음)은 뚜렷이 나타내는 일。「血혈」은 희생된 짐승의 피。나중에 「皿그릇명받침」〈피를 넣는 그릇〉을 씀。「盟」은 희생된 짐승의 피를 번갈아 빨고 신에게 맹세하여 약속하는 일。

2500년전 3000년전

뜻 ①**맹세맹** 옛날에 희생으로 바친 피를 마시며 신명(神明)에게 장래에 위약을 하지 않겠다고 고하던 일。후세에는 널리 양자간에 약정하는 일로 쓰임。「盟約맹약」 ②**맹세할맹** 윗뜻의 동사。③**땅이름맹** 孟(子部五畫)과 통용。※본음(本音) **명**

【盟邦 맹방】동맹(同盟)을 맺은 나라。동맹국(同盟國)。

【盟誓* 맹세】굳은 약속。맹약(盟約)。

【盟友 맹우】친교(親交)를 맺은 벗。

【盟主 맹주】맹약(盟約)을 맺은 자의 우두머리。서약서의 첫번에 서명하며 위약자에게 제재를 가함。

◉改盟개맹 大盟대맹 同盟동맹 宗盟종맹

九畫

14 【**盡**】皿 9 중학 **진** 다할 ㊤軫 ㊦震

자원 형성 妻(음)+皿(부) → 盡 (2500년전)

「皿그릇명받침」과, 음을 나타내며 동시에 다하다의 뜻을 가진「妻진」(燼진의 본디 글자。妻은 변형)으로 이루어짐。접시 속의 것을 비우다。전하여, 다하다, 남김 없이의 뜻。

뜻 ①**다할진** ㉠죄다 없어짐。㉡끝남。㉢극진(極盡)함。㉣다 써 없앰。「竭盡갈진」㉤힘을 다 들임。「盡力진력」㉥남김 없이 말함。자세히 함。㉦유루(遺漏)가 없게 함。충분하게 함。㉧다 없애버림。②**다진** 모두。③**가령진**

참고 「盡」을 음으로 하는 글자=「儘진」〈다하다〉·「燼신」〈타고 남은 것〉·「贐신」〈전별하다〉

【盡力 진력】있는 힘을 다함。

【盡心 진심】마음을 다함。성의(誠意)를 다함。

【盡人事而待天命 진인사이대천명】인력(人力)으로써 미칠 때까지 다하고 나서 결과는 운명에 맡김。수인사대천명(修人事待天命)。

【盡忠報國 진충보국】충성(忠誠)을 다하여 국은(國恩)에 보답함。

◉弓折矢盡궁절시진 一網打盡일망타진

14 【監】 皿9 고교 감 | 볼 | ①-③㊥咸 ④-⑧㊦陷

監 監 監 (2500년전)

자원 회의 물을 담은 대야(皿)와 크게 뜬 눈(臣)(「臣신」은 그것의 변형(變形))과 내려다보고 있는 사람으로 이루어짐。사람이 물 그림자를 보다。전하여, 비추어 본다는 뜻。

뜻 ①**볼감** 위에서 내려다봄。②**살필감** 살펴봄。독찰함。「監督감독」③**옥감** 감옥。「監房감방」④**비추어볼감** 거울에 비춰봄。⑤**거울삼을감** ㉠남의 잘못을 보고 경계로 삼음。㉡본보기로 삼음。본보기。⑥**거울감** 경계。⑦**감찰감** 독찰하는 사람。⑧**마을감** 관청의 이름。

주의 「监」은 약자(略字)。

참고 「監」을 음으로 하는 글자=「鑑감」〈거울〉·「檻함」〈난간〉·「艦함」〈싸움배〉·「濫람」〈넘치다〉·「藍람」〈쪽〉·「覽람」〈보다〉·「襤람」〈헌누더기〉

【監軍 감군】군대를 감독하는 벼슬。군감(軍監)。

【監禁 감금】자유(自由)를 구속(拘束)하여 일정한 장소에 가둠。

【監督 감독】보살펴 단속함。

【監理教 감리교】기독교(基督教) 신교(新教)의 일파(一派)。

【監房 감방】죄수(罪囚)를 가두어 두는 방(房)。

【監司 감사】①주(州), 또는 군(郡)을 감찰하는 벼슬。②《韓》관찰사(觀察使)。

【監修 감수】서적을 편찬(編纂)하는 일을 감독(監督)함。

【監視 감시】주의하여 살펴 봄。주의하여 지킴。

【監察 감찰】감시(監視)하여 살핌。또 그 사람。

【監察御史 감찰어사】지방(地方)의 규찰관(糾察官)。

◉國子監국자감 副監부감 總監총감

【蓋】 ⇩艸部十畫

十畫

15 **【盤】** 皿 10 고교 **반** ｜소반｜ ㊥寒

丿 凢 舟 舟 舟 般 般 盤 盤

자원 형성 皿 般 음 ┬ 盤 (皿부)

「皿그릇명받침」〈그릇〉과 음을 나타내는 동시에 평평하고 큰 그릇의 뜻을 가진 「般반」으로 이루어짐。큰 쟁반을 뜻함。

뜻 ①**소반반**、**쟁반반** 음식을 올려놓는 제구。「杯盤배반」 ②**대야반** 세수 같은 것을 하는 그릇。③**대반** 물건을 받치거나 올려놓는 제구。④**칼코등이반** 칼자루에 감은 쇠테。⑤**즐길반** 般(殳部六畫)과 통용。「盤樂반락」 ⑥**돌반**、**돌릴반** 선회함。「盤渦반와」 ⑦**서릴반** ⑧**큰돌반**

【盤根 반근】 ①서리서리 얽힌 뿌리。②처리(處理)하기 어려운 일。

【盤石 반석】 넓고 평평한 큰 돌。전(轉)하여 아주 견고(堅固)함의 비유。반석지안(盤石之安)。「비유。

【盤石之安 반석지안】 지극히 견고함의 비유。

◉羅針盤나침반 旋盤선반 音盤음반

十一畫

16 **【盧】** 皿 11 **로** ｜밥그릇｜ ㊥虞

자원 형성 皿 盧 음 ┬ 盧 (皿부) 2500년전

「皿그릇명받침」과、음을 나타내는 동시에 벌여 놓다의 뜻을 나타내기 위한 「盧로」로 이루어짐。물건을 벌여 담는 그릇의 뜻。

뜻 ①**밥그릇로** 반기(飯器)。②**화로로** 爐(火部十六畫)와 통용。③**목로로** 술동이를 놓고 술을 파는 곳。④**검을로** 흑색。⑤**눈동자로** ⑥**창자루로** 창(槍)의 자루。⑦**갈대로** 蘆(艸部十六畫)와 통용。⑧**성로** 성(姓)의 하나。

참고 「盧」를 음으로 하는 글자＝「廬려」〈오두막집〉・「蘆로」〈갈대〉・「櫨로」〈거양옻나무〉・「爐로」〈화로〉・「臚려」〈가죽〉・「鑪로」〈화로〉・「艫로」〈이물〉・「鱸로」〈농어〉・「驢려」〈당나귀〉

十九畫

【鹽】 ⇨鹵部十三畫

〔五畫部首順〕玄玉瓜瓦甘生用田疋疒癶白皮皿目矛矢石示禸禾穴立

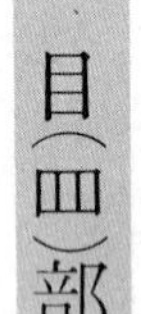

目(罒)部

5 **【目】** 부수 중학 **목** ｜눈｜ ㊇屋

丨 冂 冃 冃 目

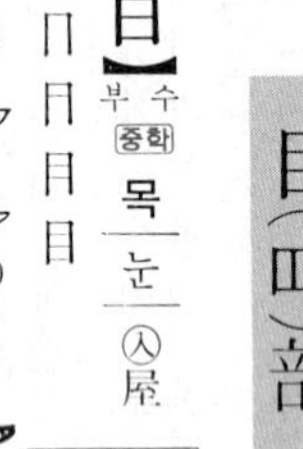

자원 상형 3000년전 〔目目〕2500년전

「目」은 사람의 눈의 모양。처음엔 보통 눈과 같이 가로로 길게 썼는데 나중에 세로의 긴 자형(字形)으로 변한 것은 글이 세로 쓰기인 데 맞춘 것。

뜻 ①**눈목** ㉠동물의 시관(視官)。「耳目이목」 ㉡그물 따위의 구멍。②**눈동자목** 안정(眼睛)。③**눈짓목** 뜻을 나타내는 눈의 움직임。④**눈짓할목** ⑤**눈여겨볼목** 주시(注視)함。⑥**일컬을목** 칭(稱)함。⑦**조목목、세목목** 조건。세별(細別)。「科目과목」 ⑧**요목목** 요점(要點)。「眼目안목」 ⑨**이름목** 명칭。「題目제목」「名目명목」 ⑩**우두머리목** 남을 거느린 사람。「頭目두목」 ⑪**품평목** 우열(優劣)의 평(評)。

【目擊 목격】 눈으로 직접 봄。

【目睹* 목도】 목격(目擊)。

【目禮 목례】 눈짓으로 인사함。

【目的 목적】 일을 이루려 하는 목표。도달하려고 하는 표적(標的)。

【目前 목전】 눈 앞。당장。

【目支國 목지국】《韓》 진국(辰國) 중의 한 부족 국가(部族國家)。지금의 충청 남도(忠淸南道) 직산(稷山)을 중심(中心)으로 하는 지역(地域)。

【目次 목차】 책 내용 중의 제목(題目)의 차례。

【目測 목측】 눈대중으로 사물을 잼。

【目標 목표】 눈으로 목적(目的) 삼은 곳을 정한 표(標)。

【目下 목하】 ①눈 앞。목전(目前)。②현재。현금(現今)。목금(目今)。
◉盲目맹목 面目면목 細目세목 眼目안목 耳目이목 條目조목 注目주목 指目지목

5 【皿】 0 目 目(앞 글자)이 한 글자의 위에 있을 때의 글자체。

二畫

【見】 ⇩部首

三畫

8 【直】 目 3 [중학] ㊀직 곧을 ㊀㊅職
㊁치 ㊁㊍寘

一 十 𠂇 冇 有 直 直

[자원] 회의 十+目+乚 → 直(目부)

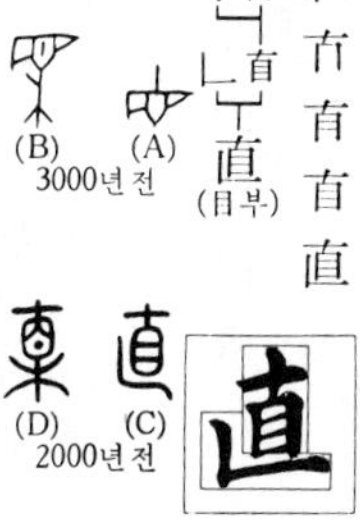

「直」의 옛 모양 (A)는 똑바로 보다 → 바로 보다 → 바른 일。나중에 「十십」과 「目목」과를 합한 글자 (C)로써 열개의 눈〈많은 사람〉이 보는 것으로 생각하게 되었음。옛 모양 (B)는 나무에 올라 바라보는 모양을 나타내는데、「相상」이라고 해석하는 사람도 있지만 이것도 「直」자이니、나중에 (D)로 쓰게 되었으며、다시 「植식」자로 변했다고 생각됨。

[뜻] ㊀①**곧을직** ㉠굽지 아니함。「直線직선」 ㉡바름。「正直정직」 ②**바로잡을직** ㉠잘못된 것을 바르게 함。㉡원죄(冤罪)를 바르게 다스림。③**곧게할직** 굽은 것을 폄。④**대할직** 마주 대함。⑤**맞을직** 상당함。⑥**번들직** 입직(入直)함。⑦**번직** 당직。숙직。⑧**겨우직** 근근히。⑨**바로직** ㉠곧。㉡중간에 매개를 두지 않고。「直接직접」 ⑩**일부러직** 고의로。㊁①**값치** 가격。「直錢치전」 ②**삯치** 임금。품삯。③**세치** 임대료。④**값나갈치** 가치가 있음。⑤**당할치** 닥쳐오는 때나 일에 직면함。

[주의] 「直」은 속자(俗字)。

[참고] 「直」을 음으로 하는 글자 ‖「値

치」〈값〉·「悳덕」〈德덕〉

【直觀 직관】 ①직각(直覺)。 ②감관(感官)에 의하여 직접 외물(外物)의 지식을 얻음。

【直孫 직손】 직계(直系)의 자손。

【直臣 직신】 강직(剛直)한 신하。

【直言 직언】 기탄(忌憚) 없이 사실대로 바로 말함。 또 바른말。 곧은 말。

【直譯 직역】 외국 글을 그 원문(原文)의 문구(文句)대로 번역함。

【直營 직영】 직접 경영(經營)함。

【直裁 직재】 ①바로 결재함。 ②친히 결재함。

【直截* 직절】 머뭇거리지 아니하고 바로 재결(裁決)함。

【直情 직정】 곧은 성정(性情)。

【直情徑行 직정경행】 자기가 생각하는 바를 바로 행하여 예법(禮法)을 돌보지 아니함。

【直轄* 직할】 직접 관할(管轄)함。 직접 지배함。

【直行 직행】 ①자기 생각대로 행함。 직정경행(直情徑行)。 ②곧은 행위。 바른 행동。 ③《韓》 중도에서 쉬지 않고 곧장 감。

【直後 직후】 일이 있은 바로 그 뒤。

◉剛直강직 曲直곡직 當直당직 司直사직 宿直숙직 愚直우직 正直정직 忠直충직

8

【盲】 目 3 고교 맹 | 먼눈 | ㊥庚

· 亠 亡 亡 盲 盲 盲 盲

자원 형성 目 亡음 → 盲(目부)

「目목」〈눈〉과, 음을 나타내는 동시에 잃다는 뜻인 「亡망」(맹은 변음)으로 이루어짐。 시력을 잃다의 뜻。

뜻 ①**먼눈맹**、**장님맹** 눈이 멂。 소경。 ②**어두울맹** 밝지 아니함。 ③**빠를맹** 바람이 빠름。 「盲風맹풍」

주의 「肓황」〈명치〉과는 딴 글자。

【盲龜浮木 맹귀부목】 눈이 먼 거북이 우연히 물에 뜬 나무를 잡는다는 뜻으로、 뜻밖의 행운이 돌아온 비유。

【盲啞* 맹아】 장님과 벙어리。

【盲者丹靑 맹자단청】《韓》 소경 단청(丹靑) 구경과 같은 뜻으로、 보아 알지도 못하면서 아는 체함을 이름。

【盲者失杖* 맹자실장】 의지할 곳이 없게 됨의 비유。

【盲者正門 맹자정문】 우매(愚昧)한 사람이 우연히 이치(理致)에 맞는 일을 함을 이름。

【盲從 맹종】 덮어 놓고 남이 시키는 대로 따라감。

◉羣盲군맹 文盲문맹 色盲색맹 夜盲야맹

四畫

9

【相】 目 4 중학 상 | 서로 | ①②㊥陽 ③-⑭㊤漾

一 十 才 木 朩 相 相 相

자원 회의 木 目 → 相(目부)

(A) (B) (C) 3000년 전

「相」은 나무에 올라 지세(地勢)를 멀리 넓게 보는 모습→목표를 가만히 보다→보고 정하는 일。 또 보는 상대、 상대의 모습 따위의 뜻으로도 씀。 지상(地上)에서 제일 눈에 잘 띄는 것은 나무이기 때문에 「木목」과 「目목」으로 합하여 쓴다는

설(說)도 있음。 옛 모양 ⓒ는 「相」이라 읽는 사람과 「省성」이라고 읽는 사람이 있음。

뜻 ①**서로상** 같이。 「相當상당」 「相互상호」 ②**바탕상** 질(質)。 ③**볼상** ㉠관찰함。 시찰함。 ㉡점(占)·상(相) 같은 것을 봄。 「觀相관상」 ④**도울상** 보좌함。 ⑤**다스릴상** 통치함。 ⑥**가릴상** 선택함。 ⑦**용모상** 사람의 상모·골격。 전(轉)하여 널리 사물의 상태·형세。「人相인상」「眞相진상」 ⑧**접대원상** 손님을 접대하는 사람。 ⑨**인도자상** 안내자。 ⑩**가신상** 주인을 도와 가사(家事)를 맡아보는 가신(家臣)。 우리 나라의 청지기 같은 것。 ⑪**정승상** 승상。「宰相재상」「相國상국」 ⑫**정승될상** 재상이 됨。 ⑬**방아타령상** 절구질할 때 공이소리에 맞춰 부르는 노래。 ⑭**악기이름상** 음악의 가락을 맞추는 악기。

【相距 상거】 서로 떨어져 있는 사이。 두 곳의 거리(距離)。

【相公 상공】 ①재상(宰相)의 경칭(敬稱)。 ②나이가 젊고 신분(身分)이 높은 사람의 경칭。

【相剋* 상극】 ①오행설(五行說)에서 목(木)은 토(土)를, 토(土)는 수(水)를, 수(水)는 화(火)를, 화(火)는 금(金)을, 금(金)은 목(木)을 이김을 이름。 상생(相生)의 대(對)。 ②《韓》 서로 화합하지 못하여 늘 충돌함。

【相等 상등】 서로 비슷함。

【相望之地 상망지지】 거리(距離)가 가까운 땅。

【相反 상반】 서로 반대(反對)가 됨。

【相半 상반】 서로 반(半)씩 됨。

【相逢 상봉】 서로 만남。

【相似 상사】 서로 비슷함。

【相思 상사】 서로 사모함。 서로 그리워함。

【相思馬 상사마】 발정(發情)을 하여 성질(性質)이 사나와진 수말。

【相續 상속】 이어 받음。

【相殺 상쇄】 셈을 서로 비김。

【相術 상술】 관상(觀相)하는 술법。

【相勝相負 상승상부】 승부의 수가 서로 같음。

【相違 상위】 서로 어긋남。 서로 틀림。

【相應 상응】 ①서로 균형이 잡힘。 서로 어울림。 ②꼭 맞음。 적합함。 상당(相當)함。

【相議 상의】 서로 의논(議論)함。

【相爭 상쟁】 서로 다툼。

【相傳 상전】 서로 전함。 대대로 이어 전함。

【相從 상종】 서로 친(親)하게 지냄。

【相換 상환】 서로 바꿈。

◉家相가상 骨相골상 奇相기상 白衣宰相백의재상 手相수상 丞相승상 眞相진상 出將入相출장입상 皮相피상

9 【盾】 目 4 고교 ㊀**순** ㊁**돈** 방패 ㊀㊤軫 ㊁㊤阮

一 厂 𠂆 𠂆 盾 盾 盾 盾 盾

자원 상형 盾 2500년전

투구의 차양이 「目목」〈눈〉을 가려 보호하고 있는 모양을 본뜸。 눈을 보호하는 것。 전하여 몸을 보호하는 방패의 뜻으로 되었음。

뜻 ㊀**방패순** 「矛盾모순」 ㊁**사람이름돈** 「趙盾조돈」은 전국시대(戰國時代)의 진(晉)나라 고관(高官)。

참고 「盾」을 음으로 하는 글자=「循

순」〈순종함〉·「楯순」〈난간〉

9 **【省】** 目 4 중학 ㊀**성**｜살필｜㊀㊁ ㊁**생**｜㊤省

丿 ⺌ 小 少 尐 省 省

자원 회의 少+目→省(目부)

「省」은「眚생」에서 (A)의 모양으로 변하여 다시 지금의「少소」와「目목」을 합한 모양으로 변한 것임.「眚」은 한참동안 자세히 상대편을 보는 일.「省」은 자세히 상대편을 본다는 데서 스스로를 깊이 반성(反省)한다는 뜻으로도 되고, 또「少」를 글자체(體)의 부분(部分)으로 하기 때문에「少」→덜다→생략하다란 뜻으로도 되었음.

〔眚〕 2500년전 (A) (B) 2000년전

뜻 ㊀①**살필성** ㉠살펴봄. 주의하여 알아봄.「省察성찰」㉡안부(安否)를 물어 알아봄.「歸省귀성」㉢위문(慰問)함. ㉣자기 몸을 돌보아 살핌.「反省반성」②**깨달을성** 회오(會悟)함. ③**명심(明審)할성** 분명하고 자세함. ④**마을성** 관아의 이름. ⑤**대궐성** 궁전. ⑥**성성** 중국의 지방 행정상의 구획. 원대(元代)에 천하(天下)를 열로 구획하여 행성(行省)을 둔 데서 비롯함. 청대(淸代)에는 본토(本土)에 십팔성(十八省), 그 밖에 사성(四省)을 두었음.「山西省산서성」㊁①**덜생** 감함. 또는 간략히 함.「省減생감」「省略생략」②**허물생**、**재앙생**

【省略 생략】 덞. 줄임.

【省畫 생획】 글자의 획을 생략함.

【省墓 성묘】 조상의 산소에 참배함.

【省察 성찰】 ①살펴봄. ②자기의 언행을 반성하여 봄.

◉歸省귀성 反省반성 三省삼성 自省자성

9 **【眉】** 目 4 고교 미｜눈썹｜(平)支

「 ㄱ ㄲ 尸 尸 眉 眉 眉 眉

자원 상형 2500년전

눈썹 모양을 본뜸.

뜻 ①**눈썹미** 눈두덩 위의 털.「眉目미목」②**가미** 가장자리.

참고「眉」를 음으로 하는 글자=「媚미」〈아첨하다〉·「楣미」〈문미〉

【眉間 미간】 눈썹과 눈썹의 사이.

【眉目 미목】 ①눈썹과 눈. ②얼굴.

【眉目秀麗 미목수려】 얼굴이 뛰어나게 아름다움.

◉白眉백미 愁眉수미 兩眉양미 畫眉화미

9 **【看】** 目 4 중학 간｜볼｜(平)寒 (去)翰

一 二 三 手 手 看 看 看

자원 회의 手+目→看(目부) 2500년전

「看」은 눈위에 손끝을 대고 바라보는 모양→보다.「見견」과 옛 음이 비슷하여, 같은 근본에서 분화(分化)한 것으로 생각됨.

뜻 ①**볼간** ㉠바라봄. ㉡자세히 봄. ②**뵐간** 귀성(歸省)함.「看父母간부모」③**지킬간** 감시함.「看守간수」④**대접간** 대우.

〔五畫部首順〕玄玉瓜瓦甘生用田疋疒癶白皮皿目矛矢石示内禾穴立

【看過 간과】①그냥 보기만 하고 내버려둠。눈감아줌。②보는 중에 빠뜨리고 넘어감。

【看做* 간주】그렇다고 침。

【看破 간파】속내를 환하게 알아냄。

【看板 간판】《韓》상호(商號) 또는 직업 등을 써서 내거는 표지(標識)。

【看護 간호】병상자(病傷者)를 살피어 돌봄。간병(看病)。

五畫

10 **【眠】** 目 5 중학 **면** ─ 잘 ─ ㊥生

丨 ㄇ 㠭 目 目ㄱ 目ㄱ 目ㄗ 眠 眠

자원 형성 目＋民음 ─ 眠(目부)

「目눈목변」과、음과 함께 어둡다는 뜻을 나타내기 위한 「民민·면」으로 이루어짐。눈을 감고 잔다는 뜻。

뜻 ①**잘면** 수면을 취함。「眠食면식」 ②**쉴면** 누워 쉼。③**시들면** 초목이 시들어 처짐。④**잠면** 수면(睡眠)。

◉甘眠감면 熟眠숙면 安眠안면 永眠영면

10 **【眞】** 目 5 중학 **진** ─ 참 ─ ㊥眞

一 ㄴ ㄗ 㠯 貞 首 直 眞 眞

자원 상형 眞 2500년전

「眞」은 사람(匕)이 머리(⇩首수)를 아래로 하고 있는 모양(県)을 본뜸。「顚전」〈거꾸로〉의 본디 글자。음을 빌어 참、진실(⇩信신)의 뜻으로 씀。

뜻 ①**참진** ㉠진짜。「眞實진실」 ㉡옳은 일。㉢순수。㉣도교(道敎)의 오묘한 이치。또 이 이치를 구명한 사람。②**참으로진** 진실로。③**화상진** 초상(肖像)。④**해서진** 서체(書體)의 한 가지。「眞書진서」

참고 「眞」을 음으로 하는 글자＝「嗔진」〈성내다〉·「瞋진」〈부릅뜨다〉·「愼신」〈삼가다〉·「槇전」〈장작〉·「鬒진」〈검은 머리〉·「鎭진」〈누르다〉·「塡전」〈메우다〉·「顚전」〈이마〉

【眞假 진가】진짜와 가짜。

【眞價 진가】참된 가치。

【眞番 진번】《韓》한사군(漢四郡)의 하나。지금의 황해도(黃海道) 서흥군(瑞興郡)의 자비령(慈悲嶺) 이남(以南)、한강(漢江) 이북(以北)의 땅임。후에 낙랑군(樂浪郡)에 합침。

【眞本 진본】진짜 책。또 진짜 필적。

【眞否 진부】참됨과 그렇지 못함。

【眞相 진상】사물의 참 모습。

【眞書 진서】①해서(楷書)。②《韓》한문(漢文)의 구칭(舊稱)。

【眞率 진솔】진실하고 솔직함。

【眞髓* 진수】사물의 중심 부분에서도 가장 중요로운 부분。정수(精髓)。

【眞僞 진위】진실과 허위。참과 거짓。

【眞意 진의】거짓이 없는 마음。참뜻。

【眞義 진의】참된 의미(意味)。

【眞蹟 진적】진필(眞筆)。「음。

【眞正 진정】참되고 바름。거짓이 없

【眞情 진정】①거짓이 없는 마음。성심(誠心)。②참된 사정。실정。

【眞珠* 진주】패류(貝類)의 체내(體內)에 형성되는 구슬 모양의 분비물의 덩이。

【眞摯* 진지】아주 진실함。「蹟」。

【眞筆 진필】손수 쓴 필적。진적(眞

【眞紅 진홍】 새빨간 빛。
【眞興王 진흥왕】《韓》 신라(新羅)의 이십 사대 임금。 신라 불교의 총본산인 황룡사(皇龍寺)를 지었으며 화랑 제도를 두었음。
◉寫眞사진 純眞순진 女眞여진 天眞천진

10 【真】 目 5 眞(앞글자)의 속자(俗字)。

六畫

11 【眼】 目 6 중학 안 ―눈― ㊤潸

ㅣ 冂 月 目 目ㄱ 目ヨ 目艮 眼 眼

자원 형성 目 匕 目-艮(음) 丅 眼 (目부)

〔目〕 〔䀠〕 〔艮〕 2500년 전

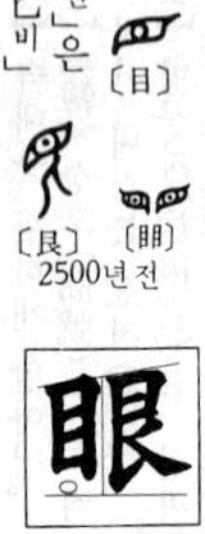

「目눈목변」은 눈알。「匕비」는 비교하는 것。 음을 나타내는 「目=艮간」(안은 변음)은, 힐끗거리며 봄을 「䀠=瞿구」라고 하는 데 대하여 가만히 쏘아보다→멈추는 일。「艮」의 글자 모양이 변하여 눈이란 것이 똑똑지 않게 되고 뜻도 여러 가지로 쓰기 때문에 다시 한번 「目눈목변」을 덧붙여서 「眼」이라 쓰고 가만히 계속하여 보다→눈동자가 또렷해지다→눈알로 되었음。 또 「目」은 한쪽 눈, 「眼」은 양쪽 눈이라고도 생각하였음。

뜻 ①**눈안** ㉠눈알。「眼球안구」 ㉡눈매。눈맵시。 ㉢눈의 구멍。 ㉣바늘 따위의 구멍。「針眼침안」「砲眼포안」 ㉤보는 일。 ②**볼안** 눈으로 봄。 ③**고동안** 요점(要點)。「主眼주안」

【眼界 안계】 눈으로 바라볼 수 있는 범위。
【眼光 안광】 ①눈의 빛。눈의 정기(精氣)。눈망울의 광채(光彩)。 ②안식(眼識)。
【眼光徹紙背 안광철지배】 독서의 이해력이 예민한 형용。
【眼球 안구】 눈망울。
【眼目 안목】 ①눈。또 눈매。 ②주안(主眼)。요점(要點)。 ③《韓》 사물을 보아서 분별하는 견식(見識)。
【眼識 안식】 좋고 나쁜 것을 분별하는 식견。 감정하는 견식。
【眼疾 안질】 눈을 앓는 병。 눈병。
【眼下無人 안하무인】 교만하여 남을 멸시(蔑視)하는 일。 방약무인(傍若無人)。 안중무인(眼中無人)。
◉近視眼근시안 老眼노안 白眼백안 法眼법안 碧眼벽안 心眼심안 雙眼쌍안 肉眼육안 千里眼천리안 慧眼혜안

七畫

【着】 ⇨羊部六畫

八畫

13 【睡】 目 8 고교 수 ―졸― ㊎寘

ㅣ 冂 目 目一 目二 目𠂉 目𡗗 睡 睡 睡

자원 형성 目 垂(음) 丅 睡 (目부) 2500년 전

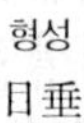

「目눈목변」과, 음을 나타내는 동시에 늘어뜨린다는 뜻을 가진 「垂수」로 이루어짐。 눈꺼풀이 늘어져 자연히 잔다는 뜻。

뜻 ①**졸수** 앉거나 서서 잠。 ②**잘수**

취침함。
【睡魔* 수마】 졸음이 오게 하는 마귀(魔鬼)。전(轉)하여 졸음。
【睡眠 수면】 잠。또 잠을 잠。
◉熟睡숙수 午睡오수 坐睡좌수 昏睡혼수

13 【睦】 目 8 [고교] 목 | 화목할 | [入]屋

丨 ⺆ 目 目 目一 目十 目土 目圥 目坴 睦

[자원] 형성 目 坴[음] ┬睦(目부)
「目눈목변」과、음을 나타내는 동시에 친하여진다는 뜻(⇩穆목)을 나타내기 위한 「坴륙」(목은 변음)으로 이루어짐。눈매가 온화하다는 뜻。전하여、화목하다는 뜻。
[뜻] ①화목할목 친목함。화목하게 지냄。「睦族목족」 ②화목목 친목。
◉恭睦공목 敦睦돈목 友睦우목 和睦화목

13 【督】 目 8 [고교] 독 | 살필 | [入]沃

丨 上 卡 未 叔 叔 督 督 督

[자원] 형성 目 叔[음] ┬督(目부)
「目눈목」과、음을 나타내며 동시에 잘、충분의 뜻(⇩熟숙)을 가진 「叔숙」(독은 변음)으로 이루어짐。잘 살펴 본다는 뜻。
[뜻] ①살필독 세밀히 봄。②거느릴독 통솔함。「督軍독군」 ③감독할독 독려함。「督戰독전」 ④꾸짖을독 책망함。⑤재촉할독 빨리 하도록 독촉함。「督促독촉」 ⑥권할독 권장함。⑦가운데독 중앙。⑧우두머리독 통솔하는 사람。「總督총독」
【督軍 독군】 ①군대를 통솔함。②신해혁명(辛亥革命) 후에 종래의 총독·순무(巡撫) 대신에 성장(省長)과 함께 각 성(省)에 둔 지방관。
【督勵 독려】 감독하고 장려(奬勵)함。
【督戰 독전】 싸움을 독려(督勵)함。
◉家督가독 監督감독 都督도독 總督총독

十一畫

【縣】 ⇩糸部十畫

十二畫

17 【瞬】 目 12 [고교] 순 | 눈깜짝거릴 | [去]震

丨 ⺆ 目 目 目一 目爫 目爫 目㸒 瞬 瞬

[자원] 형성 目 舜[음] ┬瞬(目부)
「目눈목변」과、음을 나타내는 동시에 빠르다는 뜻(⇩駿준)을 가진 「舜순」으로 이루어짐。눈을 깜박깜박 빨리 움직이다의 뜻。
[뜻] 눈깜짝거릴순 눈을 연달아 자꾸 감았다 떴다 함。전(轉)하여 단시간을 이름。「一瞬일순」 「瞬時순시」
【瞬時 순시】 눈 깜짝할 사이와 같이 극히 짧은 동안。잠깐。순간(瞬間)。
【瞬息間 순식간】 순식(瞬息)。잠깐새。
◉一瞬일순 轉瞬전순

17 【瞭】 目 12 료 | 밝을 | [上]篠

[자원] 형성 目 尞[음] ┬瞭(目부)
「目눈목변」과、음을 나타내는 동시에 밝다의 뜻(⇩亮량)을 가진 「尞료」로

이루어짐。 눈동자가 맑다는 뜻。

뜻 ①맑을료 눈동자가 맑음。 ②밝을료 명료함。「瞭然요연」 ③아득할료 깊고 넓음。

【瞭然 요연】 환한 모양。

◉明瞭명료

17 【瞥】 目 12 별 | 언뜻볼 | ㉧屑

자원 형성 目 敝 음 | 瞥(目부)

「目눈목」과 음을 나타내는 「敝폐」(별은 변음)로 이루어짐。 곁눈질로 힐끗 보다의 뜻。

뜻 언뜻볼별 잠깐 봄。「瞥見별견」

【瞥見 별견】 언뜻 봄。 잠깐 봄。

【瞥眼間 별안간】《韓》 언뜻 보는 사이。 난데 없이。

◉一瞥일별

十三畫

18 【瞻】 目 13 첨 | 볼 | ㉤鹽

자원 형성 目 詹 음 | 瞻(目부) 2500년전

「目눈목변」과 음을 나타내는 「詹첨」으로 이루어짐。

뜻 볼첨 ㉠우러러 봄。 치어다 봄。 ㉡임(臨)하여 봄。 ㉢바라봄。

주의 「贍섬」〈넉넉하다〉은 딴 글자。

【瞻望 첨망】 ①우러러 봄。 ②첨모(瞻慕)。

矛部

5 【矛】 부수 고교 모(무㉦) | 창 | ㉤尤

ㄱ マ 丆 予 矛

자원 상형 2500년전

「矛」는 장식이 달린 긴 창을 본뜸。「모」란 음은 칼끝이 뾰족하다는 뜻(⇩鋒봉)에서 온 것임。

뜻 창모 병기(兵器)의 한 가지。 뾰족한 쇠를 긴 나무 자루에 박아 적을 찔러 죽이는 데 씀。 두가닥으로 된 것은 「戈과」 본음(本音)무

참고 「矛」를 음으로 하는 글자=「茅모」〈띠〉·「瞀무」〈눈이 흐리다〉·「蟊모」〈뿌리 잘라 먹는 벌레〉·「懋무」〈힘쓰다〉·「髳무」〈오랑캐〉·「務무」〈힘쓰다〉·「霧무」〈안개〉

【矛盾 모순】 ①창과 방패。 ②앞뒤가 서로 어긋나 맞지 않음。

四畫

9 【矜】 矛 4 ㊀근 ㊁긍 ㊂관 | 자랑할 | ㊀㉤眞 ㊁㉤蒸 ㊂㉤刪

자원 형성 矛 今 음 | 矜(矛부)

「矛모」〈세모진 창〉와 음을 나타내는 동시에 자루의 뜻을 나타내기 위한 「今금」으로 이루어짐。 창자루의 뜻。 일설에는 본디 「矜린」으로 썼다고 하며, 음을 빌어서 불쌍히 여기다의 뜻(⇩憐련)으로 쓰이게 됐다 함。

뜻 ㊀창자루근 창의 자루。 ㊁①불쌍히여길긍 가엾이 여김。「矜憐긍련」

〔五畫部首順〕 玄玉瓜瓦甘生用田疋疒癶白皮皿目矛矢石示内禾穴立

②괴로와할긍 고생함。③아낄긍 함부로 하지 아니함。④엄숙할긍 장엄함。⑤공경할긍、삼갈긍 경신(敬愼)함。⑥숭상할긍 존숭함。⑦자랑할긍 자만함。「矜大긍대」⑧위태할긍 위험스러움。三①앓을관 병듦。②홀아비관 鰥(魚部十畫)과 통용。

【矜憐 긍련】가엾이 여김。

【矜持 긍지】믿는 바가 있어서 자랑함。자부(自負)함。

【矜恤 긍휼】가엾이 여겨 구휼(救恤)함。

◉可矜가긍 驕矜교긍 哀矜애긍 自矜자긍

六畫

【柔】⇩木部五畫

【務】⇩力部九畫

矢部

5 【矢】 부수 고교 시 — 살 — 上紙

ノ 𠂉 𠂉 午 矢

자원 상형 3000년전

「矢시」(부수)는 화살의 끝에 붙인 빈 깍지와 화살대와 오늬의 모양으로 생각됨。깃이 붙은 화살은 나중에 생긴 것인 듯。

뜻 ①살시 ㉠무기의 하나。화살。「弓矢궁시」㉡투호(投壺)에 쓰는 살。②벌일시 벌여 놓음。진열함。③맹세할시 서약함。「矢言시언」④베풀시 널리 폄。⑤바를시、곧을시 ⑥똥시 屎(尸部六畫)와 통용。

참고 「矢」를 음으로 하는 글자=「知지」〈알다〉·「雉치」〈꿩〉·「薙치」〈깎다〉·「疾질」〈병〉

【矢石 시석】①화살과 쇠뇌로 발사하는 돌。전(轉)하여 ②전쟁(戰爭)。

◉弓矢궁시 飛矢비시 雨矢우시 流矢유시

二畫

7 【矣】 矢 2 중학 의 — 어조사 — 上紙

厶 厶 𠂎 矣

자원 형성 矢 厶음 + 矣(矢부) 2500년전

음을 나타내며 동시에 말이 끝난다는 뜻「厶사」(의는 변음)와「矢시」로 이루어짐。날아가서 일정한 곳에 멈춘다는 뜻。말 끝에 써서 단정(斷定) 또는 과거를 나타내는 뜻의 글자。

뜻 어조사의 ㉠구(句)의 끝에 쓰이는 과거를 나타내는 조사(助辭)。㉡구(句)의 끝에 쓰이는 미래를 나타내는 조사。㉢구(句)의 끝에 쓰이는 단정을 나타내는 조사。㉣구(句)의 중간에 써서 어세(語勢)를 강조하는 조사。㉤도구법(倒句法)에 쓰이는 조사。㉥딴 조사의 위에 쓰이는 조사。

三畫

8 【知】 矢 3 중학 지 — 알 — ①-⑪平支 ⑫去寘

ノ 𠂉 𠂉 午 矢 知 知 知

자원 회의 知口 + 知(矢부) 2500년전

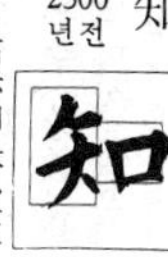

〔五畫部首順〕玄玉瓜瓦甘生用田疋疒癶白皮皿目矛矢石示禸禾穴立

「口구」는 말。「矢시」는 화살。「知」는 화살이 활에서 나가듯이 입에서 나오는 말。또 화살이 꿰뚫듯이 마음속에 확실히 결정한 일。말은 마음의 움직임을 나타내는 것이므로 알다、알리다、지식 따위의 뜻을 「知」라고 함。혹은 옛날 화살을 신성한 것이라고 생각한 것처럼 「知」도 신비스러운 작용이라 생각하여 이 글자가 생긴 것인지도 모름。

뜻 ①**알지** ㉠깨달음。감각함。㉡변별함。㉢기억함。㉣서로 앎。사귐。친함。「知得지득」 ②**알릴지** 알게 함。③**앎지** ㉠아는 일。지식。「知行지행」 ㉡아는 작용。「知覺지각」 ㉢아는 작용이 뛰어난 일。㉣사람끼리 서로 아는 일。교우(交友)。④**알림지** 알게 하는 일。⑤**사귈지** 교유(交遊)。⑥**대접지** 대우。「知遇지우」 ⑦**맡을지** 주재(主宰)함。「知事지사」 ⑧**지사지** 지사(知事)의 약칭(略稱)。주현(州縣)의 장관(長官)。⑨**짝지** 배우자。⑩**능히지** 能(肉部六畫)과 뜻이 같음。⑪**나을지** 병이 나음。⑫**슬기지** 智(日部八畫)와 같은 글자。「知能지능」

【知覺 지각】알아 깨달음。

【知己 지기】①서로 마음을 잘 알아 뜻이 통하는 벗。지기지우(知己之友)。②서로 아는 사람。지인(知人)。

【知能 지능】슬기와 능력。

【知得 지득】서로 앎。

【知面 지면】《韓》만나 본 일이 있어 서로 얼굴을 앎。

【知命 지명】①천명(天命)을 앎。하늘이 준 자기의 분수에 만족함。②나이 오십 세의 일컬음。

【知仁勇 지인용】도(道)를 앎과 도를 체득(體得)함과 도를 용감히 행하는 일。

【知人之鑑 지인지감】사람을 잘 알아보는 감식안(鑑識眼)。

【知者不惑 지자불혹】사리를 잘 분간하는 사람은 사물(事物)에 미혹(迷惑)하지 아니함。

【知者樂水 지자요수】사리를 잘 분간하는 사람은 막히는 데가 없으므로 막힘 없이 흐르는 물을 좋아함。

【知足 지족】족한 줄을 앎。

【知足不辱 지족불욕】분수(分數)를 지키는 사람은 욕(辱)을 먹지 않음。

【知足安分 지족안분】족한 줄을 알아 자기의 분수에 만족함。

【知彼知己 지피지기】적(敵)의 형편도 알고 자기네 형편도 앎。

【知行合一 지행합일】앎과 행함은 본래 같은 것으로 알고도 행하지 않으면 모르는 것과 같다는 윤리설。명(明)나라 왕양명(王陽明)의 학설。

【知慧 지혜】슬기。

◉無知무지 報知보지 豫知예지 周知주지 知者不言言者不知지자불언언자부지

五畫

10 【矩】 矢 5 구 | 곱자 | ㊤麌

자원 형성 巨음 夫·矢→矩(矢부)

법도(法度)를 뜻하는 「夫부」 또는 「大대」(矢시는 잘못된 모양)와、음과 함께 모·모서리의 뜻을 나타내는 「巨거」(구는 변음)로 이루어짐。방형(方形)을 그리는 데 쓰는 자。

뜻 ①**곱자구** 방형(方形)을 그리는 데 쓰는 자. 곡척(曲尺). 「矩繩구승」 ②**네모구、모서리구** 사각(四角). 또 모서리. ③**법구** 법칙. 법도(法度). 상법(常法). ④**대지구** 땅. 옛날에 땅은 사각형으로 되었다고 생각하였으므로 이름. ⑤**새길구** 조각함.

七畫

12 【短】 矢 7 중학 단 ─ 짧을 ─ ㊤旱

자원 형성 豆음 矢┤短(矢부)

「矢시」는 화살. 화살은 곧으며、치우침이 없이 곧고 올바름을 나타내는 신성한 것으로 생각되었음. 여기서는 자를 나타냄. 음을 나타내는 「豆두」(단은 변음)는 먹을 것을 담는 대(臺). 여기서는 한 곳에 머문다는 뜻(⇩逗두)을 나타냄. 「短」은 물건의 길이나 높이가 길지 못하고 짧다→모자라다의 뜻.

뜻 ①**짧을단** ㉠키가 작음. 「短小단소」 ㉡길지 아니함. 「短劍단검」 ㉢시간이 길지 아니함. 「短期단기」 ㉣모자람. 또 천박함. 「短見단견」 ②**짧음단** 앞 뜻의 명사. 「長短장단」 ③**짧게할단** ④**흉볼단** 결점을 지적함. 헐어 말함. ⑤**흉단、허물단** 결점. 과실. 「短所단소」 ⑥**요사단** 일찍 죽는 일. 요절(夭折).

【短歌 단가】 ①짧은 노래. ②《韓》 시조(時調)를 노래로 부를 때의 일컬음.

【短劍 단검】 단도(短刀). 비수(匕首).

【短見 단견】 천한 소견. 천견(淺見).

【短命 단명】 명이 짧음. 일찍 죽음. 요사(夭死). 단수(短壽).

【短髮 단발】 짧은 머리털.

【短兵接戰 단병접전】 서로 칼을 가지고 맞붙어 싸움.

【短時日 단시일】 짧은 시일.

【短縮 단축】 짧게 줄임.

◉長短장단 志大才短지대재단

八畫

13 【矮】 矢 8 왜 ─ 작을 ─ ㊤蟹

자원 형성 委음 夫-矢┤矮(矢부)

사람을 뜻하는 「夫부」(矢는 변형)와 음을 나타내며 동시에 오그라들다의 뜻을 나타내기 위한 「委위」(왜는 변음)로 이루어짐. 키가 작은 사람. 전(轉)하여 낮다、짧다.

뜻 ①**작을왜、짧을왜** 단소(短小)함. 「矮小왜소」 ②**짧게할왜** 줄임.

【矮林 왜림】 작은 나무의 숲.

【矮人 왜인】 키 작은 사람. 난장이.

十二畫

17 【矯】 矢 12 고교 교 ─ 바로잡을 ─ ㊤篠

자원 형성 喬음 矢┤矯(矢부)

「矢화살시변」과 음을 나타내며 동시에 끼우다의 뜻(⇩挾협)을 나타내기 위한 「喬교」로 이루어짐. 화살을 끼워서 바로잡는 나무。 전(轉)하여 바로잡다。

뜻 ①**바로잡을교** ㉠굽은 것을 바로잡음。 ㉡사곡(邪曲)을 바로잡음。 「矯俗교속」 ②**속일교** 기만함。 ③**칭탁할교** 군명(君命)이라고 사칭함。 ④**굳셀교** 강함。 ⑤**들교** 높이 들어올림。 ⑥**날교** 공중을 날림。

【矯角殺牛 교각살우】 결점이나 흠을 바로잡으려다가 수단이 지나쳐 일을 그르침。 지엽적(枝葉的)인 일에 얽매이어 본체(本體)를 그르침。

【矯正 교정】 바로잡음。

石部

5 【石】 부수 중학 석 ―돌― ㊀陌

一 丆 不 石 石

자원 회의 「厂+口」→石(부수) (A) (B) 3000년전

「厂 민엄호밑」은 언덕을 나타내며 「口」는 여기에서는 바위의 모양。「石」은 벼랑 근방에 바위가 뒹굴고 있는 모양이라고 일컬어져 왔음。 그러나 옛 모양 Ⓐ나 이 자형(字形)이 다른 글자의 부분(部分)으로 되어 있는 것으로 생각할 때 이것은 석기(石器)를 나타낸다고 생각됨。 또 옛 모양 Ⓑ는 석기로 무엇인가의 물건 (口)을 가공(加工)하고 있는 모습이라고 볼 수 가 있음。

뜻 ①**돌석** 암석。「玉石옥석」 ②**돌악기석** 돌을 재료로 하여 만든 악기。 곧 팔음(八音)의 하나로 경쇠 따위。 ③**굳을석** ㉠견고함。「石交석교」 ㉡또 견고한 것을 형용하는 말。 ④**돌바늘석** 돌로 만든 바늘。 ⑤**돌비석석** 석비(石碑)。 ⑥**섬석** 용량의 단위로 열 말。 또 중량의 단위로 백이십 근。 ⑦**저울석** 큰 저울。 ⑧**성석** 성(姓)의 하나。

참고 「石」을 음으로 하는 글자=「拓척」〈넓히다〉·「磔책」〈찢다〉·「斫작」〈찍다〉·「柘자」〈산뽕나무〉·「碩석」〈크다〉

【石刻 석각】 돌에 새김。 또 그 새긴 글이나 그림。

【石澗* 석간】 돌이 많은 골짜기를 흐르는 시내。

【石棺* 석관】 돌로 만든 관(棺)。

【石塊 석괴】 돌덩이。

【石窟* 석굴】 바위에 뚫린 굴。 암굴(巖窟)。

【石女 석녀】 아이를 낳지 못하는 여자。 돌계집。

【石榴* 석류】 석류나무과에 속하는 낙엽교목(落葉喬木)。 단약(丹若)。

【石物 석물】《韓》 무덤 앞에 만들어 놓은 석인(石人)·석수(石獸)·석주(石柱)·석등(石燈)·상석(床石) 같은 것。 석의(石儀)。

【石壁 석벽】 ①돌로 쌓은 담, 또는 벽。 ②돌의 절벽。

【石碑 석비】 돌로 만든 비。 돌비。

【石山 석산】 돌로 이루어진 산。 돌산。

【石像 석상】 돌로 조각하여 만든 사람이나 동물의 형상。

【石獸 석수】 무덤 앞에 세우는 돌로 만든 짐승의 형상。

【石室 석실】 ①석조(石造)의 방。 돌방。 견고(堅固)함의 비유。 ②제실(帝室)의 도서실。 ③석조의 무덤。

【石人 석인】①무덤 앞에 세우는 돌로 만든 사람의 형상。②형체만 사람일 뿐이지、실상은 어리석고 완고하여 시비·선악을 분별하지 못함의 비유。

【石田 석전】돌이 많은 척박한 전지。전(轉)하여 무용지물의 비유。

【石戰 석전】돌팔매질을 하여 승부를 다투는 편싸움。

【石趙* 석조】오호 십육국(五胡十六國)의 하나인 후조(後趙)의 별칭(別稱)。석늑(石勒)이 전조(前趙)를 멸하고 세운 나라이므로 이름。

【石鍾乳 석종유】돌고드름。종유석(鍾乳石)。

【石柱 석주】돌기둥。

【石竹 석죽】너도개미자리과에 속하는 다년초(多年草)。패랭이꽃。

【石晉* 석진】오대(五代) 때의 후진(後晉)의 별칭(別稱)。석경당(石敬瑭)이 후당(後唐)을 멸하고 세운 나라이므로 이름。

【石泉 석천】바위 틈에서 나오는 샘。석간수(石間水)。

【石塔 석탑】돌로 쌓은 탑。돌탑。

【石片 석편】돌 조각。

【石火 석화】돌을 쳐서 나는 불。몹시 빠른 것의 비유。

【石花 석화】굴조개。

【石火光中 석화광중】지극히 짧은 시간(時間)을 이름。

【石灰 석회】백색의 산화(酸化) 칼슘의 가루。

◉巨石거석 金石금석 望夫石망부석 木石목석 墓石묘석 寶石보석 試金石시금석 岩石암석 玉石옥석 以卵投石이란투석 磁石자석 柱石주석 採石채석 他山之石타산지석 投石투석 化石화석

三畫

【岩】⇩山部五畫

四畫

9 【砂】石 4 사 | 모래 | ㊥麻

자원 형성 石 沙-少 음 ┬砂 (石부) (A) (B) 2500년전

「石돌석변」과 음을 나타내며 동시에 잘다의 뜻(⇩細세)을 나타내는 「沙사」〈모래〉의 생략체 「少」로 이루어짐。잔 돌、곧 모래의 뜻。

뜻 **모래사** 沙(水部四畫)와 같은 글자。「砂金사금」

【砂金 사금】강이나 바다에 침적되어 모래 속에 섞인 금。

【砂礫* 사력】작은 돌。조약돌。

◉丹砂단사 鍊砂연사 辰砂진사 土砂토사

9 【研】石 4 중학 연 | 갈 | ①②㊥先 ③㊦霰

一 丆 石 石 石 石 研

자원 형성 石 幵 음 ┬研-硏 (石부)

음을 나타내는 「幵견」(연음)은 두 개의 물건이 같은 높이로 연이어 있는 일。「研」은 갈아서 평평하게 하다→벼루(「硯연」과 같음)。또 사물의 이치를 궁구하는 일。「研」은 쓰기 쉽게 한 약자。

뜻 ①**갈연** 연마함。「研刀연도」 ②**궁구할연** 연구함。「研鑽연찬」 ③**벼루연** 硯(石部七畫)과 같은 글자。「研蓋연개」

【研究 연구】 상고하고 궁구(窮究)함。

【研磨 연마】 ①연장 같은 것을 갊。 ②먹을 갊。 ③힘써 닦음。 깊이 궁구함。

9 【砕】 石 4 砕(石部八部)의 약자(略字)。

五畫

10 【砲】 石 5 포 ―돌쇠뇌― ㊀效

자원 형성 石 包음 ↓砲(石부)

「石돌석변」과 음을 나타내며 동시에 퉁기어 날려 보내는 뜻(⇩爆폭)을 나타내기 위한 「包포」로 이루어짐。 돌을 멀리 날리는 기계를 뜻함。

뜻 ①**돌쇠뇌포** 돌을 퉁기어 날려서 적을 쏘는 무기。 礮(石部十六畫)와 같은 글자。 ②**대포포** 폭탄을 내 쏘는 큰 화기。「銃砲총포」

【砲擊 포격】 대포(大砲)로 사격(射擊)함。

【砲口 포구】 포문(砲門)。

【砲臺 포대】 적(敵)의 내습(來襲)을 막고 화포(火砲) 및 병원(兵員)을 엄호(掩護)하며 사격을 편리하게 하기 위하여 요소(要所)에 설비한 견고한 축조물(築造物)。 포루(砲壘)。

【砲聲 포성】 ①돌쇠뇌를 쏠 때 나는 소리。 ②대포를 쏠 때 나는 소리。

【砲手 포수】 ①돌쇠뇌를 쏘는 것을 맡은 군사。 ②대포를 쏘는 포병(砲兵)。 ③《韓》 총으로 짐승을 잡는 사냥군。

【砲烟彈雨 포연탄우】 대포의 연기와 비오듯하는 탄환(彈丸)이라는 뜻으로、 격렬한 전쟁을 형용하는 말。

◉巨砲거포 發砲발포 銃砲총포

10 【破】 石 5 중학 파 ―깨질― ㊀箇

一 ア 石 矿 矿 砂 破

자원 형성 石 皮음 ↓破(石부)

「石돌석변」은 돌。 음을 나타내는 「皮피」(파는 변음)는 동물(動物)로부터 벗긴 겹질。 여기서는 「披피」〈헤치다〉·「波파」〈물결〉 등과 통하는 헤어지다、 떨어지다의 뜻을 나타냄。 「破」는 돌이 부서지다。 나중에 돌뿐이 아니라、 사물(事物)이 깨지다、 찢어지다、 찢다의 뜻으로 쓰임。

뜻 ①**깨질파** ㉠물건이 깨짐。 부서짐。 파괴됨。 또 해어짐。「破船파선」 ㉡일이 깨짐。 일이 틀어짐。「破綻파탄」 ㉢짐。 패배함。 ②**깨뜨릴파** ㉠부숨。 파괴함。 ㉡일이 틀어지게 함。「破約파약」 ㉢쳐부숨。 이김。 승리함。 ㉣다함。 완료함。 끝까지 해냄。「踏破답파」「讀破독파」「看破간파」 ③**깨진데파** 파손된 데。 해진 데。 ④**가를파** ㉠쪼갬。 ㉡나눔。 분석함。「破題파제」「分破분파」 ⑤**흩뜨릴파** 재물을 써 없앰。「破財파재」

【破鏡 파경】 ①부부(夫婦)의 이별을 이름。 ②이지러진 달。 둥글지 않은 달。

【破戒 파계】 《佛敎》 계율(戒律)을 지키지 아니함。

【破壞 파괴】 깨뜨림。 부숨。 헐어버림。

【破局 파국】 판국(版局)이 결딴남。 또 그 판국。

【破棄 파기】 깨뜨려 버림。

【破廉恥 파렴치】 ①염치를 모름。 부

끄러운 줄을 모름。 뻔뻔스러움。 ② 부정불법(不正不法)의 행위。

【破倫 파륜】 인륜(人倫)을 어김。 사람으로서 하지 못할 짓을 함。

【破門 파문】 신도(信徒)의 자격을 박탈하여 종문(宗門)에서 제명함。

【破顔 파안】 얼굴빛을 부드럽게 하여 웃음。

【破約 파약】 약속을 깨뜨림。 약속을 이행하지 아니함。 위약(違約)。

【破裂 파열】 ①깨어져서 갈라짐。 ②맹렬히 터져 튐。

【破竹之勢 파죽지세】 대를 칼로 순식간에 딱하고 가르듯이 맹렬하여 아무도 멈출 수 없는 기세를 이름。

【破綻* 파탄】 찢어지고 터짐。 전(轉)하여 사업에 큰 지장이 생겨 실패로 돌아감。

【破婚 파혼】 약혼을 파함。

【破興 파흥】 흥(興)이 깨어짐。 또 흥을 깨뜨림。

◉擊破격파 踏破답파 大破대파 說破설파

六畫

11 **【硫】** 石 6 류 | 유황 | ㊉尤

자원 형성 石 流음 ┬ 硫(石부)

「石돌석변」과 음을 나타내며 동시에 녹다의 뜻을 나타내기 위한 「流류」로 이루어짐。 쉽게 잘 녹는 광물、 유황의 뜻。

뜻 **유황**(硫黃)**류** 화산지방(火山地方)에서 나는 황록색의 광물。 불에 잘 타는데 불꽃은 파랗고 극취(劇臭)가 남。 약품과 공업용의 원료로 쓰임。 석류황(石硫黃)。

11 **【研】** 石 6 研(石部四畫)의 본디 글자。

七畫

12 **【硝】** 石 7 초 | 초석 | ㊉蕭

자원 형성 石 肖음 ┬ 硝(石부)

「石돌석변」과 음을 나타내며 동시에 타다의 뜻(⇩燒소)을 나타내기 위한 「肖초·소」로 이루어짐。 불을 붙이면 타는 광석(鑛石)의 뜻。

뜻 **초석**(硝石)**초** 무색(無色)의 결정체(結晶體)를 이룬 폭발성이 있는 광물。 화약 및 유리의 원료임。 전(轉)하여 화약。 「硝子초자」

【硝煙 초연】 화약(火藥)의 폭발에 의하여 생기는 연기。

【硝子 초자】 유리(琉璃)。

12 **【硬】** 石 7 고교 **경** | 단단할 | ㊇敬

一 丆 丆 石 石一 石丆 石丆 硬 硬

자원 형성 石 更음 ┬ 硬(石부)

「石돌석변」과 음을 나타내며 동시에 단단하다는 뜻(⇩堅견)을 나타내기 위한 「更경」으로 이루어짐。 단단한 돌、 전(轉)하여 단단하다의 뜻。

뜻 ①**단단할경**、 **강할경** 「強硬강경」 ②**익숙하지않을경** 세련되지 않음。 「生硬생경」

【硬口蓋 경구개】 입천장 앞 부분의 단단한 곳。

【硬水 경수】석회(石灰)、 기타 광물(鑛物)의 유기물(有機物)을 많이 포함(包含)한 물。 센물。
◉強硬강경 堅硬견경 生硬생경

12 【硯】 石 7 중학 연 ― 벼루 ― 去霰

一 ア 不 石 石 矶 矶 砠 硯

자원 형성 石見음 ㅏ硯(石부) 2500년전

「石돌석변」과 음을 나타내며 동시에 갈다의 뜻(⇩研연)을 나타내기 위한 「見견」(연은 변음)으로 이루어짐。 먹을 가는 돌、 벼루를 뜻함。

뜻 **벼루연** 먹을 가는 그릇。「硯滴연적」

【硯蓋 연개】벼루의 뚜껑。
【硯石 연석】벼룻돌。
【硯席 연석】공부하는 자리。 배우는 곳。
【硯池 연지】벼루에 먹물이 담기는 오목한 곳。 묵지(墨池)。 연해(硯海)。
◉陶硯도연 石硯석연 洗硯세연 筆硯필연

八畫

13 【碎】 石 8 쇄 ― 부술 ― 去隊

자원 형성 石卒음 ㅏ碎(石부) 2500년전

「石돌석변」에 음을 나타내는 동시에 잘게 하다의 뜻(⇩細세)을 나타내기 위한 「卒졸」(쇄는 변음)로 이루어짐。 돌절구。 전하여 부수다의 뜻。

뜻 ①**부슬쇄** ㉠잘게 여러 조각으로 깨뜨림。「粉碎분쇄」「碎氷쇄빙」 ㉡적을 여지 없이 꺾음。「擊碎격쇄」「碎敵쇄적」 ②**부서질쇄** 위의 뜻의 타동사。 ③**잘쇄** 잔닮。「瑣碎쇄쇄」「煩碎번쇄」

【碎骨粉身 쇄골분신】몸이 부서지고 뼈가 가루가 되도록 비상히 노력함。
【碎片 쇄편】잔 조각。 파편(破片)。
◉擊碎격쇄 粉碎분쇄 玉碎옥쇄 破碎파쇄

13 【碑】 石 8 고교 비 ― 비 ― 平支

一 ア 不 石 矿 矿 砷 碑 碑

자원 형성 石卑음 ㅏ碑(石부) 2500년전

「石돌석변」과 음을 나타내는 동시에 평평하다의 뜻을 나타내기 위한 「卑비」로 이루어짐。 평평한 돌、 전(轉)하여 비석을 뜻함。

뜻 ①**비비** 후세에 전하고자 하는 일을 새겨 세우는 돌。 비석。 주로 모양이 네모진 것을 이름。 둥근 것은 갈(碣)이라 함。「碑文비문」 ②**석주(石柱)비** 옛날 종묘(宗廟)의 문 안에 세워 희생(犧牲)을 매달던 주상(柱狀)의 돌。 또 옛날 귀인(貴人)의 관(棺)을 무덤에 묻을 때 관을 얽어맨 새끼 끝에 매달던 돌。 ③**비문비** 한문의 한 체(體)。 비에 새기기 위하여 짓는 문장으로서 서(序)와 명(銘)이 있는 것을 정체(正體)로 함。

【碑閣 비각】안에 비(碑)를 세워 놓은 집。
【碑銘 비명】비석에 새기는 명(銘)。
【碑文 비문】비석에 새기는 글。 또 그 문체。
【碑誌 비지】비문(碑文)。
◉古碑고비 口碑구비 墓碑묘비 石碑석비

13 【碁】石 8 기 — 바둑 — ㊥支

자원 형성 石 其음 ┬ 碁(石부)

「石석」〈돌〉과 음을 나타내는 동시에 작다(⇩子자) 및 기예(技藝)(⇩戲희)의 뜻을 나타내기 위한 「其기」로 이루어짐。

「碁」는 돌로 만든 바둑돌→바둑의 뜻이며, 「棋기」와 같은 글자이되 그보다 나중에 만들어진 글자체임。

뜻 **바둑기** 棋(木部八畫)와 같은 글자。「圍碁위기」

九畫

14 【碩】石 9 석 — 클 — ㊀陌

자원 형성 頁 石음 ┬ 碩(石부) 2500년전

머리를 뜻하는 「頁혈」과 음을 나타내는 동시에 크다의 뜻(⇩奕혁)을 나타내기 위한 「石석」으로 이루어짐。큰 머리→크다의 뜻。

뜻 **클석** 작지 아니함。「大대」와 뜻이 같음。「碩大석대」「碩學석학」

【碩士 석사】①덕이 높은 선비。지조가 높고 학문이 연박(淵博)한 선비。②대학원 과정을 마치고 논문이 통과된 이에게 수여되는 학위。

【碩人 석인】①덕이 높은 사람。대인(大人)。군자(君子)。②은사(隱士)。③미인(美人)。

【碩學 석학】큰 학자。대학자。

14 【碧】石 9 고교 벽 — 옥돌 — ㊀陌

一 丅 王 王' 珀 珀 珀 碧 碧

자원 형성 白음 石 玉-王 ┬ 碧(石부) 2500년전

「玉옥」과 「石석」〈돌〉과 음을 나타내는 동시에 명백(明白)하다의 뜻을 가진 「白백」(벽은 변음)으로 이루어짐。옥돌의 맑고 푸른 기가 있는 흰색。전하여 푸르다·녹색의 뜻。

뜻 ①**옥돌벽** 색이 푸른 옥 비슷한 아름다운 돌。「高山多靑碧고산다청벽」 ②**푸를벽** 짙은 푸른 빛。「碧海벽해」

【碧溪 벽계】물이 푸른 시내。

【碧眼 벽안】①눈의 검은 자위가 파란 눈。②서양 사람의 눈。

【碧巖 벽암】푸른 이끼가 낀 바위。

【碧玉 벽옥】빛이 푸른 옥。

【碧瓦 벽와】빛이 푸른 기와。

【碧雲 벽운】빛이 푸른 구름。또 푸른 하늘。벽공(碧空)。

14 【磁】石 9 磁(石部十畫)의 약자(略字)。

十畫

15 【確】石 10 고교 확 — 단단할 — ㊀覺

石 矿 矿 砟 碎 碎 礭 確

자원 형성 寉음 石 ┬ 確(石부) 〔寉〕2000년전

「石돌석변」과 음을 나타내는 동시(同時)에 굳다의 뜻(⇩槁고)을 가지는 「寉혹·작」(확은 변음)으로 이루어짐。굳은 돌。전(轉)하여 굳다의 뜻。

뜻 ①**단단할확** 견고함。②**확실할확** 틀림 없음。「正確정확」「的確적확」

주의 ①「碻」은 같은 글자。②「確」은 속자(俗字)。

【確率 확률】 어떤 사상(事象)이 일어날 확실성의 정도를 나타내는 수치。

【確保 확보】 ①확실히 보증함。②확실하게 지님。확실히 보전함。

【確言 확언】 정확(正確)히 말함。확실히 말함。또 그 말。

【確認 확인】 확실히 인정(認定)함。

【確證 확증】 확실한 증거(證據)。

◉堅確견확 明確명확 的確적확 正확정확

15 【磁】 石 10 **자** ─ 지남석 ─ ㊥支

자원 형성 石 兹 음 ┬ 磁 (石부)

「石돌석변」과 음을 나타내며 동시(同時)에 붙다의 뜻(⇩磁자)을 가지는 「兹자」로 이루어짐。쇠를 빨듯이 달라붙이는 광물(鑛物)、자석(磁石)을 뜻함。

뜻 ①**지남석자** 자철(磁鐵)。②**사기그릇자** 瓷(瓦部六畫)와 통용。「瓷器자기」

【磁極 자극】 자석의 음 양 두 극(極)。

【磁氣 자기】 자성(磁性)을 일으키는 원인이 되는 것。쇠를 흡인(吸引)하는 현상。「떼치는 힘」

【磁力 자력】 자기(磁氣)의 서로 끌고

十一畫

16 【磨】 石 11 고교 **마** ─ 갈 ─ ①-③㊥歌 ④㊦箇

一 广 广 庐 庐 庐 麻 麻 磨

자원 형성 石 麻 음 ┬ 磨 (石부)

「石석」〈돌〉과 음을 나타내는 동시에 문지르다의 뜻(⇩摩마)을 나타내기 위한 「麻마」로 이루어짐。돌을 문질러 갈다、전(轉)하여 갈다의 뜻。

뜻 ①**갈마** 옥·돌 같은 것을 갈아 윤을 냄。전(轉)하여 학문·덕행 등을 닦음。「練磨연마」「琢磨탁마」②**닳을마** 갈거나 마찰하여 작아지거나 없어짐。「磨滅마멸」③**고생할마** 곤란을 받음。속어(俗語)임。④**맷돌마**

【磨滅 마멸】 닳아 없어짐。

【磨擦* 마찰】 서로 닿아서 비빔。

◉水磨수마 研磨연마 切磨절마 琢磨탁마

十二畫

17 【礁】 石 12 **초** ─ 숨은바윗돌 ─ ㊥蕭

자원 형성 石 焦 음 ┬ 礁 (石부)

「石돌석변」과 음을 나타내는 「焦초」로 이루어짐。

뜻 **숨은바윗돌초** 물 속에 있는 암석。「暗礁암초」「危礁위초」

◉亂礁난초 浮礁부초 暗礁암초 危礁위초

十三畫

18 【礎】 石 13 고교 **초** ─ 주춧돌 ─ ㊤語 ㊤麌

丆 石 石 矿 矿 礎 礎 礎 礎

자원 형성 石 楚 음 ┬ 礎 (石부)

「石돌석변」과 음을 나타내며 동시에

시작의 뜻(⇩初초)을 나타내기 위한 「楚초」로 이루어짐。처음에 놓는 돌 →초석(礎石)의 뜻。

뜻 **주춧돌초** ㉠기둥 밑에 괴는 돌。「礎石초석」 ㉡전하여 사물의 기본。

【礎石 초석】 주춧돌。

【礎業 초업】 근본이 되는 사업。

【礎材 초재】 주추에 쓰이는 목재나 석재(石材)。

◉階礎계초 基礎기초 石礎석초 柱礎주초

十五畫

20 【礬】 石 15 **반** | 광물이름 | ㊥元

자원 형성 石 樊음 ⊢ 礬(石부)

「石석」〈돌〉과 음을 나타내는 「樊번」(반은 변음)으로 이루어짐。

뜻 **광물이름반** 황산(黃酸)을 함유(含有)한 광물。명반(名礬)·녹반(綠礬)·백반(白礬) 등。

【礬石 반석】 명반(明礬)。

◉綠礬녹반 膽礬담반 明礬명반 白礬백반

示(ネ)部

5 【示】 부수 중학 ㊀**시** ㊁**기** | 보일 | ㊀㊤寘 ㊁㊥支

一 二 亍 亓 示

자원 회의 2500년전 (A) (B) (C) 3000년전

「示」는 신을 받들어 모실 때 쓰는 나무 받침이고 신이 거기에 걸터앉는다고 생각되었음。희생된 동물에서 피가 뚝뚝 떨어지는 모양을 나타내는 자형(字形)ⓒ도 있음。신은 좋은 일、궂은 일을 사람에게 보여서 알리므로 「示」는 보이다의 뜻으로 씀。

뜻 ㊀①**보일시** ㉠보게 함。나타냄。「示威시위」 ㉡알림。「指示지시」「教告示교고시」 ②**볼시** 視(見部五畫)와 통용。 ㊁**땅귀신기** 祇(示部四畫)와 같은 글자。

주의 「ネ」는 「示」를 변(邊)으로 할 때의 속자(俗字)。

참고 「示」를 음으로 하는 글자 =「視시」〈보다〉·「祁기」〈성하다〉

【示教 시교】 보이어 가르침。

【示範 시범】 모범을 보임。

【示威 시위】 위력이나 기세를 드러내 보임。

◉肝肺相示간폐상시 開示개시 揭示게시 明示명시 指示지시 表示표시 訓示훈시

【ネ】 示 0 示(앞 글자)가 글자의 변(邊)으로 올 때에 약(略)하여 쓰는 자체(字體)。

주의 「衤의」(「衣의」〈옷〉의 변으로 올 때의 약자)는 딴 글자。

一畫

6 【礽】 示 1 禮(示部十三畫)의 옛 글자。

三畫

8 【社】 示 3 고교 **사** | 땅귀신 | ㊤馬

一 二 亍 示 礻 社 社

자원 회의 示+土→社(示부) 社 2500년전

「土토」는 토지의 신을 모시는 신체(神體)이며 흙을 수북이 쌓아 올려 소나무 따위를 심었음。「示시」는 신에 관계가 있음을 나타냄。

뜻 ①**땅귀신사** 토지의 주신(主神)。 또 그 제사。 또 그를 모신 사당。 ②**제사지낼사** ㉠풍년 들기를 빌어 토지의 주신(主神)에게 제사 지냄。 ㉡하지(夏至)에 토지의 주신(主神)에게 제사 지냄。 ③**단체사** ㉠옛날에는 법으로 정한 이십오호(二十五戶)의 자치단체。 ㉡자유 의사로 설립한 민가(民家)의 단체。 ㉢동지의 결합 등 여러 가지 단체。「詩社시사」「會社회사」 ④**사일사** 입춘 및 입추 후의 제오(第五)의 무일(戊日)。 또 그 날 지내는 제사。「春社춘사」

【社交 사교】 사회 생활(社會生活)에 있어서의 사귐。

【社稷* 사직】 토지의 주신(主神)과 오곡(五穀)의 신(神)。 옛날에 천자(天子)와 제후(諸侯)는 반드시 사직단(社稷壇)을 세우고 제사(祭祀)를 지내어 국가(國家)와 존망(存亡)을 같이 하였으므로 전(轉)하여 국가(國家)라는 뜻으로도 쓰임。

【社稷壇* 사직단】 사직(社稷)을 제사 지내는 단(壇)。 왕궁의 오른편에 세우고 종묘(宗廟)는 왼편에 세움。

【社倉 사창】 기근(飢饉) 때 빈민을 구제하기 위하여 조합(組合)에서 설치하는 곡식을 쌓아 두는 곳집。

◉結社결사 公社공사 廟社묘사 會社회사

8 **【祀】** 示 3 고교 **사** | 제사지낼 | ㊤紙

一 二 亍 示 礻 祀 祀 祀

자원 형성 示+巳(음)→祀(示부) 祀 2500년전

신의 뜻을 나타내는 「示시」와 음을 나타내는 동시에 모시다의 뜻을 나타내기 위한 「巳사」로 이루어짐。 신을 모시다의 뜻。「示」는 명사(名詞)로서 신의 뜻이고、「祀」는 동사(動詞)로서 만들어진 글자。

뜻 ①**제사지낼사** 신령에게 제사를 지냄。 ②**제사사** 제전(祭典)。「祀典사전」 ③**해사** 은(殷)나라 때의 연기(年紀)의 칭호。

◉祭祀제사 宗祀종사 合祀합사 饗祀향사

四畫

9 **【祇】** 示 4 ㊀**기** ㊁**지** | 땅귀신 | ㊀㊁(平)支

자원 형성 示+氏(음)→祇(示부) 祇 2500년전

신(神)의 뜻인 「示보일시변」과 음을 나타내는 「氏시」(기는 변음)로 이루어짐。 본디 「神신」과 같은 어원(語源)의 말로서 「神」이 하늘의 신을 가리키는 데 대하여、「祇」는 땅의 신을 나타내게 되었음。

뜻 ㊀①**땅귀신기** 국토의 신。 후토(后土)。 ②**편안할기** 안심함。 ③**클기** ㊁**마침지、다만지**

주의 「祇지」〈공경하다〉와는 딴 글자。

【祇園 기원】 절。 사찰(寺刹)。

【祇園精舍 기원정사】 ①옛날에 인도

〔五畫部首順〕玄玉瓜瓦甘生用田疋疒癶白皮皿目矛矢石示内禾穴立

(印度) 마갈타국(摩揭陀國)의 수달장자(須達長者)가 석가(釋迦)를 위하여 세운 절。②절。사찰(寺刹)。

◉神祇신기 地祇지기 后祇후기

9 **【祈】** 示 4 고교 **기** | 빌 | ㊥微

一 二 亍 示 礻 祈 祈 祈

자원 형성 示 斤음 → 祈(示부)

신(神)의 뜻을 나타내는 「示시」와 음을 나타내며 동시에 원하다의 뜻을 나타내기 위한 「斤근」(기는 변음)으로 이루어짐。신에게 기도하다의 뜻。

뜻 ①**빌기** 복을 빎。「祈願기원」 ②**기도기** 복을 비는 일。 ③**고할기** 알림。 ④**구할기** 희구(希求)함。

【祈求 기구】 빌어 구함。간절히 바람。

【祈雨 기우】 날이 가물 때에 비가 오기를 빎。

【祈雨祭 기우제】 하지가 지나도록 비가 아니 올 때에 비 오기를 비는 제사。

【祈願 기원】 신불(神佛)에게 빎。

五畫

10 **【祐】** 示 5 **우** | 도울 | ㊤宥

2500 년전

자원 형성 示 右음 → 祐(示부)

신의 뜻을 나타내는 「示보일시변」과 음을 나타내는 동시에 돕다의 뜻(⇩佑우)을 가지는 「右우」로 이루어짐。신의 도움의 뜻。

뜻 ①**도울우** 신(神)이 도와줌。 ②**도움우** 신조(神助)。「天祐천우」

【祐助 우조】 신조(神助)。

10 **【祕】** 示 5 고교 **비** | 숨길 | ㊤寘

一 二 亍 示 礻 祁 祕 祕 祕

자원 형성 示 必음 → 祕(示부)

2500 년전

음을 나타내는 「必필」(비는 변음)은 경계(境界)를 뚜렷하게 하는 일。「示보일시변」은 신에 관계가 있음을 나타냄。「祕」는 신을 사당 속 깊숙이 모시다→신→신과 같이 신비한 일。

뜻 ①**숨길비** 비밀히 함。 ②**신비할비** 심오하여 알 수 없음。 ③**오의비** 알기 어려운 매우 깊은 뜻。

주의 「祕」는 나중에 생긴 속자(俗字)。

【祕訣* 비결】 감추어 두고 남에게 알리지 아니하는 비밀한 방법。

【祕計 비계】 비밀(祕密)한 꾀。

【祕記 비기】 길흉 화복을 예언한 기록。

【祕錄 비록】 비밀한 기록。

【祕密結社 비밀결사】 정부(政府)에 대하여 그 존재(存在)·목적(目的)·규정(規定) 등을 숨기는 결사(結社)。

【祕方 비방】 비밀(祕密)한 방법。비밀로 전수(傳受)하는 약방문。

【祕書 비서】 ①천자(天子)의 장서(藏書)。②비밀의 문서。비장(祕藏)한 서적。③기밀한 문서 및 그 사무를 맡아 보는 직무。

【祕術 비술】 비밀히 전하여 온 술법。

【祕奧* 비오】 비밀하고 심오(深奧)함。

【祕藏 비장】 비밀(祕密)히 잘 간직함。또 그 물건。

◉極祕극비 便祕변비 神祕신비

10 **【祖】** 示 5 [중학] **조** | 할아비 | [上]麌

一 二 亍 亓 示 礻 礻 祁 祖 祖

[자원] 형성 示 且[음] ↓ 祖(示부)

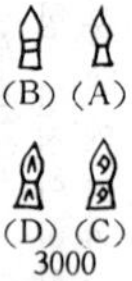
(A) (B) (C) (D) 3000년전

음을 나타내는 「且차·조」의 본디 모양 (A)(B)는 조상의 위패(位牌)의 모양이라고 함。「示보일시변」은 신이나 제사에 관계가 있음을 나타냄。「祖」는 모시는 대상(對象)→조상。옛날엔 「且」라고 써서 선조(先祖)의 뜻을 나타냈음。옛 모양 (C)(D)는 제물인 고기를 받침이나 깔개에 올려놓은 모양임。「且」가 붙는 글자 「組조」「阻저」 따위는 겹치다、밑에 깔다의 뜻이 공통되어 있음。

[뜻] ①**할아비조、할아버지조** 부친의 부친。「祖考조고」 ②**선조조** 조상。「始祖시조」 ③**시조조** ㉠개조(開祖)。「元祖원조」「鼻祖비조」 ㉡또 사물에도 이름。 ④**사당조** 조상의 신주를 모신 곳。 ⑤**본받을조** 본뜸。모방함。「祖述조술」 ⑥**행로신조** 도중(道中)의 안녕(安寧)을 지키는 신(神)。 ⑦**길제사지낼조** 먼 길을 떠날 때 행로신(行路神)에게 제사지내는 일。또 그 때 송별연을 베푸는 일。

【祖考 조고】 돌아간 할아버지。

【祖廟 조묘】 조상의 신주(神主)를 모신 사당(祠堂)。

【祖述 조술】 스승의 도(道)를 본받아서 서술하여 밝힘。

【祖業 조업】 조상 때부터 전하여 오는 「가업(家業)」。

【祖行 조항】 할아버지와 같은 항렬。

◉開祖개조 高祖고조 鼻祖비조 先祖선조 始祖시조 外祖외조 太祖태조 皇祖황조

10 **【祝】** 示 5 [중학] **축** | 빌 | [入]屋

一 二 亍 亓 示 礻 祀 祀 祝 祝

[자원] 회의 示兄 ↓ 祝(示부)

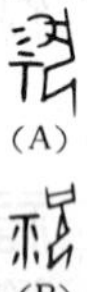
(A) (B) 3000년전

「兄형」은 여기에서는 형제의 형이 아니고 입구의 부분을 강조(強調)한 사람의 모습이며 기도의 말(⇩口구)이 신비(神祕)로운 작용(作用)을 함을 나타냄。「示시」는 신을 모실 때 쓰는 나무 받침이며 신이 거기에 들린다고 생각된 것。「祝」은 신을 모셔 기도하는 일。옛 모양 (A)는 기도하는 사람이 「示」에 희생의 피를 뿌리고 있는 모습。

[뜻] ①**빌축** 신에게 기원함。「祝福축복」 ②**하례할축** ㉠축하함。「慶祝경축」「祝宴축연」 ㉡또 하례。경하。 ③**짤축** 직물을 짬。 ④**끊을축** 절단함。 ⑤**축문축** 신(神)에게 고하는 말。또 축문을 읽는 사람。 ⑥**축읽을축** 축문을 읽어 신에게 고함。

【祝文 축문】 제사(祭祀) 때 신명(神明)에게 고(告)하는 글。

【祝宴 축연】 축하(祝賀)하는 잔치。

【祝願 축원】 잘 되기를 빎。

【祝意 축의】 축하(祝賀)의 뜻을 표하는 의사(意思)。「나 식전(式典)。

【祝典 축전】 축하하는 의식(儀式)이

【祝賀 축하】 경사를 치하(致賀)함。

◉慶祝경축 心祝심축

10 **【神】** 示 5 [중학] **신** | 귀신 | [平]眞

〔五畫部首順〕玄玉瓜瓦甘生用田疋疒癶白皮皿目矛矢石示内禾穴立

神

一 二 亍 礻 礻 神 神 神 神

자원 형성 申(음) 示 ┐ 神 (示부) 2500년전

음을 나타내는 「申신」은 번갯불의 모양。「示보일시변」은 신이나 제사에 관계가 있음을 나타냄。「神」은 천체(天體)의 여러 가지 변화를 부리는 신。아주 옛날 사람은 천체의 변화를 큰 신비한 힘을 가진 신의 행위라 생각하고 그것을 번갯불로 대표 시켜 「神」자로 삼음。

뜻 ①**귀신신** ㉠하늘의 신(神)。하느님。상제(上帝)。㉡신령。「水神수신」 ②**신선신** 선인(仙人)。③**혼신** 영혼。마음。「精神정신」 ④**정기신** 정수(精粹)한 기운。⑤**영묘할신** 신비(神祕)스러움。또 변화무쌍함。

【神劍 신검】①신명이 내린 칼。또는 신명에게 바친 칼。②신령한 칼。

【神工 신공】①신(神)의 제작물。②영묘(靈妙)한 제작。또 그 물건。

【神龜 신귀】신령한 거북。

【神技 신기】신묘(神妙)한 기술(技術)。

【神女 신녀】여성의 신。천녀(天女)。

【神農 신농】중국 고전설(古傳說) 중의 제왕(帝王)。백성에게 농경(農耕)을 가르쳤으며、시장을 개설하여 교역(交易)의 길을 열었다고 함。

【神堂 신당】신령을 모신 집。

【神刀 신도】신기하게 잘 드는 칼。

【神明 신명】①하늘의 신령(神靈)과 땅의 신령。신기(神祇)。②사람의 마음。정신(精神)。

【神木 신목】진기(珍奇)한 나무。

【神妙 신묘】신기하고 영묘(靈妙)함。

【神廟 신묘】조상의 신주를 모신 사당。

【神武 신무】뛰어난 무용(武勇)。

【神方 신방】신기한 효험이 있는 약방문(藥方文)。

【神兵 신병】①신이 보낸 군사。②신기한 군사。귀신과 같은 군사。

【神祕 신비】①비밀에 부쳐 남에게 알리지 않음。②이론(理論)이나 인식(認識)을 초월(超越)한 일。

【神事 신사】①신(神)을 제사지내는 일。②신선(神仙)에 관한 일。

【神祠 신사】신(神)을 제사지내는 사당。

【神色 신색】정신과 안색。

【神仙 신선】선도(仙道)를 닦아서 도통(道通)하여 장생불사 하는 사람。

【神速 신속】신기할 만큼 빠름。

【神藥 신약】신효(神效)가 있는 약。

【神佑* 신우】신의 도움。

【神人 신인】①신과 사람。②신령한 사람。

【神將 신장】①신병(神兵)을 거느리는 장수。②신과 같은 장수。③장수격을 가진 귀신。

【神前 신전】신(神)의 앞。

【神殿* 신전】신령(神靈)을 모신 전각。

【神主 신주】①하늘을 대신하여 백성을 다스리는 사람。②산천 초목 등의 신령。③죽은 사람의 위패(位牌)。

【神州 신주】①중국 사람이 자기 나라를 일컫는 말。②신선이 있는 곳。③경기(京畿)。

【神出鬼沒 신출귀몰】마음대로 출몰(出沒)하여 변화가 무궁무진함。

【神託* 신탁】신의 명령、분부、또는 대답。

【神通力 신통력】모든 것을 마음대로 할 수 있는 신기한 힘。

【神品四賢 신품사현】《韓》서도(書道)에 뛰어난 네 사람을 일컫는 말。 고려(高麗) 문종(文宗) 때의 유신(柳伸)·인종(仁宗) 때의 탄연(坦然)·고종(高宗) 때의 최우(崔瑀)와 신라(新羅)의 김생(金生)을 말함。

【神話 신화】 신(神)을 중심(中心)으로 한, 역사(歷史)가 있기 이전(以前)의 전설(傳說)。

◉敬神경신 鬼神귀신 金剛神금강신 雷神뇌신 武神무신 山神산신 水神수신 心神심신 女神여신 入神입신 精神정신

10 **【祠】** 示 5 **사** | 제사지낼 | ㊥支

자원 형성 示司 음 ⊤祠(示부) 祠 2500년전

제사의 뜻을 나타내는「示보일시변」과, 음을 나타내며 동시에 일의 뜻(⇩事사)을 가진「司사」로 이루어짐。 제사의 뜻。 또 제사 지내는 곳。

뜻 ①**제사지낼사** 신(神)에게 제사를 지냄。 또 소원이 성취된 보답으로 제사를 지냄。 ②**제사사** 봄의 제사。 ③**신사** 제사지내는 신(神)。 ④**사당사** ㉠가묘(家廟)。 ㉡신(神)을 제사지내는 곳。「忠烈祠충렬사」

【祠壇 사단】 제단(祭壇)。

【祠堂 사당】 신주(神主)를 모시는 집。

【祠廟 사묘】 사당(祠堂)。

◉奉祠봉사 佛祠불사 稷祠직사 叢祠총사

六畫

11 **【祥】** 示 6 고교 **상** | 복 | ㊥陽

一 二 亍 示 示' 祥 祥 祥 祥

자원 형성 示羊 음 ⊤祥(示부) 祥 2500년전

신(神)의 뜻을 나타내는「示보일시변」과, 음을 나타내는 동시에 좋다는 뜻(⇩昌창)을 가진「羊양」(상은 변음)으로 이루어짐。 신이 내려 주는 좋은 일, 곧 행복의 뜻。

뜻 ①**복상** 행복。 복록。 ②**재앙상** 재화(災禍)。 ③**조짐상** 길흉의 전조。「祥瑞상서」「吉祥길상」「兇祥흉상」 ④**제사상** 상중(喪中)의 제사。「小祥소상」은 기년제(朞年祭)、「大祥대상」은 삼년상。 ⑤**자세할상** 詳(言部六畫)과 통용。

【祥瑞* 상서】 길(吉)한 조짐。 길조。

【祥雲 상운】 상서로운 구름。

【祥運 상운】 상서로운 운수。

【祥兆 상조】 상서로운 조짐。 길조(吉兆)。 상서(祥瑞)。

◉嘉祥가상 吉祥길상 大祥대상 發祥발상

11 **【票】** 示 6 고교 **표** | 쪽지 | ㊥蕭 ㊤嘯

一 冖 襾 襾 覀 覀 票

자원 회의 䙴-西 火 ⊤票(示부)  2000년전

「覀」는「䙴천」에 들어 있는 모양을 생략(省略)한 것으로서, 높이 올라가는 것을 나타냄。「示시」는「火화」의 자형(字形)을 바꿔 쓴 것。「票」는 불티가 너울거리며 올라가다의 뜻。 나중에「標표」가 나타내는 표의 뜻。

뜻 ①**불똥표、불똥튈표** ②**훌쩍 날릴표** 가볍게 날리는 모양。 ③**쪽지표** 어

음·수표 따위。「傳票전표」「投票투표」
軍票군표 傳票전표 投票투표

11 【祭】 示 6 중학 제 | 제사지낼 | 去霽

ノ ク タ タ 夕又 祭 祭

자원 회의 肉·夕+又+示→祭(示부)

3000년전

「又우」는 손。「夕=肉육」은 고기。 옛 자형(字形)은 신에게 바치는 고기에 술을 손으로 뿌려 깨끗이 하고 있는 모양。 나중에 제단(祭壇)의 모양인 「示시」를 붙여 「祭」라 씀。 「祭」는 신과 사람과의 접촉을 뜻함。

뜻 ①제사지낼제 신에게 제사를 지냄。 ②제사제 제전。「祭禮제례」

참고 「祭」를 음으로 하는 글자=「際제」〈사이〉·「瘵채」〈앓다〉·「蔡채」〈풀〉·「察찰」〈살피다〉

【祭器 제기】 제사(祭祀)에 쓰는 기명(器皿)。

【祭壇 제단】 제사(祭祀)를 지내는 단(壇)。

【祭禮 제례】 제전(祭典)。

【祭文 제문】 죽은 이를 조상하는 글。 제물을 올리고 축문처럼 읽음。

【祭物 제물】 제사(祭祀)에 쓰는 음식물。

【祭服 제복】 제사(祭祀)때 입는 예복(禮服)。

【祭祀 제사】 조상이나 신령에게 음식을 올리고 정성을 표하는 예절。

【祭典 제전】 제사(祭祀)의 의식(儀式)。 제례(祭禮)。

【祭主 제주】 제사를 주관하는 사람。

◉冠婚喪祭관혼상제 時祭시제 祝祭축제

七畫

【視】 ⇨見部五畫

八畫

13 【祿】 示 8 고교 록 | 녹 | 入屋

一 亍 礻 礻 祀 祀 祿 祿 祿

자원 형성 示+彔음→祿(示부) 2500년전

신의 뜻인 「示보일시변」과、 음과 함께 선물의 뜻을 나타내기 위한 「彔록」으로 이루어짐。 신의 선물의 뜻。

뜻 ①복록 행복。「福祿복록」 ②녹록 ㉠관리의 봉급。「俸祿봉록」 ㉡「不祿불록」·「無祿무록」은 녹을 다 타먹지 못하고 죽는다는 뜻으로 죽음을 이름。 ③녹줄록 봉급을 줌。

【祿米 녹미】 녹(祿)으로 주는 쌀。

【祿俸* 녹봉】 관원(官員)의 봉급(俸給)。

【祿爵 녹작】 녹(祿)과 지위(地位)。

◉官祿관록 薄祿박록 福祿복록 奉祿봉록 封祿봉록 俸祿봉록 食祿식록 爵祿작록

13 【禁】 示 8 중학 금 | 금할 | ①-⑧去沁 ⑨平侵

一 十 木 林 埜 埜 禁

자원 형성 示+林음→禁(示부) 2500년전

음을 나타내는 「林림」(금은 변음)은 물건이 잇닿는 일。 여기에서는 금지(禁止)의 뜻을 나타냄。「示시」는 제사에 관계가 있는 일。「禁」은 제사의 금제(禁制)。 금제를 일컬음。

뜻 ①금할금 하지 못하게 함. 제지함. 「禁止금지」 ②금령금 금지하는 법령. 「法禁법금」 ③대궐금 궁전. 「禁中금중」 ④옥금 감옥. 「監禁감금」 ⑤울금 우리. ⑥비밀금 알리지 아니함. ⑦금기금 꺼리어 피하는 일. 「食禁식금」 ⑧주술금 병을 고치기 위한 굿 따위. 「呪禁주금」 ⑨견딜금 견디어 냄. 참음.

참고 「禁」을 음으로 하는 글자=「噤금」〈입을 다물다〉·「襟금」〈옷깃〉

【禁忌 금기】 길흉(吉凶)에 관한 미신으로 꺼리는 일. 어떠한 사물이나 방향 등을 꺼리어 싫어하는 일.

【禁斷 금단】 금하여 못하게 함.

【禁物 금물】 매매하거나 쓰기를 금지한 물건. 금제품(禁制品).

【禁壓 금압】 억눌러서 못하게 함.

【禁慾 금욕】 육체상(肉體上)의 욕망(慾望)을 금(禁)함.

【禁制 금제】 ①금령(禁令). ②금지.

【禁足 금족】 외출(外出)을 금(禁)함.

【禁酒 금주】 ①술을 먹지 못하게 함. ②자기(自己)가 술을 끊음.

【禁中 금중】 대궐(大闕). 대궐 안. 궁중(宮中).

【禁止 금지】 못하게 함.

◉夜禁야금 嚴禁엄금 通禁통금 解禁해금

13 【禀】 示 8 稟(禾部八畫)의 와자(譌字).

九畫

14 【禍】 示 9 고교 화 | 재화 | ㊤哿

자원 형성 示 + 咼(음) 禍(示부) 2500년전

신(神)의 뜻을 나타내는 「示보일시변」에, 음과 함께 문책(問責)의 뜻(⇩過과)을 나타내기 위한 「咼과」(화는 변음)로 이루어짐. 신의 문책, 타박 등을 뜻함.

뜻 ①재화화 재앙. 재난. 「禍福화복」 ②재화내릴화 재앙을 내림.

【禍根 화근】 재앙의 근원.

【禍難 화난】 재난(災難).

【禍亂 화란】 재앙과 난리.

【禍變 화변】 재앙.

【禍福 화복】 재앙과 복록(福祿).

【禍不單行 화불단행】 재앙은 연거푸 오는 것임.

【禍從口生 화종구생】 재앙은 입을 잘못 놀리는 데서 생김.

14 【福】 示 9 중학 복 | 복 | ㊅屋

자원 형성 示 + 畐(음) 福(示部) 3000년전

「畐복」은, 배가 좌우(左右)로 부푼 술단지의 모양→속에 물건이 가뜩 들어 있는 일. 「示보일시변」은, 신(神)을 받들어 모시는 일과 관계가 있는 일. 「福」은 제물을 갖추어 신에게 기도하다→물건이 많이 있어, 행복한 일.

뜻 ①복복 행복. 복조(福祚). 「禍福화복」 「五福오복」 ②복내릴복 복을 내려줌. ③제육복 제사에 쓰는 고기.

【福德 복덕】 복력(福力)이 많고 덕기(德氣)가 두터움.

【福力 복력】복을 누리는 힘。

【福祿 복록】①복(福)과 녹(祿)。행복(幸福)。

【福祥 복상】복(福)。행복。

【福壽 복수】행복과 장수(長壽)。복이 많고 장수(長壽)함。

【福音 복음】①기쁜 소식。②축복을 받을 수 있다는 예수의 가르침을 이름。

【福祉*복지】복(福)。행복。

◉ 景福경복 萬福만복 冥福명복 壽福수복 轉禍爲福전화위복 祝福축복 幸福행복

十一畫

【隷】⇩隶部八畫

16 【禦】示 11 어 — 막을 — ㊤語

자원 형성 示御음 ⊤禦(示부)

신(神)으로 받들어 모신다는 뜻을 나타내는「示시」와、음을 나타내는「御어」로 이루어짐。본디 제사의 이름。음을 빌어 막다의 뜻으로 씀。

뜻 ①**막을어** ㉠방어함。「守禦수어」㉡정지시킴。㉢방해함。㉣피함。㉤방비함。㉥대항함。②**방어어、방해어、방비어** 윗뜻의 명사。

◉ 防禦방어 守禦수어 鎭禦진어 抗禦항어

十二畫

17 【禧】示 12 희 — 복 — ㊥支

禧 2500년전

자원 형성 示喜음 ⊤禧(示부)

신(神)의 뜻을 나타내는「示보일시변」과、음을 나타내며 동시에 기뻐하다의 뜻을 가진「喜희」로 이루어짐。신이 주시는 즐거운 것、행복의 뜻。

뜻 **복희** 행복。「福禧복희」「新禧신희」

17 【禪】示 12 고교 선 — 봉선 — ①②㊦霰 ③㊥先

= 丁 示 示 祀 禪 禪 禪 禪

자원 형성 示單음 ⊤禪(示부)

신(神)으로 모신다는 뜻을 나타내는「示보일시변」과、음을 나타내는 동시에 땅을 평평하게 하다의 뜻(⇩坦탄)을 나타내기 위한「單단·선」으로 이루어짐。땅을 판판하게 닦고 깨끗이 하여 지내는 제사의 뜻。

뜻 ①**봉선(封禪)선** 땅을 판판하게 닦고 깨끗이 하여 산천의 신(神)에게 지내는 제사。②**선위할선** 천자의 지위를 남에게 물리어 줌。「禪讓선양」③**선선** ㉠불교에서 마음을 조용히 하여 진리를 직관(直觀)하는 일。또 이 종파。「禪宗선종」㉡「坐禪좌선」의 준말。

【禪房 선방】①사원。②좌선하는 방。

【禪師 선사】①중。승려。②선종(禪宗)의 고승에게 조정에서 내리는 칭호。

【禪讓 선양】제왕이 제왕의 자리를 어진 사람에게 넘겨 주는 일。

【禪院 선원】절。사원。

【禪位 선위】임금이 자리를 남에게 물려 줌。양위(讓位)。

【禪宗 선종】불교의 한 종파(宗派)。

十三畫

18 **【禮】** 示 13 중학 **례** — 예 — ㊤薺

ニ 亍 礻 礻 礻 禮 禮 禮 禮 禮

자원 형성 示 豊음 ⊢禮(示부) 3000년전

음을 나타내는 「豊례」는 신에게 바치는 물건을 얹는 대(臺)→신을 모시는 의식(儀式). 나중에 신이나 제사에 관계함을 나타내는 「示보일시 변」을 붙여 「禮」라고 씀. 「礼례」는 상당히 오래 전부터 「禮」와 같이 쓰여지고 있던 자형(字形).

뜻 ①**예례** ㉠오상(五常)의 하나. 예도. 예절. 「禮儀예의」 ㉡예식. 의식. 「婚禮혼례」 ㉢절·인사 등 모든 경의를 표하는 일. 「敬禮경례」 ②**예우할례** 예로써 대우함. ③**예물례** 경의를 표하기 위하여 하는 선사(善事). ④**책이름례** 경서(經書)의 이름.

【禮經 예경】 ①예의 상도(常道). ②예 성인이 정한 예의를 기록한 책. 예기(禮記)·의례(儀禮) 등의 책.

【禮教 예교】 예의에 관한 가르침.

【禮記 예기】 오경(五經)의 하나.

【禮物 예물】 ①예식에 쓰는 물품. ②경의를 표시하기 위한 선물. ③전례(典禮)와 문물. ④결혼식에서 신랑 신부가 서로 주고 받는 물건. ⑤결혼 때 시부모가 신부에게 주는 물건.

【禮法 예법】 예의를 차리는 법. 행위의 전칙(典則), 법칙으로 정한 예.

【禮書 예서】 ①예의에 관하여 쓴 책. ②사기(史記)의 팔서(八書)중의 하나. ③송(宋)나라 진상도(陳祥道)가 지은 책 이름.

【禮樂 예악】 예절과 음악. 행동을 신중히 하게 하는 예의와 마음을 온화하게 하는 음악.

【禮遇 예우】 예를 갖추어 대우함.

【禮義 예의】 ①예절과 의리. ②사람이 행하여야 할 도덕.

【禮儀 예의】 예절과 의용(儀容).

【禮狀 예장】 ①혼서(婚書). ②사례(謝禮)의 편지.

【禮典 예전】 한 나라의 예절을 규정한 제도.

【禮節 예절】 예의의 절차(節次).

【禮接 예접】 예를 갖추어 대우함.

【禮曹* 예조】 우리 나라 육조(六曹)의 하나.

【禮幣 예폐】 고마운 뜻을 표(表)하기 위하여 보내는 예물(禮物).

【禮砲* 예포】 군대에서 경의(敬意)를 표하기 위하여 쏘는 공포(空砲).

◉敬禮경례 答禮답례 目禮목례 無禮무례 拜禮배례 繁文縟禮번문욕례 崇禮숭례 六禮육례 儀禮의례 祭禮제례 婚禮혼례

内 部

5 **【内】** 부수 **유** — 자귀 — ㊤有

자원 상형 2500년전

벌레(짐승이라고도 함)의 꾸불꾸불 꾸부러진 하부(下部)(일설에는 발자국)를 본뜸. 발자국의 뜻.

뜻 **자귀유** 짐승의 발자국.

四畫

9 **【禹】** 内 4 **우** — 하우씨 — ㊤麌

자원 형성 虫 九(음) ⊢ 禹(内부) 2500년전

「虫훼」〈뱀〉를 나타내는 ꝑ와, 음을 나타내는 「九구」(ㄅ·우는 변음)로 이루어 짐。 뱀의 뜻。 나중에 수신(水神)인 뱀을 숭배한 종족(種族)의 성왕(聖王)의 이름으로 쓰여졌음。

뜻 ①**하우씨우**、우(禹)**임금우** 하(夏)나라를 창업(創業)한 성왕(聖王)。 왕이 되기 전에 요(堯)·순(舜) 두 임금을 섬겨 홍수(洪水)를 다스리는 데 큰 공을 세웠다 함。 ②**성우** 성(姓)의 하나。

【禹倬 우탁】《韓》 고려(高麗) 말기(末期)의 학자(學者)。 당시 송(宋)나라에서 처음으로 들어온 정자학(程子學)을 후진(後進)들에게 가르친 우리 나라 이학(理學)의 선구자。

八畫

13 **【禽】** 内 8 고교 **금** — 짐승 — ㊥侵

〈 亽 今 令 㑒 禽 禽 禽 禽

자원 형성 3000년전 2500년전

짐승의 꼬리를 본뜬 ꝩ와、ꝫ(⇩手수)및 음을 나타내는 亼(⇩今금)으로 이루어짐。 음「금」은 꽉 잡다의 뜻인「緊긴」에서 유래함。 널리 짐승을 손으로 꽉 잡는다는 뜻。 전(轉)하여「獸수」와 구별하여 특히 새를 뜻함。

뜻 ①**짐승금** 조수(鳥獸)의 총칭。 ②**날짐승금** 새。 「禽獸금수」 ③**사로잡을금** 「生禽생금」 ④**사로잡힐금** 생포당함。 ⑤**포로금** 부로(俘虜)。

【禽獸 금수】 날짐승과 길짐승。 조류(鳥類)와 수류(獸類)。

【禽鳥 금조】 날짐승。 새。

◉ 家禽가금 鳴禽명금 祥禽상금 生禽생금

禾部

5 **【禾】** 부수 고교 ㊀**화** ㊁**수**㊙ — 벼 — ㊀㊥歌

一 二 千 禾 禾

자원 상형 2500년전

곡물(穀物)의 이삭이 축 늘어진 모양을 본 뜸。 한자(漢字)의 부수(部首)로서、곡물에 관(關)한 뜻。

뜻 ㊀①**벼화** 화본과(禾本科)에 딸린 일년초。 또 그 열매。「禾黍화서」 ②**곡식화** 곡물의 총칭。「禾穀화곡」 ③**모화**、**줄기화** 곡류의 모。 또 그 줄기。 ㊁《韓》**말이수**、**효수** 말의 이(齒)의 수를 세는 말。

【禾穀 화곡】 ①벼。 ②곡류。

【禾穗* 화수】 벼이삭。

◉ 晩禾만화 麥禾맥화 祥禾상화 瑞禾서화

二畫

7 **【秀】** 禾 2 중학 **수** — 팰 — ㊦宥

一 二 千 禾 禾 秀 秀

〔五畫部首順〕 玄玉瓜瓦甘生用田疋疒癶白皮皿目矛矢石示内禾穴立

자원 회의 禾乃丁秀(禾부) 秀 2500년전

「禾화」와 「乃내」를 합한 글자。「乃」는 「孕잉」의 생략형으로 벼가 잘 익었다는 뜻을 나타내는 뜻함。

뜻 ①팰수 벼 따위의 이삭이 나와 꽃이 핌。또 꽃이 피어 번성함。②빼어날수 ㉠뛰어남。「秀才수재」㉡뛰어난 것。정수(精粹)。㉢또 뛰어난 사람。걸사(傑士)。③이삭수 벼 따위의 이삭。

참고 「秀」를 음으로 하는 글자=「琇수」〈옥돌〉·「銹수」〈녹슬다〉·「誘유」〈꾀다〉·「莠유」〈강아지풀〉

【秀眉 수미】뛰어난 눈썹。썩 잘 생긴 눈썹。

【秀拔 수발】남보다 뛰어남。

【秀峰 수봉】①썩 아름다운 산봉우리。②썩 높은 산봉우리。

【秀才 수재】재주가 뛰어난 남자。

◉閨秀규수 雅秀아수 俊秀준수 清秀청수

7 【私】 禾 2 중학 사 ― 사 ― ㊊支

一 二 千 禾 禾 私 私

자원 형성 禾厶(음)丁私(禾부) 私 厶 〔厶〕 2500년전

「厶사」는 둥글게 에워싸다↓자기 것으로서 거두어 넣다의 뜻。「禾벼화변」은 곡식。「私」는 수확할 때 자기 몫으로 한 것↓나↓몰래의 뜻을 나타냄。

뜻 ①사사 ㉠사사로움。자기에게 관계 됨。「公私공사」㉡불공평함。「公平無私공평무사」㉢간사함。㉣사욕。㉤자기。②사사사 ㉠자기의 사물。㉡개인의 사사로운 비밀。③사사로이할사 ㉠불공평하게 함。사곡(邪曲)된 일을 함。㉡자기 소유로 함。㉢자기마음대로 함。④편애할사 특히 치우치게 사랑함。또 그 사랑을 받는 사람。⑤간통할사 사통함。「與人妻私여인처사」⑥오줌눌사 소변을 봄。⑦평복사 평상시 입는 옷。⑧은혜사 은휼(恩恤)。⑨가신사 배신(陪臣)。⑩자매의남편사 자매(姊妹)가 서로 그 남편을 일컫는 말。⑪음부사 남녀의 성기。⑫사사로이사 ㉠자기 혼자 마음 속으로。「私淑사숙」㉡비밀히。몰래。

【私憾* 사감】사원(私怨)。

【私權 사권】개인의 법률상의 권리。

【私利 사리】한 개인(個人)의 이익。

【私立 사립】①자기 마음대로 정(定)함。②공익 사업의 기관을 사사힘으로 설립함。공립(公立)의 대(對)。

【私法 사법】사삿사람 상호간의 권리와 의무의 관계를 규정한 법률。

【私服 사복】관리(官吏)의 평복(平服)。

【私腹 사복】사욕을 가진 뱃속。

【私事 사사】①개인의 일。사삿 일。공사(公事)의 대(對)。②비밀한 일。

【私席 사석】사사로 만난 자리。공석(公席)의 대(對)。

【私設 사설】사삿 사람의 설치。

【私食 사식】감옥(監獄)·경찰서(警察署) 등에 갇힌 사람에게 사비(私費)를 들이어 주는 음식(飮食)。

【私信 사신】사사(私事)로 하는 편지。

【私心 사심】①자기 혼자의 생각。②제 욕심을 채우려는 마음。

【私欲 사욕】 자기 일신(自己一身)의 이익(利益)만 탐(貪)하는 욕심(慾心)。사심(私心)에서 일어나는 욕망(慾望)。

【私用 사용】 ①자기의 일。또는 용도(用途)。공용(公用)의 대。②관청 또는 공공의 물품을 사사로이 씀。

【私怨 사원】 사사의 원한。자기 개인의 이해 관계로 일어난 원한。

【私有 사유】 개인의 소유。관유(官有)·공유(公有)의 대(對)。

【私益 사익】 사사의 이익。공익(公益)의 대(對)。

【私人 사인】 ①자기가 부리는 하인。②사삿사람。개인。

【私印 사인】 개인의 도장(圖章)。

【私財 사재】 사유의 재산。자기 재산。

【私情 사정】 ①사사의 정(情)。②사심(私心)。

【私娼* 사창】 밀매음하는 창녀(娼女)。

【私債 사채】 사삿사람 사이의 빚。

【私學 사학】 ①사립학교。②세상에 널리 통하지 않는 자기가 좋아하는 학문(學門)。

【私刑 사형】 사삿사람의 단체에서 가하는 제재。법률에 의하지 아니하고 군중의 의사로 처벌하는 일。

◉家私가사 曲私곡사 公私공사 外私외사

【利】 ⇩刀部五畫

三畫

8 【秉】 禾 3 **병** | 볏뭇 | ①-③㊤梗 ④㊍敬

자원 회의 禾ヨ┬秉(禾부) 2500년전

「禾화」와, 「ヨ」〈손〉으로 이루어짐。벼를 한줌 갖다의 뜻。전(轉)하여, 잡다의 뜻。

뜻 ①**볏뭇병** 한 움큼의 볏단。②**열여섯병** 용량(容量)의 단위로 십육곡(十六斛)。③**잡을병** ㉠손에 쥠。㉡마음에 잡아 지킴。④**자루병** 柄(木部五畫)과 통용。

【秉權 병권】 정권의 고동을 잡음。

【季】 ⇩子部五畫

【委】 ⇩女部五畫

【和】 ⇩口部五畫

四畫

9 【秋】 禾 4 중학 **추** | 가을 | ㊥尤

一 二 千 禾 禾 和 秋

자원 회의 火禾┬炑(禾부)-秋 (A) 3000년전 (B) 2000년전

「禾벼화변」은 곡식。「火화」는 불→말리는 일。「炑=秋」는 곡식을 베어서 말리다→그렇게 하는 계절(季節)→가을。옛 모양 (B)는 「禾」와 「火」와 「日」을 합쳐 햇볕에 말리다는 뜻을 확실히 하고 있음。(A)는 「禾」와 「束속」〈收束수속→거두어 들여묶다〉을 합한 자형(字形)。

뜻 ①**가을추** ㉠사계(四季)의 하나。「春夏秋冬춘하추동」 ㉡또 곡식이 잘 됨을 「有秋유추」라 함。②**때추** ㉠세월 ㉡중요한 때。또는 바쁜 때。

참고 「秋」를 음으로 하는 글자=「啾추」〈울다〉·「愀초」〈근심하다〉·「愁수」

〈근심하다〉·「萩추」〈쑥〉·「甃추」〈벽돌〉·「鍬초」〈가래〉·「鞦추」〈밀치〉·「鰍추」〈미꾸라지〉

【秋景 추경】 가을의 경치。

【秋季 추계】 ①추초(秋杪)。②가을의 계절。

【秋高馬肥 추고마비】 가을 하늘은 맑아서 높으며 말은 살쪄서 기운이 좋다는 뜻。

【秋分 추분】 이십 사절기의 열여섯째。음력 팔월중、양력 구월 이십일 전후에 듦。태양이 추분점에 이르러 주야 평균이 됨。

【秋霜 추상】 가을의 찬 서리。전(轉)하여 두려운 위엄、엄한 형벌、굳은 절개 등의 비유。

【秋霜烈日 추상열일】 가을의 찬 서리와 여름의 뜨거운 햇볕。전(轉)하여、두려운 위엄、엄한 형벌、굳은 절개 등의 비유。

【秋收 추수】 가을에 곡식을 거둬들임。

【秋信 추신】 가을이 온 소식。

【秋波 추파】 ①가을철의 잔잔하고 맑은 물결。②은근한 정을 나타내는 여자의 고운 눈치。

【秋風落葉 추풍낙엽】 ①가을 바람에 떨어지는 나뭇잎。②이울어 떨어지거나 헤어져서 흩어짐의 비유。

【秋毫 추호】 ①가을철에 가늘어진 짐승의 털。②썩 세미(細微)함의 비유。

◉晩秋만추 暮秋모추 初秋초추 春秋춘추

9 【科】 禾 4 중학 과 ―품등― (平)歌

丿 二 千 禾 禾 科 科

자원 회의 禾+斗 → 科(禾부) 2500년전

「禾벼화변」은 곡식。「斗두」는 곡식을 되는 말。「科」는 곡식을 된다는 데서 물품을 분류하다·조사하다의 뜻。

뜻 ①**품등과** 사물의 품위·등급。②**조목과** 사물의 분류한 명목。「科目과목」「文科문과」「理科이과」③**법과** 법률。법령。「金科玉條금과옥조」④**과거과** 관리의 등용 시험。「登科등과」⑤**죄과** 죄책。「罪科죄과」⑥**구멍과**、**웅덩이과** 움푹 들어간 곳。⑦**동작과** 배우가 연극에서 하는 동작。「科白과백」

【科擧 과거】 옛날에 문무관(文武官)을 등용(登用)하던 시험(試驗)。

【科料 과료】 경미(輕微)한 죄에 과하는 재산형。

【科目 과목】 학문의 구분。

【科榜* 과방】 과거(科擧)에 급제(及第)한 사람의 성명(姓名)을 발표하는 방목(榜目)。

【科田 과전】 《韓》 고려시대(高麗時代)의 토지제도(土地制度)。과전법(科田法)에 의(依)하여 관원(官員)에게 지급(支給)된 토지(土地)。

◉登科등과 文科문과 法科법과 學科학과

9 【秒】 禾 4 ㊀묘 ㊁초 까끄라기 ㊀㊁ (上)篠

자원 형성 禾+少(음) → 秒(禾부)

「禾벼화변」과、음을 나타내며 동시(同時)에 가늘고 작다의 뜻을 가진「少소」(초는 변음)로 이루어짐。가느다란 벼까락의 뜻。전(轉)하여、미세(微細)의 뜻。

[뜻] [一]①까끄라기묘 화망(禾芒)。②세미할묘 사물이 극히 작음。아주 미소(微小)함。「秒忽묘홀」[二]조초 시간 또는 각도(角度)의 단위。일분(一分)의 육십분지 일。

[주의] 「秒초」〈나무끝〉는 딴 글자。

◉分秒분초

五畫

10 【租】禾5 [고교] 조 — 구실 — [平]虞

一 二 千 禾 利 和 租 租 租

[자원] 형성 禾且[음]→租(禾부)
「禾벼화변」과、음을 나타내는 동시에 관청에 바치다의 뜻을 가진 「且차·조」로 이루어짐。관청에 보내는 벼의 뜻。

[뜻] ①구실조 조세。②쌓을조 저축함。③빌조、세들조 차용함。④세조 차용한 요금。

【租界 조계】조차지(租借地)의 구역。

【租稅 조세】세금。구실。

【租庸調 조용조】당(唐)나라의 세가지 징세법。토지에 부과하는 조(租)와 백성에게 부역을 시키는 용(庸)과 가업(家業)에 부과하는 조(調)임。

【租借 조차】한 나라가 다른 나라 땅의 일부분을 빌려 일정한 기한 동안 사용권과 통치권을 행하는 일。

10 【秤】禾5 칭 — 저울 — [去]徑

[자원] 형성 禾平[음]→秤(禾부) 2500년전
「禾벼화변」에、음과 함께 벼를 손에 잡다(⇩秉병)의 뜻을 나타내기 위한 「平평」(칭은 변음)으로 이루어짐。벼의 묶음을 손에 잡고 세다의 뜻。「稱칭」과 같은 뜻이므로 「칭」이라 함。

[뜻] 저울칭 ㉠무게를 다는 기계(器械)。「天秤천칭」㉡전(轉)하여、공평의 뜻으로 쓰임。「秤心칭심」

10 【秩】禾5 [고교] 질 — 차례 — [入]質

一 二 千 禾 禾 和 秒 秩

[자원] 형성 禾失[음]→秩(禾부) 2500년전
「禾벼화변」에、음과 함께 쌓다의 뜻(⇩積적)을 나타내는 「失실」로 이루어짐。벼를 깔끔히 쌓아올리는 뜻。전(轉)하여、순서(順序)、차례의 뜻。

[뜻] ①차례질 순서。「秩序질서」②녹질 녹봉。「秩祿질록」③벼슬질 관직。④항상질 평상(平常)。⑤매길질 차례·등급 등을 정함。⑥십년질 십년간의 일컬음。「七秩칠질」은 예순 한 살부터 일흔 살까지。

【秩祿 질록】녹봉(祿俸)。「(祿米)」。

【秩米 질미】녹봉으로 주는 쌀。녹미

【秩序 질서】차례。순서。

◉美秩미질 榮秩영질 優秩우질 職秩직질

10 【秘】禾5 祕(示部五畫)의 속자(俗字)。

10 【称】禾5 稱(禾部九畫)의 속자(俗字)。

10 【秦】禾5 진 — 진나라 — [平]眞

자원 형성 禾 春-夫 음 ⊤秦(禾부) 2500년전

「禾벼화변」과 음을 나타내는 「春춘」의 생략형(省略形)「夫」(진은 변음)으로 이루어짐。

뜻 ①진나라진 ㉠주대(周代)의 제후의 나라로 함양(咸陽)에 도읍하고 감숙성(甘肅省)·섬서성(陝西省) 등을 영유하였으며 시황(始皇) 때에 이르러 천하를 통일하였다가 삼세(三世) 십오년(十五年)만에 한(漢)나라에 멸망당하였음。(B.C.二二一∼B.C.二〇七) ㉡동진시대(東晉時代)에 부견(苻堅)이 세운 왕조(王朝)를 「前秦전진」(三五一∼三九四)이라 하고, 후에 요장(姚萇)이 이 왕조를 멸하고 세운 왕조를 「後秦후진」(三八四∼四一七)이라 함。 ㉢동진시대에 걸복건귀(乞伏乾歸)가 「秦王진왕」이라 자칭하였는데 이를 「西秦서진」(三八五∼四三一)이라 함。 ②성진 성(姓)의 하나。

참고 「秦」을 음으로 하는 글자=「溱진」〈강이름〉·「榛진」〈개암나무〉·「蓁진」〈숲〉·「臻진」〈이르다〉·「螓진」〈씽씽매미〉

【秦始皇 진시황】 진(秦)나라의 황제(皇帝)。육국(六國)을 멸(滅)하여 천하(天下)를 통일(統一)하고 만리장성(萬里長城)을 쌓았음。

◉ 三秦삼진 西秦서진 前秦전진 後秦후진

六畫

11 【移】 禾 6 중학 이 — 옮길 — ㊥支

丿 二 千 禾 秒 秒 移

자원 형성 禾多 음 ⊤移(禾부) 2500년전

「禾벼화변」은 곡식。음을 나타내는 「多다」(이는 변음)는 겹치다→많음。「移」는 곡식의 이삭이 넘실넘실 물결 치는 모양→넘실넘실 자라다→옮기는 일。「多」「侈치」나 「委위」와 음도 뜻도 관계가 깊음。

뜻 ①옮길이 ㉠장소를 옮김。위치를 바꿈。「移住이주」 ㉡사물을 변경시킴。㉢옮겨 심음。이식함。㉣날을 끎。세월을 보냄。「移日이일」「移時이시」 ㉤문서 같은 것을 보냄。돌림。「移書이서」「移文이문」 ㉥베풂。②옮을이 윗뜻의 자동사。③문체의 하나이 고대의 공문서(公文書)의 한 가지 회람용의 글。「公移공이」

【移去 이거】 옮기어 가 삶。

【移居 이거】 주거(住居)를 옮기어 가서 삶。

【移管 이관】 관할(管轄)을 변경 함。또 관할이 바뀜。

【移動 이동】 ①사물의 위치를 바꿈。②옮기어 다님。

【移民 이민】 땅이 넓고 사람이 적은 곳으로 백성을 옮기어 살게 함。

【移徙* 이사】 집을 옮김。

【移植 이식】 이종(移種)。

【移秧* 이앙】 모내기。

【移葬 이장】 무덤을 옮김。개장(改葬)。

【移籍 이적】 호적을 옮김。전적(轉籍)。

【移轉 이전】 ①이사(移徙)。②옮기어 바꿈。③사물의 소재를 옮김。

【移住 이주】 딴 곳으로 옮기어 가서 삶。

【移牒* 이첩】 문서를 딴 관아(官衙)

손히 절을 함。
◉無稽무계 會稽회계

15
【稿】 禾 10 고교 고 | 짚 | ㊤皓

ㅡ 千 禾 秆 秸 秸 稿 稿 稿

자원 형성 禾高음 ┬稿(禾부)
「禾벼화변」에, 높이 자란다는 뜻을 가지는 「高고」로 이루어짐。 크게 자란 벼의 줄기의 뜻。

뜻 ①짚고 볏짚。 ②초고 초안。
◉舊稿구고 起稿기고 寄稿기고 玉稿옥고 原稿원고 草稿초고 脫稿탈고

15
【穀】 禾 10 중학 곡 | 곡식 | ㊅屋

一 十 士 吉 壴 壴 㱿 㲉 穀

자원 형성 㱿殳 ┬𣪊 禾음 ┬穀(禾부) 〔㱿〕2500년전
「㱿→𣪊＝殼각」은 단단한 껍질。「禾화」는 곡식。「穀」은 단단한 껍질을 가진 벼。

뜻 ①곡식곡 곡류。「五穀오곡」 ②좋을곡 ③복곡 복록。 ④녹곡 녹미(祿米)。 ⑤기를곡 곡식을 주어 기름。 ⑥살곡 생존함。 ⑦종곡 계집종。 ⑧골곡 谷(部首)과 같은 글자。 ⑨고할곡 告(口部四畫)과 같은 글자。

주의 「穀」은 속자(俗字)。

【穀價 곡가】 곡식의 값。
【穀商 곡상】 곡식을 매매하는 장수。
【穀雨 곡우】 이십사절기(二十四節期)의 여섯째。 백곡(百穀)을 잘 자라게 하는 비 라는 뜻임。 양력으로 사월(四月) 이십일이나 이십일일이 됨。
【穀倉 곡창】 ①곡식을 쌓아 두는 곳집。 ②곡식이 많이 나는 지방(地方)을 가리키는 말。 곡향(穀鄕)。
【穀鄕 곡향】 곡식이 많이 나는 고장。
◉米穀미곡 百穀백곡 糧穀양곡 五穀오곡

十一畫

16
【穆】 禾 11 목 | 온화할 | ㊅屋

자원 형성 禾㣎음 ┬穆(禾부) 2500년전
「禾벼화변」과 음을 나타내는 「㣎목」으로 이루어짐。 본디 벼의 뜻。 나중에 「㣎」〈고운 무늬〉의 뜻을 취(取)하여 아름답다、 또 「睦목」과 통(通)하여 화목하다、 온화하다의 뜻으로 쓰이게 됨。

뜻 ①온화할목 화평함。 ②아름다울목 ③공경할목 ④화목할목 睦(目部八畫)과 같은 글자。 ⑤기쁘게할목 희열을 느끼게 함。 ⑥맑을목 ⑦조용히생각할목 정사(靜思)하는 모양。 ⑧사당차례목 사당의 차례로 제일대의 「昭소」에 대하여 제이대의 사당。

16
【積】 禾 11 고교 ㊀적 ㊁자 | 쌓을 | ㊀㊅陌㊅ 錫 ㊁㊋寘

ㅡ 千 禾 秆 秸 積 積

자원 형성 禾責음 ┬積(禾부) 2500년전
음을 나타내는 「責책」(적은 변음)은 여기에서는 똑같이 생긴 것이 많이 모임을 뜻함。「禾벼화변」은 곡식。「積」은 곡식을 거두어들여 많이 비

〔五畫部首順〕玄玉瓜瓦甘生用田疋疒癶白皮皿目矛矢石示內禾穴立

축하는 일。나중에 곡식에 한하지 않고 물건이 모이다、쌓이다 따위의 뜻으로 씀。

뜻 ㊀①쌓을적 포개 놓음。「積載적재」②쌓일적「積雪적설」③주름적 옷의 주름。「襞積벽적」㊁①저축할자 비축함。②저축자 비축한 것。

【積極 적극】진보·활동·개혁·영속·긍정·현실 등을 나타내는 말。소극(消極)의 대(對)。

【積分 적분】함수(函數)를 구(求)하는 산법(算法)。

【積善 적선】착한 일을 많이 함。

【積雪 적설】쌓인 눈。

【積雲 적운】뭉게구름。

【積土成山 적토성산】작은 물건(物件)도 많이 모이면 상상도 못할 만큼 커진다는 말。

【積弊 적폐】오랫동안 쌓인 폐단。

◉露積노적 累積누적 面積면적 山積산적 鬱積울적 蓄積축적 充積충적 堆積퇴적

十二畫

17 【穗】 禾 12 수 ― 이삭 ― ㊎寘

자원 형성 禾惠음 ⊢穗(禾부) 2500년전

「禾벼화변」에 음을 나타내며 동시에 늘어지다(⇩垂수)의 뜻을 나타내기 위한「惠혜」(수는 변음)를 더해 이루어짐。벼의 늘어진 부분、곧 이삭。

뜻 이삭수 ㉠벼·보리 등의 이삭。「禾穗화수」「麥穗맥수」전(轉)하여、㉡모양이 이삭 같은 것。「一穗寒燈일수한등」(등불의 모양을 이름)。

十四畫

19 【穩】 禾 14 온 ― 안온할 ― ㊤阮

자원 형성 禾㥯음 ⊢穩(禾부) 2500년전

「禾벼화변」과 음을 나타내는「㥯은」(온은 변음)으로 이루어짐。음을 빌어 안온하다의 뜻(⇩安안)으로 씀。

뜻 안온할온 편안함。「平穩평온」

【穩健 온건】①온당하고 건실함。②순하고 힘이 셈。

【穩當 온당】①안온함。②사리(事理)에 어그러지지 않고 알맞음。

◉深穩심온 安穩안온 圓穩원온 平穩평온

〔五畫部首順〕玄玉瓜瓦甘生用田疋疒癶白皮皿目矛矢石示內禾穴立

19 【穫】 禾 14 고교 ㊀확 ㊁호 ― 벨 ― ㊀㊈藥 ㊁㊎遇

자원 형성 禾蒦음 ⊢穫(禾부)

「禾벼화변」과、음과 동시에 취하다의 뜻(⇩獲확)을 나타내기 위한「蒦약」(확은 변음)으로 이루어짐。벼를 거두어들이다의 뜻。

뜻 ㊀①벨확 화곡을 벰。②거둘확 곡식을 거두어들임。「收穫수확」㊁땅이름호「焦穫초호」는 주(周)나라에 있던 지명。

◉耕穫경확 不耕而穫불경이확 收穫수확

穴部

5 【穴】 부수 고교 혈 ― 굴 ― ㊈屑

丶 丷 宀 穴 穴

자원 형성 宀+八(음)→穴(부수) 穴 2500년전

「宀갓머리」〈집〉와 음을 나타내며 동시에 파헤치는 뜻을 가지는 「八팔」(혈은 변음)로 이루어짐。 땅을 파헤쳐 만든 집의 뜻。 또한 구멍에 관계됨을 나타냄。

뜻 ①**움혈** 토실(土室)。 ②**구덩이혈** 무덤의 굴。 묘혈(墓穴)。 ③**굴혈** ㉠동굴。 ㉡짐승이 숨어 있는 구멍。 「蟻穴의혈」 ④**구멍혈** 뚫어지거나 파낸 자리。 ⑤**곁혈** 옆。

【穴居 혈거】 굴 속에서 삶。

◉孔穴공혈 窟穴굴혈 洞穴동혈 巖穴암혈

二畫

7 **【究】** 穴 2 중학 **구** 궁구할 ㊀有

丶 丷 宀 穴 穵 究

자원 형성 穴+九(음)→究(穴부) 2500년전 究

음을 나타내는 「九구」는 한자리 수의 끝이고 또 굽다의 뜻을 나타냄。 「穴구멍혈밑」은 구멍。 「究」는 굽은 길을 더듬어 구멍의 속 깊이 이르다→사물이 궁극(窮極)에 이르다의 뜻。

뜻 ①**궁구할구** 연구함。 「究明구명」 ②**헤아릴구** 상량(商量)함。 ③**다할구** 사물이 끝남。 없어짐。 ④**미워할구** 서로 미워하는 모양。

【究明 구명】 궁구(窮究)하여 밝힘。

◉講究강구 考究고구 窮究궁구 論究논구 硏究연구 推究추구 探究탐구 討究토구

三畫

8 **【空】** 穴 3 중학 **공** 하늘 ①-⑧㊥東 ⑨㊤董 ⑩-⑫㊀送

丶 丷 宀 穴 宊 空 空 空

자원 형성 穴+工(음)→空(穴부) 2500년전 空

음을 나타내는 「工공」은 관(管)처럼 속이 빈 모양。 「穴구멍혈밑」은 구덩이를 파다→구멍。 「空」은 구멍을 뚫다→구멍→아무 것도 없다。 하늘은 옛 사람들에겐 큰 구덩이같이 생각되었고 또 아무 것도 없는 공간(空間)으로도 생각되었음。

뜻 ①**하늘공** 대공(大空)。 「天空천공」 ②**빌공** ㉠아무 것도 없음。 「空虛공허」 ㉡속에 든 것이 없음。 「空砲공포」 ㉢사실이 아님。 ㉣실질이 없음。 유명무실함。 ③**비울공** 속을 비게 함。 ④**쓸쓸할공** 적적함。 고요함。 ⑤**헛공** 쓸데 없음。 보람 없음。 「空費공비」 ⑥**헛되이공** 보람 없이。 쓸데 없이。 ⑦**미련할공** 어리석은 모양。 ⑧**공간공** 철학에서 시간의 대(對)。 무한의 연장。 ⑨**구멍공** 뚫어진 자리。 ⑩**빌공** 가난함。 ⑪**뚫을공** ⑫**통하게 할공** 개통(開通)함。

참고 「空」을 음으로 하는 글자=「倥공」〈미련하다〉·「控공」〈잡아당기다〉·「箜공」〈공후〉·「腔강」〈빈 속〉

【空間 공간】 ①빈 자리。 빈틈。 ②천지(天地)의 사이。

【空拳 공권】 맨주먹。 「자 자는 방。

【空閨 공규】 지아비가 없이 아내가 혼

【空隙*공극】틈。구멍。
【空洞 공동】텅 빈 굴。
【空欄 공란】글자 없이 비워 둔 난。
【空路 공로】항공로(航空路)의 준말。
【空理 공리】근거가 없는 이론。
【空明 공명】고요한 물에 비치는 명월(明月)의 경치。
【空白 공백】종이에 글씨나 그림이 없는 빈 자리。여백(餘白)。
【空腹 공복】빈 속。배가 고픔。
【空想 공상】현실(現實)을 떠난 빈 사상(思想)。
【空手來空手去 공수래공수거】빈 손으로 왔다가 빈 손으로 간다는 말。
【空襲 공습】비행기로 습격(襲擊)함。
【空前絶後 공전절후】비교할 만한 것이 이전에도 없고 이후에도 없음。투철하게 뛰어나서 비교할 만한 것이 없음。
【空中樓閣 공중누각】공중에 떠 있는 누각。신기루(蜃氣樓)。
【空地 공지】빈 땅。
【空港 공항】항공기의 떠나고 내리는 곳。
【空虛 공허】①속이 텅 빔。②방비(防備)가 없음。③하늘。허공。
◉高空고공 碧空벽공 天空천공 虛空허공

四畫

9 【穿】穴 4 천 |뚫을| ①-④㊀先 ⑤㊁霰

자원 회의 穴+牙→穿(穴부)
「穴구멍혈밑」과 「牙아」〈엄니〉로 이루어짐。엄니로 씹어서 구멍을 뚫다의 뜻。

뜻 ①뚫을천 구멍을 뚫음。「穿鑿천착」②뚫릴천 구멍이 남。③개통할천 산을 깎거나 도랑을 파서 통하게 함。④구멍천 뚫린 자리。⑤꿰뚫을천 관통함。
【穿鑿*천착】①구멍 뚫음。②견강부회(牽強附會)함。③샅샅이 조사함。

9 【突】穴 4 고교 돌 |부딪칠| ㊀月

자원 회의 穴+犬→突(穴부)
2500년전
「穴구멍혈밑」과 「犬견」〈개〉으로 이루어짐。개가 구멍에서 뛰어나온다는 뜻。전하여 힘차게 내밀다、갑자기의 뜻。

뜻 ①부딪칠돌 다닥침。「衝突충돌」②내밀돌 쑥 나옴。③뚫을돌 구멍을 파서 뚫음。④대머리돌 민머리。⑤갑작스러울돌 「唐突당돌」「突然돌연」⑥굴뚝돌 「煙突연돌」⑦사나운말돌 한마(悍馬)。
【突貫 돌관】①꿰어 뚫음。②단숨에 뚫고 나감。
【突厥 돌궐】흉노(匈奴)의 별종(別種)。지금의 토이기족(土耳其族)。
【突起 돌기】우뚝 솟음。또 그 물건。
【突發 돌발】일이 별안간 일어남。
【突變 돌변】갑자기 변(變)함。
【突入 돌입】갑자기 뛰어 들어감。
【突出 돌출】①졸지에 쑥 나옴。②쑥 내밀어 있음。
【突破 돌파】뚫고 나아감。
◉唐突당돌 猪突저돌 直突직돌 衝突충돌

9 【窃】穴 4 竊(穴部十七畫)의 속자(俗字)。

六畫

11 **【窒】** 穴 6 ㊀**질** ㊁**절** | 막을 | ㊀入質 ㊁入屑

자원 형성 穴至음 ┬ 窒(穴부)

2500년전

「穴구멍혈밑」과 음을 나타내며 동시에 막히다의 뜻(⇩實실)을 나타내기 위한 「至지」(질은 변음)로 이루어짐。구멍이 막히다의 뜻。

뜻 ㊀①**막을질**、**막힐질** 틀어 막음。통하지 아니함。「窒息질식」 ②**질소질** 원소의 한가지。「窒素질소」 ㊁**종묘문절** 「窒皇질황」은 종묘 앞에 있는 문。

【窒塞 질색】 막음。막힘。

【窒息 질식】 숨이 막힘。

11 **【窓】** 穴 6 중학 **창** | 창 | ㊥平江

丶 宀 宂 空 空 窓 窓

자원 형성 穴囱음心 ┬ 悤 / 窗 ┴ 窻-窓(穴부)

2000년전

음을 나타내는 「囱창」은 살창의 모양。「心심」은 마음。「悤총」은 밝다、슬기롭다。「穴혈」은 구멍。「窗창」은 창문。「窻창」도 「窗창」과 뜻은 마찬가지임。「悤」은 빨리 쓰는 모양이 「怱」으로 변하기 때문에 「窻」도 나중에 「窓」이라 쓰게 되었음。

뜻 **창창** 창문。

◉同窓동창 北窓북창 紗窓사창 深窓심창

八畫

13 **【窟】** 穴 8 **굴** | 움 | ㊀入月

자원 형성 穴屈음 ┬ 窟(穴부)

「穴구멍혈밑」과 음을 나타내는 동시에 후벼 파다(⇩掘굴)의 뜻을 나타내는 「屈굴」로 이루어짐。땅을 파서 뚫은 구멍→움、굴의 뜻。

뜻 ①**움굴** 움집。②**굴굴** ㉠땅이나 바위가 가로 깊숙이 패인 곳。「石窟석굴」「窟穴굴혈」 ㉡짐승이 사는 구멍。전(轉)하여 사람이 많이 모이는 곳。「巢窟소굴」

◉洞窟동굴 石窟석굴 巢窟소굴 深窟심굴

十畫

15 **【窮】** 穴 10 고교 **궁** | 궁구할 | ㊥平東

丶 宀 穴 穷 窮 窮 窮 窮

자원 형성 穴躬음 ┬ 窮(穴부)

2500년전

「穴구멍혈밑」과 음을 나타내며 동시에 부딪혀 구부러진다는 뜻(⇩屈굴)을 가진 「躬궁」으로 이루어짐。몸을 구부리고 들어가는 좁은 구멍의 뜻。전하여 괴로와하다의 뜻。

뜻 ①**궁구할궁** 깊이 연구함。「窮理궁리」 ②**다할궁** ㉠있는 힘을 다 들임。㉡다 없어짐。또는 끝남。「永世無窮영세무궁」 ③**궁하게할궁** 괴롭힘。난처하게 함。④**궁할궁** ㉠막힘。처리할 도리가 없음。㉡가난함。「窮乏궁핍」 ㉢곤란함。궁지에 빠짐。「窮寇궁구」 ㉣출세하지 못함。「窮達궁달」 ⑤**궁한이궁** 어려운 사람。

【窮境 궁경】궁지(窮地)。
【窮究 궁구】깊이 연구(研究)함。
【窮極 궁극】①끝。극한(極限)。②끝까지 이름。③할 대로 다함。한껏 함。
【窮理 궁리】물리 또는 사리를 깊이 연구함。
【窮迫 궁박】몹시 곤궁(困窮)함。
【窮僻* 궁벽】아주 외따롭고 으슥함。
【窮狀 궁상】궁한 상태。
【窮相 궁상】곤궁(困窮)하게 생긴 얼굴。
【窮餘之策 궁여지책】몹시 궁(窮)한 끝에 나온 한 계책。
【窮人謀事 궁인모사】일이 뜻대로 되지 아니하는 것을 이르는 말。
【窮鳥入懷 궁조입회】쫓겨 몹시 급한 새가 사람의 품안으로 들어옴。곧 몸을 의탁할 곳이 없어서 자기를 바라고 찾아 온 사람은 불쌍히 여겨서 잘 돌보아 주어야 한다는 비유。
【窮地 궁지】매우 어려운 지경。
【窮村 궁촌】가난한 촌락。
【窮乏* 궁핍】빈궁함。가난함。또 그 사람。
◉困窮곤궁 無窮무궁 貧窮빈궁 追窮추궁

15 【窯】穴 10 요 | 가마 | 平蕭

자원 형성 羔(음) ┬ 穴 ┴ 窯(穴부)
「穴구멍혈」과 음을 나타내며 동시에 굽다의 뜻(⇩燒소)을 나타내기 위한 「羔고」(요는 변음)로 이뤄짐。기와를 굽는 구덩이의 뜻。

뜻 ①가마요 기와·그릇을 굽는 가마。「窯業요업」②오지그릇요

【窯業 요업】질그릇·사기·벽돌 등을 만드는 직업。

十七畫

22 【竊】穴 17 절 | 훔칠 | 入屑

자원 형성 釆 ┬ 𥨊 ┬ 竊(穴부); 穴 ┴ 禼(음) 2500년전
고대(古代)의 주거(住居)의 뜻을 나타내는 「穴구멍혈」과 타인(他人)의 물건의 뜻인 「釆변」과 음을 나타내며 동시(同時)에 훔치다의 뜻(⇩撥철)을 나타내기 위한 「禼설」로 이루어짐。남의 집에서 물건을 훔치다의 뜻。전하여、남모르게의 뜻。

뜻 ①훔칠절 ㉠절취함。「竊盜절도」㉡사사로이 함。②도둑질절、도둑절 절도。절취행위。③몰래절 ㉠남몰래。㉡공공연히 표시하지 않는다는 뜻으로 겸손함의 의미를 나타냄。㉢마음 속으로。

【竊盜 절도】남의 물건을 몰래 훔치는 일。또 그 사람。도둑질。도둑。
【竊取 절취】몰래 훔쳐 가짐。

立部

5 【立】부수 중학 립 | 설 | 入緝

丶 亠 亣 立 立

자원 상형 3000년전
「立」은 사람이 대지(大地)에 서 있는 모습。나중에 사람에 국한하지 않고 서다、세우다의 뜻으로 씀。

立

뜻 ①설립 ㉠정지함。「行행」의 대(對)。㉡꼿꼿이 서 있음。또 일어남。기립함。「直立직립」㉢확고 부동함。㉣이루어짐。「成立성립」㉤생존함。존속함。「存立존립」㉥즉위(卽位)함。②세울립 ㉠위 뜻의 타동사。㉡설치함。「設立설립」㉢설정함。㉣건축함。「建立건립」㉤나타냄。밝힘。㉥임(臨)함。③곧립 즉시로。④미터법에서 양(量)을 나타내는 단위。리터의 약기(略記)。

참고 「立」을 음으로 하는 글자=「笠립」〈삿갓〉·「粒립」〈쌀알〉·「翌익」〈이튿날〉·「昱욱」〈빛나다〉·「颯삽」〈바람소리〉。

【立國 입국】나라를 세움。

【立冬 입동】이십사절기(二十四節氣)의 열 아홉째。양력 십일월 칠일이나 팔일이 됨。겨울이 시작된다는 뜻。

【立法 입법】법률(法律) 또는 법규(法規)를 제정(制定)함。

【立身揚名 입신양명】출세(出世)하여 이름을 세상(世上)에 들날림。

【立案 입안】①안을 세움。②문장의 초(草)를 잡음。

【立言 입언】후세(後世)에 전할 만한 말을 남김。전(轉)하여 이론을 세워 이야기함。

【立證 입증】증거를 세움。

【立志 입지】뜻을 세움。

【立體 입체】길이·넓이·두께가 있는 물체。입방체(立方體)。

【立秋 입추】이십사절기(二十四節氣)의 열 세째。양력 팔월 칠일이나 팔일이 됨。가을이 시작된다는 뜻。

【立錐之地* 입추지지】송곳 하나 세울 만한 매우 좁은 땅。

【立春 입춘】이십사절기(二十四節氣)의 첫째。양력 이월 삼사일이나 오일이 됨。봄이 시작된다는 뜻。

【立夏 입하】이십사절기(二十四節氣)의 일곱째。양력 오월 오일이나 육칠일이 됨。여름이 시작된다는 뜻。

【立憲 입헌】헌법을 제정하여 정치를 행함。

【立會 입회】현장에 임검(臨檢)함。

◉建立건립 孤立고립 官立관립 國立국립 起立기립 對立대립 獨立독립 竝立병립 兩立양립 鼎立정립 創立창립

二畫

【辛】⇨部首

三畫

【妾】⇨女部五畫

四畫

9 【彦】立 4 彦(彡部六畫)과 같은 글자。

【音】⇨部首

五畫

10 【站】立 5 참 | 우두커니설 | ㊀陷

자원 형성 立+占(음)→站(立부)
「立설립변」과 음을 나타내는 「占점」(참은 변음)으로 이루어짐。

뜻 ①우두커니설참 오래 서 있음。「站立참립」②역마을참 역말을 갈아

서 타는 곳。「驛站역참」

◉兵站병참 驛站역참

10 【竝】 立 5 竝(一部七畫)의 본디 글자。

10 【竜】 立 5 龍(部首)의 옛 글자。

六畫

11 【竟】 立 6 고교 경 —끝날— ①-④ 去 敬 ⑤ 上 梗

一 亠 亣 产 音 音 竟

자원 회의 音+儿→竟(立부)

2500년전

악곡(樂曲)의 뜻을 나타내는 「音음」과 음악을 연주하는 사람의 뜻을 나타내는 「儿인」으로 이루어짐。음악의 일절(一節)이 끝나는 일。

뜻 ①**끝날경**、**마칠경** ②**끝경** 종말。「畢竟필경」 ③**다할경** 궁진(窮盡)함。④**마침내경** 결국에 가서。⑤**지경경** 境(土部十一畫)과 같은 글자。

참고 「竟」을 음으로 하는 글자＝「境경」〈지경〉·「鏡경」〈거울〉。

◉究竟구경 窮竟궁경 終竟종경

11 【章】 立 6 중학 장 —문채— 平 陽

一 亠 亣 产 音 音 章

자원 회의 音+十→章(立부)

2500년전

옛 모양은 무엇엔가 바늘을 꽂은 듯한 모양이며、표→무늬→명확히 하다 따위의 뜻에 쓰이고 있음。나중에 「音음」과 「十십」을 합한 글자 모양이 되고 옛 발음이 닮은 「竟경」과 결부시켜 음악의 한 단락(段落)→문장(文章)의 단락이란 뜻으로 되었음。

뜻 ①**문채장** ㉠색채。㉡아름다운 무늬。②**법장** 규칙。법률。③**글장** ㉠「文章문장」 ㉡신하가 천자(天子)에게 올리는 서류。④**장장** 문장·시가의 한 단락(段落)。「章句장구」 ⑤**도장장** 인。「印章인장」 ⑥**그루장** 큰 재목이 될 나무를 세는 수사(數詞)。⑦**열아홉해장** 옛날 역법(曆法)에서 십구년을 이름。⑧**갓장** 은(殷)나라 때의 갓의 한 가지。⑨**밝을장** 명백함。⑩**나타날장** 현저함。⑪**나타낼장** 명백하게 함。「表章표장」

참고 「章」을 음으로 하는 글자＝「障장」〈막다〉·「彰창」〈밝다〉

【章句 장구】 글의 장과 구。또 문장。

【章句學 장구학】 장구(章句)에만 구애하여 대의(大義)에 통하지 아니하는 학문。

【章程 장정】 법。규칙。

【章草 장초】 행서(行書)와 초서(草書)의 중간이 되는 서체(書體)。

◉肩章견장 記章기장 旗章기장 圖章도장 明章명장 文章문장 法三章법삼장 印章인장 典章전장 憲章헌장 勳章훈장

七畫

12 【童】 立 7 중학 동 —아이— 平 東

一 亠 亣 产 音 音 童 童

자원 형성 辛+目+重음→童(立부)

2500년전

「辛신」〈문신(文身)할 때 쓰는 바늘〉과 「目목」〈눈〉

〔五畫部首順〕 玄玉瓜瓦甘生用田疋疒癶白皮皿目矛矢石示禸禾穴 立

과、음을 나타내는 「重중」(동은 변음)을 합한 모양。「童」은 전쟁에 져서 잡힌 사람이나 죄인이며、눈 위에 문신을 하여 강제노동을 당한 남자。 훨씬 나중에 아이를 「童」이라 하게 되었는데 그들이 일반 어른의 머리 모양을 하지 못하도록 막았던 탓이라 함。

뜻 ①아이동 십오세 전후의 남녀。 ②종동 僮(人部十二畫)과 통용。③뿔없는소동 뿔이 없는 소、또는 양。 ④민둥민둥할동 산에 나무가 없음。 ⑤대머리질동 머리털이 없음。

참고 「童」을 음으로 하는 글자=「僮동」〈아이〉·「憧동」〈뜻이 정하여지지 안하다〉·「撞당」〈부딪치다〉·「瞳동」〈눈동자〉·「幢당」〈기〉·「鐘종」〈종〉

【童妓* 동기】아이 기생。

【童蒙 동몽】아이。

【童心 동심】아이의 마음。어린 마음。

【童顔 동안】①어린애 같은 얼굴。사심이 없는 얼굴。②늙은이의 젊어 뵈는 얼굴。

【童子 동자】①아이。 ②심부름 하는 「아이」。

【童貞 동정】이성과 한 번도 성교가 없이 지키고 있는 순결。지금은 흔히 남자에 씀。

◉神童신동 兒童아동 幼童유동 學童학동

九畫

14 【端】 立 9 중학 단 | 바를 | 平寒

丶 亠 立 立 立' 立'' 竮 端 端

자원 형성 立 耑음 ⊢ 端(立부) 2500년전

「立설립변」〈서다〉과、음을 나타내는 「耑단」으로 됨。직립(直立)의 뜻。전하여、바르다는 뜻。또 음이 「斷단」과 통하는 데서 빌어 자른 끝의 뜻。

뜻 ①바를단 ㉠비뚤어지거나 굽지 아니함。㉡품행이 바름。「端正단정」「端士단사」 ②바로잡을단 바르게 함。 ③실마리단 일의 첫머리。「端緒단서」 ④첫단 시초。 ⑤끝단 ㉠물건의 끝。「末端말단」 ㉡종말。 ㉢포백(布帛)의 길이의 단위。십팔척 또는 이십척。 ⑥근본단 본원(本源)。 ⑦찰찰할단 명찰하는 모양。

【端溪 단계】광동성(廣東省) 조경(肇慶)에 있는 벼루의 명산지。

【端麗 단려】용모가 화려하고 언행이 단아함。

【端緒 단서】실마리。

【端雅 단아】단정하고 아담(雅澹)함。

【端午 단오】①달의 초닷새날의 범칭(汎稱)。 ②명일(明日)의 하나。곧 음력 오월 오일。「음이 바른 사람。

【端人 단인】품행이 단정한 사람。마음이 바른 사람。

【端正 단정】단아(端雅)하고 정대(正大)함。

【端整 단정】단아하고 말쑥함。

◉極端극단 末端말단 無端무단 發端발단 兩端양단 戰端전단

十五畫

20 【競】 立 15 중학 경 | 다툴 | 去敬

丶 亠 立 音 竞 竞 競 競

자원 회의 言言 ⊢ 誩 儿·儿 ⊢ 競(立부)

競

「言경」은 입씨름。「儿인」은 사람 모양。「言언」〈말〉을 의인화(擬人化)하여 말의 기능을 나타내는 것이 「竟→竞」。「競」은 말다툼하다→다투는 일。

뜻 ①다툴경 경쟁함。「競馬경마」②굳셀경 강함。「心則不競심즉불경」③쫓을경 뒤쫓음。④나아갈경 앞을다투어 나아감。⑤갑작스러울경 급거(急遽)함。⑥성할경 왕성함。

주의 ①「競」은 같은 글자。②「兢긍」〈조심하다〉은 딴 글자。

【競馬 경마】 말을 달리는 내기。

【競賣 경매】 ①한 물건을 여러 사람이 사게 될 때、그 중에서 값을 제일 많이 부르는 사람에게 팖。②차압한 물건을 입찰(入札)에 의해 공매(公賣)함。

◉校競교경 浮競부경 爭競쟁경 進競진경

竹 部

6 【竹】 부수 중학 죽 대 ㊀屋

竹

ノ 𠂉 𠂉 ⺮ 竹

자원 상형 〔篆〕2500년전

「竹」은 대나무 잎의 모양→대나무를 나타냄。「竹」자의 옛 모양은「筍순」〈죽순〉따위의 글자에 붙어 있는 것에 의하여 알 수가 있음。

뜻 ①대죽 대과(科)에 속하는 상록목본(常綠木本)。대나무。「松竹송죽」②피리죽 대로 만든 관악기。팔음(八音)의 하나。「絲竹사죽」③대쪽죽 옛날에 종이가 없었을 때 글씨를 쓰던 대의 조각。전(轉)하여、책。「竹簡죽간」

참고 「竹」을 음으로 하는 글자=「竺축」〈대나무〉·「篤독」〈도탑다〉

【竹竿* 죽간】 대나무 장대。

【竹簡 죽간】 옛날에 종이가 없었을 때 글씨를 쓰던 댓조각。

【竹器 죽기】 대로 만든 그릇。

【竹籃* 죽람】 대바구니。

【竹簾* 죽렴】 대로 엮은 발。대발。

【竹籬* 죽리】 대 울타리。

【竹林七賢 죽림칠현】 진(晉)나라의 초세(初世)에 노장허무(老莊虛無)의 학문을 숭상한 완적(阮籍)·혜강(嵇康)·산도(山濤)·향수(向秀)·유령(劉伶)·왕융(王戎)·완함(阮咸) 등 일곱 사람。늘 죽림(竹林)에서 놀았으므로 이름。

【竹馬 죽마】 아이들이 장난할 때 두 다리로 걸터 타고 다니는 대막대기。대말。

【竹馬舊友 죽마구우】 어릴 때부터 같이 놀던 친한 벗。

【竹帛* 죽백】 책。옛적에 글씨를 대쪽이나 헝겊에 썼으므로 이름。

【竹帛之功* 죽백지공】 책에 기록하여 후세에 전할 만한 공。

【竹夫人 죽부인】 여름 밤에 끼고 자면서 서늘한 기운을 취하는데 쓰는 대오리로 만든 제구。죽노(竹奴)。

【竹筍*죽순】 대의 어리고 연한 싹。식용이 됨。순(筍)。죽아(竹牙)。죽태(竹胎)。

【竹杖* 죽장】 대지팡이。

【竹節 죽절】 대나무의 마디。

【竹槍* 죽창】 대나무로 만든 창(槍)。
【竹册 죽책】 ①댓조각에 적은 글。글을 쓴 댓조각。②《韓》이조(李朝) 때 세자비(世子妃)의 책봉문(册封文)을 새긴 간책(簡册)。댓조각 여러 개를 한데 꿰매었음。
◉綠竹녹죽 墨竹묵죽 斑竹반죽 石竹석죽 成竹성죽 破竹파죽 爆竹폭죽

二畫

8 【竺】 竹 2 ㊀축 ㊁독 — 대나무 — ㊀入屋 ㊁入沃

자원 형성 竹-⺮ 二(음) → 竺(竹부) 2500년전

「二이」와、대나무의 뜻과 함께 음을 나타내는「竹대죽머리」로 이루어짐。

뜻 ㊀①대나무축 ②나라이름축 「天竺천축」은 지금의 인도。㊁두터울독 篤(竹部十畫)과 같은 글자。

三畫

9 【竿】 竹 3 간 — 장대 — 平寒

자원 형성 竹-⺮ 干(음) → 竿(竹부) 2500년전

「竹대죽머리」와、음을 나타내는 동시에 줄기의 뜻(⇩幹간)을 나타내는「干간」으로 이루어짐。대나무 줄기→장대의 뜻。

뜻 ①장대간 대나무의 장대。「釣竿조간」 ②횃대간 옷걸이。「衣竿의간」

주의 「竽우」〈피리〉와는 딴 글자。

【竿頭 간두】 장대 끝。
【竿尺 간척】 토지의 측량에 쓰는 장대。

四畫

10 【笏】 竹 4 홀 — 홀 — 入月

자원 형성 竹-⺮ 勿(음) → 笏(竹부) 2500년전

「竹대죽머리」와 음을 나타내는「勿물·몰」(홀은 변음)로 이루어진 글자。

뜻 홀홀 천자(天子) 이하 공경 사대부(公卿士大夫)가 조복(朝服)을 입었을 때 띠에 끼고 다니는 것。군명(君命)을 받았을 때는 이것에 기록해 둠。옥(玉)·상아(象牙)·대나무 등으로 만들었음。「簪笏잠홀」

10 【笑】 竹 4 중학 소 — 웃음 — 去嘯

자원 형성 竹-⺮ 夭(음) → 笑(竹부)

이 글자는「夭요」〈몸을 나긋거리는 모양〉→「妖요」〈젊은 여자가 웃는 모습〉→「芺=娭요」(「艹초」는 머리털。⇩若약)→「笑」(艹와「竹죽」은 잘 혼동(混同)됨)로 변하였음。옛날엔 자형(字形)의 기원을 ㉮대나무가 바람에 흔들리듯이 몸을 꼬면서 웃는 모습이라 하고 ㉯「竹」과「犬견」을 써서 개가 대바구니를 쓰고 거북해하는 모양이 우스운 데서 웃다로 되었다 하고 ㉰사람을 따르는 개가 낑낑거리는 소리와 사람의 웃음소리가 닮았기 때문이라든가 하였다。그러나「芺」는「夭」를「犬」으로 쓴 것으로서 개와는 관계가 없음。

뜻 ①웃을소 ㉠기뻐서 웃음。「含笑함소」 ㉡비웃음。㉢꽃이 핌。「花笑

鳥歌화소조가」 ②웃음소
주의 「咲」는 옛 글자。
【笑納 소납】《韓》보잘것 없는 물건이니 웃으며 받아 달라는 말。편지에 씀。소류(笑留)。
【笑殺 소살】대단히 웃음。살(殺)은 조자(助字)。
【笑中刀 소중도】외면으로는 웃지만 마음 속에는 칼을 품은 음흉한 사람을 이름。
【笑話 소화】우스운 이야기。웃음거리。
◉可笑가소 苦笑고소 冷笑냉소 談笑담소 大笑대소 微笑미소 失笑실소 一笑일소

五畫

11 **【笛】** 竹 5 고교 **적** ｜피리｜ 入錫

ノ 𠂉 ⺮ 竹 竺 笛 笛

자원 형성 由음 竹-⺮ 丁笛(竹부) 2500년전
「竹대죽머리」와、음을 나타내며 동시에 구멍을 뚫는다는 뜻을 가지는 「由유」(적은 변음)로 이루어짐。대나무에 구멍을 뚫어 만든 악기。
뜻 **피리적** ㉠구멍이 일곱 개 있고 길이가 한 자 네 치되는 관악기。「玉笛옥적」 ㉡전하여、널리 부는 기구의 일컬음。「汽笛기적」
주의 「笛」은 잘못 쓴 글자。
【笛聲 적성】피리를 부는 소리。
◉短笛단적 牧笛목적 玉笛옥적 胡笛호적

11 **【笞】** 竹 5 **태** ｜매질할｜ 平支

자원 형성 台음 竹-⺮ 丁笞(竹부) 2500년전
「竹대죽머리」와 음을 나타내는 동시에 때리다의 뜻(⇩椎추)을 나타내기 위한 「台태·이」로 이루어지며 대나무 채찍의 뜻。
뜻 ①**매질할태、볼기칠태** 「笞撻태달」 ②**태형태** 죽편으로 죄인의 볼기를 치는 형벌。오형(五刑)의 하나。
【笞擊 태격】매질함。
【笞杖 태장】①매。②태죄(笞罪)와 장죄(杖罪)。
【笞刑 태형】오형(五刑)의 하나。회초리로 볼기를 치는 형벌。
◉鞭笞편태

11 **【笠】** 竹 5 **립** ｜삿갓｜ 入緝

자원 형성 立음 竹-⺮ 丁笠(竹부) 2500년전
「竹죽」〈대나무〉과、음을 나타내는 동시에 머물다의 뜻(⇩留류)을 가진 「立립」으로 이루어지고、머리 위에 얹어 비나 햇빛을 막는 대나무로 만든 것。삿갓。
뜻 **삿갓립** 비나 볕을 가리기 위하여 쓰는 대오리 따위로 만든 것。
【笠子 입자】삿갓。자(子)는 조자(助字)。

11 **【符】** 竹 5 고교 **부** ｜부신｜ 平虞

ノ 𠂉 ⺮ 竹 竺 符 符

자원 형성 付음 竹-⺮ 丁符(竹부) 2500년전
「竹죽」〈대나무〉과、음을 나타내는 동시에 붙인다는 뜻(⇩附부)을 가진 「付부」로 이루어짐。맞붙여 증거를

확인(確認)하는 부절(符節)。

뜻 ①**부신부** 부절(符節)。「割符할부」「銅虎符동호부」 ②**증거부** 징험。「符驗부험」 ③**도장부** 인장。 ④**상서부** 길조。「祥符상부」「天符천부」 ⑤**부적부** 신불(神佛)이 가호(加護)한다는 나뭇조각。「神符신부」「護符호부」 ⑥**미래기부** 예언서。「符讖부참」 ⑦**맞을부** 부신의 조각을 서로 맞춘 것처럼 꼭 맞음。「符合부합」

【符祥 부상】 상서로운 징조。상서(祥瑞)。

【符璽* 부새】 ①천자의 도장。 ②널리 「도장의 뜻으로 씀。

【符信 부신】 목편(木片) 또는 죽편(竹片)에 글을 쓰고 증인(證印)을 찍은 후에 두 쪽으로 쪼개어、한 조각은 상대자에게 주고 다른 한 조각은 자기가 보관하였다가 후일(後日)에서로 맞추어 증거(證據)로 삼는 것。

【符應 부응】 하늘에서 부명(符命)이 내린 데 대한 반응(反應)。

【符節 부절】 부신(符信)。

【符牒* 부첩】 증거가 되는 서류。

【符合 부합】 부신(符信)이 서로 꼭 들어맞는 것같이 조금도 틀림 없이 꼭 들어맞음。

【符號 부호】 ①부첩(符牒)。 ②기호「(記號)。

11 **【第】** 竹 5 중학 **제** ― 차례 ― ㊄霽

⺈ ⺮ 笁 笃 笃 第 第

第

자원 형성 弟(음)-弟, 艸-艹 → 苐-第(竹부)

음을 나타내는 「弟제」는 「低저」와 비슷한 음이므로 키가 작은 돌피와 같은 식물(植物)을 「稊제=第」라고 하였음。「艹초두밑」은 식물임을 나타내지만 옛날엔 「竹대죽머리」도 같이 썼으므로 「苐」를 「第」로 쓰게 되었음。 순서(順序)·차례를 나타내는 말은 본디 「弟제」라고 썼으나 나중에 「第」를 그 대신 씀。

뜻 ①**집제** 주택。 저택。「第宅제택」「第舍제사」 ②**차례제** 순서。 또 순서·등급을 표시하는 말。「次第차제」 ③**과거제** ㉠관리의 등용시험。「科第과제」 ㉡전하여 널리 모든 시험에 쓰임。「及第급제」「落第낙제」 ④**급제할제** 시험에 합격함。 ⑤**다만제** 단지。

주의 ①「苐」는 잘못 쓴 글자。 ②「㐧」는 약자(略字)。 ③「笫자」〈대자리〉·「弟제」〈아우〉는 딴 글자。

【第舍 제사】 저택。 제택(第宅)。

【第三人稱 제삼인칭】 대화자(對話者) 이외의 사람의 이름을 대신하여 쓰는 대명사(代名詞)。

【第六感 제육감】 사람이 가진 바 오감(五感) 이외에 무엇을 직각(直覺)하는 한 신비한 심리작용。 직관(直觀)。

【第二人稱 제이인칭】 자기(自己)와 대화(對話)하는 사람의 대명사(代名詞)。 대칭대명사(對稱代名詞)。

【第一義 제일의】 ①근본(根本)되는 뜻。 가장 중요한 뜻。 ②(佛教) 가장 심오(深奧)한 묘리。 ③최상의 방법。

【第一人稱 제일인칭】 말하는 사람의 자칭(自稱)。 자칭대명사(自稱代名

詞)。

【第七天國 제칠천국】 위안(慰安)의 이상향(理想鄕)。

◉及第급제 登第등제 別第별제 私第사제

六畫

12 【筆】 竹 6 중학 필 | 붓 | ㊀質

ノ ㇒ 竹 笁 筀 筆

자원 형성 聿음 ┬ 筆(竹부) 竹-⺮ ┘ 3000년전

음을 나타내는 「聿율」(필은 변음)은 붓을 손에 쥔 모양。나중에 자루가 대나무인 것을 분명히 나타내기 위해 「竹대죽머리」를 붙여서 씀。

뜻 ①**붓필** ㉠모필。「筆法필법」「眞筆진필」 ㉡붓의 자취。필적(筆跡)。 ②**쓸필** 붓으로 글씨를 씀。

【筆耕 필경】 글씨를 쓰는 일을 직업으로 삼음。

【筆談 필담】 글로 써서 서로 의사를 통함。

【筆答 필답】 글로 써서 대답함。

【筆力 필력】 ①글씨의 획에 드러난 힘。필세(筆勢)。②문장의 힘。

【筆名 필명】 ①글씨를 잘 씀으로 인하여 떨치는 명성。글씨를 잘 쓴다는 평판。②글을 써서 발표할 때 쓰는 본명(本名) 아닌 이름。

【筆墨 필묵】 ①붓과 먹。②문장(文章)。③필적(筆蹟)。

【筆鋒* 필봉】 ①붓 끝。②붓의 놀림새。전(轉)하여 문장에 드러난 힘。

【筆算 필산】 ①씀과 셈。습자(習字)와 산술。②숫자(數字)를 써서 운산(運算)함。또 그 산술。주산(珠算) 또는 암산(暗算)의 대(對)。

【筆舌 필설】 붓과 혀。곧 문장과 언론。

【筆者 필자】 ①글씨를 쓴 사람。②글을 지은 사람。

【筆才 필재】 문장의 재능。

【筆蹟 필적】 ①쓴 글씨의 형적(形迹)。쓰여진 글씨。②글씨의 솜씨。

【筆戰 필전】 ①문필의 우열을 다툼。②글로써 서로 다툼。③붓이 떨림。

【筆致 필치】 글씨나 글의 솜씨。글이나 글씨의 됨됨이。

【筆禍 필화】 붓끝을 잘못 놀리어 받는 재앙(災殃)。지은 시문(詩文)이 말썽이 되어 화를 당하는 일。

【筆畫 필획】 글자의 획。자획(字畫)。

◉健筆건필 亂筆난필 短筆단필 妙筆묘필 自筆자필 絶筆절필 拙筆졸필 畫筆화필

12 【等】 竹 6 중학 등 | 등급 | ㊤迥

ノ ⺮ 笁 笙 筀 等

자원 회의 寺 ┬ 等(竹부) 竹-⺮ ┘

「寺시」는 일을 하다→일하는 사람→관청。「竹죽」은 대나무。여기에서는 「簡간」이란 대나무로 만든 패。옛날엔 「簡」에 글자를 써서 서류로 삼았음。「等」은 관청에서 서류를 정리하다→흩어진 것을 가지런히 하다→같게 하다。또 구별한 등급。

뜻 ①**등급등** 구별한 등수。「差等차등」「高等고등」 ②**무리등** 같은 또래。「吾等오등」「等輩등배」 ③**같을등** 또 같음。균일함。「等埒등날」 ④**기다릴등** 오는 것을 바람。「等候등후」 ⑤**층계등** 계단。⑥**견줄등** 비교함。「等量등량」 ⑦**무엇등** 「何」의 속어(俗

語)。⑧따위등 다수 또는 나머지를 통틀어 포함하는 말。

【等角 등각】 서로 같은 각。

【等級 등급】 고하·우열 등의 차례。

【等待 등대】 미리 기다리고 있음。

【等列 등렬】 ①같은 지위。또 같은 지위에 있음。②등위(等位)。

【等輩 등배】 동배(同輩)。

【等邊 등변】 길이가 같은 변。

【等分 등분】 똑같이 나눔。또 그 분량。

【等比 등비】 ①모두。다 같이。②두 개의 비(比)가 서로 똑같게 된 비。

【等身 등신】 신장과 같은 길이。

【等位 등위】 지위。귀천(貴賤)·상하의 구별。

【等閑 등한】 마음에 두지 아니함。대수롭게 여기지 아니함。

◉均等균등 同等동등 上等상등 殊等수등 絶等절등 平等평등 下等하등 何等하등

12 【筋】 竹 6 근 ｜힘줄｜ ㊥文

자원 회의 竹-⺮ 肉-月 力 → 筋(竹부) 2500년전

「月육달월」〈살〉과 사람의 팔→근육의 힘줄→체력을 나타내는 「力력」을 합하여 근육에 힘을 담게 하는 「힘줄」을 뜻하고, 대나무는 섬유가 많으므로 「竹죽」〈대나무〉을 더하였음。(「筋근」은 「肋륵」〈갈비뼈〉에 「竹죽」〈대나무〉을 더해서 된 글자가 아님) 대나무의 섬유가 본디 뜻。나중에 사람의 몸의 근육→힘줄의 뜻으로 쓰이게 되고, 다시 가늘고 긴 것의 뜻으로도 쓰이게 되었음。

뜻 ①힘줄근 살 속에 있는 섬유。「筋肉근육」。②힘근 체력。「筋力근력」

주의 「筯저」〈젓가락〉는 딴 글자。

【筋骨 근골】 ①힘줄과 뼈。②몸。힘。체력。③필법(筆法)을 이름。

【筋斗 근두】 곤두박질。

【筋力 근력】 근육의 힘。체력。

【筋肉 근육】 힘줄과 살。전(轉)하여、신체(身體)를 이름。

◉膠筋교근 轉筋전근 鐵筋철근

12 【筒】 竹 6 통 ｜대통｜ ㊥東

자원 형성 竹-⺮ 同음 → 筒(竹부) 2500년전

「竹대죽머리」와、상하 관통(上下貫通)을 뜻(⇩通통)하며 음을 나타내는 「同동」으로 이루어짐。마디(=節절)의 가로막을 뚫은 대나무。

뜻 대통통、통통 쪼개지 아니한 대나무의 토막。또 대통같이 둥글고 길며 속이 빈 물건。「水筒수통」

◉封筒봉통 連筒연통 吹筒취통 號筒호통

12 【答】 竹 6 중학 답 ｜대답할｜ ㊀合

ノ ⺮ 竹 笅 笒 答 答

자원 형성 ++ 合음 → 荅-答(竹부)

음을 나타내는 「合합」은 합하는 일。가지런히 함。소리를 맞추다→대답하는 것도 옛날에는 「合」이라 썼음。나중에 「荅답」〈작은 콩〉이란 글자를 빌어 대답한다는 뜻으로 썼으나、「++초두밑」은 흔히 「竹대죽머리」와 넘나들므로 「答」이란 속체(俗體)가 됨。본디 대나무와는 관계가 없음。

6획

〔六畫部首順〕 竹米糸缶网羊羽老而耒耳聿肉臣自至臼舌舛舟艮色艸虍虫血行衣襾

뜻 ①대답할답 물음에 대하여 자기의 의사를 말함。「回答회답」「應答응답」②대답답「批答비답」③갚을답 상대방의 경의에 보답함。「答禮답례」「答拜답배」

주의 ①「荅답」도 「答」에 통하여 쓰여짐。②「荅」은 속자(俗字)。

【答禮 답례】 남에게 받은 예를 갚는 예。

【答拜 답배】 남에게 절을 받을 때 그 갚음으로 하는 절。

【答辯 답변】 물음에 대답하여 하는 변명。

【答辭 답사】 ①회답하는 말。②식장(式場)에서 식사(式辭)·축사에 대하여 대답하는 말。

【答書 답서】 답장(答狀)。

【答信 답신】 답장(答狀)。

【答案 답안】 ①문제의 해답。②대답한 안건。

【答狀 답장】 회답하는 편지。

【答電 답전】 회답하는 전보(電報)。회전(回電)。

◉名答명답 問答문답 報答보답 應答응답

12 【策】 竹 6 고교 책 | 대쪽 | 入陌

丿 𠂉 ⺮ 笁 笧 笷 策

자원 형성 朿음 竹·⺮ 丅 策(竹부) 2500년전 策

「竹대죽머리」〈대나무〉와 음을 나타내는 「朿자」(책은 변음)로 이루어져 말을 때리는 대나무 말채찍。음을 빌어 계략(計略)의 뜻에 쓰임。

뜻 ①대쪽책 종이가 없던 옛날에 글씨를 쓰던 댓조각。「簡策간책」②책책、문서책 문자를 기록한 것。③직접책 사령서。또 사령서를 줌。「策書책서」④꾀책 계략。「計策계책」⑤과제책 과거(科擧)의 문제。「對策대책」⑥점대책 점을 치는 데 쓰는 대오리。「神策신책」⑦제비책 심지。⑧채찍책 말채찍。⑨채찍질할책 ⑩지팡이책 「杖策장책」⑪짚을책 지팡이를 짚음。

주의 「筞」은 잘못 쓴 글자。

【策略 책략】 꾀。계략。책모(策謀)。

【策慮 책려】 계책(計策)。또 계책을 생각함。

【策名 책명】 이름을 신적(臣籍)에 올림。즉 신하(臣下)가 됨。

【策命 책명】 천자(天子)가 수여하는 사령장。또 그 사령장을 수여함。

【策問 책문】 과거(科擧)에 시무(時務)의 문제를 내어 고시함。또 그 문체(文體)。

【策士 책사】 모사(謀士)。

◉策계책 對策대책 方策방책 祕策비책 上策상책 失策실책 遺策유책 畫策획책

八畫

14 【箇】 竹 8 개 | 낱 | 去箇

자원 형성 固음 竹·⺮ 丅 箇(竹부)

「竹대죽머리」에 음을 나타내는 「固고」를 더한 글자。대나무를 세는 말。옛날「竹」의 반쪽인 「个개」를 이 글자 대신 썼음。그래서 지금도 한 개를 「一个일개」로 쓰는 수가 있음。

뜻 ①낱개 낱으로 된 물건을 셀 때에 쓰는 말。②이개 속어(俗語)로 此(止部二畫)와 뜻이 같음。또 속어(俗語)로 딴 자와 연용(連用)하

여「이」·「저」등의 뜻의 지시 대명사로 쓰임。「那箇나개」는「저」。「這箇저개」·「此箇차개」는「이」③어조사 개 속용(俗用)의 조자(助字)。

주의 ①「箇」는 또「个」·「介」라고도 쓰여짐。②「個」는「箇」의 속자(俗字)。

【箇箇 개개】낱낱。각각。

【箇中 개중】여럿이 있는 그 가운데。

◉幾箇기개 眞箇진개 好箇호개

14 【箋】竹 8 전 — 찌 — ㊥先

자원 형성 竹+戔음 竹-⺮┬箋(竹부)

「竹대죽머리」〈대나무〉와、음을 나타내는 동시(同時)에 얇게 깎는 뜻(⇩剗잔)을 나타내기 위한「戔잔」으로 이루어지며、얇게 깎은 대나무 조각의 뜻。

뜻 ①찌전、부전전 글의 뜻을 해명하거나 자기의 의견 등을 적어서 그 책에 붙이는 작은 종이 쪽지。전(轉)하여、주석。주소(註疏)。「毛詩鄭箋모시정전」②전지전 글 또는 편지를 쓰는 작은 종이。「用箋용전」③문서전 서류。④명함전 명자(名刺)。⑤상표(上表)전 상소하는 글。

【箋注 전주】전주(箋註)。

【箋註 전주】주석(註釋)。

◉短箋단전 御箋어전 用箋용전 吟箋음전

14 【箕】竹 8 기 — 키 — ㊥支

자원 형성 竹+其음 竹-⺮┬箕(竹부) 3000년전 2500년전

「竹대죽머리」와、음을 나타내는 동시에「키」의 뜻을 가진「其기」(⇨)로 이루어짐。

뜻 ①키기、삼태기기 곡식을 까부는 제구、또는 쓰레기를 담아 버리는 농구。②쓰레받기기 쓰레기를 받아내는 기구。「箕帚기추」③별이름기 이십팔수(二十八宿)의 하나。청룡칠수(靑龍七宿)의 맨 끝 성수(星宿)로서 별 넷으로 구성되었음。④바람귀신기 풍백(風伯)。「箕伯기백」⑤다리뻗고앉을기 두 다리를 삼태기 모양으로 쭉 뻗고 앉음。「箕坐기좌」「箕踞기거」

【箕山 기산】지금의 하남성(河南省) 등봉현(登封縣)의 동남에 있는 산。요(堯)임금 때 소부(巢父)와 허유(許由)가 이 산에서 은거(隱居)하였고、또 후에 백익(伯益)이 우(禹)임금의 선양(禪讓)을 피하여 이 산으로 들어갔다 함。

【箕子 기자】은(殷)나라의 태사(太師)。주왕(紂王)의 숙부로서 주왕을 자주 간하다가 잡히어 종이 됨。은나라가 망한 후 조선에 도망하여 기자 조선을 창업(創業)하였다 함。

14 【算】竹 8 중학 산 — 수 — ①②㊤旱 ③-⑥㊦翰

자원 회의 玉-王┬弄 廾┘ 竹┬筭-算(竹부)

「弄롱」은 옥(玉)을 두 손으로 갖다→물건을 다루는 일。「竹죽」은 대나무。「筭산」은 계산할 때 쓰는 산가지→수를 셈。옛날 옥과 조개는 모두 보물로 여겨졌기 때문에

「筭」의 「王=玉옥」 부분을 「貝패」〈조개〉로 갈아 쓴 것이 「算」이라 생각됨。

뜻 ①수산 수효。②셀산 수를 셈。「計算계산」 ③산가지산 수효를 세는 제구。④셈산 산술。「算數산수」 ⑤꾀산 모계(謀計)。「成算성산」 ⑥슬기산 지혜。

【算計 산계】 세어 헤아림。

【算曆 산력】 산법(算法)과 역상(曆象)。

【算博士 산박사】 ①산술(算術)의 박사。②시구(詩句)에 수자(數字)를 많이 쓰는 시인을 조롱하는 말。

【算盤 산반】 주판(籌板)。수판。

【算上 산상】 계산에 넣음。 계산함。

【算出 산출】 세어 냄。 셈。

【算學 산학】 계산에 관한 학문。

◉無算무산 神算신산 曆算역산 遠算원산

14 【管】 竹 8 고교 관 관 ㊤旱

자원 형성 竹官음 ㅡ 管(竹부) 2500년전 管

음을 나타내는 「官관」은 위에서 보면 둥글다는 것。 또 「貫관」과 음이 같고 속을 관통하고 있는 일。「管」은 여섯 개의 구멍이 있는 대나무로 만든 통소→붓대 따위 관 모양의 것。

뜻 ①관관 쪼개지 아니한 가늘고 긴 대의 도막。 전(轉)하여、 널리 둥글고 길며 속이 빈 물건。「鐵管철관」 ②붓대관 붓자루 「彤管동관」 ③피리관 관악기。「簫管소관」 ④열쇠관 자물쇠를 여는 대。 열쇠。「鑰管약관」 ⑤맡을관 주관함。「管轄관할」「總管총관」 ⑥고동관 추요(樞要)。

【管鍵* 관건】 열쇠。

【管見 관견】 대통 구멍으로 내다봄。 또 그 보는 바。 전(轉)하여、 넓지 못한 견문(見聞)。 좁은 소견。 관혈(管穴)。 관중규표(管中窺豹)。

【管領 관령】 맡아 다스림。

【管理 관리】 ①사무를 관할(管轄) 처리함。②물건을 보관함。③사람을 지휘 감독함。

【管攝* 관섭】 맡음。 지배함。

【管奏* 관주】 관악기(管樂器)를 불어 음악을 연주함。

【管仲 관중】 춘추시대(春秋時代)의 제(齊)나라의 현상(賢相)。 이름은 이오(夷吾)。 자(字)는 중(仲)。 환공(桓公)을 섬겨 정승이 되어 부국강병(富國強兵)에 힘쓰고 제후(諸侯)를 규합(糾合)하여 환공으로 하여금 천하(天下)를 광정(匡正)하여 오패(五霸)의 으뜸이 되게 하였음。

【管鮑之交* 관포지교】 관중(管仲)과 포숙(鮑叔)의 극친했던 고사(故事)。 전(轉)하여、 극친한 교분을 이름。

【管下 관하】 관할(管轄)하는 구역 안。 지배하는 안。

【管轄* 관할】 ①문을 여는 열쇠와 수레의 굴대를 빠지지 않게 꽂는 빗장。 전(轉)하여、 ②맡아 다스림。 지배함。 관리(管理)함。

【管絃樂 관현악】 관악기(管樂器)·현악기(絃樂器)·타악기(打樂器) 등의 여러 악기로 합주하는 음악。 오케스트라。

◉保管보관 煙管연관 玉管옥관 清管청관

九畫

15 【箱】 竹 9 상 | 상자 | (平)陽

자원 형성 相음 竹-⺮┬箱(竹부) 〔2500년전〕

「竹대죽머리」와, 음을 나타내며 동시에 가려져서 남의 눈에 안 보이게 되다의 뜻(⇩障장)을 나타내기 위한 「相상」으로 이루어짐. 대나무 상자의 뜻.

뜻 ①**상자상** ㉠물건을 넣는 그릇. 「箱筥상거」 ㉡수레 위의 상자 모양으로 된, 사람이 타거나 짐을 싣는 곳. 차상(車箱). ②**곳집상** 쌀을 두는 곳간. ③**곁채상** 廂(广部九畫)과 통용.

【箱子 상자】 나무·대·종이 등으로 만든 뚜껑이 있는 손그릇.

15 【節】 竹 9 중학 절 | 마디 | (入)屑

⺊ ⺮ … 節 節

자원 형성 卩음-即 竹-⺮┬節(竹부) 〔卩〕3000년전

음을 나타내는 「卩절」은 사람이 무릎꿇고 있는 모양. 나중에 대나무 패를 둘로 나누어 약속의 증거로 한 것을 「卩」이라 함. 「竹대죽머리」와 「卩」을 합한 자형(字形)은 약속에 쓰는 대나무 패를 뜻하는 셈이지만, 자형을 갖추기 위하여 「卩」에서 나중에 생긴 글자인 「即즉」을 빌어 「節」이라 씀. 대나무 패는 대나무의 한 마디를 잘라 만들므로 대나무의 마디도 「節」이라 하고 나중에 마디→물건의 매듭에도 씀. 약자는 「節」

뜻 ①**마디절** ㉠대 또는 초목의 마디. 또 그 모양을 한 것. ㉡뼈의 마디. 「關節관절」 ㉢말이나 노래 곡조의 마디. 「音節음절」「曲節곡절」 ㉣사물의 한 단락(段落). ②**절개절** 굳은 지조. 「節婦절부」 ③**부신절, 병부절** 사신(使臣) 또는 대장이 가진 신표(信標). 「符節부절」「節鉞절월」 ④**때절** 시기. 「時節시절」「季節계절」 ⑤**두공**(斗栱)**절** 기둥 위에 댄 방형 또는 구형(矩形)의 나무. ⑥**경절절** 임금의 생신을 비롯한 국경일. 「千秋節천추절」 ⑦**괘이름절** 육십 사 괘(六十四卦)의 하나. 곧 ☵☱(태하(兌下)、감상(坎上)). 한계가 있어서 정지하는 상(象). ⑧**조절할절** 알맞게 조절함. 「節制절제」 ⑨**높을절** 산이 높은 모양.

참고 「節」을 음으로 하는 글자=「癤절」〈부스럼〉·「櫛즐」〈빗〉

【節減 절감】 절약(節約)하여 줄임. 또 적당히 줄임.

【節概 절개】 지조(志操).

【節氣 절기】 ①한 해를 스물 넷으로 나눈 하나. ②이십 사 절기(二十四節氣) 가운데 양력(陽曆) 매월 상순(上旬)에 드는 절기의 특칭(特稱). 곧 입춘·경칩·청명 등.

【節度 절도】 ①법도(法度). ②지휘(指揮). ③마디. 가락. ④절도사(節度使)의 약칭(略稱).

【節度使 절도사】 당송(唐宋)시대에 한 지방의 군정(軍政) 및 행정사무를

총할(總轄)하던 관직。

【節文 절문】 적절히 꾸며 훌륭하게 함。또 사리(事理)에 따라 정한 조리(條理)。

【節分 절분】 ①입춘(立春)·입하(立夏)·입추(立秋)·입동(立冬)의 기후의 변천하는 때。②입춘의 전날밤。

【節士 절사】 절개가 있는 선비。지조가 굳은 선비。

【節約 절약】 객적은 비용(費用)을 내지 않고 쓸 데에만 씀。아끼어 씀。또 검소(儉素)함。검약(儉約)。

【節欲 절욕】 사욕(私欲)을 억제함。제욕(制欲)。

【節用 절용】 비용을 절약함。

【節義 절의】 절개와 의리(義理)。

【節制 절제】 ①알맞게 함。정도를 넘치지 아니함。②통어(統御)함。통솔함。③규율이 있음。규칙이 잘 행하여짐。④정절(旌節)과 제소(制詔)。⑤절한(節限)。

【節操 절조】 절개와 지조(志操)。

【節鎭 절진】 ①절도사(節度使)。또는 절도사의 관아(官衙)를 이름。②명(明)나라 때에 순무총독(巡撫總督)의 이칭(異稱)。

【節次 절차】 일의 순서(順序)。

【節候 절후】 절기(節氣)❶。

◉曲節곡절 關節관절 末節말절 聖節성절

15 **【範】** 竹 9 고교 **범** | 법 | ㊤豏

𠂉 𥫗 ⺮ 笚 笪 笪 筆 䈁 範

자원 형성 車 笵 음-笆 ┬範(竹부) 2500년전

「車거」〈수레〉와 음을 나타내는 동시에 짓밟고 간다는 뜻(⇩犯범)을 가진 「笵범」의 생략형 「笆」으로 이루어짐。옛날 출타(出他)할 때에 개를 수레로 깔아 바퀴에 피를 묻혀 액막이를 위한 비방으로 삼고、이것을 「範」 또는 「軷발」이라 일컬었음。나중에 본디 뜻은 잊혀지고、오로지 「笵」〈골·거푸집〉의 뜻에 쓰여지다가 전하여、규칙·모범의 뜻으로 되었음。

뜻 ①**법범** 법식。본보기。「模範모범」 ②**한계범** 일정한 구획(區劃)。

【範軌* 범궤】 법식(法式)。규칙。

【範例 범례】 본보기。

【範圍 범위】 ①일정한 한계 안에 넣음。②한계를 그음。일정한 형식에 넣어 에워쌈。일정한 한계 안。

【範疇* 범주】 ①분류(分類)。②외계(外界)의 사물을 인식하여 개념(概念)을 파악할 때 반드시 가져야 할 사유(思惟)의 근본적 형식。

◉敎範교범 模範모범 師範사범 洪範홍범

15 **【篆】** 竹 9 **전** | 전자 | ㊤銑

자원 형성 竹 象 음 竹-⺮ ┬篆(竹부) 2500년전

「竹대죽머리」와 음을 나타내는 「彖단」(전은 변음)으로 이루어짐。

뜻 **전자전** 고대 한자(漢字)의 한 체(體)。대전(大篆)과 소전(小篆)의 두 가지가 있는데 대전은 주(周)나라의 태사주(太史籒)의 창작이므로 주문(籒文)이라고도 하며 소전은 진(秦)나라 이사(李斯)의 창작임。

【篆隷 전례】 전서(篆書)와 예서(隷書)。

【篆文 전문】전자(篆字)。
【篆字 전자】전체(篆體)로 쓴 글자。

15【篇】竹 9 중학 **편** ― 책 ― ㊥先

丿 ⺮ ⺮ 竺 笃 筥 篇 篇 篇

자원 형성 冊┐扁음┐篇(竹부)　篇 2500년전
　　　　　戶┘　竹-⺮┘

「竹대죽머리」와 음(音)을 나타내며、동시(同時)에 실로 매는 뜻을 가지는「扁편」으로 이루어지며、대나무 패를 실로 맨 것。책의 뜻。

뜻 ①**책편** 완결한 서책。②**편편** ㉠서책의 부류(部類)。「前篇전편」㉡완결한 사장(詞章)。「篇什편집」

주의「偏편」〈치우치다〉은 딴 글자。

【篇卷 편권】서책。서적。
【篇章 편장】①시문의 편과 장。②문장。또 서적。
【篇什* 편집】시가(詩歌)。또 시가의 편장(篇章)。
【篇次 편차】책의 부류(部類)의 차례。
【篇篇 편편】가볍게 날리는 모양。편(篇)은 편(翩)。

◉佳篇가편 名篇명편 詩篇시편 陳篇진편

十畫

16【築】竹 10 고교 **축** ― 다질 ― ㊀屋

丿 ⺮ 笁 筑 筑 筑 築 築 築

자원 형성 筑음┐築(木부)
　　　　　木┘

(A)　(B)　2000년전

「木목」〈나무〉과 음을 나타내며、동시(同時)에、찧다의 뜻(⇩擣도·搗도)을 가지는「筑축」〈고부라진 대나무로 줄을 쳐서 소리내는 일종의 악기〉으로 이루어져、절굿공이로 흙을 찧어 굳게 하다→토목공사의 뜻。옛 모양(B)는「篙독」〈도탑다〉(=篤독)과「土토」〈흙〉를 합친 글자로 흙을 골고루 짓찧어 굳게 하는 모양。

뜻 ①**다질축** 땅을 쳐서 단단하게 함。②**쌓을축** 성 같은 것을 쌓음。「築城축성」③**지을축** 집을 지음。「建築건축」④**건축물축** 쌓거나 지은 성벽·가옥 따위。⑤**공이축** 절굿공이·방앗공이 같은 것。⑥**날개칠축** 새가 날개를 침。

【築城 축성】성(城)을 쌓음。
【築堤 축제】둑을 쌓음。
【築造 축조】쌓아 만듦。
【築港 축항】항만(港灣)의 자연을 이용하여 선박의 정박(碇泊)에 필요한 공사를 베풂。항구를 만듦。

◉架築가축 修築수축 營築영축 增築증축

16【篤】竹 10 고교 **독** ― 도타울 ― ㊀沃

丿 ⺮ 竺 笁 笃 篤 篤 篤

자원 형성 竹음┐篤(竹부)　篤 2500년전
　　　　　馬┘

「馬마」〈말〉와、음과 함께 늦다의 뜻(⇩遲지)을 나타내기 위한「竹죽」(독은 변음)으로 이루어짐。말의 걸음이 늦다는 뜻。음을 빌어 두텁다는 뜻으로 씀。

뜻 ①**도타울독** ㉠인정이 많음。「敦篤돈독」「篤厚독후」㉡전일함。열심임。「篤學독학」㉢성의가 있음。정성을 들임。②두터이할독 견고하게 함。③중할독 병이 위중함。「危篤위독」

【篤固 독고】뜻이 독실하고 굳음。

【篤謹 독근】대단히 근엄(謹嚴)함。

【篤誠 독성】독실하고 성의가 있음。

【篤愼 독신】대단히 신중함。

【篤實 독실】성실(誠實)함。

【篤志 독지】독실하고 친절한 뜻이나 마음。

【篤學 독학】독실하게 공부함。

【篤行 독행】①독실한 행위(行爲)。②성실히 이행함。

【篤厚 독후】독실하고 인정이 많음。

◉謹篤근독 敦篤돈독 純篤순독 仁篤인독

十二畫

18【簡】竹 12 고교 간 ─ 대쪽 ─ ㊤沃

⺮ 𥫗 𥫗 𥫗 𥫗 簡 簡

자원 형성 閒음 竹 ⺮ ┬ 簡(竹부)

음을 나타내는「閒간」은 틈。사이。「竹죽」은 대나무。「簡」은 사이를 두고 늘어 놓은 대나무의 패목(牌木)。옛날엔 나무나 대나무의 패목에 글자를 썼음。약속은 그 패목들에 써서 둘로 나누어 가지고 있다가 후에 맞추어 증거로 하였음。증거를 대조하는 데서「簡」은 비교해보다→알다→알기 쉽다→간단→대충 따위의 뜻으로도 씀。더우기 흩어진「簡」을 가죽 끈으로 엮은 것을「册」이라 하였음。「簡」은「閒」을「間」으로 쓰는 것을 본뜬 모양。

뜻 ①대쪽간 대나무의 조각。종이가 없던 옛날에 글을 적는 데 썼음。「竹簡죽간」「簡札간찰」②편지간 서신。「書簡서간」「手簡수간」③문서간 서류。「簡策간책」④가릴간 ㉠선발함。「簡擇간택」「簡拔간발」㉡전(轉)하여、군주의 특명으로 임관되는 것을「特簡특간」또는「簡授간수」라 함。⑤검열할간 조사하기 위하여 죽 살펴봄。⑥단출할간 간단함。「簡略간략」「簡要간요」⑦대범할간 까다롭지 아니함。잘게 굴지 아니함。「簡率간솔」⑧소홀히할간 대수롭지 않게 여김。⑨간할간 간언(諫言)을 올림。⑩정성간 성의。

【簡潔 간결】①간단하고 요령이 있음。②대범(大泛)하고 결백함。

【簡古 간고】시문(詩文) 같은 것이 간결(簡潔)하고 고아(古雅)함。

【簡記 간기】지령서。명령서。책서(策書)。

【簡短 간단】간단(簡單)。

【簡單 간단】간략하고 단출함。

【簡略 간략】①복잡하지 아니함。까다롭지 아니함。②간단히 함。③성질이 잔달지 아니함。대범(大泛)함。

【簡明 간명】간단하고 명료함。

【簡默 간묵】말이 적음。과묵(寡默)。

【簡拔 간발】가려냄。선발함。

【簡散 간산】방자(放恣)함。

【簡選 간선】가림。고름。선발함。

【簡素 간소】①대범(大泛)하고 검소함。②글씨를 쓰는 대쪽과 흰 명주。옛날에 종이 대신으로 썼음。

【簡約 간약】복잡하지 아니함。까다롭지 아니함。간략(簡略)。

【簡閱* 간열】가림。살펴봄。조사함。

【簡要 간요】 간략하고 요령이 있음。 간결(簡潔)。
【簡易 간이】 ①간단하고 쉬움。 ②성품이 까다롭지 아니함。
【簡切 간절】 문장이 간단하고 절실함。
【簡定 간정】 가려 정함。
【簡紙 간지】 두껍고 품질(品質)이 좋은 편지에 쓰는 종이。
【簡直 간직】 간략하고 바름。
【簡策 간책】 간책(簡册)。
【簡牒* 간첩】 글씨를 쓰는 나뭇조각。 간찰(簡札)。
【簡擇 간택】 간선(簡選)。
【簡編 간편】 책。 서적。 간책(簡册)。
◉斷篇殘簡 단편잔간 書簡 서간 竹簡 죽간

十三畫

19 【簾】 竹 13 렴 | 발 | [下]鹽

[자원] 형성 竹-⺮ 廉[음] ┬簾(竹부)

2500년전

「竹대죽머리」와 음과 함께 잇닿다의 뜻을 나타내기 위한 「廉렴」으로 이루어짐。 가느다란 대나무를 잇대어 만든 것。 발。

[뜻] 발렴 대오리·갈대 같은 것으로 엮은、 햇빛 등을 가리우는 물건。 「簾帷 염유」 「垂簾 수렴」

【簾影 염영】 발의 그림자。
【簾波 염파】 발이 흔들려서 그림자가 물결처럼 움직이는 일。
◉垂簾 수렴 玉簾 옥렴 珠簾 주렴 竹簾 죽렴

19 【簿】 竹 13 [고교] [一]부 [二]박 | 장부 | [一][上]麌 [二][入]藥

ノ ⺈ ⺮ 笵 箔 箔 簿 簿 簿

[자원] 형성 竹-⺮ 溥[음] ┬簿(竹부)

「竹대죽머리」와 음을 나타내는 동시에 묶는다는 뜻(⇩縛박)을 나타내기 위한 「溥부」로 이루어짐。 내용(內容)에 따라 죽간(竹簡)을 일괄(一括)하여 흩어지지 않도록 하여、 보기에 편리하게 한 것。 전하여、 장부의 뜻으로 되었음。

[뜻] [一] ①장부부 치부책。 「名簿명부」 「簿册부책」 ②홀(笏)부 조복(朝服)을 입은 벼슬아치가 손에 쥐는 물건。 ③맡을부、 다스릴부 관리함。 [二] ①잠박박 누에를 치는 데 쓰는 채반。 ②발박 箔(竹部八畫)과 같은 자。

【簿記 부기】 ①장부에 써 넣음。 ②회계 장부의 기재 방법。
【簿錄 부록】 문서에 기록함。
【簿帳 부장】 치부책。 장부(帳簿)。
【簿册 부책】 장부(帳簿)。
【簿牒* 부첩】 부장(簿帳)。
◉計簿 계부 名簿 명부 文簿 문부 班簿 반부

十四畫

20 【籍】 竹 14 [고교] [一]적 [二]자 | 문서 | [一][入]陌 [二][去]禡

ノ ⺈ ⺮ 笁 笙 筀 箝 籍 籍

[자원] 형성 竹-⺮ 耤[음] ┬籍(竹부)

2500년전

「竹대죽머리」와 음과 함께 한 자의 뜻(⇩尺척)을 나타내기 위한 「耤자·적」으로 이루어짐。 길이 한 자의 대나무의 패。 이것에 글자를 기록하여 이은 것이 서적(書籍)의 원형(原形)임。

6 획

뜻 ㊀①**문서적** ㉠서류 또는 책。「書籍서적」「典籍전적」 ㉡장부·명부 등。㉢관청의 호구·지적 등을 적은 장부。「戶籍호적」「地籍지적」 ②**대쪽적** 글씨를 쓴 대의 조각。 ③**올릴적** 호적에 등록함。 ④**밟을적** 발로 밟음。「籍田적전」 ㊁**온화할자**

【籍記 적기】 문서에 적음。 또 그 문서。

【籍田 적전】 임금이 친히 밟고 가는 전지라는 뜻으로 임금의 친경전(親耕田)。

◉國籍국적 軍籍군적 兵籍병적 書籍서적 在籍재적 除籍제적 學籍학적 戶籍호적

【纂】 ⇩糸部十四畫

十六畫

22 【籠】 竹 16 **롱** ― 대그릇 ― (平)東

자원 형성 龍音 竹-⺮ ┬ 籠(竹부) 2500년전

「竹대죽머리」와 음과 함께 살창의 뜻을 나타내기 위한 「龍롱·룡」으로 이루어짐。 대나무를 살창 모양으로 짠 그릇。

뜻 ①**대그릇롱、농롱** 죽기(竹器)의 총칭。「藥籠약롱」「香籠향롱」 ②**새장롱** 대로 만든 새를 가두어 기르는 장。 ③**탈것롱** 대로 만든 가마 같은 탈 것。「籠輿농여」 ④**전동롱** 대로 만든 화살을 넣는 통。 ⑤**쌀롱** 속에 넣어 쌈。 ⑥**싸일롱** 속에 싸임。

【籠絡 농락】 ①포괄(包括)함。 농괄(籠括)。 ②남을 자기 수중(手中)에 넣고 마음대로 조종함。

【籠城 농성】 ①성문을 굳게 닫고 성을 지킴。 ②어떠한 목적을 위하여 둘러싸고 그 자리를 떠나지 않고 있음。

【籠鳥戀雲 농조연운】 새장 속의 새가 구름을 그리워한다는 뜻으로、속박(束縛)을 받는 몸이 자유를 얻으려고 하는 마음의 비유。

◉燈籠등롱 紗籠사롱 藥籠약롱 香籠향롱

十九畫

25 【籬】 竹 19 **리** ― 울타리 ― (平)支

자원 형성 離音 竹-⺮ ┬ 籬(竹부) 2500년전

「竹대죽머리」와 음을 나타내는 동시에 죽 잇닿는다는 뜻(⇩邐리)을 가진 「離리」로 이루어짐。 대나무 섶을 엮어서 친 울타리。

뜻 **울타리리** 대나무나 섶을 엮어서 친 울타리。「垣籬원리」

米部

6 【米】 부수 중학 **미** ― 쌀 ― (上)薺

丶 丷 䒑 半 米 米

자원 상형 3000년전

「米」는 쌀이나 수수 따위 곡식의 낟알↓벼의 모양。 나중에 중국에서는 쌀을「大米대미」、조를「小米소미」라 일컬었고 우리는 보리·수수·조 따위

에 대하여 쌀을 「米」자로 나타냄。 또 미터의 취음자(取音字)로서 「百백미터」를 「百米」로 쓰기도 함。

뜻 ①**쌀미** ㉠벼의 열매의 껍질을 벗긴 알맹이。「米穀미곡」 ㉡또 고대(古代)에는 서(黍)·직(稷)·도(稻)·양(粱)·고(苽)·대두(大豆)를 「六米육미」라 하였음。 ㉢쌀의 모양을 한 것。 ②**미터미** 미터법의 길이의 단위。 킬로미터(粁)의 천분지 일。

참고 「米」를 음으로 하는 글자=「迷미」〈헤매다〉·「謎미」〈수수께끼〉·「眯미」〈눈을 잘못 뜨다〉

【米價 미가】 쌀값。

【米穀 미곡】 ①쌀。 ②쌀과 잡곡。

【米年 미년】 여든 여덟 살。 팔십 팔세(八十八歲)。「米」자의 파자(破字)에서 나온 말。 미수(米壽)。

【米糧 미량】 쌀 양식。 「곡식。

【米粒* 미립】 낟알。 쌀。

【米麥 미맥】 쌀과 보리。 전(轉)하여、

【米粟 미속】 쌀과 벼。 속(粟)은 벼。

【米壽 미수】 미년(米年)。

【米鹽 미염】 ①쌀과 소금。 전(轉)하여、 ②잗달고 번거로움。

【米點 미점】 남화(南畫)에서 목석(木石)·산곡(山谷) 등을 쌀알 같은 점을 점점이 찍어서 나타내는 화법。 또 그 점。 송대(宋代)의 화가 미불(米芾)이 시작하였다 함。

【米汁* 미즙】 쌀뜨물。 미감(米泔)。

◉ 祿米녹미 稅米세미 精米정미 玄米현미

四畫

10 **【粉】** 米 4 고교 **분** | 가루 | ㊤吻

자원 형성 米 + 分(음) → 粉(米부)

음을 나타내는 「分」은 나누는 일。「米미」는 쌀。「粉」은 쌀을 가루로 만든 것인데、 얼굴에 발라 분으로 삼았다고 일컬어짐。 나중에 쌀에 한하지 않고 가루를 가리켜 말함。

뜻 ①**가루분** 곡식의 분말。 전(轉)하여、 널리 분말。「細粉세분」「石粉석분」 ②**빨분** 가루로 만듦。 잘게 부숨。「粉骨碎身분골쇄신」 ③**분분** 단장하는 흰 가루。「白粉백분」「粉黛분대」「傅脂粉전지분」 ④**분바를분** 백분을 바름。 ⑤**회분** 벽에 바르는 흰 가루。 석회。「粉壁분벽」 ⑥**색칠분** 채색(彩色)。「粉繪분회」

주의 「紛분」〈어지럽다〉은 딴 글자。

【粉骨碎身* 분골쇄신】 뼈를 가루가 되게 하고 몸을 바스러뜨린다는 뜻으로、 있는 힘을 다하여 일함。 쇄골분신(碎骨粉身)。

【粉末 분말】 가루。

【粉面 분면】 분을 바른 얼굴。

【粉壁 분벽】 흰 벽。

【粉碎* 분쇄】 가루가 되도록 부스러뜨림。 또 부스러져 가루가 됨。

【粉飾 분식】 ①분을 발라 화장함。 ②외관을 꾸밈。 ③사람을 추어 줌。 칭찬하여 줌。

【粉脂* 분지】 분과 연지。

【粉筆 분필】 ①분호(粉毫)。 ②칠판(漆板)에 글씨를 쓰는 물건。 백묵。

【粉紅 분홍】 ①분과 연지。 전(轉)하여、 ②화장。 ③엷고 고운 붉은 빛。

연분홍。

◉白粉백분 石粉석분 施粉시분 鉛粉연분 脂粉지분 香粉향분 紅粉홍분

10 **【粋】** 米 4 粹(米部八畫)의 속자(俗字)。

【料】 ⇩斗部六畫

* **【氣】** ⇩气部六畫

五畫

11 **【粒】** 米 5 **립** | 쌀알 | ⊙入 緝

자원 형성 米立음 ㅏ粒(米부) 粒 2500년 전

「米쌀미변」과 음과 함께 낱낱이 흩어진다는 뜻(⇩離리)을 나타내기 위한「立립」으로 이루어짐。쌀알의 뜻。전하여、널리 낱알 모양의 것을 일컬음。

뜻 ①**쌀알립** 낟알。쌀。낟알。「米粒미립」②**낟알립** 쌀알 같이 된 물건。「砂粒사립」「粒子입자」「靈丹一粒영단일립」③**쌀밥먹을립**「粒食입식」

【粒子 입자】 낟알。

◉米粒미립 微粒미립 飯粒반립 粟粒속립

11 **【粗】** 米 5 **조** | 거칠 | ⊙上 麌

자원 형성 米且음 ㅏ粗(米부)

「米쌀미변」〈쌀〉과 음과 함께 거칠다의 뜻(⇩疏소)을 나타내기 위한「且조」로 이루어지며、아직 대끼지 않은 거친 쌀의 뜻。전하여、일반적(一般的)으로 거친 뜻。

뜻 ①**거칠조** 정(精)하지 아니함。「粗略조략」「粗製濫造조제남조」②**클조** 작지 아니함。「粗功조공」③**대강조** 대략。

【粗略 조략】 거침。정성을 들이지 아니함。

【粗漏 조루】 소루(疏漏)함。

【粗漫 조만】 거칠고 산만(散漫)함。

【粗米 조미】 잘 닦이지 않은 거친 쌀。정미(精米)의 대(對)。

【粗飯 조반】 거친 밥。또 남에게 권하는 밥을 겸손하여 이르는 말。

【粗服 조복】 조의(粗衣)。

【粗惡 조악】 거칠고 나쁨。

【粗野 조야】 거칠고 천함。거칠고 촌스러움。

【粗衣 조의】 너절한 옷。

【粗雜 조잡】 거칢。

【粗製 조제】 물건을 거칠게 만듦。

11 **【粘】** 米 5 **점** | 끈끈할 | ⊙平 鹽

자원 형성 米占음 ㅏ粘(米부)

「米쌀미변」〈쌀〉과 음을 나타내며、동시(同時)에 끈적끈적 달라붙다의 뜻(⇩朮출)을 나타내기 위한「占점」으로 이루어지며、쌀이 끈적거리는 뜻。

뜻 **끈끈할점、차질점**「粘土점토」

주의「粘」은 본래「黏점」의 속자。

【粘膜 점막】 생물체 내의 소화관·비뇨생식도(泌尿生殖道)의 내면을 덮은 끈끈하고 부드러운 막(膜)。

【粘液 점액】 끈끈한 액체(液體)。

【粘着 점착】 들러붙음。착 달라붙음。

【粘土 점토】 끈끈한 흙。진흙。석영(石英)·장석(長石) 등이 풍화하여 된 흙。그릇·벽돌 등을 만듦。

六畫

12 【粧】米 6 고교 장 — 단장 — ㊥陽

丶 丷 半 米 米丶 米亠 米广 米庄 粧

자원 형성 米庄(음)┬粧(米부) 분을 뜻하는「粉분」자의 생략형「米미」와 음을 나타내는 동시에 화장한다는 뜻(⇩容용)을 가진「庄장」으로 이루어짐。분을 발라 맵시를 꾸민다는 뜻。

뜻 ①단장장 화장。「淡粧담장」「濃粧농장」 ②단장할장 치장을 함。

주의 「妝」은 같은 글자。

【粧面 장면】단장한 얼굴。

◉濃粧농장 淡粧담장 新粧신장 化粧화장

12 【粟】米 6 고교 속 — 조 — ㊇沃

一 丅 帀 襾 襾 襾 覀 覀 粟

자원 상형 卤米┬㮚-粟(米부) 2500년전 통틀어 초목(草木)의 열매의 모양을 본뜬 글자。후세에 오곡의 하나인 조의 뜻으로 함。「卤초」와「米미」의 합자(合字)。껍질을 벗기지 아니한 곡식。

뜻 ①조속 ㉠오곡(五穀)의 하나임。「粟豆속두」 ㉡전(轉)하여、좁쌀같이 대단히 작은 물건의 일컬음。②벼속 껍질을 벗기지 아니한 쌀。「粟米속미」 ③곡식속 곡류。④녹미속 녹봉(祿俸)으로 주는 쌀。

주의 「栗률」〈밤나무〉은 딴 글자。

【粟豆 속두】조와 콩。

【粟粒* 속립】좁쌀의 낟알。또 곡식의 낟알。

【粟米 속미】벼。또 군량(軍糧)。

【粟帛* 속백】벼와 명주。의식(儀式)에 필요한 물품。

【粟膚 속부】놀라거나 추워서 좁쌀 모양으로 나돋아 도틀도틀해진 살결。소름이 끼친 살결。

◉嘉粟가속 官粟관속 丹粟단속 稻粟도속

八畫

14 【粹】米 8 ㊀수 ㊁쇄 — 순수할 — ㊀㊤寘 ㊁㊤隊

자원 형성 米卒(음)┬粹(米부) 2500년전 「米쌀미변」에 음을 나타내는 동시에 가지런하다의 뜻(⇩齊제)을 나타내기 위한「卒졸」(수는 변음)을 더하여 이루어짐。
알이 고르고 다른 것이 섞이지 않은 쌀의 뜻。전하여、순수하다、정수(精粹)의 뜻이 되었음。

뜻 ㊀①순수할수 조금도 다른 것이 섞이지 아니함。②같을수 제일(齊一)함。③정밀할수 상세함。④정수수 순정(純正)한 부분。⑤영기수 신령(神靈)한 기(氣)。㊁부술쇄、빻을쇄 碎(石部八畫)와 같은 글자。

◉純粹순수 貞粹정수 精粹정수 眞粹진수

14 【精】米 8 중학 정 — 찧을 — ㊥庚

丶 丷 半 米 米 米一 米土 精 精 精

자원 형성 米靑(음)┬精(米부) 2500년전

6 획

〔六畫部首順〕竹米糸缶网羊羽老而耒耳聿肉臣自至臼舌舛舟艮色艸虍虫血行衣襾

음을 나타내는 「靑청·정」은 푸른 색깔→깨끗하게 하는 일。「米미」는 곡식。「精」은 곡식을 찧어서 깨끗이 하다→정미(精米)。 애벌 찧는 것을 「粗조」라는 데 대하여 곱게 찧는 것을 「精」이라 함。

뜻 ①찧을정、대낄정 쌀을 곱게 찧음。「精米정미」 ②대낀쌀정 정미(精米)。 ③자세할정 세밀함。「精密정밀」 ④묘할정 오묘(奧妙)함。 미묘함。 ⑤아름다울정 수미(粹美)。 ⑥순일할정 순수함。 섞인 것이 없음。「精金良玉정금양옥」「純粹精也순수정야」 ⑦밝을정 청명(淸明)함。「精光정광」 ⑧깨끗할정 결백함。「精潔정결」 ⑨정성스러울정 성의가 있음。「精意정의」 ⑩전일할정 한 가지 일에만 오로지 함。 ⑪익숙할정 숙련(熟練)함。「精熟정숙」 ⑫날랠정、날카로울정 예리함。「精兵정병」 ⑬심할정 우심(尤甚)함。 ⑭빛정 광휘。「精彩정채」 ⑮일월성정 해와 달과 별。 ⑯정기(精氣)정、정액정 생식(生殖)의 원기(元氣)·원질(元質)。「精蟲정충」 ⑰혼정 영혼。「精氣정기」「精魂정혼」 ⑱마음정 정신。 심신(心神)。 ⑲신령정 신(神)。 ⑳도깨비정 요괴(妖怪)。「妖精요정」 ㉑정화(精華)정 정수(精粹)한 것。「酒精주정」 ㉒옥정 보석(寶石) ㉓눈알정

【精鑑 정감】 세밀히 감별(鑑別)함。

【精强 정강】 ①날래고 셈。 ②밝고 셈。

【精潔 정결】 ①사물에 정통하고 마음이 청렴함。 ②깨끗함。 조촐함。

【精巧 정교】 정밀(精密)하고 교묘함。

【精勤 정근】 ①정성스럽고 근실함。 ②부지런히 힘씀。 쉬지 않고 근무함。

【精氣 정기】 ①음양 정령(陰陽精靈)의 기(氣)。 영혼。 ②천지 만물(天地萬物)의 생성(生成)의 근원。 원기(元氣)。 ③정신과 기력(氣力)。

【精讀 정독】 자세히 읽음。

【精勵 정려】 심력(心力)을 다하여 함。 부지런히 힘씀。

【精力 정력】 사물에 감내(堪耐)하는 심신의 힘。 일을 해내는 힘。 에네르기。

【精練 정련】 ①옷감을 완전히 표백함。 ②잘 연습함。

【精鍊 정련】 ①광석에서 함유된 금속을 뽑아서 정제(精製)함。 ②잘 단련(鍛鍊)함。

【精米 정미】 곱게 대낀 쌀。 깨끗하게 쓿은 쌀。 정백미(精白米)。

【精密 정밀】 정세(精細)하고 치밀함。 자세하여 빈틈이 없음。

【精白 정백】 아주 흼。

【精魄* 정백】 영혼。 혼백。 정혼(精魂)。

【精兵 정병】 정예(精銳)한 병졸。 날랜 군사。

【精舍 정사】 ①정신이 머물러 있는 곳。 곧 몸。 신체。 ②학문을 닦거나 독서를 하는 곳。 곧 학교。 학사(學舍)。 서원(書院)。 또는 서재(書齋)。 ③《佛敎》 절。 사찰(寺刹)。

【精査 정사】 자세히 조사함。

【精算 정산】 정밀히 계산함。 또 정밀한 계산。

【精書 정서】 정신을 들여 정하게 씀。

【精選 정선】 극상(極上)의 것을 가림。

【精誠 정성】 순수한 마음。 거짓이 없는 참된 마음。

【精水 정수】 정한 물。 깨끗한 물。

【精粹* 정수】①조금도 잡것이 섞이지 아니함。순수함。②찬찬하고 순박함。③아름다움。④맑은 공기。

【精髓* 정수】①뼈 속에 있는 골。②사물(事物)의 핵심(核心)。고갱이。

【精神 정신】①혼。영혼。정령(精靈)。②마음。심의(心意)。③사물(事物)의 근본。사물의 정미(精微)한 곳。④물질을 초월한 이념적인 것。

【精神一到何事不成 정신일도하사불성】마음만 기울여 열중(熱中)하면 안 되는 일이 없음。

【精液* 정액】①웅성(雄性) 생식기에서 분비(分泌)하는 액체。②잡것이 섞이지 아니한 액체。순수한 액체。

【精銳 정예】썩 날램。뛰어나게 날램。또 그 군사。

【精義 정의】①오묘(奧妙)한 이치。②「정밀(精密)한 뜻。

【精一 정일】①마음이 세밀(細密)하고 전일(專一)함。②조금도 잡것이 섞이지 아니함。순수함。

【精子 정자】정충(精蟲)。

【精製 정제】정성을 들여 잘 만듦。

【精進 정진】①사물(事物)에 정통하고 직무에 힘씀。②정력을 다하여 부지런히 힘씀。

【精忠 정충】사심(私心)이 없는 순수한 충성。

【精蟲 정충】정액(精液) 중에 들어 있는 생식세포(生殖細胞)。난자(卵子)와 합하여 개체(個體)를 생성함。

【精緻* 정치】정세(精細)하고 치밀함。면밀주도(綿密周到)함。

【精通 정통】아주 통달(通達)함。자세히 앎。통효(通曉)。정효(精曉)。

【精解 정해】①자세히 해득(解得)함。환히 깨달음。②자세히 해명(解明)함。자세히 설명함。

【精華 정화】①빛。광채。②사물(事物) 중의 가장 뛰어나고 화미(華美)한 부분。정화(菁華)。

【精確 정확】정밀(精密)하고 확실함。

◉交精교정 三精삼정 水精수정 悅精열정 妖精요정 雲精운정 元精원정 日精일정

九畫

15 【糊】 米 9 호 | 풀 | ㊥虞

자원 형성 米胡음 ┬糊(米부)

「米쌀미변」과 음과 함께 꼭 붙이다、고정(固定)하다의 뜻(⇩固고)을 나타내기 위한 「胡호」로 이루어지며、꼭 붙이는 데 쓰이는 것。「米」는 재료(材料)를 나타냄。

뜻 ①풀호 끈끈하여 발라 붙이는 물질。②바를호 ㉠풀을 칠함。㉡도말(塗抹)함。③흐릴호 똑똑하지 아니함。애매함。「模糊모호」 ④죽호 ⑤죽먹을호 죽을 먹음。전(轉)하여、입에 풀칠을 함。생계를 이어감。「糊口호구」

【糊口 호구】입에 풀칠을 함。생계를 이어감。

【糊塗 호도】①명확히 결말을 내지 아니함。우물쭈물하여 버림。②모호함。애매함。

◉模糊모호

十畫

16 【糖】 米 10 고교 당 | 엿 | ㊥陽

丶 ⺌ 半 米 粁 粐 粐 糖 糖

[자원] 형성 昜[음] 食-飠 ┬ 餳-糖(米부) 2500년 전

「糖」의 본디 글자는 「餳」으로서, 「昜양」은 해가 돋다→열다, 퍼져나간다는 뜻。「食식」은 먹다, 따라서 잘 늘어나는 「엿」。「糖」은 나중에 생긴 속체(俗體)인데 「飠밥식변」보다 간단한 「米쌀미변」으로 바꾸어지는 한편, 「昜」과 음이 닮고 뜻도 공통점이 있는 「唐」을 곁들인 것(옛날에는 「唐」을 「口입구변」에 「昜」을 붙여 썼음)。

[뜻] ①**엿당** 맛이 썩 단 음식의 한 가지。②**사탕당** 사탕수수 따위에서 짜낸 당분。「白糖백당」「製糖제당」

【糖尿病* 당뇨병】 오줌 속에 많은 포도당(葡萄糖)이 섞이어 나오는 병(病)。 췌장·뇌하수체·부신(副腎) 등의 내분비선 장애로 일어남。

【糖分 당분】 설탕의 성분。

【糖乳 당유】 연유(煉乳)。

◉沙糖사탕 雪糖설당 乳糖유당 製糖제당

十一畫

17 【糞】 米 11 분 | 똥 | [去]問

[자원] 형성 米異[음] ┬ 糞(米부) 2500년 전

쓰레받기(𠦒)를 손(廾)으로 잡은 모양인 「異이」와 음과 함께 버리다의 뜻을 나타내기 위한 「釆변」(분은 변음)으로 이루어짐。더러운 것을 버린다는 뜻。나중에 「釆」이 「米미」〈쌀〉로 씌었기 때문에 쌀이 변하여 나온 것의 뜻으로 풀이하여 「똥」의 뜻(회의(會意))으로 썼음。

[뜻] ①**똥분** 대변。「糞尿분뇨」②**거름줄분** ③**더러울분** 「糞壤분양」④**쓸분** 소제함。「糞灑분쇄」⑤**칠분** 제거함。

【糞尿 분뇨】 똥과 오줌。

【糞門 분문】 똥구멍。항문(肛門)。

◉馬糞마분 佛頭放糞불두방분

十二畫

18 【糧】 米 12 [고교] 량 | 양식 | [平]陽

丶 ⺌ 半 米 粁 粎 粡 糧 糧

[자원] 형성 米量[음] ┬ 糧(米부) 2500년 전

「米쌀미변」과 된다는 뜻과 함께 음을 나타내는 「量량」으로 이루어짐。된 쌀의 뜻。또 한편 「량」이란 음은 노동의 뜻(⇩勞로)을 가지며 노동하기 위하여 먹는 것이란 뜻이라 함。

[뜻] ①**양식량** ㉠식물(食物)의 재료。주로 곡식。「食糧식량」㉡여행이나 행군할 때 휴대하는 식료。주로 건량(乾糧)。㉢전(轉)하여, 심신(心身)에 유익한 자료(資料)。②**구실량** 조세。「逋糧포량」③**급여(給與)량**

[주의] 「粮」은 속자(俗字)。

【糧穀 양곡】 양식으로 쓰는 곡식。

【糧道 양도】 군량(軍糧)을 수송하는 길。

【糧秣* 양말】 군량과 말먹이。

【糧米 양미】 ①군량미(軍糧米)。②《韓》 양식으로 쓰는 쌀。「糧」。

【糧食 양식】 ①식량(食糧)。②군량(軍糧)。

【糧資 양자】 군량과 군자금(軍資金)。

◉穀糧곡량 兵糧병량 食糧식량 資糧자량

糸部

6 【糸】 부수 ㊀멱 ㊁사 | 실 | ㊀[入]錫 ㊁[平]支

[자원] 상형  2500년전

고치에서 나온 생사(生糸)를 꼰 실의 모양을 본뜸。가는 생사를 뜻함。한자(漢字) 부수(部首)로서는 실·새끼·직물(織物) 등에 관계 있는 뜻을 나타냄。

[뜻] ㊀①**실멱** 가는 실。세사(細絲)。②**다섯홀멱** 극소한 분량의 일컬음。누에가 토하는 실 한가닥을「忽홀」、다섯 홀을「糸멱」이라 함。㊁**실사** 絲(糸部六畫)의 속자(俗字)。

一畫

7 【系】 糸 1 [고교] 계 | 실 | [去]霽

一 ⺈ 𠫔 𠫔 乎 系 系

[자원] 상형  3000년전  2500년전

「系」는 명주실의 타래를 손에 들고 있는 모양→걸다→연결하는 일。

[뜻] ①**실계** 가는 실。②**끈계** 줄。③**핏줄계** 혈통。「世系세계」④**실마리계** 단서(端緖)。⑤**맬계** 잡아맴。

[주의] 「糸사」〈실〉와는 딴 글자。

【系圖 계도】 대대의 계통을 줄을 그어 차례를 보인 그림。

【系譜 계보】 ①조상(祖上) 때부터 내려오는 혈통과 내력을 적은 책。②계통의 순서와 내용을 적은 책。

【系列 계열】 계통의 서열(序列)。

【系統 계통】 ①혈통(血統)。②사물의 순서를 따라 연락된 길。

◉傍系방계 譜系보계 直系직계

二畫

8 【糾】 糸 2 ㊀규 ㊁교 | 꼴 | ㊀[上]有 ㊁[上]篠

[자원] 형성 糸 丩[음] 丅系(糸부)  2500년전

「糸실사」와 음을 나타내는 동시에 얽클어진 모양(~)을 본뜬「丩규」로 이루어짐。실을 꼬다의 뜻。또 음을 빌어「究구」〈연구하다、헤아리다〉의 뜻으로도 쓰이게 됨。

[뜻] ㊀①**꼴규** 노 같은 것을 꼼。「糾繩규승」②**규명할규** 죄과를 살펴 사실을 밝힘。「糾察규찰」「糾正규정」③**모을규** 한데 모음。「糾合규합」④**얽힐규、감길규** 「紛糾분규」㊁①**맺힐교** ②**삿갓가뜬할교**

[주의] ①「糺」는 같은 글자。②「糾두」〈누른실〉는 딴 글자。

【糾結 규결】 서로 얽힘。

【糾明 규명】 죄과를 조사하여 사실을 밝힘。

【糾問 규문】 죄를 조사하여 물음。신문(訊問)함。

【糾正 규정】 나쁜 짓을 밝혀 바로 잡음。

【糾察 규찰】 규명(糾明)。

【糾彈 규탄】 죄상을 조사하여 탄핵함。

【糾合 규합】 흩어진 사람들을 한데 모음。

◉紛糾분규 裁糾재규 彈糾탄규

6획

〔六畫部首順〕 竹米糸缶网羊羽老而耒耳聿肉臣自至臼舌舛舟艮色艸虍虫血行衣襾

【紀】 9 糸 3 [고교] **기** | 실마리 | ㊤紙

㇐ 幺 幺 糸 紀 紀 紀 紀

[자원] 형성 糸己[음] ⊢紀(糸부) 2500년전

음을 나타내는 「己기」는 굽은 것을 바로잡다↓뒤섞인 것을 정리(整理)하는 일。「糸사」는 실。「紀」는 뒤얽힌 실을 풀어서 정리하다↓실마리。나중에 구분짓다↓나이의 한 구분이라든가 「記」와 같이 적어서 표하다란 뜻으로도 씀。

[뜻] ①**실마리기** 단서。②**법기**、**도기** 법도。도덕。규율。「紀綱기강」「三綱六紀삼강육기」③**적을기** ㉠계통을 세워 적음。전하여、그러한 기록。「紀年기년」㉡특히 역사상에 있어서 천자(天子)의 사적(事跡)을 적은 부분을 「本紀본기」라 함。④**해기** ㉠세월。연대。「紀元기원」㉡또 열두 해를 「一紀일기」라 함。⑤**터기** 밑바탕。특히 집 등의 토대。

【紀綱 기강】 ①국가의 법。전장(典章)과 법도(法度)。②다스림。

【紀年 기년】 ①세기(世紀)와 연월(年月)。②역사(歷史)。③기원(紀元)에서부터 셈한 햇수。

【紀念 기념】 오래도록 전하여 잊지 아니함。기념(記念)。

【紀事本末體 기사본말체】 연대(年代)의 순서에 의하지 아니하고 사건마다 그 본말(本末)을 종합하여 적는 역사의 한 체(體)。

【紀元 기원】 ①건국(建國)의 첫 해。②연수를 기산하는 첫 해。

【紀律 기율】 일정(一定)한 질서。규율(規律)。

【紀載 기재】 문서에 적어 실음。기재(記載)。

【紀傳體 기전체】 본기(本紀)·열전(列傳) 등의 체재에 의하여 인물의 행사를 중심으로 하여 적은 역사(歷史)의 한 체(體)。

【紀行 기행】 여행(旅行) 중에 보고 듣고 느낀 것을 적은 기사。

◉綱紀강기 經紀경기 官紀관기 國紀국기 本紀본기 女紀여기 年紀연기 倫紀윤기

【約】 9 糸 3 [중학] **약** | 묶을 | ㊅藥

㇐ 幺 幺 糸 糸 約 約

[자원] 형성 糸勺[음] ⊢約(糸부) 2500년전

「勺작」(약은 변음)은 꺼내는 일。다른 것과 확실히 구분짓는 일。「糸사」는 실↓묶는 것。「約」은 묶다↓꼭 묶는 일。「約」은 쓰기 쉽게 한 모양。

[뜻] ①**묶을약** ㉠동임。㉡결합함。합침。㉢단속함。「約禮약례」②**맺을약** 약속함。「約定약정」③**고생할약**、**고생약** 빈곤으로 괴로와함。빈궁。④**검소할약**、**검소약** 질소함。질소。「節約절약」「儉約검약」⑤**간략할약** 간요(簡要)함。⑥**간략히할약** 간단하게 함。생략함。「約文약문」⑦**얌전할약** 정숙함。⑧**약속약** 서약。맹약。「密約밀약」⑨**부절약** 부신(符信)。⑩**노약** 새끼。⑪**대략약** 대강。「大約대약」「約千里약천리」

【約款*약관】조약에 정한 관항(款項)。

【約禮 약례】예법(禮法)으로 몸을 단속함。몸가짐을 예법에 맞도록 함。

【約論 약론】간략하게 논함。또 그 언론(言論)。

【約盟 약맹】맹약(盟約)을 맺음。또 「맹약。」

【約文 약문】간단하게 줄인 글。

【約法 약법】①약속한 법。약장(約章)。②중화민국의 잠정 헌법。

【約法三章 약법삼장】한(漢)나라의 고조(高祖)가 진(秦)나라의 가혹한 법(法)을 폐지하고 이를 세 조목으로 줄인 고사(故事)。

【約分 약분】분수의 분모와 분자를 공약수로 제하는 일。맞줄임。

【約說 약설】약언(約言)。

【約束 약속】①묶음。②상대자와 서로 언약하여 정함。또 그 언약。③법령。

【約言 약언】간략하게 말함。또 그 「말。」

【約定 약정】남과 일을 약속하여 작정(作定)함。또 그 작정。

【約婚 약혼】혼인(婚姻)을 약속함。

◉儉約검약 公約공약 金石盟約금석맹약 期約기약 密約밀약 要約요약

9 【紅】 糸 3 중학 ㊀홍 ㊁공 | 붉을 | ㊀㊁ ㉠東

ㄑ 幺 糸 糸 糸一 紅 紅

자원 형성 糸 工(음) 紅(糸부) 2500년전

「糸실사변」과 음을 나타내는 「工공」으로 이루어지며, 옷감, 천의 적백색(赤白色)인 것。연한 적색(赤色)。전하여, 그 색을 물들이는 풀의 이름。또는 단순(單純)히 적색의 뜻。

뜻 ㊀①붉을홍、붉은빛홍 선명한 적색。「眞紅진홍」「深紅심홍」②털여뀌홍 ㉠마디풀과에 속하는 일년초。「紅草홍초」㉡일설에는 개여뀌。③연지홍 붉은 물감의 한 가지。④붉은꽃홍 「千紫萬紅천자만홍」㊁①상복 (力部三畫)과 통용。②ᄀ 자의 베짜는 일。工(部首) 통용。

【紅女 공녀】베짜는 여자。길쌈하는 여자。또 일하는 여자。여공(女工)。공(紅)은 공(工)。공녀(工女)。

【紅巾賊*홍건적】원(元)나라 말엽(末葉)에 강회지방(江淮地方)에서 일어난 비적(匪賊)。머리에 붉은 수건을 썼으므로 이름。

【紅桃 홍도】①붉은 복숭아 꽃。②복숭아나무의 한 가지。홍도나무。또 홍도나무의 꽃。홍도화(紅桃花)。

【紅燈街 홍등가】유곽(遊廓) 또는 화류계(花柳界)의 거리。

【紅蓮 홍련】붉은 연꽃。

【紅蓮地獄 홍련지옥】《佛敎》팔한지옥(八寒地獄)의 하나。

【紅樓 홍루】①붉게 칠한 누각(樓閣)。②부잣집 여자 또는 미인(美人)이 거처하는 집。

【紅樓夢 홍루몽】청(淸)나라 건륭(乾隆) 때의 명작 소설。

【紅事 홍사】경사(慶事)。

【紅蔘* 홍삼】수삼(水蔘)을 쪄서 말린 붉은 빛이 나는 인삼。

【紅脣 홍순】①붉은 입술。연지를 바른 입술。전(轉)하여, 미인(美人)의 입술。②반쯤 핀 꽃잎의 형용。

6 획

【紅十字會 홍십자회】 중국에서의 적십자사(赤十字社)。

【紅顔 홍안】 ①붉고 윤이 나는 아름다운 얼굴。 소년의 탐스러운 얼굴。 ②미인(美人)의 얼굴。

【紅疫 홍역】 전염병의 한 가지。 마진(痲疹)。 홍진(紅疹)。

【紅玉 홍옥】 ①붉은 빛깔의 옥(玉)。 전(轉)하여, 미인의 예쁜 얼굴。 또는 고운 살결。 ②홍보석(紅寶石)。

【紅一點 홍일점】 ①많은 푸른 잎 가운데 피어 있는 한 송이의 붉은 꽃。 ②여러 남자 사이에 끼어 이채(異彩)를 띠는 오직 한 사람의 여자。 ③여러 졸렬한 것 중에서 오직 하나의 뛰어난 것의 형용。

【紅潮 홍조】 ①아침 해가 비쳐 붉게 보이는 해면(海面)의 경치。 ②취하거나 부끄러워하여 붉어진 얼굴 빛。 ③몸。 경도。 월경。

◉老紅노홍 丹紅단홍 百日紅백일홍 羞紅수홍 深紅심홍 女紅여공 柳綠花紅유록화홍 一點紅일점홍 絕紅절홍 眞紅진홍 陳紅진홍 千日紅천일홍

四畫

10 **【紋】** 糸 4 **문** | 무늬 | ㊥文

자원 형성 糸文(음) → 紋(糸부)

「糸실사변」과, 음을 나타내는 동시에 무늬의 뜻을 가진 「文문」으로 이루어짐。

뜻 **무늬문** 실로 짜서 나타낸 무늬→무늬의 뜻。 문채(文彩)。 「花紋화문」 「波紋파문」 「水紋수문」 「衣紋의문」

10 **【納】** 糸 4 고교 **납** | 들일 | ㊇合

く 幺 糸 糹 糿 紉 納

자원 형성 糸內(음) → 納(糸부) 2500년전

음을 나타내는 「內내」(납은 변음)는 안쪽으로 들어가다。 「糸사」는 실。 「納」은 실이 습기가 차서 오그라드는 일。 또 「入인」 「內」 대신으로, 넣다→집어 넣다란 뜻으로 씀。

뜻 **①들일납** ㉠안에 들어오게 함。 「閉門不納폐문불납」 ㉡거두어들임。 수확함。 ㉢받아들임。 청에 응함。 「嘉納가납」 ㉣물건을 받아들임。 **②바칠납** 관청 등에 바침。 「納稅납세」 **③수장할납** 거두어들여 간직함。

【納貢 납공】 공물(貢物)을 바침。

【納棺* 납관】 시체를 관에 넣음。

【納金 납금】 금전을 상납함。 또 그 금전。

【納期 납기】 조세(租稅)를 바치는 기한(期限)。

【納涼 납량】 더울 때에 바람 같은 것을 쐬어 서늘함을 맛 봄。

【納附 납부】 납입(納入)。

【納稅 납세】 세금을 바침。

【納陛* 납폐】 비가 맞지 않게한 섬돌。

◉奉納봉납 上納상납 出納출납 獻納헌납

10 **【純】** 糸 4 중학 ㊀**순** ㊁**준** ㊂**돈** ㊃**치** | 순수할 | ㊀㊥眞 ㊁㊤眞 ㊂㊥元 ㊃㊥支

く 幺 幺 糸 糸 紅 紅 純

자원 형성 糸屯(음) → 純(糸부) 2500년전

6획

〔六畫部首順〕 竹米糸缶网羊羽老而耒耳聿肉臣自至臼舌舛舟艮色艸虍虫血行衣襾

「屯둔」(순은 변음)은 풀이 싹트는 모양→사물의 으뜸→으뜸。「純」은 순수하고 깨끗한 실。또 새로 만든 옷。

뜻 一①**실순** 누이지 아니한 명주 실。②**순수할순** 잡것이 섞이지 아니함。「精純정순」「純金순금」③**천진할순** 조금도 가식이 없음。「純眞순진」④**클순** ⑤**좋을순** 정호(精好)함。⑥**착할순** 선량함。⑦**도타울순** 돈독(敦篤)함。⑧**온화할순** 온순하고 인자함。⑨**밝을순** 환함。⑩**열다섯자순** 일장 오척(一丈五尺)의 길이。⑪**다순** 모두。⑫**오로지순** 순전히。二**선두를준** 가선으로 가장자리를 꾸밈。三①**묶을돈、묶음돈** 동임。또 그것。②**쌀돈** 보자기 같은 것에 넣어 둘러 맒。四**검을치**

【純潔 순결】①아주 깨끗함。②사욕(私慾)·사념(邪念)이 없이 마음이 지극히 결백함。

【純金 순금】다른 물질이 섞이지 아니한 황금(黃金)。

【純良 순량】순진하고 선량함。

【純理 순리】①순수(純粹)한 학리(學理)。순수한 이론。②전연 선천적인 이성。순수이성(純粹理性)。

【純毛 순모】①딴 색의 털이 섞이지 아니한 털。한 빛깔의 털 또 그 털빛。②순전한 털。

【純文學 순문학】미적 정조(美的情操)의 사상을 표현한 문학。

【純味 순미】다른 맛이 섞이지 아니한 순수한 맛。

【純白 순백】순수(純粹)한 흰 빛。

【純粹 순수】①아주 정(精)하여 조금도 다른 것이 섞이지 아니함。②사념(邪念)이나 사욕이 없음。③완전하여 조금도 흠이 없음。

【純然 순연】조금도 섞인 것이 없는 모양。순수한 모양。

【純益 순익】총이익에서 들인 비용을 뺀 이익。실제 이익。

【純全 순전】아무 것도 섞이지 아니하고 완전함。

【純直 순직】순진하고 정직함。

【純眞 순진】①마음이 순박(淳朴)하고 진실(眞實)함。②조금도 잡것이 섞이지 아니함。순수(純粹)。

【純化 순화】①섞인 것이 없게 함。불순한 것을 없앰。순화(醇化)。②복잡한 것을 단순하게 함。단순화。

【純和 순화】①성질이 온화함。②순수한 천지의 정기(精氣)。③따뜻함。

◉溫純온순 貞純정순 淸純청순 忠純충순

10 **【紗】** 糸 4 **사** | 깁 | ㊥麻

자원 형성 糸+少(음) → 紗(糸부)

옷감의 뜻인 「糸실사변」과、음을 나타내며 동시에 작다는 뜻을 나타내는 「少소」(사는 변음)로 이루어짐。발이 고운 비단의 뜻。

뜻 **깁사** 지극히 엷고 고와 가벼운 견직물。

【紗燈籠 사등롱】깁으로 바른 등롱。

【紗窓 사창】깁을 바른 창。

◉輕紗경사 羅紗나사 素紗소사 窓紗창사

10 **【紙】** 糸 4 중학 **지** | 종이 | ㊤紙

ㄑ 幺 糸 糸 紅 紅 紙

자원 형성 糸+氏(음) → 紙(糸부)

6 획

〔六畫部首順〕竹米糸缶网羊羽老而耒耳聿肉臣自至臼舌舛舟艮色艸虍虫血行衣襾

「糸실사변」은 실이나 헝겊에 관계가 있음을 나타냄. 음을 나타내는 「氏씨·지」는 무너져가는 벼랑→무너지는 일. 「紙」는 고치의 지스러기나 헌 솜을 물로 불려서 만든 종이. 중국에서 옛날 글자를 쓴 것에는 거북의 등딱지, 동물의 뼈, 청동기(靑銅器), 돌 따위가 있음. 그 후 일반적으로는 나무나 대나무의 패(⇩簡간)·헝겊이나 옷감(⇩布帛포백)도 썼으나 부피가 많거나 비싸기 때문에 고치 지스러기·헌 솜을 물에 불려 녹여서 종이를 만들었음. 나중에 채륜(蔡倫)이가 고기잡이 그물 따위의 폐물을 이용하여 싸게 많이 만들도록 개량하였지만 이것도 「紙」라 일컬음.

뜻 **종이지** 「紙筆지필」

【紙價 지가】 종이 값.

【紙價高 지가고】 저작(著作)이 널리 세상에 행하여짐을 이름.

【紙匣* 지갑】 ①종이로 만든 갑(匣). ②가죽·헝겊 등으로 만든 돈을 넣는 물건.

【紙面 지면】 ①종이의 거죽. 지상(紙上). ②종이에 쓴 글의 위.

【紙物 지물】 온갖 종이붙이.

【紙背 지배】 종이의 뒷면. 전(轉)하여, 문장의 이면에 포함된 깊은 뜻.

【紙鳶* 지연】 연(鳶).

【紙錢 지전】 ①관(棺) 속에 넣는 돈 모양의 종이. ②지폐(紙幣).

【紙質 지질】 종이의 품질. 종이의 바탕.

【紙幣 지폐】 종이 돈.

【紙布 지포】 종이를 넣어 짠 직물. 종이는 씨, 날은 대개 견사(絹絲)를 씀.

【紙幅 지폭】 종이의 폭.

◉簡紙간지 唐紙당지 白紙백지 印紙인지 片紙편지 便紙편지 表紙표지 筆紙필지

10 **【級】** 糸 4 고교 급 ─ 등급 ─ ㊀緝

ㄑ 幺 糸 紉 紉 級

자원 형성 糸 及음 ┤級(糸부) 2500년전

음을 나타내는 「及급」은 남에게 쫓아가서 따라 붙는 일. 「糸사」는 실. 「級」은 실을 잇다→이은 곳의 매듭→계급(階級).

뜻 ①**등급급** 위차(位次). 품등. 「官級관급」 ②**층계급** 계단. 「階級계급」 ③**모가지급** 전쟁 때 벤 적(敵)의 목. 진(秦)나라 때 적의 목을 하나 벤 자는 작위가 한 계급 올라갔기 때문에 나온 말. 「首級수급」

【級數 급수】 일정한 법칙에 의하여 증감(增減)하는 수를 차례로 배열한 수.

【級差 급차】 등급(等級).

◉高級고급 功級공급 同級동급 等級등급 首級수급 昇級승급 低級저급 下級하급

10 **【紛】** 糸 4 고교 분 ─ 어지러울 ─ ㊥文

ㄑ 幺 幺 糸 糸 糸八 紒 紛 紛

자원 형성 糸 分음 ┤紛(糸부) 2500년전

「糸실사변」과, 음을 나타내는 동시에 나누어진다는 뜻의 「分분」으로 이루어짐. 실이 흩어져 엉클어진다는 뜻.

뜻 ①**어지러울분** ㉠흩어져 어지러움. 산란함. 「落花紛紛낙화분분」 ㉡

소란함。「紛亂분란」 ②엉클어질분 얽히어서 덩이가 됨。 또 그것。「解紛해분」 ③번잡할분 번거롭고 혼잡함。「紛劇분극」 ④많을분 많거나 성(盛)한 모양。 ⑤패건(佩巾)분 차는 수건。 ⑥깃발분 기류(旗旒)。

【紛糾* 분규】 ①어지러움。 난잡함。 ②말썽。 갈등(葛藤)。 분란(紛亂)。

【紛亂 분란】 ①분잡(紛雜)하고 소요(騷擾)스러움。 ②말썽。 갈등(葛藤)。

【紛失 분실】 분잡 통에 잃어버림。

【紛云 분운】 많고 성한 모양。 분운(紛紜)。

【紛雜 분잡】 북적거리어 어수선함。 잡답(雜沓)。

【紛爭 분쟁】 말썽을 일으켜 시끄럽게 「다툼。

10 【紡】 糸 4 방 | 자을 | ㊤養 (2500년전)

자원 형성 糸 方음 ┬紡(糸부)

「糸실사변」과、음을 나타내는 동시에 맞춘다는 뜻을 가진 「方방」으로 이루어짐。 섬유를 자아서 굵은 실로 만든다는 뜻。

뜻 ①자을방 섬유로 실을 만듦。「紡車방차」「紡績방적」 ②실방 자은 실。 ③걸방 달아 맴。

【紡毛 방모】 자은 털실。

【紡績 방적】 길쌈。

【紡織 방직】 실을 잣고 날아서 피륙을 짬。

【紡車 방차】 솜이나 털같은 섬유를 자아 실을 뽑아내는 제구。 물레。

【紡錘 방추】 ①물레의 가락。 실톳을 올리는 것。 ②북。

◉毛紡모방 混紡혼방

10 【紊】 糸 4 문 | 어지러울 | ㊦問 ㊥文 (2500년전)

자원 형성 糸 文음 ┬紊(糸부)

실의 뜻인 「糸사」와、음을 나타내며 동시에 무늬의 뜻을 나타내는 「文문」으로 이루어짐。

여러가지 빛깔의 실이 교착(交錯)하다→어지럽다의 뜻。

뜻 어지러울문、어지럽힐문

【紊亂 문란】 어지러움。 또 어지럽힘。

10 【素】 糸 4 중학 소 | 흴 | ㊦遇 (2500년전)

一 十 丰 圭 圭 素

자원 형성 糸 𠂹(垂)음 ┬素(糸부)

음을 나타내는 「垂수」(소는 변음)는 드리우는 일。「糸사」는 헝겊。「素」는 헝겊이 드리워져 있다→아직 물들이지 않은 흰 명주→희다。 또 물건의 시초→바탕。

뜻 ①흴소、흰빛소 백색。「素衣소의」 ②생명주소 생사로 짠 흰 명주。「尺素척소」 ③무지소、무문소 무늬가 없음。 전(轉)하여、질박한 뜻으로 쓰임。「質素질소」「樸素박소」 ④바탕소 본바탕。「素質소질」「素養소양」 ⑤정성소 심중에서 우러나오는 성의。 ⑥평상소 평상시。「平素평소」 ⑦본디소 원래。 ⑧한갓소 헛되이。 ⑨채식소 육식의 대(對)。 疏(疋部六畫)와 통용。「素食소식」「食素식소」 ⑩미리할소 미리 계획함。 ⑪향할소

【素絹 소견】 흰 생명주。

【素望 소망】 평소에 품고 있는 소망(所望)。
【素面 소면】 ①흰 얼굴。 소안(素顔)。 ②화장하지 아니한 얼굴。
【素描* 소묘】 흑색으로 묘사(描寫)만 하고 색칠을 하지 아니한 그림。 묵필화(墨筆畫)·연필화(鉛筆畫) 따위。
【素朴 소박】 질소하고 순박(淳朴)함。
【素飯 소반】 고기 반찬이 없는 밥。
【素服 소복】 흰 옷。
【素貧 소빈】 본디부터 빈한함。
【素食 소사】 평소 먹는 밥。
【素性 소성】 타고난 성질。 천성(天「性」)。
【素食 소식】 ①소찬(素餐)。 ②고기나 생선 같은 반찬이 없는 음식。
【素心 소심】 ①결백한 마음。 ②본디부터 품고 있는 생각。 본심(本心)。
【素養 소양】 평소에 닦은 학문과 덕행(德行)。 본디부터 가진 교양。
【素願 소원】 본래의 소원(所願)。 평소에 늘 품어 오던 소원。 숙원。
【素衣 소의】 흰 옷。 백의(白衣)。
【素材 소재】 예술 작품(藝術作品)의 기초가 되는 재료。
【素地 소지】 밑바탕。 또 토대。 기초。
【素志 소지】 본디의 뜻。 평소부터 품은 뜻。 숙지(宿志)。
【素質 소질】 ①흰 바탕。 ②타고난 성질。 본바탕。 ③장래 발전할 기인(基因)이 되는 성질。
【素行 소행】 ①현재의 경우에 알맞은 바른 행위。 자기의 본분을 지키는 바른 행위。 ②평소의 조행(操行)。
◉儉素검소 元素원소 質素질소 平素평소

10 【索】 糸 4 [고교] [一]삭 | 노 | [一][入]藥 [二]색 | [二][入]陌

一 十 土 圭 去 壶 索 索

[자원] 회의 糸 朩 ⺊ 索-索(糸부)

2500년전

「朩발」과 「糸사」〈실〉로 이루어짐。 「朩」은 초목이 무성한 모양。 그 무성한 잎과 줄기로 꼰 새끼。

[뜻] [一] ①노삭 바·노끈·새끼 따위。 주로 굵은 것을 이름。 「大索대삭」 ②꼴삭 노·새끼 등을 꼼。 ③헤어질삭 흩어짐。 ④다할삭 ㉠다 없어짐。 ㉡힘이 다하여 멸망함。 [二] 찾을색 ㉠뒤지어 살핌。 「索求색구」 ㉡남의 수중에 있는 것을 돌려 옴。
【索莫 삭막】 ①쓸쓸한 모양。 적막한 모양。 ②실망한 모양。
【索引 색인】 ①찾아 냄。 ②자전·사전 기타 서적에 있는 글자나 단어 등을 빨리 찾아보도록 만든 목록。
◉暗中摸索암중모색 探索탐색 討索토색

五畫

11 【紬】 糸 5 주 | 명주 | [平]尤

[자원] 형성 糸 由[음] ⺊ 紬(糸부)

「糸실사변」과、 음을 나타내며 동시(同時)에 끌어내다의 뜻(⇩抽추)을 가지는 「由유」(주는 변음)로 이루어짐。 고치에서 섬유(纖維)를 끌어내어 실을 자아 만들다의 뜻。

[뜻] ①명주주 굵은 명주。 ②자을주 섬유에서 실을 뽑아냄。 ③모을주、 철할주 모아 철(綴)함。 ④뽑아낼주
【紬緞 주단】 명주와 비단。
◉絹紬견주

11 **【細】** 糸 5 중학 **세** ― 가늘 ― (去)霽

자원 형성 糸 囟(음) ㅜ 細 (糸부) 2500년전

ㄑ 幺 糸 糹 紅 細 細

「囟신」은 아직 잘 굳어지지 않은 아기의 골통뼈→나누어져 있다→자잘하다。「糸=絲사」는 실。「細」는 실이 가느다랗다→잗달다의 뜻。

뜻 ①**가늘세** 넓이가 좁음。「細小세소」「細長세장」 ②**작을세** 조그마함。「細鱗세린」 ③**적을세** 근소함。「些細사세」 ④**자세할세** ㉠세밀함。「詳細상세」 ㉡또 자세히。「細見세견」「細査세사」 ⑤**잗달세** 너무 잘아 번거로움。「細苛세가」「煩細번세」 ⑥**천할세** 비천함。 또 그러한 사람。「細人세인」

【細見 세견】 자세히 봄。

【細窮民 세궁민】 매우 가난한 사람。

【細菌 세균】 생물 중에서 가장 작아 육안으로는 볼 수 없는 미균(黴菌)、박테리아。

【細路 세로】 좁은 길。 소로(小路)。

【細論 세론】 세밀히 논함。 상세히 논함。 상론(詳論)。 「내。

【細流 세류】 가늘게 흐르는 물。 시

【細目 세목】 잘게 나눈 절목(節目)。

【細微 세미】 ①썩 가늘고 작음。 미세(微細)。 ②신분이 천(賤)함。

【細密 세밀】 정세(精細)하고 치밀(緻密)함。 「새。

【細沙 세사】 잔 모래。 고운 모래。 모

【細事 세사】 잗단 일。

【細心 세심】 ①자세히 주의하는 마음。 ②조심。

【細腰 세요】 가는 허리。 미인의 허리。

【細雨 세우】 가랑비。 이슬비。

【細字 세자】 잔 글씨。

【細長 세장】 가늘고 긺。

【細則 세칙】 자세한 규칙。

【細片 세편】 잔 조각。

【細胞 세포】 ①생물체를 조성하는 기본적 단위로서 원형질(原形質)로 된 극히 작은 생활체。 ②단체(團體)를 조직하는 하부 단위。

【細筆 세필】 ①잘게 씀。 ②가는 붓。

◉微細미세 煩細번세 仔細자세 精細정세

11 **【紳】** 糸 5 **신** ― 큰띠 ― (平)眞

자원 형성 糸 申(음) ㅜ 紳 (糸부) 2500년전

「糸실사변」과、 음을 나타내며 동시에 끼우다의 뜻(⇩搢진)을 나타내기 위한 「申신」으로 이루어짐。 홀(笏)을 꽂아 끼우는 띠의 뜻。 옛날의 높은 사람의 복장이었으므로、 지식 계급을 뜻하는 「士사」〈선비〉와 합쳐 「紳士신사」라는 말로써 높은 교양을 가진 사람들을 가리키게 되었음。

뜻 ①**큰띠신** 허리에 매고 남은 부분을 늘어뜨려 장식으로 하는 고귀한 사람의 의관용(衣冠用)의 큰띠。「搢紳진신」 ②**벼슬아치신** 고귀한 사람。 지위가 있는 사람。

【紳士 신사】 ①벼슬아치。 ②교양(敎養)이 있고 예의(禮儀) 바른 사람。

11 **【紹】** 糸 5 **소** ― 이을 ― (上)篠

자원 형성 糸 召(음) ㅜ 紹 (糸부) 2500년전

「糸실사변」과、음을 나타내며 동시에 잇다의 뜻(⇩接접·承승)을 나타내기 위한 「召소」로 이루어짐。실을 잇다→잇다、계승하다、사이에 들어 주선하다의 뜻。

뜻 ①**이을소** 계승함。「繼紹계소」②**도울소** 회견(會見)할 때 빈주(賓主)의 사이에 있어서 의식(儀式)을 보좌함。③**소개할소** ㉠중간에 들어 주선함。「介紹개소」㉡인접(引接)함。

【紹繼 소계】 이어 받음。계승함。

【紹復 소복】 계승하여 일으킴。부흥(復興)시킴。

【紹修書院 소수서원】 《韓》조선(朝鮮) 중종(中宗) 때 풍기군수(豊基郡守) 주세붕(周世鵬)이 세운 백운동서원(白雲洞書院)을 명종(明宗) 오년(五年)에 소수(紹修)라 사액(賜額)한 것。사액서원(賜額書院)의 시초。

【紹承 소승】 이어 받음。

【紹志 소지】 어버이의 뜻을 이어 받음。

◉介紹개소 繼紹계소

11 **【紺】** 糸 5 **감** — 감색 — ㊀勘

자원 형성 糸+甘음 → 紺(糸부) 2500년전

「糸실사변」에 음을 나타내는 「甘감」으로 이루어짐。감색으로 물들인 실→감색의 뜻。

뜻 **감색감** 검은 빛을 띤 푸른 빛。청색과 자색(紫色)의 간색(間色)。

【紺碧 감벽】 검은 빛을 띤 푸른 빛。

【紺青 감청】 고운 남빛。또 그 피륙。

11 **【終】** 糸 5 중학 **종** — 끝 — ㊉東

ㄥ 幺 糸 糸 紀 終 終

자원 형성 糸+冬음 → 終(糸부)

「糸실사변」과、음을 나타내는 「冬동」(종은 변음)으로 이루어짐。「冬」〈겨울〉은 네 계절의 끝이므로 「糸」를 덧붙여 감긴 실의 끝이 되고 널리 끝의 뜻으로 되었음。

뜻 ①**끝종** 마지막。「始終시종」「終末종말」②**끝날종** 마지막이 됨。③**끝낼종** 끝을 맺음。④**마칠종** ㉠성취함。㉡완료함。㉢죽음。「終焉종언」⑤**마침내종** ㉠마지막에。필경。㉡암만해도。끝끝내。⑥**방백리종** 사방 백리의 땅。⑦**열두해종** 십이년(十二年)의 일컬음。

【終決 종결】 결말이 남。

【終結 종결】 끝을 냄。일을 끝막음。또 끝。종말(終末)。

【終局 종국】 ①바둑을 한 판 끝냄。②끝판。또 결말을 지음。

【終乃 종내】 ①필경에。마침내。②끝내。

【終了 종료】 끝남。또 끝。결료(結了)。

【終末 종말】 끝판。결말(結末)。

【終尾 종미】 일의 끝。

【終生 종생】 ①일평생。②일생을 마침。

【終始 종시】 ①끝과 처음。②끝냄과 시작함。③처음부터 끝까지。④처음부터 끝까지 관계를 같이함。

【終始一貫 종시일관】 처음부터 끝까지 변하지 아니함。

【終熄* 종식】 한 때 아주 성(盛)하던 것이 주저앉아서 그침。

【終身 종신】 ①일생(一生)을 마칠 때까지。일평생。종생(終生)。②《韓》

부모의 임종(臨終) 때 옆에 모심。

【終身之計 종신지계】①한평생을 몸을 바쳐 할 일의 계획。②인재를 교육하여 양성하는 일을 이름。

【終審 종심】①마지막의 심판。②소송사건의 최종 심리(審理)。

【終夜 종야】밤새도록。통소(通宵)。

【終日 종일】하룻동안。

【終點 종점】맨 끝이 되는 곳。

【終止 종지】끝남。또 끝。마지막。

【終天命 종천명】제 명(命)에 죽음。

◉無始無終무시무종 始終시종 始中終시중종 永終영종 有始無終유시무종 有始者必有終유시자필유종 臨終임종

11 【紘】糸 5 고교 현 | 줄 | 平先

ㄥ 幺 糸 紅 紘 紘 紘

자원 형성 糸 + 玄(음) → 紘(糸부) 2500년전

「糸실사변」과、음을 나타내며 동시(同時)에 걸다의 뜻(⇩懸현)을 가지는 「玄현」으로 이루어짐。팽팽하게 걸어 친 실、줄의 뜻。

뜻 ①줄현 현악기의 줄。「絕紘절현」②현악기(紘樂器)현 줄풍류의 악기。거문고·가야금 따위。③탈현 현악기를 탐。

【紘琴 현금】거문고。

【紘樂 현악】현악기로 연주하는 음악。

◉斷紘단현 伯牙絕紘백아절현 續紘속현

11 【組】糸 5 고교 조 | 끈 | 上虞

ㄥ 幺 糸 糹 絅 組

자원 형성 糸 + 且(음) → 組(糸부)

음을 나타내는 「且차·조」는 물건을 겹쳐서 쌓음을 나타냄。「組」는 실을 땋아서 만든 끈목。나중에 실과 관계없이 물건을 짜 맞추거나 한 무리로 삼음을 일컬음。

뜻 ①끈조 ㉠갓·인장 등에 맨 끈。㉡물건을 묶는 끈。②짤조 ㉠길쌈을 함。㉡구성함。「組成조성」

【組閣 조각】내각(內閣)을 조직함。

【組成 조성】조직하여 성립시킴。

【組織 조직】①끈을 꼬고 베를 짬。②얽어 만듦。③같은 기능과 같은 구성을 가진 세포의 단결(團結)。

11 【絆】糸 5 반 | 줄 | 去翰

자원 형성 糸 + 半(음) → 絆(糸부) 2500년전

끈의 뜻을 가진 「糸실사변」과、음과 함께 끌다의 뜻을 나타내기 위한 「半반」으로 이루어짐。마소 따위를 매어 두는 끈의 뜻。

뜻 ①줄반 ㉠말의 다리를 매어 못 가게 하는 줄。또 마소를 매어 끄는 줄。㉡물건을 매어 두는 줄。②맬반 잡아 매어 자유를 구속함。

【絆創膏 반창고】약제(藥劑)를 헝겊 위에 발라 만든 고약(膏藥)。

11 【統】糸 5 중학 통 | 거느릴 | 去宋

ㄥ 幺 糸 紅 紵 統

자원 형성 糸 + 充(음) → 統(糸부) 2500년전

음을 나타내는 「充충」은 어린이가

자라나다→키가 자라다. 「糸사」는 실。「統」은 길게 뻗은 실。큰 줄거리、본줄거리의 뜻으로 씀。

뜻 ①거느릴통 통솔함。「統治통치」 ②합칠통 한데 모음。「統一통일」 ③법통 강기(綱紀)。 ④줄통 계통。「血統혈통」 ⑤실마리통 사업 등의 단서。 ⑥모두통 전체가。한데 합하여。

【統監 통감】통솔하고 감독함。 정치 또는 군사를 통할하여 감독함。

【統計 통계】①한데 몰아 쳐서 셈。 ②같은 범위에 속하는 낱낱의 현상을 모아 계수(計數)에 의하여 그 상태를 나타내는 법。

【統領 통령】도맡아 다스림。또 그 사람。

【統理機務衙門* 통리기무아문】《韓》 조선 고종(高宗) 십칠년(十七年)에 청나라 제도를 본뜬 군국기무(軍國機務)를 총섭(總攝)하던 관아。

【統率 통솔】일체를 통할(統轄)하여 거느림。

【統帥 통수】통솔(統率)。

【統御 통어】도맡아 다스림。

【統一 통일】여럿을 모아서 계통이 선 하나로 만듦。

【統制 통제】①도맡아 다스림。통치(統治)。 ②송대(宋代)에 설치한 벼슬。출정군 사령관(出征軍司令官)。

【統治 통치】①도맡아 다스림。 ②원수(元首)가 주권(主權)을 행사하여 나라를 다스림。

【統轄* 통할】통일하여 관할(管轄)함。

【統合 통합】여럿을 하나로 합침。

◉系統계통 道統도통 傳統전통 總統총통

11 **【経】** 糸 5 經(糸部七畫)의 속자(俗字)。

11 **【紫】** 糸 5 고교 자 | 자주빛 | ㊤紙

丨 ⺊ 止 止 此 此 些 紫 紫

자원 형성 此음 ┤ 紫(糸부) 糸 2500년전

「糸사」〈실〉와、음을 나타내는「此차」로 이루어짐。자주빛으로 물들인 실의 뜻。

뜻 ①자주빛자 적색(赤色)과 청색(青色)의 간색(間色)。자색(紫色)。 ②자주옷자 자색의 의복。또 자색의 인수(印綬)。

【紫禁城 자금성】①북경(北京)의 황성(皇城)의 별칭。 ②대궐。황성。

【紫檀 자단】열대 지방에 나는 교목(喬木)。재목이 아름답고 단단하여 고급 가구 등을 만드는 데 씀。

【紫斑* 자반】자주빛의 반점(斑點)。

【紫石英 자석영】자주빛 수정(水晶)。

【紫陽花 자양화】①가을에 자주빛 꽃이 피는 산에 나는 풀。 ②《韓》수국(水菊)。

【紫煙 자연】자주빛의 연기。담배 연기 같은 것을 이름。

【紫外線 자외선】스펙트럼의 자색부 밖의 암흑부(暗黑部)에 이르는 복사선(輻射線)。살균 작용을 함。

【紫雲英 자운영】콩과에 속하는 이년초(二年草)。 녹비용(綠肥用)으로 많이 심음。

【紫衣 자의】①자주빛 옷。 ②《佛敎》 자주빛의 가사(袈裟)。

【紫貝 자패】복족류(腹足類)에 속하는 조개。옛날에 화폐로도 썼음。

【紫霞* 자하】자주빛의 운기(雲氣)。 신선이 사는 곳에 떠돈다는 운기。

◉濃紫농자 深紫심자 青紫청자 紅紫홍자

11 【累】 糸 5 [고교] ㊀루 ㊁라 | 포갤 | ㊀①-④[上]紙 ⑤[平]支 ⑥⑦[去]寘 ㊁[上]哿

丨 冂 冂 田 田 田 罒 罗 累 累 累

[자원] 형성 田[음] 糸 ┬累(糸부)  2500년전

「糸사」〈실〉와 음을 나타내는 동시에 포갠다는 뜻(⇩畾루)을 가진 「畾뢰」의 생략형 「田」으로 이루어짐. 실을 차례로 겹쳐 포개 나간다는 뜻.

[뜻] ㊀①포갤루 포개어 쌓음. 축적함. 「累積누적」 ②층루 단층(斷層). ③여러루 여러 번. ④묶을루 결박함. ⑤연할루 연결함. 관련함. 「連累연루」 ⑥누끼칠루 ㉠폐·우환을 끼침. ㉡나쁜 영향을 끼침. ⑦누루 ㉠폐. 걱정. 「家累가루」 ㉡허물. 죄. 탈. ㉢처자. 권속(眷屬). ㊁벌거벗을라

【累計 누계】 합쳐 온 그 전 것까지 몰아서 셈함. 또 그 친 셈. 총계.

【累年 누년】 여러 해. 연년(年年).

【累代 누대】 ①여러 대에 걸쳐. 대대로. ②여러대. 대대(代代).

【累卵 누란】 쌓아올린 달걀. 몹시 위태로운 것의 비유.

【累卵之危 누란지위】 아슬아슬한 위험.

【累世 누세】 누대(累代).

【累積 누적】 포개어 쌓음. 또 포개져 쌓임.

【累進 누진】 ①자꾸 위로 올라감. ②누천(累遷).

【累次 누차】 여러번. 여러 차례. 누차(屢次).

◉家累가루 繫累계루 煩累번루 俗累속루

六畫

12 【絲】 糸 6 [중학] 사 | 실 | [平]支

ㄑ ㄠ 幺 糸 糸 糹 絲 絲 絲

[자원] 상형  (A) (B) (C) 3000년전

(A)「幺요」는 누에고치에서 나온 가는 실. (B)「𢆶유」는 「幺」보다 훨씬 가늘다→그윽하다(⇩幽유). (C)「絲사」는 「幺」를 꼬아서 마든 명주실.

[뜻] ①실사 명주실. 전(轉)하여, 솜·삼·털 등의 실. 또 실같이 가는 물건. 「柳絲유사」 ②명주사 견직물. ③자을사 실을 뽑아냄. ④악기이름사 거문고 등의 현악기. 팔음(八音)의 하나. 「絲竹사죽」 ⑤십홀사 소수(小數)의 한 단위. 일(一)의 만분지 일. 「忽홀」의 십배를 「絲」라 하며 「絲」의 십배를 「毫호」라 함. 전(轉)하여, 미세(微細)한 것.

【絲瓜 사과】 수세미외.

【絲雨 사우】 가랑비. 보슬비.

【絲人 사인】 명주를 짜는 사람.

【絲竹 사죽】 거문고와 퉁소. 현악기와 관악기. 전(轉)하여, 음악(音樂).

◉絹絲견사 麻絲마사 毛絲모사 遊絲유사

12 【結】 糸 6 [중학] ㊀결 ㊁계 | 맺을 | ㊀[入]屑 ㊁[去]霽

ㄑ ㄠ 糸 糸 紅 結 結

[자원] 형성 吉[음] 糸 ┬結(糸부)

음을 나타내는 「吉길」(결은 변음)은 그릇의 주둥이를 졸라매는 일. 「結」은 실이나 끈을 맺는 일.

[뜻] ㊀①맺을결 ㉠끄나풀 따위를 얽

어 매듭지게 함。「結繩之政결승지정」 ㉡약속을 맺음。「結交결교」 ㉢조합(組合)을 맺음。 한 동아리가 됨。「結社결사」 ㉣초목이 열매를 맺음。「結果결과」 ㉤엉김。 고체가 됨。「凝結응결」「結晶결정」 ㉥모임。 ㉦얽음。 집 같은 것을 지음。「結構결구」 ㉧머리를 땋음。 쪽찜。「結髮결발」 ㉨끝을 맺음。 마침。 종료함。「終結종결」「結論결론」 ②맺힐결 ㉠마음이 울적함。「鬱結울결」 ㉡눈물이나 이슬 같은 것이 방울짐。 ③매듭결 맨 자리。 매듭진 데。 ㊁상투계

【結果 결과】 ①초목이 열매를 맺음。 ②어떤 원인으로 말미암아 도달한 결말의 상태。 성과(成果)。 ③《佛敎》 인연의 갚음。 원인의 결말。

【結交 결교】 교분(交分)을 맺음。「구。

【結句 결구】 끝 시구(詩句)。 마지막

【結構* 결구】 얽어 만듦。 엮어 만듦。 집 또는 문장 같은 것을 지음。

【結局 결국】 ①끝판。 ②끝을 맺음。

【結團 결단】 단체를 결성함。

【結黨 결당】 ①도당(徒黨)을 결합함。 당파를 맺음。 ②정당을 조직함。

【結論 결론】 ①설명하는 말이나 글의 끝맺는 부분。 ②삼단논법(三段論法)의 세째 명제(命題)。 곧 대소(大小) 두 전제(前提)에서 얻은 단안。

【結膜* 결막】 눈꺼풀의 안과 눈알의 겉을 이어서 싼 무색투명(無色透明)한 얇은 막。

【結末 결말】 일의 끝。 결미(結尾)。

【結盟 결맹】 맹약(盟約)을 맺음。

【結文 결문】 문장의 끝의 문구(文句)。

【結縛* 결박】 두 손을 한데 묶음。

【結氷 결빙】 얼음이 얾。

【結社 결사】 일정(一定)한 목적을 위하여 여러 사람이 합동(合同)하여 단체(團體)를 결성함。 또 그 단체。

【結成 결성】 단체의 조직을 형성함。

【結束 결속】 ①한 덩이가 되게 묶음。 ②여행 전(轉)하여、 일치 단결함。

【結繩文字* 결승문자】 태고에 새끼를 이나 출전하기 위한 차림을 차림。 매듭지어 그 모양과 수로써 의사(意思)를 소통하던 문자。

【結繩之政* 결승지정】 중국의 태고적 문자가 없던 때에 노끈으로 매듭을 맺어 정령(政令)의 부호로 한 일。 전(轉)하여、 태고의 간이한 정사。

【結實 결실】 ①열매가 맺힘。 ②튼튼함。 ③견실(堅實)함。 착실함。 ④《韓》 일의 결과가 잘 맺어짐。 성공(成功)됨。 「결말을 지음。

【結審 결심】 재판의 심리를 끝내고

【結緣 결연】 인연을 맺음。

【結義 결의】 남과 의리(義理)로써 친족(親族) 같은 관계를 맺음。

【結晶 결정】 광물 같은 것이 일정한 자연 법칙에 따라 규칙적인 특수한 형체를 이룬 상태。 또 그 물질。

【結締* 결체】 단단히 맴。 졸라맴。

【結草報恩 결초보은】 춘추전국시대(春秋戰國時代)에 진(晉)나라 위무자(魏武子)가 아들 위과(魏顆)에게 자기 첩(妾)을 개가(改嫁)시키라고 유언(遺言)을 하였다가 다시 마음이 변하여 자기를 따라 순사(殉死)하게 하라고 유언하였는데 위과는 인정에 끌려 그의 서모(庶母)를 차마 순사시키지 못하고 개가하게 하

였더니, 그 후 위과가 진(秦)나라의 용사 두회(杜回)와 싸울 때 서모의 아버지의 망령(亡靈)이 나타나서 풀을 매어 놓아 두회가 그 풀에 걸려 넘어져 위과의 포로가 되었다는 고사(故事). 전(轉)하여 죽은 뒤에도 은혜(恩惠)를 갚음을 이름.

【結託* 결탁】 마음을 합쳐 서로 의탁함. 합심하여 서로 도움.

【結合 결합】 둘 이상이 맺어서 하나가 됨.

【結核 결핵】 결핵균(結核菌)이 기생(寄生)하는 곳이 딴딴하게 맺힌 멍울. 또 그 병. 결핵병.

【結婚 결혼】 혼인(婚姻)의 관계를 맺는 일. 장가 들고 시집 가는 일.

◉固結고결 歸結귀결 團結단결 百結백결 連結연결 終結종결 集結집결 締結체결

12 **【絕】** 糸 6 중학 **절** 끊을 Ⓐ屑

ㄥ ㄠ 糸 糹 紹 絽 絽 絽 絕

자원 형성 糸 + 刀 / 卩 (음)-巴 → 絕(糸부)

「刀도」는 날붙이→자르는 일. 「糸사」는 실. 「卩절」은 매듭을 짓는 일. 「巴」은 「卩」의 모양이 변한 것이며 「巴파」〈땅 이름〉자는 아님. 「絕」은 실이 끊어지다→실을 끊다. 옛모양 Ⓐ는 명주실이 끊기는 모양이며, 이것을 좌우(左右)로 뒤집어 쓴 글자 「㡭계」는 명주실을 이음을 나타냄. 양쪽이 모양이 흡사하므로 나중에 구별하여 잇는 쪽은 「繼계」, 끊는 쪽은 「絕」로 씀.

(A) (B) 2000년전

뜻 ①**끊을절** ㉠두 동강이를 냄. 「絕斷절단」 ㉡거절함. 「謝絕사절」 ㉢목숨을 끊음. 죽임. 「絕命절명」 ㉣없앰. 「絕版절판」 ㉤그만둠. 「絕食절식」 ㉥격리함. 「隔絕격절」 ㉦막음. 차단함. ②**끊어질절** 앞의 뜻의 자동사. ③**건널절** 횡단함. 「絕海절해」「絕江절강」 ④**지날절** 통과함. ⑤**뛰어날절** 남보다 월등 나음. 또 그러한 일. 「三絕삼절」(시·서·화에 뛰어난 일). ⑥**떨어질절** ㉠양도(糧道)가 떨어짐. 전(轉)하여 빈궁함. 「絕糧절량」 ㉡멀리 떨어져 있음. ⑦**결코절** 절대로. ⑧**심히절** 대단히. 「絕美절미」 ⑨**절구절** 시(詩)의 한 체(體). 율시(律詩)를 반으로 끊은 것. 「七絕칠절」「五絕오절」

【絕佳 절가】 아주 좋음.

【絕家 절가】 절손(絕孫)한 집.

【絕景 절경】 절묘(絕妙)한 경치. 절승(絕勝).

【絕交 절교】 교제(交際)를 끊음. 서로 상종(相從)을 아니함.

【絕句 절구】 ①끊어져 계속되지 않는 글귀. ②한시의 한 체. 기(起)·승(承)·전(轉)·결(結)의 네 구로 되며 오언(五言) 또는 칠언(七言)이 보통임.

【絕叫 절규】 힘을 다하여 외침.

【絕代 절대】 ①당대에 견줄 만한 것이 없을 만큼 뛰어남. 절세(絕世). ②아득하게 먼 고대. 태고(太古).

【絕對 절대】 ①상대하여 비교할 만한 것이 없음. ②아무 제한을 받지 아니함. ③아무 조건을 붙일 수 없음.

【絕糧 절량】 양식이 떨어짐.

【絕倫 절륜】 남보다 월등하게 뛰어남.

【絕望 절망】아주 실망(失望)함。

【絕滅 절멸】아주 멸망(滅亡)함。

【絕命 절명】목숨이 끊어짐。죽음。

【絕妙 절묘】썩 기묘(奇妙)함。

【絕無 절무】조금도 없음。

【絕壁 절벽】바위가 바람벽같이 깎아 지른 듯한 낭떠러지。단애(斷崖)。

【絕嗣* 절사】자손(子孫)이 끊어짐。

【絕色 절색】월등하게 아름다운 여자。절세(絕世)의 미인。

【絕世 절세】①세상에 견줄 만한 것이 없을 만큼 뛰어남。②절사(絕嗣)。

【絕勝 절승】①절묘(絕妙)한 경치。절경(絕景)。②대단히 뛰어남。

【絕食 절식】식사를 끊음。음식을 먹지 아니함。단식(斷食)。

【絕緣 절연】①인연(因緣)을 끊음。관계를 끊음。②전류(電流)가 통(通)하지 못하게 막음。

【絕頂 절정】①산의 꼭대기。맨 꼭대기。②사물의 치오른 극도(極度)。

【絕版 절판】①출판하지 아니함。②판목(版木) 또는 원판이 없어짐。

【絕品 절품】월등하게 뛰어난 물품(物品)。일품(逸品)。

【絕筆 절필】①붓을 놓고 다시 쓰지 아니함。②지극히 뛰어난 필적。③죽기 전의 마지막 필적 또는 저서。

【絕海 절해】①바다를 횡단(橫斷)함。②육지에서 아주 먼 바다。

【絕好 절호】더할 수 없이 좋음。

◉拒絕거절 隔絕격절 冠絕관절 斷絕단절 杜絕두절 謝絕사절 凄絕처절 廢絕폐절

12 【絞】糸 6 [一]교 [二]효 ─ 목맬 ─ [一][上]巧 [二][平]肴

[자원] 형성 糸 交[음] ┬ 絞(糸부)

「糸실사변」과, 음을 나타내며 동시에 엇걸어 교차시키다의 뜻을 가진 「交교」로 이루어짐。실을 얽어서 죄다·묶다의 뜻。

[뜻] [一]①목맬교 목을 매어 죽임。「絞殺교살」②꼴교 새끼를 꼼。③묶을교 결박함。「絞縛교박」④엄할교 조금도 용서하지 아니함。[二]①초록빛효 청색과 황색의 중간색。②질효 잡아당겨 켕기게 함。

【絞殺 교살】목을 매어 죽임。

【絞首 교수】①교살(絞殺)。②교형(絞刑)을 집행(執行)함。

【絞首臺 교수대】사형수(死刑囚)에 대한 교수형(絞首刑)을 집행하는 기구。

【絞罪 교죄】교수형(絞首刑)에 해당하는 죄。

【絞刑 교형】목을 매어 죽이는 형벌。

12 【絡】糸 6 [고교] 락 ─ 두를 ─ [入]藥

ㄑ 幺 幺 糸 糸 紁 絡 絡 絡

[자원] 형성 糸 各[음] ┬ 絡(糸부)

2500 년전

「糸실사변」과, 음과 함께 뒤얽히다의 뜻을 나타내기 위한 「各각」(락은 변음)으로 이루어짐。실이 휘감겨 얽히다의 뜻。

[뜻] ①두를락 둘러 쌈。환요(環繞)함。②쌀락 포괄(包括)함。③묶을락 속박함。잡아 맴。④얽힐락 이리저리 감김。⑤이을락 연함。「連絡연락」⑥줄락、고삐락 물건 또는 말을 매

는 줄。 ⑦솜락、실락 면(綿)。 일설(一說)에는 사(絲)。 ⑧근(筋)락 인체의 맥락(脈絡)。 「經絡경락」 ⑨띠락 대(帶)。 ⑩그물락 망(網)。

【絡繹* 낙역】 왕래가 끊이지 아니하는 모양。

◉經絡경락 籠絡농락 脈絡맥락 連絡연락

12 【給】 糸 6 [중학] 급 | 넉넉할 | [入]緝

ㄑ 幺 糸 糸 紒 紒 給

[자원] 형성 糸 合[음] → 給(糸부)

음을 나타내는 「合합」은 모으다·합하다의 뜻。「給」은 실에 다른 실을 이어서 길게 하다→없어져 가는 것을 보급(補給)하다→더하다→주다。

[뜻] ①넉넉할급 물건이 충분히 있음。「給足급족」 ②넉넉히할급 넉넉하게 해줌。 ③줄급 공여함。「給與급여」 ④댈급 공급함。「給水급수」 ⑤급여급 사여(賜與)。 녹봉(祿俸)。 ⑥구변좋을급 능변임。「捷給첩급」

【給假 급가】 관(官)에서 휴가를 줌。 말미를 줌。 가(假)는 가(暇)。

【給料 급료】 노력에 대한 보수。

【給費 급비】 비용(費用)을 대줌。

【給水 급수】 물을

【給養 급양】 ①의식(衣食)을 대주어 먹여 살림。 ②군대에 의식(衣食) 및 기타의 필요품을 공급함。

【給由 급유】 《韓》 급가(給假)。

◉供給공급 官給관급 配給배급 俸給봉급 月給월급 自給자급 支給지급 出給출급

【統】 ⇩糸部五畫

12 【絵】 糸 6 繪(糸部十三畫)의 약자(略字)。

【紫】 ⇩糸部五畫

七畫

13 【絹】 糸 7 [고교] 견 | 명주 | [去]霰

ㄑ 幺 糸 糸 絽 絹 絹

[자원] 형성 糸 肙[음] → 絹(糸부)

음을 나타내는 「肙=蜎현」은 장구벌레→동글동글해진 작은 것。 또 잇다·감다의 뜻을 나타냄。「糸사」는 명주실。「絹」은 둥근 고치(⇩繭견)에서 자아낸 명주로 희고 깨끗한 것。

[뜻] 명주견 견직물。「絹布견포」

【絹帛* 견백】 명주。 견포(絹布)。

【絹本 견본】 명주에 쓰거나 그린 서화(書畫)。

【絹布 견포】 명주。

◉生絹생견 素絹소견 軟絹연견 人絹인견

13 【經】 糸 7 [중학] 경 | 날 | [平]青

ㄑ 幺 糸 糸 紅 經 經 經 經

[자원] 형성 糸 巠[음] → 經(糸부)

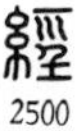

2500년전

「巠경」은 세로로 곧게 뻗은 줄。「糸사」는 실。「經」은 옷감 짜는 날실。 씨실인 「緯위」에 대하여 일컬음。

[뜻] ①날경 ㉠피륙 따위의 세로 놓인 실。「天地之經緯천지지경위」 ㉡전(轉)하여 평면에 대하여 상하、 동서에 대하여 남북、 좌우에 대하여 전후의 방향을 이름。「經度경도」 ②지경

경 경계。 또 경계를 정함。 전(轉)하여 경계를 지음。 기율(紀律)을 세움。 ③길경 ㉠도로。 ㉡도덕。 항상 변치 않는 도리。 상법(常法)。 「常經상경」 ④지날경 ㉠통과함。 「經過경과」 ㉡세월이 감。 또 세월을 보냄。 ⑤지낼경 겪어옴。 지내옴。 「經歷경력」 「經驗경험」 ⑥잴경 공사의 측량을 함。 전(轉)하여、 사물을 기획(企劃)함。 방침을 세워 일을 함。 「經營경영」 ⑦다스릴경 처리함。 통치함。 「經國濟世경국제세」 ⑧목맬경 의사(縊死)함。 ⑨좇을경 순종함。 ⑩책경 ㉠사물의 전거(典據)가 되는 책。 ㉡성인(聖人)의 저서。 「六經육경」 「四書三經사서삼경」 ⑪불경경 불타(佛陀)의 교훈을 쓴 책。 ⑫십조경 조(兆)의 십배。 ⑬일찍경 지금까지。 「曾經증경」으로 연용(連用)하기도 함。 ⑭경도경 월경。 「經水경수」

주의 「経」은 속자(俗字)。

【經過 경과】 ①때가 지나감。 ②일을 겪음。 또 그 과정。

【經國 경국】 나라를 다스림。

【經國大典 경국대전】《韓》 조선(朝鮮) 세조(世祖)의 명(命)을 받아 최항(崔恒) 등이 편찬(編纂)한 최초의 완비된 법전(法典)。

【經國濟世 경국제세】 나라를 다스리고 세상을 구제함。

【經國之大業 경국지대업】 국가를 경륜(經綸)하는 대사업。 전(轉)하여、 문장(文章)의 과칭(誇稱)。

【經卷 경권】 ①성인(聖人)이 저술한 책。 경서(經書)。 ②불경(佛經)。

【經難 경난】《韓》 어려운 일을 겪음。 여러 가지 일을 경험(經驗)함。

【經年 경년】 여러 해를 지냄。

【經度 경도】 ①지구상의 일정한 지점을 통과하는 자오선(子午線)을 기점(起點)으로 하여 동서로 각각 백팔십분(百八十分)한 각도。 위도(緯度)의 대(對)。 ②《韓》 월경(月經)。

【經絡 경락】 기혈(氣血)이 인체(人體) 안을 돌아다니는 맥관(脈管)。

【經略 경략】 천하를 경영·통치하며 사방을 공략함。

【經歷 경력】 겪어온 여러 가지 일들。 이력(履歷)。 열력(閱歷)。

【經路 경로】 ①지나는 길。 ②일의 진행되어 온、 또는 진행되어 가는 순서。 경로(徑路)。

【經綸* 경륜】 ①경영(經營)하고 처리(處理)함。 ②천하(天下)를 다스림。 ③정치(政治)。

【經理 경리】 ①다스림。 또 그 길。 그 방법。 ②회계(會計) 사무의 처리。

【經文 경문】 ①유교의 경서(經書)의 글。 ②《佛敎》 불교의 근본의 교리(敎理)를 적은 문장(文章)。 또 그것을 실은 책。 곧 불경(佛經)。

【經費 경비】 ①평상의 비용。 경상비(經常費)。 ②사업(事業)을 경영(經營)하는 데 쓰는 비용。

【經史 경사】 경서(經書)와 사서(史書)。 전(轉)하여 여러 문서。 서적。

【經事 경사】 ①항상 하는 일。 ②일에 경험이 있음。

【經史子集 경사자집】 중국의 서적의 분류법。 곧 경서·사서·제자류(諸子類)·시문집(詩文集)의 네 가지。

【經常 경상】 항상 일정하여 변하지

니함。 임시(臨時)의 대(對)。

【經書 경서】 성인(聖人)이 지은 책。 곧 사서 오경(四書五經)과 같은 유교의 성전(聖典)。 경전(經典)。

【經營 경영】 ①집을 지을 때 토지를 측량하여 터를 잡음。 ②방침을 세워 사업을 함。 ③일。 사업。

【經緯 경위】 ①직물(織物)의 날과 씨。 전(轉)하여 가로와 세로。 종횡(縱橫)。 ②남북과 동서。 ③경선(經線)과 위선(緯線)。 또 경도(經度)와 위도(緯度)。 ④사리(事理)。 조리(條理)。

【經由 경유】 ①지나다 들름。 ②거치어 감。

【經典 경전】 ①경서(經書)。 ②《佛敎》 불경(佛經)。 경문(經文)。

【經傳 경전】 경서(經書)와 이를 주해(註解)한 책。

【經濟 경제】 ①나라를 잘 다스려 백성을 고난(苦難)에서 건짐。 경세제민(經世濟民)。 ②인류(人類)가 욕망을 충족(充足)하기 위하여 재화(財貨)를 획득하여 사용하는 일체의 행동。 ③절약。 절검(節儉)。

【經學 경학】 경서(經書)의 뜻을 연구하는 학문。

【經驗 경험】 ①몸소 겪음。 실제로 보거나 듣거나 해봄。 ②관찰과 실험에 의하여 얻은 지식이나 기술。

◉九經구경 大經대경 讀經독경 佛經불경 聖經성경 誦經송경 禮經예경 五經오경 月經월경 六經육경 政經정경 天經천경

13 【統】 糸 7 續(糸部十五畫)의 속자(俗字)。

13 【繼】 糸 7 繼(糸部十四畫)의 속자(俗字)。

八畫

14 【綜】 糸 8 종 ─ 바디 ─ [去] 宋

[자원] 형성 糸+宗[음] ┼ 綜(糸부)

「糸실사변」과, 음을 나타내며 동시(同時)에 모으다의 뜻(⇩湊주)을 가진 「宗종」으로 이루어짐。 실을 하나로 합쳐 모으는 뜻。

[뜻] ①바디종 피륙을 짜는 제구의 한 가지。 「機綜기종」 ②모을종 한데 모아 정리함。 「綜合종합」

【綜管 종관】 전체를 모두 다스림。

【綜覽 종람】 ①첫 번부터 끝까지 죽 훑어 봄。 ②종합(綜合)하여 봄。 또 그 문서。

【綜緝 종집】 모두 모음。

【綜合 종합】 모두 합침。 종합함。

14 【綠】 糸 8 [중학] 록 ─ 초록빛 ─ [入] 沃

ㄑ 幺 糸 糸 糸 糸 綠 綠 綠

[자원] 형성 糸+彔[음] ┼ 綠(糸부)

2500년전

「糸실사변」과, 음을 나타내는 「彔록」으로 이루어짐。 연두빛 실。

[뜻] ①초록빛록 ㉠청색과 황색의 간색。 「新綠신록」 「翠綠취록」 ㉡또 검고 아름다운 빛의 형용으로 쓰임。 「綠髮녹발」 ②조개풀록 포아풀과(科)에 속하는 억새 비슷한 풀。 초록빛의 물감으로 쓰임。 菉(艸部八畫)과 같은 글자。

[주의] 「錄록」〈기록하다〉은 딴 글자。

【綠旗 녹기】①청대(淸代)의 이대 병제(二大兵制)의 하나. 한인(漢人)으로 편제(編制)한 군대. ②녹색의 기.

【綠潭 녹담】푸른 늪(沼).

【綠林 녹림】푸른 숲.

【綠髮 녹발】아름다운 검은 머리. 윤이 흐르는 검은 머리.

【綠肥 녹비】생풀이나 생나무 잎을 썩히지 않고 그대로 하는 거름. 풋거름.

【綠水 녹수】빛이 푸른 물.

【綠樹 녹수】푸른 나무. 무성한 나무.

【綠楊 녹양】푸른 버들. 취양(翠楊).

【綠葉 녹엽】푸른 잎.

【綠玉 녹옥】녹색이고 육각주상(六角柱狀)의 옥돌. 에머랄드는 이 돌의 일종임. 녹주석(綠柱石).

【綠雨 녹우】신록(新綠) 때에 오는 비. 늦은 봄이나 초여름에 나무가 푸릇푸릇할 때 오는 비.

【綠雲 녹운】①푸른 구름. ②여자의 함치르르한 삼단 같은 머리. 여자의 머리가 검고 숱이 많아 아름다운 것을 형용한 말.

【綠陰 녹음】푸른 잎이 우거진 나무의 그늘.

【綠衣紅裳* 녹의홍상】젊은 여자의 곱게 치장한 복색(服色).

【綠耳 녹이】준마(駿馬)의 이름.

【綠酒 녹주】빛이 푸른 술. 좋은 술. 미주(美酒).

【綠竹 녹죽】푸른 대나무.

【綠池 녹지】물이 푸른 못.

【綠草 녹초】푸른 풀.

【綠化 녹화】나무를 많이 심어 푸르게 함.

◉碧綠벽록 新綠신록 寒綠한록 紅綠홍록

14 【維】 糸 8 고교 유 | 바 | ㊤支

ㄑ ㄠ 幺 糸 糸' 紣 紨 維

자원 형성 糸 隹음 ┤維(糸부) 2500년전

「糸신사변」과, 음을 나타내며 동시에 멈추게 하다의 뜻(⇩止지)을 나타내기 위한 「隹추」(유는 변음)로 이루어짐. 실로 잇다의 뜻. 전하여, 밧줄의 뜻.

뜻 ①바유 ㉠굵은 줄. 전(轉)하여, 비유적으로 도덕의 기초가 되는 것. 「四維사유」(예·의·염·치). ㉡또 세계를 매달아 떨어지지 않게 하는 바. 「天柱地維천주 지유」 ㉢또 줄처럼 가늘고 긴 물건. 「纖維섬유」 ②맬유 잡아 묶음. ③오직유 惟(心部八畫)·唯(口部八畫)와 같은 글자.

【維新 유신】①오래된 낡은 나라가 제도를 쇄신하여 새로운 나라가 됨. ②사물의 면목을 일신(一新)함.

【維持 유지】지탱하여 감. 버티어 감.

14 【綱】 糸 8 고교 강 | 벼리 | ㊤陽

ㄑ ㄠ 幺 糸 糸 約 網 綱 綱

자원 형성 糸 岡음 ┤綱(糸부) 2500년전

끈·밧줄의 뜻을 가진 「糸신사변」과, 음을 나타내며 동시에 단단하다의 뜻(⇩剛강)을 가진 「岡강」으로 이루어짐. 굵고 단단한 밧줄의 뜻.

뜻 ①벼리강 그물의 위쪽 코를 꿴 굵은 줄. 전(轉)하여, 사물을 총괄하여 규제하는 것. 곧 도덕·법칙·규율 따위. 「紀綱기강」「綱常강상」 ②대강강 동류의 사물을 크게 구별한 유별。「綱目강목」 ③맬강 잡아묶음。 ④다스릴강 통치함。 ⑤줄강 행렬。

주의 「網망」과는 딴 글자。

【綱紀 강기】법강(法綱)과 풍기(風紀)。기강(紀綱)。「리。

【綱領 강령】일의 으뜸되는 큰 줄거리。

【綱目 강목】 강령(綱領)과 조목(條目)。 사물(事物)의 대별(大別)과 소별(小別)。

【綱常 강상】 사람이 마땅히 지켜야 할 근본되는 도덕인 삼강(三綱)과 오상(五常)。

【綱要 강요】가장 중요한 요점。 글자。 요령(要領)。

◉乾綱건강 權綱권강 紀綱기강 三綱삼강

14 【網】 糸 8 망 ─ 그물 ─ (上)養

자원 형성 亡음 网-罔┣糸 罔음┳網(糸부)

「糸실사변」과、그물의 뜻인 옛 글자 「网(罔)망」에 가리다의 뜻과 음을 나타내는 「亡망」을 더한 「罔망」〈그물〉으로 이루어짐。 그물의 뜻。

뜻 ①그물망 ㉠물고기·새 등을 잡는 기구。 전(轉)하여、법률·형벌·제재를 이름。「魚網어망」「法網법망」 ㉡거미줄。 ②그물질할망 ㉠그물을 쳐서 잡음。 ㉡나포함。 ㉢그물질하듯이 사물(事物)을 남기지 않고 휘몰아 들임。「網羅망라」

주의 ①「罔망」은 옛 글자。 ②「綱강」〈굵은 줄〉은 딴 글자。

【網巾 망건】《韓》상투있는 사람이 머리가 흩어지지 않도록 이마 위에 둘러 쓰는 말총으로 만든 물건。

【網羅 망라】①그물。 ②남기지 않고 모두 휘몰아 들임。

【網膜 망막】안구(眼球) 속에 있는 시신경 세포가 산포된 막。

【網紗 망사】그물과 같이 성기게 짠 「사(紗)」。

【網捕 망포】그물을 쳐 잡음。

◉法網법망 世網세망 魚網어망 虎網호망

14 【綴】 糸 8 철 ─ 이을 ─ (入)屑

자원 형성 糸 叕음┳綴(糸부)

2500 년전

「糸실사변」과、음을 나타내며 동시에 계속(繼續)되다·연잇다의 뜻을 가진 「叕철」(𠬤이 본래의 글자 모양으로、물건이 서로 이어지는 모양을 본뜸)로 이루어짐。 실을 얽어서 하나로 만든다의 뜻。

뜻 ①이을철 연결함。「連綴연철」「點綴점철」 ②꿰맬철、맬철 바늘로 얽어맴。 또 종이 같은 것을 겹쳐 맴。「補綴보철」 ③지을철 어휘를 연결시켜 글을 지음。 ④표철 안표(眼標)。 ⑤깃발철 기각(旗脚)。 ⑥막을철 방지함。

【綴文 철문】글을 지음。 저술함。

【綴字 철자】자음과 모음의 글자를 맞추어서 한 글자를 만듦。 또 글자를 서로 맞추어 한 단어를 만듦。

【綴輯 철집】편집(編輯)함。

◉補綴보철 縫綴봉철 連綴연철 點綴점철

14 【綸】 糸 8 륜 ─ 낚싯줄 ─ (平)眞

자원 형성 糸 侖음┳綸(糸부)

「糸실사변」과、음을 나타내며 동시에

둥근 데의 뜻(⇩輪륜)을 가진「侖륜」으로 이루어짐。둥근 테에 감은 실。낚싯줄의 뜻。

뜻 ①낚싯줄륜 낚시를 맨 줄。「垂綸수륜」②거문고줄륜 거문고에 맨 줄。③굵은실륜 ④인끈륜 청사(靑絲)로 꼰 인수(印綬)。⑤솜륜 면(綿)。⑥다스릴륜 경리(經理)함。⑦쌀륜 휩쌈。

【綸命 윤명】윤언(綸言)。

【綸言 윤언】조칙(詔勅)。조서(詔書)。

【綸旨 윤지】윤언(綸言)。

◉經綸경륜 絲綸사륜 纖綸섬륜 釣綸조륜

14 【綻】 8 糸 탄 | 솔기터질 | ㊀諫

자원 형성 糸 定음 ┬ 綻 (糸부)

「糸실사변」과、음을 나타내는「定정」(탄은 변음)으로 이루어짐。

뜻 ①솔기터질탄 꿰맨 자리의 실이 풀어짐。「斷綻단탄」②필탄 꽃이 핌。

【綻破 탄파】터지거나 찢어짐。

◉斷綻단탄 衣綻의탄 破綻파탄

14 【綿】 8 糸 고교 면 | 솜 | ㊥先

자원 회의 帛 系 ┬ 緜 ‒ 綿 (糸부)

「系계」는 실을 걸다→잇는 일。「帛백」은 비단→피륙。「緜면」은 비단을 짜는 실이 한줄로 나란히 계속되다→그와 같이 가늘고 길게 계속되는 일。속체(俗體)는「綿」이라 씀。「綿」은 비단에 대하여 생긴 글자였으나 훨씬 뒤에 무명이 만들어 지게 되었으므로 무명을 나타내는 데는「綿」또는「棉면」이라 썼음。

뜻 ①솜면 ㉠목화의 솜。㉡고치의 솜。②솜옷면 솜을 둔 옷。③연이을면 연이어 끊이지 아니함。연속함。「綿綿면면」④뻗칠면 길게 연속함。⑤얽힐면、감길면 ⑥멀면 요원(遼遠)함。⑦새우는소리면

주의「緜」은 같은 글자。

【綿麗 면려】섬세하고 고움。

【綿連 면련】연이음。연속함。연면(連綿)。

【綿綿 면면】①죽 연이어 끊이지 않는 모양。②세밀한 모양。

【綿密 면밀】자세하고 빈틈이 없음。찬찬함。

【綿帛* 면백】솜과 비단。

【綿衣 면의】①솜옷。②무명옷。

【綿布 면포】①솜과 피륙。②무명。

◉木綿목면 純綿순면 連綿연면 海綿해면

14 【総】 8 糸 總(糸部十一畫)과 같은 글자。

14 【緑】 8 糸 綠(糸部八畫)의 약자(略字)。

14 【緊】 8 糸 고교 긴 | 굳을 | ㊤軫

자원 형성 糸 臤음 ┬ 緊 (糸부) 2500년전

「糸사」〈실〉와、음을 나타내며 동시에 단단하다의 뜻(⇩堅견)을 가진「臤견」(긴은 변음)으로 이루어짐。실을 단단히 죄어 매다의 뜻。전하여、팽팽하다의 뜻。

뜻 ①굳을긴 견고함。②급할긴 빠

〔六畫部首順〕竹米糸缶网羊羽老而耒耳聿肉臣自至臼舌舛舟艮色艸虍虫血行衣襾

름。 또 일이 급함。 시급함。「緊急긴급」 ③팽팽할긴 늘어지지 않고 켕김。「緊張긴장」「弛緊이긴」 ④줄일긴、줄긴 축소함。「緊縮긴축」

【緊急 긴급】 ①현악기(絃樂器)의 줄이 팽팽함。 ②대단히 긴하고 급함。

【緊密 긴밀】 ①견고하고 빈틈이 없음。 또 바싹 달라붙어 빈틈이 없음。 ②엄밀(嚴密)하여 빈틈이 없음。

【緊迫 긴박】 몹시 급박(急迫)함。

【緊要 긴요】 매우 필요(必要)함。

【緊張 긴장】 ①팽팽하게 함。 ②정신을 바싹 차림。

【緊縮 긴축】 바짝 줄임。

◉喫緊끽긴 要緊요긴

九畫

15 【緖】 糸 9 고교 서 | 실마리 | 上語

ㄑ ㄠ 糹 紀 紼 紼 紼 緖 緖

자원 형성 糸 者음 ┬緖(糸부) 2500년전

「糸실사변」과、음을 나타내는「者자」(서는 변음)로 이루어짐。 실의 첫머리의 뜻。 전하여、일의 처음·시작 또는 나머지·실마리 따위의 뜻。

뜻 ①실마리서 ㉠실의 첫머리。 사단(絲端)。 ㉡사물의 발단。「端緖단서」 ②실서 사루(絲縷)。 ③줄서 계통。「緖胄서주」 ④나머지서 잔여。「緖風서풍」 ⑤일서 사업。「緖業서업」 ⑥찾을서 추심(推尋)함。「緖正서정」

【緖論 서론】 본론(本論)에 들어가기 전(前)에 그 준비로서 서술하는 논설(論說)。 ②논설의 발단。

【緖言 서언】 ①머리말。 서문(序文)。

◉端緖단서 頭緖두서 由緖유서 情緖정서

15 【緘】 糸 9 함 | 봉할 | 平咸

자원 형성 糸 咸음 ┬緘(糸부)

끈·새끼의 뜻을 나타내는「糸실사변」과、음을 나타내며 동시(同時)에 굳게 죄다의 뜻(⇩緊긴)을 가진「咸함」으로 이루어짐。 끈으로 굳게 죄는 뜻。 전하여、널리 닫히다의 뜻。

뜻 ①봉할함 ㉠열지 못하게 붙임。「封緘봉함」 ㉡입을 틀어막음。 또 입을 다물고 말하지 아니함。「緘口함구」「緘默함묵」 ②묶을함 상자 같은 것을 끈 따위로 묶음。「緘制함제」 ③봉한데함 봉한 자리。 또 봉한 편지。 봉한 서통(書筒)。

【緘口無言 함구무언】 입을 다물고 말을 아니함。 함구불언(緘口不言)。

【緘默 함묵】 함구(緘口)。

【緘封 함봉】 편지·상자 같은 것을 봉(封)함。

◉開緘개함 啓緘계함 封緘봉함 三緘삼함

15 【線】 糸 9 중학 선 | 실 | 去霰

ㄑ ㄠ 糹 約 約 約 綿 綿 線

자원 형성 糸 泉음 ┬線(糸변)

「糸실사변」과、음을 나타내며 동시에 가늘다의 뜻(⇩纖섬)을 가진「泉천」(선은 변음)으로 이루어짐。 가느다란 실의 뜻。

뜻 ①실선 섬유를 가늘고 길게 꼰 것。「鍼線침선」 ②줄선 가늘고 길어

線

실 같은 모양을 한 것。「罫線괘선」「電線전선」 ③선선 수학에서 위치 및 길이는 있으나 넓이와 두께가 없는 것。「直線직선」「垂線수선」

【線路 선로】 ①좁은 길。 ②기차·전차 등이 다니는 길。 철로(鐵路)。

◉幹線간선 單線단선 視線시선 緯線위선 接線접선 支線지선 脫線탈선 混線혼선

15【緞】糸 9 단 — 비단 — ㊤旱

자원 형성 糸段음 ┬緞(糸부)

천·실의 뜻인「糸실사변」과、음을 나타내는「段단」으로 이루어짐。

뜻 비단단 「緞子단자」는 비단의 한 가지로 바탕이 곱고 광택이 있으며 두꺼움。

◉緋緞비단 綢緞주단

15【締】糸 9 체 — 맺을 — ㊦霽

자원 형성 糸帝음 ┬締(糸부) 2500년전

「糸실사변」과、음을 나타내며 동시(同時)에 고정(固定)하다의 뜻(⇩定정)을 가진 「帝제」로 이루어짐。 얽어 맺다의 뜻。

뜻 ①맺을체 얽어서 꼭 맺음。 전(轉)하여、벗·인연·조약 따위를 맺음。「締結체결」「締姻체인」 ②맺힐체 얽히어 풀리지 아니함。

【締結 체결】 ①얽어서 맺음。 ②조약(條約)·약속 등을 맺음。

【締盟 체맹】 맹약(盟約)을 함。 동맹을 체결함。 또 그 맹약·동맹。

【締約 체약】 약속(約束)을 맺음。 또 그 약속。

15【緣】糸 9 고교 연 — 가선 — ①②㊦霰 ③-⑨㊥先

〱 幺 糹 糹 紀 紀 紵 緣 緣

자원 형성 糸象음 ┬緣(糸부) 2500년전

옷감·직물(織物)의 뜻을 가진「糸실사변」과、음을 나타내며 동시에 가장자리의 뜻(⇩端단)을 나타내기 위한「彖단」(연은 변음)으로 이루어짐。 직물의 가장자리의 뜻。 음을 빌어 연유(緣由)하다·원인(原因)이 되다의 뜻。

뜻 ①가선연 의복의 가장자리를 싸서 돌린 선。 ②가연 가장자리。 ③말미암을연 인연함。「由緣유연」 ④좇을연 따름。「攀緣반연」「緣木求魚연목구어」 ⑤탈연 인연을 탐。 연줄을 잡음。「夤緣인연」 ⑥두를연 위요(圍繞)함。 ⑦연줄연 인연이 맺어지는 길。「世緣세연」「俗緣未盡속연미진」 ⑧연분연 인륜 및 남녀의 관계。「良緣양연」 ⑨(佛教) 인연연 원인을 도와 결과를 낳게 하는 작용。

【緣故 연고】 까닭。 이유。 사유(事由)。

【緣木求魚 연목구어】 나무에 올라가서 고기를 잡는다는 뜻으로、목적을 달성하기 위하여 취하는 수단이 잘못됨의 비유。

【緣分 연분】 인연(因緣)에 의하여 맺어진 인륜(人倫) 및 남녀의 관계。 정분(定分)。

【緣由 연유】 까닭。 사유(事由)。 유래(由來)。

◉奇緣기연 宿緣숙연 因緣인연 血緣혈연

15 【編】 糸 9 고교 ㊀편 ㊁변 — 맬 — ㊀平先 ㊁上銑

く 幺 糸 紆 紆 紆 絹 絹 絹 編

자원 형성 冊 戶 ┐扁(음) 糸 ┐編(糸부) 2500년전

「糸실사변」과、 음을 나타내며 동시에 죽간(竹簡)의 뜻(⇩篇편)을 나타내는 「扁편」으로 이루어짐。 글자를 쓴 죽간을 실로 얽어서 하나로 만드는 뜻。 전하여、 엮다·짜다·서적을 만들다 따위의 뜻。

뜻 ㊀①맬편 실로 철(綴)함。 ②엮을편 ㉠물건을 얼기설기 맞추어 맴。 ㉡책을 엮음。 찬술함。 「編修편수」 ③책편 서적。 篇(竹部九畫)과 같은 글자。 ④편편 책의 갈래를 구분하는 말。 ⑤책끈편 책을 맨 끈。 또 그 맨 자리。 ㊁땋을변 머리·실같은 것을 땋음。

【編年史 편년사】 편년체(編年體)로 쓴 역사(歷史)。

【編年體 편년체】 연대를 좇아 사실(史實)을 열기(列記)하는 역사 편찬의 한 체재。 기전체(紀傳體)의 대(對)。

【編隊 편대】 대오를 편성함。

【編成 편성】 ①엮어 만듦。 ②모아서 조직(組織)함。

【編修 편수】 ①의례(儀禮) 등이 정돈되어 바름。 ②사서(史書)를 저술함。 또 그 벼슬。 ③편집하고 수정함。 또 그 일에 종사하는 사람。

【編入 편입】 ①얽거나 짜 넣음。 ②한 동아리에 끼게 함。

【編者 편자】 책을 엮는 사람。 엮은 이。

【編著 편저】 편집하여 저술(著述)함。

【編制 편제】 낱낱의 것을 모아 통제(統制) 있는 단체로 조직함。

【編輯* 편집】 여러 가지 재료(材料)를 수집(蒐集)하여 책이나 신문(新聞) 등을 엮음。 편찬(編纂)。 편집(編緝)。

【編纂* 편찬】 편집(編輯)。

【編綴* 편철】 맴。 철(綴)함。

◉末編말편 新編신편 前編전편 後編후편

15 【緩】 糸 9 고교 완 — 느릴 — ㊤旱

く 幺 糸 紅 紅 紅 綬 綬 緩

자원 형성 糸 爰(음) ┐緩(糸부)

끈·밧줄의 뜻을 가진 「糸실사변」과、 음을 나타내며 동시(同時)에 여유(餘裕)가 있다는 뜻(⇩寬관)을 가진 「爰완」으로 이루어짐。 맺은 끈을 느슨하게 하는 일。

뜻 ①느릴완 더딤。 둔함。 또 바쁘지 아니함。 「緩慢완만」 ②느슨할완、 느슨해질완 늘어나서 헐거움。 또 늘어나서 헐거워짐。 ③부드러울완 ㉠딱딱하지 아니함。 ㉡엄하지 아니함。 관대함。 ④느즈러질완 해이(解弛)함。 「弛緩이완」 ⑤늦출완 느슨하게 함。 또 기한을 멀리 잡음。「緩帶완대」

【緩急 완급】 ①느림과 급함。 늦음과 빠름。 ②위급(危急)한 일。 돌발한 사변。

【緩慢 완만】 느릿느릿함。

【緩步 완보】 천천히 걸음。

【緩衝地帶 완충지대】 양국(兩國) 또는 수개국의 충돌을 완화하기 위하여 설치한 중립 지대(中立地帶)。

【緩行 완행】 느리게 다님。

【緩和 완화】 급박한 것을 느슨하게

함。또 급박한 것이 느슨하여짐。

15【緯】糸 9 고교 **위** | 씨 | 去未

자원 형성 糸 韋음 ┬緯(糸부) 2500년전

「糸실사변」과、음을 나타내며 동시(同時)에 둘러싸다의 뜻(⇩圍위)을 가진 「韋위」로 이루어짐。직물(織物)의 날실에 휘감기게 한 씨실의 뜻。전하여、가로의 뜻。

뜻 ①**씨위** 피륙의 가로 짠 실。전(轉)하여、횡선 또는 상하에 대하여 평면、남북에 대하여 동서、전후에 대하여 좌우의 방향을 이름。「緯線위선」「緯度위도」②**짤위** 직조를 함。③**참서위** 미래기(未來記)。예언서。④**별위** 성신(星辰)「五緯오위」⑤**묶을위** 결속(結束)함。

【緯經 위경】①씨와 날。②가로줄과 세로줄。

【緯度 위도】경도(經度)의 대(對)。

【緯書 위서】경서(經書)에 가탁(假託)하여 미래의 일을 설명한 책。

【緯線 위선】경선(經線)의 대(對)。

15【練】糸 9 중학 **련** | 누일 | 去霰

자원 형성 糸 柬음 ┬練(糸부) 2500년전

음을 나타내는 「柬간·련」은 「束속」〈묶음〉으로 한 것을 골라서 구별하다→공을 들여서 무엇인가 함의 뜻。「練」은 명주를 충분히 삶아서 마무른 연사(練絲)·누인 명주。나중에 실이나 비단에 관계없이 일에 숙련되다→익숙하여짐에 쓰고 또 금속을 버린다는 「鍊련」「煉련」의 대신에도 이 글자를 씀。

뜻 ①**누일련** 무명·모시 따위를 잿물에 삶아 물에 빨아 말림。표백함。②**익힐련** 익숙하게 함。연습함。「訓練훈련」「練磨연마」③**가릴련** 선택함。정선(精選)함。「練擇연택」④**겪을련** 경험함。⑤**누인명주련** 표백한 흰 명주。⑥**연복련** 소상(小祥) 때 입는 상복。

【練究 연구】정성을 들여 구명(究明)함。

【練達 연달】숙달(熟達)함。

【練磨 연마】연마(硏磨)함。

【練武 연무】무예(武藝)를 익힘。

【練兵 연병】군대를 훈련함。

【練習 연습】자꾸 되풀이 하여 배움。

◉鍛練단련 洗練세련 熟練숙련 訓練훈련

15【緻】糸 9 **치** | 고울 | 去寘

자원 형성 糸 致음 ┬緻(糸부) 2500년전

「糸실사변」과、음을 나타내는 「致치」로 이루어짐。

뜻 ①**고울치** 결이 곱거나 올이 뱀。「致密치밀」②**찬찬할치** 면밀함。

【緻密 치밀】①결이 고움。②피륙 같은 것이 배고 톡톡함。③빽빽이 들어섬。④찬찬함。면밀(綿密)함。

15【縄】糸 9 繩(糸部十三畫)의 속자(俗字)。

15【縁】糸 9 緣(糸部九畫)의 약자(略字)。

十畫

16【縛】糸10 박 | 묶을 | ㊀藥

자원 형성 糸專㊐ ┬ 縛(糸부) 끈·밧줄의 뜻을 나타내는「糸실사변」과、음을 나타내며、동시에 딱 붙이다의 뜻을 나타내기 위한「專부」(박은 변음)로 이루어짐。 물건에 밧줄을 붙들어 매다의 뜻。

뜻 ①묶을박 ㉠동임。「縛束박속」㉡포박함。「生縛생박」㉢속박함。 자유행동을 못하게 함。 ②포승박 박승(縛繩)。 ③《韓》얽을박 얼굴에 마맛자국이 있음。

◉結縛결박 生縛생박 束縛속박 捕縛포박

16【縣】糸10 고교 현 | 매달 | ①②㊥先 ③㊤霰

冂 目 県 県 県 縣 縣 縣

자원 회의 県系 ┬ 縣(糸부) (A) (B) 2500년전 죄인의 목을 거꾸로 나무에 건 모양 (A)(「首수」〈목〉자(字)를 거꾸로 한 글자)에、「系계」〈걸어잡아맴〉및「木목」〈나무〉을 보탠 글자。 목을 거꾸로 나무에 걸다→높이 걸다의 뜻을 나타내며、나중에、중앙 정부(中央政府)에 연결된다는 뜻에서、행정 구역을 나타내는 말로 쓰임。

뜻 ①매달현 懸(心部十六畫)과 같은 글자。「縣鼓현고」②떨어질현 격(隔)함。「縣隔千里현격천리」③고을현、현현 진시황(秦始皇)때부터 시작한 행정상의 구획으로 처음에는 군(郡)의 위였으나、후에는 군(郡) 또는 부(府)에 속함。「縣治현치」현재는 성(省)의 아래 구분(區分)。

【縣令 현령】현의 장관。

【縣吏 현리】현의 벼슬아치。

【縣賞 현상】상품을 걺。 현상(懸賞)。

十一畫

17【縫】糸11 봉 | 꿰맬 | ①②㊥冬 ③㊤宋

자원 형성 糸逢㊐ ┬ 縫(糸부) 「糸실사변」과、음을 나타내는 동시에 맞춘다는 뜻을 가진「逢봉」으로 이루어짐。 실로 꿰맨다는 뜻。

뜻 ①꿰맬봉 ㉠바느질함。「裁縫재봉」㉡또 꿰맨 물건。 바느질 감。 ②기울봉 보합(補合)함。 수리(修理)함。 ③혼솔봉 혼 솔기。

◉裁縫재봉 天衣無縫천의무봉

【縫刺 봉자】꿰맴과 수놓음。

17【縮】糸11 고교 축 | 줄 | ㊀屋

纟 糸 紵 紵 紵 縮 縮 縮

자원 형성 糸宿㊐ ┬ 縮(糸부) 2500년전 「糸실사변」과、음을 나타내며、동시(同時)에 짧고、작다의 뜻(⇩侏주)을 가지는「宿숙」(축은 변음)으로 이루어져、실、또는 직물(織物)이 짧고、작아지는 일。

縮

뜻 ①줄축 작아짐。「短縮단축」「縮小축소」②오그라들축 오그라져 작아짐。③**거를축** 국물을 짜냄。④**세로축** 가로의 대(對)。⑤**묶을축** 동여맴。⑥**바를축** 올바름。곧음。⑦**모자랄축** 부족함。

【縮圖 축도】 원형을 줄여 그린 그림。

【縮本 축본】 축쇄(縮刷)한 서화 또는 책。

【縮小 축소】 줄어 작아짐。또 줄이어 작게 함。

【縮刷 축쇄】 서적·서화 등의 원형(原形)을 축소시키어 인쇄함。

【縮地 축지】 땅을 축소하여 먼 곳을 가깝게 함。

【縮尺 축척】 축도(縮圖)를 그릴 때 그 축소시킬 비례의 척도(尺度)。줄인 자。비례척(比例尺)。

◉減縮감축 收縮수축 伸縮신축 畏縮외축

17 **【縱】** 糸 11 고교 **종** | 늘어질 | ①-⑦ 去宋 ⑧⑨ 平冬 ⑩ 上腫 ⑪ 上董

糹 紒 紒 縱 縱 縱 縱 縱

자원 형성 糸從음ㅏ縱(糸부)

음을 나타내는 「從종」은 사람이 잇닿는 일。「縱」은 실을 반반하게 늘어놓아 만드는 납작한 노끈。나중에 「縱橫종횡」의 「세로」의 뜻으로 씀은 「從」자에 사람이 잇닿다↓세로 줄짓다란 뜻이 있기 때문이며、또 자유로 하다의 뜻으로 쓰는 것은 「從」자에 여유 있고 침착하다(=從容종용)、내버려 두다(=放從방종)의 뜻이 있기 때문임。

뜻 ①**늘어질종** 팽팽하던 것이 축 처짐。②**놓아둘종** 제마음대로 하도록 내버려 둠。③**놓을종** ㉠석방함。「縱囚종수」 ㉡방화(放火)함。「縱燒종소」 ④**내보낼종** 나가게 함。「縱擊종격」 ⑤**쏠종** 활을 쏨。「縱矢종시」 ⑥**방종할종** 제멋대로 굶。「縱逸종일」「縱恣종자」 ⑦**가령종** 설사。「縱令종령」「縱使종사」로 연용(連用)하기도 함。⑧**세로종** 평면에 대하여 상하、동서에 대하여 남북、좌우에 대하여 전후의 방향。「縱橫종횡」 ⑨**발자취종** ⑩**권할종**、**부추길종** 종용(慫慂)함。사주(使嗾)함。⑪**서두를종** 급히 서두르는 모양。

【縱貫 종관】 ①세로 꿰뚫음。②남북으로 통함。

【縱斷 종단】 세로로 끊음

【縱隊 종대】 세로로 줄을 지어선 대형(隊形)

【縱覽 종람】 마음대로 봄。

【縱列 종렬】 세로로 늘어섬。또 그 줄。

【縱令 종령】 종사(縱使)。

【縱使 종사】 가령。설사。

【縱線 종선】 세로 그은 선(線)。

【縱迹 종적】 행방。종적(蹤迹)。

【縱橫 종횡】 ①가로와 세로。②자유자재。③방종(放縱)함。④합종(合縱)과 연형(連衡)。⑤산(算)가지를 늘어 놓는 방법。하나부터 넷까지는 세로、다섯은 가로、그 이상은 가로 세로 다 늘어 놓음。⑥십자형(十字形)。

【縱橫無盡 종횡무진】 한없이 자유자재함。

◉放縱방종

17 **【縷】** 糸 11 **루** | 실 | ①-③ 上麌 ④ 平尤

자원 형성 糸婁음ㅏ縷(糸부)

2500년전

「糸실사변」과, 음을 나타내는 「婁루」로 이루어짐。간신히 알아볼 수 있을 정도의 가느다란 실。

뜻 ①실루、올루 ㉠실의 가닥。사조(絲條)。섬유。「絲縷사루」 ㉡전(轉)하여、가늘고 긴 실 같은 물건。②자세할루 상세함。「縷言누언」 ③잘게썰루 작게 벰。④누더기루

주의 「縷루」는 속자(俗字)。

【縷言 누언】 자세히 말함。또 그 말。

◉繁縷번루 一縷일루

17 【總】 糸 11 고교 총 | 거느릴 | ㊤董

ㄑ 幺 糸 糹 紒 納 納 總 總 總

자원 형성 糸 悤 음 丅 總 (糸부) 2500년전

「糸실사변」과、음을 나타내며 동시에 모으다의 뜻(⇩湊주)을 나타내기 위한 「悤총」으로 이루어져、실을 모아 하나로 합(合)치다의 뜻。

뜻 ①거느릴총 통솔함。또 통치함。「總督총독」「總軍총군」 ②합칠총 한데 합함。「總合총합」「總會총회」 ③묶을총 한데 합쳐 맴。동임。④맬총 잡아맴。⑤모두총 다。⑥갑자기총 悤(心部七畫)과 통용。⑦단총 볏단。⑧술총 장식으로 다는 여러 가닥의 실。⑨묶은머리총 속발(束髮)。⑩대강총 대요(大要)。

【總監 총감】 전체를 감독함。또 그 벼슬。

【總計 총계】 통틀어 합친 계산。

【總括* 총괄】 ① 통틀어 모아 하나로 뭉침。②요점(要點)을 모아서 한 개의 개념(概念)을 만듦。

【總督 총독】 ①전체를 감독함。또 그 사람。②명청(明淸) 이후의 한 성(省)의 장관。③국가 원수를 대표하여 식민지(植民地)를 통치하는 벼슬。

【總量 총량】 전체의 양。전량(全量)。

【總力 총력】 모든 힘。

【總領 총령】 전체를 거느림。또 그 사람。

【總論 총론】 전체에 걸친 논설。각론(各論)의 대(對)。

【總理 총리】 전체를 다스림。또 그 사람。

【總務 총무】 전체의 사무。또 그 사무를 취급하는 사람。

【總本山 총본산】《佛敎》①한 종(宗)의 본종(本宗)이 되는 절。본산(本山)。②우리 나라에서는 불교의 최고 종정기관(宗政機關)。

【總辭職 총사직】 전원(全員)의 사직。

【總說 총설】 전체에 걸친 논설。전체를 총괄한 설명。

【總數 총수】 모든 수。전체의 수。

【總身 총신】 온 몸。전신(全身)。

【總額 총액】 전체의 액수。

【總領事 총영사】 최상급(最上級)의 영사(領事)。

【總員 총원】 모든 사람。전체의 인원。전원(全員)。

【總意 총의】 전체의 의사。

【總裁 총재】 전체를 총괄하여 재결(裁決)함。또 그 사람。

【總體 총체】 전체(全體)。

【總則 총칙】 전체를 총괄(總括)하는 규칙。

【總稱 총칭】 전체를 총괄한 명칭。

【總統 총통】 총괄하여 통솔(統率)함。또 그 사람。

【總合 총합】 통틀어 합함。종합(綜合)。

【總會 총회】 ①전원이 모임。또 전원을 모음。②한 단체의 전원의 모임。

③회원·주주로 조직된, 사단 법인(社團法人)의 의사를 결정하는 기관。

17 【績】 糸 11 [고교] 적 | 자을 | [入]錫

ㄑ 幺 糸 紆 紺 績 績

[자원] 형성 糸 責[음] ⊤績(糸부) 2500년 전 績

음을 나타내는 「責책」(적은 번음)은 여기에서는 같이 생긴 것을 모으는 것을 나타냄。「糸사」는 실。「績」은 실을 꼬다→뽑는 일。나중에 실에 한하지 않고 일을 마무리하다→일을 나타냄。

[뜻] ①자을적 실을 뽑음。「紡績방적」 ②공적 이룬 업적。「成績성적」「功績공적」 ③일적 사업。

[참고] 「積적」〈쌓다〉은 딴 글자。

【績女 적녀】 실을 잣는 여자。

◉功績공적 紡績방적 成績성적 治績치적

17 【織】 糸 11 織(糸部十七畫)의 약자(略字)。

17 【繁】 糸 11 [고교] ㊀번 ㊁반 | 많을 | ㊀[平]元 ㊁[平]寒

𠂉 仁 每 每 敏 敏 緐 繁

[자원] 형성 糸 敏[음] ⊤繁(糸부) 2500년 전

「糸사」〈실〉와, 음을 나타내는 「敏민」(번은 변음)으로 이루어짐。말의 갈기에 붙이는 장식。장식이 많다는 뜻에서 전하여, 많다, 성하다의 뜻。

[뜻] ㊀①많을번 적지 않음。「繁多번다」 ②성할번 융성함。번영함。「繁昌번창」「繁榮번영」 ③번거로울번 ㉠번잡함。「繁碎번쇄」 ㉡바쁨。「繁忙번망」 ④잦을번 자주 있음。「頻繁빈번」 ⑤뒤섞일번 착잡함。「繁雜번잡」 ⑥무성할번 우거짐。「繁陰번음」 ⑦많게할번, 번거롭게할번 ㊁뱃대끈반 마소의 배에 걸쳐 조르는 줄。

[주의] 「緐」은 옛 글자。

【繁多 번다】 번거로울 정도로 많음。

【繁忙 번망】 바쁨。다망(多忙)함。

【繁文縟禮* 번문욕례】 지나치게 형식적이어서 번거롭고 까다로운 규칙과 예절(禮節)。

【繁盛 번성】 번화(繁華)하고 창성(昌盛)함。

【繁殖 번식】 붇고 늚。

【繁榮 번영】 번창(繁昌)。

【繁雜 번잡】 번거롭고 뒤섞여 어수선함。많아 번거로움。

【繁昌 번창】 ①초목이 무성함。번성(繁盛)。②번영하고 창성(昌盛)함。

【繁華 번화】 ①초목이 무성하고 꽃이 화려하게 핌。전(轉)하여, 청장년(靑壯年)의 시절。②화려함。③토지가 기름져 번창함。

[十二畫]

18 【織】 糸 12 [고교] ㊀직 ㊁치 | 짤 | ㊀[入]職 ㊁[去]寘

ㄑ 糸 絓 緒 織 織 織

[자원] 형성 糸 戠[음] ⊤織(糸부) 2500년 전 織

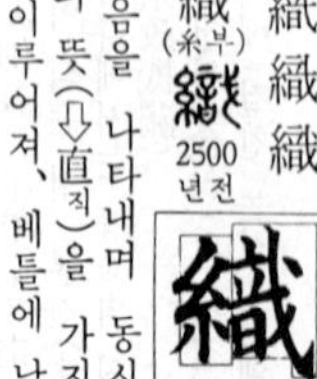

「糸실사변」과, 음을 나타내며 동시에, 곧바르다의 뜻(⇩直직)을 가지는 「直직」으로 이루어져, 베틀에 날

실을 곧바로 팽팽하게 치는 뜻。전하여、직물(織物)을 짜는 뜻이 됨。

[뜻] 一 ①짤직 ㉠베를 짬。「紡織방직」 ㉡조립함。「組織조직」 ②베틀직、실직 베를 짜는 기계。또 베틀에 건 실。③직물직 짠 옷감。二 ①무늬있는옷감치 무늬를 놓은 직물。또 그 옷。②표치 휘장(徽章)。③기치치 기(旗)의 표지(標識)。

【織女 직녀】 ①길쌈하는 계집。②직녀성(織女星)의 약어(略語)。

【織婦 직부】 ①피륙을 짜는 여자。직녀(織女)。②직녀성(織女星)。

【織造 직조】 피륙을 짜는 일。길쌈。

◉耕織경직 機織기직 文織문직 紡織방직 手織수직 蠶織잠직 組織조직

18 【繕】 糸 12 선 | 기울 | [去]霰

[자원] 형성 糸善[음] ㅜ繕 (糸부)

2500년전

「糸실사변」과、음을 나타내며 동시에 좋게 하다의 뜻을 나타내는 「善선」을 더하여 이루어짐。찢어진 데를 실로 꿰매어 수리하다의 뜻。

[뜻] ①기울선 수선함。보수함。「營繕영선」 ②다스릴선 ③엮을선 책을 편록(編錄)함。④갖출선 구비함。⑤굳셀선

◉修繕수선 營繕영선

十三畫

19 【繩】 糸 13 승 | 노 | [平]蒸

[자원] 형성 糸蠅-黽[음] ㅜ繩 (糸부)

「糸실사변」과、음을 나타내는 동시에 따라붙어 떨어지지 않다의 뜻을 나타내기 위한 「蠅승」〈파리〉의 생략체 「黽」으로 이루어짐。실로 꼰 노・새끼의 뜻。

[뜻] ①노승 실 따위를 여러 겹 꼰 것。「繩索승색」 ②먹줄승 목수가 쓰는 직선을 그리는 줄。「準繩준승」 ③법승 법도。④바로잡을승 부정을 광정(匡正)함。⑤이을승 뒤를 계속함。계승함。⑥기릴승 칭찬함。

[주의] 「繩승」은 속자(俗字)。

【繩墨 승묵】 ①먹줄。②법(法)。법도(法度)。준칙(準則)。

【繩索 승색】 노。새끼。 「(準繩)。

【繩準 승준】 법도(法度)。법칙。준승

◉結繩결승 準繩준승 火繩화승

19 【繪】 糸 13 회 | 그림 | [去]隊

[자원] 형성 糸會[음] ㅜ繪 (糸부)

2500년전

「糸실사변」과、음을 나타내며 동시에 합(合)치다의 뜻을 가지는 「會회」로 이루어지며、오색(五色)의 실을 합쳐 수 놓는 뜻。전하여、색채(色彩)를 배합(配合)한 그림의 뜻。

[뜻] ①그림회 ㉠색칠한 그림。「繪畫회화」 ㉡또 수나 그림이 있는 피륙。②그릴회 색칠하여 그림。

【繪畫 회화】 그림。

19 【繫】 糸 13 계 | 맬 | [去]霽

[자원] 형성 糸毄[음] ㅜ繫 (糸부)

「糸사」〈실〉와、음을 나타내는 동시에 매다의 뜻(⇩系계)을 가진「毄계·격」으로 이루어짐。실이나 끈으로 매다의 뜻。

뜻 ①맬계 ㉠동임。㉡잡아맴。「繫留계류」㉢체포하여 구금함。「械繫계계」㉣연철(聯綴)함。②매달계、매달릴계 매어서 걺。또 걸려 있음。「繫匏계포」③죄수계 계류(繫留) 중의 죄인。④끈계 매는 끈。⑤계사계 주역(周易)의 괘(卦)의 설명。「繫辭계사」

【繫累 계루】몸에 얽매인 누(累)。계루(係累)。

【繫留 계류】붙잡아 매어 둠。잡아맴。

【繫泊 계박】배를 매어 둠。

【繫屬 계속】맴。또 매임。

十四畫

20【繼】糸 14 고교 계 ─ 이을 ─ 去霽

자원 형성 糸㡭음 ┬繼(糸부) 2500년전

「糸실사변」과、음을 나타내며 동시에 잇는다는 뜻(⇩接접)을 가진「㡭계」로 이루어짐。실을 잇는다는 뜻。

뜻 ①이을계 ㉠이어 나감。「繼續계속」㉡이어 받음。「繼承계승」㉢계통을 이음。㉣이어。계속하여。②맬계 繫(糸部十三畫)와 통용。

【繼繼承承 계계승승】자자손손(子子孫孫)이 대(代)를 이어가는 모양。

【繼母 계모】아버지의 후취(後娶)。

【繼夫 계부】다시 시집가서 맞은 남편。

【繼父 계부】①아버지를 이음。②어머니의 후부(後夫)로서 자기를 길러 준 사람。

【繼嗣*계사】후사(後嗣)。

【繼續 계속】①끊이지 아니하고 잇대어 나아감。②끊어진 것을 다시 이음。

【繼受 계수】계승(繼承)。

【繼承 계승】뒤를 이어 받음。

【繼統 계통】임금의 계통을 이음。

◉承繼승계 聯繼연계 傳繼전계 後繼후계

20【纂】糸 14 찬 ─ 모을 ─ 去旱

자원 형성 糸算음 ┬纂(糸부) 2500년전

끈·새끼줄을 뜻하는「糸사」와、음을 나타내는「算산」(찬은 변음)으로 이루어지며、음을 빌어、모으다의 뜻(⇩攢찬)으로 쓰임。

뜻 ①모을찬 문서를 모아 엮음。책을 편집함。「編纂편찬」②이을찬 계승함。③붉은끈찬 붉은 실로 꼰 끈。

【纂修 찬수】①문서(文書)의 자료를 모아 정리함。②정돈함。

【纂述 찬술】자료를 모아 저술함。

十五畫

21【續】糸 15 중학 속 ─ 이을 ─ 入沃

자원 형성 糸賣음 ┬續(糸부) [賣](A) (B) 2500년전

「賣육」은 팔고 돌아다니는 일。또「育육」〈자라나다〉·「屬속」〈붙다、잇달다〉과도 통용(通用)되어 씌어졌음。이 말들은

계속한다는 뜻이 공통되어 있음。「糸사」는 실。「續」은 실이 계속하다→물건이 이어짐을 일컬음。

뜻 ①이을속 ㉠연함。계속함。「連續연속」 ㉡계승함。「續襲속습」 ②계속속 뒤따라 오는 것。되풀이。③공속 공적(功績)。

주의 「讀독」〈읽다〉은 딴 글자。

【續刊 속간】 신문·잡지 등이 일시 정간(停刊)되었다가 다시 계속하여 간행(刊行)함。

【續稿 속고】 원고를 계속하여 씀。또 「그 원고。」

【續大典 속대전】《韓》 경국대전(經國大典) 이후의 교령(敎令)과 조례(條例)를 계속(繼續)하여 모아 편찬(編纂)한 책(冊)。조선(朝鮮) 영조(英祖) 이십년(二十年) 간행(刊行)됨。

【續發 속발】 계속하여 발생함。

【續續 속속】 계속하여 끊어지지 아니하는 모양。

【續藏經 속장경】《韓》 대장경(大藏經)을 결집(結集)할 때 빠진 것을 모아 간행(刊行)한 불경(佛經)。고려(高麗)의 대각국사(大覺國師) 의천(義天)이 숙종(肅宗) 일년(一年)에 완성(完成)하여 부인사(符仁寺)에 두었던 것이 고려말(高麗末) 몽고(蒙古)의 침입(侵入) 때 타버리고 지금은 그 목록(目錄)만 남아 있음。

【續出 속출】 계속하여 나옴。

【續編 속편】 정편(正編)에 잇달아서 지은 책。

【續行 속행】 계속하여 행(行)함。

◉ 繼續계속 斷續단속 連續연속 陸續육속

十七畫

23 【纖】 糸 17 섬 | 가늘 | ㊥鹽

자원 형성 糸 + 韱 음 → 纖(糸부)

纖 2500년전

「糸실사변」과、음을 나타내는 동시에 가늘다의 뜻을 가진 「韱섬」으로 이루어짐。가는 실의 뜻。전(轉)하여、가늘다、곱다의 뜻。

뜻 ①가늘섬、작을섬 미세함。「纖細섬세」 ②자세할섬 정밀함。「纖密섬밀」 ③고운비단섬 곱고 얇은 비단。④가는베섬 올이 고운 베。세포(細布)。⑤가는줄섬 세선(細線)。⑥아낄섬 인색함。⑦고울섬 가냘프고 예쁨。⑧찌를섬 칼로 찌름。

【纖巧 섬교】 섬세하고 교묘함。

【纖毛 섬모】 가는 털。

【纖眉 섬미】 가는 눈썹。미인의 아름다운 눈썹。아미(蛾眉)。

【纖纖玉手 섬섬옥수】 가냘프고 고운 여자의 손。미인의 손。

【纖細 섬세】 가늚。작음。미세。

【纖維 섬유】 생물체(生物體)를 조직(組織)하는 가는 실 같은 물질。

缶部

6 【缶】 부수 부 | 장군 | ㊤有

자원 상형

缶 2500년전

배가 불룩하고 아가리가 좁은 질그릇의 모양을 본뜸。한자의 부수로서 항아리에 관한 글자의 의부(意

符)로 쓰임。

[뜻] ①장군부、양병부 중두리를 뉘어 놓은 것 같은 질그릇。 배가 불룩하고 그 가운데에 목이 좁은 아가리가 있음。 술·장을 담는 데 씀。「土缶토부」「瓦缶와부」 ②질장구부 진(秦)나라 사람은 장군을 장구를 치듯이 쳐서 노래의 장단을 맞추는 데 악기(樂器)로 썼음。 ③용량이름부 사곡(四斛)을 이름。

[참고] 「缶」를 음으로 하는 글자=「缻부」〈장군〉·「寶보」〈보배〉

四畫

10 【缺】 缶 4 [고교] 결 | 이지러질 | [入]屑

丿 𠂉 午 缶 缶 缶 缶 缺 缺

[자원] 형성 缶 夬[음] ┬ 缺(缶부)
「缶장군부변」〈독〉과、음을 나타내는 동시에 깨진다는 뜻을 가진 「夬결」로 이루어져 독이 깨어짐을 뜻함。 음이 비슷하기 때문에 「欠결」자가 약자로 잘못 쓰임。

[뜻] ①이지러질결 한 귀퉁이가 떨어져 나감。「缺月결월」 ②없어질결 있어야 할 사물이 없어짐。 ③모자랄결 부족함。「缺乏결핍」 ④빌결 벼슬자리가 빔。 또 그 자리。「開缺개결」「官缺관결」 ⑤나오지않을결 나올 자리에 빠짐。「缺席결석」 ⑥궐할결 하여야 할 일을 하지 아니함。

【缺格 결격】 필요한 자격이 결여함。
【缺勤 결근】 출근(出勤)하지 아니함。
【缺禮 결례】 예의를 다하지 아니함。
【缺漏 결루】 누락(漏落)。
【缺損 결손】 ①축나거나 손해가 남。 ②계산상의 손실。
【缺如 결여】 ①모자라는 모양。 부족한 모양。 궐여(闕如)。 ②결연(缺然)。
【缺員 결원】 정원(定員)에서 일부가 빠져 모자람。 또 그 인원。
【缺點 결점】 부족한 점。 완미(完美)하지 아니한 점。 흠。
【缺乏 결핍】 모자람。 부족함。
【缺陷 결함】 완전(完全)하지 못하여 흠이 됨。 부족。 불비(不備)。

◉補缺보결 完全無缺완전무결

十八畫

24 【罐】 缶 18 관 | 두레박 | [去]翰

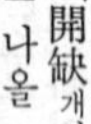
2500년전

[자원] 형성 缶 雚[음] ┬ 罐(缶부)
「缶장군부변」에 음을 나타내는 동시에 물을 붓다의 뜻(⇩灌관)을 나타내기 위한 「雚관」으로 이루어짐。 물그릇、 널리 그릇의 뜻。

[뜻] ①물동이관 물을 담는 질그릇。 ②두레박관 물을 긷는 그릇。 ③가마관 증기 기관의 물을 끓이는 가마。「汽罐기관」

网(罒·罓·㓁)部

6 【网】 부수 망 | 그물 | [上]養

[자원] 상형

2500년전

ㄨㄨ는 그물코。冂는 위에서부터 덮어 씌우는 모양을 나타냄。그물의 뜻。또 한자(漢字)의 부수(部首)로서는 그물에 관(關)한 뜻을 나타내고,「罒」(드물게 㓁·㓇)로도 씀。

뜻 **그물망** 網(糸部八畫)의 옛 글자。

5【罒】网 0 网(앞 글자)의 약자(略字)。

4【㓁】网 0 网(앞앞의 글자)의 약자(略字)。

三畫

8【罔】网 3 고교 **망** | 그물 | ㊤養

丨 冂 冂 円 罔 罔 罔 罔

자원 형성 网-冈+亡음 → 罔(网부) 2500년전

「冈」〈그물〉(网 그물망의 변형)과, 음을 나타내는 동시에 덮는다는 뜻(⇩冒모)을 나타내기 위한「亡망」으로 이루어짐。덮어 씌워 새나 짐승을 잡는 그물의 뜻。

뜻 ①**그물망** 網(糸部八畫)과 같은 글자。전(轉)하여, 법률。제재(制裁)。②**그물질할망** 그물로 고기를 잡음。전(轉)하여, 법률로 처벌함。③**엮을망**, **얽을망** 교결(交結)함。④**없을망** 있지 아니함。⑤**말망** 하지 말라고 이르는 말。⑥**넘볼망** 깔봄。⑦**속일망** 기만함。「誣罔무망」「欺罔기망」⑧**어두울망** 무식한 모양。⑨**멍할망** 상심(喪心)한 모양。⑩**근심할망** 수심에 잠긴 모양。⑪**도깨비망**

주의「岡강」〈산등성이〉과는 딴 글자。

참고「罔」을 음으로 하는 글자=「惘망」〈멍하다〉·「網망」〈그물〉·「誷망」〈속이다〉·「魍망」〈도깨비〉

【罔極 망극】어버이의 은혜(恩惠)가 한이 없음。「부모의 큰 은혜。」

【罔極之恩 망극지은】한 없는 은혜。

【罔極之痛 망극지통】한 없는 슬픔。임금과 어버이의 상사(喪事)에 쓰는 말。

【罔然 망연】멍한 모양。상심(喪心)「한 모양。」

【罔知所措*망지소조】창황하여 어찌할 바를 모름。허둥지둥함。

◉ 欺罔기망 迷罔미망 天罔천망 惑罔혹망

七畫

【買】⇩貝部五畫

八畫

13【罪】网 8 중학 **죄** | 허물 | ㊤賄

丨 冂 罒 罒 罕 罪 罪 罪

罪

자원 형성 网+非음 → 罪-罪(网부) 2000년전 2500년전

「网망」은 그물。음을 나타내는「非비」(죄는 변음)는 새의 날개↓좌우(左右)로 펴지는 일。「罪」는 물고기를 잡는 대바구니。「罪」를 범죄(犯罪)의 뜻으로 쓰는 것은 본디 글자「辠죄」〈허물〉가「皇황」에 가까우므로 진시황(秦始皇)이 이를 피하여 음이 같은「罪」자를 빌어 쓴데 유래(由來)함。

뜻 ①**허물죄** ㉠범죄。「待罪대죄」㉡과오。실수。「罪過죄과」㉢재앙。화(禍)。②**죄줄죄** 형벌을 과함。

【罪科 죄과】형벌。
【罪過 죄과】죄와 과실。
【罪名 죄명】죄(罪)의 이름。
【罪目 죄목】범죄(犯罪) 사실의 명목。
【罪狀 죄상】범죄(犯罪)의 정상(情狀)。
【罪悚* 죄송】매우 황송함。
【罪囚 죄수】옥(獄)에 갇힌 죄인。
【罪惡 죄악】죄、사념 또는 악행。
【罪人 죄인】①죄(罪)를 범(犯)한 사람。②어버이 상사중(喪事中)에 있는 사람의 자칭대명사(自稱代名詞)。
【罪證 죄증】범죄의 증거。
【罪責 죄책】범죄상(犯罪上)의 책임(責任)。
◉功罪공죄 無罪무죄 問罪문죄 重罪중죄

13 【罫】网 8 괘 | 줄 | ㊤蟹

자원 형성 卦음 网-罒丨罫(网부)

「罒그물망」에 음을 나타내는 동시에 어긋매껴 걸치다의 뜻(⇩架가)을 나타내기 위한「卦괘」로 이루어짐。그물 모양으로 걸치다→그물눈→가로 세로 교차하여 친 줄의 뜻。

뜻 줄괘 가로 세로 교차(交叉)하여 친 줄。「方罫방괘」
【罫紙 괘지】사란(絲欄)을 친 종이。인찰지(印札紙)。

13 【置】网 8 고교 치 | 둘 | ㊧寘

「 罒 罒 罒 罟 罝 置

2000년전

자원 형성 直음 网-罒丨置(网부)

「网망」과、음을 나타내며 동시(同時)에 똑바로 세우다의 뜻(⇩植식)을 가지는「直직」으로 이루어져、그물을 세우는 뜻。전(轉)하여、설치(設置)하다의 뜻。

뜻 ①둘치 정한 곳에 놓음。「安置안치」②놓을치 놓아 둠。용서함。③베풀치 차리어 벌임。「設置설치」④세울치 즉위(卽位)케 함。⑤버릴치 폐(廢)함。⑥역마을치 역참(驛站)。⑦역말치 역마(驛馬)。
【置簿 치부】금전(金錢)·물품(物品)의 출납(出納)을 기록함。
【置重 치중】중요(重要)하게 여김。
【置之度外 치지도외】버려 두고 눈여겨 보지 아니함。
◉配置배치 設置설치 位置위치 措置조치

〔六畫部首順〕竹米糸缶网羊羽老而耒耳聿肉臣自至臼舌舛舟艮色艸虍虫血行衣襾

九畫

14 【罰】网 9 고교 벌 | 벌 | ㊇月

「 罒 罒 罒 罒 詈 詈 罰 罰

2500년전

자원 회의 詈刀-刂丨罰(网부)

큰 소리로 꾸짖는다는 뜻의「詈리」와「刀도(刂)」〈칼〉로 이루어지며 잡아서 말로 꾸짖고、칼로 끊다의 뜻。벌을 주는 일。

뜻 ①벌벌 형벌。「懲罰징벌」②벌줄벌 형벌을 과함。「信賞必罰신상필벌」
【罰金 벌금】①범죄인(犯罪人)에게 돈을 내게 하는 재산형(財產刑)。②징계(懲戒)로 받는 돈。
【罰責 벌책】꾸짖어 벌(罰)함。
【罰則 벌칙】처벌하는 규칙。
◉賞罰상벌 懲罰징벌 天罰천벌 刑罰형벌

14 【署】网 9 고교 서 | 임명할 | ㊧御

一 冖 罒 罒 罘 罜 罢 署 署

자원 형성 者음 网-罒┬署(网부) 2500년전

「网망」은 그물。 음을 나타내는 「者자」(서는 변음)는 많은 물건을 구별하여 정리하는 일。 「署」는 얼기설기 얽힌 일을 정리하는 관청 일의 담당(⇩部署부서)。 또 음이 닮은 「書서」「著저」의 뜻과도 결부하여 나타내다→쓰다란 뜻으로도 씀。

뜻 ①**임명할서** 관리에 임명함。 ②**맡을서** ㉠관할함。 ㉡대리로 맡음。 「署理서리」 ③**나눌서** 부(部)를 나누어 베풂。 부서를 정함。 ④**부서서** 나뉘어져 있는 사무의 부분。 「部署부서」 ⑤**쓸서** ㉠이름을 씀。 기명함。 「署名서명」 ㉡또 그 이름。 기명。 「聯署연서」 ㉢제목·표제를 씀。 표기(表記)함。 ⑥**표제서** 제목。 ⑦**마을서** 관청。

주의 「暑서」〈덥다〉는 딴 글자

【署理 서리】 공석된 직무(職務)를 대리(代理)함。 또 그 사람。

【署名 서명】 성명을 기입함。

【署長 서장】 관서의 우두머리。

◉公署공서 官署관서 局署국서 本署본서 府署부서 部署부서 連署연서 自署자서

十畫

15 【罵】 网 10 매 | 욕할 | ㊎禡

자원 형성 馬음 吅-罒┬罵(网부) 2500년전

「口구」〈입〉를 두 개 겹친 「吅훤」의 생략체 「罒」과, 음을 나타내는 동시에 퍼뜨리다의 뜻(⇩播파)을 나타내기 위한 「馬마」로 이루어짐。 여럿이 입을 모아 욕을 퍼붓다의 뜻。

뜻 ①**욕할매** 욕설을 함。 「罵詈매리」 ②**욕매** 욕설。

【罵倒 매도】 몹시 꾸짖음。 대단히 욕함。

【罵詈 매리】 욕설을 퍼부으며 꾸짖음。

15 【罷】 网 10 고교 ㊀**파** | 파할 | ㊀㊤蟹 ㊁**피** | | ㊁㊥支

〔 冖 罒 罒 罒 罒 罢 罷 罷 罷

자원 회의 网能 网-罒┬罷(网부) 2500년전

「网망」은 그물이고, 죄인(罪人)을 잡는 뜻。 현명(賢明)하고 능력(能力)이 있는 사람은 일단(一旦) 죄로 해서 잡힌다 하더라도, 곧 풀려나기 때문에, 「网」과, 「能능」을 합(合)하여 방면(放免)하는 뜻을 나타내고 전하여, 그만두다, 쉬다, 물리치다 등의 뜻으로 쓰임。

뜻 ㊀①**파할파** ㉠쉼。 휴지함。 「罷休파휴」 ㉡그만둠。 폐지함。 「罷遣파견」 ②**놓을파** 놓아줌。 방면함。 ③**내칠파** 물리침。 파면함。 「罷黜파출」 ④**물러갈파** 퇴귀(退歸)함。 ㊁①**고달플피** 피로함。 ②**둔할피** 노둔함。

참고 「罷」를 음으로 하는 글자=「擺파」〈밀쳐 열다〉·「羆비」〈말곰〉

【罷業 파업】 ①하던 일을 중지함。 ②동맹파업(同盟罷業)。

【罷場 파장】 ①과장(科場)이 파(罷)함。 ②시장(市場)이 파(罷)함。

【罷職 파직】 관직(官職)을 파면시킴。

◉斥罷척파 廢罷폐파

十一畫

16 **【罹】** 网 11 **리** | 근심할 | ㊥支

자원 형성 罹 옴 心→忄 ┬ 罹 (网부) 2500년전

「忄심방변」〈마음〉과, 음을 나타내는 동시에 그물을 치다의 뜻(⇩羅라·리)을 가진 「罹라·리」(羅의 생략형)로 이루어지며, 그물에 걸린 것처럼, 마음에 걸리다의 뜻. 전(轉)하여, 걸리다의 뜻.

뜻 ①**근심할리**, **근심리** 걱정함. 걱정. ②**걸릴리** 병·재앙 따위에 걸림. 「罹病이병」「罹災이재」

【罹病 이병】 병(病)에 걸림.

【罹災 이재】 재해를 입음.

十四畫

19 **【羅】** 网 14 고교 **라** | 그물 | ㊥歌

〔 罒 罒 罖 罖 罗 罗 羅 〕

자원 형성 維 옴 网→罒 ┬ 羅 (网부) 2500년전

「罒그물망」과, 음을 나타내는 「維유」(라는 변음)로 이루어져 새 그물의 뜻.

뜻 ①**그물라** 조망(鳥網). 「雀羅작라」 ②**그물질할라** ㉠그물을 쳐서 잡음. 「羅雀나작」 ㉡그물을 쳐서 잡듯이 휘몰아 들임. ③**비단라** 엷은 비단. 「輕羅경라」 ④**늘어설라**, **벌이어놓을라** 「羅列나열」「羅布나포」 ⑤**두를라** 위요함. ⑥**체질할라** 체로 침.

참고 「羅」를 음으로 하는 글자=「蘿라」〈쑥〉·「邏라」〈순찰하다〉·「籮라」〈조리〉·「鑼라」〈징〉

【羅馬 나마】 로마(Roma).

【羅紗* 나사】 양복 감으로 쓰이는 두꺼운 모직물.

【羅列 나열】 죽 늘어섬. 죽 벌이어 놓음. 나진(羅陳). 진열(陳列).

【羅甸* 나전】 라틴(Latin).

【羅針盤 나침반】 자침(磁針)이 보통의 경우 남북(南北)을 가리키는 특성(特性)을 이용하여, 방위(方位) 또는 지평각 등을 측정하는 기구.

◉伽羅가라 綾羅능라 曼陀羅만다라 網羅망라 修羅수라 新羅신라 耽羅탐라

羊部

羊

6 **【羊】** 부수 중학 **양** | 양 | ㊥陽

丶 丷 䒑 ⺷ 兰 羊

자원 상형 (A) (B) 3000년전

「羊」은 양. 양의 두부(頭部)를 도형화(圖形化)한 것이며 「牛우」〈소〉자와 비슷함. 아주 옛날에 양은 신에게 바치는 희생의 짐승 중에서도 특히 존중된 것임.

뜻 **양양** 가축의 하나.

참고 「羊」을 음으로 하는 글자=「佯양」〈속이다〉·「洋양」〈큰바다〉·「徉양」〈배회하다〉·「恙양」〈병〉·「羕양」〈긴 강〉·「痒양」〈병〉·「養양」〈기르다〉·「庠상」〈주대의 학교〉·「祥상」〈행복〉·「詳상」〈자세하다〉·「翔상」〈날다〉·「羌강」

〈오랑캐의 이름〉·「姜강」〈성〉

【羊頭狗肉 양두구육】 양의 대가리를 내어걸고는 개고기를 판다는 뜻。겉으로는 훌륭한 체하고 실상은 음흉한 짓을 함의 비유。

【羊腸 양장】 ①양(羊)의 창자。②꼬불꼬불한 길。③대행산(大行山)의 꼬불꼬불한 고개。

【羊質虎文 양질호문】 겉으로 보기에는 훌륭하나 실상은 별 수 없음을 이름。

【羊齒 양치】 고사리。

【羊皮 양피】 양(羊)의 가죽。

【羊毫筆 양호필】 양(羊)의 털로 만든 붓。

三畫

9 **【美】** 羊 3 중학 미 아름다울 ㊤紙

丷 䒑 䒑 羊 羊 美 美

자원 회의·大+羊→美(羊부)

3000년전

「大대」는 훌륭한 사람。「羊양」은 신에게 바치는 희생의 짐승으로서의 양。「美」는 신에게 바치는 살찐 양→맛있다→아름답다→훌륭함。

뜻 ①**아름다울미** ㉠미려함。「美人미인」「美文미문」㉡옳음。착함。「美政미정」「美事미사」㉢훌륭함。좋음。②**맛날미** 맛이 있음。「甘美감미」「美味미미」③**기릴미** 칭찬함。「賞美상미」「褒美포미」④**잘할미** 옳게 또는 훌륭하게 함。⑤**미국미、미주미** 북미합중국(北美合衆國) 또는 아메리카주(洲)의 약칭(略稱)。

【美感 미감】 미(美)에 대한 감각。

【美擧 미거】 칭찬(稱讚)할 만한 아름다운 행실(行實)。

【美觀 미관】 보기에 아름다운 것。훌륭한 경치。

【美妓 미기】 아름다운 기생(妓生)。

【美談 미담】 후세(後世)에 전(傳)할 만한 아름다운 이야기。

【美德 미덕】 아름다운 덕행(德行)。

【美麗 미려】 아름답고 고움。

【美名 미명】 아름다운 이름。좋은 평판(評判)。

【美貌 미모】 아름답고 고운 얼굴。

【美妙 미묘】 아름답고 묘함。

【美辭 미사】 아름다운 말。

【美色 미색】 ①아름다운 용모。②아름다운 빛。

【美術 미술】 미(美)의 표현을 목적으로 하며、시각(視覺)에 의하여 관상하는 예술。즉 회화·조각 등。

【美食 미식】 맛 좋은 음식。

【美顔 미안】 아름다운 얼굴。

【美容 미용】 미모(美貌)。

【美意識 미의식】 미를 감상하는 의식。

【美人 미인】 얼굴이 예쁜 여자。

【美人計 미인계】 여색(女色)을 이용(利用)하여 남을 꾀는 꾀。

【美人局 미인국】 남편 있는 여자가 남편과 짜고 간통한 후 그 간부(姦夫)를 협박하여 돈을 빼앗는 일。

【美酒 미주】 맛 좋은 술。

【美稱 미칭】 ①아름다운 칭호(稱號)。②미명(美名)。

【美態 미태】 아름다운 태도(態度)。

【美風 미풍】 아름다운 풍속(風俗)。

【美行 미행】 아름다운 행동(行動)。

【美化 미화】 ①아름답게 만듦。

【美姬* 미희】 아름다운 계집。

◉甘美감미 賞美상미 審美심미 雅美아미

【姜】 ⇩女部六畫

五畫

11 【羞】 羊 5 수 | 나갈 | [平] 尤

[자원] 형성 丑[음] + 羊 → 羞(羊부)

「羊양」에 음을 나타내는 동시에 권하다의 뜻(⇩侑유)을 나타내기 위한 「丑추·축」(수는 변음)을 더하여 이루어짐。 종묘(宗廟) 제사에 바치는 양의 뜻。 전하여、 권하다、 드리다의 뜻。 「醜추」와 음이 통(通)하여 부끄러워하다의 뜻으로 쓰이게 됨。

[뜻] ①**나갈수** 앞으로 나감。 ②**드릴수** 음식을 올림。 ③**음식수** 「珍羞진수」 ④**부끄러워할수** ⑤**부끄럼수** 수치。 치욕。 「含羞함수」

【羞惡之心 수오지심】 자기의 나쁜 짓을 부끄러워하고 남의 나쁜 짓을 미워하는 마음。 정의감(正義感)。

【羞恥 수치】 부끄러움。

六畫

12 【着】 羊 6 [중학] 착 | 입을 | [入] 藥

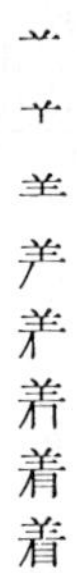

[자원] 형성 竹 者[음] → 箸-著-着(羊부)

「着」은 「著저」를 간략하게 쓴 글자체의 속자(俗字)。 우리나라에서는 습관상 「착」의 뜻으로는 주로 이 「着」을 씀。

[뜻] ①**입을착** 옷을 입음。 「着衣착의」 ②**신을착** 신을 신음。 ③**붙을착** 달라붙음。 「黏着점착」 「附着부착」 ④**살착** 정주(定住)함。 대대로 삶。「定着정착」 ⑤**필착** 꽃이 핌。 「着花착화」 ⑥**손댈착** 일을 시작함。 「着手착수」 ⑦**다다를착** 도달함。 「到着도착」 ⑧**끝날착** 결말이 남。 「落着낙착」 ⑨**둘착** ㉠바둑을 둠。 ㉡솜을 넣음。 「着綿착면」 ⑩**옷착** 의복。 ⑪**어조사착** 동작을 나타내는 말에 붙여 쓰는 조자(助字)。

【着目 착목】 착안(着眼)。

【着服 착복】 ①옷을 입음。 또 옷。 ②남의 금품(金品)을 부당하게 자기 것으로 함。

【着想 착상】 예술작품이나 무슨 일을 이루려고 할 때의 그것에 대한 구상。

【着色 착색】 색을 칠함。

【着席 착석】 자리에 앉음。

【着先鞭 착선편】 남보다 먼저 말에 채찍질을 한다는 뜻으로、 남에 앞서서 공(功)을 이룸。 남을 앞지름。 기선(機先)을 제함。 착편(着鞭)。

【着手 착수】 일에 손을 댐。 일을 시작(始作)함。

【着實 착실】 침착(沈着)하고 성실함。

【着眼 착안】 어떤 일을 눈여겨 보거나 그 일에 대한 기틀을 깨달아 잡음。

【着用 착용】 옷을 입음。

【着衣 착의】 옷을 입음。 또 입은 옷。

【着着 착착】 일이 차례차례로 잘 되어가는 모양。

◉結着결착 膠着교착 落着낙착 撞着당착 到着도착 發着발착 逢着봉착 先着선착

【善】 ⇩口部九畫

〔六畫部首順〕 竹米糸缶网羊羽老而耒耳聿肉臣自至臼舌舛舟艮 色艸虍虫血行衣襾

【翔】⇩羽部六畫

七畫

13 【羨】羊 7 [一]선 [二]연 | 부러워할 | [一][去]霰 [二][平]先

[자원] 형성 次[음] + 羊→⺶ → 羨(羊부)  2500년전

「羊양→⺶」〈양〉과, 침의 뜻과 함께 음을 나타내는 「㳄연」(涎의 정자)으로 이루어지며, 양의 고기를 보고 침을 흘리다. 전(轉)하여, 부러워하다의 뜻.

[뜻] [一]①**부러워할선** ㉠탐내어 부러워함. 「貪羨탐선」 ㉡남이 자기보다 나은 것을 부러워하거나 흠모(欽慕)하여 부러워함. 「欽羨흠선」 ②**지날선** 더함. ③**나머지선** 여분. 잉여. ④**길선** 칫수가 긺. [二]**묘도연**

[주의] 「羡이」〈지명〉는 딴 글자.

【羨望 선망】부러워함.

【羨門 연문】무덤의 입구의 문.

13 【義】羊 7 [중학] 의 | 의 | [去]寘

ソ 䒑 ⺶ 羊 差 美 義

義

[자원] 형성 我[음] + 羊 → 義(羊부)

음을 나타내는 「我아」(의는 변음)는 날붙이의 일종. 「羊양」은 신에게 바치는 희생의 양. 「義」는 양을 바쳐 신에게 비는 의식(儀式). 나중에 바르다, 의로운 일의 뜻이 됨.

[뜻] ①**의의** ㉠군신간의 도덕. 오륜(五倫)의 하나. 「君臣有義군신유의」 ㉡옳은 길. 사람이 지켜야 할 준칙. 오상(五常)의 하나. 「仁義禮智信인의예지신」 ㉢국가·군주 또는 공공을 위한 마음씨. 그 일. 「義倉의창」 「義擧의거」 ㉣은혜. 덕혜(德惠). ㉤직분(職分). 「義務의무」 「背恩忘義배은망의」 ㉥혈연관계가 없는 사람과 친족관계를 맺는 일. 「義父의부」 「義兄弟의형제」 ㉦전(轉)하여, 실물(實物)의 대용(對用)을 하는 것. 「義足의족」 「義齒의치」 ②**옳을의, 의로울의** ③**뜻의** 의미. 「大義대의」

[참고] 「義」를 음으로 하는 글자=「儀의」〈거동〉·「議의」〈의논하다〉·「檥의」〈배를 대다〉·「蟻의」〈개미〉

【義擧 의거】정의(正義)를 위해 일을 일으키는 일. 의(義)로운 거사.

【義禁府 의금부】《韓》조선(朝鮮) 때 왕명(王命)에 의하여 중죄(重罪)를 다스리던 특수사법기관. 장관(長官)은 판사(判事).

【義氣 의기】의(義)로운 마음. 의(義)로 인하여 일어나는 기개(氣槪).

【義女 의녀】의붓딸.

【義理 의리】①사람으로서 이행(履行)하여야 할 정당한 도리(道理). ②서로 사귀는 도리. ③뜻. 의미.

【義務 의무】①맡은 직분. ②응당 하여야 할 본분. 권리(權利)의 대(對).

【義兵 의병】의(義)를 위하여 일어나는 군사(軍士).

【義憤 의분】의(義)를 위하여 일어나는 분노(憤怒).

【義士 의사】의리와 지조(志操)를 굳게 지키는 선비.

【義湘 의상】《韓》통일신라(統一新羅) 시대의 중. 신라 화엄종(華嚴宗)의 개조(開祖).

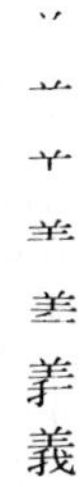

【義手 의수】 사람이 만들어 붙인 나무 또는 고무의 손。

【義眼 의안】 사람이 만들어 박은 눈。

【義捐* 의연】 자선(慈善)과 공익(公益)을 위하여 금품(金品)을 연조(捐助)함。또 그 금품。

【義烈 의열】 뛰어난 충의(忠義)。

【義勇 의용】 ①충의(忠義)와 용기(勇氣)。 의를 위하여 일어나는 용기。②의용병(義勇兵)。

【義人 의인】 의사(義士)。

【義賊 의적】 불의(不義)의 재물(財物)을 훔쳐다가 어려운 사람을 구제(救濟)하는 도적(盜賊)。

【義絕 의절】 ①맺었던 의를 끊음。②의리를 위하여 절교함。

【義弟 의제】 결의(結義)한 아우。

【義足 의족】 사람이 만들어 댄 나무나 고무의 발。

【義齒 의치】 사람이 만들어 박은 이。

【義俠* 의협】 ①강자(強者)를 억누르고 약자(弱者)를 도와 주는 마음。②체면을 중하게 알고 의리가 있음。

【義兄 의형】 결의(結義)한 형(兄)。

◉講義강의 論義논의 大義대의 道義도의 名義명의 禮義예의 意義의의 主義주의

13 【群】 羊 7 고교 군 | 무리 | (平)文

ㄱ ㅋ 尹 君 君䒑 群 群

자원 형성 羊 君음 ┬ 羣 ─ 群 (羊부)

음을 나타내는 「君군」은 둘러싸는 일。「羊양」은 양。「羣군」은 양이 모여 있음→떼지어 모이는 일。나중에 양에는 관계 없이 사람이나 사물의 모임에도 「群」을 씀。

뜻 ①**무리군** ㉠여러 사람。떼。「拔群발군」 ㉡같은 부류(部類)。②**벗군** 붕우。③**떼질군** 한데 모임。「群而不黨군이부당」 ④**모을군** 모이게 함。⑤**많을군** 많은。여럿의。「群雄군웅」

주의 「羣」이 정자(正字)、「群」은 본래 속자(俗字)。

【群島 군도】 모여 있는 작고 큰 여러 섬。

【群盜 군도】 많은 도적(盜賊)의 떼。

【群落 군락】 떼。무리。모인 단체。

【群像 군상】 ①많은 사람들。②많은 인물을 떼를 지어 그린 그림이나 새긴 조각。

【群生 군생】 ①많은 사람。②떼를 지어 무더기로 남。총생함。

【群書 군서】 많은 책(冊)。

【群小 군소】 ①수많은 소인(小人)。②수많은 첩(妾)。

【群雄割據 군웅할거】 많은 영웅이 각 지방에 웅거하여 세력을 떨침。

【群衆 군중】 많이 모인 여러 사람。

【群集 군집】 떼를 지어 모임。또 많은 사람이 모임。

◉拔群발군 不群불군 特群특군 匹群필군

13 【羣】 羊 7 群(앞 글자)의 본디 글자。

羽 部

6 【羽】 부수 고교 우 | 깃 | ㊤麌

ㄱ ㄱ 习 习ㄱ 羽 羽

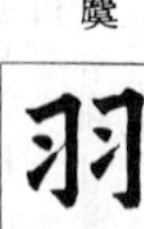

자원 형성 羽(부수) 2000년전

새의 날개의 모양을 본뜸。글자를 만들어 날개나、나는 것에 관한 뜻을 나타냄。

뜻 ①깃우 ㉠새의 날개의 깃털。「羽毛우모」㉡깃의 모양을 한 것。또는 깃으로 만든 부분。㉢무적(舞翟)。춤추는 사람이 갖는、꿩의 깃으로 만든 물건。②날개우 ㉠새의 날개。㉡벌레의 날개。「蟬羽선우」③새우 조류의 총칭。「羽族우족」④오음의 하나우 가장 맑은 음。⑤찌우 낚시찌。

【羽毛 우모】새의 깃과 짐승의 털。

【羽扇* 우선】새의 깃으로 만든 부채。

【羽衣 우의】새의 깃으로 지은 옷。

【羽翼 우익】①새의 날개。②보좌(輔佐)하는 사람이나 사물。③보좌함。

【羽化登仙 우화등선】사람의 몸에 날개가 생기어 하늘로 올라가서 신선(神仙)이 됨。

四畫

10【翁】羽 4 고교 옹 | 목털 | ㊥平東

자원 형성 羽 公음 → 翁(羽부) 2500년전

「羽우」〈깃〉와、음을 나타내며 동시에 목의 뜻(⇩項항)을 나타내기 위한「公공」(옹은 변음)으로 이루어져 새의 목덜미의 털의 뜻。「公」과 음이 통하는 것을 빌어 노인(老人)의 뜻으로 함。

뜻 ①목털옹 새의 목에 난 털。②늙은이옹 노인의 존칭。「翁媼옹온」③아버지옹 부친。④장인옹 아내의 아버지。⑤시아버지옹 남편의 아버지。「翁姑옹고」

【翁姑 옹고】시아버지와 시어머니。

【翁壻* 옹서】장인(丈人)과 사위。

【翁主 옹주】①제왕(諸王) 또는 제후(諸侯)의 딸。②《韓》서출(庶出)의 왕녀(王女)。

◉孤翁고옹 老翁노옹 婦翁부옹 漁翁어옹 主人翁주인옹 村翁촌옹

【扇】⇩戶部六畫

五畫

11【翌】羽 5 익 | 이튿날 | ㊥入職

자원 형성 羽 立음 → 翌(羽부) 3000년전

「翊익」과 같은 글자로 음을 빌어 이튿날의 뜻으로 씀。

뜻 이튿날익 명일(明日)。「翌日익일」

【翌年 익년】이듬해。

【翌夜 익야】이튿날 밤。

【翌月 익월】이듬 달。다음 달。

【翌日 익일】다음날。이튿날。

【翌朝 익조】이튿날 아침。

11【習】羽 5 중학 습 | 익힐 | ㊥入緝

자원 형성 日-白-白음 双-羽 → 習(羽부) (A) 2500년전

「双쌍」은 손을 둘 그린 모양이며 같은 거동을

거듭하는 일。「双」과 「日일」을 합한 자형(字形) Ⓐ는 날짜를 거듭하여 몇번이나 같은 일을 하다→학습하다。연습하는 일。나중에 「双」은 「羽우」, 「日일」은 「自자→白백」으로 모양을 바꾸어 쓰고 새 새끼가 날개(羽)를 움직여 나는 것을 익히는 모양으로 생각되었음。

뜻 ①**익힐습** ㉠배워 익힘。㉡연습을 함。㉢복습을 함。②**익숙할습** ㉠숙달함。㉡너무 친숙하여 버릇이 없음。③**버릇습** 습관。「積習적습」「慣習관습」 ④**겹칠습** 중첩함。

주의 「翌익」〈이튿날〉은 딴 글자。

참고 「習」을 음으로 하는 글자=「慴습」〈두려워하다〉·「褶첩」〈겹옷〉·「摺섭」〈접다〉

【習慣 습관】 버릇。익혀 온 행습(行習)。

【習得 습득】 배워 앎。

【習性 습성】 ①습관과 성질。②버릇。행습。

【習俗 습속】 풍습(風習)。

【習熟 습숙】 익숙해짐。

【習字 습자】 글씨를 익힘。

【習作 습작】 익히기 위하여 지은 작품。

◉講習강습 慣習관습 教習교습 復習복습 演習연습 練習연습 風習풍습 學習학습

十畫

16 **【翰】** 羽 10 ㊀한 — 깃 — ㊀㊄翰 ㊁간 — ㊁㊅寒

자원 형성 羽 + 倝(음) → 翰(羽부)

「羽우」〈날개〉와 음을 나타내는 「倝간」으로 이루어지며, 새 이름。산새。

뜻 ㊀①**깃한** 새의 깃。②**붓한** 옛날에는 새의 깃으로 붓을 만들었으므로 이름。「筆翰필한」 ③**글한** 문서。또 편지。「書翰서한」「翰林한림」 ④**흰말한** 백마(白馬)。⑤**힐한** 빛이 썩 흰 모양。⑥**날한** ㉠높이 낢。㉡빨리 날아가는 모양。㊁**줄기간** 幹(干部十畫)과 통용。

【翰林 한림】 학자 또는 문인의 모임。

【翰林學士 한림학사】 당대(唐代)의 관명(官名)。조서(詔書)를 초(草)하는 것을 맡았던 벼슬。

【翰墨 한묵】 붓과 먹。전(轉)하여、문자。필적。

【翰札 한찰】 편지。

◉內翰내한 書翰서한 札翰찰한 筆翰필한

十一畫

17 **【翼】** 羽 11 고교 익 — 날개 — ㊇職

자원 형성 羽 + 異(음) → 翼(羽부)

「羽우」〈날개〉와 음을 나타내는 「異이」(익은 변음)로 이루어져、날개의 뜻。날기 위해서는 두 개의 날개가 서로 가세(加勢)해야 되므로 전(轉)하여、돕다、가세하다의 뜻。

뜻 ①**날개익** ㉠새의 날개。「鳥翼조익」「鵬翼붕익」 ㉡곤충의 날개。「蟬翼선익」 ㉢좌우의 부대。「左翼좌익」「右翼우익」 ②**지느러미익** 물고기의 헤엄치는 기관(器官)。③**처마익** 지붕의 도리 밖으로 내민 부분。④**솥귀익** 솥의 손잡이。⑤**도울익** 보좌함。「扶翼부익」「輔翼보익」 ⑥**삼갈익** 근신함。⑦**천거할익** 추천함。⑧**이튿날익** 翌(羽部五畫)과 같은 글자。

⑨별이름의 이십팔수(二十八宿)의 하나。남방의 성수(星宿)。

【翼輔* 익보】도움。보좌함。

【翼贊 익찬】천자(天子)를 보좌함。

◉匡翼광익 補翼보익 輔翼보익 壯翼장익

十二畫

18【翻】羽 12 번｜날｜㊥元

자원 형성 羽 番음 ┬ 翻(羽부)

「羽우」와 음을 나타내는「番번」으로 이루어지며, 새가 난다는 뜻。

뜻 ①날번 높이 낢。「翻飛번비」 ②나부낄번 바람에 흔들려 날림。 ③뒤집힐번, 뒤집을번「翻覆번복」「翻案번안」 ④변할번 사물·태도가 변함。또 마음을 돌이킴。「翻志번지」 ⑤번역할번「翻譯번역」 ⑥도리어번 반대로。

주의 「飜」은 같은 글자。

【翻刻 번각】한 번 새긴 책판(冊板) 따위를 그 본새대로 꼭 같게 다시 새김。

【翻弄 번롱】놀림。조롱함。

【翻覆 번복】뒤집힘。

【翻案 번안】①원래의 구조(構造)를 조금 고쳐서 만듦。②안건(案件)을 뒤집음。남의 시문이나 작품을 개작(改作)함。

【翻譯 번역】한 나라의 말이나 글을 딴 나라의 말이나 글로 바꿔 옮김。

十四畫

20【耀】羽 14 요｜빛날｜㊦嘯

자원 형성 光 翟음 ┬ 耀(羽부)

「光광」〈빛〉과 음을 나타내는「翟적」(요는 변음)으로 이루어지며 빛나다의 뜻。

뜻 빛날요 광휘를 발함。曜(日部十四畫)와 같은 글자。

【耀耀 요요】찬란하게 빛나는 모양。

◉光耀광요 明耀명요 鮮耀선요 英耀영요

老(耂)部

6【老】부수 중학 로｜늙을｜㊤皓

一 十 土 耂 耂 老

자원 상형 (A) (B) 3000년전

「老」는 늙은 사람이 지팡이를 짚고 있는 모습。다른 글의 부수로 쓰일 때는「耂」로 쓰는 경우가 많음。

뜻 ①늙을로 ㉠나이를 많이 먹음。「偕老해로」 ㉡늙어서 은퇴함。 ㉢시일을 오래 끌어 피로함。 ㉣시일을 오래 끌어 쇠(衰)해짐。「老大國노대국」 ②늙은이로 ㉠나이를 먹은 사람。 ㉡나이 먹은 자기의 겸칭(謙稱)。 ③어른로 ㉠연장자。선배。「父老부로」「長老장로」 ㉡덕이 높고 나이가 많은 사람。「長老장로」「鄕老향로」 ㉢공경(公卿)·제후(諸侯)의 우두머리。 ㉣신하(臣下) 또는 가신(家臣)의 우두머리。 ④노자의학설로 노자(老子)가 제창한 학설。「佛老불로」「黃老황로」 ⑤노인대할로 경로(敬老)。 ⑥익숙할로 숙달함。「老練노련」

【老境 노경】늙바탕。
【老姑 노고】할멈。
【老公 노공】나이 먹은 귀인(貴人)의 존칭(尊稱)。
【老軀* 노구】늙은 몸。
【老農 노농】①늙은 농부。②농사(農事) 경험이 많은 사람。
【老當益壯 노당익장】늙을수록 더욱 기운을 내어야 한다는 말。
【老大國 노대국】옛적에는 융성하였으나 지금은 쇠약해진 나라。
【老鍊 노련】오래 경험을 쌓아서 아주 익숙함。
【老齡* 노령】늙은 나이。
【老妄 노망】늙어서 망녕을 부림。
【老母 노모】늙은 어머니。
【老木 노목】여러 해 묵은 나무。
【老病 노병】노쇠(老衰)하여 나는 병。
【老僕* 노복】①늙은 종。②노인의 자칭(自稱)。
【老父 노부】①늙은 아버지。②늙은이。
【老婦 노부】늙은 부녀(婦女)。
【老小 노소】늙은이와 어린아이。
【老少 노소】늙은이와 젊은이。노인(老人)과 소년(少年)。
【老衰 노쇠】늙어서 쇠함。
【老壽 노수】장수(長壽)。
【老僧 노승】늙은 중。
【老臣 노신】①나이 먹은 신하。②지위가 높은 신하。
【老眼 노안】늙은이의 원시안(遠視眼)。
【老炎 노염】늦더위。
【老翁 노옹】늙은이。
【老友 노우】나이 먹은 친구。늙은 벗。
【老幼 노유】늙은이와 어린이。
【老儒 노유】①나이 먹어 열력(閱歷)이 많고 조예가 깊은 학자。②나이 먹어 쓸모 없는 학자。
【老益壯 노익장】나이 먹을수록 기력이 좋아짐。
【老人鏡 노인경】돋보기。
【老子 노자】①장로(長老)의 일컬음。②아버지를 이름。③주(周)나라 말기의 철학자。성은 이(李)。이름은 이(耳)。자는 백양(伯陽)。
【老丈 노장】노인(老人)의 경칭(敬稱)。
【老將 노장】①나이 많은 장수(將帥)。늙은 장수。②군사에 노련한 장수。
【老莊 노장】①노자와 장자。②노자의 학설。무위(無爲)로써 도덕의 표준을 삼고 허무로 우주의 근원을 삼음。
【老妻 노처】늙은 아내。
【老處女 노처녀】과년한 처녀。
【老親 노친】늙으신 부모(父母)。
【老態 노태】늙은이의 태도(態度)。나이가 들어보이는 모양。
【老婆心* 노파심】남의 걱정을 너무 하는 마음。지나치게 친절한 마음。
【老兄 노형】①나이 먹은 형。②나이 먹은 벗의 존칭。
【老昏 노혼】늙어서 정신이 흐림。
【老患 노환】노병(老病)。
【老朽 노후】늙어서 소용이 없음。또 그 사람。
【老後 노후】늙은 후。
◉古老고로 元老원로 長老장로 初老초로

二畫

6【考】老 2 중학 고 | 상고할 | ㊤皓

一 十 土 耂 耂 考

자원 형성 老 丂음 ┤考(老부)

「考」는 머리가 세고 허리가 굽은 노인의 모습。

3000년전

본디는「考」나「老로」나 모두 노인의 모습이지만, 후에「考」는「老」와 음을 나타내는「丂고」를 합한 자형(字形)으로 씀。「丂」는 굽다→노인의 허리가 굽음을 나타냄。「考」의 뜻은 늙은이→아버지→죽은 아버지→조상을 생각하다→생각하다로 되었음。

[뜻] ①**상고할고** ㉠곰곰 생각함。「熟考숙고」「考察고찰」 ㉡학생·관리 등의 성적을 조사함。「科考과고」「考試고시」 ②**칠고** 두드림。 ③**이룰고** 완성함。 ④**마칠고** 끝냄。 ⑤**수할고** 오래 삶。 ⑥**아버지고** 죽은 아버지。「考妣고비」 ⑦**시험고** 고사。「考試고시」 ⑧**흠고** 하자(瑕疵)。

[주의] ①「攷」는 옛 글자。 ②「孝효」〈효도〉·「老로」〈늙다〉는 딴글자。

[참고] 「考」를 음으로 하는 글자=「拷고」〈치다〉·「栲고」〈멀구슬나무〉

【考據 고거】 참고(參考)하여 증거(證據)로 삼음。

【考古學 고고학】 유적(遺蹟)·유물(遺物) 등을 상고(詳考)하여 고대 주민의 문화를 연구하는 학문。

【考課 고과】 관리나 학생 등의 공적·조행·학업 등을 조사함。

【考慮 고려】 생각하여 헤아림。

【考査 고사】 상고(詳考)하여 조사함。

【考試 고시】 학력 등의 시험。

【考案 고안】 ①고안(考按)。 ②안(案)을 연구하여 냄。 또 그 안。

【考閱* 고열】 참고하고 열람(閱覽)함。

【考訂 고정】 책의 오류를 정정함。

【考證 고증】 유물(遺物)이나 문헌을 상고하여 증거를 삼아 설명함。

【考證學 고증학】 경서(經書)를 연구하는 데 오로지 전거(典據)에 의해 그 뜻을 판단하는 청조(淸朝)의 유학(儒學)。

【考察 고찰】 ①상고(詳考)하여 살핌。 ②관리의 치적(治績)을 상고하여 출척(黜陟)함。

◉上考상고 先考선고 硏考연고 參考참고

三畫

【孝】 ⇩子部四畫

四畫

10 【耆】 老 4 ㊀**기** ㊁**지** | 늙을 | ㊀㊥支 ㊁㊤寘

[자원] 형성 旨음 老-耂┬耆 (老부)

「老로」〈늙다〉의 생략형「耂」와、음을 나타내며 동시에 이르다의 뜻(⇩至지)을 나타내기 위한「旨지」로 이루어짐。늙은이가 되다→늙다의 뜻。

[뜻] ㊀①**늙을기** 수를 함。 예순 살이 됨。「父母耆老부모기로」 ②**늙은이기** 「六十日耆육십왈기」 ③**힘셀기** 힘이 셈。「不儒不耆불유불기」 ④**즐길기** 嗜(口部十畫)와 통용。 ㊁**이를지** 致(至部四畫)와 뜻이 같음。

【耆年 기년】 노인。

【耆老 기로】 예순 살 이상의 노인。

【耆宿 기숙】 덕망이 있는 노인。

五畫

9 【者】 老 5 중학 **자** | 놈 | ㊤馬

一 十 土 耂 耂 者 者 者 者

[자원] 회의  2500전년

「者」는 나무에 피나 술을 흩뿌리는 모양과 기도의 말을 나타내는 「口구」(「甘감」 또는 「白백」으로도 씀)를 합한 형태로서 신에게 비는 말→많은 일을 한 뭉텅이씩 구별하는 말→구별된 「것」→많음。

[뜻] ①놈자、사람자 사람을 가리켜 이름。「仁者인자」「賢者현자」 ②것자 ㉠일을 가리켜 이름。 ㉡물건을 가리켜 이름。 ③곳자 장소를 가리켜 이름。 ④어조사자 ㉠어세(語勢)를 강하게 하기 위하여 쓰는 조사。「何者하자」「不然者불연자」 ㉡둘 이상의 사물을 구별하는 조사。(어세를 부드럽게 할 때는「也야」와 연용(連用)하여「也者」로 씀)。 ⑤이자 此(止部二畫)와 뜻이 같음。「者箇자개」

[참고] 「者」를 음으로 하는 글자=「奢사」〈사치하다〉·「煮자」〈끓이다〉·「赭자」〈붉은흙〉·「署서」〈덥다〉·「緖서」〈실마리〉·「諸제」〈모든〉·「著저」〈나타나다〉·「楮저」〈닥나무〉·「箸저」〈젓가락〉·「豬저」〈돼지〉·「都도」〈도읍〉·「堵도」〈담장〉·「屠도」〈짐승을 잡다〉·「睹도」〈보다〉·「覩도」〈보다〉·「賭도」〈걸다〉

◉近者근자 記者기자 當事者당사자 讀者독자 亡者망자 保菌者보균자 使者사자 聖者성자 識者식자 信者신자 譯者역자 緣故者연고자 王者왕자 仁者인자 作者작자 長者장자 著者저자 前科者전과자 諜者첩자 編輯者편집자 筆者필자 學者학자 賢者현자 好事者호사자 患者환자

而 部

6 【而】 부수 [중학] 이 | 말이을 | [平] 支

一 丆 丆 丙 而 而

[자원] 상형  2500년전

「而」는 턱수염을 본뜸。 수염。 음을 빌어 어조사(語助辭)로 씀。

[뜻] ①말이을이 접속사(接續辭)로서 그리하고。 그러나。 …하여도 등의 뜻으로 쓰임。「學而時習之학이시습지」 ②너이 자네。 ③같을이 如(女部三畫)와 뜻이 같음。 ④뿐이 「而已이이」「而已矣이이의」로 연용(連用)하여 …일 따름임의 뜻으로 쓰임。「九人而已구인이이」 ⑤어조사이 무의미의 조자(助字)。

【而今 이금】 지금(只今)。

【而已 이이】 뿐임。 …일 따름임。

【而後 이후】 이제부터。

三畫

9 【耐】 而 3 [고교] ㊀내 ㊁능 | 견딜 | ㊀[去]隊 ㊁[平]蒸

一 丆 丆 丙 而 而 耐 耐 耐

[자원] 회의 而+寸→耐(而부)

「耏내」와 같은 글자。 옛날에 가벼운 죄에는 수염을 깎은 까닭에 「而이」

〈구레나룻〉자와 「彡삼」〈수염〉자를 합하여 그 뜻을 나타냄。「彡」 대신 「寸촌」을 쓰는 것은 「寸」이 법도의 뜻을 나타내기 때문。

뜻 一 ①**견딜내** 배겨 냄。유지함。「耐火내화」 ②**참을내** 인내함。「耐忍내인」 ③**구레나룻깎을내** 耏(而部三畫)와 같은 글자。 二**능할능** 能(肉部六畫)과 통용함。

【耐久 내구】 오래 견딤。

【耐震 내진】 지진에 견딤。

【耐寒 내한】 추위를 견딤。

【耐火 내화】 불에 견딤。 불에 타지 아니함。

◉堪耐감내 忍耐인내

八畫

【需】 ⇩雨部六畫

耒部

6 【耒】 부수 **뢰** | 쟁기 | 去隊

자원 형성 丯(음) 木 ㅜ 耒 - 耒(부수) 2500년전

땅을 가는 가래의 모양을 나타내는 (木)와 음을 나타내는 「丯개」(뢰는 변음)로 이루어지며, 「耒」가 「耒」로 쓰여졌음。가래의 뜻。한자(漢字)의 부수(部首)로서는, 경작·농구에 관한 뜻을 나타냄。

뜻 **쟁기뢰**、**쟁깃술뢰** 농구의 한 가지。또 쟁기의 자루。

6 【耒】 耒 0 來(人部六畫)의 약자(略字)。

四畫

10 【耕】 耒 4 중학 **경** | 갈 | 平庚

一 三 丰 耒 耒 耒 耒 耕

耕

자원 형성 耒 井(음) ㅜ 耕(耒부)

음을 나타내는 「井정」(경은 변음)은 가로와 세로로 테를 짜는 일。「耒뢰」는 쟁기。「耕」은 논밭을 가로세로 가지런히 갈다。

뜻 **갈경** ㉠농구로 논밭을 파 뒤집음。「耕耘경운」 ㉡농사에 힘씀。전(轉)하여、농사。㉢힘써 게을리하지 아니함。「耕道得道경도득도」 ㉣의식(衣食)을 위하여 힘씀。

【耕讀 경독】 농사를 지으며 틈틈이 글을 읽음。

【耕地 경지】 경작함。또 그 경작하는 「전지(田地)」。

◉墾耕간경 歸耕귀경 農耕농경 深耕심경

10 【耗】 耒 4 **모** | 벼 | 去號

자원 형성 耒 毛(음) ㅜ 耗(耒부)

농사·농구의 뜻인 「耒뢰」와 음을 나타내는 「毛모」로 이루어짐。본디는 벼의 뜻으로 「秏모」〈벼〉를 잘못 써서 생긴 글자。나중에 「毛」가 없어지다의 뜻인 「亡망」과 결부되어 쟁기를 잡아 일할 힘이 없어지다 →감소하다의 뜻이 됨。

뜻 ①**벼모** 秏(禾部四畫)와 같은 글

자。②**덜모**、**덜릴모** 감손함。「消耗소모」 ③**쓸모** 써 없앰。소비함。④**동정모** 동태。⑤**소식모** 음신(音信)。⑥**어지러울모** 너무 많아 난잡함。

【耗減 모감】 모손(耗損)。

【耗損 모손】 덞。줆。

耳部

6 **【耳】** 부수 중학 **이** 귀 ㊤紙

一 丅 下 F E 耳

자원 상형 2500년전

「耳」는 귀의 모양을 본뜸。

뜻 ①**귀이** ㉠오관(五官)의 하나。청각(聽覺)을 맡음。「耳目이목」 ㉡물건의 양쪽에 붙어 귀 같은 모양을 한 물건。솥귀 따위。②**뿐이** 따름。「而已이이」 두 자의 합음(合音)。③**어조사이** 의미 없는 어조사。

참고 「耳」를 음으로 하는 글자＝「咡이」〈입언저리〉·「珥이」〈귀엣고리〉·「餌이」〈먹이〉·「茸용」〈우거지다〉·「恥치」〈부끄럼〉

【耳聞不如目見 이문불여목견】 귀로 듣는 것은 눈으로 보는 것만 못함。

【耳順 이순】 육십세(六十歲)。공자(孔子)가 예순 살이 되어서는 천지 만물의 이치에 통달하였으므로 어떤 일을 들어도 다 이해하였다 한 데서 이름。

二畫

【取】 ⇩又部六畫

三畫

9 **【耶】** 耳 3 고교 ㊀**야** ㊁**사** ㊀그런가 ㊁ ㊀㊥麻

一 丅 F F E 耳 耳' 耶 耶

자원 형성 邑-阝 牙-耳(음) ┬ 耶(耳부)

「阝우부방」과 음을 나타내는 「耳이」(야는 변음)로 이루어짐。음을 빌어 의문(疑問)의 어조사(語助辭)로 쓰임。본디는 「邪」였는데 나중에 잘못 써서 된 글자。

뜻 ㊀①**그런가야** 의문사(疑問辭)。邪(邑部四畫)와 같은 글자。②**아버지야** 爺(父部九畫)와 같은 글자。㊁**간사사** 邪(邑部四畫)와 같은 글자。

四畫

10 **【耽】** 耳 4 **탐** 처질 ㊥覃

자원 형성 耳-冘(음) ┬ 耽(耳부)

「耳귀이변」과 음을 나타내며 동시(同時)에 늘어지다의 뜻(⇩沈침·심)을 갖는 「冘음」(탐은 변음)으로 이루어짐。귀가 크게 늘어지다의 뜻。음을 빌어、사물에 마음을 빼앗겨 즐기는 뜻(⇩媅담)에 쓰임。

뜻 ①**처질탐** 귀가 커서 축 처짐。②**즐길탐** 화락함。「耽溺탐닉」 ③**빠질탐** 지나치게 즐김。

【耽溺 탐닉】주색(酒色)에 빠짐。

【耽讀 탐독】다른 것을 잊을 만큼 글을 읽는 데 열중함。

【耽羅 탐라】《韓》 제주도(濟州島)의 옛 이름。

【耻】⇩心部六畫

七畫

13 【聖】耳 7 [중학] 성 | 성스러울 | [去]敬

丅 F 耳 耳口 聖 聖 聖

2500년전

[자원] 형성 耳 呈(음) 丅聖(耳부) 음을 나타내는 「呈정」(성은 변음)은 가리켜 보다、똑똑히 나타나다。또 「王정」〈바로 나가다〉이나 「程정」〈근거〉의 뜻과 통함。「聖」은 귀가 잘 들리다→사리(事理)에 잘 통하고 있다→뭐든지 다 알고 있는 사람、곧 성인을 일컬음。

[뜻] ①**성스러울성** 지덕(知德)이 가장 뛰어나고 사리에 무불통지함。②**성인성** ㉠지덕이 가장 뛰어나고 사리에 통하지 않는 바 없는 사람。「聖賢성현」㉡어느 방면에 공전절후(空前絶後)로 뛰어난 사람。「筆聖필성」「詩聖시성」③**천자성** ㉠황제의 존칭。「聖上성상」「聖主성주」㉡또 천자에 관한 사물의 존칭(尊稱)。「聖恩성은」「聖旨성지」㉢또 존숭하는 사물의 경칭(敬稱)。④**맑은술성** 청주(淸酒)의 별칭(別稱)。

【聖敎 성교】①성인의 가르침。②《佛敎》불교。

【聖君 성군】도덕(道德)이 높은 어진 임금。성왕(聖王)。성주(聖主)。

【聖壇 성단】신성한 제단(祭壇)。

【聖堂 성당】성묘(聖廟)。

【聖代 성대】성군이 다스리는 세상。

【聖德 성덕】①천자의 덕(德)。②거룩한 덕(德)。

【聖慮 성려】천자의 심려(心慮)。

【聖廟 성묘】공자를 모신 사당。

【聖上 성상】당대의 임금의 존칭。

【聖像 성상】천자 또는 성인의 화상。

【聖壽 성수】천자의 나이。

【聖心 성심】①천자의 마음。②성인의 마음。

【聖藥 성약】효험(效驗)이 썩 좋은 약(藥)。

【聖業 성업】①임금의 사업。②거룩한 사업。

【聖域 성역】①거룩한 지역(地域)。②성인의 경지(境地)。

【聖人 성인】지혜(智慧)와 도덕(道德)이 뛰어나고 사물(事物)의 이치(理致)에 정통(精通)하여 만세(萬歲)에 사표(師表)가 될 만한 사람。

【聖典 성전】①성인이 정한 법。②경전(經典)。성경(聖經)。

【聖殿 성전】신성한 전당(殿堂)。신전(神殿)。

【聖祖 성조】거룩한 천자의 조상。

【聖朝 성조】당대 조정의 존칭。전(轉)하여 지금 세상。당대。

【聖地 성지】①신성한 토지。신·불·성인과 관계 있는 땅。②종교(宗敎)의 발상지(發祥地)。기독교의 예루살렘、회교(回敎)의 메카 따위。

【聖旨* 성지】천자의 뜻。

【聖誕* 성탄】①성인(聖人)의 탄생(誕生)。②임금이 탄생한 날。

【聖賢 성현】①성인(聖人)과 현인(賢人)。②청주(淸酒)와 탁주(濁酒)。

◉大聖대성 明聖명성 書聖서성 仙聖선성 先聖선성 詩聖시성 神聖신성

13 **【聘】** 耳 7 고교 **빙** | 찾을 | 去敬

一 ㄏ F E 耳 耵 聃 聃 聘

자원 형성 耳 甹음 ⊤聘(耳부) 2500년전

듣다의 뜻을 가진「耳귀이변」과、음을 나타내며 동시에 평안하다의 뜻(⇩平평)을 나타내기 위한「甹병」(빙은 변음)으로 이루어짐。 평안한지 않은지를 묻다、안부를 묻다의 뜻。

뜻 ①**찾을빙** 방문하여 안부를 물음。「聘問빙문」 ②**장가들빙** 예의를 갖추어 장가를 듦。 ③**부를빙** ㉠폐백(幣帛)을 보내어 부름。 예의를 갖추어 부름。 ㉡보수를 주고 부름。

【聘母 빙모】 아내의 친정(親庭) 어머니。 장모(丈母)。

【聘父 빙부】 아내의 친정 아버지。 장인(丈人)。

【聘丈 빙장】 남의 장인(丈人)의 존칭。 악장(岳丈)。

◉報聘보빙 使聘사빙 禮聘예빙 招聘초빙

八畫

14 **【聰】** 耳 8 聽(耳部十一畫)의 속자(俗字)。

14 **【聞】** 耳 8 중학 **문** | 들을 | ①-④平文 ⑤-⑦去問

丨 ㄏ 門 門 門 聞 聞

聞

자원 형성 耳 門음 ⊤聞(耳부) (A) 2500년전 (B) 2000년전

음을 나타내는「門문」은 입구(入口)。「耳이」는 귀。「聞」은 소리가 귀로 들어가다→들리다。 옛 모양(A)는 신에게 비는 사람이 신의 소리를 들으려고 하고 있는 모습이며「聖성」과 관계가 깊음。(B)는「昏혼」과「耳」를 합한 자형임。

뜻 ①**들을문** ㉠귀로 소리를 감득함。「聞知문지」 ㉡들어서 앎。「多聞다문」 ㉢들어서 아는 일。「百聞不如一見백문불여일견」 ②**맡을문** 냄새를 맡음。 ③**들릴문** 듣게 됨。 ④**알릴문** 남에게 들려 알게 함。 특히 높은 사람에게 아룀。 ⑤**알려질문** 널리 알려짐。 ⑥**이름문** 널리 알려진 이름。 명망。 성예(聲譽)。「聞達문달」 ⑦**소문문** 전(傳)하여 들리는 말。

참고 들리다의 뜻에는「聞」을 쓰고「聽청」〈듣다〉은 쓰지 않음。

【聞見 문견】 듣고 본 것。 곧 지식(知識)。

【聞達 문달】 명성이 높고 현달(顯達)함。 입신 출세함。

【聞道 문도】 ①도(道)를 들음。 ②들으니。 들은 바에 의하면。

【聞一以知十 문일이지십】 한 대목을 듣고 나머지 열 대목을 깨달아 앎。 극히 총명함을 이름。

◉見聞견문 寡聞과문 聽聞청문 風聞풍문

十一畫

17 **【聯】** 耳 11 고교 **련** | 연할 | 平先

一 ㄏ F 耳 耳 聅 聅 聯 聯 聯

자원 형성 耳 𢇇음 ⊤聯(耳부) 2500년전

「耳귀이변」과 음을 나타내는 동시에 잇닿다의 뜻(⇩連련)을 가진 「𢇇관」(련은 변음)으로 이루어짐。 귀가 뺨에 잇닿아 있다는 뜻。 전(轉)하여、 널리 잇닿다의 뜻으로 씀。

뜻 ①연할련 ㉠잇닿음。 ㉡연결함。 「聯兄弟연형제」 ②나란히할련 좌우로 나란히 함。 ③열사람련、열집련 주대(周代) 호구(戶口) 편제(編制)상의 단위。 ④연련 상대하는 두 구(句)를 한 짝으로 한 일컬음。

【聯句 연구】 여러 사람이 한 구씩 지어 한 편의 시를 이룸。 또 그 시。

【聯絡 연락】 ①서로 관련(關聯)을 맺음。 연락(連絡)。 ②이어 댐。

【聯立內閣 연립내각】 이개(二個) 이상의 정당원(政黨員)으로 성립된 내각(內閣)。

【聯盟 연맹】 공동 목적을 위하여 동일한 행동을 취할 것을 맹약하여 이룬 단체。

【聯邦 연방】 수개국이 연합하여 이룬 나라。

【聯想 연상】 한 관념에 의하여 관련되는 다른 관념을 생각하게 되는 현상。

【聯珠 연주】 ①구슬을 꿴다는 뜻으로 아름다운 시문(詩文)을 지음을 이름。 ②오목(五目)。

◉結聯결련 關聯관련 對聯대련 柱聯주련

17 【聰】 耳 11 고교 총 | 밝을 | ㊥東

一 丅 F 耳 耳' 耵 聊 聡 聰 聰

자원 형성 耳 悤음 ┬聰(耳부)

「耳귀이변」과 음을 나타내며 동시(同時)에 잘 통하다의 뜻(⇩通통)을 가지는 「悤총」으로 이루어짐。 귀가 잘 통하다、 사람의 말의 뜻을 잘 분간(分揀)하다의 뜻。

뜻 밝을총 ㉠귀가 밝음。 귀가 잘 들림。 ㉡명민함。 「聰明총명」

주의 「聡」은 속자(俗字)。

【聰氣 총기】 ①총명(聰明)한 기질(氣質)。 ②기억력(記憶力)。

【聰明 총명】 ①귀가 잘 들리고 눈이 밝음。 ②기억력이 좋고 슬기가 있음。

【聰敏 총민】 총명(聰明)하고 민첩함。

17 【聲】 耳 11 중학 성 | 소리 | ㊥庚

一 士 声 声 殸 殸 磬 聲 聲

자원 형성 耳 磬음-殸 ┬聲(耳부) 〔磬〕3000년전

음을 나타내는 「磬경」은 경쇠。 「耳이」는 귀。 「聲」은 경쇠 소리를 듣는 일→악기의 소리나 음계(音階)→사람의 소리。 약자(略字)는 「声」

뜻 ①소리성 ㉠음향。 「風聲풍성」 ㉡음성。 「笑聲소성」 ㉢말。 언어。 ㉣음악。 또 음조(音調)。 「聲色성색」 「四聲사성」 ㉤명예。 「名聲명성」 ㉥가르침。 「風聲풍성」 ㉦소문 ②소리낼성 발성함。 소리를 냄。 ③소리칠성 소리를 지름。 「聲討성토」 ④울릴성 소리가 진동함。 ⑤소식성 음신。 「聲息성식」

【聲價 성가】 성명。 좋은 평판。

【聲望 성망】 명성(名聲)과 인망(人望)。

【聲明 성명】 말하여 밝힘。 발설함。

【聲色 성색】 ①언어(言語)와 안색(顏

〔六畫部首順〕竹米糸缶网羊羽老而耒耳聿肉臣自至臼舌舛舟艮色艸虍虫血行衣襾

色)。②음악과 여색。

【聲援 성원】옆에서 소리를 내어 도「와 줌。

【聲威 성위】①명성으로 위협함。②명성과 위광(威光)。

【聲音 성음】①목소리。②음악。

◉歌聲가성 奇聲기성 萬聲만성 名聲명성 惡聲악성 有聲유성 肉聲육성 音聲음성 入聲입성 鐘聲종성 清聲청성 平聲평성

十二畫

18 【職】耳 12 [고교] 직 |구실| [入]職

「 E 耳 耴 聕 職 職

[자원] 형성 耳 + 戠[음] → 職 (耳부)

음을 나타내며, 동시에 나뭇 가지를 땅에 세우다의 뜻을 가지는 「戠직」과 물건을 붙이다의 뜻(⇩屬속)을 나타내기 위한 「耳이」로 이루어짐。가게에서 자기 집의 장사 종류(種類)를 사람에게 나타내기 위해 장대에 다는 작은 기의 뜻。전하여 직업(職業)의 뜻。일설에는 「戠」은 알다→기억하고 있다의 뜻이고, 「耳」는 귀가 잘 들리다→뛰어난 능력의 뜻을 가지므로 「職」이 잘 알다→잘 외고 있다→맡아 하다→구실→직업의 뜻이 되었다고 함。

[뜻] ①**구실직** 직분。임무。「職責직책」②**벼슬직** 관직。직위。「職位직위」③**일직** 정업(定業)。「職業직업」④**공물직** 국가에 바치는 물건。⑤**맡을직** 주관함。⑥**오로지직** 주로。

[주의] 「耺」·「耾」은 속자(俗字)。

【職權 직권】직무상(職務上)의 권한。

【職能 직능】직무상의 능력(能力)。

【職務 직무】관직 또는 직업상의 사무。「기가 마땅히 하여야 할 본분。

【職分 직분】①직무상의 본분。②자

【職任 직임】직무상(職務上)의 임무。

【職田法 직전법】《韓》조선(朝鮮) 세조(世祖) 십이년(十二年)에 과전법(科田法)을 고쳐서 제정(制定)한 전법(田法)。현직(現職) 관리(官吏)들에게만 토지(土地)를 지급함。

【職制 직제】직무상에 관한 제도。

【職品 직품】벼슬의 품계。

◉兼職겸직 官職관직 免職면직 辭職사직 殉職순직 在職재직 就職취직 退職퇴직

十六畫

22 【聽】耳 16 [중학] 청 |들을| ①-③ [去]徑 ④ [平]青

「 E 耳 耳 聽 聽 聽

[자원] 형성 耳 + 悳 → 聽, 王[음] → 聽 (耳부) 聽 2500년전

「耳이」〈귀〉와 세우다의 뜻을 나타내는 「悳덕」과 음을 나타내는 「王정」(청은 변음)으로 이루어짐。소리가 잘 들리도록 귀를 기울여 듣다의 뜻。

[뜻] ①**들을청** ㉠정신을 차리고 들음。「聽政청정」㉡들어줌。「聽許청허」㉢받음。㉣말을 들어서 단정함。재판함。「聽訟청송」㉤좇음。따름。②**기다릴청** ③**염탐군청** 간첩。④**마을청** 廳(广部二十二畫)과 같은 글자。

【聽講 청강】강의(講義)를 들음。

【聽聞 청문】①들음。②《佛敎》설교를 들음。

【聽訟 청송】 송사(訟事)를 심리(審理)함。
【聽受 청수】 들어 줌。
【聽而不聞 청이불문】 들어도 들리지 않음。 곧 한 일에 마음이 열중하면 딴 일은 도무지 알지 못함。
【聽政 청정】 제왕이 정사에 관하여 신하가 아뢰는 말을 들음。 정사(政事)를 청단(聽斷)함。
【聽從 청종】 시키는 대로 잘 순종함。
【聽許 청허】 듣고 허락(許諾)함。
◉ 敬聽경청 傾聽경청 謹聽근청

22 【聾】 耳 16 롱 | 귀머거리 | ㊥東

자원 형성 耳 龍(음) ┬ 聾 (耳부)

「耳이」〈귀〉와 음을 나타내는 「龍롱·롱」으로 이루어짐。 귀머거리의 뜻。

뜻 ①**귀머거리롱** 「聾啞농아」 ②**귀먹을롱** ③**어두울롱** 사물에 밝지 못함。

【聾盲 농맹】 귀머거리와 소경。
【聾俗 농속】 어리석은 속인(俗人)。
【聾啞 농아】 귀머거리와 벙어리。

聿部

6 【聿】 부수 율 | 붓 | ㊇質

자원 상형 3000년전 2500년전

붓(⺊)을 손(⺕)에 잡고 있는 모양을 본뜸。 붓의 뜻。 나중에 붓의 뜻으로는 「筆필」이 쓰여지고, 「聿」은 음을 빌어 발어(發語)의 말로 쓰여짐。

뜻 ①**붓율** 모필。 ②**마침내율** 드디어。 ③**이에율** 발어사(發語詞)。 ④**좇을율** 따름。 ⑤**스스로율** 자신이。 자진하여。

참고 「聿」을 음으로 하는 글자=「筆필」〈붓〉·「律률」〈법〉

四畫

【書】 ⇩曰部六畫

五畫

11 【肃】 聿 5 肅(聿部七畫)의 속자(俗字)。

六畫

【晝】 ⇩日部七畫

【畫】 ⇩田部七畫

七畫

13 【肅】 聿 7 고교 숙 | 엄숙할 | ㊇屋

ㄱ ㅋ 肀 肀 肀 肃 肃 肅 肅

자원 회의 巾 ┬ 聿 又 ┴ 𣶒 ┬ 肅 (聿부) 2500년전

「聿섭」과 「𣶒연」(淵의 본디 글자)의 합자(合字)。「聿」은 「巾건」과 「又우」〈손〉의 합자이며 손에 수건을 가진 모양。 곧 일을 하다의 뜻。「𣶒」은 못。 즉 못 위에서 일을 한다는 뜻이 본디 뜻。 매우 두려워하며 조심하여 깊은 못에 임(臨)하듯이 삼가

고 또 삼가다의 뜻。

뜻 ①**엄숙할숙** 장엄하고 정숙함。「肅莊숙장」 ②**삼갈숙** 스스로 경계하여 태만하지 아니함。「肅敬숙경」 ③**공경할숙** 삼가서 예를 차려 높임。④**경계할숙** 타일러 주의시킴。「肅戒숙계」 ⑤**엄할숙** 너그럽지 아니함。⑥**맑을숙** 깨끗함。청렴함。⑦**찰숙** 추움。⑧**오그라들숙** 오글쪼글해짐。⑨**인도할숙** 안내함。⑩**절할숙** 머리를 숙여 배례함。「肅拜숙배」

참고 「肅」을 음으로 하는 글자=「歗소」〈휘파람불다〉·「簫소」〈퉁소〉·「繡수」〈자수〉·「鏽수」〈녹〉

【肅敬 숙경】 삼가 존경(尊敬)함。

【肅啓 숙계】 삼가 아뢴다는 뜻으로、편지의 첫머리에 쓰는 말。

【肅拜 숙배】 ①손이 땅에 닿도록 머리 숙여 공손히 절함。②편지 끝에 쓰는 존대말。

【肅霜 숙상】 된서리。

【肅愼 숙신】 옛날에 만주(滿洲)·연해주(沿海州) 지방에 살던 민족。또 그 민족이 세운 나라。

【肅然 숙연】 삼가고 두려워하는 모양。

【肅靜 숙정】 조용함。

【肅淸 숙청】 평란(平亂)하여 세상을 깨끗이 함。

◉ 敬肅경숙 恭肅공숙 嚴肅엄숙 靜肅정숙

肉(月)部

6 **【肉】** 부수 중학 ㊀**육** ㊁**유** | 고기 | ㊀入屋 ㊁去宥

丨 冂 内 内 肉 肉

자원 상형 〔肉〕2000년전 〔俎〕3000년전 「肉」은 신에게 바치는 동물의 고기의 썬 조각。「俎조」 따위의 글자에 포함되는 「夕석」 비슷한 모양은 「肉」의 옛 자형(字形)이지만 나중에 「月월」로 쓰는 일이 많아지매 이것을 일월(日月)의 「月월」〈달〉과 구별하여 「月육달월변」이라 부름。「육」이란 음은 부드럽다(⇩柔유)의 뜻과 관계가 있는 듯함。

뜻 ㊀①**살육** ㉠몸을 구성하는 부드러운 부분。「筋肉근육」 ㉡과실 따위의 몸피를 이룬 부드러운 부분。「果肉과육」 ②**고기육** 식용의 살。「牛肉우육」 ③**몸육** 신체。「肉刑육형」 ④**살붙을육** 살이 생김。㊁①**둘레유** 돈 따위와 같이 가운데에 구멍이 있는 것의 외변(外邊)。②**저울추유** 저울을 다는 데 쓰는 추。추체(錘體)。

【肉感 육감】 ①육체에 느껴지는 감각。②성욕(性慾)의 실감。

【肉薄 육박】 썩 가까이 덤빔。

【肉薄戰 육박전】 막 덤비어 돌격(突擊)하는 싸움。

【肉聲 육성】 사람의 입에서 나오는 소리。또는 노래。

【肉食帶妻 육식대처】 중이 고기를 먹고 아내를 가지는 일。

【肉眼 육안】 ①사람의 눈。②속인(俗人)의 눈。식견이 없는 안목。

【肉慾 육욕】 육체상으로 오는 모든 욕심(慾心)。특히 성욕(性慾)。

【肉彈 육탄】 고깃덩이의 탄환(彈丸)이란 뜻으로, 몸으로써 탄환을 삼아서 적진(敵陣)을 공격하는 일.

【肉片 육편】 고깃조각.

【肉筆 육필】 당자(當者)가 쓴 필적.

◉強食弱肉강식약육 乾肉건육 骨肉골육 筋肉근육 爛肉난육 肥肉비육 生肉생육

二畫

6 **【肋】** 肉 2 **륵** ― 갈빗대 ― [入]職

[자원] 형성 力[음] 肉-月 ┬ 肋(肉부)

2500년전

「月육달월변」과 음을 나타내는 「力력」(륵은 변음)으로 이루어짐.

[뜻] **갈빗대륵** 늑골. 「肋膜늑막」

【肋骨 늑골】 갈빗대.

【肋膜 늑막】 갈빗대 안 쪽에 있어서 폐(肺)를 덮는 막(膜).

三畫

7 **【肛】** 肉 3 **항** ― 똥구멍 ― [平]江

[자원] 형성 工[음] 肉-月 ┬ 肛(肉부)

「月육달월변」〈몸〉과, 음을 나타내며 동시에 구멍의 뜻(⇩孔공)을 나타내기 위한 「工공」(항은 변음)으로 이루어짐. 궁둥이의 구멍의 뜻.

[뜻] **똥꾸멍항** 항문. 「脫肛탈항」

7 **【肝】** 肉 3 [고교] **간** ― 간 ― [平]寒

丿 ⺆ 月 月 肝 肝

[자원] 형성 干[음] 肉-月 ┬ 肝(肉부)

2500년전

「月육달월변」〈살·장기〉과 음을 나타내며 동시에 근원의 뜻을 가진 「干간」으로 이루어짐. 생기(生氣)의 근원이 되는 장기(臟器)의 뜻.

[뜻] ①**간간** 간장(肝臟). 「肝膽간담」 ②**마음간** 진심. 충심(衷心). 「披肝피간」 「肝肺간폐」 ③**요긴할간** 긴요함.

【肝膽* 간담】 ①간(肝)과 쓸개. ②마음. 심중. ③혼. 영혼.

【肝腸 간장】 간(肝)과 창자. 전(轉)하여 마음.

【肝肺 간폐】 간과 폐. 전(轉)하여 마음. 심중.

◉剖心析肝부심석간 洗肝세간 輸肝수간

丨 ⺌ 小 ⺌ 肖 肖

7 **【肖】** 肉 3 [고교] [一]**초** [二]**소** ― 닮을 ― [一][去]嘯 [二][平]蕭

[자원] 형성 月 小[음] ┬ 肖(肉부)

2500년전

「月육달월」과 음을 나타내며 동시에 닮은 자태(姿態)의 뜻(⇩像상)을 가지는 「小소」로 이루어짐. 몸집이 닮다의 뜻. 전(轉)하여 닮다의 뜻.

[뜻] [一]①**닮을초** 비슷함. 「肖似초사」 ②**닮게할초** 비슷하게 함. ③**본받을초** 본보기로 함. [二]①**쇠할소** 쇠미함. ②**흩어질소** 산실(散失)함.

[참고] 「肖」를 음으로 하는 글자=「哨소」〈입이 비뚤어지다〉·「宵소」〈밤〉·「峭초」〈가파르다〉·「悄초」〈근심하다〉·「消소」〈사라지다〉·「陗초」〈가파르다〉·「銷소」〈녹다〉·「逍소」〈거닐다〉·「硝초」〈초석〉·「稍초」〈차츰차츰〉·「蛸초」〈갈거미〉·「誚초」〈꾸짖다〉

【肖像 초상】 사람의 용모(容貌)를 본떠서 그린 그림。

7 【育】 肉 3 중학 육 —기를— ㉧屋

一 亠 𠫓 𠫓 育 育 育

자원 형성 子-𠫓 肉(음)-月 ┬ 育 (肉부)

(A) (B) (C) 3000년전 (D) (E) 2000년전

(A)(B)(C)는 아이를 거꾸로 세운 모양↓어린아이와 그것을 기르고 있는「人인」〈사람〉 또는「女녀」〈여자〉。(D)는「每매」와「㐬류」。「每」는「母모」〈어머니〉와 같고「㐬」는 아이를 거꾸로 세운 모양과 같음。옛날엔 (A)(B)(C)와 같이 여러 가지로 썼으나 이윽고 (D)모양으로 정리되어 지금의「育」이 되었음。「月」은「日月일월」의「月」〈달〉이 아니고 음을 나타내는「肉육」과 같아서 사람의 몸에 관계가 있음을 나타냄。「𠫓」은 아이를 거꾸로 세운 모양으로서 갓난아이를 이름。「育」은 난 아이를 기르는 일。

뜻 ①기를육 ㉠양육함。「育兒육아」 ㉡양성함。「育英육영」 ②자랄육 생장함。「發育발육」 ③어릴육 나이가 어림。유치함。 ④낳을육 출산함。

주의 「毓」(毓·여성의 궁둥이에서 아기가 태어나는 모양)은 옛글자。

【育成 육성】 길러냄。

【育兒 육아】 어린아이를 기름。

【育英 육영】 인재(人才)를 기름。 또 널리 교육(教育)의 뜻으로 쓰임。

◉教育교육 德育덕육 發育발육 養育양육 知育지육 智育지육 體育체육 訓育훈육

四畫

8 【肥】 肉 4 고교 비 —살질— ㉥微

丿 刀 月 月ᄀ 肌 肥 肥

자원 회의 肉-月 ┬ 肥 (肉부) 㔾-巴

2000년전

「㔾병부절」은 사람이 얌전하게 하고 있는 모습↓물건의 알맞은 모양。 나중에 모양이「巴파」로 변하였음。「月육달월변」은 몸에 관계가 있는 일。「肥」는 알맞게 살진 사람。 동물에서는 주로「소」나「양」이 살진 것을 일컬었음。 지금은 사람·동물·토질에 모두「肥」자를 씀。

뜻 ①살질비 살이 풍만함。「肥大비대」「天高馬肥천고마비」 ②걸비 땅이 기름짐。「肥沃비옥」 ③살지게할비, 기름지게할비 위의 뜻의 타동사。 ④살진말비 ⑤살진고기비 ⑥거름비 비료。「施肥시비」

【肥大 비대】 살지고 몸집이 큼。

【肥滿 비만】 살짐。

【肥沃 비옥】 땅이 걸고 기름짐。

【肥肉 비육】 살진 짐승의 고기。

◉秋高馬肥추고마비 豐肥풍비

8 【股】 肉 4 고 —넓적다리— ㉦麌

자원 형성 殳(음) 肉-月 ┬ 股 (肉부)

2500년전

「月육달월변」과 음을 나타내는 동시에

갈라지다의 뜻(⇩區구)을 나타내기 위한 「殳수」(고는 변음)로 이루어짐。엉덩이에서 갈라진 넓적다리의 뜻。

뜻 ①넓적다리고 ㉠다리의 상부。대퇴부(大腿部)。「股肱고굉」㉡넓적다리 모양을 한 것。㉢전(轉)하여 사물의 일부분을 이름。「一股일고」(군대의 한 지대(支隊))。㉣바퀴살의 바퀴통에 가까운 부분。②고고 직각삼각형의 직각을 이룬 긴 변(邊)。「句股弦구고현」

【股間 고간】두 넓적다리의 사이。샅。

【股肱 고굉】①다리와 팔。②임금이 가장 믿는 중요한 신하(臣下)。고굉지신(股肱之臣)。

8 【肢】肉 4 지 | 팔다리 | ㊥支

자원 형성 肉-月 支음 → 肢(肉부)

「月육달월변」〈몸〉과 음을 나타내며 동시에 나누어지다의 뜻(⇩岐기)을 가지는 「支지」로 이루어짐。몸체로부터 나누어져 있는 손발의 뜻。

뜻 팔다리지 수족。「四肢사지」

【肢骨 지골】손발의 뼈。사지。

【肢體 지체】팔다리와 몸。곧 전신。

8 【肪】肉 4 방 | 살질 | ㊥陽

자원 형성 肉-月 方음 → 肪(肉부) 2500년전

「月육달월변」〈살〉과 음을 나타내는 동시에 가장자리의 뜻을 가진 「方방」으로 이루어짐。살 가장자리에 붙은 기름의 뜻。

뜻 ①살질방 기름지고 비대함。②비계방 기름기。「脂肪지방」

8 【肺】肉 4 고교 ㊀폐 ㊁패 | 허파 | ㊀㊋隊 ㊁㊋泰

丿 刀 月 𠂇 肝 肺 肺

자원 형성 肉-月 市음 → 肺(肉부) 2000년전

「月육달월변」〈몸·장기〉과、음을 나타내며 동시에 초목(草木)이 무성하게 자라다→왕성하다의 뜻을 나타내는 「市패」(市시와는 다름)로 이루어짐。사람의 호흡(呼吸)의 근원이 되는 장기(臟器)、곧 허파의 뜻。

뜻 ㊀①허파폐 오장(五臟)의 하나。부아。「肺臟폐장」②마음폐 마음속。충심。「肺腑폐부」③친할폐 지극히 친함。㊁성(盛)할패 무성한 모양。

주의 오른쪽 방(旁)은 오획(五畫)인 「市시」가 아니고 사획인 「市패」임。

【肺腑 폐부】①폐。부아。②자기와 지극히 친한 사람。곧 골육(骨肉)·지친(至親) 따위。③마음속。심중。

【肺臟 폐장】폐(肺)。허파。부아。

◉肝肺간폐 心肺심폐

8 【肩】肉 4 고교 ㊀견 ㊁흔 | 어깨 | ㊀㊥先 ㊁㊥元

一 ㇕ ㇋ 戸 戶 肩 肩 肩

자원 회의 肉-月 戶 → 肩(肉부) 2500년전

어깨의 모양을 본뜬 「⺈」(=戶호)와 「肉=月육달월」로 이루어짐。어깨의 뜻。

뜻 ㊀①어깨견 목의 바로 아래、팔

의 윗부분。「兩肩양견」 ②견딜견 어려운 일을 능히 견디어 냄。 ③세살먹은짐승견 二곧을흔 똑바른 모양。 일설(一說)에는 야위고 작은 모양。

【肩骨 견골】 어깨뼈。

【肩章 견장】 어깨에 붙여 관직(官職)의 종류와 계급을 밝히는 표장。

◉比肩비견 雙肩쌍견 兩肩양견

8 【肯】 肉 4 고교 긍 | 즐기어할 | ㊤迥

丨 卜 止 止 肯 肯 肯

자원 회의 肉-月 丅 肎-肯 (肉부)

본디「肎」·「肻」이라고 썼음。「肯」은「肯」의 자형(字形)을 잘못 전한 것。「骨골」의 생략체「𠕁」(𠕁=冎)와「月육달월」(=肉육)로 이루어짐。「骨」〈뼈〉에 딱 붙어 있는 살의 뜻。그 음을 빌어 동의하다、옳다、전(轉)하여 감히 따위의 뜻에 차용함。

뜻 ①즐기어할긍 수긍함。들어줌。「肯定긍정」 ②감히긍 즐거이 나서서。 ③뼈에붙은살긍 「肯綮긍경」

【肯諾 긍낙】 승낙함。

【肯定 긍정】 ①좋다고 승인함。 ②사물의 일정한 관계를 승인함。

◉首肯수긍

五畫

9 【胎】 肉 5 태 | 아이밸 | ㊥灰

자원 형성 台음 肉-月 丅 胎 (肉부) 2500년전

「月육달월변」과、음을 나타내며 동시에 처음의 뜻(⇩始시)을 가지는「台태·이」로 이루어짐。어머니 체내에서 아이가 생기기 시작하는 뜻。

뜻 ①아이밸태 잉태함。「胎生태생」、 ②태아태 태중의 아이。 ③태태 포의(胞衣)。 ④조짐태 전조。

【胎教 태교】 잉부(孕婦)가 언행(言行)을 삼가서 태아(胎兒)에게 좋은 감화(感化)를 주는 일。

【胎氣 태기】 아이를 밴 기미。

【胎毒 태독】 태중(胎中)에서 모체(母體)의 독기(毒氣)를 받은 까닭으로 유아(幼兒)의 머리·몸·사지(四肢) 등에 나는 부스럼。

【胎夢 태몽】 아이를 밸 징조의 꿈。

【胎盤 태반】 태아(胎兒)와 모체(母體)를 결착(結着)하는 조직물。

【胎生 태생】 어미 뱃속의 태내(胎內)에서 적당한 발육을 마치고 나옴。또 그 동물。대부분의 포유 동물이 이에 속함。

【胎兒 태아】 뱃속에 있는 아이。

【胎葉 태엽】 탄력(彈力)을 이용하기 위하여 시계·장난감 따위의 속에 강철(鋼鐵)을 돌돌 말아 넣은 것。

◉落胎낙태 胚胎배태 受胎수태 孕胎잉태 胞胎포태 換骨奪胎환골탈태

9 【胚】 肉 5 배 | 아이밸 | ㊥灰

자원 형성 丕음 肉-月 丅 胚 (肉부)

「月육달월변」〈살·몸〉과 음을 나타내며 동시에 크다의 뜻을 가진「丕비」(배는 변음)로 이루어짐。뱃속의 아이가 커지다의 뜻。

뜻 ①**아이밸배** 잉태함。임신 후 일개월째를 이름。「胚孕배잉」 ②**시초배** 사물의 시초。기원(起原)。

주의 「肧」가 정자(正字)。「胚」는 본디 속자(俗字)。

【胚芽 배아】 씨 속에 들어 있는 나무나 풀의 싹。씨눈。

【胚乳 배유】 식물의 씨앗 속에 있어 싹이 틀 때에 양분이 되는 가루 같은 물질。

【胚胎 배태】 ①아이나 새끼를 뱀。②사물(事物)의 원인이 되는 빌미。

9 【胞】 肉 5 고교 **포** ─ 태의 ─ (平)肴

丿 刀 月 月 肑 肑 朐 胞

자원 형성 包음 肉-月 ┬ 胞(肉부)

「月육달월변」과、사람이 임신(妊娠)하고 있는 모양인「包포」로 이루어짐。뱃속의 아이를 싸고 있는 막(膜)의 뜻。또「包」는 음도 나타냄。

2500년전

뜻 ①**태의포** 태(胎)의 껍질。②**배포** 어머니의 태(胎)。「同胞之徒동포지도」 ③**두창포** 천연두(天然痘)。④**세포포** 생물체를 조직하는 원형질의 미립(微粒)。⑤**부엌포**

【胞衣 포의】 태막(胎膜)과 태반(胎盤)。

【胞胎 포태】 태막(胎膜)과 태반(胎盤)。

◉單細胞단세포 同胞동포 細胞세포

9 【脉】 肉 5 脈(肉部六畫)의 속자(俗字)。

9 【胆】 肉 5 膽(肉部十三畫)의 와자(譌字)。

9 【胡】 肉 5 고교 **호** ─ 턱밑살 ─ (平)虞

一 十 廿 古 古 胡 胡 胡 胡

자원 형성 肉-月 古음 ┬ 胡(肉부)

「月육달월변」〈살〉과、음을 나타내는「古고」(호는 변음)로 이루어진 글자。소의 턱밑살의 뜻。음을 빌어 어째서、무엇인가의 뜻(⇩何하)의 어조사(語助辭)로 쓰임。

2500년전

뜻 ①**턱밑살호** 축 늘어진 턱 밑의 살。②**어찌호** 어찌하여서。또「胡爲호위」는「何爲하위」、「胡如호여」는「何如하여」와 뜻이 같음。③**수할호** 오래 삶。④**늙은이호** 노인。⑤**멀호** 가깝지 아니함。⑥**창가지호** 과극(戈戟)의 끝의 갈라진 갈래。⑦**오랑캐호** 중국의 북부에 살던 만족(蠻族)。「五胡오호」 ⑧**예기(禮器)호** 瑚(玉部九畫)와 같은 글자。

【胡國 호국】 북쪽 오랑캐의 나라。

【胡弓 호궁】 동양(東洋)에 널리 쓰이는 궁현악기(弓弦樂器)의 총칭。

【胡琴 호금】 깡깡이 비슷한 악기(樂器)。

【胡亂 호란】 ①사물(事物)이 거칠고 난잡함。②의심스러움。③호인(胡人)들로 인하여 일어난 병란(兵亂)。

【胡笛 호적】 속이 빈 나무에 구멍 여덟을 뚫고 아래 끝에는 나팔형(喇叭形)의 쇠를 대고 위 끝에는 피리 혀를 꽂아서 부는 악기(樂器)。날라리。대평소(大平簫)。

【胡適 호적】 중화민국(中華民國)의 사상가。계몽 운동의 선구자로서 문학

혁명의 지도자。맨 처음 백화(白話)로 시(詩)를 쓴 사람임。

【胡蝶 호접】나비。

【胡地 호지】중국의 북부 지방。

9 【胃】肉 5 [고교] 위 |밥통| ㊄未

丨 冂 田 田 田 冐 胃 胃

[자원] 회의 田+肉-月 ┬ 胃(肉부)

옛 모양은 위쪽이 먹을 것이 들어 있는 주머니의 모양, 아래쪽은 몸의 뜻인 「月육달월」을 나타냄。 2000년 전

[뜻] ①밥통위 육부(六腑)의 하나。위부(胃腑)。「腸胃장위」 ②별이름위 이십팔수(二十八宿)의 하나。

[주의] 「胄주」〈맏아들〉·「冑주」〈갑옷〉는 딴 글자。

[참고] 「胃」를 음으로 하는 글자=「渭위」〈강이름〉·「蝟위」·「猬위」〈고슴도치〉·「謂위」〈이르다〉·「喟위」〈한숨쉬다〉

【胃痙攣* 위경련】위(胃)에 극통(劇痛)을 일으키는 병증。

【胃潰瘍* 위궤양】위의 안쪽이 허는 병(病)。

【胃癌* 위암】위에 나는 암종(癌腫)。

【胃弱 위약】위의 소화력이 약한 병。

◉肝胃간위 健胃건위 脾胃비위 腸胃장위

9 【背】肉 5 [고교] 배 |등| ㊄隊

丨 ㅓ ㅋ ㅋ' 北 北 背 背

[자원] 형성 北[음] 肉-月 ┬ 背(肉부) 2500년 전

음을 나타내는 「北북·배」는 사람이 등을 맞댄 모양→등지다→적에 져서 달아나다。「月육달월」은 몸에 관계가 있음。「背」는 사람의 등、등지다。

[뜻] ①등배 가슴과 배의 뒤쪽。②뒤배 앞의 대(對)。「背後배후」 ③집북쪽배 남향한 집의 북쪽。④등질배 ㉠등의 뒤에 둠。「背水而陣배수이진」 ㉡배반함。어김。「背恩배은」「背約배약」 ⑤죽을배 세상을 버림。

[주의] 「脊척」〈등골뼈〉은 딴 글자。

【背景 배경】①무대(舞臺) 뒤쪽 벽(壁)에 꾸민 경치。②주위의 상태。③뒤에서 돌보아 주는 세력。

【背教 배교】신앙(信仰)하던 종교(宗教)를 배반(背反)함。

【背面 배면】①얼굴을 돌림。②등쪽。

【背叛 배반】등지고 돌아 섬。

【背水之陣 배수지진】한(漢)나라의 한신(韓信)이 물을 등지고 진을 친 고사(故事)。전(轉)하여 위험을 무릅쓰고 전력을 다하여 일의 성패를 다투는 경우의 비유。

【背信 배신】신의(信義)를 저버림。

【背約 배약】약속을 배반함。

【背恩忘德 배은망덕】은혜(恩惠)를 배반(背反)하고 덕(德)을 저버림。

【背後 배후】뒤。뒤편。

◉腹背복배 違背위배 向背향배 後背후배

[六畫]

10 【胴】肉 6 동 |큰창자| ㊄送

[자원] 형성 同[음] 肉-月 ┬ 胴(肉부)

「月육달월변」과, 음을 나타내며 동시에 속이 비다의 뜻(⇩洞동)을 나타내기 위한 「同동」으로 이루어짐. 큰창자의 뜻. 지금은 신체의 중간 부분의 뜻으로 쓰임.

뜻 ①**큰창자동** 대장(大腸). ②**구간(軀幹)동** 몸통.

10
【胸】 肉 6 중학 흉 ― 가슴 ― ㉾冬

丿 刀 月 肑 肑 胸 胸 胸

자원 형성 勹 ┬匈음 ┐ 凶음 ┘ 肉-月 ┘胷-胸(肉부)

「勹포」〈싸는것〉와, 음을 나타내며 동시에 속이 비다의 뜻을 가지는 「凶흉」으로 이루어짐. 옛날 사람들은, 가슴은 속이 비고, 생각한 일 등을 넣어 둘 수 있다고 생각했음. 그러므로 가슴을 「匈흉」이라고 했고, 나중에 몸을 나타내는 「月육달월변」을 더하여 「胸」이 됨.

뜻 **가슴흉** ㉠목과 배 사이의 젖이 있는 부분. ㉡마음 「胸襟흉금」 ㉢몸의 가슴에 비(比)할 만한 요처.

【胸腔*흉강】 가슴의 내부.
【胸廓*흉곽】 가슴의 넓이.
【胸襟*흉금】 가슴 속. 심중.
【胸腹 흉복】 가슴과 배. 전(轉)하여 지세(地勢)의 요처.
【胸中 흉중】 가슴 속. 심중.

10
【脂】 肉 6 지 ― 비계 ― ㉾支

자원 형성 旨음 ┐ 月 ┘脂(肉부)

2500년전

「月육달월변」〈몸〉과, 음을 나타내며 동시에 막히다의 뜻(⇩寘치)을 나타내기 위한 「旨지」로 이루어짐. 살 사이에 끼여 있는 기름의 뜻.

뜻 ①**비계지** 기름기. 「脂肪지방」 ②**진지** 나무에서 나오는 끈끈한 액체 「樹脂수지」 ③**기름바를지** 기름을 발라 미끄럽게 함. ④**연지지** 뺨에 바르는 화장품. 「脂粉지분」

【脂膏 지고】 기름.
【脂粉 지분】 연지와 분.
【脂肉 지육】 기름과 살.

10
【脆】 肉 6 취 ― 무를 ― ㉺霽

자원 형성 絕-色음 ┐ 肉-月 ┘脃-脆(肉부)

「脃」가 잘못되어 「脆」로 쓰여졌음. 「脃」는 「月육달월변」〈몸〉과, 음을 나타내며 동시에 끊어지다의 뜻을 가지는 「絕절」의 약체(略體)「色」(취는 변음)로 이루어지며, 부드럽고 연한 좋은 고기의 뜻. 전(轉)하여 무르다의 뜻.

뜻 ①**무를취** 바탕이 성글어 힘이 적음. 단단하지 아니함. 「脆弱취약」 ②**연할취** 무르고 부드러움. 「脆軟취연」 ③**가벼울취** 경박함. 「風俗脆薄풍속취박」

【脆弱 취약】 무르고 약(弱)함.

10
【脈】 肉 6 고교 맥 ― 맥 ― ㉹陌

月 月 肝 肝 脈 脈 脈

자원 회의 𠂢 血 ┐ 衇-脈(肉부)

「血혈」은 몸 속을 흐르고 있는 피。「𠂢파」는 시내가 여러 갈래로 흐르는 모양。「䘑맥」은 몸 안의 혈관。나중에 「血」을 「肉육=月육달월」로 바꾸어 「脈」이라 썼음。

뜻 ①맥맥 ㉠피가 순환하는 줄기。「血脈혈맥」「靜脈정맥」 ㉡전(轉)하여 연하여 줄기를 이룬 것。「山脈산맥」「地脈지맥」 ㉢또 조리(條理)。「脈絡貫通맥락관통」 ㉣혈맥을 보아 병을 진찰하는 일。「脈口맥구」 ②연달을맥 끊이지 않는 모양。계속하는 모양。

【脈管 맥관】 혈관(血管)。

【脈絡 맥락】 조리(條理)。

【脈絡貫通 맥락관통】 조리가 섬。 내용이 일관함。

【脈脈 맥맥】 ①서로 보는 모양。 ②끊이지 아니하는 모양。 계속하는 모양。

【脈搏* 맥박】 심장(心臟)의 수축(收縮) 또는 확장(擴張)에 의하여 일어나는 혈관벽(血管壁)의 주기적(週期的) 동요(動搖)。 곧 쉬지 않고 뛰는 맥(脈)。

◉亂脈난맥 動脈동맥 診脈진맥 血脈혈맥

10 【能】 肉 6 중학 ㊀능 | 능할 | ㊀(平)蒸 ㊁내 | | ㊁(去)隊

厶 台 育 育 能 能 能

자원 회의 肉-月「厶」┬能(肉부) 2500년전

「𦫵」은 사슴(⇩鹿록)을 닮은 발의 모양。「⺼육달월」은 살。「厶」은 큰 머리의 모양에서 변한 것。「能능」은 머리가 큰 곰 같은 동물의 모습。이 동물은 힘이 세고 고기 맛이 좋기 때문에 이 글자를 빌어 사람의 일이 충분히 된다는 뜻으로도 쓰고、나중에 곰을 나타내기 위하여는 「熊웅」이란 글자를 따로 만들었음。

뜻 ㊀①곰능 곰(熊)의 한 종류。②재능능 ㉠일을 잘 하는 재주。「能力능력」 ㉡또 그 사람。재능이 있는 이。③능할능 능히 함。④능히능 힘에 가당하게。㊁견딜내 참고 버팀。

참고 「能」을 음으로 하는 글자=「熊웅」〈곰〉

〔六畫部首順〕 竹米糸缶网羊羽老而耒耳聿肉臣自至臼舌舛舟艮色艸虍虫血行衣襾

【能率 능률】 일정(一定)한 시간(時間)에 할 수 있는 일의 비례(比例)。

【能辯 능변】 말을 잘 함。 또 그 사람。

【能事 능사】 ①능히 감당해 낼 수 있는 일。 ②소용이 되는 일。

【能書不擇筆 능서불택필】 글씨를 잘 쓰는 사람은 붓을 가리지 아니함。

【能小能大 능소능대】 모든 일을 두루 잘 함。

【能通 능통】 사물에 잘 통달함。

【能筆 능필】 글씨를 잘 씀。 또 그 사람。

◉可能가능 技能기능 多能다능 無能무능 不能불능 性能성능 才能재능

10 【脅】 肉 6 고교 ㊀협 | 겨드랑이 | ㊀(入)葉 ㊁흡 | | ㊁(入)緝

フ カ 力 劦 劦 脅 脅 脅

자원 형성 劦음 肉-月┬脅(肉부) 2500년전

「月육달월」과、음을 나타내는 동시에 옆구리의 뜻(⇩夾협)을 나타내는 「劦협」으로 이루어짐。옆구리의 뜻。음을 빌어 겁주다의 뜻(⇩劫겁)에 쓰이고、옆구리의 뜻으로는 「脇협」

이라 쓰게 되었음。
[뜻] 一 ①겨드랑이협 가슴의 측면(側面)。 늑골(肋骨)이 있는 부분 「胸脅흉협」 ②곁협 옆。 ③으를협 위협함。「脅迫협박」 二 으쓱거릴흡 어깨를 으쓱으쓱 쳐듦。
[주의] 「脇」은 본디 같은 글자。
【脅迫 협박】 으르고 대듦。
【脅威 협위】 으름。 위협(威脅)。
◉劫脅겁협 恐脅공협 迫脅박협 威脅위협

10 【脊】 肉 6 척 | 등골뼈 | [入]陌
[자원] 회의 肉大 肉-月┬脊(肉부)  2500년전
「脊」은 「月육달월」과、 등뼈를 본뜬 「𡗗」(𡗗)로 이루어짐。 등뼈·등의 뜻。
[뜻] ①등골뼈척 척추。 ②등성마루척 지형(地形)등이 등골뼈같이 된 곳。「山脊산척」「屋脊옥척」 ③조리척 일을 이루어갈 도리。
[참고] 「脊」을 음으로 하는 글자=「塉척」〈메마른 흙〉·「瘠척」〈파리하다〉·「蹐척」〈살살 걷다〉·「鶺척」〈할미새〉
【脊骨 척골】 척추골(脊椎骨)。
【脊梁 척량】 척주(脊柱)。 집의 들보와 같은 뼈라는 뜻에서 이름。
【脊髓 척수】 등골。
【脊柱 척주】 등골뼈로 이어진 등마루。
◉曲脊곡척 山脊산척 嶺脊영척 屋脊옥척
【骨】 ⇩部首

七畫

11 【脚】 肉 7 [중학] 각 | 다리 | [入]藥
丿 刀 月 肝 肚 肤 脚 脚
[자원] 형성 肉-月 却[음] ┬脚(肉부)
「月육달월변」〈살·몸〉과、 음을 나타내며 동시에 욱어 구부러지다의 뜻을 나타내기 위한 「却각」으로 이루어짐。 다리는 무릎에서 굽으므로 「脚」이라 함。
[뜻] ①다리각 ㉠하지(下肢)。 ㉡물건의 하부。「山脚산각」 ㉢다리 비슷한 부분。「橋脚교각」 ②밟을각 발로 밟음。
【脚氣 각기】 다리가 마비(痲痺)되어 저리고 부어 걷기가 곤란한 병(病)。
【脚本 각본】 연극의 무대 장치 및 배우의 대사(臺詞)등을 적은 글。
【脚色 각색】 ①벼슬할 때 내는 이력서。 ②소설(小說)을 각본(脚本)이 되게 만드는 일。
【脚註 각주】 본문 밑에 붙인 주해。 두주(頭註)의 대(對)。
◉健脚건각 露出馬脚노출마각 失脚실각

11 【脫】 肉 7 [중학] 一 탈 二 태 | 벗을 | 一 [入]曷 二 [去]泰
丿 刀 月 肸 肸 脟 脱 脫
[자원] 형성 肉-月 兌[음] ┬脫(肉부)  2500년전
「月육달월변」과、 음을 나타내는 동시에 제거한다는 뜻(⇩奪탈)을 나타내는 「兌태」(탈은 변음)로 이루어짐。 살에서 뼈를 제거하다의 뜻。 전(轉)하여 빠지다、 벗다의 뜻。
[뜻] 一 ①벗을탈 옷 따위를 벗음。「脫衣탈의」 ②벗길탈 허물 따위를 벗게

함。③벗어날탈 탈출함。또는 어려운 일에서 헤어남。④벗어나게할탈 면제함。⑤풀탈 맨 것을 풂。⑥빠질탈、빠뜨릴탈 떨어져 나감。넣기를 잊음。「脫字탈자」⑦떨어질탈 나뭇잎 같은 것이 떨어짐。⑧소홀할탈 소략(疏略)함。「疏脫소탈」㊁기뻐할태 기뻐하는 모양。일설(一說)에는 천천히 가는 모양。

【脫却 탈각】벗어 버림。

【脫殼*탈각】벌레들이 허물을 벗음。또 그 허물。

【脫稿·탈고】원고(原稿)를 다 씀。

【脫黨 탈당】당파(黨派)에서 탈퇴(脫退)함。

【脫落 탈락】①털 같은 것이 빠짐。②「내버림。벗어 버림。

【脫漏 탈루】빠져 나감。새어 나감。

【脫離 탈리】벗어나서 따로 떨어짐。

【脫毛 탈모】털이 빠짐。또 빠진 털。

【脫帽*탈모】모자(帽子)를 벗음。

【脫喪 탈상】삼년상(喪)을 마침。

【脫稅 탈세】납세 의무자가 정당한 과세(課稅)를 기피하여 세액(稅額)의 일부 또는 전부를 불법하게 포탈(逋脫)하는 일。

【脫俗 탈속】속태(俗態)를 벗어남。

【脫身 탈신】관계(關係)하던 곳에서 몸을 빼치어 나옴。

【脫身逃走 탈신도주】몸을 빼치어 도망(逃亡)함。

【脫獄 탈옥】죄수가 감옥을 탈출함。

【脫走 탈주】빠져 달아남。도망함。

【脫脂 탈지】기름을 뺌。

【脫退 탈퇴】물러남。또 뒤로 도망함。또 관계를 끊고 빠져 나옴。

【脫肛*탈항】항문(肛門)이 빠져 나오는 병。

◉免脫면탈 剝脫박탈 疏脫소탈 超脫초탈

11 【脣】肉 7 고교 순 — 입술 — (平)眞

一 厂 尸 尸 戶 辰 辰 脣 脣

자원 형성 肉·月 + 辰 음 ┬ 脣 (肉부) 2500년전

「月육달월」〈살〉과、음을 나타내는 「辰진·신」(순은 변음)으로 이루어짐。입술의 뜻。

뜻 ①입술순 입의 가장자리。「脣亡則齒寒순망치한」②가순 물건의 가장자리。

주의 脣(口部七畫)과는 딴 글자나 통속적으로 혼용(混用)함。

【脣薄輕言 순박경언】입술이 얇은 자는 까불까불 잘 지껄임。

【脣舌 순설】말을 잘함。

【脣齒 순치】①입술과 이。전(轉)하여 발언(發言)하는 기관(器官)。②서로 의지하고 서로 돕는 국세。

【脣齒之國 순치지국】이해 관계가 가장 깊은 나라。

【脣齒之勢 순치지세】서로 서로 의지(依持)하는 관계。

◉缺脣결순 丹脣단순 朱脣주순 兎脣토순

【豚】⇩豕部四畫

八畫

14 【腐】肉 8 고교 부 — 썩을 — (上)麌

丶 亠 广 广 庁 府 府 腐 腐

자원 형성 肉 + 府 음 ┬ 腐 (肉부) 2500년전

「肉육」〈고기〉과, 음을 나타내는 「府부」로 이루어져 고기가 썩는다는 뜻.

뜻 ①썩을부 ㉠부패함. 「腐爛부란」 ㉡전하여, 쓸모 없음. 「腐生부생」 ②썩힐부 썩게 함. ③불알발라내는 형벌부 궁형(宮刑).

【腐蝕* 부식】 ①썩어서 벌레가 먹음. ②썩어서 개먹어 들어감.

【腐心 부심】 속을 썩힘. 고심(苦心).

【腐敗 부패】 ①썩어서 못 쓰게 됨. ②타락(墮落)함.

◉爛腐난부 豆腐두부 陳腐진부 敗腐패부

12 【脹】肉 8 창 | 부를 | (去)漾

자원 형성 長음 肉-月┬脹(肉부)

「月육달월변」〈몸〉과, 음을 나타내며 팽팽히 치다의 뜻(⇩張장)을 가지는 「長장」(창은 변음)으로 이루어지며, 배가 팽팽해지는 뜻.

뜻 부를창 ㉠배가 부름. 「脹滿창만」 ㉡뚱뚱함. 불룩해짐. 「膨脹팽창」

【脹滿 창만】 ①배가 부름. ②배가 부른 병.

12 【腋】肉 8 액 | 겨드랑이 | (入)陌

자원 형성 夜음 肉-月┬腋(肉부)

「月육달월변」〈살·몸〉과, 음을 나타내며 겨드랑이의 뜻(⇩亦·𠅃)을 가진 「夜야·액」으로 이루어짐. 「亦」이 겨드랑이의 본디 글자이지만 「또」의 뜻으로 쓰이게 되어 같은 음의 「夜」에 「月(肉)」을 더한 「腋」을 겨드랑이의 전용자(專用字)로 삼음.

뜻 겨드랑이액 ㉠팔밑과 옆구리 사이의 부분. ㉡겨드랑이의 가죽.

【腋臭 액취】 겨드랑이에서 나는 악취(惡臭). 암내.

【腋汗 액한】 곁땀.

12 【腑】肉 8 부 | 장부 | (上)麌

자원 형성 府음 肉-月┬腑(肉부)

장기(臟器)를 뜻하는 「月육달월변」과, 음을 나타내며 물건을 넣어 둔다는 뜻을 가진 「府부」로 이루어지며, 몸속에 들어 있는 기관의 뜻.

뜻 장부부 ㉠담·위·대장·소장·방광·삼초(三焦)의 여섯 가지 내장 기관(器官). 「五臟六腑오장육부」 ㉡전(轉)하여, 마음. 충심(衷心).

12 【腔】肉 8 강 | 빈속 | (平)江

2500년전

자원 형성 空음 肉-月┬腔(肉부)

「月육달월변」에 음을 나타내는 동시에 텅 비다의 뜻을 나타내는 「空공」(강은 변음)을 더한 글자. 몸 안의 빈 데의 뜻.

뜻 ①빈속강 몸 속의 빈 곳. 「腹腔복강」 ②가락강 시가(詩歌)의 가락.

【腔腸動物 강장 동물】 동물 분류상의 한 부분. 물에 사는 하등 동물로서 몸의 형상은 종형(鐘形) 또는 원통형이고 강장(腔腸)으로 됨.

12 【腕】肉 8 완 | 팔목 | (去)翰

자원 형성 宛음 肉-月┬腕(肉부)

「月육달월변」과、음을 나타내며 굽다의 뜻을 가진 「宛완」으로 이루어지며 몸의 굽혀 움직이는 부분의 뜻。

뜻 ①**팔목완** 손목。②**팔뚝완** 팔꿈치로부터 팔목까지의 부분。「玉腕옥완」 ③《韓》 **팔완** 어깨에서 손목까지의 부분。어깨에서 팔꿈치까지를 「上腕상완」、팔꿈치에서 손목까지를 「前腕전완」이라 함。「꼴。뚝심。

【腕力 완력】 주먹 기운。팔의 힘。힘

◉敏腕민완 手腕수완 弱腕약완 玉腕옥완

12 【腎】 肉 8 신 | 콩팥 | ㊤軫

자원 형성 臤음 肉-月 ⊤ 腎(肉부) 2500년전

내장의 뜻을 나타내는 「月육달월」과、음을 나타내는 「臤견」(신은 변음)으로 이루어져 콩팥을 뜻함。

뜻 ①**콩팥신** 오장의 하나。「腎臟신장」 ②**자지신**、**불알신** 「腎氣신기」

【腎囊 신낭】 불알。

【腎水 신수】 사람의 정수(精水)。

【腎臟 신장】 오장(五臟)의 하나。복강(腹腔) 뒷벽의 상부 좌우(左右)에 하나씩 있어서 핏속의 오줌을 걸러 방광(膀胱)으로 보내는 작용(作用)을 함。콩팥。

九畫

13 【腦】 肉 9 고교 뇌 | 머릿골 | ㊤皓

丿 月 月 月 𦙶 腦 腦 腦 腦

자원 형성 𡿺-𡿺음 肉-月 ⊤ 腦(肉부) 2500년전

「𡿺노」는 예로부터 「巛순」〈머리털〉과 「囟신」〈골통뼈·정수리〉과 「匕비」〈달아붙다〉를 합친 모양이라고 설명되고 있지만 「匕」는 잘못 씌어진 것。본디는 「𡿺노」라 써서 골통이란 뜻을 나타낸 것으로 생각됨。「𡿺」는 음을 나타냄。「腦」는 나중에 생긴 속체(俗體)로서 「月육달월」은 이 글자가 사람의 몸에 관계가 있음을 나타냄。

뜻 ①**머릿골뇌** 두개골 안의 회백색의 물질。②**머리뇌** ㉠두개(頭蓋)。㉡판단력·기억력 등의 정신의 작용。

주의 「𡿺」는 옛 글자。

【腦裏 뇌리】 뇌 안。곧 마음속。

【腦膜* 뇌막】 뇌를 싸고 있는 막。

【腦貧血 뇌빈혈】 뇌(腦)의 피가 부족(不足)하여 나는 병。

【腦神經 뇌신경】 대뇌(大腦)의 밑과 연수(延髓)에서 나와서 머리·얼굴에 퍼지어 있는 운동 신경(運動神經) 및 지각 신경(知覺神經)。

【腦溢血* 뇌일혈】 뇌(腦)속에서 혈관이 터지어 피가 딴 데로 도는 병。

【腦震蕩* 뇌진탕】 머리를 몹시 부딪친 때에 뇌에 일어나는 현상。의식을 잃거나 죽음。

【腦充血 뇌충혈】 뇌(腦)속에 피가 많이 흘러 들어가서 일어나는 병。

◉大腦대뇌 頭腦두뇌 髓腦수뇌 龍腦용뇌

13 【腫】 肉 9 종 | 부스럼 | ㊤腫

자원 형성 重음 月 ⊤ 腫(肉부) 2500년전

「月육달월변」〈몸〉과、음과 함께 독

(毒)이 모이다의 뜻(⇩鍾종)을 나타내기 위한 「重중」(종은 변음)으로 이루어지며, 종기·부종 등의 뜻。

뜻 ①**부스럼종** 종기。「腫瘍종양」 ②**부르틀종** 살이 솟아 오르거나, 살가죽이 들뜸。

【腫毒 종독】 종기(腫氣)의 독기。

【腫瘍 종양】 종기(腫氣)。

【腫處 종처】 부스럼이 난 곳。

13 **【腰】** 肉 9 고교 **요** — 허리 — ㊥蕭

丿 刀 月 月 肝 脛 腰 腰 腰

자원 형성 要(음) 月 ┬ 腰 (肉부)

음을 나타냄과 동시(同時)에 허리를 뜻하는 「要요」가 주로 구하다의 뜻으로 쓰이게 되었으므로 「月육달월」을 보태어 「腰」를 만들고, 허리의 전용자(專用字)로 했음。

뜻 ①**허리요** ㉠복부와 둔부(臀部)의 중간。「腰帶요대」 ㉡요해처。㉢산기슭에 가까운 부분。「山腰산요」 ㉣허리에 띠거나 차는 물건의 수사(數詞)로 쓰임。 ②**찰요** 허리에 참。

【腰痛 요통】 허리가 아픈 병。

【腰下 요하】 허리 근처。

◉細腰세요 伸腰신요 柳腰유요 低腰저요

13 **【腸】** 肉 9 고교 **장** — 창자 — ㊥陽

丿 刀 月 月 胛 胆 腸 腸

자원 형성 昜(음) 肉-月 ┬ 腸 (肉부)

「月육달월변」은 몸에 관계가 있음을 나타냄。음을 나타내는 「昜양」(장은 변음)은 「陽양」〈밝다·양지〉·「揚양」〈들어올리다〉·「暢창」〈마음이 누긋하다〉 따위의 뜻과 통하여 넓어지는 일과 커짐을 나타냄。

「腸」은 내장의 하나이며 길게 구불구불한 대장(大腸)·소장(小腸)。

뜻 ①**창자장** 육부(六腑)의 하나。위(胃)에서 항문에 이르는 가늘고 긴 소화 기관。대장과 소장으로 나뉨。「胃腸위장」「心腹腎腸심복신장」 ②**마음장** 「熱腸열장」

주의 「膓」은 속자(俗字)。

◉灌腸관장 斷腸단장 大腸대장 盲腸맹장

13 **【腹】** 肉 9 고교 **복** — 배 — ㊀屋

丿 刀 月 肸 脂 腹 腹

자원 형성 复(음) 肉-月 ┬ 腹 (肉부)

음을 나타내는 「复복」은 아래 위가 같고 가운데가 불룩한 모양(⇩復복)。「月육달월변」은 몸에 관계가 있음을 나타냄。「腹」은 배꼽 아래 위 양쪽 곁↓배。

「复」「腹」은 「畐복」「富부」「副부」와 관계가 깊음。「畐」은 좌우(左右)로 배가 불룩한 술단지이며 속에 물건이 꽉 차 있음을 나타냄。

뜻 ①**배복** ㉠가슴 아래의 위장을 싼 부분。「腹部복부」 ㉡음식이 들어가는 곳。위장。㉢마음。㉣앞。전면。「腹背受敵복배수적」 ㉤물건의 배에 상당한 부분。「中腹중복」「水出山腹수출산복」 ②**두터울복** 얇지 아니함。③**껴안을복**

주의 비슷하게 생긴 글자=「復복」〈다시〉·「複복」〈두벌〉

【腹腔* 복강】배의 얼안.

【腹膜* 복막】복벽(腹壁)의 속 전체(全體)를 덮은 얇은 막(膜).

【腹背 복배】①배와 등. ②앞과 뒤. 대단히 가까움. 극히 친함.

【腹壁 복벽】뱃가죽의 안 쪽.

【腹部 복부】배의 부분(部分).

【腹心 복심】①배와 가슴. 전(轉)하여 ②심복(心腹). ③대단히 가까움. 극히 친함. ④진심(眞心). 충심.

【腹案 복안】마음 속으로 품고 있는 생각.

【腹痛 복통】배가 아픔.

◉空腹공복 滿腹만복 遺腹유복 異腹이복

13 【腺】肉 9 선 韓 | 샘 | 平先

자원 형성 泉음 肉-月┬腺(肉부)

내장의 뜻을 나타내는「月육달월변」에, 음을 나타내며 동시에 액체를 분비하는 샘의 뜻을 나타내는「泉천」을 더하여 이루어짐. 분비(分泌)작용을 하는 기관의 뜻.

뜻 《韓》 **샘선** 생물체 내에서 분비작용(分泌作用)을 하는 기관(器官).

【腺病 선병】어린이의 체질성 질환(體質性疾患)으로 임파성(淋巴性) 체질에 흔한데, 피부가 껄껄해지며 습진·수포성결막염·만성비염 등이 일어나는 결핵성(結核性) 전신병임.

【腺病質 선병질】①선병(腺病)에 걸린 어린이에게 나타나는 특별한 체질(體質). ②병에 걸리기 쉬운 신경질적인 체질.

◉甲狀腺갑상선 乳腺유선 淋巴腺임파선

13 【膕】肉 9 齶(齒部九畫)과 같은 글자.

十畫

14 【腿】肉 10 퇴 | 다리살 | 上賄

자원 형성 退음 肉-月┬腿(肉부)

「月육달월변」〈살·고기〉과, 음을 나타내는「退퇴」로 이루어짐.

뜻 ①**다리살퇴** 넓적다리의 뒤쪽살과 장딴지의 살. ②**다리퇴** 넓적다리와 정강다리의 총칭. 넓적다리는「大腿대퇴」, 정강다리는「小腿소퇴」라 함.

14 【膀】肉 10 방 | 오줌통 | 平陽

자원 형성 旁음 肉-月┬膀(肉부) 2500년전

「月육달월변」〈살·장기(臟器)〉과, 음을 나타내는「旁방」으로 이루어짐.

뜻 **오줌통방** 오줌을 저장하는 비뇨기.「膀胱방광」.

【膀胱 방광】비뇨기(泌尿器)의 하나. 오줌통.

14 【膊】肉 10 박 | 포 | 入藥

자원 형성 尃음 肉-月┬膊(肉부) 2500년전

「月육달월변」〈살·고기〉과, 음을 나타내는「尃부」(박은 변음)로 이루어짐.

뜻 ①**포박** 건육(乾肉). ②**팔박** 어깨에서 팔꿈치까지를「上膊상박」 팔꿈치에서 손목까지를「下膊하박」이라 함。③어깨박 견부(肩部)。④책살할박 발가벗겨 책형(磔刑)에 처함。⑤홰치는소리박 닭이 날개를 치는 소리。

14 【膏】肉 10 고 | 기름 | ①-⑦(平)豪 ⑧-⑩(去)號

자원 형성 高(음) 肉-月 ┬ 膏(肉부)

「月육달월」〈살·몸〉과、음과 함께 희다는 뜻(⇩皜호)을 나타내기 위한 「高고」로 이루어지며 흰 고기、기름의 뜻。

뜻 ①기름고 ㉠지방(脂肪)。㉡등유(燈油)。②기름질고 ㉠살지고 기름기가 흐름。또는 땅이 비옥함。㉡윤이 흐르고 맛이 좋음。③고약고 기름으로 만든 붙이는 약。④연지고 기름을 섞어 만든 연지。⑤살진고기고 ⑥기름진땅고 ⑦염통밑고 심장의 아래。「膏肓고황」 ⑧은혜고 은택。「膏澤고택」 ⑨기름지게할고 적셔 윤택하게 함。⑩기름칠고 기름을 쳐서 미끄럽게 함。

【膏粱珍味 고량진미】썩 맛있는 음식。

【膏血 고혈】사람의 기름과 피。전(轉)하여 피땀을 흘려 얻은 이익。

【膏肓 고황】①심장과 격막의 사이의 부분。곧 침이나 약으로 고치지 못하는 곳。명치。전(轉)하여 ②전부터 내려오는 고치기 어려운 오류。

◉肌膏기고 民膏민고 脂膏지고

十一畫

15 【膜】肉 11 ㊀막 ㊁모 | 꺼풀 | ㊀(入)藥 ㊁(平)虞

자원 형성 莫(음) 肉-月 ┬ 膜(肉부) 2500년전

「月육달월변」과、음을 나타내는 동시에 가리다의 뜻(⇩幕막)을 나타내는 「莫막」으로 이루어짐。내장을 싸서 가리는 얇은 막의 뜻。

뜻 ㊀꺼풀막 동식물체 내부의 근육 및 모든 기관을 싸고 있는 얇은 꺼풀。「骨膜골막」「角膜각막」 ㊁무릎꿇을모 절하기 위하여 무릎을 꿇고 두 손을 듦。

15 【膝】肉 11 슬 | 무릎 | (入)質

자원 형성 桼(음) 肉-月 ┬ 膝(肉부)

신체의 뜻인 「月육달월변」과、음을 나타내며 동시에 꺾이다의 뜻(⇩折절)을 나타내기 위한 「桼칠」로 이루어짐。몸의 꺾이는 곳、곧 무릎의 뜻。

뜻 무릎슬 ㉠정강이 위와 넓적다리 아래 사이의 관절。「屈膝굴슬」 ㉡앉은 자리의 바로 앞。무릎 앞。

주의 ①「厀」은 옛 글자。②「膝」은 본디 속자(俗字)。

【膝蓋骨 슬개골】무릎 앞 한가운데에 있는 작은 접시 같은 뼈。종지뼈。

【膝下 슬하】부모의 무릎 아래。모시고 있는 어버이의 그늘 아래。

15 【膠】肉 11 교 | 갖풀 | (平)肴

자원 형성 翏(음) 肉-月 ┬ 膠(肉부) 2500년전

「月육달월변」〈고기〉과、음을 나타내며 동시에 기름의 뜻(⇩膫료)을 나타내기 위한「翏료」(교는 변음)로 이루어짐。

뜻 ①**갖풀교** 아교。「膠漆교칠」②**갖풀칠할교** 아교를 칠함。③**굳을교** 견고함。④**붙을교** 달라붙음。밀착함。⑤**집착할교** 사물에 마음이 너무 쏠림。⑥**어그러질교** 괴려(乖戾)함。⑦**학교이름교** 고대의 학교의 한가지。⑧**움직일교** 움직여 혼란한 모양。

【膠匣 교갑】 먹기 어려운 약품을 넣어 삼키는、아교(阿膠)로 만든 갑(匣)。

【膠着 교착】 찐득찐득하게 단단히 달라붙음。

15 【膚】 肉 11 고교 **부** — 살갗 — ㊥虞

丶 ⺊ ⺊ 广 卢 虍 虐 膚 膚

자원 형성 肉-月 ┬膚(肉부) 盧음 2500년전

「月육달월」과、음을 나타내는 동시에 편다는 뜻(⇩敷부)을 나타내기 위한「盧」(「盧로」의 약체(略體)。부는 변음)로 이루어지며 살위를 펴 덮고 있는 것의 뜻。

뜻 ①**살갗부** 살 가죽의 겉면。신체의 표피。「身體髮膚신체발부」②**겉껍질부** 식물의 표피。③**길이부** 네 손가락을 나란히 한 폭。④**제육부** 돼지 고기。⑤**얇을부** 천박함。⑥**아름다울부** 훌륭함。⑦**클부** 작지 아니함。

◉雪膚설부 素膚소부 玉膚옥부 皮膚피부

十二畫

16 【膨】 肉 12 **팽** — 부를 — ㊦敬

자원 형성 肉-月 ┬膨(肉부) 彭음

「月육달월변」〈살〉과、음과 함께 커지다의 뜻(⇩豐풍)을 나타내기 위한「彭방·팽」으로 이루어지며、살이 솟구쳐 올라 부풀다의 뜻。전하여、널리、부풀다의 뜻。

뜻 **부를팽** 불룩함。불룩해짐。

【膨脹 팽창】 ①부르고 띵띵함。②발전(發展)하여 늚。③물체(物體)가 열(熱)을 만나서 그 부피가 커짐。

十三畫

17 【膽】 肉 13 **담** — 쓸개 — ㊤感

자원 형성 肉-月 ┬膽(肉부) 詹음 2500년전

「月육달월변」〈고기·내장〉과、음을 나타내는「詹담·섬」으로 이루어짐。쓸개의 뜻。

뜻 ①**쓸개담** ㉠간장(肝臟)에 달린 주머니 같은 것。육부(六腑)의 하나。「膽囊담낭」㉡기백。용기。「膽力담력」「大膽대담」㉢마음。「肝膽간담」②**씻을담** 닦음。

【膽氣 담기】 담력(膽力)。

【膽囊 담낭】 쓸개의 덩이。간장(肝臟) 뒤의 아래에 달려 있음。

【膽大心小 담대심소】 담은 커서 무슨 일이고 두려워하지 아니하며、마음은 치밀하여서 무슨 일이고 소홀히 하지 아니함。

【膽略 담략】 꾀가 많음。또 담력과 책략(策略)。

【膽力 담력】 겁이 없고 용감스러운 의지의 힘。

【膽汁 담즙】 간장(肝臟)에서 분비(分泌)하는 소화액(消化液)。

【膽智 담지】 담력과 지혜。
◉肝膽간담 落膽낙담 大膽대담 嘗膽상담 石膽석담 小膽소담 心膽심담

17 【膿】 肉 13 **농** | 고름 | ㊥冬

자원 형성 農음 肉-月 ┬ 膿(肉부)

「月육달월변」〈고기·살〉에 음을 나타내는 동시에 막히어 갇히다의 뜻(⇩壅옹)을 나타내기 위한 「農농」으로 이루어짐。 피부의 헌데에 괸 피↓고름의 뜻。

뜻 ①**고름농** 헌데서 나오는 즙。「膿汁농즙」 ②**국물농** 진한 국물。 ③**썩어문드러질농**

【膿漏 농루】 고름이 나옴。
【膿汁 농즙】 고름。
【膿血 농혈】 피고름。

十六畫

【謄】 ⇩言部十畫
【騰】 ⇩馬部十畫

十八畫

22 【臟】 肉 18 고교 **장** | 오장 | ㊀漾

자원 형성 藏음 肉-月 ┬ 臟(肉부)

음을 나타내는 「藏장」은 물건을 넣어 두는 곳집↓ 물건이 속에 넣어져 있는 일。 「月육달월변」은 사람의 몸에 관계가 있는 일。「臟」은 몸 안의 장기(臟器)。
옛날 사람은 몸 안에 「心심」·「肝간」 따위 다섯 가지 「臟장」과 「胃위」·「大腸대장」·「小腸소장」 따위 여섯 가지 「腑부」가 있다고 생각하였음。

뜻 **오장장** 내장 곧 가슴과 배 안에 있는 여러 기관의 총칭。「心臟심장」·「肺臟폐장」·「肝臟간장」·「腎臟신장」·「脾臟비장」을 「五臟오장」이라 함。

【臟器 장기】 내장(內臟)의 기관(器官)。
【臟腑* 장부】 오장(五臟)과 육부。
◉肝臟간장 內臟내장 心臟심장 五臟오장

臣部

6 【臣】 부수 중학 **신** | 신하 | ㊥眞

자원 상형 (3000년전)

「臣」은 내려다 본 사람의 눈의 모양↓신을 섬기는 사람↓임금을 섬기는 중신(重臣)↓신하。

뜻 ①**신하신** ㉠임금을 섬겨 벼슬하는 사람。「臣子신자」 ㉡전(轉)하여、널리 백성(百姓)의 뜻으로도 쓰임。 ②**신신** ㉠신하가 임금에게 쓰는 자칭 대명사。 ㉡장상(長上)에게 쓰는 자칭 대명사。 ③**신하로삼을신** ④**신하노릇할신**

참고 「臣」을 음으로 하는 글자=「臤견」〈굳다〉·「賢현」〈어질다〉·「堅견」

〈굳다〉·「緊긴」〈굳다〉·「腎신」〈콩팥〉

【臣道 신도】 신하(臣下)로서 마땅히 지켜야 할 도리(道理)。신하의 본분。

【臣民 신민】 신하와 백성。신서(臣庶)。

【臣服 신복】 신사(臣事)。

【臣事 신사】 신하로서 섬김。

【臣子 신자】 신하와 아들。

【臣節 신절】 신하가 지킬 절조(節操)。

【臣妾 신첩】 ①신하와 첩。②굴복하는 사람。「사람。

【臣下 신하】 임금을 섬기어 벼슬하는

◉家臣가신 閣臣각신 孤臣고신 功臣공신 大臣대신 名臣명신 重臣중신 賢臣현신

二畫

8【臥】臣 2 중학 와 ─ 누울 ─ 去箇

一 丅 丆 丂 臣 臣 臥 臥

자원 상형 2500년전

사람이 내려다 보고 있는 모양을 본뜸。내려다 본다는 뜻。전하여 눕는다는 뜻。

뜻 ①누울와 ㉠몸을 가로 놓음。「横臥횡와」 ㉡잠을 잠。「熟臥숙와」 ②누일와 눕게 함。자게 함。③쉴와 휴식함。④침실와 자는 방。

주의 「卧」는 속자(俗字)。

【臥病 와병】 병으로 누움。

【臥床 와상】 침상。침대。

【臥席終身 와석종신】 제 명에 죽음。

【臥薪嘗膽* 와신상담】 섶에 눕고 쓸개를 맛본다는 뜻으로、원수(怨讐)를 갚고자 고생을 참고 견디는 일。

◉安臥안와 仰臥앙와 長臥장와 横臥횡와

8【卧】臣 2 臥(앞 글자)의 속자(俗字)。

十一畫

17【臨】臣 11 고교 림 ─ 임할 ─ ①-④ 平侵 ⑤ 去沁

丅 丂 丂 臣 臣 臨 臨 臨

자원 형성 臥品→臨(臣부)

臨 2500년전

음을 나타내는 「品품」(림은 변음)은 자잘한 물건。또 그것을 구별하는 일。「臥와」는 사람이 위에서 내려다 보는 일。「臨」은 파수보는 일。「監감」자의 생김새와 매우 비슷함。

뜻 ①임할림 ㉠높은 곳에서 내려다 봄。「瞰臨감림」「俯臨부림」 ㉡높은 곳에서 낮은 곳을 대함。㉢높은 사람이 낮은 사람을 대함。특히 군주가 신하를 대함。「君臨군림」 ㉣높은 사람이 낮은 사람한테 감。「光臨광림」 ㉤마주 대함。「如臨父母여림부모」 ㉥어떠한 장소에 나옴。「臨席임석」 ㉦그때에 당함。㉧침。출정함。㉨지킴。수비함。㉩다스림。제어함。②병거림 전쟁에 쓰는 수레。전차(戰車)。③쓸림、그릴림 글씨본이나 그림본을 보고 쓰거나 그림。「臨寫임사」 ④괘이름림 육십사괘(六十四卦)의 하나。곤 ䷒(태하(兌下)、곤상(坤上))。양기(陽氣)가 점차로 길어져서 음기(陰氣)에 육박하는 상(象)。⑤울림 장례 때 여러 사람이 한군데 모여서 울며 슬퍼함。

【臨渴掘井* 임갈굴정】 목이 마르매 우

물을 팜。곧 준비가 없이 일을 당해 허둥지둥하는 것을 가리키는 말。

【臨檢 임검】현장에 가서 검사함。

【臨機應變 임기응변】그때 그때의 형편에 따라서 수단을 강구(講究)하여 적당히 처리함。

【臨迫 임박】시기(時機)가 닥쳐옴。

【臨床 임상】병상(病床)에 임(臨)함。

【臨時 임시】①그때가 닥쳐옴。②일정하지 아니한 시간。③잠시(暫時) 아쉬운 것을 면함。④시기(時期)에 임하여 행함。

【臨屯* 임둔】《韓》한사군(漢四郡)의 하나。지금의 함경남도(咸鏡南道) 지방。나중에 현도군(玄菟郡)에 합함。

【臨時變通 임시변통】준비하지 아니한 일을 때에 따라서 잠시 처리함。

【臨時處變 임시처변】기회를 따라 처리함。

【臨終 임종】①임사(臨死)。②부모가 돌아갈 때에 모시고 있음。

◉光臨광림 君臨군림 來臨내림 登臨등림 遠臨원림 照臨조림 至臨지림 親臨친림

自部

6【自】부수 [중학] 자 — 스스로 — ㊄寘

´ 丨 冂 白 自 自

[자원] 상형  3000년전

「自」는 사람의 코의 모양을 본뜬 것→코。사람은 코를 가리켜 자기를 나타내므로「스스로」란 뜻으로 삼고 또「혼자서」「…로부터」따위의 뜻으로도 씀。나중에「코」의 뜻에는「鼻비」란 글자가 생겼음。

[뜻] ①몸자 자기。「獨自독자」「自我자아」②스스로자 ㉠몸소。친히。㉡저절로。③부터자 …로부터。「自是자시」「自初至終자초지종」④부터올자 어느 곳으로부터 옴。⑤부터할자 무엇무엇부터 시작함。⑥좇을자 따름。⑦인할자 의(依)함。기인함。⑧쓸자 사용함。

【自家 자가】①자기의 집。②저。자기。

【自家撞着* 자가당착】자기 스스로의 언행(言行)의 앞뒤가 서로 충돌하여 일치하지 않아 모순됨。

【自覺 자각】①자기의 위치 또는 가치를 의식함。②자기가 자기를 의식하는 작용。자의식(自意識)。

【自強不息 자강불식】스스로 힘쓰고 쉬지 아니함。

【自古 자고】예전부터。자래(自來)。

【自過不知 자과부지】자기의 허물은 자기가 모름。

【自愧之心 자괴지심】스스로 부끄러워하는 마음。

【自給 자급】자기 생활을 자기가 함。

【自矜* 자긍】자기 스스로의 긍지。

【自棄 자기】제가 저를 버리고 돌보지 아니함。

【自擔 자담】자기가 부담(負擔)함。자기가 담당(擔當)함。

【自得 자득】①자기 스스로 깨달음。②마음에 만족하게 여김。불평을 품지 아니함。③의기양양함。뽐냄。

【自量 자량】스스로 헤아림。

【自力 자력】①자기 스스로 힘씀。②

자기의 힘。 타력(他力)의 대(對)。

【自立 자립】 ①복종의 관계를 벗어나 자주의 지위에 섬。 ②자기 스스로 군주가 됨。 ③자기 힘으로 생활함。

【自慢 자만】 스스로 자랑함。

【自明 자명】 설명하지 아니하여도 저절로 분명(分明)함。

【自鳴鐘 자명종】 때가 되면 저절로 울려서 시간을 알리는 시계(時計)。

【自問自答 자문자답】 자기가 묻고 자기가 대답함。 의심나는 것을 자기의 마음으로 판단(判斷)함。

【自白 자백】 자기의 허물을 스스로 고백함。

【自負 자부】 자기가 자기의 가치(價値)·능력(能力)을 믿음。

【自生 자생】 저절로 생김。 저절로 남。

【自署 자서】 친(親)히 자기의 성명(姓名)을 씀。

【自敍傳 자서전】 제가 쓴 자기의 전기。 또는 남에게 구술(口述)하여 씌운 자기의 전기。

【自說 자설】 자기가 주장하는 학설。

【自省 자성】 제 자신을 반성함。

【自手 자수】 자기의 손。 자기 혼자의 노력。

【自首 자수】 자기 스스로 자기의 죄과를 아뢰어 바침。

【自修 자수】 ①제힘으로 학문을 닦음。 ②자기 스스로 제몸을 바로잡음。

【自手成家 자수성가】 물려 받은 재산이 없이、 자기 힘으로 한 살림을 이룩함。

【自肅 자숙】 몸소 삼감。

【自肅自戒 자숙자계】 몸소 삼가 경계(警戒)함。

【自乘 자승】 같은 수(數)를 곱함。 또 그 곱한 수。

【自繩自縛* 자승자박】 자기 끈으로 자기를 묶는다는 뜻으로、 자기의 번뇌나 비행(非行) 때문에 자기 자신을 괴롭힘을 이름。

【自失 자실】 얼이 빠짐。 정신을 잃음。

【自我 자아】 ①자기(自己)。 ②인식(認識)의 주관(主觀)。 ③의식(意識)의 주관(主觀)。

【自若 자약】 기색(氣色)이 태연(泰然)한 모양。

【自業自得 자업자득】 자기의 지은 재앙(災殃)이 자기의 몸에 닥침。

【自然 자연】 ①인력(人力)을 가하지 아니한 그대로의 상태。 ②저절로。 ③산천 초목 같은 모든 유형적 현상 또는 인식의 대상으로서의 외계(外界)에 있는 온갖 현상。 ④자연물과 자연력。

【自營 자영】 ①자력(自力)으로 사업을 경영함。 ②자력으로 생계를 함。

【自慰 자위】 스스로 마음을 위로함。

【自衞 자위】 몸이나 나라 등을 스스로 막아 지킴。

【自由 자유】 ①마음이 내키는 대로 함。 ②남의 구속을 받지 아니함。 ③법률(法律)의 범위 안에서 마음대로 하는 행동。 거주·언론·집회·결사·신교(信敎) 등의 자유가 있음。

【自律 자율】 ①자기가 자기를 제어(制御)함。 ②자기의 의사가 외부의 구속으로부터 자유로움。

【自認 자인】 자신이 시인(是認)함。

【自作 자작】 손수 만듦。 손수 지음。

【自作農 자작농】 자기(自己)의 논밭을 자기가 짓는 농사。

【自酌自飮 자작자음】 술을 손수 따라 마심。

【自在 자재】 ①방자(放恣)함。 ②장애가 없음。 지장이 없음。

【自適 자적】 마음이 가는 대로 유유히 생활함。

【自轉 자전】 ①저절로 돌아감。 ②지구(地球) 또는 다른 유성(遊星)이 자신의 축을 중심으로 하여 회전함。

【自制 자제】 자기(自己)의 감정이나 욕망을 스스로 제어함。

【自助 자조】 ①남의 힘을 빌지 아니하고 일을 함。 ②자기의 도움이 되게 함。

【自足 자족】 ①스스로 만족을 느낌。 ②자기가 가진 것으로써 충분함。

【自尊 자존】 ①제가 제 몸을 높임。 ②자기(自己)의 품위(品位)를 높임。

【自主 자주】 자기(自己) 일을 자기가 처리(處理)함。 독립하여 남의 간섭을 받지 아니함。

【自主獨立 자주독립】 남의 간섭(干涉)을 받지 않고 자기(自己)의 힘으로 자기의 일을 처리(處理)함。

【自重 자중】 ①자기 몸을 소중(所重)히 함。 ②자기의 인격을 소중히 여겨 언행을 신중히 함。

【自中之亂 자중지란】 내분(內紛)。

【自贊 자찬】 자기가 자기 일을 칭찬함。 또 그 말。

【自責 자책】 제 잘못을 스스로 꾸짖음。

【自處 자처】 ①제 일을 제가 처리(處理)함。 ②자결(自決)。 ③제 스스로 어떠한 사람인 체함。

【自薦 자천】 자기가 자기를 천거함。

【自請 자청】 제 스스로가 청(請)함。

【自初至終 자초지종】 처음부터 끝까지의 동안이나 일。

【自炊* 자취】 자기가 손수 밥을 지어 먹음。

【自取之禍 자취지화】 자기가 자취(自取)한 재앙(災殃)。

【自治 자치】 자기의 일을 제가 처리함。

【自稱 자칭】 ①남에게 대한 제 자신의 일컬음。 ②자기가 자기를 칭찬함。

【自他 자타】 ①저와 남。 ②자동(自動)과 타동(他動)。

【自暴自棄 자포자기】 스스로 자기의 몸을 해치고 스스로 자기의 몸을 버림。 곧 실망(失望)·타락(墮落)하여 조금도 노력해 나아가려고 하지 않는 마음가짐이나 몸가짐。

【自爆 자폭】 제 손으로 폭발시킴。

【自筆 자필】 자기가 쓴 글씨。

【自害 자해】 스스로 목숨을 끊음。

【自行自止 자행자지】 마음대로 행함。

【自畫自讚 자화자찬】 제가 그린 그림에 스스로 칭찬하는 말을 써 넣음。 곧 제가 한 일을 자기가 칭찬함。

【自活 자활】 자력으로 살아감。

四畫

10 【臭】 自 4 [고교] [一]취 (추[本]) 냄새 [一][二] [二]후 [去]宥

丿 ⺁ 冂 白 自 自 臬 臭 臭

[자원] 회의 自+犬→臭(自부)

코를 뜻하는 「自자」와 개를 뜻하는 「犬견」으로 이루어져, 개가 코로 냄새를 맡는 뜻。

[뜻] [一]①**냄새취** 코로 맡을 수 있는 온갖 기운。 「惡臭악취」 ②**구린내취** 나쁜 냄새。 전(轉)하여, 오명(汚名)。 ③**향내취** 향기。 ④**냄새날취** 악취가 남。 ⑤**더러울취**、**더럽힐취** ⑥**썩을**

취 부패함。※본음(本音)추 [二]맡을 후 嗅(口部十畫)와 같은 글자。

【臭氣 취기】악취(惡臭)。

◉惡臭악취 乳臭유취 遺臭유취

【息】⇩心部六畫

八畫

【鼻】⇩部首

至 部

6 【至】수부 [중학] 지 | 이를 | [去]寘

一 工 云 𠫔 㞢 至

[자원] 상형  3000년전

「至」는 화살이 이르는 모양→이르다。후세의 사람은 새가 높은 곳에서 땅에 내려오는 모양으로 보고 설명하고 있음。

[뜻] ①이를지 ㉠옴。도착함。㉡도래함。㉢다다름。도달함。㉣와 모임。②지극할지 극진한 데까지 이름。또 극한 일。③지극히지 더할 나위 없이。④동지지、하지지 한 해 중 낮이 가장 짧은 날과 가장 긴 날。

[참고] 「至」를 음으로 하는 글자=「鵄치」〈올빼미〉·「致치」〈이르다〉·「室실」〈방〉·「桎질」〈차꼬〉·「蛭질」〈거머리〉·「姪질」〈조카〉·「窒질·절」〈막다〉

【至公無私 지공무사】공평(公平)하여 조금도 사(私)가 없음。

【至極 지극】①극한(極限)。②극한에 이름。극진한 데까지 이름。

【至難 지난】썩 어려움。지극히 곤란함。

【至當 지당】사리(事理)에 꼭 맞음。

【至大 지대】아주 큼。

【至毒 지독】①매우 심(甚)함。②몹시 독함。

【至妙 지묘】아주 묘함。

【至味 지미】썩 맛있는 음식。

【至福 지복】더할 수 없는 복。

【至善 지선】①최상의 선。최고의 선。②선악을 초월한 본연의 성(性)。

【至性 지성】매우 착한 성질(性質)。

【至誠感天 지성감천】정성이 지극하면 하늘에까지 감동이 됨。

【至言 지언】꼭 이치에 들어맞는 말。

【至嚴 지엄】매우 엄(嚴)함。

【至于今 지우금】지금까지。

【至人 지인】도덕이 지극히 높은 사람。

【至人至慈 지인지자】지극히 인자함。

【至尊 지존】지극히 높은 지위。곧 제왕(帝王)의 지위。또 제왕。

【至親 지친】①지극히 가까운 겨레붙이。곧 부자형제 등。골육(骨肉)。②더 없이 친(親)함。

【至賢 지현】지극히 어짊。또 그 사람。

【至孝 지효】지극(至極)한 효행。

◉乃至내지 冬至동지 必至필지 夏至하지

二畫

【到】⇩刀部六畫

四畫

10 【致】至4 [중학] 치 | 이를 | [去]寘

一 工 云 𠫔 㞢 至 到 致 致

자원 형성 至(음)攵→致(至부)→致

천천히 걷는다는 뜻의 「夊」(攵복은 잘못 쓴 것)와 음을 나타내는 동시에 이르게 한다는 뜻을 가진 「至지」(치는 변음)로 이루어지며 사람을 배웅하여 보낸다는 뜻.

뜻 ①이를치 극진한 데까지 이름。②부를치 오게 함。「招致초치」③보낼치 부쳐 줌。「致書치서」④전할치 전달함。알림。「致言치언」⑤이를치 성취함。「致富치부」⑥다할치 진력함。⑦돋을치 겳。「致戰치전」⑧말길치 위탁함。⑨그만둘치 사직함。⑩풍취치 상태。「景致경치」⑪뜻치 의취(意趣)。⑫고울치 치밀함。

주의 「致」는 정자(正字)。

【致家 치가】 가업(家業)을 이룸。

【致命 치명】 ①목숨을 바침。②천명(天命)이 있는 한 있는 힘을 다함。③명령을 전함。

【致命傷 치명상】 ①목숨이 위험할 정도의 큰 상처。②명예에 대한 회복하기 힘든 상처。

【致富 치부】 부자(富者)가 됨。

【致死 치사】 죽게 함。죽임。

【致謝 치사】 고맙다고 인사함。감사한 뜻을 표함。

【致誠 치성】 ①정성(精誠)을 다함。②신불(神佛)에게 정성(精誠)을 드림。

【致賀 치하】 남의 경사(慶事)를 하례함。기쁘다는 뜻을 표(表)함。

◉極致극치 送致송치 誘致유치 招致초치

八畫

14 【臺】 至 8 고교 대 | 대 | ㊥灰

一 十 士 吉 声 声 臺 臺 臺

자원 회의 至+高→臺(至부) 2000년전

「高」은 「之지」〈위에 나오다〉와 「高고」〈높다〉를 합한 모양으로 해석되어 왔으나 실은 전체가 건물의 모양을 본뜬 것으로 생각됨。「至지」는 「室실」「屋옥」 따위와 같이 방을 나타냄。「臺대」는 망대→관청 등의 건물→물건을 올려놓는 대(臺)。

뜻 ①대대 ㉠흙을 높이 쌓아 사방을 관망할 수 있게 만든 곳。돈대。㉡후세에는 조망(眺望)하기 위하여 만든 정자도 이름。㉢높고 평탄한 토지。㉣물건을 올려 놓는 제구。「飯臺반대」②능대 능묘(陵墓)。③성문대 성(城)의 문。④마을대 중앙의 정무(政務)를 맡은 관서。또 그 고관(高官)。⑤하인대、종대 심부름하는 천한 사람。⑥어른대 남의 존칭(尊稱)。「尊臺존대」⑦사초대 식물의 이름。⑧조정대 조당(朝堂)。

◉鏡臺경대 觀臺관대 樓臺누대 燭臺촉대

臼 部

6 【臼】 부수 구 | 절구 | ㊤有

자원 상형 3000년전 2500년전

「臼」는 나무나 돌 따위를 깊게 판

절구의 모양을 본뜨고, 안의 점(点)은 낟알을 나타냄。 옛날에는 땅을 파서 절구로 썼음。

뜻 **절구구、확구** 방앗공이로 곡식을 찧는 기구。「杵臼저구」

주의 「臼공」〈좌우의 손〉과 글자 모양이 닮았기 때문에、혼용되고 있음。

참고 「臼」를 음으로 하는 글자＝「舊구」〈옛날〉·「舅구」〈외삼촌〉

【臼齒 구치】 어금니。

二畫

【皃】 ⇩儿部六畫

七畫

14 **【與】** 臼 7 중학 **여** 더불 ①-⑭㊤語 ⑮㊈御 ⑯㊥魚

자원 형성 牙음-与 ⺊與(臼부) 2500년전

「舁여」(𦥑)는 두 사람이 내민 네 손。음을 나타내는「牙아」(与는 잘못 쓴 것。여는 변음)는 꼭 맞붙은 모양。많은 사람이 맞붙는다는 뜻。전하여、더불어의 뜻。「与」는 생략형。「与」가 변한 것。음을 빌어「予여」와 통하고 주다의 뜻으로 씀。

뜻 ①**더불여** 더불어。함께。②**및여** …과。급(及)。「仁與義인여의」③**더불어할여** 일을 같이 함。④**더불어갈여** 함께 감。⑤**줄여** 급여함。「施與시여」⑥**허락할여** 허여함。찬성함。⑦**좇을여** 따름。⑧**도울여** ⑨**편들여** 한 편이 됨。「與黨여당」⑩**친할여** 친숙함。⑪**셀여** 수효를 셈함。⑫**위할여** 爲(爪部八畫)와 뜻이 같음。⑬**보다는여** 비교하는 말。⑭**그럴까여** 의문사(疑問辭)。歟(欠部十四畫)와 통용。⑮**무리여** 동류。「黨與당여」⑯**참여할여** 참예함。

참고 「與」를 음으로 하는 글자＝「譽예」〈칭찬함〉·「擧거」〈들다〉·「欅거」〈느티나무〉·「嶼서」〈섬〉

【與民同樂 여민동락】 왕자(王者)는 즐거움을 홀로 차지하지 아니하고 백성과 함께 즐김。

【與奪 여탈】 주었다 빼앗았다 하는 「일。

◉給與급여 賞與상여 參與참여 天與천여

九畫

16 **【興】** 臼 9 중학 **흥** 일 ①-④㊥蒸 ⑤-⑦㊈徑

자원 형성 舁 同음 ⺊興(臼부) 2500년전

「舁여」〈마주 들어 올리다〉와、음을 나타내며 동시(同時)에 협력(協力)하다의 뜻을 가지는「同동」(흥은 변음)으로 이루어지며、여럿이 들어 올리다、일으키다、일어나다의 뜻。

뜻 ①**일흥** ㉠성(盛)하여짐。「興亡흥망」·「勃興발흥」㉡생김。나타남。②**일으킬흥** ㉠일이 일어나게 함。일을 시작함。「興師흥사」㉡거용(擧用)함。㉢성(盛)하게 함。③**일어날흥** ㉠일어섬。㉡깨어 일어남。㉢행(行)하여짐。④**느낄흥** 감동함。⑤**기뻐**

활흥 좋아함。 ⑥흥흥 흥취。「興味흥미」 ⑦시흥 시(詩)의 한 체로 시경(詩經)의 육의(六義)의 하나。아무 관계도 없는 딴 물건을 빌어다가 자기의 뜻을 나타내는 것。

【興感 흥감】 흥취를 느낌。

【興起 흥기】 ①떨치고 일어남。 ②성해짐。

【興隆 흥륭】 흥하여 번성해짐。

【興亡盛衰 흥망성쇠】 흥망과 성쇠。

【興業 흥업】 산업(産業)을 일으킴。

【興盡悲來 흥진비래】 즐거운 일이 다하면 슬픈 일이 옴。

【興趣 흥취】 흥치(興致)와 취미(趣味)。

【興致 흥치】 재미 있는 정형(情形)。

【興敗 흥패】 흥(興)함과 패(敗)함。

【興行 흥행】 ①일으키어 행(行)함。 ②연극(演劇) 등을 하여 구경시킴。

◉發興발흥 復興부흥 再興재흥 中興중흥

十二畫

18 【擧】 臼 11 중학 거 ― 들 ― ㊤語

자원 형성 手與음 ― 擧(臼부) 2500년전

음을 나타내는 「與여」(거는 변음)는 가마 같은 것을 두 사람 이상이 같이 들어올리는 일。 나중에 여러 가지 뜻으로 쓰기 때문에 특히 손으로 양쪽에서 들어 올린다는 뜻인 때는 「手수」〈손〉를 더하여 「擧」로 함。

뜻 ①들거 ㉠높이 들어 올림。「擧手거수」 ㉡손에 쥠。「擧杯거배」 ㉢사실이나 예(例)를 듦。「擧證거증」 ㉣모두 합침。 ②날거 새가 낢。 ③키울거 애를 키움。 또 자람。 키워짐。 ④빼앗을거 ㉠성을 탈취함。 ㉡재화를 몰수함。 ⑤주울거 습득함。 착복함。 ⑥올릴거 기용(起用)함。 또 기용됨。 ⑦일으킬거 ㉠사물을 시작함。 행함。 ㉡몸을 일으킴。 ㉢흥(興)하게 함。 ⑧모두거 다。「擧國거국」 ⑨거동거 행동。「一擧一動일거일동」 ⑩거사거 행사(行事)。 계획。「美擧미거」 ⑪과거거 관리 등용의 시험。

【擧皆 거개】 모두。 거의 다。

【擧國 거국】 온 나라。 전국(全國)。

【擧國一致 거국일치】 전국민이 마음을 한 가지로 함。

【擧動 거동】 ①행동거지。 ②임금이 대궐 밖으로 나가는 일。

【擧論 거론】 말을 꺼냄。 의제(議題)를 제출함。

【擧兵 거병】 군사를 일으킴。

【擧事 거사】 큰 일을 일으킴。

【擧族 거족】 ①온 혈족。 일족(一族)。 ②전민족(全民族)。

【擧行 거행】 치름。 집행함。

◉輕擧경거 美擧미거 選擧선거 列擧열거

十二畫

18 【舊】 臼 12 중학 구 ― 예 ― (去)有

자원 형성 臼萑음 ― 舊(臼부) 2500년전

「萑환」은 부엉이와 같은 새 이름。「舊」는 그것을 닮은 괴상한 새로서 「鵂휴」라고도 씀。음을 나타내는 「臼구」나 「休휴」는 「휴」라든가 「구」라고 우는 소리를 나타냄。 나중에 「久

구」의 차자(借字)로 써서 오래다、낡다란 뜻으로 되었음。약자는「臼」자를 빨리 쓴 모양으로 된「旧」。

뜻 ①**예구** ㉠옛날。㉡옛일。②**옛날구** ㉠옛날부터。오래 전부터。㉡옛날에。이전에。③**친구구** 오래 사귄 벗。「故舊고구」「一見如舊일견여구」④**구의구** 옛 정의。⑤**늙은이구** 노인。⑥**오랠구** 세월이 많이 경과됨。「舊慣구관」⑦**낡을구** 오래 묵음。

【舊穀 구곡】묵은 곡식。

【舊慣 구관】예전부터 내려오는 관례(慣例)。

【舊交 구교】오래된 교분。또 사귄 지 오래된 친구。

【舊教 구교】천주교(天主教)。신교(新教)의 대(對)。

【舊冬 구동】작년 겨울。

【舊臘* 구랍】지난 해의 세모(歲暮)。납(臘)은 섣달。

【舊例 구례】예전부터 내려온 관례。

【舊老 구로】늙은이。고로(故老)。

【舊世界 구세계】아시아·유럽·아프리카의 삼대주。

【舊俗 구속】구습(舊習)。

【舊習 구습】옛날의 풍속(風俗)과 습관(習慣)。

【舊臣 구신】예전부터 섬기는 신하。

【舊惡 구악】전에 한 나쁜 짓。

【舊約全書 구약전서】기독교 성경(聖經) 중 기독(基督) 강탄(降誕) 이전에 있던 교전(教典)。

【舊恩 구은】예전에 입은 은혜(恩惠)。

【舊情 구정】옛 정。

【舊制 구제】옛 제도。

【舊債 구채】묵은 빚。전부터 있던 빚。

【舊態 구태】옛 모양。

【舊風 구풍】구습(舊習)。

◉故舊고구 復舊복구 朋舊붕구 新舊신구

舌部

6 【舌】 부수 고교 **설** | 혀 | ㊇屑

一 二 千 千 舌 舌

자원 형성 口 + 干(음) → 舌 → 舌 (舌부)

舌

음을 나타내는「干간」(설은 변음)은 내미는 일。「舌」은 입에서 내미는 것→혀。아주 옛 모양은 전체(全體)가 입에서 내민「혀」의 모양을 나타내는 것이었던 듯하나 나중에「干」과「口구」를 합한 글자체로 된 것인 듯。「話화」·「活활」따위에 포함되는「舌」은 본디「혀」를 나타내는 것은 아니었으나 나중에 자형을 맞추어「혀」와 같이 쓰게 되었음。

뜻 **혀설** ㉠오관(五官)의 하나。입속에 있어 맛을 감각하며 발음을 돕는 기관。「舌端설단」㉡물건에 딸려 혀의 모양을 하였거나 혀의 기능을 하는 것。㉢말「辯舌변설」

주의「舌」이 본디 글자이며「舌괄」〈아가리를 졸라매다〉(⇩括괄)과는 딴 글자였으나、지금은 혼동(混同)하여 쓰고 있음。

【舌端 설단】혀 끝。

【舌鋒* 설봉】날카롭고 매서운 변설。

【舌音 설음】혓소리。

【舌戰 설전】말다툼。논전。

【舌禍 설화】말을 잘못하여 받는 재앙。

◉廣長舌광장설 口舌구설 辯舌변설

一畫

【乱】⇩乙部六畫

二畫

8 【**舍**】 舌 2 중학 ㊀**사** — 집 — ㊀㊀去禡 ㊁**석** ㊁入陌

ノ 𠆢 亼 亽 仒 仐 舍 舍

자원 형성 口 余음 ⊤ 舍(舌부) 〔余〕3000년전

음을 나타내는「余여」(사는 변음)는 여유 있음。「口위」는 건물의 모양。「舍」는 나그네가 머무는 곳。또 쉬다→내버려두다 따위의 뜻에도 씀。「舍」는 나중에「亼집」과「十십」과「口구」를 합한 글자 또는「人인」과「舌」을 합한 모양으로 생각되었음。최근의 연구에 의하면「余」의 옛 모양은 큰 바늘의 모양으로「口구」는 신에게 비는 말을 나타내며、「舍」란 주문(呪文)의 힘을 제거함을 나타낸 것이리라고 일컬어짐。

뜻 ㊀①**집사** ㉠가옥。「屋舍옥사」㉡거처。②**여관사** 여인숙。「旅舍여사」 ③**성수사** 진수。④**머무를사** 머물러 휴식함。⑤**둘사** 머물러 있게 함。⑥**버릴사** ㉠내버림。방기함。㉡제거함。⑦**폐할사** 그만 둠。폐지함。⑧**놓을사** 석방함。용서함。⑨**쏠사** 화살을 쏨。⑩**삼십리사** 군대가 하루에 걷는 거리(우리 나라 거리로는 오륙십 리)。⑪**베풀사** 시행함。⑫**쉴사** ㉠휴식함。㉡정지함。「不舍晝夜불사주야」 ㊁**들석** 물건을 놓음。

참고 釋(釆部十三畫)과 같은 글자。「舍」를 음으로 하는 글자=「捨사」〈버리다〉

【舍短取長 사단취장】 나쁜 점은 버리고 좋은 점을 취함。

【舍廊 사랑】 바깥 주인이 거처하는 곳。

【舍利 사리】《佛教》①부처나 고승(高僧)의 유골(遺骨)。②시체를 화장하고 남은 뼈。

【舍生取義 사생취의】 목숨을 버리더라도 정의(正義)・의리를 지킴。

【舍人 사인】 ①한 집안의 잡무를 맡은 사람。가인(家人)。②궁중(宮中)에서 숙직하며 보살피는 벼슬。

【舍弟 사제】 자기의 아우。

【舍兄 사형】 ①자기의 형。②형의 아우에 대한 자칭。

◉客舍객사 官舍관사 宿舍숙사 屋舍옥사

七畫

【辭】⇩辛部六畫

舛部

6 【**舛**】 부수 **천** — 어그러질 — ㊤銑

자원 회의 ⺕ + 㐄 → 舛(부수) 2500년전

왼쪽을 향(向)한 발(⺕)과 오른쪽을 향(向)한 발(㐄)로 이루어지며、사람이 서로 등지는 뜻。

뜻 ①**어그러질천**、**틀릴천** 상치가 됨。괴려(乖戾)함。②**어지러울천**

착란함。 혼란함。

참고 「舛」을 음으로 하는 글자＝「舜순」〈무궁화〉

六畫

12【舜】舛 6 순 — 늠 — (去)震

자원 형성 舛(음) 匧 丅䑞-舜(舛부) 2500년전

옛 글자「䑞순」은 잎이 무성하고 꽃이 주렁주렁 달린 모양을 본뜬「匧」과 음을 나타내며, 동시에 퍼지다의 뜻(⇩旋선)을 나타내는「舛천」(순은 변음)으로 이루어짐。 나팔꽃의 뜻。 나중에「䑞」의 글자 모양이「舜」으로 바뀌었음。 음을 빌어 중국의 옛 임금 순임금의 이름을 씀。

뜻 ①**무궁화순** 목근(木槿)。 蕣(艸部 十二畫)과 같은 글자。 ②**순임금순** 요임금의 선양을 받은 고대의 성군。

참고 「舜」을 음으로 하는 글자＝「瞬순」〈눈을 끔적이다〉

八畫

14【舞】舛 8 중학 무 — 춤 — (上)麌

丿 𠂉 無 無 無 舞 舞 舞 舞

자원 상형 2500년전

첫째 글자와 둘째 글자는「無무」이며 사람이 긴 소맷자락의 옷을 입고 춤을 추는 모습을 본뜸。 나중에「無」가 부정사(否定詞)로 주로 쓰이게 되어「舛」(두 발의 모양)을 더한「舞」를 춤의 뜻으로 씀。

뜻 ①**춤무** 무용。「舞樂무악」 ②**춤출무** ㉠무용을 함。 ㉡돎。 선회함。「鳥舞魚躍조무어약」 ㉢기뻐하여 뜀。「抃舞변무」 ③**춤추게할무** 춤을 추도록 함。 ④**환롱할무** 자유자재로 꾸며 농락함。「舞文弄法무문농법」

【舞曲 무곡】①춤의 곡조(曲調)。 ②춤과 음악。

【舞妓* 무기】무희(舞姬)。

【舞蹈* 무도】①기뻐하여 뛰며 춤。 ②조정(朝廷)의 배하(拜賀)에 손을 휘두르고 발을 구르는 의절(儀節)。 ③남녀가 서로 손을 잡고 추는 서양식의 춤。 댄스。

【舞文弄法 무문농법】법률의 조문을 마음대로 해석하여 법을 남용함。

【舞天 무천】《韓》마한(馬韓)·예(濊)에서 해마다 시월에 하늘에 지내던 제사(祭祀)。

【舞樂 무악】춤에 맞추어 하는 아악(雅樂)。

【舞踊* 무용】춤。

【舞筆 무필】붓을 마음대로 놀려 사실을 의곡(歪曲)헤 씀。

【舞姬* 무희】춤을 잘 추는 여자。

◉歌舞가무 亂舞난무 獨舞독무 圓舞원무

〔六畫部首順〕 竹米糸缶网羊羽老而耒耳聿肉臣自至臼舌舛舟艮色艸虍虫血行衣襾

舟部

6【舟】부수 고교 주 — 배 — (平)尤

丿 丿 ⺆ 冂 舟 舟

자원 상형 3000년전

통나무배의 모양을 본뜸。 한자(漢

字)의 부수(部首)로는 배와 관계가 있음을 나타냄。

뜻 ①배주 선박。「舟車주차」②띨주 몸에 띰。③반주 제기인 준(罇)을 받쳐 놓는 그릇。차탁(茶托)과 비슷함。

【舟遊 주유】뱃놀이。

【舟戰 주전】배를 타고 하는 싸움。

【舟行 주행】배를 타고 감。

◉獨木舟독목주 吳越同舟오월동주

四畫

10 **【航】** 舟 4 고교 **항** ―배― ㊥陽

丶 丿 月 月 舟 舟 舟' 航

자원 형성 方亢(음) ⊤ 杭-航(舟부)

「方방」〈배〉과 음을 나타내며、동시에 앞으로 가다의 뜻을 가지는 「亢항」으로 이루어져、배를 타고 내를 건너는 것。「航」은 그 속체(俗體)。옛 음이 「行행」과 닮아서、길을 가는 것이 「行」、수상(水上)을 가는 것이 「航」이라고 생각되었었음。

뜻 ①배항 선박。②방주(方舟)항 둘을 매어서 나란히 가게 된 배。③배다리항 부교(浮橋)。「浮航부항」④건널항 배로 물을 건넘。「航行항행」⑤날항 비행기로 하늘을 낢。

【航空 항공】항공기를 타고 공중을 비행함。

【航路 항로】배가 다니는 길。항행(航行)하는 길。

【航運 항운】배로 물건을 수송함。

【航海 항해】배를 타고 바다를 건넘。

【航行 항행】배를 타고 감。

◉歸航귀항 寄航기항 難航난항 渡航도항

10 **【般】** 舟 4 고교 **반** ―돌― ①-③㊥寒 ④-⑧㊥刪

丶 丿 月 月 舟 舟 舟' 般 般

자원 회의 舟殳 ⊤ 般(舟부) 2500년전

「舟주」〈배〉와 「殳수」〈막대기〉를 합하여 배가 왕래하여 돌아다닌다는 뜻을 나타냄。본디 뜻은 돌다、주위를 둘러싸다。전하여、옮기다、나르다 따위의 뜻으로 씀。

뜻 ①돌반 선회함。「般旋반선」②옮길반 운반함。속(俗)에 搬(手部十畫)으로 씀。③즐길반 즐거움을 누림。「般樂반락」④돌아올반、돌아오게할반 班(玉部六畫)과 통용。⑤일반반 사물을 총괄하여 이르는 말。「全般전반」⑥수사반 사물을 세는 수사(數詞)。⑦나눌반 ⑧얼룩반

참고 「般」을 음으로 하는 글자＝「搬반」〈옮기다〉·「槃반」〈쟁반〉·「盤반」〈소반〉·「磐반」〈바위〉

◉今般금반 萬般만반 全般전반 諸般제반

五畫

11 **【舶】** 舟 5 **박** ―배― ㊀陌

자원 형성 舟白(음) ⊤ 舶(舟부)

「舟배주변」과 음을 나타내는 동시에 크다는 뜻(⇩辟벽)을 가진 「白백」(박은 변음)으로 이루어져 큰 배의 뜻。

뜻 배박 바다에서 쓰는 큰 배。

【舶來品 박래품】외국에서 건너온 물품。

【舶載 박재】큰 배에 실음。

◉巨舶거박 大舶대박 商舶상박 船舶선박

11【船】舟5 중학 선 ―배― (平)先

′ 丿 ⺆ 角 舟 舡 船 船

船

〔舟〕3000년 전

자원 형성 舟㕣음 ┤船(舟부) 음을 나타내는 「㕣연」(선은 변음)은 「沿연」과 같아 흐름에 따라서 내려가는 일。 「舟주」는 나무를 파내어 만든 배。 「船」은 배를 이름。 옛날 중국의 동쪽에서는 「舟」라 하고 서쪽에서는 「船」이라 하였는데、이는 사투리의 차이였음。

뜻 **배선** 선박。「船人선인」

【船價 선가】 뱃삯。「배의 속력。

【船脚 선각】 ①배 밑。 배의 하부。 ②

【船橋 선교】 ①배다리。 ②갑판(甲板)

【船樓 선루】 배안에 있는 망루(望樓)。 위에 더한층 높게 만든 곳。

【船尾 선미】 고물。 선로(船艫)。

【船舶* 선박】 배。

【船腹 선복】 배의 중간쪽。 곧 배에 짐을 실을 수 있는 곳。

【船首 선수】 이물。 선두(船頭)。

【船員 선원】 선장(船長)과 승무원의 총칭。

【船窓 선창】 배의 창문。

【船便 선편】 배가 오고 가는 편。

◉客船객선 汽船기선 難船난선 造船조선

11【舵】舟5 타 ―키― ㊤哿

자원 형성 舟它음 ┤舵(舟부) 「舟배주변」과 음을 나타내며、동시(同時)에、옆으로 구부러지다의 뜻을 가지는 「它타·사」로 이루어지며、배를 구부러지게 하는 키의 뜻。

뜻 **키타** 柁(木部五畫)와 같은 글자。

◉操舵조타

七畫

13【艇】舟7 정 ―거룻배― ㊤迥

자원 형성 舟廷음 ┤艇(舟부)

2500년 전

「舟배주변」과 음을 나타내는 「廷정」으로 이루어짐。 폭이 좁고 긴 배。

뜻 **거룻배정** 좁고 긴 거룻배。 보우트。「小艇소정」「短艇단정」

◉短艇단정 飛行艇비행정 掃海艇소해정

十四畫

20【艦】舟14 함 ―싸움배― ㊤豏

자원 형성 舟監음 ┤艦(舟부) 「舟배주변」과 음을 나타내며、동시에 둘러싸는 뜻(⇩檻감)을 가지는 「監감」으로 이루어지며、화살이나 돌 따위를 막기 위해 둘레를 판자로 둘러싼 배의 뜻。

뜻 **싸움배함** 병선(兵船)。「艦船함선」

주의 「艦」은 약자(略字)。

【艦隊 함대】 군함(軍艦) 두 척 이상으로 조직한 해군 부대(部隊)。

【艦尾 함미】 군함의 고물。

【艦船 함선】 군함과 선박。

【艦首 함수】 군함의 이물。

【艦艇 함정】 전투력을 가진 온갖 배。

◉軍艦군함 潛水艦잠수함 戰艦전함

艮 部

6 【艮】부수 간 | 머무를 | ㊀去 願

2500년전

자원 회의 匕目→目匕→艮(부수)

본래、사람(ㄴ·匕·人는 그 변한 모양)이 눈(目)을 뒤로 향(向)하게 한 모양으로、외면(外面)하다、원망하다、배신하다 등의 뜻을 나타냄。

뜻 ①**머무를간**、**한정할간**、**그칠간** 정지함。일설(一說)에 제한함。②**어려울간** 쉽지 아니함。③**간괘간** ㉠팔괘(八卦)의 하나。곧 ☶。정지(靜止)하는 상(象)。방위(方位)로는 동북(東北)。시각으로는 오전 두시부터 네시까지。㉡육십사괘(六十四卦)의 하나。곧 ䷳(간하(艮下)、간상(艮上))。정지하여 나아가지 않는 상(象)。

주의 「良량」〈어질다〉은 딴 글자。

참고 「艮」을 음으로 하는 글자=「恨한」〈한하다〉·「根근」〈뿌리〉·「痕흔」〈흉〉·「限한」〈지경〉·「銀은」〈은〉·「眼안」〈눈〉

一畫

7 【良】艮 1 중학 **량** | 어질 | ㊥平 陽

丶 ㄱ ㅋ ㅋ 白 良 良

자원 가차 3000년전 2500년전 2000년전 일설에 말 속에 곡식을 넣어 다시 내는 조작(操作)을 하는 모양의 상형자인데 「되다」가 원의(原義)인 듯하다 함。그러나 예로부터 그 음을 빌어 길상(吉祥)·정도가 좋음·모든 일에 정통함·슬기로움 따위의 좋은 뜻에 널리 씌어지고 있으며 원의는 명확치 않음。

뜻 ①**어질량** ㉠착함。「善良선량」㉡현명함。또 그 사람。「任良임량」㉢온순함。「溫良恭儉讓온량공검양」②**곧을량** 바름。「貞良之節정량지절」③**좋을량** 훌륭함。「優良우량」④**아름다울량** 예쁨。⑤**길할량** 상서로움。⑥**남편량** 아내의 대(對)。「良人양인」⑦**잠깐량** 잠시。「良久양구」⑧**진실로량** 참으로。

주의 「艮간」〈머무르다〉과는 딴 글자。

참고 「良」을 음으로 하는 글자=「郞랑」〈사내〉·「浪랑」〈물결〉·「狼랑」〈이리〉·「朗랑」〈밝다〉·「莨랑」〈풀이름〉·「粮량」〈양식〉·「娘낭·랑」〈계집〉

【良民 양민】국법을 지키고 생업에 힘쓰는 백성。

【良心 양심】사물의 시비·선악을 분별할 줄 아는 천부(天賦)의 능력。

【良藥苦於口 양약고어구】좋은 약은 입에 씀。곧 충고하는 말은 귀에 거슬리나 자기에게 유익함을 이름。

【良友 양우】좋은 친구。착한 벗。

【良醫 양의】병을 잘 고치는 의사。

【良才 양재】뛰어난 재능。또 그 사람。

【良材 양재】좋은 재목。또 뛰어난 인물。

【良知良能 양지양능】 경험이나 교육에 의하지 아니하고도 알며 또한 행할 수 있는 타고난 지능(知能)。

【良妻賢母主義 양처현모주의】 양처(良妻)가 되고 현모(賢母)가 될 것을 목적으로 하는 여자 교육상의 주의。

【良貨 양화】 좋은 보배。 좋은 재화。

◉善良선량 優良우량 閑良한량 賢良현량

十一畫

17 【艱】 艮 11 **간** ｜어려울｜ ㊥刪

자원 형성 堇-莫 艮(음) ⊤ 艱(艮부) 2500년전

어렵다의 뜻과 함께 음을 나타내는 「艮간」과 가물다(⇩暵한)와 기근이 들다(⇩饉근)의 뜻을 가진 「莫근」으로 이루어져 가뭄·기근 따위의 어려움·괴로움의 뜻을 나타냄。

뜻 ①**어려울간** 쉽지 않음。 평이하지 않음。 ②**괴로울간** ㉠힘이 들고 어려움。 ㉡몸이나 마음이 고통을 느낌。 ③**어렵게여길간** ④**괴로와할간** 고생함。 ⑤**고생간** 간고。 괴로움。 ⑥**당고(當故)간** 부모의 상(喪)。 「母艱모간」 「在艱재간」

【艱苦 간고】 고생。

【艱難 간난】 간고(艱苦)。

◉內艱내간 母艱모간 外艱외간

色部

6 【色】 부수 중학 **색** ｜빛｜ ㊇職

丿 ⺈ ⺈ ⺈ 𢀳 色

자원 회의 人 卩 ⊤ 色(부수)

두 가지 글자가 하나로 된 것。 (A)는 사람 위에 사람을 쓴 모양→이성(異性)에 가까와지는 일→아름다운 여성(女性)→색칠。 (B)는 「顏안」과 「𠃬의→疑의」와를 합한 글자→눈살을 찌푸리고 얼굴빛을 변하게 하다→놀라는 일。 나중에 이 뜻도 「色」이라 씀。

(A) (B) 2000년전

뜻 ①**빛색** ㉠색채。 「五色오색」 「彩色채색」 ㉡안색。 「變色변색」 「察色찰색」 ㉢윤。 광택。 「體色不變체색불변」 ㉣꼴。 태。 ㉤경치。 「景色경색」 ②**낯색** 용모。 ③**색색** 여색。 「漁色어색」 ④**갈래색** 종류。 「六色육색」 「各樣各色각양각색」 ⑤**낯변할색** ㉠안색을 변하여 화를 냄。 ㉡온화한 안색을 함。 ㉢깜짝 놀라는 모양。 ⑥**색칠할색** 채색을 하여 장식함。 또 윤이 나게 함。

【色界 색계】 ①여색의 세계。 ②《佛教》 욕계제천(欲界諸天) 위에 있는 세계로서 여색을 좋아하는 마음을 벗어나지 못한 세계。

【色狂* 색광】 색(色)에 미친 사람。

【色魔* 색마】 색정(色情)을 위하여 온갖 그른 행동을 하는 사람의 별명。

【色盲 색맹】 색각(色覺)에 이상이 생겨 색의 구별이 되지 않는 상태。 또 그 사람。

【色傷 색상】 방사(房事)의 과도(過度)로 생기는 병(病)。

【色素 색소】 생물의 가죽 밑에 있어서 그 빛을 나타내는 근본(根本)이 되는 작은 구체(球體).

【色慾 색욕】 ①색정(色情). ②색정과 이욕(利慾). 「慾」. 춘정(春情).

【色情 색정】 색을 좋아하는 정욕(情慾).

【色貪 색탐】 여색(女色)을 탐(貪)하는 일.

【色態 색태】 여자의 아리따운 태도.

【色鄕 색향】 미인(美人)이 많이 나는 고을. 기생(妓生)이 많이 나는 고장.

【色荒 색황】 색을 함부로 쓰는 일.

◉巧言교색 男色남색 名色명색 服色복색 祕色비색 失色실색 顔色안색 染色염색 潤色윤색 姿色자색 紫色자색 才色재색

十三畫

19 【艶】 色 13 艷(다음 글자)의 속자(俗字).

十八畫

24 【艷】 色 18 염 | 고울 | 去 豔

자원 회의 豐+色→艷(色부)

「色색」〈빛〉과 풍부하다는 뜻의 「豐풍」으로 이루어지고 용색(容色)이 고운 일, 요염하다를 뜻함.

뜻 ①고울염 ㉠윤이 나며 아름다움. ㉡살결이 곱고 탐스러우며 예쁨. 「艶美염미」 ㉢전하여 미인. ②윤염 광택. ③부러워할염 선망(羨望)함. 「歆艶흠염」.

【艶麗 염려】 아름답고 고움.

【艶色 염색】 아리따운 얼굴.

【艶態 염태】 아리땁고 고운 자태.

◉嬌艶교염 芳艶방염 妖艶요염 豐艶풍염

艸(艹)部

6 【艸】 부수 초 | 풀 | 上 皓

자원 상형 艸 2000년전

「艸」는 많은 풀이 가지런히 나 있는 모양을 본뜸. 또 해서(楷書)로서 「초두밑」으로 쓰고, 부수(部首)가 되어 풀 따위의 뜻을 나타냄.

뜻 풀초 草(艸部六畫)의 옛글자.

4 【艹】 艸 0 艸(앞 글자)가 글자의 머리로 올 때의 자체(字體). 속칭(俗稱) 초두밑.

四畫

8 【芝】 艸 4 지 | 영지 | 平 支

자원 형성 艸+之음→芝(艸부) 2500년전

「艹초두밑」〈풀〉과 음을 나타내는 「之지」로 이루어짐.

뜻 ①영지지 모균류(帽菌類)에 속하는 버섯의 한 가지. 고래로 상서로운 풀로 여김. 지초(芝草). 「靈芝영지」 「瑞芝서지」 ②버섯지 균류(菌類). ③일산지 볕을 가리기 위한 큰 양산.

【芝眉 지미】 남의 안색(顔色)의 경칭「(敬稱).

8
【芬】艸 4 분 | 향내날 | ㉾文

2500년전

자원 형성 分음 艸-艹丁芬(艸부)
「艹 초두밑」〈풀〉과, 음과 함께 향기나다의 뜻(⇩薰훈)을 나타내기 위한 「分분」으로 이루어짐. 풀이 나서 방향(芳香)을 내뿜다의 뜻.

뜻 ①향내날분 풀 따위의 향기가 발산함. ②향내분 향기. 전(轉)하여 명예. 이름. ③오를분 높이 올라가는 모양. ④많을분 紛(糸部四畫)과 같은 글자.

【芬芬 분분】①향기가 많이 나는 모양. ②어지러운 모양.
【芬然 분연】솟아 오르는 모양.
【芬香 분향】향기.
【芬皇寺 분황사】《韓》경상북도(慶尙北道) 경주(慶州)에 있는 절. 신라(新羅) 선덕여왕(善德女王) 때에 창건(創建)되어 원효대사(元曉大師)가 살고 있었던 명찰(名刹)임.

8
【芭】艸 4 파 | 풀이름 | ㉾麻

2500년전

자원 형성 巴음 艸-艹丁芭(艸부)
「艸 초두밑」〈풀〉과 음을 나타내는 「巴파」로 이루어짐.

뜻 ①풀이름파 향초(香草)의 일종. ②꽃파 ③파초파 「芭蕉파초」는 파초과에 속하는 열대산(熱帶產)의 다년초. 잎은 크고 긴 타원형이며 꽃은 황갈색임.

8
【花】艸 4 중학 화 | 꽃 | ㉾麻

一 十 卄 艹 艹 艹 花 花

자원 형성 化음 艸-艹丁花(艸부)
「艹 초두밑」은 식물(植物). 「花」는 후세(後世)에 생긴 글자로 본래는 「華화」로 씌었음. 음이 같은 「化화」를 써서 쉬운 자형(字形)으로 한 것.

뜻 ①꽃화 ㉠초목의 꽃. 「花月화월」 ㉡꽃이 피는 초목(草木). ㉢모란(牡丹)·해당(海棠)과 같이 썩 고운 꽃이 피는 초목. ㉣꽃 같은 모양을 한 것. 「燈花등화」 ㉤무늬 따위의 꽃과 같이 아름다운 것. ②필화 꽃이 핌. ③얽은자국화 두흔(痘痕). 「天花천화」 「種花종화」 ④소비할화 써 없앰. 「花費화비」 ⑤창기화 기생.

주의 「華」는 옛글자.

【花甲子 화갑자】육십갑자(六十甲子)의 별칭(別稱).
【花崗石* 화강석】석영(石英)·운모(雲母)·장석(長石)의 세 광물(鑛物)로 된 화성암(火成岩).
【花客 화객】①단골 손님. ②꽃을 구경하는 사람.
【花郎 화랑】《韓》신라(新羅) 시대(時代) 있었던 청소년(靑少年)의 민간(民間) 수양(修養) 단체(團體), 또는 그 단체의 중심 인물. 오계(五戒)를 지키며 학덕(學德)을 갖추고 용모(容貌) 단정(端正)한 귀족(貴族)의 자제(子弟)로써 조직(組織)되었음.
【花柳 화류】꽃과 버들. 전(轉)하여 노는 계집. 또 화류항(花柳巷)을 가리키는 말.
【花柳界 화류계】노는 계집의 사회.
【花無十日紅 화무십일홍】열흘 붉은

〔六畫部首順〕竹米糸缶网羊羽老而耒耳聿肉臣自至臼舌舛舟艮色艸虍虫血行衣襾

꽃이 없다는 뜻으로, 한 번 성(盛)하면 반드시 쇠(衰)하여짐을 이름。

【花譜 화보】 꽃을 그 피는 계절의 순서에 따라 적거나 그린 책。

【花盆* 화분】 화초(花草)를 심는 분。

【花粉 화분】 꽃가루。

【花樹會 화수회】 성(姓)이 같은 일가끼리 친목을 도모하기 위하여 이룬 모임이나 잔치。

【花心 화심】 꽃술。 전(轉)하여 미인(美人)의 마음。

【花宴 화연】 환갑(還甲) 잔치。

【花王 화왕】 모란(牡丹)의 미칭(美稱)。

【花容 화용】 꽃 같은 아름다운 얼굴。

【花容月態 화용월태】 미인(美人)의 얼굴과 맵시。

【花園 화원】 화초(花草)를 심은 동산。

【花朝月夕 화조월석】 ①꽃 피는 아침과 달 밝은 밤。 ②음력 이월 십오일과 팔월 십오일。

【花中君子 화중군자】 연꽃의 미칭(美稱)。

【花中神仙 화중신선】 해당화(海棠花)의 미칭(美稱)。 화선(花仙)。

【花草 화초】 꽃을 관상(觀賞)하기 위하여 심는 식물(植物)의 총칭。

【花燭 화촉】 화려한 등불。 전(轉)하여 결혼의 예식(禮式)。 화촉(華燭)。

【花環 화환】 가화(假花)나 생화(生花)로 고리같이 만들어 환영 혹은 조상(弔喪)의 뜻을 표하는 데 보내는 물건。

◉假花가화 開花개화 錦上添花금상첨화 落花낙화 燈花등화 芳花방화 百花백화

8 【芳】 艸 4 고교 방 | 향내날 | ㊥陽

丶 十 十丶 艹 艹丶 芀 芀 芳

자원 형성 方음 艸+ 丁芳 (艸부) 2500년전

「艹초두밑」〈풀〉과, 음을 나타내는 동시에 발산(發散)의 뜻(⇩放방)을 가진 「方방」으로 이루어짐。 초화(草花)의 향기(香氣)가 사방으로 발산한다는 뜻。

뜻 ①향내날방 향기를 발산함。 ②꽃다울방 명성이 좋음。 명예가 꽃같이 아름다움。 전(轉)하여 타인의 사물에 관(冠)하여 경칭(敬稱)으로 쓰임。「芳名방명」「芳志방지」 ③향내방 ㉠향기。「芳香방향」 ㉡전하여 꽃다운 이름。 명예。 미명。 ㉢또 어진 선비。 현사(賢士)。 ④꽃방 향기가 좋은 꽃。「百芳백방」

【芳年 방년】 꽃다운 젊은 여자의 나이。

【芳名 방명】 ①꽃다운 이름。 명예。 ②남의 성명의 존칭。

【芳草 방초】 향기가 좋은 풀。

【芳香 방향】 좋은 향기。 꽃다운 향기。

◉芬芳분방 英芳영방 春芳춘방 香芳향방

8 【芸】 艸 4 ㊀운 ㊁예 | 운향 | ㊀㊥文 ㊁㊦霽

자원 형성 云음 艸+艹 丁芸 (艸부)

「艹 초두밑」〈풀〉과, 음과 함께 향기롭다는 뜻(⇩芬분)을 나타내기 위한 「云운」으로 이루어짐。 향기가 분분(芬芬)하다의 뜻。 향초(香草)의 이름。 또 「耘운」과 음이 통하여 풀을 베다의 뜻으로 씀。

뜻 ㊀ ①운향운 향초의 하나。 잎은

향기가 나며 이것을 책 속에 넣으면 좀이 슬지 아니함。「芸香운향」「芸始生운시생」②많을운 많이 있는 모양。「失物芸芸실물운운」③김맬운 耘(耒部四畫)과 통용。㊁藝(艸部十五畫)의 약자(略字)。

8【芽】艸 4 고교 아 ─ 싹 ─ ㊥麻

丶 十 卄 艹 芒 芏 芽 芽

자원 형성 艸-艹 牙음 ┤芽(艸부) 2500년전

「艹 초두밑」〈풀〉과、음을 나타내며 동시(同時)에 송곳니의 뜻을 가지는 「牙아」로 이루어져 송곳니와 같은 모양으로 나오는 풀의 싹의 뜻。

뜻 ①싹아 ㉠땅 속에서 처음으로 나오는 어린 잎과 줄기。「發芽발아」「新芽신아」㉡사물의 시작。②싹틀아 새싹이 나옴。

◉發芽발아 芳芽방아 新芽신아 抽芽추아

五畫

9【苑】艸 5 ㊀원 ㊁울 ─ 동산 ─ ㊀㊤阮 ㊁㊀物

자원 형성 艸-艹 夗음 ┤苑(艸부) 2500년전

「艹 초두밑」과、음과 함께 동산의 뜻을 나타내기 위한 「夗원」으로 이뤄짐。

뜻 ㊀①동산원 ㉠울을 치고 금수를 기르는 곳。옛날에는 「囿」、한(漢)나라 이후에는 「苑원」이라 함。「苑囿원유」㉡울을 치고 식물을 심는 곳。「花苑화원」「禁苑금원」㉢사물이 모이는 곳。연총(淵叢)。「藝苑예원」②문채날원 문채(文采)가 있는 모양。㊁막힐울 鬱(鬯部十九畫)과 같은 글자。

【苑池 원지】동산과 못。

◉故苑고원 宮苑궁원 文苑문원 花苑화원

9【苔】艸 5 태 ─ 이끼 ─ ㊥灰

자원 형성 艸-艹 台음 ┤苔(艸부)

「艹 초두밑」〈풀〉과 음을 나타내는 「台태」로 이루어짐。

뜻 이끼태 은화식물(隱花植物)에 속하는 선류(蘚類)·태류(苔類)·지의류(地衣類)의 총칭。「蘚苔선태」

【苔碑 태비】이끼가 낀 비(碑)。

【苔石 태석】이끼가 낀 돌。

【苔蘚 태선】이끼。선태(蘚苔)。

【苔衣 태의】이끼。

◉綠苔녹태 舌苔설태 青苔청태 海苔해태

9【苗】艸 5 고교 묘 ─ 모 ─ ㊥蕭

丶 十 卄 艹 芀 苗 苗 苗

자원 회의 田 艸-艹 ┤苗(艸부) 2500년전

「田전」〈밭〉과 「艹 초두밑」〈풀〉으로 이루지며 밭에 심은 작은 풀의 뜻。작기 때문에 「眇작을묘」자를 썼음。

뜻 ①모묘 곡초(穀草) 등의 싹。「禾苗화묘」「新苗신묘」②곡식묘 곡물。③백성묘 뭇백성。④핏줄묘 혈통。자손。「苗胤묘윤」⑤사냥묘 여름철의 사냥。⑥오랑캐이름묘 중국의 운남(雲南) 및 귀주(貴州) 지방에 살던 만족(蠻族)。「苗族묘족」

[참고] 「苗」를 음으로 하는 글자=「描묘」〈그리다〉·「廟묘」(廟의 옛글자)·「貓묘」〈고양이〉·「錨묘」〈닻〉

【苗木 묘목】 어린 나무.

【苗圃* 묘포】 묘목을 기르는 밭.

◉晩苗만묘 美苗미묘 三苗삼묘 新苗신묘 藥苗약묘 良苗양묘 青苗청묘 禾苗화묘

9 【苛】艸 5 가 | 풀 | [平]歌

[자원] 형성 艸 可 [음] → 艹 ┬ 苛 (艸부)

2500년전

「艹 초두밑」에 음을 나타내는 「可가」를 더한 글자. 잔 풀의 뜻. 전하여 잘다→까다롭다의 뜻. 또 「訶가」와 음이 통하므로 꾸짖다의 뜻으로도 쓰이게 됨.

[뜻] ①풀가 잔 풀. ②독할가 엄혹함. 준엄함. 「苛酷가혹」 ③까다로울가 잔다랗고 번거로움. 「煩苛번가」「細苛세가」 ④무거울가 중함. 「苛殃가앙」 ⑤가려울가 긁고 싶은 감각이 남. ⑥꾸짖을가 책망함. 「苛罰가벌」 ⑦어지럽힐가 혼란하게 함.

【苛斂誅求 가렴주구】 세금 같은 것을 가혹하게 받고 물건을 강제로 청구하여 국민을 못 살게 굶.

【苛法 가법】 가혹한 법령(法令).

【苛稅 가세】 가혹한 세금.

【苛重 가중】 가혹하고 과중함.

【苛酷 가혹】 까다롭고 혹독함.

9 【苟】艸 5 [고교] 구 | 구차할 | [上]有

一 十 卝 艹 艹 芍 芍 苟 苟

[자원] 형성 艸 句 [음] → 艹 ┬ 苟 (艸부)

2500년전

「艹 초두밑」과 음을 나타내는 「句구」로 이루어짐. 본디 풀이름. 음을 빌어 적어도, 결코의 뜻의 부사로 씀.

[뜻] ①구차할구 일시를 미봉함. 눈앞의 안전만 도모함. 「苟安구안」 ②진실로구 참으로. ③겨우구 조금. 간신히. ④단지구 다만.

【苟安 구안】 일시적인 편안.

【苟容 구용】 비굴하게 남의 비위를 맞춤.

【苟且 구차】 ①일시를 미봉함. 등한히 함. ②가난함.

9 【若】艸 5 [중학] 一약 二야 | 좇을 | 一[入]藥 二[上]馬

一 十 卝 艹 艹 芏 芓 若 若

[자원] 상형 艸 右 → 艹 ┬ 若 (艸부)

(A)

(B) 3000년전

(C) 2500년전

「右우」는 오른 손→손으로 물건을 잡는 일. 「艹 초두밑」은 식물을 나타냄. 「若약」은 먹을 수 있는 나물을 캐는 일. 옛 모양 (A)는 나물을 캐는 모습. 나중에 연한 나물→약하다의 뜻으로 됨. 이 글자는 「蜀촉」자이며 「若」이 아니라는 설도 있음. (B)는 신이 내린 「무당」의 모습. 이것에 「口구」〈기도의 말〉을 붙인 자형(字形)을 나중에 「若」이라 쓰고 신의 승락(承諾)→복종하다란 뜻으로 됨. (C)는 (B)의 변형(變形)이지만 옛 사람은 「叒약」이라 하여 「桑상」〈뽕나무〉을 닮은 나무라 생각하였음. 뽕나무잎은 부드럽고 누에에 먹이는 소중한 것임. 이 나무는 若木약목 이라고도 하고 중국

의 전설에서 해뜸과 관계가 있음。「若약」은 이런 것들이 뒤섞여 생긴 글자이며「젊다」는 뜻에 쓰는 것은 훨씬 나중의 일임。

뜻 ㊀①좇을약 따름。②너약 이인칭 대명사。「若等약등」「若輩약배」③같을약 如(女部三畫)와 뜻이 같음。④이같을약 이와 같은。「若者必死약자필사」「若而약이」도 뜻이 같음。⑤만일약 가정하여 하는 말。⑥및약 그 밖에 또。⑦이에약 乃(丿部一畫)와 뜻이 같음。⑧바닷귀신약 해신(海神)。⑨어릴약 弱(弓部七畫)과 통용。⑩어조사약 형용사에 붙이는 조사(助辭)。「自若자약」㊁①반야야 「般若반야」는 분별·망상을 떠난 지혜。②난야야 「蘭若난야」는 절。사찰(寺刹)。

주의 비슷하게 생긴 글자=「苦고」〈괴롭다〉。

참고 「若」을 음으로 하는 글자=「惹야」〈이끌다〉·「諾낙」〈대답하다〉·「匿닉」〈숨다〉。

【若干 약간】①몇。②얼마 되지 아니함。

【若輩 약배】①너희들。자네들。②젊은이。

【若是 약시】이와 같이。약차(若此)。

【若魚游釜中* 약어유부중】고기가 좀 있으면 끓여질 것도 모르고 가마속을 헤엄쳐 다님과 같다는 뜻으로、가령(假令) 살아 있다고는 하더라도 오래 가지 못할 것의 비유(比喩)。

【若合符節 약합부절】사물(事物)이 꼭 들어맞음。여합부절(如合符節)。

◉蘭若난야 老若노약 般若반야 自若자약

9【苦】艸 5 고 | 괴로울 | ㊤麌

丨 十 艹 艹 芏 苹 苹 苦 苦

자원 형성 古음 艸- ⊢苦(艸부) 2500년전

「艸 초두밑」은 식물을 나타냄。음을 나타내는「古고」는 오래다→낡다→굳게 긴장하는 느낌이 쓰다는 것과 결부됨。「苦」는 씀바귀→쓰다→괴로움。

뜻 ①씀바귀고 꽃상치과에 속하는 다년초。뿌리는 맛이 쓴데 나물로 먹음。②쓸고 맛이 씀。③괴로와할고 ㉠근심함。걱정함。「愁苦수고」㉡힘을 들임。「刻苦각고」㉢간난을 겪음。㉣아파함。④괴롭힐고 ⑤괴로움고 고난。⑥맑을고 청명함。⑦거칠고、무를고 조악(粗惡)함。견고하지 아니함。⑧간절할고 친절함。절실함。「苦諫고간」⑨심히고 과도히。⑩멀미고 뱃멀미。차멀미。

주의 「若약」〈젊다〉와는 딴글자。

【苦諫* 고간】하기 어려운 것을 참고 간절히 간함。

【苦難 고난】괴로움과 어려움。

【苦惱 고뇌】마음이 괴로움。

【苦悶* 고민】괴로와하고 번민함。

【苦生 고생】①괴롭고 어려운 생활。②괴롭게 수고함。

【苦心 고심】마음을 괴롭힘。근심 걱정함。

【苦役 고역】힘이 듦。또 그 일。

【苦戰 고전】곤란한 싸움。

【苦楚* 고초】어려움과 괴로움。

【苦學 고학】①고생하며 공부함。②학비를 자력(自力)으로 벌며 공부함。

【苦海 고해】《佛敎》고계(苦界)。이 세상。쓰레기를 버리는 곳。

【苦行 고행】불법(佛法)을 닦기 위하여 괴로운 수행(修行)을 쌓는 일。

◉刻苦각고 困苦곤고 功苦공고 窮苦궁고 勤苦근고 勞苦노고 病苦병고 貧苦빈고 辛苦신고 危苦위고 歎苦탄고 寒苦한고

9 **【英】** 艸 5 중학 **영** | 꽃 | ㊥庚

一 十 卄 卄 艹 艹 芇 苎 英 英

자원 형성 央음 艸-艹 ⊢英(艸부) 2500년전

「艹 초두밑」은 식물(植物)에 관계가 있음을 나타냄。음을 나타내는「央앙」(영은 변음)은 중앙(中央)으로부터 둘레로 퍼지는 일。「英」은 꽃이 피다→눈에 띄다→두드러지다→아름답다는 뜻。옛날 중국에서는 피기는 해도 열매는 맺지 않는 꽃을 英이라고 하였음。

뜻 ①**꽃영** 초목의 꽃。핀 뒤에 열매가 여는 것을「華화」、열매가 열지 않는 것을「英영」이라 함。「華英화영」「殘英잔영」 ②**꽃받침영** 악(萼)。③**싹영** 초목의 싹。④**꽃다울영** 꽃과 같이 아름다움。또 그러한 사물。「英華영화」 ⑤**빼어날영** 뛰어남。또 그러한 사람。「英雄영웅」 ⑥**영국영** 영국의 약칭(略稱)。

참고 「英」을 음으로 하는 글자＝「瑛영」〈옥빛〉

【英傑 영걸】영준호걸(英俊豪傑)。

【英斷 영단】지혜롭고 용기 있게 처단함。

【英明 영명】영민(英敏)하고 총명(聰明)함。

【英語 영어】영국(英國) 말。

【英雄 영웅】재능과 담력이 탁월한 인물。

【英字 영어】영어(英語)로 쓴 글자。영서(英書)。

【英姿 영자】고상한 자태(姿態)。뛰어난 풍채(風采)。

【英才 영재】영민(英敏)한 재주。또 그 사람。

【英主 영주】뛰어난 임금。영명(英明)한 임금。

【英俊 영준】영특하고 준수(俊秀)함。

【英華 영화】①꽃。②아름다운 심정이 외부에 나타난 것。③우수한 문장。④명예(名譽)。

◉群英군영 俊英준영 賢英현영 豪英호영

9 **【茂】** 艸 5 중학 **무** | 우거질 | ㊦宥

一 十 卄 卄 艹 芦 芢 茂 茂 茂

자원 형성 戊음 艸-艹 ⊢茂(艸부) 2500년전

「艹 초두밑」〈풀〉과 음을 나타내는 동시에 무성하다는 뜻(⇩楙무)을 가진「戊무」로 이루어짐。풀이 무성하다는 뜻。

뜻 ①**우거질무** 무성함。「繁茂번무」 ②**성(盛)할무** ③**빼어날무** 재덕(才德)이 뛰어남。「茂士무사」 ④**힘쓸무** 懋(心部十三畫)와 통용。

【茂林 무림】나무가 무성한 수풀。

【茂盛 무성】나무가 잘 자람。초목이 번성함。

9 **【茎】** 艸 5 莖(艸部七畫)의 약자(略字)。

六畫

10【茫】艸 6 고교 ㊀망 ㊁황 | 아득할 | ㊀㊥陽 ㊁㊤養

자원 형성 汒(음) 艸-艹ㅜ茫(艸부)

「艹 초두밑」〈풀〉과 음을 나타내는 「汒 망」으로 이루어짐. 넓고 넓게 풀이 무성한 모양을 일컬음.

뜻 ㊀①**아득할망**, **망망할망** 한량없이 넓은 모양. 「渺茫묘망」 ②**멍할망** 어리둥절한 모양. 「茫然自失망연자실」 ㊁**황홀할황** 慌(心部十畫)과 같은 글자.

【茫漠 망막】①넓고 먼 모양. 아득한 모양. ②분명하지 아니한 모양.

【茫茫 망망】넓고 멀어 아득한 모양.

【茫洋 망양】한량없이 넓은 모양. 아득한 모양.

【茫然 망연】넓고 멀어 아득한 모양.

【茫然自失 망연자실】정신을 잃어 어리둥절함.

10【茶】艸 6 고교 다(차㊖) | 차나무 | ㊥麻

자원 형성 木茶(음) ㅜ檫-茶(艸부) 茶 2500년전

지금 같은 차를 마시는 것은 육세기(六世紀) 이후이며 「茶」란 글자도 칠(七)세기부터 씌어짐. 그 때까지는 약이었음. 쓴 맛이 씀바귀(⇩荼도) 같으므로 차나무를 「檫다」로도 쓰고 그것을 나중에 간략하게 쓴 것이 「茶」란 글자임.

뜻 ①**차나무다** 후피향나무과에 속하는 상록관목(常綠灌木). 어린 잎을 따서 차를 만듦. ②**차다** ㉠차의 재료. 「貢茶공다」 ㉡일찍 딴 차. ㉢차를 넣은 음료. ※속음(俗音) **차**

주의 「荼도」〈씀바귀〉는 지금은 딴 글자로 취급(取扱)되고 있음.

【茶褐色* 다갈색】조금 검은 빛이 도는 적황색(赤黃色).

【茶菓* 다과】차와 과자(菓子).

【茶臼* 다구】차를 가는 맷돌.

【茶房 다방】차(茶)를 파는 집. 찻집.

【茶室 다실】차를 끓이는 방.

【茶園 다원】차를 심는 밭.

【茶會 다회】차를 마시는 모임.

【茶禮 차례】죽은 사람에게 명일(名日)에 지내는 제사(祭祀).

◉綠茶녹차 淡茶담차 名茶명차 紅茶홍차

10【茸】艸 6 용 | 우거질 | ①-⑦㊥冬 ⑧㊤腫

자원 형성 耳(음) 艸-艹ㅜ茸(艸부) 2500년전

「艹 초두밑」〈풀〉과 음을 나타내는 「耳이」(용은 변음)로 이루어짐.

뜻 ①**우거질용** 풀잎이 무성한 모양. ②**어지러울용** 헝클어진 모양. 흩어진 모양. ③**녹용용** 사슴의 새로 돋은 연한 뿔. ④**잔털용** 가는 털. ⑤**싹용** 풀의 싹. 맹아(萌芽). ⑥**버섯용** 고등 균류(高等菌類). ⑦**미련장이용** 미련한 사람. 또 천한 사람. ⑧**밀용** 떼밂.

【茸茸 용용】풀잎이 우거진 모양.

◉鹿茸녹용 龍茸농용 叢茸총용

10【草】艸 6 중학 초 | 풀 | ㊤皓

一 十 卄 卄 艹 芇 苩 荁 草

자원 형성 早음 艸ᅳ ᅮ草(艸부) 艸 2000년전

「艸초두밑」은 풀이 나 있는 모양。 「竹죽」자의 옛 모양과 아래위가 거꾸로 되어 있음。 나중에 「艹초두밑」과 「竹대죽머리」는 식물을 나타냄。 풀의 뜻으로는 처음에는 「艸」라고 썼지만 나중에 음을 나타내는 「早조」(초는 변음)를 곁들여 「草」로 쓰게 되었음。

뜻 ①**풀초** ㉠초본(草本) 식물의 총칭。 「雜草잡초」「草木초목」 ㉡풀이 우거진 곳。 풀숲。 ②**풀벨초** 풀을 벰。 ③**거칠초** 조잡함。 ④**야비할초** 천덕스러움。 촌스러움。 「草野초야」 전(轉)하여 재야(在野)의 일컬음。 「草茅초모」 ⑤**시작할초** 창시(創始)함。 ⑥**처음초** 창시。 ⑦**초할초** 초를 잡음。 ⑧**초초** 초고(草稿)。 ⑨**초서초** 자획을 가장 간략히 한 서체。

주의 「艸」는 옛글자。

【草芥*초개】 지푸라기。 전(轉)하여 아주 하찮은 것。

【草稿 초고】 시문(詩文)의 원고(原稿)를 초벌로 쓴 글。

【草根木皮 초근목피】 풀 뿌리와 나무껍질。

【草堂 초당】 초가(草家)。 누추한 집。

【草露 초로】 풀잎에 맺힌 이슬。 전(轉)하여 사물의 덧없음을 이름。

【草露人生 초로인생】 풀잎에 맺힌 이슬과 같은 덧없는 인생(人生)。

【草笠* 초립】 나이가 어린 남자(男子)로서 관례(冠禮)한 사람이 쓰는 누른 풀로 만든 갓。

【草幕 초막】 ①절의 근처(近處)에 있는 중의 집。 ②조그마하게 지은 초가(草家)의 별장(別莊)。

【草莽之臣* 초망지신】 벼슬하지 아니하고 민간에 묻혀 사는 사람。 재야(在野)의 사람。

【草木 초목】 풀과 나무。 식물(植物)。

【草本 초본】 ①초고(草稿)。 ②풀。 목본(木本)의 대(對)。

【草書 초서】 자획(字畫)을 간략히 흘리어 쓰는 글씨。 흘림。

【草席 초석】 짚으로 엮어 만든 자리。

【草食 초식】 어육(魚肉)을 먹지 않고 푸성귀만 먹음。

【草案 초안】 초 잡은 서류(書類)。

【草野 초야】 민간。 재야(在野)。

【草屋 초옥】 초당(草堂)。

【草竊* 초절】 좀도둑。 초적(草賊)。

【草創 초창】 ①초고(草稿)를 작성함。 ②일의 시작。 사업의 시초。

【草行 초행】 초서(草書)와 행서(行書)를 겸한 글씨 체。

◉結草결초 奇草기초 起草기초 綠草녹초 大樹下無英草대수하무영초 萬草만초 美草미초 芳草방초 山草산초 生草생초 仙草선초 神草신초 藥草약초

10【荒】艸 6 고교 황 | 거칠 | ㊥陽

丶 十 卄 艹 芒 芒 芦 芹 荒

자원 형성 巟음 艸ᅳ艹 ᅮ荒(艸부) 荒 2500년전

「艹초두밑」과、음을 나타내며 동시(同時)에 풀이 무성(茂盛)하게 자란 뜻

(⇩蕪무·莽망)을 나타내는 「巟황」으로 이루어져 풀이 땅을 덮고 매우 황폐(荒廢)해지다의 뜻。

뜻 ①**거칠황** ㉠황무함。「荒地황지」「田疇荒蕪전주황무」 또 거친 땅。 황무지。 ㉡사물이 난잡하여 정돈되지 아니함。 ②**흉년들황** 곡식이 잘 여물지 아니함。「凶荒흉황」「荒歲황세」 ③**변방황** 변경(邊境)。「八荒팔황」 ④**버릴황** 폐지함。 폐기함。 ⑤**빠질황** 탐닉함。「荒亡황망」 ⑥**클황**、**크게할황** ⑦**빌황** 공허함。 ⑧**덮을황** 가림。 ⑨**황홀할황** 慌(心部十畫)과 같은 글자。

주의 「荒」은 같은 글자。

참고 「荒」을 음으로 하는 글자=「慌황」〈황홀하다〉·「謊황」〈잠꼬대〉

【荒唐 황당】 언행이 거칠고 주착없음。

【荒唐無稽* 황당무계】 말이 황당하여 믿을 수 없음。

【荒蕪* 황무】 땅이 황폐함。

【荒野 황야】 ①황폐한 들。 ②벽촌(僻村)。

【荒淫 황음】 주색(酒色)에 빠짐。

【荒村 황촌】 황폐(荒廢)한 마을。

【荒廢 황폐】 거칠게 버려 두어 못 쓰게 됨。

◉窮荒궁황 蕪荒무황 色荒색황 淫荒음황

10 【荘】 艸 6 莊(艸部七畫)의 약자(略字)。

七畫

11 【荷】 艸 7 고교 하 | 멜 | ①㊥歌 ②③㊤哿

丨 十 卄 艹 芢 芢 荷 荷 荷

자원 형성 何음 艸+何 荷(艸부) 2500년전

「艹초두밀」〈초목〉과、 음을 나타내며 물건을 등에 지는 뜻을 가지는 「何하」로 이루어지며、 물건을 올려 놓을 수 있는 연잎을 뜻함。 나중에 「何」는 의문(疑問)의 말로 쓰이고 「荷」는 등에 진다、 짐의 뜻으로 쓰이는 일이 많음。

뜻 ①**연하** 연꽃과에 속하는 다년생 수초(水草)。 연(蓮)과 뜻이 같음。「荷葉하엽」 ②**멜하** ㉠물건을 어깨에 멤。 ㉡떠맡음。「負荷부하」 ㉢남에게서 은혜를 받음。「感荷감하」「拜荷배하」 ③**짐하** 하물。「擔荷담하」

【荷物 하물】 짐。

【荷葉 하엽】 ①연(蓮)잎。 ②화가(畫家)가 돌의 주름을 그리는 법。

【荷主 하주】 짐 임자。

◉感荷감하 擔荷담하 薄荷박하 碧荷벽하

11 【莊】 艸 7 고교 장 | 엄할 | ㊥陽

丨 十 卄 艹 茾 茾 荘 莊 莊

자원 형성 壯음 艸+壯 莊(艸부) 2500년전

「艹초두밀」〈풀〉과、 음을 나타내는 동시에 성하다의 뜻을 가진 「壯장」으로 이루어짐。 풀이 잘 무성한다는 뜻。 전하여 성하다、 엄하다의 뜻。

뜻 ①**엄할장** ㉠예의 범절이 엄정함。 ㉡엄격함。 무게가 있어 존귀하게 보임。 ②**꾸밀장** 성장(盛粧)함。 ③**한길장** 여섯 갈래의 큰 거리。「康莊강장」 ④**별장장** 별저(別邸)。 ⑤**시골집장** 전사(田舍)。「村莊촌장」 ⑥**장**

전장 귀척(貴戚)·고관 등의 사유지。⑦가게장 큰 점포。「衣莊의장」「錢莊전장」⑧장자장 장자(莊子)의 약칭(略稱)。「老莊노장」⑨대만(臺灣)의 행정 구획의 하나。정(町)보다 크고 사(社)보다 작음。

【莊嚴 장엄】규모가 크고 엄숙함。

【莊園 장원】별장과 별장에 딸린 동산。또 귀인(貴人)의 영지(領地)。

【莊子 장자】춘추시대(春秋時代)의 송(宋)나라 사람。이름은 주(周)인데 보통 장자(莊子)라고 존칭(尊稱)함。그의 주장이 노자(老子)의 사상에 기초를 두었으므로 노장(老莊)이라 병칭(倂稱)함。

【莊重 장중】장엄하고 정중함。

◉老莊노장 別莊별장 山莊산장 村莊촌장

11 【莖】艸 7 경 | 줄기 | [平]庚

[자원] 형성 巠음 艸-艹 ㅜ 莖(艸부)

「艹초두밑」과、음을 나타내며 동시에 곧다(⇩經경)의 뜻을 가진「巠경」으로 이루어짐。풀의 곧게 뻗은 줄기의 뜻。

[뜻] ①줄기경 ㉠식물의 줄기。「細莖세경」「根莖근경」㉡줄기 모양을 한 물건。또 그 물건을 세는 말。②버팀목경 버티어 세우는 나무。③대경 가늘고 긴 막대기。④칼자루경 칼의 손잡이。

◉根莖근경 本莖본경 細莖세경 宿莖숙경

11 【莫】艸 7 [중학] [一]막 [二]모 | 없을 | [一][入]藥 [二][去]遇

丶 十 ⺾ 艹 芇 苩 苴 莫 莫

[자원] 회의 日 艸-艹 ㅜ 莫(艸부)  2500년전

삼림(森林·茻) 혹은 초원(草原·茻)에 해가 지는 모양을 나타내고 해질녘의 뜻。나중에 음을 빌어 없다·말다의 뜻(⇩無무·毋무)으로 전용(專用)되고 해질녘의 뜻으로는「暮모」자를 만들었음。

[뜻] [一]①없을막 無(火部八畫)와 뜻이 같음。②말막 하지 말라는 금지의 말。③빌막 허무(虛無)함。④아득할막 한없이 넓은 모양。⑤어두울막 밝지 않음。⑥정할막 정해짐。안정됨。⑦앓을막、앓게할막 瘼(疒部十一畫)과 통용。⑧장막막 幕(巾部十一畫)과 통용。⑨깎을막 잘라냄。⑩막막 膜(肉部十一畫)과 통용。⑪조용할막 조용한 모양。[二]①저물모 暮(日部十一畫)와 통용。②나물모 야채의 한 가지。③꾀할모 謨(言部十一畫)와 통용。

[참고]「莫」을 음으로 하는 글자＝「募모」〈뽑다〉·「墓묘」〈무덤〉·「暮모」〈저물다〉·「慕모」〈사모하다〉·「謨모」〈꾀〉·「摸모」〈본뜨다〉·「摹모」〈본뜨다〉·「模모」〈법〉·「漠막」〈사막〉·「寞막」〈쓸쓸하다〉·「貘맥」〈맹수이름〉·「驀맥」〈넘다〉·「幕막」〈장막〉·「膜막」〈꺼풀〉

【莫大 막대】더 할 수 없이 많음。아주 큼。

【莫論 막론】의론(議論)할 것이 없음。

【莫上莫下 막상막하】우열(優劣)의 차(差)가 없음。

【莫逆之友 막역지우】마음이 맞는 절친한 친구。

◉廣莫광막 落莫낙막 索莫삭막 寂莫적막

八畫

12 【菊】 艸 8 [고교] 국 ― 국화 ― [入]屋

一 十 艹 艹 芍 芍 茍 菊 菊

[자원] 형성 匊[음] 艸-艹丫菊(艸부) 2500년전

「艹초두밑」〈풀〉과, 음을 나타내는 「匊국」으로 이루어짐. 풀의 이름.

[뜻] **국화국** 엉거시과에 속하는 다년초. 가을에 피는 화초(花草)의 한 가지. 「黃菊황국」「芳菊방국」

【菊花 국화】 엉거시과에 속하는 관상용의 다년초. 품종에 따라 여러 가지 빛깔의 꽃이 늦가을까지 핌.

◉佳菊가국 東菊동국 芳菊방국 白菊백국 盆菊분국 霜菊상국 細菊세국 黃菊황국

12 【菌】 艸 8 [고교] 균 ― 버섯 ― [上]軫

一 十 艹 艹 芇 莔 菌 菌 菌

[자원] 형성 囷[음] 艸-艹丫菌(艸부) 2500년전

「艹초두밑」과, 음을 나타내는 「囷균」으로 이루어짐.

[뜻] ①**버섯균** 은화식물(隱花植物)의 일종. 모양이 대개 삿갓 같으며 포자(胞子)로 번식함. 「松菌송균」「采菌채균」 ②**균균** 세균. 「病菌병균」 ③**죽순균** 箘(竹部八畫)과 같은 글자.

【菌類 균류】 버섯·곰팡이붙이의 총칭.
「산을 편 것 같은 부분.

【菌傘* 균산】 버섯 윗머리의 넓게 우

◉病菌병균 殺菌살균 細菌세균

12 【菓】 艸 8 과 ― 실과 ― [上]哿

[자원] 형성 果[음] 艸-艹丫菓(艸부)

「艹초두밑」에 음을 나타내며 동시에 나뭇가지에 과실이 열려 있는 모양을 본뜬 글자 「果과」를 더하여 이루어짐.

[뜻] ①**실과과** 果(木部四畫)의 속자(俗字). ②《韓》**과자과** 밀가루·설탕 등으로 만들어 끼니 밖에 먹는 음식. 옛날에는 과일을 이용하였음. 「菓子과자」

[참고] 우리 나라에서는 「果」는 과일의 뜻으로, 「菓」는 과자의 뜻으로 가려 쓰고 있음.

◉茶菓다과 銘菓명과 氷菓빙과 乳菓유과

12 【菜】 艸 8 [중학] 채 ― 나물 ― [去]隊

一 十 艹 艹 艹 芒 苹 菜

[자원] 형성 采[음] 艸-艹丫菜(艸부) 2500년전

음을 나타내는 「采채」는 물건을 모으다→고르는 일. 「艹초두밑」은 식물임을 나타냄. 「菜」는 나물. 「菜」는 쓰기 쉽게 한 모양.

[뜻] ①**나물채** 야채. 「蔬菜소채」 ②**채마밭채** 푸성귀를 심는 밭. ③**찬채, 안주채** 반찬. 술안주. ④**주린빛채** 곡식이 부족하여 푸성귀만 먹어서 누르스름하게 된 얼굴빛. ⑤**캘채** 采(采部一畫)와 통용. 「釋菜석채」

【菜蔬 채소】 푸성귀.
「음.

【菜食 채식】 반찬을 푸성귀로만 먹

◉鹿尾菜녹미채 美菜미채 蔬菜소채

〔六畫部首順〕竹米糸缶网羊羽老而耒耳聿肉臣自至臼舌舛舟艮色艸虍虫血行衣襾

12 **【華】** 艸 8 중학 **화** | 꽃 | ①-⑪ ㊥麻 ⑫㊤禡

一 十 卄 卄 芈 芈 莁 華

자원 회의 䔢 艸-艹 ㅜ華(艸부) 2500년전

「艸초」는 풀을 나타내고、「䔢」는 버드나무 가지가 아름답게 늘어진 모양、또는 꽃이 아름답게 늘어진 모양이라고도 전함。 아름답게 꽃이 핀 가지、풀의 뜻에서 화려(華麗)함의 뜻이 되었음。

뜻 ①**꽃화、꽃필화** 花(艸部四畫)의 옛글자。「春華춘화」 ②**빛화** ㉠광휘。㉡광택。윤。 ③**번성할화** 창성함。「榮華영화」 ④**좋을화** 맛 같은 것이 좋음。 ⑤**고울화** 아름다움。「華麗화려」 ⑥**풍채화** 풍도(風度)。 ⑦**이름화** 명망。「聲華성화」 ⑧**분화** 화장하는 가루。 ⑨**흰머리화** 백발。 ⑩**치레화** 허식。 ⑫**중화화** 중국 사람이 자국(自國)을 부르는 이름。「中華중화」「華夏화하」 ⑫**산이름화** 오악(五嶽)의 하나。「華山화산」「華嶽화악」

참고 「華」를 음으로 하는 글자 ‖ 「樺화」〈자작나무〉·「譁화」〈떠들썩하다〉·「嘩화」〈떠들썩하다〉·「驊화」〈준마〉

【華甲 화갑】 화(華)는 「十」이 여섯과 「一」이 하나로 이룬 글자이므로 예순 한살의 뜻으로 쓰임。 환갑。

【華京 화경】 서울의 미칭(美稱)。

【華僑* 화교】 중국 사람으로서 국외(國外)에 이주한 사람。

【華美 화미】 빛나고 아름다움。

【華靡* 화미】 화사(華奢)。

【華府 화부】 미국의 수도인 와싱턴。 화성돈(華盛頓)。

【華嶽* 화악】 오악(五嶽)의 하나。 화산(華山)。

【華嚴宗 화엄종】 《佛敎》 불교의 한 파。

【華英 화영】 ①꽃。 ②빛。

【華而不實 화이불실】 말은 번드르르하나 하는 짓은 보잘 것 없음。

【華族 화족】 귀족(貴族)。

【華冑* 화주】 왕족이나 귀족의 자제(子弟)。 주(冑)는 사자(嗣子)。

【華燭 화촉】 ①화려한 촛불。 ②결혼식。

【華夏 화하】 화(華)는 화려함、하(夏)는 대국(大國)이라는 뜻으로、중국 본토의 과칭(誇稱)。

◉繁華번화 榮華영화 精華정화 豪華호화

12 **【菱】** 艸 8 **릉** | 마름 | ㊥蒸

자원 형성 艸+ 夌음 ㅜ菱(艸부)

「艹초두밑」〈풀〉과、음과 함께 모서리의 뜻을 나타내기 위한 「夌릉」으로 이루어짐。 모난 열매를 맺는 풀(수초)의 뜻。

뜻 **마름릉** 바늘꽃과에 속하는 일년생의 수초(水草)。 열매는 식용함。

【菱形 능형】 네 변(邊)이 같고 대각선(對角線)의 길이가 다른 사변형。

12 **【萄】** 艸 8 **도** | 포도나무 | ㊥豪

자원 형성 艸+ 匋음 ㅜ萄(艸부) 2500년전

「艹초두밑」〈초목〉과、음을 나타내는 「匋도」로 이루어짐。 포도나무의 뜻。

뜻 **포도나무도** 「葡萄포도」

12 **【萎】** 艸 8 **위** | 시들 | ㊥支

〔六畫部首順〕 竹米糸缶网羊羽老而耒耳聿肉臣自至臼舌舛舟艮色艸虍虫血行衣襾

자원 성 委음 형 艸-艹丁萎(艸부) 2500년전

「艹 초두밑」〈풀〉과, 음과 함께 축 늘어지다의 뜻을 나타내기 위한 「委위」로 이루어짐. 풀이 시들다의 뜻.

뜻 ①**시들위** 말라서 축 늘어짐. 「凋萎조위」 ②**앓을위** 병듦. ③**쇠미할위** 쇠약함. ④**둥굴레위** 「萎蕤위유」는 백합과(百合科)에 속하는 다년초. 둥굴레. 위유(葳蕤).

【萎縮 위축】①시들어서 우그러짐. ②기운을 펴지 못함.

九畫

13 【萬】 艸 9 중학 만 ―일만― 去願

一 十 卄 芇 苩 萬 萬 萬

자원 상형 3000년전 2000년전

「萬」은 가위나 꼬리를 번쩍 든 전갈(全蠍)의 모양. 그 음이 수가 많음을 나타내는 말과 같았으므로 이것을 빌어 일만이란 수를 나타내는 데 씀. 약자는 「万」.

뜻 **일만만** ㉠천의 열배. 전(轉)하여, 다수(多數)를 이름. 「千態萬狀천태만상」 ㉡또 전(轉)하여, 만에 하나도의 뜻으로 쓰임. 「萬不失一만불실일」

참고 「萬」을 음으로 하는 글자=「厲려」〈숫돌〉·「癘라」〈문둥병〉·「礪려」〈숫돌〉·「糲려」〈매조미쌀〉·「蠣려」〈굴조개〉·「邁매」〈가다〉·「蠆채」〈전갈〉

【萬感 만감】 여러 가지 생각. 만가지의 느낌.

【萬康 만강】 썩 강녕함.

【萬頃滄波 만경창파】 한(限)없이 넓고 넓은 바다.

【萬古 만고】①태고(太古). ②한없는 세월. 영원.

【萬古不變 만고불변】 영원(永遠)히 변하지 아니함.

【萬古絶唱 만고절창】 이 세상에는 유(類)가 없는 유명한 시가(詩歌).

【萬古風霜 만고풍상】 이 세상(世上)에서 지내온 많은 고생.

【萬口 만구】 다수의 사람. 또 그 입.

【萬口傳播 만구전파】 온 세상(世上)에 널리 전파(傳播)됨.

【萬國 만국】 세계(世界)에 있는 여러 나라. 만방(萬邦).

【萬卷堂 만권당】《韓》 고려(高麗) 충선왕(忠宣王)이 원(元)나라에 가 있을 때 많은 서적(書籍)을 비치(備置)하고 그 곳의 여러 학자(學者)와 교유(交遊)하던 곳.

【萬機 만기】 정치상(政治上) 온갖 중요한 기틀. 천하의 큰 정사(政事).

【萬難 만난】 갖은 고난.

【萬綠叢中紅一點* 만록총중홍일점】 뭇 남자 중에 여자가 한 명 끼어 있음을 이름. 홍일점(紅一點) 참조.

【萬雷 만뢰】 많은 우뢰. 굉장히 큰 소리의 형용.

【萬里同風 만리동풍】 광대한 지역이 풍속(風俗)을 같이 함.

【萬里長城 만리장성】 ①진시황(秦始皇)이 흉노(匈奴)를 방비하기 위하여 쌓은 성.

【萬萬不當 만만부당】 절대로 옳지 아니함.

【萬萬不可 만만불가】 만만부당(萬萬不當).

【萬無一失 만무일실】 실패(失敗)할 염려(念慮)가 조금도 없음.

【萬物 만물】 천지간(天地間)에 있는

모든 물건(物件)。

【萬物不能移 만물불능이】 천하(天下)의 온갖 사물도 한 마음을 움직일 수 없다는 뜻으로 의지(意志)의 견고(堅固)함을 이름。

【萬物之靈 만물지령】 만물(萬物) 중에 가장 신령(神靈)한 것。곧 사람。

【萬福 만복】 ①온갖 복록(福祿)。②남에게 많이 복(福)이 내리기를 빈다는 인사말。

【萬事 만사】 모든 일。여러 가지 일。

【萬死不顧一生 만사불고일생】 죽음을 무릅씀。

【萬事瓦解 만사와해】 한 가지 잘못으로 모든 일이 다 실패에 돌아감。

【萬事亨通 만사형통】 모든 일이 뜻과 같이 잘 됨。

【萬世之業 만세지업】 영원히 계속될 불후(不朽)의 사업。

【萬歲後 만세후】 죽은 후。사후(死後)。

【萬壽 만수】 장수(長壽)를 비는 말。

【萬壽無疆* 만수무강】 장수(長壽)를 축복(祝福)하는 말。

【萬壽山 만수산】 북경(北京) 서쪽에 있는 산 이름。그 산기슭에 곤명지(昆明地)·이화원(頤和園)이 있음。

【萬壽節 만수절】 임금의 생신(生辰)。

【萬乘 만승】 주(周)나라 때에 천자(天子)는 그 영토 안에서 병거(兵車) 일만량(一萬輛)을 내는 제도가 있었음。따라서 천자(天子)나 천자의 자리、또는 대국(大國)을 뜻함。

【萬乘之國 만승지국】 대국(大國)의 제후(諸侯) 또는 천자(天子)가 다스리는 나라。

【萬億 만억】 셀 수 없을 만큼 많은 수。막대한 수。

【萬有 만유】 천지간(天地間)에 있는 온갖 물건(物件)。

【萬人之上 만인지상】 인신(人臣)으로서 최고 지위。

【萬全之計 만전지계】 아주 안전(安全)하게 하는 꾀。

【萬疊青山* 만첩청산】 중첩(重疊)한 깊은 산(山)。

【萬壑千峯* 만학천봉】 중첩(重疊)한 골짜기와 산봉우리。

【萬幸 만행】 매우 다행(多幸)함。

【萬戶長安 만호장안】 인가(人家)가 조밀(稠密)한 서울。

【萬戶侯 만호후】 일만 호가 사는 영지(領地)를 가진 제후(諸侯)

【萬化方暢 만화방창】 봄날이 따뜻하여 만물(萬物)이 생장(生長)함。

◉巨萬거만 累萬누만 億萬억만 千萬천만

13 【落】 艸 9 중학 락 | 떨어질 | ㊅藥

' 十 卄 廾 茫 莎 莈 落 落

자원 형성 各 ─ 洛음 ─ 落(艸부) 2500년전
水─氵─ 艸─

「各각」은 목적지에 도착하다、안정되는 일。음을 나타내는 「洛락」은 시내가 아래 쪽으로 흘러가는 일。「艹초두밑」은 식물을 나타냄。「落」은 풀이나 나무의 잎이 떨어지다→떨어지다→떨어뜨리는 일。

뜻 ①떨어질락 ㉠꽃이나 잎이 말라 떨어짐。「凋落조락」「零落영락」 ㉡떨어져 내려옴。「落下낙하」「墜落추락」 ㉢적어짐。감소함。「家貧客落가빈객락」 ㉣손에 들어감。㉤해이함。퇴폐함。「弛落이락」 ㉥이산함。흩어짐。㉦낙탁(落魄)함。유리(流離)함。「零落영락」 ㉧뒤떨어짐。「落後낙후」

㉨모략 등에 빠짐。 ㉩죽음。「落年낙년」 ㉪함락함。「城落성락」 ㉫이·털 등이 빠짐。 ㉬해나 달이 짐。「日落西山일락서산」 ②떨어뜨릴락 앞 뜻의 타동사。 ③낙엽락 떨어진 잎。「振落진락」 ④이룰락 ㉠준공함。「落成낙성」 ㉡또 낙성식。 또는 낙성식을 행함。 ⑤빗방울락 ⑥울타리락 「籬落이락」 ⑦마을락 촌락。「部落부락」 ⑧두를락 絡(糸部六畫)과 통용。

【落款* 낙관】 서화(書畫)에 필자(筆者)의 이름을 쓰고 도장을 찍음。

【落句 낙구】 율시(律詩)의 제칠·팔(第七·八)의 양구(兩句)。 미련(尾聯)。

【落膽 낙담】 ①대단히 놀라서 간이 떨어질 지경임。 ②바라던 것이 아니 되어 마음이 상(傷)함。

【落落 낙락】 ①서로 용납하지 아니하는 모양。 거절하는 모양。 ②뜻이 큰 모양。 ③드문드문한 모양。 성긴 모양。 ④쓸쓸한 모양。 ⑤우뚝 솟은 모양。

【落雷 낙뢰】 벼락이 떨어짐。

【落淚 낙루】 눈물을 흘림。

【落馬 낙마】 말에서 떨어짐。

【落望 낙망】 실망(失望)함。

【落命 낙명】 생명(生命)을 잃음。

【落榜* 낙방】 시험(試驗)에 낙제함。

【落傷 낙상】 떨어지거나 넘어져 다침。

【落選 낙선】 선거(選擧)에 떨어짐。

【落成 낙성】 공사의 준공(竣工)。

【落城 낙성】 성(城)이 함락(陷落)됨。

【落水 낙수】 낙숫물。

【落心 낙심】 소망(所望)이 없어져 실망(失望)함。

【落葉 낙엽】 떨어진 나뭇잎。

【落伍* 낙오】 대오(隊伍)에서 떨어짐。 전(轉)하여, 경쟁에서 뒤떨어짐。

【落日 낙일】 지는 해。 석양(夕陽)。

【落字 낙자】 빠뜨린 글자。

【落第 낙제】 시험(試驗)에 못 뽑힘。

【落照 낙조】 저녁 때의 햇빛。 석양。

【落種 낙종】 씨를 뿌림。

【落職 낙직】 벼슬이 떨어짐。 면직당함。 파직(罷職)。

【落差 낙차】 물 떨어지는 높낮이의 차(差)。

【落着 낙착】 일의 끝을 맺음。 끝남。

【落札* 낙찰】 입찰(入札)에 뽑힘。

【落齒 낙치】 늙어서 이가 빠짐。

【落魄* 낙탁】 영락(零落)함。

【落胎* 낙태】 태아(胎兒)가 만삭전(滿朔前)에 죽어 나옴。

【落鄕 낙향】 서울 사람이 시골로 이사(移徙)함。

【落花生 낙화생】 땅콩。

【落花流水 낙화유수】 정이 있어 서로 보고 싶어하는 남녀의 관계의 비유。

【落後 낙후】 뒤떨어짐。

◉奈落나락 段落단락 沒落몰락 部落부락 零落영락 榮落영락 一榮一落일영일락 村落촌락 墮落타락 脫落탈락 陷落함락

13 【葉】 艸 9 [중학] ㊀엽 ㊁섭 ㊀잎 ㊀㊁ [入]葉

丶 十 卄 芔 苹 苷 華 葉

[자원] 형성 世┐葉[음] 艸-艹┘葉(艸부)

2500년전

「世세」는 삼십 년。 여기에서는 수가 많음을 나타내며 또 나무나 대나무의 잎의 모양에 비슷하게 하여 쓰고 있다고 생각됨。 음을 나타내는 「枼엽」은 나뭇잎。 나중에 식물(植物)을 나타내는 「艹초두밑」을 붙여서 「葉」이라고 씀。

[뜻] ㊀①잎엽 ㉠초목의 잎。「綠葉녹엽」「落葉낙엽」 ㉡잎의 모양을 한 것。또는 잎과 같이 얇은 것。「鐵葉철엽」 ②대엽 세대(世代)。「末葉말엽」 ③갈래엽 본줄기에서 벗어난 갈래。「枝葉지엽」 ④후손엽 자손。 ⑤장엽 종이를 세는 말。「一葉일엽」「三葉삼엽」 ⑥미늘엽 갑옷의 미늘。 ㊁①성섭 성(姓)의 하나。「葉適섭적」은 송(宋)나라 때의 학자。 ②고을이름섭 초(楚)나라의 읍명(邑名)。지금의 하남성(河南省) 섭현(葉縣)。

【葉綠素 엽록소】 엽육(葉肉)속에 있는 녹색(綠色)의 물질。

【葉柄* 엽병】 잎을 받치는 둥글고 가는 자루。

【葉書 엽서】 우편 엽서(郵便葉書)。

【葉錢 엽전】 둥글고 가운데에 구멍이 뚫린 옛날 돈。

【葉菜 엽채】 잎을 먹는 채소(菜蔬)。

◉金枝玉葉금지옥엽 木葉목엽 册葉책엽

13 【著】 艸 9 [중학] ㊀저 ㊁착 | 나타날 | ㊀①-⑤ ㊀御 ⑥-⑧ ㊤語 ㊁ ㊅藥

一 十 ⺾ 艹 芏 茡 茡 著 著

[자원] 형성 者음 ┬箸-著(艸부) 著 2500년전

음을 나타내는「者자」(저는 변음)는 많은 사항(事項)을 한뭉텅이로 함을 나타냄。「竹죽」은 대나무→대나무로 만든 것。「箸저」는 먹을 것을 집는 젓가락。「⺮대죽머리」와「艹초두밑」과는 옛날에는 넘나들어 쓰이었으므로「箸」를「著」로도 썼음。이 글자는 음이 닮았으므로「睹도」「曙서」〈환히 밝다·새벽〉와 결부되어 저명(著名)하다의 뜻이 되고、「書서」「署서」〈써 놓다〉와 결부되어 저술(著述)이라는 뜻이 됨。

[뜻] ㊀①나타날저 ㉠환히 또는 널리 알려짐。명료해짐。「顯著현저」 ㉡유달리 눈에 뜨임。 ②나타낼저 ㉠밝힘。널리 알림。 ㉡겉에 내놓아 보임。 ③지을저 글을 지음。편찬함。「著書저서」 ④적을저 문서·금석 등에 기록하여 나타냄。「著錄저록」 ⑤생각할저 사유함。 ⑥쌓을저、저축저 貯(貝部五畫)와 통용。 ⑦뜰저 대문과 문병(門屛)과의 사이。 ⑧자리저 조정의 석차。 ㊁입을착、붙을착 着(羊部六畫)의 본디 글자。

[주의] 「着」은 속자(俗字)。다만「착」의 음인 경우에만 씀。「착」의 숙어(熟語)는 着(羊部六畫) 참조。

【著名 저명】 이름이 드러남。

【著書 저서】 저술(著述)한 책(册)。

【著述 저술】 글을 써서 책을 만듦。

【著者 저자】 저작자(著作者)。

【著作 저작】 책을 지음。또 그 책。

【著撰* 저찬】 찬술(撰述)함。

◉共著공저 論著논저 名著명저 顯著현저

13 【葛】 艸 9 갈 | 칡 | ㊅曷

[자원] 형성 曷음 ┬葛(艸부) 艸-艹

「艹초두밑」과、음을 나타내는「曷갈」로 이루어짐。덩굴나무의 이름。

[뜻] ①칡갈 콩과에 속하는 낙엽만목(落葉蔓木)。산야에 저절로 남。줄기의 섬유는 갈포(葛布) 또는 노의 원료가 되며 뿌리의 전분은 갈분이라 하여 식용함。 ②갈포갈 칡의 섬

유로 짠 베。또 그 베로 만든 옷。「葛裘갈구」 ③**나라이름갈** 주대(周代)의 나라 이름。하남성(河南省)에 있었음。④**성갈** 성(姓)의 하나。

주의 「葛」은 속자(俗字)。

참고 「葛」을 음으로 하는 글자＝「臈랍」(「臘」의 속자)〈납향〉

【葛根 갈근】 칡뿌리。

【葛藤 갈등】 ①칡이나 등나무 같은 덩굴진 식물。전(轉)하여、간사한 것의 비유。②분란。불화(不和)。

【葛粉 갈분】 칡뿌리로 만든 가루。

【葛布 갈포】 칡의 섬유로 짠 베。

13 **【葡】** 艸 9 **포** | 포도나무 | ㊥虞

자원 형성 匍음 艸ㅡ葡(艸부)

「艹초두밑」〈풀〉과、음을 나타내는「匍포」로 이루어짐。당대(唐代)에 서역(西域)으로부터 온「Budau」(중앙 아시아의 토어)의 음역 글자。

뜻 **포도나무포** 「葡萄포도」

【葡萄 포도】 포도과(葡萄科)에 속하는 낙엽만목(落葉蔓木)。열매는 식용으로 하며 또 이로 포도주를 빚음。

13 **【董】** 艸 9 **동** | 바로잡을 | ㊤董

자원 형성 重음 艸-艹ㅡ董(艸부) 2500년전

「艹초두밑」〈풀〉과、음을 나타내는「重중」(동은 변음)으로 이루어짐。풀의 이름。음을 빌어 바로잡다의 뜻。

뜻 ①**바로잡을동** ㉠감독하여 바로잡음。「董督동독」「董正동정」 ㉡절 안에서 대중(大衆) 또는 법무(法務)를 감독함。「前董전동」(전임의 주지)。「後董후동」(주지의 후임자)。②**물을동** 문의함。상의함。「商董상동」 ③**감출동** 간직하여 둠。④**연뿌리동** 연근(蓮根)。

【董督 동독】 맡아서 감독(監督)함。

◉骨董골동

13 **【葬】** 艸 9 고교 **장** | 장사지낼 | ㊀漾

丶 十 十 艹 艹 芦 芦 苑 葬

자원 형성 死茻음 ㅡ葬(艸부) 2500년전

「死사」〈죽다〉와、풀의 뜻과 함께 음을 나타내는「𦵔망＝茻」(장은 변음)으로 이루어짐。시체를 들에 들고 나가 풀속에 장사지내다의 뜻。

뜻 ①**장사지낼장** ㉠시체를 땅에 묻음。㉡시체를 넣음。②**장사장**

【葬列 장렬】 장송(葬送)의 행렬。

【葬禮 장례】 장사(葬事)의 예식。

【葬事 장사】 시체(屍體)를 매장(埋葬) 혹은 화장(火葬)하는 일。

【葬送 장송】 장사 지내는 것을 배웅하는 일。

【葬儀 장의】 장례(葬禮)。

【葬地 장지】 매장(埋葬)하는 땅。

◉改葬개장 埋葬매장 送葬송장 土葬토장 合葬합장 火葬화장 會葬회장

十畫

14 **【蒐】** 艸 10 **수** | 모을 | ㊥尤

자원 형성 鬼음 艸-艹ㅡ蒐(艸부) 2500년전

「艹초두밑」에 음을 나타내는「鬼귀」(수는 변음)를 더하여 이루어짐。꼭두서니의 이름。또 음이「搜수」·

「聚취」와 비슷하므로 모으다의 뜻으로 쓰이게 됨.

뜻 ①모을수 모아들임. 「蒐集수집」 ②사냥수 봄의 수렵. ③숨길수 은닉함. ④꼭두서니수 꼭두서니과에 속하는 다년생 만초(蔓草).

【蒐集 수집】 여러 가지 재료를 찾아 모음.

14 **【蒙】** 艸 10 고교 몽 | 덮을 | ㊥東

一 十 廾 卄 芇 苎 蒙 蒙 蒙

자원 형성 冡음 艸+ 丁蒙(艸부) 2500년전

「艹초두밑」〈풀〉과, 덮다의 뜻과 함께 음을 나타내는 「冡몽」으로 이루어짐. 덩굴 풀의 이름. 음을 빌어 덮다·어둡다(⇩冡)의 뜻으로 씀.

뜻 ①소나무겨우살이몽 사상지의류(絲狀地衣類)의 일종. 기생(寄生)함. 한약재로 씀. ②입을몽 ㉠옷을 입음. ㉡은혜를 입음. 「蒙惠몽혜」 ③받을몽 주는 것을 가짐. 「蒙利몽리」 ④쓸몽 머리 위에 얹음. 「蒙塵몽진」 ⑤덮을몽, 쌀몽 덮어 가림. 또 덮어 가린 것. 「發蒙발몽」 ⑥속일몽 기만함. 「上下相蒙상하상몽」 ⑦무릅쓸몽 어려운 일을 견디어 냄. ⑧어두울몽 ㉠밝지 아니함. 「冥蒙명몽」 ㉡우매함. 「愚蒙우몽」「蒙昧몽매」 ⑨어릴몽 나이가 어림. 또 어린이. 「童蒙동몽」 ⑩저몽 자기의 겸칭(謙稱). ⑪괘이름몽 육십사괘(六十四卦)의 하나. 곧 ☶☵(감하(坎下)、간상(艮上)). 사물의 최초이어서 아직 환하지 아니한 상(象). ⑫몽고몽 몽고(蒙古)의 약칭. 「滿蒙만몽」

주의 「蒙」은 속자(俗字).

참고 「蒙」을 음으로 하는 글자=「濛몽」〈가랑비가 오다〉·「曚몽」〈어스레하다〉·「幪몽」〈덮다〉·「矇몽」〈소경〉·「朦몽」〈흐리다〉·「艨몽」〈싸움배〉

【蒙古 몽고】 중국 북부의 북쪽, 만주의 서쪽, 시베리아의 남쪽, 신강성(新疆省)의 동쪽에 있는 땅.

【蒙求 몽구】 당(唐)나라 이한(李翰)이 지은 책으로 이권(二卷). 고인(古人)의 사적(事蹟) 중 서로 유사한 것들을 모아 대(對)를 짓고, 넉자씩 자수를 맞추어 표제(標題)를 달았음. 동몽(童蒙)의 송독(誦讀)에 편리하도록 지었음.

【蒙利 몽리】 이익(利益)을 봄.

【蒙昧* 몽매】 어리석고 어두움.

【蒙喪 몽상】 거상(居喪)을 입음.

【蒙恬* 몽염】 진(秦)나라 때의 장군. 흉노(匈奴)를 무찌르고 장성을 쌓았음. 처음으로 붓을 만들었음.

【蒙恩 몽은】 은혜(恩惠)를 입음.

【蒙塵* 몽진】 ①먼지를 뒤집어 씀. 욕을 봄. 수치를 당함. ②임금이 난리를 당하여 피난함.

◉啓蒙계몽 童蒙동몽 愚蒙우몽 昏蒙혼몽

14 **【蒸】** 艸 10 고교 증 | 많을 | ㊥蒸

一 十 艹 芋 茅 荓 蒸 蒸

자원 형성 烝음 艸+ 丁蒸(艸부) 2500년전

「艹초두밑」과, 음을 나타내며 불기운이 위로 오르다의 뜻인 「烝증」으로 이루어짐. 잘 타는 풀↓횃불로 쓰이는 풀→겨릅대 같이 잘 타는 풀。 나중에 쪄다의 뜻으로 쓰임은「烝」과 통하기 때문임。

[뜻] ①**많을증** 중다(衆多)함。 ②**백성증** 인민。 ③**찔증** ㉠수증기 따위의 김이 올라감。「蒸發증발」 ㉡김을 올려 익힘。「蒸溜증류」 ④**삼대증** 껍질을 벗겨낸 삼 대(겨릅대)。 ⑤**섶나무증** 가는 섶나무。「以薪以蒸이신이증」 ⑥**제사이름증** 烝(火部六畫)과 통용。

【蒸氣 증기】 액체(液體)가 증발(蒸發)하여 생긴 기체(氣體)。 김。

【蒸溜* 증류】 액체를 끓이어 증발시키고 그 증기(蒸氣)를 식히어 다시 액체로 만들어 불순물이 없이 함。

【蒸發 증발】 액체(液體)가 기체(氣體)로 변(變)하는 현상(現象)。

14 【蒼】 艸 10 [고교] **창** | 푸를 | ①-⑤[平]陽 ⑥[上]養

丨 十 艹 艹 艾 苓 莟 蒼 蒼

[자원] 형성 倉[음] 艸-艹 ┤蒼(艸부) 蒼 2500년전

「艹 초두밑」〈풀〉과、음을 나타내는「倉창」으로 이루어짐。 풀의 빛을 말함。

[뜻] ①**푸를창、푸른빛창** 짙은 푸른 빛。「蒼色창색」「蒼天창천」 ②**우거질창** 무성하게 자람。 ③**허둥지둥할창** 어찌할 겨를이 없을 만큼 매우 급함。「蒼惶창황」 ④**늙을창** 연로함。「老蒼노창」 ⑤**어슴푸레할창** 어둑어둑한 모양。「蒼然暮色창연모색」

【蒼空 창공】 창천(蒼天)。

【蒼穹* 창궁】 창천(蒼天)。

【蒼茫 창망】 넓고 멀어서 푸르고 아득한 모양。

【蒼白 창백】 푸른 기가 있고 해쓱함。

【蒼生 창생】 백성。 인민(人民)。

【蒼卒 창졸】 급하여 허둥지둥하는 모양。

【蒼蒼 창창】 ①빛이 새파란 모양。 ②초목이 나서 푸릇푸릇하게 자라는 모양。 ③하늘이 개어 맑은 모양。 ④노쇠한 모양。 ⑤어둑어둑한 모양。

【蒼天 창천】 ①푸른 하늘。 ②봄의 하늘。 ③동방의 하늘。

【蒼苔* 창태】 푸른 이끼。

【蒼海 창해】 크고 넓은 바다。

【蒼惶* 창황】 황급(惶急)한 모양。

【蒼頡* 창힐】 황제(黃帝)의 신하로서 새의 발자국을 보고 처음으로 글자를 만들어낸 사람。 창힐(倉頡)。

◉穹蒼궁창 老蒼노창 青蒼청창

14 【蓄】 艸 10 [고교] **축** | 쌓을 | [入]屋

丨 十 艹 艹 苎 茥 萕 蓄 蓄

[자원] 형성 畜[음] 艸-艹 ┤蓄(艸부) 蓄 2500년전

본래「畜축」이 농작물(農作物)을 모아두다의 뜻이었지만、가축의 뜻으로 쓰이게 되므로「艹 초두밑」을 더한「蓄」을 모아두다의 뜻의 글자로 함。「畜」이 음을 나타냄。

[뜻] ①**쌓을축** 쌓아 모음。「蓄財축재」 ②**모을축** 모이게 함。 ③**감출축** 간직함。「蓄怨축원」 ④**기를축** 양성함。 자라게 함。「蓄髮축발」 ⑤**둘축** 첩·하인 등을 집에 둠。「蓄妾축첩」 ⑥**저축축** 쌓아 모은 것。

[주의]「稸」은 같은 글자。

【蓄音機 축음기】 유성기(留聲機)。

【蓄財 축재】 재물을 모아 쌓음。 돈을

모음。

【蓄積 축적】 쌓아 둠。 저축함。 또는 「저축한 물건。

◉累蓄누축 貯蓄저축 積蓄적축 涵蓄함축

14 【蓋】 艸 10 [고교] ㊀개 ─ 덮을 ─ ㊀[去]泰 ㊁합 ─ 덮을 ─ ㊁[入]合

一 十 艹 … 蓋

[자원] 형성 盍[음] 艸-艹 ┬ 蓋(艸부)  2500년전

「艹 초두밑」〈풀〉과、 소리를 나타내며 동시에 덮다의 뜻을 가진 「盍합」(그릇에 뚜껑을 덮는다는 뜻。 개는 변음)으로 이루어짐。 풀로 덮어 씌우다의 뜻。 전하여、 덮개의 뜻。

[뜻] ㊀①덮을개 ㉠덮어 씌움。 「蓋世 개세」 ㉡가림。 숨김。 ②숭상할개 존중함。 ③뚜껑개、 덮개개 「發蓋발개」 ④일산개 수레 위에 세우는 일산(日傘)。 「車蓋차개」「傾蓋경개」 ⑤하늘개 상천(上天)。 「蓋壤개양」 ⑥대개개 ㉠추측·상상하는 말。 ㉡완곡하게 하는 말。 ㉢발어사(發語詞)。 ⑦어찌개 어찌하여서。 ㊁어찌아니할합 어찌…하지 않느냐。 盍(皿部五畫)과 통용。

[주의] ①「葢」는 같은 글자。 ②「盖」는 속자(俗字)。

【蓋世 개세】 기개(氣概)가 세상을 뒤덮음。

【蓋瓦 개와】 기와。

【蓋草 개초】 ①이엉。 ②이엉으로 집을 임。

◉方底圓蓋방저원개 覆蓋복개 天蓋천개

14 【蔬】 艸 10 [고교] 소 ─ 푸성귀 ─ ①②[平]魚 ③[去]魚

一 十 艹 … 蔬

[자원] 형성 疏[음] 艸-艹 ┬ 蔬(艸부)  2500년전

「艹 초두밑」〈풀〉과、 음을 나타내는 「疏소」로 이루어짐。 채류(菜類)의 총칭。

[뜻] ①푸성귀소 채소의 총칭。 「園蔬원소」「野蔬야소」 ②낟소 곡식의 알。 ③성길소 疏(疋部六畫)와 통용。

【蔬果 소과】 채소와 과일。

【蔬食 소식】 ①거친 음식。 악식(惡食)。 ②채식(菜食)。 ③초목의 열매。

【蔬菜 소채】 채소。 푸성귀。

【蔬圃* 소포】 채전(菜田)。

◉菜蔬채소

【墓】 ⇩土部十一畫

【幕】 ⇩巾部十一畫

十一畫

15 【蓬】 艸 11 봉 ─ 쑥 ─ [平]東

[자원] 형성 逢[음] 艸-艹 ┬ 蓬(艸부)  2500년전

「艹 초두밑」과、 음을 나타내는 「逢봉」으로 이루어짐。 풀 이름。

[뜻] ①쑥봉 엉거시과에 속하는 다년초。 어린 잎은 식용함。 「蓬蒿봉호」 ②흐트러질봉 흐트러져 산란한 모양。 「蓬髮봉발」 ③떠돌아다닐봉 방랑함。 ④봉래봉 봉래(蓬萊)의 준말。

【蓬頭亂髮 봉두난발】 쑥대강이 같이 흐트러진 머리。

【蓬萊 봉래】 삼신산(三神山)의 하나。 발해(渤海)에 있는、 신선(神仙)이 산다는 산(山)。

【蓬萊山 봉래산】 ①동해(東海) 가운데에 있는、 신선이 산다는 산。 ②

《韓》 여름철의 금강산을 이름。

【蓬髮 봉발】 흐트러진 머리。

15 【蓮】 艸 11 [고교] 련 | 연 | [平]先

一 十 艹 芇 苩 荁 蓮 蓮

[자원] 형성 連[음]+艹 → 蓮 (艸부) 2500년전

「艹 초두밑」〈풀〉과、 이어지다의 뜻과 음을 나타내는 「連련」으로 이루어짐。뿌리가 길게 이어진 수초(水草)。

[뜻] ①연련 연꽃과에 속하는 다년생 수초。연못에 나며 분홍 또는 흰빛의 고운 꽃이 핌。 지하경(地下莖)은 먹음。부용(芙蓉)。 ②연밥련 연꽃의 열매。연실。

【蓮塘* 연당】 연(蓮)을 심은 못。 연못。또 연못을 둘러싼 둑。

【蓮社 연사】 《佛敎》 정토(淨土)의 업(業)을 닦기 위한 결사(結社)。

【蓮實 연실】 연밥。

【蓮池 연지】 연(蓮)을 심은 못。 연못。

【蓮花 연화】 연꽃。

【蓮花世界 연화세계】 《佛敎》 극락정토(極樂淨土)。

◉白蓮 백련 水蓮 수련 睡蓮 수련 紅蓮 홍련

15 【蔑】 艸 11 멸 | 어두울 | [入]屑

[자원] 형성 苜+苿 伐[음]+戍 → 蔑 (艸부) 2500년전

눈이 벌겋게 충혈하여 잘 보이지 않는다는 양(羊)의 눈→사팔눈의 뜻인 「苜멸」(艹=羊양)과、 음을 나타내며 동시에 눈이 흐리다의 뜻(⇨眛말)을 나타내기 위한 「伐벌」(멸은 변음)로 이루어짐。눈이 어둡다→사물을 작게 보다→업신여기다의 뜻。뒤에 「艹」가 「艹」로、또 「伐」이 「戍술」로 잘못 쓰이게 되었으며、본디 「艸」부와는 관계가 없음。

[뜻] ①어두울멸 눈에 정기가 없음。시력이 부족함。 ②잘멸 ㉠정미(精微)함。㉡미세함。작음。 ③없을멸 있지 아니함。 ④업신여길멸 경모함。「蔑視멸시」「侮蔑모멸」 ⑤멸할멸 滅(水部十畫)과 같은 글자。 ⑥버릴멸 내버림。 ⑦깎을멸 깎아 냄。 삭제함。 ⑧속일멸 기만함。

【蔑視 멸시】 남을 업신여김。

【蔑然 멸연】 잘 보이지 않는 모양。

◉輕蔑 경멸 陵蔑 능멸 侮蔑 모멸

15 【蔡】 艸 11 ㊀채 ㊁살 | 풀 | ㊀[去]泰 ㊁[入]曷

[자원] 형성 祭[음]+艹 → 蔡 (艸부) 2500년전

「艹 초두밑」〈풀〉과、 음을 나타내는 「祭제」(채는 변음)로 이루어짐。

[뜻] ㊀ ①풀채 초본(草本)。 ②먼지채 티끌。 ③거북채 점치는 데 쓰는 큰 거북。 ④법채 법칙。또 본받음。 ⑤나라이름채 주대(周代)의 국명。지금의 하남성(河南省)에 있었음。 ⑥성채 성씨(姓氏)의 하나。 ㊁내칠살 방축함。

【蔡倫 채륜】 후한(後漢) 사람。 자(字)는 경중(敬仲)。 처음으로 종이를 만들었다 함。

15 【蔘】 艸 11 삼 | 늘어질 | ①②[平]侵 ③[平]覃

[자원] 형성 參[음]+艹 → 蔘 (艸부)

「艹초두밑」에 음을 나타내는 「參삼」을 더하여 이루어짐。 약초의 이름。

[뜻] ①늘어질삼 아래로 처짐。 ②인삼삼 「人蔘인삼」은 오갈피 나무과에 속하는 다년초。 뿌리는 강장제로 가장 유명함。

【蔘農 삼농】 인삼 농사。

【蔘茸 삼용】 인삼과 녹용。

【蔘圃 삼포】 인삼을 재배하는 밭。

◉白蔘백삼 山蔘산삼 水蔘수삼 人蔘인삼

【蔽】 ⇩艸部十二畫

【慕】 ⇩心部十一畫

【暮】 ⇩日部十一畫

十二畫

16 【蔽】 艸 12 [고교] [一]폐 ─ 가릴 ─ [一][去]霽 [二]별 [二][入]屑

' 艹 艹 芇 芇 莆 蔽 蔽 蔽

[자원] 형성 敝[음] 艸─艹 ┬ 蔽(艸부)

「艹초두밑」〈풀〉과、 음을 나타내며 덮다의 뜻(⇩被피)을 가지는 「敝폐」로 이루어지며、 덮다、 가리다의 뜻。

[뜻] [一]①가릴폐 ㉠보이지 않도록 사이에 가로막음。「蔽遮폐차」 ㉡숨김。 비밀로 함。「蔽匿폐닉」 ㉢남의 견문을 방해하여 진상을 모르게 함。「蔽晦폐회」 ㉣전하여 사리에 통하지 않는 일。 이치에 어두운 일。「六言六蔽육언육폐」 ㉤가로막아 보호함。「蔽護폐호」 ㉥전하여 가리어 막는 것。「藩蔽번폐」「障蔽장폐」 ②덮을폐 ㉠덮어서 쌈。 충색(充塞)함。 가득 채움。 ㉡포괄(包括)함。「一言以蔽之일언이폐지」 ③정할폐 단정함。「蔽獄폐옥」 ④주사위폐 쌍륙(雙陸)에서 던지는 입방체의 물건。 [二]떨별 撆(手部十二畫)과 통용。

【蔽塞 폐색】 가려 막음。 또 가리어 막힘。

◉覆蔽복폐 掩蔽엄폐 隱蔽은폐 侵蔽침폐

16 【蕉】 艸 12 초 ─ 파초 ─ [平]蕭

[자원] 형성 焦[음] 艸─艹 ┬ 蕉(艸부)

2500년전

「艹초두밑」〈풀〉과 음을 나타내는 「焦초」로 이루어짐。 본래 생모시의 뜻。 나중에 파초(芭蕉)에 쓰임。

[뜻] ①파초초 「芭蕉파초」 ②쓰레기초 진개(塵芥)。 ③땔나무초 섶。 ④야윌초

◉甘蕉감초 綠蕉녹초 翠蕉취초 芭蕉파초

16 【蕩】 艸 12 탕 ─ 쓸 ─ [去]漾

[자원] 형성 湯[음] 艸─艹 ┬ 蕩(艸부)

2500년전

「艹초두밑」과 음을 나타내는 「湯탕」으로 이루어짐。 음을 빌어、 움직이다의 뜻(⇩動동)으로 쓰임。

[뜻] ①쓸탕 쓸어 없앰。 배제함。「掃蕩소탕」 ②움직일탕 동요함。 동요시킴。「振蕩진탕」「天下不能蕩천하불능탕」 ③옮길탕 장소를 바꿈。 ④흐르게할탕 물을 흘려 내려가게 함。 ⑤클탕、 넓을탕 광대한 모양。「浩蕩호탕」「蕩蕩탕탕」 ⑥평평할탕 평탄함。 ⑦방자할탕 제멋대로 굶。「蕩逸탕일」

【蕩減 탕감】 진 빚을 죄다 면제(免除)하여 줌。

【蕩客 당객】방탕(放蕩)한 사람。
【蕩婦 탕부】방탕(放蕩)한 계집。
【蕩逸 탕일】방탕(放蕩)함。
【蕩子 탕자】①멀리 고향을 떠나 방랑하는 사람。②주색에 빠진 남자。
【蕩盡 탕진】죄다 써 버림。
【蕩蕩平平 탕탕평평】어느 쪽에든지 치우치지 아니함。
【蕩平 탕평】①탕정(蕩定)。②탕탕평평。
◉放蕩방탕 掃蕩소탕 游蕩유탕 豪蕩호탕

16 【蕪】 艸 12 무 | 거칠 | (平)虞

자원 형성 無음 艸-艹ㅜ蕪(艸부) 2500년전

「艹 초두밑」〈풀〉과、음을 나타내는 동시에 본디 풀이 무성하다의 뜻(⇩莽망)인 「無무」로 이루어짐。

뜻 ①거칠무 잡초가 무성함。또 우거진 잡초。「荒蕪地황무지」②어지러울무 난잡함。③달아날무 ④순무무 채소의 한 가지。「蕪菁무청」
【蕪然 무연】풀이 무성한 모양。
【蕪雜 무잡】난잡(亂雜)하고 정돈(整頓)되지 아니함。
◉繁蕪번무 野蕪야무 蒼蕪창무 荒蕪황무
【蕭】⇩艸部十三畫

十三畫

17 【薄】 艸 13 고교 박 | 숲 | (入)藥

一 十 艹 芀 芦 萍 菹 蒲 蒲 薄

자원 형성 溥음 艸-艹ㅜ薄(艸부) 2500년전

「艹 초두밑」〈풀〉과、음을 나타내는 동시에 가까이 다다른다는 뜻(⇩迫박)을 나타내기 위한 「溥박」으로 이루어짐。풀이 서로 가까이 모여 무더기로 더부룩하게 나다。가까이 모인다는 뜻에서 얇다는 뜻으로 됨。

뜻 ①숲박 초목이 빽빽이 우거진 곳。「林薄임박」②발박 가리기 위하여 치는 물건。③대그릇박 대 또는 갈대로 만든 기명。④잠박박 누에를 올려 기르는 물건。⑤얇을박 두껍지 아니함。「薄板박판」「如履薄氷여리박빙」⑥적을박 많지 아니함。「薄利박리」⑦가벼울박 ㉠경함。「二曰薄征이왈박정」㉡경박함。「薄俗박속」「輕薄경박」⑧낮을박 천함。얕음。「年少官薄연소관박」⑨좁을박 협착함。⑩싱거울박 맛이 없음。담박함。「薄酒박주」⑪메마를박 땅이 척박함。「磽薄교박」「土薄而水淺토박이수천」⑫박할박 인정이 없음。「刻薄각박」⑬박하게할박 적게 함。「厚往薄來후왕박래」⑭가벼이여길박 경시함。⑮가까이할박 접근함。⑯붙을박 부착함。⑰침노할박 침범함。⑱이를박 도달함。⑲덮을박 덮어 가림。⑳모일박 ㉑잠간박 ㉠잠시。㉡조금。㉒박하박「薄荷박하」㉓넓을박

주의 「簿부」〈장부〉는 딴 글자。
【薄利多賣 박리다매】이익(利益)을 적게 남기고 팔기를 많이 함。
【薄膜* 박막】얇은 막(膜)。
【薄明 박명】희미한 빛。
【薄命 박명】기박(奇薄)한 운명。
【薄福 박복】복이 적음。불행(不幸)。
【薄俸* 박봉】박(薄)한 봉급(俸給)。
【薄色 박색】못생긴 얼굴。

【薄弱 박약】 굳세지 못함。
【薄運 박운】 불행한 운명。
【薄田 박전】 메마른 땅。
【薄情 박정】 인정(人情)이 없음。
【薄酒 박주】 맛 없는 술。 물 탄 술。
【薄志 박지】 ①박약한 의지。 ②약소한 사례(謝禮)。
【薄志弱行 박지약행】 의지가 박약하여 실행력이 없음。
【薄片 박편】 얇은 조각。
【薄皮 박피】 얇은 가죽。
【薄荷 박하】 꿀풀과에 속하는 숙근초。 경엽(莖葉)은 약재·향료로 쓰임。
【薄學 박학】 넉넉지 못한 학식(學識)。 변변하지 못한 학문。
【薄行 박행】 경박한 행위。
【薄幸 박행】 복이 적음。 박복(薄福)。
◉刻薄각박 輕薄경박 肉薄육박 淺薄천박

17 【薛】 艸 13 설 | 쑥 | (入)屑

자원 형성 辥음 艸·艹 ┬ 薛(艸부)
「艹초두밑」에 음을 나타내는 「辥설」로 이루어짐。 풀의 이름。

뜻 ①쑥설 엉거시과에 속하는 다년초。 ②나라이름설 주대(周代)의 국명(國名)。 전국 시대(戰國時代)에 제(齊)나라에게 멸망하였음。 지금의 산동성(山東省)에 있었음。 ③성설 성씨(姓氏)의 하나。

주의 「薜벽」〈담장이덩굴〉은 딴 글자。

【薛聰 설총】 《韓》 신라(新羅)의 학자(學者)。 원효대사(元曉大師)의 아들。 신라에 한문(漢文)이 처음 들어왔을 때 구경(九經)을 우리말로 풀이하였는데 이것이 이두(吏讀)의 시초(始初)임。

17 【薦】 艸 13 고교 ㊀천 ㊁진 | 드릴 | ㊀(去)霰 ㊁(去)震

丶 十 艹 芦 芦 芦 芦 薦 薦

자원 회의 廌 艸·艹 ┬ 薦(艸부) 2500년전
「艹초두밑」〈풀〉과、사슴과 닮은 동물(動物)의 「廌치·채」로 이루어져、이 동물이 먹는 풀의 뜻。 음을 빌어、천거(薦擧)하다의 뜻에 쓰임。

뜻 ㊀①드릴천 물건을 바침。 진상함。 ②올릴천 제수(祭羞)를 올림。 또 제수。「薦新천신」「薄薦박천」 ③천거할천 인재를 소개하여 쓰게 함。「推薦추천」 ④깔천 자리로 삼음。 ⑤자리천 밑에 까는 자리。「席薦석천」 ⑥풀천、꼴천 짐승이 먹는 잡초。 ⑦우거질천 무성함。 ⑧거듭천 연거푸。 ㊁꽂을진 縉(糸部十畫)과 통용。

【薦擧 천거】 인재(人材)를 추천함。
【薦新 천신】 새로 나는 음식물을 먼저 신명(神命)에게 올림。
◉供薦공천 毛遂自薦모수자천 推薦추천 稱薦칭천

17 【薪】 艸 13 신 | 땔나무 | (平)眞

자원 형성 新음 艸·艹 ┬ 薪(艸부) 2500년전
「艹초두밑」에 음을 나타내는 동시에 베다의 뜻(⇩剪전)을 나타내는 「新신」을 더하여 이루어짐。 도끼(⇩斤근)로 벤 나무、곧 땔나무의 뜻。

뜻 ①땔나무신 섶나무。 연료로 하는 초목。 ②나무할신 땔나무나 풀을 벰。 「무。

【薪木 신목】①잡초와 잡목。②땔나무。

【薪水 신수】①땔나무와 마실 물。모든 생활상 필수한 것으로、전(轉)하여 ②봉급(俸給) 또는 식비(食費)의 뜻으로 쓰임。

【薪水之勞 신수지로】땔나무를 하고 물을 긷는 수고。 밥을 지어 먹기 위한 노동(勞動)。

【薪炭 신탄】땔나무와 숯。

◉救火投薪구화투신 勞薪노신 負薪부신 臥薪와신

十四畫

17 **【蘖】** 艸 13 蘖(艸部十五畫)의 약자(略字)。

18 **【薰】** 艸 14 훈 | 향초 | (平)文 (2500년전)

자원 형성 熏음┤薰(艸부)

「艹초두밑」〈풀〉과、연기나 향내가 들어차 있는 뜻과 함께 음을 나타내는 「熏훈」으로 이루어지며、향내를 좋게 하는 풀의 뜻。 전(轉)하여 좋은 냄새가 나다의 뜻。

뜻 ①**향초훈** 향기로운 풀。②**향내훈** 향기。③**향기로울훈** 좋은 향내가 남。④**태울훈** 열에 타게 함。⑤**솔솔불훈** 바람이 부드럽게 붊。⑥**훈자할훈** 남의 교화를 받아 감화됨。「薰陶훈도」⑦**훈할훈** 熏(火部十畫)과 통용。⑧**오랑캐이름훈** ⑨**공훈** 勳(力部十四畫)과 통용。

【薰氣 훈기】훈훈한 기운。훈김。

【薰陶 훈도】덕의(德義)로써 사람을 교화(敎化)함。

【薰染 훈염】향기가 뱀。 전(轉)하여 감화(感化)를 받음。

【薰育 훈육】덕의(德義)로써 교육함。

【薰風 훈풍】남풍(南風)。 첫 여름에 부는 훈훈한 바람。

18 **【藍】** 艸 14 고교 ㊀람 ㊁감 | 쪽 | (平)

一 十 艹 艹 芢 藍 藍 藍 藍

자원 형성 監음┤藍(艸부) (2500년전)

「艹초두밑」과、음을 나타내는 「監감」으로 이루어짐。청색 물감을 만드는 풀 이름。전하여 남빛의 뜻。

뜻 ㊀①**쪽람** 마디풀과에 속하는 일년초。잎은 남빛을 들이는 물감의 원료임。②**남빛람** 진한 푸른 빛。③**누더기람** ④**절람** 불사(佛寺)。「伽藍가람」 ㊁**볼감** 鑑(金部十四畫)과 통용。

주의 「藍」은 약자(略字)。

【藍色 남색】쪽빛。

◉伽藍가람 甘藍감람 出藍출람

18 **【藏】** 艸 14 고교 장 | 감출 | ①②(平)陽 ③-⑤(去)漾

一 十 艹 艹 芹 芦 蔵 藏 藏

자원 형성 臣 戕┤臧음┤藏(艸부) 〔臧〕(2500년전)

「戕장」은 무기로 죽이는 일。또는 날붙이로 상처내는 일。「臣신」은 눈을 지그시 감은 모양→신하。음을 나타내는 「臧장」은 전쟁에 져서、잡혀 눈을 상처내거나 입묵(入墨)을 당하거나 한 노예(奴隸)。그러나 이 글자는 「善선」〈좋다〉의 뜻으로 쓴 예가 많음。옛 모양에는 「戕」과 口

를 합한 자형(字形)으로 쓴 것도 있음。
나중에「臧」을 넣어두다、감추다、곳집의 뜻으로 쓰는 것은 음이 비슷한「裝장」〈물건을 싸다→넣어두다〉、「莊장」〈풀이 무성하다→물건이 괴어서 모이다〉、「倉창」〈물건을 넣어두다、곳집〉과 결부되었기 때문임。「藏」은「莊」의 영향(影響)을 받아 이루어진 속체(俗體)임。

뜻 ①**감출장** ㉠속에 넣어 둠。㉡간직함。저장함。「藏書장서」또 저장한 것。㉢숨김。「藏匿장닉」㉣마음속에 품음。②**숨을장** 자취를 감춤。③**곳집장** 창고。「庫藏고장」「府藏부장」④**오장장** 臟(肉部十八畫)과 통용。⑤**서장장** 서장(西藏)의 약칭(略稱)。「藏文장문」

【藏經 장경】대장경(大藏經)。

【藏六 장륙】거북의 이칭(異稱)。머리、꼬리、네 발의 여섯 부분을 귀갑(龜甲) 속에 감춤에서 나온 말。

【藏本 장본】장서(藏書)。

【藏書 장서】간직하여 둔 책。또 책을 간직함。

【藏版 장판】보관(保管)하여 둔 서적(書籍)의 책판(冊板)。

◉埋藏매장 無盡藏무진장 封藏봉장 祕藏비장 死藏사장 所藏소장 收藏수장 珍藏진장 退藏퇴장 閉藏폐장 包藏포장

十五畫

19【藝】艸 15 중학 **예** | 재주 | ㊀霽

자원 형성 艸＋埶(음)→蓺＋云→藝(艸부) 〔埶〕2500년전

음을 나타내는「埶예」는 나무를 심고 있는 모양。나중에「艹초두밑」〈식물을 나타냄〉과「云운」〈구름〉을 붙여「藝」라고 씀。「芸」는 약자。

뜻 ①**재주예** ㉠재능。「才藝재예」㉡학문 또는 기술。「六藝육예」②**재주있을예** 재능 또는 학예에 뛰어남。③**법예** 법도。준칙。④**끝예** 극한(極限)。⑤**나눌예** 분배함。분별함。⑥**심을예** 땅에 심음。

주의「埶」는 옛 글자。

【藝能 예능】예술과 기능(技能)。

【藝文志 예문지】당시(當時)에 있는 서적 목록(目錄)을 수집 기록해 놓은 책。한서(漢書)의 예문지가 그 효시(嚆矢)이며、또 가장 유명함。

【藝術 예술】①기예(技藝)와 학술。②미(美)를 표현하는 수단。미술(美術)。

【藝苑* 예원】전적(典籍)이 많이 모인 곳。

【藝人 예인】기예(技藝)를 닦아 발표하는 일을 업으로 하는 사람。

◉曲藝곡예 工藝공예 技藝기예 農藝농예 演藝연예 園藝원예 六藝육예 學藝학예

19【藤】艸 15 **등** | 등나무 | ㊥蒸

자원 형성 艸＋滕(음)→藤(艸부) 2500년전

「艹초두밑」〈풀〉과、음과 함께 새끼의 뜻을 나타내기 위한「滕등」으로 이루어짐。구불구불 길게 자라는 풀의 뜻。

뜻 ①**등나무등**「藤架등가」

주의 「籐등」〈등〉은 딴 글자。

◉葛藤갈등 綠藤녹등 白藤백등 常春藤상춘등 紫藤자등 蒼藤창등 青藤청등

19 【藥】艸15 중학 약 ─ 약 ─ (人)藥

丨 艹 芇 苩 苩 蕏 蕐 蕐 藥

자원 형성 樂음 艸ㅡ艹 ┬ 藥(艸부) 2500년전

음을 나타내는「樂악」(약은 변음)은 방울 같은 악기。 또 알 모양으로 된 것을 나타냄。「艹초두밑」은 풀。「藥」은 약초로 만든 낱알로 된 약。 나중에 모든 모양의 약을 이름。 또 「樂」은 안락(安樂)하게 한다는 뜻이라고도 함。

뜻 ①약약 ㉠병을 고치는 데 효력이 있는 물질。「醫藥의약」「服藥복약」 ㉡신체를 해치는 물질。독(毒)。「仰藥앙약」 ㉢폭발 작용을 하는 물질。「火藥화약」「裝藥장약」 ②약초약 약으로 쓰는 초목。「藥園약원」 ③약쓸약 약을 사용하여 병을 고침。

주의 비슷하게 생긴 글자=「樂락」〈낙〉

【藥局 약국】약(藥)을 짓는 곳。

【藥毒 약독】약의 독기(毒氣)。

【藥力 약력】약의 힘。약의 효험。

【藥令市 약령시】《韓》 봄·가을에 약재(藥材)를 매매(賣買)하는 장。 대구·청주·대전·공주·전주 등지(等地)에 섰음。

【藥物 약물】약。 또 그 재료。

【藥方 약방】약방문。

【藥房 약방】약을 파는 가게。

【藥師 약사】①약제사。②《佛教》약사여래(藥師如來)의 준말。 중생의 병환을 고치고 무명(無明)을 건지는 법약(法藥)을 주는 부처。

【藥石 약석】①약과 침(鍼)。 전(轉)하여 병의 치료。 ②경계가 되는 유익한 말。

【藥液* 약액】약으로 쓰는 액체(液體)。

【藥用 약용】약의 작용。 또 약으로 쓺。

【藥材 약재】약의 재료。

【藥劑* 약제】여러 가지 약재(藥材)를 섞어 조제한 약。

【藥酒 약주】약으로 쓰는 술。 또 독한 술。

【藥草 약초】약재로 쓰는 풀。

◉膏藥고약 劇藥극약 奇藥기약 毒藥독약 賣藥매약 妙藥묘약 無病無藥무병무약 方藥방약 百藥백약 服藥복약 不死藥불사약 山藥산약 散藥산약 仙藥선약 神藥신약 良藥양약 靈藥영약 醫藥의약 湯藥탕약 投藥투약 火藥화약 丸藥환약

十六畫

20 【藻】艸16 조 ─ 조류 ─ (上)皓

자원 형성 喿음 水ㅡ氵 艸ㅡ艹 ┬ 藻(艸부) 2500년전

「艹초두밑」〈풀〉과「氵삼수변」〈물〉과 음을 나타내는「喿조」로 이루어짐。 수초(水草)의 뜻。

뜻 ①조류조 은화식물(隱花植物)인 수초(水草)의 총칭。 ②무늬조、꾸밈조 문채。 문식(文飾)。 전(轉)하여 시가·문장 등의 미사여구(美辭麗句)。「詞藻사조」「文藻문조」 ③꾸밀조 수식(修飾)함。 장식함。 ④그릴조 무늬를 그림。 ⑤깔개조、옥받침조 옥(玉) 밑을 받쳐 까는 물건。

【藻類 조류】 은화식물인 수초의 총칭。갈조류(褐藻類)·녹조류(綠藻類)·홍조류(紅藻類) 등이 있음。
◉文藻문조 詞藻사조 辭藻사조 才藻재조 品藻품조 翰藻한조 海藻해조

20 **【蘇】** 艸 16 고교 **소** —차조기— ㊥虞

자원 형성 穌음 艸-艹丷蘇(艸부) 2500년전

「艹 초두밑」과 음을 나타내는 「穌소」로 이루어짐。 음을 빌어 소생한다는 뜻(⇩甦소)으로 씀。

뜻 ①**차조기 소** 「紫蘇자소」 ②**술소** 장식으로 늘이는 여러 가닥의 실 또는 것。 「流蘇유소」 ③**쉴소** 휴식함。 ④**깨날소** 회생함。 ⑤**깰소** 잠에서 깸。 ⑥**구할소** 희구(希求)함。 ⑦**질소** 손에 잡음。 ⑧**깎을소** 풀을 깎음。 ⑨**풀소** 초본(草本)。

【蘇塗* 소도】《韓》 삼한 시대(三韓時代)에 천신(天神)을 제사(祭祀)하던 지역(地域)。 각(各) 고을에 있는 이 지역에 신단(神壇)을 베풀고 제사를 올리었음。

【蘇聯 소련】 소비에트 사회주의 공화국 연방。

【蘇武節 소무절】 한(漢)나라의 소무(蘇武)가 기(旗)와 병부(兵符)를 가지고 사신(使臣)으로 흉노(匈奴)에게 가니 선우(單于)가 그를 항복시키려고 갖은 수단을 다 썼으나 소무는 끝끝내 굴복하지 아니한 고사(故事)。

【蘇生 소생】 다시 살아남。

【蘇軾* 소식】 송(宋)나라의 문장가(文章家)。 자(字)는 자첨(子瞻)。 순(洵)의 장자(長子)로서 아버지와 동생과 함께 당송팔대가(唐宋八大家)의 한 사람。 신종(神宗) 때 왕안석(王安石)과 뜻이 맞지 않아、황주(黃州)로 좌천되어 동파(東坡)라 호(號)를 지음。 시문서화(詩文書畫)에 모두 뛰어남。

【蘇張 소장】 ①소진(蘇秦)과 장의(張儀)。 모두 전국 시대의 책사。 ②소정(蘇頲)과 장열(張說)。 모두 당(唐)나라 초기의 시인(詩人)。

【蘇秦* 소진】 전국시대의 책사(策士)。

【蘇轍* 소철】 송(宋)나라 때의 문장가(文章家)。 자(字)는 자곡(子曲)、 호는 난성(欒城)。 형(兄)인 식(軾)과 함께 당송 팔대가(唐宋八大家)의 한 사람。

【蘇鐵 소철】 소철과(蘇鐵科)에 속하는 상록 교목。 수꽃은 솔방울 모양임。 관상용으로 심음。

【蘇活 소활】 소생(蘇生)。

◉老蘇노소 大蘇대소 三蘇삼소 小蘇소소

十七畫

21 **【蘭】** 艸 17 고교 **란** —난초— ㊥寒

자원 형성 闌음 艸-艹丷蘭(艸부)

「艹 초두밑」과 음을 나타내는 「闌란」으로 됨。 향기나는 풀의 이름。

뜻 ①**난초란** 난초과에 속하는 다년초。 향기가 좋은 화초(花草)임。

「芝蘭지란」. ②목련(木蓮)란 목란(木蘭). ③풀이름란 엉거시과에 속하는 다년초. 등골나물 비슷함. ④난간란 ⑤화란란 화란(和蘭)의 약칭(略稱).

【蘭交 난교】 뜻이 맞는 친구 간의 두터운 교분.

【蘭若 난야】 ①절. 사원(寺院). ②〈난야〉 난초(蘭草)와 두약(杜若). 모두 향초의 이름.

◉金蘭금란 樓蘭누란 木蘭목란 墨蘭묵란 芳蘭방란 野蘭야란 玉蘭옥란 幽蘭유란 紫蘭자란 賀蘭하란 香蘭향란

虍 部

6 【虍】 부수 호 — 범의문채 — (平)虞

자원 상형 2500년전

범( )의 머리 모양을 본뜸. 한자(漢字)의 부수(部首·범호밑)가 되어 범에 관(關)한 뜻을 나타냄.

뜻 **범의문채호** 범 가죽의 무늬. 호문(虎文).

참고 「虍」를 음으로 하는 글자=「虜로」〈사로잡다〉·「虛허」〈비다〉·「虎호」〈범〉·「處처」〈곳〉

二畫

8 【虎】 虍 2 중학 호 — 범 — (上)麌

丨 卜 卢 卢 虍 虍 虎

자원 상형 2500년전

호랑이의 모양을 본뜬 글자.

뜻 **범호**㉠고양이과에 속하는 맹수(猛獸)의 하나. 호랑이. 「虎狼호랑」 ㉡전하여 용맹 또는 포학(暴虐)의 비유로도 쓰임. 또 「羊」과 호용(互用)하여 강약의 대조로 삼음.

참고 「虎」를 음으로 하는 글자=「琥호」〈호박〉·「唬효」〈범의 성낸 울음〉

【虎口 호구】 범의 입. 대단히 위험한 경우의 비유.

【虎狼* 호랑】 범과 이리. 전(轉)하여 무서운 사람·잔인한 사람·욕심이 많고 포악한 사람 등의 비유.

【虎狼之心* 호랑지심】 사납고 인정(人情)이 없는 마음.

【虎班 호반】 무관(武官)의 반열(班列).

【虎變 호변】 호피(虎皮)의 무늬와 같이 명확하게 면목을 일신함.

【虎視眈眈* 호시탐탐】 날카로운 안광(眼光)으로 고요히 형세(形勢)를 바라보며 기회를 노림을 이름.

【虎皮 호피】 호랑이 가죽.

【虎穴 호혈】 범이 사는 구멍. 전(轉)하여 위험한 장소를 이름.

◉苛政猛於虎가정맹어호 騎虎기호 猛虎맹호 白虎백호 三人成市虎삼인성시호

三畫

9 【虐】 虍 3 학 — 해롭게할 — (入)藥

자원 회의 虍+ㅌ→虐(虍부) 2500년전

「虍범호밑」〈호랑이〉과, 손톱·발톱을 본딴 「ㅌ」( )으로 이루어지며,

〔六畫部首順〕竹米糸缶网羊羽老而耒耳聿肉臣自至臼舌舛舟艮色艸虍虫血行衣襾

호랑이가 손톱으로 상처내다의 뜻。 전하여 학대(虐待)하다의 뜻。

뜻 ①해롭게할학 잔해(殘害)함。②몹시굴학 학대함。③사나울학 가혹함。 잔인함。「虐政학정」「暴虐포학」 ④재앙학 재화。

주의 「虐」은 잘못 쓴 글자。

【虐待 학대】 몹시 굶。 가혹하게 부림。

【虐殺 학살】 참혹하게 죽임。

【虐政 학정】 가혹한 정치。

◉苛虐가학 亂虐난학 邪虐사학 肆虐사학 暴虐포학 害虐해학 酷虐혹학 橫虐횡학

四畫

10 **【虔】** 虍 4 **건** ― 삼갈 ― ㉾先

자원 형성 文몸 虍+文→虔(虍부) 2500년전

「虍범호밑」에 음을 나타내는 동시에 아름다운 무늬의 뜻을 가진 「文문」(건은 변음)을 더한 글자。 호랑이의 줄무늬의 뜻。 음을 빌어 삼가다(⇩謹근)의 뜻으로 쓰임。

뜻 ①**삼갈건** 공경하는 마음으로 삼가 조심함。「敬虔경건」②**베풀건** 은혜를 베풂。③**죽일건** 인명을 빼앗음。④**빼앗을건** 강탈함。⑤**굳을건** 견고함。⑥**모탕건** 도끼 받침。

◉敬虔경건 恭虔공건

五畫

11 **【處】** 虍 5 중학 **처** ― 곳 ― ①㉿御 ②-⑦㉤語

丨 ⺊ 𠂊 广 卢 虍 虏 虔 處

자원 회의 夂+几→処 虍+処→處(虍부) 〔処〕2000년전

「几궤」는 책상。 나중에 「机궤」라고 씀。「夂치」는 「止지」〈발〉를 아래로 향하게 쓴 자형(字形)→내려가다→이르는 일。「処처」는 책상까지 가서 움직이지 않게 되다→살다(⇩居거)→곳(⇩所소)。 나중에 「虍호‖虎」〈호랑이→크다〉를 붙여 「處」로 한 것은 「居거」·「虛허」 따위와 음의 결부가 있었기 때문임。「処」는 본디 글자인데 약자로 쓰임。

뜻 ①**곳처** ㉠장소 또는 지위。㉡거실(居室)。 주거。②**머무를처** ㉠정지함。㉡머물러 삶。㉢머물러 쉼。㉣머물러 있음。㉤그 위치·장소 등을 차지함。㉥그 경우에 있음。㉦관직에 있음。㉧벼슬하지 않고 야(野)에 머물러 있음。㉨시집가지 않고 집에 머물러 있음。③**둘처** 머물러 있게 함。④**정할처** 결정함。⑤**돌아갈처** 편히 머물러 있을 곳으로 돌아감。⑥**나눌처** 분별함。⑦**처할처** 제재함。「處刑처형」

【處理 처리】 일을 다스림。 일을 끝냄。

【處方 처방】 병(病)의 증세(症勢)를 따라 약제(藥劑)를 배합(配合)하는 방법。

【處分 처분】 ①몫몫이 나눔。②취급함。 처리함。

【處士 처사】 ①벼슬하지 아니하고 민간에 있는 선비。②거사(居士)。

【處事 처사】 일을 처리함。

【處世 처세】 세상(世上)에서 살아감。

【處所 처소】 있는 곳。

【處身 처신】 몸을 가지는 일。

【處斬* 처참】 목을 베어 죽이는 형벌(刑罰)에 처(處)함。

【處刑 처형】 형벌(刑罰)에 처(處)함。
◉居處거처 到處도처 定處정처 出處출처

11【虗】 虍 5 虛(다음 글자)의 속자(俗字)。

六畫

12【虛】 虍 6 중학 허 | 빌 | ㊥魚

一 ト 𠂉 广 卢 虍 虗 虗 虛 虛

자원 형성 虍음 丘 ┬ 虛(虍부) 2500년전

음을 나타내는 「虍호」(허는 변음)는 크다의 뜻。「丘」는 큰 언덕을 뜻함。큰 언덕은 넓고 넓어 아무것도 없다는 데서 텅 비다의 뜻으로 되었음。

뜻 ①빌허 ㉠아무것도 없음。「空虛공허」 ㉡방비가 없음。㉢능력이 없음。쓸모가 없음。㉣욕심이 없음。㉤실질이 없음。진실이 아님。「虛名허명」 ㉥약함。쇠함。「虛弱허약」 ②비울허 ㉠장소를 비게 함。㉡공허하게 함。「虛心허심」 ③공허허 텅 빔。아무것도 없음。④하늘허 「虛空허공」 ⑤구멍허、틈허 ⑥헛될허 헛되게。⑦별이름허 이십팔수(二十八宿)의 하나。⑧터허 墟(土部十二畫)와 같은 글자。

【虛空 허공】 ①아무것도 없는 한적한 곳。②하늘。
【虛構 허구】 사실(事實)이 없는 일을 얽어 만듦。
【虛頭 허두】 글이나 말의 첫머리。
【虛禮 허례】 겉으로만 꾸미고 성의가 없는 예의(禮儀)。
【虛名無實 허명무실】 헛된 이름만 있고 실상(實狀)이 없음。
【虛無 허무】 ①아무것도 없고 텅 빔。형체가 없음。②마음속이 텅 비고 아무 잡념이 없음。
【虛事 허사】 헛된 일。헛일。
【虛送 허송】 헛되게 보냄。
【虛飾 허식】 실상(實狀) 없는 외면 치레。
【虛實 허실】 ①방어(防禦)의 유무。②거짓과 참。③공허와 실질。
【虛心 허심】 ①마음 속에 아무 망상이 없음。②공평 무사한 마음。
【虛僞* 허위】 거짓。
【虛字 허자】 한문에서 동사 또는 형용사로 쓰이는 글자。
【虛張聲勢 허장성세】 허세(虛勢)만 떠벌림。
【虛傳 허전】 근거 없는 헛된 풍문。
【虛則實* 허즉실】 보기에 허(虛)하면 속은 충실(充實)함。
【虛脫 허탈】 몸이 몹시 쇠약하여져서 빈사 상태에 있음。
【虛汗 허한】 원기가 쇠약하여 나는 땀。
【虛行 허행】 목적(目的)을 이루지 못하고 공연(空然)히 갔다 옴。
【虛荒 허황】 마음이 들떠서 황당함。
◉謙虛겸허 空虛공허 中虛중허 充虛충허

12【虜】 虍 6 로 | 사로잡을 | ㊤麌

자원 형성 力 毌 虍음 ┬ 虜(虍부) 2500년전

「力력」〈힘〉과 「毌관」〈꿰뚫다〉과 음을 나타내는 「虍호」(로는 변음)로 이루어짐。힘으로 사람을 사로잡아 묶다의 뜻。전하여 포로·종의 뜻。

뜻 ①사로잡을로 적(敵)의 군사를 생포함。②포로로 사로잡은 적의 군사。「俘虜부로」 ③종로 노복(奴僕)。 ④오랑캐로 ㉠화외(化外)의 백성。 야만인。 ㉡적(敵) 또는 남을 욕하여 이르는 말。「胡虜호로」

◉俘虜부로 囚虜수로 敵虜적로 捕虜포로

七畫

13 **【虞】** 虍 7 **우** | 근심할 | ㊥虞

자원 형성 虍吳음 ┬虞(虍부) 2500년전

「虍범호밑」과 음을 나타내는 「吳오」(우는 변음)로 이루어짐。 동물의 이름。 음을 빌어 걱정하다의 뜻(⇩懼구)으로 씀

뜻 ①**생각할우** 미리 마음 속에 생각하여 둠。 ②**근심할우** 염려함。 ③**걱정우** ㉠쳐들어 올 걱정。 또 이에 대한 방비。 ㉡사변。 소란。 난리。 ④**잘못우** 과오。 ⑤**편안할우** 안심함。 걱정이 없음。 ⑥**즐길우** 즐거워함。 ⑦**우제우** 부모의 장례(葬禮)를 지낸 날에 행하는 제사。「虞祭우제」 ⑧**순임금성우** 고대의 성천자(聖天子)인 순(舜)임금의 성(姓)。 ⑨**벼슬이름우** 산택(山澤)을 맡은 벼슬。

【虞唐 우당】 유우씨(有虞氏)와 도당씨(陶唐氏)。 곧 순(舜)임금과 요(堯)임금。

【虞美人 우미인】 초(楚)나라 항우(項羽)의 총희(寵姬)。

【虞美人草 우미인초】 양귀비꽃과(科)에 속하는 월년초(越年草)。

13 **【號】** 虍 7 중학 **호** | 부르짖을 | ①②㊥豪 ③-⑫㊦號

ㅣ ㅁ 口 号 号 号 號 號 號

자원 형성 丂음 口 ┬号음 虎 ┬號(虍부) 2500년전

「虎호」〈호랑이〉와、 음을 나타내는 「号호」〈큰 소리로 우는 것〉로 이루어짐。「号」는 목소리가 시원하게 나오지 않는 뜻을 가지는 「丂교」(호는 변음)에 「口입구」를 더한 것。 호랑이가 사납게 외치다、 큰 소리로 부르짖는다는 뜻。 나중에 「號」가 「号」의 뜻도 아울러 나타냄。

뜻 ①**부르짖을호** 큰 소리로 부름。「叫號규호」 ②**울호** ㉠큰 소리를 내어 욺。 통곡함。「夜號야호」 ㉡닭이 욺。 ③**부를호** ㉠일컬음。 ㉡오라고 함。 ㉢양언(揚言)함。 선전함。 ④**고할호** 명령을 알림。 ⑤**이름호** ㉠명칭。「名號명호」 ㉡명성(名聲)。 ⑥**호호** 통칭(通稱) 외(外)의 칭호。「雅號아호」「別號별호」 ⑦**시호호** 죽은 뒤에 내리는 이름。 ⑧**신호호** ⑨**영호** 명령。 ⑩**표호** 표지(標識)。「記號기호」「符號부호」 ⑪**상호호** 상점의 일컬음。「銀號은호」「票號표호」 또 선박의 일컬음。 ⑫**차례호** 수사 밑에 붙여 순번·등급을 나타내는 말。

【號哭 호곡】 소리를 내어 슬피 우는 울음。

【號叫 호규】 호읍(號泣)。

【號令 호령】 ①지휘(指揮)하는 명령(命令)。 ②큰 소리로 꾸짖음。

【號令如山 호령여산】 호령은 산과 같아서 한번 내린 호령은 다시 취소할 수 없음을 이르는 말。

【號泣 호읍】 소리를 높여서 욺。

◉口號구호 舊號구호 國號국호 記號기호

怒號노호 番號번호 別號별호 符號부호 商號상호 暗號암호 年號연호 稱號칭호

九畫

【膚】 ⇩肉部十一畫

【慮】 ⇩心部十一畫

十畫

【盧】 ⇩皿部十一畫

虫部

【虫】 6 수 부 ㊀훼 ㊁충 벌레 ㊀㊤尾 ㊁(平)東

자원 상형 3000년전

「虫」는 살무사의 모양을 본뜸。 나중에 「蟲」의 약자로 씀。 한자(漢字)의 부수로서 곤충류(昆蟲類)·파충류(爬蟲類) 때로는 조개 등에 관(關)한 뜻을 나타냄。

뜻 ㊀**벌레훼** 사람·짐승·새·물고기 이외의 동물의 일컬음。 ㊁**벌레충** 통속적(通俗的)으로 蟲(虫部十二畫)의 약자(略字)로 쓰임。

三畫

【虹】 9 虫 3 홍 무지개 (平)東

자원 형성 虫工(음) ⊢ 虹(虫부) 2500년전

뱀·용(龍)의 뜻을 나타내는 「虫벌레충변」과, 음을 나타내며 동시에 하늘의 뜻(⇩空공)을 나타내기 위한 「工공」으로 이루어지며, 하늘에 걸리는 벌레의 뜻。 옛 사람은 무지개를 용이 나타난 것으로 생각했음。

뜻 ①**무지개홍** 「虹蜺홍예」(옛날에 무지개를 용(龍)의 일종으로 생각하여 「虹홍」을 수컷, 「蜺예」를 암컷으로 구별하였음)。 ②**다리홍** 무지개 모양으로 된 다리。 「虹橋홍교」 ③**어지럽힐홍, 어지러울홍**

【虹橋 홍교】 무지개 모양으로 된 다리。

【虹蜺* 홍예】 무지개。

【独】 ⇩犬部六畫

【風】 ⇩部首

四畫

【蚊】 10 虫 4 문 모기 (平)文

자원 형성 虫文(음) ⊢ 蚊(虫부) 2500년전

벌레의 뜻인 「虫벌레충변」과 음을 나타내며 동시에 모기가 날 때의 소리를 나타내는 「文문」으로 이루어짐。 모기의 뜻。

뜻 **모기문** 「蚊蚋문예」

【蚕】 10 虫 4 蠶(虫部十八畫)의 속자(俗字)。

五畫

【蛇】 11 虫 5 고교 ㊀사 ㊁이 배암 ㊀(平)麻 ㊁(平)支

〔六畫部首順〕 竹米糸缶网羊羽老而耒耳聿肉臣自至臼舌舛舟艮色艸虍虫血行衣襾

ㅡ ㅁ 中 虫 虫' 虫宀 虫宀 蛇

자원 형성 虫它음ㅜ蛇(虫부)  2500년전

뱀의 뜻인「虫벌레충변」과 다시 뱀을 뜻하는「它사」(본디 뱀의 상형)를 더하여 벌레와 구분하였음。「它」가 음을 나타냄。

뜻 ㊀①**뱀사**「蛇蠍사갈」②**별이름사** 북방의 성수(星宿)의 이름。㊁**구불구불갈이**「委蛇위사」는 뱀이 구불구불 가는 모양。

주의 「虵」는 속자(俗字)。

【蛇蠍* 사갈】뱀과 전갈(全蠍)。몹시 징그러운 물건의 비유。

【蛇毒 사독】뱀의 몸 속에 있는 독(毒)。

【蛇龍 사룡】이무기가 환퇴(幻退)하여 된 용(龍)。

【蛇足 사족】뱀은 발이 없는데 발을 그린다는 뜻으로, 소용 없는 일을 함의 비유。화사첨족(畫蛇添足)。

【蛇行 사행】①엉금엉금 기어감。②뱀처럼 구불구불 감。

◉巨蛇거사 大蛇대사 毒蛇독사 長蛇장사

六畫

12 【蛔】虫 6 회 | 거위 | ㊥灰

자원 형성 虫回음ㅜ蛔(虫부)

「虫벌레충변」과, 음을 나타내는 「回회」로 이루어진 글자。뱃속에 기생(寄生)하는 벌레의 이름。

뜻 **거위회**「蛔蟲회충」

12 【蛤】虫 6 합 | 대합조개 | ㊇合

자원 형성 虫合음ㅜ蛤(虫부)  2500년전

조개의 뜻을 나타내는「虫벌레충변」과, 음을 나타내는 동시에 합하다의 뜻을 가진「合합」으로 이루어짐。쌍패류(雙貝類)의 뜻。

뜻 ①**대합(大蛤)조개합** 무명조개。「蜃蛤신합」②**개구리합** 올챙이가 자란 것。

七畫

13 【蜂】虫 7 고교 봉 | 벌 | ㊥冬

ㄇ ㅁ 中 虫 虫夂 虫夅 虫夆 蜂

자원 형성 虫夆음ㅜ蜂(虫부)

「虫벌레충변」과, 음을 나타내는 동시에 창의 뜻(⇩鋒봉)을 가진「夆봉」으로 이루어짐。날카로운 침을 가진 벌레의 뜻。

뜻 ①**벌봉**「蜜蜂밀봉」②**칼끝봉**、**봉망봉** 鋒(金部七畫)과 통용。

【蜂起 봉기】벌떼같이 일어남。반란(叛亂) 등이 일어남을 형용함。

【蜂蜜 봉밀】벌꿀。꿀。

【蜂巢* 봉소】벌집。

【蜂蝶 봉접】벌과 나비。

◉蜜蜂밀봉 細蜂세봉 女王蜂여왕봉

八畫

14 【蜜】虫 8 고교 밀 | 꿀 | ㊇質

丶 宀 宓 宓 宓 宓 密 蜜

〔六畫部首順〕竹米糸缶网羊羽老而耒耳聿肉臣自至臼舌舛舟艮色艸虍虫血行衣襾

[자원] 형성 虫宓[음] ┬蜜(虫부)  2500년전

「虫충」〈벌레〉과 음을 나타내는 「宓밀」로 이루어짐。

[뜻] 꿀밀 꿀벌이 겨울에 먹으려고 준비하여 두는 먹이。「蜜蜂밀봉」

【蜜蠟* 밀랍】 꿀벌의 집에서 꿀을 짜내고 남은 찌끼를 끓이면 기름 같은 것이 끓어 오르는데 이것을 냉수(冷水)에 굳힌 것。황랍(黃蠟)。

【蜜蜂 밀봉】 꿀벌。참벌。

【蜜水 밀수】 꿀물。

【蜜月 밀월】 신혼(新婚) 뒤의 즐거운 「한 달 동안。

【蜜花 밀화】 호박(琥珀)의 일종(一種)。꿀빛 같은 누른 빛이 남。

◉口有蜜구유밀 波羅蜜바라밀 蜂蜜봉밀

九畫

15 【蝶】 虫 9 [고교] 접 ｜나비｜ [入]葉

ㄇ 口 虫一 虫卄 虫卄 虫丗 虫丗 蜨 蝶

[자원] 형성 虫枼[음] ┬蝶(虫부)

「虫벌레충변」과、음을 나타내는 「枼엽」(접은 변음)으로 이루어짐。벌레의 이름。나비。

[뜻] 나비접 「蝴蝶호접」

15 【蝿】 虫 9 蠅(虫部十三畫)의 속자(俗字)。

15 【蝕】 虫 9 식 ｜먹을｜ [入]職

[자원] 형성 虫 食–食[음] ┬蝕(虫부)  2500년전

「虫충」〈벌레〉과、음을 나타내는 동시에 먹다의 뜻을 나타내는 「食식」으로 이루어짐。벌레가 갉아먹다↓ 개먹다의 뜻。

[뜻] 먹을식 ㉠벌레가 갉아 먹어 들어감。「蠹蝕두식」 ㉡전(轉)하여、조금씩 개먹어 들어감。또는 그 형적。「腐蝕부식」「侵蝕침식」「浸蝕침식」 ㉢또 달이 해를 가리거나 해가 달을 가리는 현상。「月蝕월식」「日蝕일식」

十畫

16 【融】 虫 10 융 ｜녹을｜ [平]東

[자원] 형성 鬲 虫[음] ┬融(虫부)  2500년전

곡식을 찌는 세발솥을 뜻하는 「鬲력」과、음을 나타내며 동시에 빠져나다의 뜻(⇩抽추)을 나타내기 위한 「蟲충」의 생략형 「虫」(융은 변음)으로 이루어짐。물건을 삶아 김이 빠지다의 뜻。

[뜻] ①녹을융、녹일융 고체가 액체로 됨。또 그 타동사。「融解융해」 ②통할융 유통(流通)함。「融通융통」 ③화합할융、화락할융 「融和융화」 ④밝을융 썩 환한 모양。⑤길융 짧지 않음。

【融資 융자】 자본을 융통(融通)함。

【融通 융통】 ①녹아 통함。막힘 없이 통함。②있는 것과 없는 것을 서로 돌려 씀。

【融合 융합】 녹아서 한 가지가 됨。또 녹여 한 가지로 만듦。「이 됨。

【融化 융화】 녹아서 아주 다른 물건

【融和 융화】 ①융합(融合)。②화락

〔六畫部首順〕竹米糸缶网羊羽老而耒耳聿肉臣自至臼舌舛舟艮色艸虍虫血行衣襾

됨。③서로 화합됨。
◉金融금융 圓融원융 祝融축융 春融춘융

16【螢】虫 10 고교 형 | 개똥벌레 | 平青

자원 형성 虫＋𤇾(음)→螢(虫부) 2500년전

「虫충」〈벌레〉과 음을 나타내고 동시(同時)에 빛을 내며、 엇갈려 날아다니는 뜻을 나타내는 「𤇾형」으로 이루어짐。 개똥벌레의 뜻。 「𤇾」이 개똥벌레의 본디 글자。

뜻 **개똥벌레형** 「螢光형광」

【螢光 형광】 반딧불。
【螢石 형석】 투명 또는 반투명하며 열을 가하면 형광을 발하는 광석。
【螢雪 형설】 차윤(車胤)은 반딧불에 글을 읽고、 손강(孫康)은 눈(雪)빛에 글을 읽었다는 고사(故事)。 전하여、 부지런히 면학하는 일。
【螢火 형화】 반딧불。

十二畫

18【蟲】虫 12 중학 충 | 벌레 | 平東

자원 회의 虫＋蚰→蟲(虫부) 2500년전

「虫충」의 옛 모양은 뱀과 같이 몸이 긴 벌레를 나타냄。 나중에 「虫」〈뱀류(類)〉·「䖵곤」〈모든 벌레〉·「蟲」〈작은 벌레〉으로、 나누었으나 나중에 「䖵」은 잊혀지고、 「蟲」은 벌레의 총칭으로 쓰게 되었음。

뜻 **벌레충** ㉠동물의 총칭。 「毛蟲모충」(짐승)·「羽蟲우충」(새)·「甲蟲갑충」(거북)·「鱗蟲인충」(물고기)·「裸蟲나충」(사람)으로 구분함。 ㉡인수조어패(人獸鳥魚貝)를 제외한 딴 동물。 ㉢곤충(昆蟲)。 ㉣발이 있는 동물。 ㉤벌레의 피해。 충해(蟲害)。

【蟲媒花 충매화】 곤충(昆蟲)의 매개(媒介)에 의하여 다른 꽃의 화분(花粉)을 받아 생식(生殖) 작용을 하는 꽃。
【蟲災 충재】 해충(害蟲)으로 생기는 농작물 재앙(災殃)。 충해(蟲害)。
【蟲齒 충치】 벌레가 파먹은 이。
【蟲害 충해】 충재(蟲災)。
◉甲蟲갑충 昆蟲곤충 寄生蟲기생충 成蟲성충 幼蟲유충 益蟲익충 害蟲해충

十三畫

19【蠅】虫 13 승 | 파리 | 平蒸

자원 형성 虫＋黽(음)→蠅(虫부) 2500년전

「虫벌레충변」과、 음을 나타내는 동시에 파리가 날아다니는 소리를 나타내는 「黽맹」(승은 변음)으로 이루어짐。 파리의 뜻。

뜻 **파리승**

十五畫

21【蠢】虫 15 준 | 꿈틀거릴 | 上軫

자원 형성 蚰＋春(음)→蠢(虫부) 2500년전

「虫충」〈벌레〉 둘과, 음을 나타내며 동시(同時)에 둔하다의 뜻(⇩鈍둔)을 나타내는 「春춘」(준은 변음)으로 이루어짐。둔하게 움직이는 뜻。

뜻 ①꿈틀거릴준 벌레가 움직임。「蠢動준동」 ②어리석을준 무식함。

【蠢動 준동】 ①벌레가 꿈틀거림。②되지 못한 것들이 법석을 함。

十八畫

24【蠶】 虫 18 고교 잠 — 누에 — ㊥覃

一 ㄷ 旡 旡 兓 朁 朁 蠶 蠶

자원 형성 朁음 蚰 ─ 蠶(虫부) 2500년전

음을 나타내는 「朁잠」(잠은 변음)은 여기에서는 「潛잠」〈무자맥질하다〉과 통하며 속으로 깊이 먹어 들어간다는 뜻을 나타냄。「蚰곤=昆」은 곤충(昆蟲)。「蠶」은 뽕나무잎을 깊이 먹어 들어 가는 벌레→누에。나중에 쓰기 쉽게 한 글자체 「朁↓蚕」은 본디 다른 글자였던 「蚕천」〈지렁이〉과 같지만 지렁이란 뜻은 잊혀지고 누에의 뜻인 「蠶」의 속체(俗體)로 되어 버렸음。

뜻 ①누에잠 「養蠶양잠」 ②누에칠잠 누에를 사육함。또 그 일。「蠶婦잠부」「蠶桑잠상」

【蠶繭* 잠견】 누에고치。

【蠶具 잠구】 누에를 치는 데 쓰는 기구(器具)。 「사。

【蠶農 잠농】 누에를 치는 일。누에 농

【蠶卵 잠란】 누에의 알。

【蠶婦 잠부】 누에를 치는 여자。

【蠶事 잠사】 누에 치는 일。

【蠶絲 잠사】 누에고치에서 켜낸 실。곧 명주실。 「음。

【蠶桑 잠상】 누에를 치고 뽕나무를 심

【蠶食 잠식】 누에가 뽕나무 잎을 차차 조금씩 먹어 들어가는 것처럼, 차차로 침략해 들어감。

【蠶室 잠실】 ①누에를 치는 방。②궁형(宮刑)을 치른 사람을 수용하는 난방 장치한 방。 「(養蠶)。

【蠶蛾* 잠아】 누에나방。

【蠶業 잠업】 누에를 치는 직업。양잠

【蠶種 잠종】 누에 씨。

【蠶織 잠직】 누에를 치고 명주를 짬。

◉農蠶농잠 養蠶양잠 原蠶원잠 天蠶천잠

24【蠺】 虫 18 蠶(앞 글자)과 같은 글자。

十九畫

25【蠻】 虫 19 고교 만 — 오랑캐 — ㊥刪

言 言 結 結 絲 緣 蠻 蠻 蠻

자원 형성 䜌음 虫 ─ 蠻(虫부) 2500년전

「虫충」〈뱀〉과 음을 나타내는 「䜌련」(만은 변음)으로 이루어짐。중국 지방에 사는 뱀을 신성시하는 종족의 이름。약자는 「蛮」。

뜻 오랑캐만 남방의 미개 민족。전(轉)하여, 미개 민족의 통칭。

【蠻勇 만용】 사리(事理)를 분간하지 않고 함부로 날뛰는 용기(勇氣)。

【蠻人 만인】 야만인(野蠻人)。

【蠻族 만족】 만이(蠻夷)의 종족(種族)。야만 민족。

【蠻種 만종】 야만(野蠻) 인종(人種)。

【蠻地 만지】 야만인이 사는 땅。

【蠻風 만풍】 ①야만인의 풍속(風俗)。오랑캐의 풍속。②천한 풍속。③오랑캐 땅의 바람。

【蠻行 만행】《韓》 야만스러운 행실。

◉群蠻군만 南蠻남만 野蠻야만 夷蠻이만

血部

6 【血】 부수 중학 **혈** | 피 | ㊀屑

′ ⺊ 冂 皿 血

자원 상형 3000년전

血

「血」은 제사에, 희생의 짐승의 피를 그릇에 가득 담아 바친 모양。옛날엔 약속을 할 때, 이 피를 서로 빨곤 하였음。옛날엔 「皿」 위에 「一」을 썼으나 지금은 「丿」을 씀。

뜻 ①**피 혈** ㉠혈액(血液)。「血球혈구」 ㉡골육의 관계。「血嗣혈사」 ②**피칠할 혈** 피를 바름。③**물들일 혈** 염색하여 광채를 냄。

참고 「血」을 음으로 하는 글자＝「恤휼」〈근심하다〉·「洫혁」〈봇도랑〉

【血管 혈관】 염통에서 나와서 몸 속에 퍼진 피가 다니는 맥관(脈管)。

【血球 혈구】 혈액의 성분。적혈구(赤血球)·백혈구(白血球)의 총칭。

【血氣之勇 혈기지용】 혈기(血氣)로 일어나는 한때의 용맹(勇猛)。

【血路 혈로】 ①핏자국을 남기고 도망간 길。전(轉)하여, ②위급을 벗어나 도망간 길。

【血淚 혈루】 몹시 애통하여 흘리는 눈물。피눈물。

【血脈 혈맥】 ①혈관(血管)。②혈통(血統)。

【血眼 혈안】 기를 써서 핏발 선 눈。

【血壓 혈압】 혈관(血管) 속의 피의 압력(壓力)。

【血緣 혈연】 같은 핏줄에 의하여 연결된 줄。

【血戰 혈전】 생사(生死)를 돌아보지 않고 싸움。

【血族 혈족】 같은 조상(祖上)에서 갈려 나온 친족(親族)。일가。

【血統 혈통】 친족의 서로 관계가 있는 피의 계통。

【血汗 혈한】 피와 땀。

【血行 혈행】 혈액의 순환(循環)。

【血痕* 혈흔】 피가 묻은 흔적。

◉咯血각혈 膏血고혈 冷血냉혈 鮮血선혈 輸血수혈 流血유혈 凝血응혈 採血채혈 出血출혈 充血충혈 吐血토혈 下血하혈

六畫

12 【衆】 血 6 중학 **중** | 무리 | ㊀送

⺊ 㓁 血 尖 衆 衆 衆

자원 회의 目＋㐺→眔(目부)＋血→衆(血부)

衆

「㐺」은 사람을 셋 그려 많은 사람을 나타냄。「日」은 「日일」〈태양〉이 변한 모양。「㐺」은 종의 집단(集團)이 태양 밑에서 땀을 흘리며 일시켜지고 있는 모습。나중에 많은 사람이 한군데를 바라보는 모

〔六畫部首順〕 竹米糸缶网羊羽老而耒耳聿肉臣自至臼舌舛舟艮色艸虍虫血行衣襾

양↓마음을 합하여 일을 하다↓많은 사람↓많음이라 생각하였음。더욱 나중에 자형(字形)을「目」을「血혈」로 잘못 써「衆」이란 속체가 되었음。

뜻 ①**무리중** ㉠많은 사람。「衆庶중서」㉡많은 사람의 마음。민심(民心)。②**많을중** 수가 많음。

【衆寡不敵 중과부적】적은 인원으로 많은 인원을 대적(對敵)하지 못함。

【衆口 중구】뭇 입。여러 사람의 말。여러 사람의 평판。

【衆口難防 중구난방】여러 사람의 말을 이루 막기 어려움。

【衆論 중론】여러 사람의 의론(議論)。중의(衆議)。

【衆目所視 중목소시】여러 사람이 다 같이 보고 있는 터。

【衆生 중생】감정(感情)이 있는 모든 「생명。

【衆意 중의】여러 사람의 의향(意向)。뭇 사람의 의견(意見)。

【衆人 중인】여러 사람。뭇 사람。세상 사람。보통 사람。범인(凡人)。

【衆評 중평】여러 사람의 비평(批評)。뭇 사람의 비평。

◉公衆공중 觀衆관중 大衆대중 民衆민중

行部

6 【行】부수 중학 ㊀**행** ㊁**항** 다닐 ㊀㊥庚 ㊁㊤漾

ノ ㇒ 彳 彳 彳 行

자원 회의 彳亍 行(부수)

「彳척」과「亍촉」으로 이루어짐。「彳」은 왼발의 걷는 모양。「亍」은 오른발의 걷는 모양。좌우(左右)의 발을 번갈아 올려 걸어간다는 뜻을 나타냄。전하여、하다의 뜻으로도 씀。

상형 3000년전 또 일설(一說)에는 네거리↓굽지 않고 바로 가는 일。나중에 가다↓하다란 뜻과 항렬(行列)↓같은 또래란 뜻의 두 가지로 나누어짐。

뜻 ㊀①**다닐행、걸을행** ㉠보행을 함。㉡걸어감。㉢거닐면서。②**갈행** 떠남。③**돌행** ㉠한 바퀴 돎。㉡순환(循環)함。「日月運行일월운행」㉢순행함。순시함。④**흐를행** 물이 흐름。⑤**지날행** 거침。⑥**가게할행、보낼행**「行軍행군」⑦**행할행** ㉠함。「力行역행」「實行실행」㉡베풂。줌。⑧**행해질행** 시행됨。쓰임。⑨**길행** ㉠통로。도로。㉡이정(里程)。전(轉)하여、여정(旅程)。여행。또 여행의 차림。행장。「治行치행」㉢도의(道義)。⑩**길귀신행** 길을 맡은 신(神)。⑪**행서행** 서체(書體)의 하나。「眞行草진행초」⑫**시이름행** 한시(漢詩)의 한 체(體)。「短歌行단가행」「琵琶行비파행」⑬**행행** 관계(官階)가 높고 관직이 낮은 경우에 벼슬 이름 위에 붙여 일컫는 말。⑭**가게행** 상점。「銀行은행」⑮**행실행** ㉠행위。㉡품행。「操行조행」㉢바른 행위。㊁①**항렬항** 서열。서차。「配行배항」②**같은또래항** 등배(等輩)。③**줄항** 대열。「行伍항오」

참고 「行」을 음으로 하는 글자=「桁형」〈도리〉·「衡형」〈저울대〉

【行伍* 항오】 군대를 편성한 행렬。

【行脚 행각】 ①《佛教》 중이 여러 곳으로 돌아다님。또 그 중。②어떤 목적으로 여러 곳을 돌아다님。

【行客 행객】 나그네。

【行賈* 행고】 떠돌아다니는 장수。행상。

【行軍 행군】 ①진군(進軍)함。②군대의 전쟁터 이외에서의 행진(行進)。

【行宮 행궁】 임금이 거동할 때에 묵는 곳。행재소(行在所)。

【行年 행년】 ①향년(享年)。②현재의 나이。그 때의 나이。

【行動擧止 행동거지】 몸의 온갖 동작。행위(行爲)。

【行樂 행락】 잘 놀고 즐겁게 지냄。유쾌히 날을 보냄。

【行旅 행려】 나그네。

【行旅病人 행려병인】 나그네의 몸으로 병(病)이 나고 치료(治療)할 길이 없는 사람。

【行路 행로】 ①사람이 통행(通行)하는 길。한길。②세상(世上)에서 살아가는 과정(過程)。세로(世路)。③길을 가는 사람。자기와 관계가 없는 딴 남。

【行錄 행록】 사람의 언행(言行)을 기록한 글。

【行李 행리】 ①사자(使者)。이(李)는 이(理)로、행사(行事)를 맡아본다는 뜻。②행장(行裝)。

【行馬 행마】 귀인(貴人)의 집이나 관서(官署)의 문(門) 밖에 베푼、말을 매어 두는 제구。사람의 출입을 금하는 데도 세움。

【行步 행보】 걸음。보행(步行)。

【行使 행사】 사용함。부려서 씀。

【行事 행사】 ①한 일。하는 일。②일을 행함。③사명(使命)을 띠고 가는 데 관계된 일。

【行賞 행상】 상(賞)을 줌。

【行色 행색】 ①길을 떠나려고 하는 모습。②행동(行動)하는 태도(態度)。

【行世 행세】 《韓》 사회에서의 사람다운 행동。행동함。

【行水 행수】 ①흘러가는 물。유수(流水)。②배로 물을 건넘。③물을 다스림。치수(治水)함。④수세(水勢)를 순시함。⑤《佛教》 의식(儀式)을 올리기 전에 찬물로 깨끗이 몸을 씻음。

【行惡 행악】 못된 짓을 함。

【行役 행역】 ①징용당하여 공사를 하거나 국경을 수비하는 부역。②여행。

【行營 행영】 ①진영(陣營)의 순시(巡視)。②진영(陣營)。

【行雲流水 행운유수】 떠가는 구름과 흐르는 물。아무 집착(執着) 없이 경우에 순응하여 행동하는 비유。

【行爲 행위】 하는 짓。행동(行動)。

【行有餘力 행유여력】 일을 하고도 오히려 힘이 남음。

【行狀 행장】 ①사람이 죽은 뒤에 그 평생(平生)의 행적(行蹟)을 기록한 글。②행실。조행。

【行裝 행장】 여행할 때에 쓰는 모든 기구。또 여행의 차림。

【行政 행정】 ①정치(政治)를 행(行)함。②국가의 정사 곧 입법(立法)·사법(司法) 이외의 정무(政務)의 총칭。

【行程 행정】 노정(路程)。

【行止 행지】 ①감과 정지함。②행함과 그침。③기거 동작。

【行悖* 행패】 버릇 없이 체면(體面、

어그러지는 짓을 함。
【行暴 행포】 난폭(亂暴)한 행위(行爲)。
【行幸 행행】 천자의 대궐 밖의 거둥。
【行刑 행형】 ①사형(死刑)을 집행(執行)함。 ②형벌(刑罰)을 줌。
◉苦行고행 急行급행 德行덕행 尾行미행 並行병행 步行보행 飛行비행 徐行서행 隨行수행 施行시행 惡行악행 言行언행 逆行역행 五行오행 運行운행 履行이행 一行일행 周行주행 品行품행 孝行효행

五畫

11 【術】 行 5 고교 ㊀술 ㊁수 — 길 — ㊀入質 ㊁去寘

ノ 彳 彳 行 行 徘 徘 術 術

자원 형성 行 朮음 ⊤術(行부) 2500년전
음을 나타내는 「朮출·술」은 차조→짝 달라붙다→뒤따라 가는일。「行행」은 길。「術」은 사람이 모여서 생긴 마을안의 길→모든 사람이 따르는 길→일을 하는 법。 방법(方法)。
뜻 ㊀①길술 ㉠마을 안의 통로。 ㉡방법。 수단。 ②꾀술 계략。 ③업술 ㉠일。 사업。 ㉡학문。 기예。 「藝術예술」「學術학술」 ④술수술 음양가·복서가 등의 술법。「術家술가」 ⑤지을술 述(辵部五畫)과 통용。 ㊁일만이천오백호수 주대(周代)의 자치 단체로서 일만 이천 오백 호(一萬二千五百戶)의 일컬음。 遂(辵部九畫)와 통용。
주의 「術」은 잘못 쓴 글자。
【術家 술가】 ①책략(策略)이 뛰어난 사람。 ②술수(術數)에 정통한 사람。 술객(術客)。
【術客 술객】 술가(術家)。
【術法 술법】 술수(術數)。
【術士 술사】 ①유학자(儒學者)。 ②방술(方術)에 정통한 사람。
【術語 술어】 학술상(學術上)에 전용(專用)하는 말。 학술어(學術語)。
【術策 술책】 꾀。 계략(計略)。
◉劍術검술 技術기술 奇術기술 道術도술 馬術마술 美術미술 兵術병술 卜術복술 祕術비술 算術산술 手術수술 心術심술 藝術예술 醫術의술 仁術인술 話術화술

六畫

12 【街】 行 6 중학 가 — 거리 — ㊥佳

ノ 彳 彳 彳 往 往 街

(A) (B) 2500전년

자원 형성 行 圭음 ⊤街(行부)
「行행」은 길의 모양。 음을 나타내는 「圭규」(가는 변음)는 뽀죽한 모양의 보석인데, 여기서는 발자국의 모양을 후에 잘못보고 쓴 것。 「街」는 시내를 구획하는 큰 거리。
뜻 거리가 네 거리 또는 한길。 큰 거리。「街頭가두」
【街區 가구】 시가(市街)의 구획。
【街談 가담】 세상의 풍문。 길거리의 화제。 항담(巷談)。 「巷語」。
【街談巷說 가담항설】 가담항어(街談
【街道 가도】 도시를 통하는 큰 길。
【街頭 가두】 길거리。 가상(街上)。
【街燈 가등】 가로등(街路燈)。
【街路 가로】 길。 거리。 길거리。

〔六畫部首順〕 竹米糸缶网羊羽老而耒耳聿肉臣自至臼舌舛舟艮色艸虍虫血行衣襾

◉市街시가 十字街십자가 巷街항가

九畫

15 【衝】 行 9 고교 충 | 찌를 | ㊥冬

彳 彳 彳 彳 彳 彳 衝 衝

자원 형성 行 重 음 ㅏ衝 (行부) 2500년전

길을 가다、길거리의 뜻을 갖는 「行행」과、음을 나타내며 꿰뚫다의 뜻(⇩通통)을 갖는 「重중」(충은 변음)으로 이루어짐。마을을 꿰뚫고 있는 길의 뜻。음을 빌어、부딪치다의 뜻으로 쓰임。

뜻 ①**거리충** 큰 거리。사통오달하는 길。②**찌를충** ㉠향함。직진(直進)함。㉡침。공격함。㉢들이 밀어 뚫음。쳐부숨。㉣찔러 올라가게 함。③**부딪칠충** 「衝突충돌」 ④**병거충** 적진에 쳐들어 가도록 만든 수레。⑤**병선충** 적함(敵艦)에 돌격하도록 만든 병선(兵船)。「蒙衝몽충」 ⑥**목충** 요긴한 곳。요소。

【衝擊 충격】 찔러 침。

【衝突 충돌】 ①서로 부딪침。②서로 의견(意見)이 맞지 아니하여 다툼。

【衝動 충동】 ①들쑤시어서 움직여 일으킴。②목적(目的)을 의식(意識)하지 아니하고 단지 무슨 행동을 하려고 하는 마음의 활동。

【衝天 충천】 높이 솟아 하늘에 부딪침。기세가 대단한 모양。

◉街衝가충 緩衝완충 要衝요충 折衝절충

15 【衛】 行 9 고교 위 | 막을 | ㊤霽

彳 彳 彳 衛 衛 衛 衛

자원 형성 行 韋 음 ㅏ衛 (行부) 3000년전 2500년전

「行행」〈길〉과、음을 나타내며 순회(巡廻)하다의 뜻을 가지는 「韋위」로 이루어지며、빙빙 돌아 다니며 지키다의 뜻。

뜻 ①**막을위** 방어하여 지킴。「防衛방위」 ②**방비위** 방어。③**위복위** 구복(九服)의 하나。기내(畿內)로부터 다섯째의 지경。④**경영할위** 영위(營爲)함。⑤**경영위** 영위。⑥**나라이름위** 주대(周代)의 국명(國名)。지금의 직례성(直隷省)과 하남성(河南省)이었음。

【衛滿 위만】 《韓》 위만조선(衛滿朝鮮)의 창시자(創始者)。중국 연(燕)나라 사람으로 무리를 이끌고 조선(朝鮮)에 와서 준왕(準王)을 내치고 왕(王)이 됨。

【衛滿朝鮮 위만조선】 《韓》 고조선(古朝鮮) 때 북쪽에 있던 나라。위만(衛滿)이 왕검성(王儉城)에 도읍(都邑)하여 세움。삼대(三代) 팔십 팔년(八十八年) 만에 망함。

【衛兵 위병】 궁성(宮城)이나 병영(兵營)을 호위하는 군사。금병(禁兵)。

【衛星 위성】 유성(遊星)의 주위를 돌면서 그 유성과 같이 태양의 주위를 도는 별。

【衛戍* 위수】 군대가 오래 그 지방에 「주둔하여 지킴。

◉警衛경위 近衛근위 防衛방위 四衛사위 守衛수위 侍衛시위 自衛자위 前衛전위 正當防衛정당방위 親衛친위 護衛호위

十畫

16 【衜】 行 10 衡(앞 글자)의 본디 글자。

16 【衡】 行 10 ㊀형 ㊁횡 — 저울대 — ㊀㊁ [平]庚

[자원] 형성 大ㅓ奐 角ㅏ 行[음]┬衡 (行부)  2500년전

「角각」〈뿔〉과 「大대」〈크다〉를 합(合)하여, 큰 뿔의 뜻을 나타내는 「奐」과, 음(音)을 나타내며 동시(同時)에 가로의 뜻(⇩橫횡)을 나타내기 위한 「行행」(형은 변음)으로 이루어짐。 소뿔에 잡아맨 뿔나무의 뜻。 전(轉)하여, 천칭의 가로대·저울·균형(均衡)의 뜻。

[뜻] ㊀①저울대형 저울의 추를 단 대。「權衡권형」 전(轉)하여、②저울형 「度量衡도량형」 ③달형 무게를 닮。 ④가로나무형 ㉠마차(馬車)의 채끝에 댄 횡목(橫木)。 ㉡혼천의(渾天儀)의 횡목。 ⑤뿔나무형 소의 두 뿔에 가로 매어서 받는 것을 막는 나무。 ⑥비녀형 관이 벗겨지지 않게 머리에 지르는 물건。 관계(冠笄)。 ⑦패옥형 몸에 차는 옥(玉)。 ⑧난간형 층계나 다리 등의 가장자리를 막은 물건。 ⑨눈두덩형 눈썹과 속눈썹 사이。 ⑩벼슬이름형 산림(山林)을 맡은 벼슬。 ⑪산이름형 오악(五嶽)의 하나。 ⑫별이름형 북두칠성의 다섯째 별。「玉衡옥형」 ㊁ 가로횡 橫(木部十二畫)과 같은 글자。「衡行횡행」

【衡平 형평】 균형。 평균。

◉ 均衡균형 度量衡도량형 平衡평형

衣(衤)部

6 【衣】 부수 [중학] 의 — 옷 — ①② [平]微 ③–⑤ [去]未

丶 亠 ナ 衣 衣 衣

[자원] 상형  (A) (B) 3000년전

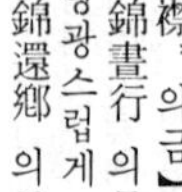

「衣」는 몸을 감추는 옷의 모양。 옛날 중국에서 상반신(上半身)에 입는 것을 「衣」、 하반신(下半身)에 입는 것을 「裳상」、 옷 전체를 「衣裳의상」이라 하였음。  2500년전

[뜻] ①옷의 ㉠의복。「白衣백의」 ㉡중의 법복(法服)。 가사(袈裟)。 ㉢물건의 표면에 나서 덮은 곰팡이·이끼 같은 것。「垣衣원의」「地衣지의」 ②웃도리옷의 웃도리에 입는 옷。「裳상」의 대(對)。 ③입을의 옷을 입음。 ④입힐의 옷을 입힘。 ⑤행할의 복응(服膺)함。

[참고] 「衣」를 음으로 하는 글자=「依의」〈의지하다〉·「扆의」〈병풍〉·「哀애」〈서럽다〉·「衰쇠」〈쇠하다〉

【衣架* 의가】 옷걸이。

【衣冠 의관】 ①옷과 갓。 전(轉)하여、 예모(禮貌)。 ②의관을 차린 벼슬아치。

【衣襟* 의금】 옷깃。 [치 등의 일컬음。

【衣錦晝行 의금주행】 출세(出世)하여 영광스럽게 고향(故鄕)에 돌아감。

【衣錦還鄕 의금환향】 출세(出世)하여

〔六畫部首順〕 竹米糸缶网羊羽老而耒耳聿肉臣自至臼舌舛舟艮色艸虍虫血行衣襾

고향(故鄕)에 돌아감。

【衣帶 의대】 띠。전(轉)하여、속대(束帶)。

【衣糧 의량】 의복과 양식(糧食)。

【衣裳 의상】 ①저고리와 바지 또는 치마。전(轉)하여 ②의복의 총칭。

【衣食住 의식주】 의복·음식·주택。곧 인간 생활에 가장 필요한 것。

【衣魚 의어】 반대좀。

◉客衣객의 錦衣금의 端衣단의 麻衣마의 白衣백의 僧衣승의 浴衣욕의 羽衣우의 雨衣우의 着衣착의 脫衣탈의 胞衣포의

二畫

【初】 ⇩刀部五畫

三畫

8 【表】 衣 3 중학 표 — 겉 — ㊤篠

一 十 キ 主 声 丰 表

자원 형성 毛衣 음 ㅏ表(衣부)

「衣의」〈옷〉와、음을 나타내며 동시에 털의 뜻인 「毛모」(표는 변음)를 합친 글자로、털을 안쪽으로 한 옷의 뜻。털의 부분(部分)이 겉이기 때문에 전(轉)하여、바깥을 뜻함。 2000년 전

본디、가죽옷(⇩求구)은 털이 겉으로 드러나 있는데、예복(禮服)으로서는 그 위에 겉옷을 입어 털이 속으로 가려지게 함。이 옷이 「表」이며、나중에 널리 물건의 거죽의 뜻으로 쓰이게 됨。또 「標표」와도 통하게 됨。

뜻 ①웃옷표 겉에 입는 옷。②입을표 웃옷을 입음。③겉표 거죽。겉면。「表面표면」 ④나타낼표 ㉠표창함。「旌表정표」 ㉡명백히 함。「發表발표」 ⑤나타날표 사람에게 알려짐。뚜렷하게 됨。⑥표(標)표 안표。표지(標識)。「表札표찰」 ⑦법표 본보기。의범(儀範)。「表式표식」 ⑧모습표 용모。태도。「儀表의표」 ⑨표(表)표 ㉠군주에게 올리는 서장(書狀)。「賀表하표」 ㉡사물을 분류·배열하여 개요(槪要)를 보기에 편리하도록 만든 것。「年表연표」 ⑩외가붙이표 모친의 겨레붙이。「表兄弟표형제」 ⑪뛰어날표 특이한 모양。빼난 모양。

참고 「表」를 음으로 하는 글자=「俵표」〈나누어 주다〉·「裱표」〈목도리〉

【表慶 표경】 기쁨을 나타냄。「기록。

【表記 표기】 표면에 적음。표시하는

【表裏 표리】 ①거죽과 속。②안팎。③안팎으로 서로 도움。한통속이 됨。

【表裏不同 표리부동】 마음이 음충맞아서 겉과 속이 다름。

【表白 표백】 ①사뢺。②드러내어 말함。발표하여 명백히 함。

【表象 표상】 ①나타난 형상。외면에 나타난 조짐。②과거의 인상이 다시 의식 중에 나타난 것。

【表彰* 표창】 나타내어 밝힘。

【表土 표토】 경토(耕土)。

【表皮 표피】 겉껍질。

◉公表공표 代表대표 圖表도표 發表발표 師表사표 辭表사표 年表연표 意表의표

【哀】 ⇩口部六畫

四畫

9 **【衿】** 衣 4 | **금** | 옷깃 | ①(平)侵 ②③(去)沁

자원 형성 今(음) 衣-衤┬衿(衣부)
「衤옷의변」과, 음을 나타내며 동시에 닫다의 뜻(⇩禁금)을 나타내기 위한 「今금」으로 이루어짐. 옷을 여미는 것→옷깃, 띠의 뜻.

뜻 ①**옷깃금** 襟(衣部十三畫)과 같은 글자. ②**맬금** 잡맴. ③**띨금** 띠를 두름.

주의 「衿」·「襟」은 같은 글자.

【衿帶 금대】 ①옷깃과 띠. ②산이 둘러싸 옷깃 같고 강이 둘러싸 띠 같은 요해처(要害處).

10 **【衰】** 衣 4 고교 ㊀**쇠** ㊁**최** ㊂**사** | 쇠할 | ㊀(平)支 ㊁①(平)支 ②(平)灰 ㊂(平)歌

· 亠 亣 … 衰

자원 상형 (2500년전)
우비(雨備)인 도롱이(=蓑사)의 모양을 본뜸. 나중에 오로지 쇠한다는 뜻으로 차용(借用).

뜻 ㊀**쇠할쇠** ㉠약하여짐. 기운이 없어짐. ㉡세력이 없어짐. 기울어짐. ㉢감퇴함. 미약하여짐. ㉣미(美)가 감소함. 퇴색하여짐. ㊁①**줄최**, **줄일최** 일정한 비율로 줄거나 줄임. 감쇄(減殺)함. 체감함. 「等衰등최」 ②**상옷최** ㊂**도롱이사** 簑(竹部十畫)와 같은 글자.

【衰亡 쇠망】 쇠(衰)하여 망(亡)함.
【衰微 쇠미】 쇠하여 잔약하고 희미해짐.
【衰弱 쇠약】 쇠(衰)하여 약함.
【衰運 쇠운】 쇠(衰)하여 가는 운수(運數).
【衰殘 쇠잔】 쇠약할 대로 쇠약해짐. 「아주 쇠약해짐.
【衰退 쇠퇴】 ①쇠퇴하여 전보다 못하여 감. ②쇠해서 기가 죽음.
【衰頹* 쇠퇴】 쇠하여 무너짐.
【衰麻 최마】 상복(喪服).
◉盛衰성쇠 盛者必衰성자필쇠

9 **【衷】** 衣 4 | **충** | 참마음 | ①-⑥(平)東 ⑦(去)送 (2500년전)

자원 형성 中(음) 衣┬衷(衣부)
「衣의」〈옷〉와, 음을 나타내며 동시에 속의 뜻인 「中중」으로 이루어짐. 속옷. 속, 진실한 마음의 뜻으로 쓰는 것은, 「中」「忠충」의 차용(借用).

뜻 ①**속옷충** 속에 입는 옷. ②**마음충** 생각. 심중. ③**참마음충** 성심. 진심. ④**가운데충** 중앙. 중정(中正). 「折衷절충」 ⑤**정성스러울충** 성실함. ⑥**입을충** 속에 입음. ⑦**알맞을충** 적당함. 적합함.

【衷誠 충성】 진심(眞心). 성의(誠意).
【衷心 충심】 속에서 진정으로 우러나오는 마음. 충정(衷情).
【衷情 충정】 충심(衷心).
◉苦衷고충 聖衷성충 折衷절충

五畫

10 **【袖】** 衣 5 | **수** | 소매 | (去)宥

자원 형성 由음 衣-衤┬袖(衣부) 2500년전

「衤옷의변」에、음을 나타내며 동시에 뽑다의 뜻(⇩抽추)을 나타내기 위한「由유」(수는 변음)를 더하여 이루어짐。옷의 팔을 넣고 빼는 데、곧 소매의 뜻。

뜻 ①**소매수** 옷의 소매。「長袖장수」 ②**소매에넣을수** 소맷속에 넣음。「袖刃수인」「袖手수수」

【袖手傍觀 수수방관】아무 것도 하지 아니하고 그저 옆에서 보고만 있음。

【袖珍 수진】소맷속에 넣어가지고 다닐 만한 자그마한 책(冊)。

10【被】衣 5 고교 피 | 입을 | ①②上紙 ③-⑩去寘

丶 ㇇ 衤 衤 衤 衤 衤 被

자원 형성 皮음 衣-衤┬被(衣부) 2500년전

「衤옷의변」과、음을 나타내며 동시에 가리다의 뜻(⇩蔽폐)을 나타내기 위한「皮피」를 합(合)친 글자。잘 때 뒤집어 쓰는 옷、뒤집어 쓰다、쓰다、입다의 뜻。

뜻 ①**이불피** 덮는 침구。「布被포피」「被綿피면」 ②**머리꾸미개피** 여자의 수식(首飾)。 ③**겉피** 거죽。표면。 ④**덮을피** 덮어 가림。 ⑤**입을피** ㉠옷을 입음。「被衣피의」 ㉡받음。은혜 등을 입음。「被恩피은」 ㉢피해·부상 등을 당함。「被害피해」 ⑥**씌울피** 입게 함。 ⑦**질피** 등에 짐。 ⑧**미칠피** 널리 미침。「光被광피」 ⑨**당할피** 수동적임을 나타내는 말。 ⑩**흐트러뜨릴피** 풀어 뜨림。披(手部六畫)와 같은 글자。

【被告 피고】소송사건(訴訟事件)에서 소송을 당한 사람。곧 원고(原告)의 상대자(相對者)。

【被動 피동】남에게서 동작을 입게 됨。수동(受動)。

【被服 피복】①옷。의복。②실천(實踐)함。③전신(全身)에 받음。

【被殺 피살】살해(殺害)를 당(當)함。

【被選 피선】뽑힘。

【被襲 피습】습격(襲擊)을 당(當)함。

【被任 피임】임명(任命)됨。

【被逮* 피체】체포당함。

【被侵 피침】침범(侵犯)을 당(當)함。

【被奪 피탈】빼앗김。

11【袋】衣 5 대 | 부대 | 去隊

자원 형성 代음 衣┬袋(衣부) 2500년전

「衣의」〈옷〉에、음을 나타내며 동시에 싸다의 뜻(⇩橐락)을 나타내기 위한「代대」로 이루어짐。물건을 싸서 넣는 부대의 뜻。

뜻 **부대대**、**자루대**「布袋포대」

주의「帒」는 같은 글자。

六畫

12【裁】衣 6 고교 재 | 마를 | 平灰

一 土 𢦏 𢦏 裁 裁 裁

자원 형성 戈음 才┬衣┬𢦏음┬裁(衣부)

「才재」는 자르다의 뜻에서 재능(才能)이란 뜻으로 쓰게 된 것인데 날

裁

붙이를 나타내는 「戈과」를 붙여 음을 나타내는 「𢦏재」자로 삼아 끊다→상처내다의 뜻으로 씀. 「裁」는 옷을 만들기 위하여 비단이나 베를 자르다→일을 재결(裁決)하는 일.

뜻 ①**마름재** 옷감을 마름질함. ②**자를재** 절단함. ③**결단할재** 결정함. 처단함. 「裁決재결」 ④**헤아릴재** 재량함. ⑤**분별할재** 감식안(鑑識眼)이 있어 잘 분간함. ⑥**존절할재** 사물을 알맞게 줄임. 절감함. ⑦**헝겊재** 피륙의 조각. ⑧**겨우재** 才(手部)와 통용.

【裁可 재가】 ①재량하여 결정함. ②임금이 결재하여 허가함. 윤허(允許).

【裁決 재결】 사물의 옳고 그름을 가려 결정함.

【裁斷 재단】 ①끊음. 절단함. ②재결(裁決).

【裁量 재량】 헤아려 처리함.

【裁定 재정】 재결(裁決).

【裁判 재판】 ①시비곡직을 판단함. ②소송(訴訟)에 대하여 법률을 적용하여 심판함.

◉ 獨裁독재 制裁제재 總裁총재 親裁친재

12 【裂】 衣 6 고교 **렬** 찢을 入屑

一 ア 歹 列 烈 烈 裂 裂 裂

자원 형성 衣 列음 ┤裂(衣부) 2500년전

「衣의」〈옷〉와, 음을 나타내는 동시에 베어 가르다의 뜻을 가진 「列렬」로 이루어짐. 옷을 베어 자르다의 뜻. 「列」이 째다란 뜻의 본디 글자. 나중에 「列」은 행렬의 뜻으로 쓰였으므로 「衣」를 더하여 「裂」자가 만들어졌음.

뜻 ①**찢을렬, 찢어질렬** 「破裂파열」 「車裂차열」 ②**자투리렬** 재단하고 남은 포백(布帛).

【裂開 열개】 찢기어 벌어짐. 또 찢어 벌림.

◉ 決裂결렬 龜裂균열 滅裂멸렬 分裂분열

12 【装】 衣 6 裝(衣部七畫)의 약자(略字).

七畫

12 【裕】 衣 7 고교 **유** 넉넉할 去遇

丶 ㇇ 衤 衤 衤 衸 衸 裕 裕

자원 형성 衣 谷음 ┤裕(衣부) 2500년전

「衤옷의변」과, 음과 함께 풍부하게 있다의 뜻(⇩有유)을 나타내기 위한 「谷곡」(유는 변음)으로 이루어지며, 의복(衣服)이 풍부하게 있다의 뜻. 전하여, 마음에 여유가 있는 것.

뜻 ①**넉넉할유** 유족함. 「餘裕여유」 「富裕부유」 ②**너그러울유** 관대함. 「寬裕관유」 ③**늘어질유**

【裕福 유복】 살림이 넉넉함.

12 【補】 衣 7 고교 **보** 기울 上麌

丶 ㇇ 衤 衤 衤 衤 補 補 補

자원 형성 衣 甫음 ┤補(衣부) 〔甫〕3000년전

음을 나타내는 「甫보」는 모종의 뿌리를 둘러 싼 모양. 「衣의」는 옷. 「補」는 옷이 해진 곳을 깁다→모자라는 것을 보태는 일. 또 돕다→관직(官職)에 임명함에도 씀.

뜻 ①기울보 ㉠옷을 기움。「補綴보철」 ㉡광구(匡救)함。 ②고칠보 수선함。 수리함。「補修보수」 ③도울보 보조함。「毗補비보」 ④보탤보 ㉠보충함。「補完보완」 ㉡유익하게 함。 ⑤맡길보 관직에 임명함。「補任보임」 ⑥보탬보 보조。 보충。 유익。

【補強 보강】 빈약한 일이나 물건을 기워 더 튼튼하게 함。

【補缺 보결】 궐(闕)난 곳을 채움。 관리(官吏)의 결원(缺員)을 다시 뽑아서 갈아채움。

【補給 보급】 뒷바라지로 대어줌。

【補償 보상】 남의 손해를 채워줌。

【補陽 보양】 양기(陽氣)를 도움。

【補完 보완】 보충하여 완전하게 함。

【補塡* 보전】 부족한 데를 채움。

【補助 보조】 ①도와줌。 ②백성의 곤궁을 구원함。

【補足 보족】 보태서 넉넉하게 함。

【補血 보혈】 몸의 피를 보충(補充)함。

◉試補시보 完補완보 增補증보 候補후보

12 【裡】 衣 7 裏(다음 글자)의 속자(俗字)。

13 【裏】 衣 7 고교 리 | 안 | ㊤紙

一 亠 亩 亩 重 重 裏

裏 (2500년전)

자원 형성 衣 里음 ┬裏(衣부)

「衣의」는 옷。 음을 나타내는 「里리」는 사람이 사는 마을。 여기서는 속→안이라는 뜻을 나타냄。

「裏」는 옷의 안。 바깥쪽이 되는 겉옷을 「表표」라고 하는 데 대하여 일컫는 말。 나중에 옷에 한하지 않고 물건의 속→안쪽이란 뜻으로 씀。

뜻 ①안리 ㉠의복의 안쪽。 ㉡모든 사물의 겉의 반대쪽。「裏面이면」 ②속리 내부。

주의 ①「裡」는 속자(俗字)。 ②「裹과」〈포장하다〉는 딴 글자。

13 【裝】 衣 7 고교 장 | 차릴 | ㊥陽

丨 丬 爿 爿 壯 壯 壯 裝 裝

자원 형성 衣 壯음 ┬裝(衣부) (2500년전)

「衣의」〈옷〉와、 음을 나타내는 동시에 더한다는 뜻(⇩尙상)을 가진 「壯장」으로 이루어짐。 옷을 입고 몸차림을 하다、 꾸민다는 뜻。

뜻 ①차릴장 ㉠옷을 차려 입음。「裝甲장갑」 ㉡길 떠날 준비를 차림。 ②꾸밀장 ㉠화장을 함。 ㉡수식함。 정돈함。 ③넣을장 속에 넣음。 포장(包藏)함。 ④차림장 옷차림。 길을 떠날 차림。 ⑤옷장 의복。

【裝具 장구】 화장 도구。

【裝飾 장식】 꾸밈。 치장(治粧)。

【裝置 장치】 ①차리어 둠。 ②만들어 둠。 ③기계(機械)의 설비(設備)。

◉軍裝군장 武裝무장 變裝변장 服裝복장

八畫

13 【裸】 衣 8 라 | 벌거숭이 | ㊤哿

자원 형성 果음 衣·衤┬裸(衣부)

「衣옷의변」과、 음을 나타내는 동시에 꾸밈없다의 뜻을 가진 「果과」(라는 변음)로 이루어짐。 꾸밈없음、 벌거숭이의 뜻。

뜻 ①벌거숭이라 나체。「赤裸裸적나라」 ②벌거벗을라 옷을 모두 벗음。

【裸麥 나맥】 쌀보리。

【裸葬 나장】 관(棺)을 쓰지 않고 시체를 염한 채 그대로 묻는 일。

【裸出 나출】 바깥에 드러남。 노출함。

13 【裾】 衣 8 거 ─ 자락 ─ ①㊥魚 ②㊤御

자원 형성 衣居음 衣-衤┬裾(衣부)

2500년전

「衤옷의변」에、음을 나타내고 동시에 펼쳐지다의 뜻(⇩倨거)을 나타내기 위한 「居거」를 더한 글자。 옷의 뒷자락의 뜻。

뜻 ①자락거 ㉠옷자락。 ㉡드리운 것의 끝。 ②거만할거 倨(人部八畫)과 통용。

주의 「裙군」〈치마〉은 딴글자。

14 【裳】 衣 8 고교 상 ─ 아랫도리옷 ─ ㊥陽

丶 丷 ⺍ 𫩏 尚 尚 堂 裳 裳

자원 형성 衣尙 ┬裳(衣부)

2500년전

「衣의」〈옷〉와、음을 나타내는 동시에 가로막는다는 뜻(⇩障장)을 나타내기 위한 「尙상」으로 이루어짐。 아랫도리를 가로막는 옷、 치맛자락。

뜻 아랫도리옷상 아랫도리에 입는 치마·바지 따위。 「衣」의 대(對)。

◉綠衣黃裳녹의황상 衣裳의상 紅裳홍상

14 【製】 衣 8 중학 제 ─ 지을 ─ ㊤霽

𠂉 𠂒 𠂔 制 制 製 製 製

자원 형성 衣制음 ┬製(衣부)

음을 나타내는 「制제」는 나무의 가지를 쳐서 다듬다→물건을 만드는 일。 「衣의」는 옷。 「製」는 옷을 만들다→물건을 만들다→만드는 일。 물건을 자르는 것과 물건을 만드는 것을 결부시켜 생각하였으므로、「初초」「制제」「製제」「創창」 따위는 「刀도‖刂칼도방」이 붙는 글자이며 만든다는 뜻을 나타내고 있음。

뜻 ①지을제 ㉠옷을 지음。 전(轉)하여、 의복。 ㉡의복등의 체재·양식。 ㉢시문 등을 지음。 전(轉)하여、 지은 시문。 「御製어제」「聖製성제」 ②만들제 물건을 만듦。 「製作제작」 ③모습제 용자(容姿)。 ④비옷제 우의(雨衣)。 우장。 ⑤갖옷제 가죽 옷。

【製作 제작】 물건(物件)을 만듦。

【製材 제재】 재목(材木)을 만듦。

【製造 제조】 물건(物件)을 만듦。

【製紙 제지】 종이를 만듦。

【製鐵 제철】 철광(鐵鑛)에서 쇠를 갈라내고 또는 쇠를 정제(精製)함。

【製革 제혁】 짐승의 가죽을 정제함。

◉官製관제 精製정제 調製조제 特製특제

九畫

14 【複】 衣 9 고교 복 ─ 겹칠 ─ ㊇屋

ㇷ 衤 衤 衤 衤 複

자원 형성 衣复음 衣-衤┬複(衣부)

음을 나타내는「复복」은 같은 일을 되풀이한다는 뜻을 나타냄。「衣의」는옷。「複」은 옷을 겹쳐입다↓사물(事物)이 겹쳐지는 일。

뜻 ①겹옷복 안을 댄 옷。②겹칠복 ㉠있는 위에 또 있음。「重複중복」㉡겹임。이중임。㉢하나가 아니고 둘 이상임。「複數복수」③겹복 둘 이상의 것。포개어진 것。

주의 「復복」〈다시〉·「腹복」〈배〉은 딴글자。

【複寫 복사】두 장 이상(以上)을 포개어 한번에 베끼는 일。

【複線 복선】단선(單線)에 대(對)하여 두 줄로 놓은 선로。

【複式 복식】①복잡한 방식。②복식부기(複式簿記)。③두 항(項)이상으로 된 셈의 방식。단식의 대(對)。

【複雜 복잡】사물의 갈피가 뒤섞여서 어수선함。

【複製 복제】①저작물·시화 등을 그 저자·필자 이외의 사람이 똑같이 만듦。②예전 판본(版本)을 다시 새김。

14 【褐】衣 9 갈 | 털옷 | 入曷 (2500년전)

자원 형성 曷음 衣-衤 褐(衣부)

「衤옷의변」에 음을 나타내는「曷갈」을 더한 글자。털옷의 뜻。

뜻 ①털옷갈 거친 털로 짠、천한 사람들이 입는 옷。②베옷갈 굵은 베로 만든 옷。③천인갈 미천한 사람。④다색갈 거무스름한 주황빛。

【褐炭 갈탄】석탄의 한 종류。흑갈색을 띤 것。

15 【褒】衣 9 ㊀포 ㊁부 | 기릴 | ㊀平豪 ㊁平尤

자원 형성 保음 衣 褒(衣부)

「衣의」〈옷〉와、음을 나타내며 동시(同時)에 넓다의 뜻(⇩滂방)을 가지는「保보」(포는 변음로)이루어지며 옷자락이 넓은 의복(衣服)。「褎」의 속자(俗字)。칭찬의 뜻으로 쓰이는 것은「稱칭」의 차용(借用)。

뜻 ㊀①기릴포 칭찬함。「褒美포미」②자락포 넓고 큰 옷자락。㊁모을부、모일부 裒(衣部七畫)과 통용。

【褒章 포장】기특한 행위가 있는 사람을 표창하여 주는 휘장(徽章)。

【褒貶 포폄】칭찬함과 폄론(貶論)함。

十一畫

16 【褸】衣 11 루 | 헌누더기 | 上麌 (2500년전)

자원 형성 婁음 衣-衤 褸(衣부)

「衤옷의변」과、음을 나타내는「婁루」로 이루어짐。

뜻 ①헌누더기루、해진옷루 옷이 해어짐。또 그 옷。「襤褸남루」②기울루 옷의 해어진 데를 기움。

十三畫

18 【襟】衣 13 금 | 깃 | 平侵

자원 형성 禁음 衣-衤 襟(衣부)

「衤옷의변」과、음을 나타내는 동시에

닫치다의 뜻(⇩襟금)을 나타내기 위한 「禁금」으로 이루어짐。 옷을 여민 데→옷깃의 뜻。 나아가、 가슴、 마음의 뜻을 나타냄。

[뜻] ①**깃금** 옷깃。「正襟정금」 ②**가슴금、마음금** 「胸襟흉금」

[주의] 「衿」·「紟」은 같은 글자。

【襟度 금도】 가슴 속。 도량(度量)。

十四畫

19 **【襤】** 衣14 **람** | 헌누더기 | [平]覃

[자원] 형성 衣 監[음] ┬ 襤(衣부)  2500년전

「衣옷의변」과、 음을 나타내는 「監감」(람은 변음)으로 이루어짐。

[뜻] **헌누더기람、해진옷람** 옷이 해짐。 또 그 옷。

【襤褸 남루】 헌누더기。

十六畫

22 **【襲】** 衣16 [고교] **습** | 엄습할 | [入]緝

亠 立 音 音 龍 龍 龍 龔 襲

[자원] 형성 衣 龍[음] ┬ 襲(衣부)  2500년전

「衣의」〈옷〉와、 음을 나타내는 「龍룡」(습은 변음)으로 이루어짐。 죽은 사람에게 입히는 옷。 두겹으로 입은 옷이란 데서 겹친다는 뜻이 됨。 전하여、 물려받다、 종전대로 따르다、 불의에 습격하다의 뜻으로 씀。

[뜻] ①**엄습할습** 불의에 습격을 함。 ②**물려받을습** 계승함。「世襲세습」 ③**인할습** 종전대로 따름。「因襲인습」 ④**입을습** 옷을 입음。 ⑤**들어갈습** 안으로 들어감。 ⑥**맞을습** 합치함。 ⑦**껴입을습** 옷을 두 가지 이상 입음。 ⑧**되풀이할습** 한 번 한 일을 다시 거듭함。 ⑨**벌습** 옷 한 벌。

【襲來 습래】 습격해 옴。

◉ 強襲강습 空襲공습 因襲인습 被襲피습

襾 部

6 **【襾】** 부수 **아** | 덮을 | [去]禡

[자원] 지사  2500년전

위에서 덮어씌워진 모양을 나타냄。 설문(說文)에 정해져 있는 부수(部首·덮을아밑)이지만 본래 이것을 부수로 하는 글자는 매우 적음。

[뜻] **덮을아** 덮어 가림。 엄폐(掩蔽)함。

6 **【西】** 襾0 [중학] **서** | 서녘 | [平]齊

一 丅 冂 丙 襾 西

[자원]  (A) 3000년전  (B) 2500년전  (C) 2000년전

「西」(부수는 「襾덮을아밑」)의 옛자형(字形)(A)(B)는 새의 둥지나 그와 비슷한 꼴을 나타냄。 그 옛 음이 「死사」〈사람이 없어지다〉나 「遷천」〈옮아가다〉과 관련이 있었기 때문에 「西」는 해가 지는 것을 나타내는 데 쓰여지고 해가 지는 방향→서녘의 뜻을 나타내게 되었음。 나중에 「西」의 자형을 새가 둥지에 있는 모양

〔六畫部首順〕 竹米糸缶网羊羽老而耒耳聿肉臣自至臼舌舛舟艮色艸虍虫血行衣襾

(C)로 잘못 보아 「西」는 저녁때 해가 서쪽에 기울어 새가 둥지에 돌아가는 것이라고 설명하게 되었음.

[뜻] ①서녘서 서쪽. 해가 지는 방위. 사시(四時)로는 가을, 십이지(十二支)로는 유(酉)에 해당함. 「東西동서」 ②서녘으로향할서 ㉠서쪽으로 향하여 감. ㉡서쪽으로 향하여. ③서양서 서양(西洋)의 약칭(略稱).

[주의] 「襾아」〈덮다〉는 딴 글자.

[참고] 「西」를 음으로 하는 글자=「栖서」〈깃들이다〉·「洒쇄」〈뿌리다〉·「晒쇄」〈쬐다〉·「迺내」〈곧〉

【西境 서경】 서쪽의 경계(境界).

【西瓜 서과】 수박.

【西敎 서교】 서양 전래의 종교. 특히 야소교(耶蘇敎).

【西歐 서구】 ①유럽 서부(西部)의 여러 나라. ②서양(西洋).

【西紀 서기】 서력(西曆) 기원(紀元).

【西都 서도】 주(周) 시대의 호경(鎬京). 서경(西京).

【西班 서반】 무관의 반열(班列).

【西半球 서반구】 지구의 서쪽 반(半).

【西班牙 서반아】 스페인. 이스파니아.

【西方淨土 서방정토】 서쪽 십만억토의 저쪽에 있다는 극락 세계.

【西山大師 서산대사】《韓》조선(朝鮮) 선조(宣祖) 때의 명승(名僧). 휴정대사(休靜大師)라고도 함. 임진왜란(壬辰倭亂) 때 의승병(義僧兵)을 지휘(指揮)하였음.

【西域 서역】 중앙 아세아 및 인도 지방의 일컬음.

【西人 서인】 ①서양인(西洋人). ②《韓》사색당파(四色黨派)의 하나로 선조(宣祖) 때의 심의겸(沈義謙)의 일파(一派). 뒤에 청서(淸西)·훈서(勳西)·소서(少西)·노서(老西)·노론(老論)·소론(少論)으로 시대(時代)에 따라 갈려 나갔음.

【西藏 서장】 티벳.

【西征 서정】 ①서쪽으로 감. ②해가 서쪽으로 진다는 뜻으로 사람의 죽음을 이름.

【西周 서주】 왕조(王朝)의 이름. 주(周)나라 무왕(武王)에서 유왕(幽王)까지.

【西哲 서철】 서양의 철인(哲人).

【西風 서풍】 서쪽에서 불어오는 바람. 전(轉)하여, 가을바람.

【西學 서학】 ①주대(周代)의 소학교(小學校). ②서양의 학문(學問). ③기독교(基督敎)의 별칭(別稱).

【西漢 서한】 전한(前漢)의 별칭.

【西海 서해】 서쪽에 있는 바다.

◉江西강서 關西관서 山西산서 城西성서

三畫

9 【要】 襾 3 要(다음 글자)의 약자(略字).

9 【要】 襾 3 [중학] 요 | 구할 | ①-⑬ [平]蕭 ⑭-⑰ [去]嘯

一 冂 襾 襾 覀 要 要

[자원] 상형

(A)
2500년 전
(B)
2000년 전

「要」는 사람의 허리를 나타내는 글자로서 「腰요」〈허리〉의 원자(原字)이며 글자 모양의 기원에 대하여는 여러 가지 설이 있음.

〔六畫部首順〕 竹米糸缶网羊羽老而耒耳聿肉臣自至臼舌舛舟艮色艸虍虫血行衣襾

(B)가 옛날의 본디글자인데 ㅂ은 등뼈、ㅅ은 두 다리、ㅕ은 허리뼈 또는 양손을 나타낸다고 하며 전체로서 허리에 양손을 걸치고 있는 모양 혹은 양손으로 허리띠를 매는 모양이라고 일컬음。나중에「要」로 쓰게 되었음。허리는 옷을 허리띠로 매는 곳이며、인체(人體)의 중앙(中央)에 있어 몸을 받치는 중요한 곳이라는 데서「要」를 요처(要處)・요약(要約)・필요(必要)・주요(主要) 따위의 뜻으로 쓰고、허리의 뜻으로는「要」에「肉육」(=月)을 더하여「腰」로 쓰게 되었음。

뜻 ①구할요 요구함。「要請요청」②요할요 필수(必須)로 함。「必要필요」③기다릴요 도중에서 기다려 막음。④으를요 협박함。⑤막을요 억지로 못하게 함。⑥언약할요 약속함。맹세함。「要約요약」「要結요결」⑦규찰할요 취조하여 규명함。⑧모을요 한데 합침。⑨반드시요 꼭。⑩요컨대요 대체(大體)로。요약하여 말하면。⑪허리요 腰(肉部九畫)와 같은 글자。⑫허리띠요 䙅(衣部九畫)와 통용。⑬요복요 오복(五服)의 하나。왕성(王城)에서 상거(相距)가 백리 되는 땅。⑭종요로울요 중요함。「要路요로」⑮대요요 중요로운 줄거리。⑯목요 중요한 곳。⑰회계요 금전의 계산。「要會요회」

참고「要」를 음으로 하는 글자=「喓요」〈벌레소리〉・「腰요」〈허리〉

【要綱 요강】중요한 강령(綱領)。

【要件 요건】①요긴(要緊)한 일。②긴요(緊要)한 조건。

【要訣 요결】종요로운 비결(祕訣)。요긴(要緊)한 뜻。

【要求 요구】달라고 청함。

【要緊 요긴】중요하고도 긴(緊)함。

【要談 요담】요긴한 말。

【要領 요령】①허리와 고개。곧 신체의 중요한 부분。②사물의 요점。

【要路 요로】①요해처(要害處)로 가는 길。목。②권력을 쥔 자리。추요(樞要)한 지위。

【要望 요망】꼭 그리하여 주기를 바람。

【要塞 요새】①국방상(國防上) 필요한 곳에 쌓은 성(城)。②변경(邊境)의 둔영(屯營)。

【要素 요소】사물(事物)의 필요불가결한 원소(元素)。

【要式 요식】반드시 좇아야 할 일정한 법식。

【要約 요약】①주요 대목을 추려냄。②단속함。③약속함。맹세함。

【要點 요점】중요한 점(點)。

【要地 요지】①중요한 곳。②요해처。③추요(樞要)한 지위。요로(要路)。

【要旨* 요지】중요한 뜻。

【要請 요청】요구하여 청함。억지로 청함。

【要港 요항】군사상 중요한 항구。

【要項 요항】중요한 사항。요긴한 사항。

【要害 요해】요해처(要害處)。

◉肝要간요 綱要강요 摘要적요 重要중요

四畫

【栗】⇩木部六畫

十二畫

18 【覆】襾 12 ㊀복 ㊁부 엎어질 ㊀㊅入屋 ㊁㊄去宥